The New Encyclopædia Britannica

in 32 Volumes

FOUNDED 1768
15TH EDITION

ENCYCLOPÆDIA
Britannica

Encyclopædia Britannica, Inc.
Jacob E. Safra, Chairman of the Board
Jorge Aguilar-Cauz, President

Chicago
London/New Delhi/Paris/Seoul
Sydney/Taipei/Tokyo

The information on this page refers to
The New Encyclopædia Britannica.

First Edition	1768 – 1771
Second Edition	1777 – 1784
Third Edition	1788 – 1797
Supplement	1801
Fourth Edition	1801 – 1809
Fifth Edition	1815
Sixth Edition	1820 – 1823
Supplement	1815 – 1824
Seventh Edition	1830 – 1842
Eighth Edition	1852 – 1860
Ninth Edition	1875 – 1889
Tenth Edition	1902 – 1903

Printed in U. S. A.

Library of Congress Control Number: 2006921233
International Standard Book Number-10: 1-59339-292-3
International Standard Book Number-13: 978-1-59339-292-5

Britannica may be accessed at http://www.britannica.com on the Internet.

不列颠百科全书

国际中文版

修订版

Encyclopædia Britannica
International Chinese Edition

10

中国大百科全书出版社

《不列颠百科全书》国际中文版

Leix(Ireland) 参阅**Laoighis** 莱伊什郡。

Leixões, Port of 莱雄角什港 葡萄牙北部和波尔图的主要港口，为坐落在大西洋海岸上的人工港。行政上属马托西纽什镇。原有码头设备建于1890年，20世纪30年代初及70年代初又相继扩建。主要输出葡萄酒。

Leizhou Bandao 雷州半岛 又作Lei-chou Pan-tao或Luichow Peninsula。中国广东省西南部伸入南海的半岛。隔琼州海峡与海南岛相望。南北长约140千米，东西宽约60～70千米，面积7 800多平方千米。主要为玄武岩组成的台地，台地上有若干火山丘，海拔大多在250米以下。沿海为海拔60米以下的台地和阶地。整个半岛地形起伏小，河流短促。大部地区为草地和灌木丛，土壤冲刷严重。中华人民共和国建立后，大力植树造林，1958年在廉江附近兴建鹤地水库，并修建经湛江郊区到海康的青年运河，促进农业发展。雷州半岛已成为剑麻主要产区和重要的热带作物、蔗糖生产基地。主要城市有湛江市，为中国南方重要港口。有铁路通往广西黎塘。

雷州半岛的防风林
中国大百科全书出版社供图

Lejeune, Louis-François, Baron 勒热纳(1775-02-03，大概在法国斯特拉斯堡～1848-02-29，图卢兹) 法国将军、油画家、石版画家。曾将石版画作为一种美术手段引进法国。参加过拿破仑战争的许多战役，其气势磅礴的战斗画主要是根据战场速写和习作制成。1806年转战到慕尼黑，访问了石版印画术的发明者A.逊纳菲尔德的作坊。勒热纳深感兴趣，在石版上绘成著名的《哥萨克骑兵》一画，并立即手印100幅，后将其中一幅献与拿破仑。1837年成为美术学院院长和图卢兹博物馆馆长。

lek 竞偶场 一个物种的两个或多个雄体进行求偶炫耀的共有场地。竞偶场行为见于某些昆虫、鸟类和兽类。雄体间有各种不同程度的相互作用，从彼此实际上没有相互关系直到紧密合作跳群体舞。雌体访问竞偶场只是为了选择配偶和进行交配，雌雄体间不形成持久的终身伴侣。

Lekain 列肯(1729-03-31，巴黎～1778-02-08，巴黎) 原名Henri-Louis Cain。法国演员。伏尔泰认为他是当时最伟大的悲剧演员。金饰工的儿子，但热衷于戏剧，经常进出法兰西喜剧院。1748年开始组织以自己为主角的业余演出。伏尔泰曾看过他的演出，虽印象很深，仍劝他放弃舞台生涯。在劝说无效的情况下，就亲自辅导他，并给予经济上的援助。1754年在法兰西喜剧院首次登台扮演伏尔泰的悲剧《布鲁图斯》中的泰特斯。虽然同时代人把他形容为一个矮小、丑陋和嗓音嘶哑的人，但他在舞台上克服了这些不足，成为一个极受观众欢迎的演员。他最大的成功是扮演伏尔泰剧作如《中国孤儿》等剧中的人物。1759年开办一所皇家戏剧艺术学校。他曾力图改革戏剧服装，在扮演拉辛《安德罗玛克》中的俄瑞斯忒时摒弃了那套传统的英雄服装，采用一种仿希腊式的服装。作为伏尔泰的弟子，他主张采用更现实主义的背景，取缔当时允许有特权的观众坐在舞台上看戏的习俗，这些主张都被广泛采纳。他的《回忆录》于1801年出版。

Lekhitic languages 莱克希特诸语言 Lekhitic又拼作Lechitic。西斯拉夫语支的分支，由波兰语、卡舒布语及其古代变体斯洛文斯语和已消亡的波拉布语组成。有时把波兰语除外，则被划为波美拉尼亚语分支。中世纪早期操这些语言的人被日耳曼化以前，波美拉尼亚诸语言和方言曾通行于波罗的海沿岸自维斯杜拉河下游至奥得河下游一带。卡舒布语与斯洛文斯语到20世纪还使用，20世纪70年代在波兰仍有相当数量的当地人操卡舒布语，而斯洛文斯语却仅限于少数家庭使用了。已消亡的波拉布语，其通行地区曾与德国东部的索布语方言区接壤，17或18世纪前易北河一带的斯拉夫居民使用它，现仅存一种词典及用该语言书写的零散语句。参阅**Polish language**。

lekythos 莱基托斯陶瓶 古代希腊陶器(**Greek pottery**)，长颈油瓶，用于浴室、演武场，也可作葬礼祭品。瓶身为长圆柱体，柱体向瓶底逐渐变细，线条优雅柔和，瓶颈细，颈部有一环状把手。瓶上装饰往往比雅典后期陶器更富有情感色彩。

公元前510年阿提卡的莱基托斯彩绘陶瓶
美国不列颠百科全书公司供图

Leland, Charles Godfrey 利兰(1824-08-15，费城～1903-03-20，佛罗伦萨) 美国诗人和杂文作家，他最著名的作品是《汉斯·布赖特曼歌谣》，再现了费城德国人(亦称宾夕法尼亚德国人)的方言和幽默。曾在德国留学两年，对德国文化发生浓厚兴趣。返回美国后攻读法律，后当律师。1853年转向新闻事业，为巴纳姆的《新闻画报》、费城《新闻晚报》和《名利场》工作多年。此后编辑《格雷厄姆杂志》，他的首批德文-英文诗歌《汉斯·布赖特曼的晚会》(1857)即在该刊发表。这些诗歌用德文和蹩脚的英文混合写成，最初发表于19世纪60和70年代，后来收入《布赖特曼歌谣》(新版，1895)。1869年利兰继承父亲的遗产后，专注于民间传说、神秘主义和神秘学的研究。1884年后大部时间居住在意大利和德国。

Leland, Henry Martyn 利兰(1843-02-16，美国佛蒙特丹维尔～1932-03-26，底特律) 美国工程师和制造商，以严格的精密度标准对汽车的发展作出了贡献。1890年到底特律，不久创办利兰和福尔科纳制造公司，制造汽车发动机。1903年他研制成卡迪拉克A型汽车。1908年卡迪拉克汽车的英国批发商在伦敦附近布鲁克兰兹的皇家汽车俱乐部检验室里生动地表演了利兰的精密生产方法。他们拆开3辆卡迪拉克汽车，把零件混合在一起，然后重新组装，每辆重装的汽车都顺利地进行了500英里的测试，终于为利兰赢得了杜瓦奖。1917年利兰辞去卡迪拉克公司总经理职务，创办林肯汽车公司，该公司后来被H.福特兼并。利兰的汽车革新包括采用V-8型发动机和电起动器。

Leland, John 利兰(约1506，伦敦～1552-04-18，伦敦) Leland又拼Leyland。英王亨利八世的特遣牧师和图书管理员。在一群著名的英国文物工作者当中，他是最早的一位。曾就学于圣保罗学校和剑桥大学基督学院(1522年获文学士学位)，后来又在牛津大学万灵学院和巴黎进行研究。他取得神职，1530年为亨利八世的特遣牧师和图书管理员。1533年专为他设立"国王文物收藏官"的特殊职位，授权他到各大教堂和隐修院的图书馆去搜寻有历史价值的手稿。可能是从1534年起，确定是从1536年起，直至1542年，他周游英格兰和威尔士，访求古代文物。他支持亨利八世的教会政策，由于他忠心耿耿，国王赐与他牛津郡哈塞利教区长的职位、牛津大学国王学院教士会成员的资格以及在索尔兹伯里的一份田产俸禄。但是他主要住在伦敦，1550年3月经检查确定为精神错乱，直至去世没有恢复正常理智。在漫游英格兰和威尔士之后，他向国王提出一个写作计划，这部书后来经过编辑加工，题名为《约翰·利兰的艰苦旅行和访求英国古代文物，敬献国王亨利八世作为新年的礼物》(1549)。他企图写一部《我国历史与文物》，记叙不列颠群岛及邻近岛屿的地理情况，并描述贵族阶级和各王宫。由于疾病和死亡，这些著作均告夭折。其大批手稿几经易手，1632年藏入牛津大学博德利图书馆，包括他的重要著作五卷本的《文物集成》(附有对各种文物的说明和各隐修院图书馆的手稿目录及他对英国著作家的记述)。同时,许多别的文物工作者都曾大量征引他的手稿内容,特别是对《新年的礼物》进行编辑加工的 J.贝尔。

Lelantine War 利兰丁战争 公元前8世纪末希腊哈尔基斯和埃雷特里亚两城市间因移民纠纷和贸易竞争而发生的战争。两城市(均在埃维亚岛)起先共同在意大利建立了库迈(约公元前750)。后两城失和,它们之间的战争使希腊世界分裂:萨摩斯、科林斯、色萨利,可能还有埃利色雷,加入哈尔基斯一方;而米利都、麦加拉,可能还有希俄斯,则加入埃雷特里亚一方。这次战争似乎是由整个希腊世界许许多多没有密切联系的小战斗组成的,但这些小战斗都没有决定性的全局性的结果。所以称为利兰丁战争,是由于哈尔基斯一方的色萨利骑兵在利兰丁取得了胜利。利兰丁是哈尔基斯和埃雷特里亚之间的一片平原。其他地方事件是分散的。在西方,科林斯人在克基拉(科孚)取代了埃雷特里亚移民;哈尔基季基人赶走了西西里莱昂蒂尼的麦加拉人;哈尔基斯占据墨西拿海峡两侧,并向西西里最富饶的农业地带移民;在东方,哈尔基斯的盟国萨摩斯遭到侵蚀。在埃维亚本岛,埃雷特里亚声誉日隆,它的盟邦米利都和麦加拉也繁荣起来,并向博斯普鲁斯最佳的地区移民。

Lelewel, Joachim 莱莱韦尔(1786-03-22,华沙～1861-05-29,巴黎) 波兰卓越的历史学家,被视为波兰现代史学思想的创立者之一。波兰化的德国家族的后裔。在波兰威尔诺大学完成学业后任助理教授,后取得欧洲史教授职位(1822～1824)。被俄国省长革职后,移居华沙,从事政治活动。1830～1831年起义失败后,徒步越过德国,到达巴黎。由于俄国大使的干涉,他被驱逐出法境,来到布鲁塞尔,开始用法文写作。著有20多卷波兰史和欧洲史,其中《中世纪古币学》(1835)、《中世纪地理学》(5卷,1852～1857)和《中世纪波兰》(4卷,1846～1851)都十分重要。

Leloir, Luis Federico 勒卢瓦尔(1906-09-06,巴黎～1987-12-02,阿根廷布宜诺斯艾利斯) 阿根廷生物化学家。因研究复杂碳水化合物分解成简单糖的过程而获1970年诺贝尔化学奖。曾在布宜诺斯艾利斯大学生理学研究所任职,1934～1935年在剑桥大学生物化学实验室工作,1937年回生理学研究所从事脂肪酸氧化的研究。1947年获得资金建立了布宜诺斯艾利斯生物化学研究所,开始研究人体中乳糖的生成和分解,结果发现了糖核苷酸(碳水化合物自然代谢过程的关键要素)。又研究糖原的形成与利用,并发现某些肝酶参与糖原自葡萄糖的合成。

Lelouch, Claude 勒卢赫(1937-10-30,巴黎～) 电影导演,以其华丽多彩的画面风格而闻名。他导演的《一个男人和一个女人》(1966)荣获戛纳电影节大奖,并获得最佳外语影片和最佳原作剧本两项奥斯卡金像奖。技艺高超的勒卢赫倾向于让演员根据剧本即兴表演,以提高他们的表演艺术和整个影片的艺术效果。出身于一个三代居住于阿尔及利亚的犹太商人家庭,13岁即以影片《世纪病》在戛纳业余电影节上获奖,但他到1956年才专事从影,1957～1960年期间在法国军队的电影部门工作。复员后在家庭的资助下拍摄了他的第一部故事片《人的本性》(1960),但不太成功。他成熟期的影片有《为生活而生活》(1967)、《我有了爱情》(1974)、《婚姻》(1974)、《这些人和那些人》(1981)、《波莱洛》(1982)。

Lely, Sir Peter 莱利(1618-10-14,威斯特伐利亚索斯特[德国]～1680-12-07,英格兰伦敦) 原名 Pieter van der Faes(法斯)。巴罗克肖像画家,为17世纪中期英国贵族作凡·戴克式肖像画而驰名。在荷兰哈勒姆学习。大约1643年到英格兰,得到宫廷庇护。善于鉴

莱利绘《克利夫兰女公爵》
美国不列颠百科全书公司供图

赏,以精致的艺术收藏闻名。英国共和时期已露头角,到王政复辟时期更加荣耀,最好的肖像画创于此时。通常认为群像是由他推广的,并使群像在英国肖像画传统中占有重要地位。在共和时期,他采取谨严的清教派风格,而在王政复辟时期,又迎合宫廷,以着色精巧著称。1679年被封爵位。

Lelystad 莱利斯塔德 荷兰中北部城市。夫莱福兰省省会(1986)。在东夫莱福兰德圩田内,临艾瑟尔湖。1957年建立,以须得海围垦工程设计者莱利(?～1929)名字命名。有小渔港,船只经运河可达阿姆斯特丹。四周农区产鲜花、苹果、谷物和奶牛。5个住宅区间隔有公园。外围有工业区。市西南有东法尔德尔湖水鸟保护区。人口约55 141(1984)。

Lem, Stanislaw 莱姆(1921-09-12,波兰罗乌[今乌克兰利沃夫]～2006-03-27,克拉科夫) 波兰科幻小说家。他在人文主义和对人类缺陷的绝望之间摇摆不定。作品已被译成35种以上语言。1940～1941年间在意大利医学院(今利沃夫医科大学)学医。第二次世界大战期间德军占领波兰后学业中断。1944年苏联重新占领该市后,得以继续学业。1946年开始,他的第一部长篇小说《火星使者》在波兰杂志《冒险新世界》上连载。1947～1950年间做科研助手,同时还发表诗歌、短篇小说和科学论文。一篇早期作品《整容医院》(1955)写于1948年,最初被新闻报刊审查部门查禁。两年后受一家出版商委托写一本科幻小说,于是就有了他第一部正式出版的作品《太空人》,从此成了专职作家。其作品可以分为两大类。第一类作品为传统的科幻小说,有科技进步、太空旅行和外部世界等方面的非常生动的幻想,如《伊甸》(1959)、《从外星球归来》(1961)、《索拉利斯星》(1961)、《立于不败之地》(1964)、《师傅的声音》(1968)和《飞行员皮尔克斯的故事》(1968)。第二类作品为隐晦的寓言式故事,如《星球日记》(1957)、《浴缸里发现的回忆录》(1961)和《赛博里亚德》(1965)。莱姆的声望主要来自《索拉列斯星》、《师傅的声音》和《赛博里亚德》三部作品。莱姆还写过评论文章,汇集在《科幻与未来学》(1970)等作品中。其中部分文章与其他文章被翻译出版,书名为《微观世界》(1984)。

Lemain Island(The Gambia) **莱曼岛** 参阅 **MacCarthy Island 麦卡锡岛**。

Lemaire de Belges, Jean 勒梅尔·德·贝尔热(约1473,埃诺巴伐[今在比利时]～约1525) 瓦隆诗人、历史学家和小册子作者。用法语写作,是诗歌修辞派中最后和最著名的修辞学家之一。此外,他还是法国和佛兰德文艺复兴时期人文主义者在文体和思想上的主要先驱。他生活漂泊不定,替一些亲王效过劳,但更多时候是在荷兰总督、奥地利的玛格丽特(1530年去世)的宫廷里工作,为她管理在马利纳的图书。勒梅尔的诗歌多半是纪念某个亲王的应景诗。曾游历意大利,对意大利的文化艳羡不已。他的《两种语言的协调》(1510年以后)企图把意大利文艺复兴的影响同法国的传统调和起来。他最大的作品是用散文写成的传奇《高卢的声誉与特洛伊的奇异》(约1510年),该书表现出丰富的想象力,以及现代人对古希腊罗马时代的赞赏。

Lemaître, Georges 勒梅特(1894-07-17,比利时沙勒罗瓦～1966-06-20,卢万) 比利时天文学家和宇宙学家。他提出现代大爆炸理论。该理论认为宇宙开始于一个小的原始“超原子”的灾变性爆炸。第一次世界大战期间,他作为土木工程师在比利时军队中任炮兵军官。战后进神学院并于1923年接受神职,担任司铎。1923～1924年间在剑桥大学太阳物理实验室学习,后到美国麻省理工学院学习,在那里他了解了美国天文学家E.P.哈勃的发现和H.沙普利有关宇宙膨胀的研究。在1927年任卢万大学天体物理学教授时,他提出宇宙大爆炸理论,用这一理论,星系的退行可在爱因斯坦广义相对论框架内得到解释。虽然宇宙膨胀模型已早有人提出过,荷兰天文学家W.德西特就是其中比较著名的一个,但经G.伽莫夫修改过的勒梅特理论在宇宙论中已居于主导地位。勒梅特还研究过宇宙线和三体问题,三体问题是用数学方法描述3个互相吸引的物体在空间中的运动。勒梅特的主要著作有《论宇宙演化》(1933)和《原始原子假说》(1946)。

Lemaître，(François-Élie-)Jules　勒梅特（1853-04-27，法国文纳西～1914-08-04，塔瓦尔）　法国评论家、小说家及剧作家。其文学评论之独特的个性和印象派风格至今令人不忘。他离开师范学院后，先后任教师及格

美国不列颠百科全书公司供图

勒诺布尔大学教授，随后辞职，专心写作。其第一篇论文（1894）论法国历史学家兼剧作家J.勒南，显示了独立思考及行文活泼的特点，成为长期从事戏剧和文学评论生涯的开端。他的评论文章原刊在《论辩报》，后被收在《当代作家论》（1885～1899：1～7册，1918：第8册）和《戏剧印象记》（1888～1898：1～10册，1920：第11册）中。勒梅特是评论性的教条主义和评论体系的敌人；他与同时代作家A.法朗士一样，强调对所论作品要有本人的富于人情的见解，这种见解只受知识和鉴赏水平的制约。他的文章虽已过时，仍值得一读，不但因为它们是当时作品的有价值的文献，而且由于文字写得妙趣横生、学识渊博和没有学究气。勒梅特其他著作有言辞犀利、有权威性的演讲集：其一是1907年出版的关于哲学家卢梭的讲演；其二是于1908年出版的关于法国悲剧作家J.拉辛的讲演；另一本出版于1910年，论作家与政治人物费奈隆；还有其他种种专题讲演集。他的剧作有《叛逆的女人》（1889）、《国王们》（1893）和《司库》（1904），成绩平平。他的最佳短篇小说集有《塞雷努斯》（1886）、《旧书页边》（1905～1907），后者是就古典文学或历史中人物所编的故事。

Léman，Lac（Europe）　**莱芒湖**　参阅**Geneva，Lake** 日内瓦湖。

Lemass，Sean F(rancis)　勒马斯（1899-07-15，都柏林～1971-05-11，都柏林）　爱尔兰爱国主义者、政治家，1959～1966年爱尔兰总理。早在16岁时就成为都柏林街头的一名为自由而斗争的战士，参加复活节起义（1916-04）和其他反英活动，一再被投入监狱。爱尔兰自由邦成立后，加入德瓦勒拉和其他拒不同意者的行列。1922年成为爱尔兰共和军司令部参谋班子的成员，1926年参与创建新党——替天行道士兵党（共和党）。1932年德瓦勒拉出任总理，在此后的27年里，有21年勒马斯担任德瓦勒拉各届内阁的部长职务，特别值得注意的是工商部长和随后担任副总理。1959年德瓦勒拉成为总统，勒马斯接任总理。任内国家采取更加外向的政策，特别是竭力要求同意爱尔兰进入欧洲经济共同体（共同市场）。1966年因病辞去党的领导职务，1969年退出政界。他去世后，爱尔兰于1973年成为共同市场成员国。

LeMay，Curtis E(merson)　李梅（1906-11-15，美国俄亥俄哥伦布～1990-10-01，加利福尼亚马奇空军基地）　美国空军军官，他在战略轰炸技术方面的才华在第二次世界大战中

美国空军部供图

及战后起到了重要的作用。李梅于1928年加入美国陆军航空队，到1942年晋升为轰炸机大队大队长。1942～1944年在同第8航空队从英国出动执行轰炸任务的过程中，因发展了先进的轰炸机战术，包括定型轰炸和箱形战斗编队而闻名。在印度和中国指挥B-29作战（1944）后，李梅于1945年1月担任了位于马里亚纳群岛的第21轰炸机部队的指挥官。在这一职位上，他制订计划并创造了燃烧弹低空轰炸战术，将东京部分地区和日本其他许多城市化为灰烬，以迫使日本在盟军原定年底登陆之前投降。战后，李梅指挥了美国驻欧洲的航空兵，在此期间他于1948年指挥了柏林空运。1948～1957年，他任美国战略空军司令，并将其建成一支全球打击力量。1951年晋升上将。1957年被任命为空军副参谋长，4年后任美国空军参谋长。1965年退休。1968年，他为第三党（美国独立党）的副总统候选人，总统候选人为G.C.华莱士。

Lemberg（Ukraine）　**伦贝格**　参阅**Lviv** 利沃夫。

Lemdiyya（Algeria）　参阅**Médéa** 麦迪亚。

Lemercier，Jacques　勒梅西埃（1585，法国蓬图瓦兹～1654-06-04，巴黎）　Lemercier亦作Le Mercier。法国建筑师，他与F.芒萨尔及L.勒沃一起奠定了法国的古典主义建筑。勒梅西埃出生于著名的营造业者家庭。1607～1614年曾在罗马生活多时，可能曾师从R.罗萨蒂学习建筑，罗萨蒂设计的卡蒂纳里圣卡洛教堂，后来成为勒梅西埃修建巴黎索邦神学院教堂时的参考样板。勒梅西埃在建成奥拉托利会（l'Oratoire）教堂（1616；原先由C.梅特佐开始修建）之后，被公认为法国古典主义建筑的新一代大师。法王路易十三委托他扩建以前由P.莱斯科设计的老罗浮宫的庭院，为此，他修建了钟楼和向北的毗连的双翼；上述建筑具有富丽的装饰及复杂的比例，为其最成功的作品之一。枢机主教C.de黎塞留不久成为其保护人，勒梅西埃为他建造了主教府，后来重新命名为巴黎皇宫（1629）。皇宫内的剧院为法国第一座专供上演戏剧用的建筑物之一。勒梅西埃还曾为黎塞留修建索邦神学院的教堂（始建于1626年），该教堂也许是在鼓形座上设置穹顶的第一座法国建筑。他为其保护人所从事的最宏大工程，是在安德尔-卢瓦尔省黎塞留封地上设计一座城堡及其周围的城镇（1631年开始修建，现已大部分毁坏）。1646年，勒梅西埃接替芒萨尔完成了后者设计的巴黎瓦尔·德·格拉斯隐修院教堂。他在教堂上添加的意大利风格穹顶的动人的外形，被世人誉为法国古典主义建筑的杰作，可与其索邦神学院教堂穹顶的内部装饰相提并论。勒梅西埃刚开始修建圣罗克教堂（1653）不久，即告别人世，该建筑乃是18世纪早期巴黎的主要教堂。

Lemercier，(Louise-Jean) Népomucène　勒默西埃（1771-04-21，巴黎～1840-06-07，巴黎）　法国诗人和剧作家。最后一批坚持古典悲剧、反对浪漫主义的剧作家之一，也是法

美国不列颠百科全书公司供图

国历史喜剧的创始人。一起意外事故使他终生半身不遂，然而并未使他气馁。他在文艺创作上颇为早熟，9岁即试写喜剧，16岁前所写的悲剧《梅莱阿格尔》曾在法兰西喜剧院上演。1795年创作的《革命的达尔杜弗》获得成功，轰动一时。由于其政治寓意颇为大胆，很快被禁演。正统悲剧《阿伽门农》（1794）可以说是勒默西埃最得意之作。《平托》（1800）是一出描述1640年葡萄牙革命的历史喜剧，独特之处在于试图从历史事件中剔除装饰和悲剧的高度严肃性，从而预示了斯克里布的非英雄化的写作方法。在莎士比亚式喜剧《克里斯托弗·哥伦布》（1809）以及模仿莎士比亚和N.罗作品的《理查三世和珍妮·肖尔》（1824）中，都体现了这种更具试验性的态度。虽然这些尝试都超过了古典手法的领域，但是他对浪漫主义作家丝毫没有好感，在法兰西学院（1820年当选为该院院士），他始终反对他们，甚至拒绝投雨果的票。在他的后期剧作中，最成功的要算《弗利德贡德和布律内奥》（1821），一出“正规”悲剧。此外，还写有一些富有哲理的叙事诗。他的作家名声，在逝世前已日渐低落。

Lemesós（Cyprus）　参阅**Limassol** 利马索尔。

lemming　旅鼠　啮齿目仓鼠科多种小型啮齿动物的统称，主要分布于北美和欧亚大陆的北温带和北极地区。有4个属：环颈旅鼠属（*Dicrostonyx*，环颈旅鼠或北极旅鼠）、旅鼠

属（*Lemmus*，"真"旅鼠）、林旅鼠属（*Myopus*，林旅鼠或红背旅鼠）及沼泽旅鼠属（*Synaptomys*，沼泽旅鼠）。旅鼠腿短，耳小，毛软而长，连短粗的尾全长10～18厘米。身体上侧为浅灰

夏季的环颈旅鼠（*Dicrostonyx groenlandicus*）
美国不列颠百科全书公司供图

色或浅红褐色，下侧颜色较浅。旧大陆的林旅鼠（*Myopus schisticolor*）背带红色。俄罗斯和加拿大北极地区的环颈旅鼠类背为黑色，脸部有条纹，但在冬天毛为全白。旅鼠以根、嫩枝、青草为食，居于地穴或岩缝。从春到秋均可繁殖，妊娠期20～22天，每产最多9仔。旅鼠以种群数量呈规律波动和作周期性的迁徙著称。对其种群"爆增"（旅鼠属每隔3～4年发生一次）的现象还不完全了解。影响种群爆增及迁徙的因素包括：上一次迁徙以及随之而来的种群减少后数量自然增殖、迁徙后由于旅鼠的减少而捕食旅鼠的食肉动物减少及出现适宜旅鼠繁殖的条件等。迁徙常发生在春天和秋天。经过数年适宜的繁殖条件及因掠食减少而死亡率降低之后，一个地区的旅鼠会从种群密集的中心沿可测知的路径迁徙。先成大群向外迁移，开始路线不定，并在夜色掩蔽下行动，以后敢于在白天行动。挪威旅鼠（欧旅鼠，*Lemmus lemmus*）的迁徙最惹人注目，许多个体可能溺毙在海水中。迁徙的原因未明，但主要因素似与栖息地的季节性变化有关。常沿着人或动物走出来的小径或大路，从一个中心地区向四面分散而走，常避免进入江河湖海游泳而尽可能寻找陆路通过，并不如传说那样故意投海进行自杀性的死亡行军。

Lemmon，Jack　莱蒙（1925-02-08，波士顿～2001-06-27，洛杉矶）　全名John Uhler Lemmon Ⅲ。美国电影与戏剧演员，以其在20世纪50年代以来的美国影片中对人物性格的刻画而闻名。1947年毕业于哈佛大学，后到纽约当演员。他当过钢琴师，演过广播剧和电视剧，1953年开始在百老汇登台。初上银幕是出演影片《活该如此》（1954），随后在《罗伯茨先生》（1955）中扮演恩赛因·普布弗一角，确立了他在好莱坞的地位。他主演的《有人喜欢热的》（1959）和《公寓》（1960）强化了他的角色类型：一个感情强烈、容易激动、备受挫折而痛苦地追求深刻理解外界的人。他60年代的主要影片有《酒和玫瑰的日子》（1962）、《占卜饼》（1966）和《古怪的一对》（1968）。70年代主演了《外市来客》（1970）、《救虎记》（1973）、《头版新闻》（1974）和《中国综合症》（1979）。80年代他在影片《失踪》（1982）中的表演最为著名。他因《罗伯茨先生》一片获奥斯卡最佳男配角奖，因《救虎记》一片获奥斯卡最佳男主角奖。

Lemnos　利姆诺斯　现代希腊语作Límnos。爱琴海中孤立的希腊岛屿。位于圣山（希腊大陆东北部）和土耳其海岸之间正中，属莱斯沃斯州。大部由火成岩构成。南、北各有一个深水湾。面积476平方千米。西部地势崎岖，无树木，但谷地和东部平原土地肥沃。西岸的米里纳为主要城镇和港口。第二大城镇穆兹罗斯濒临同名海湾，是爱琴海最优良天然港湾之一。岛上有机场。1931～1936年，东岸波利奥克尼发掘出4个相叠的古代遗迹，从上而下分别为一个青铜器时代早期居民点、一座铜器时代城市和两座新石器时代城市的遗迹。古城赫斐斯蒂亚附近发现有大片公元前8～前6世纪墓地。该岛公元前6世纪末被波斯将军征服。并先后受斯巴达、雅典、拜占廷、威尼斯、热那亚、土耳其统治。巴尔干战争（1912～1913）后加入希腊王国。古时候，利姆诺斯土被用于治疗蛇咬伤、创伤，16世纪用于治疗鼠疫。现该岛赫斐斯蒂亚附近每年举行象征性挖土活动。人口15 721（1981）。

lemon（*Citrus limon*）　**柠檬**　芸香科小乔木或枝条开展的灌木。不经修剪的植株可高达3～6米。幼叶带明显的红色，以后渐绿。有些品种的幼枝具棱；有的品种叶腋间有尖刺。

柠檬（*Citrus limon*）
美国不列颠百科全书公司供图

花大，芳香，单生或成小簇腋生；花蕾带红色，花瓣上部白色，下部红紫色。果实卵圆形，顶端有一个宽而矮的乳头状突起；8～10瓣；外果皮密布腺点，成熟时黄色，有些品种外果皮较厚；果皮内面（中果皮）白色，海绵状，近无味，是商业果胶的主要来源。种子小，卵球形，端尖；偶无籽。果肉味极酸。主要的酸是柠檬酸，占液汁总重量的5%以上。柠檬汁富含维生素C，并含小量维生素B，尤其是维生素B_1、B_2及烟酸。古希腊人及古罗马人可能不知道柠檬。柠檬于1000～1200年间引入西班牙和北非；十字军在巴勒斯坦发现柠檬后，柠檬进而分布至全欧。1494年开始在亚速尔群岛栽培并大量输入英格兰。林奈认为柠檬是枸橼（*Citrus medica*）的一个变种，但现认为是一个独立的种。从前主要的柠檬品种为里斯本（从澳大利亚引入）及尤里卡（源自栽种于加利福尼亚的一株籽苗树）。20世纪中叶后已育成对抗真菌性疾病及其他植物疾病的新品种，如耐霜里斯本及耐霜尤里卡。现在柠檬树在大部分热带及亚热带地区有限度地栽种。商业化种植的柠檬树通常用芽接繁殖，以甜橙、葡萄柚、橘、酸橙或橘柚等柑橘属植物实生苗为砧木，所需品种为接穗；这些植物品质均匀，不易受颈腐病和根腐病的侵染，比柠檬砧木好。气温凉爽稳定的意大利沿海和加利福尼亚沿海岸地区最适宜栽培柠檬。一般种植于果园，株距5～8米。通常周年开花，每年采收果实6～10次，供销售的成熟果直径约5厘米。果实一般未成熟就采收，处理后可贮藏3个月。栽种后第3年开始结果，第5年始产商品化果品。果园中平均每棵树年产1 500个果实。因为柠檬易碰伤，故收摘时要戴手套。小心处理可避免柠檬在贮存运输过程中患真菌病而受损失。摘下的柠檬在加工厂中按成熟度分等级，完全成熟的为黄色，需立即销售，青色的则贮藏到变黄为止。最大的生产国为美国和意大利，其次是西班牙、希腊、土耳其、阿根廷、黎巴嫩、智利、巴西、以色列、澳大利亚、突尼斯、南非、阿尔及利亚、塞浦路斯和葡萄牙。约50%柠檬运往鲜果市场。柠檬汁是多种有特色的糕点和餐后甜食（如水果馅饼和传统的美国柠檬蛋白甜馅饼）的原料。在世界各地都用柠檬独特的涩味来增添各种禽类菜、鱼类菜和素菜的风味。柠檬水由柠檬、糖和水制成，是温暖季节受人欢迎的饮料。柠檬汁常加入茶中。柠檬的重要副产品有柠檬酸（枸橼酸）、枸橼酸钙、柠檬油和果胶。柠檬油用于香水、肥皂和用以调味，配制柠檬油是西西里的一项重要产业。柠檬酸用于饮料生产。果胶长期以来是果子冻的重要原料；医药上用于治疗肠部疾患，作为止出血药、血浆膨胀剂等。

Lemon shark　柠檬鲨　真鲨科的一种鲨。参阅 **carcharhinid**。

lemon verbena（*Aloysia triphylla*，or *Lippia citriodora*）　**柠檬马鞭草**　即柠檬味过江藤。多年生热带灌木。原产阿根廷和智利，属马鞭草科。在炎热气候下可长到3米以上，也可作为盆栽植物，高约25厘米。叶子

柠檬马鞭草（*Aloysia triphylla*）
美国不列颠百科全书公司供图

狭长，黄绿色，富含芳香油，香气似柠檬，可用作甜味饮料的调味剂、装饰什锦水果杯和沙拉或用作果子冻和布丁的原料。其叶单独或与其他草类混合可制淳美的香草茶。也可用

于配制科隆香水和香囊。

LeMond, Greg 勒蒙（1961-06-26，美国加利福尼亚莱克伍德～ ） 全称 Gregory James LeMond。美国自行车运动员。赢得环法自行车赛的第一个非欧洲骑手。在其运动生涯中，三次（1986、1989、1990）赢得环法自行车赛，两次（1983、1989）赢得世界锦标赛公路赛。起初是为了减肥而骑自行车，由于显露出在这方面的才能，不久就参加初级比赛。1980年转入职业赛，加入法国雷诺车队。杰出的自行车运动员 B.愚诺一直和他一起骑，教他在最高级比赛中所必需的策略和保持顽强意志。在1984年的环法自行车赛中，勒蒙遵从伊诺的教导，获得第二名，也帮助伊诺第五次卫冕。第二年勒蒙超过伊诺，赢得环法自行车赛冠军。1987年在一次打猎事故中，勒蒙差点丧命。1989年又恢复到在环法自行车赛上的最佳状态，以8秒优势赢得冠军。第二年成为卫冕冠军。勒蒙在爬坡和计时赛上都很出色。1994年因病退出比赛。

Lemonnier, (Antoine-Louis-) Camille 勒蒙尼耶（1844-03-24，比利时布鲁塞尔附近伊克塞勒～1913-06-13，伊克塞勒） 小说家和艺术评论家，比利时19世纪法语文艺复兴运动的杰出人物之一。第一本著名长篇小说《男

布鲁塞尔皇家图书馆供图

人》（1881）深受左拉的自然主义的影响。《肉食者》（1886）描写了磨坊工人过的苦役般的生活。稍后的中期作品，转向心理分析，谴责了资产阶级的各种保守倾向。最后，他又重新转向自然主义。他的文体越趋精妙，但又不失为刚劲有力，因此许多人认为他的《上帝的小人儿》（1902）这本后期自然主义小说，是他的杰作。尽管他在作品中喜欢生造字眼和刻意求工，但他的许多长篇小说由于其中的心理洞察力，对自然的感受，以及对佛兰芒乡村的忠实描写，仍然值得一读。

Lemoyne, Jean-Baptiste 勒莫安（1704-02-15，法国巴黎～1778-05-25，巴黎） 法国雕刻家，以胸像作品取得重要地位。曾受教于其父 J.-L.勒莫安及 R.勒洛兰，后任路易十五的雕刻师。曾作国王肖像多件，包括大型立像和胸像，多毁于法国大革命中。曾作当时法国社会名流肖像，其中有伏尔泰（1748）、孟德斯鸠（1767）及蓬巴杜夫人（1761）等人的胸像。其作品风格以巴罗克为主，装饰方面则具有洛可可的典雅手法。许多著名的18世纪法国雕刻家如乌东、法尔康涅、毕加尔及卡菲埃里都曾师从于他。

Lempa River 伦帕河 中美洲河流。源出危地马拉的埃斯基普拉斯附近，经洪都拉斯的一隅流入萨尔瓦多，过萨尔瓦多北部山脉，折向东再转南越过南部山脉，注入太平洋。全长约320千米。萨尔瓦多最大和唯一可通航河流。北部流域有水力发电工程为萨尔瓦多大部分地区提供电力。南部流域发展农业。西沙尔麻为主要作物。

lemur 狐猴 除树鼩外所有较原始的灵长类的统称。在这个意义上该词不仅包括典型的狐猴，即狐猴科（Lemuridae）的种类，还包括**绒毛狐猴（avahi）**、**大狐猴（indri）**、**马达加**

环尾狐猴（*L. catta*）
美国不列颠百科全书公司供图

斯加狐猴（sifaka）、**指猴（aye-aye）**、**懒猴（loris）**、**树熊猴（potto）**和**婴猴（galago）**。所有这些动物的特征为吻端无毛而潮湿；下前牙梳状，指向前方；足部第2趾的甲似爪。典型的狐猴身体细长，仅分布于马达加斯加和科摩罗群岛。眼大，面部似狐，身体似猴，后肢长。狐猴的体长（不包括尾部）差异很大，矮狐猴体长约13厘米，真狐猴约60厘米。狐猴的尾部多毛蓬松，可较身体更长。绵状的被毛带红、灰、褐或黑色。有些种具不同的斑点或斑纹。狐猴处于进化中的较低等级，智力不及猴类。嗅觉灵敏，但无双眼视觉。性温顺，喜群居，有些种类10只或10多只聚集成群。多于夜间活动，日间睡眠。大部分时间生活于树上，食果实、叶、芽、昆虫、小鸟及鸟卵。有些种更喜食肉。妊娠期2～5个月，通常每胎一仔，幼仔先依附于其母腹部，长大一些以后再伏在其母背部。狐猴科共3属，约9种。典型的属为狐猴属（*Lemur*），最著名的种为环尾狐猴（*L. catta*），特点为栖于马达加斯加干燥、多岩石的地区，尾部有环状斑纹（其他狐猴的尾部为单色）。这是动物园里最常见的狐猴。本属另一种为黑狐猴（*L. macaco*），雄性为黑色，雌性为淡红褐色。狐猴科另一属为竹猴属（*Hapalemur*），其种类夜行性，性温顺，以竹为食。鼬狐猴单成一科——鼬狐猴科（Lepilemuridae）。鼠狐猴属（*Microcebus*）及矮狐猴属（*Cheirogaleus*）合成矮狐猴科（Cheirogaleidae）。鼠狐猴和矮狐猴将脂肪贮存于臀部及尾部，旱季夏眠。《红皮书》已将多种狐猴列为罕见种或濒危种。

狐猴首次出现于早始新世（5 780万年前至5 200万年前），但其起源可追溯到更早的古新世。这些早期的狐猴样动物为数不少，其化石见于北美及欧洲。**假熊猴属（Notharctus）**为始新世类型，因化石保存完整而著名。到始新世之末（3 660万年前）假熊猴及其亲缘类型从北半球消失。但狐猴仍生存于热带森林，尤其在马达加斯加数量繁多，在该处无更高级的灵长类与之竞争，因此得以相对自由地繁衍生息。

Lemures 游魂 又作 Larvae。古罗马宗教名词，指人死后的幽灵。据说形状怪异可怖，缠住在世亲属，伤害他们。每年5月9、11和13日举行仪式，称游魂祭，以安抚游魂并阻止他们返家。

Lena River 勒拿河 俄罗斯主要河流，世界最长河流之一。源出中亚贝加尔湖西部山区一小湖，北流纵贯俄罗斯，至其河口三角洲后注入拉普捷夫海，全长4 400千米。流域面积约249万平方千米。分上、中、下游三段，每段约1 450千米；自源头至维季姆河口为上游；自维季姆河口至阿尔丹河口为中游；阿尔丹河口至入海处为下游。上游切过深邃的峡谷，中游上段流过森林地带和小湖散布的水草地，河床渐宽而深，岸坡缓。中游下段流经陡峭起伏的峡窄谷底，是旅游和登山的胜地。下游流入雅库特低地，河床变宽，多低平草地。流域气候冬季严寒，1月平均气温为－30～－40 °C，7月为10～20 °C。因远离海洋，降水稀少，主要在夏季。年平均降水量不到50毫米。夏季流量大（尤其是暴发性洪水），冬季流量很小。年平均流量为16 400米^3/秒。有些河段的河床和漫滩为永冻冰覆盖。流域多分布有泰加林。北极附近下游有苔原。雅库特低地种植谷物和饲养家畜。煤和天然气丰富。还有金矿。雅库茨克是该流域许多工业中心中最大的城市。奥谢特罗沃是最重要的现代河港。

Lenard, Philipp 勒纳（1862-06-07，匈牙利普雷斯堡［今斯洛伐克布拉迪斯拉发］～1947-05-20，德国梅塞尔豪森） 德国物理学家，因研究阴极射线并发现了它的许多特性，

美国不列颠百科全书公司供图

获1905年诺贝尔物理学奖。他的成果对电子学和核物理学的发展有重要的启示。1893年任波恩大学讲师和H.赫兹的助手后，陆续任布雷斯劳大学（1894）、亚琛大学（1895）、海

德堡大学(1896)和基尔大学(1898)物理学教授。1907年他回到海德堡大学任物理学教授,一直到1931年退休。运用阴极射线穿过薄金属箔的发现,他制造了(1898)一种阴极射线管,装有铝窗,射线可以穿窗进入空气中,用一个荧光屏显示,随着屏管距离增大,射线的数量减少,一定距离后射线就完全停止。这些实验也证明,物质吸收射线的能力取决于它的密度而不是它的化学性质,吸收随射线速度的增加而减少。他在1899年的类似实验中,证明光线撞击金属面时产生阴极射线,这个现象后来叫做光电效应。此外,还研究紫外线、火焰的导电性以及磷光现象。他在阴极射线、相对论及其他有关方面有许多著作,其中包括《阴极射线》(1906);《德国物理学》共4卷(1936～1937)。作为一个纳粹主义的热心支持者,勒纳公开斥责"犹太式"科学,包括A.爱因斯坦的相对论。

Lenau, Nikolaus　莱瑙(1802-08-13,匈牙利恰陶德～1850-08-22,奥地利维也纳附近上多布林)　尼古劳斯·弗兰茨·尼姆伯施的笔名。奥地利诗人,以写哀伤的抒情诗著称。这些诗歌既反映了他那个时代的悲观情绪,也反映了他个人的绝望心情。曾攻读法律、医学和哲学,但均未能完成学业。1830年获得一笔遗产,得以专心写作。他常常到处奔波,又卷进一系列不幸的恋爱事件,加上1832～1833年在美国度过一年的灾难性的异乡生活,人生失意,处处与他的艺术理想相背,使他感到普遍失望。他无力把诗创作与现实生活两个不同领域分开,这既是他的心绪低沉之源,也是他的艺术之本。主要以短篇抒情诗获得声誉。早期诗歌收集在《诗集》(1832)和《新诗集》(1838)中,显示出浪漫主义时期那种与"悲世"密切相关的情绪,揭示了一种对大自然的个人的、近乎宗教的关系。后期诗歌,如《诗集》(1844)、宗教史诗《萨沃纳罗拉》(1837)和《阿尔比派信徒》(1842),反映了莱瑙一直不屈不挠地在爱情、自然和信仰中寻求秩序和坚贞,但终归徒劳。莱瑙的《浮士德》(1836)显然是从歌德的《浮士德》衍生而来,但是莱瑙的这部作品让浮士德面临一种缺乏任何绝对价值的荒谬绝伦的生活,莱瑙自己就感到处于同样的处境。他一生所患的精神病在1844年导致了他的彻底崩溃。他的叙事诗《唐璜》(1851)在他死后发表。

Lenbach, Franz von　伦巴赫(1836-12-13,巴伐利亚施罗本豪森[德国]～1904-05-06,德国慕尼黑)　19世纪晚期著名肖像画家,善于刻画人物性格特征。1857年成为皮洛蒂的学生,并随他到意大利旅行。1862年回到德国,任魏玛美术学院教授。1863～1868年为私人收藏家,尤其是沙克伯爵,临摹收藏在德国、意大利和西班牙的博物馆以及私人画廊中的前辈大师的作品。1868年以后主要从事肖像画创作。曾为皇帝威廉一世、瓦格纳和李斯特等人画过肖像。为俾斯麦所画的约80幅肖像尤为闻名。他在风格上吸取了提香、伦勃朗、委拉斯开兹和乔舒亚·雷诺兹的明暗法与色彩法。

Lenca　伦卡人　洪都拉斯和萨尔瓦多北部高地的印第安人,文化介于北面的马雅人和南面的诸如库纳人等加勒比沿岸诸民族之间。其原始文化几乎全已消亡,鲜为人知。据说以前每个村庄是自治的,由村长和议事会管理村庄土地和处理纠纷。现在,各村庄组织形式千差万别。大部分地区过去的阶级体系已经瓦解;有些村长虽仍是世袭的,其他的村长则是选举的。土地归村庄所有,分配给个人耕种,分配方法不一。玉米是主要谷物,也选种某些欧洲庄稼。手工艺有制陶和编筐,织布一行似已废弃。伦卡人深受其周围现代文化的影响,他们在名义上是天主教徒,但还保留很多传统的信仰和宗教活动。治病主要靠本村的萨满僧(巫医)。

Lenclos, Ninon de　朗克洛(1620,巴黎～1705-10-17,巴黎)　Lenclos又拼Lanclos。别名Anne de Lanclos。法国名妓。随父养成对伊壁鸠鲁哲学的持久兴趣。其父1632年因杀人逃离法国,她却留在巴黎并建起一个沙龙,吸引了许多文学界和政治界最知名的人物。她的情人包括昂德洛侯爵加斯帕尔德·科利尼和昂吉安公爵路易·德·波旁(后来以"大孔代"闻名),爱慕她的知识分子有剧作家

美国不列颠百科全书公司供图

莫里哀、诗人斯卡龙以及怀疑论者圣埃弗雷蒙。朗克洛一向持漠视宗教的态度,这使国王路易十四的母亲(奥地利的安娜)于1656年把她禁闭在一个隐修院里,但她的同情者很快作保使她获释。她在《雪了耻辱的妖娆女子》(1659)一书中,为自己的哲学和行为作了辩护。17世纪70年代,她受到斯卡龙遗孀的保护,此人后来成为路易十四的妻子(即曼特农夫人)。1671年她结束高级妓女生涯后举办的招待会不仅布置得时髦,而且非常体面。伏尔泰的父亲弗朗索瓦·阿鲁埃在她生命的最后岁月里,曾管理她所经营的业务。她在遗嘱中给年轻的伏尔泰留下了书费。

lend-lease　租借　美国在第二次世界大战期间向其盟国提供战争物资,如弹药、坦克、飞机与卡车,以及食品和其他物资的方式。1940年6月,罗斯福总统使美国承担了向反对法西斯主义的国家提供物资援助的义务,但根据当时美国法律,英国须以现金向美国支付其日益增加的武器采购。到1940年夏,英国新任首相丘吉尔提出警告说,他的国家以现金方式支付战争物资的时间已不能维持多久。为补救这一处境,罗斯福于1940年12月8日提出了"租借"这一概念,美国国会于1941年3月通过了他的《租借法》。这项立法授权总统援助任何一个他认为其防务对美国来说是至关重要的国家,并接受"以实物或财产,或总统认为满意的任何其他直接或间接利益"进行偿还。虽然租借的授权主要是为了援助英国,但到4月份已扩大到中国,11月份又扩大到苏联。受援国主要为英联邦各国(约63%)和苏联(约22%),虽然到战争结束时已有40多个国家接受了《租借法》提供的援助。援助的大部分,价值491亿美元,为无偿赠送。租借计划的部分费用则是用所谓反租借的方式加以抵消,按此方式,盟国对美国海外驻军提供了价值大约80亿美元的援助。

L'Enfant, Pierre-Charles　朗方(1754-08-02,法国巴黎～1825-06-14,美国马里兰乔治王子县)　法国出生的美国工程师、建筑师、都市设计师,绘制了美国首都华盛顿[哥伦比亚特区]的基本规划图。他从1771年起,在其父指导下,在皇家绘画雕刻学院学习。1776年志愿参加美国革命军。后来定居纽约,从事建筑业务。1787年,他将美国国会的旧市政厅改建成联邦大厅,在多立斯柱式上缀以星饰,以颂扬他所移居的新国家。美国国会决定把首都建在波托马克河畔后,华盛顿总统于1791年委托朗方制订城市规划方案。他的设计为一不规则长方路格的平面,另有斜行道路相连,重心位于国会大厦和总统府,道路交叉处有各种形状的广场,广场上设有雕像和喷泉。规划图吸收了欧洲若干城市的特点。由于他性格刚强不屈,为实现规划坚持拆迁有权势人物的豪宅,因此1792年被免职,但他的规划大体上并无更动。

Lenghu　冷湖　中国青海省海西蒙古族藏族自治州辖镇,新兴的石油工业城镇。位于柴达木盆地西北缘,当金山口西南。1959年初建,1960年设冷湖市,1964年改镇。面积2.1万平方千米。当金山口是柴达木盆地通往甘肃省西部及新疆维吾尔自治区的交通要隘。是20世纪50年代末柴达木盆地中新建的油田中心之一。有选油、炼油、发电、机修、制氧等工厂。公路西通茫崖,南达格尔木,东连西宁。人口21 000(2003)。

Lenglen, Suzanne　朗格朗(1899-05-24,法国贡比涅～1938-07-04,巴黎)　法国女子网球运动员。6次获温布尔登赛冠军。1919～1926年独霸世界女子业余草地网球比赛,1926年转为职业运动员。也是当时优秀的女子硬地网球运动员。所获主要草地网球冠军有:温布尔登单打(1919～1923、1925),女子双打(1919～1923、1925),混合双打(1920、1922、1925);法国女子单打(1920～1923、1925～1926),女子双打(1925～1926),混合双打(1925～1926)。1920年在比利时安特卫普奥运会上获单打和混合双打金牌。在世界硬地锦标赛上,4次(1914,1921～1923)获单打冠军,3次(1914,1921～1922)获双打冠军,3次(1921～1923)获混合双打冠军。

Lengshuijiang 冷水江 中国湖南省娄底市辖县级市。位于湘中偏西，资水中游。面积436平方千米。原属新化县一小山镇，1960年由新化县冷水区置市，1962年撤销，1969年复置。因连溪两岸多井，井水冰凉，故名。属半山半丘陵区，地形起伏较大。有丰富的锑、煤、石灰石、铁、铅、锌、钨、石墨、硫磺、铜、金、砷、重晶石、石膏等矿藏。锡矿山锑矿储量占世界总储量的1/2，有“世界锑都”之称。工业以煤炭、冶金、电力为主，兼有化工、建材、机械等。湘黔铁路经此，有7条厂矿铁路专线。资水四季通航，有公路干支线通往各地。北郊波月洞为旅游胜地。人口350 000（2005）。

冷水江工业区夜景

中国大百科全书出版社供图

Lenin “列宁”号 苏联1957年在列宁格勒（圣彼得堡）建造的大型破冰船，是世界上第一艘核动力水面船。船长134米，排水量16 000吨，在正常水域航速达18节（海里/时）。动力装置是3座核反应堆，两座用于航行，一座作为备用。尽管一次投资甚巨，但因它在非常恶劣的条件下巡航航程实际上不受限制，故核动力推进仍有很大优点。

“列宁”号核动力破冰船

美国不列颠百科全书公司供图

Lenin, Order of 列宁勋章 苏维埃社会主义共和国联盟的文职人员最高勋章，1930年由苏联中央执行委员会设立，颁发给个人、集体、机关或组织，以表扬他们在科研、艺术、技术和经济等领域所取得的优异成绩，或对国家重大问题的解决所做出的卓越贡献。勋章只有一个等级。“苏联英雄”及“社会主义劳动英雄”是当然的获奖者，但也可以颁发给致力于加强苏联与其他国家友好合作关系的外国人。勋章的结构是一个圆形的列宁肖像，外饰金质裸麦穗环，顶端有一红旗，旗上刻有列宁的姓氏。勋章的左边是一颗红星，底部有锤子和镰刀图案。

Lenin, Vladimir Ilich 列宁（1870-04-22，俄罗斯辛比尔斯克～1924-01-21，莫斯科附近哥尔克村） 战斗的马克思主义者，俄国共产党（布尔什维克）的缔造者，布尔什维克革命的鼓动者和领导者，苏维埃国家的设计者、建造者和第一任元首。他是被称为共产国际的组织的缔造者并在身后被奉为“列宁主义”学说的创始人，这个学说被列宁的继承者们立为法典并同马克思的著作结合而形成为马克思列宁主义，即共产主义的世界观。如果说布尔什维克革命如有些人所说的那样是20世纪最重大的政治事件，那么列宁无论如何应该算是20世纪最重要的政治领袖。不仅在苏联，甚至在许多非共产主义学者中，列宁也既被看作是历史上最伟大的革命领袖和革命政治家，又被看作是马克思以后最伟大的革命思想家。

美国不列颠百科全书公司供图

早年 *成长为革命者* 从他童年生活中很难发现促使他走上职业革命家道路的因素。他原名弗拉基米尔·伊里奇·乌里扬诺夫，流放西伯利亚后因进行党的秘密工作而于1901年改用假姓列宁。他出身于一个父母受过高等教育、有文化的和睦快乐的家庭，在手足六人中排行第三。母亲是医生的女儿，父亲虽是农奴的儿子，后来却成为学校教师并晋升为督学。列宁天资聪颖，体格健壮，并受到温暖的充满爱心的家庭的培养，自幼酷爱学习。他以全班最好的成绩从中学毕业。他的拉丁文和希腊文均极出色，当时看来他会成为一位古典文学方面的学者。16岁时，他除了转向无神论之外，还未显露出将来会成为一名造反者，更不要说是一名职业革命家了。但是，尽管受到理想的教养，乌里扬诺夫家的五个成年子女都参加了革命运动。这在沙皇俄国不足为奇，因为在那里甚至连受过高等教育和有文化的知识分子也没有基本的公民和政治权利。

青年时期的列宁遭受了两次打击，这无疑促使他走上革命道路。一是由于反动政府惧怕大众教育的传播，他的父亲受到提前退休的威胁，并在不久之后过早去世。二是他挚爱的大哥亚历山大、圣彼得堡大学学生，由于与一个革命恐怖团体一起密谋行刺沙皇亚历山大三世而被绞死。于是，17岁的列宁成为当时已被列为养育“叛国罪犯”的家庭中最年长的男子，幸而他母亲有养老金和遗产，使全家得免冻饿之虞，尽管她的子女经常遭到逮捕或流放。此外，列宁的中学校长（后来的临时政府首脑克伦斯基的父亲，这个临时政府后被列宁在1917年11月［旧历10月］所推翻）并没有歧视“罪犯”的家庭。由于他的大胆荐举，列宁得以顺利考入大学。

1887年秋，列宁进入帝国喀山大学（今国立喀山大学）法律系读书，但入学三个月即因参加一个非法学生大会而被除名，旋又被捕，从喀山流放到他祖父在科库什基诺村的庄园，他的姐姐安娜早先已被警方勒令居住该处。1888年秋，当局允准他返回喀山，但不准他回到喀山大学。在他被迫闲居期间，他结识了一些被流放的老一代革命者，并废寝忘食地阅读革命政治书籍，特别是马克思的《资本论》。1889年1月他成为马克思主义者。

建立革命政党 1889年5月乌里扬诺夫一家迁居萨马拉。经再三申请，列宁获准参加法律考试。1891年11月他通过了考试，各科成绩均为优异，毕业时名列前茅。在警方撤销对列宁的政治禁令后，他取得律师资格并于1892～1893年间在萨马拉执律师业，他的委托人主要是贫苦的农民和手艺人。律师工作的经历使他对法律制度的阶级偏见深恶痛绝，并终身对律师感到厌恶，包括那些自称社会民主主义者的律师在内。

但是律师工作对革命活动家来说是一种极为有用的掩护。1893年8月，列宁迁居圣彼得堡，他通过充当公众辩护律师结交了一些革命马克思主义者。1895年他被同志们派往国外与侨居西欧的俄国流亡者，特别是俄国最有影响的马克思主义思想家普列汉诺夫建立联系。同年回国后，列宁和其他马克思主义者，包括后来的孟什维克领袖马尔托夫一起，把首都的马克思主义小组统一为“工人阶级解放斗争协会”。“协会”散发代表工人利益的传单和声明，支持工人罢工并通过工人中受过教育的阶层传播马克思主义基本原理。1895年12月协会领导人被捕。列宁被监禁15个月，随后流放西伯利亚的舒申斯克村三年。在首都结识的未婚妻、协会会员克鲁普斯卡娅到流放地与他同住。他们在西伯利亚结婚，她成为他不可缺少的秘书和同志。他们在流放地进行党的秘密通讯，同时合作（合法地）把韦伯夫妇的《工业民主主义》一书译成俄文。

1900年1月流放期满后，列宁出国，克鲁普斯卡娅随后也到慕尼黑与他会合。他出国的第一件主要任务是会同普列汉诺夫、马尔托夫和三个其他编辑人出版《火星报》，以期通过该报把分散在俄国各地及西欧的俄国马克思主义团体联合为一个集中统一的社会民主党。

到参加《火星报》的工作时，列宁的著述集中于三个问题：第一，他写了许多传单，旨在动摇工人对沙皇的传统崇拜，向工人指明他们的恶劣处境部分地是沙皇支持资本家所造成的；第二，他抨击那些自命为马克思主义者的人极力主张社会民主党人和工人把精力集中在工资和工时问题上，而把当前的政治斗争交给资产阶级；第三，也是最重要的，是他自己着手研究农民问题。

当时，许多知识分子在接受马克思主义方面的主要障碍是他们坚信一个广泛传播的民粹派（马克思主义者之前的俄国激进派）观点，即马克思主义不适合于几乎不存在无产阶级的农民俄国。他们认为，由于农民土地为村社共有，俄国的资本主义是得不到发展的。这种观点首先在19世纪80年代受到普列汉诺夫的攻击。普列汉诺夫认为俄国已经进入资本主义阶段，工业的迅速增长就是证明。不管民粹主义者如何否认，俄国未来的主导力量是无产者而不是农民。普列汉诺夫把马克思主义原理运用于俄国社会的发展，认为俄国革命必须经历两个不同的阶段：第一阶段进行资产阶级革命，它将建立一个民主共和国和充分发展的资本主义；第二阶段是在成熟的资本主义产生了人数众多的无产阶级，使无产阶级具有高度的政治组织、社会主义觉悟和文化，足以使他们开创完全的社会主义之后，进行无产阶级革命。

这就是列宁在19世纪80年代后期读了普列汉诺夫的著作后所坚持的观点。但他几乎立即超越了他原先的老师，特别是在农民问题上。在1894年发表的批判民粹主义的文章中，列宁指出，他们即使实现了自己美妙的梦想，把全部土地分给农民公社，其结果也不是社会主义，而是由农业生产中的自由市场造成的资本主义。民粹主义者的“社会主义”将促进小规模资本主义的发展，所以民粹主义者不是社会主义者而是“小资产阶级民主主义者”。列宁的结论是：离开马克思主义（其最终目的是消灭市场体制和生产资料的个人所有），就不会有社会主义。

列宁早在流放西伯利亚期间就开始了对农民问题的调查研究，其最终成果是写出了《俄国资本主义的发展》（1899年公开出版）这一权威性著作。在该书中，列宁认为资本主义在迅速摧毁农民公社。农民阶级，以这个在民粹主义者看来是单一的社会阶级，实际上正在迅速分化为富裕的农村资产阶级即中等农民阶级，以及贫穷的农村“无产阶级和半无产阶级”。列宁认为后者即占农民半数的这个阶级，是俄国人数极少的工业无产阶级的同盟者。

《火星报》成功地把俄国知识分子吸引到马克思主义方面来，这使列宁和他的同志们看到，建立一个把国内外所有分散的马克思主义小组联合起来的革命的马克思主义政党的时机已经成熟。1898年在明斯克举行的不成功的第一次代表大会未能达到这个预期目的，因为大部分代表在大会之后不久被捕。第二次代表大会的组织委员会决定在1903年于布鲁塞尔召开大会，后迫于警方压力而转移到伦敦。大会共持续了将近三个星期，因为对所有细小的问题都进行了争论。不过大会很快就集中讨论主要问题，即党员条件和党的纪律，而最重要的问题是党和它所要代表的无产阶级的关系问题。

列宁在他的《怎么办?》（1902）一书中，完全否定了这样的观点，即资本主义驱使无产阶级自发地接受革命社会主义，党只需要在全国和国际范围内把无产阶级的各种团体的斗争协调起来。他认为，资本主义使工人容易接受社会主义，但并没有自然而然地使他们成为自觉的社会主义者。无产阶级在同资本家的日常斗争中依靠自身的努力能够具备“工联主义的意识”。但无产阶级如果没有党从外部向他们灌输社会主义思想，是不能依靠自身的努力认识到只有推翻资本主义、建立社会主义，他们才能赢得彻底的解放。

列宁在他的《怎么办?》和其他论述党的组织的著作中，提出了他最重要的新的政治观点之一，即党是“无产阶级先锋队”的理论。这个先锋队应当是具有高度纪律和集中的党，它坚持不懈地提高无产阶级的社会主义觉悟并且经常教导、领导和指导无产阶级，不断向它指出它的真正阶级利益之所在。

在第二次代表大会上，火星派发生了分歧，列宁在上述这个问题上成了少数派。尽管如此，他继续发挥了他的“新型政党”的观点——这个党必须以“民主集中制”为指导，实行绝对的党的纪律。党必须是围绕一个人数不多、思想一致、经验丰富的职业革命家的坚强核心组织起来的高度集中的队伍。这些革命家由党代表大会选入中央委员会，领导着得到无产阶级和所有反对沙皇制度的团体支持和同情的分布于各地的下级党组织。列宁说：“给我们一个革命家组织，我们就能把俄国翻转过来！”

列宁在其后20年间为建立这样的政党竭尽全力，尽管他的一些在创办《火星报》期间的最亲密的同志普列汉诺夫、马尔托夫和托洛茨基对他的观点进行激烈攻击。他们指责他关于党的组织和纪律的计划带有“雅各宾主义”倾向，压制党内自由争论，是对无产阶级实行专政而不是实行无产阶级的专政，并且最终建立个人专政。

列宁在党（当时已宣布为“俄国社会民主工党”[RSDWP]）的第二次代表大会的最初几次会议上是少数派。但是犹太社会民主党人小组（崩得）由于不满而退出大会，使列宁成为微弱的多数派。于是，列宁的偶然形成的多数派的成员就被称为布尔什维克（多数派），马尔托夫派被称为孟什维克（少数派）。这两派之间的斗争从未停止，尽管二者还处于同一个俄国社会民主工党内，承认同一个党纲。直到1912年，列宁在布拉格召开了布尔什维克党代表会议，从而使两派彻底分裂。

1905年革命和第一次世界大战的挑战

在1905年革命期间及革命以后，列宁与孟什维克的分歧更加尖锐，他在两个问题即革命中的阶级联盟和革命后政权的性质问题上具有完全独到的见解。

1905年1月革命爆发时，列宁正在国外瑞士，直到11月才回到俄国。他立即制定了一个新的策略。俄国社会民主工党的两派，即布尔什维克和孟什维克都遵循普列汉诺夫的观点，把革命分成两个阶段：第一阶段是资产阶级革命；第二阶段是无产阶级革命（见前所述）。但孟什维克主张，资产阶级革命必须由资产阶级领导，无产阶级必须成为它的同盟者，以进行民主革命。这将使自由派资产阶级掌握全部政权，俄国社会民主工党将充当反对党。列宁断然反对这种联盟和革命后的政权。他原来一直主张无产阶级需要赢得民主革命的“领导权”。现在他直截了当地宣布，无产阶级是革命的动力，它唯一可靠的同盟者是农民。他认为资产阶级是绝对反对革命的，它过于软弱，不能进行资产阶级革命。因此，与孟什维克不同，列宁从这时起就主张依靠同农民的联盟，以建立“无产阶级和农民的革命民主专政”。

同时，革命不需要停留在第一阶段即资产阶级革命阶段。如果俄国革命会促使西欧无产阶级进行在工业化的欧洲已经成熟的社会主义革命的话，那么俄国革命就可以顺利地直接转入第二阶段即社会主义革命阶段。这样，得到本国农村无产阶级和半无产阶级支持并得到建立了“无产阶级专政”取得胜利的西方工业无产阶级帮助的俄国无产阶级，就能缩短俄国资本主义的寿命。

1905年革命失败后，列宁与孟什维克之间的争论比以往更加激烈，重新联合的努力未获成功。但在列宁于1907～1917年间再度被迫流亡期间，他的政策不仅受到孟什维克而且受到自己这一派的严重挑战。由于沙皇政权采取镇压与适当改良相结合的策略，党员人数下降。已被削弱的党的队伍因策略上和哲学上的争论而分崩离析，因革命成功的幻想破灭而普遍陷于绝望。布尔什维克和孟什维克两派联合的种种尝试归于失败，这都归咎于列宁毫不让步地坚持必须采纳他的重新联合的条件。有一位反对列宁的孟什维克这样写道：“没有人像他那样一天24小时全神贯注于革命，他除了革命以外别的什么也不想，连在睡梦中也一心幻想革命。”列宁把革命置于党的统一之上，如果他认为统一会延缓而不是加速革命，他就决不接受这种妥协的统一。

为了对付内部分歧和孟什维克力量在国内的增长，竭力保持布尔什维克的团结，列宁于1912年在布拉格召开了布尔什维克党的代表会议，这次会议使俄国社会民主工党彻底分裂。列宁宣布布尔什维克是俄国社会民主工党，而孟什维克是分裂主义者。从此以后，两派拥有各自的中央委员会、各自的党的机构和报刊。

1914年8月战争爆发时，欧洲各国的社会党全都支持各自的政府，违背了第二国际在战前几次代表大会上作出的决议，这些决议曾要求各国社会党在本国政府把国家推向帝国主义战争时加以抵制，甚至把它推翻。

列宁从最初不相信对第二国际的这一

"背叛"清醒过来之后,宣布了一项政策,这一政策之鲁莽轻率,使他自己的布尔什维克同志们也大为吃惊。他把支持战争的社会党人称之为"社会沙文主义者",认为他们由于支持对参战双方来说都是帝国主义性质的战争而背叛了国际工人阶级的事业。他宣布第二国际已经死亡,呼吁建立一个新的、由真正革命的社会党组成的第三国际。更加迫切的是,革命的社会党人必须竭力"变帝国主义战争为国内战争"。工人的真正敌人不是敌方战壕里的工人,而是本国资本家。工人和士兵因此应当掉转枪口对准他们的统治者并摧毁把他们卷人帝国主义大屠杀的制度。在战争爆发后的头几个月,列宁的政策在俄国和其他国家几乎没有得到支持者。战争之初人们迸发出爱国热情,布尔什维克中不少人支持战争。列宁和他的一些最亲密的同志一时成为少数陷于孤立的逆流而进的人。

列宁于 1914 年 9 月到达中立国瑞士,与那里的一些反战的布尔什维克和孟什维克会合。战争实际上切断了他们同俄国以及其他国家持同样立场的社会党人的一切联系。但在 1915 年和 1916 年各国反战的社会党人设法在瑞士的齐美尔瓦尔德和昆塔尔分别召开了两次反战代表会议。在这两次会议上,列宁都未能说服他的同志们接受他的"变帝国主义战争为国内战争!"的口号。他们接受的是比较温和的方案:"立即实行没有兼并或者说不割地的和平和民族自决权。"这样,列宁的党在反战的社会党人中处于少数,而后者在国际社会主义运动中与主战的社会党人相比也处于少数。

列宁不屈不挠地继续反复宣传他对战争的观点,相信自己最终必将赢得决定性的支持。他在《帝国主义是资本主义的最高阶段》(1917)一书中,阐明:第一,战争的真正原因;第二,社会党人为何抛弃国际主义而选择爱国主义和支持战争;第三,为什么只有革命才能导致公正的民主的和平。

他写道:战争是由作为垄断金融资本产物的帝国主义的贪婪和扩张的本性引起的。19 世纪末,一小撮银行统治了先进国家。到 1914 年,它们已在各自的帝国中把世界其余各国置于自己直接或间接控制之下。积聚起大量"剩余"资本的大银行看到在殖民地和半殖民地投资能够获得超额利润,这就加剧了各大国争夺霸权的竞赛。到 1914 年,相互竞争的帝国主义集团不满于已有的瓜分世界的情况,就通过发动战争来重新瓜分世界,损害对方。因此,这场战争的起因和目的都是帝国主义性质的,理应受到真正的社会党人的谴责。

社会党和工联领导者纷纷支持各自的帝国主义政府,因为他们代表的是"工人贵族",即待遇较好的工人,他们得到了帝国主义者分给他们的一小部分来自殖民地的"超额利润"。被帝国主义者"收买"的"工人贵族"在帝国主义战争中站在他们的雇主一边,背叛了国内最受剥削的工人和殖民地中遭受超级剥削的劳动者。列宁认为,为吞并的欲望所驱使的帝国主义者,不会去达成一个公正的永久性的和平。只要存在帝国主义,未来战争就不可避免;只要存在资本主义,帝国主义就不可避免;只有在全世界推翻资本主义,才能终止帝国主义战争并防止将来爆发此种战争。1917 年在俄国初次发表的《帝国主义论》直至今日还被全世界的共产党人用来评价非共产主义世界的主要发展趋向。

俄国革命的领导权 到 1917 年时列宁党得似乎战争的结束遥遥无期,革命势头一落千丈。但在 3 月 8 ~ 15 日这个星期里,饥寒交迫的、厌战的彼得格勒(1914 年前称圣彼得堡)工人和士兵成功地废黜了沙皇。列宁及其最亲密的助手们在取得德国当局同意,允许他们取道德国到中立国瑞典后,急忙回到俄国。柏林当局希望反战的社会党人回到俄国能削弱俄国的作战能力。

第一次回到彼得格勒 1917 年 4 月 16 日,即在沙皇被迫退位一个月后,列宁回到彼得格勒,革命产生了由一些资产阶级自由派政党领导人组成的临时政府。该政府能够执掌政权只是由于得到彼得格勒苏维埃的同意,这是一个由首都各工厂选出的工人代表组成的机构。类似的工人代表苏维埃,以及士兵代表苏维埃和农民代表苏维埃在全国各大城镇相继成立。尽管彼得格勒苏维埃在 1917 年 3 月是得到革命工人和士兵承认的唯一政治权力机构,但它的领导人迅速把全部权力交给了临时政府。领导彼得格勒苏维埃的是由孟什维克和社会革命党或者说农民党组成的多数,这些领导人认为三月(旧历为二月)革命是资产阶级革命,因此新政权应当由资产阶级政党的领袖来领导。

回到俄国后,列宁使他这一派中接受临时政府领导的大多数同志大为震惊。列宁把这个政府称之为彻头彻尾的帝国主义政府,认为它不配得到社会党人的支持,不管它装得多么民主。它没有能力满足工人、士兵和农民最深切的愿望:立即实现和平和把土地分给农民。

只有苏维埃政府,即工人、士兵和农民的直接统治,才能实现这些要求。因此,他提出了"全部政权归苏维埃"的战斗口号,尽管布尔什维克在苏维埃中仍占少数,而占多数的孟什维克和社会革命党人又显然不愿行使这种权力,这就形成了列宁所谓的"两种政权并存"的时期。在"机会主义的"社会党人领导下,真正的权力机构苏维埃把权力拱手让给了临时政府这个名义上的权力机构。列宁告诫说,布尔什维克必须说服一时受"机会主义者"蒙蔽的工人、农民和士兵从临时政府手中为苏维埃夺回国家政权。这会成为第二次革命。但只要政府不镇压革命政党,这次革命能够和平地完成,因为临时政府只是经苏维埃的允许才得以存在。

起先,列宁的布尔什维克同道们以为他是因形势错综复杂而一时迷失方向,温和的社会党人则认为他在发疯。经过几个星期的耐心说服,列宁才使布尔什维克党中央委员会接受了他的观点。党的 4 月代表会议认可了他的纲领:党必须撤回对临时政府的支持并在苏维埃中赢得支持苏维埃政权的多数。苏维埃政府一旦建立,就应立即开始进行谈判,以实现包括一切战线在内的全面和平。苏维埃应立即无偿地没收地主土地,把全部土地收归国有并分配给农民。政府应对私有工业严加控制以有利于工人。

在 1917 年 3 ~ 9 月期间,布尔什维克在苏维埃中仍占少数。但到了秋季,临时政府(从 7 月起由温和的社会党人克伦斯基领导,他得到苏维埃中温和的社会党领导人的支持)已失去民众的支持。日益增加的厌战情绪以及经济上民穷财尽,使工人、农民和士兵忍无可忍,他们要求立即实行根本变革。列宁利用了民众愈来愈看穿克伦斯基既没有能力也没有愿望来完成革命这一情况。克伦斯基则提出,只有经自由选举产生的立宪会议才有权决定俄国的政治前途,但这必须等待秩序恢复之后。与此同时,列宁和党要求立即地刻不容缓地给予和平、土地和面包。布尔什维克的路线在工人、士兵和农民中赢得了愈来愈多的支持。在 9 月选举之后,布尔什维克在彼得格勒苏维埃和全国各大城镇的苏维埃中都成为多数。

决定夺取政权 列宁在 7 月份曾因被克伦斯基政府指控为"德国间谍"而转入地下,现在他判定,夺取政权的时机已经成熟。党必须立即开始准备武装起义,推翻临时政府,使国家政权转归现已由占多数的布尔什维克领导的苏维埃。

列宁决定建立苏维埃政权是因为他相信无产阶级革命必须打碎现存的国家机器,实行"无产阶级专政",即武装的工农的直接统治,它最终将归于"消亡",成为没有压迫、没有阶级、没有国家的共产主义社会。他在处于地下时所撰写的《国家与革命》这本小册中十分明确地阐述了这种观点。该书虽未写完并往往被贬斥为列宁最具"空想"色彩的著作,却是列宁夺取政权的理论出发点。

列宁写道,直到 1917 年,所有革命的社会党人还都理所当然地相信,议会制共和国既可为资本主义制度所用,也可为社会主义制度所用。但俄国革命产生了一种新的东西,产生了苏维埃。由工农兵创造并排除有产阶级的苏维埃,在民主方面远远超过最民主的议会,因为所有国家的议会实际上都把工人和农民排除在外。列宁认为,俄国在 1917 年 9 月初所面临的选择是,或者是要苏维埃共和国——无产的多数人的专政,或者是要议会共和国——有产的少数人的专政。

因此,列宁提出了"全部政权归苏维埃"的口号,尽管他在 1917 年春季还乐于承认革命的俄国是"所有交战国中最自由的国家"。列宁认为临时政府只不过是一种"资产阶级专政",它将使俄国继续进行帝国主义战争。而且,当它在 7 月指控布尔什维克的领袖们卖国时,已经变得公开反对革命了。

从 9 月末开始,流亡于芬兰的列宁写了许多文章和书信送往彼得格勒,极力敦促党中央委员会毫不迟延地组织武装起义,否则就会错过时机。但在将近一个月中,列宁的来自远方的极力催促并未取得成效。就像在 4 月那样,列宁再度在党内处于少数地位。他采取了孤注一掷的策略。

在 1917 年 10 月 20 日左右,列宁冒着很大的风险,化装秘密潜入彼得格勒,参加了布尔什维克中央委员会于 10 月 23 日晚举行的秘密会议。经过 10 小时的激烈争论,他终于赢得多数人赞成他的准备武装接管的主张。于是在彼得格勒苏维埃需要自卫的借口下,公开地着手争取陆海军士兵的支持和训练赤卫队(布尔什维克领导的工人民兵),以实行武装接管。但准备工作由于这一重大决定在中央委员会中遭到坚决反对而徘徊不前。托洛茨基完全赞同列宁的及时进行武装起义的主张,他利用自己新当选为彼得格勒苏维埃主席的重要地位,领导了起义的准备工作。这时隐蔽于彼得格勒的列宁担心起义继续被拖延,竭力敦促中央委员会确定及早举行起义的日期。11月6日晚,他给中央委员会委员们写信要求他们在当天晚上逮捕临时政府成员。列宁说,拖延等于"自取灭亡"。要让定于次日晚间召开的全俄苏维埃第二次代表大会面对既成事实。

11月7日和8日,布尔什维克领导的赤卫队和革命的陆海军士兵只遇到轻微的抵抗就推翻了临时政府,宣告国家政权已转归苏维埃。这时布尔什维克和他们在左派社会革命党人(同亲克伦斯基的社会革命党领导人决裂的持不同政见者)中的同盟者成为全俄苏维埃第二次代表大会的绝对多数。因此,代表们以压倒的优势投票决定接管全部政权,选举列宁为人民委员会即新的苏维埃政府的主席,并批准了他的和平法令和土地法令。一夜之间,列宁从一个东躲西藏的流亡者一跃而为世界上最大国家的革命政府首脑。他从青年时期起就为建造一个党,并使它赢得这样的胜利而献身,而今年届47岁的他和他的党胜利了。他承认"这会使人冲昏头脑"。但权力既没有使列宁陶醉,也没有使他害怕,反而使他头脑清醒。他沉着冷静地领导苏维埃巩固政权并进行和平谈判。

拯救革命 列宁在这两个方面都遇到了布尔什维克领导人内部的反对。他勉强同意了右翼吸收孟什维克和右派社会革命党参加联合政府的主张,但必须按照他所规定的条件。他们首先必须接受苏维埃形式的而不是议会形式的政府,他们拒绝了。只有左派社会革命党人表示同意,因而有几名左派社会革命党人参加了苏维埃政府。同样,在1918年1月召开的经自由选举产生的立宪会议上,占据多数的孟什维克和右派社会革命党人断然拒绝苏维埃制度。列宁立即下令驱散立宪会议。

协约国拒不承认苏维埃政府,因此苏维埃政府只好单独在布列斯特-立陶夫斯克城与同盟国(德国及其盟国奥匈帝国及土耳其)进行和谈。后者提出极苛刻的条件,它从苏维埃俄国夺走旧俄帝国的西部非俄罗斯族的领土。左派共产党人狂热地反对接受这些条件,鼓吹进行一场革命战争,即便这场战争危及苏维埃政府也在所不惜。列宁坚持要接受这些条件,无论它们多么苛刻和屈辱,否则他将辞去政府职务。他感到和平是人民最深切的愿望,而且俄国军队已成强弩之末,抵抗不住入侵的敌军。最后,1918年3月,在更大一部分旧俄领土被敌方割去之后,列宁终于使中央委员会接受了《布列斯特-立陶夫斯克和约》,俄国终于取得了和平。

但《布列斯特-立陶夫斯克和约》只是进一步加强了反革命势力及其支持者协约国推翻苏维埃政府的决心。1918年当列宁的政府拒付沙皇政府和临时政府所欠一切外债并把外国在俄国的财产无偿收归国有时,这种决心更加顽强。1918～1920年,俄国饱受内战之苦,千百万人死于非命,经济陷于崩溃状态。列宁本人也成为最早的受害者之一。1918年8月,当列宁在一个工厂发表讲演后离开时,一名刺客向列宁开枪,列宁被两发子弹射中。列宁由于体格健壮,迅速得到康复。

苏维埃面临的形势非常严峻。主要由前沙俄将领率领的反苏维埃势力,即所谓白军,为推翻红色政权而作殊死战。此外,协约国还在物质、金钱和援军诸方面对白军给以慷慨支持,因而使白军得以站稳脚跟。但是,白军最终还是被击败了。

苏维埃政府能在如此险恶的军事进攻下生存下来,主要是由于列宁领导有方。他建立了一支由托洛茨基指挥的工农红军,并在战略策略方面给以指导。尽管经济陷于崩溃,他却能动员足够的资源供养红军和产业工人。但首先还是他的政治领导拯救了苏维埃政权。他宣布的民族自决直至分离的权利,赢得了俄国境内非俄罗斯民族的积极支持,至少是善意的中立,因为白军不承认上述权利。的确,他在民族问题上明智而灵活的政策使苏维埃俄国避免了一场全面的分裂,保持住了一个庞大的多民族国家。他对产业工人在定量供应、住房、政治权利等方面给予优待,使他们成为新的特权阶层,从而得到了无产阶级的效忠。他维护农民无偿取得乡绅、教会、王室的全部土地的要求,赢得了农民的支持,没有这种支持政府就无法存在。

但由于经济遭到严重破坏,列宁对农民采取了一项可能使苏维埃政府垮台的政策。由于缺乏换取供养红军和城市所需粮食的资财和物品,列宁制定了无偿的余粮收集制。许多农民进行了抵制——至少在他们经历白军的"解放"之前。在白军占领的地区,白军把土地归还原主,残酷惩罚敢于夺取土地的农民。尽管农民厌恶苏维埃的余粮收集制,但当他们不得不在红军和白军之间二者择一时,他们还是选择了红军。

白军被击败后,农民不再需要进行这种选择。他们开始完全拒绝向政府交纳粮食。由于担心农民大规模举行叛乱,列宁号召实行退却。1921年3月,政府实行了新经济政策,从而结束了余粮收集制,允许农民在公开市场上出卖自己收割的粮食。这是朝向资本主义的局部后退。

从列宁一开始执掌政权起,他在国际关系方面就有两个长远目标:防止形成一条反苏维埃俄国的帝国主义联合战线;更重要的是促进国外的无产阶级革命。

他的第一个目标取得了很大成就。在1924年他去世后不久,苏维埃俄国得到了除美国以外的所有世界主要强国的法律上的承认。但他更大的希望即建立一个世界苏维埃共和国的愿望未能实现,苏维埃俄国处于敌对的资本主义包围下的孤立状态。

第三国际的成立 为了打破资本主义包围,他号召各国革命者建立共产党,它们将在所有国家仿效布尔什维克革命的榜样。为了突出他同改良主义的第二国际的决裂,他在1918年把俄国社会民主工党改名为俄国共产党(布尔什维克),并于1919年3月建立了共产国际即第三国际。这一国际只接收这样的党为成员,即它们必须把服从共产国际决定作为铁的纪律并同第二国际彻底决裂。总之,列宁这时把俄国共产党这个唯一完成了革命的政党树立为一切国家共产党的典范。这个政策的后果之一,就是在世界工人运动中造成两个国际的拥护者之间的分裂。

共产国际在殖民地世界取得了最大的成就。它支持殖民地和半殖民地人民的自决和独立权,从而为共产主义赢得很大同情。列宁在这一问题上的政策至今仍在全世界引起很大反响。这是又一个例子,说明列宁具有非凡的才能,他能够在以往革命者未能找到同盟军的地方找到这样的同盟者。通过支持民族解放运动,列宁宣布,当时生活在帝国主义统治下在世界人口中占绝大多数的人民,同欧洲无产阶级一样,是布尔什维克革命的天然同盟军。

可见列宁的革命天才不仅表现于他有分化敌人的能力,更重要的是他善于为人数不多的俄国无产阶级找到同盟军和朋友。第一,他把俄国农民争取到无产阶级一边。第二,他即便没能使西欧工人成功地进行共产主义革命,但他们做到迫使自己的政府减弱了对布尔什维克革命的武装干涉。第三,亚洲革命在他生前虽然刚刚发动起来,它们至少也加强了苏维埃国家共产党人的信念,相信自己在这个敌对的世界上并不孤立。

到1921年,列宁的政府已经击败了所有的反对党,因为它们在内战中反对或者不竭力支持苏维埃事业。现在,和平已经实现,列宁认为它们的反对立场比以往更加危险,因为农民、甚至工人阶级中很大一部分人都对苏维埃政权不满。为了镇压布尔什维克的反对者,列宁要求采取最严厉的措施,包括"公审"和判处死刑。此外,他还坚决主张在党内加强对持不同意见者的控制。列宁坚持无情打击反对布尔什维克专政者的主张,使后来的许多观察家得出这样一个结论:尽管他本人反对个人统治,上述主张却不自觉地为斯大林的独裁扫清了道路。

到1922年,列宁已经敏锐地意识到苏维埃制度和党的蜕化是俄国社会主义事业最大的危险。他感到党和苏维埃国家的机构表现出严重的官僚习气和无能。甚至由斯大林领导的一个负责提高管理工作效率的机构,其本身的效率事实上比政府其余部门还低。工农代表苏维埃已无任何实权,权力已转入中央手中。最大的干扰是布尔什维克领导人在重建国家时对非俄罗斯民族所表现的大俄罗斯沙文主义,斯大林在这方面起了主要作用。斯大林在1922年4月被任命为党的总书记,他利用这个地位迅速把大权集中在自己手中。在列宁的晚年,苏维埃俄国与他在《国家与革命》中所描绘的社会主义图景比较,已经相去甚远。列宁曾竭尽全力来扭转这些在他看来与社会主义格格不入的倾向,并试图把斯大林撤换下去。

患病和去世 可是,1922年春列宁开始身患重病。4月,他的医生从他颈部取出他在1918年8月遇刺时被射中的两颗子弹中的一颗。手术后他很快恢复,但一个月后又

患局部瘫痪症，不能讲话。6月，他的身体部分得到康复，又投身于苏维埃社会主义共和国联盟的建立，他是针对斯大林的中央集权制方案而提出这种联邦制度的。但当年12月他又一次身陷半瘫而不能工作。尽管他已经不再是国家和党的现行领导人，在1922年12月23日～1923年1月4日期间，他还是鼓起力量向秘书口授了后来被称为政治"遗嘱"的几篇有先见之明的文章，其中他对党在斯大林和托洛茨基这样不同的强有力人物领导下的巩固问题表示十分担忧。1923年3月10日，他又一次突然发病失语。他的政治活动至此终结。1924年1月21日晨，他再度发病，当晚在莫斯科近郊哥尔克村去世。

列宁在其政治生活的最后一年，为根除对他的社会主义理想的歪曲和权力的腐败进行了斗争，这可以说是他最伟大之处。假如他的寿命超过54岁，没有人能肯定苏联历史会不会完全是另一个样子。

Lenin Library 列宁图书馆 设在莫斯科的俄罗斯国家图书馆。它以丰富的早期印本和手稿收藏而著称，其中有古老的斯拉夫文手写本。它是1917年革命之后，在列宁领导

列宁图书馆的总阅览室
美国不列颠百科全书公司供图

下成立的，采取共同享有、计划分配、有组织地收集和公众参与的基本原则。最初的收藏中包括了一些被充公的私人藏书和鲁勉采夫博物馆的收藏。作为世界最大图书馆之一，目前国立列宁图书馆收藏有图书、期刊、连续出版物等共2 800万余册（其中图书1 100万余册）和手稿或抄本34.5万件。该馆征收所有在俄罗斯出版的新出版物。

Lenin Peak 列宁峰 旧称考夫曼山。吉尔吉斯斯坦和塔吉克斯坦边界上的外阿莱山脉最高峰（7 134米）。原以为是当时苏联境内的最高山峰，1932～1933年发现斯大林峰（1962年后称作共产主义峰）更高，1943年发现胜利峰也比它高，列宁峰被降到第三位。列宁峰为俄国探险家A.P.费琴科于1871年所发现。列宁峰陡峭的山侧有冰川覆盖。1928年苏联科学院首次帕米尔考察团成员、德国登山运动员首次从南坡攀登此峰。1934年苏联登山运动员首次从北坡攀登此峰。

Lenin Volga-Baltic Waterway 列宁伏尔加-波罗的海航道 参阅**Volga-Baltic Waterway** 伏尔加-波罗的海航道。

Leninabad 列宁纳巴德 参阅**Khudzhand** 苦盏。

Leninakan（Armenia） **列宁纳坎** 参阅**Kumayri** 库麦里。

Leningrad（city and *oblast*, Russia） **列宁格勒** 参阅**Saint Petersburg** 圣彼得堡。

Leningrad, Siege of 列宁格勒之围 又称围城900日。第二次世界大战期间，德国和芬兰的军队对苏联的列宁格勒市（圣彼得堡）进行的旷日持久的围攻。从1941年9月8日～1944年1月27日实际上持续了872日。1941年6月纳粹德国侵入苏联后，9月初德军从西部和南部向列宁格勒进逼，其芬兰盟军则向该城北部推进，到达卡累利阿地峡。此时列宁格勒所有身体健康的居民都被动员起来，沿城外四周构筑反坦克工事，以支援该城20万红军守军的作战。列宁格勒的防御立即稳固下来，但到11月初几乎完全被围。通往苏联内地的所有重要铁路和其他补给线均被切断。德军对该城的封锁和围困，仅1942年就使65万列宁格勒居民丧生，大多死于饥寒、疾病和远程火炮的轰击。少量食物和燃料的补给，在夏季由驳船、冬季由卡车和雪橇经拉多加湖水域运抵该城。这些补给在1942年使城中的兵工厂得以继续运转，也使200万市民得以勉强维生，与此同时，100多万儿童、病人和老人也得以撤离。到1943年，城内的大部分空地被辟为新菜园，饥饿线上的食物配给始告缓和。1943年初，苏军突破了德军的包围圈，使更多的补给品得以沿拉多加湖沿岸运抵列宁格勒。1944年1月，苏军发动反攻，将德军逐出市郊，围城遂告结束。1945年苏联政府将列宁勋章授予列宁格勒，1965年又授予"苏联英雄城市"的称号，以表彰该城市在历史上一次最艰巨、最值得纪念的围城战中所表现出的坚持到底的决心。

Leningrad Affair 列宁格勒事件（1948～1950） 1948年8月31日日丹诺夫突然死去以后，苏联共产党在列宁格勒党组织中进行的清党工作。这场清党波及到俄罗斯苏维埃联邦社会主义共和国领导集团，最后有几千名党的官员、管理人员和技术人员被处决和投入劳改营，其中大多数是日丹诺夫的同事和追随者。虽然发动这次清党的动机至今还不清楚，但可能这是马林科夫-贝利亚派与此时已群龙无首的日丹诺夫派之间权力斗争激化的结果。被处决者中有政治局委员、国家计委主任N.沃兹涅先斯基，负责国家安全机构的中央委员会书记A.库兹涅佐夫，列宁格勒党组织第一书记P.波普科夫，俄罗斯联邦部长会议主席M.罗季奥诺夫等要人。这次事件从未正式宣布，只是赫鲁晓夫在1956年2月向中央委员会作的秘密报告中提到过。据推测，斯大林本人不仅认可这一清洗，而且由于他对列宁格勒党组织内正在成长的年轻领导成员的偏执和多疑，实际上参与了此事。

Leninism 列宁主义 1917年俄国革命的杰出人物V.I.列宁所阐述的原理。列宁主义观念是对马克思主义的贡献或是败坏虽至今仍在辩论中，但这些观念对随后共产主义在苏联及其他地区的发展所产生的影响至关重要。马克思和恩格斯在《共产党宣言》中给共产党人下的定义是："世界各国工人政党中最先进和坚决、始终鼓舞大家前进的一部分。"这个观点是列宁主义思想的基础。列宁将共产党看做是非常坚定和有知识的一群精英，他们①根据马克思主义的原理科学地理解历史和社会；②致力于结束资本主义并代之以社会主义；③在取得政权后决心推进这一转变；④为取得政权而不惜采取一切可能的手段，必要时诉诸暴力和革命。在列宁的政治思想中，独裁主义倾向无处不在。列宁主义坚持在夺得政权后有必要建立"无产阶级专政"，这实际上并非由工人而是由共产党领导人来实行。列宁主义认为历史事件若听其自然发展，便不会得到预期的结果，即社会主义社会将无由产生。列宁担心工人会满足于通过工会活动所赢得的生活和工作条件的改善。在列宁看来，共产主义精英——"工人阶级的先锋队"——不仅是促使事件沿着不可避免的道路发展的催化剂，而且是必不可少的因素。列宁主义对社会主义社会无所约束的追求，导致把苏联建成为一个极权国家。如果说俄国落后的发展状态无法自然地导致社会主义，那么布尔什维克掌权后便通过立法使社会主义诞生，实行专制统治以镇压公众抵抗。这样，苏联的政治、经济、文化和精神生活的各个方面都由共产党以严格管制的方式加以控制，不能容忍有任何反对。社会主义社会的建设在共产党官员和老爷们的新的独裁统治下进行。马克思主义和列宁主义原本预期在无产阶级胜利后，被马克思描述为阶级统治机构的国家将因阶级斗争结束而"消亡"。但苏联的共产主义统治却使国家机器的权力剧增。

Leninist Communist League of Youth, All-Union 全苏列宁共产主义青年团 参阅**Komsomol** 苏联共青团。

Leninogorsk 列宁诺戈尔斯克 1941年前称里德尔（Ridder）。哈萨克斯坦东哈萨克斯坦州城市。位于阿尔泰山西南部，濒临乌尔巴河。1786年英国人P.里德尔在此发现了一个蕴藏金、银、铜和铅的小矿，1791年开始有计划的开采。现为重要的铅锌矿业中心，突（厥斯坦）—西（伯利亚）铁路由此经过。人口约69 500（1991）。

Lenin's Testament 列宁遗嘱 正式名称为《给代表大会的信》。列宁1922年12月23～26日和1923年1月4日口授并预备在下次共产党代表大会上宣读的文件，其中包括对改革苏联政治体制的若干指导性建议和对斯大林、托洛茨基、季诺维也夫、加米涅夫、布哈

林和皮达可夫的简明生动的评价。列宁中风后立下的这份遗嘱，建议把斯大林调离党的总书记的岗位。这份遗嘱有多种解释：列宁企图引导党选择他的接班人，或他想破坏他认为同事中想篡夺他权力的人所作的努力。他也可能想通过这封信在党的领袖中挑起互不信任的气氛以防止某一个人接他的班。遗嘱分两部分。在第一部分中建议扩大中央委员会；指出斯大林和托洛茨基之间的斗争是对中央委员会内部团结最严重的威胁。列宁说斯大林在运用自己的巨大权力时不谨慎；托洛茨基虽然极能干，但过分自负，过分迷恋于单纯的行政职务；布哈林是党内最杰出的理论家，尽管未能精通辩证法。遗嘱还告诫党不要因加米涅夫和季诺维也夫在1917年10月的行为（反对布尔什维克政变并公布了起义计划）再谴责他们。在第二部分中，列宁说斯大林不仅粗暴地镇压了格鲁吉亚持不同意见的人，而且谩骂列宁的妻子克鲁普斯卡娅。他"太粗暴"，建议代表大会考虑把他从总书记的位置上调开。遗嘱复制了几个副本并且密封起来，指定只能由列宁本人或在列宁死后由克鲁普斯卡娅启封。1924年3月，第13次党代表大会召开前几天，克鲁普斯卡娅把它送交中央委员会并指出列宁希望向代表大会宣读。但是，当时已由斯大林控制的中央委员会决定只向个别代表团而不向大会宣读这份遗嘱，并禁止出版或翻印。结果，在苏联内部根本不知道这份遗嘱的存在。随着斯大林权势的上升，它成了禁止谈论的话题，有关的全部资料失踪三十多年。不过这份遗嘱很快流出苏联。M.伊斯特曼曾获得其中的几段，在1925年出版的《列宁逝世以后》一书中引用。《纽约时报》间接地从克鲁普斯卡娅手里得到列宁的遗嘱，于1926年10月全文发表。苏共第20次代表大会（1956）上，赫鲁晓夫的秘密报告引用了列宁遗嘱中的一些段落，作为反斯大林运动的依据。

Leninsk-Kuznetsky　列宁斯克-库兹涅茨基　1925年前称科利丘吉诺（Kolchugino）。俄罗斯中部克麦罗沃州城市。濒临鄂毕河支流伊尼亚河。1912年一家法国公司开始在此采煤，30年代后迅速发展为大型采煤中心，市内也有矿井。现也生产化学品、采矿机械、电灯泡和木制品。人口约131 700（1993）。

Lenkoran　连科兰　又拼 Länkäran。阿塞拜疆城市。濒临里海。在巴库的西南偏南。首见记载于17世纪。18世纪曾为波斯塔雷什汗国首府。1728～1735年曾被俄罗斯占领，但1813年彻底归属俄罗斯。现为富饶的农业区中心。有制砖、家具、木材加工工厂。人口约45 400（1991）。

Lennep, Jacob van　伦内普（1802-03-24，荷兰阿姆斯特丹～1868-08-25，奥斯特贝克）　荷兰小说家、诗人，19世纪中叶的主要文学家。早年便开始写历史小说。第一部小说《养子》（1833）的背景是17世纪。这部小说和后来的一些作品一样，具有浓郁的冒险成分和复杂情节。《斐迪南·赫伊克历险记》（1840）这部小说用幽默和写实的笔调写成，情节曲折，很吸引人。他虽然是当时最受欢迎的荷兰作家，但在人物的塑造上并不成功，他的作品对现代读者很少有吸引力。他以法国小说为模式所写的《科拉舍·泽芬斯特历险记》（1865）并不成功。

Lenngren, Anna Maria　伦格伦（1754-06-18，瑞典乌普萨拉～1817-03-08，斯德哥尔摩）　瑞典女诗人。她的新古典主义的讽刺诗和田园诗显示出启蒙时代所特有的平衡和节制；诗作欢快优雅，至今仍为读者所爱读。18岁时开始发表诗作。1780年与卡尔·伦格伦结婚。卡尔是有影响的《斯德哥尔摩邮报》创办人之一，后任主编，她常为该报撰稿。她的最出色的诗篇创作于18世纪90年代；最著名的田园诗有《欢快的节日》（1796）和《男孩们》（1797）。讽刺诗以《肖像》（1796）和《女伯爵的来访》（1800）为最佳。她的诗作于1891年汇编成集。

Lenni Lenape（people）　**伦尼-莱纳佩人**　参阅 **Delaware** 特拉华人。

Lennoaceae　伦诺科　双子叶植物一个寄生植物科。3属4～6种。茎通常肉质，棒状，浅黄色或淡褐色。叶鳞片状，无叶绿素。以吸器伸入寄主根部获取养料。头状花序。墨西哥有伦诺属（*Lennoa*）2个典型种：土花（*L. madreporoides*）高度专性寄生，通常生长在肿柄菊属（*Tithonia*）的根上；茎高5～15厘米，卵形、蘑菇状，淡黄色或淡褐色；鳞叶广椭圆形至披针形；头状花序半球形，花小，星状，紫堇色，花冠喉部黄色；原产于墨西哥中南部海拔约1 500米的禾谷地。蓝花伦诺（*L. caerulea*）花蓝色，生长于墨西哥城和普埃布拉附近的高原。沙粮属（*Ammobroma*）和沙漠圣诞树属（*Pholisma*）产于北美西南部。

Lennox, Charles Lennox, 1st Duke of　伦诺克斯　参阅 **Richmond, Charles Lennox, 1st Duke of** 里奇蒙公爵（第一）。

Lennox, Charlotte　伦诺克斯（1720，美国纽约州纽约～1804-01-04，英国伦敦）　美国出生的英国女小说家。她的作品，尤其是《女吉诃德》（1752），受到当时文学界主要人物（如S.约翰逊和小说家H.菲尔丁、S.理查森）的赞赏。1735年离开纽约到伦敦，1748年在伦敦与伦诺克斯结婚。她首先对莎士比亚的原始资料作了比较研究，著有《莎士比亚诠释……》（1753～1754），写作时也许得到约翰逊的帮助。死于贫困。

美国不列颠百科全书公司供图

Lennox, Margaret Douglas, Countess of　伦诺克斯伯爵夫人（1515-10-08，英格兰诺森伯兰哈博特尔城堡～1578-03-07）　英格兰伊丽莎白女王在位初期著名阴谋家。第6代安格斯伯爵阿奇博尔德·道格拉斯之女，其母玛格丽特·都铎是英格兰国王亨利七世之女、苏格兰国王詹姆斯四世的遗孀。在英格兰宫廷中长大，与玛丽公主（即后来的玛丽一世女王）交往密切，终生为挚友。1544年与第4代伦诺克斯伯爵马修·斯图尔特结婚。1558年伊丽莎白一世即位后，她退隐到约克郡。她的家成为天主教徒策划阴谋的中心。她企图使自己一家得到英格兰和苏格兰两个王位的继承权，并以种种手段使自己的儿子达恩利勋爵亨利·斯图尔特与苏格兰女王玛丽·斯图亚特结婚。1566和1574年两次被关进伦敦塔，1577年获释后一贫如洗。其孙詹姆斯成为苏格兰国王詹姆斯六世，以后又成为英格兰国王詹姆斯一世。

Leno, Dan　利诺（1860-12-20，英格兰伦敦～1904-10-31，伦敦）　原名乔治·加尔万。英国大众喜爱的演员，被视为19世纪英国杂耍剧场鼎盛时期的第一流代表人物。1901年为国王爱德华七世作御前演出，成为第一个获得这种荣誉的杂耍剧场演员。出身于一个旅行表演者的家庭，4岁时就作为翻筋斗者和柔体表演者首次在舞台上露面。从1888年起到去世前，一直是伦敦特鲁里街剧院一年一度圣诞童话剧中的明星。其余时候则在全英国各杂耍剧场为场场满座的观众演出。他那令人难忘的、滑稽的漫画式动作，使他深受观众喜爱。其自传于1901年出版。

Lenoir, (Jean-Joseph-) Étienne　勒努瓦（1822-01-12，比利时米西城～1900-08-04，法国拉瓦雷讷-圣依莱尔）　比利时出生的发明家，成功地设计了第一台商用内燃机。他的发动机由双动式蒸汽机改装而成，装有滑阀以便导入空气-燃料混合气和排出废气。这是一种使用煤气和空气的混合气的二冲程发动机，虽然燃料利用率仅为4%，但工作稳定耐久。到1865年，法国已有400多台，英国有1 000台，用于抽水和印刷一类的低功率作业。1862年，他制成第一辆内燃机汽车，用液体燃料行驶10千米，历时2～3小时。他还发明了列车电动制动器（1855）、内燃机摩托艇（1886）和臭氧鞣制皮革法等。

Lenormand, Henri-René　勒诺尔芒（1882-05-03，法国巴黎～1951-02-16，巴黎）　法国戏剧家，第一次和第二次世界大战之间所盛行的下意识动机派中最重要的剧作家。作曲家之子，曾在巴黎大学受教育，一生中大部分时间用于为巴黎戏剧舞台写作。写过不少暴露人类命运的悲剧和含有内心情感冲突并略带幽暗情调的剧本。他对人类个性的剖析集中于下意识的本能和动机，大部分反映在反面人物角色上。他第一部探索人类命运悲剧的剧本为《时间就是梦幻》(1919)。最有名的剧本是《失败》(1920)，描绘一位剧作家和他的情人，一个二流女演员，肉体上和精神上的崩溃，他们在厄运的压迫下以谋杀和自杀的方式结束了自己的生命。为了阐释人类灵魂的冲突，勒诺尔芒常常为其人物选择一些不正常的或病态的心灵类型。为了塑造人物的内心斗争，他使用舞台场面，即利用舞台的一角来连续展现短小场景以表现人物内在性格的各个侧面。使用这种象征主义的舞台布景和效果是他许多剧作中的主要成分。他的剧本《西穆恩》(1920)描写堕落生活和热带气候对一个欧洲人的影响，此人对其成年女儿产生了乱伦情欲并为这种情欲所困扰。《懦夫》(1925)对一个即将去打仗的士兵身上产生的恐惧进行了心理研究。勒诺尔芒的《梦想的吃客》(1922)和《人与他的幽灵》(1924)为他赢得弗洛伊德式剧作家的声誉，因为这两出戏探索了恋母情结的复杂心理。其他剧本有《着了魔的人》(1909)、《邪恶的阴影》(1924)、《秘密的生活》(1929)和《亚洲》(1931)。勒诺尔芒的许多剧本均由导演兼舞台设计师G.比托叶夫和演员F.热米耶搬上舞台，在巴黎进行最佳首演。

Lenormand，Louis-Sebastien　勒诺尔芒(1757，法国～1839，法国)　公认的第一个跳降落伞的法国航空家。当然，他不是降落伞的发明者，古代中国就可能发明过降落伞，欧洲在中世纪时把它当作玩具。有关勒诺尔芒生平的资料很少，据说他第一次跳伞是从树顶上跳下来的。1783年12月他登上法国蒙彼利埃天文台的塔顶，用一具直径4.3米的降落伞跳下，安全着陆。显然他认为用这种装置可以在建筑物着火时逃生。

Lenormant，François　勒诺尔芒(1837-01-17，法国巴黎～1883-12-09，巴黎)　法国亚述学家及古钱币学家，曾解读楔形文字铭文，即今所称阿卡德语，对了解公元前3000年美索不达米亚文明提供了宝贵线索。14岁发表第一篇考古论文，后成为渊博学者。撰有《古钱币》(3卷，1873～1879)；《亚洲秘术》(1874～1875)；《根据圣经和东方传说论历史的起源》(1880～1882)。

Lenox　莱诺克斯　美国马萨诸塞州西部伯克希尔县城镇。在皮茨菲尔德之南，伯克希尔丘陵上。约1750年始建，1775年设建制。早期有铸铁、大理石加工和玻璃制造业。现为著名避暑胜地。是波士顿交响乐团和伯克希尔音乐节的暑期演出地。医疗、旅游和零售业占重要经济地位。19世纪成为文人聚居地，一度兴旺，N.霍桑、F.肯布尔、C.塞奇威克、H.W.比彻和E.沃顿等作家曾在此居住或访问。设有伯克希尔基督教学院(1897)。附近有十月山国家森林和普莱森特瓦利野生动物禁猎区。人口5 077(2000)。

Lenox，James　伦诺克斯(1800-08-19，美国纽约州纽约～1880-02-17，纽约市)　美国慈善家、图书收藏家的先驱。父为苏格兰富商，遗给他几百万美元和在纽约市的一些宝贵财产。1818年在哥伦比亚学院毕业，充当律师。毕生努力搜集珍本书籍、手稿和艺术品，并从事公共的和私人的慈善事业。特别感兴趣的是搜集《圣经》、有关南北美的书籍、发现新大陆的航海者的手记以及班扬、莎士比亚和弥尔顿等人著作的所有版本。这些藏书原来供学者们使用，但1870年也向群众开放了。1895年伦诺克斯图书馆(藏书约8.5万卷)、阿斯特图书馆和蒂尔登基金会合并，成立纽约公共图书馆。

Lens　朗斯　法国北部北加来海峡大区加来海峡省工业城镇。位于里尔西南偏南。是加来海峡省储煤盆地中主要城市中心，由列万、阿图瓦地区布律埃和埃南-列塔尔几个煤矿居民区组成。服务业和商业活跃，因而很适应于从工业经济到服务业经济的转变。第一次世界大战中完全被毁；第二次世界大战中又遭破坏。人口38 006(1982)。

lens　晶状体　无色、近乎透明的双凸结构，位于眼内虹膜后面，功能是将光线聚集到视网膜上。由特殊的细长细胞组成，无血液供应，所需营养物质来自水样液和玻璃体。其形状可因其周围睫状肌的舒张、收缩而改变，使眼能看清不同距离的物体。晶状体的调节能力随年龄的增长而逐渐衰退，故常常需要校正。晶状体混浊称为白内障，亦可随年龄的增长而出现，白内障唯一的治疗方法为手术摘除。

lens　透镜　用玻璃或其他透明材料制成的片状光学元件，用于使物体发出的光线聚焦成像。透镜通常为圆片，有两个磨光的表面，两者或其中之一是曲面，既可以是凸面，也可以是凹面。曲面几乎全是球面，即曲率半径为常量。透镜的可贵性质在于能使置于它前面的物体成像。单透镜用于眼镜、隐形眼镜、袖珍放大镜、投影聚光器、信号灯、取景器和简单方匣照相机。通常将一些由不同材料制成的透镜组合成为复合透镜，放在镜筒内以消除各种像差。复合透镜用于照相机、显微镜和望远镜等设备。透镜的聚焦效应是由于光在透镜中传播得比周围空气中慢，以致在光束进入透镜或从透镜出射到空气处，出现折射，即光束突然弯折。

单透镜有两个精确规则的共轴表面。两者都是曲面，或其中之一是曲面，另一为平面。透镜可按这两个表面分类为：双凸透镜(图1中a)，平-凸透镜(b)，凹-凸透镜(c，会聚新月形透镜)，双凹透镜(d)，平-凹透镜(e)，以及凸-凹透镜(f，发散新月形透镜)。由于透镜表面的曲率，入射光束中的不同光线以不同角度折射，从而使平行的入射光束会聚于一点，或者好像是从一个点发散开。这个点称为透镜的焦点或主焦点，如图1(下)所示。由物体反射或发射的光线经折射后形成物体的目视像。这个像可以是实像——即可照相或显示在光屏上；也可以是虚像——只能通过透镜窥视，如在显微镜中那样。像可以比物体大得多，也可以小得多，取决于透镜焦距(见图1)和透镜与物体间的

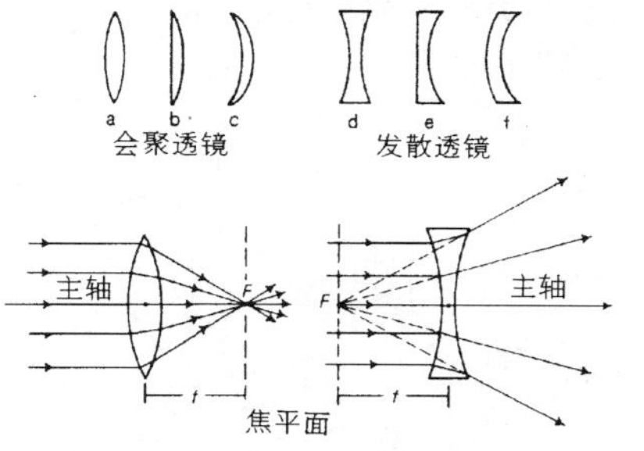

图1　各种透镜

(上)标准通用透镜的截面；(下)光通过会聚透镜与发散透镜时的折射，并图示出主轴、主焦点(或焦点)F、焦距f和焦平面

距离。透镜的焦距是透镜中心到远物成像处的距离。长焦距透镜为远物形成较大的像，而短焦距透镜形成较小的像。

在天文学、显微术、照相术等精密工作领域，单透镜的成像质量通常不合要求；这是因为远处物体上一点发射的锥形光束经透镜后并不结合为一个完善的点像，而形成一个小光斑。单个物点在透镜中成像的这个或其他固有的缺陷被称为各种像差。为了校正像差，常须将几个透镜元件(单透镜)组装在一个透镜框架中：这些元件中一些是凸透镜，另一些是凹透镜；一些由高折射率或高色散率的玻璃制成，另一些则由低折射率或低色散率的玻璃制成。这些透镜元件经过仔细计算再组装到一起以校正各单个透镜的像差(**aberration**)，从而获得符合要求的明晰影像。精密的装配还要保证使全部透镜严格地同心，即要使所有透镜曲面的曲率中心都在同一条直线即透镜的主轴上。一种常用的透镜系统品质的量度称为分辨本领，即对物体上非常紧靠的两点或两线能明晰分离或分辨的成像能力。分辨本领取决于透镜系统对各种像差的校正程度。

最简单的复合透镜是两个单透镜黏合成的薄透镜组，如用于小型折射望远镜中的物镜(最接近物体的透镜)。显微镜的物镜可以含有多到八九个光学元件，其中一些由不同材料制成，以使不同颜色的光会聚于一个公共焦点，从而消除色差。照相机的物镜由2～10个透镜组成，而一种可变焦距透镜有18或20个透镜元件，分成几组，可用杠杆或凸轮使它们沿轴挪动，达到所需要的焦距变化，而无需移动焦平面。透镜的孔径也变化很大，小到只有0.16厘米(如显微镜的物镜元件)，大到100厘米(如天文望远镜的物镜)。在反射望远镜和其他几种类型的天文望远镜中，则用凹面镜代替透镜作物镜。

在透镜的制作中，用玻璃锯或切割盘切割玻璃平板；将所需类型和形状的切片削成粗糙的圆形毛坯；或将那些玻璃片加热软化，碾成圆形，在模具内压制成所需形状，并近似所需的表面曲率。再以粗金刚砂、碳化硅或钻石为磨料，将表面研磨、抛光到最终形状。依次利用越来越细的一种上述磨料在铁制磨具上把透镜表面磨成平面或适用的曲面。在磨光过程中，转动杯状磨具的旋

转轴和透镜的轴相交于所磨球面的曲率中心C(见图2)。磨具轴的倾斜度必须调节到使其边缘切过所磨制的凹面透镜的中心。对于凸透镜,磨具转动面的中心则应切过镜

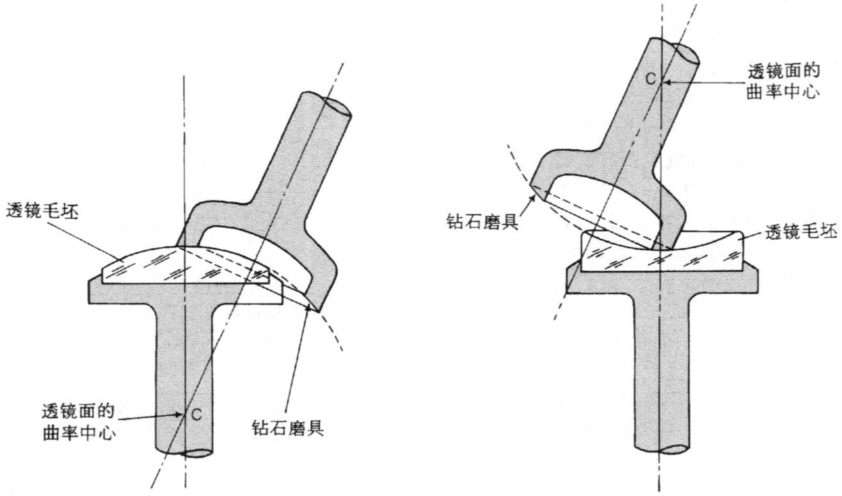

图2 曲面磨制器的剖面图
(左)磨凸面;(右)磨凹面

坯的边缘,当磨具和透镜分别绕它们的轴旋转时,就能在透镜上产生一个曲率半径合乎要求的球面。

细磨或精加工要用细致分级的金刚砂粉作研磨剂。把一些要细磨的镜坯以一定间距装在工作转台上,使它们能一起抛光。抛光

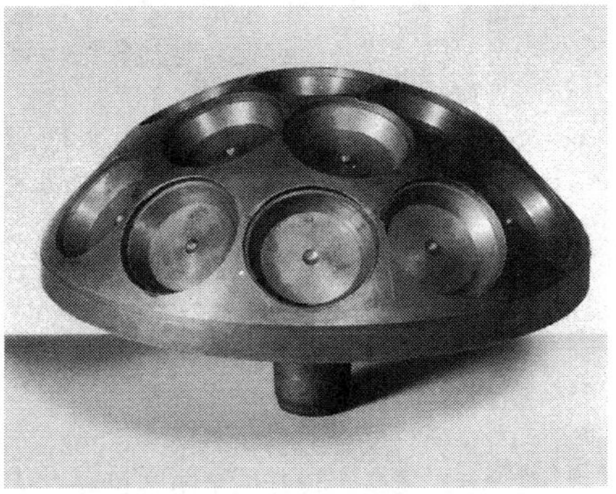

图3 同时精加工和抛光几个透镜的有凹座的工作台
美国不列颠百科全书公司供图

工具上涂覆一薄层沥青、蜡、甚至粗布,湿的铁丹或某些其他氧化矿物也可用作抛光剂。玻璃的抛光是个慢过程,需要透镜对转动的抛光工具作往复振动,有时要花几个小时。在透镜的两面都抛光后,还要磨镜的边缘,以矫正透镜中心和直径。如制作复合透镜,几个单透镜必须准确地同轴装配,它们的厚度、间距和中心位置必须很接近规定的数值,否则就不能实现像差校正。制得透镜的分辨本领可用点源或其他测试物体的成像来检定。已用光电管或干涉仪开发了精致多样的这类基本测试方法,以获得更高的测量精度。

lens dislocation　晶状体脱位　晶状体位置异常的一种眼科病。可为先天性或后天性,其直接原因为晶状体悬韧带脆弱或部分缺损。①先天性晶状体脱位。可见于约50%的马尔方氏综合征患儿,亦见于埃勒斯-当洛二氏综合征;处理一般为戴眼镜以矫正视力。②后天性晶状体脱位。常因打击(如拳击)造成;若脱位轻微且无并发症则一般无症状,不需治疗;严重脱位可损害视力,引起复视或高度远视;这种病例可能需要摘除晶状体。

Lent　大斋节　基督教会为准备耶稣复活节而斋戒悔罪的节期。西派教会大斋节始于耶稣复活节前6周半的圣灰星期三,节期禁食40天(不包括星期日),效法当年耶稣在旷野禁食。东派教会大斋节始于耶稣复活节前7周,节期禁食(不包括星期六和星期日)。在耶稣复活节前一段时间进行准备并禁食,这种习俗始于使徒时代,其时要求受洗礼入教的人进行准备,有罪之人进行悔罪。在公元最初几个世纪,斋戒规定严格,在东派教会目前仍然如此。斋期每天只许晚间一餐,不许食用肉、鱼、蛋和奶油。东派教会还禁食葡萄酒、油类食品和奶制品。在西方,斋规逐渐松弛。天主教会的严格斋规在第二次世界大战期间被扬弃,目前仅以圣灰星期三和耶稣受难节为斋戒日,但仍然强调悔罪。圣公会《公祷书》规定大斋节期间禁食。在信义宗和新教其他许多派别,大斋节期间有各种礼拜和习俗。

Lenthall, William　伦索尔(1591-06,英格兰牛津泰晤士河畔亨利～1662-09-03,牛津伯福德)　英格兰议会派人士,内战期间作为下院议长在议会派与王党的斗争中举足轻重。后

美国不列颠百科全书公司供图

与王党合作,获得政治上的机会主义者的名声。早年学习法律。1640年11月召开长期议会时当选为下院议长。1642年1月4日,国王查理一世亲自到下院逮捕5位反对派领袖,伦索尔拒绝说出他们的下落。内战时期支持议会一方,1647年长老派与独立派开始争夺权力,他支持独立派。但同时可能与保王派暗中勾搭。1654年护国政体召开第一次议会,他继续任议长。护国政体垮台后,他仍为复辟的长期议会的议长。1660年虽支持查理二世复辟,但以后被禁止担任公职。

lentil(species *Lens esculenta*)　**小扁豆**　豆科的一种矮小一年生植物,是最早栽培的食用植物之一。其种子可食,亦称小扁豆。起源不明,欧洲、亚洲和非洲北部普遍种植,西半球则少见。小扁豆含丰富蛋白质、维生素B、铁和磷。主要用以煮汤,茎叶用作饲料。株高15～45厘米,有许多向上生长的长分枝。复叶互生,有6对小叶和一枚顶生刺,小叶狭长圆形,长约1.5厘米。6月至7月初开花,淡蓝色,第2～4朵簇生叶腋。荚果长1.5～2厘米,宽长圆状,稍鼓起,含两粒种子,种子形如凸透镜,直径约4～6毫米。小扁豆有许多栽培品种,其叶、花、种子等的大小、被毛和颜色各不相同。种子亦可能稍扁平,色黄或灰至深褐色,有时色斑驳或有斑点。在瑞士比尔湖圣彼得岛青铜器时代的湖上住宅中就发现过小扁豆。犹太人祖先以扫用长子名分换到的红豆羹(《创世记》25:30～34)可能即用红色埃及小扁豆煮成。这种小扁豆的一些品种栽培于中东、非洲北部和欧洲(从地中海沿岸北至德国、荷兰和法国)。干小扁豆在埃及、叙利亚及其他中东国家有出售,被誉为长途旅行携带的最佳食品。

Lentini, Giacomo da(Italian poet)　**伦蒂尼**　参阅 **Giacomo da Lentini 贾科莫·达·伦蒂尼**。

Lentulus, Publius Cornelius　伦图卢斯(?～公元前63-12-05,罗马)　公元前63年喀提林密谋夺权的首领。公元前81年任苏拉的度支官。公元前74年任行政长官,71年任执政官。翌年因道德败坏被逐出元老院。公元前63年再度当选为行政长官。同年参加喀提林集团。当喀提林逃离罗马后,他成为留下的密谋分子的首领,计划刺死西塞罗和火烧罗马。后被阿洛布罗克斯使臣揭发。与同党全被处死。

Lentulus Crus, Lucius Cornelius　伦图卢斯·克鲁斯(?～公元前48-09-29,埃及)　罗马政治家,元老院反尤里乌斯·凯撒集团的首领。公元前58年任行政长官。公元前49年任执政官,反对接受凯撒提出的与元老院媾和的一切条件。同年爆发内战,他参加庞培的军队。次年庞培的军队在法萨卢斯败北。他逃往埃及后被刺身亡。

Lentulus Spinther, Publius Cornelius　伦图卢斯·斯平特(?～约公元前48)　罗马内战时期(公元前49～前45)庞培的主要支持者。公元前63年,出任市政官期间,协助西塞罗

平定了喀提林颠覆政府的密谋。公元前60年任行政长官,在凯撒支持下,公元前59年任西班牙总督,公元前57年任执政官,公元前56～前53年任西利西亚总督。虽然凯撒是他的恩公,但公元前49年内战爆发后,他却参加庞培的阵营。科菲尼乌姆战役中被俘,又获凯撒宽宥。但他后来再次投奔庞培。庞培在法萨卢斯大败后,他逃往罗得岛,但不久落入凯撒手中,被处死。

Lenya, Lotte　莲妮亚(1900-10-18,奥地利潘津～1981-11-27,纽约市)　奥地利演员兼歌唱家。她使丈夫、作曲家韦尔的很多歌曲得以流行一时,并常参加韦尔的音乐戏剧及其长期合作者布莱希特的剧作演出。1914～1920年曾在苏黎世学习芭蕾舞和戏剧,并且是苏黎世国家剧院芭蕾舞团成员。20年代在柏林演出莎士比亚剧目。1926年与韦尔结婚。1927年在“巴登-巴登戏剧节”中演出布莱希特和韦尔合作的、引起争议的剧作《小马哈哥尼》。在《三分钱歌剧》(1928)中她饰双角简妮和露西。又在韦尔的其他剧作如据《马哈哥尼》改编的大型歌剧《马哈哥尼城的兴衰》中饰主角(1930)。1933年逃出纳粹德国前往巴黎,并在巴黎演出布莱希特和韦尔专门为她创作的《七大罪孽》(1933)。后韦尔夫妇从巴黎迁居纽约市,她以在《永生的道路》(1937)中饰演米里亚姆开始在美国的演出。后退出剧坛多年以帮助韦尔作曲。1950年韦尔去世后,她重返剧坛。在整个20世纪50年代重演了上述各剧并在纪念韦尔的音乐会上演唱歌曲。在外百老汇重演的《三分钱歌剧》久演不衰,令人瞩目。还演出过《布莱希特论布莱希特》(1962)、《大胆妈妈和她的孩子们》(1965)及《卡巴莱》(1966)等剧。曾拍摄过《三分钱歌剧》(1930)、《斯通太太的罗马之春》(1960)等片,因在后者中的表演于1961年被提名为奥斯卡奖的候选人。另录制过大量唱片。还在电视上表演,并在德国和美国音乐会上演唱。

Lenz, Jakob Michael Reinhold　伦茨(1751-01-12,俄罗斯立窝尼亚塞斯威根～1792-05-24,莫斯科)　俄国出生的德国狂飚突进时期的诗人、剧作家。被认为是19世纪自然主义和20世纪表现主义戏剧的先驱。曾在柯尼斯堡大学攻读神学。1771年放弃学业,作为克莱斯特家两位年轻男爵的教师和陪伴,前往斯特拉斯堡,并与歌德结识,受到歌德和他周围的戏剧家的狂飙突进思想的强烈感染。古怪的教育喜剧《家庭教师》(1774)和他最优秀的剧作《士兵们》(1776)奠定了他的声誉。他的《戏剧杂论》(1774)概述了他的戏剧理论。这些杂论包含着他对古典规约的轻蔑,特别是对要求时间、地点一致的轻蔑,也包含着他对以绝对现实主义的手法刻画人物的追求。他抱着要与歌德并驾齐驱的雄心,模仿歌德的写作风格以及在斯特拉斯堡和魏玛的个人生活方式,反而使自己显得十分可笑。他的怪癖被人认为无伤大雅,使人开心,直到后来一篇没有分寸的讽刺诗文激怒了公爵,这位公爵便把他不光彩地逐出宫廷。他的余年是在颠沛流离,贫病交加,最后是在精神错乱的情况下度过的。

Lenz's law　楞次定律　电磁学中的陈述,指出感生电流流动的方向是阻碍引起感生电流的磁通量的变化。1834年由俄国物理学家H.F.E.楞次(1804～1865)推论出。例如,把条形永磁铁的一磁极插入线圈时,会在这线圈中感生电流;这电流又在线圈周围建立磁场,使这线圈成为一磁铁。楞次定律给出这感生电流的方向。因为同名磁极互相排斥,楞次定律说明:当条形磁铁的N极接近线圈时,则感生电流的流动方向是使线圈最靠近这条形磁铁N极一端本身成为N极,以阻止条形磁铁的靠近。当把条形磁铁从线圈中拉出时,则感生电流反向,线圈靠近磁铁的一端变为S极,对退出线圈的条形磁铁产生吸引力。因此,在把磁铁推入线圈和拉出线圈时,要克服感生电流的磁效应而作少量的功。由这功表示的少量能量显示为轻微的发热效应,这是由于感生电流在线圈材料中遇到电阻的缘故。楞次定律是对能量守恒普遍原理的支持。如果感生电流的方向相反,则其作用将是除了发热效应外还自发地把条形磁铁拉入线圈中,这就将违反能量守恒。

Leo　利奥　统治者之名,按国别和教皇系谱分列于后,并各以●为标记。

与此字相等之外语:

亚美尼亚语	Levon
希腊语	Leon
拉丁语	Leo

拜占廷帝国

● Leo I　利奥一世(?～474-02-03)　东罗马皇帝(457～474)。色雷斯人。早年从戎,投身阿斯帕尔将军麾下。457年2月7日被拥立为皇帝,阿斯帕尔原想利用利奥为傀儡,461年利奥不承认利比乌·塞维鲁为西罗马皇帝。6年后,他册立安提米乌斯为西罗马皇帝。468年东西罗马合兵攻打北非的汪达尔人,遭受惨败。据说利奥集结1 113艘战船,载运士兵达10万人。汪达尔人国王盖塞里克以智取胜,全歼了罗马帝国的舰队。利奥一世即位之初,阿斯帕尔在国内政策方面有相当的影响。为了摆脱阿斯帕尔的控制,利奥一世逐步依赖由南安纳托利亚山区的伊索里亚人组成的军队同阿斯帕尔的日耳曼人军队相抗衡,471年终于将阿斯帕尔推翻并予以杀害。473年10月利奥一世定其孙利奥二世为同朝皇帝和继承人。

● Leo II　利奥二世(?～474-11-10)　东罗马帝国皇帝。利奥一世之孙,芝诺之子。他的祖父病势日重时,感到必须指定一个继承人,但由于认为儿子芝诺是伊索里亚人,不孚众望,就决定册立当时5岁(或6岁)的孙子为同朝皇帝,先称凯撒,后称奥古斯都。利奥二世在祖父死(474-02-03)后成为皇帝,便立其父为同朝皇帝(474-02-09),但他几个月后便夭折,把帝位留给芝诺。

● Leo III　利奥三世(约675至680,叙利亚科马吉尼盖马尼恰～741-06-18,君士坦丁堡)　绰号伊索里亚人利奥。拜占廷皇帝(717～741),伊索里亚或叙利亚王朝的创建者,曾成功地抵御阿拉伯人的入侵,但因禁止使用圣像引起举国冲突。少年时随父母迁居色雷斯的梅森布里亚。705年因支持查士丁尼二世复位而成为皇帝侍从。不过皇帝很快就对他生了疑心,因此派他到遥远的东部边境执行一项危险任务,想使他有去无回。然而,利奥却设法保住了自己的性命。阿纳斯塔修斯二世时代,他终于被任命为安纳托利亚军区司令官。715年狄奥多西三世夺取帝位后,利奥联合亚美尼亚军区司令官阿塔瓦斯多斯,拒不承认新帝。在阿拉伯人的支持下他进军君士坦丁堡,废黜了懦弱无能的狄奥多西三世,于717年3月25日自立为皇帝。登基后立即组织君士坦丁堡的防务,采取巧妙防御方法,使感到受骗的阿拉伯人围困君士坦丁堡一年而未能得逞,从而遏阻了阿拉伯人建立桥头堡以向东南欧的扩张。他还镇压了西西里的叛乱,粉碎复辟前皇的军事阴谋。通过子女联姻与阿塔瓦斯多斯(帝国的重要权臣)结盟,与哈扎尔汗结盟,利用后者在外高加索反对阿拉伯人。他与北方的保加利亚人保持和平关系。740年他在阿菲永卡拉希萨尔大败阿拉伯人,从而解除了阿拉伯人征服小亚细亚的威胁。他整修君士坦丁堡城墙,把大军区划小等等,以巩固自己的权力。利奥的赫赫武功使他深受士兵和民众的拥戴,并且使他有胆量实行强硬的宗教政策。如722年下令禁止犹太洗礼;查禁孟他努斯教派。726年公开反对使用圣像,到730年捣毁圣像已成正式的政策。尽管他是出色的军事统帅,但他没有在西地中海保持强大的海上力量,结果削弱了拜占廷在这个地区的实力。利奥最大的政绩是726年颁布一部法典,其中对婚姻和财产的权利有详细的规定。这部新法典以断手断足的刑罚代替过去的死刑。利奥给法官规定正式俸禄,以防止他们贪赃枉法。他死后葬于君士坦丁堡圣徒大教堂。

8世纪苏勒德斯金币上的利奥三世像
美国不列颠百科全书公司供图

● Leo IV　利奥四世(749-01-25～780-09-08)　绰号哈扎尔人利奥。拜占廷皇帝,在位期间恰值破坏圣像运动向恢复圣像崇拜的过渡阶段。775年其父君士坦丁五世去世后即位。翌年,立其幼子君士坦丁为同朝皇帝。随后镇压拥护其异母兄弟凯撒尼斯福鲁斯为帝的阴谋活动。他允许保加利亚人可汗特列里格在君士坦丁堡政治避难(776 ～ 777),并利用保加利亚人的内讧从中渔利。777 ～ 780 年发动 3 次对阿拉伯人的战争。即位之初一反其父残酷的反对圣像的政策。但在去世前不久,重新开始迫害圣像崇拜者。

● **Leo V 利奥五世**(?,亚美尼亚～ 820-12-25,君士坦丁堡) 绰号亚美尼亚人利奥。拜占廷皇帝,拜占廷帝国第二次圣像破坏的倡导者。他在尼斯福鲁斯一世和迈克尔一世时代因战功升为将军,后成为拜占廷帝国安纳托利肯地区的督军。813 年参加对保加利亚人的战争,因建议被拒绝,在阿德里安堡附近的威尔西尼基阿战役中率部哗变,将迈克尔一世废黜,813 年 7 月即帝位。当时,保加利亚君主克鲁姆兵临君士坦丁堡城下,利奥成功地使克鲁姆撤军,并同克鲁姆的继承人俄莫尔塔格签订条约,划定两国边界,从而赢得 30 年的和平。815 年 3 月召开宗教会议,恢复 754 年希厄里阿反对圣像派宗教会议的教令。820 年他在圣索非亚教堂举行的圣诞节仪式上被暗杀。

● **Leo VI 利奥六世**(866 ～ 912-05) 绰号智者利奥。拜占廷皇帝(870 ～ 912),用希腊文写成的帝国法律成为拜占廷帝国的法典。马其顿人巴西尔一世之子。870 年成为与父王共治的同朝皇帝,父王去世后单独进行统治。他的对外政策主要以敌对阿拉伯人和保加利亚人为目标。他曾将在南意大利同伦巴第人作战屡获胜利的司令官老尼斯福鲁斯·福卡斯调到巴尔干半岛,这一举动使拜占廷帝国在西方遭受种种的挫折:902 年阿拉伯人占领了西西里,的黎波里的利奥劫掠了塞萨洛尼卡。908 年拜占廷海军在爱琴海打败阿拉伯舰队。但是 911 ～ 912 年利奥远征的黎波里却告失利。894 年拜占廷与北方强敌保加利亚人因贸易争执开战,在多瑙河、第聂伯河地区的马扎尔人的援助下,它迫使保加利亚人君主西美昂同意休战。但西美昂获得佩切涅格游牧民族的帮助,896 年迫使拜占廷向保加利亚纳贡。907 年,俄罗斯大公奥列格与利奥订约,规定了俄罗斯商人在拜占廷的地位。利奥切望得子,结婚 4 次,引起教会的指责。利奥曾受教于君士坦丁堡牧首佛提乌,文采多于武功。除所撰法律条文外,还发布过不少诏令及军事论文等。

罗马教廷

● **Leo I, Saint 利奥一世,圣**(?,托斯卡纳? ～ 461-11-10,罗马) 别名大利奥。教皇(440 ～461)。登位后立即着手镇压异端。君士坦丁堡修士优迪克倡优迪克主义,宣传基督只有一性,其人性融于神性之中。君士坦丁堡牧首弗拉维安判处他绝罚,优迪克向利奥一世提出申诉。利奥一世研究此案之后,于 449 年以案卷致弗拉维安,其中不仅驳斥优迪克的学说,并且系统地阐明基督是道成肉身,兼有神人二性的教义。451 年卡尔西顿会议宣布利奥一世的案卷所阐明的是最终真理。他在 432 篇书信和 96 篇讲章中强调教皇有统治教会的最高权威。452 年他劝说蹂躏意大利北方的匈奴人不要进攻罗马。3

美国不列颠百科全书公司供图

年后罗马被汪达尔人占领,利奥一世劝说他们不要掳掠。

● **Leo II, Saint 利奥二世,圣**(?,西西里～ 683-07-03) 教皇(681 ～ 683)。约 681 年底当选,由于等待拜占廷皇帝君士坦丁四世的批准,迟至次年 8 月才登位。他批准 680 年君士坦丁堡第六次普世会议的决议,谴责基督一志论和前代教皇洪诺留一世在此问题上的调和态度。

● **Leo III, Saint 利奥三世,圣**(?,罗马～ 816-06-12) 教皇(795 ～ 816)。登位后一反前代教皇阿德里安在东方拜占廷皇帝与西方查理曼之间保持独立的政策,倒向查理曼,承认他是罗马皇帝。799 年在一次游行活动中,阿德里安派鼓动暴乱分子以利奥三世行

美国不列颠百科全书公司供图

为不端为借口殴打利奥三世。利奥三世逃往帕德博恩,投奔查理曼。后来利奥三世由一个委员会护送返回罗马,该委员会宣布对他的指控全不可靠,将控告者押解出境,但罗马局势仍然混乱。800 年查理曼到罗马"恢复教会的地位"。同年在圣彼得大教堂为查理曼之子路易一世加冕称王的大会上,利奥三世突然将查理曼本人加冕为皇帝。此举使东西两派分裂,造成直至 13 世纪的对立。809 年利奥三世批准将"和子"句插入《尼西亚信经》,即谓圣灵既发自圣父也发自圣子。由于东派教会始终不接受这一句,利奥三世为求与希腊教会和解,要求各教会不要在礼拜中咏唱这一句。814 年查理曼死,罗马贵族起而反对利奥三世。他处死策划作乱者,然后向法兰克皇帝路易报告事件始末。

● **Leo IV, Saint 利奥四世,圣**(?,罗马～ 855-07-17,罗马) 教皇(847 ～ 855)。846 年罗马城曾遭萨拉森人洗劫,利奥四世继位后修复被毁设施,构筑工事,以防萨拉森人再犯。849 年经过他组织,意大利境内几个希腊城市结为联盟,派出联军在奥斯蒂亚附近海面击溃萨拉森舰队。854 年为常遭萨拉森人袭击的奇维塔韦基亚城构筑防御设施,该城后改名为利奥波利,以资纪念。850 年利奥四世在罗马宗教会议上为法兰克皇帝洛泰尔一世之子路易二世加冕,与其父共同称帝。在教务上利奥四世对高级神职人员的渎职行为坚决予以制裁。

● **Leo V 利奥五世**(?,意大利普里亚比? ～ 903-09) 意大利籍教皇(903-07 ～ 903-09)。他由神甫当选教皇,继承本尼狄克四世。登位后不久被敌对教皇克里斯托弗废黜监禁,他可能死于克里斯托弗之手,也可能死于继任教皇塞尔吉乌斯三世之手。

● **Leo VI 利奥六世**(?,罗马～可能在 928-12,罗马) 教皇(928-05 ～ 928-12)。罗马豪门克雷申蒂家族的马罗吉娅夫人废黜并囚禁前代教皇约翰十世,挑选他为教皇。他在位期间为达尔马提亚教会制订等级制度。

● **Leo VII 利奥七世**(?,罗马～ 939-07-13,罗马) 教皇(936 ～ 939)。斯波莱托公爵阿尔贝里克二世将教皇约翰十二世投入监狱,由利奥七世继其位。936 年利奥七世邀请克吕尼隐修院院长奥多协助他调解意大利国王胡格(普罗旺斯的)与阿尔贝里克的冲突,使胡格撤兵而解罗马之围。利奥七世禁止美因茨大主教弗雷德里克在犹太人中间发展教徒,同时又允许他将不信基督教的犹太人驱逐出境。

● **Leo VIII 利奥八世**(?,罗马～ 965-03-01?) 教皇或敌对教皇(963 ～ 965)。教皇约翰十二世因行为不端和煽动以武力推翻神圣罗马帝国皇帝奥托一世而被 963 年罗马主教会议废黜并驱逐。奥托一世率军进驻罗马并召集此次会议,遂即发挥影响使尚未受神职的利奥八世当选为教皇。奥托一世离罗马后,约翰十二世及其一派返回罗马,964 年召集宗

教会议，废黜利奥八世而迫使他出走投奔奥托一世。不久约翰十二世死去。罗马人推选教皇本尼狄克五世。奥托一世忿怒之下重返罗马，以武力扶持利奥八世复位，驱逐本尼狄克五世。

● **Leo IX, Saint　利奥九世，圣**（1002-06-21，上洛林阿尔萨斯埃吉施海姆～1054-04-19，罗马）　教皇（1049～1054）。原名布鲁诺（封·埃吉施海姆伯爵）。根据惯例，他由神圣罗马帝国皇帝亨利三世提名为教皇，时年47岁。利奥九世志在根除当时教会的主要弊端，即教士结婚、鬻卖神职及世俗权威任命神职人员，主张使教会成为基督教社会的中心和宗教生活中心。他将任主教时所结识的人士召唤到罗马。这些人士不仅痛感改革刻不容缓，而且学识渊博，善于管理，对困难有充分的估计。其中有的人成为后来的教皇。经过他们的努力，教廷不再是罗马地方的机构而成为国际性机构。枢机主教权力提高，成为教皇最亲密的顾问，后来组成枢机主教团。根据利奥九世的谕令，靠贿赂而受神职的人要经过重新授职的手续。11世纪20年代，诺曼人定居西西里岛，威胁教廷。利奥联合亨利三世对诺曼人开战，但亨利三世撤兵，他只能指挥实力薄弱而缺乏经验的军队单独对敌，终于被诺曼人击溃，教皇也被囚9个月。以君士坦丁堡为中心的东派教会自8世纪起

为重建圣阿努尔德梅斯隐修院而举行祝圣仪式的利奥九世（左）

美国不列颠百科全书公司供图

就对意大利南部和西西里岛广大地区行使管辖权。利奥对诺曼人作战使得教廷同东派教会发生冲突。利奥九世在位期间严格执行教皇至上的原则，而君士坦丁堡牧首米恰尔一世（色路拉里乌斯）认为，利奥九世这种做法纯属挑衅，因此罗马教会和君士坦丁堡教会之间的关系更加复杂化。1054年4月，枢机主教洪贝尔率领教廷使团前往君士坦丁堡谈判。虽然君士坦丁堡牧首、拜占廷皇帝和教廷使节多次会谈，都未能获得具体结果。1054年7月16日，洪贝尔当众将事先准备好的教皇绝罚通谕置于君士坦丁堡圣索菲亚教堂祭台上。于是君士坦丁堡牧首也宣布绝罚教皇使团及支持他们的人。自此罗马教会和君士坦丁堡教会宣告彻底分裂，以君士坦丁堡为中心的东派教会称正教会，以罗马教皇为首的西派教会称公教会。

● **Leo X　利奥十世**（1475-12-11，佛罗伦萨～1521-12-01，罗马）　教皇（1513～1521）。原名乔凡尼·德·梅迪契（Giovanni de'Medici）。他是文艺复兴时期挥霍最甚的教皇之一，他

近代纪念章上的利奥十世像

美国不列颠百科全书公司供图

使罗马成为欧洲文化中心，使教廷成为欧洲重要政治力量。由于他没有认真对待路德所提出的问题和所进行的活动，导致统一的西方教会解体。他是佛罗伦萨共和国统治者罗伦佐大公的次子。1492年入枢机团，拟在罗马久居，但同年末其父死，于是返回佛罗伦萨。曾一度到罗马参加枢机主教秘密会议选举教皇亚历山大六世。其后6年间遍游北欧各地。1500年返回意大利，定居于罗马。1503年参加枢机主教秘密会议，先于9月选出教皇庇护三世，后又于10月选出教皇尤里乌斯二世。1511年任教皇驻博洛尼亚和罗马涅使节，次年指挥梅迪契家族重新控制佛罗伦萨，其弟朱理亚诺任佛罗伦萨共和国首脑，但实权却由他本人控制。1513年2月，教皇尤里乌斯二世死，枢机团于3月选举他为教皇，称利奥十世。利奥十世挥霍教廷公款，也慷慨动用私财。在他资助下，罗马重新成为西方文化中心。尤里乌斯二世始建的圣彼得大教堂工程进度加速，梵蒂冈藏书大增，艺术创作繁荣。利奥十世不仅是教会首脑，还是教廷领地各邦的世俗统治者和佛罗伦萨共和国豪门梅迪契家族的族长。他为在意大利发展势力，一贯采取偏惠亲族的做法。1517年有人企图暗杀他未果，因此他增加枢机主教31名，使教皇派在枢机团内占优势。与暗杀案件有牵连的一位枢机主教在狱中被绞死，另外几人或被监禁，或被处决。他在谋取意大利霸权的过程中与西班牙和法兰西发生冲突。经过战争，利奥十世与法兰西国王路易十二言和，随后达成博洛尼亚协议，这项协议于1516年8月由利奥十世以谕令公布，它为尔后275年间法兰西国内政教关系奠定基础。根据这项协议，法兰西国王有权任命主教、隐修院院长和副院长，教皇则仍有权任命主教及其他几种神职以补充缺位。法兰西国王既得以控制教会，乃对宗教改革运动不予理会。

1519年，神圣罗马帝国皇帝马克西米连一世死，利奥十世从此进一步加强政治活动。为防止神圣罗马帝国同法兰西或西班牙联合，使意大利受制于人，他支持萨克森国王腓特烈。由于对法兰西开战、资助艺术事业、构建圣彼得大教堂、组建东征土耳其的十字军，都需耗费巨款，教廷财政日益困难，利奥十世不得不断设法增加收入。发售赎罪券早已是重要财源。教皇尤里乌斯二世在位期间，曾发售赎罪券以为圣彼得大教堂工程筹款，利奥十世登位后不久即宣布发行赎罪券正确无误。然而北欧各国出于经济原因而反对赎罪券，直到1517年初才有多明我会修士在美因茨和马格德堡大主教区推销赎罪券。路德针对他们的宣传，在维滕贝格城堡教堂门上张贴《九十五条论纲》。1520年6月，利奥十世发出文件指责路德为异端，列举罪状41条，并命他在60天内向罗马当局自首，否则处以绝罚。此时路德已得到德意志有影响的人物的支持，公开违抗。利奥十世只好在1521年1月宣布绝罚路德。从当时德意志政局看，本不宜对路德及其支持者采取强硬措施。于是宗教改革运动席卷北欧，教廷无可奈何。不久，利奥十世突然死亡。

● **Leo XI　利奥十一世**（1535-06-02，佛罗伦萨～1605-04-27，罗马）　教皇（1605-04-01～1605-04-27）。原名亚历山德罗·奥塔维亚

美国不列颠百科全书公司供图

诺·德·梅迪契（Alessandro Ottaviano de' Medici）。继教皇克雷芒八世之位后未足一个月即死。

● **Leo XII　利奥十二世**（1760-08-22，教皇国斯波莱托附近～1829-02-10，罗马）　教皇（1823～1829）。原名安尼巴莱·塞尔马泰·德拉真加。他在奥地利的反对声中，由反对教皇庇护六世的和解方针和枢机主教康萨尔维的开明改革主张的保守派推选为教皇。在他统治下，专制主义重新控制教皇国。他削减开支，降低赋税，但经济状况依然没有改善。在教义问题上，他力图抵制开明思想，整饬异端裁判所。后来利奥十二世不得不讲求温和以对付日益高涨的自由主义舆论以及主张限制教皇权力的高卢主义的再兴。他根据枢机主教康萨尔维的温和方针，先后于1824及1827年与汉诺威及荷兰签订有利于教廷的协定。1825年利奥十二世驳斥万教同一论并谴责共济会制，同年又宣布恢复圣年活动。

● **Leo XIII　利奥十三世**(1810-03-02,教皇国卡皮内托罗马诺～1903-07-20,罗马)　教皇(1878～1903)。原名V.G.佩奇。受大主教神职后不久,1843年任教皇驻布鲁塞尔全

美国国会图书馆供图

权代表。1846年任佩鲁贾教区主教,虽于1853年升为枢机主教,但在佩鲁贾任职达32年之久。1878年教皇庇护九世死。经过3次投票,佩奇当选为教皇,称利奥十三世。原来,庇护九世登位后不久即在管理教会和对待兼并教廷部分领地的意大利新政府方面采取保守专断的态度。利奥十三世的举措虽有新气象,但他与庇护九世一样,在教皇的世俗权力问题上坚持己见。在教会行政方面仍然强调教廷集中统治,限制国家教会的权力并加强教皇使节的权力。但是在其他方面有所创新。在同世俗当局交涉时避免强硬措词而采取外交手段;赞同发展科学,主张天主教会对科学采取开放态度;注意教会内部生活和对外传教活动。晚年政策趋于僵化,对基督教民主主义更为冷淡。尽管如此,教廷威信较前提高,与梵蒂冈建立关系的国家日增,其中甚至有非基督教国家。

Leo　狮子座　又称狮子宫。在巨蟹座和室女座之间的一个黄道星座。位于赤经(类似于地球上经度的天球坐标)10时30分,北赤纬(天赤道以北的角距离)15°附近。座中最

意大利约1475年《祈祷书》中的狮子座插图画
美国不列颠百科全书公司供图

亮的恒星为轩辕十四(狮子座α),是一颗一等星。11月流星雨的辐射点(流星好像从该点发射出来)就在这一星座中。它被称为狮子座流星雨。在占星术中,狮子宫是黄道十二宫的第五宫,被看作是主宰7月23日至8月22日前后的命宫。狮子宫的形象是一头雄狮,通常指被赫拉克勒斯杀死的狮子涅墨亚。

Leo Africanus　利奥(非洲的)(约1485,格拉纳达王国格拉纳达～约1554,突尼斯)　意大利语称乔万尼·莱奥内。阿拉伯语原名哈桑·伊本·穆罕默德·瓦赞·扎耶提,又称法希。旅行家。曾在摩洛哥境内非斯受教育。青年时从事商业和外交活动,遍历北非许多地区,可能曾到达今马里国境内廷巴克图和尼日尔河流域。1516～1517年在埃及曾上溯尼罗河到达阿斯旺。在经地中海返国途中为信奉基督教的海盗俘获,将他献给教皇利奥十世。教皇于一年后将他释放,并为他作保证人,介绍他于1520年受洗礼。他受到罗马学术界的器重,攻读拉丁文及意大利语并讲授阿拉伯语。约在1526年完成《非洲地理历史》一书。最后回到北非。

Leo de Bagnols　利奥·迪·巴尼奥尔斯　参阅 **Levi ben Gershom** 列维(本·格尔绍姆)。

Leo the Armenian　利奥(亚美尼亚人)　参阅 **Leo**(Byzantine Empire)利奥(拜占廷帝国)项下的 **Leo V** 利奥五世。

Leo the Great　大利奥　参阅 **Leo**(Papacy)利奥(罗马教廷)项下的 **Leo I** 利奥一世。

Leo the Isaurian　利奥(伊索里亚人)　参阅 **Leo**(Byzantine Empire)利奥(拜占廷帝国)项下的 **Leo III** 利奥三世。

Leo the Khazar　利奥(哈扎尔人)　参阅 **Leo**(Byzantine Empire)利奥(拜占廷帝国)项下的 **Leo IV** 利奥四世。

Leo the Wise　利奥(智者)　参阅 **Leo**(Byzantine Empire)利奥(拜占廷帝国)项下的 **Leo VI** 利奥六世。

Leo, Heinrich　利奥(1799-03-17,图林根鲁多尔斯塔德～1878-04-24,德国哈雷)　普鲁士的保守派历史学家。在布雷斯劳、耶拿和格丁根等大学求学时,参加了学生联合会的极端革命派。但在读了E.柏克和A.哈勒的著作以及他的一个朋友谋杀了反动剧作家A.von科茨策布之后,他放弃了激进主义,思想日趋保守。1826～1878年在柏林大学和哈雷大学任教。作为历史学家,他是承认社会因素和地理因素对国家发展的重要性的先驱者。他的第一部重要著作是《意大利各城邦的历史》(1829～1832),最主要的著作是《宇宙史教科书》(6卷,1839～1844)。他还是位语言学家,曾出版几本论述古日耳曼语言的专著。利奥是普鲁士历史学家L.von兰克的主要对手。

Leo, Leonardo (Ortensio Salvatore de)　莱奥(1694-08-05,那不勒斯王国布林迪西附近斯基亚维的圣维托[意大利]～1744-10-31,那不勒斯)　作曲家,以喜歌剧著称,对那不勒斯歌剧风格的形成起了推动作用。1709年入那不勒斯图尔基尼音乐学院,1712年在校内演出他最早作品宗教剧《奸情败露》。后在宫廷教堂担任各种职务,又在音乐学院执教。主要作品有歌剧《皮西斯特拉托》(1714)、《德莫丰泰》(1735)和《奥林匹亚德》(1737),最脍炙人口的作品可能是喜歌剧《爱情要求痛苦》(1739)。另作有圣乐作品和器乐曲。所作喜歌剧表现出犀利的幽默感。

Leoben　莱奥本　奥地利中部偏东南施泰尔马克州城镇。位于格拉茨西北,濒临穆尔河。原为古代居民点,约1263年由波希米亚的鄂图卡二世改建为镇。中世纪建筑有瓦森的马利亚教堂、堂区教堂和钟楼。设有矿冶大学(1840)和一些技术学校。为上施泰尔马克州的褐煤采掘中心。亦生产铁、纺织品和啤酒。也是旅游中心。多纳维茨和戈斯两工业郊区1939年并入莱奥本。人口27 138(1998)。

Leochares　莱奥卡雷斯(活动时期公元前4世纪中叶)　希腊雕刻家,一般认为《观景殿的阿波罗》(梵蒂冈博物馆藏有罗马时期摹制品)是他所作。大约公元前353～前350年,与斯科帕斯一起在哈利卡纳苏斯城参加了摩索拉斯陵墓的建筑。该陵是古代七大奇迹之一。莱奥卡雷斯的大部分作品是根据古代记载而得知的,只有雅典发现的一座雕像底座上刻有他的名字。这件作品就是亚历山大大帝猎获狮子的铜像,是与利西波斯在德尔斐合制的。他还曾受命用金子和象牙为马其顿的腓力王室家族作像。这些雕像约在公元前338年在奥林匹亚城腓力纪念馆陈列。梵蒂冈的《加尼米德与鹰》雕像据判断也是他作品的摹制品。

Leofric　利奥弗里克(?～1057-08-31,英格兰布罗姆利)　盎格鲁-撒克逊的麦西亚伯爵(1032年前某时起),11世纪英格兰3个杰出的伯爵之一,曾对国家事务起过重要作用。1035年克努特国王逝世,利奥弗里克支持克努特之子哈罗德继承王位。1051年忏悔者爱德华与戈德温伯爵发生争执,他进行调解,在他的努力下,内战得以避免。利奥弗里克的妻子戈德吉弗即传奇中著名的戈黛娃夫人(**Godiva, Lady**)。利奥弗里克夫妇以慷慨捐助教会出名,其中包括考文垂著名的本笃会隐修院。

Leominster　莱姆斯特　英格兰赫里福德郡一堂区城镇。属赫里福德历史郡。濒临瓦伊河的支流卢格河。1554年设镇。13～18世纪为羊毛贸易中心。现经济以农牧业为主,也有牛羊市场和农具制造业。古迹有17世纪的市政厅。人口9 543(1991)。

Leominster　莱明斯特　美国马萨诸塞州中北部沃思特县城市,位于菲奇堡东南,濒临纳舒阿河。1701年购自纳舒阿印第安人,始建时为兰开斯特的一部分,1740年自兰开斯特分出设镇,1915年设市。1775年出现制梳业。

现经济多样化，生产塑料制品、纸制品、机械和其他制品。该市为周游各地的果树栽培家J.查普曼的出生地。每年6月庆祝“约翰尼·阿普尔西德”公民节。人口：市41 303；菲奇堡-莱明斯特主要都会统计区142 284(2000)。

Leon　莱昂　中世纪西班牙的独立王国。莱昂本部包括莱昂、萨拉曼卡和萨莫拉3座城市，及与之毗邻的巴利阿多利德和帕伦西亚等地区；后两处原是莱昂王国的东部边界，与卡斯蒂利亚王国时有争议。莱昂国王曾统治过加利西亚、阿斯图里亚斯和1139年独立前的葡萄牙大部国土。王国兴起于加西亚一世(910～914)时期。他放弃原在阿斯图里亚斯(**Asturias**)的首府奥维耶多，把宫廷迁到罗马第7混成军团的旧营址。莱昂在基督教西班牙范围内的霸主地位，名义上延续至1157年阿方索七世死时，实则早因纳瓦拉及卡斯蒂利亚两王国的兴起而削弱。10世纪科尔多瓦哈里发国家势力强大，莱昂与摩尔人战争失利，其君主往往不得不在事实上臣服于哈里发。但莱昂诸王承袭西哥特传统，有时自称为全西班牙皇帝或国王，有助于收复失地运动的到处兴起。莱昂王国历史的第二阶段为1157～1230年。与卡斯蒂利亚合并(1230)前，莱昂由费迪南德二世(1157～1188)及阿方索九世(1188～1230)统治下，政治稳定，并在莱昂境内埃斯特雷马杜拉地区大败摩尔人。1230年莱昂与卡斯蒂利亚统一后，莱昂的政治行政管理机构仍保持不变。据国会议事记录表明，莱昂直到14世纪上半叶尚维持一定的独立性。莱昂王国存在的第一个世纪里，大量基督教徒从摩尔人居住区移入莱昂定居，他们带来了阿拉伯语和文化影响。现代西班牙史学界倾向于把中世纪的莱昂描绘成随时准备和摩尔人妥协的古代拜占廷式国家，然而，莱昂成功地抵抗住伊斯兰教哈里发的正面进攻，并成为西班牙半岛第一个推行民主议会制度的王国。现代莱昂、萨拉曼卡及萨莫拉诸省大致相当于这个中世纪王国，1979年后合并为卡斯蒂利亚-莱昂(**Castile-León**)自治区。

León　莱昂　墨西哥中部瓜纳华托州西北部城市。地处肥沃平原，濒临图尔维奥河。海拔1 884米。1552年始有人定居。1830年设市。早期水灾频繁，现已筑坝防洪。为重要工商业中心和全国最富庶的产粮区之一。有皮革、食品、钢产品、纺织和肥皂等工业。有铁路、公路和航空线。人口1 133 576(2000)。

León　莱昂　尼加拉瓜西部城市。1524年建于马那瓜湖畔，因遭地震，1610年迁到现址。原为印第安人的古都，有苏蒂亚巴神庙。后为西班牙莱昂省省会和尼加拉瓜共和国首都(至1855年)。1978～1979年间桑地诺民族解放阵线游击队与政府军在此激战。1952年莱昂大学(1812创办)并入尼加拉瓜国立大学。西班牙美洲最伟大的诗人之一R.达里奥曾在该市居住并求学。现为全国第二大城市。为农业和商业区的重要中心。有棉花加工业，生产雪茄、鞋和马具。有太平洋铁路通往首都马那瓜。人口约100 982(1985)。

León　莱昂　西班牙西北部卡斯蒂莱-莱昂自治区省份。面积15 468平方千米。北部有坎塔布连山脉，最高点塞雷多峰海拔2 642米。西北部有埃尔别尔索低地(有锡尔河流经)。其他自然地理区有拉蒙塔尼亚山和中央高原。埃斯拉河流域为主要集水区，河上有里科瓦约大坝。该省是西班牙主要蛇麻子产地。其他主要作物为谷物和亚麻。该省也有木材资源(橡、椈、栗木)并饲养牛、驴和绵羊。无烟煤、铁、烟煤和云母等矿的蕴藏量很大，省会莱昂(**León**)市有化工业，生产抗生素。人口约527 493(1986)。

León　莱昂　西班牙西北部卡斯蒂莱-莱昂自治区莱昂省省会。在中央高地西北部，贝尔内斯加和托里奥两河汇流处。初为罗马第七杰米纳军团军营。6～7世纪被哥特人占据。850年被摩尔人占领。10世纪时阿斯图里亚斯-莱昂国王加西亚一世迁都至此。中世纪时有相当大的政治、文化和经济影响，为商业重镇。16世纪经济衰落；19世纪开矿后得以恢复。20世纪中叶成为新兴工业城市。人口约130 916(2001)。

Leon OF MODENA　**莱昂(莫德纳的)**　参阅**Modena, Leone** 莫德纳。

León, Juan Ponce de　莱昂　参阅**Ponce de León, Juan** 庞塞·德莱昂。

León, Luis de　莱昂(1527，西班牙昆卡省贝尔蒙特～1591-08-23，马德里加尔-德拉斯阿尔塔斯)　神秘主义者、诗人，曾给予西班牙文艺复兴时期的散文和诗歌以重大影响。原为修士，主要在萨拉曼卡受教育，1561年首次获神职。多明我会和奥古斯丁会(他于1544年加入)之间的冲突致使有人向异端裁判所指控他批评通俗拉丁文本《圣经》的经文，由于他的曾祖母是犹太人，在当时的西班牙，他这样做是很不谨慎的。1572年被投入监狱，囚禁几乎达5年之久，最后宣布无罪，恢复神职。他的散文杰作《基督的名字》(1583～1585)是一篇对话体论文，为西班牙古典主义散文风格的最高典范。他从希腊文、拉丁文、希伯来文和意大利文翻译的著作包括《雅歌》、《约伯记》，均附有评注。他所写的为人熟悉的诗篇包括《隐居生活》(1557)、《宁静的夜晚》(1571)。其他作品有勾画当时妇女形象的《贤妻良母》(1583)。

Leonard, Benny　伦纳德(1896-04-07，纽约市～1947-04-18，纽约市)　原名本杰明·莱纳(Benjamin Leiner)。美国拳击运动员。1917年5月28日在纽约市以9个回合胜韦尔什获世界轻量级冠军，一直保持至1925年1月退出比赛。1911～1942年共参加210场比赛，胜89场，其中45场击倒对方，115场不分胜负。他善于用对话分散对手的注意力，出奇制胜。1931～1932年多次参加中量级比赛，1932年10月7日被麦克拉宁击倒，再次退出比赛。他在纽约市圣尼古拉斯拳击场作裁判时突然死去。

Leonardi, Piero　莱奥纳尔迪(1908-01-29，意大利瓦尔多比亚代内～　)　意大利地质学家和史前史学家。以研究三叠纪(2.25亿年前至1.9亿年前)无脊椎动物和二叠纪(2.8亿年前至2.25亿年前)脊椎动物的古生物学和地层学而知名。曾在意大利费拉拉大学任研究员(1935～1949)，后任该校地质学教授和地质研究所所长。他的著作包括对白云岩阿尔卑斯山的构造地质(地球表面运动与变形)和地层学(岩石层序的描述与解释)的研究，并对这部分阿尔卑斯山的演化提出了一种新的理论。他还发现了一处新的穆斯特史前文化——伯那丁文化。著作有《生物的进化》(1950)、《C.达尔文传》(1966)、《白云岩》(1967)以及《地质学专论》(1963)。

Leonardian Stage　伦纳德阶　美国狼营期以后下二叠统的岩石地层单位，尤其在美国西南部发育最好(二叠纪开始于约2.8亿年前，延续约5 500万年)。伦纳德阶根据见于得克萨斯州格拉斯山脉莱诺克斯山的露头而确定下来，在那里它由600米厚的、夹有浅灰色灰岩的灰色粉砂质页岩组成。在得克萨斯州中部，伦纳德阶地层也表现为红层、河道砂岩、灰色页岩和薄层广布的灰岩。这些地层含有发育很好的爬行动物和两栖动物群化石组合。在瓜达卢普山脉和代阿布洛山脉，完全海相的伦纳德阶地层呈现出两个截然不同的相：白色灰岩，即维克托里奥峰灰岩；黑色薄层灰岩建造，即骨泉灰岩。维克托里奥峰灰岩是在具有浅潟湖的宽广地台沉积的；黑色骨泉灰岩则沉积于深水的、贫氧的、充满硫化氢臭味的盆地，那里的条件不利于生物生存，且富含有机质的沉积物缓慢地堆积。

Leonardo DA VINCI　**莱奥纳多·达·芬奇**(1452，恩波附近芬奇[今在意大利]～1519-05-02，法国克卢)　佛罗伦萨艺术家兼科学家。在其一生中所享有的无与伦比的声誉，

莱奥纳多·达·芬奇自画像

美国不列颠百科全书公司供图

经过历史批评的过滤和净化至今依然光彩夺目。这一声誉建立在他那同样无与伦比的广博的才干之上，他的广博远不只是多才多艺。诚然，在文艺复兴时代和人文主义时期，多才

多艺受到高度尊重，但并非绝无仅有，其他许多优秀艺术家也具有这种能力。从另一方面讲，莱奥纳多的广博是一种精神力量，是他自己独有的力量，这种力量使他无穷尽地渴求知识，引导他的思想和行为。这位颇富秉性和天才的艺术家发现自己的眼睛是获取知识的主要途径，对他来说，视觉是人类最高级的感觉器官，因为视觉可以立即、准确而肯定地单独传递所体验的诸种事实。因此，人们观察到的每一种现象都成为知识的载体。“懂得如何观察”就成了他研究人类创造和自然造物中的重大主题。他的创造力渗透到运用图像表现的每个领域：他是画家、雕塑家、建筑师和工程师。但是，他甚至超越了这一切。他超常的智慧、非凡的观察能力及他对绘画艺术的精通促使他去研究大自然本身，他在研究中采取科学的方法和洞达的逻辑——他的艺术和科学也在这种研究中得到相同的显现。

生平与作品

早期：佛罗伦萨 莱奥纳多是佛罗伦萨一位公证人和地主塞尔·皮耶罗的私生子。其母卡泰里纳原是一位青年农妇，后嫁给当地的一名工匠。塞尔·皮耶罗结婚三四次后，他的妻子才为他生儿育女，第一个孩子生于1476年，当时莱奥纳多已经长大成人。这样，莱奥纳多就在父亲的家中成长，他被待如嫡出之子并且受到了当时普通的初等教育：阅读、写作，还有算术。至于传统教育中的基础语言拉丁语，莱奥纳多则到很晚才认真地加以学习，那时他靠自己的力量获得了语言的实用知识。他在30岁以后才专心于高等数学——高等几何和算术——并且学得很勤奋、刻苦；但他这两门功课始终未能超出初学阶段多少。

莱奥纳多·达·芬奇绘《最后的晚餐》(1495～1497)
美国不列颠百科全书公司供图

莱奥纳多大概很早就显露出对艺术的爱好。在他15岁左右，他在佛罗伦萨公众中享有极高声望的父亲把他送到韦罗基奥处当学徒。在韦罗基奥远近闻名的工作室中，莱奥纳多接受了多方面的训练，不仅包括绘画和雕塑，同时还有机械工艺技术。他还在邻近的A.波拉约洛工作室工作，他在那里也许第一次得以学习解剖学。1472年，莱奥纳多被接纳入佛罗伦萨画家行会，但此后又在老师的工作室中呆了5年之久。以后他就在佛罗伦萨进行独立的创作活动，一直到1481年。从现存他早年这段时期的几件作品中，可以清晰地追溯出这位艺术家卓越天才的发展轨迹。至为突出的就是其敏锐的观察能力和创造性的想象力。他早年熟练的艺术技巧显见于他在韦罗基奥的《基督受洗》一画（藏佛罗伦萨乌菲齐博物馆）中所绘的一位天使和一部分风景，以及在韦罗基奥工作室完成的两幅《圣母领报》作品（分别藏于乌菲齐博物馆和巴黎罗浮宫），亦见于《手持香石竹的圣母》、《贝努瓦圣母》和《吉尼伏拉·德·本齐肖像》。这种精熟的技巧在两幅未得最后完成的画中达到了顶峰，一幅是《圣哲罗姆》，另一幅为大型木板画《博士来拜》。除这几幅绘画作品之外，还有大量高超的钢笔和铅笔素描，莱奥纳多精湛的技巧为这门图画艺术照亮了新的发展道路。这些素描之中有许多是技术性的速写——如抽水泵、武器、机械设备——这些都说明了莱奥纳多在其艺术生涯的开端就对技术问题有兴趣和懂行。

莱奥纳多的天才展露：第一米兰时期(1482～1499) 1482年，莱奥纳多开始为米兰大公效命——这是他惊人的一步，因为当时这位30岁的艺术家刚开始从他的故乡佛罗伦萨接受第一批真正的订件：即前面提到的为圣多纳托·阿·斯科佩托修道院绘制但未画完的木板画《博士来拜》(1481)，以及为执政宫的圣贝尔纳德小教堂绘制的祭坛画，也始终未能完成。他不顾承诺而放弃这两项工程的做法——前面提到的第二件作品甚至根本没有动笔——似乎说明他离开佛罗伦萨是有更深层的原因的。也许是因为在由梅迪契家族统治的佛罗伦萨盛行极为世俗的新柏拉图主义精神，这与他以经验为准绳的思想特性格格不入；再者，米兰更为现实主义的学院气氛对他具有吸引力。此外，米兰有卢多维科·斯福尔扎的辉煌宫殿的魅力和几项有意义的工程在等待着他。

莱奥纳多在米兰度过了17年，一直到卢多维科于1499年倒台。他以“公爵的画家和工程师”的身份被列入王室记录册。莱奥纳多极受人们的尊敬，他不停地忙于绘画、雕塑及设计宫廷节日庆典。他还经常担任建筑、筑城和军事等领域的技术顾问，并且是水利和机械工程师。

莱奥纳多的才智在这一阶段得到了完全的展现，他不仅多才多艺，而且拥有富于创造力的艺术和科学思想，其无与伦比的才能令同时代人感到敬畏和叹服。与此同时，莱奥纳多为自己设立了无穷无尽的目标，这使他的天才因此而被烙上了难以完成的印迹。所以，如果对他的毕生事业作一个整体的概括，人们总要称之为一部气势磅礴的“未完成交响曲”。

绘画与雕塑 作为画家，莱奥纳多在米兰的17年中只完成了6件作品：切奇利亚·加莱拉尼的肖像（《穿貂皮袍的夫人》）和一位音乐家的肖像、祭坛画《岩下圣母》（两幅变体画）、圣马利亚感恩修道院饭厅中的大型壁画《最后的晚餐》(1495～1497)以及米兰斯福尔泽斯科城堡阿斯大厅中的装饰天顶画(1498)。根据古代文献记载，莱奥纳多接受订件的其他3件作品已不复存在，或根本就未画成：《耶稣降生》据说归属马克西米连皇帝，《圣母像》被卢多维科·斯福尔扎赠予匈牙利国王马提亚·科菲努斯，另一幅是卢多维科的情妇之一卢克雷齐亚·克里韦利的肖像。

还有一项未完成的大型雕塑工程，似乎正是莱奥纳多应邀去米兰的真正原因：即为纪念斯福尔扎王朝的创建者弗朗西斯科·斯福尔扎而拟树立的纪念碑式青铜骑马像。莱奥纳多在这项任务上花费了12年时间——中途曾有间断。这件骑马像有许多草图流传至今，其中最精彩的只是到了20世纪中叶才被发现，当时莱奥纳多的两册笔记本在马德里重见天日。这些草图反映出莱奥纳多构想的宏大气魄，但也说明了他几乎不切实际的大胆。1493年，马的泥胎模型在马克西米连皇帝与比安卡·玛丽亚·斯福尔扎的结婚仪式上被公开展示，并且着手准备铸造这座庞大的高达5米的塑像——其规模是韦罗基奥创作的巴托罗密欧·科莱奥尼骑马像的两倍！但是，因为战争的危险已经迫在眉睫，准备用来浇铸铜像的金属被用做了大炮，塑像工程因此而中断。1499年卢多维科的覆灭决定了这项计划流产的命运，它也许是15世纪最壮观的纪念碑构想。战争的灾难使泥胎模型变成了一堆废墟。

作为艺术大师的莱奥纳多在米兰拥有一座庞大的工作室，雇用了许多学徒和学生。这些助手中多数人的角色至今不甚清楚。他们的活动均涉及莱奥纳多与助手合作的那些所谓作者不详的作品问题。学者们对这些作品的归属问题一直未能取得一致意见，其中包括罗浮宫藏《漂亮的额饰》、米兰安布罗斯美术馆藏所谓的《卢克里兹亚·克里韦利》以及圣彼得堡(前列宁格勒)爱尔米塔日博物馆藏《利塔圣母》。莱奥纳多这一时期的弟子中有G.A.博尔特拉费奥、A.德·普莱迪斯、B.德·孔蒂、F.纳波莱塔诺、A.索拉里、M.德奥齐奥诺和萨莱。

艺术与科学：笔记 在米兰期间，莱奥纳多做出了向科学研究方向的决定性转折。他开始有系统地进行研究，其兴趣之浓烈占去了他越来越多的时间和精力，进而发展成为具有创造力的独立领域。他在心里越来越感到有必要以文字的形式记录和写下自己的每一次认识和经验。这是艺术史上一个独特的现象。当时数十年间出现或者可以见到的几篇论述艺术的文章无疑为莱奥纳多提供了外部的刺激因素。L.B.阿尔贝蒂的《建筑学十书》首印于1485年；F.迪乔治论建筑的文章当时可见到第一批手抄本，莱奥纳多就曾从作者那里收到一册礼品本。再者，皮埃罗·德拉·弗朗西斯卡的《绘画透视学》为同时代人提供了论述透视理论的范本。此外，数学家L.帕西奥利此时已经成了莱奥纳多的熟人。1494年，帕西奥利发表了他的《论算术几何的比例及比例谐和》，后来又有《神圣比例论》问世，莱奥纳多曾为此书画对称的人体形象。

在这样的环境条件下，莱奥纳多开始萌生了撰写自己的艺术理论的愿望，并且在心中产生了含义深远的"绘画科学"概念。阿尔贝蒂和皮埃罗·德拉·弗朗西斯卡在他们对透视和比例规律的分析中已经证明了绘画的数学基础，因而证实了绘画是一种科学的主张。但是莱奥纳多的主张走得更远，他认为视觉是人类最准确无误的感觉器官，给人提供了直接、准确而可靠的经验数据。从这一基本信念出发，他——将"观看"等同于"认知"——得出了一个大胆的结论：画家加倍地富于体察入微的认知能力并具有对其认知进行图示的全面才能，因而主要是画家有资格通过观察获取知识并且运用绘画的手段真实地再现这种知识。于是，莱奥纳多构想出一个令人惊讶的庞大计划。他要观察可以用肉眼看到的世界中的一切事物，辨清其形式和结构，并按照其本来面目用图画手段加以描绘。因此，图画成为他教导方法中的主要手段。

1490～1495年间，作家(论文作者)莱奥纳多开始执行他的伟大计划。其中有4个后来占去他余生精力的主要论题此时已有了眉目并且逐渐成形：一篇专论绘画，一篇论建筑，一本专著论力学诸因素，还有一本专著概述人体解剖。他对地质学、植物学、水文学和气象学的研究亦属于这一时期。这些研究构成了犹如遥远的目标朦胧映现于莱奥纳多眼前的"可视宇宙论"的组成部分。他用从经验(从"懂得如何观察")中获取的无可辩驳的事实来对照他所藐视的纯推理性的书本知识。

所有这些研究和速写都记录在莱奥纳多的笔记本和单页纸张上，总共有数千页写得密密麻麻并配有大量速写的笔记——这是一位画家所能留给后世的最丰厚的文字遗产。前人有关资料中所提到的逾40种手稿中(当然这常是不准确的)现有21种存世；这当中有时又包括最初是散佚而今又合订一处的笔记本，所以现在总共算有31种流传至今。此外还应当加上几大卷文献：米兰安布罗斯图书馆文库中因其尺寸巨大而被称为《大西洋手抄本》的一部选集，于16世纪末被雕塑家P.莱奥尼收藏；其姊妹卷几经易手最后归入英国王室的财产，被收藏在温莎城堡的皇家图书馆。最后还有阿伦德尔手稿(不列颠博物馆，编号MS.263)，其中有若干卷为莱奥纳多论述各种主题的手稿。

莱奥纳多正是在米兰期间开始记录这些笔记中的最早部分。他先是在分散的纸片或带在腰间的小纸簿上对所观察到的对象作速写，然后根据不同的主题进行整理，再按顺序装订在笔记本中。流传至今的有为论绘画一文准备的第一部资料集(巴黎法兰西研究院藏，编号MSS.A和B)、一本宗教和世俗建筑草图样本(巴黎法兰西研究院藏，编号MS.B)、一篇论机械学基础理论的论文(马德里国家图书馆，编号MS.8937)，以及论人体的一篇论文中的前几节(温莎城堡皇家图书馆，解剖学手稿，编号为MS.B)。

莱奥纳多的笔记和速写有两点特别之处使之不同于寻常：即运用反写和图文并茂。

莱奥纳多是个左撇子，因而反写对他来说既容易也自然。这不应该被看作一种神秘的书写方法。他的手稿虽说多少有些不同寻常，但在借助反射镜的情况下——正如他的同代人所证明的——仍可以清晰而无困难地读出。莱奥纳多自始至终都用反写，甚至在他用吃劲的笔迹写出的誊正本中亦不例外，这使人们得出这样的结论：虽然他在行文中不断对着一个想象中的读者高谈阔论，但他从不觉得有必要运用通常的书写方法以求得直截了当的沟通。不过有几个正常书写方法的偶然例子(信件草稿、便条和准备提交第三方的批评意见)说明莱奥纳多对此其实是完全在行的。所以在其用反写方法写成的绝大多数笔记中，给人的强烈印象好像是"文字独白"。此外，这些著述应当理解为用于最后发表的著作的雏形，但莱奥纳多从未竭力去完成它们。在晚年所绘一幅解剖结构图的边缘空白处有一句话，意在恳请其追随者确保他的这些作品能付印问世。

莱奥纳多著述中的第二个不寻常的特点就是赋予插图在文章中新的功用。莱奥纳多热烈地求取一种既明了易解又具表现力的语言。其语汇的活泼和丰富是他刻苦自学的结果，表现了他对用意大利日常用语写成的科学散文的发展做出了重要的贡献。另一方面，莱奥纳多在其教学方法中，则更重视图示。他画图不是用来图解文字，而是用文字解释画面含义。在系统表述自己的图示原理方面——他自己称之为"论证"——莱奥纳多堪称现代科学插图说明的先行者。

所以说，莱奥纳多在米兰期间的两个"活动领域"——艺术与科学——发展并形成了他未来的创造力。这是一种"创造性的二元论"，他从每一个领域中既能得到鼓舞，也会受到精神压力。

第二佛罗伦萨时期(1500～1506) 1499年12月或至晚在1500年1月——法国人胜利攻入米兰后3个月——莱奥纳多在帕西奥利的陪同下离开了这座城市。他先在曼图亚停留，并于1500年2月在那里为女主人W.伊萨贝拉·德埃斯特画了一幅肖像；后来又到了威尼斯(3月)，执政团曾征询他如何抵御土耳其人对弗留利的可怕入侵。莱奥纳多曾建议他们准备淹没遭到威胁的地区。他从威尼斯又回到了佛罗伦萨；阔别多年之后，他受到了人们的欢呼迎接并被尊为该城的名人。同一年，他被委任为一个委员会的建筑专家，负责调查山上圣方济各教堂的底基和结构的受毁情况。在圣母领报修道院的圣马利亚会作客时，莱奥纳多完成了《圣母子与圣安娜》一画的草图，这幅作品的构图赢得了该城艺术家和艺术爱好者们的赞誉。他还画有《纺车圣母》(1501)，现只存有复制品，也许他根本没有最后画完。数学研究似乎占去了多数时间而使他丢开了绘画活动，徒劳地求他作画的伊萨贝拉·德埃斯特也许就是被她在佛罗伦萨的代理人F.P.努沃拉里亚如是告知的。

翌年夏天(1502)，莱奥纳多决定离开佛罗伦萨而去给C.博尔吉亚当高级军事建筑师和总工程师；这一决定只能用他什么都喜欢的"生活欲望"来解释。博尔吉亚是教皇亚历山大六世臭名昭彰的儿子，他在任教皇军队总指挥时用前所未有的惨无人道的手段企图占领罗马涅和马尔凯两国。此时他正处于权力的顶峰，27岁时即成为他那个时代最强悍同时也最令人恐惧的人物。莱奥纳多比他年长一倍，大概是为他的个性所吸引。他用了10个月的时间在这位雇佣军首领的领地上来往穿越并进行测量。在这一活动过程中，莱奥纳多勾画了一些城市规划草图和地形图，为近代制图学奠定了基础。莱奥纳多在博尔吉亚的宫廷中还遇到了N.马基雅弗利，他当时以佛罗伦萨城政治观察家的身份在那里暂居。

1503年春，莱奥纳多回到佛罗伦萨，为比萨市边的阿尔诺河改道工程进行专门的勘查测量工作，以断绝这座当时被佛罗伦萨人包围的城市的海上通道。这项计划后来证明无法实行，但莱奥纳多的活动却将他引向了一个更为有意义的主题，即服务于和平而不是战争；这项工程初始于13世纪，现在又被重新考虑，其内容是修凿一条大型运河绕过阿尔诺河无法通航的一段河道，用水路将佛罗伦萨与海相连。莱奥纳多经过一系列研究后产生了自己的想法；他对整个河岸绘制了全景图(这些图画同时也是具有巨大艺术魅力的风景速写)，并对整个地带作了精确的测量，而后绘出标着运河路线的地图(运河正好通过塞拉瓦莱山口)。这项工程在随后的数百年中曾屡次被研究，始终未能实施。但在几个世纪之后由佛罗伦萨至海滨的高速公路恰好建立在莱奥纳多为运河选择的路线上。

然而就在同一年（1503），莱奥纳多也得到了一次宝贵的订件，即为佛罗伦萨的韦基奥宫五百人会议厅绘制一幅壁画；这件描绘历史故事场面的作品比例尺寸巨大（7米×17米），其规模大概是《最后的晚餐》的两倍。他 在这件《安加利之战》上花了3年时间；与原拟与之匹配的米开朗琪罗的《卡希那之战》一样，这件壁画作品也未最后完成。这件作品的草图和复制品中所表现的是争夺军旗的主要战斗场面；用雕塑家 B.切利尼的话说，这些草图长期以来一直是"世界的学校"。莱奥纳多在这些年中还画有《蒙娜丽莎》肖像，以及一幅站立的《丽达》，但未画完，现只有摹本存世。

佛罗伦萨时期也是莱奥纳多集中精力投入科学研究的时期；他在新圣马利亚医院做过解剖实验，并将其解剖学研究扩展为对人类器官的结构和功能作全面的研究。他对鸟类的飞翔进行过系统的观察，并准备为此撰写一篇论文。甚至他对"水的本质和运动"进行的水文学研究也发展为对水的物质属性（尤其是水流的规律）的研究，并且将之与空气的物质属性相比较。这些也都被他收入了自己的资料集中，现收录于英格兰诺福克郡的霍尔克姆大厅所谓"莱斯特手抄本"中。

第二米兰时期（1506～1513） 莱奥纳多在佛罗伦萨这些年间的多产仍然以他的"创造性二元论"为标志。他只是零零星星地创作些绘画。1506年5月，法兰西国王在米兰的总督 C.当布瓦斯在征得佛罗伦萨执政团的许可下邀请莱奥纳多去米兰居住一段时间，艺术家毫不犹豫地就接受了这一邀请。但是原来所说的有限一段时间在政治环境的压力下变成了永久的迁徙。佛罗伦萨让莱奥纳多出走，巨幅《安加利之战》也就此不能完成。对颜料进行技术性实验的失败似乎促使莱奥纳多停止了壁画的创作。除此而外似乎没有理由可以解释他为何中途放弃这件伟大的作品——其所以伟大不仅在于构思也在于其画法。

莱奥纳多在米兰居住了6年，中间只在1507～1508年冬在佛罗伦萨逗留了6个月，那是为帮助雕塑家 G.F.卢斯蒂奇完成他为佛罗伦萨洗礼堂创作的青铜塑像，但他没有再去重画《安加利之战》。由于受到雇主当布瓦斯和国王路易十二的礼遇和赏识（他们给予他年薪400达克特银币），莱奥纳多从不觉得自己的事务很繁重。这些事务多限于对建筑问题做些指导，其中有据可查者是为当布瓦斯的行宫做规划设计，也许还曾为当布瓦斯资助的丰塔纳圣马利亚教堂祈祷室画过设计草图。莱奥纳多还曾过问过由这位法国总督恢复的一项古老工程，即欲以水路将米兰与科莫湖相连接的阿达运河工程。

在米兰期间他极少作画。他允诺法兰西国王的两幅圣母像始终没有画成。他继续绘制从佛罗伦萨带来的《圣母子与圣安娜》和《丽达》两幅画，这一事实可在当时伦巴第派的复制品中得到明证。莱奥纳多身边再一次聚集了不少弟子。他与普莱迪斯合作完成了第二幅《岩下圣母》（1508），买主与画家之间旷日持久的诉讼案在此画绘制过程中有了圆满的结局。以前的弟子中，孔蒂和萨莱重又回到了他的工作室；新学生又随之而来，其中有 C.达·塞斯托、贾姆佩特里诺、B.卢伊尼和年轻的绅士 F.梅尔齐，后者是他最忠实的朋友并伴其左右直至其去世。

一件重要的雕塑订件终于落到了他的身上。特里武尔齐奥以法国军队元帅和卢多维科·斯福尔扎的死对头的身份胜利返回米兰。他委托莱奥纳多为他制作陵墓雕刻，打算采用骑马像的形式安置于由特里武尔齐奥捐献给圣那扎罗大教堂的停尸间小教堂。但是经过对这项纪念工程的数年准备工作后（现仍存有当时为这一工程绘制的许多重要草图），元帅本人放弃了原来的计划而偏爱一个规模较小的方案，所以这项工程亦没有最后完成。莱奥纳多一定第二次对其作为雕塑家的工作深感失望。

与其近乎匆促的艺术工作相比，莱奥纳多的科学活动却异常活跃。他在解剖学方面的研究因与帕维亚的著名解剖学家 M.德拉·托雷合作而取得了新的进展。他拟定了一项全面研究计划，不仅包括对人体及各器官作精确具体的复制，而且包括比较解剖学和生理学的整个领域。他甚至想在1510～1511年冬季完成其解剖学研究手稿。此外，他的手稿包含数学、光学、机械学、地质学和植物学等诸多领域的研究，这些大概是他为其"知觉宇宙论"所作的资料准备。而这一切又不断为这样一个中心思想所驱使：即他坚信作为基础机械作用的力和运动产生了有机和无机自然中的一切外在形式并赋予其形态，他还进而认识到这些作用力均依据秩序与和谐的规律进行运转。

晚年时期（1513～1519） 1513年的政治事件——法国人被暂时驱出米兰——使得现已60岁的莱奥纳多再度迁徙。同年年底他在学生梅尔齐和萨莱及工作室两位助手的陪同下前往罗马，希望通过资助者新任教皇利奥十世的兄弟朱利亚诺·德·梅迪契而能找到工作。朱利亚诺在其梵蒂冈观景楼给了他一套住房，还付给他相当可观的月薪，但他依旧未得到大宗的订件。莱奥纳多在这座"不朽城"一直呆了3年，始终遭人冷落，而此时 D.布拉曼特正在建造圣彼得大教堂，拉斐尔在绘制教皇新寓所中最后几间房中的壁画，米开朗琪罗正在竭尽全力完成尤里乌斯教皇的陵墓工程，许多年轻艺术家如佩鲁齐、T.维蒂和索多马等在罗马都很活跃。大量饱含苦涩的信件中反映了这位年迈大师此时的失望心理，他仍在工作室中埋头于数学研究和技术实验，或者漫步于城市街头考察些古代遗迹。为沼泽地带精心绘制的地图（藏温莎城堡皇家图书馆，编号12684）说明莱奥纳多至少担任了朱利亚诺·德·梅迪契于1514年下令进行的开垦工程的顾问。再者，他还为1512年重新掌权的佛罗伦萨梅迪契家族的宽大宅邸设计了草图。不过，这些草图从未越出草拟阶段且始终未得通过。莱奥纳多似乎已与布拉曼特重新修好，但后者于1514年即去世。此外没有任何文献记载说明莱奥纳多与在罗马的其他艺术家发生过什么联系。

在如此孤寂的生活中，很容易理解莱奥纳多为何不顾65岁高龄而决定接受年轻的国王弗兰西斯一世的邀请去法国为他效命。1516年末，他永远地告别了意大利，同行者是他最忠实的学生梅尔齐。莱奥纳多在卢克（后称克洛-吕塞）的小寓所中度过了一生中最后的3年，这里临近卢瓦尔河边，位于昂布瓦斯的国王的夏宫。"国王的首席画师、建筑师和机械师"是他的光荣头衔，敬慕他的国王给他以完全的活动自由。他不再作其他的画，顶多是在画完那幅神秘莫测的《施洗圣约翰》；阿拉贡红衣主教在访问昂布瓦斯时曾在莱奥纳多的画室中见到过此画以及《蒙娜丽莎》和《圣母子与圣安娜》。

他为国王规划设计了罗莫朗坦的宫殿和花园，拟定为皇太后寡居时的住处。这项精心设计的工程结合了意大利和法国在宫殿和风景建筑传统中的最佳特征，但是由于这一地区遭到疟疾的威胁而不得不中止。

莱奥纳多仍旧为宫廷节日做策划设计，但国王处处对他待如贵宾。数十年后，弗兰西斯一世与雕塑家 B.切利尼谈起莱奥纳多时竭尽敬佩和褒扬之辞。莱奥纳多的大部分时间用于整理和辑录其科学研究成果。论绘画篇的终稿及解剖学研究的一部分得以问世。像《逍遥的人物》（藏温莎城堡皇家图书馆，编号12581）这样完美无缺的素描作品最终证明了莱奥纳多永不泯灭的天才。在所谓《世界的末日》或称《大洪水》（藏温莎城堡皇家图书馆）中，他以强烈的图画想象描绘了主宰自然的原始力量。

1519年5月2日，莱奥纳多于克卢去世。他被安葬于圣弗洛朗坦宫廷教堂。但是这座教堂在法国大革命期间遭严重毁坏，至19世纪初被彻底摧毁，所以他的陵墓已无迹可寻。梅尔齐继承了他在艺术和科学方面的遗产。

莱奥纳多成就的分析与评价

绘画 莱奥纳多在绘画方面的全部作品实际上并不算多；现存作品中只有17幅可以确定出自他手，其中有几件尚未完成。其最重要的作品中有两件——《安加利之战》和《丽达》，但都未完成——只有复制品存世。然而这有限的几件创作就已经奠定了他举世无双的声望。瓦萨里在其《艺术家生平》中将艺术史划分为3个时代，而将莱奥纳多列入最后的"艺术的黄金时代"。他的作品丝毫不受后来数世纪中审美学说的影响，而在所有的时代和所有的国度它们都堪称完美无缺的绘画杰作。

从瓦萨里到鲁本斯、歌德和德拉克洛瓦等如此众多的人们对莱奥纳多的赞誉都毫无疑问地表明，莱奥纳多的艺术表现尤其赢得了人们至高无上的敬意。事实上，这正是他作为画家构成的核心——从最早的创作到最后的作品。这种艺术表现得益于他的创造力，也得益于每一种技术手段：素描、色彩和光影的运用。对他来说，表现是艺术的主要概念，其中也包括对所描绘的每件事物的真实、美感和准确的基本要求。

莱奥纳多的追求在韦罗基奥《基督受洗》（约1474～1475）一画中由他补画的天使身上就已显露出来：基于几个方向的运动而对天使的身体作自然的构成，天使的姿势放松，眼神正在注意着发生的一切但同时又很内向。在这幅画的风景片断中可以看出，莱奥纳多还找到了表现“所体验的自然”的新方法,即将他所感知到的形式画得犹如蒙上了一层薄雾。1473年用铅笔素描画成的风景习作(藏佛罗伦萨乌菲齐美术馆)中对透明气氛的处理预示着这位21岁的青年画家有足够的才能将所感知到的现象转变为令人可信的图画形式。

在《贝努瓦圣母》(1478)中,莱奥纳多以甜美温馨的手法将童年的耶稣画成正在伸手去接马利亚手中的鲜花,从而赋予古老的传统绘画模式以崭新的、具有非凡魅力和表现力的情调。

《吉尼伏拉·德·本齐肖像》(约1475～1478)因将远景与近景作奇特的联系而为肖像画开辟了新的道路。

《圣哲罗姆》(约1480)中的憔悴身体根据他对解剖学认真、客观的研究而描绘得极为真实;其手势和眼神赋予哲罗姆以绝妙无比的哀伤变容的表情。

模仿和手势的相互作用——用莱奥纳多的话说是“肉体和精神的运动”——也是他画有众多人物形象的大幅作品《博士来拜》(1481)中的主要关注点。这幅没有最后画完的作品倒使我们能够更仔细地审视这位大师微妙的创作方法。画面场景的多重景象是以明暗对比的凹凸画法用非常微妙、薄如纸张的多层油彩从画面基底层层“建构”起来的。对圣母子一组人物的主要处理和对周围几组人物的次要描绘显然是凭精熟的构图意识而分别画成的;但这几组人物在主题上又紧密相关;人物的举止和表情——尤以祈祷的牧羊人一组人物最为突出——表现出了人们深浅程度和层次各不相同的惊讶。现藏罗浮宫的第一件《岩下圣母》最为纯粹地体现了莱奥纳多的绘画艺术。这幅画根据莱奥纳多与无原罪始胎教团的最初约定,原拟作该团圣弗朗切斯科教堂小礼拜堂中一件大型作品的中央画幅,于约1483～1485年创作完毕。然而此画从未运抵原来指定的地点,好像是被人提前从教团那里抢走了,也许是某个对此有兴趣的地位很高的团体直接从莱奥纳多的工作室中搬走了。莱奥纳多与A.德·普莱迪斯又画了第二幅稍有改动的作品以代替第一幅画,可能是在1494年左右开始绘制的。这件作品引起了画家与教团之间关于画价问题的长达10年之久的官司,这场争议直至1506年以莱奥纳多胜诉方告结束,此画也因此按合同所定于两年后被移交。这第二件作品一直保存于圣方济各小礼拜堂中,直至该教团解散(1781),后来几易其主之后于1880年最终归入伦敦国立美术馆。

《岩下圣母》描绘的是童年约翰与刚从埃及返回的年龄相仿的耶稣在野外相遇的外典传说。莱奥纳多的艺术技巧使这一主题作品产生幻象,即会使一位真正信教者在凝视这幅虔诚的绘画时如身临其境。在作品幻想性特征的背后潜藏着其绘画效果的秘密:即它所表现的不是“真实”而是“显现”。莱奥纳多调动各种艺术手段去强调画面场景的虚幻性质。柔和的色调(其著名的浓淡画法)、沐浴于光线中的人物形象出现于其中的山洞中微弱的光线、天使(唯一面向观众者)指向上帝之子与人类之间的说情者约翰时意味深刻的手势——这一切都以一种图案化的、形式的方法使画面获得了最具有表现力的效果。

莱奥纳多的《最后的晚餐》在世界最著名的绘画作品之列。极为简洁的场景构图颇具大师风范;强烈的艺术感染力来自在基督两侧对称排开的十二使徒的姿势具有鲜明的对比。莱奥纳多并没有选择传统图像中常见的叛徒犹大形象,而是按照《新约》中的陈述来表现这一最为紧张的时刻:“你们当中有一个人要出卖我。”所有使徒——就像不明白将发生什么事情的凡人——都很激动,而基督本人已经意识到自己的神圣使命,正孤独但神态安详地坐在中间。唯有另一人知道这一秘密,他既是同伴们整体动作姿势的一部分同时又被排除在外,他不合群的动作姿势使他成为所有人物中的第二个孤立者——有罪者。

莱奥纳多对主题的深刻领会、对每个人物完美但看似简单的排列、十二使徒由动作和姿势加以强调的性情、处理得极具戏剧性同时又极为崇高庄严的场面,这一切使莱奥纳多所获得的高度表现性一直成为此类绘画中的楷模。此后历代数不尽的画家无不惊奇于莱奥纳多的构图并受其影响,其中不乏大画家如鲁本斯和伦勃朗。这幅画还启发了歌德几篇最优秀的描述性的散文。这件杰作通过无数复制品和印刷品而广为人知,其中最为重要的是R.莫尔根于1800年制作的复制品。因此,《最后的晚餐》已成为人类共有遗产中的一部分,至今仍是世界卓越的绘画作品之一。

这幅作品的创作在技术问题上的欠缺丝毫没有削弱它的名声。莱奥纳多不能肯定该用何种技法绘制此画。莱奥纳多回避了因画于潮湿灰泥墙面而要求迅速连贯绘制的湿壁画法,而采用另一种他加以改进了的绘画技术,即底色用他自己在石壁上调制成的蛋彩颜料。这种画法后来证明是不成功的,因为底色在绘成后不久即开始从墙面上剥落。16世纪初即出现破损,不久就更加恶化。16世纪中叶,这件作品据说业已溃败。后来不够完备的修复工作使情况变得更糟,直至第二次世界大战后采用了最现代的修复技术后才使画面溃烂过程得以中止。

1500～1506年在佛罗伦萨期间,有4件杰出的创作确定并提高了莱奥纳多的声誉:《圣母子与圣安娜》(藏罗浮宫)、《蒙娜丽莎》、《安加利之战》和《丽达》。《圣母子与圣安娜》甚至在完成之前即受到了佛罗伦萨人的喝彩;群像巨大的可塑性以及构图中故意造成的活泼而富张力的效果使该画成为启发古典主义和风格主义的范本。《蒙娜丽莎》则成为肖像画的理想典型,人物形象的外貌与象征性含义达到了完美的结合。年轻时的拉斐尔对此画勾取大意而使之成为《马达利那·多尼像》的样本。同样,《丽达》成为塑造“蛇形人体”——即从几个缠结相连的角度构成的人物——的典范。它对古典画家产生了影响,如拉斐尔就曾勾摹过,但同样强烈影响了风格主义画家如J.蓬托莫。

在《安加利之战》(1503～1506)中,莱奥纳多富于表现力的艺术达到了登峰造极的地步。素描草图——其中有多幅保存至今——反映出莱奥纳多对“绘画科学”的崇高构想;他研究力学时探讨的平衡规律在此画中被运用于艺术的目的。“重心”就在所有骑兵争夺的那组军旗上。盘旋在一起的骑兵所产生的激烈而张狂的动感似乎于转瞬之间被凝固;从一个活跃动作到下一个动作过渡的短暂瞬间在画中得到了奇妙的图示。

另一方面,莱奥纳多在解剖学和生理学方面的研究也影响了他对人体和动物的表现,尤其是处于兴奋状态之时的人体和动物。他曾研究并大量描绘过人在生气时和动物的龇牙咧嘴、鼓唇喷气等动作。画面中的骑兵和马匹的特征均被扭曲,在表现上显然是相类似的。

颇富想象力的马具使画中事件从历史的范畴进入一个永恒的领域。《安加利之战》因此而成为描绘激战场面的标准典范。该画的构图影响了很多画家:从17世纪的鲁本斯(曾从莱奥纳多已佚草图中对这一场面做了最精彩的临摹)到19世纪的德拉克洛瓦。

1507年后——无论在米兰、罗马还是法国——莱奥纳多极少作画。他在米兰期间确曾再度创作过丽达主题的作品并构思过一幅变体画《跪着的丽达》。其素描草图——反映出晚年画风——具有一种神奇而令人不解的色情意味。也许在罗马时他就开始画《施洗者圣约翰》,但后来在法国才最终完成。他冲破了一般绘画传统的束缚而将基督的先驱者表现为神谕的传令使者。他的艺术是一种“表现的艺术”,似乎旨在挖掘出主题中隐藏的模糊含义。

莱奥纳多富于表现性的艺术的最后展示就是他的《世界的末日》,这组草图以世界的末日为主题。在此画中莱奥纳多的想象力(源自于理性和幻想)达到了其顶峰。宇宙中的非物质力量本身虽是不可见的,但通过它们所发动的事物而得到显现。莱奥纳多平日在水的漩涡、空气的流动、山石的形状和植物的生长中所观察到的一切,都转变成了画面风雨云烟构造中的具体形态。世界的构架于陡然之间四分五裂,但是即使是毁灭——如被释放了的诸种因素,“美丽”得狰狞的各种形式所显示的那样——也仍旧遵循着主宰世界的创造和自然万物之生死的秩序、和谐和均衡的完全相同的规律。这些没有任何范本可依的“景象”是莱奥纳多艺术的最后也是最具独创精神的表现——他基于“懂得如何观察”的认识在他的艺术中似乎已经得到了实现。

雕塑 根据莱奥纳多的自述和其他资料来源可知,他从青年时代起即是一位雕塑家。在其《绘画论》引言中,他认为绘画在诸艺术门类中要优于雕塑,但他同时又强调自己对这两门艺术都有实践。韦罗基奥的弟子们用大理石和石膏制作的一小组将军头像有时被人与莱奥纳多相联系,因为有一幅同样主题的精彩素描即出自他之手。但是,这组头像低劣的质量说明不可能是这位大师的作品。据瓦萨里所说的莱奥纳多在年轻时用泥胎塑成的妇女和儿童头像,至今已毫无踪迹可寻。

莱奥纳多全身心投入的两项大型雕塑工程都很倒运,无论是他一直干到1494年的巨大的F.斯福尔扎青铜骑马像,还是他1506～

1511年为之奔忙的特里武尔齐奥元帅纪念碑,都没有最终告成。莱奥纳多对他在斯福尔扎骑马像上的工作写有详细的日记,这则日记因马德里手稿(编号8936)的重新发现而得以再见天日。日记中的文字和素描均表现莱奥纳多具有青铜铸造技术方面的广博经验,但同时也暴露了这项工程近乎空想的实质。他原想将骑马像铸造成一个单件,但骏马巨大的尺寸证明存在着难以克服的铸造技术问题。实际上,莱奥纳多最终都不敢肯定这个问题能否得到解决。

为这两件纪念性作品绘制的素描稿反映出莱奥纳多的雕塑概念的伟大。在为工程绘制草图之前,他对活马的解剖结构、运动和比例做了精确的研究——似乎他还想写一篇专论马的文章。他曾仔细考虑过狂奔之马与小跑之马两种类型的价值,相比之下决定选择后者。这些草图在表现马与骑马者的受制张力方面远胜于多那太罗的加塔梅拉塔雕像和韦罗基奥的科列昂尼雕像,是莱奥纳多艺术中最为精到而重要的例子之一。这些草图无疑——以思想的形式——对16世纪骑马像的发展产生了强烈影响。

布达佩斯有一座小型的奔跑骑马像十分接近莱奥纳多的风格,假若不是出自他之手,也一定是受到他的直接影响(也许是G.F.鲁斯蒂奇所作)。据瓦萨里记载,鲁斯蒂奇是莱奥纳多的热心弟子,他在为佛罗伦萨洗礼堂的北门创作大型青铜群像《施洗圣约翰布道》时曾得到老师的帮助。实际上,约翰的站立姿势及其向上指着的不寻常手势,以及秃顶的利未人形象中都可以清晰地辨别出莱奥纳多的影响痕迹。此外,柏林那尊颇多争议也颇遭谩骂的蜡制胸像《花神》中显然也回荡着莱奥纳多的灵感之音。这尊蜡像可能塑于法国,也许是于1528年效命于弗兰西斯一世的鲁斯蒂奇圈子中的人物所为。

建筑 莱奥纳多在致L.斯福尔扎请求效劳的一封信中称自己是有经验的建筑师、军事工程师和水力工程专家,他一生都在关心建筑问题。但他的影响力基本上只限于一个顾问的角色。唯有一次——即在米兰大教堂的圆顶(1487～1490)设计竞赛中——他的确真正考虑过自己亲身参与;但当提交的模型被退回来时,他即放弃了这个念头。他要求成为一位名副其实的建筑师的其他例子中包括为具有代表性的世俗建筑做了些规划设计:为一位米兰贵族设计宅邸(1490年前后)、为米兰的法国总督设计别墅(1507～1508)、为梅迪契家族设计在佛罗伦萨的私宅(1515)。最后就是他在法国为罗莫朗坦宫殿和花园进行的大型工程(1517～1519)。尤其是在最后这项著名的工程中,莱奥纳多的铅笔草图清楚地反映出他对建筑的技术和艺术问题的熟练精通;透视效果图(藏温莎堡)则反映了建筑现场的壮观场面。

莱奥纳多从他居住米兰时期起就已经是一位相当活跃的军事工程专家。但是现在无法列举出他这项工作的确切实例。直到马德里笔记本被发现时人们才知道莱奥纳多于1504年可能是受佛罗伦萨市政机构的派遣曾来到皮翁比诺的领主身边,当时该城的防御系统正在维修,莱奥纳多曾提出一个全面修葺的详细方案。另外,他对阿尔诺河一带和伦巴第的大规模运河工程的研究,说明他还是一位水利工程专家。

但是,真正代表莱奥纳多的建筑研究特点并使世人注目的是其研究的无所不包性:这些研究所涉及的领域广泛,包含他那个时代的每一类建筑问题。此外还常可找到证据说明莱奥纳多在建筑方面曾有过著书立教的冲动:他曾打算搜集整理出自己专论建筑理论中这一主题的文章。这篇建筑论——开头几行现存于宗教和世俗建筑类的范本手稿B中(MS.B,巴黎法兰西研究院)——旨在论述建筑的整个领域以及形式和构造的理论,拟包括这样几个条目:城市规划、宗教和世俗建筑,以及对重要的单个因素的概述(如穹隆顶、台阶、正门和窗户)。

莱奥纳多的建筑研究以其全面和丰富的思想非常广泛地洞察了他那个时代的建筑成就。他的观察犹如地震仪一样敏感地记录了所有论题和问题。他在米兰宫廷与布拉曼特合作长达近20年时间,后来又于1513～1514年间在罗马相会;他还与其他著名的建筑家关系密切,如F.迪·乔治、G.达·桑迦洛、G.A.阿马代奥和L.凡切利。因此,他与当时所有最重大的建筑活动都有最密切的关系。莱奥纳多的建筑设计图画持续了他整个一生,也恰好跨越了建筑史上决定性的发展时期——即指15世纪80年代至16世纪第二个10年——古典风格的原则即在这一时期由形成而至成熟。这一发展过程可以在这位那个时代最伟大的人物之一的思想中得到了解,这一点赋予莱奥纳多的研究以显著的艺术价值和卓越的历史意义。

科学 *绘画科学* 尽管莱奥纳多从事过大量的科学活动,但人们仍不该忽视这样一个事实,即这一切都是一位毕生都在自豪而自觉地认为自己是一位艺术家的人物的智力产品。他也正是这样描述自己的。他最初是以一名艺术家的身份与科学发生联系的,当时他要写一篇绘画专论文章。

现今通行的莱奥纳多著名的论绘画著作,不是出自艺术家本人之手的原著,而是由他的弟子和继承人F.梅尔齐从莱奥纳多各种手稿的文本中以忠实的谨慎态度加以搜集整理而编成的集子。这就是乌尔比纳斯·拉蒂努斯抄本编号1270,现藏梵蒂冈图书馆。该书草成于1540～1550年间,但从其行文形式来看仍不是一部完整的手稿。许多存世的原始文本被遗漏,莱奥纳多整体计划的所有部分并未被包括。

梅尔齐本论绘画缩写本的初次印刷版删略了论及艺术门类中的“等级”的长篇引言章,于1651年在巴黎出版豪华本,出版者R.杜·弗雷斯纳还摹仿N.普桑的素描为该书配有插图。梅尔齐本的第一部完整集子至1871年才问世,由G.曼齐在罗马出版。近代两种标准的版本一为E.路德维希版,3卷本,维也纳1882年出版(有德文译本);另一种则是A.P.麦克马洪版,1956年普林斯顿出版,2卷本(乌尔比纳斯抄本复制件英译本)。

莱奥纳多原来设想更广泛地论述这一主题,他自己就曾暗示过这一点。除了对绘画和素描进行实用性的具体指导外,这篇专论旨在讨论涉及艺术家的感知和经验问题的每一个领域,然后再将感知和经验作为既成的标准加以讨论。这部著作的主旨由3个主要问题构成:对绘画科学的界定,这在前文中已作简略交代;绘画的数学基础论(即几何、透视和光学)以及对光影、色彩和空气透视的系统研究;有机和无机自然中的形式和作用的理论,这是向受过“懂得如何观察”训练的画家解释并为之所能够理解的。这种关于可视世界中的形式和作用的理论首先寻求对包括人类在内的动物世界做一番描述,然后是植物世界,最后企图解释无机自然中的某些现象,如水、土和火形成的原因。

《绘画论》中的素描插图的绘制时间从最早的米兰时期延续到莱奥纳多在法国的晚年时期,从中可以追溯出他对这一论题的不断扩展和深入。许多插图直接配在文字旁边,其中还有彩色图;许多被世人尊崇为艺术作品的自然景物习作,如著名的雨景画(藏温莎城堡,编号12409)和“树叶”(藏温莎城堡皇家图书馆,编号12431),可以看出是为这本论著创作的插图。巴黎法兰西研究院的手稿C中关于光与影的融会的示意图同样是这本教科书中的一部分。莱奥纳多创作的所谓奇形怪状的头像亦与这本画论有密切关系。这些头像常被人错误地称为讽刺画,但实际上绝大多数表现的是不同类型的头像,只有少数例外。它们是人类面孔在美与丑、平凡与非凡、崇高与卑鄙的两极之间逐渐变化的变体画。这些也与解剖生理学有密切关系,皮肤皱褶、腱肌突出的老人与青年人之间形成鲜明的对照。最后所讨论的是对人类的表现:人体、比例关系、器官及其功能,还有处于体力和精神运动状态时的各种姿势。莱奥纳多的艺术和科学目的,在此交织在一起。

解剖研究和素描 莱奥纳多的解剖研究也许最能体现在他多样的兴趣领域之间开始出现的他所认为的越来越多区别的过程;但是看似背道而驰的不同研究领域又在这一区别中(在更高的层次上)始终保持内在的联系。于是,莱奥纳多最初为艺术训练而追求的解剖学研究很快转变成一个独立的研究领域。随着他犀利的目光揭示出人体的结构,莱奥纳多逐渐为“人类仪器般的外形”所吸引,于是他竭力去探寻并将它作为自然的一种造物加以表现。最初的研究主要针对骨骼和肌肉,不过他从一开始就将解剖学研究与生理学探索相结合。莱奥纳多从观察静态的结构进而发展到研究人体各个部分在造成生物体的机械活动时所起到的作用。这一点最终又促使他去研究人体的内在器官,其中探索得最为深入的就是作为人类感觉和生命之“发动机”的大脑、心脏和肺部。他在米兰时曾在解剖台上做过实际的解剖操作,后来在佛罗伦萨的新圣马利亚医院,再后来又在米兰和帕维亚也做过同样的操作。他在帕维亚时曾受到外科解剖学家M.德拉·托雷的忠告和启发。据他自己承认,他一生中曾解剖过30具尸体,因而拥有令人吃惊的广泛经验。这种经验在他著名的解剖素描图中得到提炼,这些作品当属文艺复兴时期的科学所取得的最辉煌的成就之列。莱奥纳多图示作品中的这些素描是依据自然与抽象表现之间的

一种奇妙联系;合乎透视的剖面画法、视肌肉如绳索的再现手法、用虚线表示隐藏部位的做法以及特制的一套影线画法,使他能够用足以让"洞察"器官内部的透明层次画法再现人体任何一个部位。莱奥纳多对素描的熟练掌握在此证明最为有用。这些图示作品的真正价值及其优越于描绘性文字的长处——恰如莱奥纳多自豪地强调的那样——即在于它们能够在解剖台上综合多样的单个经验并使所获数据在瞬间得到准确的显示。这样获得的效果不同于一切死的解剖标本,生物体的"生命特性"也由此而被留住。

这种不同寻常的人体绘画图表即是莱奥纳多所设想的"微观世界的宇宙志"。从现存画技高超的部分可以显然地看出他何以为此花去了太多的精力和时间。这种图表也为现代的科学插图提供了基础性原理。莱奥纳多在这一领域中没有得到充分的肯定。由于他自己特有的观察方法,他将素描艺术提高为具有最高水平的科学研究和教学的手段。

机械学和宇宙论 莱奥纳多对机械学的研究亦是从其艺术实践开始的,当时他已是一位非常出名的建筑家和工程师。莱奥纳多毕生都是一位有创造性的建筑师,他完全精通那个时代的机械学原理并在多方面为促进其发展做出贡献。

他论述机械学基本理论的范本著作于15世纪90年代末在米兰问世,后在马德里抄本8 937中被发现。这本著作的重要性不在于它对具体机械或工具的描述,而在于它运用示范模型去解释机械制造中所运用的基础机械原理和作用。莱奥纳多还特别关心摩擦阻力和反作用力问题。这些基本因素——螺丝线、齿轮、液压起重机、旋转设备、传动齿轮等等——在书中被分别或结合在一起加以描绘;此外,素描也是优越于书面文字。与他的解剖素描一样,莱奥纳多创造了图画表现的一定原理——程式化、图案化和图解化——以保证对所论对象的精确图示。

在数年的时间里,他对纯机械学的兴趣逐渐融入了对实用机械学的兴趣。莱奥纳多认识到,按照机械学的基本规律起作用的机械力量在有机和无机世界中的每个角落都在发挥作用。这些力量决定了有生命和无生命的自然,以及人。莱奥纳多在一篇解剖论文中写道:"注意,机械学原理的著作要优于专论人和其他生物的力量和运动的著作,因为只有这样你才能够证明你的论述。"因此,"力量"最终成了莱奥纳多的关键概念;作为精神财富,它形成并统治着宇宙。

莱奥纳多无论在何处探索自然现象,他都能够认识到统摄宇宙形状和作用的根本的机械力量的存在:在对鸟类飞翔的研究中,他年轻时对飞行器的可行性想法得以形成并促使他进而全心尽力地研究空气的成分;在对"自然的传播者"水的研究中,他既关心水的物质特性,同时又注意水的运动和水流规律;在对植物和树木的生长规律以及土地与山体的地质结构的研究中,意识到"力"的存在;最后,对气流的观察令人想到蜡烛火焰的形象或者一缕烟云的图画。在其根据无数次实践而创作的素描中,尤其是旋涡习作,莱奥纳多再一次发现了为他所独有的一种风格化的表现形式:即将某种现象分解为基本构成部分——水的痕迹或旋涡的波纹,但同时又保持了整体的图画,即既分析又综合的幻象。

因此,尽管他拥有各个不同的知识领域,莱奥纳多的科学仍然展示了一个统一的世界图画:即以"懂得如何观察"为基础的宇宙论。这一理论的最终结论是,自然的一切作用均受制于神圣的"原动力"所创造的需要规律和秩序规律。"你的公正是多么奇妙,哦,原动力!你已注意到任何力量都不可缺少由你必然统治的秩序和价值"。

艺术家兼科学家的莱奥纳多 15世纪末,经院学说走向衰微,人文主义方兴未艾。然而,莱奥纳多所属的知识圈子却形成了特别具有现代意义的第三种认识形式。在他看来,艺术家——即通过视觉观察获得的真实而准确的经验知识的传达者——扮演着举足轻重的角色。凭着艺术家的这种高度使命感,莱奥纳多深入到广阔的自然中去探究它的奥秘。他欲以百科全书式的形式传达如此获取的知识的理想,仍然与中世纪经院学派的思想纠结在一起,但他的研究成果却是新时代思想最伟大成就的一部分,因为这些研究以全新的方式和史无前例的程度将经验原则视为基础。

此外,尽管莱奥纳多发奋自学并通晓语言、自然科学、数学、哲学和历史(只要列举一下他包罗万象的藏书内容即可看出),但他仍然是视觉观察经验论者。但恰恰因为这一点(凭借他的天分)他形成了自己独一无二的"认识理论";在这一理论中,艺术与科学融为一体。面对莱奥纳多的创造性天才所取得的全部成就,他到底完成或未完成多少的问题就变得毫无意义了。问题的关键是他的知识力量——这在他的每一种创造中都是自足而内在的。这种力量一直到今天仍在发挥作用。

Leonardo Pisano **莱奥纳尔多(比萨的)**(约1170,比萨?~1240后) 原名斐波那契(Leonardo Fibonacci),英语作 Leonardo of Pisa。中世纪意大利数学家。著有《算盘书》(Liber abaci,1202),是欧洲第一部论述印度-阿拉伯数学的著作。

生平 关于莱奥纳尔多的身世,人们知道得很少。其父古列尔木是比萨商人,被任命为北非港口布吉亚(今阿尔及利亚贝贾亚)的比萨侨民领事。莱奥纳尔多童年时就在布吉亚受教育,从阿拉伯教师学习计算。后来他曾到埃及、叙利亚、希腊、西西里和普罗旺斯等地学习各种不同的数制和计算方法。

莱奥纳尔多的《算盘书》问世之时,欧洲只有少数知识分子通过9世纪阿拉伯数学家花拉子密的著作的译本知道印度-阿拉伯数字。该书前7章介绍记数法,阐述位值原理:数字的位置决定它是单位10、100、1000…中的一个;说明数在算术运算中的应用。此后这一方法被应用于利润率、易货贸易、货币兑换、重量和尺寸换算、合股和利息等实际问题。该书大部分都是对数学作纯理论的讨论,例如对比例(以中世纪流行的粗略地寻求比例的三项律和五项律为代表)、假位律(先作一个未必正确的假定,然后利用比例加以校正得到问题的正确答案的计算方法)、求根法以及某些几何和代数系统中的数的性质的讨论。1220年莱奥纳尔多还写了一部小书《几何练习》,该书共8章,其定理是在欧几里得《原本》和《论分割》的基础上得出的。

《算盘书》被广泛传抄和仿造,引起神圣罗马帝国皇帝腓特烈二世的注意。13世纪20年代莱奥纳尔多曾在比萨被皇帝召见。皇帝的科学随从巴勒莫的约翰提出了一系列问题,其中有3个问题莱奥纳尔多写入他的书中。前两个问题是受人喜爱的阿拉伯式的不定方程,它们在3世纪时就已经由希腊数学家丢番图提出。这是一个带有两个和更多未知数的方程,它们的解必须是有理数(整数或普通分数)。第三个问题是一个三次方程,用现代的代数符号可表示为 $x^3 + 2x^2 + 10x = 20$。莱奥纳尔多用尝试法(即逼近法)求解此问题,求出 $x = 1^{0}22^{\mathrm{I}}\ 7^{\mathrm{II}}\ 42^{\mathrm{III}}\ 33^{\mathrm{IV}}\ 4^{\mathrm{V}}\ 40^{\mathrm{VI}}$ (即 $1 + \frac{22}{60} + \frac{7}{3\,600} + \frac{42}{216\,000} + \cdots$)这是六十进制分数(即基为60的巴比伦数制的分数),它转为现代十进制时为1.368 808 107 5,精确到9位小数。

对数论的贡献 莱奥纳尔多同腓特烈二世及其侍从学者们通信交流数学问题有几年之久。他的《平方数书》(1225)是献给腓特烈的。这本书专门讨论二次丢番图方程。《平方数书》被公认为莱奥纳尔多的杰作。书中系统地编排了一系列定理,许多是他本人发明并用他自己的证法求出通解的。书中最有创造性的工作当是同余数(即除以给定的数得到相同余数的数)。他还制定出下述问题的一个独特的解法:"一个平方数加上或减去某数仍得一平方数,求某数。"他的"$x^2 + y^2$ 和 $x^2 - y^2$ 两者不能都是平方数"的断言,对于确定有理直角三角形面积具有重大意义。虽然《算盘书》影响较大,流传较广,但使莱奥纳尔多成为数论中介于丢番图和17世纪法国数学家P.de费马之间贡献最大的数学家的却是《平方数书》一书。

除了传播使用印度-阿拉伯数字之外,莱奥纳尔多对数学的贡献还是被忽视了许多。他的名字为现代数学家所知,主要是因为在《算盘书》中一个问题引出的斐波那契数列:"某人放一对兔子于四周筑有围墙的地方。假定一对兔子每月生一对新的兔子,而新生的兔子从第二个月起也开始生产。问一年之内这对兔子能生出多少对兔子?"这最终的数列1,1,2,3,5,8,13,21,34,55(莱奥纳尔多本人略去了第一项)中每个数是前两个数之和。这个数列是欧洲已知的第一个递归数列(即相继两项或更多项之间的关系可用公式表示的数列)。1634年法国出生的数学家A.吉拉德将数列中的项用公式表示:$u_{n+2} = u_{n+1} + u_n$,其中u表示项,而角标表示它在数列中的位次。1753年格拉斯哥大学的数学家R.西姆松指出,随着数列项数的不断增加,相继两数之间的比趋于一个称为"黄金比"的数a,其值为1.6180…或$(1+\sqrt{5})/2$。19世纪,法国数学家E.卢卡斯创造"斐波那契数列"一词,同时科学家也开始在自然界中发现这种数列,例如在向日葵花头的螺线中,在松果中,在雄蜂有规律的遗传中,在蜗牛壳的相关对数(等角)螺线中,在茎上叶芽的排列中和在动物的角上,等等。

Leonardo da Vinci Museum of Science and Technology 莱奥纳多·达·芬奇科学技术博物馆 位于米兰,馆内主要展示15世纪以来科学的演变情况,包括运输、冶金、物理和航海。设在圣维托雷建于16世纪初的古老的橄榄山女修道院。馆内有贝尔纳迪诺·卢伊尼的优美壁画,达·芬奇陈列室内有他制作的机器和一些发明模型。其他陈列室展有物理、天文、无线电通讯、光学和电信等方面的物品。还收藏一些早期的汽车。在室外展亭中陈列一些蒸汽机车和飞机。1922年建造的一个独立分馆展出船只模型和航海仪器。

Leoncavallo, Ruggero 莱翁卡瓦洛(1858-03-08,那不勒斯～1919-08-09,佛罗伦萨附近蒙泰卡蒂尼泰尔梅) 那不勒斯歌剧作曲家,因创作歌剧《丑角》闻名。该剧与P.马斯卡

美国不列颠百科全书公司供图

尼的《乡村骑士》(1890)一起代表了对R.瓦格纳和浪漫主义意大利歌剧的反动。两剧都以日常生活中耸人听闻的故事取代了准历史剧的情节。莱翁卡瓦洛曾在那不勒斯音乐学院学习。后来在咖啡馆演出,并教钢琴和教唱,借以谋生。最初写的《查特顿》和《梅迪契》两部歌剧未能引起人们注意。1892年以马斯卡尼的真实主义风格创作的《丑角》在米兰上演,立即获得成功。他的《波希米亚人》(1897)比不上G.普契尼的同名作品。

Leone, Giovanni 莱奥内 参阅 **Leo Africanus** 利奥(非洲的)。

Leone, Sergio 里昂涅(1929-01-03,意大利罗马～1989-04-30,罗马) 又译莱翁内。意大利电影导演,主要以推出意大利"通心粉式西部片"而闻名。里昂涅是一位电影界先驱之子,早年即投身于电影拍摄工作。曾多年担任意大利导演及在意大利工作的美国导演F.齐纳曼、R.怀斯、W.惠勒和R.沃尔什的助手。里昂涅参与导演并作为编剧合作拍摄了《古罗马斗士的徽记》(1958)和《庞贝的末日》(1959)。他独立导演的处女作是虚构的历史片《罗得岛的巨人》(1961)。接着他导演了一系列合乎传统风格的、充满暴力的西部片,包括《为了几美元》(1964)、《为了更多的几美元》(1965)、《好人、坏蛋和丑八怪》(1966)和《西部往事》(1968)。这些影片在商业上获得极大成功,吸引了全世界广大观众。起初评论界对这些影片评价不佳,但里昂涅最终以其注重历史准确性和强烈的视觉结构感而获得好评。他完成的最后一部影片是《美国往事》(1984)。

Leoni, Leone 莱奥尼(1509,意大利佛罗伦萨共和国阿雷佐～1590,米兰) 佛罗伦萨雕刻家、金匠、奖章雕刻家,对西班牙雕刻产生过影响。一生大部分时间在米兰皇家造币厂任技师。和其子波姆普一起精心制作了西班牙宫廷肖像勋章和埃斯科里亚尔高祭坛雕刻。其《查理五世胸像》(1553～1555)显示了深刻的感受力和观察力。其他著名作品有《忍怒的查理五世》(1549～1555)和《凯旋归来的查理五世》。他在米兰的宏伟府邸"奥梅诺尼府"(1565～1570)是给罗马皇帝马可·奥勒利乌斯的贡品,庭院中心为奥勒利乌斯的骑马像。

Leòni, Pompeo 莱奥尼(1533,意大利米兰～1608-10-13,西班牙马德里) 意大利文艺复兴晚期雕刻家,以富有表情的肖像雕刻著名。1556年赴西班牙,协助其父工作。1570年曾为腓力二世的婚礼作大型雕刻。同年,在腓力的赞助下,创作了他最著名的作品——皇帝查理五世和腓力二世以及家庭成员的青铜肖像,现安放于埃斯科里亚尔教堂主祭坛的两侧。莱奥尼受聘为摄政王奥地利的琼供职,并定居马德里。1576～1587年间,为异端裁判所审判官堂·费尔南多·德·巴尔德斯的坟墓雕刻了若干等身大理石雕像。其作品中对珠宝的应用,是受西班牙影响的明显标志。

Leonidas 莱奥尼达斯(?～公元前480,洛克里斯温泉关) 斯巴达国王,曾在希腊中部的温泉关抵御入侵的波斯军队。此事是希腊不朽的英雄故事之一,在整个西方历史上被视为以一当千的勇敢斗争的典范。他属于亚基斯家族,公元前490年左右继承同父异母之兄克莱奥梅尼一世的王位。他与克莱奥梅尼的女儿结婚,可能他支持过克莱奥梅尼对其他希腊城邦的侵略。公元前480年,他率领一小支希腊军队,前去抵御波斯王薛西斯统帅的大军。一连两日,他阻止了波斯军的进攻。随后他命令大部分人后撤,只留下他和300名禁卫军。他们奋战到最后一个人。这事在希腊人的想象中留下了深刻的印象,并产生了斯巴达人永不投降的传说。

Leonidas of Tarentum 莱奥尼达斯(塔兰托姆的)(活动时期公元前3世纪上半叶) 希腊诗人。他的重要性不在于他本人所作的诗而主要是由于他对后期希腊警句诗所产生的影响。莱奥尼达斯是早期希腊化时期警句诗人之一,现存短诗约100首,除两首外,均收入《希腊诗选》。这些诗没有提供有关作者本人的什么情况。他把自己说成是一个穷困潦倒的流浪者,迟早要客死他乡。他是一个善于做顺口溜的打油诗人,但仅此而已。他的送葬或奉献的警句诗并没有很多会是作为墓铭来写的。死亡是编造出来的,献词只是为了玩弄一套华而不实的形容文字的借口。在他死后,有好几代灵感贫乏的警句诗作者都学他的样,有的就在他的警句诗基础上略变花样而已。

Leonidov, Leonid Mironovich 列昂尼多夫(1873-05-22,俄罗斯帝国敖德萨～1941-08-06,莫斯科) 苏联演员、导演和教员,其演出和教学体现了斯坦尼斯拉夫斯基的戏剧观。曾在莫斯科帝国戏剧学校学习。后在基辅、敖德萨等地当演员。1903年加入莫斯科艺术剧院,与斯坦尼斯拉夫斯基共事,在该剧院首次登台,饰高尔基《底层》一剧中的佩佩尔。后来演出的戏剧使他获得了最大声誉。在他饰演的有名角色中有《卡拉马佐夫兄弟》(1910)中的卡拉马佐夫、《尤利乌斯·凯撒》(1903)中的卡西奥和《彼尔·英特》(1912)及《奥瑟罗》(1930)中的主角等。他的电影生涯开始于1919年,同样表现出他的戏剧天才。在《农奴之翼》(1926)中饰演的伊凡雷帝和在《高布赛克》(1935)中饰演的主角均获重大成功。他善于把导演斯坦尼斯拉夫斯基的理论和实践用到他所饰演的新角色中。1935年起在国立戏剧艺术学院执教,并从1939年起到去世时为止任院长和艺术指导。他也是个很活跃的戏剧导演,维尔塔的《大地》(1937)和高尔基的《陀斯契加耶夫等人》(1938)均导演得很出色。1936年被授予"苏维埃人民艺术家"称号,曾荣获列宁勋章和劳动红旗勋章。

Léonin 莱奥南(创作时期12世纪末) 当时最主要的礼拜仪式音乐作曲家,与巴黎圣母院作曲学派有联系。生平不详。《奥加农大全》(约1170)一直被认为是他的创作。这是一本二声部的奥加农乐曲集,主要是全年度礼拜仪式用的升阶经、哈利路亚和应答圣歌的配乐。在《大全》中,他将花唱风格和音对音的迪斯坎特风格在以运用节奏程式(即重复的短小的3拍子程式)为特点的作品之内结合起来。参阅 **organum; mode; rhythmic mode**。

leonine verse 利奥体诗 拉丁语诗或法语诗,诗行末尾的单词与同一诗行中间停顿前的那个单词押韵,如"gloria facto*rum* temere conceditus ho*rum*"。后来将此发明归之于12世纪一位名叫利奥尼乌斯或利奥尼诺斯的拉丁语诗人。但leonine一词可能只是指利奥体诗比其他诗体的卓越之处。利奥体诗也指英语诗中一诗行末与该诗行中间的一个音押韵的情况,如A.丁尼生勋爵的诗句"the long light *shakes* across the *lakes*"。

Leonov, Aleksey Arkhipovich 列昂诺夫(1934-05-30,苏联俄罗斯克麦罗沃附近～) 第一个在太空走出航天飞船的苏联航天员。1953年参加苏联空军。1957年完成飞行训练后驾驶战斗机。1959年参加航天训练。1965年3月18日"上升"2号载着他和P.别利亚耶夫发射到太空,在绕地球飞行第二圈期间,当运行到克里米亚上空177千米处,他由气闸室离开"上升"2号。用绳系在飞船上,他进行观测、拍摄电影和练习自由下落的动作,共约10分钟,然后在西西伯利亚上空重新进入"上升"2号。该飞船在完成17圈绕地球轨道飞行(历时26小时)后返回地面。1975年7月17日他任"联盟"号飞船指令长,

美国不列颠百科全书公司供图

此飞船在轨道上与美国"阿波罗"飞船对接。其后他在航天训练中心工作。

Leonov，Leonid Maksimovich　列昂诺夫（1899-05-31，莫斯科～1994-08-08，莫斯科）苏联小说家、剧作家。作品以心理描写著称。生于出身农民的诗人和新闻记者的家庭。1915～1918年在阿尔汉格尔斯克从事新闻工作，于该地发表第一批诗和特写。曾参加红军，复员后定居莫斯科。1922年开始发表作品。他的写法与陀思妥耶夫斯基十分相似，努力揭示人物的内心世界，情节十分复杂。代表作《獾》（1924）描写革命前后的俄国情况；《贼》（1927）描写20年代早期莫斯科的各种下层人物。他善于写道德问题和心理问题，曾努力适应共产党评论家提出的社会主义现实主义的要求。从20世纪30年代中期直到1953年，他没有发表过长篇小说，但在1936～1946年写了12个剧本，其中11个由莫斯科剧院上演，但第12个未被审查通过。长篇小说《俄罗斯森林》（1953）于1957年获列宁奖金。1972年当选为科学院院士。

Leonowens，Anna Harriette　利奥诺文斯（1834-11-05，威尔士卡那封郡卡那封～1914-01-19，蒙特利尔）　母家姓 Crawford。英国女作家。15岁去亚洲，同印度军队的T.L.利奥诺文斯少校结婚。1858年少校死后，她带着两个孩子住在新加坡，直到1862年应暹罗国王蒙库（拉玛四世）之邀去曼谷任其子女的家庭教师。离开暹罗后，著有《暹罗宫廷中的英国女教师》（1870）和《后宫艳史》（1872）两书。据国王蒙库的传记（《暹罗国王蒙库》）的作者A.L.莫法特称，利奥诺文斯对暹罗宫廷生活的描述极为夸张，她将国王蒙库描写成一个残酷的暴君完全有失公允。她在暹罗的神奇经历为M.兰登提供了灵感，写出受欢迎的《安娜和暹罗国王》（1944），而根据该书创作的又有R.罗杰斯和O.哈默斯坦第二的音乐剧《国王和我》及两部电影、一部电视系列剧。

Leontes（Lebanon）　参阅 **Līṭānī River 利塔尼河**。

Leontief，Wassily　列昂捷夫（1906-08-05，圣彼得堡～1999-02-05）　又译里昂惕夫。俄国出生的美国经济学家。被称为经济学投入-产出分析之父，1973年获诺贝尔经济学奖。曾在列宁格勒大学（1921～1925）和柏林大学（1925～1928）学习。1931年到美国，1931～1975年在哈佛大学任教。1948～1975年为哈佛经济研究工程美国经济结构项目的主持人。1975年任纽约大学经济学教授。3年后任该校经济分析研究所所长。投入-产出分析的核心是表示每个产业部门购进和售出的相互依存关系的棋盘式平衡表，加入政府、消费者、外国及其他因素，产生一国经济中商品及服务的总概括。50多个工业国家已经以多种方式将投入-产出分析应用于经济计划和预测。列昂捷夫还以发展线性程序（一种用于解决经济操作中复杂问题的数学技巧）著称。他的"列昂捷夫悖论"也很有名。他发现，在美国是资本而不是劳动力在生产上才是相对稀少的因素。主要著作有：《1919～1929年美国经济结构：平衡分析的实际应用》（1941）、《投入-产出经济学》（1966）。

Leontini　莱昂蒂尼　西西里东南部的古代希腊城市，在锡拉库萨西北22英里。原为西库尔人所占，但它所拥有的北方的肥沃土地吸引着哈尔基斯人，结果在公元前729年哈尔基斯人由纳克索斯向该地移民。公元前5世纪初，杰拉的希波克拉底征服该城；公元前476年，叙拉古的希厄隆在摧毁卡塔纳和纳克索斯之后，将两地居民迁往莱昂蒂尼。莱昂蒂尼求救于雅典，雅典两次（公元前427和前415）征讨西西里，均未成功。马库斯·克劳狄乌斯·马塞卢斯在公元前214年和穆斯林在846～847年均攻打过莱昂蒂尼。该城在1693年的地震中几乎全部被毁。根据历史学家波利比奥斯的记述，该城位于两座山峰的峡谷中间，两山山顶都有卫城。1950年进行发掘，出土的有西库尔人的一个村庄和东卫城的一个中世纪城堡的遗迹。现代的西西里莱昂蒂尼镇是一繁荣的农业中心。有居民20 000余人。大约位于原址的西北。

Leontius OF BYZANTIUM　莱昂提乌斯（拜占廷的）（约485，君士坦丁堡？～约543，君士坦丁堡）　拜占廷修士、神学家。青年时开始隐修生活，520年前后转入耶路撒冷某隐修院。531年回到君士坦丁堡参加讨论基督论的会议。542年再次返回君士坦丁堡，请求当局裁断关于隐修神学问题的争论。在有关基督的神性与人性的论战中，他先是倾向于聂斯脱利派（**Nestorian**）。他揭露某些基督一性论派（**Monophysite**）曲解教父权威著作，对这些一性论者和优迪克派（**Eutychina**）进行批判。后来受西里尔（亚历山大的）的影响，在他的主要著作《三批聂斯脱利派和优迪克派》中，采取温和的正统立场。《三批》直接利用各种不同神学派别的论断，成为了解这些派别的第一手资料的来源；同时又提出一些新的观念，这些观念后来在553年君士坦丁堡会议上确定折衷的正统信条的过程中发挥主要作用。

Leontyev，Konstantin Nikolayevich　列昂捷夫（1831-01-25，俄罗斯卡尔夫加附近的库季诺沃～1891-11-24，莫斯科附近）　俄国散文作家。他对俄国从仿效欧洲当时的工业和平等主义中获得好处表示怀疑。克里米亚战争时期任军医，后在克里特、埃迪尔内、萨洛尼卡的俄国领事馆中工作。1879年任《华沙日报》助理编辑，一年后到莫斯科书报检查局任职。他的文章态度鲜明，坚持个人的观点，在俄国政治思想家中间是少见的。他的文章多收在《东方、俄国与斯拉夫主义》（1885～1886）中。他还写过小说和自传《我的文学命运》（1875）。人称俄国的尼采。

leopard（*Panthera pardus*）　**豹**　前称 pard 或 pardus，又作 panther。与狮、虎等近缘的大型猫科动物。英语中 leopard 一词原指猎豹（以前认为是狮与豹的杂交后代）。分布于撒哈拉以南的整个非洲、非洲东北部以及从小亚细亚经中亚和印度到中国和中国东北等地区。体型大小和花纹差异极大。体长210厘米，尾长90厘米，肩高60～70厘米，体重50～90千克；也可能更大。身体的底色背面通常为浅黄，腹面为白色，身上大部分区域排列着玫瑰花形黑斑，但没有美洲豹（**jaguar**）特有的中心点。玫瑰花形斑纹内的底色有时深黄，斑点的大小和彼此之间的距离各异。豹生活于灌丛和森林中，独栖，虽然有时晒太阳取暖，但为夜行性。攀缘敏捷，常把剩下的猎物藏在树枝上。捕食各种能制服的动物，从小啮齿动物到水羚，常食小和中型的羚羊和鹿，似喜欢捕食犬科动物，非洲的豹嗜吃狒狒，有时捕杀家畜，也可能伤人。没有明确的生殖季节。妊娠期约3个月，产2～4仔，通常为3只。豹的吼声各异，为一连串刺耳的咳嗽声、沙哑的咆哮声和一些深沉的呜呜声。善游泳。有一种黑色型称为黑豹，其底色及斑点均为黑色。多见于远东。柏柏里豹、南阿拉伯豹、安纳托利亚豹、阿穆尔豹和西奈豹，在《红皮书》中都已列为濒危动物。狮、虎、豹等亦为豹属（*Panthera*）。雪豹、豹猫和云豹被称为豹，但不归豹属。

豹（*Panthera pardus*）
美国不列颠百科全书公司供图

leopard cat（*Felis bengalensis*）　**豹猫**　猫科林居动物。分布在印度和东南亚，色彩似豹，故名。背面浅黄褐或浅红褐色，腹面白色，布满深色斑点和条纹。体长45～75厘米，尾长23～35厘米。夜出捕食鸟类和小兽，在某些地区也吃家禽。春季繁殖（产于马来西亚的豹猫春季以后可再繁殖一次），每窝2～4仔，妊娠期约56天。

leopard frog（*Rana pipiens*）　**豹蛙**　蛙科，产于北美洲，常用于教学或作实验材料，为美国和加拿大常见的蛙类。生活于多种生境，包括沼泽地、草甸及池塘，常远离水域。体长5～13厘米，灰色、绿色或褐色，纵长的背脊颜色略淡。背部有深色斑点，斑点边缘颜色

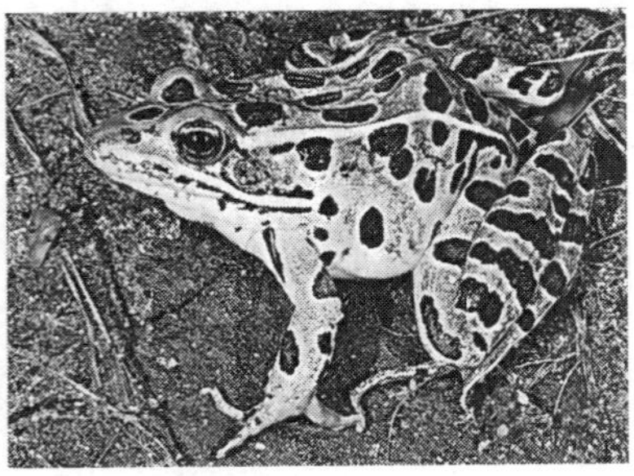

豹蛙（*Rana pipiens*）
美国不列颠百科全书公司供图

稍淡。叫声由喉部发出的鼾声和呼噜声组成。外貌与其近缘种类分布于墨西哥的南方豹蛙（囊孔蛙，*R. utricularia*）、平原豹蛙（布莱尔氏蛙，*R. blairi*）、格兰德河豹蛙（*R. berlandieri*）及小狗鱼蛙（泽鱼蛙，*R. palustris*）相似。

leopard lily 参阅 **blackberry lily** 射干。

leopard lizard **豹蜥** 蜥蜴亚目鬣鳞蜥科维斯利岑氏颈圈蜥（*Gambelia wislizeni*）或维斯利岑氏黑斑颈圈蜥（*Crotaphytus wislizeni*）的统称。豹蜥体大，有斑点。栖于美国西南部和墨西哥北部的干旱和半干旱地区。以各种昆虫、种子、花、小型哺乳动物及其他蜥蜴为食。受惊时用后腿行走，能迅速穿过开阔的栖息地。产2～10枚白壳卵，幼体无需亲体照料。

leopard moth（*Zeuzera pyrina*） **豹蛾** 又称梨豹蠹蛾。鳞翅目木蠹蛾科昆虫。广泛分布，幼虫系害虫。成虫体白色，毛蓬松，灰色翅上（翅展约4～6厘米）有许多黑或蓝色斑点和斑纹。夜间飞行，趋光性强。幼虫蛀食灌木和乔木，尤其是苹果、梨、李等树的茎部，取食心材，破坏严重。老熟幼虫长约5厘米，白色而肥胖，头壳色暗。发育需2～3年。

leopard seal（*Hydrurga leptonyx*） **豹形海豹** 又作sea leopard。南极和亚南极地区的一种海豹科动物。独栖，无外耳。体细长，头长，有长的三尖颊牙，是唯一以企鹅、幼海豹

豹形海豹（*Hydrurga leptonyx*）
美国不列颠百科全书公司供图

和其他温血动物为食的海豹科动物。被毛灰色，有黑斑，故名。体长可达3.5米，体重可达380千克。豹形海豹素称凶残，但未见无端伤人的报道。无商业价值。

leopard shark（*Triakis semifasciata*） **豹鲨** 即半带皱唇鲨。皱唇鲨科（Triakidae）的小型鲨鱼，分布于美国太平洋沿岸浅水区。体细长；头窄；牙小，具3个齿尖；体长约90～150

豹鲨（*Triakis semifasciata*）
美国不列颠百科全书公司供图

厘米，灰色，背有黑色横带，两侧有黑色斑点。以鱼类及甲壳动物为食。通常认为对人无害，但亦咬人。

Leopardi, Giacomo **莱奥帕尔迪**（1798-06-29，教皇国雷卡纳蒂～1837-06-14，意大利那不勒斯） 意大利诗人、学者、哲学家。由于他出色的学术和哲学著作以及优美的抒情诗使他成为19世纪伟大作家之一。出身贵族家庭。早慧但有先天缺陷，父母显然对他不甚关心。16岁时自学而熟练掌握了希腊语、拉丁语和其他几种当代语言，翻译了许多古典作品，写了两部悲剧，多首意大利语诗歌和几篇学术评论。由于用功过度，一目失明，后发展成脑脊髓症，为此他被迫长期中断学习，因父母对他的冷漠而感到痛苦，仅靠和弟弟、妹妹的亲情承受住病魔的折磨。1816年他在《死亡迫近》一诗中倾诉了自己的希望和苦闷。该诗仿效彼特拉克和但丁，用三韵句写成，诗技高超，充满浓烈的绝望情绪。1817和1818年发生的两件事把莱奥帕尔迪仅有的一点乐观情绪剥夺殆尽：一是他对已婚的表亲G.卡西受挫的爱情（他的《爱情日记》及挽歌《初恋》中的主题）；一是他父亲的马车夫的幼女T.法托里尼因肺病死亡，他为她写了一首最好的抒情诗《致西尔维娅》。1818年爱国者和学者P.焦尔达尼的拜访使他的内心痛苦有所减轻。焦尔达尼极力劝他逃离家庭的痛苦环境，他终于前往罗马，在那里度过不愉快的几个月（1822～1823），后又返回家乡直到1824年他的诗集《短诗集》出版后，心情才为之一快。1825年，他应聘前往米兰主编西塞罗的作品。先后寓居博洛尼亚、雷卡纳蒂、比萨、佛罗伦萨，出版一部大型诗集《诗选》（1826）、一部有影响的哲学著作《道德小品集》（1827）。经济拮据迫使他定居雷卡纳蒂（1828～1830），后因得到朋友们在金钱上的帮助，得以再度逃往佛罗伦萨，并出版另一部诗集《赞歌》（1831）。1833年定居那不勒斯，在那里写出若干著作，其中包括长诗《金雀花》（1836）。1837年他在一场流行的霍乱瘟疫中突然病逝，实现了他长期以来认为只有死亡才能使他得到解脱的想法。

leopard's bane **多榔菊** 菊科多榔菊属（*Doronicum*）植物。约20～30种。多年生草本。原产欧亚。头状花序大，盘花黄色，边花单层。基生叶簇生，茎出叶互生，有时抱茎。茎短粗，通常单生。心叶多榔菊（*D. corda-*

大花多榔菊（*D. grandiflorum*）
美国不列颠百科全书公司供图

tum）和车前多榔菊（*D. plantagineum*）等几个种栽作庭园花卉。

Leopold **利奥波德** 统治者之名，按国别分列于后，并各以●为标记。

与此字相等之外语：

荷兰语	Leopold
法语	Leopold
德语	Leopold
匈牙利语	Lipot
意大利语	Leopoldo

安哈尔特-德绍尔

● **Leopold I** **利奥波德一世**（1676-07-03，普鲁士德绍尔～1747-04-07，德绍尔） 安哈尔特-德绍尔亲王、普鲁士陆军元帅、改革家。他创立了普鲁士老的军事制度，直至1806年大致未变动，使腓特烈大帝将普鲁士推向欧洲强国的地位。在1695年的反法战争中开始服军役。在西班牙王位继承战争（1701～1714）中，任联军中的普鲁士分遣队司令。他转战德意志、意大利、荷兰和法国的战场，战功卓著。1715年指挥普军先后在斯特拉尔松德和吕根岛击败瑞典国王查理十二世。此后的长期和平环境使他有机会施展组织才能。他发明用铁条推入枪药以代替因打仗时枪膛热容易断裂的木条，采用现代式的刺刀以代替在射击时必须由枪筒上取下的插入式刺刀，17世纪90年代晚期在他的团队中实行统一的行军步伐。1715年以后，他将这些改革推广到普鲁士全军。在他的严格训练之下，普军纪律严明，火力迅猛，使腓特烈二世有可能战胜数倍于自己的强大敌人。1745年12月14日，他在萨克森的凯瑟尔斯多夫击败兵力占优势的奥地利和萨克森联军，这是他长期戎马生涯中的最后一仗。

比利时

● **Leopold I** **利奥波德一世**（1790-12-16，萨克森-科堡-萨尔费尔德科堡～1865-12-10，比利时莱肯） 比利时第一代国王（1831～1865）。他帮助加强国家新的议会制度，谨慎地保持比利时中立。萨克森-科堡-萨尔费尔德公爵弗兰西斯第四子。1816年与英国未来国王乔治四世的独生女夏洛特结婚。虽然公主于1817年逝世，利奥波德仍留住英格兰，一直到1831年当选为比利时国王才回国。他即位后立即加强比利时陆军，并在法英两国支持下击退尼德兰的威廉一世的进攻（尼德兰一直拒绝承认比利时为独立王国）。利

奥波德支持自由党-天主教党的联盟，1839年由于威廉一世承认比利时王国，荷兰的压力消除，联盟才告结束。1836年，他给予大城镇和农村地区较大的行政自决权。利奥波德与

美国不列颠百科全书公司供图

普鲁士（1844）和法国（1846）签订通商条约，并保持中立的外交政策。利奥波德在欧洲的外交中具有很大影响，他用联姻方式加强同法、英、奥3国的关系。1832年，他与法国国王路易-菲力普之女奥尔良的玛丽-路易丝结婚。1840年，他协助安排他的外甥女英国女王维多利亚与他的侄子萨克森-科堡-哥达亲王阿尔贝特之间的婚姻。1857年他还参加商谈他的女儿卡洛塔与奥地利大公（后为墨西哥皇帝）马克西米连之间的婚事。随着拿破仑三世和普鲁士宰相俾斯麦的权力日益增长，利奥波德的影响才逐渐下降。

● **Leopold II　利奥波德二世**（1835-04-09，比利时布鲁塞尔～1909-12-17，莱肯）　比利时国王（1865～1909）。利奥波德一世与第二个妻子奥尔良的玛丽-路易丝的长子。主持欧洲开发刚果盆地的第一次努力，1885年组

美国不列颠百科全书公司供图

成刚果自由邦，1908年将它作为比属刚果（今刚果[金]）予以兼并。1846年封布拉班特公爵，在比利时陆军中服役。1853年与奥地利大公约瑟夫之女玛丽亚·亨丽塔结婚。1865年即王位。在位期间，自由党与天主教党在选举权和教育问题上的冲突日益加剧，但鉴于法国和德国的实力增加，为保全中立地位，努力发展国防，1887年要求议会批准修建列日和那慕尔防御工事的资金。在他去世前不久，通过兵役法。1876年创立国际刚果协会，派亨利·莫顿·斯坦利爵士前去刚果进行调查。1884～1885年击败葡萄牙-安哥拉联军夺取刚果盆地的企图，并取得美国和欧洲主要国家承认他是刚果自由邦的君主。1908年兼并刚果自由邦。其独子早逝，由其侄阿尔贝特一世继位。

● **Leopold III　利奥波德三世**（1901-11-03，布鲁塞尔～1983-09-25，布鲁塞尔）　比利时国王。阿尔贝特一世之子。第一次世界大战中服兵役。1926年11月与瑞典阿斯特里德公主结婚。1934年2月即位后，一贯奉行独立的对外政策。1936年德国占领莱茵兰，他修筑从安特卫普到那慕尔的防线，抵御德国的侵略。第二次世界大战爆发后，他任比利时军最高统帅。1940年5月28日，即在德国开始入侵的第19天，他下令陷入重围的部下投降，但比利时政府不同意他这一决定，从而造成了战后关于复位问题的冲突的远因。1944年以前，德国人把他软禁在布鲁塞尔附近的皇家别墅，后来关押在奥地利。1945～1950年由于复位问题悬而未决，他旅居瑞士。1950年3月12日举行公民投票，58%的投票者赞同国王复位。但是自由党人、社会党人和瓦隆人煽动叛乱，迫使他在1950年8月11日让位于儿子博杜安。

日耳曼/神圣罗马帝国

● **Leopold I　利奥波德一世**（1640-06-09，维也纳～1705-05-05，维也纳）　神圣罗马帝国皇帝（1658～1705）。在位期间，奥地利在与土耳其和法国的一系列斗争中成为欧洲的强国，君主专制政体和中央集权政府获得优势。斐迪南三世的次子。受过良好教育，精通拉丁语、意大利语和西班牙语。他喜欢研究古代文物、历史、文学、自然科学和天文学，特别爱好音乐。1654年7月其兄斐迪南四世突然去世，他成为奥地利哈布斯堡王朝的继承人，1655年加冕为匈牙利国王，翌年加冕为波希米亚国王。1657年其父去世，次年夏他当选为神圣罗马帝国皇帝。即位不久他即与土耳其人作战。1683年土军包围维也纳。当时他已经离开首都，在帕绍集结军队进行反击。土耳其人逐渐被迫转为防御。根据《卡尔洛夫奇条约》（1699），匈牙利几乎完全摆脱了土耳其人的统治。然而，大多信奉新教加尔文宗的匈牙利贵族不拥护哈布斯堡王朝的中央集权政府，利奥波德对所谓“贵族密谋”采取坚决镇压的态度，处决了3名最著名的匈牙利贵族。但他仍不得不同意与信奉新教的海上强国荷兰和英格兰结盟。神圣罗马帝国在同法国的长期斗争中曾经打过几次胜仗；法国在外交上却占上风。根据《赖斯韦克条约》（1697），只得把斯特拉斯堡割给法国。利奥波德最关心的是哈布斯堡王朝和领地的势力和威信。西班牙王位继承问题从一开始便成为他在政治上的中心目标。由于与西班牙腓力四世之女玛格丽塔·泰莱萨结婚，他有要求西班牙王位的权利，并企图把哈布斯堡王室的两个分支合而为一。西班牙的查理二世死后无嗣，王位传给法国的路易十四之孙安茹公爵菲利普。利奥波德认为必须用武力来保卫西班牙的继承财产。他在**西班牙王位继承战争**（**Spanish Succession, War of the**，1701～1714）中死去。他本人虽然生活简朴，但是宫廷的开支却大得惊人。这位皇

美国不列颠百科全书公司供图

帝在一切场合都想显示帝国的尊严。他特别关心把维也纳建成名副其实的京城。维也纳宫廷以富丽堂皇的戏剧演出闻名，皇帝和皇后时而粉墨登场。上演意大利歌剧和芭蕾舞剧时，往往还演奏利奥波德本人创作的乐曲。他酷爱打猎，经常巡狩远游。他一心收藏图书，提倡学术，罗致著名学者为他的宫廷服务。

● **Leopold II　利奥波德二世**（1747-05-05，维也纳～1792-03-01，维也纳）　神圣罗马帝国皇帝（1790～1792）。18世纪主张改革的统治者中最能干的一位，以“开明君主”著称。哈布斯堡王室的玛丽亚·特蕾西亚和弗兰茨一世皇帝的第三子。1765年成为托斯卡纳公爵。他受启蒙运动的影响，决心建立一个有效的国家机器。在他统治托斯卡纳大公国的25年内，合理地改进赋税制度，并鼓励代议制的发展。1790年2月当选为皇帝（同时也成为匈牙利国王和奥地利大公）。1791年8月与普鲁士人一起发表《皮尔尼茨宣言》，呼吁欧洲各国君主用武力保卫法国君主政体。

托斯卡纳

● **Leopold II　利奥波德二世**（1797-10-03，佛罗伦萨～1870-01-29，罗马）　意大利托斯卡纳的最后一代大公（1824～1859）。1824年继承父位，继续进行自由主义的行政、司法

美国不列颠百科全书公司供图

和教育改革，并改进运输系统。他是最早批准一部代议政府宪法（1848-02-17）的意大利统治者之一。在群众的压力下，不得不派出

托斯卡纳军队去攻打在伦巴第的奥地利军。但由于激进派的骚动日益猛烈，他离开了托斯卡纳（1849-01-30）。同年7月28日应托斯卡纳议会的邀请回国。尽管奥地利的占领已于1855年结束，但他威望不高。他拒绝民众关于与法国、撒丁结盟而反对奥地利的要求，于1859年4月逊位。

Leopold II, Lake（Africa） **利奥波德二世湖** 参阅 **Mai-Ndombe, Lake** *马伊恩东贝湖*。

Leopold, Carl Gustaf af **莱奥波尔德**（1756-03-26，斯德哥尔摩～1829-11-09，斯德哥尔摩） 瑞典宫廷诗人，为开明君主古斯塔夫三世及其后继人效劳。曾在乌普萨拉和格赖夫斯瓦尔德读书。1792年开始写作生涯，以巧妙的和论战性的文章宣传启蒙运动的理性思想，顶住青年一代浪漫派的批评。1786年瑞典文学院成立时任院士。他的颂诗《天意》（1793）是他哲理教诲的诗歌的典型作品。

Leopold, Jan Hendrik **利奥波德**（1865-05-11，荷兰斯海托亨博斯～1925-06-21，鹿特丹） 荷兰诗人。他的独特的表现手法和高超的写作技巧，使他在19世纪80年代荷兰文艺复兴运动的继承者中显得出类拔萃。他的诗篇通常具有低沉而伤感的情调，表现出作者的孤独心情，这可能与他的耳聋有关。初受杰出诗人巴滕斯和霍尔特的影响，不久独辟蹊径，自成一家。1893年在《新向导》杂志上初露头角，后与费尔韦合编《半月刊》。他最好的作品是史诗《奇阿普斯》（1915）。这部史诗以丰富多彩的音乐性很强的语言描写埃及法老奇阿普斯死后，灵魂遨游宇宙中各个精神领域，结果大失所望，遂返回他的葬地金字塔的故事。

Leopold, Nathan F(reudenthal), Jr.; and Loeb, Richard A. **利奥波德（小）和洛布**（利奥波德1904-11-19，芝加哥～1971-08-29，波多黎各圣胡安；洛布1905-06-11，芝加哥～1936-01-28，美国伊利诺伊斯泰特维尔监狱） 美国芝加哥的两个凶手。供认于1924年出于“知识的”刺激，绑架了14岁的B.弗兰克斯并将他杀死。由于著名律师C.达罗的辩护，免于极刑而被判终身监禁。小利奥波德18岁毕业于芝加哥大学，洛布17岁毕业于密歇根大学，两人在学业上都是有前途的知识分子。他们曾进行几次扒窃和纵火，此后企图作一次“不折不扣的谋杀”。1924年5月21日他们用汽车在芝加哥南坡绑架了弗兰克斯。残酷的洛布当即用凿子击中孩子头部并把孩子口中塞进东西，几分钟后孩子死去。他们将尸体扔在铁路涵洞里半埋半露，用电话和信件要挟弗兰克斯的父母交纳赎金1万美元。但是尸体被意外地发现，同时还发现了一些线索，其中包括掉在涵洞内的小利奥波德的眼镜。根据这些线索，警察很快将他们逮捕。他们也立即供认不讳。1924年7～8月的33天内，小利奥波德的父亲雇请律师达罗在法官J.R.卡弗利审判时，为两人辩护。达罗以精彩的辩护词反对判处极刑。法官判决他们以凶杀罪处无期徒刑，以绑架罪处以99年徒刑。他们被押往佐利埃附近的北伊利诺伊监狱监禁。1936年洛布被一名同狱犯用剃刀割死。1958年小利奥波德获得假释，并在波多黎各一所医院做技术员，1961年与一个寡妇结婚。1971年死于心脏病。1958年他写了《无期加99年徒刑》一书。

Léopoldville **利奥波德维尔** 参阅 **Kinshasa** *金沙萨*。

Leotychides **莱奥提基德斯**（约公元前545～约前469） 斯巴达国王，希波战争中一个有战绩的司令官。欧里彭提德家族出身。公元前491年，他继承其堂兄弟德马拉托斯的王位，因为德马拉托斯的共治者（斯巴达有双王共治的习惯）克莱奥梅尼一世贿买了德尔斐神示所，宣布德马拉托斯不合法。即位不久，莱奥提基德斯试图安排雅典和埃伊纳岛之间的战争停火，但未成功。这个岛因制服向西扩张的波斯人而招致雅典的敌视。公元前479年当波斯侵略军大部分已被赶出希腊的时候，莱奥提基德斯出任希腊舰队司令官。就在那一年，他在吕底亚海岸的米卡利击溃了波斯的陆军和海军，这个胜利为小亚细亚西部的希腊人摆脱波斯统治铺平了道路。约公元前470年，莱奥提基德斯率军赴色萨利惩罚里通波斯人的贵族，但是据说受贿而撤兵了。他为此在斯巴达被指控定罪，于是逃往阿卡迪亚的泰耶阿。结果他被判处流放，他的家宅被夷为平地。其孙阿希达穆斯二世继位。

Leovigild **莱奥维希尔德**（？～586-04或05，西班牙托莱多） 又拼Liuvigild。西班牙西哥特人的最后一个信奉阿里乌派教义的统治者，曾对西哥特王国的复兴和强大作出很多贡献。他是国王阿塔纳吉尔德（567卒）的兄弟，568年继承了西哥特王国比利牛斯山以南地区。另一兄弟利乌瓦统治塞蒂马尼亚。572年利乌瓦去世，莱奥维希尔德成为唯一的国王。他在位期间始终都在作战。在西北部，从斯维比人手中夺取了莱昂和萨莫拉（569）；在南部，从希腊人手中夺取了科尔多瓦（571～572）。他击败斯维比人，最终兼并了他们的王国。581～583年从拜占廷手中夺取了塞维利亚。585年打退法兰克国王希尔德贝尔特二世和贡特拉姆对塞蒂马尼亚的进攻。死后其子雷卡莱德继位。

Lepanto, Battle of **勒班陀战役**（1571-10-07） 基督教国家联军对奥斯曼帝国的一次海战，其时奥斯曼帝国出兵以夺取威尼斯领地塞浦路斯。1570年，苏丹谢里姆二世为将威尼斯势力逐出东地中海地区，派兵入侵塞浦路斯。威尼斯人同教皇庇护五世及西班牙国王腓力二世结成同盟（1571-05-25）。是年8月24日，联军在西西里墨西拿集结，而土耳其人则已于1570年9月9日攻下尼科西亚，进而包围法马古斯塔，并驶入亚得里亚海。土耳其舰队泊于帕特拉斯湾（希腊勒班陀附近）。联军舰队拥有船只200余艘，于9月15日驶往科孚岛，10月7日分成4个中队与奥斯曼舰队接战。经过4小时的战斗，联军获胜，俘虏兵员数千名和土耳其舰艇117艘。这次战役实际价值不大（1573年威尼斯将塞浦路斯让给土耳其人），但对欧洲人的信心却产生了巨大影响。

Lepchā **雷布查人** 又称隆人（Rong）。分布在尼泊尔东部、不丹西部和印度锡金邦以及西孟加拉邦大吉岭区，人口约46 000（36 000在印度，10 000在不丹）。他们被认为是锡金最早的居民，但吸收了不少菩提亚人文化，后者是14世纪及以后从西藏进入锡金的。菩提亚人主要从事高山放牧，雷布查人居住在远僻的谷地。雷布查人和菩提亚人虽偶尔通婚，但两族不相往来，各有自己的语言，均属藏语方言。他们与信奉印度教的尼泊尔人更少接触。雷布查人主要实行一夫一妻制，然而已婚男子可以邀请一个年轻的未婚兄弟与他同住，共有他的田地与妻子。偶尔也有一夫多妻的情形。雷布查人实行父系氏族制。他们受菩提亚人的影响皈依喇嘛教，但仍保留早期的多神崇拜和萨满教。雷布查人过去以狩猎和采集为主，现在也从事农业和养牛。

Lepidodendron **鳞木属** 石松纲（或亚门）鳞木目最常见的已绝灭的树状石松属之一。一些种类繁盛于上石炭纪（终于2.8亿年前），高达30米以上，直径达1米。本属系根

鳞木属（*Lepidodendron*）植物化石片段
美国不列颠百科全书公司供图

据小枝和枝条化石碎块的特征命名。以后又发现一些枝条以外的植物部分化石，不一定属鳞木属，于是建立了多个所谓形态属，如根据球果形态建立鳞木穗属（*Lepidostrobus*），根据叶形建立拟鳞叶属（*Lepidophylloides*）或鳞叶属（*Lepidophyllum*），根据种子形态建立鳞子属（*Lepidocarpon*），根据地下部分建立石松根座属（*Stigmaria*）。当更完整的标本发现后，又建立属下各种。

lepidolite **锂云母** 又作lithia mica。最常

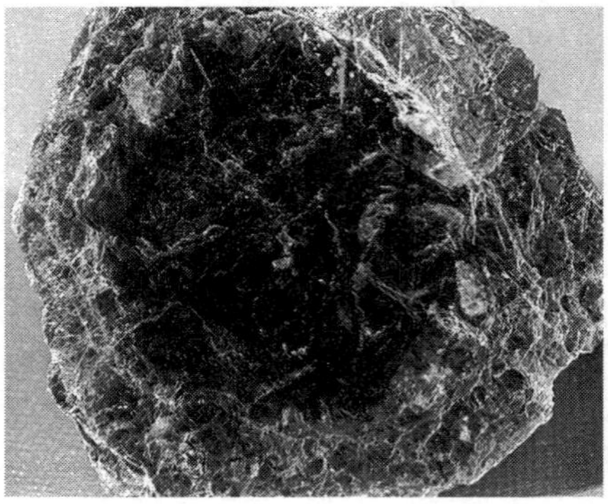

产自巴西的锂云母
美国不列颠百科全书公司供图

见的锂矿物，为钾和锂的基性铝硅酸盐，是普通云母类矿物中的一员。为金属锂主要原料，故具重要的经济意义。是少数含一定量铷的矿物之一，可根据锶和铷的比值来测定地质年代。锂云母几乎只产在花岗伟晶岩中。化学式和详细物理性质，参阅**mica**（表）。

lepidopteran　鳞翅目昆虫　昆虫纲鳞翅目（Lepidoptera）的种类，包括蝴蝶、蛾类及弄蝶。是最为人熟知、最容易辨认的昆虫之一，一直是人们喜欢研究及收集的对象。鳞翅目含

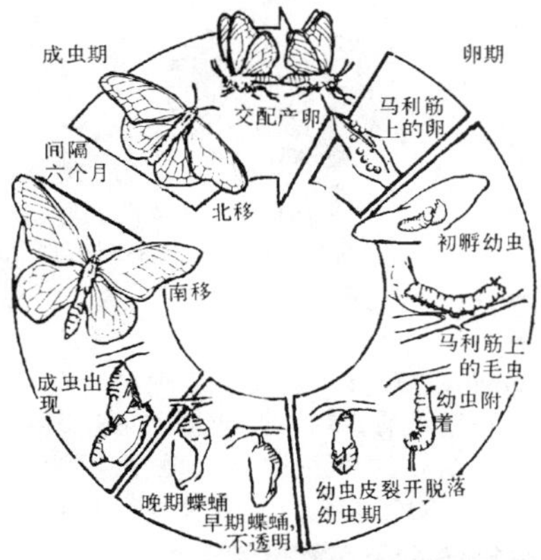

王蝶（*Danaus plexippus*）生活史图示

10万种以上，是昆虫纲第二大目。特征为翅上及身体上覆以微细的鳞片，故林奈于1735年称之为鳞翅目。本目分为三个亚目。①轭翅亚目（Zeugloptera），仅包括少数分散分布的种类。②Monotrysia亚目，包括蝙蝠蛾科（Hepialidae，蝙蝠蛾）、微蛾科（Nepticulidae，微蛾）及穿孔蛾科（Incurvariidae，穿孔蛾）。③Ditrysia亚目，包括绒蛾科（Megalopygidae，绒蛾）、谷蛾科（Tineidae，衣蛾）、蓑蛾科（Psychidae，蓑蛾）、巢蛾科（Yponomeutidae，鼬瓘蛾）、卷蛾科（Tortricidae，卷叶蛾）、家蚕蛾科（Bombycidae，家蚕蛾）、枯叶蛾科（Lasiocampidae，天幕毛虫蛾）、犀额蛾科（Citheroniidae，角蠋蛾）、尺蛾科（Geometridae，尺蠖蛾）、天蛾科（Sphingidae，天蛾）、灯蛾科（Arctiidae，灯蛾）、毒蛾科（Liparidae，毒蛾）、弄蝶超科（Hesperioidea，弄蝶）及凤蝶超科（Papilionoidea）。

蛾类是数量最多的鳞翅目昆虫，一般躯体粗壮，色暗淡，夜间活动。而蝴蝶则昼出活动，且颜色鲜艳。弄蝶的特征介于蛾与蝴蝶之间，亦为夜出性。

鳞翅目昆虫几乎均为植食性，见于一切有植物的地方，除南极洲外分布于每个大陆。某些科为世界性分布，另一些则仅分布于一定的区域，其部分原因是：许多种仅食某类型的植物，因此仅分布于适于该植物生长的生境。许多鳞翅目昆虫（包括天蛾及少数蝴蝶）会从一处迁居他处。有些种飞越过数千英里的大洋，到大西洋、太平洋及印度洋一些偏远的岛屿上定居。但仅一个种——北美的王蝶（*Danaus plexippus*）有真正的迁徙习性（同一个体在两地间作双向飞行）。每年秋季北美的整个王蝶种群向南迁徙到墨西哥的高海拔山地，春季又飞回北美。鳞翅目昆虫的身体与其他昆虫一样，分为头、胸、腹三部分。头小，有一对发达的复眼，通常有2只单眼。触角显著，分节；蛾的触角向尖端渐细，常分支或羽毛状；弄蝶及蝴蝶的触角末端膨大，呈棒状。许多种的嗅觉、味觉及听觉高度发达。口器虹吸式，下颚外颚节延长，左右合抱成管状，用时伸出，不用时盘卷。少数种类的管状口器尖端有齿状小刺，有助于将口器刺入植物的表皮或果皮以吸取内部的汁液。有些种类的口器退化，有的种类在成虫期不进食。胸部有3对足，2对翅。前翅较长，通常尖端更为突出，而后翅较小较圆。腹部由10节构成，内含生殖器官及其他内脏器官。几乎所有种类的雌体均有两个生殖开口，一个用以交配，另一个用以产卵。每次产卵数枚至数千枚以上。卵可产在叶上，或小心地产在叶的下面或有覆盖的物体内。孵化后完全变态。幼虫常称为毛虫，取食活跃，许多种类的幼虫孵出后先将剩下的卵壳食去。毛虫的口器为咀嚼式而非虹吸式。幼虫以植物为食，食量极大。多数种类的幼虫成熟后结茧化蛹。

鳞翅目昆虫在许多食物链中是重要的成分。事实上每种鳞翅目昆虫的成虫和幼虫都是一种或多种掠食动物——如蜘蛛、甲虫、黄蜂、蟾蜍、蜥蜴、蝙蝠、鸟类、猴——的食物。有些种类的幼虫食某些植物（如王蝶的幼虫喜食马利筋）从而获得使掠食者反感的物质或毒物，这些物质存留于体内，到成虫期仍有保护作用。许多鳞翅目昆虫是害虫，对谷物、棉花、甜菜、织物、木材可造成严重损害。这些损害几乎均由幼虫造成。另一方面，鳞翅目昆虫在为显花植物传粉方面起重要作用，少数种类有经济效益，尤其是家蚕蛾科的种类，几乎所有的丝绸均来自本科昆虫。

Lepidus，Marcus Aemilius　李必达（?～公元前152）　共和国时期身居高位的罗马政治家。公元前200年出使希腊、叙利亚和埃及，曾向腓力五世递交最后通牒，警告马其顿不要向任何希腊城邦发动战争。公元前187和前175年两度任执政官，公元前179年任监察官，公元前180年以后一直任最高祭司，公元前179～前152年为首席元老。曾修筑埃米利亚大道，并在穆蒂纳和帕尔马建立殖民地。意大利北部的埃米利亚地区至今仍以他的名字命名。

Lepidus，Marcus Aemilius　李必达（?～约公元前77，撒丁岛）　罗马元老。公元前78年在庞培支持下任执政官。苏拉死后，他试图取消这位独裁官的立法措施，要求重新进行分配廉价谷物、召回放逐者、发还所有没收的土地以及恢复保民官职位。这些建议被元老院否决后，他就在伊特鲁里亚和山南高卢集结一股兵力向罗马进军。前进到罗马的米尔维恩桥时，李必达被卡图卢斯击退，尔后在伊特鲁里亚被庞培战败。他逃往撒丁，不久死去。他的儿子后为罗马三执政之一。

Lepidus，Marcus Aemilius　李必达（?～公元前13或前12）　罗马政治家，公元前43年以后统治罗马的三巨头之一。与父同名。在内战期间投入凯撒的阵营。公元前48～前47年管辖西班牙的一部分，公元前46年任执政官，公元前45年在凯撒麾下任骑兵司令。凯撒遇刺后，他参加安东尼的阵营。安东尼为李必达谋得最高祭司职位。公元前43年10月与安东尼和屋大维在博洛尼亚结成三头同盟。公元前42年再度任执政官。但另两个巨头不久就夺走了他的大部分权力。在公元前37年重新组成的三头同盟中，他只挂个名而已。公元前36年试图在西西里起事反对屋大维，但未获手下支持。后被迫退出政界隐居。

Lepofsky，Manford（U.S. author）　**勒波夫斯基**　参阅 **Queen，Ellery** 奎因。

Lepontine Alps　勒蓬廷山脉　沿意大利-瑞士边界中阿尔卑斯山脉的一段。最高峰莱昂内峰（3 553米）在山脉西端。南麓有深邃的莱文蒂纳和梅索尔奇纳河谷。主要山口有辛普朗山口（**Simplon Pass**）、圣哥达山口（**Saint Gotthard Pass**）、卢克马尼尔山口和圣贝纳迪诺山口等。圣哥达山口以东山段有时称阿杜拉山脉。为罗讷河和莱茵河的发源地。登山运动在该区十分盛行。

leprechaun　矮妖　爱尔兰民间传说中外形是个小老头的妖精，常戴三角帽，系皮围裙。天性孤独，据说住在遥远的地方，会缝制鞋靴。他钉鞋的声音会暴露出他所在的地方。

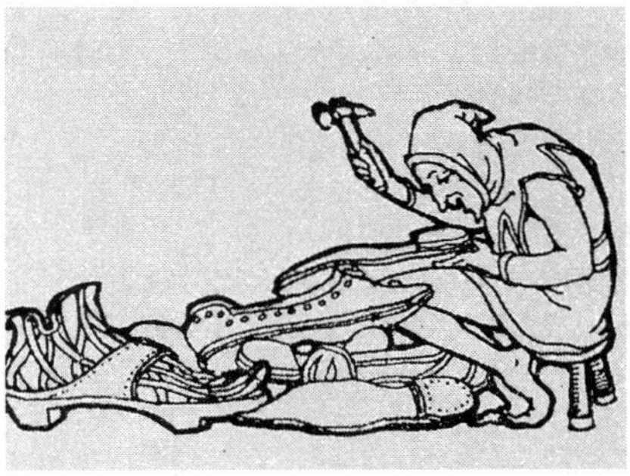

《爱尔兰童话故事书》（1909）中的矮妖插图
美国不列颠百科全书公司供图

他藏有一坛黄金，如果人们捉住他，以暴力相胁并盯住他时，他就会说出藏金子的地方，但人们往往受骗而旁顾，他乘机逃之夭夭。矮妖一词源于古爱尔兰语的luchorpan，意为“小身材”。

leprosy　麻风　又称汉森氏病。麻风分枝杆菌引起的一种人类慢性传染病。特征为皮肤及浅表神经损害，亦可累及眼、睾丸及鼻、咽黏膜。杆菌破坏周围神经，导致典型的感觉丧失，加上进行性组织变性，最终引起四肢变形及脱落。麻风有两个主要类型：①瘤型或皮肤型。以皮下、上呼吸道黏膜、面部及睾丸的广泛慢性炎性组织的颗粒状团块浸润为特点。若不加治疗则预后较差。②结核样型。初期表现为斑点状（色素斑样）皮损，伴有隆起的浅红色边缘，病变扩展时则表现为对物理刺激不敏感的斑疹。此型可保持静止，亦可好转——病损自发消失及完全恢复。对两型麻风现代均长期应用砜类药物治疗，治疗后病情立即停止发展，多数患者得到好转。但药物毒性较大，甚至会诱发麻风反应，偶尔尽管持续用药但病情不见好转。毒性较小的新药正在研制，病情难以控制时用之或

可奏效。但麻风分枝杆菌是少数几种尚未在人工培养基上实验培养成功的致病菌之一，这就大大妨碍了对麻风的研究工作。麻风病似乎古已有之。世界上低洼、潮湿的热带或亚热带地区最为流行。多数病例见于亚洲、非洲、南美洲及太平洋岛屿。全世界有登记的麻风病例至少 200 万，而实际感染人数可能1 100万。麻风的传播方式尚不清。似乎，在易感者发生活动性感染之前，通常已与患者有过长期密切的身体接触(但这也不是绝对的)。先天性麻风并无报道，感染麻风的父母所生婴儿若在出生后即与父母分开也不会发病。由消毒不严的皮下注射针头或文身针引起的感染偶有所闻。麻风的预防关键在于发现细菌学检查阳性的患者，以便隔离及治疗。理疗、整形手术及职业训练对病情稳定的患者的康复有重要意义。

Lepsius, Karl Richard　累普济乌斯(1810-12-23，萨克森地区萨勒河畔瑙姆堡～1884-07-10，柏林)　德国埃及学家，近代科学考古学奠基人之一。因研究考古语文学和比较语言学而被聘为柏林大学讲师。1843 ～ 1845 年得普鲁士国王腓特烈·威廉四世赞助，率考察团赴埃及和苏丹，获得金字塔建于公元前约 3000 年的证据。研究古王国时期(约公元前 2686 ～约前 2160)平顶斜坡墓 130 座。累普济乌斯最先测量埃及王陵谷地，大量收集神庙浮雕翻铸品和铭文拓本，监督绘制许多线图，并获得纸莎草纸文件和其他古物。累普济乌斯为观察到埃及历史全貌的第一人。回国后(1846)任柏林大学教授，并发表其著作，其中如《埃及年代学》(1849)、《古埃及帝王记》(1858)、《埃及与埃塞俄比亚文物》(共 12 卷，1859)，至今脍炙人口。1866 年重访埃及，发现《坎诺普斯法令》，此铭刻与罗塞塔碑文相似，为埃及学家 J.-F. 商博良解读象形文字提供了佐证。累普济乌斯 1873 年兼任柏林皇家图书馆馆长。

Leptaena　薄皱贝属　腕足动物的绝灭属。化石通常见于奥陶纪到密西西比纪(5

薄皱贝属(*Leptaena*)
美国不列颠百科全书公司供图

亿年前至 3.25 亿年前)的沉积岩层中。非常独特的壳以皱纹状壳饰和细纹线为特征。

Leptines, Law of　《莱普提涅斯法》(公元前 354)　古代雅典征税的条例，《莱普提涅斯法》以倡议人的名字命名。它得到雅典政治家阿里斯托芬的支持。该法旨在废除某些家族因其政绩而取得的世袭的免税特权，以便增加国家的岁入。狄摩西尼在他的讲演《反莱普提涅斯法》中反对过这项法律。

Leptis　莱普提斯　古代非洲两个市镇的名称。大莱普提斯(今称莱卜代)为古代特里波利斯的最大城市，位于今利比亚胡姆斯附近，腓尼基人建为季节性贸易站。约在公元前 6 世纪末，来自迦太基的第一批移民在此定居。公元前 202 年此城归属努米底亚王国，公元前 111 年它又与罗马结盟。它在公元 1 世纪一直保持迦太基的市镇结构，并以迦太基语为官方语言。后来图拉真皇帝（公元 98 ～ 117）使其成为罗马的殖民地。塞维鲁皇帝（193 ～ 211）在此出生，这里的许多大建筑物都是他统治时期营造的，642 年阿拉伯人入侵，大莱普提斯不复兴隆。著名遗迹是塞维鲁时代的，有港口、长 19 千米的高架水渠、富丽堂皇的凯旋门和精心设计的建筑群。小莱普提斯（今突尼斯拉姆塔）为一迦太基小城。罗马时期是繁荣的橄榄产区。凯撒在公元前 46 年进行塔普苏斯战役以前，以此为基地。

Leptis Minor　小莱普提斯　又拼 Leptiminus, Lepti Minus。突尼斯的小迦太基城市，距今莫纳斯提尔 16 千米。罗马时期为橄榄种植区中心，出口橄榄油和陶瓷。公元前 46 年发生塔普苏斯战役之前是凯撒的基地，后成为主教驻地。

leptochlorite　鳞绿泥石　绿泥石矿物的亚族。参阅 **chlorite**。

Leptodactylidae　细趾蟾科　无尾目的一科，共 900 余种，多数分布于南美洲和中美洲。细趾蟾科蛙类生活于水中、陆地或树上。其中约 300 多种属于离趾蟾属(*Eleutherodactylus*)，多数产于西印度群岛或中美。从卵

南美牛蛙(*L. pentadactylus*)
美国不列颠百科全书公司供图

孵化后即为小蛙而非蝌蚪。温室蟾(里科尔氏离趾蟾，*E. ricordi*)为褐色小型蛙，常见于花园中，美国南部亦可见到其踪迹。贾斯珀氏离趾蟾(*E. jasperi*)为另一个小型蛙，仅产于波多黎各的云雾林地区。细趾蟾属(*Leptodactylus*)的种类或称筑巢蟾，有多种生殖方式；有的种类在陆上产卵，卵块多泡沫，幼体在泡沫内生活直至被雨水冲入水塘。南美的牛蛙即归此属，外貌似真蛙(蛙属[*Rana*])，但趾上无蹼。巴拿马和南美洲的可食的五趾细趾蟾(*L. pentadactylus*)为大型蛙类，体长可达 15 厘米。角蛙(角花蟾属[*Ceratophrys*])产于南美洲，以蛙为食；每只眼睛上方有一个皮“角”；头及口宽；体长不一，从 2.5 厘米的小型种类至 20 厘米以上的亚马孙的显角花蟾(*C. cornuta*)；角花蟾于受惊时有攻击性；有些种咬人甚痛。一些权威人士将许多澳大利亚的龟蟾科(**Myobatrachidae**)种类归入细趾蟾科。

Leptodesma　丝束蛤属　斧足纲(蛤类)的绝灭属。化石见于志留系到密西西比系(4.3 亿年前至 3.25 亿年前)。其壳独特(除了向后延伸的突起部分外，近似椭圆形)，容易鉴

丝束蛤属(*Leptodesma*)

定。一个槽形的边缘使刺状突起物与壳的主体连接；还有同心的生长线。

Leptodus　蕉叶贝属　二叠纪(2.86亿年前至2.45亿年前)有较腕足动物的绝灭属。一种非常特化的类型，以形态畸变为特征。具有像牡蛎的肉茎瓣，用以使壳固定于底层，并

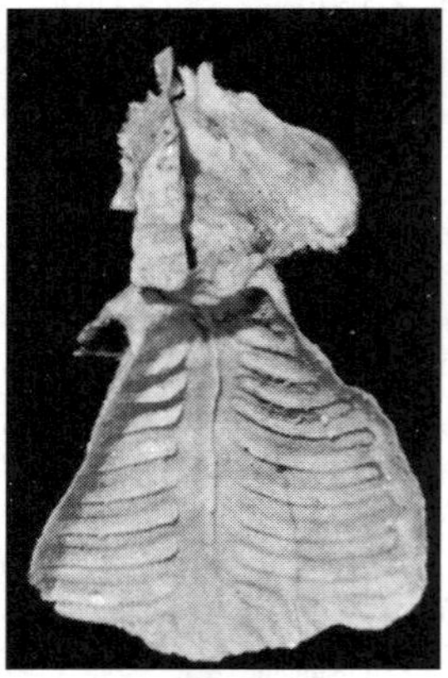

蕉叶贝属(*Leptodus*)
美国不列颠百科全书公司供图

可能靠胶结物附着于其他介壳上。腕(上)瓣扁平，极薄。蕉叶贝可能栖居在北美二叠纪浅海内发育的礁体的侧面。

Leptolepis　美鳞鱼属　海生鱼类的一个属。据认为可代表真骨鱼类(当今世界上居优势的鱼类)的祖先类型。繁盛于全世界的侏罗纪(2.08亿年前至1.44亿年前)的海洋

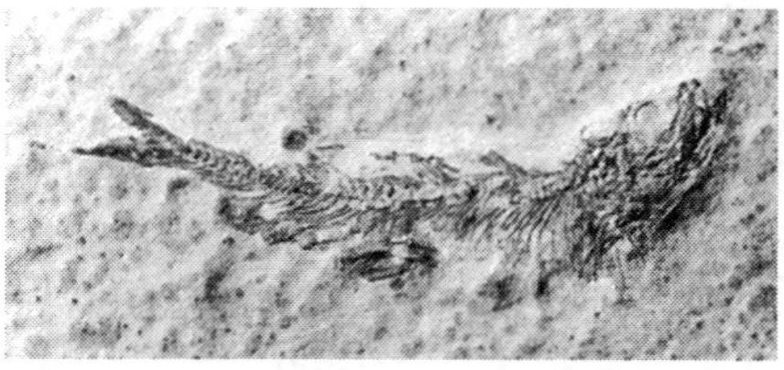

采自德国索伦霍芬的美鳞鱼化石(*Leptolepis sprattiformis*)
美国不列颠百科全书公司供图

中，大小和外形与鲱鱼相像。产自较早和较晚地层中的不完整的化石遗骸表明，该属起源早于侏罗纪，其延续时期比侏罗纪长。许多结构细节介于较原始的全骨鱼类和较进步的真骨鱼类之间。

lepton 轻子 粒子物理学中，只对电磁力、弱力和引力有响应而不参与强相互作用的费米子(**fermion**)族中的任何一种。像所有费米子一样，轻子有半整数自旋(在量子力学术语中，自旋构成内禀角动量)。轻子遵循泡利不相容原理，即在同一量子态中不允许布居两个全同的费米子。轻子被称为基本粒子，因为它们看来不像是由更小的物质单位构成。轻子或带一个单位电荷，或是中性的。带电的轻子有电子、μ子和τ子，它们每个都带有一负电荷并有特定的质量。电子是最轻的轻子，质量只有质子的0.000 5。μ子稍重，是电子质量的200多倍。τ子约比电子重3 700倍。每个轻子都有一个协同中性伙伴，即中微子(电子中微子、μ子中微子和τ子中微子)，中微子不带电荷，且没有表观质量。再者，全部轻子包括中微子，都有反粒子，称为反轻子。反轻子的质量全同于轻子，但其他的所有性质则相反。在任何粒子反应中，总轻子数L(轻子数减去反轻子数)守恒。此外，每一类轻子数的守恒律似乎也成立。例如电子数(即电子数和电子中微子数减去正电子数及其中微子数)和μ子数(μ子数和μ子中微子数减去带正电荷的μ子数及其中微子数)分别守恒。这个守恒律的当前偏离限度为百万分之一。

在20世纪60年代提出的电磁相互作用和弱相互作用的电弱理论，使物理学家能够更好地理解轻子的相互作用。然而明显的理论成果也产生一堆新问题。此外，试图把强相互作用与弱相互作用和电磁相互作用联系起来的最新理论方案，有类似的效应。对强相互作用的费米子即重子(例如质子)也存在类似轻子数守恒的定律。新的“大统一”理论预言质子会衰变成轻子和其他粒子，从而同时破坏轻子数和重子数的守恒。在这一理论中，$B-L$这个量(即重子数与轻子数之差)守恒。参阅**gauge theory**。

Leptosol 薄层土 联合国粮食和农业组织土壤分类中30类土壤之一。断面很浅，常含有大量沙砾。通常存在于天然植被之下，根据不同的气候和地形，特别容易侵蚀、干燥或浸水。薄层土在土壤形成受苛刻气候条件限制的高山地区、荒原、北半球山地或极地都有。是全世界分布最为广泛的土壤，约占大陆土地的13%，主要在南美洲、加拿大、撒哈拉、中东、中国中部、欧洲和亚洲。

Leptospermum 鳞子木属 桃金娘科的一个属。约40种常绿灌木或矮木，原产于澳大拉西亚。有几个种花多而美观，已被引入其他温暖地区作为观赏植物栽培。本属植物也常称为茶树，如澳大利亚茶树，即平滑鳞子木(*L. laevigatum*)，高6米；树皮开裂；花白色；用于沙质土壤的开垦栽植及控制水土流失。绒毛茶树，即绵毛鳞子木(*L. lanigerum*)。新西兰茶树，即细枝鳞子木(*L. scoparium*)，有多个栽培变种，花白至玫瑰红色，叶灰绿至浅棕色。

细枝鳞子木(*L. scoparium*)
美国不列颠百科全书公司供图

leptospirosis 钩端螺旋体病 又称魏尔氏病、传染性黄疸、摘豌豆者病或养猪人病。由一种致病性螺旋体引起的接触性动物传染病，偶尔传染给人。钩端螺旋体的贮主包括啮齿动物及某些家畜。这些动物从尿中排出活的、有充分毒力的病原体，污染环境。钩端螺旋体从动物体内排出后可在淡水中生存数周，因而可由直接接触受染动物的尿液或间接接触污染的食物或水而受染。钩端螺旋体很容易穿透黏膜侵入机体，但多不能通过完整的皮肤。抓伤或擦伤处及鼻黏膜与眼等处是病原体的极好侵入门户。感染的原因往往可追溯到与疫水的接触，如涉水、游泳等。人类发病率取决于与疫水接触(游泳、收割水稻)以及与动物接触的机会。人类钩端螺旋体病的临床表现因病原的血清型而异。潜伏期通常约一周，随后发热，无力，腿、背及腹肌疼痛，恶心、呕吐及腹泻均常见，角膜周围的结膜血管充血是其特征性症状，病后第一周可出现黄疸。重症及黄疸病例的病死率约30%。

Lerdo de Tejada, Sebastián 莱尔多·德·特哈达(1827-04-25，墨西哥韦拉克鲁斯哈拉帕～1889-04，美国纽约州纽约) 墨西哥总统(1872～1876)。幼时失去双亲，孤苦伶仃，

美国国会图书馆供图

为获得教育而挣扎，终于成为墨西哥城圣伊尔德丰索学院法学教授和院长。政治上属自由派。1861～1867年法国干涉墨西哥时期，他在胡亚雷斯政府中任最高法院院长。1867年共和国恢复后，他事实上成为副总统。1872年胡亚雷斯去世后，他就任总统，当即受到胡亚雷斯的另一副手迪亚斯的挑战。由于实行中央集权统治，地方首领对他不满；由于参与胡亚雷斯的反教权改革，他遭到教会的反对；由于忽视公共工程的建设，他又受到进步势力的攻击。1877年迪亚斯发动起义，莱尔多被迫逃亡。

Lérida 莱里达 西班牙东北部加泰罗尼亚自治区省份。北与法国和安道尔交界。面积12 028平方千米。1979年建省。北半部在比利牛斯山地中海地段，有阿兰和塞尔达尼亚谷地风景区及大片森林。南半部为起伏的平原。境内有塞格雷等许多河流。农业高度机械化。盛产酒、羊毛、木材和牲畜。博尔哈斯布兰卡斯镇出产的橄榄油以纯净闻名。出口梨和柠檬。工业不发达，集中在省会莱里达市。人口约354 026(1988)。

Lérida 莱里达 西班牙东北部加泰罗尼亚自治区莱里达省省会。临塞格雷河。位于塞格雷与埃布罗河交汇处附近。初由伊比利亚人创建。公元前49年罗马内战期间由凯撒从庞培手中夺取。后相继被西哥特人和摩尔人占据。1149年由阿拉贡国王拉蒙·贝伦加尔四世收复。西班牙王位继承战争中支持查理大公。现经济以农业为主，以举办牲畜、农产品和水果展销会著称。保存有13世纪拜占廷一哥特式教堂等许多古建筑。塞格雷河左岸为现代化郊区。人口约109 795(1988)。

Lérins, Abbey of 莱兰大隐修院 天主教西多会隐修院。约410年由洪诺拉图斯(阿尔勒的)创办于戛纳附近地中海岛屿上。5世纪时为学术中心。660年该院采用本笃会规则。约732年萨拉森人占领该岛，杀害修士，隐修生活停顿。10世纪末该院恢复。1786年又被迫关闭，1791年房产变卖。1871年西多会在该岛重建该隐修院。

Lerma, Francisco Gómez de Sandoval y Rojas, duque de(duke of) 莱尔马公爵(1553，西班牙塞维利亚～1625-05-17，巴利阿多利德) 西班牙政治家，权贵显要或宠臣中的首要人物，哈布斯堡王朝通过他们统治西班牙。德尼亚侯爵第四之子，在塞维利亚长大。他曾在腓力二世的宫廷中当内侍，深得王储的信任。王储于1598年成为国王腓力三世后，委托他管理公众事务，1599年封他为莱尔马公爵。他极力促使西班牙王室继续与维也纳的哈布斯堡王室或法国的波旁王室联姻，促使西班牙与英格兰缔结《伦敦和约》(1604)，以及1609年与尼德兰联省共和国签订12年休战协定。他发起制订1609～1614年将摩里斯科人(即正式成为基督徒的摩尔人)驱逐出西班牙的各项法令，影响了35万人。莱尔马积累了大量的私人财产，被其政敌用来对他发起最后的攻击。预见到将要失宠，他首先从教皇保罗五世手中获得红衣主教的宽边红帽(1618-03)，然后设法告老还乡。数月后被赶下台(1618-10)。

Lerma River 莱尔马河 墨西哥中西部河流。源出中央高原托卢卡东南24千米处，向西北流经墨西哥州，构成克雷塔罗州和米却肯州一小段州界，大致沿西北偏西方向流经瓜纳华托州。折向南后形成瓜纳华托与米却肯和米却肯与哈利斯科之间的州界，注入查帕拉湖，全长560千米。出自查帕拉湖，西北流，注入太平洋的圣地亚哥大河，有时认为是莱尔马河的延伸。但莱尔马河不通航，广泛用于发电和灌溉。支流有拉哈、阿帕塞奥、图尔维奥等河，包括圣地亚哥大河在内，构成墨

西哥最大水系。在托卢卡、瓜纳华托和哈利斯科盆地,沿岸有许多大城市。

Lermontov, Mikhail (Yuryevich)　莱蒙托夫(1814-10-15,俄罗斯莫斯科～1841-07-27,皮亚季戈尔斯克)　俄国著名浪漫派诗人和长篇小说《当代英雄》(1840)的作者,这部小说对后来的俄国作家产生了深刻的影响。

美国不列颠百科全书公司供图

退休陆军上尉的儿子。3岁丧母,由外祖母在奔萨省的庄园中养大成人。俄罗斯富饶壮丽的自然美景,大量的民歌故事,各种风土人情和典礼仪式,农奴的艰辛劳作以及农民起义的传奇故事,对未来诗人的性格发展具有巨大的影响。1827年随外祖母迁居莫斯科,入莫斯科大学附设的贵族寄宿中学学习,开始写诗和习画。1828年写了《高加索囚徒》,两年后第一首诗《春》发表。同年入莫斯科大学,写了大量的抒情诗、叙事诗和剧本。剧本《怪人》(1831)反映了他和大学生们对沙皇专横统治和农奴制度的憎恨。1832年因与一反动教授发生冲突,离开大学到圣彼得堡,进入士官学校,1834年毕业后被派往驻扎在皇村的骠骑兵团。他对贵族生活的批判性观察,构成了他的《假面舞会》的蓝本。

1837年1月,伟大诗人A.普希金在决斗中受伤致死,他大为震惊,写了一首挽歌《诗人之死》,表达举国对已故诗人的爱戴,不仅谴责了杀害普希金的凶手,也谴责了宫廷贵族。他认为后者是扼杀自由的刽子手和酿成这一悲剧的真正罪犯。尼古拉一世的宫廷获悉此事后,便将他逮捕并流放到驻高加索军队的一个团里。高加索的主题和形象从此在他的诗作、长篇小说《当代英雄》、随笔以及绘画中占据了牢固的地位。1838年,经外祖母和有影响的诗人A.V.茹科夫斯基的多方奔走,他获准回到圣彼得堡,开始在报刊上发表诗作。其中著名的有浪漫主义长诗《沙皇伊凡·瓦西里耶维奇、年轻的禁卫兵和勇敢的商人卡拉希尼科夫之歌》(1837),还有现实主义的讽刺诗《坦波夫军需官的妻子》(1838)、《萨什卡》(1839)等。不久他就成为深受欢迎的作家,被誉为普希金的继承人。接着,他又发表了以高加索为背景和浪漫主义色彩浓郁的长诗《童僧》(1840)和诗人在生命的最后时刻写完的浪漫主义长诗《恶魔》。在长篇小说《当代英雄》中,他为当代生活绘制了一幅批判性的图画,表达了他对当代社会和他那一代人的命运的全部看法。这部充满社会内容和心理内容,并用极其优美的散文写成的现实主义小说,在俄国散文的发展中起过重要作用。1840年2月,他因和法国公使的儿子决斗,再次被流放到高加索。他参加了瓦列里克河上的战役,事后在《瓦列里克》一诗中描写了这次战役。

1841年2月,在外祖母的不懈请求下,他获准回彼得堡休假。他正计划出版自己的杂志,写几部新的小说,但却接到要他立即返回团队的命令。在返团途中,他去皮亚季戈尔斯克疗养,在那儿遇到许多圣彼得堡来的贵族青年,其中有的希望他倒霉,有的嫉妒他的声望。他处在一种充满阴谋、诽谤和仇视的氛围中。最后,他因与军官N.S.马尔特诺夫争吵而进行决斗,不幸遇害。两天后葬于城市公墓,全市居民都参加了葬礼。1842年4月23日,他的遗骸被迁葬在阿尔谢尼耶夫他家庭坟地的墓穴。

莱蒙托夫虽然只活了短短的26年,但却不愧是一位才华横溢的天才诗人兼思想家、散文家和剧作家,以及俄国文学优秀传统的代表。他的创作源于19世纪30年代的历史现实,俄国历史的英雄传统、普希金时代的浪漫主义诗歌和拜伦的影响,都给他以滋养。他的朝气蓬勃的抒情诗充满对自由的渴望,响彻战斗的号角,包含着如何献身于毕生工作的苦苦思索以及建树英雄业绩的梦想。

Lerner, Abba P.　勒纳(1903-10-28,俄国比萨拉比亚～1982-10-27,美国佛罗里达塔拉哈西)　全名Abba Ptachya Lerner。俄罗斯出生的经济学家,其著作中有许多关于通货膨胀、失业和国际贸易的理论作品。3岁时全家移居英格兰。到16岁时,他已经做过多种工作。1929年入伦敦政经学院夜校学习,以求弄明白为什么他的工作总是失败。1932年获经济学学士学位,并在那里任教至1936年。曾短期到剑桥大学进行研究,深入领会J.M.凯恩斯的《就业、利息和货币通论》,并被认为在清晰易懂地论述凯恩斯主义方面,甚至超过凯恩斯本人。终生赞同社会主义的观点,认为计划经济更为合理。实际上,他的教科书《统治经济学:福利经济学原理》(1944)一书被认为是计划和管理社会主义经济的手册。他论证了高就业率将会如何助长通货膨胀(供应不能满足需求,造成物价上涨),并且提出了一种衡量垄断势力的方法,称作勒纳指数。20世纪后期,提出了一个具有高度理论水平的办法,通过他所谓的"市场反通货膨胀方案"来补救滞胀(高通货膨胀和高失业率状态)。该方案节制企业提高其实际价格(按工资和货物或服务的价格计算的)的权利,但允许企业以这些权利进行交易。节制方案虽然比直接的价格控制更精确,但有时也会显示出在现实经济应用时理论上的缺点。一些同辈经济学家们认为他有点怪僻,他的漫游不定(他曾经在莫斯科访问已被放逐的L.托洛茨基)使他不能为他的研究工作建立一个永久基地——他曾在至少6所美国大学(包括芝加哥大学和加州大学伯克利分校)里讲课,但是没有在任何一所大学长久待过。他教学生涯的最后地点是佛罗里达州立大学。

Lerner, Alan Jay　勒纳(1918-08-31,美国纽约州纽约～1986-06-14,纽约州纽约)　美国歌剧作家、抒情诗人。与作曲家F.洛伊创作了百老汇风行一时的音乐剧《布里加东》(1947)、《油漆你的车子》(1951)、《我的漂亮小姐》(1956)、《卡米洛特》(1960)和电影《吉吉》(1958)。父母为富裕的零售商,曾就学于纽约市的朱利亚德音乐学院和哈佛大学(1940年获理学士学位)。在哈佛大学学习时为仿英雄体戏剧撰写歌词。1940～1942年共写了500多部广播剧。1942年在纽约"羔羊戏剧俱乐部"遇到洛伊,他们合作的《布里加东》获得了成功,在1947年前曾连续上演5个月。根据萧伯纳的《皮格马利翁》创作的音乐剧《我的漂亮小姐》获得空前成功,由哥伦比亚广播系统演出,创造了当时音乐剧在伦敦和纽约初次上演场次的最高纪录,曾在20多个国家上演,翻译成11种文字,并在美国巡回演出达数年之久,剧本亦多次修改。根据该剧摄制成的影片(1964)荣获7项学院奖。《布里加东》(1954)、《油漆你的车子》(1969)和《卡米洛特》(1967)也都摄制成影片,很受欢迎。勒纳与洛伊两人创作的电影《吉吉》获得了9项学院奖。勒纳还单独为K.韦尔的《热爱生活》(1948)撰写脚本和歌词,写了几部电影剧本,其中包括《一个美国人在巴黎》(1951),为此又获得一项学院奖。后与作曲家B.莱恩合写了《在晴天你总能看见》一剧,于1965年在百老汇上演,1970年制成电影。他还与莱恩合写了《卡梅莉娜》(1979),与作曲家A.普雷文合写《科科》(1969),与L.伯恩斯坦合写《宾夕法尼亚大街1600号》(1976),与C.斯特劳斯合写《跳得稍近些》(1983)。1978年出版自传《我住的那条街》。

Lernet-Holenia, Alexander　莱尔内特-荷勒尼亚(1897-10-21,奥地利维也纳～1976-07-03,维也纳)　奥地利多产的著名戏剧家、诗人和小说家。他的许多作品显示了对第一次世界大战前奥地利上流社会的怀念。特别是小说《旗》(1934)在描述1918年塞尔维亚武装暴乱的同时,还描绘了分崩离析的帝国丧失权威的情景。第一次世界大战时曾任奥地利骑兵队军官。战后,写过一些成功的剧作,如《奥地利喜剧》(1927)、《大杂烩》(1926)、《恋爱》(1927)、《强权》(1928)、《夜间婚礼》(1929)和《波蒂法之妻》(1934)。诗歌包括《田园诗》(1921)、《圣迈克尔的秘密》(1927)和《金帐汗国》(1935)等,交织着古典的传统和现代的影响。20世纪30年代,曾写过侦探小说和冒险小说,包括《我曾是杰克·莫蒂默》(1933)和《马尔特拉维的复活》(1936)。第二次世界大战期间曾在军队电影单位工作。除战争年代外,他一生广泛旅行,在南美洲居住多年。晚期作品有小说和短篇故事集,均于1960年出版,反映出对旧奥地利的怀念。

Léros　莱罗斯岛　爱琴海佐泽卡尼索斯群岛中的一个岛。属希腊。在基克拉泽斯群岛东面,近土耳其西南海岸。面积53平方千米。岛上多山、溪流、岬角和海湾。最高点海拔327米。四周多小岛。东西岸有沙滩浴场。古时以出产蜂蜜和岛上的阿耳忒弥斯神庙闻名。最早居民为卡里亚人,后有克里特人、爱奥尼亚人、拜占廷人、罗得人。1319年为罗得占领。沿袭女子继承财产制,岛上财产大多属妇女。主要经济活动为农业和渔业。中部山谷产橄榄、无花果、角豆、烟草、水果和酿酒葡萄。有渡船通比雷埃夫斯、罗得、萨摩斯。人口7 953(1991)。

lerot 圃睡鼠 小型啮齿动物,睡鼠(dormouse)的一类。

Leroux, Gaston 勒鲁(1868-05-06,法国巴黎～1927-04-15或16,尼斯) 法国小说家。尤以《歌剧的幽灵》(1910)而著称。这部小说通过各种不同的影片和舞台演出而闻名。离开学校后,勒鲁在一家律师事务所当办事员。他利用业余时间,开始写文章和短篇小说。到1890年已成为一名专职记者。1894～1906年,他作为记者,漫游世界,向巴黎发回他的各种不同的冒险经历,而以在1905年俄国革命期间发回的为有名。20世纪初期,他开始写小说。他的第一部成功之作是《黄房子的秘密》(1907),以业余侦探J.鲁莱塔比尔为主人翁。接着发表了几个续篇,但都没有获得像第一部那样的成功。1910年,《歌剧的幽灵》以连载的形式发表(后作为小说出版),销售量平平,评论也欠佳,直到1925年美国演员L.钱尼在默片中创造了片名角色,这部描写一个丑陋的隐士拐骗巴黎一家歌剧院的一位年轻美丽的妇女的闹剧,才获得国际声誉。勒鲁还发表了其他几部小说和几个剧本,但是作为恐怖和犯罪小说作家,除了侦探小说迷人之外,他并没有获得广泛的盛名。

LeRoy, Mervyn 李洛埃(1900-10-15,美国加利福尼亚旧金山～1987-09-13,加利福尼亚贝弗利希尔斯) 美国电影导演,共导演各种类型影片75部,包括正剧片《小凯撒》(1930)、《我是一个越狱犯》(1932)、《东京上空30秒》(1944);爱情片《"安妮"号拖船》(1933)、《魂断蓝桥》(1940)、《鸳梦重温》(1942);历史片《叛逆的安东尼》(1936)、《你往何处去》(1951);喜剧片《马背上的三个人》(1936)、《罗伯茨先生》(1955);歌舞片《1933年的淘金者》(1933)、《脉脉含情》(1952)、《吉普赛人》(1962)。他还是一些影片的制片人,其中包括经典名片《绿野仙踪》(1939)。李洛埃青少年时很苦,当过报童,曾在歌舞团表演9年。后通过亲戚、电影事业的先驱者J.L.拉斯基的关系进入电影界,当上一名服装管理员。他埋头苦干,终于在1927年导演了他的第一部故事片《走投无路》。在《小凯撒》一片奠定了他的声望后的41年中,拍摄或制作了一大批影片。他反对诸如私刑等野蛮行为和揭露监狱中的残酷情况,从而感动大众的良知。1946年,他以纪录片《我住的房子》获得奥斯卡特别奖。1957年,他成功地说服电影学会的负责人同意由学会而不是由电影制片厂来选择最佳主角和最佳配角的提名。1976年李洛埃获得奥斯卡奖的欧文·G.索尔伯格纪念奖。

Lerroux, Alejandro 莱尔罗克斯(1864-03-04,西班牙科尔多瓦～1949-06-27,马德里) 西班牙激进党领袖,第二共和国(1931～1939)中右派执政期间(1933～1935)领导过4届政府。军士长之子,成为激进党领袖之前,在巴塞罗那操律师业和从事新闻工作。1901年选入西班牙议会,1903年选举中他的党击败加泰罗尼亚民族主义者。1907年因共和主义观点遭放逐,逃亡阿根廷。1909年他的青年追随者们被控火烧巴塞罗那的女修道院后,他改变极端态度,激进党人成为温和的中产阶级自由主义的代表。他欢迎1931年第二共和国的诞生,并出任它的首任外交部长。1933年11月大选迎来中右派政府执政时期,在右派支持下,他在政府中起主导作用。他的第一届政府(1933-11～1934-04)虽由清一色的激进党人组成,却依赖右派的支持。他认为共和国过于左倾,试图与保守派和解,因此激怒了左派组织。1934年10月一场左翼大规模起义被严厉镇压。1935年整个一年,他与议会右派领袖罗夫莱斯合作,领导了几届联合内阁,但大多不成功。1935年末,他的数名亲戚和激进党伙伴被指控腐败,包括拥有赌博特许权等。丑闻披露后,他在政治上一蹶不振,1936年2月选举中激进党一败涂地,他失去议会席位。内战期间(1936～1939)他去葡萄牙,1947年方回国。

Lerwick 勒威克 苏格兰大陆北210千米设得兰群岛区主要城镇。是英国最北部城镇。在梅恩兰岛东岸。濒临布雷赛海峡——天然港湾。原为渔村,直至19世纪成为英国主要鲱鱼港之一。捕鱼一直是当地经济的支柱。18世纪出口咸鱼。19世纪以捕鲸和鲱鱼为主,现主要捕捞白鱼、蟹和龙虾。每年接纳大批外轮并将其水产送入冷冻厂和食品加工厂。在20世纪70年代石油热中,开发东设得兰海盆丰富的石油资源。港口更加繁忙,成为石油供给和服务基地。亦有相关的工业和船舶维修业。该市旧城多17世纪建筑。每年元月末欢庆火节,节庆活动表现出居民仍保有古代斯堪的纳维亚人的传统。为设得兰群岛区行政中心。人口7 336(1991)。

Les Baux-en-Provence 莱博昂普罗旺斯 法国东南部普罗旺斯山-蓝岸大区罗纳河口省的一个村庄。该村坐落在罗纳河谷阿尔勒城东北陡峭的阿尔比耶山的一条支脉上。在这座多岩石的小山上,有一片长约900米、宽约200米的地方,上有倾圮城堡和几条被抛弃的旧房的街道,另外还有一所教堂、一座博物馆和一些小型现代化旅游设施。在欧洲的中世纪时期,该地是有权势的君主们的首府,他们在11世纪时统治着72座城镇,以及普罗旺斯和多菲内区的领地,其中包括奥兰治封邑。13世纪时,他们举行的宫廷爱情集会,曾吸引许多门第显赫的贵妇及不少行吟诗人。在随后的若干世纪中,由于他们同教皇、同普罗旺斯的统治者们以及同法国的国王们不断争斗,他们家族的势力日趋衰落。1632年,法王路易十三毁掉了他们的城堡和城垣。尽管后来该处在格里马尔迪家族统治下成为侯爵领地,但当日的盛况业已一去不复返了。如今牧羊人依旧赶着羊群来到这里的圣樊尚教堂(建于12世纪)参加午夜弥撒。激发作家A.都德的灵感,使其写出《磨坊书柬》的那座风磨(现已改为博物馆),则矗立于附近的封维耶。炼铝的原料bauxite(铝矾土)是按该地地名Les Baux命名的,因为该原料是1821年在上述地点首次被发现的。当地的铝矾土矿现仍在开采。人口458(1990)。

Les Cayes 莱凯 又称凯或奥凯。海地共和国西南部城镇。位于半岛南部的加勒比海南岸。建于1786年。在殖民时期为疾病和海盗所扰。南美洲解放者玻利瓦尔1815年访问该港,接受海地的武器和一支军队,支援他同西班牙作战。该镇1908年发生大火,1954年又遇飓风,破坏严重。为海地南部主要海港,输出蔗糖、咖啡、香蕉、棉花、木材、染料木和皮革等。历史建筑物有海盗时代的军火库和几座堡垒。人口约48 838(1997)。

Les Combarelles 贡巴来尔洞穴 法国多尔多涅省雷塞济附近的一座洞穴,以史前雕刻图画著称于世。洞穴中有数以千计的石刻图画,重重叠叠,时代从奥瑞纳文化期晚期延续到马格德林文化中期,说明这个洞穴曾经长时期作为史前人们举行狩猎仪式的一个中心地点。这些壁画的主题以野牛及驯鹿的形象为主,但是也有一些奇形怪状的半人半兽形象。大多数学者都把贡巴来尔洞穴中的雕刻品列为冰期最佳作品之一。

Les Landes(France) 参阅 **Landes 朗德**。

Lesage, Alain-René 勒萨日(1668-05-06,法国萨尔佐～1747-11-17,布洛涅) 法国多产的讽刺剧作家、著名的流浪汉小说《吉尔·布拉斯》的作者。这部小说对于流浪汉小说成

美国不列颠百科全书公司供图

为欧洲文学中的一种时髦形式产生过很大影响。14岁即为孤儿,经常一贫如洗,但是他在布列塔尼的耶稣会学校里受到良好的教育,后在巴黎学习法律。勒萨日在文学沙龙里备受欢迎,但他所企求的并不是社交生活,而是家庭生活。1694年结婚,他放弃了法律工作职位,专门从事写作。他从里昂内隐修院院长那里得到一笔生活津贴,后者还教他西班牙语并引导他熟悉西班牙戏剧。其早期剧作据西班牙原著改编,包括非常成功的改编喜剧《主仆争风》(1707),由法兰西剧院演出。1707年的散文作品《跛足魔鬼》取材于西班牙现实,但讽刺的却是巴黎社会。他为集市剧院写了100多部轻松喜剧,因此有莫里

哀后继人之誉。他写的《吉尔·布拉斯·德·桑蒂利亚纳传》(分 3 期发表:1715 ～ 1735),是最早的现实主义小说之一,描述一位善于随遇而安的年轻仆人在侍候一个又一个主子期间的遭遇和所学到的手段。《吉尔·布拉斯》的乐观精神对流浪汉小说的传统产生了一种启迪教化的效果。与大多数同类小说不同,它的结局是美满的,吉尔·布拉斯婚后退居乡村,过着宁静的生活。

Lesage, Jean 勒萨日(1912-06-10,加拿大魁北克蒙特利尔～ 1980-12-12,魁北克省魁北克附近) 加拿大官员,20 世纪 60 年代初改革时期任魁北克省总理。1934 年获拉伐尔大学法学学位,1939 ～ 1944 年任刑事律师。1945 年当选为加拿大众议员,并任驻联合国代表。1953 年任加拿大资源与发展部长。1958 年辞去国家部长职务和众议员,任魁北克省自由党领袖。在 1960 年省选举中领导自由党击败从 1944 年起连续执政的保守的民族联盟。他号召改造社会、发展文化、使魁北克省拥有更大的自治权,掀起一场"平静的革命"。他的内阁班子包括形形色色和在某种程度上吵吵闹闹的人物,既有左派,也有右派,还有第一个选入省议会的妇女。在 1962 年省大选中,他由于提出水力发电国有化的口号而取得决定性胜利。在他领导下,魁北克省政府积极举办社会福利,进行市政改革和发展文化事业。他任命了魁北克省的第一个教育部长,使学校系统和文官制度现代化,并且削减圣职人员的势力。他兼任财政部长和联邦与省事务部长,迫使联邦政府在财政上作出重大让步。他的政府还致力于通过文化教育合作进一步发展与法国的密切联系。1966 年自由党被改革后的民族联盟击败,他成为反对党领袖。1970 年由 R. 布拉萨接替。

lesbianism 女性同性恋 英语亦称 sapphism 或 female homosexuality。指一名女子对其他女性产生强烈的情感或性欲吸引力的特质或状态。英语中 lesbian 一词最早出现于 16 世纪晚期,原来首字母需大写,用作形容词性的术语,意为"列斯博斯岛的",源于希腊的岛屿列斯博斯岛(Lesbos)。到 19 世纪晚期该词才被加上"女同性恋"的含义,当时人们将列斯博斯岛的女诗人萨福(约公元前 610 ～约前 580)所写的多愁善感的、常常是感情激越的诗歌与她的只有女人参加的小圈子联系起来。英语"lesbianism"一词的词义从产生到现在已被 20 世纪后期欧洲和美洲的理论家们改变得面目全非了;现在来自其他文化的观点并非便捷可得。就如异性恋者的行为千差万别一样,女性同性恋者的表现也绝非千篇一律。有些女同性恋将自己的性取向隐蔽起来,并加以否认,她们与男人结婚以使自己被家人和社会所接受。另一些则愿意公开女同性恋者的身份而生活,有时还抚养孩子。

一般地说,在欧洲和北美女同性恋者在进入 21 世纪后面临的许多问题与异性恋女子和许多同性恋男子所关心的问题并无根本上的不同。正如异性恋妇女一样,同性恋妇女也受同工不同酬或自古以来女性被排斥在医学研究之外等问题的困扰,后一问题又导致妇女不了解女同性恋的性活动对女性健康的影响。就如许多男同性恋者一样,许多女同性恋者相互之间已建立起长期持续的关系,但他们都因法律未能承认这种同性婚姻而感到遗憾。女同性恋者关心的其他问题包括抚养孩子(从不能收养性伙伴的后代到法律不准许同性收养)、与性伙伴共享医疗保健补助费、无权为性伙伴做与医疗保健有关的决定,以及与税收、继承等有关的问题。参阅 **homosexuality**。

Lesbos 莱斯沃斯 现代希腊语作 Lésvos。又(从其首府)称米蒂利尼(Mitilíni)。爱琴海第三大岛,属希腊莱斯沃斯州。面积 1 630.5 平方千米。岛形不规则,有杰拉斯和卡洛尼两个窄口海湾。西部主要为火山带,有数处温泉。主峰莱佩西姆努斯山(伊利亚山)高 968 米。该岛是爱琴海早期居民点之一。州首府**米蒂利尼(Mytilene)**是主要城市和港口,居民大部分住在其四周。其他城市有麦提姆纳(第二大城市)、安蒂萨、伊勒苏斯、皮拉和阿里斯巴等。莱斯沃斯在贸易航线附近,自古战略和商业地位重要。1929 ～ 1933 年岛上发掘出两个青铜器时代早期(公元前 3000 ～前 2750)的重镇。莱斯沃斯岛于 6 ～ 7 世纪一度繁荣。曾先后依附波斯、斯巴达、雅典和拜占廷。土耳其占领(1462 ～ 1911)结束后并入希腊王国。岛上肥沃的平原和谷地出产葡萄、谷物。橄榄、皮革、肥皂和烟草是主要物产和输出品。沙丁鱼捕捞业亦重要。强烈地震(如 1867 年毁灭性地震)对该岛发展和历史文物的保存十分不利。人口 104 620 (1981)。

Lescaze, William 莱斯卡兹(1896-03-27,瑞士日内瓦～ 1969-02-09,美国纽约州纽约市) 瑞士出生的美国建筑师。与 G. 豪合作设计费城储蓄基金会大厦(1931 ～ 1932),并将国际风格建筑成功地介绍至美国而闻名。该大厦被认为是第二次世界大战前现代建筑中设计得最好的摩天楼之一。他先后在苏黎世、法国学习和工作。1920 年移居美国。第一项重要设计是奥克莱恩乡村学校,校内各种设施的尺度都符合儿童的使用要求。1929 年以后与豪合作 5 年,随后独立开业。他设计的自己的住宅(1934)和朗费罗大厦(1941)是美国早期国际风格建筑的著名例子。第二次世界大战后,在纽约市成功地设计了多幢办公大楼。

Lesch-Nyhan syndrome 莱施-奈恩二氏综合征 一种影响中枢神经系统的遗传性代谢障碍。以共济失调、精神发育迟缓、进攻性行为、强迫性咬啮为特征。因次黄嘌呤鸟嘌呤磷酸核糖基转移酶功能缺陷所致。正常情况下,这种酶在脑细胞中活性极强,并参与嘌呤代谢。本病为隐性伴性遗传,主要影响男性。若孕母为本病基因的携带者,那么对其子女在出生前即作出诊断是有可能的。

Leschetizky, Theodor 列希蒂兹基(1830-06-22,奥地利帝国波兰万楚特[今在波兰]～ 1915-11-14,德国德累斯顿) 原名 Teodor Leszetycki。波兰钢琴家和教师。与李斯特同是当时最有影响的钢琴教师。在维也纳师承车尔尼,因而与车尔尼的老师贝多芬也有间接的联系。1852 年去圣彼得斯堡担任钢琴师和教师。自 1878 年起在维也纳教授钢琴。作为浪漫派时期钢琴大师之一,他处理乐谱带有一定的自由度。在教学中他强调对音乐的充分理解、毫无瑕疵的技巧和最重要的是悦耳的音色。虽然关于著名的"列希蒂兹基教学法"之说甚嚣尘上,但他本人却坚持说他没有固定的教学方法;他的学生也断言他对每个学生是因材施教的。列希蒂兹基的学生中有很多 19 世纪和 20 世纪初的著名钢琴家,如 A. 施纳贝尔、O. 加布里洛维奇和 I. 帕岱莱夫斯基等。

Lescluse, Charles de 参阅 **Clusius, Carolus 克鲁西乌斯**。

Lescot, Pierre 莱斯科(约 1515,法国巴黎～ 1578,巴黎) 16 世纪中叶法国伟大建筑师之一,他的带有装饰性的风格成为法国建筑古典传统的基础。青少年时学习数学、建筑和绘画,虽然他的许多设计都具有古典风格,但他并未游历过意大利,他的古典建筑知识来自图书馆和法国境内的罗马遗迹。他对建筑最重要的贡献是罗浮宫的重建(1546 年动工),设计中运用古典的手法,反映出法国建筑的一大转变。他将传统的法国建筑和古典建筑的特征融合在一起,创造出法国古典主义这一独特风格。其他作品有:卡尔纳瓦莱大厦(1545)、圣日尔曼-奥克赛罗瓦教堂的屏障(1554)、因诺森喷泉(1547 ～ 1549)和瓦莱里别墅等。可惜这些作品都没有完整保存下来。

Lesdiguières, Charles I de Blanchefort, duc de (duke of) 参阅 **Créquy, Charles I de Blanchefort, marquis de 克雷基侯爵**。

Lesdiguières, François de Bonne, duc de (duke of) 莱迪吉耶尔公爵(1543-04-01,法国圣博内昂尚索尔～1626-09-21,瓦朗斯) 法兰西统帅、基督教新教领袖,晚年背弃新教信仰。曾在巴黎学法律,后到多菲内加入胡格诺派军队。1575 年,成为该地区胡格诺派抵抗运动的领袖。1585 年为纳瓦拉国王亨利(日后为法国国王亨利四世)作战,1588 ～ 1589 年休战以后,促成多菲内的降服。以后数年中,为保卫法国而与西班牙人和萨伏依人作战直至 1601 年。1609 年升为法国元帅,1611 年被封为法国贵族、公爵,1612 年被任命为多菲内总督。1622 年,他正式放弃新教信仰,并在南方与新教徒作战;后成为法国统帅。

Leshan 乐山 中国四川省辖地级市,著名旅游城市。位于四川盆地西南缘,岷江、大渡河和青衣江在此汇合。西部有绵延的峨眉山、大相岭和大凉山,东部为龙泉山及其丘陵,中部有狭长的岷江河谷平原,山水秀丽、环境优美。巴蜀时代是蜀王开明的故都。西汉置南安县，南朝齐以后废。北周保定元年(561)置平羌县。大成元年(579)为嘉州治所。隋曾改名峨眉县、青衣县、龙游县。南宋后为嘉定府。明洪武九年(1376)降嘉定府为嘉定州，废龙游县入州。清雍正十二年(1734)置乐山县，因城西南岷江对岸有小丘乐山故名，为嘉定府治所。1978年改县为地辖市，1985年升为省辖市。辖市中、五通桥、沙湾、金口河4区，及犍为、井研、夹江、沐川4县和峨边、马边2彝族自治县，并代管峨眉山县级市。面积12 826平方千米，其中市区面积2 514平方千米。工业主要有电力、机械、盐化、冶金、煤炭、纺织和造纸等。五通桥是乐山市最大工业中心，也是仅次于自贡的四川第二大制盐中心。市西大渡河上建有龚嘴、铜街子两座大型水电站。交通便利、成昆铁路、213国道纵贯境内，成乐高速公路全线通车。乐山港有通达宜宾、泸州、重庆的客轮。乐山有大佛、麻浩崖墓等180多处国家级、省级和市级重点文物保护单位。市内峨眉山-乐山大佛国家级风景名胜区已被联合国列入世界文化与自然遗产名录，主要景点有市中区的乌龙山、凌云山岷江小三峡，以及高达71米的唐代大佛，为世界现存最大的佛像之一。眉山的三苏祠，青神的中岩，“水城”五通桥，仁寿黑龙滩水库，夹江千佛岩，洪雅瓦屋山、犍为罗城古镇，马边大熊猫保护区等，是四川著名的游览区。市西南的沙湾是中国著名现代文学家郭沫若的诞生地，建有纪念馆。人口：全市3 480 000(2005)；市区1 130 000(2004)。

Leshan dafo　乐山大佛　英文作Leshan Giant Buddha。中国唐代佛教摩崖造像。位于四川省乐山市城东，岷江、青衣江、大渡河三江汇流处的凌云山西壁栖鸾峰。开元元年(713)由僧人海通始凿，贞元初剑南西川节度使韦皋舍俸钱五十万继续营造，至贞元十九年(803)最后完工，其凿建历时90年。大佛依山临江雕凿而成，是世界现存最大的摩崖石佛像，有“山是一尊佛，佛是一座山”之誉。1982年国务院公布为全国重点文物保护单位；1996年与峨眉山风景区共同作为文化自然双重遗产列入《世界遗产名录》。大佛为弥勒倚坐像，坐东面西，螺状发纹，面相端庄，身躯比例适度，双手抚膝，两腿下垂，足踏莲花，衣饰流畅(见图)。通高71米、头高14.7米、头宽10米、肩宽28米，脚背宽达8.5米。大佛两侧岩壁上有石龛造像，保存较好的有两龛，其中一龛“西方极乐图”雕刻精细，造型生动。大佛前原建有13层重楼，名大佛阁或大像阁，宋易名天宁阁或凌云阁，明末毁于兵燹。大佛自建成后，历代均有修整。民国时期军阀混战，曾以大佛为炮靶，面部等处遭毁坏。1949年后加强了对大佛的维修保护，并对佛身进行考古、物理、地质、化学等多学科综合检测。大佛现为西南地区重要旅游景点之一。

乐山大佛
中国大百科全书出版社供图

leshy　列希　斯拉夫神话中的森林妖精。为一种爱玩闹和作弄人的妖精，不过在它发怒时，也可以做出坏事来。人们很少看到它，但是在森林中能够听到它的笑声、吹哨声或歌声。当列希被发现时，很容易被辨认出来。它的外表是个男子，但是没有眉毛、睫毛和右耳。它的头部有点尖，没有帽子和腰带。在它出生地的森林里，它和树一样高。但是一离开那里，它就缩成一根草那样大小。

Lesina (Croatia)　**莱西纳**　参阅 **Hvar 赫瓦尔**。

lesion　损害　生理学术语。指由病理过程或创伤造成的器官或组织在结构或生物化学上的改变。可伴有具体的疾病症状，如胃溃疡引起胃痛；或无症状，如早期癌瘤。某些损害可据以诊断具体疾病，如梅毒的生殖器下疳，故早期识别躯体的或生物化学损害可防止晚期出现更严重的疾病表现。所以识别疾病损害并加以分类是病理学的一个主要工作。损害可分为解剖学的(肉眼可见的)，组织学的(用显微镜才可见)，或生物化学的(只有通过化学分析才可知)。典型的大体解剖学损害如结肠癌，相应的组织学损害为肿瘤部位的异常细胞，而有关的生物化学损害则为某些结肠癌病人血中的癌胚抗原。

Leskov, Nikolay Semyonovich　列斯科夫(1831-02-16，俄罗斯戈罗霍夫～1895-03-05，圣彼得堡)　笔名斯捷布尼茨基。俄国长篇和短篇小说作家，被誉为俄国最伟大的故事作者。幼时曾随祖母去过一些隐修院，他最著名的小说《神职人员》(1872)即根据这些早年的回忆写成。他曾在一家英国公司工作，遍游整个俄国，从旅途中获得大多数小说的素材。以新闻记者身份开始其写作生涯。1865年发表最著名的短篇小说《姆岑斯克县的麦克白夫人》，书中多情的女主人公在暴力中生活和死去。他的最脍炙人口的故事《左撇子》(1881)，是一篇果戈理式的喜剧杰作，描写图拉的目不识丁的铁匠如何智胜英国的能工巧匠。早期长篇小说《走投无路》(1864)和《结仇》(1870～1871)，因对俄国革命运动抱有敌视态度遭到激进派的猛烈批判。

Leslie, Alexander　莱斯利　参阅 **Leven, Alexander Leslie, 1st Earl of 利文伯爵(第一)**。

Leslie, John　莱斯利(1527-09-29，苏格兰～1596-05-31，布鲁塞尔附近)　又拼Lesley。苏格兰天主教主教、历史学家。曾在阿伯丁、巴黎和普瓦捷等大学求学。大约自1554年起他在阿伯丁国王学院讲授教会法。1561年玛丽·斯图亚特自法兰西返回苏格兰即位时，他出任枢密官。他始终效忠于玛丽女王。1569年参与计划依靠西班牙军队支援的起义以废黜并杀害英格兰女王伊丽莎白，事败被囚。1573年获释。他请求欧洲大陆各国君主支持玛丽，未成。1579年起寓居法国，任鲁昂代理主教。1578年在罗马出版历史著作《苏格兰的起源、风俗和历史》。

Leslie, Sir John　莱斯利(1766-04-10，苏格兰法夫拉戈～1832-11-03，科茨)　苏格兰物理学家和数学家，第一个制造出人造冰的人。1802年他对毛细作用第一次作出了与现代理论一致的解释。两年后发表了《热的性质和传播实验研究》一文。1810年他利用空气泵将水冻结成冰。1805年被选为爱丁堡大学的数学教授，1819年任自然哲学教授。1832年被封为爵士。

Leśmian, Bolesław　莱希米安(1878-01-12，华沙～1937-11-05，华沙)　波兰抒情诗人，把象征主义和表现主义用于波兰诗歌的第一批诗人之一。出身犹太人家庭。曾在基辅求学，早期的一些诗歌用俄语写成，一生大部分时间在外省小城当律师。晚年被选入波兰文学研究院。著有《果园》(1912)、奠定了他的声誉的《草地》(1920)、《林区故事》(1938)等。他的作品虽然艰涩难懂，常具有象征主义的性质，容易掩盖作品的优点，不过他逝世后仍然获得了普遍承认。

Leśniewski, Stanisław　莱希涅夫斯基(1886-03-30，俄国谢尔普霍夫～1939-05-13，华沙)　波兰逻辑学家、数学家，华沙逻辑学派的创立者之一，这一学派的首要代表人物，也是迄今最伟大的逻辑学家之一。他沿着德国的G.弗雷格于19世纪晚期和英国的B.罗素于20世纪早期所奠定的路线，建立了迄今为止逻辑学和数学基础中所曾构思的最完整、最清晰、最严格的体系之一。他同逻辑学家J.武卡谢维奇、数学家W.谢尔平斯基和S.马祖尔凯耶维奇共同创建了华沙大学。在两次世界大战之间，该校是享有盛誉的研究逻辑、数学和元逻辑的中心。

1912年在利沃夫(现属乌克兰)的波兰大学获得博士学位，早期学术兴趣就集中于哲学逻辑问题。他的科学活动可以分为三个阶段。第一阶段从他的学位论文问世到1916年关于集族的第一个工作为止。这时他对由逻辑和数学中的悖论所引起的问题感到兴趣，这些悖论威胁到所有演绎科学的基础。他致力于克服和解决这些悖论，终于作出重大发现。他深信数理逻辑中形式的、人工的语言对他的工作具有根本的意义。1916～1927年是第二阶段。他在这一时期进行了深入细致的、创造性的研究，积累了大量成果，但没有发表。1919年，他出任华沙大学数学哲学教授。他及其同事迅速建立了一个生气勃勃的研究中心，吸引了各方面的富有天才的学生。第三阶段是成熟和发表时期。1927年，他关于数学基础的第一个成熟的工作发表。从这一年到1939年他逝世前，发表了一系列论文，阐述他关于逻辑和数学的理论的主要线索。这些文章为华沙学派赢得了国际声誉。他还有许多发现在逝世时尚未发表。

他的非凡的创造性贡献在于他构造了三种相互联系的逻辑体系，称之为主体论、实体论和分体论。全部理论的基础是主体论，这是关于命题之间关系的最广泛的理论。实体论是关于命名的理论。它同主体论联结起来产生关于三段论的全部理论、逻辑代数以及集合和关系的逻辑。分体论则是关于类的理论，关于部分与整体之间关系的一般理论。他公开批评了把逻辑看成只是符号游戏的纯形式主义者，认为理论最终必须由是否与实际相一致来检验。

Lesosibirsk　列索西比尔斯克　俄罗斯克拉斯诺亚尔斯克边疆区城市。为重要的木材加工中心和叶尼塞河重要港口。1975年由马克拉科沃和新马克拉科沃二镇合并而成。该市沿叶尼塞河延伸约30千米，有铁路通往阿钦斯克。人口约69 300(1991)。

Lesotho　莱索托　全称莱索托王国，旧称巴苏陀兰。非洲南部的独立王国，为南非共和国境内中东部的一块飞地。国土南北最长约为240千米，东西最宽亦为240千米。首都马塞卢。面积30 355平方千米。人口约1 802 000(2003)。

土地　全境约2/3的面积为山地（海拔3 000米以上），东北部和东部的德拉肯斯山脉海拔较高。恩特莱尼亚纳山（海拔3 482米）位于东北部与纳塔尔的交界处，为莱索托和南部非洲的最高点。地势向西逐渐降至山麓地带，再向西则是人口稠密的肥沃低地区（海拔介于1 500～1 800米之间），该地区沿卡利登河形成一狭长走廊（40千米宽）。西北偏中的马洛蒂山为南非两条最大河流的发源地，包括向东流动的图盖拉河和向西流动的奥兰治河。

莱索托属温和的亚热带气候。夏季平均气温为20 °C，冬季为10 °C。东北部高地的温差更大，且常有霜冻。该地常常暴雨倾盆，降雨量十分集中；年平均降雨量约710毫米，由东部的1 016毫米递减为西部的762毫米。马洛蒂山冬季被白雪覆盖。该国气候条件适于牧草生长，山坡上的亚热带草地是饲养牛和绵羊的极好牧场。绵羊可提供羊毛和马海毛，是莱索托的主要农产品。当地土生动物仅有小羚羊、野兔和髭兀鹰。

莱索托最重要的天然矿物资源是钻石；钻石矿区大多位于东北部。该国水流迅猛的河流拥有巨大的水电潜力。高地水力计划和河套工程完成后，可基本解决莱索托的能源问题，还会因向南非售水而获得巨额收入。

人民　莱索托几乎全是讲班图语的索托人。奎纳族是索托人的最大分支，其他分支有纳塔尔（北）恩古尼人、马赫拉佩人和开普（南）恩古尼人。南索托语（塞索托语）和英语均为官方语言。阿非利堪斯语、祖鲁语、科萨语和法语均有人使用。天主教为最大的宗教团体，占总人口的2/5以上；其他较小的团体包括莱索托福音教会（占人口的1/4以上）、圣公会（1/9）以及一些基督教徒和部族宗教的信仰者。

莱索托的人口增长率大致为非洲的平均水平。约有2/5的人口年龄不满15岁；约一半成年男子前往南非寻找工作。高地区的人口密度低于西部低地区，仅有1/5人口居住在城市区。

经济　莱索托属发展中的混合型经济，公有和私有经济成分并存，经济依赖农业和在南非工作的公民寄回的汇款。国民生产总值的增长慢于人口增长，人均国民生产总值一直很低。

农业约占国内生产总值的1/10，但占用了2/3的劳动力。国王在名义上代表国家拥有全部土地，酋长将可耕地分配给个人和家庭。根据1979年的《土地使用权法》，国土授予农民以为期99年的租借权。莱索托的农业生产力低下，玉米、高粱和小麦等主要粮食作物的生产不能满足国内需求，须从南非进口。牛、羊毛和马海毛的出口量很大。

钻石生产受控于南非德比尔斯联合矿业公司，但因世界钻石市场价格暴跌和矿区钻石回收率不高，1982年停止了大规模开采。

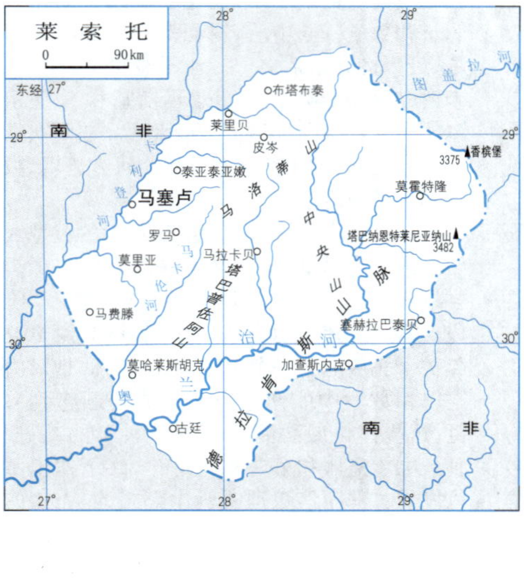

美国不列颠百科全书公司供图

国内制造业约占国内生产总值的1/8，其发展得到莱索托全国开发公司的大力帮助。其他行业有食品加工、纺织品与服装以及家具生产。莱索托的对外贸易受南非控制。

政体与社会状况　莱索托于1966年获得独立，实行议会政体的君主立宪制。1970年执政的巴苏陀兰国民党为维护其政权发动了一场政变，之后，宪法被中止。一党统治一直持续到1986年，当时莱索托准军事部队在南非的支持下发动一场政变，建立了军事委员会，与国王协商统治该国；政治活动被禁。1991年又一次政变之后，经改组的军事委员会许诺制定新宪法，并宣布对政治活动解禁。

1993年举行大选之后，新宪法开始生效。根据该宪法，国王为国家元首。两院制立法机构由非选举产生的参议院和国民议会组成。国民议会议员由普选产生；国王任命获得大多数议员支持的政党或联盟的领袖为首相。司法系统包括高级法院、上诉法院和下级法院。

莱索托的医疗卫生状况较差。该国平均预期寿命仅约59岁，婴儿死亡率很高。医疗设施主要集中在城市，医务人员缺乏。公共卫生设施亦不足，大部分人口缺乏饮用水。疟疾、伤寒和传染病以及寄生虫病的发病率均很高。营养不良也是一个严重问题。

莱索托的识字率男性约为60%，女性约为85%，居非洲前列。全国实行7年制小学免费义务教育。大多数学龄儿童进小学就读，但仅有一半升中学。

文化生活　莱索托具有良好的文学传统；其中教育体制的发展起了促进作用。口头传诵的和书面的民间传说十分盛行。乡村工艺品，如木器、陶器、编织品和编篮，亦颇兴旺。

历史　莱索托地区最早的居民可能是桑人。约在16世纪，讲班图语的农民便开始在该地区定居，若干酋长领地逐渐形成。19世纪20年代，一系列激烈的动乱遍及整个地区，许多部族被消灭或驱散，但几个坚强的酋长不被暴力所屈服，分别建立了设防的王国。其中势力最大的酋长为莫凯泰利的莫舒舒，属小奎纳世系。1824年他占领塔巴博休（夜山），并以此为防御中心建立起巴苏陀兰。

莫舒舒自那时起直至去世（1870），一直是巴苏陀兰无可争议的领袖。1843年，由于巴苏陀人与南非布尔人关系日趋紧张，莫舒舒通过谈判接受了英国的保护。1868年，莱索托地区成为英国的领地。莫舒舒死后，莱索托地区并入开普殖民地（1871）。开普殖民地政府当局经常无视巴苏陀人的许多习俗；1880年当政府试图解除部族武装时爆发公开反抗。1884年，莱索托地区不再属于开普殖民地，而成为英属高级专员领地。巴苏陀兰诸酋长获准根据传统和习惯进行统治。在英国控制之下实行自治的成功，归功于早期的驻节专员和最高酋长莱罗托利。1905年莱罗托利去世，国民议会在英国的同意下选举其子莱齐耶二世为最高酋长。

1910年，4个南非殖民地合并成南非邦联时，巴苏陀兰仍受英国控制。南非以为巴苏陀兰最终会被它兼并，但1964年巴苏陀兰通过一部宪法，规定该国为独立国，实行以最高酋长为国王的君主立宪制。1965 年举行大选,以乔纳森酋长为首的巴苏陀兰国民党获胜。乔纳森酋长成为独立的莱索托在国王莫舒舒二世统治时期的第一任首相。在以后的 20 年,乔纳森一直担任首相。然而,1966 年莫舒舒所要求的却远远超出立宪君主的权限。1970 年乔纳森所领导的党在大选中明显要输给反对党之后,他为继续掌权便发动了政变。

乔纳森及其政党最初支持与南非合作,但在 20 世纪 70 和 80 年代,他采取了更为独立的对外政策,公开批评其邻国的种族隔离政策,并庇护被查禁的非洲人国民大会的成员。南非为此于 1986 年初对莱索托实行经济封锁,不久乔纳森在一次军事政变中被推翻,莱卡尼耶少将成为新的统治者。随后莱索托与南非的关系得到改善,双方并达成协议,均不准许任何国家利用各自领土对另一方进行攻击或颠覆活动。

同时,由于人口过多和土地贫乏,国家经济进一步恶化。经济压力和政治问题导致 90 年代初政局动荡。1993 年举行全国大选,反对南非种族隔离的泛非主义巴索托大会党获胜,该党领袖莫赫勒出任首相。1990 年国王莫舒舒被废黜,1995 年重获王位,次年去世。其长子继承王位。

lespedeza　胡枝子　又称 bush clover(灌木车轴草)。豆科胡枝子属(*Lespedeza*)草本植物。有些种类是饲料或绿肥作物。约 100 种。原产于北美、亚洲及澳大利亚。可粗略分为多年生草本、小灌木及一年生草本几类。或直立,或蔓延生长。某些多年生种类可高达 3 米。最熟知的种类为羽状复叶互生,具 3 小叶,叶缘无齿。所有胡枝子均适应温暖、潮湿的气候。胡枝子和苜蓿一样,是美国东南部和中南部最重要的干草及牧场作物。两种应用最广泛的一年生种类是普通胡枝子(具条纹胡枝子,*L. striata*)及朝鲜胡枝子(具托叶胡枝子,*L. stipulacea*),均原产于亚洲。截叶胡枝子(截叶铁扫帚,*L. cuneata*)多年生,亦用于美国农业。以上三个种均栽种为农作物,用作干草或牧草,或用以改良土壤,又用以帮助控制水土流失。

截叶胡枝子根系发达,株冠浓密,又能生长于受严重侵蚀的土壤中,所以是美国土壤保持中最有用的植物之一。有些灌木状的胡枝子属植物,如双色胡枝子(*L. bicolor*)栽作观赏植物。胡枝子也对鸟类及其他野生动物有用,为它们提供食物及藏身处。

Lespinasse, Julie de　莱斯皮纳斯(1732,法国里昂～1776-05-23,巴黎)　巴黎最著名、最具解放精神的文学沙龙之一的女主人,数卷热情信札的作者。这些信札表露出她那充满浪漫情调的敏感和真正的文学天资。她是阿尔邦伯爵夫人的私生女。早年被送入隐修院读书,后为生母合法女儿维希侯爵夫人的家庭女教师。贵族德芳夫人看中她的才智和美貌,劝她去巴黎,在自己的文学沙龙里帮忙(1754～1764)。但德芳夫人觉察到这位年轻的女伴深受众人欢迎,心中十分妒忌,便辞退了她。于是,莱斯皮纳斯小姐自己开设了一个沙龙。哲学家兼数学家达朗伯终于到了她那里。达朗伯病重时,她悉心看护,但对达朗伯对她深情的爱不予答理。相反,她却为爱恋莫拉侯爵和吉贝尔伯爵之类不足道的时髦人物而左右为难。她的《书信集》(1809)表明她对爱情、悔恨和失望怀有强烈的感情。她由于对吉贝尔单恋绝望而含恨死去,并将写给吉贝尔的信件交给了达朗伯。狄德罗在其《达朗伯之梦》一文中提到了她,她曾要求他不要对外披露。

Lesse River　莱斯河　比利时东南部河流。初在利布拉蒙以西阿登山脉的浅谷中向北流,流至法梅讷洼地抗蚀力较差的岩石地后,突然折向西,流往默兹河。该河在莱斯河畔昂村流入地下约 1.6 千米,形成以钟乳石和石笋著称的昂溶洞。其中一个溶洞长 154 米,宽 137 米。1866 年,在莱斯河左岸的瑙莱特洞穴内发现了史前遗迹(现确定属于穆斯特文化期工艺)。

lessee　承租人　参阅 **landlord and tenant** 业主和租户。

Lesseps, Ferdinand(-Marie), Viscount (vicomte) de　雷赛布(1805-11-19,法国凡尔赛～1894-12-07,吉利附近拉锡内)　法国外交家,以1859～1869年在埃及苏伊士地峡修

美国不列颠百科全书公司供图

建苏伊士运河而闻名。出身官宦世家。1825 年任驻里斯本助理副领事,1828 年派往突尼斯,1832 年派往亚历山大,在那里研究拿破仑的工程师之一提出的关于开凿苏伊士运河的建议。拿破仑的首席工程师佩尔的关于苏伊士地峡的测量报告,以及他与土耳其驻埃及总督穆罕默德·阿里及其子赛义德帕夏建立的友谊,促使他希望有朝一日能由他来完成佩尔所设想的运河工程。1833 ～ 1837 年任驻开罗领事,在与突然发生的瘟疫作斗争中赢得盛名。两年后调驻鹿特丹,后赴马拉加和巴塞罗那,升任总领事。第二共和国成立后,1848 ～ 1849 年任驻马德里公使。1849 年 5 月,他率代表团前往罗马,企图调解教皇统治与共和制度之间无法调解的矛盾。5 月底奉召回国,受到指责,他的外交生涯结束。1854 年 11 月 30 日,埃及新任总督赛义德帕夏授权他开凿苏伊士地峡。在他的指导下很快制订出在地中海和红海之间开辟直接通道的初步方案。他不允许对该工程有任何拖延,并成功地向法国人民筹集了成立运河公司所需的一半以上的资金,该公司于 1858 年成立。1859 年 4 月 25 日,雷赛布在塞得港举起鹤嘴锄,掘出第一锄土。10 年后,1869 年 11 月 17 日,应总督伊斯梅尔帕夏之邀,由法国皇后欧仁妮正式宣告运河通航。1875 年英国政府在迪斯累里首相提议下购买了伊斯梅尔总督的运河股份,成为最大的股东。1879 年国际地质科学大会在巴黎召开,决定修建巴拿马运河,由 74 岁的雷赛布承担这一工程。但该工程远非一家私有公司所能承担,1889 年他成立的公司不得不进行清算。1892 年官方调查后,法国政府对公司官员提出起诉。1893 年 2 月雷赛布及其子查理被判 5 年监禁。但仅查理服刑,6 月上诉法院推翻判决。雷赛布是法兰西学院院士、法兰西科学院院士和许多学会的会员,曾获荣誉军团大十字勋章和印度星形勋章,并获伦敦市荣誉市民权。

Lesser Antilles　小安的列斯群岛　旧称加勒比群岛。加勒比海中呈长弧状的诸多小岛。北起维尔京群岛,向南延伸到特立尼达岛,然后呈东西方向从玛格丽塔岛延伸到委内瑞拉北海岸外的阿鲁巴岛,占西印度群岛全部陆地面积的 6%。自西班牙殖民时期以来,小安的列斯群岛就被法国人、荷兰人和英国人分为两个岛群。两个小岛群的西班牙名称反映出向东吹的信风对这一地区的重要性:巴洛文托(向风群岛)和索塔文托(背风群岛)。向风群岛包括从多米尼加至格林纳达的岛链;从瓜德罗普岛向西至维尔京群岛的则为背风群岛。靠近南美洲海岸东西向的岛链比较干燥,因为信风将其携带的雨水降在向风群岛。三个小岛(玛格丽塔、科切和库瓦瓜)构成委内瑞拉的新埃斯帕塔(**Nueva Esparta**)州,另外 70 个无人居住的小岛亦属委内瑞拉。参阅 **Leeward Islands; Windward Islands; Netherlands Antilles**。

Lesser Armenia　参阅 **Little Armenia** 小亚美尼亚。

Lesser Atlas (mountains, North Africa)　参阅 **Anti-Atlas** 小阿特拉斯山。

Lesser Himalayas　小喜马拉雅山　又称内喜马拉雅山、下喜马拉雅山或中喜马拉雅山。喜马拉雅山脉中段,向东南延伸,经巴基斯坦北部、印度北部、尼泊尔、印度锡金进入不丹。位于大喜马拉雅山(北)与锡瓦利克山或外喜马拉雅山(南)之间,平均高度为3 700～4 500 米。包括旁遮普、古毛恩、尼泊尔和阿萨姆境内的喜马拉雅山。

Lesser Khingan Range　小兴安岭　又作 Xiao Hinggan Ling。中国东北部山脉。在黑龙江省中北部,呈西北—出东南走向。长约 400 千米,宽约 100 千米,面积 39 400 平方千米。海拔约 300 ～ 800 米,最高峰平顶山,海拔 1 429米。分水岭两侧不对称,西南坡缓长,东北坡陡短。东南段主要出露花岗岩和变质岩,为长期隆起剥蚀区。西北段广泛分布第三纪陆相沉积。第三纪时大兴安岭与长白山

已隆升，但小兴安岭西北段尚与松辽平原、俄罗斯境内的结雅河低地连成一片。到第三纪末、第四纪初才沿东北向、西北向的断裂抬升为高地，与小兴安岭东南部连接成为西北向的山地，并把松辽平原与结雅河低地隔开。与此同时沿断裂有玄武岩喷发，小兴安岭东北侧的逊河流域保存有大片玄武岩台地，山地东南侧德都附近有五大连池火山群。直到1719～1921年还有火山喷发。小兴安岭是中国重要林业基地之一。西北部以兴安落叶松、白桦为主，东南部以红松、鱼鳞松、臭松、水曲柳、椴树等为主。木材蓄积量大，目前占中国木材产量的1/6～1/5。建有丰林森林自然保护区和五大连池自然保护区。

Lesser Slave Lake 小奴湖 加拿大艾伯塔省中部湖泊。位于埃德蒙顿西北209千米、大奴湖南640千米处。长97千米，宽19千米，面积1 168平方千米。由许多溪流汇聚而成，湖水东经小奴河流入阿萨巴斯卡河。因多格里布印第安人奴隶曾居于湖畔，故名。1910～1916年敷设北艾伯塔铁路之前，为通往皮斯河区重要运输枢纽。附近伐木、农业和捕鱼业占重要地位。东北岸为省立小奴湖公园(73平方千米)。

Lessing, Doris (May) 莱辛(1919-10-22，伊朗克尔曼沙阿～) 英国女作家。她的长短篇小说大都是描写处于20世纪社会和政治剧烈变动中的人们。她出生时父亲是驻伊朗英国陆军上尉。1924年随家迁往罗得西亚一处农场，直到1949年定居伦敦。青年时代她是共产党的积极分子。《追随英国人》(1960)讲述她定居英国后最初几个月的体会；《回家》(1957)叙述她重游罗得西亚的观感。她出版的第一部作品《青草在歌唱》(1950)写罗得西亚一家白人农场主和他们的非洲仆人的故事。她的最重要作品是以奎斯特为主角的长篇系列小说《狂暴的孩子们》(2卷，1964～1965)。《金色笔记》(1962)写一个女作家试图通过她的艺术和当时的生活相适应的故事，是她长篇小说中情节最复杂，也最受读者欢迎的小说之一。《生还者回忆录》(1975)是预言式的幻想作品。她善于写短篇小说，出版的短篇集有《一个未婚男人的故事》(1972)。她写非洲题材的短篇集有《老酋长的郡县》(1973)和《太阳起于足下》(1973)。还有《故事集》(1978)。莱辛后来又转而写科学小说，出版了题为《亚尔古档案中的老人星》(1979～1983)的五部系列小说。小说《芳邻日记》(1983)和《老人如果……》(1984)，是用Jane Somers的笔名出版的，写两个不知名作家的戏剧性故事。1985年莱辛还出版了《好心恐怖分子》，是关于伦敦一批革命家的长篇小说。《第五个孩子》写一个家庭因生了一个畸形儿而导致毁灭的恐怖故事，于1988年出版。

Lessing, Gotthold Ephraim 莱辛(1729-01-22，萨克森上卢萨蒂亚卡门茨[德国]～1781-02-15，不伦瑞克[德国]) 德国剧作家、评论家、哲学家和美学家。他帮助德国戏剧摆脱法国古典戏剧样式的影响，创作出第一批不朽的德国剧作。他的评论文章大大促进了德国文学的发展，打击了保守的教条主义和伪善语言，同时肯定了宗教和理智的容忍精神，并对真理进行不带偏见的探索。

美国不列颠百科全书公司供图

所受教育和首批剧作 其父是位受人尊敬的神学家和牧师，尽管具有首席牧师职位，但仍难供养其多口之家。莱辛12岁进迈森著名的圣阿芙拉选侯学校时，已是个爱好读书的孩子。他很有天分并勤奋好学，从而为学习希腊文、希伯来文和拉丁文打下良好基础。他还十分欣赏拉丁文剧作家普劳图斯和泰伦提乌斯的剧作，并激发了他自己创作喜剧的抱负。

1746年秋进莱比锡大学攻读神学，而他真正的兴趣则在文学、哲学和艺术。他尤为当地的戏剧所吸引，有才华的、朝气蓬勃的女演员诺伊贝尔当时在那里演出，使当地的戏剧恢复了生气。诺伊贝尔对青年诗人莱辛发生兴趣，1748年成功地演出了他的喜剧《年轻的学者》。这个剧本轻快地讽刺了一个肤浅、傲慢且爱生气的青年学者，通过这个人物，莱辛也嘲笑了自己的书呆子气。1747～1749年在莱比锡期间的其他喜剧有《老处女》、《厌女症患者》、《犹太人》、《自由思想家》等，均对人类的弱点——执拗、偏见、唠叨、追求财富、阴谋、伪善、轻浮和堕落——作出机智的评论。《犹太人》一剧赞扬了当时不受珍视的高尚思想，对于反犹活动是个沉重的打击。莱辛为自己定下的目标是要成为德国的莫里哀。在这些喜剧中最有趣的是他开始将剧中的人物塑造成具有个性的角色，摆脱了传统戏剧中的"类型化"倾向。

莱辛父母一直不同意他与莱比锡戏剧界发生联系，1748年初把他召回家，他在说服父母同意他学医之后很快又回到莱比锡。不久他陷入了困境，因诺伊贝尔剧团的破产受到牵连，他曾慷慨地为该剧团一些成员作担保，尽管他自己也负债累累。当剧团解散时他为躲债而逃离莱比锡。最后于1748年到达柏林，想在那里谋到记者职位。接下来的4年里他干过各种工作，主要是从事将法文和英文的历史和哲学著作译成德文，并在《柏林特许报》担任书评编辑，他以出色的评论建立起自己的声誉。他还创办杂志《历史与戏剧丛刊》，一直出版至1750年。

剧作家和评论家的声誉日隆 1751～1752年莱辛又去维滕贝格学医并取得学位，然后又重返柏林，开办另一杂志《戏剧文库》，仅出4集即被迫结束。这一时期最重要的事件是，1753～1755年间出版了他的《文集》6卷，其中包括几部在莱比锡写的重要喜剧，以及《萨拉·萨姆逊小姐》和一些机智的讽刺诗。《萨拉·萨姆逊小姐》是德国文学中第一部重要的市民悲剧。中产阶级作家早就想消除文学中传统的阶级差异，其中英雄的和悲剧的主题总是由贵族人物表演出来，而中产阶级人物只能在喜剧中出现。事实上，莱辛并不是第一个向这种传统挑战的德国作家，但公正地说，他的这部剧作标志着对当时始终统治德国舞台的古典法国戏剧的突破。这是由中产阶级人物承担全部悲剧命运的第一出德国戏剧，于1755年在奥德河畔法兰克福成功地首次搬上舞台。莱辛和柏林朋友、哲学家M.门德尔松、作家兼出版家C.F.尼古拉之间进行的《关于悲剧的通信》(1756～1757)论述对悲剧美学的讨论，具有真正的划时代意义。莱辛坚持认为，悲剧不应该只是鼓吹道德，而是应该在观众中激起赞赏和同情以证实观众情感的卷入。

1755年11月至1758年4月莱辛在莱比锡居住，1758年5月返回柏林并一直在那里住到1760年11月。他在那里定期为尼古拉的周刊《关于当代文学的通信》撰写一系列关于当代文学的论文，焦点是猛烈攻击很有影响的戏剧评论家J.C.戈特舍德。此人鼓吹17世纪法国悲剧作家高乃依的戏剧，将其视为样板。莱辛认为法国的宫廷式矫饰戏剧与德国人的心理状态格格不入；相反，他要求一种以天性和现实为基础的属于人民的真正民族戏剧。他敦促德国的剧作家们要以莎士比亚为榜样。在第17封文学通信里发表了他写的浮士德戏剧片断——一场激动人心的戏。在这场戏里莱辛勾画出一个"不带邪恶的浮士德"，从而为同时代的青年歌德及其伟大剧本《浮士德》的故事开辟了道路。

1759年，莱辛发表了一些杰出的散文寓言，充满了社会批评。1760年他前往布雷斯劳，任西里西亚军事长官陶恩钦将军的秘书。在布雷斯劳图书馆，莱辛认真研究哲学和美学，最后写出巨著《拉奥孔，或论画与诗的界限》(1766)。他试图从根本上区分画与诗的不同功能，认为画必须遵从空间的连接，而诗是在时间连接中，有机地展开某一事件，因此诗的精髓不在于描绘，而在表现曲折和变化。莱辛在布雷斯劳的诗艺方面的成果是他的喜剧杰作《明娜·冯·巴尔赫姆》(1767)，这标志着德国经典喜剧的诞生。因与时代息息相关及所采取的中心主题(七年战争中普鲁士与萨克森之间的斗争)而受到歌德的赞誉。此剧叙述一个爱情故事，中心人物是正直的普鲁士军官台尔海姆和萨克森贵族小姐明娜的爱情误会和最后团圆。他写的对白增强了戏剧情节的生动性，并能抓住观众的注意力。1765年莱辛回到柏林后设法谋求王家图书馆馆长职位，遭到国王拒绝。随后接受汉堡商人的邀请，担任一家私立民族剧院的顾问和评论员。剧院不到一年便告失败，使莱辛认识到成立一家德国民族剧院的时机尚未成熟。尽管如此，他写的关于50场戏的评论，即104篇关于戏剧基本原理的短评却得以出版，题为《汉堡剧评》(1767～1769)。莱辛在文中仍然反对模仿高乃依和伏尔泰的悲剧，但他赞扬当代法国作家狄德罗对中产阶级生活的现实主义描写。他解释了亚里士多德著名的并且被讨论得很多的悲剧净化问题，并下结论说对观众的道德影响是通过在观众中引起恐惧和同情，进而起到净化作用。1768～1769年他还发表了《关于古文物的通信》，批判了哈雷大学教授C.A.克洛茨的门户之见和自高自大的态度。

在沃尔芬比特尔的最后年代 由于极端贫困，1770年莱辛不得不接受报酬低微的沃尔芬比特尔图书馆管理员的职务，1766年他曾去过这个地方。他在这里的岁月中，生活既不愉快也不平静，但却硕果累累。他和正统牧师展开论战，与他们的领袖、汉堡牧师格策的论争尤为激烈。他以一些最尖锐的论战文章反对这个僵化的教条主义者。1778年发表的《反格策》就是其中著名的一篇，他在文章中详细解释了他的信念，认为寻求真理要比通过墨守正统教条而获取信念更有价值。

莱辛的悲剧《爱米丽雅·伽洛蒂》于1772年上演。这部戏是用激烈而尖锐的散文写成的，构架辉煌，描写了一个意大利王子宫廷里的良心冲突。1779年发表的用抑扬格诗句写成的"剧诗"《智者纳旦》是一出具有神学和哲学性质的教诲剧，将多种喜剧手法与伦理睿智结合在一起，成为一部具有高度诗意和紧张感的戏剧作品。《智者纳旦》象征了大宗教的平等，不论它们的伦理基础如何。剧本赞颂了人类真正的宗教——博爱，不带任何偏见的行动和献身于为人类服务。在3种宗教的代表者——萨拉丁（伊斯兰教）、圣殿骑士（基督教）和纳旦（犹太教）中，只有这个犹太人是按人类的理想生活的。莱辛将这个人物奉献给他的朋友M.门德尔松，只有他能够做到自我克制，才能够在强权面前说出真理。剧中主要人物最后发现他们彼此都有血缘亲属关系，这个事实着重说明他们都是人类大家庭中的成员。

莱辛最后一部著作《论人类的教育》（1780）也表现出人类可臻完善境地的信念，是反映他心灵活动的作品。在世界宗教史中，莱辛看到了一种正在发展的道德觉醒，并且相信人类最终将超越全部教条和教义，达到普遍友爱和道德自由的顶峰。

他在沃尔芬比特尔度过的最后10年，创造出丰硕的哲学和文学作品，但他的个人生活却充满苦难，健康状况日下，并且孤寂单调，只是偶尔作些短途旅游。1776年他终于和E.柯尼希结婚，她是汉堡一位商人的遗孀，长时期一直是莱辛的朋友，1778年因生他们唯一的孩子而去世。莱辛最后几年在孤独和贫困中度过，死后公费安葬在穷人墓地。

lessivé soil 参阅 **podzolic soil** 灰化土。

lessor and lessee 出租人和承租人 参阅 **landlord and tenant** 业主和租户。

L'Estrange, Sir Roger 莱斯特兰奇（1616-12-17，英格兰诺福克亨斯坦顿～1704-12-11，伦敦） 英国最早的新闻记者和小册子作者，内战和共和时期王党的积极支持者。最后由于他的忠心被委任为出版检察官。他忠于职守，有力地取缔未经批准出版的反政府宣传品。因与1644年从反王党军队手中收复诺福克郡林恩镇未遂一事深有牵连，坐牢4年。后退居尼德兰。王政复辟时期前，他在小册子《不要盲目的向导》里攻击共和政治的主要辩护者、诗人弥尔顿。1663年，他出任检察官后，还出版过3种新闻小报：《情报员》、《新闻》（均出版于1663～1666）和《观察家》（1681～1687），同时还出版了许多拥护政府的小册子。1685年被授予爵士勋位。1688年的"不流血革命"发生，詹姆斯二世失去王位，莱斯特兰奇也失去官职。他精通数种语言，此后主要靠翻译为生。

Lestres, Alonié de 莱斯特 参阅 **Groulx, Lionel-Adolphe** 格鲁尔。

Lesueur, Jean-François 勒絮尔（1760-02-15，法国阿布维尔附近德吕赛-普莱西耶～1837-10-06，巴黎） 宗教和戏剧音乐作曲家。1781年任第戎大教堂唱诗班指挥。1786年

美国不列颠百科全书公司供图

任巴黎圣母院唱诗班指挥，因使用大型管弦乐队为弥撒曲伴奏引起争论。虽然喜爱歌剧的听众称赞他的弥撒曲，但人们却把圣母院形容为"叫花子歌剧院"。他终于成功地把宗教和世俗的音乐风格结合成一体，成为柏辽兹和古诺的宗教音乐及威尔地的《追思弥撒曲》的前驱。1789年以后，为庆祝革命举行室外公演，他写了几首颂歌和圣歌。1793～1796年，写了歌剧《洞窟》、《保罗和维金妮》及《泰拉马克》。1795～1802年任巴黎音乐学院督学。1804年任拿破仑一世的音乐指挥。后任路易十八的音乐指挥。1818年任巴黎音乐学院作曲教授，学生中有柏辽兹、古诺、盖劳德和托玛斯等人。

LeSueur, Lucille（American actress） **露西尔·莱苏尔** 参阅 **Crawford, Joan** 克劳馥。

Lésvos（Greece） 参阅**Lesbos**莱斯沃斯。

leśyā 魂质 梵语，意为"光"、"色"。在印度耆那教中指灵魂的物质，可以有不同颜色、气味、触觉、味觉，而且表明生灵（人、兽、鬼、神）所达到的修炼阶段。魂质决定于灵魂上所附着的业。人如怀有恶意、忌妒、不诚实这三种恶情，他的魂质味苦，颜色刺目或暗淡无光，臭如死牛，比锯齿更为粗糙。人如有善意、与善德融合、浑然无特色这三种善情，他的魂质芬芳如花，软如酥油，甜过水果或蜂蜜，其色从粉红到洁白，十分悦目。

Leszczyński, Stanisław（king of Poland） **莱什琴斯基** 参阅 **Stanisław I** 斯坦尼斯瓦夫一世。

Leszetycki, Teodor 莱斯谢蒂基 参阅 **Leschetizky, Theodor** 列希蒂兹基。

Leszno 莱什诺 德语作**Lissa**，原波兰中西部省份（1975～1998），今大波兰省和下西里亚省的一部分。

Leszno 莱什诺 波兰中西部大波兰省城镇。现为铁路枢纽站、农业和制造业中心。15世纪由著名的莱什琴斯基家族建立。16世纪时，新教摩拉维亚兄弟会在此建立宗教改革中心。17和18世纪期间繁荣，为纺织和教育中心。后归普鲁士统治，第一次世界大战后归还波兰。人口约63 660（2002）。

Letchworth 莱奇沃思 英格兰赫特福德行政、历史郡北赫特福德夏尔区一教区城镇。位于伦敦以北。1903年由新城镇运动的创立者E.霍华德创建，为英国第一座按规划建造的"花园城"。商业中心和居住区及工业区都严格分开。现有机械、印刷、出版和轻型制造业。人口42 798（2001）。

Lethbridge 莱斯布里奇 加拿大艾伯塔省南部城市。近老人河与圣玛丽河汇流处，在卡尔加里东南偏南217千米处。19世纪80年代初为采矿镇。1885年加拿大太平洋铁路修通后，采煤业仍占重要位置，但随石油、天然气的发现和农产品加工工业的发展，经济已趋于多样化。1900年开始发展水利，现已成为全国最大灌溉网中心（浇地40多万公顷），浇灌牧场、谷物耕地和菜地。游览地有印第安战役公园、日加友好百年纪念公园（1967）。市内有加拿大皇家骑警队省总部，每年7月举办胡普-阿普节展览会和牧人竞技表演。设有莱斯布里奇大学（1967）、莱斯布里奇社区学院（1957）。1891年设镇；1906年设市。人口67 374（2001）。

Lethe 勒忒 希腊语，意为"遗忘"。又译"忘川"。在希腊神话中她是厄里斯（争吵）的女儿，忘却的化身。勒忒又是冥界一条河或一处平原的名字。据俄尔甫斯派（希腊的一个神秘的宗教运动）的说法，刚死的人喝了勒忒河里的水就会失去有关他们过去生活的全部记忆。但是他们却告诉新入教的人去寻找记忆之河摩涅莫绪涅，以取得灵魂转世的目标。在勒巴迪亚（今希腊的莱瓦贾）附近特洛丰尼欧斯神示所（人们认为这里是冥界的入口）便有两处泉水，一处叫勒忒，一处叫摩涅莫绪涅。阿里斯多芬的《蛙》提到一处勒忒平原。在柏拉图的《理想国》的第10卷，死者的灵魂在重生之前必须要饮"易忘之河"里的水。在拉丁诗人的作品里，勒忒是冥界五条河之中的一条。

Lethington, Sir Richard Maitland, Lord 莱辛顿勋爵 参阅 **Maitland, Sir Richard** 梅特兰。

Leticia 莱蒂西亚 哥伦比亚东南部亚马孙城镇。濒临亚马孙河。地处哥伦比亚、巴西和秘鲁三国交界处。秘鲁人1867年建为一军事边境村落和河港。20世纪30年代转由哥伦比亚人控制。虽然最近经济有所发展,发展了旅游业并有定期航班,但该地仍然保留着边境村落的风貌。附近居住着印第安人,从事狩猎和采集。市内几乎没有任何工业,割取橡胶是主要的经济活动。虽然不通公路,但有定期航船通往秘鲁和巴西。人口27 782(2003)。

Leto 勒托 拉丁语作Latona。古典神话中的一个提坦,科俄斯和福柏的女儿,阿波罗神和阿耳忒弥斯女神的母亲。同她的传说有关的主要地方是提洛和德尔斐。宙斯使她怀孕之后,她便寻找一个栖身之地以便分娩,最后来到提洛荒岛。据某些传说,这是一块在波涛中飘浮不定的岩石,最后因要生产阿波罗和阿耳忒弥斯,才固定下来。据后来的说法,勒托的游荡是由于宙斯善嫉妒的妻子赫拉所致,她对勒托为宙斯生儿育女感到十分气愤。阿波罗降生后立刻建立了德尔斐。勒托可能是吕西亚的女神拉达;人们也称她为丰产女神和库洛特洛弗斯(意为青年的养育者)。

Leto, Giulio Pomponio 参阅 **Laetus, Julius Pomponius** 莱杜斯。

letterpress printing 凸版印刷 又作relief printing或typographic printing。用着墨的凸版把图文反复、直接地印刷在单张纸或卷筒纸上面的印刷术。凸版印刷是一种历史最悠久的传统印刷工艺,从谷登堡时期(约1450)起,到18世纪晚期平版印刷,特别是20世纪早期平版胶印研制成功为止,它一直是主要的印刷方法。凸版印刷的版面最初是排字工人把单个活字一字一字、一行一行地拣拼装版的。19世纪90年代才有用键盘控制排字的莱诺铸排机(**Linotype**)和莫诺铸排机(**Monotype**)。印数少的印件,可用手工或机械排成活版直接付印。印数多的印件,须把活版复制成铅版(**stereotype**)或电铸版(参阅 **electrotyping**)付印,否则活版容易磨损。凸版印刷最初用平压印刷机印刷,由压印平板把纸张平压在着墨的印版上面。后来,在平台滚筒印刷机上用压印滚筒代替了压印平板。最后,印版也改成圆柱形,装在印版滚筒上面,卷筒纸就在印版滚筒和压印滚筒之间通过,成为轮转印刷机(**rotary press**)。凸版印刷在印制线条画和照片时,通常是把它们制成可供直接印刷的照相凸版(参阅 **photoengraving**)。凸版印刷虽能快速印制高质量的印件,但在上机开印以前,垫版、装版要花费很多时间,所以许多报纸都已改为胶印。为了改变这种状况,凸版印刷现已研制成功一种用照相感光塑料制成的印版。参阅 **flexography**。

letterset (printing) **凸版胶印** 参阅 **dry offset** 干胶印。

Lettish language 列托语 参阅 **Latvian language** 拉脱维亚语。

Lettow-Vorbeck, Paul von 莱托-福尔贝克 (1870-03-20,普鲁士莱茵省萨尔路易[今在德国]~1964-03-09,汉堡) 第一次世界大战中德军中校,著名的游击战指挥员。1914年进入西南殖民军服役,曾参加远征军,镇压赫雷罗人和霍屯督人的叛乱。后晋升为德国驻东非殖民军司令,于1914年11月在坦噶(坦桑尼亚)打退登陆的英军。此后4年,他率领一支不足14 000人的队伍,牵制了英国、比利时、葡萄牙联军达30万人之多。1919年1月返回德国。7月,他统率一支右翼志愿军占领汉堡,防止该城陷于左翼斯巴达克思同盟之手。自1929年5月至1930年7月,他一直任魏玛共和国国会议员,曾试图组织保守力量反对希特勒。

lettre de cachet 参阅**cachet, lettre de**密札。

lettuce(*Lactuca sativa*) **莴苣** 菊科一年生蔬菜作物,可能由刺莴苣(*L. scariola*)演变而来。栽培莴苣有4个变种:①莴苣笋(*L. s.* var. *asparagina*),叶狭窄,茎粗,肉质,可食;

卷心莴苣(*L. s.* var. *capitata*)
美国不列颠百科全书公司供图

②卷心莴苣(球茎莴苣,*L. s.* var. *capitata*),叶卷成紧包的头状叶球,有叶厚而油亮、包卷松散的黄油头型和叶脆而包卷紧密的脆头型(在适宜的温度条件下形成很硬的头);③玻璃生菜(*L. s.* var. *crispa*),具莲座叶丛,叶卷曲而细裂,全缘或形如橡树叶;④长叶莴苣(直立莴苣、生菜,*L. s.* var. *longifolia*),叶平滑,形成高而疏松的长圆形叶球。莴苣在水分充足,特别是温暖的气候条件下才生长良好。若天气反常则需加保护,温室、钟形玻璃罩、框罩或聚乙烯薄膜覆盖可促其生长。玻璃生菜和黄油头型卷心莴苣在世界许多地区极受欢迎,但不耐运输,因此通常栽种于靠近市场的蔬菜农场内。脆头型则适于远距离运输,在美国最为常见,其中5/6种植于加利福尼亚和亚利桑那。在英国常见的品种为卷心莴苣和长叶莴苣。莴苣多用于沙拉,亦可烹食。

Letzeburg (city, Luxembourg) **莱泽堡** 参阅 **Luxembourg** 卢森堡。

Leucas 莱夫卡斯 现代希腊语作Levkás,又作Levkádhia。伊奥尼亚海中的希腊岛屿,与迈加尼西岛共同组成莱夫卡斯州。面积303平方千米,为石灰岩及沥清页岩丘陵构成,中部埃拉蒂山海拔1 158米。州首府和该岛主要城镇莱夫卡斯在东北角。古时为一沼泽地峡隔开。居民大部住在东岸林木区和谷地。岛上迈锡尼遗迹不仅证明此地早有人居住,还使学者确信奥德修斯的故乡在此而不在伊萨卡。公元前7世纪中叶,科林斯殖民者在岛上定居并开凿地峡运河。该岛曾先后为罗马帝国、土耳其、威尼斯和英国统治。1864年归属希腊。该岛数百年来地震灾害严重。1867和1948年的地震使首府遭到严重破坏。现出产橄榄油、无核葡萄、棉花、亚麻和烟草等,谷物很少,输出大量红葡萄酒。人口21 863(1981)。

leucine 亮氨酸 水解最常见蛋白质所得的一种氨基酸。是1819年在肌肉纤维和羊毛中发现的第一批氨基酸之一。在血红蛋白中含量约为15%。是大鼠、家禽和人的必需氨基酸(即不能被自身所合成,需从饮食中获得),植物和微生物则可从丙酮酸(碳水化物的分解产物)合成。

Leucippus 留基伯(活动时期公元前5世纪,小亚细亚西海岸的米利都) 希腊哲学家。亚里士多德和泰奥弗拉斯托斯都认为他是原子论的创始人。他的贡献和他的著名学生德谟克利特的贡献往往难以区别。其著作仅有片断留存。人们相信《伟大的世界体系》和《论心灵》二书系留基伯所著。他的理论认为物质是均匀的,同质的;但是包括无数不可分的小粒子。这些原子处于恒动之中,它们通过冲撞和重新组合而形成各种复合物。集中成一个"旋涡"的原子之间的冲撞构成宇宙,而鼓状的地球则位于人类宇宙的中心。

leucite 白榴石 最重要的似长石矿物之一,是含钾的铝硅酸盐($KAlSi_2O_6$)。只产在火成岩中,尤其是产在富钾、贫硅的现代熔岩中。某些重要的产地包括罗马、乌干达和美国怀俄明州的卢奇蒂山。在意大利,白榴石被用来作肥料(因为它含钾量高)和工业明矾的原料。关于详细的物理性质,参阅 **feldspathoid**(表)。

leucitite 白榴岩 灰色至近于黑色的喷出岩,斑晶为白榴石和普通辉石大的单晶,基质细粒,由白榴石、普通辉石、透长石、磷灰石、榍石、磁铁矿和黄长石组成。在这方面,它与霞石岩(**nephelinite**)类似,后者含有霞石以代替白榴石。它是罕见的岩石,主要见于第三纪或近代地层中,时代一般都晚于6 640万年前。最有名的产地也许是在罗马附近,其熔岩从罗马城南200千米的维苏威火山薄薄地展布到山北80千米的博尔塞纳湖。其他产地有乌干达的穆富姆比罗地区,澳大利亚的西金伯利地区以及美国落基山脉的东坡。与霞石岩相似,富含白榴石的玄武岩类根据矿物组成划分为:①白榴岩,不含橄榄石,也不含斜长石;②白榴玄武岩,含橄榄石,但不含斜长石;③白榴碱玄岩,含斜长石,但不含橄榄石;④白榴碧玄岩,既含斜长石,又含橄榄石。这几种岩石在其他方面都是类似的。随着霞石含量的增加,富含白榴石的玄武岩过渡成为富含霞石的变种,如德国比讷附近汉贝格所产的那样。

Leuckart，(Karl Georg Friedrich) Rudolf 洛伊卡特（1822-10-07，德国黑尔姆斯泰特～1898-02-06，莱比锡） 德国动物学家及教师。现代寄生虫学创始人。描述了绦虫及肝吸虫等的复杂生活史，并论证某些人类疾病（如旋毛虫病）系由蠕虫引起。1863～1876年写成重要教材《人体寄生虫》，也写过许多科学论文。在动物学其他方面也进行过富有创新精神的研究；如在分类学方面，证明腔肠动物及棘皮动物虽体型均为辐射对径，但两者毫无亲缘关系。他曾相继在格丁根大学（母校）、吉森大学及莱比锡大学任教。

leucocyte（blood） 参阅 **leukocyte** 白细胞。

leucorrhoea（disease） 参阅 **leukorrhea** 白带。

Leucosolenia 白枝海绵属 又作 Leucoselenia。多孔动物门钙质海绵纲的一属，为管状分枝海绵。见于潮汐池塘及码头，种类多，分布广，构造最简单，包括了大多数单沟型种类。多数长度在2.5厘米以下。个体细长，由根状的突起连成一簇并附着于海底或其他物体上。水由体表的无数小孔流入中央腔（海绵腔），海绵腔内壁的领细胞有鞭毛，摆动时引起水流，水流从上端的大孔（出水口）流出。外体壁由扁平细胞构成。体壁两层之间是胶质的中胶层，含有自由移动的变形细胞和骨针。骨针常呈有3～4个细长轴的星芒状，由转化的变形细胞产生，用以支持管状的身体。变形细胞可产生卵，卵发育成自由游泳的有鞭毛的幼体。幼体进入亲体的海绵腔，经出水孔游出，最后附着于物体表面上。有的种类，如葡萄白枝海绵（*L. botryoides*），能出芽生殖：从亲体长出指状的芽体，芽体脱离母体，其顶端附着在新处所，成为新个体的下端。

Leucothea 琉科忒亚 希腊神话中的海中女神。荷马在《奥德赛》中首次提及她曾使希腊英雄奥德修斯免于溺死。通常人们把她同

古典浮雕，琉科忒亚用丰盈之角盛水给狄俄尼索斯喝
美国不列颠百科全书公司供图

腓尼基的卡德摩斯的女儿伊诺等同。由于她看护过婴儿时期的狄俄尼索斯神，所以赫拉女神使伊诺（或她的丈夫阿塔玛斯）发疯，吓得她和她的儿子墨利凯尔特斯跳进大海。两人都成了海神——伊诺成为琉科忒亚，墨利凯尔特斯成为帕莱蒙。墨利凯尔特斯的遗体被一只海豚带到科林斯地峡存放在一棵松树下。后来遗体被他的叔父西绪福斯发现，运往科林斯，并在那里举办了地峡赛会，还为他奉献了牺牲。琉科忒亚同卡德摩斯的关系使人们联想到可能存在着闪族的联系；墨利凯尔特斯或许等同于腓尼基的麦勒卡特神。

Leucothoë 木藜芦属 杜鹃花科的一属。约50种，灌木。原产于北美、南美及亚洲东部。多为观叶或赏花栽培植物。大多数种高约1.8米。叶片大，通常常绿，互生，有短柄

垂枝木藜芦（*L. catesbaei*）
美国不列颠百科全书公司供图

和锯齿。花朵坛状，裂为5个齿状裂片，白色或稍带粉红色，花穗顶生或沿枝着生。

Leuctra, Battle of 留克特拉战役（公元前371） 在比奥蒂亚南部留克特拉平原（今莱夫克特拉附近）上伊巴密浓达率领的比奥蒂亚军队打败国王克莱翁布罗特率领的斯巴达军队的战役。斯巴达在公元前379～前371年战争中的败绩使其甲兵方阵的声誉扫地，并树立了第比斯在希腊的霸主地位（公元前371～前362）。伊巴密浓达革新战术，运用斜边形阵列和集中兵力攻打敌军指挥部的做法使第比斯-比奥蒂亚联军取得了胜利。在第比斯拒绝签署和平协议（公元前371）之后，克莱翁布罗特受命率领在福基斯的约1万名斯巴达及其盟友的甲兵和1 000名骑兵侵入比奥蒂亚并向第比斯发动进攻。同他对抗的伊巴密浓达的第比斯军约有甲兵6 000人和人数不详的骑兵。当时的一般战术是骑兵打头，甲兵方阵继之，而司令官在右翼；但伊巴密浓达却把甲兵以50列的纵深集中在左翼，使它走在中心和右翼的前面。当优势的第比斯骑兵把斯巴达的骑兵赶回步兵方阵时，第比斯的左翼便发动进攻，打败了斯巴达的右翼，并杀死了克莱翁布罗特。据当时的历史学家色诺芬记载，斯巴达人阵亡者约1 000人。

Leuenberger, Niklaus 劳恩伯格（约1611～1653-09-06，伯尔尼舍恩霍尔茨贝鲁德斯维尔） 瑞士农民英雄，伯尔尼农民起义（1653）的领袖，因而赢得"农民国王"的绰号。农民出身。到17世纪中叶，瑞士农民对城镇的统治深恶痛绝，公开控诉捐税沉重和地方权利遭到侵犯。1653年4月23日在苏米斯瓦尔德举行的州际农民大会上，劳恩伯格被任命为农民运动的领袖。虽然他反对采取暴力手段，但于同年5月率领1.6万名武装农民攻打伯尔尼，使地方当局作出许多让步。但是不久以后邦联军队就前来镇压，1653年6月8日农民的队伍战败，运动遂瓦解。他于6月12日被捕，在伯尔尼被处决。

leukemia 白血病 以血循环或骨髓中白细胞大量增生为特征的造血组织恶性疾病。可按病程及主要的异常细胞类型分类。有些类型与电离辐射有关，著名的例子如第一枚原子弹在广岛爆炸后引起的大量病例。又有证据表明本病有遗传因素。病毒可致动物白血病，但未能证明是人类白血病的病原。白血病分为急性和慢性，骨髓性和淋巴细胞性。急性白血病进展迅速，症状有贫血、发热、出血、淋巴结肿大等。急性淋巴细胞性白血病是儿童中最常见的白血病类型。从前90%以上的患者于发病6个月内死亡。应用抗白血病药后本型可以得到控制，多数患者的病情可完全缓解，血液中恶性细胞消失，若持续治疗则半数以上患者的缓解期长于5年，可以认为已经治愈。其他类型的白血病治疗效果较差。急性粒细胞性白血病多见于成人。治疗后半数以上可以缓解，但缓解维持时间不长，后多复发。慢性白血病亦多见于成人。起病缓慢，病程长。慢性髓细胞性白血病的发病高峰年龄为40～49岁。可长期无症状，后出现消瘦、低热、软弱。化学疗法可减轻症状，但延长生存活期的效果不显著。慢性淋巴细胞性白血病多见于老人，可数月至数年不活动，每于贫血出现后才开始治疗。存活率高于髓细胞性白血病，确诊后1/3患者可存活10年以上。慢性淋巴细胞性白血病本身很少致命，但患者易因严重感染或出血而死亡。

leukocyte 白细胞 又拼 leucocyte，又作 white blood cell 或 white corpuscle。血液中的一种成分。在血循环和组织中数以百万计，能吞噬异物和产生抗体，以帮助机体防御感染。成熟型白细胞可分5种：①嗜中性细胞（亦称嗜异白细胞），②嗜碱性细胞，③嗜酸性细胞，④单核细胞，⑤淋巴细胞。前3种系根据其在实验室中摄取染料的不同而得名。3种细胞的胞浆中均具有特征性的颗粒，故统称为粒细胞；又因其核形多种多样，故亦称多形核白细胞。白细胞均有核，能以特有的形式和速度进行运动。白细胞主要在机体组织内行使功能，在血流中的白细胞是正被运送到需要的部位。在异物或细菌释出的化学物质作用下，嗜中性细胞、嗜酸性细胞及单核细胞被吸引到受伤或感染的部位，这一过程称为趋化。嗜中性细胞是脊椎动物白细胞中数目最多的一种，具有吞噬作用。单核细胞体积较大，可吞噬原虫、微粒状物质及衰老的红细胞。进入淋巴组织后，单核细胞转化为巨噬细胞。嗜酸性细胞在变态反应时数量大增，可吞噬抗原-抗体复合物，并能抑制异物反应

时出现的某些化学物质(如组织胺)的效应。嗜碱性粒细胞在愈合部位或慢性炎症部位为数最多。淋巴细胞分成B细胞和T细胞两类,两者均能识别和结合抗原。但B细胞在结合抗原之后能产生抗体,参与体液免疫。而T细胞在结合抗原之后的作用形式比较多样:有的能直接杀伤入侵抗原;有的能对其他淋巴细胞的生物学行为产生影响。两种淋巴细胞在淋巴组织和器官中保持生物活性。正常成人的白细胞数为5 000～10 000个/毫米^3。白细胞升高见于运动、惊厥、强烈的情绪反应、疼痛、妊娠、分娩及许多疾病状态(如感染、中毒)。不同疾病伴有不同类型的白细胞变化,这反映出每种类型的白细胞在机体防御上均有其特定的功能。白细胞计数下降可见于虚弱、过敏性休克及严重感染等。一般说,新生儿期白细胞计数增高,到儿童时期逐渐下降至成人水平。淋巴细胞则例外,出生时低,4岁前渐升到最高水平,以后逐渐下降并稳定在成人水平。参阅 **blood;blood cell formation**。

leukocytosis　白细胞增多症　循环血中白细胞数异常增高(超过10 000个/毫米^3)的一种现象。常见于剧烈运动、惊厥(如癫痫)、强烈情绪反应、乙醚麻醉、应用肾上腺素、妊娠、分娩、缺氧(如高原适应的早期)、感染、寄生虫病、代谢性或化学性中毒、慢性疾病(如白血病)及变态反应时。

leukoderma(medicine)　**白斑病**　参阅 **vitiligo** 白癜风。

leukopenia　白细胞减少症　循环血中白细胞数低于5 000个/毫米^3 的一种异常现象。常见于某些感染(尤其是病毒性和原虫性感染及其他严重感染)、虚弱、营养不良、慢性贫血、某些脾脏疾患、粒细胞缺乏症、红斑狼疮、过敏性休克等。

leukoplakia　白斑　黏膜的癌前期肿瘤。最常见于老年男性,通常位于唇或舌,但也见于妇女阴道或外阴。白斑首先表现为小而光滑的白色斑点,但逐渐加大变厚,纹理变粗,颜色由白至灰,若白斑中出现红色则变恶性的风险加大。陈旧损害可有许多裂纹和溃疡,轻伤便可造成出血。在过去,三期梅毒是白斑的常见原因。现在大部分病例是外部刺激物造成,特别是吸烟。据信可导致本病的其他原因还有:日晒,牙齿卫生不佳,以及配戴不合适的义齿。白斑可持续多年而不变为恶性,但因易转为鳞状上皮癌故应用外科手术或冰冻去除白斑并控制一切诱发因素。毛发白斑是见于舌面或口底部的白色损害,表面有粗糙的毛发样突起。常见于患获得性免疫缺陷综合征(AIDS)或艾滋病相关复合症(ARC)的病人。曾由此类损害中分离出艾泼斯坦-巴尔二氏病毒。

leukorrhea　白带　又拼 leucorrhoea。从女性阴道排出的白色或淡黄色的异常分泌物。白带可来自阴道、卵巢、输卵管,但最多的还是来自子宫颈。病因多为淋病或其他细菌感染。非淋病性子宫颈炎是白带的常见病因,也是最常见的妇科疾病之一。子宫颈炎除了化脓以外,还刺激黏膜腺体分泌大量黏液,形成白带。成年女性的外阴和阴道最常感染的微生物是阴道毛滴虫和各种霉菌,它们引起的白带十分顽固、难治。阴道栓、避孕隔膜和其他阴道异物也可刺激宫颈黏膜产生白带。冲洗阴道可暂时缓解症状,要彻底治疗,还须查清病因。参阅 **cervicitis;vulvitis**。

Leutze,Emanuel Gottlieb　洛伊策(1816-05-24,符腾堡施瓦本格明德[德国]～1868-07-18,美国华盛顿[哥伦比亚特区])　德国出生的美国历史画家,他的《华盛顿越过特拉华》(1851)是以美国历史事件为形象而流传最广的作品,也是可考证的洛伊策最著名的作品,并且成为美国的象征,不过该作品创作之初目的在于鼓舞1848年革命失败的德国人的士气。孩提时代在美国度过,1841年回德国,在杜塞尔多夫美术学院学习。留在德国近20年,主要从事美国历史题材组画的创作,内容多为轶事趣闻,富有情感,手法因袭杜塞尔多夫画派高度细密的画风,素描扎实,细节真实,色彩丰满。1859年返回美国。1860年受美国国会委托,为国会大厦楼梯作装饰画。

Leuven(Belgium)　参阅 **Louvain** 卢万。

Levallois-Perret　勒瓦卢瓦-佩雷　法国巴黎大区上塞纳省城市,巴黎西北郊工业区和住宅区。位于塞纳河右岸,圣母院大教堂西北6.5千米处。面积不到2.5平方千米。通过地铁与巴黎连结。有重要汽车制造厂。巴黎出租汽车队车库大多设在此。与纳伊西郊交界的街道上有赫特福德不列颠医院。人口53 485(1982)。

Levalloisian stone-flaking technique　勒瓦娄哇文化期打制石片技术　欧洲与非洲史前石器制作技术。其特点是从一块龟形的石核(预制成很像一倒置龟壳)上,打下大石片。石片一边平直,往往不需加工即具有锋利的刃口,学者认为这是史前人类剥取兽皮的石刀。勒瓦娄哇文化期石片工具的粗端有时候也经过修整,估计是为了装柄。在第三间冰期乃至第四冰期,在欧洲很大地域内,勒瓦娄哇工艺逐渐取代了阿舍利工艺,在非洲预制石核技术有过一段漫长的发展历史,它与阿舍利文化期工艺相伴随。欧洲、西亚和北非的穆斯特文化期工艺,都常常广泛使用勒瓦娄哇技术来生产石片工具,非洲撒哈拉沙漠以南的其他一些工艺(例如静湾文化)也常使用这种技术打制石片。

levalto(dance)　参阅 **volta,la** 沃尔塔。

Levant　黎凡特　历史上指地中海东岸各国。该名词的使用通常与威尼斯及其他的商业冒险以及十字军东征后在提尔、西顿等城市开办商业相联系。曾用于小亚细亚和叙利亚沿海地带,有时也包括希腊和埃及之间所有沿海地区。该词也用作安纳托利亚,或是中东或近东的同义词。在16～17世纪,高黎凡特一词指远东。第一次世界大战后法国委任统治地叙利亚和黎巴嫩名为黎凡特国家,1946年两国独立后,有时仍用此名。

levanter　累范特风　又拼 levante。地中海西部以及法国和西班牙南部沿海的强风。它温暖、湿润、多雨,最常出现在春季和秋季。其名源自 levant,意指地中海东端的陆地,表示来自东方。累范特风在直布罗陀海峡强度最大,有时几乎使那里向东飞行的飞机停滞不前。它给西班牙沿海带来多雾天气,每次可以持续两天。累范特风是由欧洲中部高气压系统中的顺时针风和地中海西南部低气压系统中的反时针风汇合而生成的。

Levassor,Émile　莱瓦索(1844?～1897,法国)　法国发明家、企业家,发展了汽车的基本造型。1886年他和R.庞阿德买进了一家制造木工机械的工厂。1890年前后,莱瓦索获得在法国制造戴姆勒汽车发动机的许可证。1891年他设计了一种全新的汽车,打破传统的设计方法,把发动机装在驾驶室前面,以利于前轮驱动。他还安装了齿轮变速装置,可使用几种不同的速度比。1895年6月莱瓦索对他设计的汽车作了轰动一时的表演。在从巴黎到波尔多往返共1 200千米的竞赛中,参加的有汽车、蒸汽车和电动车共18辆,莱瓦索的汽车获得第一名。莱瓦索在1897年的一次车赛中因伤致死。

levator muscle　提肌　能将身体某一部分抬起的肌肉。如人类的口角提肌,用以抬起口角。肛提肌为一薄片状肌肉的总称,在盆腔穿过,用以支持盆腔脏器,并在肛管周围形成括约肌,在女性更围绕阴道而成为括约肌。肋提肌于呼吸时协助抬起肋骨。上唇提肌及上唇鼻翼提肌用以抬起上唇。上睑提肌用以抬上睑。男性有前列腺提肌,为肛提肌的一部分,用以固定前列腺及控制排尿。肩胛提肌呈带状,协助抬起及旋转肩胛骨。腭帆提肌用以抬起软腭。

levee　河堤　沿河流两旁修筑的土脊或堤岸,其目的在于阻止河水淹没两边的土地。流经平原的河流两岸,常需修建人工河堤,以便控制河水。河堤一般用泥土筑成,并须有足够宽度,以防河水高涨时,河堤泥土被水浸泡后坍塌。堤上需种植草皮或其他护堤植物,以尽量减弱堤岸的侵蚀。人类最早的工程之一,即是在人烟稠密的河谷中,修建防洪的河堤。古埃及人曾在尼罗河左岸修筑一系列从阿斯旺至地中海的堤岸,其总长度超过966千米。古代曾从事类似浩大工程的还有美索不达米亚和中国。现代最大的河堤工程之一,为沿密西西比河及其支流与回水区修建的河堤系统。该堤于18世纪早期即由路易斯安那州的法国殖民者开始建造。最早于1735年修筑的河堤高约0.9米,从新奥尔良以北48千米处,延伸至该城以南19千米处。后来河堤系统逐步扩大,到本世纪80年代中期,已达5 600千米以上的长度,堤岸平均高度约7米,局部地区高度达15米。有一些挟带泥沙的河流,在水流减速的地带,将泥沙沉淀在两岸筑有河堤的河床中,而使河底高出两旁的平原。此类河流常冲决堤岸而引发水灾。中国黄河的下游部分即以地上河流而闻名。密西西比河下游也处于“河谷隆脊”之上。

level 水平仪 用于确定水平面的仪器。它包括装有酒精或类似液体和一个气泡的小玻璃管。玻璃管是密封的,水平地固定在底面光滑的木制座或金属座上。玻璃管稍向内弯,根据气泡的移动来调整水平。当气泡在玻璃管中央时,水平仪就在水平面上。水平仪的灵敏度与玻璃管的曲率半径成正比。

Leveler 平均派 又称平等派。英国内战和共和时期的一个共和与民主派别。其敌人指责它要求“均产”,因而称它为平均派。平均派运动始于1645～1646年,由伦敦及附近地区支持议会的激进分子组成。主张真正权力归下院(排除国王和贵族);实行男子普选权,重新分配席位,议会定期召开,使之成为真正有代表性的机构;政府实行地方分权。其经济改革纲领符合小产业主的利益:法律面前人人平等,废除贸易垄断,重新开放圈地,保障依据官册拥有产权的人的租地所有权,反对强行征兵或军队占用民宅,大力改革法律,废除什一税,实行完全的宗教自由。由于得不到议会支持,平均派转而直接求诸人民和新模范军。1647年4月,士兵们选出受平均派思想影响的人为鼓动员,迫使将领们接受由士兵和军官组成的全军会议。10月间在帕特尼讨论旨在重建因议会军胜利而解体的国家的《人民协约》时,因意见不一致陷于僵局,将军们以武力恢复军纪。1649年3月J.利尔伯恩及其他一些平均派领袖被捕入狱。平均派部队在伦敦和牛津郡(5月)的兵变均遭镇压。平均派作为有组织的政治力量不再存在。平均派始终没有得到全国范围的支持,也没有得到军队的支持,这就注定了他们失败的命运。

Leven, Alexander Leslie, 1st Earl of, Lord Balgonie 利文伯爵(第一) (约1580～1661-04-04,苏格兰法夫巴尔戈尼) 即A.莱斯利。苏格兰军队指挥官。1605年参加瑞典军队,在三十年战争中表现出色,1636年成为瑞典陆军元帅。1628年以保卫斯特拉尔松德驰名。1637年回苏格兰。在英格兰与苏格兰的第一、二两次主教战争中,他任苏格兰军司令官。1640年8月占领英格兰东北部。1642～1643年率苏格兰军在爱尔兰平定天主教徒的叛乱。1644年1月返回苏格兰。此后率兵进入英格兰,协助议会军进行战斗并发挥主要作用。1646年5月查理一世在诺丁汉郡向他投降。1647年1月他把国王交给议会。然后回苏格兰,退出现役。但由于处死查理一世,他又投入了查理二世的保王派阵营。1650～1651年率兵抗击克伦威尔军队的入侵。1651年8月为英格兰龙骑兵俘获,关押至1654年。

Leven, Loch 利文湖 苏格兰著名的盛产鲑鱼的湖泊。在泰赛德行政区珀思-金罗斯区。大致呈圆形,直径约5千米。为苏格兰最浅湖泊之一,平均水深仅4.5米。现为重要的自然保护区,是天鹅冬季群栖处和野鸭

利文湖上飞翔的粉红足天鹅(*Anser fabalis brachyrhynchus*)
美国不列颠百科全书公司供图

栖息地。特产一种棕色鲑鱼,俗名利文湖鲑鱼,鱼苗运销世界各地。湖中有7个岛屿,以圣塞夫岛最大。卡斯尔岛有14世纪末的古堡,曾禁锢多位要人,其中有苏格兰女王玛丽,1567年她在此签署了退位书。1568年她逃走的时候,城堡的钥匙被抛入湖中,300年后方被找到。

Levene, Phoebus (Aaron Theodor) 列文 (1869-02-25,俄罗斯瑟戈尔～1940-09-06,美国纽约州纽约) 俄国出生的美国化学家、核酸研究的先驱者。1891年获圣彼得堡帝国医学科学院医学博士学位,后即为逃避俄国的反犹运动而移居纽约。一面行医,一面在哥伦比亚大学学习化学,最后决定致力于化学研究。1905～1939年在洛克菲勒医学研究所工作。他几乎研究过每一类主要的有机化合物,最有价值的成就是在核酸方面,曾分离出核苷酸——核酸分子的结构单元。1909年从核糖核酸(RNA)分子中分离出戊糖d-核糖。1929年发现2-脱氧核糖(由d-核糖脱去一个氧原子而衍生的糖),它是脱氧核糖核酸(DNA)分子的一部分。后又确定核酸组分如何结合成核苷酸及核苷酸排列成链的方式。虽然列文开始从事此项研究时并未认识到核酸的重要性,但后来的发现却证明了DNA及RNA都是延续生命的关键要素。

Leventon, Alla 莱文顿 参阅**Nazimova, Alla**纳济莫娃。

lever 杠杆 用于增大力的简单机械。最初,人们使用某些形式的杠杆来移动重石块,或用作耕地的锄把。杠杆原理曾用于一种叫吊杆的装置上,把长杆装在接近其一端的枢

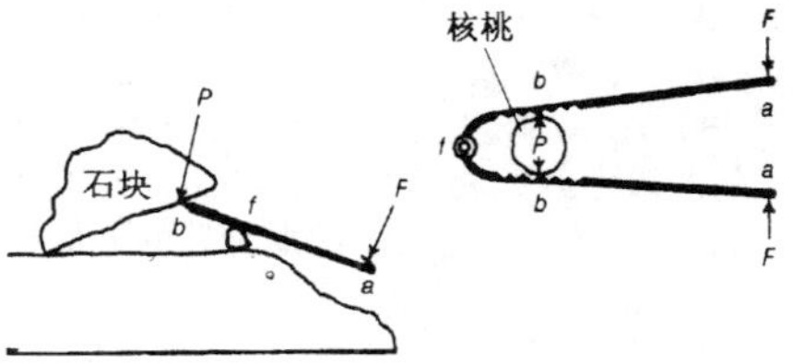

两类杠杆

轴上,在短臂上吊着平板或水桶,平衡重块捆在长臂上。一个人向下拉长臂,就可以吊起几倍于自身的重量。据说早在公元前1500年,在埃及和意大利就用这种装置提水和吊送士兵过城垛。大约在公元前5000年,在埃及使用的另一种杠杆装置是平衡秤杆,有一根在中心铰接的棒,在棒的一端吊有重物以平衡另一端待称的物体。左图表示一类杠杆(例如,支承在f点能自由转动的撬棍),能在b点产生一个比在a点施加的力F更大的力P。举例来说,如果长度af5倍于bf,则力P就是F的5倍。如右图所示,在支点f铰接的两根杆中,如果af3倍于bf,则力P就是在a点施加的力F的3倍。

Lever, Charles James 利弗(1806-08-31,爱尔兰都柏林～1872-06-01,奥匈帝国的里雅斯特[今在意大利]) 爱尔兰编辑、作家。他的小说以后拿破仑一世时期的爱尔兰和欧洲为背景,栩栩如生地描绘了传奇式的流浪汉主人公。1831年从剑桥大学三一学院毕业后,取得行医资格。由于他赌博和挥金如土,手头极为拮据,于是开始利用自己讲故事的本领谋生。1837年在《都柏林大学杂志》上连载《洛雷克的自白》,取得很大成功。长篇小说《查理·奥马莱》于1841年出版;《杰克·欣顿》和《汤姆·伯克》在1843年出版。1842年任《都柏林大学杂志》主编。1845年游览欧洲大陆,并任英国驻拉斯佩齐亚和的里雅斯特领事。著有长篇小说《格温爵士》(1847)、《克里甘的自白》(1849)和《罗兰·卡希尔》(1850)。晚期作品《格伦科尔的财富》(1857)和《基尔戈宾勋爵》(1872),均以冷静分析为主,不像早期作品那样热情洋溢。

Lever Art Gallery 利弗美术馆 全称利弗夫人美术馆,位于英格兰柴郡桑莱特港。美术馆原系利弗子爵为纪念其亡妻而献给国家的。1914年开始兴建,1922年12月开馆。馆中的展品偏重于英国作品,特别是维多利亚时期的作品。还有特别精美的中国陶瓷器馆和拿破仑文物馆,其中包括拿破仑临死时的铜面具。馆中还有华丽的英国家具馆和无与伦比的韦奇伍德瓷器馆。有拉斐尔前派成员及其弟子们的重要绘画,包括J.E.密莱司、W.H.亨特、F.莱顿和F.M.布朗。有一组重要的18世纪的肖像画,包括J.雷诺兹、G.罗姆尼和J.霍普纳等人的作品。

Lever Brothers 利华兄弟公司 联合利华公司(**Unilever**)的前身。

Leverhulme (of The Western Isles), William Hesketh Lever, 1st Viscount, Baron Leverhulme of Bolton-le-Moors 利华休姆(西部群岛的) (1851-09-19,英国兰开夏博尔顿～1925-05-07,伦敦汉普斯特德) 英国肥皂和洗涤剂企业家,利华兄弟公司的创建人。1885年他租赁了一家小而不赢利的肥皂厂开始经营肥皂业。与其兄弟J.D.利华二人以植物油代替牛油制造肥皂,产品注册为“日光”皂。1888年在日光港,公司为一模范工业村集资,兄弟二人不久即设立其他雇员福利包括养老金、医疗保健、失业赔偿、分配利润及免费保险等。1925年公司已建起有250家联号的商业网,产品已行销全世界。1906年当选为议员,

1917年封为男爵,1922年晋升子爵。

Leverkusen 莱沃库森 德国中西部北莱茵-威斯特伐利亚州城市。在武珀河汇入莱茵河处,科隆的北面。1930年由施莱布施等村庄和威斯多夫镇合并而成。通公路、铁路。为拜耳联合企业所在地,也生产铁制品、机械和纺织品。名胜有莫斯布洛希城堡,内有现代美术馆,可用于演出和音乐会。有许多公园和广场。人口约161 543(2003)。

Levertin, Oscar Ivar 莱韦尔廷(1862-07-17,瑞典斯德哥尔摩附近～1906-09-22,斯德哥尔摩) 瑞典诗人、学者。19世纪90年代瑞典浪漫主义文学运动领袖之一。就读于乌普萨拉大学,1899年任斯德哥尔摩大学文学教授。1891年出版第一部诗集《传说和歌》,成为新浪漫主义运动的首脑。1894年出版的《新诗集》的气氛与色彩较少忧郁的成分,法国的勒南和德国的尼采的影响则相当鲜明。诗作的主题是真正瑞典本国的,风格较前质朴精炼。《所罗门王和莫罗尔夫》(1905)取材于东方传说和中世纪小说,是他最后的也许是最好的诗作。在文学史方面,莱韦尔廷专攻18世纪史,他的短篇小说集《洛可可小说集》(1899)即以18世纪作为背景。从1897年直到他去世,一直是《瑞典日报》的文艺评论权威。

Levertov, Denise 莱弗托夫(1923-10-24,英格兰埃塞克斯伊尔福德～1997-12-20,美国华盛顿西雅图) 英国出生的美国女诗人,写有表面上平淡无奇的诗歌。完全在家里接受教育,在第二次世界大战德机轰炸伦敦期间一直做救护工作。第一部诗集《双重形象》(1946)不大成功。次年随丈夫定居纽约,1955年加入美国籍。50年代后期出版了《此时此地》(1957)和《横越大陆来到群岛》(1958)。60年代又出版5本集子。她还与E.迪莫尔(小)翻译了一本佛教著作《克里希纳赞:来自孟加拉的歌》(1967)。《重学字母表》(1970)表明她关心社会问题。她反对美国参加越南战争,投入反战者联盟的活动,为联盟编写《走出战争阴影》(1967)的集子。在1972年出版的《足迹》中她回到了早期作品那种神秘的风格。后期作品有随笔和散文,如《世上这个诗人》(1973)。还出版有几部诗集,包括《巴比伦的蜡烛》(1982)和《注水》(1987)。

Lévesque, René 勒维克(1922-08-24,加拿大魁北克新卡莱尔～1987-11-01,蒙特利尔) 加拿大操法语的魁北克省总理(1976～1985),主张脱离操英语的加拿大而独立的最重要的领导人。在魁北克拉伐尔大学学习。学生期间即从事业余新闻工作,1944～1945年中断法律学习,在欧洲当附属于美军的记者和通讯员。战后回到魁北克,1946年进入加拿大广播公司国际部工作,1952年任驻朝鲜战地记者,1956～1959年任电视节目评论员,为广大观众所喜爱。1960年进入政界,作为自由党人当选为魁北克省国民议会议员,1960～1961年在勒萨日政府中任公共工程和水力资源部长,1961～1965年任新成立的自然资源部长,1966年在勒萨日政府的最后几个月期间任家庭与社会福利部长。与此同时,在1962和1966年的立法机构选举中连续当选。1967年10月与其他人一起创建"主权-联系运动",翌年与其他分离主义组织合并组成魁北克人党,任第一任主席。在1970和1973年的选举中失败后,重操新闻旧业,为《蒙特利尔日报》和《魁北克日报》撰写政论文章。1976年他的党赢得对省国民议会的控制,他成为魁北克省总理,1981年4月连选连任。"主权-联系"标志着他的党争取独立的目标。这一概念包括魁北克省自行制订法律、自行征税,与外国建立关系;同时与加拿大其他地区建立以统一货币为基础的经济联盟。该计划在1980年5月20日的全民公决中为59.6%的魁北克省选民所否决。1985年6月,主要由于健康原因,他辞去魁北克人党领袖职务,接着辞去总理职务。

Levi (Apostle of Jesus) **利未** 参阅 **Matthew (the Evangelist), Saint** *马太(传教者),圣*。

Levi, Carlo 莱维(1902-11-29,意大利都灵～1975-01-04,罗马) 意大利作家、画家,政治新闻工作者。所著第一部记实性小说轰动世界文坛,加强了战后意大利文学中走向社会现实主义的趋势。因从事反法西斯活动,被流放意大利南部。他的《耶稣停留在埃博利》(1945)反映了作为画家的敏锐观察力和作为医生富有同情心的客观性。该作品很快被评为文学杰作,并译成多国文字。他在《对自由的恐惧》(1947)中阐明求知自由的必要性。1950年发表以战后罗马一次内阁危机为主题的《手表》。另著有描写西西里的《语言就是石头》(1955),反映德国战后情况的《椴树》(1959)。

Levi, Primo 莱维(1919-07-31,意大利都灵～1987-04-11,都灵) 意大利犹太裔作家和化学家,以其极为克制而又感人至深的在纳粹集中营中生活的自传性回忆录而闻名。1941年以优异成绩毕业于都灵大学化学系。两年后参加朋友们在意大利北部企图与抵抗运动取得联系的活动,但他随即被捕,送至奥斯威辛集中营。在营中为德国法本资本集团的人造橡胶厂服苦役。1945年集中营为苏联军队解放后,莱维回到都灵。1961年任该地一生产油漆、搪瓷和合成树脂的工厂的总经理30余年。其第一本著作《如果这是一个人》(1947),显示了他在分析目睹的暴行时冷静而又充满人道精神的异乎寻常的秉赋。后来的自传性作品《休战》(1963)与《淹死的和得救的》(1986)进一步反思自己的战时经历。《周期表》(1975)为21篇沉思录的汇集,每篇以一化学元素命题,论述物理的、化学的和道德的范畴之间的相似之处。在其全部著作中,这可说是他最为出色的批判性的通俗作品。他也写过诗和长、短篇小说。有迹象表明,他系自杀身亡。

Lévi, Sylvain 列维(1863-03-28,巴黎～1935-10-30,巴黎) 法国东方学家。撰写有关东方宗教、文学和历史的著作,以所著佛学词典而闻名。1889～1894年在巴黎大学教授梵文,撰写博士论文《印度戏剧》。1894～1935年任法兰西学院教授。先后于1897和1898年访问印度和日本。1898年出版《婆罗门教关于献祭的教义》,1905～1908年写成《尼泊尔——关于一个印度教王国的历史研究》(3卷),1926年发表《印度与世界》。1921～1923年再次游历远东。其后与日本学者高楠顺次郎合作,编写《法宝义林——以中、日资料为据的佛学词典》,于1929年出版。他还与法国语言学家梅耶共同研究11世纪以前流行于今中国新疆一带的吐火罗语,判定乙种吐火罗语古籍的时代,1933年发表《库车古籍残篇》。

Levi ben Gershom 列维(本·格尔绍姆)(1288,法国塞兹河畔巴尼奥勒～1344) 又称格尔松尼迪斯,利奥·迪·巴尼奥尔斯,利奥·埃布拉乌斯或拉尔巴格。法兰西出生的犹太数学家、哲学家、天文学家、塔木德学者、圣经注释家。1321年著《数经》,内容讲算术,包括开方。1342年出版《论正弦、弦和弧》,提出平面三角形正弦定理的最初形式以及五位小数的正弦表。1343年所著几何学著作《数的和谐》包含对欧几里得最初五部书和基本公理的评述。在亚里士多德和12世纪西班牙阿拉伯哲学家阿威罗伊著作的影响下,1319年著《论恰当的类比》批评亚里士多德的某些论点。他还曾评注上述两哲学家的著作。

Levi-Civita, Tullio 列维-齐维塔(1873-03-29,意大利帕多瓦～1941-12-29,罗马) 意大利数学家。以对微分学和相对论的研究而著名。1891～1895年就读于帕多瓦大学,C.G.里奇是他的教授,后来他们合作,创立了绝对微分(现在称为*张量分析*[**tensor analysis**])。1898年在该校任讲师,1902年任理论力学教授。1918～1938年在罗马大学任教,后因是犹太人而被免职。他是20世纪主要的数学家之一,对纯粹数学和应用数学的每个领域几乎都有贡献。1900年他和里奇合作,写了张量运算的开拓性著作《绝对微分法及其应用》。1917年他对张量分析作出了最重要的贡献,把*向量*(**vector**)平移的概念引进了弯曲空间,这个概念立即获得许多应用,在相对论中是电磁场和引力场的统一表示的基础,在纯粹数学中,这个概念对拓扑学中广义空间的近代微分理论的发展也有作用。他还研究微分几何、流体动力学和工程学,使三体问题的研究取得重大进展。他的《经典力学和相对论力学问题》(1924)和《绝对微分学》(1925)都成了标准著作,而《理性力学讲义》(3卷,1923～1927)则是一部经典著作。

Levi-Montalcini, Rita 莱维-蒙塔尔奇尼(1909-04-23,意大利都灵～) 神经学家。具有美国和意大利双重国籍。因发现体内刺激和影响神经细胞生长的物质而与S.科恩于1986年同获诺贝尔生理学或医学奖。莱维-蒙塔尔奇尼于都灵大学习医,并在该校研究周围组织对神经细胞生长的影响。1943年至1945年德军占领意大利期间,她因犹太人血统而必须躲藏起来,直到战后才返回都灵继续研究。1947年她应密苏里州圣路易斯市华盛顿大学之聘,与正在研究鸡胚胎神经组织生长的动物学家V.汉柏格共事。1948年,在汉柏格的实验室里发现,把数种老鼠肿瘤细胞注入鸡胚胎可刺激其神经生长。莱维-蒙塔尔奇尼和汉柏格最后发现那是由肿瘤细胞分泌出来的一种神经生长因子(NGF)所致,莱维-蒙塔尔奇尼并证明它对实验室内培养出的其他动物神经组织亦有相同作用。科恩加入后,以化学方法自肿瘤中分离出神经生长因子。神经生长因子为动物体内许多细胞生长因子中第一个被发现者,在周围神经细胞和纤维的生长上扮演重要的角色。莱维-蒙塔尔奇尼在华盛顿大学工作到1961年,后返回罗马的细胞生物学研究所,至今仍活跃于神经科学领域。1988年发表了《为了不完美的颂词》一书。

Lévi-Strauss, Claude　莱维-斯特劳斯(1908-11-28,比利时布鲁塞尔～2009-10-30,法国巴黎)　法国社会人类学家、结构主义的主要倡导者。结构主义是指根据文化要素之间的结构关系对各种文化体系(如亲属关系和传说体系)所做的分析。它不仅对20世纪的社会科学有影响,而且对哲学、比较宗教、文学和电影的研究也产生了影响。莱维-斯特劳斯于1927～1932年在巴黎大学攻读哲学和法律。1934～1937年任巴西圣保罗大学社会学教授,并在巴西的印第安人中间进行实地研究。1941～1945年任纽约市的社会研究新学院客座教授,在该院受到语言学家R.雅各布松的影响。1950～1974年任巴黎大学高等研究院研究部主任。1959年应聘主持法兰西学院社会人类学讲座。1949年出版第一部重要著作《亲属关系的基本结构》(1967年修订再版)。成名之作是文学体裁的知识性自传《悲惨的热带》(1955)。另著有《结构人类学》(1961年修订版)、《原始人的思潮》(1962)和《图腾崇拜》(1962)。所辑《神话集》共4卷:《生食与熟食》(1964)、《蜂蜜与灰烬》(1966)、《餐桌礼貌之起源》(1968)、《裸体的人》(1971)。1973年出版了《结构人类学》的第2卷。1975年出版《面具之含义》一书,分析美国西北海岸印第安人的艺术、宗教及神话。1983年出版论文集《他山之石》。莱维-斯特劳斯的结构主义意在化繁为简,去粗取精。他认为各种文化只是各种交流系统,因而应用结构语言学、信息理论以及控制论作为基础去构拟各种交流模式来解释文化现象。

Levi Strauss & Co.　利维·斯特劳斯公司　又译利瓦伊·斯特劳斯公司。美国和世界最大的裤子制造商,以所生产的斜纹粗蓝布牛仔裤(称利维裤,注册商标Levi's)而特别著名。现在也制做时髦的便裤、夹克衫、帽子、衬衫、裙子、裤带并经营转让生产服饰等花哨小商品许可证的贸易。总部设在旧金山。该公司的起源应追溯到L.斯特劳斯(1829～1902)。他是在黄金潮期间于1850年来到旧金山的一位巴伐利亚移民,带来一些纺织品售给矿工们。他听到矿工们需要经久耐用的裤子,便雇佣裁缝用帐篷帆布做成服装(后来,斜纹粗布代替了帆布,裤袋缝上加用了铜质的铰钉)。1853年斯特劳斯及其两位弟兄乔纳斯和路易斯组成了一家销售合伙公司。1902年斯特劳斯死后,公司的领导权转移到他的4个侄儿,1918年又转移到其姻亲哈斯家族。1946年公司决定放弃批发业而集中力量从事自己商标的服装制造,从而发生了极其惊人的发展。到20世纪60年代,利维裤与其他牛仔裤(过去主要是西部牛仔们穿着的)已风行全世界。1985年哈斯家族与L.斯特劳斯的后人一起进行了一次颇有影响的股权收购行动,这使该公司又成为私人产业。1986年利维·斯特劳斯公司推出了一种新的名叫"码头工人裤"(Dockers)的便装裤。

Levin, Meyer　莱文(1905-10-08,美国伊利诺伊芝加哥～1981-07-09,以色列耶路撒冷)　美国作家,写有关于犹太民族和以色列的小说和非小说类作品。他的第一部成名作是小说《耶胡达》(1931)。1945年,他写作和摄制了第一部巴勒斯坦故事片《父亲的房子》(小说,1947)。影片讲述犹太人被赶出波兰,在巴勒斯坦重新团聚的故事。其他重要著作有《公民》(1940),描写1937年芝加哥钢铁工人的罢工,10个罢工者遭杀害;《强迫》(1956),写利奥波德-洛布谋杀案。第二次世界大战时担任战地记者。其他著作有《定居者》(1972)和《非法移民》(1977)。后者是一部影片,叙述犹太人从波兰移居以色列途中的故事。

Lévinas, Emmanuel　莱维纳斯(1905-12-30[旧历1906-01-12],立陶宛考纳斯～1995-12-25,法国巴黎)　法国哲学家,因对西方哲学历史中存在论的重要地位大力批判而闻名。1923年在斯特拉斯堡大学开始学习哲学,1928～1929学年在弗莱堡大学学习,参加了胡塞尔和海德格尔的研讨会。1928年完成博士论文后,先后任教于巴黎两所学校。第二次世界大战爆发后,担任法国军官。1940年被德国军队俘虏,在狱中度过了五年。战后担任巴黎一所学校校长,直到1961年被普瓦提埃大学聘用。后在巴黎第十大学和索邦大学执教。二战以后他研究的主要问题是存在论作为最基本哲学问题,即"第一哲学"的传统地位。莱维纳斯认为,存在论在本质上追求实现"总体性",这成为了工具理性的基本体现。通过接受工具理性,西方哲学体现出一种破坏性的客观化的"统治意志"。但因为工具理性不能决定其目的,这种理性已经被用来实现破坏性或邪恶的目的。因此,工具理性应该对20世纪欧洲历史上的主要危机负责,特别是导致了极权主义。海德格尔发展新的根本存在论的努力是错误的,因为它继续了西方哲学独裁性和破坏性倾向。另外,莱维纳斯认为存在论体现了对认知论和理论性推理的偏好,因此从哲学的角度来看,存在论是劣于道德论的。他认为道德论才是覆盖了人类之间现实互动的领域,认为道德论优于存在论的原因在"他者"。因为一个人欠他者的道德债是永远还不完的,因此他者是无限先验和无限异质的,他者是无限的,而存在论的工具理性把他者作为判断的对象,把他者作为有限的存在,与他者的关系就成为了总体性的关系。他的主要哲学作品包括《超在或超越本质的存在》(1947)和《困难的自由:论犹太教》(1963)等。

Levine, Jack　莱文(1915-01-03,美国马萨诸塞波士顿～2011-11-08,纽约州纽约)　30年代美国社会写实主义画派的杰出画家。最初在马萨诸塞州罗克斯伯里市犹太福利中心

美国不列颠百科全书公司供图

学习,后在波士顿美术博物馆学习,1929～1931年间就读于哈佛大学。1935年在工程进度管理署所属联邦艺术设计局工作,在波士顿贫民区设画室,描绘贫苦人们的生活,讽刺贪污腐败的政客。他在技法上受欧洲表现主义画家戏剧性变形的影响。1936年展出《智囊团》,翌年展出《纯理性祭典》,因此闻名。1939年在纽约市首次举行展览。在《审判》(1953～1954,芝加哥艺术学院藏)和《匪徒的葬礼》(1952～1953)里仍保持了对社会进行讽刺的绘画风格。

Levine, James　莱文(1943-06-23,美国俄亥俄辛辛那提～　)　美国指挥家和钢琴家。特别以其与纽约市大都会歌剧院的合作著称。1953年以钢琴神童身份与辛辛那提管弦乐队合作,首次登台演奏。在纽约市朱利亚德学院随R.列维涅学钢琴,随J.莫雷尔学指挥。1964～1970年应G.塞尔之请任克利夫兰管弦乐队助理指挥。1971年首次指挥大都会歌剧院《托斯卡》演出,1973年任该剧院首席指挥,1975年成为该剧院音乐总监,1983年任艺术指导。除在欧美当客座指挥外,还为芝加哥交响乐队在拉维尼亚(伊利诺伊州)举行的夏季音乐节担任指挥。灌制的唱片包括莫扎特和威尔地的歌剧及勃拉姆斯和马勒的交响曲。还常与大提琴家L.哈勒尔合作演出并录制室内乐。

Levinson, Salmon Oliver　莱文森(1865-12-29,美国印第安纳诺布尔斯维尔～1941-02-02,芝加哥)　美国法学家、"战争非法化"运动的发起者和鼓动者。自1891年起在芝加哥做律师。以他在改组不景气的公司的财务方面的才能而著名。1918年3月9日在《新共和》发表文章,认为民族国家之间使用暴力是非法的。在第一次世界大战即将结束的几个月里,他的主张赢得了许多方面领导人的赞成。后来参加起草了《凯洛格-白里安公约》(1928)。这项公约从法律上宣布战争为"非法"。

levirate　转房婚　规定(偶尔也强制)死者的兄弟优先成为其遗孀配偶的习俗或法律。

此词源于拉丁语 levir，意为“夫之兄弟”。在古代希伯来社会，转房婚制用来延续那些无子嗣的死者的宗嗣。在无文字社会里，第一个丈夫的权利和责任继续存在，以使他这个支脉不致断绝。例如，在苏丹的努埃尔部族中，再嫁寡妇的孩子仍属于她第一个丈夫那一脉系，即使新丈夫是孩子的生父，仍认为死者是孩子的父亲。所谓“兄弟”，实际也可是死者的同父异母或同母异父所生者，或者就是选定的某一个人，如果规定必须年纪更少，则谓之幼弟转房婚。

Lévis　莱维　加拿大魁北克省南部魁北克行政区城市。在圣劳伦斯河南岸，有轮渡与对岸魁北克市相通。1647 年设居民点，1861 年更现名，以纪念在英军围攻期间在加拿大指挥法军的指挥官 F. G. 莱维。现为工业中心。有能容纳最大轮船的干船坞。主要工业有铸造、机械加工、木材、烟草和家具。下城区坐落在高耸的峭壁与河流之间，主要为铁路车场和码头。上城区在斜坡顶上，主要为住宅区。城内有莱维学院（1879）。1916 年设市。人口17 895（1981）。

Levi's（apparel）　**利维牛仔裤**　参阅 **jeans** 紧士裤。

Levita, Elijah Bokher　莱维塔（1469-02-13，纽伦堡艾施河畔诺伊施塔特～1549-01-28，威尼斯）　希伯来语全称 Eliyahu ben Asher ha-Levi Ashkenazi（艾里亚胡·本·阿斯哈尔·哈-列维·阿斯肯那基）；别名Baḥur（意为“青年人”或“学生”）。生于德国的意大利语法学家，其著作和讲学在普遍敌视犹太人时期推进了欧洲基督教界对希伯来语的研究。早年前往意大利，1504 年定居于帕多瓦，写有希伯来语手册（1508），被他的誊写员 B. 科尔博所窃取、窜改，用自己的名义发表，在犹太教和基督教学生中间受到普遍欢迎。直到 1546 年，莱维塔出修订版之前，他并未因写此书而享有荣誉。1509 年，帕多瓦遭康布雷联盟洗劫，莱维塔逃往威尼斯。1513 年去罗马，受到奥古斯丁教派的修道会长维泰博人吉莱斯将军（后为枢机主教）的庇护，在其鼓励下写成一篇关于希伯来语语法的专题论文《巴胡尔书》（1518），该书被广泛采用并多次再版。同时，还刊行词形变化表和一部《圣经》不规则词详解词典。其《以利亚书》为语音学和希伯来语语法杂论，于 1520 年问世。1527 年，罗马遭到神圣罗马帝国军队洗劫，莱维塔尽失所有，移居威尼斯，为一印刷商校对希伯来语著作，同时担任教师并完成其杰作《备忘之书》，该书是一本希伯来语《圣经》词汇索引，虽未出版，其稿本获得教堂、王公和法国国王弗兰西斯一世之重视，授予教授职位，但他悉予谢绝。晚年两部重要著作是：《译者之书》（1541），该书是《旧约》阿拉米文诸卷的第一本词典；题为《提什比》的词典（1542）解释晚期希伯来语，是前两部重要词典的补充。此外，他还使用意第绪语写作。

levitation　飞升　指人体违背重力定律，腾空而起。据说在世圣徒或招魂的巫师在入定状态下可以飞升，也有关于家具等物飞升的传闻。据说女巫及其他以术害人者即可腾空飞赴巫师夜会，他们全身涂满“飞行软膏”，常骑杖、帚或锹飞行，有时则由魔鬼或其使者载负。

Levite　利未人　古代以色列担任宗教职务的一个支派成员，他们之所以占有特殊宗教地位，据推测是在摩西时代他们曾击杀崇拜金牛犊的人（事见《出埃及记》32：25～29）。利未人的宗教职务在若干世纪的进程中显然是有变化的。历史学家至今仍无法解释清楚存在于利未人和祭司人员之间的关系问题，这些祭司人员都是亚伦的后裔，而亚伦本人又是利未的后裔。亚伦的祭司显然独占了犹太教祭司之职。在公共礼拜上从事次要工作的人也称为利未人，他们在圣殿中服务，担任乐师、看门者、守卫者、圣殿官员、仲裁人和工匠等。在现代犹太教礼拜中，则常由一名利未人宣读第二段律法书。

Leviticus　《利未记》　通俗拉丁文本《圣经》中的第 3 卷。顾名思义，此书主要是有关祭司（利未人）和祭司职务之事的手册。虽然此书基本上是律法书，但也包含一些叙事部分。此书一般分为 5 部分：①有关祭祀的律法，②祭司职位的设立和有关的律法，③关于礼仪性洁净的律法，④有关圣洁的律法，⑤有关向圣所献祭和许愿的补充部分。学者公认，《利未记》的资料来源是《五经》材料中的祭司经卷，即 P 典。一说这部分资料写成于公元前 7 世纪，是当年以斯拉和尼希米发动改革运动的依据。但是，P 典中也有更为古远的材料，特别是《圣洁法典》。前一卷书《出埃及记》的末章和后一卷书（《民数记》）的首章也属于 P 典，可见《利未记》也许是后来单独成书的。根据这种假定，《利未记》或许是更大的一部书的一部分，这部巨著可能包含《旧约》的前 4、5 或 6 卷书。

Levitsky, Ivan　列维茨基（1838-11-25，俄罗斯帝国乌克兰基辅省斯捷布列夫～1918-04-15，基辅）　农奴制改革后时期的乌克兰现实主义小说家。毕业于神学院，后任地方中学教师。他的作品描写了乌克兰文学首批社会小说中的知识阶层和下层阶层，包括长篇小说《闯入者》（1869）、《云》（1874）、《女工》（1881）和《凯达舍夫一家》（1879）。他的作品由于叙事客观和对民俗的细致描写，增加了写实效果。

Levitt, Helen　莱维特（1913-08-31，美国纽约州纽约～2009-03-29，纽约）　美国摄影家，其作品捕捉到纽约市日常生活的喧哗、肮脏和美丽。18 岁在纽约布朗克斯开始她的摄影生涯，她的第一个展览“孩童照片”，于 1943 年在纽约现代艺术美术馆展出。其展览将儿童（尤其是相对贫困的儿童）和人性置于显著地位，这也可以说是她大多数作品的特色。在 20 世纪 40 年代中期，莱维特和小说家 J. 艾吉、电影制作人 S. 迈尔斯和画家 J. 洛布合作拍摄影片《沉默的小孩》，这是一部关于年轻的美国非裔男孩的获奖纪录片，60 年代大部分时间她专注于影片的执导和剪辑。70 年代，重新从事她的摄影老本行。

Levittown（New Jersey, U.S.）　**莱维敦**　参阅 **Willingboro** 威灵伯勒。

Levittown　莱维敦　美国纽约州长岛西部拿骚县亨普斯特德乡无建制的居住社区。于 1946～1951 年发展起来，为完全按照规划成批建造的住宅群的典范，有 17 000 多幢廉价房屋，附设商业中心、运动场、游泳池、社区公所及学校。为第二次世界大战后建筑热兴起时的全国郊区象征。多数房屋后经改造、重新设计，仅存个别房屋仍保留原有结构。人口53 067（2000）。

Levittown　莱维敦　美国宾夕法尼亚州东部巴克斯县一个大规模无建制的城郊住宅区。位于费城和特伦顿之间，邻特拉华河大转弯处。1951～1958 年由莱维特父子有限公司建造。1952 年 6 月开始有人入住。莱维敦现成为美国同类新建住宅区的通称。人口 53 966（2000）。

Lévka Mountains　莱夫卡山　希腊克里特岛西部最高而陡峭的山脉。在干尼亚州干尼亚以南数英里处。山间萨马里亚峡谷（长 18千米，深300米）是从该山脉去南部沿海的唯一通道。最高峰莱夫卡峰海拔2 452米。莱夫卡山脉是普拉塔尼亚斯河发源地，也是有克里特野羊出没的唯一地方。

莱夫卡山萨马里亚峡谷的铁门
美国不列颠百科全书公司供图

Levkádhia（Greece）　参阅 **Leucas** 莱夫卡斯。

Levkosía（Cyprus）　参阅 **Nicosia** 尼科西亚。

Levnî, Abdülcelil　莱夫尼（17世纪末，大约在鲁梅利亚埃迪尔内～1732，君士坦丁堡）　18 世纪初“郁金香时期”最有造诣的奥斯曼画家。青年时曾去君士坦丁堡，就读于托普卡普宫绘画学院。后任奥斯曼苏丹穆斯塔法二

莱夫尼为《燕乐记胜》所绘的插图
约 1720 ～ 1725
美国不列颠百科全书公司供图

世和艾哈迈德三世的首席宫廷画师。其作品大多描绘欢娱场面。杰作有为奥斯曼诗人韦赫比所著两卷《燕乐记胜》绘制的 100 多幅插图。喜用柔和色调，大量减少金叶花饰，两者均与过去画法相悖；对动态和姿势的偏爱，显示其有敏锐的观察力和幽默的笔触。作品还有一组 50 幅图版的组画，多为肖像画。其中有皇帝、皇室成员及廷臣的肖像画。

Levon I　莱翁一世　又称莱翁大帝。亚美尼亚国王（1199 ～ 1219 在位）。他把被塞尔柱突厥人驱散的亚美尼亚人集结起来，巩固了在小亚细亚东南部的西利西亚王国。他通过与神圣罗马帝国皇帝红胡子腓特烈和亨利六世的友谊关系，由教皇切莱斯廷三世的使节枢机主教康拉德·冯·韦特尔斯巴赫加冕。他拒绝拜占廷皇帝的提议，而使小亚美尼亚与西方结盟。

Levski, Vasil　列夫斯基（1837-07-06，鲁梅利亚卡尔洛沃～ 1873-02-06，索非亚附近）原名瓦西里·伊万诺夫·库恩切夫。保加利亚反抗奥斯曼帝国统治、争取民族解放的革命领袖。初为修士（1858 ～ 1864），后献身于祖国解放事业，由于很有勇气，人称"猛狮"。他把在塞尔维亚境内组成的两个保加利亚志愿兵团联合起来，但因对塞尔维亚政府的措施不满，乃决心回国举行起义，这使保加利亚的民族解放运动进入了一个新阶段。1869 年，他在布加勒斯特与 L. 卡拉维洛夫共同组织保加利亚中央革命委员会，并组成秘密组织保加利亚使徒团。1872 年他在回国执行秘密任务时被土耳其人逮捕，处以绞刑。

Levuka　莱武卡　南太平洋奥瓦劳岛东岸的城镇，斐济洛迈维蒂省省会。位于斐济中部。1874 年曾为首都。1882 年让位于苏瓦。现为日本、韩国和中国台湾渔民的金枪鱼港。人口3 700（1996）。

Levy, David　利维（1937-12-21，摩洛哥拉巴特～　）以色列政治人物。在摩洛哥读小学及中学，1957 年举家移居以色列。20 多岁时决心从政，加入自由运动党，争取改变处于社会底层的西班牙系犹太人的命运。后担任以色列总工会主席。1969 年成为议会议员。1977 年贝京和利库德集团选举获胜后，出任移民安置部长（1977 ～ 1979），后任新内阁的建筑与住房部长，成为代表下层阶级的发言人。1981 年贝京再次当选，利维出任副总理（1981 ～ 1984）。1983 年贝京辞职后，继续在沙米尔的民族团结政府中担任内阁职务。1995 年成立桥党。1999 年在内塔尼亚胡的内阁中任副总理兼外长。翌年辞去这两项职务。2002 年在沙龙政府中短期出任不管部部长。

Levy, Edward（English newspaperman）**利维**　参阅 **Burnham, Edward Levy-Lawson, 1st Baron** *伯纳姆男爵（第一）*。

Levy, Joseph Moses　利维（1812-12-15，伦敦～ 1888-10-12，英格兰·肯特拉姆斯盖特）英国报人，伦敦《每日电讯报》创办人。曾求学于布鲁斯堡学校，并赴德国学习。后于伦敦舰队街购置一所印刷工厂。1855 年成为《星期日泰晤士报》业主（经营仅一年）及《每日电讯和信使报》业主。《每日电讯和信使报》后易名为《每日电讯报》并成为伦敦第一家售价一便士的报纸。在其长子爱德华协助下，将该报办成当时最有生气、最富有创造性的报纸；又对该报作了巨额投资，聘用第一流作家和记者，利维本人也撰写了不少关于艺术和戏剧的文章。

Lévy, Paul(-Pierre)　莱维（1886-09-15，巴黎～ 1971-12-15）　法国数学家和采矿工程师。以对概率论的研究而著名。先在巴黎圣艾蒂安矿业学院任教授，后在巴黎综合工科学校任教，同时在国立高等矿业学校兼职。他对概率论、泛函分析及其他分析问题（主要是偏微分方程和级数）有重要贡献，也研究几何学。其主要著作有《泛函分析教程》、《概率计算》、《多变量加法理论》和《随机过程和布朗运动》。

Lévy-Bruhl, Lucien　莱维-布吕尔（1857-04-19，巴黎～ 1939-03-13，巴黎）　法国哲学家。他对原始民族心理状态的研究为人类学提供一种新方法，以理解社会思想及原始宗教与神话中的非理性因素。1899 ～ 1927 年任巴黎大学哲学教授。第一部重要著作《伦理学和道德科学》（1903）反映了 O. 孔德的实证主义观点，为多元主义和相对主义的社会学奠定基础。后来致力于研究原始心理状态。在《原始社会的心理作用》（1910；英译本 1926）中对这种心理进行了详细的研究。他从法国社会学家 E. 涂尔干那里，采用"集体表象"这个概念，来说明原始人和现代西方人在推理方面的差别。他认为原始的思维和感觉浸透了神秘主义，而原始的心理活动尽管不是同逻辑法则相反，却并非完全受逻辑法则支配。

Levy-Lawson, Edward（English newspaperman）**利维-劳森**　参阅 **Burnham, Edward Levy-Lawson, 1st Baron** *伯纳姆男爵（第一）*。

Levy-Roussy syndrome　莱维-鲁西二氏综合征　又称鲁西-莱维二氏综合征。以共济失调、进行性肌肉萎缩，伴有某些骨骼异常为特征的遗传性疾病。显然继发于神经系统的缺陷。于幼儿期发病，并在一生中缓慢进行。平衡功能受损，走路站立困难，膝与踝的某些反射消失，或有严重的脊柱弯曲及畸形足。

levyne　插晶菱沸石　又作 levynite。沸石族矿物，成分和结构类似*菱沸石*（**chabazite**）。

Lewald, Fanny　莱瓦尔德（1811-03-24，普鲁士柯尼斯堡～ 1889-08-05，德国德累斯顿）德国著名女小说家、女权主义者。作品主要描写家庭、婚姻和社会问题。30 岁开始写作，曾受新闻记者兼编辑的堂兄 A. 莱瓦尔德的鼓励。小说《克莱门蒂娜》（1842）和《燕妮》（1843）描写建筑在家庭道德之上受约束的生活。《达尔内一家》（3 卷，1888）和《代代相传》（8 卷，1863 ～ 1865）是现实主义小说，描写家庭几代成员的生活。《狄奥盖娜》（1847）是模仿她的对手哈恩-哈恩伯爵夫人伊达的《福斯蒂娜伯爵夫人》的讽刺游戏之作。历史小说《路易·斐迪南王子》（1849）的中心人物是 19 世纪初柏林文艺沙龙的一位女主人 R. 瓦恩哈根·冯·恩泽。她还写有各种游记和自传《我一生的历史》（3 卷，1861 ～ 1862）。虽然她是在 1835 年"青年德意志"派的作品被禁止后才开始写作的，但还是受到这一主要是政治运动的影响。她还受法国女权运动作家乔治·桑的影响。

Lewandowski, Louis　莱万多夫斯基（1821-04-03，波兰弗热希尼亚～ 1894-02-04，柏林）犹太教会堂祈祷文吟诵者、合唱指挥、犹太教会堂音乐作曲家。12 岁在柏林一合唱团歌唱；后学习小提琴和钢琴，并被招收入柏林大学和美术学院（第一个允许入学的犹太人）。1840 年起在柏林的老犹太教会堂指挥音乐，1866 年到新犹太教会堂任职。还在犹太教免费学校和犹太教神学院任教。他是年老和清贫音乐家协会的创办人和总干事。他的音乐风格把德系犹太人的宗教仪式音乐的旋律同现代和声相结合，常常要求用乐器伴奏。合唱反映了受门德尔松和其他同时代的作曲家的影响。他的音乐风格不像另外一位犹太教音乐大作曲家苏尔兹那样富于浪漫主义色彩。他的风格在德国，后来在其他地方，都受到广泛欢迎。

Lewanika　莱瓦尼卡（约1842，巴罗策兰年戈沼泽地附近～ 1916-02-04，巴罗策兰保护国莱阿卢伊）　南非国王，在科洛洛族征服者塞贝特瓦内去世后，收复巴罗策兰控制权的复辟的洛齐国王中的一位。由于担心来自（西面安哥拉的）葡萄牙人和来自东面恩德贝勒人的攻击，置巴罗策兰于英国保护之下。原名罗博锡（卢博锡），1876 年即位。1884 年一度被废黜。1885 年复辟后，改名莱瓦尼卡。

他将巴罗策兰置于英国保护之下。他在巴罗策兰废除奴隶制度,并取缔奴隶贸易。

Lewen, John 参阅 **Lowin, John 洛文**。

Lewes 刘易斯 英格兰东萨塞克斯行政郡一区。属萨塞克斯历史郡。面积292平方千米。南部丘陵的白垩岭从东向西横贯该区,刘易斯城镇就坐落在乌斯河流过的山峡处,山峡东面为格林德包恩,以演出歌剧闻名。南部沿英吉利海峡延伸,有纽黑文港和海滨胜地锡福德。人口约85 900(1998)。

Lewes 刘易斯 英格兰东萨塞克斯行政郡刘易斯区城镇(堂区)。属萨塞克斯历史郡。位于南部丘陵一峡谷内,濒临乌斯河。在当地古堡(11世纪)四周发展成为市场中心和河港。1264年,西蒙·德·蒙特福特在此击败亨利三世。历史上曾为巡回审判城镇,现为行政中心和重要市场。旅游业占重要经济地位,此外还有一些轻工业。古迹有巴比坎宫、谢利斯大厦和索瑟弗庄园。格林德包恩是世界著名的歌剧中心,离该镇仅5千米。人口15 376(1991)。

Lewes 刘易斯 美国特拉华州东南部萨塞克斯县城市。濒特拉华湾口,位于亨洛彭角州立公园西侧。1631年由荷兰殖民者建立,为特拉华河沿岸最早的白人居民点。1857年设镇,1969年设市。该城是有300余年航海史的入口港,以海水渔业著称。与新泽西州的开普梅之间通班轮。市内有仿照荷兰霍伦市政厅建造的兹瓦尼达尔博物馆(1931),现用以纪念早期拓居者。刘易斯历史学会拥有经修复的早年建筑物。是特拉华海湾领航员总部。特拉华大学海军学院设在该市。人口2 932(2000)。

Lewes, George Henry 刘易斯(1817-04-18,英格兰伦敦～1878-11-28,伦敦) 英国哲学家、文学评论家、戏剧家、演员、科学家和编辑。以其实证主义的形而上学发展理论和同英国小说家玛丽·安·埃文斯(笔名乔治·艾略特)的男女关系而知名。他是演员C.L.刘易斯之孙,利物浦皇家剧院经理之子。他受的教育是不系统的,曾在德国两年,于1840年返回伦敦。此后10年中,经常为各种刊物写稿。19世纪40年代初曾同J.S.穆勒通信,通过穆勒,他对O.孔德(通常被认为是社会学的奠基人)的实证主义哲学有所了解。1850年和友人T.L.亨特共同创办一个激进的周刊《领导者》,为该刊撰写文艺与戏剧特写。1841年结婚,他们夫妇同亨特夫妇与另两对夫妇住在一起。因其妻和亨特生了两个孩子,1851年刘易斯就不再承认自己的妻子。同年他与埃文斯相识。由于刘易斯宽恕了妻子的通奸行为,所以他不能正式提出离婚,但是从1854年起他们夫妇终生分居,他一直和埃文斯过着幸福的同居生活。在转向科学研究之前,他发表了《歌德的生平与著作》(两卷,1855),此书现仍被认为是英语著作中对歌德的最好介绍。除去有关发动机和感觉神经的许多作品外,他还发表了《海滨研究》(1858)、《共同生活的生理学》(两卷,1859～1860)和《动物生活之研究》(1862)。以后他又写了一部研究亚里士多德的作品(1864)和其最重要的著作《生活与思想问题》(五卷,1873～1879)。他是一位多才多艺的作家和思想家。他联系社会条件和历史条件来探讨精神现象,对于心理学思维是一个很大的促进。

Lewin, Kurt 勒温(1890-09-09,德国普鲁士莫吉尔诺[今在波兰]～1947-02-12,美国马萨诸塞牛顿维尔) 德国出生的美国社会心理学家,以其关于行为的场论著名,主张人类行为是个体心理环境的函数。早年曾就学于德国的弗赖堡、慕尼黑和柏林,并于1914年获柏林大学博士学位。第一次世界大战期间在德军服役,战后在柏林精神分析研究所任职。1932年移居美国,先在斯坦福和康奈尔大学工作,后在艾奥瓦大学任职。1945年他在剑桥麻省理工学院建立了团体动力学研究中心,并任主任直到去世。1931年提出,人的行为应视为一个连续统一体的一部分,每个人的行为均与常模有不等的偏离,而每个人对自己和对环境的知觉之间形成差距(紧张),上述偏离即差距的函数。为了充分认识和预言人的行为,必须考虑人在其中活动的整个心理场或"生活空间"。生活空间中所有事件的整体,在任何时刻都决定着行为。为了进一步完善他的理论,勒温试图将拓扑学原理引入他的学说,并图示影响心理活动的各种力量。晚年研究团体动力学,认为团体能改变其成员的个体行为。他研究了民主、极权主义和自由放任的领导方法对儿童的影响,证明小型的、以任务为中心的集团于作风较为民主时,工作效率就较高。

Lewinski, Erich von 埃里希·冯·莱温斯基 参阅 **Manstein, Erich von 曼施泰因**。

Lewis Glyn Cothi 刘易斯(格林·柯提)(活动时期1447～1486) 又名Llywelyn y Glyn。威尔士吟游诗人,其作品反映了威尔士人的民族意识的觉醒。据传为卡马森郡人,在玫瑰战争中热心拥护兰开斯特王室,是J.都铎党人,都铎是英王亨利七世的叔叔。他的《颂诗》讽刺了他最痛恨的敌人切斯特的士兵,是一首刚健有力的诗作。1837年他的诗集,包括存世的230首诗作中的154首,在伦敦出版。威尔士国立图书馆和威尔士大学出版部1953年开始合作编辑出版他的全集。

Lewis, Alun 刘易斯(1915-07-01,威尔士格拉摩根郡阿伯德尔～1944-03-05,缅甸若开戈普山口) 威尔士最有希望的诗人之一,作品主要写他在第二次世界大战中的经历。他先是当兵,后升任军官。父为小学校长。他在南威尔士的矿区长大,对贫苦的煤矿工人怀有深厚的同情。依靠奖学金进入阿伯里斯特威斯大学和曼彻斯特大学学习。毕业后当中学教师。第二次世界大战爆发后不久参军。诗集《破晓进击》(1942)和短篇小说集《最后的视察》(1942)均写英国新兵训练营的生活。《哈!哈!吹起军号》(1945)包括他离开英国前往东方服役直至战死前的全部诗作。死后出版的作品有《印度来鸿》(1946)和《诗歌散文选》(1966)。

Lewis, Sir Arthur 刘易斯(1915-01-23,英属西印度群岛圣卢西亚卡斯特里～1991-06-15,巴巴多斯布里奇敦) 英国经济学家,因研究经济的发展和建立欠发达国家和较发达国家间与各自农业劳动生产率水平相联系的贸易条件的新模式,而与美国人T.W.舒尔茨共同获得1979年诺贝尔经济学奖。刘易斯获得政府奖学金后,入伦敦经济学院学习。他于1937年毕业,并于1940年获得经济学博士学位。1938～1947年任伦敦经济学院讲师,1947～1958年任曼彻斯特大学经济学教授,1959～1962年任西印度大学学院院长,1963～1983年任普林斯顿大学教授。他帮助建立加勒比开发银行,并于1970～1973年任行长。刘易斯于1963年被封为爵士。他的著作包括:《经济计划原理》(1949)、《经济成长理论》(1955)、《发展计划》(1966)、《1880～1913年间的热带开发》(1971)和《1870至1913年间的增长与波动》(1978)。

Lewis, C. Day 刘易斯 参阅 **Day-Lewis, C(ecil) 戴-刘易斯**。

Lewis, C(larence) I(rving) 刘易斯(1883-04-12,美国马萨诸塞斯托纳姆～1964-02-03,马萨诸塞剑桥) 美国逻辑学家、认识论哲学家、伦理学家。就读于哈佛大学,并于1920年起在该校执教,1930年起任该校哲学教授,直至1953年退休。美国学术团体委员会于1961年向他授奖,以表彰他在研究人文学科方面的卓越贡献。其主要著作为《符号逻辑》(与C.H.兰福斯合著,1932)、《知识和价值的分析》(1947)和《权利的基础和性质》(1955)。在认识论和伦理学方面,他是康德体系中的概念论实用主义者,试图按照康德的植根于经验实在的方式发展哲学概念。他认为只有在存在着错误的可能性的地方才可能有知识。于是他修正了对于感觉经验的传统观点,这种观点把感觉经验看作真实知识和关于实在的确定性的保证,因为个人对由感觉给出的纯粹印象是不会有错误的。按照他的看法,认识论的问题是人们对其感觉经验的主观解释。唯一可能的确定性是由他所谓的"终止判断"提供的,这种判断必须包括关于已被经验验证了的实在的陈述。终止判断必然涉及现象,而非终止判断则可能涉及其他对象或价值。然而,如果非终止判断由终止判断支持,它也能具有确实性和意义。在逻辑学方面,他抨击使用实质蕴涵的当代形式体系,提出了基于严格蕴涵的另一逻辑体系。就是说,否定那些未自行严格地限于经验所能蕴涵的范围内的体系。由于概念来自经验,因此他的体系中没有一个概念是固定的或必不可少的,而传统逻辑的抽象范畴往往容易改变。

Lewis, C.S. 刘易斯(1898-11-29,爱尔兰贝尔法斯特[今在北爱尔兰]～1963-11-22,英国牛津郡牛津) 英国学者、小说家。著有大约40部作品,大部分是关于辩惑学的,其中最著名的是《斯克鲁塔普书简》。他还因所著儿童故事集《纳尔尼亚纪事》而闻名，这些故事已成为幻想故事的经典之作。第一次世界大战时在法国服役。1918年入牛津大学学院专攻古典文学，成绩优异。1925～1954年在牛津马格达伦学院任研究员和导师。1954～1963年任剑桥大学中世纪和文艺复兴英国文学教授。主要著作有《朝圣者的回归》(1933)、《爱情的寓言：对中世纪传统的研究》(1936)，不少人认为这是他最优秀的学术著作。科幻小说三部曲《来自沉默的行星》(1938)、《佩利兰德拉》(1943)和《那骇人的威力》(1945)被评论界认为是最优秀的科幻小说三部曲之一。《痛苦的问题》(1940)使他立即被广泛承认为辩惑学的通俗解释者，但它的发行量被虚构的畅销著作《斯克鲁塔普书简》(1942)远远超过。儿童故事集《纳尔尼亚纪事》包括7篇故事，第一篇为《狮子、女巫和衣柜》(1950)，最后一篇为《最后一仗》(1956)。该书情节动人，妙趣横生。其他著作有自传《我的早年生活》(1955)和根据普绪喀和丘比特的故事改写的长篇小说《神话新编》(1956)。

Lewis, David Kellogg　刘易斯　(1941-09-28，美国俄亥俄奥伯林～2001-10-14 新泽西普林斯顿)　美国哲学家，英美哲学界主要人物之一。父母都在奥柏林学院教政治学。1967年获哈佛大学博士学位。他关于语言规约的博士论文于1969年出版。1966～1970年在加利福尼亚大学洛杉矶分校任教，其后在普林斯顿大学任教。其著作中多次出现的四大主题是：①有些事物可能但却并不实际存在；②时间关系与空间关系极为相似；③自然科学如果能够成功，能够对现实世界提供完整解释；④如果任何可能的世界当中的居住者是生活在时间和空间中的，关于这个世界及其居住者的全部事实都是根据这个世界中时间和空间的"局部特性"的分配来制定的。局部特性的两个例子就是人类(和其他有意识生物)的精神状态以及物理物体或事件之间的因果关系。

Lewis, Edward B.　刘易斯(1918-05-20，美国宾夕法尼亚威尔克斯-巴尔～2004-07-21，加利福尼亚帕萨迪纳)　美国发育遗传学家。他与遗传学家尼斯莱因-福尔哈德以及维绍斯一起因发现控制早期胚胎发育的几种功能而获得1995年诺贝尔生理学或医学奖。刘易斯对遗传学的兴趣始于高中。他先在明尼苏达大学学习生物统计学(1939年获学士学位)，后又在加利福尼亚理工学院专攻遗传学(1942年取得博士学位)，并于1946～1988年在该校任教。刘易斯的研究与尼斯莱因-福尔哈德及维绍斯无涉，是独立进行的。他的研究以果蝇为基础。果蝇常被用于遗传学实验。通过杂交繁育数千只果蝇，他发现基因在染色体上的排列次序一般是与相应的身体部位的排列相一致的。例如，第一对基因控制头和胸；中间的基因控制腹部；最后的一对控制尾部各部分。这种整齐对列被称为线性对应原理。刘易斯还发现基因调整的作用可以是交叉的。例如，一只多长了一对翅膀的果蝇有一个缺损基因位于腹部而不是胸部区域，但一般说来，后一区域才是主管这类突变的调整基因。刘易斯关于果蝇的研究有助于说明生物发育的一般机理，如人类和其他高等生物先天畸变的原因等。他的长期研究成果于1978年发表在《自然》杂志上。1968年被选入美国国家科学院，1990年获得全国科学奖章。

Lewis, G(ilbert) N(ewton)　路易斯(1875-10-23，美国马萨诸塞韦茅斯～1946-03-23，加利福尼亚伯克利)　美国化学家。其电子对理论促进了对共价键的认识，并扩大了酸和碱的概念。1899年在哈佛大学获博士学位，在莱比锡和格丁根从事研究，1905年在麻省理工学院开始研究热力学。1912年成为伯克利加利福尼亚大学物理化学教授和化学学院院长。约在1916年开始提出共享价电子及电子转移可形成化学键。在《价键与原子和分子结构》(1923)一书中发表他的看法。与M.兰德尔一起出版的教科书《化学物质的热力学和自由能》(1923)成为经典著作。1933年他首次分离氢的同位素氘，并制备重水(氧化氘)的纯样品。后来研究有机物产生的荧光、磷光和颜色。

Lewis, Isaac Newton　刘易斯(1858-10-12，美国宾夕法尼亚新塞勒姆～1931-11-09，新泽西霍博肯)　美国陆军军官和发明家，以发明第一次世界大战中广泛使用的刘易斯机枪著名。1884年毕业于西点军校。从1891年起他完成一系列军事发明，包括炮兵测距仪、炮兵火控系统、快速发射步枪和气体驱动的鱼雷。他还获得几种非军用设备的专利，如车上电照明装置。1911年刘易斯机枪获得专利，但未被美国陆军采用。1913年以上校军衔退役后赴欧洲，在比利时列日生产机枪。第一次世界大战爆发后，将工厂搬至英国，与伯明翰轻武器公司合并。第一次世界大战中，协约国军队使用了约10万支刘易斯机枪。这种机枪的改进型号由于后坐力很小，特别适合在飞机上使用。

Lewis, Jerry　刘易斯(1926-03-26，美国新泽西纽沃克～　)　原名 Joseph Levitch。美国喜剧演员、导演和制作人。曾加入其父母在卡茨基尔的罗宋汤游乐区的演出，18岁时就成为一个经验老到的喜剧演员。1946年他和狄安·马丁(1917～1995)合作经营一家有固定喜剧表演的酒吧，配合刘易斯的诙谐小丑，马丁扮演一个文雅浪漫的歌手，他们在1956年拆伙之前曾携手合作演过16部电影，包括《我的朋友艾伊尔玛》(1949)、《天兵天将》(1952)和《搭档》(1956)。之后，由刘易斯执导、制作和演出的电影有《旅馆大厅服务生》(1960)、《随身变》(1963)、《大嘴巴》(1967)等。在法国他特别受尊敬，1984年因其演技和导演水平获多项法国最高文化奖项。自1966年起他开始主持美国每年为肌肉萎缩募款的电视马拉松节目。1995年音乐剧《该死的北方佬》重新流行使刘易斯首次在百老汇获得成功。

Lewis, John (Aaron)　刘易斯(1920-05-03，美国伊利诺伊拉格兰奇～　)　美国爵士乐钢琴家、作曲家和改编者。自幼学习钢琴，并在新墨西哥大学学习人类学和音乐至1942年。曾在美国陆军服役(1942～1945)，后作为钢琴家先后同D.吉莱斯皮、M.戴维斯、C.帕克、L.扬和I.雅克等人合作演出。1952年担任"现代爵士乐四重奏小组"领队，成员有颤音琴演奏家M.杰克逊，低音提琴演奏家P.希思和鼓手C.凯。这是爵士乐史上存在时间最久、也是最受欢迎的小组之一，它活跃于50年代及60年代的大部分时间，1974年解散，并在1981年又恢复了兼职演出。它的音乐细腻精美、温文尔雅，近似巴罗克风格的室内乐，通常被列入"冷静爵士乐"范畴。他也写过非爵士乐的配曲，并为电影、芭蕾舞剧和戏剧谱曲。《迪詹戈》是他作品中最常演奏的一首。1974年成为纽约市立大学戴维斯表演艺术中心教师。

Lewis, John L(lewellyn)　刘易斯(1880-02-12，美国艾奥瓦卢卡斯附近～1969-06-11，华盛顿[哥伦比亚特区])　美国劳工领袖，联合矿工工会(UMWA)主席(1920～1960)、产业

美国不列颠百科全书公司供图

工会联合会(产联，CIO)主要创建人和第一任主席(1936～1940)。威尔士矿区移民之子，15岁当矿工。1905年为美国联合矿工工会的合法代表。1935年领导美国劳工联合会(劳联)的一个委员会，因组织产业工人加入各产业工会而闻名全国。1936年这些产业工会被劳联开除出去，两年后组成产联，刘易斯任主席。他领导产联组织钢铁、汽车、轮胎、橡胶、电器等大工业的工人进行激烈而成功的斗争。产联成员首先争取到旅行期间照付工资和一项福利基金的待遇。他是共和党人，但在1932和1936年两次支持罗斯福竞选总统。可是他反对罗斯福连任第3届总统，并表示，如果罗斯福竞选获胜，他将辞去产联主席。罗斯福的胜利被认为是对他的领导职务的否定，他乃于1940年辞职，并于1942年使联合矿工工会脱离母体机构。

Lewis, Lennox　刘易斯(1965-09-02，英国伦敦～　)　全名 Lennox Claudius Lewis。英国拳击运动员。自1899年B.菲茨西蒙斯获得重量级拳击世界冠军称号后，刘易斯是无可争议地享有该称号的第一个英国拳击手。父母是牙买加人，幼年时在英国度过，后随其母移往加拿大。高中时就是一个全能运动员。不过，他把注意力集中在拳击运动上，逐渐成为加拿大最好的业余拳击手之一。在1988年的韩国汉城(今首尔)奥运会上，击败了美国选手R.鲍获得金牌。1989年回到出生地英国，开始了职业拳击生涯。在最初的22次职业比赛中，他保持不败纪录。后来世

界拳击理事会(WBC)剥夺了鲍的冠军头衔而把它奖励给了刘易斯。他三次保住了这个头衔,直到1994年9月意外输给了美国选手O.麦考尔。在以后的几年里,刘易斯赢了所有的比赛,力争得到再次参加夺冠赛的机会。1997年美国拳击手M.泰森赢得WBC重量级冠军,但却不愿意面对刘易斯。当法院要求泰森与刘易斯交手来捍卫他的冠军宝座时,结果泰森交出了冠军头衔。于是刘易斯要面对他的劲敌麦考尔来争夺这个空缺的WBC拳王宝座。1997年2月7日,在第五回合中,麦考尔拒绝再战后,刘易斯赢得了这场战斗。刘易斯又连续4次保住了这个头衔。1999年3月与世界拳击协会(WBA)和国际拳击联盟(IBF)的重量级冠军美国选手E.霍利菲尔德交手。最后,他成为无可争议的冠军,因而也就包揽了重量级的冠军头衔。2000年,刘易斯丢掉他头衔中的WBA冠军,但保住了IBF和WBC重量级冠军称号。2002年4月在一次比赛中,刘易斯在第五回合中被处于劣势的H.拉赫曼击倒,出人意料地失败。在11月的再次比赛中,在第四回合中将拉赫曼击倒,夺回了这个称号。2002年6月8日在田纳西州的孟斐斯与泰森举行比赛,在第八回合中,将他击倒。2002年秋,刘易斯放弃了IBF的重量级冠军头衔。1999年获颁大英帝国普通勋章(MBE),2002年又获大英帝国大勋章荣衔(CBE)。

Lewis, Matthew Gregory　刘易斯(1775-07-09,英国伦敦～1818-05-14,海上)　英国哥特小说家、剧作家。哥特小说《僧人》(1796)取得惊人成功后,使他一举成名。从此之后,他就以"僧人刘易斯"之名闻名于世。受教育于威斯敏斯特学校和牛津基督堂学院。1796～1802年,先后任英国驻海牙大使馆随员及议会议员。1812年继承了一笔遗产和在牙买加的大批财产。由于诚挚关心他的500个奴隶的生活,他两次航行到西印度群岛,第二次返回途中患黄热病,死在海上。写《僧人》时,刘易斯才19岁。他受到主要哥特小说家A.拉德克利夫的影响,同时更受当时德国哥特文学的影响。这本小说偏重恐怖,而不偏重爱情故事,它的暴烈和色情的描述,虽受到普遍谴责,但仍被人贪婪地阅读。后来由剧作家R.B.谢里登搬上舞台的音乐剧《古堡魅影》(1798)也属同样风格。但是,刘易斯唯一经久流传的著作,却是一部性质完全不同的作品《西印度群岛一个农场主的日记》(1834),证实了他的仁慈而慷慨的态度。

Lewis, Meade　刘易斯(1905,美国肯塔基路易斯维尔～1964-06-07,明尼苏达明尼阿波利斯)　美国音乐家,布吉-伍吉钢琴音乐的倡导者之一。曾在芝加哥夜总会弹奏钢琴,1929年录制唱片《酒吧间的布鲁斯》,7年后此曲才被发现,因而成名较晚。这支曲子是所有布吉-伍吉演奏中最充满活力和令人振奋的一首,这个主题他至少在4个场合重新录音。与P.约翰逊和A.安蒙斯一起组成著名的六手钢琴小组。最后20年的职业生涯与开始时一样,也是在夜总会里弹奏钢琴。刘易斯那带有催眠性的、持久不变的右手音型和强有力的、机械式的左手节奏所形成的风格对布吉-伍吉演奏乐具有很大影响。

Lewis, Meriwether　刘易斯(1774-08-18,美国弗吉尼亚夏洛茨维尔附近～1809-10-11,田纳西纳什维尔附近)　美国探险家,曾与W.克拉克率领探险队进行第一次直抵西北太平

美国不列颠百科全书公司供图

洋海岸区的横越大陆的考察(1804～1806)。刘易斯自童年起即热爱野外生活,长大后成为熟练的猎人。后在正规部队服役。1801年为杰斐逊总统私人秘书,筹备跨越大陆探险达两年之久。在出发前,他学习植物学、动物学和天体导航知识。他的探险队从圣路易斯市出发,到太平洋岸后返回原地,历时3年,获得圆满的成功。这不仅是由于探险队的技术优良,也是由于两位领队人亲密和谐的合作。根据杰斐逊的指示,他和队员们作了详细的北美洲旅行日志,这是一部珍贵文献,对于消除人们对西北地区的无知和打通西进的道路都起过重要作用。他和克拉克得到1 600英亩公地的奖赏。1808年他自陆军退役,同年任路易斯安那准州州长。1809年,他在一小客栈中死去,究竟是被杀还是自杀,至今尚无定论。

Lewis, (Harry) Sinclair　刘易斯(1885-02-07,美国明尼苏达索克森特～1951-01-10,罗马附近)　美国小说家和社会批评家。所著讽刺小说揭露了美国人的自满,是第一个获

美国不列颠百科全书公司供图

诺贝尔文学奖的美国小说家。毕业于耶鲁大学(1907),当过记者和出版社编辑。第一部小说《我们的雷恩先生》(1914)引起评论界注意,但读者寥寥。1920年出版的小说《大街》才使他一举成名。《大街》描写东部姑娘卡罗尔与一住在中西部明尼苏达州戈弗草原(以刘易斯的故乡索克森特为蓝本)的医生结婚后的见闻。小说对当地语言、风俗习惯和社会礼节作了细致描绘,颇有感染力。它既讽刺乡镇居民,也讽刺了那些瞧不起乡镇居民的肤浅的知识分子。《大街》出版后成了关于美国地方风尚的教科书,而不仅仅是一部小说。1922年又出版了《巴比特》。小说通过扶轮社的活动和商业上的盘算,把唯唯诺诺而又沾沾自喜的美国人的特性描绘得淋漓尽致。"巴比特"这个名字后被用来泛指眼界限于本村的乐观、自我庆幸的中年商人。随后又出版了《阿罗史密斯》(1925)。这部讽刺医务界的小说着重描写美好的科学理想怎样遭到挫折。另一部重要作品《埃尔默·甘特利》(1927)抨击钻进新教内部的那些不学无术、粗鲁庸俗、掠夺成性的领导人。《多兹沃思》(1929)写一位退休巨商偕妻游览欧洲的经历,对比美国和欧洲的价值观念,以及这对夫妇的极其不同的气质。刘易斯后来的作品都没有达到他20年代作品水平。《它不能发生在这里》(1935)戏剧性地描述了法西斯分子在美国掌权的可能性。《王孙梦》(1947)是写种族关系的小说。晚年大部分时间住在国外。

Lewis, (Percy) Wyndham　刘易斯(1882-11-18,加拿大新斯科舍阿默斯特附近游艇上～1957-03-07,伦敦)　英国艺术家、作家,抽象旋涡画派创始人。第一次世界大战前试图在绘画与文学中寻求艺术与工业进程的关系。1893年父母离异后随母亲去伦敦。16岁获奖学金入伦敦斯莱德艺术学校,3年后又赴巴黎学画。1909年回伦敦,开始写小说并展出自己的美术作品。1914年出版旋涡画派杂志《疾风》。他在这本杂志上所写的文章显示出意象派诗歌的影响。他的绘画线条粗犷、造形夸张,与**未来主义(Futurism)**颇有共同之处。第一次世界大战期间在前线任炮兵军官,后为战地画家,画过一些战争图景。1918年发表第一部长篇小说《塔尔》之后,一直埋头写作,1926年开始出版《被统治的艺术》(政治理论)、《时代和西方人》(艺术评论,对现代艺术的抨击)、《狮和狐》(对莎士比亚和马基雅弗利的研究)和《野人》(短篇小说和讽刺文)。1930年出版长篇讽刺小说《上帝的猢狲》,在伦敦文坛上引起轩然大波。他在30年代取得很大成就,既创作了《巴塞罗那的投降》(1936)和《诗人艾略特的肖像》(1938)等有名绘画,也写出《没有艺术的人》(文学评论,1934)、《猛攻和炮轰》(回忆录,1937)和《爱情的复仇》(长篇小说,1937)等优秀作品。然而,到30年代末期,他已经债台高筑。由于他在文章中拥护法西斯主义,很多朋友与他绝交。后来虽然承认犯了政治错误,也未能挽回名誉。1939年偕妻赴美,指望靠演讲和作画略补收入。适逢第二次世界大战爆发,他们在纽约稍作逗留,即赴加拿大,在多伦多一家小旅店内度过3年贫苦生活。小说《自责》(1954)写的就是这几年的经历。战争结束后,他们夫妇回国,刘易斯就任英国广播公司《听众》周刊的美术评论员,写过许多颇有价值的文章。

Lewis and Clark Caverns　刘易斯-克拉克洞穴　美国蒙大拿州西南部杰斐逊县境内的石灰岩洞穴。在比尤特以东76千米处,麦迪逊河与密苏里河汇合处附近,是蒙大拿第一个州立公园的中心景观。这个西北地区最大的洞穴发现于1902年。有蜿蜒曲折的多彩钟乳石和石笋洞。

Lewis and Clark Expedition 刘易斯和克拉克远征(1804～1806) 美国国内首次横越大陆西抵太平洋岸的往返考察活动。领队为M.刘易斯上尉和W.克拉克中尉。T.杰斐逊总统于1803年购买路易斯安那前即已进行筹备。全队约40人,年龄为29～33岁不等,皆经过严格户外训练,且分别通晓植物学、气象学、动物学、天体导航、印第安人手语、木工、修理枪械、驾驶船只。考察队于1804年5月14日分乘3条船从圣路易斯出发,溯密苏里河而上,沿途渔猎补充食粮。他们历经险阻,11月抵达今北达科他州,筑堡越冬,与当地曼丹苏人和睦相处。翌年春雇用法裔加拿大人T.夏博诺为译员,他携妻印第安人萨卡加维亚和幼儿同行。萨卡加维亚也充当译员,并为考察队赢得首首尼族印第安人的友谊。考察队继续西进,抵达今蒙大拿州后,骑马越过大陆分水岭,到达克利尔沃特河河源。他们自制木舟,顺流而下,进入斯内克河,11月15日抵达哥伦比亚河口,建克莱索普堡越冬。第2年3月返航,取道玛丽亚斯河和黄石河,然后沿密苏里河下行,于1806年9月23日抵达圣路易斯,受到热烈欢迎。刘易斯和克拉克带回珍贵的日记和地图资料,大大丰富了人们对于这个地区的认识。日记记载了许多动人的惊险故事。在漫长的危机四伏(怀有敌意的印第安人、意外事故、疾病、灰熊、响尾蛇、曝晒、饥饿)的远征路上,只有1人死于途中,实是一个出人意料的奇迹。后来刘易斯和克拉克分别出任路易斯安那准州和密苏里准州州长。

Lewis and Harris 刘易斯-哈里斯 苏格兰外赫布里底群岛面积最大、位置最北的岛屿。虽为一整体,但常被看作两个岛。北部刘易斯岛较大,主要为泥煤沼泽地。南部的

刘易斯岛上泥煤沼泽地的巴拉嫩田野
美国不列颠百科全书公司供图

哈里斯岛多山。外赫布里底群岛与苏格兰西海岸间隔有39千米宽的北明奇海峡。全岛海岸线曲折。岛上多河流,盛产鲑鱼、鳟鱼和野禽。耕地稀少,但饲养牛羊。有4 000个小农场,佃农人均占地不足3公顷。有168个佃农小镇,几乎全部分布在沿海地带。拖网渔轮发明后,渔业萧条,人口外流。哈里斯花呢工业兴起弥补了渔业萧条的部分损失。北海油田的开采对西部群岛影响甚微。斯托诺韦是该群岛唯一较大的城镇、行政和商业中心及港口,一半以上岛民居住在该城镇。两岛仍残存盖尔语和盖尔文化。旅游业是该岛经济的主要组成部分。人口21 737(1991)。

Lewis Range 刘易斯岭 落基山北段的一部分。自加拿大艾伯塔省边界沃特顿湖附近向东南偏南延伸,到美国蒙大拿州西北部布莱克富特河,绵亘260千米。有许多海拔逾3 000米的高峰,最高点克利夫兰山3 194米。山区北部划入沃特顿——冰川国际和平公园。其余部分大部处在弗拉特黑德、刘易斯-克拉克国家森林和博布马歇尔自然保护区。玛丽亚斯山口有公路、铁路穿经。公园区旅游业发达,但南部难以进入。

Lewis theory 路易斯理论 1923年美国化学家G.N.路易斯归纳出的酸、碱概念。路易斯概念把酸看作是在化学反应中一种能够结合到其他分子中的未共享电子对上的化合物;而具有一可供电子对的分子是碱。酸和碱的反应(中和反应)生成一种加成化合物,组成化学键的电子对仅由一种反应物提供。路易斯定义的酸包括金属离子,硫、磷、氮等非金属元素的氧化物,能够给出氢离子或质子的物质,以及某些固体化合物如三氯化铝、三氟化硼、二氧化硅和氧化铝等。实际上,除了那些跟氢离子及质子有关的物质外,按路易斯定义应该是酸的物质特别地称为路易斯酸。路易斯碱包括氨及氨的有机衍生物,碱金属及碱土金属的氧化物,以及许多带负电荷的原子和分子(阴离子)。

Lewisburg 刘易斯堡 美国西弗吉尼亚州东南部城市,格林布赖尔县县城(1778)。邻格林布赖尔河和州立格林布赖尔森林。为山区疗养地及农业中心(牛、羊、火鸡)。煤、木材和石灰石是重要的自然资源。刘易斯堡市位于塞尼卡及卡诺瓦两山路的交点,为战略要地。1769年后,原村镇以A.刘易斯将军驻地为中心逐渐扩大,并由此得名。该市于1782年设建制。市内有西弗吉尼亚骨疗医学学校(1972)和格林布赖尔社区精神病治疗中心(1973)。市郊有洛斯特伍尔德大山洞等多处石灰岩洞。该市每年8月举办西弗吉尼亚交易会。人口3 624(2000)。

Lewisham 刘易舍姆 英格兰大伦敦郡的内自治市。大部分地区属肯特历史郡,仅有西北部小块地方原属萨里。随着19世纪中期郊区铁路的建成,中产阶级的房屋和商业区逐渐取代了原有的田园式建筑。交通便利,有发达的公路、铁路和地铁。以加勒比黑人为主的少数族裔占1/3人口。面积35平方千米。有各种轻工业和电气机器厂。市内有大型购物中心、霍尼曼公园(内有博物馆和图书馆)、贝肯厄姆广场公园、拉迪韦尔公园和德特福公园以及伦敦大学戈尔德斯密斯学院(1843),该学院专门研究师资培养和社会科学。人口约248 922(2001)。

Lewisian Complex 刘易斯杂岩 又称刘易斯片麻岩(*Lewisian Gneiss*)。苏格兰西北部前寒武纪重要的地层单元(前寒武纪开始于约38亿年前地壳形成之时,终止于5.7亿年前)。构成所在地区的基底或最下部的地层,形成全部外赫布里底群岛以及科尔岛和泰里岛,沿苏格兰西北海岸露头。其最老岩石同位素年龄在24亿～26亿年之间,最新岩石为16亿年。刘易斯杂岩原来由火成岩和沉积岩组成,但通过受热、受压以及各种溶液活动而改变了原来的成分和构造。主要的岩石类型是富含石英、长石和富铁矿物的浅灰色片麻岩。一些沉积的刘易斯岩,特别在马里湖和南哈里斯,仍然保留一些原始的沉积特征,证明原来是页岩、砂岩和一些灰岩。也存在许多火成岩侵入体,包括花岗岩、伟晶岩和粗玄岩。刘易斯杂岩有3个较大的次级单位,自下而上是斯科尔杂岩、因韦尔杂岩和拉克斯福德杂岩。刘易斯杂岩被托里登统覆盖。刘易斯杂岩的岩石曾受两次重要变形期的深刻影响,第一次发生在斯科尔杂岩时期,第二次是在拉克斯福德杂岩时期。刘易斯杂岩的同位素年龄实质上都是这些变形期的年龄。

lewisite 路易斯气 美国为在第一次世界大战中使用而研制的起疱毒气。化学上称为2-氯乙烯二氯胂,是一种液体,其蒸气如被吸入或与皮肤直接接触就会严重中毒。它能使皮肤起水疱、肺部发炎。身体任何部分只要与这种液体或蒸气接触,就会发炎灼伤,并损坏肌体组织。美国研制此毒剂原为对德国使用毒气进攻报复,但在制造过程中停战协定已签字,实际上并未使用。

Lewiston 刘易斯顿 美国爱达荷州西北部城市,内兹佩斯县县城(1861)。位于莫斯科以南,与华盛顿州的克拉克斯顿相邻,在斯内克河和克利尔沃特河汇合处。原为探险家刘易斯的宿营地,后来成为淘金中心。1861年设建制,为爱达荷州最早设建制社区。1863～1864年为爱达荷准州首府。现经济以伐木和农业为主,有小型制造业。刘易斯顿港(1958)为通往俄勒冈州阿斯托里亚-波特兰河运(驳船)终点。有刘易斯-克拉克州立学院(1893)。市东有内兹佩斯印第安人保留地管理处和国家历史公园。人口30 904(2000)。

Lewiston 刘易斯顿 美国缅因州西南部安德罗斯科金县城市。位于波特兰东北偏北55千米处,临安德罗斯科金河。1770年始有人定居,1795年设镇,1861年设市。1819年开始有纺织业。现仍生产纺织品。有两座水电站向该地区提供电力。市内有制鞋厂、冶金厂,还生产硬纸盒和塑料制品,另有印刷行业。设有贝茨学院(1864)。市内有州内最大的会堂。青年中心(1959)有大得罕见的室内溜冰场。戴维山(高104米)可俯瞰市容。市东有桑克拉格野生鸟类保护区。人口:市35 690;刘易斯顿-奥本都会统计区90 830(2000)。

Lewistown 刘易斯敦 美国宾夕法尼亚州中南部自治镇,米夫林县县城。位于哈里斯堡西北72千米处,濒临朱尼亚塔河。1754年与易洛魁人签约后向移民开放,1790年始建白人定居点于肖尼印第安人村址上,1795年设建制。是该州早期炼铁中心之一。1829年宾夕法尼亚运河通航,该地成为重要的转运站。经济以综合性农业和制造业(钢制品、农

机、纺织品、服装和金属门)为主。附近有州立公园和河上峡谷景观。人口8 998(2000)。

Lex XII Tabularum (ancient Roman law code) 参阅 **Twelve Tables, Law of the 十二铜表法**。

Lex Salica 参阅**Salic law**《萨利克法》。

lex talionis (early legal principle) 参阅 **talion 同态复仇**。

Lexington 列克星敦 美国马萨诸塞州东部米德尔塞克斯县城镇。1640年创建,1713年设建制。现主要为波士顿西北郊住宅区。传统上被认为是美国独立战争第一次战事

列克星敦镇的民兵像
美国不列颠百科全书公司供图

(1775年4月19日)的发生地。现在当地纪念石碑上刻有帕克上尉的命令:“坚守岗位,不遭射击不开火。假若他们要开战,就从这里开始吧。”纪念地还有独立纪念碑和民兵纪念碑。多殖民地时代建筑,是旅游业中心。制造业实力雄厚,生产红外线系统、电子设备、科学仪器、照相机系统、真空抽水机和量表。高科技研究、商业和金融服务业提供大量就业机会。美国第一所公立师范学校1839年建于此地。人口30 355(2000)。

Lexington 列克星敦 美国密苏里州中西部城市,拉斐特县县城(1823)。西距堪萨斯城56千米,在密苏里河畔。1819年开始有人定居,1822年设镇,1845年建市。美国南北战争期间为南北军屡争之地。古迹有当年曾被南北军用作野战医院的安德森大厦(1853建,后经重修)、县政府大楼(1847)和驰名的南北战争前宅第林伍德园(约1850)。有温沃思军事学院(1880)。经济以农业(玉米)、采煤、采石、旅游业和轻型制造业(电缆、冲模、木器、衬衫)为主。人口4 860(1990)。

Lexington 列克星敦 美国弗吉尼亚州中西部城市。在谢南多厄河谷,林奇堡西北48千米处,临莫里河,为罗克布里奇县县府(1777),但在行政上独立。18世纪30年代欧洲人定居前,切罗基族人和莫纳坎族人在此居住。1777年建为县治,1841年设镇,为纪念列克星敦战役(1775-04-19)而命名。该战役拉开了美国独立战争的序幕。1966年建市。有华盛顿-李大学(1749年建校,原名奥古斯塔学院)、弗吉尼亚军事学院(1839)。当地有石墙将军墓地,其中有许多南部邦联将军的坟墓。附近有天然桥和戈申山隘。因有许多与南部邦联将领有关的名胜,该市成为“南方历史圣地”,也是附近农业区所产牛羊和乳品的贸易中心。其经济主要依靠教育服务业和旅游业。人口6 867(2000)。

Lexington 列克星敦 美国肯塔基州中北部城市,与费耶特县范围相同。位于布鲁格拉斯草原中部,是主要养马中心。1775年命名。肯塔基立法机构第一次会议在此举行

列克星敦-费耶特的雷德迈尔赛马场
美国不列颠百科全书公司供图

(1792)。19世纪80年代初,以其文化设施和街灯而自诩为西半球的雅典。美国首场贝多芬交响乐的演奏1817年在该城举行。1832年设市。设有美国良种马驯养联合会总会。城郊有富饶的农田。该市也是菜牛、羊、草籽和烟叶的重要市场。生产烈性威士忌酒、印刷品、电子通讯设备、采矿设备和电脑软件。设有肯塔基大学、列克星敦神学院和两所商业学院,还有治疗吸毒成瘾者的医院。1947年该市和费耶特县合并,建立城市县。人口:市260 512;都会统计区479 198(2000)。

Lexington and Concord, Battles of 列克星敦和康科德战役(1775-04-19) 英国正规军与美国地方军之间最初的小规模战斗,标志着美国独立战争的开始。按照伦敦关于镇压

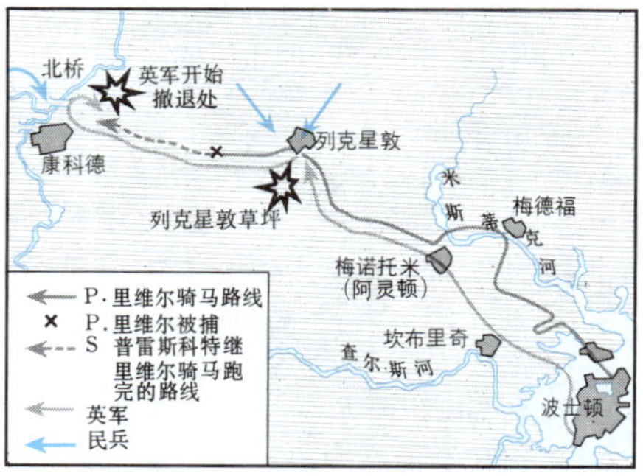

1775年4月18~19日在列克星敦和康科德周围展开的战斗
美国传统出版公司(《美国历史地图集》)供图

反叛的殖民地居民的命令,新任马萨诸塞英国皇家总督T.盖奇遣军夺取康科德地方军用物资,中途与事先侦悉其情的地方民兵发生冲突(不知哪方放的第一枪),待英军抵达康科德时,军需物资多已坚壁或销毁。英军掩护部队于康科德失利,被迫撤军波士顿,沿途遭到民军利用各种有利地形的伏击,伤亡甚重,英军损失273人,美民军损失95人。此役确立了游击战的殖民地抗英的最佳战略地位,进一步加深了广大移民与祖国的分崩离析,唤起1.6万新英格兰人投入围攻波士顿的战斗,并迫使英军于次年3月撤离该城。

Ley, Robert 莱伊(1890-02-15,德国下布赖登巴赫~1945-10-25,纽伦堡) 纳粹政客,德国劳工头目。第二次世界大战期间负责招募奴隶劳工。出身小地主家庭。曾在耶拿大学和波恩大学求学,获化学专业的博士学位。曾在法本公司工作,1928年因从事“政治活动”去职。作为纳粹党员,1929年选入普鲁士议会,1932年选入德国国会。希特勒上台后,他成为德国劳工阵线的首脑和国外德侨联盟的领导人,第二次世界大战期间,他负责动员外国劳工和德国劳工为战争卖命。1945年5月16日为美军俘获。作为战争罪犯待审中于10月25日在纽伦堡监狱自缢身死。

Leyden (The Netherlands) **莱登** 参阅 **Leiden 莱顿**。

Leyden, Lucas van 莱登 参阅**Lucas van Leyden 路加斯·范·莱登**。

Leyden jar 莱顿瓶 存储静电的电容器,1746年由莱顿大学的荷兰物理学家P.van穆申布鲁克偶然发现并研究,1745年由德国发明家E.G.von克莱斯特独立发现。莱顿瓶的最早构造是一只盛有一些水的玻璃瓶,瓶口用软木塞封住,用导线或钉子穿过木塞并插入水中。为了充电,把导线的外端与产生静电的摩擦器件相接。断开时,可用手触导线而受到电震来表明电的存在。目前形式的莱顿瓶是一只里面和外面都贴上金属箔的绝缘瓶。把外面贴的箔片与地连接,并用穿进瓶口的中心黄铜棒与里面的箔片作适当的连接。莱顿瓶除用于课堂演示外,更重要的它是电容器的原型。电容器大量用于无线电设备、电视机和其他电器和电子器件中。

Leyster, Judith 莱斯特(1609-07-28,荷兰哈勒姆~1660-02-10,阿姆斯特丹附近海姆斯泰德) 荷兰画家,当时为数不多的出身寒微的女艺术家之一。著名的作品有肖像画、风俗画和静物画。很小即开始作画,24岁时已成为哈勒姆画家公会会员。其题材范围比当时荷兰画家代表性的作品更为广泛,是最早以家居为背景创作风俗画的艺术家。哈尔斯对她的作品有明显的影响,但她对乌德勒支画派的暗色调风格也有兴趣。其署有日期的作品大部分作于1629~1635年间。1636年与风俗画家J.M.莫勒那尔结婚,迁居阿姆斯特丹。莱斯特的许多作品在以前曾被误传为她同时代的男性画家所作。其最著名的画作是《诱惑》(1631)和《吹笛少年》(约1635)。

Leyte 莱特 菲律宾米沙鄢群岛中的一个岛,西隔卡莫特斯海与宿务岛和保和岛相望;在萨马岛的西南。莱特通过一座横跨狭窄的圣胡安尼克海峡、长2 162米的桥(1973年完工)与萨马岛相连。北濒萨马海,南临保和(民答那峨)海,莱特湾在莱特岛东部萨马岛南部之间,为一大面积海盆。莱特岛的形状不规则,面积为7 213平方千米,有崎岖的大山,最高处是中部的洛比山,海拔1 349米。众

多小河向北流入卡里加拉湾或向西流入莱特湾。山脉在岛上最狭窄处被低矮的隘口所切断，那里建有一条公路。海岸区有波状平原，特别是在北部塔克洛班和奥尔莫克附近。该岛被16世纪西班牙探险家们称为“坦大亚”。1900年以后人口增长迅速，特别是在莱特谷地和奥尔莫克谷地一带。第二次世界大战中，美国军队在莱特登陆（1944-10-20），莱特湾战役以后，日本人被驱逐。由于岛上可利用的土地已用尽，莱特居民大量移民到民答那峨去。岛民以农业为主，捕鱼是副业。水稻和谷子是主要的粮食作物，经济作物有椰子、马尼拉麻、烟草、香蕉和甘蔗。岛上有一些锰矿，西北部已开采砂岩和石灰石矿。岛上的两个主要城市是奥尔莫克和塔克洛班港。其他人口中心还有：巴鲁戈、卡里加拉、拜拜、布拉文和马阿辛。人口（包括毗连岛屿）约1 897 714（1990）。

Leyte Gulf, Battle of　莱特湾战役（1944-10-23～26）　第二次世界大战中的一次决定性海空战役，这次重要战役极大地削弱了日本联合舰队的实力，为美国攻占菲律宾创造了条件，并使盟军得以控制太平洋。1944年10月20日，美军一支两栖部队进攻菲律宾中部的莱特岛，战役序幕拉开。当日军在莱特岛西南进入阵地时，美军第七舰队的潜水艇发现了日本海军第一游击部队（栗田部队），23日在巴拉望岛以西将日军两艘重型巡洋舰击沉。双方海空战持续进行，尤以锡布延海上美军第三舰队进击栗田部队战舰的战斗更为激烈。25日，三场主要战斗几乎同时进行：在苏里高海峡，美军第七舰队的战舰和巡洋舰击溃日军西村部队，并迫使第二游击部队（志摩部队）撤退；同时，日军第一游击部队穿过未设防的圣贝纳迪诺海峡，在萨马岛海面重创第七舰队航空母舰，但在正要向美军登陆部队发动进攻时忽然撤去；在北面恩加尼奥角外，美军第三舰队部分舰只将日军小泽部队诱敌航空母舰大部击沉，另部则南向追击日军第一游击部队。

Lezama Lima, José　莱萨马·利马（1910-12-19，古巴哈瓦那～1976-08-09，哈瓦那）　古巴诗人、小说家、散文家，对其他古巴作家有深远影响。曾在哈瓦那攻读法律，后创办并支持《呼声》（1937）和其他文学刊物，并为与《起源》（1944～1956）有联系的文学团体的领导人。这些杂志发表了一些使古巴文学发生翻天覆地变化的优秀青年诗人的作品。他对西班牙黄金世纪的古典文学的坚实基础和对法国象征主义作家的了解极大地影响了他的早期作品。第一部诗集《纳尔西索之死》（1937）显示了作者渊博的文化素养。诗集《害人的流言》（1941）从美学方面探讨了诗的本质。在《悄悄的历险》（1945）中，作者再现了自己青年时代的事件，以及母亲对他艺术和文化修养的巨大影响。小说《天堂》（1966）在笔调与内容上与前期作品相似，被认为是他的代表作，重申了作者对其艺术和自身的信念。诗集《一成不变》（1949）试图重新抓住往昔的经历。散文选《时钟集》（1953），表达了他的诗学信条。《美洲的表达方式》（1957）有试图揭示拉丁美洲现实本质的文章。《写在哈瓦那的论文》发表于1958年。后被任命为古巴全国文化委员会文学与出版部主任。

lezginka　列兹金卡舞　一种起源于高加索列兹吉族的民间舞蹈。这是一种男子独舞（常常拿着一把剑）。又是一种对舞，男舞者跪下去，跳起来，模仿山鹰的动作，舞步简洁，

列兹金卡舞
美国不列颠百科全书公司供图

手臂和身体动作有力而急速。对舞时女伴在一旁跳，凝视男舞者表演，不动声色，舞伴双方不接触。

LH　参阅**luteinizing hormone**黄体化激素。

Lha-mo　拉摩　藏传佛教八大明王之一，是其中唯一女性。参阅 **dharmapāla**。

Lhasa　拉萨　又拼 Lasa。中国西藏自治区辖地级市，自治区首府。中国历史名城。西藏政治、经济、文化和交通中心。位于自治区中部拉萨河中游。辖城关区和林周、达孜、当雄、曲水、尼木、墨竹工卡、堆龙德庆7县。面积31 662平方千米，其中市区面积523平方千米。拉萨海拔3 600多米，周围环布8座雪峰，中间是拉萨河谷平原。海拔较高，大气清新，相对湿度低，是全年无雾、无霜的高原城市。年平均气温7.6°C。年降水量约450毫米，雨量集中于7～9月。年日照时数3 100小时以上，大于同纬度其他城市（如浙江宁波2 087小时，重庆1 188小时），年均日照率达68%，有“日光城”之称。建城历史悠久。原是普陀山（今布达拉山）下小村，山上有巨石垒砌的城堡，唐时称“逻些”。赞普松赞干布（？～650）统一西藏后，将都城从山南迁到拉萨。641年唐文成公主（？～680）进藏，相继

拉萨市布达拉宫
中国大百科全书出版社供图

兴建大昭寺、小昭寺和布达拉宫，并增进了拉萨与中原地区密切联系。拉萨居民多为喇嘛、尼姑等，是一座中世纪寺院城市。15世纪初，喇嘛教格鲁派始祖宗喀巴到达拉萨，并于1409年于拉萨东40千米处兴建噶丹寺（今已不存）。嗣后又由宗喀巴弟子先后于拉萨城西建哲蚌寺，城北建色拉寺。17世纪中叶五世达赖扩建布达拉宫，并由哲蚌寺移居此地。18世纪中，七世达赖在布达拉宫西修建罗布林卡（藏语意为“宝贝园林”），后为历代达赖夏宫。清代商业日渐繁荣，各地及邻国商贾往来频繁。1951年西藏和平解放，1960年设市。现有电力、化工、水泥、印刷、皮革、汽车修配、机械、玻璃、制糖、制药、织毯等工业。传统工艺品有藏腰刀、藏毯、围裙、金银首饰。拉萨是109、219、318国道以及青藏铁路等的交会点，有通北京、兰州、西安、成都等地的航线。1987年又开通拉萨至加德满都国际航线。城市由围绕大昭寺的一圈长方形街道构成（即八角街），以后又从八角街的四角延伸出8条辐射状里巷。向西、向北逐步延伸建起新市区，建有西藏大学、民族学院和10多所中学、9所中专。全市新建面积相当老城的10倍。著名寺庙有布达拉宫、大昭寺、哲蚌寺、甘丹寺和色拉寺。建于7世纪的布达拉宫高13层（117.2米），东西长360米，内有殿堂999间。群楼重叠，巍峨耸峙，气势雄伟，是世界最高的宫殿建筑。大昭寺坐落旧市区，气宇雄浑，结构严谨，是拉萨最早的喇嘛寺庙。哲蚌寺是西藏最大的黄教寺庙，其措钦大殿可容纳7 000名喇嘛举行佛事。罗布林卡是拉萨最大的寺庙园林，内藏许多珍贵文物和壁画。人口：全市约440 000（2005）；市区约150 000（2004）。

Lhasa apso　拉萨狗　一种西藏狗。当地称为吠狮哨狗，用作室内警卫狗。耐劳，聪明，善看家。体长大于体高，体高25.5～28厘

拉萨狗
美国不列颠百科全书公司供图

米，体重6～7千克，尾多毛，卷于背上。被毛长而厚，盖着眼睛。毛色多种，以金棕色狗最为育种家所喜爱。

Lhasa He　拉萨河　中国雅鲁藏布江支流

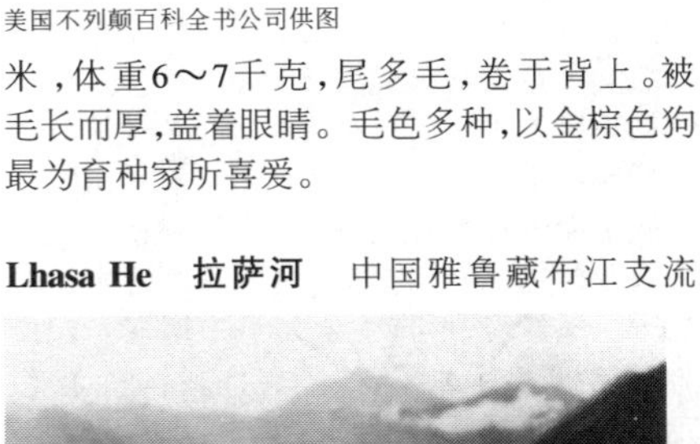

拉萨河
中国大百科全书出版社供图

中流域面积最大、最长的河流。在西藏自治区。藏语称吉曲，意为幸福河。全长551千米，流域面积3.25万平方千米。发源于念青唐古拉山南麓，西南流经拉萨市，至曲水县汇入雅鲁藏布江。下游河谷开阔，是西藏工、农、牧业集中地。

L'Hermite, Tristan 莱尔米特 参阅**Tristan l'Hermite** 特里斯坦。

Lhevinne, Josef 列维涅（1874-12-13，俄罗斯奥廖尔～1944-12-02，美国纽约州纽约）浪漫主义传统的杰出钢琴家，以其娴熟的技巧、洪亮的琴声和细腻的音乐修养著称。曾在莫斯科音乐学院学习。1889年首次在莫斯科公开演出。1895年获鲁宾斯坦奖。1902～1906年任莫斯科音乐学院钢琴教授。1906年首次在美国演出后，应邀于1907～1908年在美国举行了150场音乐会。后在柏林任教，同时继续在欧洲和美国举行音乐会。第一次世界大战期间在德国被拘留。1919年定居美国，在纽约市朱利亚德音乐学院任教。

Lhoba 珞巴族 中国少数民族。分布在西藏自治区，人口2 965（2000）。内部有崩尼、博嘎尔、苏龙、义都等20多个支系，语言属汉藏语系藏缅语族，内部差别很大。无文字。用

珞巴族姑娘
中国大百科全书出版社供图

刻木结绳记事。珞巴为藏语"南方人"之意。吐蕃赞普松赞干布统治西藏时期，该族所在地区即辖于吐蕃政权，达赖五世于17世纪又以藏文书重申其隶属关系。19世纪末20世纪初珞巴族对企图蚕食洛渝领土的英国势力曾抵制反击。西藏地方政府对洛渝地区和珞巴族定期进行物资交换，行使管辖权。经济以农业为主，兼营狩猎。住房多为竹木结构的干栏式建筑，形式主要为多户连在一起的长房，房长数十米不等，隔有许多单间，中以走廊相通。婚姻基本行一夫一妻制。丧葬形式主要是土葬，也有树葬和火葬。信仰万物有灵的原始宗教。节日有隆洛德节，时间在每年1月，为期25天。

Lhoba languages 珞巴族语言 中国珞巴族使用的3种语言。均属汉藏语系藏缅语族。①崩尼-博嘎尔珞巴语，分布在中国西藏自治区墨脱县、米林县、隆子县和洛渝地区。有崩尼、博嘎尔、达木3个方言。使用人口2 000多人。②苏龙珞巴语，分布在西藏自治区隆子县及洛渝地区，使用人口数千。③义都珞巴语，分布在西藏自治区昌都地区察隅县以南广大地区，使用人口约8 000人。博嘎尔珞巴语（米林）语音特点：没有送气声母、复辅音和声调。有22个辅音声母：其中包括双唇、舌尖中、舌根塞音，分清、浊；有卷舌、舌面前塞擦音3个；有双唇、舌尖中、舌面前、舌根鼻音各1个；擦音仅有舌面前和喉门各1个；有边音、颤音及双唇、舌面半元音各1个；有3个双唇腭化音辅音。有14个单元音韵母：分7个短元音和7个长元音；有3个复元音韵母；36个带辅音韵尾的韵母（由3个鼻音、3个塞音、1个颤音作韵尾构成）。无声调。词类有名词、数词、量词、代词、动词、形容词、副词、助词、连词、叹词10类，语法意义主要用虚词和语序表达，有少量黏着和屈折形态。人称代词有格（主格、宾格）；动词或形容词作谓语时一般带语尾助词；动词有体（一般体、现行体、完成体、将行体、即行体）。珞巴语句子主语在前、谓语在后，宾语在谓语前、主语之后，补语在谓语之后，名词、代词作修饰语在中心词前，形容词、数词或数量词组作修饰语一般在中心词后，状语一般在中心词前。借词主要来源于藏语和汉语。

L'Hospital, Michel de 洛皮塔尔（1507，法国艾格佩斯～1573-03-13，贝勒巴特）L'Hospital又拼L'Hôpital。政治家、律师和人文主义者，1560～1568年任法国大法官，促使政府对胡格诺派教徒采取宽容政策起到推动作用。在图卢兹学习法律，因其父与卖国者波旁的查理合作而被迫逃亡后，在帕多瓦和博洛尼亚继续学习法律。约1534年返回法国，1537年成为巴黎高等法院推事。1547年亨利二世任命他为特使出席特伦托会议。1553年经洛林枢机主教查理推荐，被任命为侍应官，负责管理递给国王的奏章。1555年任审计法庭第一庭长。1560年弗兰西斯二世短暂执政期间任大法官，后在卡特琳摄政时继续担任这一职务。他在制订和执行政府政策方面起重要作用。当胡格诺派和天主教徒准备互相厮杀时，他大力提倡宗教宽容政策，得到卡特琳的赞同。他的《关于司法改革的论文》和《关于结束内战必要性的论文》（约1570）是当时关于宽容问题的最完整的论述。他强调统治者不应偏向任何一种宗教而压制另一种宗教，应将国民的福利作为一个整体加以捍卫。他一方面提倡宗教团结，同时相信，如果使用武力，结果将适得其反。他的宽容和温和的哲学，以及他在职时所实行的政策，使他被认为是在宗教战争后期力图使法国实现和平的天主教温和派"政治派"的创始人。在职期间他还努力实行司法改革，1566年促进制订《穆兰法》，纠正司法机构中存在的许多问题，并确定王室领地管理和集中的政策。1567年9月内战再起，卡特琳对其宽容政策丧失信心，他乃于次年告退，致力于写作。1824～1826年出版了他的《全集》。

Lhote, André 洛特（1885-07-05，法国波尔多～1962-01-24，巴黎） 法国画家、雕刻家、作家、现代艺术杰出的评论家和教育家。其艺术成就大部靠自学，最初与野兽主义相联，但成熟后的风格（代表作如《英式橄榄球》，1917，巴黎现代艺术博物馆藏）属立体派。1922年开办了一所有影响的艺术学校。1940年前任法国《新评论报》美术评论员。著有《论风景画》（1939）和《论人物画》（1950）。

Lhotse 洛子峰 又称E^1峰。世界最高山岳之一，海拔8 516米，包括尼泊尔与中国西藏边界上的三座喜马拉雅山脉的高峰。位于珠穆朗玛峰之南，并以7 600米长之山脊与之相连。瑞士登山家F.吕歇森格尔和E.赖斯于1956年5月18日首次登上此山。有时亦被视为珠穆朗玛峰山体的一部分。洛子峰乃藏文"南峰"；E^1为印度测量局于1931年所订的原始测量符号，意为珠穆朗玛峰1号。

Li 黎族 中国少数民族。主要分布在海南省中南部。人口1 247 814（2000）。语言属汉藏语系壮侗语族黎语支，大多兼通汉语。使用汉文。先世是古代"骆越"的一支，殷周

黎族姑娘
中国大百科全书出版社供图

之际从两广迁居海南。从海南出土的铜鼓及黎族文身、鸡卜等习俗反映与古代越人的渊源关系。由于分布地区和方言服饰等差别，有"孝"、"杞"、"尊"、"美孚"、"筛"等自称。称汉族为"美"（客）。东汉以迄隋唐以"里"、"俚"等泛称南方少数民族，黎的名称始见于唐代。元代设置土官，明清时期封建地主经济已经确立。居住偏僻山区者仍保有原始公社色彩。主要从事农业，种植水稻，生产水平与邻近汉族基本相同。五指山腹地有称为"合亩"（黎语称"纹茂"，意为家族）的共同劳动、按户分配的原始协作制度。妇女精纺织，以木棉织布有悠久历史。黎区还产香料、红白藤、棉花、黄蜡、花梨木和黎锦、黎幕等精美手工艺品。女子黥面文身，着长仅及膝的短筒裙。男子前额结发，上衣无领，有的戴耳环。肉食用火炙、生腌或渍酸。部分地区住"船形屋"，以竹木扎架、茅草覆顶。离地尺许。曾盛行祖先崇拜和自然崇拜，近代有少数人信仰基督教。人死后，鸣枪报丧，用独木棺葬于公共墓地。中国共产党领导下的琼崖纵队在抗日战争和解放战争期间曾领导黎族人民坚持斗争。1950年配合中国人民解放军解放了海南岛。1952年建立海南黎族苗族自治州。经过民主改革，经济有大幅度增长。在五指山区腹地，黎族人民生活方面的各种变化尤为显著。1987年，在海南建立了4个黎族自治县和2个黎族苗族自治县。

li 鬲 中国古代炊器。甲骨文、金文都有鬲字，像3空足分裆而立之形，周代铜鬲常见自名为鬲者。陶鬲最早见于龙山文化(公元前2500～前2000)早期。圆口，有3个肥大的袋足，裆部高，可在下面举火。商周时陶鬲流行，但袋足缩短，另安实足根，且逐渐变矮。

西周青铜鬲
美国不列颠百科全书公司供图

大约到战国晚期陶鬲才为釜所代替。铜鬲最早出现在商代前期。周代往往以铜鬲为礼器。铜鬲一般仿陶鬲制作，有时有双耳，有的加铸花纹和铭文。

li 理 英语作order。中国古代哲学术语。指事物的条理、法则。《庄子·天下》："判天地之美，析万物之理。"《韩非子》："万物各异理，而道尽稽万物之理。"王夫之《正蒙注》："理者，天所昭著之秩序也。"后引申为道德准则。《庄子·天下》："以义为理。"《荀子·乐论》："礼也者，理之不可易者也。"《吕氏春秋·离谓》："理也者，是非之宗也。"宋代理学以理为宇宙万物本原。认为"理生气"、"理在气先"，"未有天地之先，毕竟也只是理。有此理，便有此天地"。(《朱子语类》卷95)"理"是第一性的实体。

li 礼 英语作proper conduct或propriety。中国儒家的社会道德规范。在奴隶社会，作为维护宗法贵族等级秩序的基础。《左传·隐公十一年》："礼，经国家，定社稷，序民人，利后嗣者也。"《论语·季氏》："不学礼，无以立。"李觏《直讲先生文集·礼论第一》："圣人之所以治天下国家修身正心，无他，一于礼而已矣。"一般指礼节。《论语·颜渊》："君子敬而无失，与人恭而有礼。"

Li Ang 李昂 参阅 **Tang**——：*唐朝帝王序列下* **Tangwenzong Li Ang** *唐文宗李昂*。

Li Ao 李翱(772～841) 中国唐代哲学家、文学家和诗人。字习之。陇西成纪(今甘肃武威一带)人，一说赵郡人。曾从韩愈学古文，是古文运动的积极参加者。与韩愈采取同样的反佛立场，努力维护儒学。他认为排佛采取粗暴办法收不到效果，应当"以佛理论心"，接过佛教的心性理论，充实儒家的心性学说，并提出复性学说。著有《复性书》三篇，

中国大百科全书出版社供图

宣传人天生性善，情为邪恶，主张用"正思"消灭邪恶的情，"复性"成为圣人。李翱的性善情恶、灭情复性学说成为后来宋明理学的先驱。著作有《李文公集》。

Li Bai 李白(701～762) 又拼 Li Po。中国唐代诗人。字太白，号青莲居士。绵州昌隆(今四川江油)人。少时博览群书，才华横溢。学道，又好击剑任侠。约26岁起离家长

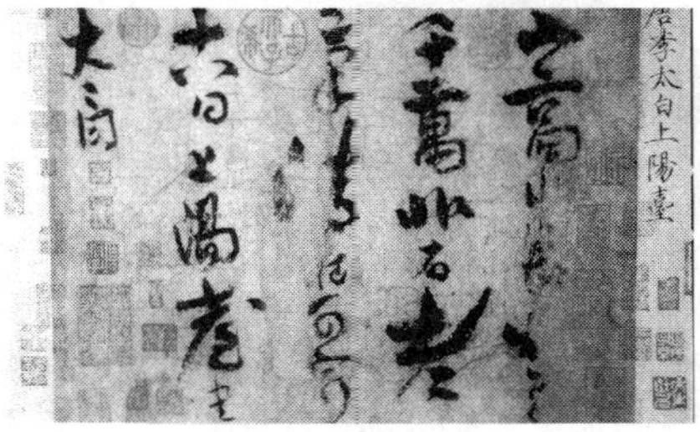

李白书《上阳台帖》
中国大百科全书出版社供图

期在长江中下游漫游。742年为玄宗召入长安，供奉翰林，因不愿奉承权贵遭谗毁出京，继续漫游各地。744年在洛阳结识杜甫，前后相处约有半年。安史乱中为永王李璘幕僚，璘兵败，被流放夜郎。中途遇赦东归，不久病逝当涂。诗歌今存900多首，内容丰富。他的思想混杂有儒、道两家，不满于社会和政治的黑暗，追求个性的自由解放，具有积极昂扬的精神。《古风》59首批判朝政弊病，愤慨贤能不得展其抱负。乐府《行路难》、《梁甫吟》、《将进酒》等着重抒发怀才不遇的悲愤。《梦游天姥吟留别》、《答王十二寒夜独酌有怀》等表现对权贵的轻蔑。《蜀道难》、《望庐山瀑布》等篇刻画祖国壮丽山河，形象雄伟，气势磅礴。还写了不少乐府诗和优美的抒情小诗。他的诗歌善于运用比喻夸张手法，想象奇特丰富，语言生动流畅，明朗自然。有的诗歌还富于民歌气息。杰出诗作大都是雄健奔放的七言古诗和清新隽永的绝句。李白和杜甫并称"李杜"，被公认为唐代以至中国历史上最伟大的诗人。他的诗作在当时声名极大，后代作家如苏轼、陆游、辛弃疾直至龚自珍都明显受过他的影响。有《李太白集》。注本中以清人王琦注本较为详尽。

Li Bing 李冰 参阅**Dujiang Weirs** *都江堰*。

Li Changchun 李长春(1944-02，中国辽宁大连～) 中国共产党第十六届中央政治局常务委员。大学学历，工程师。1961年入哈尔滨工业大学电机系工业企业自动化专业学习。1965年加入中国共产党。1968年后任辽宁省沈阳市开关厂技术员。1975年后任沈阳市电器工业公司革委会副主任、党委

中国大百科全书出版社供图

常委，沈阳市电器控制设备工业公司副经理、经理、党委副书记。1980年后任沈阳市机电工业局副局长、党委副书记。1981年起历任中共沈阳市委副秘书长、沈阳市副市长兼市经委主任，沈阳市委书记、市长。1986年后历任中共辽宁省委副书记，辽宁省副省长、代省长、省长。1990年后调任中共河南省委副书记、副省长、代省长、省长、省委书记、省人大常委会主任。1998～2002年任中共广东省委书记。历任中共第十二届中央候补委员，第十三、十四、十五、十六届中央委员，中共第十五、十六届中央政治局委员。2002年11月当选中共第十六届中央政治局常委。

Li Cheng 李成(919～967) 中国五代宋初画家。原籍长安，先世为唐宗室。五代时避

李成绘《群峰霁雪》
中国大百科全书出版社供图

乱迁家于营丘(今山东昌乐东南)。评论家曾将他在山水画中的地位比美画宗教人物画的吴道子。艺术风格特点是“气象萧疏,烟林清旷,毫锋颖脱,墨法精微”。北宋时期虽说与关仝、范宽“三家鼎峙”,实际上他的传派最盛。他巧妙地运用高远、深远、平远所谓“三远法”,而又以平远法为主,描绘出北方主要是齐鲁一带的山河景色。秀润的笔墨,灵动的峰峦,飞动的云石,明灭的烟景,多以淡墨出之,所谓“惜墨如金”,使人对之如在梦雾之中,最能发人远思。他的作品,在北宋后期即已罕见。只能在郭熙、王诜等人的作品中想象他的风采。今藏日本的《窠石读碑图》,虽系后摹,但从中仍可看到一些墨法精微、树石苍古、寄意深远的李成的绝艺。李成的绘画艺术影响极大,几乎左右了北宋山水画的发展,许道宁、李宗成、郭熙、王诜等都是其画风的主要继承者。

li-chia　里甲　参阅**baojia system**保甲制度。

Li Ch'ing-chao(Chinese poet)　参阅**Li Qingzhao** 李清照。

Li Da　李达(1890-10-02,中国湖南零陵～1966-08-24,湖北武汉)　又拼 Li Ta。中国当代马克思主义哲学家,中国共产党创始人之一。号鹤鸣。早年在日本留学时即钻研马克

中国大百科全书出版社供图

思主义,成为马克思主义的信奉者和宣传者。1920年参加筹建中国共产党,主编《共产党》月刊。1921年出席中国共产党第一次全国代表大会,被选为党中央宣传主任。1923年任湖南自修大学学长,主编《新时代》杂志。北伐战争时任国民革命军总政治部编审委员会主席。1927年大革命失败后至1949年,在国民政府统治区长期担任大学教授,继续坚持宣传马克思主义。中华人民共和国建立后历任湖南大学校长、武汉大学校长,当选为第一、二、三届全国人民代表大会代表和第三届全国人民代表大会常务委员会委员,中国共产党第八次全国代表大会代表,中国科学院哲学社会科学学部委员,中国哲学学会会长。除有哲学著作外,在法学、货币学、史学领域也有著作。主要著作有《现代社会学》、《社会学大纲》、《社会进化史》、《〈实践论〉解说》、《〈矛盾论〉解说》,主编《唯物辩证法大纲》。人民出版社出版有《李达文集》(4卷)。

Li Daoyuan　郦道元(约466～527)　又拼 Li Tao-yüan。中国北朝魏地理学家、散文家。范阳涿(今河北涿县)人。官御史中尉、关右大使。好学博览,遍采文献撰成《水经注》一书。《水经》是中国第一部记述河道水系的专著,记录河流水道137条,郦道元注中增补至1252条,注文计40卷,30万字,为原书的20倍,阐述各水道源流及沿岸的风土景物,并订正了《水经》中的谬误。文笔简洁生动,隽永传神,有较高文学价值。《水经注》与南朝宋裴松之(372～451)的《三国志注》、唐代李善(约630～689)的《文选注》合称中国典籍的三大名注。

Li Dazhao　李大钊(1889-10-29,中国河北乐亭～1927-04-28,北京)　又拼 Li Ta-chao。中国共产主义运动的先驱、中国共产党主要创始人之一。字守常,笔名孤松、猎夫。1913年

中国大百科全书出版社供图

留学日本,入东京早稻田大学政治本科,开始接触马克思主义,参加反对北洋军阀袁世凯的民主运动。1916年回国,任《晨钟报》主编。1917年任《甲寅日刊》编辑。1918年任北京大学图书馆主任,并参与编辑《新青年》。先后任北大评议会评议员,经济、历史等系教授。俄国十月社会主义革命后积极传播马克思列宁主义,发表了《庶民的胜利》、《布尔什维克主义的胜利》等著名论文,与陈独秀创办《每周评论》,领导了“五四”反帝爱国运动,同胡适的改良主义保守派进行论战。1919年9月发表《我的马克思主义观》,系统地介绍了马克思主义基本原理。1920年初和陈独秀酝酿成立共产党。3月,在北京大学组织马克思学说研究会,10月成立北京共产主义小组。1921年7月中国共产党成立后负责北方区委工作。中国共产党第二、三、四次全国代表大会上均当选为中央委员。1924年1月,出席中国国民党第一次全国代表大会,当选为中央执行委员,帮助孙中山确定联俄、联共、扶助农工三大政策,在改组国民党的工作中起了重要作用。1924年代表中国共产党参加共产国际第五次代表大会。1925年末和1926年初积极领导了反对日、英帝国主义和反对军阀混战的群众斗争,被北洋政府下令通缉。后避入苏联大使馆。1927年4月6日,张作霖派军警搜查苏联大使馆,李大钊等60余人被捕。28日在北京就义。遗著编有《李大钊文集》、《李大钊遗文补编》、《李大钊诗文选集》等。

Li Denghui　李登辉(1923-01-15,中国台湾台北～　　)　又拼 Lee Teng-hui。中国台湾国民党主席,台湾国民政府“总统”(1988～2000)。笃信基督教。日本占领时期就读于台北高等学校,为班上仅有的4名中国学生之一。毕业后入日本京都帝国大学进修。1946

台湾中华书局供图

年返台后入国立台湾大学,1949年获农业经济学学士学位。1951年获中美基金会奖学金,赴美国艾奥瓦州立大学研究农业经济学。回国后,继续执教于台湾大学,并任职于“台湾省政府农林厅与合作金库”。1957年担任中国农村复兴联合委员会(中美合作机构)农业经济组技正。1965年再度赴美深造。1968年获康奈尔大学农业经济学博士学位。1970年任农复会组长。1972年任行政院政务委员,兼任农复会顾问。1958～1965年,任教于国立政治大学东亚研究所,兼台湾大学教授。1978～1981年任台北市市长。1981～1984年任台湾省政府主席。1984年当选第七届台湾国民政府“副总统”。1988年蒋经国逝世后,继任“总统”。在国民党十三大、十四大上当选国民党主席。1996年3月23日在首次台湾民选后连任“总统”。2000年3月因国民党在总统大选中失利而辞去党主席职务。5月20日卸除“总统”职务。

Li Erh　李耳　参阅 **Laozi** 老子。

Li Fei-kan　李芾甘　参阅**Ba Jin**巴金。

Li Gonglin　李公麟(1049～1106)　又拼 Li Kung-Lin。中国北宋画家。字伯时,号龙眠居士,舒州舒城(今属安徽)人。入仕30年,官仅朝奉郎,长期沉潜下僚。博学精识,富于文

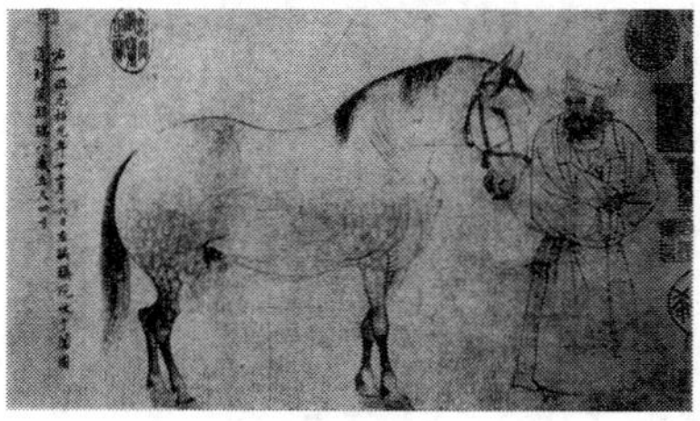

李公麟绘《五马图》(局部)
中国大百科全书出版社供图

物收藏,能诗文,尤擅绘画。他与当时新党的王安石和旧党的苏轼、黄庭坚等都有交谊,但未卷入“党争”的旋涡,只是“以文会友”,并以吏为隐。历代评论家对他的绘画艺术都作出很高的评价,谓其鞍马逾韩幹,佛像过吴道子,山水似李思训,人物似韩滉,潇洒如王维,“当为宋画第一,照映前古者也”,推重几达极致。他尤长于宗教人物、鞍马,晚年多作宗教

画。他深入观察体会现实生活，描绘出不同地区、不同种族、不同身份、不同修养的各方面人物的性格与特点。造型准确，神态生动。每画必以“立意为先，布置缘饰为次”。作画赠人，“往往薄著劝戒于其间”，所绘宗教人物、历史故事，皆具有一定程度的思想内容与教育意义。所作《自在观音像》之自在能刻画出“在心不在相”的神态；画《归去来兮图》不在于田园之松菊，乃在临清流处，更能表达出陶渊明的高情远韵；画《箭射追骑图》，箭未发而人已落马，更能显示出李广的神射无敌。他画鞍马，比韩幹更加强了体积感和真实感，对后代影响很大。他更创造出不用色彩、纯用线描的白描画法。这种画法有节奏，有韵律，有生命感，谨严精妙，洗炼飘逸，使人感到无论工笔重彩或水墨淡彩，至此已无能施其技，故画史上称他为“白描大师”。传世作品有《五马图》和《临韦偃牧放图》，一系自创，用澄心堂纸；一系仿古，用绢素，正代表他作品的两个方面。还有《免胄图》、《维摩诘图》、《维摩演教图》与他的艺术风格亦最为相近。

Li Gu **李固**（94～147） 又拼 Li Ku。中国东汉大臣、学者。字子坚。汉中南郑（今属陕西汉中）人。通晓文献典籍。公元 133 年因指斥时弊，抨击宦官外戚干政，遭当权宦官的诬陷，从议郎降为广汉郡雒县令。后历任刺史、太守、将作大匠、大司农。曾荐举相厚、黄琼等出仕，建议罢免阿附外戚、宦官的地方官吏。冲帝即位，升太尉，与外戚大将军梁冀共同参录尚书事。冲帝死、质帝被害后，李固与司徒胡广、司空赵戒一再议立清河王刘蒜继位，因背离梁冀意图被免职。后被梁冀诬陷处死。

Li Guoding **李国鼎**（1910-01-28，中国南京～2001-05-31，台湾省台北） 又拼 Li Kuo-ting。中国台湾财经专家和科技机构领导人。1930 年毕业于国立中央大学物理系。1934 年入英国剑桥大学物理研究所深造，从事核物理及超低温物理研究。1937 年回国后，曾在武汉大学任教，并任职于防空学校照测部队和资源委员会资渝钢铁厂。1945 年抗战胜利后，负责筹建中央造船公司。1948 年到台湾，历任台湾造船公司总经理、台湾区生产事业管理委员会委员、行政院原子能委员会委员等职。1958 年以后历任美援运用委员会秘书长、国际经济合作发展委员会秘书长和副主任委员、经济部长、国家建设计划委员会主任委员、财政部长、国际复兴开发银行理事等职。曾任国民党中央常务委员。1976 年任政务委员期间，主持应用科技研究发展小组，推动、协调台湾科技发展，并召开科技会议，制定科学技术发展方案等。建议增设能源、工业材料、机械等研究所，主张发展重点科技，如信息、光电与生物科技，倡导强化国防工业研究发展及提高医药与公共卫生水平等。在台湾科技界（包括研究机构及产业界）中，有“科技教父”之称。1988 年 7 月受聘为总统府资政。著有《复兴基地：台湾地区的经济发展》（1982）、《经验与信仰》（1991）等。

Li He **李贺**（790 ～ 816） 又拼 Li Ho。中国唐代诗人。字长吉。福昌（今河南宜阳）人。家居福昌昌谷，后世因称其为李昌谷。少年即工诗。因避字讳不得应进士举。后被荐举官奉礼郎。郁郁不得志，27 岁病逝。写诗呕心沥血。留存诗约240首，其中部分诗

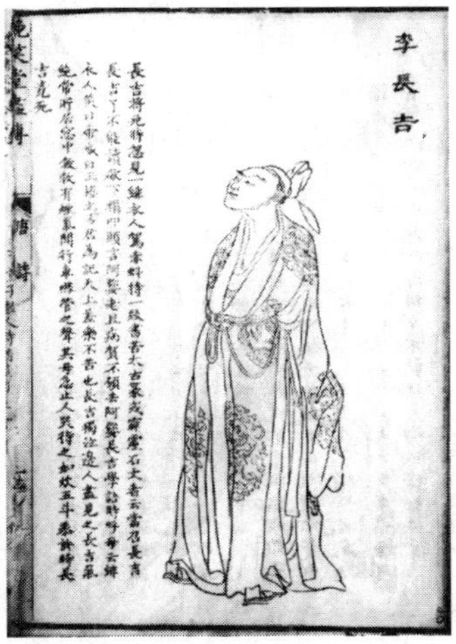

中国大百科全书出版社供图

触及时政，多数是发愤抒情之作。创作特色是想象丰富，色彩浓郁。通过奇特构想和绚丽辞采描绘出瑰奇谲怪、变幻莫测的艺术境界。善用比兴、夸张手法，注重气氛渲染和字句锤炼。但部分诗篇词意隐晦、情调低沉。杜牧、李商隐都受过他的影响。有《昌谷集》。上海古籍出版社有《李贺诗歌集注》（1978），汇集王琦、姚文燮、方世举的注释和评语。

Li Hongzhang **李鸿章**（1823-02-15～1901-11-07） 又拼 Li Hung-chang。中国清末大臣、淮军创始人、洋务派首领。字子黻、渐甫，号少荃、仪叟。安徽合肥人。1847年中进士，选

美国不列颠百科全书公司供图

翰林院庶吉士，后授编修。1853 年在家乡办团练对抗太平军。1858年入曾国藩幕府，襄办营务。1861 年冬奉曾国藩命编练淮军。1862 年 4 月率淮军赴上海，升任江苏巡抚。伙同英人戈登的“常胜军”进攻太平军，先后夺取苏州、常熟一带。1865 年 4 月署两江总督。次年接替曾国藩为钦差大臣，1867、1868 年先后镇压东、西捻军。1870 年任直隶总督兼北洋大臣，掌管清廷外交、军事、经济大权，成为洋务派首领。19 世纪 60 年代先后创办江南机器制造总局、上海轮船招商局、开平矿务局、天津电报局、上海机器织布局等企业，并建立北洋海军。在主持对外交涉中，他一贯“委曲求全”和妥协投降，与外国侵略者多次签订不平等条约。1876 年与英国签订《烟台条约》。1885 年中法战争中主张“乘胜即收”，与法国签订《中法新约》。1894 年中日甲午战争中奉行避战求和方针，招致北洋海军覆没和战争失败，与日本签订《马关条约》。在全国谴责下被免去直隶总督兼北洋大臣职务。1896 年 5 月在莫斯科签订《中俄密约》，允许沙俄修筑中东铁路。同年 10 月任总理各国事务衙门大臣。在变法维新运动中采取观望态度。1900 年义和团运动爆发，支持张之洞、刘坤一合伙搞“东南互保”。力主与外国联合镇压义和团。同年 7 月再任直隶总督兼北洋大臣。1901 年以“议和全权大臣”身份与庆亲王奕劻代表清政府签订《辛丑条约》。同年 11 月 7 日病死。有《李文忠公全集》。

Li Hou-chu **李后主** 参阅 **Li Yu** 李煜。

Li Hsiu-ch'eng（Chinese general） 参阅 **Li Xiucheng** 李秀成。

Li Huitang **李惠堂**（1905-10-16，香港～1979-07-04，香港） 又拼 Li Hui-t'ang。中国足球名将。1976 年当选为世界 5 位“球王”之一，与巴西的贝利、英国的史丹利马菲士、西班牙的史蒂芬拿、匈牙利的普斯卡斯等人齐名。字光梁，别号鲁斯。1922 年加入香港南华体育会，成为乙组足球队队员。翌年升入甲组，担任中锋。曾参加国家代表队出席第六、七届远东运动会足球比赛，中国队均荣获冠军。后赴上海，为乐群效力；同时担任上海复旦大学足球队教练和体育部主任，赢得“球王”美誉。1934 年出席第十届远东运动会，任足球队队长，球队夺得锦标。次年率香港足球队出席第六届全国运动会，该队荣获冠军。1941 年太平洋战争爆发后，曾协助进行战时动员工作。翌年春，汪精卫伪政权利诱他前往南京主持体育事务，他不为所动。此后积极从事慰劳中国军队的活动，曾举办足球、网球义赛百余场。1945 年任青年军体育总教练。抗战胜利后返港，任成大银行副总经理及惠明公司董事长。1947 年退出比赛，前后驰骋球场达 26 年。著有《足球经》等书。

Li Ji **李济**（1896，中国湖北钟祥～1979-08-01，台湾台北） 又拼 Li Chi。中国现代考古学家。中国最早独立进行田野考古的学者。字济之。1918年毕业于清华学堂。早年在美国

中国大百科全书出版社供图

攻读心理学、社会学和人类学。1923 年获哈佛大学哲学博士学位。回国后任中央研究院历史语言研究所考古组组长。1924 年开始从事田野考古。1928 ～ 1937 年间主持河南安

阳殷墟的大规模发掘，以及黄河中下游一系列史前遗址的调查和发掘。毕生致力于把田野考古学、古文字学和人类学结合起来，阐明中国古代文明的起源。考古学著作约150种，其中有《西阴村史前遗存》（1927）、《记小屯出土的青铜器》（1948）和《小屯陶器》（1956）等。晚年刊出《李济考古学论文集》（1977）。

Li Jie　李诫（?～1110）　中国北宋建筑专家。字明仲，郑州管城县（今属河南）人。北宋官定建筑设计和施工专著《营造法式》的编修。元祐七年（1092）李诫入将作监任主簿，1102年升少监，后升为监，总管全监事务。宋代将作监隶属工部，掌管宫室、城廓、桥梁等营缮事务。1097年，李诫奉令编修《营造法式》，于1100年成书。全书36卷、357篇、3 555条，分为释名、制度、功限、料例、图样5部分。内容除行政管理上“关防工料”的要求外，侧重建筑设计和施工规范，并配有平面、断面、构件等各式图样，对研究中国古代建筑有重要参考价值。

Li Jinxi　黎锦熙（1890-02-02，中国湖南湘潭～1978-03-27，北京）　中国语言文字学家。字劭西。清秀才。1911年在湖南编写小学教科书。1913年起任历史教员。1915年应教育部之聘到北京，任教科书特约编纂员。1919年任国语统一筹备会会员。1920年起任北

中国大百科全书出版社供图

京高等师范学校、北京大学等校国文系教授。1937年抗日战争爆发后，随北平师范大学西迁，先后任西北联合大学、西北大学等校教授、院长等职。1948年回北平，任北平师范大学教授、中文系主任、文学院长，并担任中国大辞典编纂处总主任。1949年起任中国文字改革协会副主席，1954起任中国文字改革委员会委员。在推广国语和改革汉字方面，他在1916年组织“中国国语研究会”时就提倡“国语统一”、“言文一致”。1918年创制草体注音符号，参加审音工作。1922年与钱玄同、杨树达一起提出“减省现行汉字笔画案”，并任“汉字省体委员会”委员。次年参与组成“国语罗马字拼音研究委员会”。1926年与赵元任等合作写出《国语罗马字拼音法式》，随后写出《国语罗马字国语模范读本》等书。所著《国语运动史纲》（1934）历述清末至30年代的切音字、注音字母、国语罗马字和大众语运动始末。1949年以后参与研究和制定《汉语拼音方案》、简化汉字等工作。所著《新著国语文法》，创立了句本位的语法体系，以意义来划分实词，用中心词来分析句子，是中国第一部系统的白话语法著作，1924～1955年共印行24版。还著有《汉语语法教材》（与刘世儒合作，1957～1962）。编有《国语辞典》（4册，1937～1945）、《汉语词典》（1957）、《同音字典》（1955）和《学文化字典》（1952）。

Li Jinzhong　李进忠　参阅 Wei Zhongxian 魏忠贤。

Li Kan　李衎（1244～1320）　中国元代画家，字仲宾，号息斋道人，蓟丘（今北京）人。官至集贤殿大学士、荣禄大夫。擅画墨竹，先学王庭筠、王澹游父子，后专意师法文同。双

李衎绘《四清图》
中国大百科全书出版社供图

钩设色竹师法五代南唐李颇。曾在浙江，又于1294年出使交趾（今越南），“深入竹乡”，观察体会，既学习古人，又师法造化，终于在画竹上创立了独特的风格。传世代表作，一为《四清图》，前半卷藏美国堪萨斯博物馆，后半卷藏北京故宫博物院；一为《双钩竹图》。前者为墨竹，后者设色。可谓“形神兼备”，不以奇特惊人，而是“驰骋于法度之中”，追求蕴藉、自然，象征人物品德高洁的内在美。他和赵子昂、高克恭是元初画竹三大名家，对后代影响很大，著有《竹谱》，对于竹的形态、性质及其画法做了详尽论述，有益学人。李衎之子李士行，字遵道。诗歌书画，悉有前辈风致，画竹得家法。曾作《大明宫图》，得到元仁宗赞赏。传世作品有《乔松竹石图》、《古木竹石图》等。

Li Keran　李可染（1907-03-26，中国江苏徐州～1989-12-05，北京）　中国现代国画家，当代最富创造精神的山水画大师。自幼喜绘画，13岁拜画家钱食之为师，学画山水。1923年入上海美术专科学校学习，毕业后任教于徐州艺术专科学校。1929年入西湖艺术院研究班，同年加入美术家团体——八艺社。1932年作《钟馗》并入选第二届全国美术展览。1943年任国立艺术专科学校中国画讲师。1945年与林风眠、丁衍墉、关良、倪贻德举行5人联展。1946年应徐悲鸿之邀到北平艺术专科学校任教，翌年春拜齐白石为师，相随10年，在笔墨传统上深有所获。同年又拜见黄宾虹，深得其积墨法之妙。1954～1956年，先后赴各地写生，为变革山水画寻求出路。1957年出访德国，画了大批写生作品，在笔墨、立意与境界的处理上均有突破，将西洋近代绘画注重感性真实和对象个性的特色融入中国画的笔墨形式之中，破除了传统山水画辗转相承的老程式，逐渐形成了自己的独特风格。1960～1963年，多次到江南和两广写生作画，代表作有《杏花春雨江南》、《漓江胜览》等。20世纪70～80年代，其创作笔墨

中国大百科全书出版社供图

更加纯熟，挥写更加自如，意趣更加醇厚，形式更趋于风格化。1979年当选为中国美术家协会副主席，并出任中国画研究院院长。1986年，在中国美术馆举办李可染中国画回顾展，展出其各时期作品200余幅。李可染的山水画重视意象的凝聚，强调从无到有，从有到无，即从单纯到丰富，再由丰富归之于单纯，突破了明清以来山水画创作程式化倾向，在中国山水画发展史上达到了一个新的高峰。他还擅画人物，下笔疾速，动态微妙。他又是画牛高手，其画室即取名“师牛堂”。他的书法重结体的建筑性与神韵，态静多姿，刚劲朴厚。李可染长期担任中央美术学院中国画系教授，他认为学习传统绘画，第一步须用最大的功力打进去，第二步要以最大的勇气打出来。著有《谈学山水画》（1960）、《李可染写生画集》（1959）、《李可染画论》（1982）、《李可染中国画集》（1988）、《李可染画牛》（1988）等。

Li Keyong　李克用（856～908）　又拼Li K'o-yung。中国唐代末年河东军首领。沙陀族朱邪赤心之子，别号鸦儿。善骑射。朱邪赤心曾参与镇压庞勋起义，唐朝廷赐姓李，名

中国大百科全书出版社供图

国昌。克用随其父长期屯兵代北。878年李国昌父子杀唐大同防御使段文楚，后为唐军所败，逃往鞑靼。黄巢起义军攻克长安后，唐

代北监军使陈景思召还李克用，率沙陀、鞑靼军围剿黄巢，进占长安，任河东镇（治所在今山西太原西南）节度使，从此割据一方。后又出兵关中讨伐邠州王行瑜，895年受封为晋王。907年，朱温代唐称帝，国号梁（史称后梁）。克用打着兴复唐朝的旗号与梁相争。次年，克用死，子李存勗袭晋王爵，灭后梁称帝，为后唐庄宗，追封李克用为太祖武皇帝。

Li Kuchan　李苦禅（1899-01-11，中国山东高唐～1983-06-11，北京）　中国现代国画家。原名英杰，后更名英，字励公，号苦禅。早年痴爱绘画。初于北京大学附设勤工俭学会半

中国大百科全书出版社供图

工半读，学习素描。1922年考入北京艺术专科学校西画系，是九友画会和吼虹社的发起人之一。翌年拜齐白石为师。1925年毕业后，执教美术，1930年受聘为杭州艺术专科学校教授。抗日战争期间，辞去教职。自1946年起，任北平艺术专科学校教授。1950年任中央美术学院教授。李苦禅擅长大写意花鸟画，早期作品洒脱放逸，得齐白石嘉许。至20世纪60年代初期，其绘画已形成醇厚凝练的个人风格。多以鹰、鹫、鹭鸶等大鸟猛禽入画，以象征矫健高昂的人格。其画以水墨为主，间作重彩写意，在古代文人画传统之上融入时代气息。70年代中期以后，画家喜作大画。1981年作4张丈二纸通屏巨幅《盛夏图》，画出满塘红荷与鹭鸶。曾任中国美术家协会理事，中国画研究院院委。1986年在山东济南建立了李苦禅纪念馆。

Li Kui　李悝（约公元前455～约前395）又作李克。中国战国初期魏国（今山西运城一带）政治家。曾受业于子夏。任魏文侯相时在魏国进行变法，对农政、法制等方面作出很大贡献。在政治上，主张废止世袭贵族特权，提出“为国之道，食有劳而禄有功，使有能而赏必行、罚必当”。他将无功而食禄者称为淫民，要“夺淫民之禄，以来四方之士”。在经济策略方面主张“尽地力”，认为田地的收成和付出的劳动成正比，“治田勤谨则亩益三斗，不勤则损亦如之”。还提出平籴法，通过“取有余以补不足”，使丰收之年与饥荒之岁的粮价都能保持平稳，不至于过低或过高，民众也不会因此而逃亡或流散。他认为粮贵对士民工商都不利，谷贱则伤农，善治国者必须兼顾二者的利益。后世的常平仓当渊源于此。此法的实行极大地促进了魏国农业生产的发展，使魏国因此而富强。编订《法经》是他在法律制度方面的重大贡献。《法经》分《盗法》、《贼法》、《囚法》、《捕法》、《杂律》和《具律》六篇。《法经》自产生后，魏国一直沿用，后由商鞅带往秦国。秦律、汉九章律及后世法律皆导源于此。《汉书·艺文志》中收录的李悝著作有：法家类《李子》32篇，儒家类《李克》7篇；兵权谋家《李子》10篇可能是李悝所作。

Li Kung-lin　参阅 **Li Gonglin** 李公麟。

Li Kuo　李适　参阅 Tang ——：唐朝帝王序列下 Tangdezong Li Kuo 唐德宗李适。

Li language　黎语　中国黎族语言。属汉藏语系壮侗语族黎语支。分布在中国海南省（原广东省黎族苗族自治州）。使用人口约72万。分侾、杞、本地、美孚、加茂五个方言。黎语（乐东）语音特点：有31个单辅音声母，其中包括双唇、舌尖中、舌根塞音，分清、清送气两套共6个；有喉门塞音和舌根浊塞音；舌尖前塞擦音分清、清送气；有唇齿、舌尖前、喉门擦音共4个；有双唇、舌尖中、舌面前、舌根鼻音各1个，还有边音、边擦音、颤音各1个；有带前喉塞的浊塞音2个和半元音2个；有5个圆唇化辅音、1个腭化辅音和1个复辅音。有99个韵母，包括6个单元音韵母、18个复元音韵母和75个带辅音韵尾的韵母（辅音韵尾有双唇、舌尖中、舌面前和舌根部位的塞音、鼻音两套）；有6个声调，包括3个舒声调：高降（1）（括号内的数字为调类，以下同）、高平（2）、低平（3）；3个促声调：高平（7）、低平（8）、高降（9）；以虚词和词序表示句子成分的关系。词类有名词、动词、形容词、代词、数词、量词、副词、连词、介词、助词、语气词、象声词12类。部分单音动词重叠表示“不经心”的意思；单音形容词后可带一个叠音的后加成分，表示各种不同程度或性质；句子主语在谓语前；宾语和补语在动词后；名词修饰语除数量词外在名词之后。1957年政府有关部门为黎语设计了拉丁字母形式的文字方案。

Li Lanqing　李岚清（1932-05-22，中国江苏镇江～　　）　又拼 Li Lan-ching。中国共产党第十五届中央政治局常务委员，中华人民共和国国务院副总理（1993～2003）。1949年入复旦大学企业管理系学习，担任校学生会副主席。1952年9月加入中国共产党。同年大学毕业，任长春第一汽车制造厂计划科计划员、副科长。1956年赴苏联莫斯科利哈乔夫汽车厂、高尔基汽车厂实习。1957年回国后，任长春第一汽车制造厂计划处科长兼东北人民大学经济研究所特邀研究员。1959年任第一机械工业部秘书。1961年在国家经委任秘书、企业管理局科长。1969年下放国家经委“五七”干校劳动。1972年后，任第二汽车制造厂计划处副处长、发动机厂党委第一书记。1978年后，任第三汽车制造厂建设指挥部副指挥长、重型汽车厂筹备处负责人。1981年任国家进出口管理委员会政府贷款办公室负责人。1982年任对外经济贸易部外资管理局局长。1983年任天津市副市长兼市对外经济贸易委员会党委书记。1986年任对外经济贸易部副部长、党组副书记。1987年在中共第十三次全国代表大会上当选为中央候补委员。1990年后，任对外经济贸易部部长、党组书记，国务院经济贸易办公室副主任。1992年10月在中共第十四次全国代表大会上当选为中央委员。在中共十四届一中全会上当选为中央政治局委员。1993年3月在第八届全国人民代表大会第一次会议上被任命为国务院副总理。1997年9月在中共第十五次全国代表大会上当选为中央委员。在中共十五届一中全会上当选为中央政治局常务委员。

Li Linfu　李林甫（?～752）　中国唐代皇帝玄宗后期宰相，为著名奸相。唐朝宗室，734年任礼部尚书、同中书门下平章事（宰相），后封晋国公。以权术固位，通过妃嫔、宦官探听皇帝动静，逢迎所好，陷害大臣，有“口蜜腹剑”之称。唐玄宗后期恣情享乐，朝政悉出李林甫。任宰相达19年。排斥异己，结党营私。他主张重用蕃将为沿边节度使，使安禄山得以掌握重兵，酿成安史之乱。他病死的第二年，杨国忠奏李林甫与突厥阿布思曾约为父子，准备谋反。玄宗下诏追削李林甫官爵，其子和同党李复道等50人贬官流放。

Li Lisan　李立三（1899-11-18，中国湖南醴陵～1967-06-22，北京）　又拼 Li Li-san。中国共产党早期主要领导人之一，中国工人运动的领袖之一。1920年赴法国勤工俭学。1921

中国大百科全书出版社供图

年冬回国，在上海加入中国共产党。1922年到安源从事工人运动。1923～1925年先后任中共武汉区委书记、上海区委职工运动委员会书记、上海总工会委员长，参加领导了“五卅”大罢工运动。以后任中华全国总工会执行委员，在武汉领导工人运动。1927年8月参加南昌起义，不久任中共广东省委书记。1928～1930年，在上海担任中共中央常委兼秘书长、宣传部长，是当时中共中央主要领导人之一。在1930年6月至9月间主张在敌我力量悬殊情况下在各大城市举行总暴动，并把分散在农村的弱小红军集中起来进攻大城市，“会师武汉，饮马长江”。当中共武装被迫撤出长沙，总暴动即告失败，进攻武汉的计划从未实现。以他为代表的“左”倾冒险主义错误，给中国革命带来严重危害，中共中央六届三中全会纠正了这个错误，李自己也认识了错误。1931～1946年去莫斯科学习，主持马克思主义经典著作的翻译工作。1945年被中共第七次全国代表大会选为中央委员。1946年回国。1948年当选为中华全国总工会副主

席。中华人民共和国成立后，历任中央人民政府委员、劳动部部长，中共中央工业交通工作部副部长，中共中央华北局书记处书记等职。后当选为中共八届中央委员。在文化大革命期间遭受林彪、"四人帮"严重迫害，1967年逝世。1980年3月，在北京举行了李立三的追悼会，宣布为他恢复名誉。

Li Longji 李隆基 参阅 **Tang** ——：唐朝帝王序列下 **Tangxuanzong Li Longji** 唐玄宗李隆基。

Li Mi 李密（582～619） 中国隋代末年瓦岗农民起义军领袖。字法主，一字玄邃。京兆长安（今陕西西安）人。袭父李宽蒲山公爵，为隋炀帝左亲卫府大都督。613年协助杨玄感起兵反隋，616年投奔瓦岗农民起义军。617年称魏公，年号永平。618年降唐，唐高祖任为上柱国、光禄卿，封邢国公，优礼备至。不久，命赴黎阳招降旧部。行至桃林又命其单骑还朝，李密生疑，遂袭据桃林（今河南三门峡西南）反唐。后在陆浑（今河南嵩县）被唐朝伏兵射杀。

Li Nang-hsiao 李曩霄 参阅 **Xixiajingzong Li Yuanhao** 西夏景宗李元昊。

Li Ning 李宁（1963-03-10，中国广西柳州～ ） 中国体操运动员，壮族。有"体操王子"的美称。身高1.64米。1973年第一次参加全国少年赛获自由体操冠军和双杠第4名。1974年右臂受伤后，用左臂、双腿坚持训练。1977年获全国比赛自由体操第2名。1980年入选国家集训队后接受张健教练的指导。1981年7月参加第11届世界大学生运动会获自由体操和鞍马冠军以及全能第5名。1982年在第6届世界杯赛上，独得单杠、自由体操、跳马、鞍马、吊环和全能6项冠军，成为世界杯赛举办以来成绩最突出的男子体操运动员。同年又在第9届亚洲运动会上获个人全能和吊环两枚金牌、双杠银牌，并与其他队员共同取得男子团体金牌。1983年在第22届世界锦标赛上为中国男队首次夺得团体冠军立下汗马功劳。他自己获跳马亚军、自由体操和吊环第3名。1984年第23届奥运会上获自由体操、鞍马和吊环3枚金牌，跳马银牌，个人全能铜牌，成为该届奥运会上获奖牌最多的运动员；并与队友共同获得男子团体银牌。同年，国际体操联合会以"吊环李宁摆上"和"双杠李宁大回环"命名两个难新动作。1985年第23届世界锦标赛上获吊环金牌，鞍马银牌和自由体操铜牌。1986年获第7届世界杯赛个人全能、自由体操和鞍马3枚金牌、吊环铜牌。同年获第10届亚运会个人全能、自由体操和吊环3枚金牌，并与队友共同夺得男子团体金牌。到1988年12月16日退出体操竞赛为止，他共获得金牌106枚。李宁于1980年获中国运动健将称号。1985年获国际级运动健将称号。1982、1984、1985、1986年4次入选中国十佳运动员行列，其中3次名列榜首。1984年被评为世界十佳运动员之一。曾担任国际奥委会运动员委员会委员。1989年李宁加入广东健力宝集团公司，开始经营运动服装、体育用品等的设计与生产。

Li Peng 李鹏（1928-10-20，中国上海～ ） 中国共产党第十三、十四、十五届中央政治局常务委员，第九届全国人民代表大会常务委员会委员长。原籍四川省成都市。3岁时，

中国大百科全书出版社供图

父亲李硕勋（中共早期革命活动家）被国民党反动派杀害。他的青少年时代是在中国共产党组织的照顾和培养下成长的。1941年3月，在周恩来的安排下来到延安，先后入延安自然科学院补习班、延安大学中学部读中学。1944年春入延安自然科学院化学系学习。1945年11月加入中国共产党。随后到张家口工业专门学校学习。1946年秋，被分配到晋察冀电业公司任技术员。1947年7月到黑龙江任哈尔滨油脂厂协理、党支部书记。1948年8月前往苏联，在伊万诺夫经过一年的俄文等课程的补习，于1949年4月入莫斯科动力学院水力发电系学习，1954年12月毕业。曾任中国留苏学生会主席、中国留苏学生党支部书记，中国留苏学生总会主席。1955年3月回国，9月被分配到中国当时最大的水力发电厂——吉林丰满发电厂工作。任副厂长、总工程师。1958年起，任东北电业管理局副总工程师、调度局局长，辽宁阜新发电厂党委副书记、厂长。1967年任北京供电局代理党委书记、革命委员会副主任。1971年起任北京电业管理局党委副书记、革命委员会副主任、党组书记兼局长。1979年2月任电力工业部副部长、党组成员兼华北电业管理局党组书记。1981年2月任电力工业部部长、党组书记。1982年3月，水利部与电力工业部合并为水利电力部，任第一副部长、党组副书记。同年9月在中共第十二次全国代表大会上当选为中央委员。1983年6月在第六届全国人民代表大会第一次会议上被任命为国务院副总理。1985年6月，第六届全国人大常委会第十一次会议决定撤销教育部，并由他兼任新设立的国家教育委员会主任。同年9月在中共十二届五中全会上被增选为中央政治局委员、中央书记处书记。1987年11月，在中共十三届一中全会上当选为中央政治局常务委员。同月在第六届全国人大常委会第二十三次会议上被任命为国务院代总理。1988年4月，在第七届全国人民代表大会第一次会议上被任命为国务院总理。作为中央领导集体的重要成员，他参加领导了中国改革开放和社会主义现代化建设的各项事业。1992年10月，在中共十四届一中全会上再次当选为中央政治局常务委员。1993年3月在第八届全国人民代表大会上第一次会议上再次被任命为国务院总理。1997年9月，在中共十五届一中全会上继续当选为中央政治局常务委员。1998年3月，在第九届全国人民代表大会第一次会议上当选为全国人民代表大会常务委员会委员长。

Li Po（Chinese poet） 参阅 **Li Bai** 李白。

Li Qingzhao 李清照（1084～约1155） 又拼 Li Ch'ing-chao。中国宋代女词人。号易安居士。历城（今山东济南）人。父李格非为当时学者。夫赵明诚为金石考据家。夫妇校勘古书，鉴赏金石书画，生活优裕。1127年金兵陷汴京，两人流亡江南。不久明诚病死，清照只身漂泊，境遇孤苦。其前期词多写闺情离绪，歌咏悠闲生活，以《如梦令》（"昨夜雨疏风骤"）、《醉花阴》（"薄雾浓云愁永昼"）、《凤凰台上忆吹箫》等为代表。南渡后因破家亡，流离孤寂，词大多抒写不幸遭遇，弥漫感伤情调。《永遇乐》（"落日镕金"）借元宵节日怀念中原故土，悲叹个人身世；《声声慢》（"寻寻觅觅"）连用14个叠字，表达孤寂无依的凄苦情怀，历来受人称赏。李词长于白描，善用口语，自然流畅而富于音律美，在宋词坛独树一帜。诗、文风格则刚健清新，情辞慷慨，与词风有别。《金石录后序》回忆平生忧患，是出色的优美散文。有《漱玉词》。今人王仲闻有《李清照集校注》（1979）。

Li Ruihuan 李瑞环（1934-08-09，中国天津宝坻～ ） 又拼 Li Jui-huan。中国共产党第十三、十四、十五届中央政治局常务委员，中国人民政治协商会议第八、九届全国委员

中国大百科全书出版社供图

会主席。1951年7月参加工作，为北京第三建筑公司工人。1958年进入北京建工业余学院工业与民用建筑专业学习。1959年9月加入中国共产党。1965年任北京建筑材料供应公司党委副书记兼北京建筑木材厂党总支部书记。1966～1971年在"文化大革命"中受到迫害。1971年任北京建筑木材厂党委书记。1972年任北京建筑材料工业局党委副书记。1973年后，任北京市基本建设委员会副主任兼基建指挥部指挥、北京市总工会副主任。1978年任第五届全国人民代表大会常委会委员，中华全国总工会常务委员。1979～1981年任共青团中央书记处书记，全国青年

联合会副主席。1981年任中共天津市委常务委员、天津市副市长。1982年后,任中共天津市委副书记,天津市代理市长、市长。同年9月在中共第十二次全国代表大会上当选为中央委员。1984～1987年任中共天津市委副书记、市长。1987年任天津市委书记、市长。同年11月在中共十三届一中全会上当选为中央政治局委员。1989年6月在中共十三届四中全会上增选为中央政治局常务委员、中央书记处书记。1992年10月和1997年9月分别在中共十四届一中全会、中共十五届一中全会上当选为中央政治局常务委员。1993年3月和1998年3月分别在中国人民政治协商会议八届一次会议、九届一次会议上当选为全国政协主席。他认为邓小平建设有中国特色社会主义理论代表广大群众的根本利益,是中国各族人民的最大共识。他认为民主是目标,是手段,也是过程,中国的民主政治建设要有中国特色,必须从中国的实际出发,符合中国人民的根本利益;必须在团结稳定的前提下进行,巩固和发展团结稳定的社会政治局面;必须有利于坚持以经济建设为中心,促进经济和社会的发展。他提出人民政协要围绕中心,服务大局,发挥优势,多作贡献。

Li Shangyin　李商隐(约813～约858)　中国唐代诗人。字义山,号玉谿生,又号樊南生。怀州河内(今河南沁阳)人。少有才华,由于卷入党争,一生潦倒。25岁举进士,做

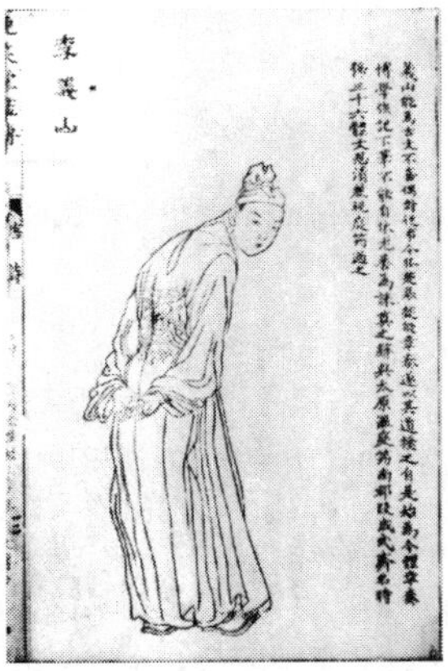

中国大百科全书出版社供图

过校书郎、县尉。后赴桂州、徐州、梓州当幕僚。856年回京后任盐铁推官,不久罢职。诗以兴寄深微、达意婉曲见长。好用隐喻、暗示手法,博采典故辞藻,构成绮彩缤纷、朦胧隐约的境界,耐人玩索。但有时不免流于晦涩。著名的《锦瑟》及无题诗"昨夜星辰昨夜风"、"相见时难别亦难"等写男女爱情相思,缠绵悱恻。直接反映社会政治的长诗《行次西郊作一百韵》,描叙唐代的治乱盛衰。咏史诗如《贾生》、《隋宫》、《马嵬》等借古讽今,立意精警。骈文对偶工整,用典精切,委婉自然。散文也有特色。有《玉谿生诗集》、《樊南文集》,清人冯浩笺注;《樊南文集补编》,清人钱振伦等编注。

Li Shanlan　李善兰(1811～1882)　又拼Li Shan-lan。中国清代数学家。字壬叔,号秋纫。浙江海宁人。10岁自学《九章算术》,后

中国大百科全书出版社供图

又自学宋元算书。1868年起任同文馆算学总教习,直至去世。研究数学成果有《则古昔斋算学》13种24卷等。在级数求和方面得出的恒等式后为世界数学家称为"李善兰恒等式"。首创"尖锥术",解决了一些函数的级数展开式问题,思路与微积分学所用的方法颇相近。还得出判定素数的定理。与伟烈亚力(A.Wylie,1815～1887)等合译西方科学名著有《几何原本》后9卷、《代数学》13卷、《代微积拾级》18卷;还翻译《谈天》(天文学)18卷,介绍哥白尼学说。此外译有《重学》(力学)、《植物学》等书。

Li Shaojun　李少君(活动时期公元前2世纪)　又拼Li Shao-chün。中国西汉方士。齐(今山东)人。曾向汉武帝建议行辟谷、祠灶、炼丹砂为黄金三事。武帝颇为信任,以为真能成仙长生不死。后来李病死,武帝当其"成仙化去"。

Li Shimin　李世民　参阅 **Tang**——:唐朝帝王序列下 **Tangtaizong Li Shimin** 唐太宗李世民。

Li Shizhen　李时珍(1518～1593)　又拼Li Shih-chen。中国明代(1368～1644)医药学家。字东璧,号濒湖。蕲州(今湖北蕲春)人。世业医。继承家学,更重视药物研究。通过实物考察和深入民间采访,并参考历代医药等文献800余种,于万历六年(1578)写成《本草纲目》52卷,收入各种药物1 892种,插图

李时珍墓
中国大百科全书出版社供图

1 100余幅,附处方1万多条,总结了16世纪以前中国民间丰富的药物经验,对后世药物学发展有重大贡献。在疗效方面重视临床实践,如对大枫子治麻风、土茯苓治梅毒等有新的结论。还纠正了古代本草书中药名、品种、产地等错误,论述了铅中毒、汞中毒、一氧化碳中毒、肝吸虫病等多种病症,并提出有效疗法。毕生重视人体解剖,撰有《五脏图论》。指出人的思维不在心而在脑,纠正了历来的错误概念。除医药学外,对生物、矿物、化学、地学、天文等也有研究。传世著作还有《濒湖脉学》和《七经八脉考》。《本草纲目》有英、法、德、日、俄和拉丁文译本,受到世界生物学和药物学学者重视。

Li Shui　澧水　英语作Li River。中国湖南省西北部河流。发源于桑植县北部山区。东流经张家界、慈利、石门、临澧、澧县、津市等县市,在津市市小渡口分数支流入洞庭湖后归长江。澧水总长388千米,流域面积1.84万平方千米。上游流经山区,河谷深切,水力资源丰富。中下游可通航。有著名的武陵源风景区。

Li Shutong　李叔同　参阅 **Hongyi** 弘一。

Li Si　李斯(?～公元前208)　又拼Li Ssu。中国秦代政治家。战国末年楚国上蔡(今属河南)人。早年为郡小吏。后从荀卿学帝王术。入秦初为吕不韦舍人,后秦王政(秦始

李斯书《峄山碑》(局部)
中国大百科全书出版社供图

皇)任为客卿。公元前237年秦下令驱逐六国客。斯上书谏阻为秦王政采纳,官至廷尉。曾建议采取各个击破政策兼并六国。秦统一后协助秦始皇创立皇帝名号制度,废分封制,焚《诗》、《书》,禁私学,加强中央集权。又以小篆统一六国文字,以功授丞相。始皇死后,李与赵高合谋矫诏赐始皇长子扶苏死,拥立少子胡亥为二世皇帝。后赵高独揽大权,诬陷李斯与陈胜、吴广暗通谋反,被斩于咸阳市,并夷三族。泰山、琅琊等刻石传均为李斯手书。著有《谏逐客书》和《苍颉篇》。

Li Siguang　李四光(1889-10-26,中国湖北黄冈～1971-04-29,北京)　地质学家、教育家,中国地质事业奠基人之一。原名李仲揆。1904年赴日本学习造船机械。1910年回国,任湖北高等工业学堂教员兼工场场长。1911年任湖北军政府实业部长。1913年入英国伯明翰大学,先后学习采矿和地质,1919年获硕士学位。1920年回国,任北京大学地质系教授、系主任。1928年起任中央研究院地质研究所所长。1931年获伯明翰大学自然科学博士学位。1934～1936年,先后在伦敦、剑桥、

中国大百科全书出版社供图

伯明翰等8所大学讲授中国地质。1946年当选中央研究院院士。1948年出席在英国举行的第18届国际地质大会，同年获挪威奥斯陆大学荣誉哲学博士学位。1950年回国后，先后担任中国科学院副院长、中国地质工作计划指导委员会主任、中国地质学会理事长、中华自然科学专门学会联合会主席、世界科学工作者协会执行委员会副主席、中华人民共和国地质部部长、中国科学技术协会主席。1955年当选中国科学院学部委员。1958年当选苏联科学院外籍院士。李四光毕生从事地球科学研究，主要贡献有：①1923年提出䗴科鉴定方法，创立十项标准，作为分类演化的依据，发展了微体古生物研究，并解决了华北煤系地层的时代问题，著有《中国北方之䗴科》(1927)。②研究了中国东部第四纪冰川作用问题，写有《冰期之庐山》(1947)。③1926年，发表《地球表面形象变迁之主因》，提出"大陆车阀"自动控制地球自转速度变化作用的假说，此后陆续发表了《东亚一些典型构造型式及其对大陆运动问题的意义》(1929)、《中国地质学》(1931)、《地质力学之基础与方法》(1945)、《旋卷构造及其他有关中国西北部大地构造体系复合问题》(1955)、《地质力学概论》(1962)，建立了构造体系概念，创立和发展了地质力学，并形成有世界影响的学派。④20世纪50年代起，组织开展全国矿产资源调查，并提出应在全国范围内开展石油地质普查工作。他还提出要积极开发和利用地热资源，加强地震的预测、预报研究工作。李四光长期参与中国科学事业和地质教育事业。1922年与章鸿钊、丁文江、翁文灏等人共同发起成立中国地质学会，先后任副会长、会长、理事长。40年代中期，组织建立了中国科学工作者协会，任监理事长。50年代参与中国科学技术协会创建，筹建了中国科学院地质研究所和南京地质古生物研究所，并任所长。他长期担任北京大学地质系教授和系主任。50年代时主持北京地质学院和长春地质学院的建院工作，为中国地质事业培养了大批人才。

Li Sixun　李思训(651～716)　又拼 Li Ssu-hsün。中国唐代画家。字建，出身唐宗室。武则天当政时曾弃官藏避。唐玄宗开元初官至右武卫大将军，擅画山水、树石，金碧辉煌，为一家法。历代画史认为他是金碧山水画的主要代表，明董其昌等推他为"北宗之祖"。所作"笔格遒劲"，在"湍濑潺湲，云霞缥缈"的景色中"时睹神仙之事"。说明他笔力劲健，改变了隋代细润钩斫的画法，还可看出他有时画道教神仙故事，但仍是以山水画为主体。神仙布置在山水之中，更增缥缈之思。李思训还长于画山色中宫观楼阁，使山水画的内容更加丰富，艺术感染力更能动人。朱景玄将其所作列入神品，认为是"唐代第一"。相传唐玄宗对其所作，曾"夜闻水声"。今存之《江帆楼阁图》相传是李思训的作品。此图构图与设色均独具匠心。采用对角线的结构，一边密集，一边空旷，布色也是一边青绿厚重，一边略现江水波纹，给人以浑厚而又开阔的感觉。其子李昭道亦擅山水界画，当时言山水者称大小李将军。昭道虽"笔力不及思训"，但"变父之势，妙又过之"，曾创作《海图》，扩大了山水画的表现领域。今存《春山行旅图》传是他的作品，装饰趣味很浓，远近

李思训绘《江帆楼阁图》
中国大百科全书出版社供图

上下，空间关系处理得宜，各自成章，而又浑然一体。另一幅与此作近似的《明皇入蜀图》，相传是李思训作品的摹本，至今千年，犹光彩夺目，艳丽动人。

Li Song　李嵩　又拼 Li Sung。中国南宋(1127～1279)画家。钱塘(今浙江杭州)人。少时做过木工，后为画院待诏李从训养子，绘画上得其亲授。历任光、宁、理宗三朝(1190～1264)画院待诏，享年当在80岁以上，擅画人物和界画。长期供职宫廷，思想感情与劳动人民却有较密切的联系，在古代宫廷画家中，非常罕见。《货郎图》描绘农村妇女、儿童因生活贫困，购买物品艰难的情景。《春社图》展现出农村中贫富悬殊，人狗争食的凄惨景象。《工作图》描写手工工人制作过

李嵩绘《夜月看潮图》(纨扇)
中国大百科全书出版社供图

程所历的艰苦。《服田图》描写农民从事农业生产劳动的全部过程。富人"醉饱高卧"，而农民全年劳苦，年终还难免饥寒之苦。《四迷图》揭露社会上吃喝嫖赌道德败坏者的各种丑态。《观潮图》风烟惨淡，表示对南宋亡国的预感。以上作品，除《货郎图》外，均已失传。现存的《花篮图》，富丽大方，装饰性很强；《西湖图》烟云黯淡，湖山如梦，发人深思；另有几张小幅界画，用笔造型，精巧轻秀，很有韵度，且能反映出宋代建筑艺术的特点，是郭忠恕之后、袁江以前700年间难得的佳作。相传他还画过宋江三十六人像。

Li Ta-chao(Chinese Communist)　参阅 **Li Dazhao** 李大钊。

Li T'ai-po　李太白　参阅 **Li Bai** 李白。

Li Tang　李唐(约1047～约1130)　又拼 Li T'ang。中国宋代画家。字晞古，河阳(今河南孟县)人。原供奉徽宗画院，精于山水人物。1127年，金兵攻陷汴梁，年近80的李唐颠沛流离，奔往临安(杭州)卖画度日。南宋兴办画院，李唐经人举荐，授成忠郎。李唐水墨山水初师范宽，多取中景画北方气势雄浑的山河，如《万壑松风图》(1124，台北故宫博物院)，青绿山水《长夏江寺图》以雄健的皴斫描绘，与一般秀雅明丽的青绿山水不同。其后用笔及取景愈益简括凝炼，以侧锋皴染山石，浑厚雄峭，构图精炼，意境优美，如《清溪渔隐图》(台北故宫博物院)。开创南宋新画风。

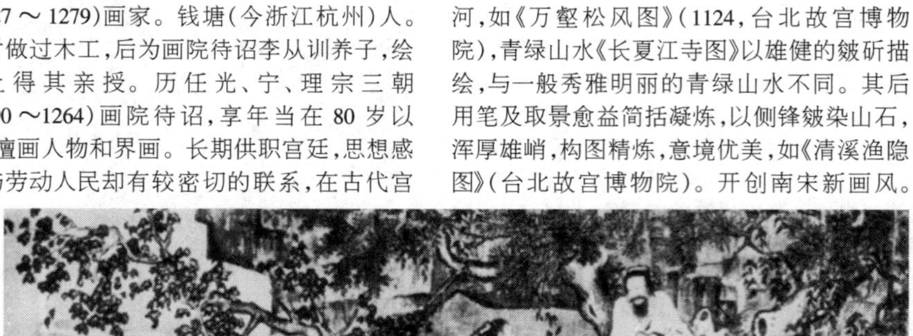

李唐绘《采薇图》
中国大百科全书出版社供图

李唐曾绘《晋文公复国图》、《胡笳十八拍图》、《夷齐采薇图》等历史故事画，借历史故事抒写中兴复国及怀念故国之思。现存有《采薇图》(北京故宫博物院)。李唐的绘画在当时及后世都有巨大影响。弟子萧照同时供职南宋画院，其后马远、夏圭继承和发展他的画风。李(唐)、刘(松年)、马(远)、夏(圭)被并列为南宋四家。

Li Tieguai 李铁拐 又拼 Li T'ieh-kuai。中国神话中的道教八仙之一，也称铁拐李。相传姓李名玄，刻苦修行 40 年，遇太上老君得道。一日神游时肉身误为门徒火化，乃附

美国不列颠百科全书公司供图

一饿死的跛足乞丐尸身还魂。蓬首垢面，坦腹跛足，用水喷洒倚身的竹杖，化为铁拐，于是成为拄铁杖的跛子。常对贫苦病人施药行善。在画像中拄铁拐，背药葫芦。南宋刘松年绘有拐仙图，相貌奇古。

Li Tzu-ch'eng (Chinese rebel leader) 参阅 **Li Zicheng** 李自成。

Li Xiannian 李先念(1909-06-23，中国湖北黄安[今红安]～1992-06-21，北京) 又拼 Li Hsien-nien。中国共产党第十一届中央委员会副主席，中华人民共和国主席(1983～1988)。出身于贫农家庭。上过私塾(中国的旧式初级学校)，当过学徒、木工。1926 年投身革命。1927 年大革命失败后，领导本乡农民参加黄安、麻城起义并加入中国共产党。1929 年任中共高桥区委书记、中共(黄)陂(黄)安南县委书记、县工农民主政府主席。1931 年后历任中国工农红军第四方面军的团、师、军政治委员，参加指挥了许多重要战役，为建立鄂豫皖和川陕革命根据地作出了贡献。1935 年 3 月参加川陕根据地红四方面军的长征，6 月他率领红四方面军的先头部队攻克四川西部

中国大百科全书出版社供图

的懋功，并同红一方面军在这一地区会师。1936 年 10 月下旬，红四方面军的一部分在甘肃渡黄河西进，组成西路军。西路军因受国民党军队的围攻遭到惨重的失败，1937 年 3 月他率西路军余部翻越祁连山，穿过戈壁滩，进入新疆。同年底他到达延安。

抗日战争时期，他在华中敌后领导游击战争，历任新四军豫鄂挺进纵队司令员、第五师师长兼政治委员和中共鄂豫边区委书记、建立了拥有一千余万人口的鄂豫边区抗日根据地。

日本投降后，任中原军区司令员、中共中央中原局副书记，领导了反对蒋介石围攻中原解放区的自卫战争。由于包围他们的国民党军兵力占绝对优势，他带领集中在湖北宣化店地区的主力部队突围，转移到湖北、河南、陕西等省的广大地区内坚持游击战争，牵制蒋介石军队的兵力，配合了中国人民解放军在华北、华东的作战。1947 年刘伯承、邓小平率军渡黄河南下后，中原解放区恢复和扩大，李先念率部回到这个解放区。1948 年中共中央中原局和中原军区重新组织，李先念任中原军区第二副司令员、中原局委员，协助刘、邓进行军事和政治工作。

中华人民共和国建立后，先后任中共湖北省委书记、省人民政府主席、中共武汉市委书记兼市长，湖北省军区司令员兼政治委员、中共中央中南局副书记、中南军政委员会副主席等职，为在湖北等地巩固和加强人民民主政权，恢复和发展当地经济做了大量的富有成效的工作。1954 年后任国务院副总理兼财政部长，国务院财贸办公室主任。协助周恩来、陈云领导经济建设。在"文化大革命"中，由于同林彪、江青集团进行斗争而受到批判，并在非常困难的条件下，协助周恩来总理主持经济工作，尽量减少动乱所造成的损失，争取经济取得新的进展。1975 年他是邓小平的合作者，在邓小平再次受到打击后他也被迫退出了政府工作。1976 年 10 月，在清除江青集团的斗争中他是主要决策人之一。中共十一届三中全会以后，参加领导了调整国民经济和进行社会主义现代化建设的工作。

从 1945 年中共第七次全国代表大会起当选为历届中央委员。从 1956 年中共八届一中全会起当选为中央历届政治局委员。1977 年中共十一届一中全会上当选为中央政治局常务委员、副主席。1982 年中共十二届一中全会上继续当选为中央政治局常务委员。1983 年第六届全国人民代表大会第一次会议上当选为中华人民共和国主席。1988 年在第七届中国人民政治协商会议全国委员会第一次会议上当选全国政协主席。他的主要著作收入《李先念文选》。

Li Xiucheng 李秀成(1823～1864-08-07) 又拼 Li Hsiu-ch'eng。中国近代太平天国革命后期杰出将领。原名以文。广西藤县人。雇农出身。1848～1849 年间加入洪秀全所创拜上帝会。1851 年参加太平军。太平天国定都天京(今南京)后擢为军帅，监军、检点、地官副丞相等职。天京事变后镇守安徽桐城，晋升地官正丞相，与陈玉成共卫皖北。1857 年太平军另一主要将领石达开率兵 20 万出走后，次年秀成回天京，升后军主将，与陈玉成等同主军政。为解天京之围，7 月与陈玉成于安徽枞阳集会，与陈部会师进占浦口，破清军江北大营，克扬州。又随陈部转战安徽三河，歼湘军精锐李续宾部。1859 年封忠王。次年率部奇袭杭州，待围困天京清军撤围援杭，立即回师与诸王合力摧毁清军江南大营，乘胜进军苏、常，直逼上海。1861 年与陈玉成奉命西征，约期会师武汉以解安庆之围。因执行不力，贻误军期。1862 年两次进逼上海，同中外敌人作战受挫。旋奉洪秀全严诏催促，回援天京。秀成调各路大军与围城湘军血战 40 余日不利。次年转而进军江北，累攻不克，全军退回苏州，避走丹阳回京，劝洪秀全"让城别走"，遭拒绝，遂留而指挥天京保卫战。1864 年 7 月天京陷落，护送幼天王洪天贵福突围中失散被俘。曾写长篇供词，述生平和太平天国历史，提出"收齐章程"十条，幻想以此避免太平军将士的流血牺牲。供词写完后即被曾国藩杀害。

Li Ye 李冶(1192～1279) 又拼 Li Yeh。中国金元时期数学家。原名李治，字仁卿，号敬斋。真定栾城(今属河北)人。金代曾任河南钧州地方长官，入元后长期在封龙山(今河北元氏)隐居讲学。著有《测圆海镜》12 卷(1248)、《益古演段》3 卷(1259)、《泛说》40 卷、《敬斋古今黈》40 卷、《壁书丛削》12 卷。数学上的主要成就是"天元术"，即中国古代的代数学。利用对天元式的各种计算列出所需求解的方程式。《测圆海镜》讲述已知直角三角形有关各线段之长，求解其内切、旁切圆直径长度的方法，是中国古代特有的几何学。《益古演段》3 卷是"天元术"初学者的入门书。

Li Yong 李邕(678～747) 又拼 Li Yung。中国唐代书法家。字泰和，扬州江都(今属江苏)人。《昭明文选》注者李善之子，官至北海太守，人称李北海。一生坎坷，始阻于韦氏，中忌于张说，后为宰相李林甫所忌，含冤杖杀。他工文善书，尤以行书名世。变王羲之之法，笔法一新。文长于笔颂，多自书，因深爱所书，亦常自刻。杜甫《八哀》诗中，对他赞悼甚至。传世作品《李思训碑》风骨高骞，《李秀碑》雄浑深厚，《麓山寺碑》用笔结体在前二

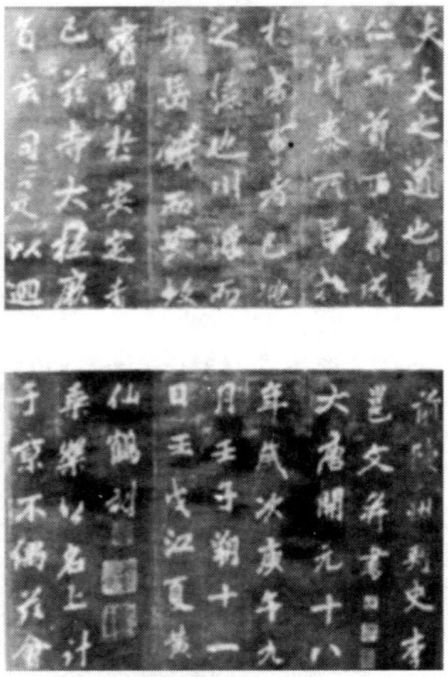

李邕书《麓山寺碑》(局部)
中国大百科全书出版社供图

碑之间。唐人评其书“如华岳三峰,黄河一曲”,可谓凌厉无前。盛唐书风,力变二王与初唐之体,他和张旭、颜真卿三人的成就,最为突出。董其昌说:“王右军如龙,李北海如象。”李邕论书反对摹仿,曾说“似我者俗,学我者死”,亦常为人所称道。

Li Yu　李煜(937～978)　又拼Li Yü。中国五代南唐国主,词人。字重光。初名从嘉。南唐中主李璟第六子。宋建隆二年(961)继位,史称李后主。开宝八年十一月二十七日

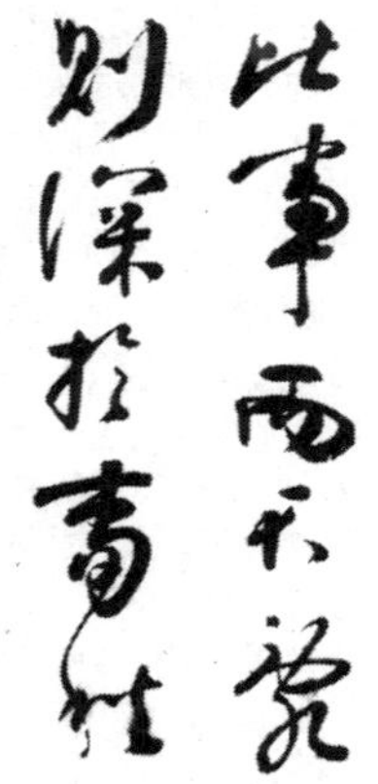

李煜墨迹
中国大百科全书出版社供图

(976-01-01)国破出降,后被宋太宗毒死。在位时,政治上庸懦无能,不思振作。但长于诗文、书法、绘画、音乐,以词的成就最高。前期词以宫廷生活为题材,多写爱情和离愁别恨,风格清新优美。后期在忧危屈辱生活中,把对故国往事的依恋,逝去的欢娱和现实的悲愁融为深沉感慨,词意哀惋,感染力强。后人将中主、后主父子词合辑为《南唐二主词》。近人唐圭璋有《南唐二主词汇笺》。

Li Yuan　李渊　参阅 **Tang**——:*唐朝帝王序列下* **Tanggaozu Li Yuan** *唐高祖李渊*。

Li Yuanhao　李元昊　参阅 **Xixiajingzong** Li Yuanhao *西夏景宗李元昊*。

Li Yuanhong　黎元洪(1864-10-19～1928-06-03)　又拼 Li Yüan-hung。中国北洋政府(1912～1928)总统。字宋卿。湖北黄陂人。天津北洋水师学堂毕业。1898～1901年赴日本学军事。1911年为新军统领。武昌起义爆发后任中华民国军政府鄂省大都督。1912年1月南京临时政府成立后当选副总统。袁世凯篡政后,拥护袁取代孙中山。袁出任总统,黎仍任原职。黎支持袁解散国会,破坏《中华民国临时约法》,但对袁复辟帝制采取抵制态度。1916年袁世凯死后黎继任大总统,宣布恢复《约法》,召集国会。但与国务总理段祺瑞发生“府(总统府)院(国务院)之争”。1917年段召军阀张勋入京调解。张勋乘机复辟,黎逃往日本使馆避难,电请副总统冯国璋代理大总统。段利用全国反对张勋复辟的强烈要求,在天津马厂起兵,击败张勋,重任国务院总理,黎被迫引咎辞职。1922年受直系军阀支持复任总统。次年6月被迫再度辞职,退出政坛,移居天津。晚年投资实业。1928年病故于天津。

Li Zhen　李真　又拼Li Chen。中国唐代画家。唐德宗贞元(785～805)中在长安著名寺院作画,“往往得长史周昉规矩”。评者甚至认为他与周昉难分高下。现藏日本京都教王护国寺的描绘中国密宗佛教创始人之一、斯里兰卡名僧《不空金刚像》,是他的真迹。此图系日本名僧空海到中国留学回国时(806)名僧慧果所赠(空海共携归《真言五祖像》等10幅,相传系李真等十余人绘)。此图保存尚好,对日本平安时代人物画的发展颇有影响。是中、斯、日三国古代文化艺术交流史上的珍品。整个画面的构成和人物性格的刻画非常成功,线条遒劲,色彩丰富,衣褶部分还适度使用了晕染法,有油彩的效果。风格与西域画敦煌画迥然有别,是研究唐代人物、肖像画的重要依据。

Li Zhi　李贽(1527～1602)　又拼Li Chih。中国明代思想家、文学评论家。原名林载贽,1566年为避穆宗名讳,改名贽。号卓吾,又号宏甫,别号温陵居士。泉州晋江(今属福建)

中国大百科全书出版社供图

人。世代为巨商。信奉伊斯兰教。祖上多与异域交往,通外语。曾任云南姚安知府,54岁辞官。中年后接受王守仁学派思想和禅学影响。晚年著书讲学,揭露当时假道学。屡遭迫害,后自杀狱中。李以“异端”自居,反对儒家礼教,反对“以孔子之是非为是非”。痛斥当时一些道学家是“阳为道学,阴为富贵,被服儒雅,行若狗彘”,说六经、《论语》、《孟子》都是假道学口头禅。提倡“童心”与“迩言”。主张男女平等。文学上要求发抒己见;重视小说戏曲的地位,曾评点《水浒传》。他的文学理论对汤显祖、袁宏道、冯梦龙等文学家均有重大影响。著作有《焚书》、《续焚书》、《藏书》、《续藏书》,在明代均被列为禁书。

Li Zhi (Chinese emperor)　**李治**　参阅 **Tang**——:*唐朝帝王序列下* **Tanggaozong Li Zhi** *唐高宗李治*。

Li Zhuohao　李卓皓(1913-04-13,中国南京～1987-11-28,美国旧金山)　又拼 Li Choh-hao。中国生物化学家。台湾中央研究院院士。1933年毕业于南京金陵大学化学系。后赴美国深造,1938年获美国加利福尼亚大学生物化学博士。曾任教于伯克利加利福尼亚大学与旧金山加利福尼亚大学,该大学破例为其在伯克利校园设立激素研究所,由他担任所长;1967年该所迁至旧金山加利福尼亚大学。李卓皓因发现脑下垂体的促肾上腺皮质激素(ACTH)及人体内深具止痛作用的“脑啡肽”(止痛效用为吗啡的50倍),在国际生物化学和医学界享有盛名,美国《时代》杂志称其为“脑下垂体大师”。在他的推动下设立了台湾中央研究院生物化学研究所和台湾大学生物化学研究所博士班,并亲自参与研究和指导工作。他对激素蛋白质的研究成果,深获学术界推崇。曾发表有关生物化学、遗传学方面的论文1 100余篇。

Li Zicheng　李自成(1606～1645)　又拼Li Tzu-ch'eng。中国明末农民起义领袖。原名鸿基。陕西米脂人。出身农家,曾为宁夏银川驿卒。1629年起义,后为闯王高迎祥部将。1635年在河南荥阳大会上提出分兵定向、四路攻战的战略,受到起义军各部首领推重。1636年高迎祥牺牲后继称闯王。1640年秋率军入河南,用举人李岩提出的“均田免赋”、“平买平卖”、“剿兵安民”等口号为纲领,得到人民热烈拥护。五次大战役取得全胜,所部发展到百万。1643年攻取西安,次年春建立大顺政权,称大顺王,年号永昌。不久攻克北京,推翻明朝。在明朝吴三桂引入清军联合进攻下,迎战失利撤出北京,退回西安,转战河南。1645年在湖北通山县被害。

Li Zongren　李宗仁(1891-08-13,中国广西临桂[今桂林]～1969-01-30,北京)　又拼 Li Tsung-jen。中国国民党军队高级将领,新桂系首领,爱国人士。字德邻。早年就读于广

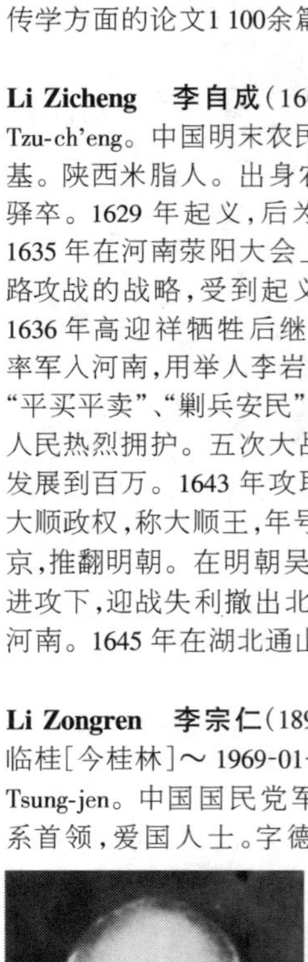

中国大百科全书出版社供图

西陆军速成学校。1910年加入同盟会。1916年加入护国第六军，先后参加护国战争、护法战争。1923～1925年同广西军官黄绍竑、白崇禧等驱除旧桂系军阀，统一广西。李宗仁支持孙中山的军政府，加入国民党，任广西绥靖督办。1926年任国民革命军第七军军长，率军北伐，击败孙传芳主力后，攻取安庆、合肥。1927年后任南京国民政府第三路军总指挥、西征军总指挥、第四集团军总司令等职。抗日战争爆发后任第五战区司令长官兼安徽省长。1938年指挥徐州会战，指挥台儿庄会战，大败日军矶谷师团。抗日战争胜利后任国民政府主席北平行辕主任、国民政府副总统。1949年1月蒋介石下野后任代总统，主持同中国共产党的和谈，提出划长江而治。谈判失败后赴美。1955年提出反对"台湾托管"和"台湾独立"。1965年7月18日回北京。1969年在北京病故。著有《李宗仁回忆录》(1962)。

Lia(first wife of Jacob)　参阅**Leah**利亚。

liability　责任　在法律上，指一个含义很广的几乎包括各种类型的由契约、侵权行为或法律规定产生的各种义务、债务、金钱债务、职责或风险的一个术语。责任的范围常常由契约加以规定。例如，常常可以组成有限责任的合伙，其中有些合伙人负有限责任(与无限责任相对而言)即仅以他们对公司投资的数额为限。责任也可以根据侵权行为方面的习惯来确定，例如人们认为儿童、精神病人和其他在法律上无行为能力的人对其行为可以不负法律责任。责任的大小还可以参照法规来确定。例如根据某些法规，股票持有人对于公司的债务仅就其股票面值或在其他特定限度内负个人责任。

liability, manufacturer's　参阅 **manufacturer's liability** 制造商的责任。

liability insurance　责任保险　对投保人可能产生损失或损害的保险。责任保险最主要的是预防那些在法律上认为是疏忽或失误而对当事人、财产或他人的合法权益却带来的损害。与其他多种保险相比，责任保险是一种相对的近期现象。1890年以前，责任保险的承保量很小，后来主要由于汽车的出现，责任保险迅速发展。现在责任保险业务已扩大到许多其他活动，如对医生及其他自由职业者的职业责任保险(渎职行为保险)、对船主和驾驶人的海上责任保险及对消费品制造商的产品责任保险、对契约条款有无法兑现可能或法律要求人们参与并负责其后果的活动，此种活动被认为对其他人或财产非常危险(不管采取了多少防范措施)亦可提供保险。后一种的例子叫做绝对责任，不同于一人对另一人在法律上的管辖，但可包括如拥有一只危险的野兽。投保人要向保险公司缴纳保险费，若发生损害或伤害时，保险公司要向受害的当事人支付补偿费，但补偿费不得超过保险单所规定的限额。由于法庭定的损失赔偿特别高以及公众对产品安全和医疗行为指望过高，产品责任及渎职行为保险产生特殊的问题。产品责任保险的另一问题是：即使在任意乱用产品的情况下，法庭也倾向给予损失赔偿。由于严重的核事故可引起巨大的损害，全世界的核工业面临着一个特别的责任问题。在美国，这一问题已由国会制定法令予以解决，法令要求联邦政府提供责任保险，同时规定出一项核电设施必须承担的私人保险数额。其他国家也已采取类似措施。

Liadov, Anatoly (Konstantinovich)　参阅 **Lyadov, Anatoly (Konstantinovich)** 利亚多夫。

Lian Heng　连横(1878，中国台湾台南～1936-06-28，上海)　中国近代史学家。首开台湾历史研究的先河。字武公，号雅堂，又号剑花。13岁读完《台湾府志》，后遂以撰述《台湾通史》为己任。曾主持《台南新报》中文部。1905年在厦门创办《福建日日新报》，因鼓吹排满而遭封闭。后回台湾再主持《台南新报》，负责《台湾新闻》中文部，并与林痴仙、赖悔之、林幼春等人办"栎社"。1911年假道日本游中国大陆，并供职于清史馆。1914年回台，潜心著作，1918年终于完成《台湾通史》。该书共36卷，仿正史体例编纂，自隋代写到1895年被日本侵占，内容翔实。1924年创《台湾诗荟》月刊，主要登载中文诗、中文的笔记掌故，向读者灌输民族思想；又开办雅堂书局，专售中国书籍，以抗议日本禁止中文的政策。连横保存台湾文献、搜罗前人有关台湾著作30余种，编为《雅堂丛刊》。著有《台湾诗乘》6卷、《台湾语典》4卷、《剑花室文集》等多种。

Lian Zhan　连战(1936-08-27，中国陕西西安～　)　又拼 Lien Chan。中国台湾国民党主席(2001～2005)，台湾国民政府"副总统"(1996～2000)和行政院院长。号永平。祖籍台湾台南。祖连横为史学家，父连震东为政治家，均为台湾名人。曾在内地小学读书。抗日战争胜利后，随家人回台湾。1957年毕业于台湾大学政治系，后赴美国。1961和1965年先后获芝加哥大学国际公法与外交学硕士、政治学博士学位。曾任教于美国威斯康星大学、康涅狄格大学。1968年回台湾，任台湾大学政治系教授兼系主任、研究所所长。1975年出任萨尔瓦多大使，次年回台湾任国民党中央青年工作会主任。1978年7月任国民党中央委员会副秘书长，同年8月任行政院青年辅导委员会主任委员。1981年任交通部长。1984年当选为国民党中央常务委员。1987年任行政院副院长，1988年7月改任外交部长。1990年任台湾省政府主席。1993年任台湾行政院长。1996年3月当选为"副总统"。2001年3月当选国民党主席。2005年4月率中国国民党代表团访问南京、北京和上海等地。

liana　藤本植物　又拼 liane。长茎、木质的攀缘植物，其根着生土中，茎缠绕其他植物之上以为支持。藤本植物是热带地区雨林中的典型植物，直径可达到60厘米，长度达100米。扁平的和扭曲的藤本植物常纠缠成网悬挂树间。

Liang Chenyu　梁辰鱼(约1519～约1591)　又拼 Liang Ch'en-yü。中国明代戏曲作家。字伯龙，号少白。昆曲发源地昆山(今属江苏)人。熟悉戏曲音律，而科名不得意。著有散曲集《江东白苧》、传奇《浣纱记》、杂剧《红线女》、《红绡》等。《浣纱记》通过西施、范蠡悲欢离合的爱情故事，写吴越两国的兴亡盛衰，歌颂以国事为重，牺牲个人得失的精神和君臣团结艰苦复国的毅力。传奇按魏良辅所创昆山腔新声演出。由于作者擅长音律，亲自教演员演唱，把清唱的昆曲第一次变成舞台上演的声腔。对昆山腔的发展传播有一定影响，《浣纱记》的一些片断至今仍在昆剧中演出。

Liang Ji　梁冀(？～159)　又拼 Liang Chi。中国东汉外戚、权臣。字伯卓。安定乌氏(今甘肃平凉西北)人。大将军梁商之子。其两妹分为顺帝、桓帝皇后。官至大将军、录尚书事。一手拥立冲、质、桓三帝，把持朝政20年。质帝见其骄横，讥为"跋扈将军"，立被毒杀。宗族都居要职，党羽遍布。梁冀夫妇生性贪恣，依仗权势多方搜刮财物。生活豪奢，一兔苑即广达几十里。还掠取良民为奴，称为"自卖人"。公元159年桓帝与单超等5人定议诛梁，兵围梁府，梁冀与妻自杀。家产抄没，折钱30亿，相当朝廷岁收的一半。朝廷百姓称庆，官府市里鼎沸，数日方定。

Liang Kai　梁楷　又拼 Liang K'ai。中国南宋(1127～1279)画家。东平(今属山东)人。性情豪放，不拘礼法，别号梁风子。宁宗嘉泰年间(1201～1204)被任为画院待诏，挂金带于院内，不受而去。善画山水人物。早期画人物师贾师古，细密工致超出其师。后变为简括粗放，纵笔挥扫，形成"折芦描"，寥

梁楷绘《泼墨仙人图》
中国大百科全书出版社供图

寥数笔突出形象丰神，具有强烈感染力。现存《黄庭经神像图》、《八高僧故实图》、《释迦出山图》属于为院人拜伏的精妙之笔，人物工致生动，形态感人。而《泼墨仙人图》、《李白行吟图》、《六祖图》，系减笔泼墨一体。用酣畅的泼墨表现仙人醉态，用疏放的减笔表达李白情性，以顿挫的线描刻画砍竹动势，都富有创造性。梁楷与马远、夏圭同时，而能另辟蹊径，开创水墨写意的新局面。

Liang Qichao **梁启超**（1873-02-23～1929-01-19） 又拼 Liang Ch'i-ch'ao。中国近代学者、思想家、戊戌变法运动的主要人物。字卓如，号任公，别号饮冰室主人。广东新会人。

中国大百科全书出版社供图

1889 年中举人。1890 年起从康有为学，主张变法维新，世称"康梁"。1895年再次赴京会试，时值中日甲午战争失败，清政府拟与日本签订丧权辱国的《马关条约》，群情激愤。梁随康有为联合在京会试举人上书光绪帝，要求拒签和约。8 月参加强学会，办《中外纪闻》。1896 年应汪康年之邀到上海任《时务报》主笔，并编辑《西政丛书》，宣传维新变法，发表《变法通议》等论文，成为维新运动中最有影响的宣传家。1897 年 11 月任长沙时务学堂总教习。继续宣传变法。1898 年入京，协助康有为组织保国会。1898 年办京师大学堂、译书局。戊戌政变后，逃往日本。在横滨创办《清议报》，抨击慈禧太后，宣传改良，主张保皇。1902 年 2 月创刊《新民丛报》，介绍西方社会政治学说，鼓吹民权，批判封建专制制度，对当时知识界影响很大。1905 年 8 月后宣传保皇立宪，反对革命，与同盟会创办的《民报》展开论战。1907 年在东京组织政闻社，期望推动清政府实行君主立宪。1913 年初从日本回国，任司法总长。1915 年袁世凯复辟帝制后，策动蔡锷组织护国军反袁。1916 年组织"宪法研究会"。1917 年出任段祺瑞政府财政总长兼盐务总署督办。1919 年五四运动后批判封建文化，提倡民主与科学，倡导"诗界革命"和"小说界革命"。为文流利畅达，为学界推重。1920 年后，先后在清华大学、南开大学执教，还曾担任过京师图书馆馆长、北京图书馆馆长、司法储才馆馆长等职，为培养人才和发展文化教育事业作出了一定成绩。梁的著述宏富，所遗编为《饮冰室集》。

Liang Shiqiu **梁实秋**（1903-01-06，中国北京～1987-11-03，中国台湾台北） 又拼 Liang Shih-ch'iu。中国作家、翻译家、文艺评论家及学者。学名治华，字实秋，以字行。原籍浙江省余杭。1915 年入清华学校学习，1923 年毕业。1924 年进哈佛大学研究院，深受保守派文艺评论家白璧德的人文主义思想影响。1926 年在《晨报》副刊发表《现代中国文学浪漫的趋势》。同年 7 月回国，任教于东南大学、暨南大学、复旦大学。1928 年"新月社"在上海成立，他是重要成员。他主张文学应有独立的美学目标，反对文学的阶级性，与鲁迅等左翼作家发生激烈的论争。1930 年任青岛大学外文系主任。1934 年任北京大学英语系教授，后兼系主任，并编辑《自由评论》周刊。出版《文艺批评论》、《偏见集》等，并译注《英诗选读》。1937 年抗日战争爆发，只身南下，辗转至四川。翌年春任国民参政会参政员；曾在重庆主编《中央日报》副刊。1940 年为《星期评论》撰写专栏，名曰"雅舍小品"，颇受欢迎。抗日战争胜利后任北京师范大学英语系教授，1949 年到中山大学任教，同年迁往台湾，曾代理编译馆馆长。次年任教于台湾师范大学。所撰文学评论及译述甚多，除有关中国及西方的文学论评外，还译有 12 世纪法国神学家阿伯拉尔给埃罗伊兹的情书、英国剧作家巴里的剧本《潘·彼得》、E. 勃朗特的小说《咆哮山庄》等。1931 ～ 1967 年间陆续逐译莎士比亚剧本约 20 种。1975 年出版《梁实秋自选集》。1979 年撰有《英国文学史》及《英国文学选》，均于 1985 年出版。并曾主编《远东英汉大辞典》等多部工具书。梁实秋的散文清丽、隽永、富幽默感，除《雅舍小品》（1949）外，尚有《雅舍散文》（1985）、《雅舍谈吃》（1985）、《实秋杂文》、《实秋文存》、《槐园梦忆》、《看云集》等。

Liang Shuming **梁漱溟**（1893-10-09，中国北京～1988-06-23） 又拼 Liang Shu-ming。中国现代哲学家。祖籍广西桂林。1911 年毕业于顺天高等学堂后，参加辛亥革命运动。1917 年在北京大学哲学系任印度哲学、儒家哲学讲席。1928 年任中国国民党两广政治分会建设委员会代主席，提出开办乡治讲习所建议案，未得实行。1929 年任北京《村治月刊》主编。同年任河南村治学院教务长。1931 年在山东邹平创办山东乡村建设研究院，致力乡村建设运动。抗日战争爆发后，在国民党与共产党之间斡旋奔走。1941 年参与发起组织中国民主同盟，并去香港创办《光明报》。中华人民共和国建立后，曾任中国人民政治协商会议全国委员会委员。1980 年任宪法修改委员会委员。1953 年 9 月梁的政治态度曾一度被毛泽东指名批判。梁的哲学思想先见于《东西文化及其哲学》（1921）。书中提出近代西方文化、东方旧中国式文化和旧印度式文化三条文化和文明道路的公式，认为世界未来将是中国文化的复兴，印度文化复兴则在最后。著有《中国文化要义》、《印度哲学概论》、《乡村建设理论》等。

Liang Sicheng **梁思成**（1901-04-20，日本东京～1972-01-09，北京） 中国现代建筑学家、建筑史学家。广东新会人。中国戊戌维新运动领袖梁启超的长子。1911年随家人回国。1915 年入清华学校，在校期间曾参加五四运动。1923 年毕业。1924 年赴美留学，在宾夕法尼亚大学攻读建筑学，获学士和硕士学位（1927）。在美期间，曾到哈佛大学研究院作过短期研究。1928年回国。先后创办东北大

中国大百科全书出版社供图

学建筑系（1928）、清华大学建筑系（1946）。1946 ～ 1947 年任美国耶鲁大学访问教授，联合国总部大厦设计顾问团中国代表，在此期间，获普林斯顿大学名誉文学博士。1948 年当选为中央研究院院士。梁思成长期研究中国古代建筑。1931 ～ 1946 年任中国营造学社法式部主任期间，曾与同事一起用近代科学的勘察、测量、制图技术和分析方法，对中国 15 个省的2 000项古建筑和文物进行调查；对分散在各地的、各个时代的古建筑遗存，建立一套包括图纸和照片的档案，并发表一系列论文，向全世界报告了诸如赵州安济桥（世界最古老的敞肩券拱桥）、山西应县木塔（世界最古老、最高的木构造高塔）等人类重要文化遗产。他于 1943 年写成《中国建筑史》，首次系统论述了中国古建筑的特征及其发展。1949 年起，先后任北平都市计划委员会副主任和北京市建设委员会副主任。他热情宣传中国建筑遗产，倡导在北京的规划建设中保留传统风貌。他参加领导北京天安门广场的"人民英雄纪念碑"等重要建筑的设计；1963 年设计了扬州的鉴真纪念堂。1953 年起任中国建筑学会副理事长，1955 年当选为中国科学院技术科学部学部委员。他的主要著作已编成《梁思成文集》（4 集，1982 ～ 1986）。1946 年用英文撰写的 *A Pictorial History of Chinese Architecture*（《中国建筑史图释》）于 1984 年由美国麻省理工学院出版社出版。

Liang Siyong **梁思永**（1904-11-13～1954-04-02） 又拼 Liang Ssu-yung。中国现代考古学家。梁启超的次子。近代田野考古学的奠

中国大百科全书出版社供图

基人之一。广东新会人。早年在美国哈佛大学研究院学考古学和人类学，回国后在中央研究院历史语言研究所工作，先后负责发掘河南安阳小屯殷墟、侯家庄西北岗殷王陵、高楼庄后冈小屯、龙山与仰韶三叠层、山东历城龙山镇城子崖龙山文化遗址、黑龙江昂昂溪细石器文化遗址等，考定了仰韶、龙山和商文化的相对年代关系。中华人民共和国建立后任中国科学院考古研究所副所长。著作已汇编为《梁思永考古论文集》。

Liangwudi Xiao Yan　梁武帝萧衍（464～549）　字叔达。中国南朝梁的创建者。南兰陵（今江苏常州）人。曾与兄萧懿参与萧鸾（齐明帝）的夺取政权活动，后任雍州刺史，镇守襄阳。500年获悉萧懿在齐朝内乱中被

中国大百科全书出版社供图

杀，即起兵夺取帝位，建立梁朝。502～549年在位。擅长文学，精音乐，善书法。笃信佛教，广建寺院，亲临讲经说法。编纂《众经要钞》。曾3次舍身同泰寺，公卿等以成亿的钱奉赎。547年东魏大将侯景降梁。次年侯景与梁宗室萧正德勾结攻破建康（今南京），549年攻下台城，梁武帝饥病死。原有文集已佚。明人辑有《梁武帝御制集》。

Liangzhu culture　良渚文化　中国长江下游地区的新石器时代文化，距今约5 200～4 000年。主要分布在江苏南部、浙江北部的环太湖地区。因1936年发掘的浙江余杭良渚镇遗址群而得名。良渚文化的稻作农业和手工业等都比较发展。石器中的三角形犁状器、斜柄铖形器、双翼耘田器、长方形或半月形石刀、石镰、阶状有段锛等，许多是适应生产所需而出现的新器类。发现有粳稻和籼稻实物遗存，还出土了花生、蚕豆、甜瓜子、小泡瓜子、红蓼、菱角、葫芦、酸枣核、毛桃核等植物籽实，大都系良渚人采集的野生植物，也有个别的可能为人工栽培物。浙江吴兴钱山漾发现有苧麻纤维的布片和绳索、家蚕丝纤维原料的绢片、丝带和丝线，证明当时已饲养家蚕，并产生了丝织手工业。钱山漾还出土大量竹编物和木器，有竹容器、竹席、木桨、榔头、木盆等，较广泛地用于生活和生产领域。琢玉工艺十分突出，器物种类在20种以上，琢磨精良，以玉琮为主体的多种玉器上还雕刻有神人兽面复合像（神徽）。这不仅说明治玉业已成为专门性的手工业部门，同时标志着礼仪制度的发展程度。聚落形态和规模形成等级。良渚镇遗址群具有地区中心聚落的性质，包括人工堆筑的大型基址、居民点、显贵专用墓地等，共有三四十处，分布在24平方千米的范围内。普通的聚落如江苏吴江龙南遗址，在古河道的南北两岸散布有一些不同形状的半地穴式房址。钱山漾发现木桩、长木、竹席、苇席和大幅树皮等建房材料，存在干栏式建筑的遗迹。埋葬制度比较分明。在浙江余杭反山、瑶山，江苏昆山赵陵山，上海青浦福泉山等地，都是在人工堆筑的高台土冢上或利用废置的低山祭坛址营建显贵专用墓地，常见棺椁葬具，普遍随葬有以琮、璧、钺等为代表的大量玉器。有的大墓中或其附近还埋有殉人。小墓则散见于居址近旁，随葬品都较贫乏。良渚文化由崧泽文化发展演变而来，处于原始社会瓦解并向文明时代发展的阶段。亦有学者认为良渚文化中期以后已进入中国古文明始创期。

Lianyungang　连云港　又拼 Lien-yün-kang。中国江苏省辖地级市，著名沿海开放港口城市和盐业生产基地。在省境东北部蔷薇河下游，东临黄海，南依云台山，北接山东省临沂市。原属东海、灌云二县地。1933年于灌云县老窑劈山筑港，以港口西依云台山，东隔鹰游门海面与东西连岛相望，取名连云港。1936年于港口置连云市。1948年11月析东海县海州、新浦、猴角、墟沟等镇与连云市置新海连特区，1949年底改称新海连市，暂由鲁中南行署区直辖。1952年回归江苏省，属徐

连云港市一角

中国大百科全书出版社供图

州专区。1961年改称连云港市，1962年升省辖市。辖新浦、海州、连云3区和东海、赣榆、灌云、灌南4县。面积7 446平方千米，其中市区面积881平方千米。市区主要由海州、新浦、连云港港区3片组成。以海州镇为中心的海州区兴起最早，隋开皇三年（583）移海州朐山县治于此，历为州、郡、县治。20世纪随着陇海铁路的修筑，经济重心东移新浦。新浦扼蔷薇河与盐河之交，明、清以来为淮北盐南运集散地，清光绪三十一年（1905）辟为商埠。1926年陇海铁路通车后，水陆交通更为便利，新浦取代海州镇成为政治、经济中心。连云港区坐落在后云台山东麓，现已建成万吨级乃至5万吨深水海轮码头多座，是上海至青岛间沿海的大港。20世纪90年代初期年货物吞吐量已超过1 500万吨。陇海铁路和兰新铁路沿线各省、区进出口物资大都经由此港。1990年兰新铁路同哈萨克斯坦共和国铁路系统接轨，使陇海、兰新二铁路与中亚、欧洲铁路系统连成一体，连云港成为亚欧大陆桥东端桥头堡。1949年以来，机械制造、化学（包括海洋化学工业）、轻纺、食品、电子、船舶制造和修理、建筑材料等工业蓬勃发展。工业主要集中于海州镇和新浦。90年代初在墟沟镇南的黄九埝建立经济技术开发区，面积约30平方千米。连云港市南郊的云台山，多奇峰怪石，林木苍翠，景色宜人。云台山诸峰之一的花果山，山巅有水帘洞。还有清代郁林观石刻和宋代海青寺阿育王塔，孔望山汉代摩崖画像石刻，龙洞的宋、元、明、清石刻等，是中国的重要旅游城市之一。全市人口：4 680 000（2005）；市区660 000（2004）。

Liao DYNASTY　**辽**（947～1125）　古代契丹族在中国北方建立的王朝。916年由契丹族迭剌部人耶律阿保机（辽太祖耶律亿，916～926在位）创建。国号契丹，建皇都（今内蒙古巴林左旗南波罗城），创造文字，制定法律，控制女真、室韦等族，灭渤海国而开拓疆土。947年耶律德光（辽太宗，927～947在位）灭五代的后晋，改国号为辽，改皇都为上京临潢府。984年辽圣宗耶律隆绪（982～1031）曾一度改国号为大契丹国，建都中京大定府（今辽宁宁城）。其疆域东到日本海，南到河北、山西的燕云16州地，以今天津市海河、河北霸州、山西雁门关一带与宋朝为邻。东北包括渤海国旧地直到黑龙江口。西北辖有蒙古高原各部落，西至甘州（甘肃张掖）。1122年金军陷中京。天祚帝耶律延禧（1101～1125）逃入夹山（今内蒙古萨拉齐西北大青山中），1125年为金军俘获。辽亡。辽共历9帝，210年。1130年辽太祖八世孙耶律大石西迁，至叶密立（今新疆塔城一带），建号称帝，号天祐皇帝，又号古心干，仍用辽名义，称西辽。辽代治理各族人民分两套行政机构，即“以国制

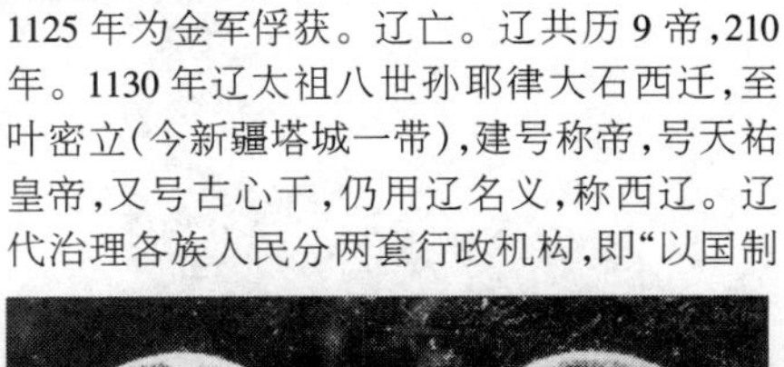

辽代铜钱——大康通宝

中国大百科全书出版社供图

（契丹部族习惯法）待契丹，以汉制（模仿唐朝制度）待汉人”。治理契丹等族的称北面官，治理汉族的称南面官。

Liao He　辽河　又作Liao River。中国北方地区大河之一。流经河北、内蒙古、吉林和辽宁4个省区，在辽宁盘山县注入渤海。全长

辽河在营口市的入海口码头
中国大百科全书出版社供图

1 430千米。辽河上游分东、西两支。东辽河源于吉林省辽源市哈达岭附近，水从山洞中流出，经东部山地丘陵在三江口入辽宁省，长383千米。西辽河有二源：一源来自河北省平泉县光头岭，流入内蒙古自治区宁城县称老哈河，长400千米；另一源来自内蒙古自治区克什克腾旗白岔山，称西拉木伦河，长380千米。老哈河、西拉木伦河在哲里木盟的苏家铺汇合后称西辽河。西辽河长449千米，东流入吉林省双辽县内转向南流，在辽宁省昌图县福德店与东辽河汇合后，始称辽河。辽河干流自东北向西南贯穿辽河平原。平原由深厚的河流冲积物构成，地势平坦，间有沼泽分布。辽河水系包括辽河、浑河、太子河、绕阳河等，总流域面积22.94万平方千米。1958年在盘山县六间房堵死外辽河后，辽河流域分成两个独立入海水系。辽河、绕阳河在盘山县境内汇流入海。浑河、太子河经大辽河在营口市入海。辽河流域降水集中在6～9月，水量变化大，含沙量高，历史上常发生洪涝灾害。每年有3个月河流封冻。小轮船可溯至三江口。现浑河上建有大伙房水库，可控制洪水危害。

Liao Zhongkai　廖仲恺（1877-04-23，美国圣弗兰西斯科～1925-08-20，中国广州）　又拼Liao Chung-k'ai。中国近代民主革命家，国民党左派领导人。原名恩煦，又名夷白，字仲

1924年廖仲恺（右一）和孙中山在十月革命纪念会上
中国大百科全书出版社供图

恺，笔名屠富、渊实等。广东归善（今惠阳）人。少年时在美国读书，1893年归国。1897年10月与何香凝结婚。1902年赴日本留学。1903年起参加孙中山领导的革命斗争。1905年在东京参加同盟会。辛亥革命后任广东都督府总参议，兼理财政。1921年任财政部次长、广东财政厅长。1922年协助孙中山制定联俄、联共、扶助农工的三大政策。1924年协助孙中山改组国民党，促成国民党和共产党第一次合作。同年在国民党第一次全国代表大会上被选为中央执行委员、常务委员、政治委员会委员，先后担任广东省长、财政部长、国民党工人部长、农民部长、黄埔军校党代表、军需总监、大元帅大本营秘书长等职。孙中山逝世后，坚决贯彻三大政策，支持工农运动。1925年8月20日被国民党右派指使暴徒暗杀。著有《廖仲恺集》。

Liaodong Bandao　辽东半岛　又作Liao-tung Peninsula。中国辽宁省东南部伸入渤海与黄海之间的半岛，隔渤海海峡与山东半岛相望。金州以南的部分又称旅大半岛。东北与长白山毗连，中部为千山山脉，大部为低山、丘陵，一般海拔不到500米（最高的步云山1 131米）。沿海分布有海蚀阶地。半岛上河流短促，河谷狭窄，碧流河、大洋河等都独流入海。半岛南部金州附近的金州湾、大连湾为两个构造盆地，在最近地质时代曾下降，形成弯曲的海岸线，有旅顺、大连等良港，为中国北部地区海运、渔业的重要基地。辽东半岛气候温和，是苹果的集中产区和外销基地。柞蚕茧产量占全国的2/3。有多种金属矿产。沈大铁路、沈大高速公路纵贯半岛。

Liaoning　辽宁　中国主要的重工业省份。简称“辽”。位于中国东北地区南部。东部和东北与吉林省为邻，西部和西北与内蒙古自治区、河北省毗连，东南以鸭绿江为界与朝鲜民主主义人民共和国相望，南临黄海和渤海。大陆海岸线东起鸭绿江口，西至绥中县西南端，长约2 178千米。辽东半岛斜插黄海与渤海之中，与山东半岛遥相对峙，地理位置重要。介于北纬38°30′～43°24′，东经118°53′～125°46′。面积150 000平方千米。有汉、满、蒙古、回、朝鲜、锡伯、达斡尔等44个民族。辖14个地级市，56个市辖区，17个县级市，19个县和8个自治县。省会沈阳市。

自然条件和资源　省境东西两侧都是从东北向西南延伸的低山丘陵，大都海拔500米以下，个别山峰超过1 000米。辽东低山丘陵由长白山地的延续部分和它的支脉千山组成，千山伸入黄、渤二海之间后构成辽东半岛主干。沿海海蚀阶地发育，海岸曲折，多岩岛和天然良港。渤海西岸为狭长的滨海平原，习称“辽西走廊”，自古是沟通山海关内外的交通要道。中部为辽河及其支流冲积而成的平原，是著名的东北大平原（即松辽平原）的南部。辽河下游是低平的三角洲平原，海拔降到20米以下。大部分地区属温带大陆性季风气候，半岛部分因有海洋调节而属暖温带湿润气候。1月平均气温 −5～−18 ℃，7月平均气温22～26 ℃，年降水量440～1 130毫米，无霜期125～215天。辽东山地是省内降水最多的地区，也是森林的主要分布区，属温带落叶阔叶林和针阔叶混交林。矿产资源丰富。铁储量占全国的1/4以上。

沿革和经济　战国时属燕，农垦已具规模，在北部筑有长城，并设立辽东、辽西、右北平等郡。西汉在辽东郡平郭县（熊岳城）设铁官。唐代设安东督护府、营州都督府。历辽、金、元三代，辽阳一直是该省的政治中心。明初设辽东都指挥使司，属山东布政使司管辖，继续屯田军垦，农业和煤、铁、渔、盐等业都很繁荣。水运发达，海船可达朝鲜、日本和中国南方各港口。清初为盛京将军地，限制移民，并设柳条边墙，禁止越墙开发周围地区。19世纪初禁令被迫废除，移民大量增加，在平原丘陵种植高粱、玉米、大豆、小麦，在山区经营果园、林产、柞蚕，在沿海地区发展渔盐生产。工业、商业也随之兴起，先后出现沈阳、辽阳、海城、锦州、朝阳等经济中心，榨油、面粉、纺织、酿酒等作坊逐渐增多，并在本溪湖、阜新、抚顺、庙儿沟等地发展了采煤、炼铁等业。清咸丰十年（1860）英国强辟营口（牛庄）为商埠。光绪二十四年（1898）沙俄强租旅顺、大连湾，1903年中东铁路通车后，又获得中东铁路沿线地区行政、经济、矿业等特权。光绪三十一年日俄战后，日本侵略势力终于取代了沙俄在这里的地位。光绪三十三年开始设奉天省，1928年改名辽宁省。1931年“九一八”事变后，该省落入日本侵略者之手，资源和工业被日本人控制和利用。1945年日本投降后，辽宁经济受到破坏。1949年全国解放以后，辽宁成为中国经济最发达的省区之一。农业以粮食生产为主，有玉米、稻谷、高粱、谷子、小麦等。经济作物以棉花、大豆、烟草为主，是中国东北地区唯一的产棉区。盛产苹果和梨，在中国占重要地位。柞蚕放养面积广，是中国主要的柞蚕茧产区。沿海渔盐业发达，产海参、鲍鱼、扇贝等珍贵海鲜。工业以重工业为主。机械工业产值占工业各部门首位，沈阳建成以机械工业为主的综合性工业城市。钢铁工业主要集中在鞍山、本溪。煤炭工业主要在阜新、调兵山、抚顺等地。其他还有石油、电力、化工、造纸、食品、纺织等工业部门。

交通运输和教育　铁路运输发达，铁路网密度高。主要铁路干线有京沈、哈大、沈吉、沈丹、大郑、锦承等线，铁路营运里程达3 922千米（2005）。公路密度也远高于全国平均水平，承担着建筑材料、煤炭、农副产品和日用百货的运输任务，2005年公路里程达50 000千米。以省会沈阳为中心，101、102、202、304国道为骨架，京沈、沈大、沈丹、沈抚、沈四等高速公路为支架，干支线相衔接，贯通

全省的市、县和主要铁路站点。大连港是中国东北地区的海上门户，建港已有80多年历史，吞吐量仅次于上海港和秦皇岛港，居全国第三位。航空运输以沈阳为中心，通省内外各大城市。大庆——大连——秦皇岛铺设有输油管道，大大减轻了铁路运输的压力。省内大城市数量之多，在中国居首位。辽宁中部以沈阳为中心，包括抚顺、本溪、鞍山、辽阳5市的大城市集群已经形成。省内设有辽宁大学、大连理工大学、东北大学等60多所高等院校。人口41 730 000(2005)。

Liaotaizu Yelü Yi　辽太祖耶律亿（872～926）　中国辽朝的创立者。契丹名阿保机，字啜里只。迭剌部贵族。9世纪末任遥辇氏痕德堇可汗的扈卫官。901年被推选为迭剌部夷离堇(军事首长)。907年痕德堇可汗死，契丹贵族奉其为可汗，称天皇帝(太祖)。耶律亿通汉语，任用有才学的汉人为谋士，模仿汉地制度管理在战争中俘掠的汉人。916年耶律亿称大圣大明天皇帝，庙号辽太祖，建元神册，国号契丹，立长子耶律倍为皇太子。随后亲征突厥、吐谷浑、党项等部，并两次亲统大军南下，俘获大量人畜。大批降人、俘虏的迁入使辽的实力渐趋雄厚，在长城以北草原上出现了农田、村落、城廓、矿冶、作坊以及寺庙与孔庙。926年辽太祖领兵灭渤海(Parhae)，在归途中病死。次子耶律德光得到皇后的支持继承了皇位(辽太宗)。皇太子耶律倍遭到排斥，逃奔后唐。

Liaotianzuodi Yelü Yanxi　辽天祚帝耶律延禧(1075～1128)　中国辽朝的末代皇帝(1101～1125在位)。当政时人民起义不绝，金军节节入侵，上京等地先后被金军攻占。1125年逃亡西夏时为金军俘获。辽亡。

Liaoyang　辽阳　又拼Liao-yang。中国辽宁省辖地级市。位于省境中部，太子河中游。市区在哈大铁路线上，沈阳南约50千米。辖白塔、文圣、宏伟、弓长岭、太子河5区和辽阳县，并代管灯塔县级市。面积4 741平方千米，其中市区面积537平方千米。旧称辽阳州，是东北地区最古老的城市。秦在辽河以东地区置辽东郡，汉在今辽阳市置襄平县，为辽东郡治，后置辽阳县。唐上元二年(675)，安东都护府移此，为辽东的首府。辽太祖在神册四年(919)重修辽阳故城。天显三年(928)升为南京，天显十三年改南京为东京，并置辽阳府，府治辽阳县。元至元二十四年(1287)置辽阳行省，辽阳路路治在辽阳。明洪武八年(1375)置辽东都指挥使司，治辽阳。清顺治十年(1653)复设辽阳府，置辽阳县。顺治十四年府治迁沈阳，康熙三年(1664)升县为州。1913年复改辽阳县，1938年析辽阳县城设市。盛产稻米、高粱、玉米、棉花、柞蚕茧。有铁、煤、石油等矿藏。工业有机械、化工、电子、煤炭、纺织、造纸、建材等部门。位于市区东南的辽阳石油化纤总公司为中国最大的化纤原料生产基地之一，化学工业产值占全市工业总产值1/2以上。名胜古迹有汉、晋壁画墓群、广祐寺白塔和东京城。人口：全市1 810 000(2005)；市区700 000(2004)。

Liaoyuan　辽源　又称东辽。中国吉林省辖地级市。位于省境西南部，东辽河源头，吉林哈达岭低山丘陵区，一般海拔250～500米。原是禁猎区，清末开始农垦。1902年置西安县。1948年析西安县置西安市。1954年由辽宁省划归吉林省，改为辽源市。1956年西安县改为东辽县，1960年市县合并为辽源市。其后又几经分合，1980年又合并。1983年改为省辖市，恢复东辽县。辖龙山、西安2区和东辽、东丰2县。面积5 125平方千米，其中市区面积218平方千米。市境东多低山，西多丘陵，蕴藏较丰富的侏罗纪和白垩纪煤层，为吉林省大型煤矿所在地，也是东北地区重要煤矿之一。重要的矿区有平岗、西安、太信等。煤田主要分布在市区北部至梅河口一线。其他工业有电力、冶金、机械、造纸、电子、建材、纺织、化工、食品等。交通以四平—梅河口铁路为主干线，公路可通长春、伊通、西丰、四平。东辽和东丰是全省重要产粮县和烤烟、柞蚕业基地。人口：全市1 250 000(2005)；市区450 000(2004)。

Liaozhaizhiyi　《聊斋志异》　参阅 **Pu Songling 蒲松龄**。

Liapchev, Andrei　利亚普切夫(1866-11-30，奥斯曼帝国马其顿雷森～1933-11-06，保加利亚索非亚)　保加利亚政治家，1926～1931年国家局势持续紧张时期任首相。在莫纳斯提尔、萨洛尼卡、普罗夫迪夫接受中等教育，在苏黎世、柏林和巴黎上大学。当学生时，在争取保加利亚和东鲁米利亚统一的运动(1885)中起突出的作用。此后以新闻工作支持马其顿革命事业，后成为民主党机关报编辑。合作运动的先驱，被正式选为最高全国合作理事会主席。从1908年起几乎不间断地选入议会，1908～1911年先后任农业商业大臣和财政大臣。1908年签署保加利亚脱离奥斯曼土耳其帝国获得独立的条约。1918年再次出任财政大臣，9月签署标志保加利亚在第一次世界大战中失败的停战协定，11月任陆军大臣。在斯塔姆博利伊斯基独裁统治下，于1922年入狱，次年6月斯塔姆博利伊斯基下台后获释。此后成为围绕着首相灿可夫组成的“民主协约”政治同盟领袖，1926年继灿可夫担任首相。他的政府对暴力的“马其顿内部革命组织”的容忍加剧了与希腊和南斯拉夫的紧张关系，容许该组织实际上对保加利亚某些地区进行控制。1927～1928年获得国际联盟的稳定贷款以遣返在南斯拉夫的保加利亚难民。但经济萧条很快带来更强烈的国内不满情绪，这种不满一直持续到他的政府于1931年结束。

Liaquat Ali Khan　利亚格特·阿里汗(1895-10-01，印度格尔纳尔～1951-10-16，巴基斯坦拉瓦尔品第)　巴基斯坦第一任总理。地主家庭出身，曾在阿里格尔、安拉阿巴德和牛津大学艾克塞特学院求学。毕业后操律师业。1923年参加政治活动，先选入联合省地方立法会议，后又选入中央立法会议。他参加穆斯林联盟，不久即与真纳密切合作。巴基斯坦独立斗争取得胜利后，真纳任第一任总督，利亚格特成为当然的总理人选。在这一职位上，他获得了卓越的成就。如果说真纳创立了巴基斯坦，则利亚格特建设了巴基斯坦，他制定了国内外政策的主要路线，这些路线后来一直指导着这个国家。真纳死后，他被拥戴为“国家领袖”。1951年在拉瓦尔品第被因其坚决拒绝考虑与印度作战而怀恨在心的狂热分子暗杀。

liar paradox　撒谎者悖论　又称epimenides' paradox(埃庇米尼得斯悖论)。即如果“这句话不真”是真的，那么它就是不真的；而如果它不是真的，则它就是真的。这一例子说明，某些语词的陈述在语法上尽管是正确的，但逻辑上却是荒谬的。英国哲学家B.罗素在发挥类型论时运用了下面的例证：“我在说谎”这一陈述仅在它是非真实的情况下是真的，但假如它是真实的，则它就是不真了。公元前6世纪克里特岛预言家埃庇米尼得斯最先记载了这种悖论。

Liard River　利亚德河　加拿大西北部河流。源自育空地区的佩利山，东南流入不列颠哥伦比亚省，然后转向东北，在辛普森堡注入马更些河。全长693英里(1 115千米)。上游多湍流峡谷，下游从辛普森堡至利亚德堡有165英里可通小船。支流有海兰河、科尔河、比弗河、珀蒂托河等。因河岸有杨树(Liard)故名。

Liatris　蛇鞭菊属　菊科的一属，约30种，多年生草本植物，原产北美。头状花序紫色或粉红紫色，被多数鳞状苞片所包围，长穗状簇生。叶长而薄，互生，通常有树脂点。有些

明星菊(*Liatris squarrosa*)
美国不列颠百科全书公司供图

种栽于野花花园或作沿边花卉。有些种俗名钮状蛇根草、彩羽菊、明星菊等。

Liatroim(Ireland)　参阅 **Leitrim 利特里姆**。

Liban, Mont(Lebanon)　参阅 **Lebanon Mountains 黎巴嫩山**。

Libanius　利巴尼奥斯(314，叙利亚安条克～393)　希腊诡辩家、修辞学家。他的演

说和信件是4世纪时安条克和罗马帝国东部政治、社会和经济生活的主要史料来源。他始执教于君士坦丁堡和尼科美底亚，后去安条克(354)办学，不久即获盛名。在面临罗马崛起的情况下，他仍试图保持希腊传统。虽然他结交并尊重个别基督教徒，但他试图无视基督教的存在，仍按过去的方式生活和写作。他的作品描绘了当时的教育情况，颇有价值。

Libau (Latvia)　**利包**　参阅 **Liepāja 利耶帕亚**。

Libavius, Andreas　利巴威斯(约1540，德国哈雷～1616-07-25，科堡)　德语名 Andreas Libau。德国化学家、医生和炼金术士。他有许多重要化学发现，但最令人注目的是他编写的第一部近代化学教科书。1586～1591年在耶拿大学任历史学和诗学教授，后为城市内科医师和罗滕堡中学学监。他的许多著作以清楚、明确的文体著称，最重要著作为《炼金术》(1606)，确立了17世纪法国化学教科书传统。他虽坚信可将贱金属变成金，却因对炼金术士帕拉切尔苏斯门徒的神秘主义进行辛辣的攻击而著名。他倡导分析探讨化学现象；发明了硫酸铵、硫化锑、盐酸和四氯化锡的制备方法。

Libby, Willard Frank　利比(1908-12-17，美国科罗拉多格兰德瓦利～1980-09-08，加利福尼亚洛杉矶)　美国化学家，他的放射性碳测定年代技术为考古学家、人类学家和地球科学家提供了极有价值的手段，因此荣获1960年度诺贝尔化学奖。在加利福尼亚大学伯克利分校获哲学博士学位，1933～1945年在该校任教。

在曼哈顿工程任职期间(1941～1945)，他参与发展一种分离铀同位素的方法，这是制造原子弹极重要的一个步骤。1945～1959年参加芝加哥大学核研究所的工作。1946年他证明宇宙辐射产生氢的最重同位素氚。次年他与他的学生们研制出碳14测定年代技术。1955～1959年，他在美国原子能委员会任职，以后成为加利福尼亚大学洛杉矶分校的化学教授。著有《放射性碳测年》(1952，第二版1955)。

Liber and Libera　利贝尔与利贝拉　古罗马宗教所信奉的一对神灵。他们司掌丰产与耕耘。利贝尔早已在意大利受崇敬，后来被人认为与狄俄尼索斯为一体。利贝尔与利贝拉的节日为3月17日，届时及龄男青年初着成年长袍。节日活动甚多，据说可以促进种籽发芽。

Liber Judiciorum　《民法大全》　卡斯蒂利亚语作 Fuero Juzgo。西哥特人的法典，为中世纪西班牙法律的基础。654年由雷塞斯温国王颁布，681和693年两次修订。用拉丁文写成，大部分具有罗马人的传统，主要创新之处是制订了各区域法规。这部法典共有500条，多数条款源于国王莱奥维希尔德时期。包括法律和执法人员、法庭、婚姻、家庭和继承、契约、犯罪和用刑、抢劫案、侵犯财产罪、避难权、地产的征用和分割、医生和商人管理法以及惩处异端分子、公务人员和犹太人法等12个项目。这部法典的现代价值在于它详细地提供了这个西哥特王国组织机构的根本情况。

Liberal　利伯勒尔　美国堪萨斯州西南部城市，苏厄德县县城(1892)。靠近俄克拉何马州边界。1888年始建，同年设市。现为谷物和牲畜产区的贸易中心。地处雨果顿天然气田的东缘，为许多石油和油气总公司所在地。利伯勒尔工业有金属制造、炼油、磨粉和飞机制造。设有油泵厂和汽油提炼厂。人口约19 666(2000)。

liberal arts　大学文科　旨在传授一般知识及发展一般智能的学院或大学课程，与专业的、职业的或技术的课程形成对照。在中世纪西方大学中，文科“七艺”是语法、修辞和逻辑(三艺)以及几何、算术、音乐和天文(四艺)。在现代大学中，文科包括文学、语言、哲学、历史、数学和科学，这些学科系普通教育或文科教育的基础。有时大学文科课程被认为是三个主要知识领域的综合学科。这三个主要知识领域是：人文学科(文学、语言、哲学、美术和历史)；物理和生物科学与数学；社会科学。

Liberal-Democratic Party　自由民主党　日语拉丁字母转写作 Jiyū-Minshutō。日本最大政党，自1955年11月成立至1993年一直是执政党。该党通常与工商企业利益集团密切合作，遵循亲美外交政策。从19世纪的一些党派承袭而来。1880年自由党开展建立日本国民议会和宪法政府运动。另一个较温和的政党进步党，主张成立英国式政府。在1889年的明治宪法之下，自由党和进步党在议会制政府中很活跃。1918～1931年，它们分别用立宪政友会、民政党的名义，掌握实权。后来，由于军国主义化倾向增强，所有的政党失去影响，1940年两党被解散。1945年第二次世界大战结束，日本投降后的4年为政治混乱时期。自由党建立在旧政友会的基础上，而新建的进步党由旧政友会和民政党的一些派别组成。自由党忠于天皇和日本，进步党则强调社会福利。两党联盟动摇。1945～1954年进步党4次易名，从进步党改为民主党，又改为国民民主党，再改为改进党。进步党在1946年的选举中获得19%的选票，1947年和1948年同左翼政党一起参加联合政府。但是，在1949年的选举中，进步党只得到16%的选票，并向右转。1954年11月，它同自由党一派联合组成日本民主党，1955年日本民主党同继续留在自由党内的人组成自由民主党。50年代和60年代初期，由于日本惊人的经济发展，自民党赢得人们的信任，在历次选举中均获得60%左右的选票。但是，到60年代中期，左翼反对派和内部的宗派主义使自民党的声望下降，通常只能得50%左右的选票。80年代后期，该党为一系列重大的财政和其他丑闻所动摇，这些丑闻迫使该党的两位首相相继辞职。在1993年7月的普选中，该党38年来第一次在议会失去多数。次年作为三党联盟中最大的党夺回政权，但社会民主党人村山富市出任首相。1996年村山富市辞职后，首相一职由自民党人担任。进入21世纪后，随着自民党首相森喜郎爆出一系列丑闻和失误，自民党声誉受到影响。自民党在其继任者小泉纯一郎的领导下扭转了局势，在2001年参议院选举中以绝对优势获胜。2006年9月安倍晋三以压倒性优势赢得日本自民党总裁选举，正式出任新首相。

Liberal Front Party (PFL)　**自由阵线党**　巴西中间偏右的政党，支持自由市场政策。成立于1984年，目的是反对P.马卢夫，他在1985年巴西自1964以来的首次民主选举中成为总统候选人。该党成立之初即加入民主联盟，支持内维斯作为总统候选人，创建人之一萨尔内为副总统候选人。选举获胜，但内维斯在就任前因病逝世，萨尔内出任总统至1990年。1987年自由阵线党退出民主联盟，1988年萨尔内因未能为1989年的总统选举结成获胜的联盟而退出该党。自由阵线党后来成为支持巴西社会民主党创始人卡多佐竞选总统的最重要集团之一。1994和1998年卡多佐在选举中轻易获胜。自由阵线党1992年成为众议院中支持政府的最大集团，1998年成为众议院中最大党派。该党派的支持者主要集中在较贫困的亚马逊地区、东北部地区以及一些中小城市，在州及市一级最具代表性。在卡多佐第二任期内自由阵线党与巴西社会民主党关系日趋紧张。2001年两党联盟正式结束。在2002年的选举中自由阵线党位居第二，在众议院中占有1/6席位。

Liberal Party　自由党　英国19世纪中期出现的政党，继承历史上有名的辉格党。1918年前，自由党是英国保守党的主要对手，此后，工党取代自由党成为保守党的主要对手。1918年起至20世纪80年代，自由党成为小党。1988年它与社会民主党合并，组成社会自由民主党。在第一个《改革法》通过后(1832)，在本来主要由贵族辉格党人组成的下院，中产阶级人士不断增加，还有少数激进人士。这些激进人士大约从1850年起，往往同反对保护主义的托利党人，即皮尔派合作。1839年J.罗素开始使用自由党名称。1846年由他组成的政府有时被认为是第一个自由党政府(也有人认为应是1855年的帕默斯顿政府)，但第一个明确无误的自由党政府是1868年由W.E.格莱斯顿组成的。在他的领导下，各派形成统一的议会政党。1865年后，格莱斯顿以个人的品格和他的政治主张统治自由党。从1868年到1894年，自由党在他的领导下执政12年多。其主要成就在于改革，包括建立国民教育制度，秘密投票制，工会合法化，农村地区工人阶级享有选举权，改建军队，改革司法制度。1886年自由党失去一批反对格莱斯顿的《爱尔兰自治计划》的自由党联合派，使党受到削弱。

到20世纪初期，自由党奄奄一息，但是保守党的分裂使自由党在选举中获胜。1906～1915年是福利国家奠定基础时期，也是自由党单独执政的最后时期。1915年，第一次世界大战期间，自由党的H.H.阿斯奎斯与保守党和工党组成联合政府。1916年自由党的劳合·乔治任首相。1918年劳合·乔治派同阿斯奎斯派严重分裂，工党取代自由党成为正式的反对党。1923年自由党重新联合，得到近30%的选票，但再次分裂，以后逐步失去选民的支持。自由党短期(1931～1932)参加过政府和第二次世界大战期间的联合政府(1940～1945)。

Liberal Party (Italy) 参阅 **Italian Liberal Party** 意大利自由党。

Liberal Party 自由党 美国纽约州的小党。1944年5月由美国劳工党中的温和派领袖建立。他们反对共产党人渗入劳工党。自由党通常支持民主党候选人，有时也支持共和党自由派。

Liberal Party of Australia 澳大利亚自由党 澳大利亚主要政党之一。目前形式的自由党是1944年由R.G.孟席斯建立的。原先的自由党于1910年出现，是激进的保护主义者与自由放任的自由贸易主义者的联盟，他们联合起来主要是为了反对日益强大的工党。当时称联合党，1913年第一次参加竞选，败于工党。自由党在第一次世界大战期间首次执政，当时，工党因征兵问题分裂，自由党同主张征兵的工党党员合并，成立国民党。1922年大选后，国民党谋求与新建的乡村党联盟。于是国民党里的自由党派把来自工党的领导人排除出党。国民党改名为国民党-乡村党联盟，变得更加保守。联盟一直控制澳大利亚联邦政治，因1929年选举失败才下野。1931年底，国民党同工党一些人联合为澳大利亚统一党，重新执政。澳大利亚统一党通常同乡村党合作，一直处于统治地位，1937年以后因内部分裂和缺少明确的纲领而日益衰弱，至1941年终于一蹶不振。新的澳大利亚自由党于1944年10月在澳大利亚统一党的基础上成立。1949年澳大利亚自由党在孟席斯领导下，同乡村党联合，又成为执政党，孟席斯于1949～1966年担任澳大利亚总理。这以后自由党-乡村党联盟继续控制澳大利亚政治舞台，直至1972年由工党执政。1996年，自由党在J.霍华德的领导下夺回政权，并且与国家党组成联合政府。在霍华德的领导下，自由党-国家党联盟在1998、2001年和2004年的竞选中连续获胜。澳大利亚自由党纲领的要点是：紧密联系企业界；在内政、外交上同美国密切合作。

Liberal Party of Canada 加拿大自由党 法语作 Parti Libéral du Canada。加拿大主要政党之一。自由党的前身是一些反对党派，这些反对党派于1867年加拿大联邦(加拿大自治领)成立前政党制形成的那个世纪里开始出现。

早期的反对党派被称为改良党，1848年组成政府，一直执政到1854年。这一年各派政治力量进行大规模的重新组合，大批温和派自由主义者同保守派结成联盟，激进的或先进的自由主义者——晶砂党——成为自由党的中坚，该党在以后的10年中得到发展。1873年组成第一届自由党政府，由A.麦肯齐任总理。1878年选举失败。1896年法裔加拿大人W.劳里埃领导该党连续执政15年。1921年自由党仅以一票的多数再次执政，但由于其领袖W.L.麦肯齐·金的机敏，以及得到进步党的支持，它仍执政将近4年。在保守党人执政3个月后，麦肯齐·金于1926年再次上台。除1930～1935年期间外，麦肯齐·金一直执政到1948年退休为止。此后，党的领导权第2次落入法裔加拿大人S.圣劳伦特手中，自由党在他的领导下在1949年和1953年的两次选举中都取得绝大多数。1957年自由党被进步保守党击败，自由党从此没有执政，直到1963年4月L.B.皮尔逊组成少数派政府。在1965年11月的选举中，各派仍不分胜负，自由党继续处在没有多数的执政困境之中。1968年自由党的领导权第3次落入法裔加拿大人P.E.特鲁多手中，同年6月，特鲁多领导自由党取得了决定性胜利。除1979～1980年进步保守党短期执政外，自由党一直执政至80年代初期。由于在国际经济危机中特鲁多未能取得任何进展，自由党和特鲁多的声望下降，1984年特鲁多辞去党的领袖职务。该党随后败于B.马尔罗尼领导下的进步保守党。

Liberal Republican Party 自由共和党 美国共和党的激进改革派，1872年11月大选时提出对立的候选人名单，向该派认为的U.S.格兰特总统政府的腐败无能发起挑战。5月自由共和党在俄亥俄州举行大会，提名H.格里利为总统候选人，并通过一项政纲，主张改革政府，降低关税，对南方采取和解政策，因而得到民主党的支持。格兰特在连任总统期间，也不得不采纳他们的一些建议。到1876年，自由党党员多半重新加入了正统共和党。

liberal Socialism 自由社会主义 参阅 **market Socialism** 市场社会主义。

Liberale DA VERONA **利贝拉莱**(约1445，威尼斯共和国维罗纳～1526或1529，维罗纳)

利贝拉莱的手抄本装饰画《耶路撒冷城门前的耶稣》

美国不列颠百科全书公司供图

意大利早期文艺复兴艺术家，当时最优秀的手抄本装饰画家之一，兼画细密画和板上画。1470～1474年为锡耶纳大教堂的圣诗集作装饰画，现藏皮科洛米尼图书馆。是当时意大利最好的细密画。曾为维罗纳的圣阿纳斯塔西亚教堂的博纳韦利礼拜堂画壁画(约1490)。

liberalism 自由主义 对自由主义不宜作简单的定义。主要的困难是自由主义者对社会问题往往采取实用主义的处理方法。同时，自由主义者自身在关于政府的职责范围这一问题上往往有彼此相反的意见。这也成为引起人们对自由主义误解的一个主要原因。若干世纪以来它的内容曾有过巨大变化，但它仍保持原来的形式。

历史背景 自由主义是希伯来的预言书、前苏格拉底哲学家的学说和耶稣登山宝训等发展之顶点。从这些思想中产生了重视人的个性的意识，把人从对集体的完全屈从中解放出来，从俗习、法律和权威的约束中解放出来。作为一个个人，人的解放可以说是西方文化的独特成就。这是与西方人追求自由分不开的。因为自由主义从广义说，就是旨在保护个人不受无理的外界限制。中世纪的社会是一个封建阶级社会，根本不是滋长自由主义的土壤。随着欧洲逐渐商业化和城市化，兴起了一个反抗教会和君主压迫的中产阶级；中世纪的封建等级制度不得不有所改变，以适应形势的需要，因而宗教改革和英、法国家的革命运动就应运而生。古典自由主义作为一种明白宣示的信条，可以说是近代西欧历史上这些重大冲突的产物。但自由主义在各国的命运，却因各国不同的历史情况而有所不同。它与一国之王权的强弱、贵族的兴衰、工业化的速度以及国家统一的状况都有关系。因此，法国自由主义的特性反映了贵族和波旁王朝专制主义的衰落。由于奥地利反动势力的影响及普鲁士的军国主义化，自由主义在19世纪的德国归于失败。由于奥地利和拿破仑的武装干涉，以及梵蒂冈的反对，自由主义迟迟未能进入意大利。尽管情况有差异，自由主义对独裁主义的冲击毕竟还是在整个欧洲及其领地回荡着。自由主义的代表人物在匈牙利有科苏特，在意大利有马志尼，在荷兰有托尔贝克，在南美洲有玻利瓦尔。

经济基础和政治基础 从经济方面看，18和19世纪的自由主义是以市场的统治权和"利益集团的自然协调"为基础的。古典自由主义的经济学家认为，市场不需任何目的性的安排，它有自身调节的机制。道德的目标和伦理的准则都不能决定市场内部事情发生的先后次序。个人的自私自利是一个促进公共福利的推动力量，因为在一个交换经济制度中，他为了要为自己服务，就必须先为别人服务。但是，这种令人愉快的结果只有在"自由"市场的条件下才能出现。任何别的安排都必将导致严密统辖、剥削和经济停滞。亚当·斯密的《国富论》对此理论作过精辟的说明。人作为一个有理性的经济动物，所要求的总是以最小的代价换取最大的收益。在边沁看来，自私自利和贪图享乐乃人之天性，

因而他问道:“当苦乐这样重要的问题亟待解决之时,谁能不打算一下呢?”正因为有理性的人最能知道自己的利益所在,所以政府机关的干预,只会减少最大多数人的最大幸福。再一个古典经济信条就是:消费者是最高的主宰,他们通过所付的价格和所购买的数量,规定着产品的质和量。这种经济信条的逻辑涵义是对私有财产的辩护。亚当·斯密说:“每个人在他自己的劳动中取得的私有财产是一切财产的基础。”边沁说:“正是这种权利克服了人们对劳动的厌恶。”因为贪婪和懒惰是生而有之的、不可克服的人性,所以必须保持财产的安全。美国的宪法和法国的人权宣言都责成政府要负起保护它的责任。

在政治方面,历史上的自由主义的指导原则是坚定不移地限制政府的权力,以免对社会的经济生活进行破坏性的干涉。斯宾塞甚至不许政府担负起城市修马路、装电灯和搞卫生的责任,而边沁对政府的忠告是“要安静”。伯克说:“国家的力量只能防止过多的恶,而很少能行积极的善。”美国的杰斐逊则认为:“管得最少的政府就是最好的政府。”他的这一名言为美国人世世代代广泛传诵。一般说来,自由主义者相信,政府不要去做个人自己所能做的事情。人们想出种种办法限制政府的权力,分权就是其中之一。它把政府的职能分为行政、立法、司法三个部门,使其相互牵制。古典自由主义者对个人权利的解释各有不同,或者把它们说成是“自然的”,不可转让的(洛克);或者把它们说成是“功能的”(边沁);或者说成是“传统的”(伯克)。总之,都是不受外来干预的。

成就和失误 从历史的角度看,各种错综复杂的力量引起了各种巨大变革。而古典自由主义就是使这些力量合理化的表现。封建主义被摧毁了。资本主义代替了中世纪处于停滞状态的社会。腐败无能的贵族被剥夺了特权。专横的权势受到了挑战和约束。中产阶级可以自由地使用自己的精力来扩大生产手段,大大地增加社会财富。代议制政府兴盛起来,自由主义者限制了统治权力,使立宪政府的理想变成现实。他们发展了个人权利的学说,其中包括信仰自由、出版自由、言论自由和集会自由的权利,这是近代民主的精髓。穆勒的《自由论》被赞扬为法律规定的公民自由权的鉴定书。但先后在英美两国发生的经济变革,自20世纪初以来日益破坏着自由主义的经济基础——市场经济。广大的人民群众实际上享受不到经济学家所设想的“自由选择”。更坏的是,利润制度使大量的财富集中在少数人手中,产生了不少恶果。其中较显著者有:①广大人民群众生活在贫困的状态中;②消费者缺乏购买力,市场商品充斥,导致生产停滞;③垄断生产手段者或其经理成为暴君,为所欲为,他们利用权力影响和控制政府。这是20世纪自由主义者的意见;这也是导致他们反对私人集体主义的一些情况。他们主张政府发挥积极作用,提倡在商业和政府之外形成各种权力中心。

现代自由主义 它比古典自由主义更不定型,它们没有像洛克、亚当·斯密那样的“家长”。尽管如此,现代自由主义的轮廓还是清楚的。现代自由主义者承认利润制度,无意取消它,而只想改造它和控制它。但他们也找不到一条固定的、永恒的界线来划分经济的私人部分和公共部分。现代自由主义和古典自由主义的一个根本差异就是:大多数自由主义者现在都相信,现代市场所实行的体制,必须以实质性的方式加以补充和改正。他们虽相信价格、工资和利润应由有关各方面进行协商,和响应市场的常规压力,但他们都坚持价格-工资-利润的决定影响整个经济,必须与公共政策相协调。

自由主义的前景 在当前,自由主义所依赖的那种传统联盟已在许多国家处于破损状态。左派和右派日益走向两极分化,使自由主义受到两面攻击。不过,这种围攻只是表面现象;事实上,自由主义的许多纲领都变成了公共政策。自由主义的内容往往随着条件的变化而变化。自由主义者可以今天反对教会,明天又拥护教会;在一个时期,他们希望政府对经济事务少干预,在另一个时期又希望政府多过问;他们曾长期宣传工会的好处,说不定有一天又会考虑工会的坏处。但其动机总是一个:反对使个人自由受威胁的权力集中,为了适应新的需要,希望重建新的社会制度。但自由主义者总想避免突然的巨大变动,这使他们与激进主义者有所不同。自由主义者对于一些有用的变革又很热心,这是其不同于保守主义者之处。自由主义的内容尽管经常改变,但它的特性构成了它的独特而经久不变的形式。

liberalism, theological 参阅 **theological liberalism** *神学自由主义*。

Liberation, Union of **解放协会** 俄国第一个重要的自由主义政治团体。1904年1月在圣彼得堡成立,是一个秘密组织,主张以君主立宪制取代专制政体。最初由自由主义贵族创建,不久为中产阶级和专业人员所控制,这些人赋予协会以新的战斗精神。协会于1904年10月通过3点战略,以表明这一新的战斗性。①劝说俄皇亚历山大二世建立地方自治会,请求沙皇颁布宪法;②举行一系列宴会,表面上是为了庆祝亚历山大二世的法庭改革40周年,而在实际上是推行自由主义的政治理想;③支持各地成立协会,并联合成“协会的协会”。在解放协会的榜样的鼓舞下,许多自由主义社团都通过决议,要求立宪。

Liberation, War of **解放战争** 中国共产党领导的推翻国民党反动统治的国内革命战争。又称第三次国内革命战争。1945年8月15日日本宣布投降。8月28日中共中央主席毛泽东应国民政府主席蒋介石邀请,由延安飞抵重庆,就国内和平问题举行谈判。双方代表于10月10日签署会谈纪要。在谈判过程中和会谈纪要签字后,双方军事冲突并未停止,在美国政府特使马歇尔将军调停下,1946年1月10日双方达成停止军事冲突的协议,发布停战令。但国民党政府利用美国转让给它的飞机大炮,首先向共产党已经控制的东北地区发动进攻,遭到失败。1946年下半年,美国政府终止调停。接着,双方在中国其他地区也展开战斗。战争第一年(1946年7月至1947年6月)中国人民解放军采取以歼灭国民党军有生力量为主而不是以保守地方为主的战略方针,实行内线作战,使国民党军伤亡达112万人。1947年7月中国人民解放军转入战略进攻,把主要战场推向国民党统治区,在战争的第二年(1947年7月至1948年6月)国民党军损失约152万人。1948年9月至1949年1月,中国人民解放军先后进行了辽沈、淮海和平津三个战略决战性的大规模战役,使国民党军伤亡达150余万人。1949年4月20日晚中国人民解放军100余万人横渡长江,23日占领了国民党政府首都南京,接着攻取了全国最大城市上海,并向中国南方和西北进军。1949年10月1日中华人民共和国建立。到1950年6月,全国除西藏、台湾及近海少数岛屿外,全部从国民党统治下解放出来。1951年12月,人民解放军依据《关于和平解放西藏办法的协议》进驻西藏。这次战争,中国人民解放军使国民党军伤亡达807万人。

Liberation Daily **《解放日报》** 中国共产党中央委员会在延安时期的机关报。1941年5月16日创刊,1947年3月27日终刊。社长秦邦宪(博古)。1946年秦邦宪因飞机失事遇难,由廖承志任社长。《解放日报》经历了抗日战争和解放战争两个时期,报纸着重宣传团结抗日,报道中国共产党领导的敌后游击战争和根据地军民的大生产运动,还报道了第二次世界大战期间国际反法西斯斗争的战况。抗日战争胜利后,《解放日报》主要宣传建立和平、民主、独立自主的新中国的斗争。毛泽东经常为报纸撰写评论。文艺界知名人士周扬、何其芳、萧三、艾青、周立波、刘白羽、陈荒煤等人经常为文艺副刊撰稿。还刊登著名作家郭沫若、茅盾、夏衍的著作。目前上海出版的《解放日报》,是中国共产党上海市委员会的机关报。

Liberation of Labour (Marxist organization) 参阅 **Labour, Liberation of** *劳动解放社*。

liberation theology **解放神学** 20世纪后期天主教会内的一种运动,其影响范围以拉丁美洲为中心,主张参与政治事务和公众事务,借以扶助贫民和受压迫者,从而实行宗教教义。它强调深入了解造成社会不公的社会经济结构并且积极参与变革这种结构。解放神学家认为,上帝特别通过贫民发言,只有采用贫民的观点才能理解《圣经》。他们发现,拉丁美洲的天主教会与欧洲的天主教会有根本性的不同,换言之,拉丁美洲的天主教会是贫民所享、贫民所有的教会。为了建设这样的教会,他们组织基层团体,每一个基层团体有成员10～30人,共同研读《圣经》并设法满足各堂区信徒在食品、用水、污水排泄和电力等方面的紧迫需要。1968年在哥伦比亚麦德林曾举行第二次拉丁美洲主教会议,一般就以这次会议为解放神学运动诞生之时。与会的各主教发布一份文件,强调贫民的权利,并指出,工业化国家之富有是依靠损害第三世界国家。解放神学派的创新精神的文献《解放神学》(1971)出自秘鲁司铎和神学家

G.古铁雷斯的手笔。该派其他领导人物有萨尔瓦多大主教O.A.罗梅罗(1980年被害)、巴西神学家L.包福、耶稣会学者J.索布里诺和巴西大主教H.卡马拉。解放神学派在20世纪70年代在拉丁美洲获得重大发展。他们主张教牧人员的工作包括参与贫穷者反对富有上层人物的政治斗争,因此往往受到批评。这种批评有的是来自天主教会内部的正式批评,有的是舆论界的非正式批评,指责他们是出于幼稚而散布马克思主义,鼓吹左翼社会主义行动。在90年代,根据教皇约翰·保罗二世的指示,梵蒂冈在巴西和拉丁美洲其他地方任命比较保守的高级教士,力图遏制解放神学运动的影响。

Liberation Tigers of Tamil Eelam (LTTE) **泰米尔民族解放之虎** 别名Tamil Tigers(泰米尔猛虎组织)。旨在斯里兰卡北部和东部建立一个独立的泰米尔国伊拉姆(Eelam)的游击队组织。由V.普拉巴卡兰组建于20世纪70年代初期,是世界上最为老练和组织严密的反叛团体之一。70年代进行了一系列游击战。1983年在杀死13名士兵和斯里兰卡军队进行报复以后,斯里兰卡政府与该组织之间爆发了大规模的暴力行动。到1985年,该组织已控制斯里兰卡北部的贾夫纳市和贾夫纳半岛的大部分地区。1987年普拉巴卡兰下令,消灭了大部分与之敌对的泰米尔团体。为了资助其行动,该组织从事银行抢劫和毒品走私活动。1987年10月失去了对贾夫纳的控制,被派往斯里兰卡协助落实全面停火的印度维和部队取而代之。但印度维和部队于1990年3月撤出后,猛虎组织卷土重来,成功实施了几次游击行动和恐怖攻击。1991年5月21日一个成员用炸弹与当时正在印度泰米尔纳德邦参加竞选活动的前印度总理R.甘地同归于尽。1993年5月暗杀斯里兰卡总统R.普雷马达萨。黑虎队是猛虎组织的精锐,专门负责自杀式攻击行动。一旦被捕,队员会吞食挂在颈部的氰化物胶囊自杀。与政府之间的谈判在90年代中期破裂。2000年12月猛虎组织宣布单方面停火,但只持续到次年4月。此后双方的相互攻击活动再度加剧。在20世纪的最后20多年中,约有6万多人死于斯里兰卡内战。

Liberator (U.S. aircraft) **解放者** 参阅 **B-24** B-24轰炸机。

Liberator, The **《解放者》** 美国南北战争前最有影响的反对奴隶制度的周报。由废奴主义者W.L.加里森在波士顿出版,共发行35年(1831-01-01～1865-12-29)。虽然只有3 000个订户,但由于坚决主张立即解放仍在南方各地受奴役的数百万美国黑人而得到为数众多的读者。在北方,加里森力主对一切人,不问肤色,彻底执行独立宣言的原则。

Liberec **利贝雷茨** 德语称赖兴贝格(Reichenberg)。捷克共和国北部北捷克州城市。位于巨人山区间卢日茨卡尼萨河谷地。13世纪建立,1577年设市。第二次世界大战前居民主要为德意志人,战后被逐。16世纪以来一直为纺织中心,有"波希米亚的曼彻斯特"之称,主要生产细平布、小地毯、挂毯、棉织品和丝织品。市内北波希米亚博物馆藏有许多中世纪佛兰芒挂毯。1945年后捷克人重新来此定居,振兴了工业,包括传统的纺织品和玻璃生产。人口约99 794(1999)。

Liberia **利韦里亚** 哥斯达黎加西北部城市。为四周牲畜、水果、谷物和甘蔗产区的商业中心。不通铁路,但在泛美公路上。另一条公路向南通往尼科亚半岛上的城镇。人口约31 366(1993)。

Liberia **利比里亚** 全称利比里亚共和国。非洲西部的共和国,西北与塞拉利昂交界,北与几内亚接壤,东与科特迪瓦为邻,西南濒大西洋。首都蒙罗维亚。面积99 067平方千米。人口约3 164 000(2000)。

美国不列颠百科全书公司供图

土地 利比里亚的大西洋沿岸地带延伸近560千米,为砂质低海岸,其间有潟湖和红树沼泽。内陆为大部与海岸平行绵延起伏的低丘陵带。茂密的热带雨林覆盖着丘陵带的大部分地区。内陆深处则是切割高原,散布着几座低山,海拔从180～600米不等,森林不太茂密。该国与几内亚交界处附近的宁巴山为全国最高山,其最高峰格斯特豪斯山海拔1 380米。境内主要河流均向西南流动,最后注入大西洋。该国与科特迪瓦之间的界河卡瓦拉河有部分河段可通航。

全年气候温暖,11～4月为干季,5～10月为湿季,区分明显。由于森林遭砍伐和萨赫勒的干旱环境,部分地区的干季更长。年平均气温:北部高地为18 °C,沿海地区为27 °C。年降雨量沿海地区高达5 100毫米,边远的内陆地区则减少到约1 800毫米。利比里亚约1/5的地区为热带雨林,产有多种木材,包括红铁木、非洲紫檀和桃花心木等。野生动物有猴子、黑猩猩、羚羊、蛇和鳄鱼;亦有一些象、野牛和豹,但数量在逐渐减少。

可耕地约占国土面积的4%,但境内铁矿储量丰富。

人民 与该国的建立有最密切关系的居民是美洲大陆被释放的黑奴。他们在历史上被称为美洲-利比里亚人,大多于1820～1865年从美国移居利比里亚。此后陆续有黑人自美洲流入,但美洲-利比里亚人始终只占该国人口的少数。利比里亚的非洲土著人从语言上可分为3个语族:曼德人、克瓦人和梅尔人(南大西洋)。曼德人包括克佩勒、洛马和马诺三个部族,居住在利比里亚北部、西北部和中部,以及其他邻近国家。克瓦人包括沿海地区的巴萨、德、格雷博和克鲁等部族以及内陆和南半部地区的克兰、萨波等部族。梅尔人则包括北部地区的戈拉、基西两个部族。官方语言为英语。约1/5的人口为基督教徒,约1/7为穆斯林,近2/3信奉传统宗教。

全国2/5以上的人口年龄不足15岁。人口出生率和死亡率一般与非洲其他国家相当。这两项指标连同年人口增长率,均高于世界标准。全国一半以上人口居住在乡村地区。

经济 利比里亚属发展中的市场经济,主要以农业和铁矿砂的出口为基础。由于燃料成本增加、内战以及其他问题,经济增长在20世纪后期持续低落,尤以铁矿业为甚。国民生产总值的增长慢于人口增长;人均国民生产总值虽然高于西非各国的平均水平,但仍属世界最低者之列。

农业约占国内生产总值的1/3,占用2/3以上的劳动力。主要经济作物有橡胶、咖啡和可可。受外国大公司及其种植园控制的橡胶工业是除政府以外的全国最大雇主;橡胶出口一般约占国民生产总值的10%。主要农作物为水稻和木薯。水稻产量极低,须大量依赖进口。

利比里亚的森林资源丰富。20世纪70年代中期,有一家大型锯木厂和一家胶合板厂建成投产,但后来木材工业的迅速发展因木材价格下跌和易伐林木资源耗尽而受阻。

制造业和矿业约占国内生产总值的1/5,雇用约4%的劳动力,以铁矿砂生产为主,占总出口值的一半。以铁矿砂和橡胶为基础的加工制造业几乎没有建立。制造业以生产进口替代品的小型企业为主。该国的基础设施发展较快,部分原因是由于有外援,部分由于根据开采特许权所承担的工程项目的结果。

利比里亚政府公开鼓励外国私人投资以刺激发展。大量外国开发资金由一些西方国家以拨款或贷款方式提供,主要来自美国、国际货币基金组织和世界银行。出口以铁矿砂、橡胶、木材、咖啡和钻石为主。进口包括机械和运输设备、燃料、基本制造品和食品。主要贸易伙伴有美国、德国、意大利、荷兰和法国。

政体与社会状况 1980年发生政变后,利比里亚成为军人统治的国家。新宪法于1984年举行全国公民投票通过,自1986年起生效,根据该宪法由选举产生的总统为国家元首、政府首脑和武装部队的最高统帅。立法机构包括由26名代表组成的参议院和由64名代表组成的众议院。20世纪90年代中期至21世纪初发生多次暴力事件,政局动荡不安。2003年各派达成协定,组成权力共享的过渡政府,接替根据1986年宪法组成的政府。过渡政府在联合国维和部队的支持下对国家事务进行管理,直至通过民主选举产生新政府。

自1939年以来，全国对7～16岁未成年人实行义务教育制，包括6年制小学教育、3年制初中教育和3年制高中教育。然而，学龄儿童的入学率不到50%。利比里亚大学（1851年创办）位于蒙罗维亚。

医疗卫生和住房条件仍然很差，尽管在医疗设施方面略有改进。利比里亚的生活水平很低，工资收入按西方标准极低。沿海和农村地区在经济和社会上的差别愈加明显，因为商品经济只是在最近才传入内陆。

历史 利比里亚是非洲历史最长的共和国。该国原本打算在美国殖民地协会（成立于1816年）资助下，作为安顿被释放的美国奴隶的地方。1821～1822年间，该协会在梅苏拉多角（蒙特塞拉多）建立了一小块殖民地。1822年，卫理公会牧师阿什蒙成为该移民地总督和利比里亚真正的创立者。1824年，这块移民地被命名为利比里亚，其最主要的移民区则被命名为蒙罗维亚。1847年，利比里亚第一位黑人总督罗伯茨宣布利比里亚独立，将该国版图扩大，并结束了非洲西海岸非法贩卖奴隶活动。

该国与法国和英国的边疆争端一直持续到1892年，确定利比里亚疆界的条约在同年签署。然而法国人继续蚕食；1919年签订条约，利比里亚无力控制的5 180平方千米腹地被割让给法国。

利比里亚的经济状况持续恶化到20世纪。1926年，该国由于无力偿清债务，将40万公顷的土地租借给费尔斯通轮胎和橡胶公司，从而获得500万美元的贷款用以偿还外债。这项贷款使该国税赋进一步加重，后来该国因此被指控与强制劳动和奴役活动有牵连而遭国际联盟立项调查（1931）。政府下台，与费尔斯通公司达成的新协议使利比里亚迈上经济复兴之路。

第二次世界大战期间，美国考虑到利比里亚橡胶的重要性与该国签订了防御协议，并根据协议在蒙罗维亚修建公路、国际机场和深水港。

杜伯曼从1944年至他于1971年去世为止，一直担任该国总统。其继任者在1980年的一场政变中被推翻。此次政变标志着美洲-利比里亚人对内陆非洲土著人长期政治统治的结束。1985年利比里亚举行总统和立法选举，1980年的政变领导人和其后的利比里亚军人统治者多伊将军当选为总统，并于1986年就职。1989年爆发了一场前同僚策划的叛乱，发展为一场席卷全国的内战，导致多伊遭暗杀，并引发激烈的种族与政治对抗。尽管西非国家经济共同体和联合国一再干预，但战乱仍持续多年。双方最终达成停战协议。1997年举行选举，利比里亚全国爱国党领导人、内战发动者C.泰勒以多数票获胜。然而，两年后当维和部队撤离后，政府军队未能维持和平。2003年泰勒被迫流亡，联合国接管维和任务。

Liberius　利贝里乌斯（?，罗马[意大利]～366-09-24，罗马）　教皇（352～366在位）。他登位正当阿里乌派引起纷乱之时，该派鼓吹基督不与圣父平等、并非永生。罗马皇帝君士坦提乌斯二世属该派，反对尼西亚会议和亚历山大主教亚大纳西。利贝里乌斯登位后立即写信给君士坦提乌斯，请求召开会议讨论亚大纳西问题。但君士坦提乌斯采取单独行动，宣布亚大纳西有罪。355年少数主教拒绝在谴责亚大纳西的文件上签字，利贝里乌斯是其中之一，为此被君士坦提乌斯发配到贝罗亚（今希腊境内韦里亚）。阿里乌派的菲利克斯（二世）登教皇位。357年利贝里乌斯到锡尔米乌姆（今塞尔维亚斯雷姆斯卡米特罗维察），签发几份不合正统教义的文件，这些文件削弱了尼西亚信经。同时他还同意与亚大纳西断绝关系。358年他奉君士坦提乌斯召唤返回罗马，教皇菲利克斯出走到波尔图。后来君士坦提乌斯命两人同时执掌教权。但两人都未被邀请参加359年为结束阿里乌争论而举行的里米尼会议。361年君士坦提乌斯死，利贝里乌斯宣布里米尼会议决议无效。362年他恢复权力，接见一批东派教会主教，命令他们承认尼西亚信经并谴责里米尼会议决议。

Libertador General Bernardo O'Higgins (Chile)　奥伊金斯将军区　参阅 **O'Higgins 奥伊金斯**。

Liberty, Sons of　自由之子社　1765年夏在美洲殖民地成立的反对《印花税条例》的团体。其名称源自1765年2月I.巴雷在英国国会的发言（发言中将反抗英国不公平措施的殖民地人民称为“自由之子”）。该社组织请愿、集会和宣传以唤起殖民地人民的斗争，有时对英国官吏采取暴力行动。在制止执行《印花税条例》方面作出贡献，在美国革命前一直是一支反抗英王室的积极力量。

Liberty, Statue of　自由女神像　正式名称“照耀世界的自由女神”。美国上纽约湾自由女神岛的巨大铜像，为纪念美法两国人民友谊而建。包括基座在内的总高度为92米（302英尺），其形象为一女子右手高举火炬，左手持一标有1776年7月4日的铭板，宣布获得自由。有电梯可升至平台，循盘梯可达巨像冠部的瞭望台。巨像的底部建筑为美国移民博物馆。法国历史学家E.德拉布莱伊在美国南北战争后提出铸像建议，由法国人民捐款，1875年在法国由雕刻家F.-A.巴托尔迪主持建造。铜像由A.埃菲尔设计，由4个巨大钢柱为主干，外层嵌有铜板。完成后像高151英尺1英寸，重225吨，于1885年完工并装运到纽约市。基座由美国建筑师R.M.亨特设计。自由女神像于1886年10月28日由克利夫兰总统主持揭幕。1924年宣布为国家纪念地。80年代中期，为纪念自由女神像落成100周年，美法双方共同对雕像进行了整修。

自由女神岛上的自由女神像
美国不列颠百科全书公司供图

Liberty Bell　自由钟　美国自由的传统象征。1751年由宾夕法尼亚地方议会委托伦敦怀特查佩尔铸钟厂铸造，价值约为100英镑。1752年8月制成，试敲时破裂。后在费城重铸2次。约重2 080磅，钟唇12英尺，高3英尺。上镌有“在遍地给一切的居民宣告自由”（语见《旧约·利未记》第25章第10节）。1776年7月4日鸣钟庆祝大陆会议通过《独立宣言》的传说不确实，4天后即7月8日鸣钟庆祝独立宣言的首次公布。1777年英军进入费城时，它被藏在宾夕法尼亚州艾伦顿镇的教堂里。重新置放在独立厅后，于1835年曾为美最高法院首席法官马歇尔的葬礼而鸣。“自由钟”之名首见于1839年废奴主义者发行的小册子。1846年最后一次鸣钟纪念G.华盛顿诞辰时严重毁裂，无法修铸。1976年1月1日移置于独立厅附近钟阁内。2003年移置于国家独立历史公园内新建的自由钟中心。每年约有200万游客前往参观。

Liberty Island　自由女神岛　1956年以前名贝德卢岛。美国纽约市一岛屿，在上纽约湾内，隔水与曼哈顿岛南端相望。面积约4公顷，为巴托尔迪的“照耀世界的自由女神”和美国移民博物馆所在地。

Liberty Party　自由党　坚信可通过政治活动来推进反奴隶制运动的废奴主义者所创建的美国政党（1840～1848）。在纽约州沃索创立，会上提名前奴隶主J.伯尼为主席。第一次全国代表大会于1840年4月1日在纽约州奥尔巴尼举行。该党的支持者认识到在南方不可能通过政治活动废除奴隶制，但他们希望引起人们对反奴隶制问题的注意，对立法者施加压力，迫使其采取较坚定的反奴隶制立场，防止奴隶制从蓄奴州扩大到准州，并取消州际奴隶买卖和在首都的奴隶买卖机构。该党1840年得票7 000张，到1844年得到6.2万票。后因许多党员与民主党和辉格党一起组成自由土壤党而告解散。

Libertyville　利伯蒂维尔　美国伊利诺伊州东北部莱克县芝加哥北郊村落。濒临德斯普兰斯河。1836年始建，1882年设村。现主要为住宅区，也有农机制造等工业。附近有伊利诺伊州州长(1949～1953)、1952及1956年民主党总统候选人A.E.斯蒂文森第二的家园。人口21 113(2003)。

liberum veto 自由否决权 波兰历史上,国会每个成员拥有的仅以自己的一票就能否决正在考虑中的任何议案或解散国会、废除开会期间通过的一切法案的合法权利。这种否决权以波兰贵族的所有成员在政治上绝对平等的臆说为基础,在实践中意味着提交国会的每一项议案必须一致赞成才能通过。1652年首次应用自由否决权解散了国会的一次会议。后来由于广泛使用这种否决权,往往使政府陷入瘫痪状态,权力不可能集中起来,波兰因而易于受到列强的影响,列强经常贿赂波兰议员,迫使势将通过违背它们的利益的立法的议会休会。国王斯坦尼斯瓦夫二世(1764～1795在位)试图实行宪政改革,其中即包括对自由否决权进行限制,结果却引起一场内战和俄国的军事干涉(1767),最后造成第一次瓜分波兰(1772)。波兰遭受这些灾难之后,其政治领导人才制定1791年5月3日的宪法,取消了自由否决权。

Libeskind, Daniel 里伯斯金(1946-05-12,波兰～) 美籍波兰建筑师,以将复杂的观点和情绪融入设计而闻名。最初学习音乐,1960年因为获得音乐奖学金而去纽约市学习音乐,但到纽约后改变目标,开始在古柏联合学院师从J.黑达克和P.埃森曼学习建筑。1972年在英格兰的埃塞克斯大学获得建筑学历史和理论学位。1989年,他赢得了呈现犹太人历史的柏林博物馆新增建筑的设计竞赛奖,从而获得国际声誉,该建筑于1999年完工。里伯斯金在种族大屠杀中失去了大部分亲人,因此在该博物馆设计中,从多个层面表达了犹太人的沉重苦难。在20世纪90年代末和21世纪初,他又设计了多个博物馆,其中包括费利克斯-努斯堡姆文化史博物馆(1995～1999)。他最著名的设计是他2003年赢得的重建纽约世贸中心项目设计投标。他的设计方案是修建世界最高的玻璃高楼,同时包括开放式的纪念花园,代表了倒塌的纽约世贸大厦双塔的"足迹"。其设计得到了建筑界和公众的认可,但出于对经济因素和安全问题的考虑,他最初的设计被修改得面目全非,唯一剩下的就是他设计的建筑整体高度:1 776英尺(540米),代表了美国大陆会议批准《独立宣言》的年份。

libido 里比多 曾译力必多。S.弗洛伊德所创的一个心理学概念,原指与性冲动有关的生理的或心理的能量,在其后来的著作中又泛指与人类建设性活动有关的生理或心理能量。在后一种意义上,里比多指爱本能或生存本能,与死亡本能(破坏性冲动的源泉)相反。两种本能相互作用,产生全部人类活动。弗洛伊德认为,各种精神症状是里比多导向的错误或不能充足释放的结果。C.容(又译荣格)赋以里比多一词以更广泛的含意,意指所有物种的一切生活过程。以后的动机理论则采用驱力、紧张等有关词汇取代里比多一词。

Libitina 利比蒂娜 古罗马宗教所信奉的女神。司掌丧葬。她的圣坛附近有一树丛(可能在埃斯奎利诺山上),每逢有人死亡,该处就增贮钱币一枚。殡仪馆在该处设立营业所,每有丧葬则予以登记以资统计。她本来可能是土地女神,象征丰满繁茂与幸福生活。

Lībīyah, aṣ Ṣaḥrā' al- (Africa) 参阅**Libyan Desert 利比亚沙漠**。

Libourne 利布尔讷 法国西南部吉伦特省城镇,位于波尔多东北方,在伊勒河与多尔多涅河汇合处。远洋航轮港口。又是葡萄酒生产中心。原为设防城镇,建于1270年。有

利布尔讷镇的旧城门楼
美国不列颠百科全书公司供图

14世纪的钟楼大门和16世纪的市政厅。15世纪归属法国。人口21 931(1990)。

Libra 天秤座 拉丁语,英文作Balance。又称天秤宫。在天蝎座和室女座之间的一个黄道星座,位于赤经(类似于地球上经度的天球坐标)15时30分,南赤纬(天赤道以南的角

约1475年意大利《祈祷书》中的天秤座插图画
美国不列颠百科全书公司供图

距离)15°附近。座中的星都是暗星。在占星术中,天秤宫是黄道十二宫的第七宫,被看作是主宰9月22日至10月23日前后的命宫。天秤宫像一女子(有时则指代表罗马正义女神阿斯特拉雅)手持一秤,或像单独的一杆秤。

libra 磅 罗马的基本重量单位,等于1.59千克(0.722常衡磅)。英制磅的缩写lb即取自此字。磅的1/12是罗马的盎西亚(uncia),为英制盎司的前身。磅也是今日西班牙、葡萄牙和美洲若干西班牙语系的国家仍然沿用的一种非米制重量单位。美洲大部分的磅重约与美国的常衡磅重相同。

Librairie Larousse (French publishing house) 参阅**Larousse 拉鲁斯出版社**。

library 图书馆 指供阅读或研究用的藏书或收藏这些藏书的场所。library一词源于拉丁文*liber*,意思是"书";而拉丁化的希腊词*bibliotheca*则是德语、俄语及罗曼诸语言中图书馆一词的来源。现代图书馆除藏书外还收藏期刊、电影片、幻灯片、唱片、磁带及其他资料。

历史 图书馆源于保存记事的习惯;早在公元前3千纪时,巴比伦城镇尼普尔的神庙中就收藏有刻在胶泥板上的各类记载。公元前7世纪亚述王亚述巴尼拔收集有丰富的记事泥板,其中约有2万块泥板和残片保存至今。最早的图书馆是希腊神庙的藏书之所和附属于希腊哲学书院(公元前4世纪)的藏书之所。

古代的重要藏书或图书馆有亚里士多德的藏书、亚历山大图书馆(藏有莎草纸书卷和犊皮纸书卷上万卷)、帕加马图书馆(收藏有大量羊皮纸书卷)、罗马的乌尔比亚图书馆和君士坦丁大帝于公元4世纪在拜占廷建立的帝国图书馆。中国也有保存记事和收藏书籍的悠久传统,有私家藏书,也有集中的国家馆藏图书。现存的希腊和罗马文学著作多是与早期基督教文献一起保存于君士坦丁图书馆和从2世纪起出现的隐修院图书馆中。后来又有从13世纪起在欧洲作为中世纪晚期学术中心而出现的一些大学的图书馆。文艺复兴时期以来,社会发生了种种变化,如商业的发展和中产阶级的出现、部分由于重新发现古代经典而兴起的对人文学科的重视、印刷术的发明、识字的普及,这些都对图书馆的规模和功能的变迁产生了决定性的影响。宗教战争、政治革命乃至思想革命,往往阻扼了图书馆的发展。例如在英国,亨利八世一道反映人文主义者对中世纪古老学术摒斥态度的诏书,使得隐修院图书馆藏书大量散佚,无数手稿遭到破坏。17和18世纪,私人藏书被大量搜罗集中,成为现代的国家图书馆的基础,如法国国家图书馆和不列颠博物馆图书馆(后成为英国图书馆的一部分)。美国华盛顿[哥伦比亚特区]的国会图书馆和莫斯科的列宁图书馆分别建立于1800年和1917年。北京图书馆和东京国立国会图书馆也属世界最大的图书馆之列。在许多情况下,国家图书馆还负责征收该国一切有版权的出版物。收藏规模与国家图书馆不相上下的大学图书馆1602年在牛津、1638年在哈佛开始建立。免费阅览的市镇图书馆和学校图书馆也迅速大量出现。18世纪末,付费图书馆,即只向付费会员借书和提供参考材料的图书馆,开始流行。20世纪,随着科学、工程、医学、商业和法律等信息的大量出版——常常是以期刊形式出版——专业图书馆迅速增多。在这类图书馆中可以找到参考资料、图书目录和藏书,它们起着信息服务中心的作用。这类图

书馆多半是某一行业的学会主办的。

图书馆的建筑 图书馆的建筑原则依图书馆的功能和用途而演变。早期隐修院回廊上的书阁以及中世纪隐修院和大教堂中手稿装有护链的藏书室注重地点的选择，以便获得良好的自然采光和保证稀有及珍贵手稿的安全。庞大的对开本和四开本书卷以护链系于书架或“书橱”中，只能在旁边的书案上展阅。随着印刷的书籍开本变小、价格不贵，摆满长凳和书架的长形房间逐渐被沿墙架书的方式所取代。大规模藏书室书架可高达天花板，乃另辟阅览室以利其用。19世纪最雄伟而实用的阅览室是意大利人安东尼奥·帕尼泽为不列颠博物馆设计的，用一排排铁制书架包围着一个巨大的阅览室，中放阅览桌和一开架的工具书架。19世纪末实行的开架阅览，要求书籍能从较低的书架上取到并按简单的方式排放。第二次世界大战后，由于读者数量激增，各图书馆多采用组合方式排放，以适应读者之需。

图书馆的种类 国立图书馆 大多数国家都有国立图书馆。它们往往承担出版全国图书目录的责任，主要致力于收集和保存本国的文献，也收集国际范围的图书。大多数国立图书馆根据法定权利接受一份本国出版的图书期刊的赠送本。国立图书馆的藏书一般地讲，质量高、规模大、范围广，而且力求保持藏书的全面性。法国巴黎国家图书馆、英国伦敦不列颠博物馆、美国华盛顿国会图书馆、苏联莫斯科列宁图书馆、中国的北京图书馆都有丰富的藏书。

大学图书馆 同国家图书馆一样，大学图书馆的藏书总的来说也比较全面。著名的有在波士顿的哈佛大学图书馆，在牛津的牛津大学博德利图书馆，在列宁格勒的科学院图书馆。其藏书的质量和范围可与最大的国立图书馆媲美。

公共图书馆 这类图书馆在社会生活中起着不可缺少的作用。它帮助成年人、青少年和儿童读书学习，是提供日常情报和参考的中心。有些图书馆收集了具有地方特色的图书，经常为当地工商业提供情报。特别是一些大型图书馆具有既作为学术研究，又作为一般阅读的两重性。公共图书馆的重要性在许多国家取得了立法的承认。立法规定保证所有公民都可以免费得到图书馆的良好服务。

专业图书馆 前述三种图书馆构成了一个国家图书馆体系的骨干，适应学者和一般公众的需要。专业图书馆则是这三种图书馆的补充，是为了满足高度专门的职业团体和商业团体的需要而设立的。和传统的图书馆相比，专业图书馆更有效地控制、传递和利用科学与工业所特殊需要的情报资料。它们致力于情报技术理论的研究，包括电子计算机的使用。它们的活动对图书馆业务实践起了批评性地重新估价的作用，有利于改进图书馆的一般工作。

学校图书馆 在一些已有公共图书馆立法的国家中，公共图书馆的服务工作往往为学校图书馆所利用。学校图书馆的工序，如图书的采购和加工，都由当地图书馆办理，然后送到学校图书馆上架，供师生阅览。学校图书馆的重要性已为大西洋两岸的国家所承认。学校的教员很难有时间把图书馆管理好，因而越来越多的学校指派有专业训练的专职人员管理图书馆。

私立图书馆 这类图书馆的藏书家往往能深入地收集关于某个专题方面的图书，其深度往往是一般公共图书馆所不能比拟的。另外，私立图书馆的收藏家往往把他们的藏书留给社会机构，或建立以他们名字命名的图书馆，这些作法极大地丰富了公共的藏书。

图书馆的运作 所有图书馆均有自己的选书方针。图书馆在取得某种所需的图书后便需进行编目。编目包括列出必要的目录学资料，如作者、书名、分科等项目。最早的目录是手写的；后来有了目录卡片，可以容易地插入新书目；这种目录卡又迅速为计算机编目所取代，因为计算机编目容量巨大，检索便利。图书馆的编目要反映其图书的分类方式。杜威十进分类法、通用十进分类法和冒号分类法，是美国较为通用的分类法。读者借助于分类法可以检索到某一本书及与该学科有关的其他书籍。必要时读者可从外借图书馆将书籍借出一定时间。这些图书馆以及若干其他信息服务设施，可以使读者迅速得到各种书籍、期刊及其他资料。

现代图书馆学 当前各类图书馆都普遍面临着一些必须解决的大问题：在传统的和新兴的出版中心出版的图书急剧增长的条件下，如何保持藏书的全面性和平衡；如何适应当地的常有变动的重要科研项目对藏书深度的要求；如何解决在经费和空间问题上不断增大压力所带来的困难；如何避免为了占有某些或某几种可以得到的图书而产生的内部冲突等等。以上这些普遍存在、亟待解决的问题，如果说还没有找到令人信服的解决办法，至少有许多权宜的办法正在调查和试验中，那就是：

图书馆之间的合作 首先是通过采购计划使藏书合理化，如美国的法明顿计划等。根据这类计划，个别图书馆自愿同意尽可能深入地收藏某些学科和学科领域的图书，同时继续保持它们在其他学科领域中藏书的特色。为采购和保藏不易找到的图书而采取合作中心的办法，如科研图书馆中心。为贮存用处不大的资料而设置联合贮存库。集中或联合编制目录，目录款目由每个国家的编目中心提供，最终目标是使编目工作成为国际上共享的活动。在每一种书出版时，印上它的目录款目。建立计算机技术处理中心。尽管我们对这些实验抱着很大希望，但还不能肯定它们是否已深入到问题的根本，以及学术机构是否乐意放弃他们所坚持的政策和行动的独立性。要想解决各种困难问题，对图书馆的活动，特别是对一些较大的图书馆，作一些更彻底的重新规划也许是必要的。

缩微图书 对大多数图书馆来说，用缩微来代替原始本是一个很好的权宜办法。但也存在不少缺点：缩微的成本高，阅读装置笨重，使用不方便。在许多情况下，特别是涉及到善本书或某些重要图书，学者需要仔细查阅印刷、纸张，版面设计的详细情况时，缩微品就显得不可靠或者会引起误解。

空间节约技术 节约空间的一个办法是采用密集书架。简单地说，就是把标准书架排在装有滚珠轴承轮子的轨道上，可以推动密集在一起，在原来的一定面积上可以大大增加藏书量。但缺点是代价高，要有非常坚固的楼板结构，同时也不利读者使用。

发展的预测 以上这些设备的采用，越来越多的机械化的和资料处理装置，不可避免地会大大影响图书馆的设计和图书馆的工作程序。所有这一切必然在今后图书馆服务工作上，特别在流通领域、馆际编目和情报检索中具有重大作用。储存和使用视听器材、电影片、声相磁带和计算机磁带等，在未来图书馆中都必须提供这些装备。图书馆事业正处于一个巨大的潜在发展时期。首先需要重新评价和从根本上重新考虑关于图书馆在社会上的地位。过去图书馆的那种传统独立性，因合作的需要就不能不随之改变。例如标准化的工作程序必将赢得普遍的赞同。又例如自动化可以帮助图书馆员更为有效地利用他所管理的图书资料。重要的是，图书馆本身应迅速进行诸如以上所述的更改，不要犹豫迟延。但由于图书馆的问题困难而复杂，特别是现代世界经济和技术的发展，仅靠部门和地区并不能解决这些问题。因此，许多国家都有一个政府部门负责掌管图书馆的工作。参阅 **information science**。

library classification 图书分类法 图书馆为使读者能迅速地和方便地找到资料而采用的一种排列方法。编目对图书(或其他出版物)外形和论题性质提供信息，而分类则是借分配以一个索书号(包括分类号和作者标记)来确定其在图书馆中的位置；最终也就是确定其在知识领域中的地位。按某种原则将同类事物以一定次序排列，从而把各种来源的资料联系并管理起来。分类法有三种类型：①固有的或根本的。如，按书的主题分。②非根本的。如，按年代或地域分。③人为的。如，按字母顺序、语种、形式、尺寸或号数分。分类的程度(如，带有最细小类目的细分；略去细小类目的粗分)也是分类法的不同之处。目前已经发展有好几种分类法，可提供适合于某一特定图书馆及其读者所需要的存取与管理方式。一般说来，每一种分类法都有一个按规定原则将知识编列入一个有大类、中类、小类的体制。现今最通用的分类法有杜威十进分类法(**Dewey Decimal Classification**)、国会图书馆分类法(**Library of Congress Classification**)、布立斯分类法(**Bliss Classification**)和冒号分类法(**Colon Classification**)。有许多专业和研究性图书馆还采用特有的分类法。

Library of Congress 参阅 **Congress, Library of** 国会图书馆。

Library of Congress Classification 国会图书馆分类法 简称LC分类法。美国国会图书馆于该馆改组时所创建的一种图书组织系统。它由一些单独的、彼此互不相干的、专门的分类表组成；它们之间除了在字母标记上的偶然的相关外，别无任何关联。与杜威十进分类法不同，这种分类法是根据几百万册藏书的实际，并结合现有各种分类法的优点而拟订的，它的每一学科的分类表的编制都出自各该学科的专家之手。它是根据美国图书馆学家卡特所著《扩展式分类法》(1891～1893)一书中所设计的顺序而排列的；大体上按社会科学、人文科学、自然科学、物理科学来归类的。它把知识领域分成20个大类，外加一个综合图书类。每一大类都有一"纲要说明"，也可视为该类的"指南"。其顺序是从一般到特殊，从理论到实际。这种分类法的特点有：①区分出总论和总论特述(指以特殊的方式来处理综合性主题的书籍)；②对个别书籍作了主题与地理位置上的详细归类；③某些类别(哲学、社会科学、政治科学)中的学科是按国别而不是依论题加以联系的。国会图书馆的图书分类一览表每一季度发表一次，证明它时时在修订中。国会图书馆设有公布分类一览表总索引，但于1975年单独出版了由N.B.奥尔森编纂的《国会图书馆分类一览表综合索引》。每一大类下按文体和地域细分，以取代标准的细类。术语可以是明示的、精确的、科学的或通俗的，视情况而定。不试图提供记忆辅助。每一大类的充实程度也不相同。细类大致按历史原则安排。标号由大写字母和阿拉伯数字混合构成，多可进一步细分，但过长的标号不会出现。因此一些大学图书馆、专业图书馆和政府图书馆均乐于采用。

library science　图书馆学　研究图书馆运作与管理的原则与实践的学科。图书馆古已有之，但图书馆学则直到19世纪后期才成为一个明确的学科，图书馆事业才成为一种专业。图书馆员的工作包括对人类一切活动的记录进行收集、组织并使之能被人们所利用。图书馆所收集的资料有图书、文件、各种美术作品、唱片、电影片、模型直至数字资料等。在资料中虽然图书数量最多，但由于20世纪技术的进展，其他形式的资料的比重也日益增加。随着知识的剧增及收集图书资料之手段的改进，便发展起两个与图书馆学相关的学科，即文献学与信息学。

技术工作　①资料的取得。每个图书馆必须遵循某种选书方针，因为它的设备和经费不允许它入藏所有的图书资料。大学图书馆不收藏中、小学的教科书，小学图书馆也不会考虑科研报告。每个图书馆要规定其入藏的范围和深度。很少图书馆能对其所要入藏的大部分图书作详细审查，一般都得依赖选书工具和书评媒介。所使用的工具包括各国经常出版的国家书目。图书的购取往往根据作者的声望或出版商的声誉。各国都出版若干商业性的书目。图书馆通过零售的书店或通过批发商得到新近出版的图书。期刊则直接向出版者订购，或向期刊批发商或代理人订购。图书馆很少直接向出版商购取外国资料。他们或者向本国专营进口书业的批发商购买，或者向各国专营出口书业的批发商购买。除购买外，还有赠送和交换，这是图书馆取得资料的补充来源。许多著名的学术性藏书是图书收藏家赠送的结果。力量单薄的小图书馆如果没有许多捐献者赠送图书，则无法生存。图书馆之间互相交换资料，使彼此的收藏更加丰富。②编目和分类。这二者虽相关联，但实系两种不同的工序，而且各自在图书馆中能够独立使用。编目是指按作者、书名、主题(或三者合并在一起)将图书馆的藏书编成目录。分类则指把每一书或刊归入一个特定的类别；在多数系统中，还得按具体的内容再行细分。索书号是图书所归入的特定类别的标记，并用附加号码，以识别每一本特定的图书。编目的历史比分类的历史要远久得多。目录已经存在了好几个世纪。最早的目录是手抄后汇订成册的。人们曾用各种办法将新书款目插入手抄书本式目录之中。19世纪时，图书馆已比较普遍地使用印刷本的书目。卡片目录是19世纪80年代少数先驱图书馆的发明。在美国它几乎排除了一切其他的形式，但后来它的不便之处也显露出来。在几百万张卡片目录之中，让读者到细目甚多的类目中查找资料是很困难的。由于电子计算机能快速处理大量数据，人们把它当作一个可能解决书本目录难题的手段而加以研究。已进行了许多机编书目的试验，但能代替卡片目录的实例则廖廖可数。试验还在继续进行，很可能书本目录和卡片目录最终都将被机编目录所取代。这种目录能够把需要的款目逐项在阴极射线管屏幕上映现出来。③编目规则和分类法。图书馆的藏书只要超过了几千册，就要求规定一套编目条例。编目条例则至迟在16世纪已经问世。1908年的英美条例作为英语世界的标准已用了40年。1949年为了简化编目而发表的新美国条例并不十分理想。于是企图创立一种新规则，以统一英语世界的编目工作。1967年所采用的新的英美编目规则实现了倡议者们的一部分目标。分类法可分为列举式和组配式。列举式分类法将主要类目及其各级复分类目，按线性的形式展开。组配式分类法企图组配该分类法某些类目关于某一主题许多分面来反映它们的多种逻辑关系。最著名的组配式分类法是《国际十进图书分类法》。它是《杜威十进分类法》的改编本。还有冒号分类法，也是一种组配式分类法，它之所以叫冒号分类法，因为它用冒号表达一个主题的几个分面。

读者服务工作　①咨询工作。是对个别读者在他寻求信息或知识的过程中给予个别的帮助。对提供咨询工作持热忱态度的是那些为企业公司或政府部门服务的专门图书馆，它们强调图书馆的情报传输职能并承担检索文献、编制文摘、评价资料、口头答问等项工作。目前咨询工作按分科专业化来为读者服务，在各类大型图书馆中已相当普遍。②借书制度。大图书馆每年出借图书高达几百万次，借书记录办法不但要有利于图书馆也要有利于读者；还能有效地提供必需的情况，如某书在何处？何时到期？读者手中已有什么书？而且此项办法还应该提供统计资料，据以改进书籍采购工作，保留图书的方针以及管理方面的职能。关于外借方式，美国大学图书馆已在向使用穿孔卡而最终向计算机方面发展。举凡读者证、代书卡及借书日期、期限等等都记录在穿孔卡或磁带或磁盘上。虽然用费较大，但节省了读者的时间，省去了排卡和剔卡的手续，并能解答有关外借记录档案的各种基本问题，又能自动收集改进管理的统计资料。③推广工作。许多国家的公共图书馆正热忱地将图书馆服务推广给愈来愈多的群众。在小城镇和农村地区设立图书馆，在大城市增设分馆，使用图书流动车，开展邮递借书，以及为病人、老人、残疾人提供个别服务。④馆际协作。图书馆之间的合作采取多种形式，以提供更好的服务。最主要的是资源共享计划，也有进行合作采购、合作编目和合作收藏资料的工作。

建筑与储藏　19世纪与20世纪初期，图书馆的建筑倾向于宏伟、壮观；第二次世界大战后，又倾向于重视实用而不大考虑美观。荧光灯和空调发明之后，高天花板不再必要，多层排架书库也被可移动书架所代替。任何地面房间都可用来作书库、阅览室或办公场所。近年来的建筑保留了灵活性，又恢复了美观的考虑。建筑的变化影响了图书馆组织原理的更改。以往书库对读者不开放，如今阅览室和书库的区分逐渐消失，人们逐渐采取开架办法，一切图书都对读者开放。提高建筑利用率的试验导致了密集式书架藏书的发明，大大增加了藏书的容量。

libration　天平动　天文学名词，指卫星(如月球)的视摆动或真摆动。由于存在这种摆动，从主体行星上的一点在不同时刻观测卫星表面的角度也不同。月球自转轴相对于月球绕地球公转的轨道面略呈倾斜，因而产生了月球的纬天平动；当月球在轨道上运动时，纬天平动使地球上的人能隐约地轮番看到月球的北极和南极。月球的经天平动(一种来回的"摇头"式摆动)则是由于月球在轨道上各点的运动速率略有差异(开普勒第二定律)造成的。尽管月球在任何时候都几乎是以同一个面对着地球，上述这些天平动以及另外一些微小的天平动却使地球上的人可看到月面的59%左右。

libretto　台本　通称歌剧脚本。指歌剧、小歌剧或其他种类的音乐剧的文本部分，或指不在舞台上演出的音乐作品的词。台本可以用诗歌或散文写成。写作剧词同写作话剧剧本在写作技巧上有不同要求。音乐的进展比说话的速度缓慢，并且，乐队所能提供的情绪还得在剧中表达清楚。用复杂的文字技巧和倒装的词序来歌唱，会给听众带来不必要的困惑，而简单的歌词和反复的短句则有助于理解。最早的一些歌剧，是以1597年由作曲家J.佩里谱曲、O.里努奇尼撰写的《达夫内》开始的，为了纪念而把剧词印成了小册子，即"台本"。这些最早的歌剧在当时都是宫廷中的娱乐节目。17世纪30年代，威尼斯歌剧面向大众公演，听众看着印好的小册子听歌剧。早期法国和意大利台本作者将其作品看成诗剧，期待作曲家去重视其语言的重音。17世纪，台本作家的题材取自16世纪田园剧，例如A.斯特里焦的《奥菲欧》(1607)，由C.蒙特威尔地谱曲。不久就转向其他内容。18世纪的剧词风格以P.梅塔斯塔齐奥和A.泽诺为范例。他们都以提高剧词的水平为目的，排除正歌剧中的喜剧性特征，从而创造一种崇高、严肃的诗体戏剧，但他们的严肃风格被批评为反常和荒谬的。在歌剧改革运动方面最值得注意的是格鲁克的作品。

18世纪末，剧词作家开始远避神话和古代题材。与正歌剧相比，喜歌剧早就涉及现实生活的主题，并成为现今作品的骨架，在概念上多半是严肃的，例如莫扎特的《魔笛》(1791)，贝多芬的《菲岱里奥》(1805)。19世纪浪漫主义运动鼓舞剧词作家采用中世纪历史和神奇传说作题材，例如F.金德《自由射手》(1821)，C.M.von韦伯谱曲；E.斯克里布《胡格诺派》(1836)，G.梅耶贝尔谱曲。取自民间传说和地区文化的外来题材和主题可在19世纪和20世纪的剧词中找到它们的出路。在使用口语剧词中稀有成效的作品是C.德彪西为M.梅特林克《普莱雅斯和梅丽桑德》(1902)的谱曲和R.施特劳斯为O.王尔德《莎乐美》(1905)德译本的谱曲。现实主义在话剧中的成长中也影响到歌剧，著名的有G.比才根据P.梅里美的小说情节谱写的歌剧《卡门》(1875)。

Libreville 利伯维尔 加蓬共和国首都。在加蓬河口北岸。市北11千米处有国际机场，公路通内地城镇。16世纪后蓬圭人最早在河口处定居。19世纪从喀麦隆迁来芳人。

加蓬河口北岸的利伯维尔市

美国不列颠百科全书公司供图

1849年来自“伊利齐亚”号船上的已获解放的奴隶的居住地及一些蓬圭人的村落取名为利伯维尔(意为“自由的城镇”)。1850年法国人在高原(今行政和商业区)定居。1860～1874年，英国人、德国人和美国人纷纷来利伯维尔经商。1888～1904年利伯维尔为法属赤道非洲首都。现为工业化城市，是加蓬教育中心。有奥马尔·邦戈大学(1970)、图书馆(1960)和热带农业等研究所。有现代化医院、天主教堂和清真寺。因工业发展，人口在20世纪60年代增加1倍以上。出口商品有木材、可可、橡胶和棕榈产品。有锯木厂、胶合板厂、印染厂、酿酒厂、面粉厂和造船厂。近海发现石油。1990年该城发生大规模政治动乱。人口约362 386(1993)。

Libya 利比亚 全称阿拉伯利比亚人民社会主义民众国。旧称阿拉伯利比亚共和国或阿拉伯利比亚人民社会主义共和国。北部非洲国家，位于地中海沿岸，为非洲第4大国。实际上的首都为的黎波里，法律上的首都为班加西。国土大部处在贫瘠的撒哈拉沙漠地区，南北长1 320千米，东西宽1 450千米。西与突尼斯和阿尔及利亚接壤，南与尼日尔和乍得相连，东南与苏丹毗邻，东与埃及交界，北濒地中海。面积1 757 000平方千米。人口约5 365 000(2002)。

土地 利比亚平均海拔为200～600米，形成北部非洲广阔高原的北坡。该国可分为3个自然地理区。除西北角的的黎波里塔尼亚和东北部的昔兰尼加两个很小地区之外，全境均为撒哈拉高原。的黎波里塔尼亚(由北向南)包括一连串精耕细作的沿海绿洲、杰法拉平原(15 540平方千米，呈三角形)和320千米长的奈富塞高原(海拔600～915米，由石灰岩构成)，为全国最重要的农业区和人口最稠密地区。昔兰尼加地区(由北向南)包括迈尔季沿海平原、绿山和半沙漠草原。广阔的撒哈拉高原大部由裸露岩石和流沙构成，其间散布有若干绿洲。西南部费赞地区的沙丘高达数百英尺，绵亘160千米。北部苏尔特盆地下面有该国的大部分石油储量。南部提贝斯提山脉的贝泰峰为全国最高峰，海拔2 266米。境内无常流河，但大范围的地下蓄水层变成了自流井和泉水的源头。全国60%左右的地区用水均取自这两类水源。

利比亚的干燥荒漠气候在地中海沿岸地区有所缓和。1月(冬季)平均气温北方为11 °C，南方则为17 °C；7月(夏季)北方和南方分别为28 °C和38 °C。北部丘陵地区的降水量为16～20英寸(400～500毫米)，南部大部地区不足5英寸，利比亚沙漠地区则为1英寸。每隔5～6年就会发生一场长达1年或2年的旱灾。费赞地区的塞卜哈是世界最干旱的地区之一。自然植被极少。野生动物包括沙漠啮齿目动物、鬣狗、狐狸、豺、瞪羚和野猫等。鹰、隼和秃鹫也很常见。

利比亚最重要的矿产资源是其储量极大的石油(居非洲首位，世界前列)。除与石油有关的天然气外，其他矿产还有泡碱、锰、石膏、铁矿和褐煤。

人民 部落仍为利比亚社会结构最基本的单位。柏柏尔人以前是一个较大的族群，现在大部分人已被阿拉伯文化所同化。阿拉伯语为主要语言；少数柏柏尔人使用他们自己的含米特语，许多人两种语言均使用。其他族群有意大利人、希腊人、犹太人和黑非洲人。大多数人口为逊尼派穆斯林，约有2.5%的人口为基督徒。

利比亚的人口增长率居北部非洲之首，属非洲大陆最高之列。大批外籍劳工成为该国人口增长的部分原因，但在20世纪后半叶的大部分时期，利比亚的年人口自然增长率(出生率减死亡率)亦一直属非洲最高之列。该国近一半人口不满15岁，表明高出生率和人口的迅速增长将会一直持续到21世纪。

利比亚的人口大多集中在地中海沿岸的一些城市；1/3以上的城市人口居住在的黎波里和班加西。由于利比亚沙漠地区广阔，全国人口密度仅为每平方千米2人。

经济 利比亚属中央计划经济，主要以石油生产和出口为基础。政府几乎控制着所有经济部门。由于技术工人短缺，利比亚招募了一批外国技术人员到油田工作并发展该国的基础设施。20世纪80年代，由于石油价格下跌，国民生产总值随之减少，但人均国民生产总值仍居非洲首位。

农业约占国内生产总值的5%，但雇用了近1/5的劳动力。主要粮食作物大麦的产量不稳定；利比亚的农业不能自给。除大麦以外，北部还种植小麦、烟草和橄榄；绿洲种有椰枣和无花果；山坡则栽种葡萄。政府资助垦荒和水栽农业，并以补贴价格将征用的土地出售给农民。政府还赊销种子、化肥和农机，大力扩展灌溉土地面积。

牧草地约占土地总面积的8%，绵羊和山羊的饲养是北部地区的一项重要经济活动。牛一直从美国进口。近海水产资源和海底海绵由希腊、意大利和马耳他的船只开采。

石油和天然气的生产和出口几乎占国内生产总值的1/3，雇用约2%的劳动力，并且为中央银行提供大量外汇和黄金储备。1973年政府将境内大多数国际石油公司的资产收

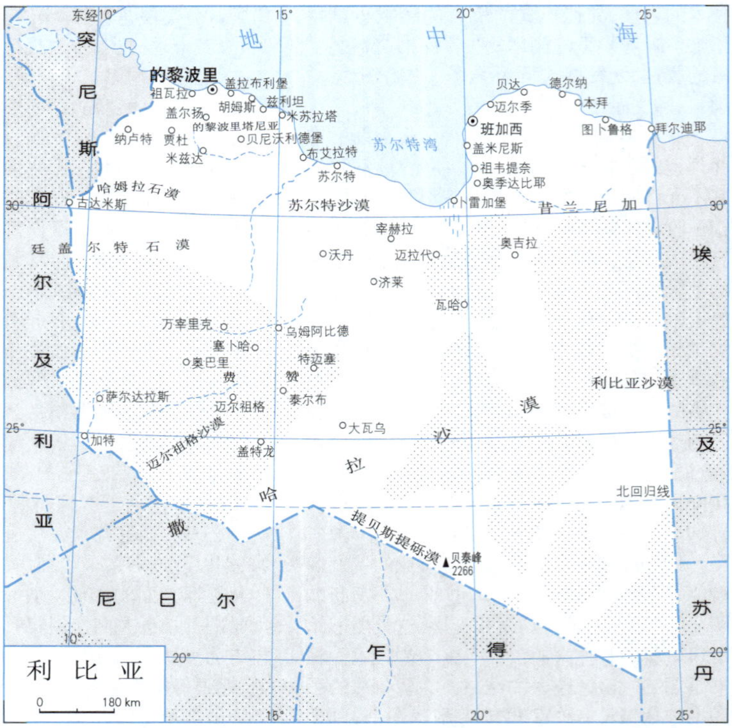

美国不列颠百科全书公司供图

归国有；随后鼓励外国公司前来开发，但保持石油生产中的控股权。意大利资方帮助筹措兴建炼油厂所需资金；运送境内石油的油轮则购自日本和瑞典。水泥生产和铁矿冶炼亦由政府控制。

政府鼓励外国公司投资制造业。制造业约占国内生产总值的10%，雇用了大致同一比例的劳动力。工业发展因人口分布不均和除石油以外的自然资源缺乏而受阻。产品包括加工食品、纺织品、地毯和靴鞋；石化工业和建材生产亦在发展之中。

电力由使用国内燃料的热电厂供应。利比亚曾向尼日尔购买铀并试图开发核能源。该国人均耗电量高于非洲任何其他国家水平。

1972年工会总联合会成立，实际上是执政党（唯一的一个政党）的一部分。外籍工人约占全部劳动力的1/5，主要来自北部非洲的其他国家和土耳其。

外贸巨额顺差部分抵销了开发支出和外援。食品、原料、资本货物和消费品以及武器装备占该国进口总值的绝大部分。主要贸易伙伴有意大利、德国、西班牙、法国和英国。

政体与社会状况 利比亚是一个由唯一政党阿拉伯社会主义联盟执政的社会主义共和国。1969年宪法的一条根本性修改就是采用直接民主政体，并让人民通过全国人民大会行使最高权力。人民大会由750名来自地方选举和委派的代表组成，该机构选出一制订政策的5人总秘书处作为其常设机构。人民大会还负责选出全国人民委员、内阁以及“革命领袖”或国家元首。由于有了这种复杂的体系，推翻君主制度的卡扎菲上校得以继续其持久的统治。司法系统的最高机构是最高法院。

由于社会服务得到大力发展和改进，医疗卫生条件明显好转。然而平均预期寿命依然相对较短，为61岁。社会保障计划提供老年、残疾和鳏寡补助，同时也提供疾病、妊娠和工伤补助。医院、诊所和康复中心组成的广泛医疗网均可提供公费医疗；利比亚还从其他阿拉伯国家和欧洲国家引进医务人员。有些疾病，如疟疾和沙眼，现已普遍得到控制，但伤寒、肝炎、血吸虫病、脑膜炎和性病仍然是严重的威胁。

利比亚人口的识字率居北部非洲之首，但女性人口的识字率仅为男性的3/4。政府实行免费教育并对6～15岁未成年人实行义务教育。教育体制包括6年制小学、3年制初中和职业教育、3年制高中和高级职业教育。的黎波里和班加西各建有一所大学。

报业受到严格控制，广播媒体归政府所有。

文化生活 利比亚文化以民间艺术和传说为主，深受伊斯兰教禁止绘制活生物画像的影响。

历史 希腊人将北部非洲的大部分地区称为尼罗利比亚的西部，尼罗利比亚一名源于公元前第2个千年期生活在昔兰尼加东部的一个部落。公元前7世纪，腓尼基人定居的黎波里塔尼亚；此地后来成为迦太基城邦（以今突尼斯为中心）的东方省。希腊人也在同一世纪定居昔兰尼加，并建立了数个城市。当罗马人征服该地区时（公元前1世纪），的黎波里塔尼亚成为非洲诺瓦省的一部分；而昔兰尼加则与克里特区合并为一省。古费赞地区于公元前19年被罗马人征服之前居住着加尔曼特人。罗马衰落后，该地区由拜占廷帝国控制；7世纪时阿拉伯穆斯林开始在该地区长期统治。

的黎波里塔尼亚被来自摩洛哥的柏柏尔穆瓦希德（阿尔摩哈德）人统治了大约350年；当时的昔兰尼加则处在埃及的控制之下。16世纪初，奥斯曼土耳其人征服利比亚的费赞、昔兰尼加和的黎波里塔尼亚3个地区，并将它们置于的黎波里摄政的统治之下。18世纪初，卡拉曼利王朝在的黎波里建立，统治了约120年之久；在这段时期，这3个地区逐渐合并。1835年奥斯曼土耳其人重获控制权。

1837年塞努西伊斯兰教团成立，在19世纪末和20世纪初对利比亚的政治生活颇有影响。1911年，意大利入侵奥斯曼土耳其人统治的利比亚，并宣称取得控制权，但土耳其人对此不予承认，并在利比亚进行了顽强抵抗。到第二次世界大战爆发时，约有15万意大利人在利比亚定居。战争期间，意大利人的势力大多被消灭。

1951年，利比亚宣告独立，由赛努西国王统治；1953年该国成为阿拉伯联盟的一个成员国。1959年境内发现石油，利比亚由此变为靠石油致富的王国；10年后，以卡扎菲上校为首的一群军官废黜了国王，将该国变为泛阿拉伯的和清教主义的穆斯林共和国。卡扎菲上校与英、美两国断绝了关系，同时继续坚决支持巴勒斯坦阿拉伯人和游击队以及非洲和其他地区的革命运动。1977年与埃及交恶。利比亚改名为大阿拉伯利比亚人民社会主义民众国。利比亚对恐怖分子和各种军事冒险行动的支持遭到许多国家的抗议。然而，从20世纪80年代后期开始，反复无常的卡扎菲似乎要表现出一种较为和解的姿态，试图改善与埃及和其他中东国家的关系，缓和利比亚外交上的孤立局面。然而因其涉嫌国际恐怖主义袭击，美国和联合国于1996年下令对该国实施经济制裁。2003年联合国撤消对利比亚的经济制裁。当年晚些时候，利比亚表示停止生产化学武器后，美国取消多数经济制裁。

Libyan Desert 利比亚沙漠 阿拉伯语作aṣ-Ṣaḥrā' al-Lībīyah。撒哈拉沙漠东北部分。从利比亚东部起，穿埃及西南部延伸至苏丹西北端。沙漠中有多岩石高原和岩石或沙质平原，气候干燥，不适宜居住。最高点为三国交界处的欧韦纳特山（1 934米）。埃及的盖塔拉洼地在海平面以下133米。居民不多，集中在埃及锡瓦、拜哈里耶、费拉菲拉、达赫拉、哈里杰绿洲和利比亚库夫拉绿洲。利比亚沙漠埃及部分称西部沙漠，第二次世界大战中发生过激战。

Licata 利卡塔 意大利西西里区南部阿格里真托省城镇。为位于萨尔索河口的地中海港口。约建于公元前281年。第二次世界大战中为从北非来的盟军登陆点，时为1943年7月10日。种植蔬菜和谷物。开采并出口硫磺，生产化肥、通心粉、面粉等。人口：城市区约37 976（2001）。

Licchavi 梨车人 又译梨车族。公元前6～前5世纪在今印度比哈尔邦恒河北岸居住的部族。其首府为吠舍离。梨车族以他们的共和政府著称，有总议事会，由各刹帝利种姓家族的族长组成。梨车人曾一度具有相当实力，同其他部族形成联盟（即所谓瓦吉联盟）与新兴的摩揭陀王国相抗衡。迄公元4世纪左右，他们在印度北部和尼泊尔仍有势力。“梨车王朝”在尼泊尔用作纪年，称“梨车纪元”，始于公元110年。

lice（insects） 参阅 **louse** 虱。

license 许可 财产法中指对进入或使用他人财产之许可。许可有三类：单纯许可、契约许可和附权利的许可。单纯许可指某人在财产所有人明示或暗示许可，或在足以表明非侵犯行为之情况下，进入或使用他人财产。如一个人到加油站问路，他是被许可的，并不是入侵者。契约许可指在一定的报酬交换下，明示或暗示允许进入或使用其财产。如一个人购买了一张电影票，就意味着电影票持有者可以在特定的时间进入电影院。由契约取得的许可通常包括受专利、版权或商标保护的权利。附权利的许可指获得财产权时所产生的位于他人土地上的许可，又如，因借方拖欠贷款，贷方收回一辆属于他私人财产的汽车。单纯许可一般不能转让，但财产所有人可以撤销。契约许可之转让权和撤销权通常依契约条款之规定。附权利的许可可转让，不可撤销，至少，许可持有人可以有相当时间挽回所许可之财产。一个土地所有人在明知其许可将花费金钱，或已知该许可为不可废除者，则该许可不可撤销。例如，某人有两块地，其中一块不通公路，将其中封闭之地售与他人，许可买主修路通过他保留之地，买主投资后，该许可即不可撤销，可以合理地认为该许可为不可废除。此种不可撤销之许可称作“已生效之口头许可”，更准确地讲，是“不容反悔的地役权”；已生效之口头许可产生与该土地同样无限期之地役权。

lich-gate 参阅 **lych-gate** 停柩门。

lichen 地衣 藻类与真菌共生而形成的原植体植物，约15 000种。其中的藻类通常为绿藻，真菌多为子囊菌或担子菌。从前，地衣一度分类为一个单独的植物体，但显微镜出现后发现地衣由藻类和真菌结合而成。关于地衣如何分类，仍有一些不同的意见。人类一直将地衣用作食物以及药物、染料的原料。地衣又为漫游于极北地区的北美驯鹿和驯鹿提供2/3的食物。地衣的植物体称为叶状体。同层地衣的叶状体内，数量很多的藻类细胞（称为藻类成分）散乱分布于数量较少的真菌细胞（称为地衣共生菌）之间。异层地衣与之不同之处为真菌细胞数量占优势。叶状体下表面伸出毛状结构，称为假根，用以将叶状体固着于基物上。有的地衣，其叶状体壳状而薄，牢固地密贴于基物上，称为壳状地衣。鳞片状地衣形小，形似叶片，与基物附着较松。叶状地衣形大，似叶片，某些种类的直径达数英尺，以其盘状的大叶状体中央的假

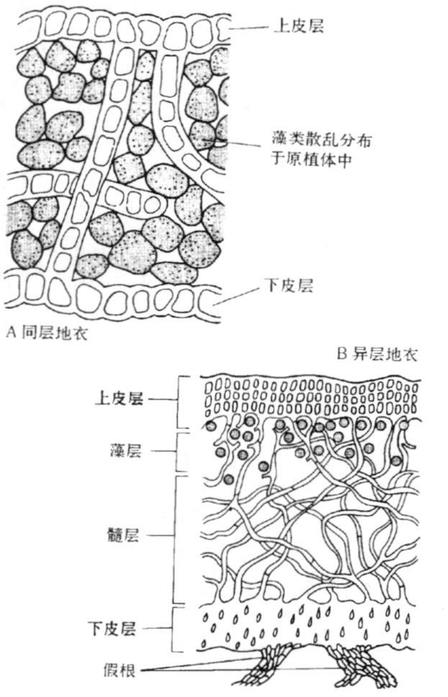

地衣的叶状体

根或脐固着于基物上。尚不清楚藻类和真菌何时首次相遇并形成地衣，但肯定在其各个构成成分发育成熟之后。地衣中藻类与真菌间关系的基础是互利，相互提供所需的物质和条件。藻类形成简单的碳水化合物，分泌出来后为真菌细胞吸收并被转化为各种碳水化合物。至少在一种情况即地卷衣（*Peltigera polydactyla*）中这种交换可于两分钟内完成。藻类亦可产生真菌需要的维生素。在这共生关系中真菌吸收空气中的水分，并为处于其下方的藻类提供一个荫凉的环境，这对于对光线敏感的藻类是极其必需的。地衣生长得相对较慢。地衣如何繁殖，这方面仍有一些问题没有搞清楚。多数植物学家认为地衣最常见的繁殖方式是无性繁殖。地衣的叶状体裂开，裂片散播于附近发育为新的植物体。

Lichfield　利奇菲尔德　英格兰斯塔福德行政、历史郡的一个区和城市。位于西米德兰兹高原和伯明翰都市联合体的北缘。面积330平方千米。附近一处地方相传为公元286年1 000名基督教徒殉教的地方。市内大教堂建于13～14世纪，是英格兰最小的教堂之一。1548年建镇。词典编纂家塞缪尔·约翰逊在此出生（1709），其出生地现为纪念馆。市内有多种零售业、服务业和轻工业。人口：市约27 900；区约92 232（2001）。

lichi（fruit）　参阅 **litchi荔枝**。

Lichtenberg　利希滕贝格　德国柏林一市区。13世纪80年代前形成城镇，普法战争（1870～1871）至1914年第一次世界大战开始，工业发展迅速。1920年扩充，纳入腓特烈斯费尔德及其他乡村堂区，成为柏林市区之一。面积26平方千米（包括郊区和区中心附近的工业、居民区）。生产工具、服装、家具。有发电厂。市公墓有社会主义者K.李卜克内西、R.卢森堡和艺术家K.珂勒惠支的墓。人口约155 050（2000）。

Lichtenberg, Georg Christoph　利希滕贝格（1742-07-01，德国黑森达姆施塔特附近上拉姆施塔特～1799-02-24，汉诺威格丁根）　德国物理学家兼讽刺作家，以其嘲笑形而上学和浪漫主义的过火论点而知名。一新教牧师之子，排行17，由其父教授数学和自然科学。1763年入格丁根大学，1769年任该校非常任物理学教授，1775年成为常任教授，直至去世。他的研究范围很广，包括地球物理学、火山学、气象学、化学、天文学和数学，但最重要的是物理学研究。值得一提的是他建造了一座巨大的起电盘，并在实验过程中于1777年发现现代静电复印技术的基本原理，他复制的影像迄今仍称为“利希滕贝格图像”。作为讽刺与幽默作家，利希滕贝格在18世纪德国同类作家中居于前列。他的尖刻诙谐使他陷入和一些同时代名家的争论，如他嘲讽J.K.拉瓦特尔的体相科学，又如J.H.福斯对于希腊语发音的意见引出了他一篇有力的讽刺文，题为《论古希腊的蠢驴的发音》（1782）。1769和1774年他两度在英国小住，《英伦书简》（1776～1778）是他最吸引人的作品。1778年以后为《格丁根袖珍年鉴》和《格丁根文学与科学杂志》撰稿，后者是他与J.G.A.福尔斯特共同编辑了3年的杂志。1794～1799年他出版《贺加斯铜版画详释》。

Lichtenstein, Roy　利希滕斯坦（1923-10-27，美国纽约州纽约～1997-09-29，纽约）　美国画家，**波普艺术（Pop art）**运动的先驱，其主题取自大众文化现象。1949年在俄亥俄州立大学获艺术硕士学位。曾在俄亥俄州立大学（1946～1951）、纽约州立大学奥斯威戈学院（1957～1960）、新泽西州新不伦瑞克拉特格

美国不列颠百科全书公司供图

斯大学道格拉斯学院（1960～1963）任教。1951年开始为职业画家，以现代艺术风格表现西部牛仔和印第安人生活。1957年尝试抽象表现主义的技法。他将兴趣投入以艺术为主题的连环漫画，可能始自1960年为他的孩子们画米老鼠。后将画中角色放得很大，把商业美术和抽象派艺术结合起来，鲜明的色彩，深黑色的轮廓，达到很好的效果。其连环漫画作品首次展出（纽约市，1962）曾轰动一时。他也作风景画，其风格与连环漫画相似。

Licinius　李锡尼（?～325）　全名瓦勒里乌斯·利西尼亚努斯·李锡尼。罗马皇帝（308～324）。伊利里亚农民家庭出身。早年从军。308年友人加莱里乌斯当皇帝，他也平步青云，出任奥古斯都，统治潘诺尼亚。311年加莱里乌斯死去，他接管皇帝统治的欧洲地域。313年与统治高卢、不列颠的另一皇帝君士坦丁同父异母妹妹君士坦蒂娅结婚。同年他在色雷斯击败东罗马皇帝马克西米努斯，乘胜追击到亚细亚境内。马克西米努斯死后，他把帝国的整个东半部置于自己的统治之下。他扩充兵力，聚集财富。但在324年被君士坦丁连连击败，不得不屈膝投降。次年被处死。

Lick Observatory　利克天文台　位于美国加利福尼亚州圣何塞市东21千米的哈密尔顿山之巅，是美国也是世界第一个大型高山天文台。运用加利福尼亚州巨富J.利克的遗嘱提供的资金，始建于1880年。天文台的第一个大型设备是1888年建成的直径91厘米折射望远镜。它的世界之最地位到1897年才被美国叶凯士天文台的直径102厘米折射望远镜超过。1895年又建成直径91厘米、专名为克罗斯利的反射望远镜。1886年至20世纪20年代，利克天文台发展为世界著名的天体分光科研基地。然而，在此之后，设备却日益陈旧。直到第二次世界大战后，天文台归属加利福尼亚州大学才有了转机。1959年建成直径305厘米反射望远镜和一批新型附属设备，利克天文台再次成为国际最知名的天文观测基地之一。

Licking River　利金河　发源于美国肯塔基州东部马戈芬县。大致流向西北，经515千米流程，在肯塔基州卡温顿汇入俄亥俄河。有南、北两条支流在彭德尔顿县法尔茅斯附近注入。部分河段可通航，为早期贸易通道。沿途多盐泉。

licorice（species *Glycyrrhiza glabra*）　**欧甘草**　又拼作liquorice。又称洋甘草、无毛甘草。豆科多年生草本植物。其根用制调味

品、糖果以及药剂(均亦称甘草,味甜稍苦,似茴芹)。原产于南欧,目前在地中海地区和美国部分地区有栽培。甘草是咳嗽糖锭、各种糖浆和酏剂的成分,可减轻药物的苦味。临

西班牙欧甘草(*Glycyrrhiza glabra*)
美国不列颠百科全书公司供图

床上用于治疗胃溃疡及艾迪生氏病。又用于糖果和烟草调味。植株可高达1米。复叶,具4～8枚广椭圆形小叶。花蓝色,成簇腋生。荚果扁平,长7～10厘米。可用根长约1米,直径约为1厘米,柔软,具纤维,易弯曲,里面鲜黄色,含甘草甜素,具有独特的甘甜味。甘草的根经碾压粉碎,煮沸提取汁液,这在地中海沿岸地区是一个产业。汁液浓缩后用制柔软而半透明的棒形甘草糖(亦称甘草软糖或黑糖)。

lictor　扈从　古罗马高官的跟随人员。可能始于古罗马王政时代。当高官外出时,他们掮荷**法西斯**(**fasces**),在前面开道。同时充当高官的卫兵。皇帝最初拥有扈从12名,但图密善后升至24名;独裁官24名;执政官12名;行政长官6名;副将5名。扈从多半是刚摆脱奴籍的人,有固定薪给。

Lida　利达　白俄罗斯格罗德诺州城市,利达区首府。始于13世纪,为立陶宛公爵格迪米纳斯在立陶宛格罗德诺和大杜奇二公国之间的边境建立的要塞。后归波兰,1795年被俄国兼并。1919年再归波兰,1945年割让给苏联。有14世纪城堡遗迹。过去为商业中心,现为食品加工中心。工业有农机制造和电气工程。人口约95 000(1991)。

Liddell, Henry George　利德尔(1811-02-06,英国达勒姆郡奥克兰～1898-01-18,伯克郡阿斯科特)　英国词典编纂家,标准《希英辞典》(1843;1897第八版;1940 H.S.琼斯等人的修订版;简编1957;中级本1959)的编纂者之一。1834年,他与牛津大学的同学R.斯科特合作,以布雷斯劳大学教授帕索的《希德词典》为蓝本,着手《希英词典》的编纂工作。利德尔1836～1845年任牛津大学贝利奥尔学院导师,1838年任圣公会牧师,1846年任艾伯特亲王家庭牧师,曾任威斯敏斯特学校校长,1856～1891年任牛津大学基督堂学院院长。他用许多业余时间修订和增补《辞典》。另著有两卷本《古罗马史》(1855)。此书简编本题名《古罗马史教程》,记述罗马帝国建国前的早期罗马概况,于1871年刊行,是一本高等学校学生用书。

Liddell Hart, Sir Basil (Henry)　利德尔·哈特(1895-10-31,巴黎～1970-01-29,英国白金汉郡马洛)　英国军事史学家、战略家。因倡导机械化战争而著名。第一次世界大战时,弃学从戎,成为陆军军官。1920年编写《步兵教程》,为官方所采用。书中包含"战斗训练"体系和脱胎于1917～1918年的渗透战术的所谓"泄洪"攻击法。他较早倡导空中力量和机械化的坦克战。认为战略就是"为达到政治目的而合理运用军事手段的一种艺术";主张用"间接接近方式"克敌制胜,根据自己的实战经验强调"机动性和突然性"。1924年负伤致残,1927年以上尉退役。1925～1935年期间,担任《每日电讯报》的军事记者,1935～1939年担任《泰晤士报》军事顾问。1937～1938年为陆军大臣L.霍尔-贝利沙的私人顾问,言听计从。但他提出的发展坦克和高炮部队使陆军达到机械化水平的观点遭到大多数职业军官的反对。他的著作在德国比在英国和法国更有影响。"泄洪"理论和J.F.C.富勒将军大量使用坦克的学说一起被德国主张装甲战的先驱所采纳,成为德军1939～1941年间进行闪电战的基础。他对核威慑疑信参半,战后仍强调常规防御,反对总体战概念。1966年女王伊丽莎白二世授予他爵士勋位。他写过多本著作,包括许多军事传记,几本军事战略和一本第二次世界大战史。

Liddesdale　利德斯河谷　苏格兰南部利德尔河谷地。在博德斯行政区罗克斯堡区。长逾32千米。上游在苏格兰边界行政区内(属罗克斯巴勒历史郡),下游部分地区在邓弗里斯-盖洛韦行政区内(属邓弗里斯历史郡)曾频遭边境战事破坏。当地多碉楼,其中以赫米蒂奇堡(1244)为最重要。为农业区,谷地内有牧羊场。

Liddon, Henry Parry　利登(1829-08-20,英国汉普郡北斯托纳姆～1890-09-09,格洛斯特郡滨流韦斯顿)　基督教圣公会牧师、神学家。他是牛津运动领袖皮由兹的挚友,为他作传,本人也积极鼓吹牛津运动。1852年受按立。1859年任牛津圣埃德蒙德学院副院长,维护并促进牛津运动。当时牛津运动由于领导人纽曼于1845年改奉天主教而遭受挫折。利登于1864年任索尔兹伯里主教哈密顿的随身牧师。哈密顿赞同牛津运动在圣公会内恢复天主教原则的观点。利登与牛津运动派其他人士一样,反对教职提升制,因此起码曾有两次拒不就主教之位。他热心基督教统一,在参加1869～1870年的梵蒂冈会议后促进老公会运动,并亲赴俄国和中东会晤东正教首脑。

Lidice　利迪策　捷克共和国中捷克州的村庄。在布拉格西北。第二次世界大战前为克拉德诺产煤区中矿工聚居点,居民约450人。1942年6月德军为报复捷克地下战士杀死刽子手海德里希,对该村进行清洗,枪杀村中全部男子(近200人),把妇女赶入集中营,然后又炸毁了村庄,将其夷为平地。1947年在附近建立新村。原村址有博物馆、纪念碑和国际玫瑰花园。人口约505(1970)。

Lidköping　利德雪平　瑞典西南部西约特兰省城镇。在利东河河口处。临维纳恩湖的欣讷湾。建于中世纪。1446年设镇。现陶瓷业为主要工业部门。市内有古老的市政厅(1676～1882)。城北24千米处的莱克城堡有二百多个房间,最古老部分可溯至1298年,但大部分建于17世纪。另一名胜是附近一条火成岩山脊,名叫欣讷山,曾被哥特人用作烽火台。人口:城市区约36 833(1998)。

Lidman, Sara　利德曼(1923-12-30,瑞典米森特拉斯克～　　)　第二次世界大战后一代瑞典作家中声誉最高、读者最多的女小说家。最初的两部小说《沉默的水手》(1953)和《云莓地》(1955)发表后,立即成名。另一脍炙人口的作品为《雨鸟》(1958)。60年代旅游非洲后写了两本小说,抗议对黑人的压迫。《河内谈话》(1966)则记录了她的越南之行。她的具有地方色彩的小说,熔写实主义手法与神话气氛于一炉,而她对社会进行批判的作品则表明她真诚地维护贫苦人民的权利。20世纪70年代,她开始写一系列小说,有《你的佣人在倾听》(1977)、《拿伯的石头》(1981)和《铁皇冠》(1985),都以瑞典极北部为背景,描写19世纪晚期铁路通至这一地区的情况和对这一地区及其居民的影响。20世纪90年代起重新开始叙述性创作,发表小说《生活之本》(1996)和《纯真时刻》(1999)。

Lidner, Bengt　李德奈尔(1757-03-16,瑞典哥德堡～1793-01-04,斯德哥尔摩)　瑞典早期浪漫主义戏剧和史诗诗人,以取材宏伟著称。他是古斯塔夫三世的宠臣,曾以王室开支漫游欧洲大陆。他的最优秀作品均写于1783～1787年间。其中《女伯爵斯帕斯塔拉之死》(1783)是一篇为康塔塔所作的歌词,描写一个母亲企图在地震中救出自己的儿子,结果双双死亡,死后母亲到了天国,在那里遇到作者李德奈尔童年时即已去世的母亲。歌剧《美狄亚》(1784)写一个受骗的妻子,如何在舞台上杀死自己的儿子们。史诗《最后审判》(1788)里的女主人公是夏娃,该诗的开篇将声光形象融会为一,造成一种死亡气氛。

lidocaine　利多卡因　一种合成的有机化合物,通常以其盐酸盐形式用作局部麻醉药。可产生较普鲁卡因更为迅速、强烈、持久的麻醉作用。其0.5%～2%水溶液或盐水溶液广泛应用于浸润麻醉、神经阻滞麻醉及脊髓麻醉;其2%～4%溶液亦用于黏膜麻醉。

Lie, Jonas (Lauritz Idemil)　李(1833-11-06,挪威霍克松～1908-07-05,斯塔韦恩)　挪威小说家,以反映挪威的大自然、民间生活及社会精神面貌为其写作目的。被认为挪威19世纪文学四杰之一(另三人为易卜生、比昂松和谢朗)。他写了第一部小说《幻象或北疆的图景》(1870)。接着又写出了第一部关于航海和商业生活的挪威小说《"未来"号船》

(1872)。另两部小说是他的自然主义创作时期的作品。其一是《一个生活的奴隶》(1883),写一个非婚生子的悲惨社会遭遇;另一是《吉尔伊一人家》(1883),反映妇女社会地位问题,这是当时最引人注意的问题。这部小说被公认为挪威文学的一部经典作品。他在晚年写了一部两卷集的神话故事《北海险怪故事》(1891～1892)。

Lie,(Marius) Sophus　李(1842-12-17,挪威努尔菲尤尔埃德～1899-02-18,克里斯蒂安尼亚)　挪威数学家,对代数不变量理论和微分方程理论作了重大的贡献。1869年到柏林,遇见F.克莱因,后来和他合作发表了几篇论文。在巴黎,1870年他发现切变换,用这种变换可以在直线和球之间建立一一对应,使相切的球对应于相交直线。1871年他任克里斯蒂安尼亚大学助教,同年提出博士论文,推进了切变换理论。1872年任特约教授,1873年开始研究连续变换群。他和E.恩格尔合作了9年之后发表了《变换群论》(3卷,1893)。这部著作包括他对有限连续置换群一般理论的研究成果。随后又发表了《切变换几何学》。1886年他接替克莱因在莱比锡大学任数学教授,恩格尔做他的助手。1898年回到克里斯蒂安尼亚接受专为他设立的职位,但他的健康已受损,不久逝世。他除了对变换的发展以外,对微分几何也作出贡献,但其主要目的是促进微分方程理论。《数学总书目》中有对李的著作的分析。他的著作收在《论文集》中。其他两部公认优秀著作是《微分方程》(1891)和《连续群讲演集》(1893)。

Lie, Trygve (Halvdan)　赖伊(1896-07-16,挪威克里斯蒂安尼亚～1968-12-30,耶卢)　挪威政治家、外交家,第一任联合国秘书长(1946～1952),主要由于苏联憎恨他支持联合国对朝鲜战争进行军事干涉而辞职。在克里斯蒂安尼亚(奥斯陆)大学求学后当律师,成为挪威工党的重要成员。1940年4月德国侵占挪威后,他被任命为流亡伦敦的挪威政府的外交部长。1946年2月1日,当选为联合国秘书长,任期5年。从1947年5月起处理以色列国宣布成立后在巴勒斯坦发生的战争;1948年处理印度和巴基斯坦在克什米尔的冲突。这些问题只得到临时性的解决。1950年他带着"和平使命",前往各大国的首都,宣传"20年和平规划",并抵制苏联将台湾驱逐出联合国的企图,同年他呼吁联合国接纳中华人民共和国。在联合国武装部队受权援助韩国后,赖伊遭到苏联的反对,当苏联要在安理会否决他重新当选已成定局时,他的任期由联大延长了3年(未经正式重选)。苏联随即停止承认他为秘书长。在美国参议员麦卡锡发动调查联合国内的共产党嫌疑分子后,他在美国也遭到反对。1952年11月10日辞职。所著《为了和平》于1954年出版。

美国不列颠百科全书公司供图

lie detector　测谎器　又称多项描记器。记录生理状态的装置,即记录被测者在回答问题时的血压、脉搏和呼吸状况等,然后根据这些材料判断被测者是否在说谎。自1924年以来,警察局常在进行审问和调查时使用这项装置,但心理学家对它一直有争议,司法界也并不都认为它是可取的。通常选被试不能自主控制的生理现象作为测量指标。

Lieber, Francis　利伯(1789-03-18,柏林～1872-10-02,纽约市)　德国出生的美国政治哲学家和法学家,以系统地阐述"战争法"而闻名。曾在耶拿大学学习。由于他是一个自由主义的政治活动家,曾两次被普鲁士政府监禁。后逃到英国,并于1827年移居美国。他在美国编辑《美国百科全书》第一版(1829～1833)。1835年被任命为南卡罗来纳学院(哥伦比亚)的历史学和政治经济学教授,并于1857年担任纽约市哥伦比亚学院教授。在此期间,他写了两部最重要的著作:《政治伦理学手册》(两卷本,1838～1839)和《论公民自由和自治政府》(两卷本,1853)。他在美国南北战争期间为联邦军队起草的《军队管理法典》中,认为有必要制定一部系统化、制度化的行为法典,以减轻战争的破坏,保护平民和规定对战俘的待遇。

Lieber, Thomas　利伯　参阅 Erastus, Thomas 埃拉斯都。

Liebermann, Max　李卜曼(1847-07-20,柏林～1935-02-08,柏林)　油画家和铜版画家。以对生活和穷人劳动客观研究而著名。领导过德国印象派。曾在魏玛工艺美术学院(1868～1872)学习。第一次展出的写实主义作品《拔鹅毛的妇女们》(1872,柏林国家画廊藏)与当时流行的理想化的浪漫艺术形成鲜明对比。1873年结识了J.-F.米勒,又研究柯罗、C.特罗容和C.-F.杜比尼等人的作品,使其色彩转向鲜明化。1884年在柏林定居,从孤儿院和养老院、农民和城市劳动者中寻找题材。在这些作品中,李卜曼对德国美术所起的作用如同米勒对法国绘画所起的作用一样。1898年被选入柏林科学院,1920年当选为院长,1932年纳粹分子迫使他辞职。他是柏林人分离派(1899)的创始人和领导者。

李卜曼绘《亚麻女工》(1887)
美国不列颠百科全书公司供图

Liebig, Justus, Freiherr von (baron of)　**李比希**(1803-05-12,黑森-达姆施塔特达姆施塔特～1873-04-18,慕尼黑)　德国化学家。对有机化学早期的系统分类,对化学应用于生物学(生物化学),对化学教育及农业化学的基本原理都作出了许多重大贡献。在短期学习药剂学之后,李比希进波恩大学师从于当时的首席化学家K.W.G.卡斯特纳,想成为一名化学家。当卡斯特纳转到埃朗根大学时,李比希跟随之并在该校获博士学位(1822)。后来得到黑森政府的助学金在巴黎学习,在A.冯·洪堡的影响下他得以在J.-L.盖-吕萨克的私人实验室工作。1824年在吉森大学任职,1826年成为该大学的正教授。他在吉森建立起第一个实验室,为年轻的化学工作者系统讲授化学研究法。该实验室迅速闻名于世,学生来自全欧洲,他们当中有许多成为新一代的著名化学家,如A.W.冯·霍夫曼、E.弗兰克兰、F.A.凯库勒和C.-A.孚兹。李比希实验室所建立的化学教育方式盛行于德国,对于19世纪后期德国化学的巨大发展起了重大作用。1845年李比希被封为男爵,1852年成为慕尼黑大学化学教授,在该校任职直至逝世。李比希曾活跃于无机和有机化学的许多领域,他的某些研究工作由于对化学后来的发展具有重大意义而变得引人注目。他早期的有关氰酸和雷酸的异构化研究给其同代人以深刻印象并使他转入有机化学。在有机化学的研究中,他认识了著名化学家F.维勒,他们的友谊持续了一生,两人在若干研究领域中有过协作,其中最重要的是关于苦杏仁油(苯甲醛)的研究,经过各种反应发现化学基团仍保持不变。李比希大力发展的基团理论是有机化学系统分类首次重要的尝试。他所设计的分析测定碳和氢的简单方法大大推进了其在有机化学的研究,他还设计了卤素的分析测定法,发表了有关多元有机酸的重要工作,为支持酸的氢理论做了大量工作。他推广但非其发明的李比希冷却管(蒸馏用)仍在许多实验室使用。1838年

美国不列颠百科全书公司供图

后李比希的兴趣从纯有机化学转向植物和动物化学，他做过组织和体液的许多分析而且进行了动物机体的含氮产物的研究，李比希牛肉浓汁是这个研究的副产品。后来他对农业问题产生极大兴趣并在1840年写了《有机化学在农业和生理学中的应用》一书。此书对讲究实际的农学家产生极大影响。他否定植物是由腐植质供应养料的旧理论，指出植物是从空气和土壤摄取二氧化碳、水和氨。他倡导使用无机肥料以供应土壤中可能耗尽的其他元素。他的大部分研究工作发表于《药物分析》期刊，该期刊是他于1832年创办的，后来改名为《化学分析》，是主要的化学期刊之一。

Liebknecht, Karl　李卜克内西（1871-08-13，莱比锡～1919-01-15，柏林）　德国社会民主党人，与罗莎·卢森堡及其他激进分子成立斯巴达克思同盟，这是个柏林地下组织，致力于

美国不列颠百科全书公司供图

社会主义革命，后成为德国共产党。威廉·李卜克内西之子，在其父的社会主义工人党（1891年改称社会民主党）的资助下，先后在莱比锡大学和柏林大学学法律和政治经济学，获柏林大学博士学位。他立志为保卫马克思主义而献身。1893～1894年在波茨坦帝国先锋卫队服役，随后在威斯特伐利亚任律师，1898年回到柏林。1900年丧父，他同帕拉迪丝结婚，生有3个孩子。10年后丧偶，1912年与在海德堡大学毕业的俄国女子丽丝结婚。1904年在柯尼斯堡法庭上他为被指控为从东普鲁士进入沙皇俄国进行社会主义宣传的贫农辩护，在辩护词中大力反对军国主义。1907年他对在斯图加特建立社会主义青年组织国际联合会起主要的作用。所著《军国主义和反军国主义》（1907）出版后，他被判处18个月徒刑。他在狱中当选为普鲁士邦议会议员。1912年进入德国国会，成为反对政府和反对社会民主党内日益发展的修正主义的主要发言人。在第一次世界大战期间他是展开反战运动的主要人物。在德国国会中他第一个投票反对战争贷款，并早在1915年1月他就主张把民族战争转变为内战或者阶级战争。德国政府将他作为非战斗人员征召入伍，派往俄国前线服役，叫他伐树、削马铃薯皮和埋葬腐烂的尸体，直至1915年10月他的健康急剧恶化为止。1916年他因反对社会民主党领导而被开除出党，乃与革命家罗莎·卢森堡结成斯巴达克思同盟。他们领导反战派，通过地下秘密组织网进行革命宣传活动。他编辑斯巴达克思同盟的机关刊物《斯巴达克思通信》。1916年他在柏林参加五一示威，号召推翻政府和结束战争。政府将他投入监狱。1918年10月得到赦免。苏联驻柏林使馆为他的出狱举行了盛大宴会。他计划以苏联为榜样，通过斯巴达克思同盟来推动德国的革命。他经常向群众发表演说，争取对“真正”革命的支持。他对德国共产党的成立起主要作用。1919年1月李卜克内西参加暴动，与罗莎·卢森堡一起于1月15日被反革命志愿兵以在逮捕他们时他们企图逃跑为借口，开枪把他们打死。

Liebknecht, Wilhelm　李卜克内西（1826-03-29，黑森吉森［德国］～1900-08-07，柏林）　德国社会主义者，卡尔·马克思的亲密伙伴，德国社会民主党的共同创建者。幼年丧父，但仍顺利成长。进吉森、马尔堡和柏林等大学求学，对法国社会主义思想发生兴趣。之后应邀去瑞士任小学教师，后决定学习法律，1847年在瑞士取得律师资格。1848年2月巴黎爆发革命，他前去巴黎，因为时已晚未能参加，乃返回德国，参加几次起义，但都遭失败。后在巴登进行革命活动时被捕，监禁8个月。1849年获释后返回瑞士。在瑞士逗留不久，奥地利和普鲁士政府都怕他在瑞士工人中的影响日益增长，下令将他从日内瓦赶走。他流亡英国13年，在伦敦加入共产主义者同盟，同马克思和恩格斯密切合作，以充当《奥格斯堡总汇报》驻伦敦记者维持生活。1862年被普鲁士政府赦免，返回柏林，成为《北德意志总汇报》撰稿人，不久即成为有影响的社会主义者。俾斯麦首相害怕他在工人阶级中的势力，1865年将他逐出普鲁士。他去莱比锡，加入拉萨尔于1863年创立的全德工人联合会。这时他同倍倍尔成为亲密的战友。19世纪末期他们成为德国社会主义运动的共同领导人。李卜克内西在莱比锡发展新党员，并通过《民主周报》努力教育群众。1867年工人们选他为北德意志联邦议会议员，他在议会反对拉萨尔鼓吹的“家长式”国家社会主义。1869年与倍倍尔一道在爱森纳赫代表大会上建立德国社会民主工党，隶属总部设在伦敦的第一国际（国际工人协会）。1870年普法战争爆发，他对国际社会主义的忠诚受到

美国不列颠百科全书公司供图

实际的考验。他没有投票赞成战争贷款，以及由于撰文反对战争和普鲁士政府，1872年被定为“叛国”罪，与倍倍尔一道在胡贝图斯堡要塞囚禁两年。1871年普鲁士军队战胜，但是社会主义者的力量在议会中继续增长，李卜克内西成为俾斯麦的眼中钉。1875年拉萨尔派和李卜克内西派在哥达合并，成立社会主义工人党。《哥达纲领》是两派达成的妥协，尽管受到马克思的批判，它在1891年通过爱尔福特纲领之前一直是德国社会主义的宪章。1878年普鲁士议会通过“反社会党人法”，俾斯麦加紧镇压社会主义者。1890年该法期满，显然李卜克内西教育群众的策略富有成效。1891年社会主义工人党在爱尔福特开会，通过一部充分体现19世纪社会民主主义思想的纲领，纲领中取消了哥达大会上提出的、遭到马克思批判的关于国家支援的条文。此后该党改称德国社会民主党。李卜克内西在他生命的最后9年里，为该党最著名的报纸《前进报》撰写文章，成为德国社会民主党的主要发言人之一。

Liebler, Thomas　利伯勒　参阅 **Erastus, Thomas** 埃拉斯都。

Liechtenstein　列支敦士登　全称列支敦士登公国。欧洲小公国，位于瑞士与奥地利之间，面积仅有160平方千米。人口约27 700（1988）。首都瓦杜兹。

占国土2/3的东部地区为阿尔卑斯山脉中部雷蒂孔山的崎岖山麓。山高1 800～2 623米。低坡上长满常绿林和阿尔卑斯山特有花卉，不毛的山峰常年披雪。山间有萨米纳河冲蚀成的三大河谷。国土西部为莱茵河冲积平原，与伊尔河谷一起形成一向北扩展的三角形低地区。河谷原先沼泽遍地，但20世纪30年代建成排水沟渠后，使此处的肥沃土壤极适合耕种。

气候温和并在很大程度上受称作焚风的温暖南风影响。年降雨、降雪合计为900～1 200毫米，随地区而异。冬季气温很少降至－15 °C以下，夏季日间平均温度最高为20～28 °C。这样的气候条件适合于栽种葡萄和玉米，这在山区实属少见。

列支敦士登有各种极具特色的植被。除芦苇、薰草、报春花和兰花等常见植物外，还有水蓍草和杉叶藻。森林中各种树木混生，有铜红山毛榉、普通和挪威枫树、埃及榕、欧椴、榆树和桦等。列支敦士登的动物种类很多，其中包括红鹿、獐、小羚羊、野兔、旱獭、黑色公琴鸡、雉、松鸡、鹧鸪、狐狸、獾、貂、鸡貂、鼬、鼬鼠等。

莱茵平原一向为人口聚居地。神圣罗马帝国两个独立的贵族，瓦杜兹和施伦贝格，占据河谷达数世纪之久。由这两片贵族领地组成的列支敦士登公国成立于1719年，仍为神圣罗马帝国的一部分。1806～1815年为莱茵联盟的一部分，1815～1866年则归入德意志联盟。1866年，列支敦士登独立。传统的瓦杜兹及施伦贝格地区仍被认为是两个独特的地区——分别称上郡和下郡，并形成不同的选区。在其历史的大部分岁月里，列支敦士登曾是世界上一个平静的乡村角落，很少

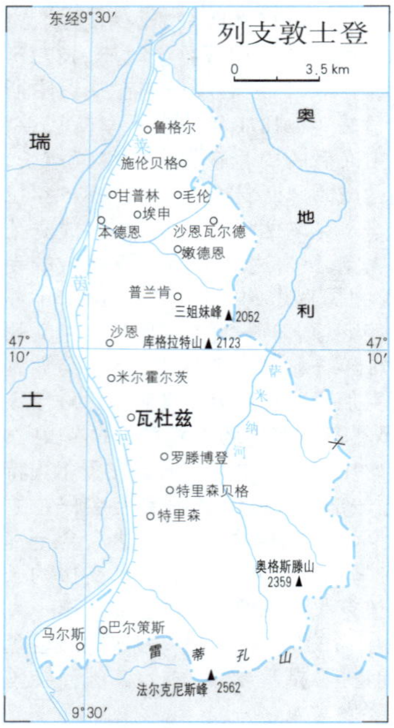

美国不列颠百科全书公司供图

受到其欧洲邻国的影响。然而第二次世界大战后，该国却经历了一个迅速工业化的时期。

列支敦士登为一君主立宪制国家，政府的权力来自君主和平民双方。王位由男性世袭，按王室规章确定。1921 年宪法规定设一院制议会，由 15 名议员组成，议员由选举产生，任期 4 年。20 岁以上男性公民均享有选举权。1984 年，20 岁以上女性公民被授予国家事务的投票权，但对地方事务则仍无投票权。

政府由首相、副首相和 3 名大臣组成，由亲王根据议会提名任命，任期 4 年。全国 11 个市镇实行在政府监督下的自治，由市长和市议会管理，每 3 年选举一次。政府仍维持着一支人数不多的警察队伍，但常备军已于 1868 年取消。

列支敦士登不具有商业开发价值的天然资源，所有原料，包括木材，必须依靠进口。因此，工业化至今尚不存在其他发达地区的那些环境污染问题。公国的全部山林地区均受到保护，以保持山坡的生态环境和防止水土流失。该国没有重工业，小型制造企业则遍及全境，包括金属加工、药品、光学镜片、电子设备、食品加工和消费品生产。1921 年，列支敦士登采用瑞士货币，1923 年加入瑞士关税同盟。

人口中从事农业的人数虽然少且比例日益下降，但农业单位的规模却一直在扩大，最关心的事务集中在牲畜繁育和乳品业上。玉米和马铃薯是当地传统作物，但谷物和蔬菜的生产正在增多。葡萄园数目不多，且分成一些小单位。阿尔卑斯山的坡地夏季用于放牧。

旅游业由政府主办，是经济的主导产业。大多数旅游者来自周围一些欧洲国家，观光活动以瓦杜兹为中心。外国企业在列支敦士登的注册为当地提供了一项税收来源。该国由于政局稳定和银行业务绝对保密，已成为银行业的中心。但至 20 世纪末期，列支敦士登已成为洗钱中心，因此颁布法令禁止匿名开户。

该国有极好的道路系统与其邻国相连。铁路穿越该国北部，为巴黎—维也纳高速铁路的一段。国内无航空港。

列支敦士登人是公元 500 年以后来到这一地区的阿勒曼尼人的后裔。官方语言虽为德语，但阿勒曼尼方言仍然通用，只是各地的语音及用词稍有差异。来自瑞士瓦莱省移民的后裔瓦尔塞尔人，于 13 世纪末在特里森贝格定居，仍在讲一种独特形式的阿勒曼尼方言。居民大部分为天主教徒。

南部工业较发达的上郡包括瓦杜兹、巴尔策斯、特里森、特里森贝格、沙恩和普兰肯等行政区。北部的下郡有埃申、毛伦、甘普林、鲁格尔和施伦贝格等行政区。由于战后工业化的实施，人口开始向较大城市流动。人口最多的地区为该国行政及商业中心瓦杜兹和主要工业区沙恩。

公共卫生事务由国家卫生总监为首的公共卫生委员会负责。列支敦士登的医疗机构较小，但得到近邻瑞士先进医疗设施的补充，公国亦对瑞士医疗机构予以支持。社会保险由各种强制性保险计划来维持，资金的筹措由雇主、雇员和政府共同负担，如有不足时由政府承担。

教育由国家教育局管理。学校系统包括 8 年小学、3 年中学、职业学校、文法学校、商业高中、音乐学校及理工学院组成。所有 7 岁以上的公民均识字。

位于瓦杜兹中心的英格兰大厦陈列着列支敦士登君主收藏的世界著名艺术珍品，包括 17 世纪荷兰及佛兰芒画家的许多出色作品。另外尚有一座国立艺术馆(1969)。

列支敦士登邮政博物馆(建于 1930)展出大批邮票，包括该国自 1912 年以来发行的全部邮票。位于瓦杜兹的列支敦士登国家博物馆主要收藏早期罗马的各种人工制品。列支敦士登国家图书馆建于 1901 年，属于公共基金会。

lied 利德 在英文和法文著作中所提到的一些特殊类型的德国歌曲。最早的利德见于 12 和 13 世纪，是恋诗歌手的创作。现存的爱情利德往往反映出德国南方的渊源。这些歌曲有多种格式，均以诗歌模式为基础。利德和其他许多格式一样，通常由两部分组成：第 1 乐句(a)在反复时用不同的歌词；第 2 乐句(B)又用另一些歌词(aaB)。这就是德国作曲家特别喜欢的巴尔曲式。单声部爱情利德强劲有力，充满小的跳进，并采用调式音阶。这一时期的记谱在节奏值方面并不精确，因此关于爱情利德的节奏诠释现在是众说纷纭。14 世纪，单声部利德有所衰退，两个或更多歌唱声部(或是一个歌唱声部加乐器)和复调利德开始出现。最著名的一首复调利德是沃尔肯斯坦的奥斯瓦尔德(1377～1455)所作的《醒来吧，我亲爱的》。15 世纪是复调利德走向繁荣的时期，有时有多至 4 个声部一起演唱。这些复调谱曲与宫廷爱情利德不同，它们既针对贵族，也针对有教养的学者和神职人员。巴尔曲式和浪漫色彩的歌词占主导地位，通谱歌曲(不是每节重复)出现。曲调通常由中间声部(男高音)演唱；男高音旋律往往是一个现成的、家喻户晓的曲调，而不是为这一复调利德新创作的。16 世纪中叶 L. 森夫尔和他的同时代作曲家把复调利德发展到了顶峰。印刷术的发明推动了世俗复调利德的传播，许多最受欢迎的作品换上新词就成为宗教乐曲，于是利德成为传播新教的重要工具。到文艺复兴后期(约 1580)，人们苦心孤诣地用意大利风格创作利德：织体是和弦式的；乐句线条分明，长短均匀；旋律在最高声部，歌词以朗诵方式演唱。在新兴的牧歌的影响下，老式的利德传统衰退。19 世纪时德国作曲家再度转向利德创作。18 世纪末，19 世纪初的浪漫主义思潮大大推动了广受喜爱的严肃诗歌；歌德等大师的许多诗歌被利德作曲家谱成歌曲。作了 600 余首利德的舒伯特以及舒曼、勃拉姆斯和 H. 沃尔夫等人都是 19 世纪利德作曲家中的巨擘。浪漫派的利德通常都是钢琴伴奏的独唱曲，要求精湛的技巧。这些歌曲主要是沙龙音乐，单独一首利德没有同时代的歌剧咏叹调的那种规模，但更亲切，感情上更细腻。作曲家常常写作利德套曲，用同一标题加以联贯，并给以极大的音乐发展的余地。利德可以是通谱创作，也可以是分节式。偶尔可改编为全编制的管弦乐队伴奏。

Liège 列日 法语拼法。比利时东部省份。东界德国。面积 3 862 平方千米，划分为 4 个行政区：于伊、列日、韦尔维耶和瓦雷姆。省会为列日。居民主要讲法语。**奥伊彭和马尔梅迪(Eupen-et-Malmédy)**、圣维特和过去的中立区莫雷内仍广泛使用德语。西北高原出产谷物和甜菜，放养牲畜。东北部高原有牧场、果园，生产糖浆和乳酪。默兹河谷为市场提供蔬菜和牛奶制品。南部和东南部的**阿登(Ardennes)**地区农业欠发达。**斯帕(Spa)**、乌尔特和昂布莱沃河沿岸旅游业对该省经济重要。阿登许多地方树木繁茂。上法涅部分地区划为自然保护区。桑布尔-默兹东部盆地列日周围发现煤田。默兹河谷有煤矿、炼焦厂、钢厂、化工厂、冶炼厂。韦尔维耶地区是比利时羊毛工业中心。有运河化的默兹河和阿尔贝特运河。通六条主要公路和数条国际铁路干线。有许多古堡和隐修院。人口约 995 576(1983)。

Liège 列日 德语称吕蒂希(Lüttich)。比利时东部列日省省会。临默兹河。在默兹河与乌尔特河交汇处。史前时期即有人定居。721 年设镇。1795 年被法国兼并。1815 年与比利时其他部分一起划归荷兰。在 1830 年比利时革命中，列日居民起了十分重要的作用。比利时独立(1830)后，城市范围扩展，成为主要工业中心。现是默兹河谷工业地区的商业中心。有钢铁铸造、玻璃、采煤、军工和炼铜业。为西欧第三重要的河港和比利时第二大铁路中心。机场建在附近的比耶尔塞。大教堂(前圣保罗隐修院教堂)保存有圣朗贝尔和查理(大胆的)的骨灰盒。列日是瓦洛尼亚(比利时法语区)的文化中心，建有音乐厅、剧院、歌剧院和许多出色的博物馆，以及国立大学(1817，20 世纪 60 年代在市南郊新址上重建)。皇家音乐学院以尤格尼·伊萨伊创立的小提琴流派闻名。还有几座国家研究实验

默兹河两岸的列日市中心区
美国不列颠百科全书公司供图

室和与主要产业有关的技术学校。人口城市区约207 496(1983)。

liege 臣服 在欧洲封建社会里,指一个人同他的领主之间的一种无条件的契约关系。例如,如果一个承租人租种了几个领主的土地,他对他所臣服的领主(通常是他租种面积最大的土地的领主或者是他租种时间最长的土地的领主)表示"为臣的敬意",对其他的领主仅仅表示"一般的敬意"。在对两者的义务发生矛盾的情况下,他对前者应尽的义务大于对后者应尽的义务。法国早在11世纪就有这种臣服的概念,而且可能是起源于诺曼底。无论如何,国王经常被认为是臣民向其臣服的领主。因此,从13世纪末期以来,向国王表示忠诚的仪式成了英王加冕典礼的一部分。

Liège, State University of 国立列日大学 比利时列日的一所由国家资助、半自治的男女合校高等学府,用法语授课。该校建于1816年荷兰国王威廉一世统治时期。随着比利时的独立(1831),该大学于1835年被确定为国立大学。现有哲学和文学、自然科学、法律(包括经济学、政治学和社会科学)、医学、兽医及应用科学(工程与建筑)等院系。还设有心理和教育研究所、体育研究所以及一所商业管理学院。

Liegnitz (Poland) **利格尼茨** 参阅 **Legnica** 莱格尼察。

Lieh-tzu 参阅 **Liezi**《列子》。

Lieh Yü-k'ou 列御寇 参阅 **Liezi** 列子。

lien 留置权 在财产法中,指为确保清偿债务或履行义务而在财产上设定的追偿权或负担。这个术语来源于法语,但是留置权作为一项法律原则在早期的罗马法就被承认为一种财产权。英国的普通法很早就承认债权人的占有留置权,即在债务人清偿债务(通常是偿付货款)之前,债权人有保持占有债务人货物的权利。后来,普通法中确立了两种占有留置权:特定留置权和一般留置权。特定留置权的范围只限于财产所有人因修理或改善其财产的价值而欠下的债务;一般留置权的范围不但是为特定财产提供的服务价值,而且是财产所有人对债权人在全部帐目上所有欠下的债务。至于债权人享有的是特定留置权还是一般留置权则要由习惯和商业惯例来决定。债权人的占有留置权的这两种类别大部分已被普通法中最后经过精心安排的契约补救办法所取代。除了普通法中的占有留置权以外,还有衡平法留置权和制定法留置权。衡平法法院在某些情况下承认债权人对债务人财产享有权利,即使该财产仍为债务人占有。在美国,普遍使用的一种法定留置权是技工留置权。这种很普通的技工留置权是经过法律规定的,即授予建筑工人、承包商以及其他为改善土地提供劳务和材料的人对经过改善的土地享有的一种权利,作为清偿其劳务的担保。抵押权、质权、典当也是同属于留置权的一种,因为它们同样给债权人规定对财产享有的权利,不过规定抵押权、质权和典当的法律与适用于留置权的法律却有重大差别。

Lien-yün-kang (China) 参阅 **Lianyungang** 连云港。

Lienz 利恩茨 奥地利南部蒂罗尔州城镇。濒临德拉瓦河和伊瑟尔河。1252年设镇。名胜古迹有16世纪的利堡、布鲁克城堡、圣安德烈亚斯堂区教堂(约1450)、多明我会隐修院(约1250)、天主教方济各会教堂(约1439)。为东蒂罗尔区主要城镇和集市中心,也是冬、夏两季旅游胜地。生产纺织品和皮革制品。人口11 699(1981)。

Liepāja 利耶帕亚 德语称Libau(利包),俄语称利巴瓦(Libava)。拉脱维亚城市和港口。位于利耶帕亚湖北端,濒波罗的海的西海岸。1253年首见记载,为库里人小居民点。1263年条顿骑士团在此建立要塞。1625年设镇。1697～1703年开凿通海运河并建港,1701年北方战争时曾被瑞典占领,后归波兰。1795年根据第三次瓜分波兰协定划归俄国。1876年与乌克兰罗姆内通铁路后作为谷物输出港的地位更为重要。1893年建军港,至今一直是海军基地。该城在两次世界大战中破坏严重。现有重要工业,生产钢铁、农机、亚麻油毡、糖、鱼罐头、纺织品、靴鞋等。也是深海捕鱼基地。设有海运学院和里加工业学院分院。人口约114 000(1989)。

Lier 利尔 法语作lierre。比利时北部安特卫普省城市。位于安特卫普东南、大小内特河交汇处。约8世纪时有人定居。14世纪时已成为重要纺织业中心。1914年安特卫普大轰炸中城市部分被毁;但一些中世纪建筑得以保存下来,其中有13世纪修女所、哥特式钟楼(1369)、圣戈马鲁斯教堂(1425～1577)、市政厅(1740)和17世纪建带多面占星钟的兹默钟塔。艺术博物馆中陈列着荷兰和佛兰芒艺术家的作品。建有一所师范学校(1817)和一所国立学院(1843)。佛兰芒作家佛利克斯·廷默曼斯在此出生。传统工业生产饰带、刺绣、服装、串珠包和乐器。人口:城市区约30 918(1990)。

Liesegang ring 李泽冈环 物理化学术语。指凝胶中出现的沉淀(从溶液中形成的不溶物)通常呈现的一连串同心排列条纹的现象。这类条纹与许多矿物,如玛瑙中所出现的条纹,非常相似,因此可用以解释这类矿物的形成。这种环由它的发现者、20世纪德国化学家R.E.李泽冈而得名。

Liestal 利斯塔尔 瑞士北部巴塞尔乡村半州首府(始于1833),濒临埃戈尔茨河。位于巴塞尔东南。1189年首见记载。1400年归巴塞尔市。著名的建筑物有15世纪的市政厅、圣马丁教堂和"高门"。有纺织、化工、铁器、机械和发动机等工业。居民讲德语,大部分信基督教新教。人口约12 161(1987)。

Lietz, Hermann 利茨(1868-04-28,普鲁士吕根杜姆杰内维茨～1919-06-12,德国豪宾达) 德国教育改革家。1898年参观了由C.雷迪于1889年在英国德比郡为少年创建的一所循序渐进的阿博茨霍姆学校,对综合的个人教育与体育锻炼和娱乐相结合的阿博茨霍姆教育制度有深刻印象。1904年在伊生堡、豪宾达和比柏斯坦建立了3所乡村寄宿学校;按照雷迪的模式,将不同年龄的少年分在这3所学校中。利茨最终又成功地建立了5所乡村寄宿学校。

Lietzmann, Hans 利茨曼(1875-03-02,德国杜塞尔多夫～1942-06-25,瑞士洛迦诺) 德国基督教信义会史学家,以研究基督教的起源著名。先后于1905～1924年和1924～1942年在耶拿和柏林大学任古典哲学和教会史教授,同时参与并主持《新约学习手册》(23卷,1906～1931)的编写。有鉴于他在解经工作中所表现的语言造诣,同人于1920年推选他主编《新约学报》。他的判断准确、深刻,在推翻传统观点时更是如此。

lieutenant 中尉 连级军官。在英国陆军以及美国陆军、空军和海军陆战队里,少尉称second lieutenant。少尉之上是中尉,美国称

first lieutenant，英国则称 lieutenant。在俄国军队中，还有大尉军衔。在美、英海军中，lieutenant 相当于陆军、空军和海军陆战队的上尉（captain）。lieutenant 一词还在其他表示军衔和文官职称的词组中表示在指挥中位居第二或较低的一级。例如，lieutenant colonel 是中校，处于上校之下和少校之上。又如 lieutenant general 是中将，其上是上将，其下为少将。

Lievens, Jan　利芬斯（1607-10-24，荷兰莱顿～1674-06-04，葬于阿姆斯特丹）　又称 Johannis Livens。多才多艺的油画家和版画家，兼有巴罗克荷兰及佛兰德斯两派风格。师事斯霍腾（1616～1618）及伦勃朗的导师拉斯特曼（1618～1620）。在莱顿时期画风受伦勃朗的影响，并和伦勃朗同一画室作画。在安特卫普（1635～1644）期间，作品受凡·戴克的强烈影响。晚年在荷兰，以佛兰德斯画派的豪华风格受到官方欢迎，受托为阿姆斯特丹市政厅等建筑物作装饰画。

Liezi　列子（活动时期约公元前4世纪）又拼 Lieh-tzu，名列御寇，亦作列圄寇，圄寇。中国战国时思想家。郑人，与郑哀公同时。《庄子》多载其传说，道教又加以神化。《正统道藏》本《冲虚至德真经》前有《列子传》，言其居郑圃 40 年，人无识者。初事壶丘子，后师老商氏，友伯高子。尽二子之道，9 年而后能御风而行。

Liezi　《列子》　又称《冲虚至德真经》。中国道家典籍之一。传战国列御寇著。《汉书·艺文志》著录《列子》8 篇，早佚。今本《列子》8 篇由晋人张湛编成。书中抄录一些先秦材料，但从思想内容看是反映魏晋思潮的作品。此书真伪从唐柳宗元到近人梁启超、马叙伦等均有辨证，其中以马氏《列子伪书考》论证最为精当。《列子》内多为民间故事、寓言和神话传说，以不生不化为根本。其中《杨朱》篇宣扬纵欲腐化、颓废堕落思想，与《孟子》、《淮南子》所述杨朱思想不同，当是晋人假托杨朱而作。唐天宝元年（742）诏号《列子》为《冲虚真经》，成为道教经典。宋景德中又尊为《冲虚至德真经》。注本有张湛《列子注》、今人杨伯峻《列子集释》。

Lifan Yuan　理藩院　又拼 Li-fan yüan。中国清代管理边疆民族事务的中央机构。1636 年设蒙古衙门。1638 年改名理藩院，与六部并列，管理蒙古、新疆、西藏等地区事务。执掌部界、封爵、设官、户口、赋税、会盟、朝贡、贸易、宗教、兵刑、交通等。曾参与办理中俄交涉。主官用满人，另设额外侍郎一人，从蒙古贝勒、贝子中选用。1907 年改称理藩部。1911 年清亡遂废。

Lifar, Serge　里法尔（1905-04-02，基辅～1986-12-15，瑞士洛桑）　俄国出生的法国舞蹈家、编导和巴黎歌剧院芭蕾舞团芭蕾教师（1929～1945；1947～1958）。他充实了舞团剧目，使舞团成为屈指可数的主要芭蕾舞团，提高了一向作为配角的男演员的地位。在法国参加 S.佳吉列夫的俄罗斯芭蕾舞团，师从著名芭蕾舞教师 E.切凯蒂，1925 年任该团主要演员，主演 G.巴兰钦的《浪子回头》（1929）。他是一位擅长抒情而又刚健、活泼的舞蹈演员。他编导的第一部舞剧是《列那狐》（1929）。

里法尔在《夜》（1930）中的剧照
美国不列颠百科全书公司供图

同年佳吉列夫逝世后，他作为首席男演员和芭蕾舞教师参加巴黎歌剧院芭蕾舞团。1932 年被授予"舞蹈教授"称号，并对巴黎歌剧院舞蹈学校进行了改革，使该校的演员能上演更多现代芭蕾，尤其是他编导的。他认为舞蹈应该是芭蕾中的主要因素。由于舞蹈本身能产生自己的韵律，因此不必根据音乐。他首先在《伊卡洛斯》（1935）中把这个引起争论的概念付诸实践。除恢复演出古典芭蕾舞外，他还为歌剧院创作了 50 多部作品，其中包括《普罗米修斯》（1929）、《大卫的胜利》（1936）、《骑士和贵族小姐》（1941）、《幻想》（1947）、《费德拉》（1950）和《神奇的婚礼》（1955）。他的绝大部分芭蕾舞剧被认为是现代舞，但在结构上是古典的。许多作品戏剧性强——题材取自神话、传奇和《圣经》。因在第二次世界大战期间曾与德国高级军官交往，他在战后被免职。1947 年返回巴黎歌剧院，1956 年退出舞台生涯。1958 年后为若干欧洲剧院设计舞蹈或上演芭蕾舞剧。1960 年他在《弹琴歌手俄耳甫斯的最后杰作》的电影中露面。著有舞蹈理论和历史著作多种。

life　生命　一种物质复合体或个体的状态，特征为能执行某些功能活动，包括代谢、生长、生殖以及某些类型的应答性和适应。生命的其他特征是有机分子要经历复杂的变化，并将这些分子组织成越来越大的单位：原生质，细胞，器官和机体。目前尚无一致公认的定义，每个专业的研究者倾向于用自己的术语来下定义，而一般人想到生命也总局限于自己熟知的生命形式。①生理学定义。例如把生命定义为具有进食、代谢、排泄、呼吸、运动、生长、生殖和反应性等功能的系统。但汽车也具备其中一些功能，而某些细菌却不呼吸。②新陈代谢定义。生命系统具界面，与外界经常交换物质但不改变其自身性质。但火焰也有界面和物质交换，且能生长；而种子可休眠上千年并无代谢活动。③生物化学定义。生命系统包含储藏遗传信息的核酸和调节代谢的酶蛋白。但这样以化学成分来下定义，有本质缺陷：难道其他分子便不能表现生命现象？已知某种病毒样生物可能无核酸。④遗传学定义。通过基因复制、突变和自然选择而进化的系统。这个定义的好处是纯自功能变化着眼。⑤热力学定义。生命是个开放系统，它通过能量流动和物质循环而不断增加内部秩序。新陈代谢就是生活系统能将其内部某些物质进行交换，这主要发生于建造和破坏原生质的过程中。生长是指机体体积的增大，而体积增大的原因通常是机体合成原生质的代谢率高于原生质破坏的速率。生殖可能是生命最显著的标志，从最基本的层次上说就是一个细胞分裂成两个。此过程最终以遗传信息为中介，遗传信息包含于由核酸组成称为基因的大分子内。基因本身进行繁殖，便将指导机体形成各种特征的结构也遗传到下一代。应答能力及适应性指机体有能力作出改变，作为对其环境变化的反应。这两个性质是自然选择过程的主要决定因素，机体的遗传特征通过自然选择在漫长的时间内经过许多世代发生着演化。历史上对生命本质的观点可分为活力论和机械论两大派。活力论断言有某种"活力"存在，将生物与非生物区分开来，并且是生命活动的基础。而机械论认为奇妙的生命现象不过是服从基本物理化学定律的过程和变化，生命系统最终可以还原为其组分原子和分子。

Life　《生活》　纽约出版的图片周刊（1936～1972）。《生活》是图片新闻工作的先驱，也是这一领域发展的主力之一。它在很长时期里是美国最受欢迎的、最常被人仿效的杂志之一。由《时代》发行人 H.卢斯创办，迅速成为他的时代与生活出版社的支柱。创刊伊始就以摄影图片为重点，登载精美的新闻图片、有关世界大事的图片特辑和图片报道。其摄影师都是本行能手并享有世界声誉。《生活》对第二次世界大战以及一些地区性战争的报道生动而翔实。后来逐渐增加了文字部分。由于印制和邮寄成本大大超出其广告收入而停刊。1972 年以后曾出版若干特辑。1978 年缩小开本，改出月刊。2000 年 3 月母公司《时代》宣布将《生活》由月刊改为不定期的特刊。

life cycle　生活周期　又译生活史。一个物种的个体从某特定发育阶段到下一世代同一阶段开始时所经过的一系列变化。在许多简单生物包括细菌中，生活周期在一个世代内即能完成：一个个体开始于已存在个体的分裂；新个体发育成熟；然后分裂，形成两个新个体，完成一个生活周期。高等动物的生活周期也包括一个世代：个体开始于雌雄性细胞（配子）的融合；然后发育到生殖成熟；产生配子，此时周期重新开始（假设发生受精的话），而在大部分植物则相反，生活周期是多世代的。植物个体开始于孢子的萌发，孢子萌发后生长成能产生配子的个体（配子体）。配子体发育成熟，并形成配子，配子受精后生长为能产生孢子的个体（孢子体）。孢子体达到生殖成熟后产生孢子，于是周期重新开始。此种多世代的生活周期称为世代交替；见于植物以及一些原生生物和真菌。细菌的生活周期的特点称为单倍性。单倍性指生物体的细胞为单倍体，即只含一套染色体。高等动物的一世代生活周期为双倍性；此种生物个体的细胞为二倍体，即含两套染色体。具双倍性周期的生物体所产生的性细胞为单倍体，每个此种配子必须与另一个配子结合以获得两套染色体，这样才能生长成一个完整的生物体。以植物为代表的生活周期称为双单倍性，因既包括双倍体世代（孢子体）又包括单倍体世代（配子体）。

life insurance　人寿保险　为数众多的个人为了分担因死亡而造成的经济损失，对死者保险的受益人支付款项的一种方式。人寿保险在富裕的国家中最为发达，已成为储蓄和投资的主要渠道。人寿保险契约的基本形式有三种：定期保险、终身保险和养老年金保险。定期保险契约有一定年限，限期一满则保险终止，已缴保险费不退。终身保险契约对被保险人终身有效，累积的现金价值在保险到期或退保时付还被保险人，但现金价值低于保险单的面值。养老年金保险契约也有一定期限，期满时保险人付给全部面值。被保人死亡时，受益人可一次接受对保单面额的悉数支付，也可选择分期支付，也可将款暂存承保人支取其利息，或用来购买一年金保险终身定期支付。

life span　寿命　生物个体从出生到死亡的生存期限。蜉蝣（成虫）朝生暮死，而高大的芒果松可活几千年。寿命决定于环境压力（食物供应、遮蔽处、气候、掠食者），身体条件的变异（疾病、意外）及遗传。每个物种的最终寿限似由遗传决定，环境再好也不能延长，但不良环境却可减低寿限。最大寿命是个理论数值，常是根据已知的长寿记录来估计。更有意义的是平均寿命，是由该物种种群死亡率导出的统计数值。还有根据保险公司记录的死亡表计算出的估计寿命，指生于同一时间的人群能生存的平均年限估计值。所谓寿命指个体生存年限。但有些借分裂生殖的原生生物，其子代细胞既可聚成群体又可分散活动，个体界限很难划定。个体寿命开始于无性生殖生物两个子代分离时或有性生殖生物的受精卵形成之际。一般动物常取出生时为寿命起点，但各种动物在出生时发育程度大不相同，不便比较。某些鱼和爬行动物似能无限生长，因意外事故才致死亡。根据已有知识不能断定人类寿命。早期有人研究贵族士绅的家谱，发现长寿者的子代寿命较短寿者子代为长。又有人统计 90 高龄者的双亲及四位祖父母的寿命总和，再与对照组（年岁不一，但其双亲及祖父母均已故）相较，发现前者远比后者大。人寿保险公司亦发现，保险时双亲存活者的寿命较双亲已故者为长。不过这些研究只探讨了实际寿命与遗传的关系，并未说明人类寿命本身。由统计数字估计寿限实属统计抽样问题，可能调查越详细，发现的寿命记录越长。但长寿记录经确切核实者不多。例如亨利·詹金斯于 1670 年故去时据称寿命已达 169 岁，但此后调查证实纯系根据传闻。有证据证明确实超过 108 岁的 8 人中，7 人系女性。其中寿命最长者为 113 岁 124 天。自然，正如其他由遗传决定的性状一样，寿限也因人而异。18 世纪末，北美和西北欧的估计寿命为 35～45 岁，至 1970 年已超过 70 岁。这与生活水平的提高和医药卫生的进展有关，事实上人类寿限并未提高，只是实际寿命越趋接近寿限。其他动物的大部资料系根据对家养动物的观察。对野生动物还存在确定年龄问题。有些鱼、蚌有类似年轮的结构。狩猎动物可凭牙齿磨耗或骨骼变化等来估计。根据饲养记录，龟有达百余岁者。影响寿命的因素很多，

表 1　豢养条件下动物的最长寿命

动物名称	寿命(年)	动物名称	寿命(年)
哺乳类		拟龟(*Pseudemys scripta*)	7
大棕蝠(*Eptesicus fuscus*)	2	两栖类	
灰熊(*Ursus horribilis*)	31	欧洲黑蝾螈(*Salamandra atra*)	3
家猫(*Felis catus*)	21	斑点钝口螈(*Ambystoma maculatum*)	25
黑猩猩(*Pan troglodytes*)	37		
家犬(*Canis familiaris*)	34	蛙(蛙属[*Rana*])	5～15
印度象(*Elephas maximus*)	57	鱼类	
家山羊(*Capra hircus*)	18	美洲鳗鲡(*Anguilla rostrata*)	6
金色仓鼠(*Mesocricetus auratus*)	1.8	金鱼(*Carassius auratus*)	25
家马(*Equus caballus*)	62	鲟(*Acipenser transmontanus*)	50
狮(*Panthera leo*)	29	昆虫	
小鼠(*Mus musculus*)	3	蚁(*Lasius* 属)	15
牛(*Bos taurus*)	30	华美吉丁虫(*Buprestis splendens*)	30
卡罗来纳灰松鼠 (*Sciurus carolinensis*)	15	黑腹果蝇 (*Drosophila melanogaster*)	0.1
野猪(*Sus scrofa*)	27	蜘蛛纲动物	
鸟类		鸟蛛(*Avicularis avicularis*)	15
冠蓝松鸦(*Cyanocitta cristata*)	4	落基山蜱 (*Dermacentor andersoni*)	3～4
加那利雀(*Serinus canaria*)	24		
金刚鹦鹉(*Ara macao*)	64	甲壳动物	
夜莺(*Luscinia luscinia*)	3.8	螯虾(*Astacus fluviatilis*)	30
家鸽(*Columba livia domestica*)	35	大水蚤(*Daphnia magna*)	0.2
大山雀(*Parus major*)	9	软体动物	
爬行类		各种蚌	1～10
密西西比钝吻鳄		各种螺	1～30
(*Alligator mississipiensis*)	56	环节动物	
普通束带蛇(*Thamnophis sirtalis*)	6	陆蚯蚓(*Lumbricus terrestris*)	10
卡罗来纳箱龟(*Terrapene carolina*)	123	欧洲医蛭(*Hirudo medicinalis*)	27
		轮形动物	
大陆龟(*Testudo elephantopus*)	177	各种轮虫	0.03～0.1

据 W.S. 斯佩克特编《生物学数据手册》(1956)。

表 2　某些种子植物的最高寿限

植物名称	最高寿限(年) 估计值	最高寿限(年) 核实值	经核实的样本的产地
松柏类			
普通刺柏(*Juniperus communis*)	2 000	544	俄罗斯东北部科拉半岛
挪威云杉(*Picea abies*)	1 200	350～400	德国巴伐利亚州艾希施泰特
欧洲落叶松(*Larix decidua*)	700	417	瑞士里弗尔阿尔卑
苏格兰松(*Pinus sylvestris*)		584	
瑞士石松(*Pinus cembra*)	1 200	750	瑞士里弗尔阿尔卑
白松(北美乔松，*Pinus strobus*)		400～450	
芒果松(*Pinus aristata*)		4 900	美国内华达州洪堡国家公园惠勒峰
丘杉(*Sequoiadendron giganteum*)	4 000	2 200～2 300	美国北卡罗来纳
显花植物			
单子叶植物			
龙血树(*Dracaena draco*)	200①		加那利群岛，特内里费岛
黄精(黄精属[*Polygonatum*])	17②		
双子叶植物			
矮桦(*Betula nana*)		80	格陵兰东部
欧洲山毛榉(*Fagus sylvatica*)	900	250	法国诺曼底蒙蒂尼
欧洲白栎(*Quercus robur*)	2 000	1 500	德国下萨克森州哈斯布鲁赫森林
菩提树(*Ficus religiosa*)	2 000～3 000③		印度佛陀伽倻，斯里兰卡阿努拉德普勒
椴树(椴树属[*Tilia*])		815	立陶宛
英国常春藤(*Hedera helix*)	440		法国蒙彼利埃附近的日纳

① 对这株古树年龄的估计被过分夸大，达 6 000 年。　② 计数根状茎上的疤痕。
③ 按佛教史及罗马史的说法。

如致命的意外事件、环境中的气候及其他变化,以及动物本身的变化如发育、生殖、衰老。寿命还与新陈代谢有关,例如冷血动物在较低温度下活得更长些。也许用总代谢量来量度寿命更为适当。有很多动物有冬眠或滞育期,在此期间代谢率极低。很难讲这些时期是否应计入寿命内。实际寿命还与动物的生存模式有关。例如人类渔猎对象(如鱼和鸟)的生存在极大程度上受人类捕杀的影响,这是意外死亡模式,在自然界这些物种的个体老死者极少。很多动物的幼年期常表现另一种生存模式:环境改变时适应者生存,其余被淘汰;或能寻找到适当环境者生存,余者被淘汰;或能改变自己以顺应新环境者生存,余者被淘汰。这几种情况下死亡率随年龄而下降,这称为选择-适应模式。在人工条件下精心喂养的动物可以寿享天年,这可称为耗尽模式。具有复杂生活方式的动物,例如具有蝌蚪阶段的蛙类,以及具有卵、幼虫、蛹等阶段的昆虫,还表现更复杂的生存模式。植物的年龄较难确定。一般说许多植物的寿命长于动物。大树可以计数年轮,但对于由长期休眠种子生长出的北极羽扇豆来讲就不易明确。常可见一夜之间出现一片蘑菇,但地下菌丝却可能已有几百岁。不同于动物、植物的分生组织的增殖时间长得多,甚至终生生长。苔藓类有的可以确定年龄,蕨类则缺乏可靠方法。木本种子植物一般可数年轮,但寒带者年轮过密难以计数,而热带者则缺乏明确年轮。植物也表现出种种生长模式:如一年生草本,一年内生长繁殖终结一生;二年生草本,第1个生长季节生长并贮藏养分,第2个生长季节繁殖;多年生草本或木本的寿命在两年以上,寿命越长者,其繁殖前期也较长。一年生,二年生植物的平均寿命等于其最高寿命。还有如棉花在热带为多年生,至温带却变为一年生。至于种子寿命,则有长达千年者。有的从种子或孢子形成起计算植物的寿命,而非从萌发起计算,但许多种子可休眠多年,故从萌发到死亡计算的植物寿命可明显短于从种子形成起计算的植物寿命。

life-span psychology　毕生发展心理学　参阅 **developmental psychology** *发展心理学*。

life-support system　生命保障系统　保障人在无法生存的环境中(例如太空或水下)生活和工作的设备。旨在上述环境中为人提供舒适、安全、能有效工作的环境,保证人体能与环境进行气体、营养素、水、废物和能量交换。此外,污染和心理问题也是必须予以考虑的问题。生命保障系统所要创造的不仅是生存环境,而且还是工作环境,故必须舒适、有效和安全。19世纪70年代,法国生理学家、工程师、医生P.贝尔提出应该用吸氧来解决气球驾驶员和登山运动员在高空的呼吸困难问题并于1875年为他的两个朋友的升空气球设计了一个容量约为150升供氧装置,内充含氧70%的气体。但他们没把它当回事,结果一人不幸牺牲。这个供氧装置用牛皮制成、外包金箔、常压充气、香水滤过后通过口管吸入(牛皮气味难闻)。他还为登山运动员设计了一个容量为300升的、有调控装置的氧气罐,放到山顶上备用。贝尔以后,人们设计出的生命保障系统越来越高级,越来越精密,如用于航空器、航天器、深海潜水艇的密封座舱和环境控制装置。个人用生命保障系统有加压航天服、太空行走用生保背包,可向航天员提供制冷用水、氧气和再循环设备、排泄物容器、能源、通信用具等;潜水员用的配套水下呼吸器;消防员用的防护服和呼吸器等。有人把医用麻醉机、早产儿保育箱也都归入生命保障系统。

life-world　生活世界　德语作Lebenswelt。在现象学中,指主观在日常生活中所直接经验的世界。它和使用精确的自然科学方法的科学客观"世界"有明显的区别。尽管这些科学来源于生活世界,但并不涉及日常生活。生活世界包括个人的、社会的、感性的和实践的经验。现象学分析并描述了生活世界,试图说明科学的及理论的世界如何从生活世界出发,阐述生活世界本身的普通现象,通过时间、空间、形体以及经验的给与等方面,表明生活世界的经验是如何可能产生的。

lifeboat　救生艇　执行水上营救任务的专用船。有两种类型:较简单的船载救生艇和较大较复杂的岸基救生艇。现代岸基救生艇通常长12～15米,能在恶劣的海上条件下保持浮在水面,其主要特点为结构坚固,有自校正能力,有储备浮力,在惊涛骇浪中具有良好的机动性,尤其是掉头能力。早在18世纪,英、法两国都曾试图制造"不沉的"救生艇。1789年在泰恩河口发生了一次悲剧性的沉船事件后,在纽卡斯尔设计并制造出一艘救生艇。它在要倾覆时会自动校正,在舱内将近装满水时仍能浮起。这艘两端相同的10桨救生艇服役了40年,成为其他救生艇的典范。1807年发明了第一套实用的救生索投射装置。1890年第一艘用蒸汽机的岸基救生艇下水,1904年采用汽油发动机,几年后又采用柴油机。现代陆基救生艇为钢壳或特别结实的双层木壳结构,用柴油发动机,装有无线电、雷达及其他电子设备,乘员约外7人,通常大都为在紧急情况下召之即来的志愿者。

lifesaving　水上救护　在发生溺水、船舶失事和其他事故的情况下或为预防溺水事件而在水上或水中进行的各种抢救活动。由于溺水者极度惊慌,拼命挣扎以求浮出水面和呼吸,这使得救援工作变得十分困难。溺水者可能会抓住救援者,妨碍他的动作,并且很可能在挣扎中把两个人都拽到水下去。但是对于一个经过训练的救援者来说,他能熟练地避开和摆脱溺水者的握抱,因此他与溺水者的接触并不危险。一个不懂水上救护技术的人如果被溺水者抓住,就有可能两人同归于尽。然而,不管是否熟练的救护者,甚至不会游泳的人,也有办法给溺水者以有效的援助。救援者常常用不着跳入水中就可以采取行动。如果溺水者就在近处,救援者只需在陆上一手抓住稳固的支撑物,一手伸出给溺水者即可。如果用手够不着,可使用一根桨、橹或其他东西作为手臂的延伸,救援者握住一端,把另一端送到溺水者手中,把他拽到安全的地方。如果溺水者离岸太远,则可给他抛去救生圈、救生衣、充气管或其他能帮助他将头部浮起的东西,以便把他送到安全的地方。游泳技术好的人如愿意冒险,可在水中进行救援。救援者要从溺水者背后接近他,哪怕这意味着要绕道而游。救援者看准机会即游至与溺水者相距一臂的地方,然后取直立姿势,两腿稍向前做打水动作,一面牢牢抓住溺水者的头发、衣领或上身,一面迅速侧身用两腿和单臂使劲地游。要紧紧地抱住溺水者。无需用力将他的头部提起,因为救援者这种游泳方法不仅可使溺水者的头露出水面,而且能使他的身体放平,从而易于拖曳。20世纪的新技术,包括使用救生衣代替救生圈、使用机动船和直升飞机救援失事船舶等,使水上救护工作得到加强。随着游泳在19世纪作为一种娱乐活动的普及,在美国和西欧涌现了很多致力于教授水上救护和水上安全技术的组织。20世纪后期这种组织中有皇家救生协会、从1914年起就从事水上救护的美国红十字会以及各地政府的沙滩工作人员和那些提供水上救护技术训练的帆船俱乐部、小艇船坞和划船协会。参阅**artificial respira-tion**。

Liffey, River　利菲河　流经爱尔兰威克洛郡、基尔代尔郡和都柏林郡的河流。发源于威克洛山脉,大致向西北流,穿拉肯水库后向西流入基尔代尔低地,再向西北到新德罗赫

流经都柏林市区的利菲河
中国大百科全书出版社供图

德折东北,过塞尔布里奇和莱克斯利普后向东贯穿都柏林市(市内河道已运河化),最后注入爱尔兰海都柏林湾。全长80千米。

Lifou, Île　利富岛　位于太平洋西南部,为法国海外领地新喀里多尼亚的洛亚蒂群岛中面积最大(1 196平方千米)、人口最多的岛。海拔最高处60米。居民种植芋头、甘薯和香蕉,并出口椰干。主要城镇和行政中心为谢佩内埃。人口约8 358(1981)。

ligament　韧带　用以支撑内脏器官和在关节部将骨连接起来的坚韧的纤维性结缔组织带。由致密的胶原纤维束、成纤维细胞和少量基质组成。有两种主要类型:白韧带,富有胶原纤维,坚强有力但无弹性;黄韧带,富有弹性纤维,坚韧而有弹性。在关节部,韧带构成关节囊的纤维层,关节囊内衬滑膜;有时,关节囊还附有内衬滑膜的黏液囊。有些韧带呈带状环绕或跨越骨端将骨联结在一起,并使骨有不同程度的活动度,或在骨间(如肋骨或前臂骨间)起系带作用,限制不适当的活动。参阅 **aponeurosis**;**tendon**。

ligancy（chemistry） 参阅 **coordination number** 配位数。

ligand 配位体 化学术语。在配位化合物或络合物中，与一个中心原子（通常为一金属元素）相连的任一原子或分子。作为配位体的原子和分子，几乎总是能在它们与金属原子形成的电子对键（配位共价键）中起电子对给体作用。常见配位体有：水（H_2O）、氨（NH_3）和一氧化碳（CO）等中性分子，氰离子（CN^-）、氯离子（Cl^-）和氢氧根（OH^-）等阴离子。有时，配位体也可为阳离子（如 NO^+、$N_2H_5^+$）和一些电子对受体。某一给定络合物中的配位体可以是相同的，如 $Fe(CO)_5$ 中的配位体 CO 和 $Ni(H_2O)_6^{2+}$ 中的配位体 H_2O；也可以是不同的，如 $Co(CO)_3(NO)$ 中的配位体 CO 和 NO。配位体当通过一个原子与中心金属连接时，称之为单齿配位体；若通过两个或两个以上原子与中心金属连接时，则称为双齿配位体或多齿配位体（或螯合剂）。

ligand field theory 配位场理论 化学术语。阐述配位化合物或络合物特别是过渡金属络合物中电子结构的理论之一。金属络合物是由被称为配位体的富电子原子或分子围绕中心金属原子组成。配位场理论涉及金属-配位体相互作用的起因和结果，并以此解释这些化合物的磁学、光学和化学性质。主要归功于美国物理学家 J.H.范扶累克的配位场理论，是由早期的晶体场理论发展而来的。后一理论是美国物理学家 H.A.贝特为晶态固体建立的理论。贝特理论认为金属-配位体键是纯离子键，即带相反电荷的两个粒子间的键。并进而假定，金属原子的电子结构已被它周围的负电荷产生的电场（配位体场）所改变。特别是考虑了配位体场对中心原子内电子层的5个d轨道的影响（d轨道是指在一电子层中，在空间具有一定选择定向的某些区域；在过渡金属中，这些d轨道只部分地为电子所占据）。在孤立的金属原子中，这些d轨道处于相同能态，因而被电子占据的几率相同。在配位体场存在下，这些d轨道可以分裂成能量稍有不同的两组或多组轨道，而d轨道分裂的方式和程度则取决于配位体相对于这些轨道的几何分布情况以及配位体场的强度。在能态发生变化时伴随有电子的重新分布。在极端情况下，升到高能态的那些轨道可能未被占据，而低能态轨道可能被自旋相反的电子对完全填满。含有未成对电子的分子可被磁铁吸引，称为顺磁性的分子。根据轨道分裂概念，可以正确预言金属络合物中电子的成对或未成对情况。金属络合物的颜色也可用d轨道分裂来解释：由于这些轨道的能量差别相当小，电子吸收可见光区的射线时，很容易发生跃迁。然而，配位场理论已经超出晶体场理论。配位场理论认为，金属和配位体间的化学键以及轨道分裂的原因，不仅与静电力有关，而且还与金属轨道和配位体轨道间存在较小程度重叠以及金属电子和配位体电子的离域化作用有关。将这些改进引入晶体场理论的量子力学公式，便可提高定量预测和实验观测结果相一致的程度。

分子轨道理论是用于配位化合物的另一种理论，其中假定金属轨道和配位体轨道已完全混合（形成分子轨道），而且电子都已完全离域化。有时配位场理论泛指从晶体场理论发展到分子轨道理论的一整套理论。

ligase 连接酶 又称合成酶。一类酶，为数约50个，能催化与化学能量守恒有关的反应，并使耗能的合成过程和产能的分解反应相偶联。连接酶从高能磷酸键的分解中获取能量（在许多情况下同时将腺苷三磷酸［ATP］转变成腺苷二磷酸［ADP］），而催化两个分子的连结。能催化氨基酸和转移 RNA 之间碳-氧键的形成的连接酶称为氨基酸-RNA 连接酶。通过酰胺合成酶和肽合成酶的作用可形成碳-氮（C—N）键。

Ligdan Khan 林丹汗（1592～1634） Ligdan 又拼 Lingdan，Legdan。亦称库图克图，明朝人异译为"虎墩兔"。中国明代蒙古左翼察哈尔部首领，为蒙古末代大汗。因其父莽和克已死，万历三十二年（1604）继其祖父卜言台周（即布延台吉，1555～1603）的汗位，驻帐广宁（今辽宁北镇）以北。矢志继承达延汗（1474～1517）的事业，力图统一蒙古各部，对抗建州女真。亦时与辽东明军发生冲突。天启五年（1625）北征投附后金的科尔沁部，不克。其属部敖汉、奈曼等也先后投降后金。崇祯元年（1628）西进土默特、河套地区，击败蒙古右翼的喀喇沁、土默特等部，占据归化（今呼和浩特）。鄂尔多斯等部也相率服属，又与漠北的朝克图台吉（即却图汗，？～1637）取得联系，一时声势大振。统率"八大营二十四部"，东起辽西，西尽洮河（今甘肃境），独占明朝给予蒙古各部的"岁赐"，控制诸部同明朝的贸易，拒绝后金的诱降，联合明朝共抗后金。明朝每年赠银八万一千两。崇祯四至五年（1631～1632）回师东击蒙古诸叛部，抵兴安岭以东的西拉木伦河北岸，遭到后金皇太极的狙击，不战而退，被追至西土默特。崇祯七年（1634）进兵青海，企图占据西藏，控制僧俗领导权，号令全蒙古，继续抗击后金。途中出痘死于西拉他拉大草滩（今甘肃天祝藏族自治县境），时年43岁。翌年察哈尔部余众被后金讨灭，妻、子被俘，漠南蒙古各部置于后金统治之下。林丹汗笃信喇嘛教，受迈达哩诺们汗等大喇嘛的灌顶戒教，在境内修建了多处佛寺、佛塔。在他主持下，将108函的《甘珠尔经》从藏文译成蒙文。

liger 狮虎 雄狮与雌虎杂交所生的后代，是在动物园内培育的杂交种。虎狮（tigon）是

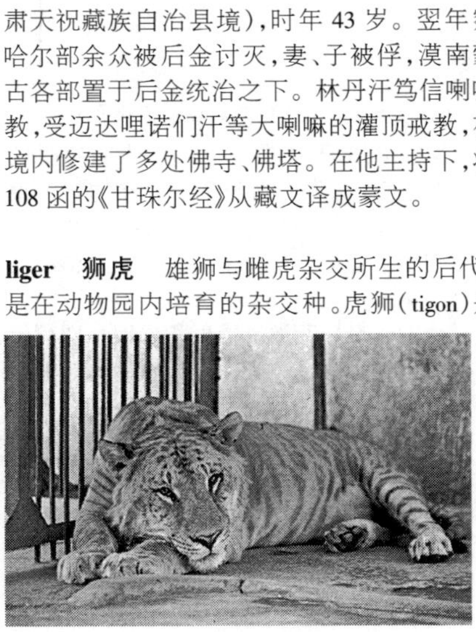

狮虎（*Leo leo* × *Leo tigris*）
美国不列颠百科全书公司供图

雄虎和雌狮的杂交种。狮虎和虎狮可能无野生者，因为狮和虎的行为和生境不同，所以不可能杂交。狮虎及虎狮在不同比例上兼具双亲的特征，但通常体型较双亲大，体色较双亲深，一般认为大部分雄性狮虎和虎狮（如果不是全部的话）不会生育；而雌性狮虎或虎狮偶而可产生后代。

Ligeti, György 利盖蒂（1923-05-28，罗马尼亚特兰西瓦尼亚迪乔森马丁［今特尔讷韦尼］～　　） 先锋派音乐主要作曲家之一，匈牙利人。注重音块与音色的变换。1956年前在匈牙利学习并教授音乐，后与德国科隆和达姆施塔特以及斯德哥尔摩和维也纳的新音乐中心有联系。20世纪60年代初他的《音乐的未来——集成作品》（1961）和《交响诗》（1962）引起了轰动，前者包括作曲者在台上向听众问好和听众对他的反应；后者是为100个节拍器而写的，由10名演奏者操作。50年代后期以后，大部分作品都含有音乐创作的崭新手法，如管弦乐曲《气氛》（1961）、女高音、次女高音、两个合唱队和管弦乐队的《安魂曲》（1963～1965）。在《历险记》（1962）和《新历险记》（1962～1965）中他试图消除声乐与器乐音响的差别。歌唱者几乎没有进行任何传统意义上的"歌唱"。大提琴协奏曲（1966）将普通协奏曲中独奏与乐队的对比减少到最低限度。

Liggett Group Inc. 利格特集团公司 美国跨行业联合公司，主要经营烟、酒和宠物食品。总公司设在北卡罗来纳州达勒姆。1849年由 J.E.利格特（1826～1897）在密苏里州圣路易斯建立利格特兄弟公司，1873年 G.S.迈尔斯加入该公司，1878年改组为利格特-迈尔斯公司，1885年该公司为世界上最大咀嚼烟草制造商，直到19世纪90年代该公司才开始生产卷烟。该公司1911年又改组取名利格特-迈尔斯烟草公司。1964年以前，它专门经营烟草业（如大家熟悉的吉士牌、L&M 牌香烟。1964年购入制造宠物食品的阿伦产品公司后，该公司开始多样化经营。两年后，又购入帕丁顿公司和酒类进口商卡里伦进口公司。由于多次合并改组，1968年改名为利格特-迈尔斯有限公司，1976年改用现名。1977年，该公司又合并了运动用具和游戏用品的制造商——多样化产品公司。1980年利格特集团公司被总公司在英国的联合企业大都会公司所收购，但1986年大都会公司又将其售予美国金融家 B.S.勒博。1990年勒博领导利格特集团公司的一次兼并，同年将其改名为布鲁克集团公司。利格特集团公司在销售较昂贵的、著名品牌的卷烟（如吉士等）的同时，还领先开发、销售低价、普通的卷烟。

light 光 光是人类生存环境的一个要素。人的视觉信息要靠它传递。因此关于光的现象的记载可追溯甚远。古代的中国、希腊、美索不达米亚、印度和埃及都曾作出贡献。但关于光是什么，是粒子还是波，认识却缓慢而曲折。先是 C.惠更斯的纵波和 I.牛顿的微粒，其后是 A.-J.菲涅耳的横弹性波，继而为

J.C.麦克斯韦的电磁波和A.爱因斯坦的光子,最后在量子力学理论中获得统一。整个过程构成物理学发展史的辉煌一章。

光是一种运动不息的能量。近代物理学的不少重大成就都同光密切有关。例如光速在相对论中的地位,光谱在原子结构研究中的作用等。到了20世纪60年代,激光的产生给光学开辟了一个广阔的新领域。同时由于全息术的成功和傅里叶变换方法的应用,光学成像和信息处理也发展到新的阶段。今天,光的理论又系统化到将本星球上所有已知的光学现象尽行纳入。有待解决的问题只是光在银河系间的传播。在这个问题上,光的理论将推动宇宙科学的前进。

单色光和准单色光 波长单一的光叫单色光。它的平面波形式可表示为

$$\xi = A\cos\varphi = A\cos2\pi(\nu_t t - \nu_s z + \varphi_0) \qquad (1)$$

其中 ξ 是光扰动(设为标量),A 是振幅,ν_t 是时间频率($1/\nu_t = T$,叫周期),ν_s 是空间频率($1/\nu_s = \lambda$,叫波长),φ 是相位,$2\pi\varphi_0$ 是相常数。波的相速度:

$$v = \frac{\lambda}{T} = \frac{\nu_t}{\nu_s} = \lambda\nu_t \qquad (2)$$

介质的折射率 $n = c/v = \lambda_0/\lambda$,$c$ 和 λ_0 是真空中的光速和波长。单色光实际上并不存在。光总包含一定的波长范围,即是一波群。设 $\bar{\lambda}$ 是其平均波长,$\Delta\lambda$ 是其波长区间。$\Delta\lambda \ll \bar{\lambda}$ 的光称为准单色光。可以证明,准单色平面波等效于一个调幅"单色"平面波,它的时间频率和空间频率分别为 $\bar{\nu}_t$ 和 $\bar{\nu}_s$,但振幅是 (t, z) 的缓变函数。振幅的传播速度 $v_g = d\nu_t/d\nu_s$,称为群速。光速 c 是一个重要物理常数。它的测量方法有多种,公认值为 299 792.5±0.4千米/秒(1957年确定)。实际上实验所测为群速而非相速,但二者在空气中相差很少。

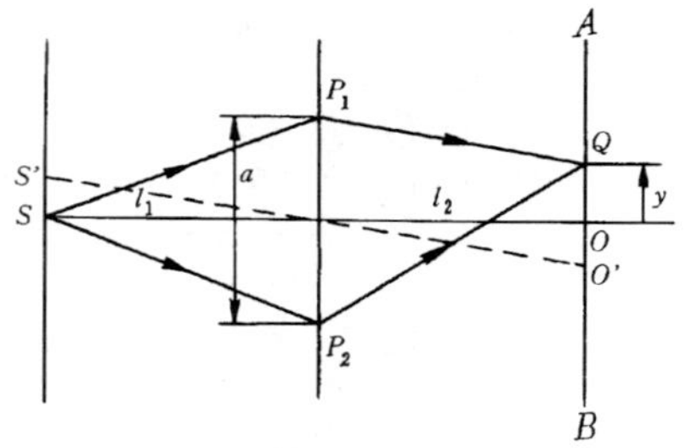

图1 杨氏实验

干涉和衍射 水面两波相遇,峰峰相长,峰谷相消,形成波纹荡漾的现象叫作干涉。干涉效应为波所共有。光的波动性首先得证于1801年杨氏双缝干涉实验。但光的干涉又有其特性。在杨氏实验中(图1),狭缝 S 作为初级光源发出半柱面光波,照射平行狭缝 P_1、P_2,形成两个相干半柱面次级光源,在幕 AB 上产生亮暗强度分布(图2),称为干涉条纹。

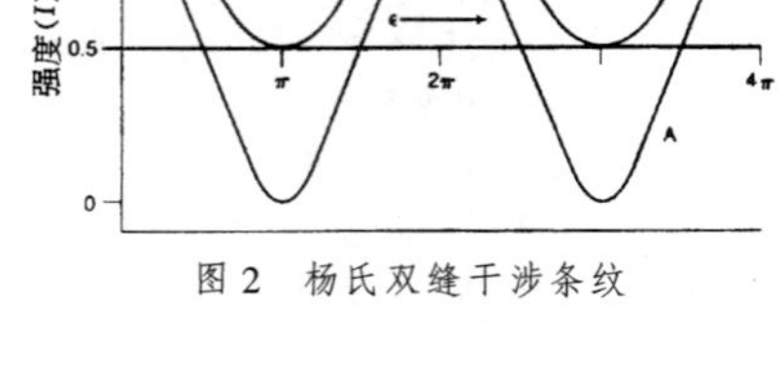

图2 杨氏双缝干涉条纹

幕上某点 Q 的光扰动是缝 P_1、P_2 单独产生的光扰动之和:$\xi_Q = \xi_1 + \xi_2$。这叫做波的叠加原理。它是线性光学的基础。ξ_1、ξ_2 同相位处出现亮条纹;ξ_1、ξ_2 不同相位处出现暗条纹。

两束光要产生干涉,它们的相位差在眼睛(探测器)的响应时间内须保持固定。这样两束光叫相干光。普通光源中各原子发射的光是非相干光(自发辐射),而激光是相干光(受激辐射)。由同一初级非相干光源,如单缝 S,可派生出两个相干次级光源,如双缝 P_1、P_2。但光程差 $P_1Q - P_2Q$ 不得超过原子发射的波列长度 l_c。因此 l_c 又称为相干长度。普通准单色光的相干长度仅1～10厘米,而稳频气体激光器的可达数米以上。缝源 S 增宽时,干涉条纹清晰度下降,最后消失。从几何上看,这是由于源上各点所对应的条纹相互错叠所致。产生干涉的方法和装置很多,应用极为广泛,以迈克耳孙干涉仪和法布里-珀罗干涉仪(标准具)较为常见。后者属于多光束干涉,条纹异常细锐,是高分辨率光谱学的重要元件。

一束光被小孔、狭缝等限制了通行截面时,将偏离直线传播向外散开,并在屏幕上"投下"某种亮暗条纹。这种现象叫作光的衍射。孔、缝线度接近波长时现象方为显著。光的衍射现象发现于17世纪牛顿时代,但其理论迟至1818年才由菲涅耳解决。菲涅耳衍射理论的核心是次波干涉,即惠更斯原理和杨氏干涉原理的结合。衍射场中 Q 点的次波振幅可表示为

$$\xi_Q = \alpha\int_s A\frac{e^{ikr}}{r}f(x)ds$$

其中 α 是常数,A 是入射光在 ds 处的复振幅,e^{ikr}/r 是球面次波,r 是 ds 到 Q 点距离,$f(x)$ 是倾斜因子,菲涅耳设为 $\cos X$,X 是 r 同 ds 法线的夹角(图3)。菲涅耳的标量衍射理论后来经G.R.基尔霍夫之手获得较完善的数学形成表达,并沿用至今。严格的衍射理论须考虑光波的矢量性质,并根据场的麦克斯韦方程组和边界条件求解。但获严格解者仅有数例。

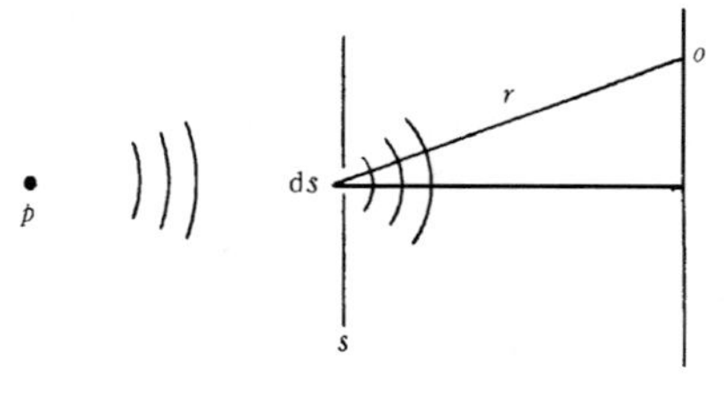

图3 菲涅耳衍射理论原理

衍射一般分菲涅耳衍射和夫琅和费衍射两类。点源和屏幕距衍射孔足够远时为夫琅和费衍射(远场衍射)。菲涅耳衍射则是近场衍射。夫琅和费衍射计算较简单,夫琅和费衍射场是物场的傅里叶变换,这一特性构成近代傅里叶光学的重要基础。

在光学成像系统中,即使像差完全消除,光瞳的衍射效应也将使每一像点成为一个细小光斑。按照瑞利的理论和实验,当一个物点的衍射像斑的中心同另一个像斑的第一极小位置重合时,两个物点光源的像则刚刚被分辨开。这称为仪器的经典分辨极限。

光的偏振和电磁理论 光是横波,其振动与传播方向垂直,具有二维自由度。振动无规分布的光称为非偏振光或自然光。振动方位固定的光叫做线偏振光或平面偏振光。所以偏振是横波振动所具有的一种取向特性。然而非偏振光和偏振光最基本的差别在于无序和有序(熵的不同)。纯单色光是完全相干的,同时也是完全偏振的。

单色光振动矢量端点的一般运动形式是椭圆(图4)。这种光称为椭圆偏振光。迎光

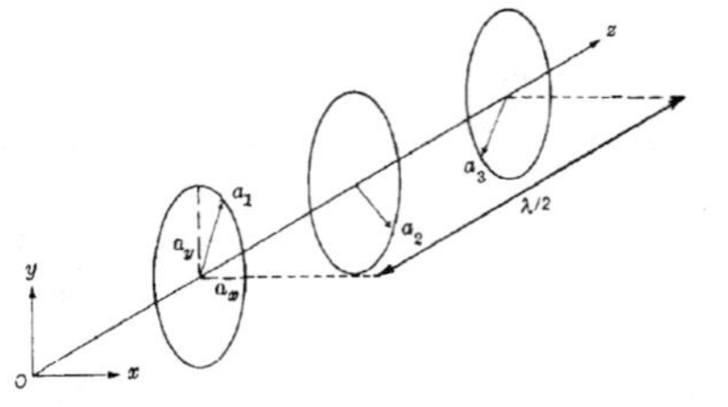

图4 椭圆偏振光的传播

观察,顺时针运动的称为右旋(正旋),逆时针的称为左旋(负旋)。椭圆长轴方位和椭率取决于 x、y 分量的振幅 a_x、a_y 和相位差 ε_{xy}。在特别情况下,椭圆化为圆或直线。对于准单色光,要获得椭圆偏振,须先产生一线偏振光,然后作 x、y 相干分解,并同时给予一相位差 ε_{xy}。ε_{xy} 的产生一般多借助各向异性晶片。

将非偏振光转变为线偏振光的元件叫起偏振器。常见者有片堆、尼科耳棱镜、偏振片几类。片堆利用布儒斯特定律,尼科耳棱镜利用晶体双折射效应,偏振片利用二向色性,各有其优缺点。

19世纪后半期,麦克斯韦总结了电磁学的基本实验定律,引进了位移电流概念,得到一组线性方程。从这组方程可以得到电场矢量 $\boldsymbol{E}$ 和磁场矢量 $\boldsymbol{H}$ 满足同一波动方程。麦克斯韦据此预言存在电磁波,并根据它的速度和光速 c 相等而推断光是电磁波。之后,H.R.赫兹从实验上证实了电磁波的存在。

1960年以后,由于强功率激光的出现,物质方程中的非线性项变得重要起来。结果产生了一个新的光学分支——非线性光学,以倍频、混频等新奇现象丰富了光的世界。

光和物质的相互作用 光的反射、折射、吸收、色散和散射等等都是光和物质相互作用的结果。究其根底,又都是同物质的分子、原子和电子的作用。光入射到物质界面上时一般要发生反射和折射。反射光和折射光的方向服从反射定律和折射定律,振幅则由菲涅耳公式给出。这些关系在电磁理论中均可由场的边界条件导出。全偏振和全反射是其中两个重要情况。

按照经典电子论,物质的分子、原子或电子在入射光电场的作用下将各成为一个振荡电偶极子,并发射球面次波。这些次波是相干的,频率与入射光的相同。在均匀介质情况下,次波场相干叠加形成宏观的反射、折射光场,但其理论计算颇为复杂。反之,介质的任何光学不均匀性都将破坏次波干涉的完全性,因而导致光的散射。不均匀性可来自杂质、晶体缺陷、分子数密度涨落等等。在气体中,密度涨落造成所谓瑞利散射或分子散射,

其强度与光波波长 4 次方成反比，这就是天空呈蓝色和落日呈红色的原因。在液体和晶体中，密度涨落可形成声波，光在它上面散射时频率受到调制，称为布里渊散射。另外，分子的内部运动(振动和转动)也可调变次波的频率和相位，造成非相干的变频散射，称为拉曼散射，但完善的解释要借助量子理论。

光的吸收和色散也可用振子模型来说明。吸收是由于振子运动中存在阻尼。色散则由于振子振幅依赖于光的频率 ω。光波也具有动量，因而光对吸收它的物体会产生压强。这称为光压，在天文学上颇为重要。彗星尾部背太阳散开，即太阳辐射压强所致。

光的量子理论 在麦克斯韦电磁理论中，光和其他辐射的能量都是可以连续改变的。1900 年，M.普朗克为了得到同实验数据一致的黑体辐射能谱分布公式，假设辐射场中每一频率模式(相当一个谐振子)的能量只能取 $h\nu$ 的整数倍，其中 ν 是振子频率，h 是普朗克常量。普朗克称此 $h\nu$ 为最小能量单位，后人称之为量子。普朗克的量子只是辐射和物质相互作用时能量交换的最小单位，能量本身仍是分布于空间的。1905 年爱因斯坦根据光电效应等事实进一步认为，光本身就是由能量 $E = h\nu$，动量 $P = h\nu / c = h / \lambda$ 的光粒子所组成。这种光粒子后来称为光子。爱因斯坦的光粒子同由干涉、衍射现象牢牢建立起的光波概念相抵触，但后来由康普顿 X 射线散射实验和其他实验所确证。20 世纪 20 年代波粒二象性的提出，把光的波动性和粒子性统一了起来，使人类对光的本性的认识更加深入、更加全面。

Light, Francis **莱特**(约 1740，英国萨福克～1794-10-21，槟榔屿[今在马来西亚])英国海军军官。1759～1763 年在皇家海军服役。1771 年指挥商船开往马来北部的吉打邦，在那里得到苏丹的信任。当时英国正与法国交战，企图在马来半岛寻求一个前哨基地。1786 年 3 月根据莱特的主张，英国东印度公司以槟榔屿为海上军事活动基地。由莱特负责和当地苏丹谈判。1786 年 11 月槟榔屿被英国并吞。莱特任该地的总督，并宣布该地为自由港。他鼓励华人及其他移民入境，使该地很快繁荣起来。

light bulb **灯泡** 靠装在玻璃壳体内的金属丝经灼热而发光的电白炽灯，壳体中常充以惰性气体，如氮气。参阅 **incandescent lamp; lamp**。

light curve **光变曲线** 天文学名词。恒星的亮度随时间的变化图，主要指变星的亮度变化图。各种不同变星的光变曲线、其亮度变化范围(即变幅)、曲线的形状、各变化周期的不规则程度和周期的长短都不相同。变幅的变化从刚可以检出到增亮达 10 亿倍的超新星；周期的变化则从某些脉冲星的几毫秒到超新星的只有一次爆发。

light meter **测光表** 参阅 **exposure meter** *曝光表*。

light modulator **调光器** 又称光调制器。按照输入信号(如电话通话)改变光束强度的装置。用一个适当的调光器，在一束光中可以同时容纳多个通信信道。某些晶体加上电压时其光学特性会发生变化，所以能用来调制光束。磷酸二氢钾的四方晶体常用于获得这种电-光调制。为了得到最大的效应，光的传输必须在与外加场相同的方向上。

light opera **轻歌剧** 参阅 **comic opera** *喜歌剧*。

light quantum **光量子** 参阅 **photon** *光子*。

light rail transit **轻轨运输** 通常由架空电线供电、用于大城市市区交通的中型铁路系统。轻轨车(LRVs)为有轨电车技术发展的产物。这种铁路线比有轨电车路线离街道交通网(特别是在密集的市区)更远，但比城市高速铁路(重轨)路线靠近一些。参阅 **mass transit**。

light verse **轻快诗** 以琐碎的或滑稽的题材写成的诗，通常幽默、多情或略带讽刺意味，并往往含有胡言乱语和文字游戏。这种诗在所有西方语言的诗作中均占有相当数量，它们往往显示出技巧高、风趣和优雅等特色。希腊人很早就开始写轻快诗，在《希腊诗选》里就有这方面的作品。罗马诗人如卡图卢斯和贺拉斯在轻快诗方面树立了典范，为后世所仿效，直至 19 世纪末期。中世纪的轻快诗主要采取叙事形式，往往是讽刺的、猥亵的和文不对题的，但却又是切合实际的、基本上属于说教性的，这可以从 12 世纪漫游学者的拉丁诗歌，难登大雅之堂的法国故事诗，以及戏作的史诗《列那狐的故事》等作品中看出。14 和 15 世纪的法国轻快诗大都写成谣曲和回旋诗，它们使 C.马罗和龙萨等诗人显露身手，试比高低。文艺复兴时期许多英国诗人充满机智风趣的诗歌都贯穿着一缕淡淡的哀愁。17 世纪晚期的例子有 S.勃特勒讽刺英国清教徒的《胡迪布拉斯》(1663)以及拉封丹的《寓言诗》。18 世纪英国的优秀轻快诗是蒲柏的《夺发记》(1712～1714)。拜伦的诗体小说《唐璜》(1819～1824)把中世纪轻快诗的方言口语同对人情世故的刻画结合起来，引起不少仿作。19 世纪晚期也出现了大量轻快诗，因为诙谐刊物为它们提供了广阔的市场。到了 20 世纪，轻快诗和严肃诗之间的界限逐渐模糊不清，许多现代诗人的作品出现了轻率散漫的格调。有些作家如马雅可夫斯基、W.H.奥登等人的作品表面似乎轻松，但用意严肃。他们的作品开头部分可能会使人开心，但在结尾处却引起恐怖或痛苦之感。

light-year **光年** 天文学名词，指光以 299 792 458米/秒的速度在真空中 1 年所走的距离。1 光年约相当于 $9.460\,53 \times 10^{12}$ 千米或 63 240天文单位。3.262 光年约等于 1 *秒差距* (**parsec**)。

lighter **驳船** 一种浅水船，通常为平底，用来为离岸不远的船装卸货物。使用驳船要增加搬运的次数，因而耗费较多的时间和费用。通常只在运输量很小，没有必要建造码头的港口才使用驳船。还可以用驳船在港口附近短距离运输货物。还有一种驳船，装上货物后连船一起装在另一艘特殊设计的大船上，与之成为一个综合的整体，称为载驳母船。

lighthouse **灯塔** 建于海岸或海底上协助沿海导航的构筑物(通常有一座塔)。可凭借构筑物与众不同的形状或颜色、其灯光的颜色或闪光式样或其发射无线电信号的编码方式，从海上识别灯塔。已知最早的灯塔是埃及的法罗斯岛灯塔，塔高约 110 米。在公元初的几个世纪，腓尼基人和罗马人也曾在多处修建灯塔，范围起自黑海，沿地中海和大西洋岸直至大不列颠岛。罗马帝国在 5 世纪衰落之后，海上贸易和旅行几近消失，直至 12 世纪商业复苏时欧洲才开始修建灯塔。欧洲最早的灯塔是法国人和意大利人修建的，随后是汉萨同盟在斯堪的纳维亚和德意志沿岸建造了许多同样结构的灯塔。

现代灯塔始于 18 世纪初叶。这些灯塔为木制。然而，木制灯塔在狂风暴雨中往往被冲走。第一座用石块砌成的灯塔于 1759 年建在英格兰不坚实的"涡石岩"暗礁上。工程师 J.斯米顿设计的这种结构也是首次采用经典的双曲线形设计。继斯米顿的这项革新之后，在公海上建起了许多灯塔。

嵌砌的石块曾一直是主要的灯塔建筑材料，直至 20 世纪才被混凝土和钢材所取代。离岸(即公海)灯塔主要有三大类。第一类以一个空心钢筒(沉箱)为基座，沉箱部分地埋在海底，随后以混凝土填实。第二类用沉于水底的混凝土基座将建于其上的灯塔塔身锚固定位。第三类与海上油井相类似，先将若干钢管桩打入海底，桩上铺设大甲板，再在甲板上修建灯塔。大多数灯塔还有供直升飞机用的降落台。

现代灯塔(以及灯船和浮标)的标准光源是电灯。最通用型为电白热丝灯；在小浮标中，该灯所需电功率最多为 1.5 千瓦，最少为 5 瓦。透镜和金属反光镜的改进，已使 250 瓦的灯泡可以增强到数十万坎的光强。现在灯塔光束的最大光强是在 10 万坎的量级；在晴朗的天气中，这样强的光束可从 37 千米远处看到。

当坏天气来临，灯塔及其灯标被隐没时，可用号角和汽笛提供音响警号。但是因为它们的声音传播范围强烈地依赖于天气条件，所以许多灯塔还配备了无线电和雷达信号装置，它们或者是放大船只的雷达信号，或者是自己发射导航仪能探测到的信号。无线电和卫星导航系统已极大地降低了对灯塔的需要，不过它们对航海还是重要的辅助手段。几乎全部现存的灯塔已全自动化，降低了由住勤人员维护所需的开支。现代的计算机化的灯塔能分析天气，在必要时启动雾角和其他设施，并向陆上遥控站发射信号。

lightning **闪电** 当大气中的电荷或电位差足以克服空气阻力时所见到的大气放电现象。它经常发生在积雨云(雷雨云)中，但也发生在雨层云、雪暴和尘暴中，有时还出现在火山喷出的灰尘和气体中。雷暴期间,云内、云与云间、云与大气间或从云到地面,都可能发生闪电。闪电是由于电荷的分离过程使云中形成电偶极结构,从而出现净电荷区产生的。在雷雨云中电荷的分布是上层云区带有大量的净正电荷,下层云区带有大量的净负电荷,云的底部则带有少量的净正电荷。电荷附着在水滴或(和)冰粒上,如周围的空气也带有净电荷,就可能从云中产生空气放电。从云到地面的闪电起因于云底少量净正电荷的中和作用,它至少包括两次闪电:①先导闪电将负电荷从云中传到地面,闪光不甚明亮,常呈梯级形,并从主闪道向外分出许多分支;特别是在有教堂尖塔、高楼、大树等的地方,先导闪电有时也从地面向云中传去。②当先导闪电接近地面时,在即将受电击处集中感应相反电荷,产生从地面沿闪道将正电荷传向云中的回闪。这两次闪电通常在距地面约50米的空中相遇,此时,云与地面之间形成短路,回闪的强大电流经闪道流入云中,产生耀眼的闪光。在一次典型的闪电中云与地面的电位差可达几亿伏特,峰值电流相当于2万安培,闪道温度约为30 000K。整个过程极为迅速,先导闪电约在20毫秒内到达汇合点或地面,回闪约在70微秒内到达云中。伴随闪电的雷声是因为在整个闪道上空气被迅速加热产生的,被加热的空气以超音速向外膨胀,但在一两米内冲击波衰减为声波,受到空气介质和地形的影响,因此产生一系列隆隆的雷声。虽然闪电的高压放电具有危险性,但电击一般发生在高处,可用导电金属制成避雷针,将电流安全地导入地下。处在露天下的人员进入室内或躲进壕沟等低凹处也可免遭电击。

lightning bug　萤　参阅 **firefly** *萤火虫*。

lightning rod　避雷针　截留闪电并将其电流导入地下以保护建筑物不受闪电击毁的金属棒(通常是铜)。由于闪电往往击打相邻地区最高物体,金属棒应放置在建筑物最高点并用低电阻电缆与地连接。建筑物可以土壤为地;船只可以水为地。因为避雷针能将电流从建筑物不导电部分转移开,使之沿最小电阻途径流动并无伤害地通过金属棒和电缆流入地中,所以能提供安全保护作用。不导电材料有较高电阻,电流通过时即被加热,导致火灾和其他破坏。避雷针提供锥形保护区,其地面半径约相当于避雷针距地面的高度。

lights, ancient (English property law)　参阅 **ancient lights** *老窗户采光权*。

Lights, Feast of (Judaism)　参阅 **Ḥanukka** *再献圣殿节*。

lightship　灯船　在无法建筑灯塔的地方设立的海上导航与警告信标。第一只灯船是设于泰晤士河河口湾的“诺雷”灯船(1732)。现代的灯船是小型钢船,装有雾信号器、无线电信标台以及在恶劣天气中使导航灯的光束保持水平的装置。灯船名用大字标志,使昼间易于辨认。灯船的缺点是成本高,在暴风雨或结冰时很难保持正确的锚泊位置。现在的趋势是用浮标或灯塔来代替灯船,因为过去无法设立灯塔的地方,现在可以建造了。

Ligne, Charles - Joseph, prince de　利涅(1735-05-23,布鲁塞尔～1814-12-13,维也纳)比利时军官和文人。所著回忆录以及和欧洲杰出人物如卢梭、伏尔泰的通信,对比利时文学产生重大影响。他是利涅亲王拉莫拉尔之子。在“七年战争”(1756～1763)中为奥地利服役,卓有功绩。后成为神圣罗马皇帝约瑟夫二世的亲信顾问。1780和1786年被派出使俄国女皇叶卡捷琳娜二世处,1787年和女皇一起旅行。1788～1789年为俄罗斯和奥地利在1787～1792年的俄土战争中作战。其回忆录和信札反映了在1789年比利时叛乱后他被流放前作为亲信出现在欧洲各大国宫廷和沙龙中的经历。著作包括《军事、文学和伤感回忆录杂集》(34卷,1795～1811)、《我的生活历史片断》(1927)等。

ligneous thyroiditis　板状甲状腺炎　参阅 **Riedel thyroiditis** *里德尔氏甲状腺炎*。

lignin　木质素　一种含氧的复杂有机物,和纤维素一起构成木材的主要成分。仅次于纤维素的一种最丰富的有机物,但除作为燃料外,很少在工业上加以利用。表面上像是由许多结构不明的聚合物组成的复杂混合体。集中于木材的细胞壁之间,在烘干的软材中占重量的24%～35%,在硬木中占17%～25%。在造纸过程中,常用二氧化碳、硫化钠或氢氧化钠处理,将其从木浆中除去。在工业中,用作碎料板或类似的层积木制品的黏合剂、油地毡的胶合剂,还可制取香草醛和二甲基硫醚。

lignite　褐煤　褐色至黑色的煤,由泥煤在适度的压力下变化而成;它是煤化作用的一种初级产物,介于泥煤和烟煤之间。干燥的褐煤大约含碳60%～75%。虽然全世界的煤总储量中估计褐煤约占45%,但是由于它的热值、贮存稳定性和其他性质比较高级的煤(如烟煤)低劣,这些储量并没有被大量开采。但在有些地区,燃料的缺乏导致广泛开采褐煤,特别是在德国东部,褐煤的产量远远超过了烟煤。利用褐煤的各种方案,尤其是压制成块,已引起澳大利亚、新西兰、加拿大、美国和其他地区的重视。这种燃料用于靠近矿区的地方公用事业、工业和家庭用户。原褐煤有两种:一是褐色无定形的,二是黑色沥青状的。原褐煤含水量很高,褐色者可达60%,风干之后失去一部分水,使其碎裂或者粉碎,从而降低其作为燃料的价值。褐煤在燃烧过程中也往往会崩碎,使漏过炉篦的损失较高。贮存时必须特别小心,长距离运输不经济,而且容易自燃。虽有这些缺点,但许多褐煤层靠近地表而且煤层很厚,有的超过30米,因而容易开采,生产费用低。参阅 **brown coal**。

lignum vitae　愈创木　蒺藜科(Zygophyllaceae)愈创木属(*Guaiacum*)几种乔木的通称,尤指原产于新大陆热带的药用愈创木(*G. officinale*)。药用愈创木见于美国南部和南美北部,高约9米,直径约25厘米;叶常绿,革质,对生,裂成数小叶;花初开时鲜蓝色,渐退成白色;果黄色,心形,长约2厘米。木材棕绿色,硬而重,适用于制造滑车、车轴、车杠和地滚球(保龄球)等;因含大量脂肪,故较耐水。其蒸馏所得树脂称愈创木油,可用于治疗呼吸系统疾病。

药用愈创木(*G. officinale*):(上)树干;(下)叶和果实

美国不列颠百科全书公司供图

Līgo feast　利戈节　波罗的海地区宗教奉祝太阳女神少勒(**Saule**)的节日。

Ligorio, Pirro　利戈里奥(约1510,那不勒斯～1583-10,费拉拉[意大利])　意大利建筑师、画家、园艺家及文物收藏家。曾设计蒂沃利的埃斯特别墅(1550～1569),该别墅至今仍保持原状,其中有园林和台地式花园,以及壮丽的喷泉。利戈里奥还在梵蒂冈花园中建造教皇庇护四世的别墅(1558～1562),采用大量的灰塑装饰。他还和B.佩鲁齐合作设计了圆形大厅。他还曾编写古罗马文物集和汇编一套罗马的碑文，但后人发现其中有不少是伪造的。

Liguori, Saint Alfonso Maria de' 利古奥里(1696-09-27，那不勒斯王国马里亚内拉～1787-08-01，帕加尼)　意大利教义师、道德神学家、赎世主会创立人。他著作甚多，可分为道德神学、灵修和虔敬论文、教理论文3类。到20世纪中期，他的著作已发行数千版，译成60种文字。在神学上他是等或然论的主要倡导人，等或然论是一种原理体系，是要帮助人排除对自己是否受某项世俗法或教会法约束的疑虑。

Ligure, Mare (Europe)　参阅 **Ligurian Sea** 利古里亚海。

Liguria 利古里亚　意大利西北部一区。面积5 418平方千米，大小居全国各区倒数第三位。位于利古里亚海之滨。下辖热那亚、因佩里亚、拉斯佩齐亚和萨沃纳四省。该区为新月形，从罗伊阿河河口到马格拉河河口，从法意边界到托斯卡纳区。滨海山脉绵亘于全区，直到卡迪博纳山口。山口东面是利古里亚亚平宁山。狭窄而向内弯曲的海岸线风景秀丽。其海岸亦分为西海岸和东海岸两部分。分界点正在弧形的利古里亚海岸线最凹入处，即热那亚市附近的沃尔特里。居民大部分集中居住在这里沿海一带。该区地名源自古罗马人来此之前即定居的利古里亚人，其地在公元前1世纪受罗马人统治，后短时期归属伦巴第人和法兰克人。早在11世纪，热那亚城已开始强大，1400年称霸全地区，成为欧洲主要的海上强国和商业强国之一。后与其邻近争霸的国家尤其是威尼斯时有冲突，直到1796年仍保持独立。该年拿破仑将此地区占为法国所有。1815年的维也纳会议将利古里亚划归皮埃蒙特-撒丁王国。在意大利复兴运动中利古里亚起领导作用，为1860年的意大利统一立下大功。意大利统一后，热那亚成为重要港口，相当于法国的马赛。由于北面有群山作屏障，冬日无凛烈寒风，故此地最宜种植上市早的蔬菜和鲜花(尤其在西部)。此外还种植橄榄、酿酒用葡萄。因气候温和，海边有无数旅游胜地，旅游业甚发达。热那亚市为区和省首府，工业集中于该市及其周围以及萨沃纳周围和拉斯佩齐亚湾沿岸。意大利最重要的造船厂在热那亚和拉斯佩齐亚。拉斯佩齐亚是意大利主要海军基地；萨沃那是意大利炼铁工业中心。该区主要经济还有化工、纺织和食品等工业。人口约1 625 870(2000)。

Ligurian 利古里亚人　公元前一千年间居住在地中海西北岸的几个古民族之通称，其生活地区起自西班牙埃布罗河口，止于意大利阿尔诺河口。古代载籍未曾把南部高卢的利古里亚人说成是一些民族或谈到他们的具体种族特征。他们大概是新石器时代若干土著部落的集合体，居住在偏僻乡村；也许是古代作者将利古里亚这一名字用来称呼他们那些松散的政治团体。施特拉博和狄奥多卢斯·西库鲁斯都把利古里亚人描写成一个粗野而强悍的部落，罗马人深受其害。斯特拉博称利古里亚人与高卢人或凯尔特人种族不同，狄奥多卢斯说他们聚为村落，在多岩石的土地上艰苦地求生。无论如何，利古里亚人以骁勇著称，是雇佣军的良好来源。公元前480年，他们在迦太基将军哈米尔卡麾下服役；在阿加索克利斯在位期间，为西西里希腊移民区服役；到第二次布匿战争时期(公元前218～前201)又公开站在迦太基一边。公元前180年，罗马人征服利古里亚人，将4万人遣送至萨谟奈，安置在现今贝内文托附近。

Ligurian language 利古里亚语　前罗马时期及罗马初期居住在意大利西北部(可能也在法国南部及西班牙东北部)的利古里亚人所操语言。利古里亚语显然是一种印欧系语言。有些学者一直认为，利古里亚语与意大利诸语言和凯尔特诸语言的亲属关系最近，在系属上恰好介于二者之间。利古里亚语主要保存在古希腊罗马作品中的少量行间注释词中。

Ligurian Republic 利古里亚共和国　1797年6月15日，拿破仑将新占领城市热那亚及其郊区组成的共和国。共和国政府模仿法国的督政府组织，与法国缔结联盟。1803年利古里亚也成为一军事区，与法国紧密联系，其国家首脑由拿破仑任命。1805年5月，利古里亚共和国并入法兰西帝国。

Ligurian Sea 利古里亚海　意大利语作Mare Ligure。地中海的一个海湾，凹入于意大利西北海岸。东和北为利古里亚区和托斯卡纳区，南为法国的科西嘉岛。发源于亚平宁山脉的许多河流汇入此海。在科西嘉西北处深度达2 850米。北面有热那亚湾，东南通过托斯坎群岛同蒂勒尼安海相连。

Liholiho 利霍利霍　参阅 **Kamehameha II** 卡米哈米哈二世。

Liholiho, Alexander 利霍利霍　参阅 **Kamehameha IV** 卡米哈米哈四世。

Lihue 利胡埃　美国夏威夷州考爱岛东南部城市，考爱县县城。该岛的主要港口和文化商业中心。市东北有机场，东南有纳威利威利深水港。甘蔗种植为主要经济项目。有高度机械化工厂，所产原糖运往美国大陆的精炼厂。考爱社区学院1943年建于本市。附近有野生动物保护区。人口5 674(2000)。

Liji 《礼记》　又拼Li chi，英语作Record of Rites。又称《小戴记》或《小戴礼记》。中国儒家经典之一。战国至汉初儒家礼仪论著的总集，约10万字。内容包括礼制和儒家哲学两部分，是研究古代社会情况、文物制度、典礼、祭祀、教育、音乐和儒家学说的重要参考书。《汉书·艺文志》著录131篇，班固自注"七十子后学所记"。后来西汉戴德删为85篇，名《大戴礼记》。戴德侄子戴圣又删为49篇，名《小戴礼记》。其中《中庸》、《大学》、《檀弓》和《礼运》等篇是儒家重要哲学著作。宋代朱熹将《中庸》、《大学》二篇分出，与《论语》、《孟子》合称"四书"，尊奉为重要典籍。《礼运》篇提出"天下为公"和世界"大同"的人类社会理想，是研究中国古代空想社会主义思想的珍贵资料。这些著作对后来的哲学和政治思想影响很大。注释本有东汉郑玄《礼记注》、唐孔颖达《礼记正义》、清孙希旦《礼记集解》、朱彬《礼记训纂》等。

嘉庆十一年(1806)刻本《礼记》书影

中国大百科全书出版社供图

lijia 里甲　中国明代社会组织的体制。参阅 **baojia system** 保甲制度。

Lijiang 丽江　中国云南省辖地级市。位于省境西北部，邻四川省。面积21 219平方千米。辖古城区及永胜、华坪2县和玉龙纳西族、宁蒗彝族2自治县。地处滇西北高原与横断山地的过渡地带。地形以山地为主，间有盆地和河谷小平坝。河流分属金沙江、澜沧江水系。气候分属河谷南亚热带、北亚热带和山地暖温带、寒温带、亚寒带等类型。矿产有铜、铁、银、铝、钨和煤等。农业主产水稻、玉米、烤烟、甘蔗等。以丽江马、山羊板皮等闻名。工业有煤炭、电力、冶金、建材等。交通以公路为主。丽江机场已开通至昆明、版纳、上海的航班。名胜古迹有玉龙雪山风景名胜区、泸沽湖、程海、虎跳峡、老君山、狮子山等。丽江古城现已被列为世界文化遗产。人口1 130 000(2005)。

lijin 厘金　19世纪中叶中国清代开征的商业特别税。也称"厘捐"，意为税率值百抽一。1853年帮办扬州军务大臣雷以诚为筹措镇压太平天国军饷，在江苏扬州仙女庙、邵伯、宜陵等乡镇初设，原定向米行征收。后成为清政府国库的重要收入，在全国推行。厘卡林立，抽厘货物及于日用必需品，实际征收往往超过原定税率。各级官员伙同厘卡税吏和武装巡丁敲榨勒索，成为清政府一大弊政。1931年始南京国民政府宣布裁撤，改征统税及营业税。

Likasi 利卡西　1966年前称雅多维尔。刚果(金)东南部城市，濒利卡西河。1892年，比利时人在利卡西和坎博韦发现铜矿。1917年建镇,1943年划为市区。全国最重要的矿产加工中心之一,有炼铜厂、炼钴厂、化工厂、酿酒厂。设有考古博物馆。人口约299 118(1994)。

likembe　莱肯姆比琴　参阅 **lamellaphone** *薄片琴*。

Likert, Rensis　利克特(1903-08-05,美国怀俄明夏延～1981-09-03,密歇根安阿伯)　美国社会科学家,曾制订衡量态度的量表,并提出员工参与管理法的思想。初在密歇根大学学习经济学和社会学(1922年获文学士),后入哥伦比亚大学攻读心理学(1932年获哲学博士)。1930～1935年间在纽约大学讲授心理学,后到康涅狄格州哈特福德任人寿保险公司管理协会研究主任。其间开始对各种管理模式进行比较和评价。1939年任美国农业部农业经济研究所部门主任。他最后的职业变动是在1946年,在密歇根大学参与成立一个研究中心,最后定名为社会研究所,任所长至1970年退休。在事业的初期是致力于找出研究人类态度以及影响这些态度之因素的有效而系统的方法。他的研究使他得以制定出衡量态度的尺度。这个尺度现在通常称作利克特量表,它提出了一种根据一系列选择,例如"坚决赞同"、"赞同"和"坚决不赞同"等等,来确定态度的方法。对每一种表态都以相应的数值来表示。他不满意原有的调查方法,于是设计出更正规、结构更合理的访问调查方法。这种方法后来就成为惯常进行调查研究使用的标准做法。但是,他最重要的贡献则是在社会研究所期间,在改进企业管理方面所取得的成就。这项工作使他最后创立了员工参与管理法的理论。该理论最初在他所著的《管理新形态》(1961)中提出,后来又在《人类组织》一书中加以阐述,其立足点是认为现代的工作人员具有更为敏锐的洞察力和独立的见解;因此,奖励员工的自发性首创精神、鼓励员工做出贡献的经理就会从更高的生产率中获益。美国的公司,例如赫尔曼·米勒公司,在20世纪50年代就开始采用此种方法,一直实行员工参与管理法直到21世纪。

likin(Chinese tax)　参阅 **lijin** *厘金*。

Likoma Island　利科马岛　马拉维尼亚萨湖中的岛屿,面积18平方千米,多岩石而贫瘠。有渔业和谷物种植业。进口木薯和玉米。岛东南岸有利科马村。人口8 074(1998)。

Likud　利库德集团　全名为Likud-Liberalim Leumi(希伯来语,意为"统一国家自由党")。以色列若干右翼党派组成的政治联盟,成立于1973年9月,同由以色列工党为首的劳工阵线对抗。1977年首次执政,由贝京出任总理。此后,利库德集团一直与以色列工党形成轮流执政的基本格局,但它必须依靠与各小党派,特别是那些宗教上极端保守的或民族主义的教派的联合。利库德集团和工党有时也会因政治和安全需要组成执政联盟。

1973年成立的利库德集团的主要成员是加哈尔集团,此集团由自由运动和自由党组成。自由运动起源于20世纪20年代和30年代俄国犹太人的犹太复国主义运动,它于1948年以色列独立时正式成立,由以色列独立前的一些组织如伊尔贡·兹瓦伊·卢米和哈加纳等合并而成,其中有的被英国当局视为恐怖组织。贝京是波兰出生的犹太人,曾为伊尔贡的首领,正如他的继任者、党的领导人和总理夏米尔一样。加哈尔集团的另一成员自由党是由犹太复国主义党(活动于1948～1961年)和较小的进步党于1961年合并后成立。自由党是坚定的犹太复国主义者,主张保持以色列在1967年阿以战争中占领的全部领土。

利库德集团内其他派别较小,但常具有影响,因为它们的动向足以左右权力平衡。这些小派别包括"实现犹太复国"和"国家党",前者于1977年选举后加入利库德集团,后者原是利库德集团中的一个单独集团,1985年并入自由运动。利库德集团除了以色列国会之外,并没有其他组织,党内各派别均保留他们自己的独立机构。在贝京任总理期间(1978～1983),以色列与埃及签订了和平条约,贝京和埃及总统安瓦尔也因此获得诺贝尔和平奖。1984～1990年利库德党首Y.沙米尔出任总理,与工党形成联盟。曾一度失去政权,但1996年在内塔尼亚胡的领导下重新夺回政权。1999年工党领袖巴拉克击败内塔尼亚胡当选总理。2001年利库德集团利用巴以冲突的频繁爆发推选沙龙作为候选人击败巴拉克当选总理。为了应对巴勒斯坦武装袭击,沙龙与工党组成了联合政府。工党退出联合政府后,沙龙建立了利库德与变革党和全国宗教党组成的政府。

lilac　丁香花　木犀科丁香花属(*Syringa*)植物,约30种,产于北方庭园,春季开花为花香而艳丽的灌木或小乔木。原产东欧和亚洲温带。花簇生,花序椭圆形而大。叶深绿色,

普通丁香(*S. vulgaris*)
美国不列颠百科全书公司供图

映衬着鲜艳的花色。果为革质蒴果。西洋丁香(普通丁香,*S. vulgaris*)株高达6米,从茎和根生出多数吸根。原产东南欧,世界温暖地区广泛种植。有几百个变种。花有深紫、淡紫、蓝、红、桃红、白、灰白、奶黄等色。单瓣或重瓣。栽成灌木或树篱,或除去吸根生长成小乔木。花叶丁香(波斯丁香,*S. persica*)茎干较纤弱,枝叶下垂。分布从伊朗至中国,高约2米。花通常为淡紫色,亦有深色或白色的变种。其他观赏种有:朝鲜丁香(关东丁香,茸毛丁香,*S. velutina*),株高约3米,花淡紫至桃红色;垂丝丁香(*S. reflexa*),原产于中国,株高4米,花桃红色;匈牙利丁香(*S. josikaèa*),高约3米,花无香味,蓝紫色;小叶丁香(四季丁香,*S. microphylla*),高约1.5米,原产中国,叶小,花蕾深红色,花淡红色;什锦丁香(中国丁香、鲁昂丁香,*S. chinensis*)系花叶丁香与西洋丁香的杂交种,枝叶茂盛。英语中 syringa 一词以前指虎耳草科的山梅花(假橘)。鼠李科 *Ceanothus* 属的种类俗称 summer lilac(夏丁香),summer lilac 一词亦用于胡蔓藤科的醉鱼草。

Lilar, Suzanne　利拉尔(1901-05-21,比利时根特～1992-12-11,布鲁塞尔)　比利时散文作家、小说家和剧作家。佛兰芒人后裔。剧本《玩弄女性之人》(1945)从女性视角重写了唐璜神话,从此开始了她的剧作家生涯。在专心写散文之前还写过两部剧作:《条条道路通天堂》(1947;以14世纪的女修道院为背景写的神学剧)和《患麻风病的国王》(1951;描述十字军东征的一部新皮兰德娄风格的话剧)。她最早的散文都是围绕戏剧题材写的。《1890年以来的比利时戏剧文学》(1952)强调佛兰芒传统的重要性。接着写的《类比推理者的日记》(1954)从新古典主义的视角探讨诗的想象力。还写了精彩的短篇散文《戏剧和说谎狂》(1958)。《西方社会中爱的诸多方面》(1963)或许是她的最佳作品,该书通过个人经历的过滤,用新柏拉图主义手法将爱情理想化。除评论文章外,她还著有《在根特的童年》(1976)和《寻找童年》(1979)两部自传体作品,以及《葡萄牙人的娱乐》和《无名氏的忏悔》两部小说。比利时导演A.戴尔沃克斯1983年将后者拍成电影。

Lilburne, John　利尔伯恩(1614?,英格兰伦敦附近格林尼治～1657-08-29,肯特埃尔特姆)　英国革命者,内战时期著名的激进民主派别平均派的领袖。乡绅家庭出身。1630～1636年在伦敦布店当学徒。加入清教派,反对查理一世实行的英国国教高教派政策。曾把尼德兰出版的清教派的小册子偷运到英格兰,1638年因此被捕判处罚款、鞭笞、枷刑、监禁,到1640年11月才恢复自由。翌年在伦敦参加组织反对主教的游行示威。1642年第一次内战爆发后在议会军中任陆军上尉。11月被俘,后被交换遣返。1645年4月,辞去军职(中校)。此后他的生涯就与平均派的历史分不开了。这位被称为"生而自由的约翰"成为卓越的宣传家,他在小册子里要求宗教自由和将普选权扩大到手工业者和小业主。他主张在法律面前人人平等,严厉谴责议会和军队没有满足平均派的要求。1645～1647年,他的大部分时间是在监狱中度过的。1648年军队将平均派镇压下去,但利尔伯恩在伦敦人的心目中却享有很高的声望。伦敦一陪审团于1649和1653年两次宣判他无罪,并引起大规模示威游行,但他一直被监禁到1655年。

Lili Marleen 《莉莉-玛莲》 英语作Lilli Marlene。一首德国歌曲，第二次世界大战期间流行于德国和同盟国士兵中。据说1914或1915年某夜晚，H.莱普（1893～1983）在灯杆下站岗时，开始构思这首歌（营房大门旁有一盏灯）。“莉莉-玛莲”是莱普的女友莉莉和同伴的女友玛莲这两个女孩名字的组合。然而莱普直到1937年才将这首歌词完成付梓，收入他的诗集《小管风琴》中。翌年N.舒尔策（1911年生）为它谱曲。1941年8月18日，这首歌首次在北非纳粹宣传电台向同盟国军播放后，才开始流行。原为德国一个歌舞餐厅的歌手L.安德森所唱，经过德裔美籍影星M.黛德丽演唱录音后，变得特别有名。

Liliaceae 百合科 百合目的一科，约280属，4 000种，主要原产于温带和亚热带地区。草本或灌木。花被裂片通常6枚。蒴果三室，稀浆果。叶基生、互生或轮生，平行脉。具根

伞形百合（*L. umbellatum*）
美国不列颠百科全书公司供图

状茎、鳞茎、球茎或块茎。本科多花卉植物，如蜘蛛抱蛋属（*Aspidistra*）、颚花属（*Uvularia*，铃铛花）、蓝钟属（*Endymion*，蓝钟花）、秋水仙属（*Colchicum*）、萱草属（*Hemerocallis*）、龙血树属（*Dracaena*）、赤莲属（*Erythronium*）、贝母属（*Fritillaria*）、高尔顿氏草属（*Galtonia*）、麝香兰属（*Muscari*）、重楼属（*Paris*，同心结草）、风信子属（*Hyacinthus*）、百合属（*Lilium*）、铃兰属（*Convallaria*）、虎眼万年青属（*Ornithogalum*）、玉簪属（*Hosta*）、雪花莲属（*Galanthus*）、黄精属（*Polygonatum*）、绵枣儿属（*Scilla*）、朱蕉属（*Cordyline*）、剑叶兰属（*Kniphofia*）、延龄草属（*Trillium*）、晚香玉属（*Polianthes*）、郁金香属（*Tulipa*）、藜芦属（*Veratrum*）和棋盘花属（*Zygadenus*）。

Liliales 百合目 显花植物的一目，以百合为代表。含15科，400多属，8 000种。多为多年生草本；有些种类为攀缘植物、灌木，乃至乔木。百合目植物是重要的经济植物，可用作食物，提取药物、化学品、商用纤维，有的是观赏植物。百合目植物具线形的叶，叶具平行脉，此外尚有如下特征：具鳞茎或根状茎；叶在近地面处簇生；花两性，鲜艳。百合目的种类虽为世界性分布，但在亚热带及温带地区更为常见。在非洲南部、北美、西亚及澳大利亚，百合目植物的种类数及株数均最多。百合科岩菖蒲属（*Tofieldia*）的一个种分布到

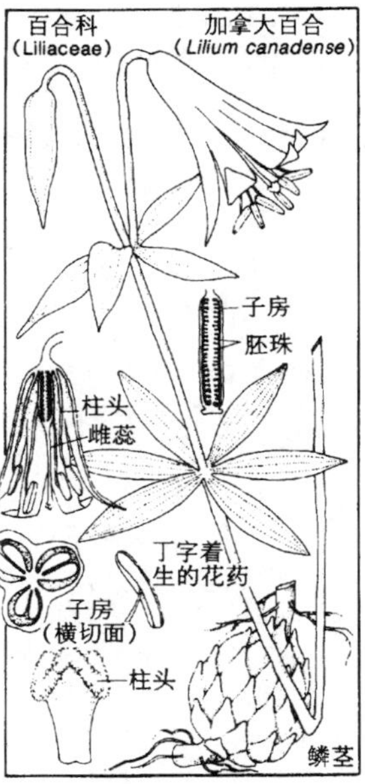

百合目百合科加拿大百合

格陵兰北部。百合目许多种类在养分丰富的花园土壤内生长最为良好，但本目种类多，地理分布范围广，故不易归纳出共同特征。龙舌兰属（*Agave*）许多种类生长于墨西哥北部的荒漠地区，芦荟属（*Aloe*）的几个种原产于干旱的南非。智利荒漠地区的一个白棒莲属（*Leucocoryne*）种类即使数年不下雨也能存活下来，而粗柄凤眼莲（水风信子，*Eichhornia crassipes*）为水生。

百合科是百合目最大的科，含约280属，4 000种。百合科的种类差异很大，各权威对其分类组成意见也很分歧。百合属（*Lilium*）的种类可归入最庄重的庭园植物之列。麝香百合（复活节百合，长花百合，*L. longiflorum*）起源于日本，在温室内栽培可提前开花，其两个品种 *croftii* 和 *eximum* 也是重要的商业品种。原产于北美东部的种，包括豹斑百合和土耳其帽百合；洪堡氏百合和灌丛百合见于太平洋沿岸。百合的鳞茎由位于基部的茎（鳞茎盘）及许多层层覆盖的鳞片构成，而郁金香属（*Tulipa*）的鳞茎有多数圆筒状的叶基，当新叶从中心增添时叶基膨胀。东欧及小亚细亚的格斯纳氏郁金香（*T. gesnerana*）是现代郁金香的祖先，现代郁金香是数世纪来通过育种和选择培育成的。百合科其他重要观赏植物各属包括春天开花的番红花属（*Crocus*）、风信子属（*Hyacinthus*）和夏季开花的萱草属（*Hemerocallis*，今有数以千计的栽培品系，其花蕾可食）。朱顶兰属（*Amaryllis*）、星花草属（*Hippeastrum*）和水仙属（*Narcissus*）也很重要。热带非洲的肉质芦荟具细长的肉质叶，是受人喜爱的室内盆栽植物，也可用于医药。百合科重要的食用植物包括洋葱（*Allium cepa*，原产于西亚）、蒜（*A. sativum*）、韭葱（*A. ampeloprasum*）、细香葱（*A. schoenoprasum*）及芦笋（石刁柏、龙须菜，*Asparagus officinalis*）。

龙舌兰科含18属、约600种，分布于全世界，主要见于半干旱的热带地区。龙舌兰属（300种）及丝兰属（*Yucca*，40种）见于北美及南美北部。龙舌兰属包括百合目一些株型最大的植物；世纪树（美洲龙舌兰，*A. americana*）的花葶可高达6米。该种生长缓慢，只开一次花，开花后即死亡。好几种龙舌兰栽培目的是从其叶中提取赫纳昆剑麻纤维及西沙尔麻纤维。一些种植园栽种的龙舌兰花序庞大，芦笋状，富含汁液，汁液经发酵、蒸馏可制成龙舌兰烧酒。许多丝兰株型矮小，但加利福尼亚的约书亚树（短叶丝兰，*Y. brevifolia*）可高达12米。本科几个其他的属为乔木状。丝兰含皂苷，皂苷与水混合即起泡沫；这些植物是自然清洁剂的来源之一。

薯蓣科的一些种类具富含淀粉的块根，在许多热带国家用作主食。三裂叶薯蓣（*Dioscorea trifida*）原产于南美及西印度群岛。参薯（大薯，*D. alata*）原产于印度及马来半岛，广泛栽培以食用其肥大的块根。象脚薯蓣（*Dioscorea*［或 *Testudinaria*］*elephantipes*）生长于非洲，用作饥荒时的食物。所有这些植物的块根均含有毒的生物碱，煮沸后生物碱被破坏。墨西哥的多种薯蓣收获自野地，用以制取药物激素。

百合的鳞茎生于地下，有许多鳞片。鳞片成熟后，芽从其基部生出，形成小鳞茎。母鳞片崩解后，小鳞茎便生长成新的植株。许多百合目植物的根状茎上具芽，芽萌发便生成新的植株。洋葱可借小鳞茎进行营养繁殖，亦可借花茎上的花结籽繁殖。欧洲野蒜（葡萄园葱，*A. vineale*）可产生许多小鳞茎，即使在北美也已变成讨厌的杂草。菖蒲莲属（*Zephyranthes*）的花不经授粉，在子房内即可生成种子（实质上是内芽）。除这些营养繁殖形式外，多数百合目植物以通常的方式生成种子。百合目的花被片6枚，色鲜艳，各枚花被片外形可十分相似，但其中3枚（萼片）的位置略低于花瓣。雄蕊6枚，产生的花粉数多。雌蕊由3心皮组成，子房下位，内含多数胚株；子房上为花柱，花柱顶部为柱头。许多种百合的花粉管在花柱内的生长率受生物化学因素的控制，使来自其他花的花粉最先达到胚珠。这保证了异花授粉，而异花授粉是维持种属活力的一个因素。花粉由蜂类、其他昆虫或蜂鸟传播。传粉、受精之后，胚珠发育为种子，而子房发育为果实。百合目植物最常见的果为蒴果（一种干果，成熟后开裂），但某些属（如天门冬属）的果则为肉质。

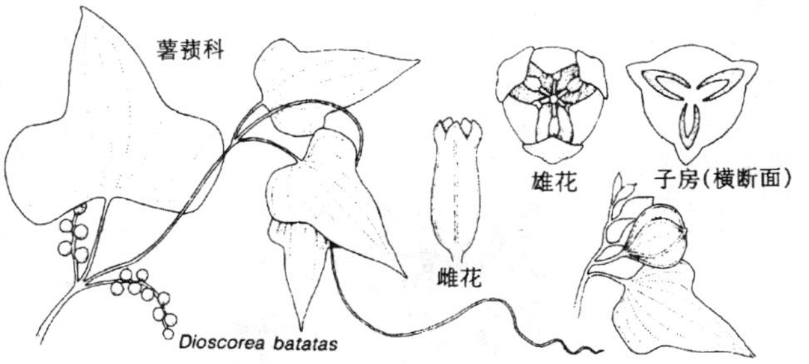

百合目薯蓣科植物

百合目其他科还有：Xanthorrhoeaceae科、Velloziaceae科、芦荟科(Aloeaceae)、田葱科(Philydraceae)、百部科(Stemonaceae)、Hanguanaceae科、蒟蒻薯科(Taccaceae)、Cyanastraceae科、菝葜科(Smilacaceae)及雨久花科(Pontederiaceae)等。

Liliencron, Detlev, Baron (Freiherr) **von 李利恩克龙**(1844-06-03，荷尔斯泰因基尔[德国]～1909-07-22，汉堡附近旧拉尔施泰特) 德国作家。他的诗句新颖洒脱，不落俗套。生于败落的男爵之家。1863年参加普鲁士军队。参加过1866年的七周战争和1870～1871年的普法战争，1875年因负债辞去军职。在美国度过一段时间以后回国。1878年任民政官员。1887年起全力从事写作以维持生活。1883年发表第一部诗集《副官骑马出行及其他》。他的诗和已确立的文学成规相悖，被称为德国自然主义发展中的界标。还写过若干戏剧，但均不成功。发表过几部小说集，最著名者为《战争小说集》(1895)。但他以1883～1909年间发表的几部诗集著称。诗中佳作均有用词鲜明和细节精确的特点。

Lilienthal, David E. 利连撒尔(1899-07-08，美国伊里诺伊莫顿～1981-01-15，纽约) 美国商人、政府官员、田纳西河流域管理局负责人之一(1933)和第一任局长(1941)、原子能委员会首任主席。早年毕业于德波大学和哈佛大学法学院(1923)，后执律师业，主要受理劳工和公用事业之间的案件。他在电话费用案中胜诉，最后导致偿还芝加哥用户2 000万美元，引起威斯康星州州长的注意，1913年委以威斯康星州公共事业委员会委员一职。他巧妙地重建了公用事业的规章制度，后来成为其他6个州的典范。罗斯福总统重视他的成就，当国会批准田纳西河流域管理局控制洪水的计划时，1933年任命他为该局电力规划负责人之一。1941年任局长。1947年任原子能委员会主席，致力于改善和扩大核能工厂，储备原子弹，发展核武器。1950年辞职。1953年任发展和研究公司总裁兼执行总长，制定了综合开发资源的计划，包括筑坝、灌溉、发电和防洪。著作有《大企业，一个新世纪》(1953)、《变化、希望和核弹》(1963)、《原子能，一个新起点》(1980)。

Lilienthal, Otto 利林塔尔(1848-05-23，普鲁士安克拉姆～1896-08-10，柏林) 德国航空界的先驱，他的研究工作使后来的工程师如O.夏尼特和莱特兄弟等得到很大帮助。从波茨坦商业学校和柏林商学院毕业后，即开始试验扑翼机和滑翔机的飞行模型。他的著作《鸟类飞行——飞行活动的基础》(1889)和其他关于飞行机的文章(1894)被认为是航空科学的基础著作。他用自己设计的单翼和双翼滑翔机从利希特菲尔德附近的人造山上做过2 000次以上的飞行。在一次飞行中因飞行机在里诺附近的斯特尔恩坠毁身亡。

Liling 醴陵 中国湖南省县级市。位于省境东部，罗霄山北段丘陵地区，浙赣铁路线上。东汉初年(公元25)置醴陵县。因县北姜陵山下有水井，涌泉如醴(甜酒)，故名。隋并入长沙县，唐武德四年(621)复醴陵县。元元贞元年(1295)升为州，明洪武二年(1369)仍为县。1952年隶属湘潭专区，1983年划归株洲市，1985年5月撤县设市。面积2 157平方千米。矿产资源丰富，瓷土、匣泥、耐火泥、高岭土储量较大。工业以瓷器和鞭炮为主，还有冶金、机械、化工、电力。瓷业生产从清雍正七年(1729)起设厂，1904年开始生产细瓷，由单色釉上、釉下瓷，发展到釉下五彩瓷。20世纪以来，醴陵瓷器曾多次获国际金奖。现有生产陶瓷的企业400余家，职工2万多人，产量约占湖南省的1/3，成为中国八大陶瓷产区之一。醴陵瓷器以釉下五彩瓷最具特色，具有“明如镜、声如磬、白如玉”的品质和清雅明净、色彩纷呈的艺术风格。烟花鞭炮品种繁多，有花炮企业400多家，有上千个品种，产品畅销国内外。农作物以水稻为主，并盛产辣椒、油菜籽、油茶、茶叶、柑橘等。境内有全省修建最早的株萍铁路，后为浙赣铁路的一段，与京广铁路相接，并有浏澧、澧茶两铁路在此交会。渌水自境内可以通航湘江，水陆交通便利。人口1 000 000(2005)。

Lilith 夜妖 犹太民间传说中的女妖，她的名字和个性源于美索不达米亚被称为精灵的妖魔。各拉比著作对夜妖的说法不一。一说，亚当与夏娃离异，娶夜妖而生群魔，另说夜妖原是亚当第一个妻子，因性情不合而离异。据说三名天使力促她回头而未果。她主要伤害儿童，据说佩戴有天使名字的护身符可消灾。夜妖崇拜在一些犹太人中一直保留到公元7世纪。

Liliuokalani 利留卡拉尼(1838-09-02，夏威夷火奴鲁鲁[今在美国]～1917-11-11，火奴鲁鲁) 又称卡马卡埃哈。夏威夷群岛唯一一位女王，末代君主。当美国兼并夏威夷群

美国不列颠百科全书公司供图

岛时，她曾经进行艰苦的斗争。1895年举行起义，反对S.B.多尔领导的临时共和国。有音乐天才，以所作歌曲《阿罗哈-奥耶》闻名。她完全受现代教育，曾周游西方各国。1891年继承兄卡拉卡乌阿的王位，极力恢复夏威夷王室的传统专制权力。她反对其兄与美国重订的《互惠条约》(1887)，因为此约给予美国贸易特权并把珍珠港割给美国。这一态度使她和夏威夷的外国商人们疏远，后者力图废黜她。1893年多尔领导的教士党要求她退位，并宣布废黜女王和在美国兼并前成立临时政府。她为了避免流血斗争而作出让步，但又向美国总统G.克利夫兰呼吁复位。克利夫兰下令恢复她的王位，但多尔表示抗拒，声称美国总统无权干涉夏威夷的内政。1895年多尔集团镇压保王分子R.威尔科克斯用女王名义发动的起义。女王以叛变罪被软禁，1895年1月24日同意签署正式退位书。1898年著回忆录《夏威夷女王话夏威夷》。

Lille 里尔 法国北部北加来海峡大区首府，北部省省会、城市。位于巴黎东北偏北219千米处，临德勒河，距比利时边界14千米。早先是德勒河河汊间的小村庄。1713年

里尔市的火车站

中国大百科全书出版社供图

根据《乌得勒支条约》归属法国。第一次和第二次世界大战中均被德国占领并遭到破坏。里尔、图尔宽和鲁贝构成法国最大的集合城市之一。由于靠近欧洲经济共同体北部国家，加之交通方便，工商业发展得到促进。为重要铁路枢纽，有机场、比利时—巴黎—地中海高速公路和运河化的德勒河供使用。里尔商会成立于18世纪。设有地区经济发展委员会、法国银行分行；从1925年起每年举办国际商业交易会。设有国立大学、罗马天主教大学、商业和技术学校以及巴斯德研究所分所。为法国传统纺织中心，其他工业有钢铁、机械制造、食品加工和化工。东南-西北走向的自由大道将城镇分成两部分，新城在南部，旧城在北部。林荫大道的西北端耸立着五边形军事城堡(1667～1670)，是法国工程师S.P.沃邦(1633～1707)设计的军事建筑中保存最完好的一座。维埃耶交易所是一座17世纪典型佛兰德斯风格的建筑，坐落在戴高乐广场附近，戴高乐将军是当地人。里尔的博物馆是法国艺术品收藏最丰富的博物馆之一，展有15～20世纪的名画。市中心

私人房屋被拆毁，代之以现代化的多层建筑物。集合城市的三城市之间建有阿斯克新城作为地区行政中心。人口178 301(1990)。

Lille Ⅰ, Ⅱ, and Ⅲ, Universities of　里尔第一大学、第二大学、第三大学　法国北部里尔的自治高等教育机构。男女合校，由国家资助。根据法国1968年改革高等教育的法律。1970年成立了这三所大学以取代原里尔大学。原里尔大学1560年建于杜埃，法国大革命时关闭。大革命后，文学院、医学院及其他专业学院在里尔和杜埃两地成立。1887年这些学院合并到里尔。1896年重新建为大学。1854～1857年，路易·巴斯德任大学理学院院长。巴斯德对发酵的研究始于里尔。里尔第一大学设科学和技术专业；里尔第二大学设法律和保健科学(医学、药学、牙医学、体育)专业；里尔第三大学设人类科学、文学和艺术(历史、语言文学、哲学和心理学)专业。在这3所各自独立的大学内部，教学和研究工作组织成为独立的单位，每个单位都享有学术和管理的自主权。

Lille lace　里尔花边　16世纪以来在原属佛兰德公国、现位于法国西北部的里尔城生产的一种线轴编织花边(棒槌花边)。里尔花边以带六角形网眼的极细网地著称，网眼用双股线捻缠而不编辫。里尔花边通常有小四方点散布其上。图案用常规的圆弧花卉和涡卷形。

Lillebonne　利勒博讷　法国西北部上诺曼底大区滨海塞纳省城镇。位于勒阿弗尔东面和塞纳河北面。公元2世纪罗马人统治时期就有公共浴池和大剧场。中世纪时，剧场建筑材料被用于修建防御工事。据传征服者威廉1066年住在利勒博讷城堡时作出入侵英国的决定。城堡于12世纪重建，现仅有遗址。主要工业有纺织、橡胶和化工。人口9 426(1990)。

Lillehammer　利勒哈默尔　挪威东南部奥普兰郡首府和城镇。位于*居德布兰河谷*(**Gudbrands Valley**)南端，洛根河在此注入挪威最大湖泊米约萨湖。1827年设镇。有纺织、木材、造纸和食品加工等工业部门。是常年旅游胜地，现有迈豪根露天民间博物馆展示挪威艺术和建筑。著名挪威作家B.比昂松和S.温塞特曾在附近居住，比昂松的故居和农场现已成为国家纪念馆。人口：城市区约23 055(1992)。

Lilli burlero　《里里伯利若》　又作Lillibullero。17世纪英国一首政治歌曲，1687年T.沃顿(后为侯爵)所作，目的在贬抑泰尔康内尔伯爵R.塔尔博特在爱尔兰的统治。1688年詹姆斯二世被迫退位，这首歌曲起了一定的作用。在全国最流行的许多诗节中，有两节歌词如下：

沼泽中有一则古老的预言，
　　里里伯利若，布伦　阿-拉
"爱尔兰将受一头驴、一条狗统治。"
　　里里伯利若，布伦　阿-拉
利若，利若，里里伯利若，利若，利若，
　　布伦　阿-拉
现在预言应验了，
　　里里伯利若……

因为塔尔博特正是这条狗，詹…斯正是这头驴。

　　里里伯利若……

与上述歌词相关的曲调的最早印刷形式见于R.卡尔的竖笛或长笛曲集《快乐的同伴》(1686)。1688年词曲单页印行。此后100年间歌词被一再收入许多不同的曲集。

Lilli Marlene (song)　参阅**Lili Marleen**《莉莉-玛莲》。

Lillie, Beatrice (Gladys)　莉莉(1894-05-29，加拿大安大略多伦多～1989-01-20，英国牛津郡泰晤士河畔亨利)　又称皮尔夫人。英国女演员，时事讽刺剧中国际闻名的老练喜剧

美国不列颠百科全书公司供图

明星，也许是20世纪最重要的喜剧演员。1914年于伦敦作为伤感性民谣歌手在舞台上崭露头角。第一次世界大战时，在安德烈·夏洛特上演的一系列时事讽刺剧中证明了她的喜剧表演天才。1924年在一出时事讽刺剧中初次与纽约观众见面，奠定了她作为国际知名人士的声誉。从1914年至1939年，她每年至少在一部时事讽刺喜剧中露面。在无声片《微笑着退出舞台》(1926)中初登银幕，尔后偶有露面。第二次世界大战后演出的舞台剧有《美国内幕》(1948～1950)、《与比阿特丽斯·莉莉在一起的一晚》(1952，修改以后几次重演)。她最后的舞台演出有《梅姆大娘》(1958，伦敦)以及根据科沃德《欢乐的心灵》改编的音乐剧《兴高采烈》(1964，纽约)。1920年莉莉与罗伯特·皮尔爵士结婚，皮尔于1925年承袭为第五代皮尔准男爵，1934年去世。她的自传出版于1973年。

Lillie, Frank Rattray　利利(1870-06-27，加拿大安大略多伦多～1947-11-05，美国伊利诺伊芝加哥)　美国动物学家、胚胎学家，在卵的受精和激素的性别决定作用方面有所发现。1900～1947年在芝加哥大学任职，曾任胚胎学教授(1906～1935)、动物系主任(1910～1931)和生物科学部主任(1931～1935)。1908～1926年任马萨诸塞州伍兹霍尔海洋生物实验室主任，1926～1942年任主任及董事长。又建立伍兹霍尔海洋学研究所，1930～1939年任首任所长。曾发现动物的卵包被着由碳水化合物与蛋白质组成的胶质，并称之为受精素。受精素与包绕精细胞的一种物质(抗受精素)特异性地相互作用，使精子黏附在卵上并钻入其中，该过程保证卵只能接受同物种的精子。他论证，牛双胎中雄胎影响雌胎发育而形成的生殖器不全牝犊就是激素性雌雄间性的典型实例，性激素能在孪生胎儿之间自由流动，生殖器不全牝犊是遗传上为雌性的胎儿被雄性胎儿的雄激素雄性化的结果。著有《鸡的发育》(1908)和《受精问题》(1919)等。

Lillo, George　李洛(1693-02-04，英格兰伦敦～1739-09-03，伦敦)　英国剧作家。荷兰一珠宝商之子。最先在他的家庭悲剧《伦敦商人或乔治·巴恩韦尔传》(1731)里用中产阶级成员代替了惯用的贵族或王室主角。这部剧本大大促进了德、法以及英国中产阶级戏剧的兴起。第一部剧本是一部歌谣剧(1730首演)。《伦敦商人》是受到伊丽莎白时代激情剧(例如《一个约克郡的悲剧》)的启发而写，描述一个伦敦学徒三次抢劫他的师傅，最后杀死他的叔父。

Lilongwe　利隆圭　马拉维第二大城市，1975年后为首都。肥沃的中部地区高原的农业贸易中心。班达总统1965年选定该市为马拉维北部和中部地区的经济发展重点。城市铺展在旧城(服务与销售业中心)和设有政府机构、使馆的首都山两地之间。20世纪70和80年代建有新国际机场、东西走向铁路和市北部工业区。人口：城市597 619(2003)。

Lilongwe Plain　利隆圭平原　参阅**Central Region Plateau**中部地区高原。

lily　百合　百合科百合属(*Lilium*)草本显花植物，80～100种，原产于北半球温带地区。是受欢迎的观赏植物，被广泛杂交。英语中lily一词又用作许多形似百合的其他属的植物的俗名。如萱草属(*Hemerocallis*)的植物俗名day lily。石蒜科的许多种类也被称为lily。百合为直立的多年生植物，茎上生叶，具鳞茎，叶通常狭长，花单生或成簇。花被6枚，花瓣状，合生呈喇叭状，基部呈管状，如圣母百合(纯白百合，*L. candidum*)和复活节百合(麝香百合，长花百合，*L. longiflorum*)。花被片亦可反折而呈穆斯林头巾状，如土耳其帽百合(*L. martagon*)；亦可仅略为反折，形成敞口的杯、碗状，如伞百合(*L. umbellatum*)和金光百合(*L. auratum*)。有些种类的花颇为芳香，颜色各异。植株高度多在30～120厘米之间，但有些种类可高达2.5米以上。百合是最古老的栽培植物之一。在小亚细亚，公元前第2千纪这段时期内，人们栽种圣母百合用于制造软膏以供药用；古代人们还栽种圣母百合以食其鳞茎。古希腊人和罗马人栽种这种百合作为观赏植物及药用植物。在中世纪，人们将圣母百合与圣母马利亚联系起来，用它作为纯洁的象征；这种花常出现于

圣母像中。在东亚,许多种百合早就栽作食物和观赏植物。百合通常用鳞茎栽培,但亦可用种子种植。不同种类所需阳光的量亦不相同。多数种类喜欢多孔的壤土,排水良好对其生长至关重要。多数种类于7月或8月开花。某些种类的花期从晚春开始,其他种类则于夏末或秋初开花。

Lily, William 利利(1468?,英格兰汉普郡奥迪汉姆～1522-02-25,伦敦) Lily又拼Lilye。英国文艺复兴时期学者、古典语法学家、英国希腊学先驱,是一部极其广泛使用的拉丁语法编者之一,该书多次修订再版,一直使用至19世纪末期。1486年人牛津大学,习文学,毕业后赴耶路撒冷朝圣。归途中进入罗得岛,结识许多因土耳其人占领君士坦丁堡而到该岛避难的希腊人。随后他去意大利,在罗马和威尼斯听学术讲演。回国后定居伦敦,与T.莫尔成了至交,任私人语法教师,据信为该城第一个希腊语教师。1510年,圣保罗教堂教长J.科利特筹办圣保罗学校,聘请利利担任第一任校长。后来所说的利利的《语法》约于1540年首次出版,实际上是他数年前编写的两本拉丁语句法的合订本。亨利八世及其继承者爱德华六世诏令将此书作为所有英语语法学校的用书,从此它即以《国王语法》而闻名。然而,利利的《语法》受到教师们的严厉批评,因为是用拉丁语说明拉丁语语法规则而不是用英语说明的。结果,一些17世纪的语法学家将书中语法规则及句法译成英文,附在原文之后,以利于教学之用。该书的审订本先后在剑桥(1634、1640)和牛津(1636、1687)出版。18世纪学校中通用的是J.沃德版(1732)。1758年修订版为伊顿公学采用,改名《伊顿拉丁语语法》,10年后利利的《语法》终于为《公学拉丁语语法》所替代。

lily of the valley (*Convallaria majalis*) **铃兰** 百合科铃兰属唯一的种。原产于欧亚大陆和北美东部。多年生草本,根状茎水平延伸。叶基生,通常2枚,有光泽。总状花序

铃兰(*Convallaria majalis*)
美国不列颠百科全书公司供图

生于无叶的花葶的一侧。花芳香,下垂,白色,钟状。浆果熟时红色。温带许多地区的遮荫庭园有栽培。通常密集丛生成垫状。

lily-trotter(bird) 参阅 **jacana** 水雉。

Lima 利马 秘鲁中部省份,首都利马所在地。面积34 802平方千米,西濒太平洋。沿海少雨,仅源出安第斯山的河流的附近地区得到灌溉。6月至10月密集的云层笼罩着沿海。云层与山坡接触地区(海拔760～1 200米),一种叫洛马的一年生草本植物生长茂盛,用以养牛。更高地带10月至4月为固定雨季。该省是秘鲁人口最稠密地区,有将近1/3的人口居住在以利马为中心、扩展到邻近的卡亚俄直辖区的地区中。利马-卡亚俄都市区外居民多为农牧民。可灌溉低地出产甘蔗、棉花和蔬菜。卡亚俄和瓦乔有渔业。瓦乔和奇尔卡产海盐。山区有铜矿和煤矿。泛美公路自西北向东南穿越该省。有航空线、铁路和公路将该省与高地中部地区连接。人口约7 475 495(2000)。

Lima 利马 秘鲁共和国首都和工商业中心。中央利马在里马克河南岸,海拔156米,距太平洋港口卡亚俄约13千米。城市四周是秘鲁沿岸的沙漠,为邻近的安第斯山脉所遮蔽。

自然地理和人文地理

景观 **城市位置** 利马的西班牙旧址位于里马克河旁一个可造桥的地点,利马市在旧址外向四面八方延伸。利马都会区面积很大,其人口占秘鲁总人口的1/3左右,这既是人口、资本、政治影响和社会革新集中的结果,又反过来促进其集中。由于利马位于秘鲁太平洋沿岸中部,又有卡亚俄港,过去长期是该国与外部世界接触的唯一窗口。

利马最明显的特征之一是四周均为没有植被的荒野;灰黄色的沙上几乎不能生长植物,也没有动物,可人工供水的地区除外。这片地区经常发生地震和急骤的山洪。

气候 利马虽位于热带,但秘鲁洋流(亦称洪堡洋流)的凉爽空气使秘鲁终年气候温和。冬季平均气温18℃,夏季平均气温27℃。沿海凉爽的气团使利马整个冬季笼罩着浓云,浓海雾往往覆盖城市中的一些地区。年降水量很少超过50毫米,多由浓海雾凝结而成。利马冬季寒冷潮湿,夏季炎热,湿度大。大气严重污染和氧化生锈为长期问题。

城市布局 利马的众多城镇景观是其悠久的历史决定的。利马旧城中心是西班牙殖民者于16世纪划定的,在17世纪部分为防御墙围住,街道至今仍保留方格状布局。北临里马克河,东、南、西三面均为宽阔大道。利马旧城内有几座经过修缮的殖民时期建筑物(托雷塔格尔宫、大教堂、大主教宫),夹杂在19和20世纪的建筑物之间,许多建筑物建在前殖民时期房屋废墟上,这些房屋毁于该城的多次大地震。旧城墙已在19世纪中期摧毁。两个主要广场(阿尔马斯广场和玻利瓦尔广场)仍是建筑界对中央利马以内关心的焦点;封闭式木制阳台是殖民城市的典型特征,现已成为应该保留或恢复的古迹。建于皮萨罗住所旧址的总统府和许多其他建筑物反映出法兰西帝国风格过去十分流行,在里马克河北侧的旧日殖民时期同名的郊区仍保留着过去的风貌,街道弯曲而狭窄,挤满了单层房舍,还有那"赤足僧大道"。

19世纪中期修建铁路和电车道以前,利马没有向旧城墙以外扩展。此后75年中有了稳步的发展,在利马旧城基础上进行的城市规划的轴心有一些独有的特点:卡亚俄以西地区成为工业走廊;南面从巴兰科至马格达莱纳范围广大的海湾前沿地带已变为最佳住宅区;东面靠近比塔尔特建起了工业区和低级住宅混杂的郊区。在20世纪50年代,利马以擅自占地者的贫民区而闻名。他们已占利马都市人口的1/3。

人民 自从20世纪30年代以来,利马的具体布局有了改变,其人口也是如此。

在高地移民(通常称作山民)到达之前,白种社会名流和其他社会混血儿很容易分辨。而现在,种族、民族和阶级相互交错,难以区分。今天依然存在的最大差别是富人和有权有势的人同穷人和无权无势的人之间的差别。对于大多数人来说,能用自来水,有下水道、有电、价廉的食物和稳定的工作,仍然是今后的梦想。

绝大多数利马人是天主教徒,使这一城市有一种传统的保守气氛;众多人群参加"奇迹之神"、"利马的圣罗莎"和"波雷斯的圣马丁"等一年一度的宗教活动,即可证明这一点。

人口:城市7 060 600(1998)。

经济 利马在秘鲁占有举足轻重的地位,其工业产值占全国总产值的大部分,秘鲁的金融交易几乎都是在利马进行的。利马人口众多,已经成为国内物品和进口物品的主要市场;利马人每年的消费量占全国消费量的4/5左右。

工业和商业 利马的工业区主要在旧日的卡亚俄-利马-比塔尔特走廊,最近又增加了在城市南面和北面的泛美公路两侧的地区。工业活动多种多样,从造船、炼油到食品加工、水泥制造、化工、医药、塑料、纺织品、服装及家具。然而由于秘鲁存在一些长期无法解决的经济问题,这些资本密集、组织了许多工会的工业基地,大多没有充分发挥力量。

制造业不能充分满足众多求职者的需求。因而服务业的工作迅速增多,多数是非正式的。估计这种就业形式在都会区占全部经济活动的至少40%。中央利马街头上成千上万的流动工人说明正式部门缺乏稳定就业。利马最大的雇主之一是中央政府。

运输 虽然现在有设计完善的公路网,但绝大多数利马人仍倚靠3种运输方式:能载10名乘客的共用出租汽车;能载20名乘客的小公共汽车;经常要大修的市里的公共汽车。

行政与社会状况 **政府** 利马都会区包括利马省和卡亚俄省,后者又分为几十个政区。每个省和每个区在行政上都是自治的,因而只能通过谈判做出决定进行规划。

服务业 利马发展的速度和规模给公用事业造成很大压力。水和电的供应都很困难。由于内城改造和扩大郊区而引出的问题,都会区向中央政府及世界银行等国际机构求援。它们认为利马的问题已成为全国性的问题,因而要从全国的角度找出解决办法。

文化生活 设在利马的最重要的大学是

利马市阿尔马斯广场上带殖民时期式样木制阳台的大主教宫
美国不列颠百科全书公司供图

国立圣马科斯大学(1551)。几乎所有主要的学术机关和全国性文化机构都在利马都会区。博物馆中搜集了许多哥伦布到达美洲以前时期和殖民时代的物品。利马有几家日报、几份周刊和杂志。有电视台和广播电台。男子足球和女子排球是主要的体育项目。国际标准的餐厅和数以百计的咖啡厅提供各种食品。

大批移民移入利马的后果之一是加强首都新成立的城市社区同他们出生地之间的文化联系。省和区的俱乐部和社团每周举行庆祝活动,人们唱歌、跳舞和品尝不同地区的有非常特殊风味的食品。在利马市中心可见到秘鲁的许多民俗。

历史

哥伦布到达美洲以前时期和殖民时期 利马周围地区已有人居住数千年之久。有相当规模的城市社区可追溯至印加人以前时期(约公元前 200 年至公元 600 年),最重要的城市社区是帕查卡马克,在印加人以前时期或印加人时期,这里都是最重要的宗教活动地。征服者皮萨罗索要的换回印加首领阿塔华尔帕的赎金,多数是从帕查卡马克得到的。

皮萨罗于 1535 年 1 月 6 日建立了西班牙人的利马城,不久利马成为秘鲁总督领地的首都,其位置近海,同西班牙联系比较方便,因而取代了东南面旧的印加人首都库斯科。

利马作为皇家法官驻地,成为整个总督领地的财富和权力中心。政治上保守,社会上分成阶层。在 19 世纪初拉美国家进行争取独立的斗争时,利马一直忠于西班牙。秘鲁是宣布脱离西班牙而独立的最后一个大陆殖民地(1821 年 7 月)。

现代城市 在 1851 年利马—卡亚俄铁路建成后,利马开始建成一个现代城市。此后 20 年中又修建了一些城市间的铁路,通往米拉弗洛雷斯、安孔和乔西卡,使郊区有了发展的机会。一些较为富有的居民逐渐离开这个面积不大、拥挤不堪和靠徒步行走的城市,他们在米拉弗罗雷斯四周建造了高楼大厦,以远离低阶层的人。

汽车制造及以后的筑路计划在 20 世纪 20 年代和 30 年代掀起了一个新的都市扩建浪潮,这些计划不但改善了首都内的运输,也改善了利马同国内其他地区之间的运输。移民可以第一次相当容易地到达利马,这一富有的、有权势的和现代化的中心成为一个全国的吸铁石,对利马产生了巨大的后果。从 1940 至 1980 年,约 200 万人移居利马。在近郊红顶房屋上面光秃的无人居住的山坡上,以及利马四周平坦的沙漠高地上,盖起了成千上万个简陋小房。后来数以百计的新城市居民有计划的“入侵”取代了个人占据无人使用的荒地的行动。自助式的房屋越来越多,以致政府最后为居民的要求提供资金,授予土地所有权,并设法提供基本服务设施。1988 年联合国教科文组织将其历史中心列入世界遗产。但城内历史建筑受到来自人口膨胀、空气污染、地震灾害等多方面的威胁。1991 年修复许多利马特有的木制阳台,并加以保护。

Lima 莱马 美国俄亥俄州西北部城市,阿伦县县城(1831)。位于哥伦布西北 142 千米处,濒临渥太华河。1831 年始建,1842 年设镇,1920 年设市。1885 年发现石油,曾是油田的中心。现油源枯竭,但仍有输油管相连,是炼油中心。工业制品有挖掘机、电动机、起重机、汽车发动机、公共汽车车体、搪瓷制品、宇航设备等。市东有州立俄亥俄大学莱马分校和莱马工学院(1970)。人口:市40 081;都会统计区155 084(2000)。

Lima, Jorge de 利马(1895-04-23,巴西乌尼昂-杜斯帕尔马里斯～1953-11-15,里约热内卢) 巴西诗人、小说家,20 世纪 20 年代巴西地区主义诗歌的最早代表人物之一。生长在东北部的甘蔗种植园,后以行医为业。早期诗歌有明显的法国帕尔纳斯派的影响,但是诗集《不可救药的孩子的天地》(1925)标志着他脱离欧洲传统,追随拉丁美洲文学的现代主义运动。积极参加东北部地区主义运动;30 年代,写出大量“非洲-巴西”诗歌。1935 年改变了宗教信仰,探求“在基督教义启发下的诗歌复兴”,创作了形而上学的和表现主义的诗歌和小说。他的重要诗集有《无缝长袍》(1938)、《黑人诗集》(1947)、《俄尔甫斯的发明》(1952)等。其最为著名的小说有《侏儒》(1935)、《默默无闻的女人》(1939)。

Lima, Manuel dos Santos 利马(1935-01-28,安哥拉席尔瓦波尔图～) 安哥拉诗人、剧作家和小说家。作品植根于将安哥拉从葡萄牙殖民主义统治之下解放出来的斗争。1956 年代表安哥拉出席巴黎第一届国际黑人作家艺术家代表大会,1962 年又代表安哥拉出席开罗亚非作家代表大会。他是安哥拉人民解放运动组织委员会委员,安哥拉人民解放军军事领导人之一。这些经历为他的创作提供了素材。后移居蒙特利尔教授法语。他的第 1 部长篇小说《自由的种子》(1965)出版于里约热内卢,第 2 部长篇小说《泪与风》(1975)出版于里斯本。他还出版了诗集《基桑吉》(1961)和剧本《魔鬼的皮》(1977)。

Lima Barreto, Afonso Henriques de 利马·巴雷托(1881-05-13,里约热内卢～1922-11-01,里约热内卢) 巴西长、短篇小说家、新闻记者、激进的社会评论家。他漫画式地重现了里约热内卢世纪之交的社会。毕生住在里约热内卢。在小说中描绘了巴西新共和国时期的主要事件和生活情况。他以嘲讽的幽默笔调描写忧郁的堂吉诃德式的人物,他们无法应付机械化的城市生活、军国主义和政府组织。著名小说有《贡萨加·德·萨的生与死》(1919)、《公证人以赛亚·卡米尼亚的回忆》(1909)、《四旬斋的悲惨结局》(1915)、《努马和仙女》(1915)等。

lima bean 利马豆 一种豆科植物,品种甚多。广泛栽培以食用其种子。参阅 **bean**。

Liman von Sanders, Otto 利曼·封·赞德尔斯(1855-02-17,波美拉尼亚施托尔普～1929-08-22,慕尼黑) 德国将军。1874 年从军,其后升至中将。1913 年任德国军事使团团长,负责重建土耳其军队。到第一次世界大战爆发时,他做了大量工作使原在巴尔干战争中削弱的土军作战能力有所提高。1915 年 3 月指挥驻在加利波利的土耳其第 5 军团,成功地迫使英国和奥地利进犯达达尼尔海峡的军队撤走,从而阻止协约国部队占领君士坦丁堡。1918 年 3 月,他统率驻叙利亚和巴勒斯坦的土耳其第 4、第 7 和第 8 军团阻击英军。战后,他担任遣返战时在土耳其服役的德国士兵的工作。

Limasawa 利马萨瓦 菲律宾中东部小岛。在莱特岛南6千米处。历史地位重要。1521年3月28日F.麦哲伦在此登陆。同年3月31日菲律宾第一次天主教弥撒在此举行。岛上的比萨扬人以农、渔为生。

Limassol 利马索尔 希腊语作Lemesós，土耳其语作Limasol。塞浦路斯共和国南海岸城市、主要港口。位于尼科西亚西南，濒阿克罗蒂里湾，为塞浦路斯第二大城市和主要旅游中心。拜占廷帝国末期为小集镇。1191年狮心王理查一世在此登陆，并在城堡要塞的教堂里与纳瓦拉的贝伦加里娅结婚，该地发展为城市(城堡现为地区博物馆)。1372年热那亚人占领法马古斯塔后，港口的财富增长。但1570年的土耳其人入侵和灾难性的地震，使其受到损害，1815年人口减至150人。19世纪末塞浦路斯在英国治理下港口得以复兴。20世纪60年代扩建码头设施，增设新港，可停大型船舶。1974年因土耳其出兵塞浦路斯北部，该岛的主要港口法马古斯塔被迫关闭，从而使本港则成为该国的主要港口，并接管了大部分原来经过贝鲁特的贸易。利马索尔是重要贸易中心，出口葡萄酒、饮料、水果、蔬菜。生产砖瓦、鞋靴、纺织品、家具、水泥等。还加工铬和石棉。附近的濒海平原种植豆类作物、蔬菜、柑橘、柠檬、葡萄、坚果和苹果，还饲养山羊与牛。该市有公路连接莫尼、阿克罗蒂里和埃皮斯科皮。人口：市74 782(1982)；都会区约120 000(1989)。

Limavady 利马瓦迪 爱尔兰语作Léim an Mhadaidh。北爱尔兰伦敦德里郡城镇、首府和区。濒临罗河。位于伦敦德里旧城东27千米处。利马瓦迪这个名字意为“狗跳”。据云古时一只狗带着危险在即的情报跳过城南的一个峡谷。该镇建于17世纪初。利马瓦迪现为重要的集市中心，设有合成纤维制造厂和预制房屋构件厂。1973年建利马瓦迪区，面积622平方千米。山区养羊，谷地农场养牛。种植大麦和马铃薯。人口：城镇8 015(1981)；区约30 000(1988)。

limb darkening 临边昏暗 天体物理学中，指太阳或其他恒星圆面的光强度从中心到边缘逐渐变暗的现象。这一现象在太阳的照片中相当明显。蓝光变暗最甚，从太阳的光球层到外围大气层，亮度降低达90%。产生临边昏暗的原因在于太阳大气的温度随深度的增加而增加。在日面中心处，观察者看到的是发光最多的最深和最热层，而在边缘处，则只能看到发光较少的较高和较冷层。通过观测太阳的临边昏暗，可以确定太阳大气的温度分布。得自这种观测的信息还被用来研究其他星体。

Limbe 林贝 前称维多利亚。喀麦隆西南部港口。位于喀麦隆山南麓，濒临几内亚湾。仅次于杜阿拉的全国第二大港，输出咖啡、可可、棕榈油和棕榈仁、茶叶、香蕉及橡胶等。1858年由浸礼会传教士建立。保留有19世纪90年代的历史遗迹。建有机场。人口约42 511(1987)。

limbo 灵薄狱 天主教神学名词，指介于天堂与地狱之间的边缘境界。凡未被判定受惩罚但又不得与天主同在天堂共享永世福乐的灵魂，都在该处居住。关于灵薄狱的概念或许源起于欧洲中世纪。据说有两种灵薄狱：①列祖灵薄狱，据说《旧约》时代的圣人被押在该处，等候基督“下降地狱”去解救他们；②婴儿灵薄狱，凡本身无实罪但未经洗礼洗去原罪者，死后住在该处。婴儿灵薄狱中除收容未曾受洗的死婴外，还收容精神有缺陷者。基督教神学家很早就考虑未受洗的死婴命运问题。一般说来，希腊派教父多持乐观看法，而拉丁派教父的看法悲观。有些希腊派教父的意见与贝拉基派的观点几乎相同，认为未受洗的死婴可得永生，虽然不能进入上帝之国。拉丁教父奥古斯丁反对贝拉基派的异端说法，严格区分得救者与受咒诅者死后的处境。后世的神学家追随奥古斯丁，否认在天堂与地狱之间有居间的最后归宿，但是他们对不能为自己罪恶负责和未受过洗礼的人的命运抱有尽可能宽和的观点。在13和15世纪，天主教会就灵薄狱问题颁布了几项权威性的声明，谓仅有原罪者(未受洗的婴儿)的灵魂下地狱，但他们所受的惩罚要比实际有罪者的灵魂所受的轻。这样，婴儿下地狱而所受惩罚较轻就成为信条。但是，这些亡灵在地狱中所居部位和他们实际所受惩罚的性质，仍然没有明确。特伦托会议(1545～1563)以后，关于婴儿灵魂丧失哪些福分，意见相当分歧。有些神学家认为，灵薄狱中的婴儿，感到被剥夺了福分而有一定程度的忧伤，另一些神学家则认为，那些婴儿目前的灵魂和将来复活的肉体都会享受各种自然的福乐。在现代天主教教义中，灵薄狱这个概念仍然是不明确和有疑问的。

Limbu 林布人 尼泊尔土著民族基兰蒂人第二大部落，住在喜马拉雅山东端介于阿伦河与印度锡金边境之间的地区，属蒙古人种，人口约200 000，说藏尼语的基兰蒂方言。林布人的村庄坐落于海拔800～1 200米以上地带，由30～100幢石造房屋构成，周围是旱田。他们分为若干父系氏族，各家由头人领导。头人一般是复员的廓尔喀军人。林布人在梯田与水浇地里种稻谷、小麦、玉米，采用休耕制。此外，他们饲养水牛用于劳作，还饲养羊、鸡用于肉食。林布人信守传统宗教，敬奉一最高神祇及山神、河神，还祀奉祖神。

Limburg 林堡公国 低地国家的历史区域名。11世纪下半叶下洛林公国分裂后产生的许多小国之一。1155年林堡家族与卢万家族媾和时，林堡名称最后确定下来。沿默兹河的领地称林堡，西部较大的领地称布拉班特。阿尔隆家族的直系男嗣统治林堡，直到1282年。5年后约翰成为林堡和布拉班特的统治者。1430年与尼德兰的其他部分合并，由勃艮第公爵菲利浦三世统治。1482年归属哈布斯堡王室。根据《威斯特伐利亚条约》(1648)，林堡被分成两部分，北部由西班牙割让尼德兰联省共和国。1714年，林堡的南部归属奥地利哈布斯堡王室，成为奥属尼德兰的一部分。1815年林堡加上另外几片土地成为新建的荷兰王国的一个省。此后这个区域数次易手。1866年并入荷兰。

Limburg 林堡 比利时东北部省份。北、东两面毗邻荷兰，东以默兹河为界。面积2 422平方千米。划分成三个行政区：哈瑟尔特、马塞克和通厄伦。大部分居民讲佛兰芒语。过去是古老林堡公爵领地的一部分。1839年分给比利时与荷兰。北部肯彭荒原上遍布平缓的沙丘和高原沼泽间有浅水沼泽地。有四分之一地面种植松树。一些地区经过改良种植黑麦、燕麦、马铃薯、蔬菜、饲料，放养牲畜。第一次世界大战以来，当地煤田得到开发，人迹罕至的荒原上建起锌和其他有色金属冶炼厂以及化工和玻璃厂。省会**哈瑟尔特**(**Hasselt**)周围有多种工业。安特卫普和列日之间阿尔贝特运河的开凿(1930～1939)促进了这个原贫穷地区的经济发展。肯彭南缘的代默尔河谷有牛奶场，河谷边地种植蔬菜出售。南部沙质土壤种水果、谷物、甜菜和蔬菜。该地区工业多与农业有关(炼糖和食品加工)。林堡的人口主要集中于肯彭荒原的**亨克**(**Genk**)、马塞克和泰森德洛，哈瑟尔特，埃斯拜高原的圣特赖登和**通厄伦**(**Tongeren**)。境内通阿尔贝特运河、斯海尔德-默兹运河、南威廉斯运河以及数条铁路。肯彭地区有数处自然保护区。人口750 435(1991)。

Limburg 林堡 荷兰东南部省份。东与德国接壤，南和西南与比利时林堡及列日两省交界。面积2 170平方千米。境内有赫尔、许尔普、鲁尔和马斯(默兹)4条河。原为林堡公爵领地。1815年并入荷兰王国。1839年荷比条约将该领地分为荷属和比属两林堡省。南部多山丘，有煤矿，出产小麦、黑麦、甜菜、水果和乳品。波恩和斯泰因为河港。省会马斯特里赫特为主要工业中心。其余的沙质土壤地区除种植黑麦外经营各种种植业。工业集中在鲁尔蒙德、锡塔德、芬洛和韦尔特几个大城市，生产小五金、服装、针织品和化工品。马斯东面芬洛和鲁尔蒙德之间为重要砖瓦产地。人口约1 103 960(1990)。

Limburg, Pol, Herman, and Jehanequin de 兰布尔兄弟(都生于1385后，布拉班特奈梅亨[今在荷兰]～约1416) 最著名的后期哥特式手抄本装饰画的三位佛兰德斯画家，综合了当代手抄本装饰画家的成就，特点是线条精致，技术熟练，细节描画仔细。1402年在巴黎一金饰工门下学徒。约1404年后在巴黎为贝里公爵画了插图极其丰富的《祈祷书》(当时私人祷告书的流行形式)。《好运》(或《埃利的好运》，现存纽约隐修院回廊)显示了当时法国艺术家J.德·埃斯坦的意大利风格的影响。人们认为《福星高照的贝里公爵》(尚蒂伊的孔代博物馆)是他们最伟大的作品，是手抄本艺术的里程碑之一，被尊为国际哥特式风格最重要的代表作。主要是宫廷风格、优雅而成熟，将细节的自然主义与整体

兰布尔兄弟绘《福星高照的贝里公爵》(1416)
美国不列颠百科全书公司供图

的装饰效果相融会。《福星高照》至1416年尚未完工,1485年由J.科隆布完成。兄弟们最早在手抄本中精细地画风景,对15世纪尼德兰早期艺术的方向有决定性作用。

Limburger 林堡干酪 原产比利时列日省的一种表面成熟的半软质牛奶干酪,外壳具有刺激性气味,内部质地如奶油,香味浓郁。最早在林堡上市,20世纪后期大部分林堡干酪由德国和美国生产。方形块或长方形块状。由于棒状杆菌的作用,形成红色薄皮外壳并使干酪成为软膏体。干酪成熟时产生别具一格的气味,但几周后即变得恶臭难闻。

limburgite 玻基辉橄岩 类似玄武岩的深色火山岩,但一般不含长石。主要同霞石玄武岩和白榴玄武岩伴生,也同沸煌岩一起产出(这两种岩石不易区分)。可呈岩流、岩床或岩墙产出,有时含有许多孔穴。主要由橄榄石和普通辉石组成,还含有褐色的玻璃质基质,基质中通常可以见到第二代的辉石小晶体。主要副矿物是含钛的氧化铁和磷灰石。在一些玻基辉橄岩中,普通角闪石、黑云母也作为大的稀疏的晶体而存在,其他玻基辉橄岩中还有钠正长石或歪长石。产地很多,如德国的莱茵地区、捷克共和国的波希米亚区、苏格兰东洛锡安郡的哈丁顿、法国的奥弗涅地区、西班牙、非洲的乞力马扎罗和巴西也都大量蕴藏这类岩石。

lime (*Citrus aurantifolia*) **酸橙** 广泛栽培于热带和亚热带地区的一种乔木,果实味酸可食。株高很少超过5米,若不经修剪则形如灌木;分枝开展而不规则,分枝上着生短硬小枝、叶和多数小尖刺。叶小,淡绿色。花小,白色,通常成簇着生。果径3～4厘米,卵圆形至近球形,先端通常有一个乳头状突起;果皮薄,成熟时黄绿色;果肉柔软,多汁,黄绿色,极酸,酸和糖含量都比柠檬高。也有的品种柠檬酸含量低,称甜酸橙,在埃及和其他热带国家有一定量栽培。酸橙可能原产印度尼西亚群岛或附近的亚洲大陆。约公元1000年阿拉伯人将酸橙和柠檬从印度引种到地中海东部国家和非洲。12～13世纪,由返回的十字军带入地中海西部国家。1493年,哥伦布在第二次航海时将柑橘类种子(其中可能有酸橙)带到西印度群岛。酸橙迅即在西印度群岛、墨西哥及佛罗里达广泛分布。酸橙生产以巴西为首,年产量为70万吨;墨西哥年产53万吨;美国4.4万吨(主要在佛罗里达南部)。酸橙产于整个西印度群岛,在其他柑橘产区有少量栽培。塔希提酸橙树株形似柠檬树;较墨西哥品种高大茁壮;叶大色深;果实长而大,近无种子,果皮厚。酸橙果是某些泡菜和印度酸辣酱的主要成分,汁用于饮料、食品和糖果调味等。酸橙汽水和酸橙调味的饮料的气味和味道均与用柠檬汁制

酸橙(*Citfrus aurantifolia*)
美国不列颠百科全书公司供图

成者不同。酸橙汁可浓缩、干制、冷冻或制罐头。酸橙油主要在西印度群岛加工。果实可提取柠檬酸盐和柠檬酸。酸橙含有维生素C,以前英国海军用以预防坏血病,故俗称Limey(意为英国水兵)。在英格兰lime一词亦指椴树(basswood或linden,椴属*Tilia*)。

lime 石灰 氧化钙。一种含钙(**calcium**)的碱性无机化合物。

lime painting 灰泥画 参阅**fresco painting 湿壁画**。

Limehouse 莱姆豪斯 英格兰伦敦东区陶尔哈姆莱茨自治市邻近一地区。位于泰晤士河北岸。以水手旅店、教堂和酒店众多为地方特色。在18和19世纪莱姆豪斯是伦敦港口,在对外贸易中发挥重要作用。伦敦港区吸引了众多移民到此就业,特别是华人和其他亚洲移民。在第二次世界大战中莱姆豪斯及其周边河区遭到轰炸。建于1724年的堂区教堂为少数幸存的历史建筑之一。

Limeira 利梅拉 巴西圣保罗州中东部城市。1863年升格为市。加工当地所产甘蔗、水稻、棉花、咖啡、柑橘。也制造汽车部件、机械、帽子和火柴。商品经公路、铁路和飞机运到州首府圣保罗和邻近城市。人口约248 632(2000)。

limelight 灰光灯 第一个舞台聚光灯,通称白炽钙光灯,T.德拉蒙德于1816年发明。此项重要发明促使日后的聚光灯首次在剧场使用。德拉蒙德将一根钙棒放在氢氧气体的炽热火焰中燃烧,使之发出强烈的白热光,从而产生一种可以导向和聚焦的柔和而明亮的光。1837年这种光首次用于剧院,至19世纪60年代被广泛使用。它的强度使它在聚焦和模仿日光或月光等写实效果方面十分相宜。将灰光灯置于舞台2楼廊厢的前部,还可用于舞台的总体照明,比脚灯光线更为自然。19世纪末,灰光灯被一般电灯和电弧脚灯所取代。

Limerick 利默里克郡 爱尔兰西南部芒斯特省的郡。面积2 686平方千米。西部与凯里郡交界处有高原(海拔300～600米);南部与科克郡交界处有丘陵。低地区大部分地势起伏,有冰碛、山丘和孤立火山丘。洼地中的泥炭沼泽大部分已被消除一空,建起许多牧场。农场规模多为20～32公顷。阿德帕特里克和代瑟特保留有古圆塔遗迹,古尔湖有史前石碑,利默里克市等地多隐修院遗址。利默里克市是郡级市和爱尔兰西部最大城市;作为集散中心,商品经销范围远超出该郡。其他村庄只有购物中心和定期集市。该郡大部分地区位于戈尔登谷中,以其富饶的牧场和乳品业闻名。不少地区全部土地用作草场和饲料田。当地还有养猪业,利默里克市的熏肉加工业历史悠久。生产铸铝件、汽车零件、水泥管和办公设备。人口(不包括利默里克郡级市)113 003(1996)。

Limerick 利默里克 爱尔兰利默里克郡的郡级市、港口和主要城镇。位于香农河河口湾顶两岸和河湾中的金斯岛上。根据地方政府1888年法令,利默里克成为郡级市,有一个市议会。全市分为英格兰城(在金斯岛上)、爱尔兰城和纽敦帕里(建于1769年)三部分。英格兰城包括该市古老中心部分。纽敦帕里有主要现代街道。香农河上有托蒙德和萨斯菲尔德两座大桥。新教圣马利亚大教堂初建于1142～1180年。近代天主教圣约翰大教堂具有早期尖顶风格。与大西洋交通方便。有运河通内陆。河两岸建有码头、船坞。进口货物以谷物、木材、石油和煤为主;出口鱼和农产品。有面粉厂、熏肉加工厂、乳品厂。为香农河鲑鱼捕捞业中心。附近有香农河水电站。设有国立高等教育学院(国立爱尔兰大学分院)和托蒙德师范学院等教育机构。人口52 039(1996)。

limerick 五行打油诗 一种通俗的幽默短诗,往往流于胡闹和下流。由5行诗句组成,韵式是*aabba*,格律大体上是抑抑扬格,但第三、四行是两个音步,其余各行是3个音步。它的起源不详,有人认为这个词起源于18世纪爱尔兰一首士兵歌《你愿不愿到利默里克来?》的叠句中利默里克一词。英语中第一部五行打油诗集可以上溯到约1820年。在《胡闹集》(1846)中写过这种诗并为之作过插图的E.利尔声称,他写这种诗的想法得自一首童谣,它开头的一句是"多巴哥有一位老人"。

到19世纪末,许多知名文人也作起这种诗来。20世纪初期五行打油诗广泛流行,杂志和商店还经常举办这种诗的比赛。然而,真正对五行打油诗醉心的人,转而写较为复杂的诗。还有人用法语或拉丁语写作五行打油诗,利用英语拼写中的变则,或将这一体裁用于对严肃哲学问题的简洁评论之中。

Limerick, Thomas Dongan, 2nd earl of 利默里克伯爵(第二) 参阅 **Dongan, Thomas** *唐甘*。

Limerick lace 利默里克花边 严格地说不是花边,而是刺绣的机制网状织物,其外观与真正的花边近似。系爱尔兰利默里克附近的肯尼特山区生产的,由英格兰花边制造商于1829年引入该地。用刺绣针迹(一种链式针迹)和溜针针迹绣成和当时花边类似的图案。利默里克一词有时用来泛指一般的刺绣网状织物。

limes 防线 指古罗马时期军队由此直插敌境的长条开阔地带。该词后来逐渐用以指罗马带有瞭望塔和堡垒的军事大道。最后,该词又意指天然或人工边界,边界两侧有塔楼和堡垒,其间的军事大道往往为连绵不断的屏障取代。罗马帝国最初用多瑙河和莱茵河作为天然屏障。1世纪后期罗马人扩展到黑林山地区,2世纪时建筑完成一道480千米的防线。3世纪中叶罗马的防线再次退缩到多瑙河和莱茵河。当占领英国时,在泰恩河和索尔韦河之间,福斯河和克莱德河之间,都筑有长墙构成的防线。作为一种防御体系,防线在2世纪时也应用于其他边界地区,形式各异。

limestone 石灰岩 主要由碳酸钙($CaCO_3$)组成的沉积岩。碳酸钙通常呈方解石或霰石产出,也可含相当量的碳酸镁(白云石)。少量的组分常常是黏土、碳酸铁、长石、黄铁矿和石英。大多数石灰岩具粒状结构,粒度范围从0.001毫米到肉眼可以看到。在许多情况下,颗粒是动物贝壳化石的微细碎片。其成因为:①海水中的生物沉淀(原地石灰岩),主要营力是分泌钙质的生物和有孔虫类;②早先存在的石灰岩的机械搬运和沉积(异地石灰岩),呈碎屑沉积产出。由于富含化石,长期以来一直吸引着地球科学家。地球年代学和发展演化的大量知识都是来自研究石灰岩和其他碳酸盐岩中的化石。石灰岩在工业上也相当重要。由于海水化学作用而富含磷酸盐的石灰岩,是肥料工业的原料。把石灰岩加热到900～1 000°C,碳酸钙分解,生成二氧化碳和氧化钙,后者主要用于玻璃制造和农业。某些种类的石灰岩也作为建筑材料。它们也广泛用于室内地面装饰、内外装饰板和纪念碑。

Limfjorden 利姆水道 横贯丹麦日德兰北部的海峡。长180千米,连接北海和卡特加特海峡。将文叙瑟尔和曲半岛与大陆隔开。海峡水浅部分曾被加深以利于航行。横跨海峡修建多座桥梁,并且建有一条公路隧道,连接奥尔堡和诺勒松比。中世纪时西部出口淤塞,水从东端流注卡特加特海峡。1875年开凿曲博伦运河使西部出口保持畅通。该海峡不但有航运之利,也以出产牡蛎和贻贝闻名,而周围地区的灰末和黏土可制造很轻的建筑用砖。最大的岛屿是莫斯岛,主要港口有奥尔堡、诺勒松比、勒格斯特、尼克宾莫斯和齐斯泰兹等。

limit 极限 由"无限接近"的思想产生出来的数学概念。最初用来决定某些函数在没有定义的点上的函数值,使得它与邻近的值是协调的。例如,函数$(x^2-1)/(x-1)$在$x=1$时没有定义,因为在数学运算中分母不能为0。对x的任何其他值,分子可以分解因子,并用$x-1$除,得到$x+1$,它对于除1以外的所有x值均与分式相等,在x等于1时,它等于2,而分式此时却没有意义。因此,可以用2来表示函数$(x^2-1)/(x-1)$在x等于1时的本来没有的值,但它可以看作当x趋向于1时函数的极限。

函数$f(x)$在x_0点的极限,记作

$$\lim_{x\to x_0} f(x)$$

其一种定义方法如下:如果存在一个连续(不间断)的函数$g(x)$,使得在包含x_0的某个区间有$f(x)=g(x)$,但x_0可以除外,那么

$$\lim_{x\to x_0} f(x) = g(x_0)$$

极限的更基本的、不依赖于连续性概念的定义如下:

$$\lim_{x\to x_0} f(x) = L$$

如果对于任意的所要求的接近程度ε,都可以找到一个围绕x_0的区间,使得在其中$f(x)$的值与L的差在量上小于ε[即若$|x-x_0|<\delta$,则$|f(x)-L|<\varepsilon$]。后一个定义可以用来检验任一个数是否是极限,前一个定义却给出了求极限的方法。极限(特别是商的极限)的计算,往往要对函数进行运算,把它化为极限更明显的形式,例如上述例子中的$(x^2-1)/(x-1)$。极限是一种方法,可用以计算函数的*导数*(**derivative**)即变化率,或在整个分析中用来逼近一个真实量,例如曲线包围的面积,它定义为某些矩形和所逼近的极限。

limitations, statute of 诉讼时效法规 指规定当事人在引起诉因的事件发生后可以提起诉讼的期限的法规。制定此种法规的目的在于保护当事人不致于在证据消失、记忆衰退或证人死亡的情况下受到追诉。诉讼时效法规最早出现在罗马法中,并成为民法法系国家法典中规定诉讼时效的基础。英国在16世纪以前尚未制定索回地产的追诉时效,对人的诉讼时效则到17世纪才制定。一般的诉讼时效法规通常将民事诉讼分为几大类并分别规定不同的时限。这种时限规定虽然难免有些武断,但大致是和各类交易的可靠证据所能持续存在的时间有关。请求归还不动产和关于盖印契约的诉讼时效通常是10～20年。关于口头契约或简单书面契约的诉讼时效一般限制在3～6年,至于人身伤害的诉讼时效则为3年或3年以下。不同司法制度下对时限的规定差异很大,例如德国的民事诉讼时效一般定为30年,但是有关侵权行为和利息追偿的诉讼时效仅为二三年。除了一般的诉讼时效法规之外,还有大量的专门法律对于由特定的当事人或者向特定的当事人提起的各种特定的民事诉讼规定了诉讼时限。例如对于诽谤提起的诉讼、要求没收或处罚的诉讼以及对某些公务人员提起的诉讼,追诉时限规定得较短,一般不超过六个月。有关遗产管理的诉讼时效也很短,一般都从指定执行人或管理人开始时起算。一般的诉讼时效法规都有这样的规定,即准许在诉因发生时由于未成年、被监禁或者精神错乱依法无行为能力的人,在取得行为能力后的一定期限内提起诉讼。当受害的一方由于受欺骗而在相当的时间内不知道存在诉因时,可以延缓诉讼时效法规的适用,直至能够合乎情理地发现该事实真相时为止。同样,若被告人在司法管辖区之外而不属该地法院管辖时,法律规定的诉讼时效期间也不是立即开始生效。有人认为,根据主权原则,一国政府在本国法院提起民事诉讼,并不适用诉讼时效的法律规定。但在许多情况下,立法机关通过制定特别法令放弃了政府的这种豁免权。在民法法系国家和美国,一般的诉讼时效法规都规定了犯罪的追诉期限。美国规定的期限通常比欧洲大陆国家短些,而且诉讼时效的适用仅限于轻罪和有些较次要的重罪。同民事诉讼一样,刑事的诉讼时效法规所规定的时效期限,在被告人隐匿或逃避控诉时,也不立即开始生效。英国没有可适用于刑事诉讼的一般诉讼时效法规,但是规定某些行为是刑事犯罪的法规常常规定了对这些犯罪的起诉期限。

limited liability 有限责任 指在企业亏损情况下,业主(股东)所遭受的损失只限于其在该企业的投资额,而不涉及其个人财产。这项已为工商业和政府所认可的原则,对大型产业的发展极其重要。可以理解,广大投资者都不愿因其投资可能危害其个人全部财产。有了上述原则,企业就可以动员广大投资者的巨额资本。17世纪英国盛行股份公司,其成员所拥有的公司股份或普通股票可以转让。1720年的一次投机性恐慌给股份公司带来严重挫折,同年所通过的立法也使这类公司领取执照更加困难。为了适应产业方面筹集巨额资本的需求,两合公司开始风行。这种公司要求至少有一个合伙者对公司负完全责任,允许其他合伙者所负的责任仅限于其投资额。两合公司18世纪和19世纪初盛行于欧洲大陆和美国。英国按1844年的股份公司法,只须登记注册即可成立股份有限公司;而整个股份公司中,所有股东都是仅负有有限责任,这种股份有限责任公司在1844～1862年期间已很普遍。在19世纪60和70年代,法国和德国组成有限公司企业的手续也较前简单。从此,有限公司成为近代经济社会中的最重要的商业组织形式。

Limmen Bight 利门湾 卡奔塔利亚湾内小海湾。在澳大利亚北部地方东北海岸。北

为格鲁特岛,东南为爱德华·佩柳爵士群岛,包括玛丽亚岛,展延135千米。接纳罗珀河、汤斯河和利门湾河。

limner 画匠 视觉艺术术语。从欧洲中世纪沿用至19世纪初,但所指各异。在中世纪,指手抄本装饰画家;16世纪起一般指细密画画家;在美国,到19世纪初期为止,指游方画家,有时也指任何画家。游方画家经常预先画好成批肖像油画,只留下脸部当场再画,因而往往出现比例不当,特别是儿童肖像。所绘题材有时不限于肖像,也有风景、精描细画的农庄风光、G.华盛顿的生平事迹、《圣经》故事乃至静物等。除少数艺术家的名字有记载外,大多数都是佚名的。

Limnocharitaceae 沼草科 又译假花蔺科。泽泻目的一科,包括4属,约12种热带淡水植物。水罂粟(*Hydrocleys nymphoides*)和黄色沼草(黄色假花蔺,*Limnocharis flava*)两种原产热带美洲,栽种于池塘和缸中。

limnology 湖沼学 水文学中研究淡水,特别是湖水和池塘水的一个分支学科。也包括对湖沼的生物、物理和化学等各方面的研究。湖沼学历来就与水生生物学关系密切。水生生物学是利用物理学、化学、地质学和地理学的原理和方法来研究生态学问题的。

Límnos(Greece) 参阅**Lemnos利姆诺斯**。

Limnoscelis 湖龙 原始爬行动物的绝灭属,属于有争议的迷齿类爬行动物最早期的种类。化石见于北美的下二叠统(2.86亿年前至2.58亿年前)。代表能产生较进步爬行类的母系。另一种理论认为湖龙是非正常的迷齿类两栖动物。长约1.5米,具有粗壮的骨架和相当长而坚固的头骨。在头顶的顶骨之间有一个松果孔,其功能如同第三只眼睛。鼻孔位于前方,颌部边缘有许多尖齿,最前面

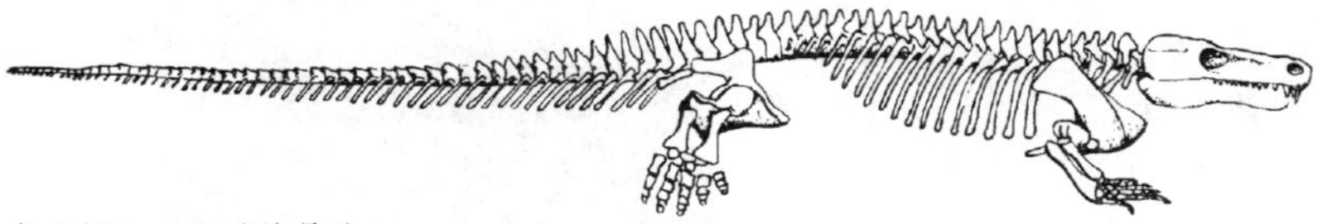

湖龙(*Limnoscelis*)的骨骼

的齿比其他的齿和内部构造的迷齿都大。在腭上也有齿。身体和尾都长,肢带粗大。活着时,四肢向体侧伸开,成匍匐的姿势(一种较原始的爬行动物的状况)。

Limoges 利摩日 法国中南部利穆赞大区的首府和上维埃纳省省会。位于巴黎西南偏南,维埃纳河右岸。利摩日曾是高卢人勒莫维瑟部族的首府和重要的罗马中心,有其自己的参议院和货币。公元3世纪圣马蒂亚勒将基督教传入该地。9世纪建立隐修院,后四周兴起城镇。直到16世纪利摩日常遭受大火、瘟疫和饥荒的蹂躏。18世纪方恢复昔日的辉煌,尤其在18世纪下半叶引进瓷器制造之后更是蒸蒸日上。当地瓷器厂已改用天然气作燃料并采用新的生产工艺。该地区还开采铀矿。其他工业有制革、棉纺织业和机械制造。利摩日是巴黎—图卢兹铁路干线上的枢纽和畜产品交易中心。名胜古迹有13世纪的圣艾蒂安教堂,14～15世纪建的圣米歇尔德利翁教堂有65米高塔楼、塔尖大铜球和15世纪彩色玻璃窗,市政博物馆收藏有大量的搪瓷器。有阿德里安-杜布谢国家陶瓷博物馆和利摩日大学(1808)。利摩日还是主教管辖区。人口137 809(1982)。

Limoges painted enamel 利摩日画珐琅 法国利摩日制作的珐琅制品,一般认为是16和17世纪欧洲制作的最精美的彩绘珐琅制品。利摩日画珐琅大部分由佩尼考、利莫赞和雷蒙等少数几个家族制作。最早的作品绘

P.库尔泰的利摩日画珐琅《丘比特与普绪喀》,16世纪中叶

美国不列颠百科全书公司供图

有晚期哥特风格的宗教图画,1520年左右出现文艺复兴式花饰,特别是在皮埃尔·雷蒙和莱昂纳尔·利莫赞的作品中。到16世纪最后25年利摩日画珐琅质量退化,珐琅制作家让和苏珊娜·德库尔都分别改变了早期艺术家们所采用的柔和协调的色调,转而采用鲜艳明亮的色彩,以追求奢华俗丽的效果。17世纪时洛丹家族垄断着这类珐琅制品的生产,成为利摩日最后一批珐琅制作师。参阅 **Limosin, Léonard**。

Limoges ware 利摩日瓷器 自18世纪起在法国利摩日出产的瓷器,大多为餐具。1736年后当地还只生产普通的彩釉陶器,直到1771年才开始生产真正的瓷器。利摩日靠近拥有法国最多的黏土和瓷石资源的圣伊里耶,工厂利用这个有利条件,于1784年成为位于塞夫尔的皇家瓷厂的分厂,两家工厂产品的外表装饰相似。1797年之后又开设了一些瓷厂,但利摩日已成为向美国大量出口瓷器的工厂,出口的瓷器称为哈维兰德瓷器,现在仍在该地生产。

Limón 利蒙 哥斯达黎加东部省份。东濒加勒比海,面积9 300平方千米。大部为沿岸低地,南部隆起并有全国最高峰奇里波山(3 819米)。雨量充沛,年降雨量2 500毫米。适种甘蔗和每年两季玉米。联合果品公司的香蕉种植园曾遍及全省,20世纪30年代受巴拿马病之害,后又引进抗病的香蕉品种。省会为利蒙。操英语的牙买加人总数逾3万。人口约153 638(1983)。

Limón 利蒙 哥斯达黎加东部利蒙省省会。濒临加勒比海的开阔锚地,港口能容纳大船,并有一条沙堤起屏障作用,1867年开始承担国际贸易。1890年与首都圣何塞通铁路,铁路沿线发展香蕉种植业。20世纪初至30年代该地区全受联合果品公司控制。曾因巴拿马病,香蕉大幅度减产,后引入抗病品种,产品回升。港口年货运量为全国各口岸之冠,占全国出口量40%,主要出口美国和欧洲。有一机场。人口约53 641(1983)。

Limón, Bahía 利蒙湾 加勒比海的天然港湾。在巴拿马运河的北端。约长7千米、宽4千米,有防波堤。停泊等候驶入运河的船只。东岸有克里斯托瓦尔和科隆姐妹城,为运河的大西洋终端。

Limón, José (Arcadio) 利蒙(1908-01-12,墨西哥锡那罗亚库利亚坎～1972-12-02,美国新泽西弗莱明顿) 墨西哥出生的美国现代舞舞蹈演员和编导。他的探索人的性格的力量和弱点的作品丰富了现代舞剧目的宝库。1930年开始师从D.汉弗莱和C.魏德曼,并成为他们舞蹈团中的主要演员,直到1940年。第二次世界大战后他创办了利蒙舞蹈团,汉弗莱任艺术指导。其第一部主要作品《摩尔人的帕凡舞》(1949)在一个庄严的宫廷舞蹈的结构之中,反映了莎士比亚《奥赛罗》中的嫉妒、愤怒和悔恨。他的许多舞蹈设计是从自然姿势发展起来的,并通过取自历史、文学和宗教的题材表达"人类的伟大、尊严和高贵"。他的舞蹈特征是具有清晰的结构和形式。其他成功作品有《米萨·勃列维斯》(1958),这部作品描绘了经过第二次世界大

美国不列颠百科全书公司供图

战轰炸的幸存者保有的持久信念。还有根据墨西哥传说编成的《危险》(1949)。他曾和P.科纳一起饰演许多主角。利蒙舞蹈团首先得到美国国际文化交流计划的资助,于1954年在南美演出。后来除参加美国每年一次的巡

回演出外，并在欧洲、中美和远东作巡回演出。他还曾为墨西哥国立舞蹈学院表演舞蹈和设计舞蹈。利蒙舞蹈团在创始人逝世后仍继续存在并在国内外演出。

limonene　苧烯　又称柠檬烯。无色液体，在松树和柑橘树的香精油中含量丰富，用作工业和民用产品的类柠檬香味剂及化学中间体。有两种异构体（有相同的 $C_{10}H_{16}$ 分子式不同的结构），使偏振光平面反时针方向旋转的异构体为 *l*-苧烯，反之为 *d*-苧烯。*d*-苧烯是提取橘汁的副产品，也存在于葛缕子油中。*l*-苧烯存在于松树的针叶和球果中。*dl*-苧烯（又名二聚戊烯）为 *l*-和 *d*-异构体的等量混合物，是松节油的组分。二聚戊烯经硫化而形成的加成物可改进高负荷润滑油的性能。工业上把 *d*-苧烯转变成具葛缕子味的 *l*-香芹酮。

limonite　褐铁矿　主要铁矿物之一，是铁的水合氧化物（$Fe_2O_3 \cdot H_2O$）。最初被认为是一系列铁的水合氧化物之一；后被认为是相当于针铁矿和纤铁矿的非晶质矿物，但是X

产自美国密歇根州艾恩伍德（左）和宾夕法尼亚州蒙哥马利（右）的褐铁矿
美国不列颠百科全书公司供图

射线研究表明，大多数所谓的褐铁矿实际上是针铁矿。褐铁矿这个名称确切地应限于指那些不纯的铁的水合氧化物（具有不定的含水量），呈胶状或非晶质。常呈褐色、土状，是其他铁矿物受到蚀变而形成的，例如赤铁矿的水化作用、菱铁矿或黄铁矿的氧化作用和水化作用。它与铁的氧化物的关系，同锰土和脂铅铀矿与锰和铀的氧化物的关系相同。

Limosin，Léonard　利莫赞（约1505，法国利摩日～约1577）　法国画家，以现实主义画珐琅肖像著名。16世纪法国利摩日最著名的画珐琅家族中卓有成就的成员。早期作品受德国文艺复兴艺术的影响，其最早作品《基督受难》的18块画珐琅饰板（1532），就是根据德国艺术家丢勒一组版画临摹的。1530年他为弗兰西斯一世作画，兼任宫廷侍从，一直到亨利二世。他为两位国王画了许多精美的珐琅肖像，其中有亨利情妇普瓦蒂埃的迪亚娜各种姿态和表情的画面。还绘制了许多盘、瓶、壶、杯和装饰画。虽然他以彩色绚丽的画珐琅最为著名，但也绘制纯灰色珐琅作品。他在当年也是一位享有盛名、造诣很深的油画家。有他署名的最后一幅作品作于1574年。其2 000幅画珐琅中，最著名的非肖像画是在1553年为巴黎圣沙佩勒教

利莫赞绘画珐琅肖像《蒙莫朗西公爵》
美国不列颠百科全书公司供图

堂作的两套奉献匾，每套23块饰板（现存罗浮宫）。

Limousin　利穆赞　法国大区，包括法国中部的科雷兹、上维埃纳、克勒兹诸省。幅员相当于前利穆赞省。首府利摩日。全区面积16 942平方千米。利穆赞得名于勒莫维瑟部落，在该部落辖下时为高卢的一个邦。约公元前50年起，该邦处于罗马人控制下，为阿基塔尼亚行省的一部分。在墨洛温王朝（6～8世纪）统治下，勒莫维瑟区为诸王所争夺；在加洛林王朝（8～10世纪），属阿基坦王国。从墨洛温时代至12世纪时，其寺院，尤其是利摩日的圣马蒂亚勒，为主要文化中心。10世纪时，利穆赞分割为若干封建单位。11世纪中叶，利摩日、贡博恩、蒂雷讷和旺塔杜尔的子爵们控制了其余领土，并承认阿基坦公爵为霸主。12～15世纪，利穆赞为英、法争夺之地。在百年战争（1337～1453）期间，根据《加来条约》（1360），利穆赞割让给英格兰，1370～1374年为法国国王查理五世收复。当利摩日子爵领地并入王家领地（1607），以及1738年购得蒂雷纳后，便由王家直接管辖。利穆赞行政区成立于17世纪，疆域大不如前，仅有4个中世纪子爵领地。20世纪60年代，将大革命以来已有的3个省合并成利穆赞大区。利穆赞位于中央高原，属海洋性气候，年降雨量750～1 200毫米。1891～1980年，人口减少了1/3以上。青年离乡者渐多，导致农田合并，荒芜或遗弃的耕地扩大。人工营造林增多。畜牧业占主要地位。南部种植小麦和饲料。除利摩日有汽车和电器设备生产外，工业不发达。上维埃纳省的加尔唐普河畔贝西讷为法国最主要铀矿产区。多尔多涅河的水力发电向外输出。利穆赞有公路通巴黎和图卢兹；铁路通往波尔多、克莱蒙费朗和里昂。利穆赞旅游业不发达，仅集中在科雷兹地区东部。人口710 939（1999）。

limpet　帽贝　腹足纲前鳃亚纲海产贝类，体扁平，多附着在海边岩石上。美国普见种是大西洋笠贝（*Acmaea testudinalis*），生活于冷凉水域，不列颠和北欧常见种是普通帽贝

普通帽贝（*Patella vulgata*）与藤壶（*Balanus balanoides*）
美国不列颠百科全书公司供图

（*Patella vulgata*）。钥孔蝛（钥孔帽贝，属于钥孔蝛科［Fissurellidae］）的螺壳尖端有一缝或孔。肺螺亚纲一些半咸水和淡水种类亦称帽贝。关于履帽贝，参阅 **slipper shell**。

limpkin（*Aramus guarauna*）　**秧鹤**　又作 courlan 或 crying bird。美洲热带地区产的大型沼泽鸟类，鹤形目秧鹤科的唯一一种。体长约70厘米，褐色而具白斑。主要特征为响亮、悠长而凄厉的叫声和特有的跛行步伐，故英文名意为"瘸鹤"。分布于美国东南部、波多黎各、拉丁美洲向南到阿根廷中部的低地。栖息于林缘的河流、河湾、泥沼和开阔的草沼，有时栖于高地上，在那里大步跨过灌丛或栖息在树上。飞行姿势似鹤，凹形短翅慢慢拍动，颈伸直，腿向后伸。食软体动物、甲壳类、水生昆虫、蛙和蠕虫。在佛罗里达大沼泽地，主要食大型淡绿色的球螺属（*Ampullaria*）

秧鹤（*Aramus guarauna*）
美国不列颠百科全书公司供图

贝类，把螺带回巢或素常进食的地点后用一只脚紧紧按住，再用喙连续几次有力地敲击，然后将喙伸入螺壳的开口部将螺体拖出食之。巢大多筑于灌丛或矮树中以及水上或水边的矮树上，由树叶、嫩枝和网树花（一种地衣）组成。每窝产4～6枚卵，偶尔产8枚，卵淡黄色，杂以褐色或黄灰色。

Limpopo River　林波波河　非洲东南部河流。发源于南非威特沃特斯兰德的鳄鱼河，流向东北转东，经过1 800千米流程，注入印度洋。从源头向北流至马加利山，出山口穿过

富庶的盆地至开阔的花岗岩地区。接纳马里科河后称为林波波河。继而转向东北流，形成德兰士瓦和博茨瓦纳之间400千米长边界并接纳数条季节性支流。出德兰士瓦-津巴布韦边界后接纳沙谢河，再流240千米至莫桑比克进入瀑布线。在43千米长急流中，特别是在马拉拉、基凯凯等处落差250米。距海岸209千米与象河汇流处以下河段才通航。部分地段有沙洲，只在涨潮时沿海汽船能驶入。距河口100千米的吉雅附近建有水坝。林波波河下游和中游最能反映气候变化：冬季干成一系列水塘，夏季大水泛滥。第一个到达林波波河的欧洲人是伽马，1498年他的船只停靠在林波波河河口外。厄斯金1868～1869年对其下游进行探测。埃尔顿船长1870年到过其中游。

Lin, Maya 林璎（1959-10-05，美国俄亥俄阿森斯～　）美国建筑师和雕塑家，以设计美国首都华盛顿的越战退伍军人纪念碑而闻名。父母都是1948年逃离中国的知识分子。1981年毕业于耶鲁大学，她在该校攻读建筑学和雕塑。大学四年级时，越战退伍军人纪念碑基金举办一次全国比赛，要求设计一座纪念碑来纪念在越南战争中服役和牺牲的美国军人。她的设计包括一座用抛光黑色花岗岩砌成的V字形墙，上面铭刻着近58 000名在战争中牺牲或失踪的美国男女士兵的名字。该项设计引起极大的争论。最终达成妥协，在纪念碑的入口处耸立着3个美国军人和一面旗帜的传统塑像。纪念碑落成后，成为一个吸引和感动人们的旅游景点。林璎不想引人瞩目，她回到了学术界，在哈佛大学读建筑研究生。1983年初离开哈佛，为一个波士顿建筑师工作，1986年在耶鲁大学拿到了硕士学位。1988年同意为南方贫穷法律中心设计美国民权运动纪念碑。她的设计包括两个要素：一道弯曲的黑色花岗岩墙，上面铭刻着马丁·路德·金的语录；一个直径3.7米的圆盘，上面记载着民权运动时代的主要事件以及为民权事业牺牲的40位烈士的名字。水静静地同时流过纪念碑这两个部分。1989年11月，民权运动纪念碑在亚拉巴马州的蒙哥马利落成。1995年一部关于她的纪录片获奥斯卡最佳纪录片奖。

Lin Biao 林彪（1907-12-05，中国湖北黄冈～1971-09-13，蒙古温都尔汗）又拼Lin Piao。原中国共产党第八、九届中央委员会副主席，原国务院副总理。原名林育蓉。1925年在广州黄埔军官学校加入中国共产党。1926年参加北伐战争，在叶挺独立团任排长。1927年参加了中国共产党领导的“八一”南昌起义，后随军进入井冈山革命根据地。土地革命战争时期，先后任中国工农红军的营长、团长、纵队司令员、军长、军团长等职。参加过位于江西东南部和福建西部的中央革命根据地第一至五次反“围剿”作战和红一方面军的长征。到达陕北后，任中国抗日红军大学、抗日军政大学校长。抗日战争爆发后，任八路军第一一五师师长，同聂荣臻等在山西东北部指挥过平型关战役。1938年赴苏联就医，1942年1月回国。解放战争时期，先后任东北民主联军总司令，东北军区、第四野战军、华中军区司令员等职，参与指挥辽沈、平津等战役。中华人民共和国建立后，曾任中央人民政府委员、中南军政委员会主席、中

中国大百科全书出版社供图

央人民政府人民革命军事委员会副主席、国务院副总理、国防部部长、中共中央军委副主席、中共中央副主席等职。1955年被授予中华人民共和国元帅军衔。文化大革命期间，他组织反革命集团，同江青反革命集团互相勾结，有预谋地大规模地诬陷迫害党和国家领导人，阴谋夺取党和国家的最高权力。1971年9月8日，他下达武装政变手令，妄图杀害中共中央主席毛泽东。在毛泽东、周恩来领导下，中国共产党粉碎了这次政变。阴谋败露后，他于1971年9月13日和妻子叶群、儿子林立果等人仓皇乘飞机出逃，叛党叛国，在蒙古温都尔汗地区机毁人亡。1973年8月20日，中共中央决定开除其党籍。1981年1月23日，中华人民共和国最高人民法院特别法庭确认其为林彪反革命集团案主犯。

Lin Boqu 林伯渠（1886-03-20，中国湖南临澧～1960-05-29，北京）中国共产党第七、八届中央政治局委员，第一、二届全国人民代表大会常务委员会副委员长。名祖涵，号邃园。

中国大百科全书出版社供图

早年就读于湖南公立西路师范学堂。1904年留学日本东京弘文学院，1905年加入同盟会。次年回国后在长沙、吉林等地进行革命活动。1911年辛亥革命后，推动湖南新军响应武昌起义。1913年参加二次革命，事败逃亡日本，次年加入中华革命党。1915年参加护国运动，任湖南护国军总司令部参议。1917年参加衡阳起义，任湖南护法军总司令部参议，后任湖南省财政厅厅长。1920年任孙中山大元帅府参议。1921年1月参加上海共产主义小组。次年以共产党员个人的身份加入中国国民党。1923年1月任国民党中央总务部副部长，协助孙中山改组国民党。1924年1月，在国民党第一次全国代表大会上当选为中央执行委员会候补委员，任农民部部长，参与创办广州农民运动讲习所，并协助孙中山维护“联俄、联共、扶助农工”三大政策，推动国共合作。1925年8月廖仲恺遇刺后，递补为国民党中央执行委员会常委兼农民部部长。1926年参加北伐，任国民革命军第六军副党代表兼政治部主任，协同程潜等率该军攻占南昌、南京等地。次年3月，在国民党第二届三中全会上当选为中央政治委员会常务委员，旋任武汉国民政府军事委员会秘书处处长。第一次国共合作破裂后参加南昌起义，任革命委员会委员兼财务委员会主席。1928年秋，经日本赴苏联，在莫斯科、海参崴学习、工作。1932年回国，次年进入江西中央苏区，任中华苏维埃共和国临时中央政府国民经济部长、财政部长。1934年10月参加长征，任红军总供给部部长等职。到达陕北后，任红军驻西安联络处总代表等职。1937～1948年，任陕甘宁边区政府主席。抗日战争期间，他多次参加中共代表团赴重庆同国民党谈判，并代表中共参加国民参政会任参政员。1938年后曾当选为中共中央委员、政治局委员。1949年参加北平的国共和平谈判。中华人民共和国建立后，历任中央人民政府秘书长，第一、二届全国人民代表大会常务委员会副委员长，中共第八届中央委员、中央政治局委员。

Lin Fengmian 林风眠（1900-11-22，中国广东梅县～1991-08-12，香港）中国现代画家、美术教育家。原名凤鸣。父亲林雨农为民间画师。幼年从临摹《芥子园画传》入手学国

林风眠绘《鸡冠花》
中国大百科全书出版社供图

画。18岁中学毕业赴上海，1919年12月由留法俭学会选送赴法国，1920年先入第戎国立美术学院，同年10月入巴黎国立高等美术学校柯罗蒙画室学油画。此间他受第戎美术学院院长、雕刻家耶希斯的启发经常到巴黎东方博物馆和陶瓷博物馆研究中国艺术传统。1923年游学德国，创作《柏林咖啡馆》、《摸索》等油画。1924年5月，参加在斯特拉斯堡举办的中国美术展览，结识蔡元培。1925年秋与第戎美术学院雕塑系学生阿里斯·瓦蒂奥尔（Alice Vatiaur）结婚；冬，应蔡元培之聘，偕夫人回国，任北京国立艺术专门学校校长兼教授。1927年辞职赴上海，应国民政府大学

院院长蔡元培之聘，任大学院艺术教育委员会主任。1928年创办杭州国立艺术院，任院长兼教授，翌年创作大幅油画《人道》、《痛苦》。1938年杭州艺术专科学校与北平艺术专科学校合并，林风眠被委任为主任委员，不久辞职，1939～1945年在重庆潜心创作。1946年重任杭州艺专教授，1952年退职居上海，曾任中国美术家协会上海分会副主席。1962～1963年先后在北京、上海举行画展获得巨大成功。1964年开始遭到批判，文化大革命期间被拘禁4年，许多作品被毁。1977年去巴西探望妻女，其后定居香港，曾先后在香港、巴黎、台北和东京举办画展。林风眠是中国现代美术史上最重要的美术教育家之一，他培养了包括李可染、王朝闻、吴冠中、赵无极在内的一批卓有建树的美术家。他在绘画理论与实践的创造性上，在融合中西画法、革新中国画等方面所进行的探索都具有划时代的意义。

Lin-kuei（China） **临桂** 参阅**Guilin**桂林。

Lin Lanying **林兰英**（1918-02-07，中国福建莆田～2003-03-04，北京） 中国女物理学家、材料科学家。1940年于福州协和大学物理系毕业后，留校任助教、讲师。1948年赴美，在卡莱城狄金逊学院攻读数学，获学士学位（1949），后去宾夕法尼亚大学学习固体物理，1951年获硕士学位，1955年获博士学位。同年11月，入索尔凡尼亚公司任高级工程师，主管半导体材料的物理特性研究。其间，她的论文《硅的欧姆接触的制备》等被列为美国的专利技术。1957年回国，入中国科学院应用物理所（今物理研究所）任半导体材料组组长，1960年调任半导体研究所材料研究室主任，1977年任副所长。1980年当选为中国科学院技术科学部常务委员；同年起任中国科学技术协会副主席。林兰英在研制半导体材料方面的主要成就有：①与王守武合作研制成中国第一根锗单晶（1957）；②领导研制小组，采用高真空法，拉制成中国第一根硅单晶（1958）；③研制成中国首台单晶炉，并用此拉制成无位错硅单晶（1962）；④为中国第一颗人造地球卫星用的硅太阳能电池提供N型高电阻率、高少数载流子寿命的硅单晶，并开创了区熔硅单晶及硅外延的工艺；⑤研制成中国首批锑化镓、锑化铟、砷化铟等多种半导体材料（60年代中前期）；⑥消除硅单晶中的微缺陷，使直拉无位错、无漩涡硅单晶的成品率达80%；⑦开创离子束薄膜技术研究，研制成双束合成低能离子束外延实验机（1987）；⑧制成高质量、高纯度的砷化镓单晶（1981）；⑨利用中国的返回式卫星，开展太空生长砷化镓单晶材料的研究。她多次获中国科学院科技成果一等奖、科技进步一等奖和国家科技进步二等奖等奖励。

Lin Qiaozhi **林巧稚**（1901-12-23，中国福建厦门～1983-04-22，北京） 中国著名妇产科专家。1929年毕业于北平协和医学院，获美国纽约州立大学医学博士学位。后受聘为协和医院妇产科第一位女医师。1932年和1939年，先后在英国曼彻斯特与伦敦大学医学院、美国芝加哥大学医学院留学。太平洋战争爆发后，因协和医院被日军侵占，在北平自行开业，后入中和医院，并在北大医院任妇产科主任教授。1948年5月回到协和妇产科，直至

中国大百科全书出版社供图

退休。她曾主编《妇科肿瘤》，著有《小儿宫内呼吸》、《绒毛膜上皮癌和葡萄胎的诊断处理》等论文。她为新生儿溶血症静脉换血治疗的成功填补了医学科学的一项空白，用中西医结合治疗各种原因不孕症享誉海内外。她是中国科学院学部委员、美国自然科学荣誉委员会会员。她医术精湛、医德高尚，为世人敬慕，在她故乡厦门鼓浪屿建有"林巧稚毓园"和"林巧稚纪念馆"。

Lin Shu **林纾**（1852-11-08，中国福建福州～1924-10-09，北京） 中国翻译家、文学家。字琴南，号畏庐，别署冷红生。福建闽县（今福州）人。1882年中举人。1897年任苍霞精

中国大百科全书出版社供图

舍中学堂汉文总教习，并与王寿昌合译《巴黎茶花女遗事》，同年冬出版诗集《闽中新乐府》。1901年在北京任金台书院讲席，又受五城学堂之聘，结识桐城派古文家吴汝纶；同年与助手魏易合译《黑奴吁天录》。1906年在京师大学堂任经文教员。1910年出版《畏庐文集》。民国建立后，林纾以清王朝遗老自居。1913年出版小说《京华碧血录》、《践卓翁短篇小说》，1916年出版《畏庐续集》。1919年作小说《荆生》、《妖梦》，反对白话文，影射新文化运动领导人陈独秀、胡适等人。1922年出版《畏庐诗存》。1923年撰《续辨奸论》，抵制五四运动影响。林纾先后翻译英、美、法、德、俄、瑞士、比利时、西班牙、挪威、希腊和日本等国小说180多种，不少是世界名著。他不通外文，全凭他人口述进行翻译，译时往往下笔如飞，文不加点，常有传神之笔，但对原作常有增删改动。后期翻译则显得老手颓唐，色彩枯暗。林纾在早期翻译家中影响很大，在传播西方文学方面有重要贡献。

Lin Tse-hsü（Chinese leader） 参阅**Lin Zexu** 林则徐。

Lin-tzu（China） 参阅**Linzi**临淄。

Lin Yanggang **林洋港**（1927-6-10～ ） 中国台湾政治家，中国国民党中央副主席。台湾省南投县人，出身于农家。1951年毕业于台湾大学法学院政治系。早年服务于南投县政府，历任课员、课长和秘书。1964～1967年任中国国民党云林县党部主任委员。1967年参加竞选南投县长当选。在5年多的任期中，将地处偏僻的南投县建设成为台湾模范县之一。1972～1976年出任台湾省政府建设厅长，任内促成全省自来水统一经营，并彻底整顿农田水利会。1976年调任台北市长，致力于改善市区交通、兴建翡翠水库及推动信义计划等工作。1978年转任台湾省政府主席，注重改善地方财政，推行基层建设。1981年调任内政部长，任内创立警察济助金制度，拟定劳动基准法。1984年升任行政院副院长，兼行政院香港小组（今港澳小组）和环保小组召集人。1987～1994年出任司法院长，致力于革新狱政、维护司法独立。曾任中国国民党中央委员、中央常务委员、副主席。著有《政治与人生》（1992）。

Lin-yi（ancient Indochinese kingdom） **林邑** 参阅 **Champa** 占婆。

Lin Yutang **林语堂**（1895-10-10，中国福建龙溪～1976-03-26，香港） 又拼 Lin Yü-t'ang。中国现代作家、学者。原名和乐，改名玉堂，后又改名语堂。福建龙溪（漳州）人。父亲是基督教牧师，自幼深受西方思想文化的影响，1912年入上海圣约翰大学，毕业后到清华学校任英语教师。1919年赴美国留学，后又到德国。曾获哈佛大学文学硕士、莱比锡大学语言学博士学位。1923～1926年任北京师范大学讲师、北京大学教授、北京女子师范大学教务长。在此期间他参加文艺团体语丝社，写过抨击黑暗社会和北洋政府的文章，后

中国大百科全书出版社供图

编成《剪拂集》（1928）出版。1927年3月至汉口，任国民政府外交部秘书，7月到上海专事著述，并在中央研究院工作。1932年创刊《论语》半月刊，1934、1935年办《人间世》、《宇宙

风》半月刊，提倡“幽默”、“闲适”的“性灵文学”，宣扬小品文要“语出性灵”、“常谈琐碎”。这些刊物在社会上有一定影响，但受到左翼作家的批评。1936年移居纽约。曾用英文出版《吾国与吾民》(1935)、《生活的艺术》(1937)等著作，以及《京华烟云》(1939)、《风声鹤唳》(1941)等长篇小说，在西方有相当影响。1947年在联合国教科文组织工作。1950年回到美国后，陆续出版了《英译重编传奇小说》(1952)、《朱门》(1953)、《远景》(又名《奇岛》，1955)、《英译庄子》(1957)、《武则天传》(1957)等译著。1958年回台湾讲学。1966年曾为台湾中央社特约专栏撰稿。同年6月自美返台湾定居。1967年任香港中文大学研究教授，主持词典编译工作，1972年完成《当代汉英词典》。1975年任国际笔会副会长。次年病逝香港。

Lin Zexu 林则徐(1785-08-30，中国福建侯官[今福州]～1850-11-22，广东潮州) 又拼Lin Tse-hsü。中国清末爱国的政治家。字少穆。1811年进士。与龚自珍、魏源等提倡经世致用之学。历任河东河道总督、江苏巡抚、湖广总督。鸦片战争时期极力主张严禁鸦片，抵抗西方资本主义国家侵略。1838年提出禁止吸鸦片烟办法，在两湖地区取得成效。9月上书道光帝，力主禁烟。旋受命为钦差大臣，赴广东查禁鸦片。1839年3月10日到广州后即派人编译《四洲志》，研究当时西方国家情况，并巡视沿海炮台，命水师提督关天培整兵严备。与两广总督邓廷桢协力查办鸦片走私商，令英美烟贩缴出全部鸦片2万余箱(其中美商1 000余箱)，共计2 376 254斤，在虎门海滩销毁。事后积极筹备海防，屡次击退英军挑衅。1840年1月接替邓廷桢为两广总督。6月英国发动侵略战争，攻占定海，北犯大沽。道光帝下诏斥责林则徐禁烟办理不善，革职。次年派赴浙江筹划海防，不久充军新疆，在新疆期间兴办水利，垦田3.4万余顷。1845年重新起用，历署陕甘总督、陕西巡抚、云贵总督。1849年因病辞职回籍。次年受命为钦差大臣、广西巡抚，赴广西镇压农民起义。赴任途中在潮州普宁(今广东普宁北)病逝。谥文忠。著有《云左山房文钞》、《云左山房诗钞》、《使滇吟草》等，所遗奏稿、公牍、日记、书札等辑为《林则徐集》。

Linaceae 亚麻科 亚麻目(Linales)的一科，约14属草本植物或灌木，遍布世界。亚麻属(*Linum*)包括**亚麻**(**flax**)，系本科最重要的属，可栽植以取亚麻纤维和**亚麻籽**(**linseed**)油，或供庭园观赏。黄亚麻属(*Reinwardtia*，石海椒属)植物多为低矮灌木，在气候温暖的地区植于温室或室外。印度黄亚麻(*R. indica*)以在晚秋早冬盛开大型黄花著名。

Linacre, Thomas 利纳克尔(约1460，英格兰肯特坎特伯雷～1524-10-20，伦敦) 英格兰医师、古典派学者，伦敦皇家内科医师学会的创始人及第一任会长。1496年获帕多瓦大学医学博士学位。1509～1520年任亨利八世的医生。他在伦敦行医十分成功。经他治疗的有D.伊拉斯谟、T.莫尔及枢机主教沃尔西等。因为担心理发师、教士及其他想要行医的人任意开业，亨利八世于1518年致函利纳克尔，授权他建立一个正规内科医师组成的机构来决定谁能在大伦敦行医。该机构(伦敦皇家内科医师学会)也具有在全国考核和授予内科医师执照的权利，有权对除牛津和剑桥大学的毕业生以外的违犯者罚款或判刑。1520年任天主教司铎，停止行医。

Linares 利纳雷斯 智利中部马乌莱区利纳雷斯省省会。位于肥沃的中央盆地。初建于1755年。1875年用现名。现为商业和农业中心，经营葡萄、谷物、水果、蔬菜和牲畜贸易。有乳品厂、皮革厂和面粉厂。有泛美公路和南北铁路干线经过该市。支线通帕尼马维达温泉。人口：城市区约70 528(1990)。

Linares 利纳雷斯 西班牙南部安达卢西亚自治区哈恩省中北部城镇。在瓜达利马尔河西北，莫雷纳山南麓。经济以采矿和生产火药、炸药、爆破器材和绳索等为主。当地产铅的质量甚高。1947年，西班牙著名的斗牛士马诺来特死于当地的斗牛场。人口57 796(2001)。

Linchuan 临川 中国江西省抚州市辖区。位于省境东部，抚河中游。东汉永元八年(公元96)开始建县，初称临汝。三国吴太平二年(257)为临川郡治所。隋开皇九年(589)改临川郡为抚州，改临汝县为临川县，为抚州治所。宋、元时制瓷业发达，名“临川窑”。明初为抚州府治所。1912年废府存县。1954年以临川县部分地区设抚州市，1964年撤销抚州市并入临川县，1968年复置抚州市。1987年又撤销抚州市，与临川县合并设置临川市。2000年撤县级市，改设抚州市临川区。面积2 121平方千米。临川是赣东交通枢纽，水陆交通方便，浙赣铁路支线通车后，成为赣东和赣南物资集散中转地。1949年前仅有小型碾米作坊及手工业，到20世纪90年代初，已新建农机、建材、造纸、纺织、化工、食品等工业部门。境内多平原，土壤肥沃，气候湿润，水渠交错，盛产水稻、油菜籽、棉花、大豆、黄麻、西瓜、柑橘等。为江西省商品粮基地。生猪饲养居全省之冠。为宋代著名文学家王安石、元代地理学家朱思本、明代剧作家汤显祖的诞生地，有“才子之乡”的美称。文昌桥为著名的宋代石桥。青莲山温泉为疗养胜地。人口1 040 000(2005)。

Lincoln 林肯 英格兰林肯行政、历史郡一个区和城市。面积36平方千米。海拔60米，为一主要农业区的集市中心和英国东部公路、铁路干线枢纽。有包括食品加工业在内的为农业服务的各种行业和重型机械制造业。原为罗马重镇。丹麦人统治时期，为东英格兰五个自治市之一。中世纪曾是英格兰主要城镇之一。1154年亨利二世授予该市特许状。13世纪末成为繁荣的商业城镇，经营羊毛、皮革等的贸易。名胜古迹多为中世纪

林肯市的林肯大教堂
美国不列颠百科全书公司供图

建筑，有林肯城堡(1068)、大教堂(诺曼时期)和多边形查普特宫(1225)等。人口约85 616(2001)。

Lincoln 林肯 美国伊利诺伊州中部城市，洛根县县城。1853年创建。1857年设建制。以美国总统林肯之名命名。是林肯在世时唯一得到林肯首肯以其名字命名的美国社区。现为附近富饶农业区所产粮食、家禽和牛的销售中心。经济以农业为主，也有玻璃器皿、化妆品、电控制器和服装等轻工业。设有林肯初级学院(1865)、林肯发展中心(弱智儿童学校)和基督教林肯学院(1944)。附近有州立雷尔斯普利特公园。人口15 369(2000)。

Lincoln 林肯 美国内布拉斯加州首府，兰开斯特县县城(1869)。在州的东南部。1859年规划时名为兰开斯特。为纪念林肯总统改称现名。至19世纪90年代该市有19条铁路

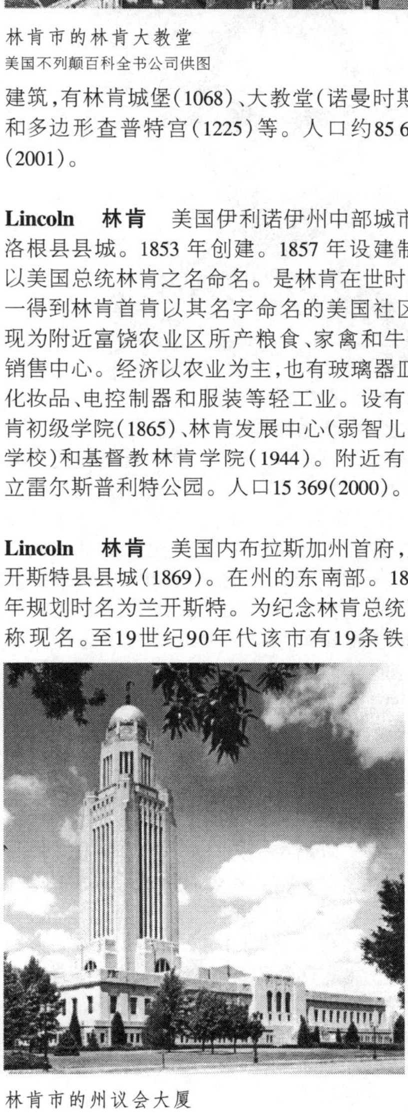

林肯市的州议会大厦
美国不列颠百科全书公司供图

通过，火车修配和机车制造成为最重要的工业。1869年建市，1887年为一级市。该市处于广大农业灌溉区，为主要粮食市场，有谷类加工业、粮仓、肉类加工业、农业设备经销业。制造业有橡胶产品、农机、电话器材、砖、药品等。保险业对该市经济十分重要，现为保险业中心。有30多家公司在此设立总部。设有数所专科医院、教养机构等政府经营的机构。设内布拉斯加大学(1869)、联合学院(1891)、内布拉斯加威斯来因大学(1887)。在内布拉斯加大学校园内有几个著名的博物馆

和美术馆。内布拉斯加艺术协会、林肯交响乐团、林肯社区剧院是文化团体中的代表性机构。1932年建成的州议会大厦，主楼在两层基础上高达120米，为林肯市主要景观。1937年州议会在此举行会议，决定成为一院制议会(美国唯一的)。内布拉斯加国家森林和奥加拉拉国家草原均设管理局于此。人口：市225 581；都会统计区250 291(2000)。

Lincoln，Abraham　林肯(1809-02-12，美国肯塔基霍金维尔～1865-04-15，华盛顿[哥伦比亚特区])　美国第16任总统。他在美国南北战争期间保卫了合众国，并带来奴隶的

美国国会图书馆供图

解放。在美国的英雄豪杰当中，林肯对于本国同胞以及他邦人民仍然具有无与伦比的感染力。这种力量来源于他那不同凡响的生平历史(从寒微中脱颖而出和富有戏剧性的死亡)，来源于他那特别突出的仁爱与同情的性格，也来源于他在拯救祖国和解放奴隶方面所起的历史作用。特别是由于作为民主政治代言人的雄辩才能，他的重要性不但经久不衰，而且日益增大。在他看来，合众国所以值得挽救，不仅因其本身的缘故，而且因其体现民主政治的理想，这一理想对于全世界人民都是十分重要的事情。因此，他的感染力的持久不变具有普遍的性质。

生平　1809年2月12日生于肯塔基州霍金维尔以南约3英里的一个边远蛮荒林区的小木屋里。两岁时被带到邻近的诺布溪谷的一个农场。他最早的记忆就是这个家，特别是有一次骤然来了洪水，把他帮助父亲播下的玉米和西葫芦种子全都冲走。父亲托马斯·林肯是1637年从英格兰移民到马萨诸塞的一个织工学徒的后裔，他虽然远远不及几位同族先祖富足，但是一个坚韧不拔的拓荒者。1806年6月12日，他同南西·汉克斯结婚。汉克斯一家的系谱已难确考，但南西看来是个私生女。对她的描写是“驼背，平胸，皮肤色深”，并且对宗教虔诚。他们生有3个孩子；萨拉、亚伯拉罕和托马斯(幼年夭折)。

童年和青年时代　1816年12月，托马斯·林肯因他在肯塔基州的农场为所有权问题发生诉讼，就带领全家移往印第安纳州的西南部。在那里，作为公有土地的一名“擅自占有人”，他匆促搭起一个“半面窝棚”——用原木和粗树枝构成，十分简陋，一边完全敞着。全家呆在窝棚里，前面烧着很旺的篝火。不久以后，他修了一个永久性小木屋。后来，他买下了小木屋所在的土地。亚伯拉罕帮助清理田地和照料庄稼，但是从小就不喜欢打猎和捕鱼。他在晚年曾经回忆“美洲豹的尖叫”、“捕食猪的”熊，以及印第安纳边疆生活的贫困——“有时连饭都吃不上”。刚刚度过极为不幸的童年时代，母亲又于1818年秋天弃世。一个衣衫褴褛的9岁孩子，眼看着母亲在森林中下葬，然后面临一个失去母爱温暖的冬天。幸运的是，在第二个冬天开始以前，父亲从肯塔基州给他自己带回来一位新妻子，给孩子们带回来一位新母亲。萨拉·林肯原是寡妇，自己有一男二女。她精力充沛，有用不完的热情。她主持家务不偏不倚，对待两伙孩子全如亲生。不过，她对亚伯拉罕特别喜爱起来，亚伯拉罕也喜爱她，后日谈到她时称她为“天使母亲”。

这位继母毫无疑问鼓舞了林肯读书的兴趣，不过，他的学习欲望的源泉依然是个谜。他的父母都是几乎完全的文盲，他本人受过很少的正式教育。他有一次说，在少年时代，他的上学是“零敲碎打”，即现在去几天，过些日子再去几天，总共加起来，他的全部上学日数还不超过一年。他的邻居后来回忆起他是怎样常常跑几公里路去借一本书。不过，根据他本人的陈述，他幼年的环境“绝对没有任何事物刺激受教育的雄心壮志。当然，在我成年的时候，我知道的东西不多。我总算能读、能写、算术达到使用比例的程度。但是，仅仅如此而已”。年轻的林肯显然没有读过大量的书，然而把他所读的几本完全吸收了。其中包括P.威姆斯的《乔治·华盛顿的生平和轶事》(内有短柄小斧和樱桃树的故事)、《鲁宾逊飘流记》、《天路历程》和《伊索寓言》。他从很小的时候起就一定相当熟悉《圣经》，因为，毫无疑问，这是他家所有的唯一的一本书。

1830年3月，林肯一家进行第二次大迁移，这回是去伊利诺伊州，由林肯本人赶着牛车。这时他刚满21岁，正准备开始独立生活。他身高1.93米，骨瘦如柴，又长又细，但是体格强壮，很有把力气。他挥动斧子的技巧和劲头特别出名。他讲话带有边远蛮荒地区方言的鼻音，走路大步流星，又是平足，举止是庄稼汉的那种小心谨慎。性情温和，但有点喜怒无常。善于模仿和讲故事，很容易交朋友。他迟早还会显示出他所具有的其他一切天赋。

到达伊利诺伊州之后，林肯不想当农民，试着去干各种不同的工作。作为一个“劈木人”，他协助父亲清理新农场和围起篱笆。作为一个平底船船夫，他顺密西西比河而下，直达新奥尔良(这是他第二次去那个城市，第一次是1828年，当他还住在印第安纳州的时候)。回程中，他到桑加蒙河畔约有25户人家的村庄新塞勒姆定居。在那里，他时而开小铺。时而管邮政，时而当土地测量员。1832年发生黑鹰战争时，他自愿入伍，当选为他那一小队的队长。后来他开玩笑说：在这次战争期间，他不曾看到“活蹦乱跳、勇于战斗的印第安人”，而是有过“无数次与蚊子的大血战”。同时，他渴望当议会议员，第一次尝试失败了，而后来则一再重新选入州议会。他本想以打铁为业，但是最后决定从事法律工作。他已经自学了语法和数学，现在开始研究法律书籍。1836年通过律师考试，正式开业。

草原律师　次年，林肯迁往伊利诺伊州的新首府斯普林菲尔德。这里给一位律师提供的机会比新塞勒姆多许多倍。最初，他与J.斯图尔特合伙；随后与S.洛根合伙；最后，从1844年起，以W.赫恩登为合伙人。论年岁，赫恩登比林肯小将近10岁，但读的书比较多，出庭时讲话比较动听，一般说来，观点有些过激。尽管如此，正如过去任何时候这类的人间安排一样，他们的合伙似乎近于完美无缺。林肯和赫恩登对他们的律师业务很少记载，不管是谁经手办案收进费用，都是平分，他们似乎没有为钱吵过架。

林肯移居斯普林菲尔德以后，没有几年，他的年收入就从1 200美元增加到1 500美元，在那时候，州长的年薪为1 200美元，巡回法院法官的年薪只有750美元。他必须苦干。为了保持一身不闲，他觉得不仅要在首府从事律师业务，而且要在法院巡回时随着一起去转。每年春秋两季，他要骑着马或乘四轮马车出发，在人烟稀少的大草原上跋涉好几千千米，从一个小县城到另一个小县城。案件大多很小，收费无几。

铁路通车，特别是1850年以后，使得行路方便一些，业务收入也多了一些。林肯替伊利诺伊州中央铁路进行游说活动，协助该铁路取得州政府许可证，从那以后，他受聘为该铁路的常任律师。当麦克莱恩县竭力要对铁路公司的财产课税时，他为公司辩护得以胜诉。事后，他得到从事律师业务以来单个案件最高的报酬——5 000美元(为了收这笔费用，他不得不控告伊利诺伊州中央铁路)。他还为其他一些铁路、银行、保险公司、商行和工厂办理案件。在他一次出庭辩护最精彩的表演中，他拯救了罗克艾兰大桥，这是横跨密西西比河的第一座桥，当时受到河上运输业者的威胁，他们要求把桥拆除。林肯的业务包括许多专利权诉讼和刑事审判案件。他的一次最有效和最著名的辩护，是处理一个谋杀案件。一个证人声称，他在月光之下曾经看见林肯的熟人D.阿姆斯特朗参加杀人。林肯用历书作证，说那天夜里极暗，证人不可能清楚地看见任何东西。他那真诚而动人的申诉使得委托人无罪获释。

林肯开始在全国政治中占有显著地位的时候，他当律师已有20年左右的历史，为伊利诺伊州最卓越和最成功的律师之一。他所以大名鼎鼎，不仅由于头脑敏锐和经验丰富，永远能够抓住任何法律案件的实质，而且由于始终公正和绝对诚实。

私生活　在新塞勒姆居住时，林肯与A.拉特利奇相识。显然他很喜欢她，当她1835年以19岁的妙龄早逝的时候，他肯定同整个社区一道哀伤悲痛。后日传说亚伯拉罕和她有一大套浪漫故事，但这些故事缺乏可靠的历史根据。拉特利奇小姐去世一年以后，林肯半心半意地向M.欧文斯求婚。欧文斯小姐推断说，林肯“缺乏用以制成女子幸福链条的那些小环节”。她拒绝了他的求婚。

迄今所知，林肯一生中的第一位和唯一真正的情人是M.托德。托德小姐精神高尚，

富于机智，受过良好教育，肯塔基州的名门出身，她在斯普林菲尔德的亲属属于该城的社会上层。有几个亲属对她同林肯的结合大皱眉头，而林肯本人有时也怀疑究竟他能不能使她得到幸福。尽管如此，他们订婚了。后来，在1841年的一天，按林肯的回忆为"致命的元旦"，显然是由他发起，两人解除了婚约。此后一段时间，他被一种可怕的抑郁沮丧的情绪压倒了。最后两人和好，于1842年11月4日结婚。他们生了4个孩子，全是男孩。长子罗伯特·托德勉强活到成年，他从来不很亲近父亲。次子爱德华·贝克将满4岁时死去，三子威廉·华莱士11岁夭亡。四子托马斯，爱称"塔德"，有颚裂，口齿不清，很得林肯宠爱，他活过了父亲。儿子们的教养主要依靠他们的母亲，母亲对待他们时而严时而宽。

据现存的信件表明，林肯夫妇均热情关怀孩子们的行动和幸福，两个人形影相随，一分开就互相惦念。正如世间大多数配偶一样，林肯夫妇也有他们的家庭争端，有时达到脸红脖子粗的程度。不过，毫无疑问，当代的流言蜚语把具体情况夸大了。林肯夫人患周期性头痛症，一阵阵发脾气，而丈夫因巡回执行律师业务长时间不在家，使她更增加了惶惶不安和孤单寂寞的感觉。林肯当选总统以后，她的精神曾大受折磨，一是由于爱子小威廉死去，一是由于战争造成令人啼笑皆非的局面，使肯塔基州的亲戚朋友成了敌人，另一个原因是公众对这位白宫女主人的评论有失公允。她丧失了一切金钱意识，积欠令人为难的账款。她还演出了几幕令人头疼的老婆吃醋的滑稽剧。最后，在1875年，她被正式宣布为精神错乱，不过，这是她看见丈夫在她身边遇刺而受到进一步的震动之后。婚后初期，林肯夫人肯定鼓励过丈夫，激发丈夫的雄心壮志。在两人共同生活的晚年，她大概加强和考验了丈夫天生的宽容和忍耐的品性。

林肯在斯普林菲尔德和华盛顿都偕妻子去长老会教堂做礼拜，但他从来没有参加任何教会。有一次他解释说："不论任何教会，如果把救世主概括性地讲述律法和福音的实质的话高揭在祭坛上方，作为入会的唯一资格，我将全心全意加入那个教会。救世主的话是：'你要以你所有的心，以你所有的灵魂，以你所有的精神，爱你的上帝，并像爱你自己一样去爱你的邻人。'"他早年有点怀疑宗教，倾向自由。由于这一点广为人知，正如他有一次诉苦说，在政治上人们用"教会势力"来反对他。1846年竞选国会议员时，他发出一份传单，否认他曾经"说过有意诋毁宗教的话"。他进一步说明他曾信仰必然性的学说，"即：有一种精神本身所不能控制的力量在驱使人类精神行动或休息"。在他整个一生中，他还相信梦以及其他神秘的迹象和征兆。随着年事增高，特别是在出任总统并面临令人心烦的内战责任之后，他产生了很深的宗教意识，越来越把必然性人格化为上帝。他开始把自己看作十分低下，只是"上帝的工具"，并且认为全部历史都是上帝的伟大事业。他于1862年写道："在当前的内战中，很可能上帝的意旨与南北任何一方所抱的目的不大相同。尽管如此，人类工具像现在这样开动是最适合于实现上帝意旨的。"

林肯喜欢《圣经》，对之了如指掌。他也喜欢莎士比亚。在私人谈话中，他引用许多莎士比亚的典故，讨论戏剧表演问题具有相当的真知灼见，而且以深刻的感情和理解背诵一些很长的段落。他喜欢穆勒的论文，特别是那篇著名的谈论自由的文章，但是不喜欢枯燥乏味或形而上学的著作。

虽然他欣赏拜伦和R.彭斯的诗篇，但他特别喜爱的一首诗却是一位默默无闻的苏格兰诗人W.诺克斯的作品。林肯常引用诺克斯的开头诗句："啊！人的精神为什么值得骄傲？"他喜欢用P.V.纳斯比、O.C.克尔和A.沃德的滑稽作品，或者去看通俗的小戏，使精神轻松一下。

早期政治生活 林肯初入政界时，杰克逊任总统。林肯支持杰克逊派为平民百姓服务的口号，但是不同意该派扬言政府必须与经济事业脱钩的观点。后来他讲："政府的合法目标就是要为人民群体去做他们需要做，但是以分散的个人力量根本做不成，或者自己不能做得十分好的那些事情。"在当时的卓越政治家中，他最推崇H.克莱和D.韦伯斯特。克莱和韦伯斯特主张运用联邦政府的权力去鼓励工商企业，并创办国家银行，实行保护关税和制定改进国内运输的计划，以此为开发国家资源的手段。林肯认为伊利诺伊州和整个西部的经济发展迫切需要这种援助。他从一开始就参加了克莱和韦伯斯特的辉格党。

1834～1840年间，他四次被选入伊利诺伊州议会。作为州议会中的辉格党议员，他竭力鼓吹用该州资金建设铁路、公路和运河的网状系统的宏伟计划。辉格党人和民主党人联合起来，通过一项举办这些事业的综合议案。但是，由于1837年的经济恐慌和随之而来的生意萧条，放弃了其中的大部分项目。在州议会中，他表明自己反对奴隶制，但不是废奴主义者。1837年州议会针对暴民杀害奥尔顿的反对奴隶制的报人E.洛夫乔伊事件提出几项决议。这些决议不是谴责私刑，而是非难废奴主义者团体，并借助联邦宪法支持南方各州内的奴隶制，说它是"神圣不可侵犯的"。林肯在通过决议时拒绝投票。他与另一位议员共同起草了一份反对决议的抗议书。这份抗议书一方面声言奴隶制是"以非正义和坏政策为基础的"，一方面又断定"散布废奴学说容易增加而不是减少这一制度的祸害"。

在他唯一的一届国会任期(1847～1849)中，作为伊利诺伊州选出的唯一的辉格党员，林肯对于立法问题本身很不关心。他曾提出一项逐步地和有补偿地解放哥伦比亚特区奴隶的议案，但是，只有得到该特区的"自由白种公民"批准，这一议案才能生效。它既得罪了奴隶主，也使废奴主义者不满，始终没有得到认真的考虑。

林肯把大部分时间投入总统选举的政治活动，努力罢免一个民主党人总统，而使一个辉格党人当选。他在墨西哥战争中找到一个争论点和一位候选人。在波尔克总统发表声明说墨西哥发动战争使美国人在美国的土地上流血的时候，林肯"当机立断"，表示坚决反对。在表决继续战争拨款时，他与同党的议员一道投票谴责波尔克和这次战争。同时，他为战争英雄Z.泰勒的提名和竞选奔走。泰勒当选后，他希望作为竞选活动的酬劳出任联邦土地总署专员，当他未能得到这个职位时，非常灰心丧气。另外，在他自己的国会议员选区里，选民们不赞成他对墨西哥战争的批评。40岁时，在政坛上失意的林肯似乎已无混迹官场的前途。

息影政坛约5年之后，一场新的地区性危机使他得以东山再起，一跃而为治国之才。1854年他的政治对手S.A.道格拉斯使用权术，在国会中通过一项议案，重新开放整个路易斯安那购地的奴隶制，并准许堪萨斯和内布拉斯加的居民(根据"人民主权论")自己决定在他们的地区内是否可以蓄奴。《堪萨斯-内布拉斯加法案》在伊利诺伊州和原西北部其他各州引起强烈的反对。这使得共和党抬头，而加速辉格党的解体。林肯与成千上万其他的失魂落魄的辉格党人一道，很快加入了共和党(1856)。不久以后，东部地区有几个共和党著名人物谈论吸收道格拉斯以及他在西部地区的一批民主党追随者到共和党一边来。林肯根本不赞成这种想法。他坚决认为他而不是道格拉斯应该充当伊利诺伊州和西部地区共和党的领袖。在基本观点上，他和道格拉斯并不像在两人的激烈政治辩论中那样相距很远。两人都不是废奴主义者，也都不是赞成奴隶制度的人。但是林肯有一点与道格拉斯不同，他坚决认为国会应该禁止准州实行奴隶制。道格拉斯认为各准州天然就不适于奴隶经济，用不着由国会立法去阻止奴隶制度的传入，而林肯则不同意这种看法。他于1858年宣告说："分崩的大厦难自立。我相信，一半奴隶一半自由，政府不能持久。"他预言：国家最后必然"非此即彼"。他一再强调说，美国每个公民的公民自由都在受到威胁，不论是黑人还是白人。他又说，各准州必须保持自由，因为"自由的新州"是"穷人前往并改善他们的生活条件的地方"。但是，他同意杰斐逊及其他建国元勋的看法，即：奴隶制度只应该加以控制，而不应该直接攻击。1858年因争夺道格拉斯在美国参议院的席位而展开"林肯-道格拉斯辩论"时，他明确指出道格拉斯的"人民主权"原则与"斯科特裁决"(1857)之间的矛盾，美国最高法院在该裁决中说：国会不能在宪法上禁止各准州实行奴隶制度。林肯虽然未能选入参议院，但是得到全国的赏识，不久就开始有人提他为1860年度的总统候选人。

1860年5月18日，林肯和他的朋友们精心准备之后，他在芝加哥举行的共和党全国代表大会第3轮选举中被提名为总统候选人。于是，他暂时丢开律师业务，虽然不作政治演说，但将全部时间用于指导他的竞选活动。他曾经写道，他的"主要目标"是"防止共和党的队伍四分五裂"。他劝告党的工作者们"闭口不谈我们可能不会同意的那些核心问题"。在共和党人团结一致、民主党人意见分歧、总共有4个候选人参加竞选的情况下，林肯于11月6日获得选举的胜利。南方腹地没有一个人投他的票，在全国来说，对他投票的选民不超过40%。不过，民众的选票过于分散，他在总统选举团中赢得了奠定乾坤的绝对多数。

总统林肯 在林肯当选后和就职前，南卡罗来纳州宣布退出联邦。为了防止南方其他各州采取同样的行动，国会提出了各种各样的妥协方案。最重要的是《克里坦登妥协案》，它包括①在已经存在奴隶制度的各州，永远确保奴隶制度和②把各准州分成蓄奴制和自由制两种这样两项宪法修正案。林肯虽然未反对此修正案第一条，但他坚决反对第二条，更确切地说，他反对任何有一丝一毫侵犯共和党党纲中的自由土壤区要点。他在私人信件中写道："我是坚定不移的。"他担心划分地区、批准奴隶制扩展的原则只会鼓励大农场主帝国主义分子到美国边境以南去寻找新的蓄奴地区，从而会"使我们再一次走上通往奴隶帝国的老路"。他从斯普林菲尔德的老家劝告国会中的共和党人在表决时反对划分地区。这一提议被委员会否决了。此后又有6个州退出联邦，与南卡罗来纳州合在一起结成美国南部邦联。

因此，在林肯就职之前，美国面临着一场分裂的危机。南北双方的注意力特别集中于查尔斯顿港的萨姆特要塞。这一要塞尚在施工，由R.安德森少校率领的美军驻守。南部邦联对它提出主权要求，并从该港其他几个设防工事进行威胁。林肯预料到会出麻烦，他还在斯普林菲尔德时就秘密请求美军总司令W.斯科特做好准备"在就职典礼时和就职以后，根据具体情况，或是坚决把守或是重新夺取各要塞"。林肯在1861年3月4日的就职演说中，除高歌联邦不可摧毁和呼吁地区和谐外，重申他的萨姆特政策如下："委托给我的权力将用于把守、占有和取得属于政府的财产和地方，征收各种税金和进口税；但是，除为达到这些目标所必要外，决不作任何侵犯——既不用武力进攻任何地方的人民，也不在任何地方的人民中间施暴。"然后，在演说将近结束时，他对不在场的美国南部人说："你们自己如不挑衅，就不会发生冲突。"

林肯刚一就职就接到报告说，如果不补充军需或者撤退，萨姆特守军很快就要绝粮。可是，大约有一个月，林肯迟迟没有采取行动。他受到相互矛盾的意见的困扰。一方面，斯科特将军、国务卿W.H.西沃德等人一再劝说他放弃这个要塞，而且西沃德通过一个中间人告诉南部邦联代表团该要塞实际上必然要放弃。另一方面，许多共和党人认为，任何软弱的表示都将给本党和联邦造成灾难。最后，林肯终于下令组织两支解围的远征军，一支前往萨姆特要塞，另一支开赴佛罗里达州的皮肯斯要塞(他后来讲，如果当时能确信守住皮肯斯，他宁愿从萨姆特撤退)。在萨姆特远征军出发以前，他派一名信使去告诉南卡罗来纳州州长："我受美国总统之命前来通知您，现只准备向萨姆特要塞输送给养；如果这一行动不遭抵制，没有另行通知，决不投入兵员、武器或弹药，但该要塞受到攻击时则当别论。"在林肯派遣的远征军还未到达之前，南部邦联当局已向安德森少校提出立即撤离萨姆特要塞的要求，但是少校拒绝了。1861年4月12日拂晓，港口的南部邦联炮兵开了火。

7月4日国会开会，林肯报告说："在那个时候，在那个地点，攻击政府的分子挑起了武装冲突。"但是，南部邦联的人员则指责林肯是真正的侵略者。他们说，林肯耍花招诱使他们开第一枪，以便把战争的罪责推在他们身上。虽然有些历史学家重复这种控诉，但显然是对事实莫大的歪曲。林肯下定决心保卫联邦，为此，他认为必须采取反对南部邦联的立场，因而，他推论出在萨姆特也可以采取这一立场。林肯的首要目标既不是挑起战争，也不是维持和平。为了保卫联邦，他一定也甘愿维护和平，但是他准备冒一次战争风险，在他看来时间不会长。

萨姆特要塞遭受炮击以后，林肯要求各州州长输送兵员(弗吉尼亚和南方北部的另外三个州的反应是参加南部邦联)。然后，他宣布封锁南方的港口。这些措施——向萨姆特派远征军、征召义勇军和实行封锁——是林肯以陆海军总司令名义作出的初步重要决定。为了付诸实现，他还需要一个战略方案和一个指挥系统。

斯科特将军建议，要避免在弗吉尼亚与南部邦联军交战，要控制密西西比河，并要加强封锁使南方遭受极大的经济困难。林肯不大相信斯科特的比较消极的和不流血的"森蚺"计划。他认为如果要赢得这场战争，必须积极作战。他否决了斯科特的意见，下令直接向弗吉尼亚前线进军，结果，1861年7月21日邦联军在布尔溪被击败，全线溃退。经过一连串多多少少无眠之夜，林肯写出整套关于军事政策的备忘录。他的基本思想是：部队应该同时在几条战线上前进，应以取得和利用密苏里州、肯塔基州、弗吉尼亚州西部和田纳西州东部联邦派的支持为目标。后来他解释说："我确定对这次战争的总体概念是：我方人员数量多，敌方向冲突地点集中兵力比较方便；除非我方能有办法使自己的优势胜过彼方，我方必然败北；只有在同一时间，从几个不同地点以优势兵力威胁敌人，才能取得胜利。"这种策略，加上海军封锁，便是林肯战略的实质。

1861～1864年，林肯犹疑不决，不肯把自己的想法强加给他的将领们。这时，他考验了指挥人员和组织机构。他接受斯科特的辞职(1861-11)，任命G.B.麦克莱伦指挥全军。没有几个月，他对麦克莱伦的行动迟缓即感到不满，将其降格任波托马克军司令。他对麦克莱伦的半岛作战方案是否可靠表示怀疑，一再迫使麦克莱伦改变计划，在里士满前的七天战役(1862-06～07)以后，命令麦克莱伦将其放弃。此后，他为弗吉尼亚方面军试用了一系列指挥官，包括J.波普、再次起用麦克莱伦、A.E.柏恩赛德、J.胡克和G.G.米德，但每一个人都令他失望。与此同时，他任命H.W.哈勒克为总司令，一方面提供意见，一方面当与战地军官的联络官，但是哈勒克对于制定重大决策总是优柔寡断。将近两年时间，联邦军没有形成指挥有方的领导集团。林肯总统、哈勒克将军和陆军部长E.M.斯坦顿起着非正式的战时委员会的作用。除了经哈勒克下达正式命令以外，林肯还与各位将领直接联系，以自己的名义提供个人建议。对于那些以R.E.李为对手的将军们，他建议说：目标是消灭李的军队，而不是攻占里士满或者把侵略者从北方地区赶走。

最后，林肯还要为西部战场物色一位最高指挥官。他高度评价U.S.格兰特指挥的维克斯堡战役。在维克斯堡投降(1863-07-04)9天以后，他致函格兰特，"衷心感谢"格兰特为国家做出的"几乎是无可估量的贡献"。林肯还在信中承认自己的错误。他说，他曾希望格兰特绕过维克斯堡，沿密西西比河而下，而不是横渡该河、掉过头来从后方接近维克斯堡。"恐怕这是一种错误，"他在祝贺信中说："我现在愿意亲自承认，您是对的，而我错了。"

1864年3月，林肯提升格兰特为中将，授予他联邦军最高指挥权。林肯终于找到了这样一个人，他与W.T.谢尔曼、P.谢里登和G.H.托马斯等精明能干的下属能够执行林肯那些尚有待于实践的大规模协同进攻的作战思想。在林肯最终设计的最高指挥机构中，格兰特只是其中的一员，虽然是举足轻重的一员。林肯本人是最高统帅，掌握全盘。陆军部长斯坦顿负责兵员和后勤补给。总参谋长哈勒克担任总统的顾问与军人之间的联络官。总司令格兰特则指挥所有的军队，并与波托马克的米德军协同作战。林肯就是这样首创了一个最高指挥机构，它聚集一国人民的全部力量和资源以实现总体战的宏伟战略。他把治国之道与指挥千军万马结合在一起，成效与年俱增。如果从他缺乏战争艺术的训练和经验的观点来看，林肯就显得更加功勋卓著。这种缺乏虽然是不利条件，但也可能是个有利条件。林肯不受陈腐军事教条的束缚，能够尽最大限度运用他的实际洞察力和常识——有人是军事天才——以取得南北战争的胜利。

毫无疑问，林肯是真心实意地献身于人身自由的事业。在当选总统以前，他经常很有说服力地谈论这个问题。例如，1854年他说自己反对道格拉斯对奴隶制度可能向新地区扩展所抱的漠不关心的态度，"我所以反对，是因为奴隶制度本身为极端非正义的行为，"他宣告说，"我所以反对，是因为它使我们共和党人在社会上不再成为大公无私的榜样，使仇视自由制度的敌人貌似真实地嘲笑我们为伪君子……"1855年写信给友人T.斯皮德时，他追怀14年前两人在俄亥俄河上所作的一次汽船旅行。"你可能像我一样清楚记得，"他说，"从路易斯维尔到俄亥俄河口，船上有10个或12个奴隶，用镣铐拴在一起。那一景象常常使我感到痛苦。而我每次途经俄亥俄河或其他任何蓄奴州边界时，总要看到类似的情况。"

尽管如此，林肯当总统后最初并不愿意采取废除奴隶制度的政策。他的踌躇有几方面的原因。他是以保证不干涉各州内部的奴隶制为政纲而当选的，而且无论如何，他怀疑联邦采取此种行动的合宪性。他担心将近400万黑奴一旦解放，很可能给美国的社会和政治生活带来一些麻烦。尤其是，他认为必须使边境蓄奴各州留在合众国内，他害怕废奴主义会驱使它们(特别是他的故乡肯塔基州)投奔南部邦联。因此,别人向前迈步,他则踟蹰不前。当J.C.弗里蒙特将军和D.亨特将军在他们各自的军区宣布解放不忠诚的主人的奴隶时,林肯撤销了他们的声明。当国会通过《没收法案》的时候(1861和1862),他没有完全执行授权他没收奴隶财产的各项条款。而当H.格里利在《纽约论坛报》吁请他实施这些法律时,林肯耐心地回答(1862-08-22)说:"我在这场斗争中最主要的目标是挽救合众国,而不是挽救或者摧毁奴隶制度。如果不解放任何奴隶而能挽救合众国,我必定那样去做;如果解放全部奴隶才能挽救合众国,我也必定那样去做;如果解放一部分奴隶而丢下其他不管能够挽救合众国,我还是要那样去做。"同时,为了顺应日益高涨的反对蓄奴的思潮,他提出了自己的一个解放计划。按照他的建议,奴隶将由州采取措施予以解放;奴隶将得到补偿,由联邦政府分担这笔开支;解放过程将是逐步的;解放了的奴隶将移居国外。国会表示愿意通过林肯计划所需要的资金,但是没有一个边境蓄奴州乐于实施这个计划,而且在黑人领袖中也没有几个希望看到他们的同胞被送往国外。

林肯依然希望他的逐步解放计划最后取得成功,他采取一项极不平常的措施,1862年9月22日发表《解放宣言》草案,1863年1月1日颁布正式的《解放宣言》。他认为颁布这一著名法令是行使总统的作战能力,完全是合法的。这一法令仅适用于美国实际上受南部邦联控制的那些部分,而不适用于忠于合众国的蓄奴各州,也不适用于由联邦军占领的属于南部邦联的地区。在南北战争期间,《宣言》直接或间接地解放了不到20万名奴隶。尽管如此,它具有伟大的象征意义。它表明林肯政府的作战目的,除南北统一外又增添了解放奴隶,并吸引英国和欧洲的自由主义舆论不断增加对联邦事业的支持。

林肯本人认为除了作为战时临时措施而外,他所采取的步骤不一定符合宪法。南北战争结束以后,根据《宣言》解放了的奴隶会有再次沦为奴隶的危险,没有其他任何措施保证他们的自由。现在有了另外的办法:给宪法补充个《第十三修正案》。给国家基本法带来这一变化,林肯起了巨大的作用。他通过共和党全国委员会主席强烈要求该党把这样一个修正案作为重点列入他们1864年的政纲。经采纳后,在政纲中是这样陈述的:奴隶制度是叛乱的起因;总统的《宣言》旨在"对此巨大祸患给予致命的一击";为了"结束和永远禁止"奴隶制度,宪法修正案是必要的。当林肯以此政纲重新当选总统而共和党在国会中的多数有所增长的时候,他有充分的理由感到是人民委托他提出《第十三修正案》的。共和党占压倒多数的新国会,要等到1864～1865年冬季旧国会届满散伙后才能召开。但是,林肯没有等待。他对一些民主党人运用封官和劝说的手段,总算在旧国会的会期结束之前得到必要的2/3票数表决通过。当修正案送往各州批准的时候,他非常喜悦;当他自己的伊利诺伊州带头而其他各州一个接一个表示赞成的时候,他一而再、再而三地感到高兴(他没有活到为修正案的最后正式通过而欢欣鼓舞)。

林肯理所应当得到"伟大解放者"的美名。如果说他的著名《宣言》还不能成为要求这一荣誉称号的可靠依据,那么,他支持反对奴隶制的修正案则是一个响当当的理由了。另一个很好的根据:他是一位领导作战的伟大人物,使美国安全闯过4年的恶斗,保卫了自由。最后一个有力的基础是,他实际表现了尊重人的价值和尊严,不论肤色如何。在他生前的最后两年内,他欢迎黑人来作客,同黑人交朋友,过去的总统没有一位这样做过。他的朋友中有一位著名的当过奴隶的F.道格拉斯,此人后来写道:"在我与林肯先生的历次会见中,给我印象最深的一点是他没有一丝一毫蔑视有色人种的偏见。"

为了取得战争的胜利,林肯总统必须得到广大群众的支持。要使南北重新联合,首先需要北方有一定程度的团结一致。但是,北方包含着各种不同的党派,均有自己的特殊利益集团。林肯面临的任务是尽可能吸引更多的不同党派和个人来支持他的政府。因此,他把大部分时间和注意力放在政治上,而政治的表现之一就是吸引此种支持的艺术。对于联邦事业来说,非常幸运的是,林肯为具有罕见的政治手腕的一位总统。他有本领呼吁同代的政治家并用他们的语言与之交谈。他有一种排解私人意见分歧的天才,能使相互对立的人们同样效忠。他接过分赃制,且善于利用它,他以加强他的政府和推进施政目标为原则分配政府职位。

反对党依然活跃,而且有强大力量。其成员有主战民主党人和主和民主党人,后者通称"铜头蛇",一小部分勾结敌人。林肯千方百计争取主战民主党人的支持,这样他使《第十三修正案》得到了国会及时批准。只要有一线的可能,他就把主和的民主党人争取过来。纽约州州长S.西摩是主和民主党人之一,林肯非常重视他关于该州征兵名额的怨言。另一名主和民主党人,俄亥俄州选出的国会议员C.L.伐兰狄甘锒铛入狱服刑,林肯将徒刑改为不越过南部邦联前线的流放。在处理有谋反嫌疑者时,林肯有时授权他的将军们强行逮捕。他在说明所以如此行动的理由时讲:为了保卫合众国、从而维护整个宪法,他必须允许宪法的一些部分作出暂时的牺牲。他命令他的将军们关闭几家报纸,但只是短时期的,他很快就撤销了禁止怀有敌意的《芝加哥时报》出刊的军方命令。在给一位手下将军的信中,他这样讲述了自己的政策:"只有在你所指挥的部队受到明显侵害时,才得逮捕有关的人以及取缔集会和查封报纸;否则,一概不许干涉任何方式的意见表达,也不得容许他人进行粗暴干涉。在这方面,希望你极端谨慎、镇静和耐心地处理问题。"如果考虑到当时的种种危险和挑衅行为,林肯对待政敌和敌对的报刊是十分宽大的了。批评家们常常指责林肯是独裁者,其实他根本不是。

共和党内部派别林立,且有些人与林肯唱对台戏,给林肯造成的困难不亚于民主党人的各种活动。的确,他和大多数共和党人很好地商定了他们的主要经济目标。经他批准,共和党人将他从早年辉格党时代就大力提倡的基本纲领制订成法律,如包括保护关税法、国有银行制度法,以及由联邦资助改善国内状况,特别是资助建设通往太平洋岸的一条铁路。但共和党人在有关进行战争和战争目标的许多问题上内部意见不一。出现了两大派别:"激进派"和"保守派"。林肯在思想上倾向保守派,但他在激进派中也有许多朋友,他力求保持自己对两派的领导权。在任命总统顾问团时,他选择了几名1860年竞选提名的对手,同时使党内每个重要派别都有代表参加。他很明智地网罗了保守派杰出人物西沃德和激进派著名头领S.P.蔡斯。他巧妙地克服了顾问团危机,使两派人物都当总统顾问,直至1864年蔡斯辞职。

他必须应付国会中更加严重的派系造反。主要争端是"重建"南方。脱离联邦的路易斯安那州、阿肯色州和田纳西州大部分已由联邦军收复,1863年底林肯提出自己的"百分之十计划",依此计划,如果有10%合格投票人宣誓今后忠于合众国,即可以成立新的州政府。激进派表示反对,说林肯的建议过于宽大,他们使国会通过了《韦德-戴维斯法案》,根据这一法案,只有大多数宣誓效忠之后,才能允许这几个州重新组织政府和重新加入联邦。当林肯用束之高阁的办法否决该法案时,法案起草人发表了指责他的"宣言"。

当时他是"联邦"党(即共和党)连选总统的候选人,而韦德-戴维斯宣言则清楚表明党内有一种活动,要提名别人来代替他。他平心静气地等待这一活动的瓦解,但是即便在其已经瓦解之后,共和党依旧是四分五裂。J.C.弗里蒙特是很早以前由一个小派别提名的共和党候选人,现在仍然处于与林肯竞争的地位。激进派的带头人物说,如果林肯能使保守派邮政管理局局长M.布莱尔辞职,他们保证让弗里蒙特退出竞选。结果是弗里蒙特退出,布莱尔辞职。在1864年大选前,共和党重新团结起来。

在1864年,正如1860年时一样,林肯是他自己的竞选运动的主要战略家。他亲自主持共和党宣传站,对各州竞选委员会指导战术,雇用和解聘一些公务员以加强党的支持,并竭力争取尽可能多的士兵和水手参加投票。大多数穿军服的公民投了共和党人的票。林肯以大多数民众选票(占55%)重新当选,击败了民主党候选人麦克莱伦将军。

1864年民主党的政纲要求南北停战并召开和会,一些主要的共和党人也像民主党人一样要求林肯接受南部邦联的求和提议,虽然他们的提议是非正式的和靠不住的。他在一封公开信中讲述己方的条件如下:"凡是由一个能够控制目前对联邦各州作战的军队的有权威的当局提出的包括恢复和平、保持合众国完整和放弃奴隶制度的建议,合众国行政当局将予接受和考虑,并将对其他实质性项目和附带项目放宽条件。"当保守派向他提出抗议,反对上述条件中含有即使重新联合之后也必须为解放奴隶打仗的意思时,林肯解释说:"在我看来,似乎是一清二楚的,我是讲,如果对方提出,可以考虑重新联合和废除奴隶制度,而不是讲如果对方提出更多或更少条件一概不予考虑。"他重新当选以后,在向国会提出的年度咨文中说:"在讲和平的唯一条件时,我的意思只是说,战争发动者一方什么时候停战,政府一方也将停止战争。"1865年2月3日,他亲自在汉普顿锚地一艘轮船上会见南部邦联的特派代表。他说如果南方放下武器,一切可以赦免,但他坚持重新联合为任何和平协议的先决条件。他在第2次就职演说中,以一句名言"对任何人无恶意,对所有人仁爱"体现了他的政策的精神。南部邦联的领导人和共和党激进派全不满意林肯提出的条件,因而直至南部邦联彻底败北没有任何和平的可能性。

在战争结束时,林肯对于战败的南方的政策并不是每个细节全都很明确,不过,他仍然相信主要目标必须是使"所谓的脱离联邦各州"尽快恢复它们与联邦的"正常事务关系"。他对整个地区没有确定不移的统一纲领。正如他在生前最后一次公开讲话(1865-04-11)中所说,每个州都有"那么多的特殊性",又随时发生"这样重大和突然的变化",而且整个问题"如此陌生和前所未有",因此,就"没有非此不可的和确定不变的计划"能够"万无差错地定下来"。关于路易斯安那和田纳西一类的州,他继续要求承认战争时期按他的10%计划成立的新政府。关于弗吉尼亚和北卡罗来纳一类的州,他似乎愿意暂时利用南方叛军的旧政府作为由战争向和平过渡的一种手段。他反对任命"异乡人"(外来政客)去统治南方,这是有记录可查的。他希望南方人本身在成立新的州政府时能够找到某种方法使白人和黑人"可以自动地逐渐摆脱旧日的相互关系,而双方都有较好的思想准备迎接新的关系"。他想,为了训练被释放的奴隶适应新的法律地位,对他们进行教育的计划是主要的。他还提出,对一些黑人立即给与选举权——"例如,非常有知识的人,特别是那些曾经在我们的部队中英勇奋战的人"。

但是,在重建问题上,1865年春,林肯与本党过激分子的立场比一年前相距更远了。有几个激进派开始要求对南方实行一个时期军事占领,没收种植园主的地产并将其分给释放的奴隶,将政权从种植园主手中转移给他们过去的奴隶。1865年4月,林肯开始在某几点上改变自己的立场,从而缩小了他本人与激进派之间的分歧。他收回允许弗吉尼亚州召集由南方叛军主持的议会的成命,并在原则上批准——至少没有否决——斯坦顿提出的军事占领南部各州的方案。4月14日的内阁会议之后,司法部长J.斯皮德指出林肯在向激进的立场移动,认为"他似乎从来没有如此接近我们的观点"。如果林肯活着结束第二次总统任期,他的重建政策究竟是什么样子,我们现在只能猜测而已。

1865年4月14日晚,J.W.布思向坐在华盛顿福特剧院的林肯开枪,翌日凌晨林肯与世长辞。

名声和品德 "现在,他属于世世代代。"据云林肯在咽气时,斯坦顿说过这样的话。许多人认为林肯是一位殉难的烈士。这次暗杀发生在受难节。人们把随后的星期日看作"黑色复活节",永生难忘。在这一天,有成百上千的演说家从这一事件中得到启迪。他们之中有几位认为暗杀林肯的日子也是耶稣钉十字架的日子,此事决非巧合。有一位演说家宣称:"耶稣基督为世界而死;亚伯拉罕·林肯为祖国而亡。"就是这样,他的死亡时间和具体情况促进了身后美名的增长,为他博得了类似圣徒的品位。

在许多由于面识而记得林肯的人中,有一个人对于林肯的了解肯定比其他任何人更为深刻,他对世人的林肯观所产生的影响肯定比其他所有人加在一起所产生的影响还要大。此人是林肯早年执律师业的合伙人赫恩登。林肯死后,赫恩登开始了新的生涯。他作为林肯专家,到处搜集回忆录,再加上自己储存在头脑里的印象。他虽然钦佩林肯,但是反对神化的趋向。他认为林肯生平的主要特征是:依靠远远超出寻常的自我奋斗起家,从社会的最下层上升到最高点——"像可燃气体似的,从一潭腐臭的死水中升起,以自己的能量和自燃性质燃烧起来,向空际喷射而出,光辉,灿烂,明亮"。为了强调这一点,赫恩登最急切地注意寻找林肯出身背景中悲惨凄苦一面的证据。据他所观察,在林肯成长阶段一件极为重大的事件是与A.拉特利奇的一段"非常现实的浪漫史"。林肯除了她不爱任何其他女子,她去世后,他从来没有停止为她而悲伤。他对她的思念既使他难过,又鼓舞了他。至于他的妻子M.托德,她与林肯结婚是出于恶意,结婚后就一心一意使他苦恼。赫恩登如是云云,后来有无数传记作家、小说家和剧作家根据他的看法任意发挥。尽管历史学者们予以驳斥,赫恩登关于林肯的观点依然是公认的常识。

林肯不但是个真人,而且成了神话。在虚构文学、民间故事,以及诗歌、戏剧、小说、轶事等等中,都可以找到关于他的传奇故事。这类传说亦可见于那些貌似真实的作品,包括带脚注的传记和史书在内。

传说中的林肯发展成为一位普洛透斯式的神,他能变成一种形状,使几乎每一个崇拜者都感到满意。他是"老亚伯",同时又是一位天生的绅士。他是"诚实的亚伯",而又具有非凡的诡诈和狡猾。他又是"老爹亚伯拉罕",掌握大权,扶持弱者。另外,他是一个同等的人,一个邻居,一个朋友。

除了林肯作为神话的声誉之外,他作为人的名声也很值得重视。当他还在世的时候,他的美名开始增大;在他去世之前,群众已经普遍承认他的伟大品质。例如,南方战争方酣之时,《华盛顿记事报》发现林肯与G.华盛顿有相似之处,说他们均有"确实可靠的判断力";"官能健全,发展极为平衡";"性情非常平和,意向坚定不移,道德原则高尚,爱国心极强"。《布法罗快报》指出他那"非凡的克制态度,丝毫没有急躁情绪",然后加上一句:"我们不相信华盛顿对于因大权在握而行使权力会比他(林肯)更加漠不关心。"英国的一家报纸《利物浦邮报》说,如果你只从他的长相来看,"在选择英雄崇拜的对象的大竞赛中,没有一个领袖的当选机会会像A.林肯那样少。"他那长胳膊长腿,他那难看的体形,使他极容易成为漫画的材料和笑柄。"尽管如此",这家报纸作出结论说,"一个崇拜人类英雄的人即使跑遍天涯海角,他寻求偶像的成果可能要比选择这位又瘦又高的美国佬会糟得多。"他的内在品德——忠贞、诚实、果断、明察秋毫、幽默和勇敢——会"对英雄的形成起巨大作用",不管此人的外表如何。

林肯的最美好的思想和最精彩的词句是经过反复推敲,一写再写的。有些想法和说法是经过多年缓慢地孕育而成的。他一再讲的主题之一是民主政治的承诺和问题,这大概是他的中心主题。早在1838年,以《使我们的制度永世常存》为题向普林斯菲尔德青年学术讨论会讲话时,他追怀他的革命前辈们如何献身这一事业,然后说:"他们的雄心壮志就是渴望在怀着钦慕心情的世界面前实际证明一个命题的真实性,这个命题,迄今为止,人们至多认为可以研究一下看看而已。这就是:人民管理自己的能力。"林肯一再回到这个想法,特别是在南北战争爆发之后。同时,他持续不断地改进他的说法。在萨姆特要塞陷落后对国会的第一篇咨文中,他宣称南北两方之间的问题不仅仅牵涉合众国未来的命运,"它向整个人类大家庭提出这样一个问题:一个宪政共和国,或曰民主政体,即一个民有、民治的政府,究竟能不能维护自己的领土完整,对付自己国内的敌人"。

最后,在葛底斯堡,他作了淋漓尽致的发挥,结束语是:"我们……要更忠诚于先烈们为之献出了生命的事业。我们绝不能让先烈们的鲜血白流,要使我们这个国家在上帝的保佑下得到自由的新生,使这个民有、民治、民享的政府永世长存。"

Lincoln, Benjamin 林肯(1733-01-24,马萨诸塞欣厄姆～1810-05-09,波士顿) 美国独立战争时期大陆军军官,在战争初期北方诸战役中表现突出,但于1780年5月12日在南卡罗来纳查尔斯顿被迫率约7 000人的部队投降。原为一个小镇的租税包收人,1755年参加马萨诸塞殖民地民军。1776年5月被任命为大陆军少将,1778年任南线大陆军司令。查尔斯顿败绩后,他受到普遍的责难,但无反对他的正式行动。他在交换战俘中获释。1781年参加约克敦战役,此后担任大陆会议陆军部长(1781～1783)。1786年率民军镇压谢斯起义,1788年当选为马萨诸塞州副州长,1789～1809年任波士顿港海关征税员。

Lincoln, Robert Todd 林肯(1843-08-01,美国伊利诺伊斯普林菲尔德～1926-07-26,新罕布什尔曼彻斯特) A.林肯的长子。1864年哈佛大学毕业又入法学院学习4个月,后参军任上尉,供职于U.S.格兰特将军的参谋部。其父遇刺后,退役继续学习法律,1867年获律师资格。其客户多为主要铁路和大公司,业务发达。1881～1885年任陆军部长,1889年任驻英国公使。1893年回芝加哥执律师业。1897年普尔曼公司老板G.普尔曼去世后,他先后任该公司代经理、总裁、董事会主席,兼任其他公司和金融机构的董事。去世前将其父的文件送请国会图书馆保藏,规定须待他去世21年后方能启封。

Lincoln Battalion(Spanish Civil War) 参阅 **Abraham Lincoln Battalion** 林肯营。

Lincoln-Douglas Debates 林肯-道格拉斯辩论 1858年伊利诺伊州参议员竞选中，民主党参议员S.A.道格拉斯与共和党候选人A.林肯之间连续进行的7次辩论，主要涉及奴隶制扩展到准州去的问题。奴隶制扩展问题表面上已在近40年前由《密苏里妥协案》解决，但墨西哥战争给美国增加了新领土，所以这个问题在19世纪40年代再次提出。《1850年妥协案》暂时缓和了地区性的冲突，但道格拉斯于1854年提出的《堪萨斯-内布拉斯加法案》使奴隶制扩展问题再次尖锐化。该法案取消了在纬度36°30′以北的准州中禁止奴隶制的规定，从而实际上废除了《密苏里妥协案》。道格拉斯以人民主权取代了对奴隶制的禁令，认为应由各准州的实际定居者而不是由国会来决定他们境内的奴隶制问题。然而，无论道格拉斯的人民主权论，或共和党人的自由土壤立场，都因1857年最高法院关于D.斯科特案的裁决而变得毫无价值。最高法院认为无论国会或准州的立法机构都无权取消奴隶制。1858年林肯与道格拉斯进行辩论时，奴隶制扩展问题实际上已将美国分裂成两个敌对阵营并威胁到联邦的继续存在，因而这场辩论所产生的反响势必远远超出谁将赢得参议员席位这个成败攸关的事情之上。辩论自8月21日开始到10月15日结束，每次长达3小时。道格拉斯一再想把林肯打成主张种族平等、分裂联邦的危险激进分子。林肯则强调奴隶制在道义上的罪恶，指责人民主权在堪萨斯所造成的残酷结局。8月27日在伊利诺伊州的弗里波特，林肯质问道格拉斯能否调和人民主权论与《德雷德·斯科特裁决》。道格拉斯答道，移民们可以通过不订立地方治安法规(即保护主人财产的奴隶法规)来规避斯科特裁决，因为没有法规保护，就无人会将奴隶带进准州。道格拉斯的主张虽为许多北部民主党人所接受，但却激怒了南部，并导致民主党的分裂。尽管道格拉斯在选举中保住了自己的参议员席位，但他作为民主党全国领袖的地位却大大削弱了。1860年林肯代表共和党，道格拉斯代表民主党在总统竞选中再次对阵，他们在1858年辩论的内容被汇集成书，成为竞选运动的重要文件。但此次道格拉斯却惨败于林肯手下。

Lincoln Memorial 林肯纪念堂 建于美国首都华盛顿的一座庄严的纪念物。由H.培根设计，形似雅典帕台农神庙。建筑四周有36根廊柱，每根高13.4米，象征林肯时代的36个联邦州。堂内巨大的林肯坐像高约5.8米，用佐治亚州的白色大理石制成，由D.C.弗伦奇设计，皮奇里利兄弟制作。坐像正面向东，远眺水池另一端的华盛顿纪念碑和远处的国会大厦。南、北墙壁上镌刻有林肯的葛底斯堡演说和第二次就职演说。铭文上方有两幅J.盖兰的绘画《重新联合与进步》和《一个民族的解放》。该纪念堂1915年奠基，1922年5月30日正式落成。1963年纪念《解放宣言》发表100周年的仪式上，黑人民权运动领袖马丁·路德·金站在林肯纪念堂台阶上，面对20多万观众发表了其著名的演讲《我有一个梦想》。

Lincoln Park Zoo 林肯公园动物园 芝加哥市内的一所动物园，豢养的大型类人猿以家族为单位而共同生活，该动物园以此著称。公园面积14公顷，由芝加哥公园管理区经营，并得到林肯公园动物学会的协助。于1874年开放，是全美国最古老的动物园之一。现代化改建工程在20世纪80年代后期完成。其动物展品中的主要种类是猫科动物、贫齿目动物(树懒和食蚁兽)及南美灵长类。是为数不多的几个免票动物园之一。

Lincoln Tunnel 林肯隧道 哈得孙河下的行车隧道，自纽约市曼哈顿岛通至新泽西州的威豪肯，长2 500米，在河面下约30米。第一道1937年开放，第二道1954年开放，第三道1957年开放。由纽约和新泽西州港务局管理。

Lincolnshire 林肯郡 英格兰东部行政、地理和历史郡。濒北海。行政、地理和历史郡所辖范围稍有差异。行政郡包括东林赛、西林赛、北凯斯蒂文、南凯斯蒂文、南霍兰、波士顿自治市和林肯市7个区。地理郡覆盖行政郡范围、东北林肯郡和北林肯郡。历史郡与地理郡范围大致相同，只是北林肯郡西北边缘一小部分地区属约克历史郡。境内有两条南北纵贯的高地。较西、较窄的是林肯郡边缘，其西侧是石灰石悬崖，即林肯市所在地。由一块黏土低地与边缘隔开的是林肯丘陵。丘陵与海岸之间为林肯沼地。史前即为居民点。继罗马人之后盎格鲁-撒克逊人沿特伦特河进入该地，并建林赛王国。丹麦人也曾占据该地，并建立林肯和斯坦福两个自治镇及许多村庄。中世纪该郡为繁荣的农区，建有多座大教堂和隐修院。现今仍然保持着昔日的田园风貌。乡村主要生产谷物、甜菜和蔬菜。中南部以食品加工为主要工业；北部工业以炼油、化学制品和钢制品为主。北部格里姆斯比和伊明赫姆居英国最繁忙的港口之列。面积：行政郡5 880平方千米；地理郡6 922平方千米。人口：行政郡623 100；地理郡931 600(1998)。

Lind, James 林德(1716，爱丁堡～1794-07-13，英格兰汉普郡戈斯波特) 英国医师，"英国海军卫生学的奠基人"。他建议把新鲜柑橘和柠檬汁包括在海员的饮食中，结果在英国海军中根除了坏血病。曾任英国海军军医多年，观察了成千例坏血病、斑疹伤寒、痢疾以及可引起这些疾病的船上不良卫生情况。1754年当他发表《论坏血病》一文时，英国水兵在战时死于坏血病者多于阵亡者。将近两个世纪前，荷兰人已经发现了柑橘和果汁对长途航海的水手有益。林德在《论坏血病》和《保护海员健康最有效的方法》(1757)等论文中，推荐了他的饮食疗法。该法于1795年终于被皇家海军采用，坏血病就像"使用了魔术一般"从军队中消失。林德推荐了船上除虱的方法(与今天用以征服斑疹伤寒的方法相似)，建议在热带海港使用医院船以收容患病水手，并将海水蒸馏以供饮用(1761)。著作尚有《欧洲人在炎热气候中易得的疾病》(1768)。

Lind, Jenny 林德(1820-10-06，斯德哥尔摩～1887-11-02，英国伍斯特郡莫尔文) 瑞典出生的歌剧及清唱剧女高音歌唱家，以其嗓音控制与灵活以及其技艺的清纯自然著

纽约州历史学会供图

称。1838年在斯德哥尔摩首次登台，演唱《自由射手》。1841年在巴黎师事M.加西亚。1847年在伦敦扮演G.威尔地为她写作的《群盗》中的阿米莉亚一角。同年5月在伦敦演出G.梅耶贝尔的《恶魔罗贝尔》时，据报道整个城市"都为这个瑞典夜莺发狂"。她音域很广，从中央C以下的B到高音G。作为一位技巧娴熟的花腔歌唱家，她演唱简朴歌曲也极有感染力。1850年去美国巡回演出。1852年和她的伴奏O.戈德施米特结婚。1856年移居英国。1883～1886年任教于伦敦皇家音乐学院。

Lindahl, Erik Robert 林达尔(1891-11-21，斯德哥尔摩～1960-01-06) 瑞典经济学家、斯德哥尔摩学派主要成员之一。20世纪20年代末至30年代初继承发展了K.魏克赛尔(又译维克塞尔)的宏观经济学理论。先后在隆德、哥德堡、乌普萨拉诸大学任教(1942～1960)。用英语发表的主要著作有《货币与资本》(1939)。重要成就在于首先在经济学中使用序列分析，从而促使G.默达尔提出储蓄和投资中"事先"和"事后"两个概念。林达尔和其他瑞典经济学家的见解后为凯恩斯的《就业、利息和货币通论》所采用。林达尔受魏克赛尔影响，在《赋税的公平负担》(1919)一书中探讨了赋税收益原则；继魏克赛尔之后对奥地利学派资本学说有所发展。他对发展一般有效的经济会计制度感兴趣，对收入与价格以统计的方式来研究。

Lindane 林丹 又作Gammexane。一种杀虫剂的商品名。由六氯化苯(**benzene hexachloride**)的最毒的异构体组成。

Lindau 林道 德国极南部拜恩州城市。在康斯坦茨湖的一个岛上。位于腓特烈港的东南。有两座桥与湖岸相连。曾是罗马军营的所在地，并建有一座本笃会隐修院(810)。1275年成为帝国自由城市，并成为与意大利贸易的繁荣商业城。1804年为奥地利所统治，1805年归属巴伐利亚。1922年将湖北岸"花园城"一些社区并入。现保持着中世纪和巴罗克时期风貌。有旧市政厅、旧教堂、隐修院等古建筑，在小港入口处还有一尊19世纪

康斯坦茨湖畔的林道市
美国不列颠百科全书公司供图

巴伐利亚狮像。为著名的避暑胜地和旅游中心。设有海关。与瑞士、奥地利通轮渡。人口约24 348(2003)。

Lindbergh, Charles A.　林白(1902-02-04,底特律～1974-08-26,美国夏威夷毛伊)　美国飞行员。航空史上最著名的人物之一,因于1927年5月20～21日第一个单独完成横越

美国国会图书馆供图

大西洋的不着陆飞行而闻名世界。童年主要在明尼苏达州利特尔福尔斯和华盛顿(哥伦比亚特区)度过。因对航空发生兴趣,在威斯康星大学二年级时辍学,进入内布拉斯加林肯市的一所飞行学校学习,并购买了一架第一次世界大战时期的柯蒂斯公司生产的詹尼型飞机,在美国南方及中西部诸州作巡回特技飞行表演。在得克萨斯州陆军飞行学校学习一年(1924～1925)后成为航邮飞行员(1926),在圣路易斯至芝加哥之间执行任务。在此期间,他得到圣路易斯一些商人的资助。1927年5月20～21日他驾驶圣路易斯"精神"号单翼机,以33.5小时第一次完成纽约至巴黎不着陆飞行,立即在大西洋两岸成为英雄人物,并得到2.5万美元奖金。接着驾驶飞机对欧美和世界许多国家进行友好访问。1929年5月与美国驻墨西哥大使D.门罗之女A.门罗结为伉俪。在多次飞行中,其妻担任副驾驶和领航员,携手飞往世界许多国家。林白还担任洲际航空运输公司和泛美航空公司技术顾问,许多航线由他首先试航。1936年间在访问德国航空中心期间他多次就纳粹德国空中力量的崛起提出警告。回美国后于1940～1941年间发表了鼓吹美国在第二次世界大战中恪守中立的演说,加之1938年他接受德国政府的勋章,因而受到公众的指责。当他的公开言论受到罗斯福总统的批评后,于1941年4月从陆军航空队后备队辞职。美国参战后,他积极投身于战争,他任福特汽车公司和联合飞机公司顾问,并在太平洋战区参加过50次战斗飞行。战后他参加海军技术代表团赴欧洲调查德国航空发展情况,后继续担任泛美世界航空公司和美国国防部顾问、国家航空咨询委员会委员。1927年曾获国会授予的美国荣誉勋章,1954年由艾森豪威尔总统授予空军后备队准将军衔。1953年出版《圣路易斯精神号》一书并获得普利策奖。还著有《我们》(1927)、《飞行与生活》(1948)。《战时日记》(1970)是他1938～1945年间生活的写照。

Lindblad, Bertil　林德布拉德(1895-11-26,瑞典厄勒布鲁～1965-06-26,斯德哥尔摩)　瑞典天文学家。他对星系的结构和运动以及远距恒星绝对星等(不考虑距离因素的真亮度)的测定等方面都作出过重大贡献。他先是在瑞典乌普萨拉天文台任助理,后来到斯德哥尔摩天文台任职,1927年起任台长直到1965年逝世。1931年他把天文台迁往萨尔特舍巴登附近并更新了天文台的设备。20世纪20年代前期,荷兰天文学家J.C.卡普坦和其他天文学家从统计研究中发现,大多数恒星在空间中似乎朝一个方向或两个方向运动。1926年,林德布拉德将这一现象(所谓星流)成功地解释为银河系的自转效应,从而成为提出银河系自转真实证据的第一人。荷兰天文学家J.奥尔特紧接着证实了这一理论。林德布拉德还是用恒星光谱测定远距恒星绝对星等的先驱,他创立一套自己的光谱分类系统,用它来测定许多恒星的绝对星等并进而确定它们的距离和切向速度。1948～1952年任国际天文学联合会主席。

Linde, Carl (Paul Gottfried) von　林德(1842-06-11,巴伐利亚贝恩多夫[德国]～1934-11-16,德国慕尼黑)　德国工程师,他发明的大量气体连续液化过程,成为致冷科学的基础,并推动了对现代低温和超高真空物理学的研究。1868年在慕尼黑新建的工科大学任助理教授,1874和1876年先后研制了甲基醚致冷器和氨致冷器。虽然在这以前已有多种致冷器研制成功,但林德的致冷器则是第一个在效率方面按照精确计算设计的。1895年他创办规模巨大的生产液态空气的工厂。6年后,发明从液态空气中分离纯液态氧的方法,使氧在工业生产中得到广泛应用,例如在钢铁工业中。

Lindegren, Erik (Johan)　林德格伦(1910-08-05,瑞典吕勒奥～1968-05-31,斯德哥尔摩)　瑞典现代派诗人,对20世纪40年代瑞典新诗歌作出了重大贡献。他的第二本诗集《走投无路的人》(1942、1946)标志40年代诗歌的开始。1947年与卡尔·文贝里合编《40年代诗歌》,收集20多位青年诗人的诗作,这些作品反映了40年代的思潮和情绪。此外,还写有两册诗集,《组曲》(1947)和《冬祭》(1954),表明他继续致力于现代派诗歌的创作,但更多抒情意味。

Lindeman Island　林德曼岛　属坎伯兰群岛。隔惠森迪海峡与澳大利亚昆士兰州东北岸相望。为四周珊瑚、多岩石的大陆岛屿,属大堡礁。面积16平方千米。现为国家公园。

Lindemann, (Carl Louis) Ferdinand von　林德曼(1852-04-12,德国汉诺威～1939-03-01,慕尼黑)　德国数学家。证明了π是超越数,这个证明确定了古希腊化圆为方问题只用圆规和直尺是不能解决的。1883年任柯尼斯堡大学数学教授。1893年任慕尼黑大学数学教授。他的数学著作主要在几何学和分析学方面,上述著名的证明发表在《论数π》(1882)中。

Linden　林登　圭亚那东北部城市。濒临德梅拉拉河。由原马更些、维斯马和克里斯蒂安堡三镇于1971年组成。附近开采的铝土矿在此加工后装船外运。有公路通乔治敦。有一机场。人口27 200(1992)。

linden　椴树　椴树科椴树属(*Tilia*)落叶乔木的通称。原产北半球,约30种,其中少数种为优良的观赏树与遮荫树。树型雅致;叶心形,具粗齿缘;花芬芳,乳白色;果小球形,自狭长的叶状苞片中下垂。美洲椴树(白木,

欧洲椴树(*T. europaea*)
美国不列颠百科全书公司供图

T. americana)是大型遮荫树,高可达40米,木材可制蜂房、板条箱、家具及细刨花,亦是受欢迎的蜜源树,椴树蜜色淡而有特殊风味。小叶椴树(心形叶椴树,*T. cordata*)原产欧洲,为广泛栽植的行道树。克里米亚椴树(*T. euchlora*)是小叶椴树与粗毛花柱椴树(*T. dasystyla*)的杂交种,株高可达20米,其变种雷德蒙椴树(*T. euchlora* var. "Redmond")具有单一笔直的树干,树姿优雅,树冠金字塔形。欧洲椴树(普通椴树,*T. europaea*)为大叶椴树(*T. platyphyllos*)与小叶椴树的天然杂种。银叶椴树(绒毛椴树,*T. tomentosa*)叶背银白色。垂枝银叶椴树(*T. petiolaris*)枝条下垂,受人喜爱。卡罗来纳椴树(*T. caroliniana*)与异叶椴树(*T. heterophylla*)原产美国东部的土壤潮湿地区,是蜜源树,产芬芳蜂蜜。

Linden, Pieter Cort van der 林登 参阅 **Cort van der Linden, Pieter (Wilhelm Adriaan)科尔特·范·德·林登**。

Lindenthal, Gustav 林登塔尔(1850-05-21,奥地利布伦～1935-07-31,美国新泽西梅塔钦) 奥地利出生的美国土木工程师,因设计纽约市伊斯特河上的赫尔盖特大桥而闻名。他在奥地利和瑞士获得建筑铁路和桥梁的经验后,于1871年移居美国,任费城百年纪念博览会的建筑工程师(1874～1877),然后到匹兹堡任建筑铁路和桥梁的顾问工程师。他在纽约设计赫尔盖特铁路大桥并担任顾问工程师,该桥于1917年3月通车,是当时世界上最长的钢拱桥(298米)。他还设计了伊斯特河上的昆斯博罗悬臂桥。

Lindet, Jean-Baptiste-Robert 兰代(1743,法国贝尔奈～1825-02-17,巴黎) 雅各宾专政时期(1793～1794)统治着革命法国的救国委员会委员。1789年大革命爆发时在贝尔奈当律师。1791年10月他被选入大革命的立法议会,在议会的后身即国民公会中蝉联。在审判路易十六时,他曾起草关于路易的反革命罪行的报告(1792-12),并投票赞成处死国王(1793-01)。1793年4月6日任第一届救国委员会委员。他帮助山岳派把温和的吉伦特派逐出国民公会。同年7月2日,他重新选入雅各宾派占优势的第二届救国委员会。同年10月,他领导中央粮食委员会,为军队征调食物和军需品。但是,他本质上仍属温和派。他指望控制最终将会取消,不赞成对反革命分子使用恐怖手段,不大同情巴黎下层阶级的要求。虽然他常支持救国委员会主要发言人罗伯斯比尔的反对者,但未参加导致罗伯斯比尔倒台的阴谋。在针对雅各宾派政权的热月反动中,他退出救国委员会(1794-10)。1799年6月任督政府属下的财政部长,同年11月拿破仑夺权时,他退出政界,仍在巴黎业律师。

Lindgren, Astrid 林德格伦(1907-11-14,瑞典维默比～2002-01-28,斯德哥尔摩) 瑞典有影响的儿童读物女作家。1945年,发表《长袜子皮皮》后,一举成名。以皮皮为主人公的书共3部,书中的小姑娘衣着古怪,独自同小马和猩猩住在一起,既有力气,又有金钱,完全摆脱日常生活的约束,体现了每个孩子对自由和力量的幻想。另一本同样深受读者欢迎的书是《朗内贝加的埃米尔》(1963),1970年又发表了续集。书中的主人公埃米尔同样是个无拘无束的自然宠儿,背景是19与20世纪之交林德格伦的家乡,其他著名作品有《矬子卡尔松-皮斯林》(1949)、《喵,我的喵》(1954)、《狮心兄弟》(1973)等。1971年获瑞典文学院金奖章。

Lindgren, Waldemar 林德格伦(1860-02-14,瑞典卡尔马～1939-11-03,美国马萨诸塞布赖顿) 瑞典出生的美国经济地质学家。为热液成矿学说的建立作出贡献。这个学说认为金属矿脉和类似的矿床是由从下面来的熔融岩石里的热液造成的,而不是由从上面渗下去的水造成的。林德格伦1883年移居美国,第二年就进入美国地质调查局,直到1912年。对美国西部各州矿床的广泛研究,使他能够空前精确地测定成矿的物理条件和化学条件,证实了许多矿物是火成的,并阐明了矿石据以堆积的方法,特别是某些矿物被其他矿物所交代。1913年他因创造了矿床分类法而更著名,把矿床分为:岩浆分凝型矿床、接触变质型矿床、伟晶岩型矿床、温压强度不同的(深成热液、中深热液、浅成热液)脉矿床和脉状矿床以及沉积矿床。1911年任美国地质调查局总地质师,次年辞职,就任剑桥麻省理工学院经济地质学教授兼地质系主任。他发表过将近200种书和论文,而他的《矿床学》(1933,第4版)成为该领域的极好的高年级教课书。

Lindisfarne (England) **林迪斯芳** 参阅 **Holy Island 霍利岛**。

Lindisfarne Gospels 林迪斯芳福音书 手抄本福音书(伦敦不列颠博物馆收藏)。7世纪后期或8世纪以爱尔兰-萨克森风格装饰。此书大概是林迪斯芳主教埃德弗里思(Eadfrith)于698～721年间所制。据说出于诺森伯里亚学派,融合了爱尔兰、古典主义和拜占廷等三种手抄本装饰风格的特点。

Lindley, John 林德利(1799-02-05,英格兰诺森伯兰卡顿～1865-11-01,伦敦) 英国植物学家。试图建立一个植物自然分类体系,极大地促进了从人为分类体系到自然分类体系的过渡。1819年去伦敦,在W.J.胡克的帮助下成为助理图书馆员。1822年就任园艺学会的助理秘书,1830年为该组织在英格兰举办首届花展。后任伦敦大学第一任植物学教授至1860年。1838年考察伦敦基尤植物园的情况后,建议把该园收归国有并作为联合王国的植物研究中心。他收集的兰花非常著名,最后保存在基尤植物园的标本室。他的《园艺学原理与实践》(1842)一书被誉为论述园艺学的生理学基础最杰出的著作之一。在最著名的《植物界》(1846)一书中,他提出自己的植物自然分类体系,虽然该体系从未被其他植物学家所采用,但促进了自然体系在英国的普及。

Lindley, William 林德利(1808-09-07,英国伦敦～1900-05-22,伦敦布莱克希思) 英国土木工程师,参加重建汉堡。1838～1860年任汉堡—贝格多夫铁路总工程师。1842年5月5日汉堡发生大火,延烧3日。他采取炸毁市政厅等有力措施控制火势。任汉堡顾问工程师后,对这座烧毁的城市进行测量,制定全面重建的规划。他建设了下水道系统、供水系统、煤气厂、公共浴室和洗衣房;制定了扩大港口的计划,并于1854年完成。1860年离开汉堡,在许多城市任顾问工程师(1865～1879)。他为美因河畔法兰克福修建的下水道系统,后来为欧美各国普遍模仿。

Lindos 林都斯 罗得岛东部沿海城镇,是结盟(公元前408)以前罗得岛的3个城邦之一。丹麦人曾经于1902～1924年和1952年连续发掘林都斯,发现多立斯式的雅典娜神庙、卫城正门和一个柱廊。此外还发现一部公元前99年编写的系年记事。

林都斯镇的雅典娜神庙遗址
美国不列颠百科全书公司供图

Lindsay 林赛 加拿大安大略省东南部城镇,维多利亚县县城(1861)。濒临斯丘戈格河。以设居民点时一位土地测量员之姓命名。1833年特伦特运河修通,斯特金湖和斯丘戈格湖的水路及林赛的船闸改善,促进了城镇的发展。现为卡沃萨湖旅游区的主要通道。有伐木业和农业,也有轻工业。1857年设镇。人口16 696(1991)。

Lindsay, Sir David 参阅 **Lyndsay, Sir David 林赛**。

Lindsay, Howard; and Crouse, Russel 林赛和克劳斯(林赛1889-03-29,美国纽约沃特福德～1968-02-11,纽约州纽约;克劳斯1893-02-20,美国俄亥俄芬德利～1966-04-03,纽约州纽约) 美国剧作家和演出人,两人合作写出一系列成功的幽默戏剧,共同主持了戏剧的演出。他们的合作取长补短,相辅相成,不断取得成功,引人注目。在同克劳斯相遇以前,林赛已经具有演员、导演和剧作家的经验,他在演出《马戏团的波利》时到各地周游了42个星期。克劳斯早期主要从事新闻工作。他也为歌剧《这帮人都在这里》(1931)写过脚本,这个歌剧只演出了两周。20世纪30年代初,他还写过缅怀19世纪美国的著作。1933年,演出人V.弗里德利为了挽救一部戏剧,请林赛和克劳斯两人合作,完成了戏剧《怎么都可以》(1934)。两人的合作在以后的年代里不断发展,日臻成熟。他们的上演时间最长的一部剧作是根据C.戴的著作改编的《同爸爸生活在一起》(1939),上演了7年半之久(演出达3 213场)。在该剧中,林赛扮演父亲,与他实际生活中的妻子D.斯蒂克尼配戏。1940年林赛和克劳斯尝试作《砒霜和老丝带》这部戏的演出人,结果又获得成功。1946年两人由于《国情》(1945)这个剧本而获得普利策戏剧奖。该剧的部分内容每天都加以改写,以适应事态的发展,其目的是为了讽刺美国的政治。他们还为歌剧《音乐之声》(1959)写台本。林赛的戏剧知识和克劳斯的敏锐机智结合起来,使他们两人的工作受到普遍欢迎。他们彼此都有一种把思想观念转变成极受欢迎的音乐喜剧和戏剧的天赋。

Lindsay, Norman (Alfred William) **林赛**(1879-02-23,澳大利亚维多利亚克雷西克～1969-11-29,悉尼) 澳大利亚画家和小说家,以政治连环漫画和色情插图著称。16岁时开始为报纸作画。曾任《悉尼公报》首席连环漫画家多年。富于想象,笔法刚健而风格略显粗俗,在为忒奥克里托斯、薄伽丘、卡萨诺瓦、阿比特、拉伯雷的著作及自己的小说《小心翼翼的色鬼》(1932)所作插图中均可见。插图主要取新艺术派作风,因诲淫而在澳大利亚受到舆论谴责。

Lindsay, Vachel **林赛**(1879-11-10,美国伊利诺伊斯普林菲尔德～1931-12-05,斯普林菲尔德) 美国诗人。他试图使诗重新成为属于普通人的一种口头艺术形式,用强烈的节奏向听众朗诵他写的诗,具有直接感染力。在俄亥俄海勒姆学院学习3年后,辍学到芝加哥和纽约攻读美术。为维持生活,他为基督教青年会和反沙龙联盟讲课。开始写诗后连续几个夏季在全国漫游,以朗诵自己的诗篇来换取食宿。1913年在《诗歌》杂志发表

美国不列颠百科全书公司供图

有关基督教救世军创建人威廉·布思的诗,初次获得承认。他的这类诗充满生动的比喻,表达了他强烈的爱国之心和对大自然浪漫主义的赞赏。他的诗以鲜明的语言描绘美国人崇拜的宗教领袖和社会领袖,诸如A.坎贝尔(基督教使徒会创始人)、J.阿普尔西德、J.阿尔特吉尔德和W.J.布赖恩等。在大约20首听众最喜欢的诗中有《威廉·布斯将军进入天堂》、《刚果河》和《圣菲小道》等。最优秀的诗集有《为换面包而作的韵诗》(1912)、《威廉·布恩将军进入天堂及其他诗》(1913)、《刚果河及其他诗》(1914)和《中国夜莺及其他诗》(1917)。在20世纪20年代,其诗才和自我批评的能力日渐衰退,不再受人欢迎。最后服毒自杀。

Lindsey **林赛** 盎格鲁-撒克逊人王国,疆域大约为现林肯郡的东、西林赛地区。原为盎格鲁人移民地,到8世纪末为止,由本族的国王统治。841年丹麦人侵占林赛,873年以后在那里定居。盎格鲁-撒克逊人大概在918年夺回故地,但从地名考证,丹麦人的居民点相当稠密,由此可见林赛曾在11世纪初支持丹麦人侵者斯韦恩和克努特。约631年林赛改宗基督教。

Lindsey, Ben B. **林赛**(1869-11-25,美国田纳西杰克逊～1943-03-26,加利福尼亚洛杉矶) 美国法官,少年犯罪问题的国际权威,有关青少年犯罪和家庭关系问题的法律诉讼

美国国会图书馆供图

程序的改革者。他的引起争论的主张"伴侣婚姻"有时与英国哲学家罗素的"试验婚姻"概念相混。1894年加入科罗拉多州律师协会,起草了关于在丹佛建立一个少年法院的法令;1900～1927年主持该法院,该法院是全美国同类法院的模式。他运用一些现在已被普遍接受的原则,即应当把少年犯视为法院的监护对象而加以保护,应当把挽救而不是惩罚作为处理青年问题的目标,以及应当采取衡平法的而不是刑法的诉讼程序。此外他还促使分担少年犯罪责任的法律获得通过,该法是针对少年犯的不负责任的父母和雇主的。在移居加利福尼亚州后,他于1934年当选洛杉矶高等法院法官。在洛杉矶他还建立了一个处理离婚案件的调解法院,只要有可能就使双方重归于好;他担任该法院的法官直至去世。他写了不少书,其中受到广泛议论的是《伴侣婚姻》一书(与温顿特·埃文斯合写,1927)。他在该书中主张在未牢固地建立婚姻关系以前要实行节育以避免当上父母,并主张双方同意即可离婚(但有子女者例外)。

line-and-wash drawing **线条淡水彩画** 先用钢笔或类似的工具勾划,再用稀释的墨水或水彩着色。中国画家早在13世纪就用透明的淡墨创造出若隐若现的云雾效果。自文艺复兴之后此法已开始在欧洲运用,但直到18世纪地形绘图术出现后,方在西方盛行。运用钢笔的线条描绘精确的细节,再用淡彩烘托出明暗、实体感和大气云雾,这两种手段结合起来,非常适于绘风景画和有建筑物的作品。

line integral **线积分** 又称围道积分。数学中,定义在直线或曲线C上的多元函数对C的弧长s的积分:

$$\int_C f(x,y)\mathrm{d}s = \lim \sum_{i=1}^{n} f(x_i,y_i)\Delta_i s$$

其中$\Delta_i s$(C中被分成的各弧段)趋于0。线积分$\int_C f(x,y)\mathrm{d}x$及$\int_C f(x,y)\mathrm{d}y$可类似地定义。线积分在复变函数论中广泛应用。

Line Islands **莱恩群岛** 太平洋西南部和中西部的一系列珊瑚环礁,部分属于基里巴斯共和国,部分被宣称为美国非宪辖领地。莱恩群岛自法属波利尼西亚向西北延伸2 600千米,陆地面积496平方千米。分北、中、南三部分。北莱恩群岛在政治上包括特拉伊纳岛(即华盛顿岛)、塔布阿埃劳环礁(即范宁岛)和基里蒂马蒂环礁(即圣诞岛),都属于1979年独立的基里巴斯;金曼礁、巴尔米拉环礁和贾维斯岛皆为美国非宪辖领地。中、南莱恩群岛包括莫尔登岛(属中莱恩群岛)、斯塔巴克岛(属中莱恩群岛)及沃斯托克岛、弗林特岛和加罗林环礁(以上三者属南莱恩群岛),也都为基里巴斯的一部分。仅基里蒂马蒂、塔布阿埃劳两环礁和特拉伊纳岛有人长期居住。人口4 782(1990)。

line of force (physics) 参阅 **force, line of 力线**。

line squall **线飑** 伴随着飑(**squall**)突然出现的急剧增大的风速。

lineage **家系** 由一个祖先(或者从父系,或者从母系)繁衍下来的一群人。其所有成员可以追溯共同祖先到某一个人。家系的谱系结构关系常常用来为社会关系或政治关系服务。家系一般是社团性的,对非该家系的人具有排他性。它的成员共同行使权力,集体承担义务。家系可以包括许多代,但通常只追溯5到10代。家系的结构可以看成是支系繁衍过程的结果,两三个小型家系建立起来就以兄弟支系相称,构成一个更大的家系,可促进社会稳定。在缺乏中央政治权威的社会里,地域性集团常常是根据家系组织起来的。家系一般实行族外婚制,婚姻是沟通不同集团的桥梁。

Linear A and Linear B **线形文字甲和线形文字乙** 线形文字甲是还未解读出的克里特文字,通行于公元前1700～前1600年间,曾取代更早期通用的表意或象形文字体系。线形文字甲从左至右书写。写的何种语言尚未查清。据学者们推断是米诺斯语或原始克里特语。

线形文字乙是公元前1400～前1150年用来书写希腊语的音节文字(用线形文字乙书写的希腊语通常叫作迈锡尼希腊语)。线形文字乙见于克里特岛的克诺索斯发现的泥

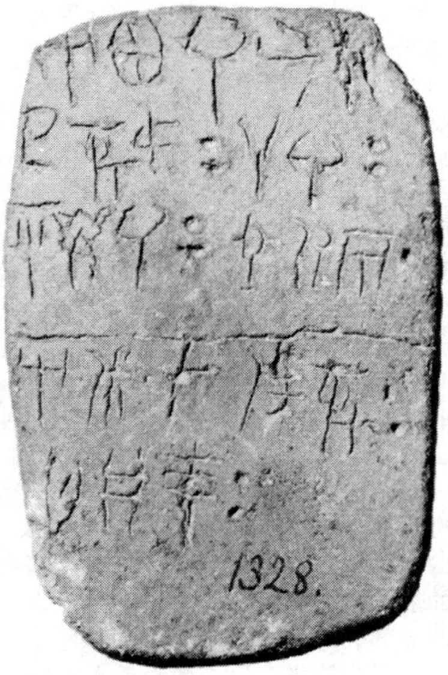

克里特岛圣特里亚扎出土的线形文字甲泥板

美国不列颠百科全书公司供图

板，见于迈锡尼的泥板，也见于麦西尼亚的皮洛斯所发现的泥板。大约有90个音节符号，基本上都表示开音节。线形文字乙是由英国建筑师M.文特里斯于1952年解读出来的。有些学者认为，线形文字乙由较早的、尚未解读的线形文字甲发展而来；另一些学者则认为两种文字系平行发展而来。有些学者不同意文特里斯有关线形文字乙系希腊字母的一种早期形式的论断；在同意文特里斯之说的学者中，有些人认为泥板文书所用语言，与青铜器时代末引入迈锡尼的希腊语甚少关联，或毫无关联。

克里特岛克诺索斯米诺斯宫出土的线形文字乙泥板，约公元前1400年

美国不列颠百科全书公司供图

linear accelerator　直线加速器　又作linac。一类**粒子加速器**（**particle accelerator**），它使亚原子粒子通过沿直线分布的交变电场时，获得一连串小的能量增量。这些小的加速度加在一起，使粒子获得的能量大于仅在一段内施加电压所达到的能量。1924年，瑞典物理学家G.伊辛提出用交变电场加速粒子，他将一些“漂移管”以适当间隙排开，用来屏蔽在电场方向与加速要求相反的半周内的粒子。4年后，挪威工程师R.维德罗首次制成了这种加速器，成功地将钾离子加速到5万电子伏的能量。加速较轻粒子（如质子和电子）的直线加速器直到第二次世界大战期间为雷达研制的大功率射频振荡器出现后才得以实现。质子直线加速器典型的运行频率约为200兆赫，而电子直线加速器中的加速力则由微波频率约为3 000兆赫的电磁场提供。

美国物理学家L.阿耳瓦雷茨于1946年设计成的质子直线加速器是维德罗结构的更高效率的变种。在这种加速器中，驻波型电场存在于沿中心轴悬挂一些漂移管的圆柱形金属共振腔内。最大的质子直线加速器在美国新墨西哥州洛斯阿拉莫斯的C.P.安德森介子物理工厂内，它的长度为875米，能将质子加速到800兆电子伏。这种加速器在大部分长度上作了结构变动，称为侧面耦合空腔加速器，其中加速发生在位于中心轴上的各个小室内，这些小室被装在它们侧面的一些空腔耦合在一起。当加速小室的共振频率改变时，这些耦合空腔即可起稳定加速器运转性能的作用。

电子直线加速器利用行波而不用驻波。由于电子的质量小，当电子能量达5兆电子伏时，速度就同光速十分接近。因而它们能和加速波一起沿着直线加速器行进，实际上是乘着波峰行进，因而经常受到加速场的作用。世界上最长的电子直线加速器，是美国加利福尼亚州门洛帕克的斯坦福（大学）直线加速器中心的3.2千米加速器，它能将电子加速到500亿（50吉）电子伏。许多更小型的电子和质子直线加速器，在医学和工业上都有重要应用。

linear algebra　线性代数　代数学的一个分支，它主要处理线性问题，即多半与求解线性方程组有关的问题。一般的线性方程组的理论和求解由于引入了向量（vector）和**矩阵**（matrix）而变得容易。向量可以进行运算（这起源于它们原来的物理意义），从而产生向量空间。而矩阵能被等同于在这些向量空间上的被称为线性变换的特殊函数。有限维向量空间的线性变换的理论，其中包括矩阵和线性方程组的理论，组成了线性代数这门学科的内容。线性代数起源于研究几个未知量的线性方程组，试图找到一般的方法求它们的解，这个尝试在1693年由德国数学家莱布尼兹导致**行列式**（**determinant**）的概念。矩阵这个词被英国出生的美国数学家J.J.西尔维斯特在1850年首先用来称呼一些数组成的矩形阵列，从它可以形成行列式。1855年A.凯莱发现了线性变换与矩阵的联系，并在1858年提出了完整的矩阵代数的概念。爱尔兰数学家W.R.哈密顿在1853年也曾在线性函数和向量函数的名称下使用了本质上是矩阵的代数。矩阵理论继续广泛发展，到20世纪，数学家们开始把注意力转到与之相联系的线性变换。

向量空间　这个概念初见于哈密顿论向量代数的著作。一个非空集合 V（它的元素将被称为向量）称为域 F 上的一个向量空间或线性空间，如果定义了向量的加法（即 V 中任两个向量 α、β 的和 $\alpha+\beta$ 是 V 中唯一确定的向量），以及向量与域 F 中元素（称为纯量如 k,l）的乘法（称为数量乘法），并且满足8条公设：① $\alpha+\beta=\beta+\alpha$；② $(\alpha+\beta)+\gamma=\alpha+(\beta+\gamma)$；③存在一个零向量0，使得 $\alpha+0=\alpha$，对于 V 中所有 α 成立；④每个向量 α 有唯一的负向量 $-\alpha$，使得 $\alpha+(-\alpha)=0$；⑤ $k(\alpha+\beta)=k\alpha+k\beta$；⑥ $(k+l)\alpha=k\alpha+l\alpha$；⑦ $k(l\alpha)=(kl)\alpha$；⑧ $1\alpha=\alpha$。

向量空间的一个例子是所有有序三元实数组 (x,y,z) 组成的集合 R^3，其中加法和数量乘法定义为：$(x_1,y_1,z_1)+(x_2,y_2,z_2)=(x_1+x_2,y_1+y_2,z_1+z_2)$；$k(x,y,z)=(kx,ky,kz)$。$R^3$ 的向量有几何意义：对于原点在 O 的笛卡儿坐标系，向量 $\alpha=(x,y,z)$，可用有向线段 OP 表示，其中P点坐标是 (x,y,z)。进一步约定具有相同长度和方向的两条有向线段表示同一个向量。一般说，设F是一个域，所有n元有序数组 $(a_1,a_2,\cdots,a_n)$ 组成的集合，其中 $a_i\in F, i=1,2,\cdots,n$，对于如同 R^3 中那样定义的加法和数量乘法，构成域F上的一个向量空间，记作 F^n。系数在域F里的所有一元多项式组成的集合，按通常的多项式加法和数与多项式的乘法，构成域F上的一个向量空间，记作 $F[x]$。域F上的向量空间V的一个子集W称为一个子空间，如果W本身在V的加法和数量乘法下是域F上的一个向量空间。如果S是V的一个子集，则S里的向量的所有线性组合组成的集合W是V的一个子空间，称为由子集S生成的子空间。如果V是由向量的有限集生成的，则V称为有限生成的或有限维的。

域F上的向量空间V的向量 $\alpha_1,\alpha_2,\cdots,\alpha_r$ 称为线性相关，如果存在F中的不全为0的纯量 $k_1,k_2,\cdots,k_r$ 使得 $k_1\alpha_1+k_2\alpha_2+\cdots+k_r\alpha_r=0$。否则称为线性无关。向量空间V的一个基是生成V的一组线性无关的向量。每个向量空间都有基。如果V是有限维的，则V的每个基包含相同个数的向量。V的一个基里的向量个数称为V的维数。例如向量空间 F^n 是n维的。因为它的一个基是 $\varepsilon_1=(1,0,\cdots,0)$，$\varepsilon_2=(0,1,\cdots,0)$，$\varepsilon_n=(0,0,\cdots,1)$。如果 $\eta_1,\eta_2,\cdots,\eta_n$ 是V的一个基，则V中每个向量 α 可唯一表成这个基里向量的一个线性组合：$\alpha=a_1\eta_1+a_2\eta_2+\cdots+a_n\eta_n$，各数 $a_1,a_2,\cdots,a_n$ 称为 α 在这个基下的坐标，有序数组 $(a_1,a_2,\cdots,a_n)$ 称为 α 在这个基下的坐标向量。

线性变换　设V和U都是域F上的向量空间。V到U的一个映射 σ 称为线性变换，如果 $\sigma(\alpha+\beta)=\sigma(\alpha)+\sigma(\beta)$ 并且 $\sigma(k\alpha)=k\sigma(\alpha)$，其中 $\alpha,\beta\in V, k\in F$。V到自身的线性变换称为V的线性算子。例如，如果A是域F上的任一 $m\times n$ 矩阵，则从 F^n 到 F^m 的映射 $\sigma:\sigma(\alpha)=A\alpha$，是一个线性变换。如果 $R[x]$ 是x的所有实系数多项式组成的向量空间，并且如果 $D[f(x)]$ 是 $f(x)$ 的导数，则D是 $R[x]$ 的一个线性算子。如果 σ,τ 都是V到U的线性变换，则分别由 $(\sigma+\tau)(\alpha)=\sigma(\alpha)+\tau(\alpha)$，$(k\sigma)\alpha=k\sigma(\alpha)$ 所定义的 $\sigma+\tau$，$k\sigma$ 也是V到U的线性变换。如果V，U，W都是域F上

的向量空间，并且 σ 和 τ 分别是 V 到 U 和 U 到 W 的线性变换，则由 $(\tau\sigma)(\alpha)=\tau[\sigma(\alpha)]$ 所定义的乘积 $\tau\sigma$ 也是 V 到 W 的线性变换。如果对于 V 的线性算子 σ，存在 V 到自身的一个映射 τ，使得 $\sigma\tau=\tau\sigma=I$，其中 I 是 V 的恒等映射，则称 σ 是非奇异的或可逆的，这时 τ 称为 σ 的逆映射，记作 σ^{-1}，它也是 V 的线性算子。

设 V 和 U 分别是 n 维和 m 维的向量空间，而 $\varepsilon_1,\varepsilon_2,\cdots,\varepsilon_n$ 和 $\delta_1,\delta_2,\cdots,\delta_m$ 分别是 V 和 U 的一个基。则 V 到 U 的任一线性变换 σ 完全被决定于一组等式：

$$\sigma(\varepsilon_1)=\alpha_{11}\delta_1+\alpha_{21}\delta_2+\cdots+\alpha_{m1}\delta_m$$

……………………………………………

$$\sigma(\varepsilon_n)=\alpha_{1n}\delta_1+\alpha_{2n}\delta_2+\cdots+\alpha_{mn}\delta_m$$

或一个矩阵

$$A_\sigma^{(\varepsilon,\delta)}=\begin{pmatrix}\alpha_{11} & \alpha_{12} & \cdots & \alpha_{1n}\\ \alpha_{21} & \alpha_{22} & \cdots & \alpha_{2n}\\ \cdots & \cdots & \cdots & \cdots\\ \alpha_{m1} & \alpha_{m2} & \cdots & \alpha_{mn}\end{pmatrix}$$

这个矩阵称为 σ 关于 ε 基和 δ 基的矩阵。若 σ 是 V 的线性算子，则对应的矩阵 $A_\sigma^{(\varepsilon,\varepsilon)}$ 用 $A_\sigma^{(\varepsilon)}$ 表示，称为 σ 在 V 中关于 ε 基下的矩阵。映射：$\sigma\to A_\sigma^{(\varepsilon)}$ 是 V 的全体线性算子与域 F 上的全体 $n\times n$ 矩阵之间的一一对应，并且这个对应保持加法、乘法和数量乘法。如果 $\varepsilon_1,\varepsilon_2,\cdots,\varepsilon_n$ 和 $\eta_1,\eta_2,\cdots,\eta_n$ 是 V 的两个不同的基，X 和 Y 分别是 V 的向量 α 在 ε 基和 η 基下的坐标向量（写成列向量形式），则 $X=PY$，其中 P 是非奇异的 $n\times n$ 矩阵，它仅与两个基有关，称为从 ε 基到 η 基的过渡矩阵。如果 σ 是 V 的线性算子，则 σ 分别在这两个基下的矩阵有等式关系 $A_\sigma^{(\eta)}=P^{-1}A_\sigma^{(\varepsilon)}P$。如果 A 和 B 都是 $n\times n$ 矩阵，且存在一个可逆矩阵 P 使得 $B=P^{-1}AP$，则称 B 和 A 相似，于是 V 的线性算子 σ 在 V 的两个不同基下的矩阵是相似的。在 V 中选择适当的一个基，使得线性算子 σ 在这个基下的矩阵具有最简单的形式（即找出与矩阵 A 相似的最简单矩阵），这是线性代数所研究的一个主要课题。

内积空间 为了在实数域或复数域上的抽象的向量空间中引进度量的概念，需要定义内积。如果 V 是实数域 R 上的任一向量空间，则 V 里的一个内积是 $V\times V$（即 V 中向量形成的所有有序对组成的集合）到 R 的一个映射，它给 V 里的每个有序对向量 α、β 指定唯一的实数 (α,β)，使得：①$(\alpha_1+\alpha_2,\beta)=(\alpha_1,\beta)+(\alpha_2,\beta)$；②$(k\alpha,\beta)=k(\alpha,\beta)$；③$(\alpha,\beta)=(\beta,\alpha)$；④$(\alpha,\alpha)>0$，当 $\alpha\neq 0$。例如，在 R^n 里，设 $\alpha=(a_1,a_2,\cdots,a_n)$，$\beta=(b_1,b_2,\cdots,b_n)$，若定义 $(\alpha,\beta)=a_1b_1+a_2b_2+\cdots+a_nb_n$，则这是 R_n 的一个内积，称为 R^n 的标准内积或点积。更一般地，如果 V 是 R 上的任一向量空间，则 V 的一个内积可以通过定义 (α,β) 是 α、β 在 V 的一个基下的坐标向量的点积而得到。指定了一个内积的实数域上的向量空间称为实内积空间，有限维实内积空间称为欧几里得向量空间。

如果 V 是复数域 C 上的向量空间，则 V 上的一个内积是 $V\times V$ 到 C 的一个映射，它给 V 的每个有序对向量 α、β 指定一个复数 (α,β)，使得：①$(\alpha_1+\alpha_2,\beta)=(\alpha_1,\beta)+(\alpha_2,\beta)$；②$(k\alpha,\beta)=k(\alpha,\beta)$；③$(\beta,\alpha)=\overline{(\alpha,\beta)}$，$\overline{(\alpha,\beta)}$ 是复数 (α,β) 的共轭；④(α,α) 是实数，并且当 $\alpha\neq 0$ 时，$(\alpha,\alpha)>0$。例如，在向量空间 C^n 中，设 $\alpha=(a_1,a_2,\cdots,a_n)$，$\beta=(b_1,b_2,\cdots,b_n)$，则 $(\alpha,\beta)=a_1\overline{b}_1+a_2\overline{b}_2+\cdots+a_n\overline{b}_n$ 就是一个内积，称它是 C^n 的一个标准内积。若 V 是 F 上的有限维内积空间，其中 F 是 R 或 C，则对于 V 上的任一线性算子 τ，存在 V 上的唯一的线性算子 τ^*，称为 τ 的伴随，使得 $(\tau\alpha,\beta)=(\alpha,\tau^*\beta)$，对于 V 中一切 α、β 成立。如果 $\tau^*=\tau$，则称算子 τ 是自伴随的或埃尔米特的。如果 V 上的线性算子 τ 使得 $(\tau\alpha,\tau\beta)=(\alpha,\beta)$，对一切 $\alpha,\beta\in V$ 成立，则称 τ 是一个酉算子。实内积空间上的酉算子称为正交算子。V 上的线性算子 τ 如果满足 $\tau\tau^*=\tau^*\tau$，则称为一个正规算子。显然，伴随算子和酉算子都是正规算子。研究内积空间里的自伴随算子、酉算子和正规算子的性质是线性代数所研究的一个重要课题。

linear equation 线性方程 令含有 n 个变量的多项式等于零得到的等式；其中每一项至多有一个变量，且变量的次数至多是一次的。明确地说是形如 $a_0+a_1x_1+\cdots+a_nx_n=0$ 的方程，其中 $x_1,\cdots,x_n$ 是变量，$a_0,a_1\cdots,a_n$ 是常量。在多于一个变量的情形，方程可以对于某一个变量是线性的，而对于另一个变量不是线性的。例如，$x+y=3$ 是 x 和 y 两者的线性方程；$x+y^2=0$ 对于 x 是线性的，而对于 y 不是线性的。对于两个变量都是线性的方程表示笛卡儿坐标平面上的一条直线，当其中常数项为零时，该直线通过原点。线性微分方程是关于因变量和它的（或它们的）导数仅有一次的方程。一个简单的例子是 $dy/dx+Py=Q$，其中 P 和 Q 可以是常数或者是自变量 x 的函数，但是不能包含因变量 y 或它的导数。

linear motor 直线电动机 提供直线电牵引力的动力源，而不像普通电动机那样提供旋转牵引力，用于高速地面运输工具。在为铁路车辆设计的一种类型中，路基上有连续的固定导体，车辆中部两轮之间悬置的双定子跨骑在固定导体上。电能由车辆上的发电设备发出，或由平行于轨道的动力线经架空线传至车辆。电能馈入双定子而产生直线牵引力。直线电动机可以用来带动带式输送机、纺织机梭子和其他需要直线运动的装置。电磁泵是一种直线电动机，其中固体导体被液态金属之类的导电流体所代替。作用于导电流体的力产生抽运作用。

linear programming 线性规划 一种建立数学模型的方法，适用于指导商业计划和工业管理的定量决策（也用于社会科学和一般科学）。线性规划虽然起源于近代，但已迅速地变成应用数学的一个重要部分。20 世纪 30 年代末，L. 坎托罗维奇和 W. 列昂捷夫分别第一次认真地尝试把线性规划的方法运用到制定生产计划表和经济学领域，但是他们的工作大都被忽视了。第二次世界大战期间，线性规划曾被军用企业和其他为战争服务的企业广泛地使用于各种问题，例如处理运输问题，受一定限制（如装运费用和可用性的限制）的物资的计划和分配问题。这种广泛的应用鼓励了人们接受这个方法。线性规划由于 1947 年美国数学家 G. 丹齐克引入单纯形方法而获得进一步的推动力，这个方法大大简化了求解线性规划问题的手续，并且引起了对它的广泛的兴趣。

线性规划的方法是在物资分配和各种类型的计划表的领域里作出管理决策的一种重要工具。经理用线性规划的工具代替必须进行反复试验以作出定量决策的方式，它迅速而准确地给予他的许多问题以最优答案。下面的问题说明了用反复试验的方式可能遭遇到的困难。一个经理必须分配 70 个人去做 70 件不同的工作，每个人对于一个特定的工作有不同的效率。为了达到最大的综合效率，应当如何分配？这里有 70! 种不同的分配方法，而 70! 比 10^{100} 大，所以这个经理即使借助于计算机来探讨全部可能性，所需要的时间也会比他本人的寿命还长。

下面是可以按照线性规划方法处理的问题的几个简化例子。

①运输问题 三个工厂生产轮胎，每个工厂具有不同的生产能力；这些轮胎要运到 4 个车间装配到汽车上，这些车间对于轮胎有不同的需求；从每个工厂到每个车间的运输轮胎的费用是不同的。现在要找出每个工厂生产轮胎的数量和运到每个车间的轮胎的数量，使得生产能力得到合理使用，装配要求得到满足，而总的运输费用最小。

②生产计划表 工厂有三个车间，每个车间有不同的生产能力，生产五种不同类型的产品，产生不同的利润；但是可得到的人力、物力是有限制的，生产这些产品所需要的原材料的数量也是有限制的。问题是应当如何分配工厂的物力、原材料和人力，使得生产的利润最大？

③网络流问题 两个城市被公路网连接着，就交通和旅行费用来说，每条公路有不同的运输能力，又可能有几种不同的运输方案把一批货物从一个城市运送到另一个。问题是应当沿着几条路线中的哪一条运送这批货物，将使得费用最省或者旅行时间最短？

上面的每个问题，当陈述成数学形式时，都导致如下的问题：要求找到称为目标函数的线性表达式

$$f=c_1x_1+\cdots+c_nx_n$$

在下述称为约束条件的线性不等式的限制下，所可能有的最优值（最大值或最小值视问题而定）：

$$a_{11}x_1+\cdots+a_{1n}x_n\leqslant b_1$$
$$\vdots$$
$$a_{m1}x_1+\cdots+a_{mn}x_n\leqslant b_m$$
$$x_i\geqslant 0$$

其中 a_{ij}、b_i、c_i 是由能力、需要、费用、利润和问题的其他要求限制所决定的常数。

应用这个方法的基本假设是，在要求与可用性之间的各种关系都能够用线性的术语表达。目标函数代表要最优化的量（极大或

极小)；约束条件表示各种限制或要求；不等式和变量的数目依赖于问题的复杂性。为了得到这个问题的解，必须找到有关的线性方程组的解，然后在一定数目的顶点上求目标函数的值，从而确定目标函数的最大或最小值。在实际情形中，方程和变量的数目都可能很大，从而解联立线性方程组的过程可能很长，即使用计算机也很费时间。直到1947年，才由丹齐克引进一种有效的新方法，即关于求线性规划问题的最优解的单纯形方法。这个方法已经被改进并且一直是解线性规划问题的基本方法。

线性规划方法的成功促进了人们发展各种方法去处理某些用线性规划不易处理的最优化问题，这些方法是：整数规划、动态规划、非线性规划和不定性规划。

Linfen　临汾　又拼 Lin-fen。中国山西省辖地级市。位于省境西南部，黄河东岸，汾河下游临汾盆地，同蒲铁路线上。辖尧都区和曲沃、翼城、襄汾、洪洞、古县、安泽、浮山、吉县、乡宁、蒲县、大宁、永和、隰县、汾西14县，并代管侯马、霍州2县级市。面积20 589平方千米，其中市区面积1 304平方千米。传为尧的都城。春秋时分羊舌氏邑之田为三县，其一为平阳县。公元309～318年曾为十六国之一的前赵都城。隋开皇元年(581)改为平河县，开皇三年又改临汾县，历为州、郡、府、路治所。明代曾筑坚固城墙，周长约6千米。清代屡遭战争破坏，重要性迅速下降。1912年废平阳府存临汾县。1935年同蒲铁路南段经此，经济开始复苏。但不久又在战争中被日本侵略军所毁。1949年后新建公路通往东西平原和山区，长期为晋南专员公署驻地，经济迅速发展。1971年由临汾县析置临汾市，1983年撤销临汾县并入市。2000年撤销临汾地区和县级市，设地级市。汾河干流北南纵贯，涝河、洰河、刁底河等交叉东西。矿产有煤、铁、铝、铜等。农作物以小麦、棉花、谷子、玉米、水稻为主。工业较发达，有钢铁、电力、化工、机械、纺织、造纸、食品加工等。108、209、309国道纵横全境，还有霍侯一级公路、晋韩公路等过境。城市绿化整洁，被誉为"黄土高原上的花果城"。山西师范大学和山西省小麦研究所设此。名胜有壶口瀑布、霍泉、小西天等，古迹有尧庙、尧陵、铁佛寺(大云寺)，均建于唐代。人口：全市4 150 000(2005)；市区770 000(2004)。

ling(species *Molva molva*)　**蜉鳕**　鳕科一种名贵的海鱼，见于冰岛、不列颠群岛和斯堪的纳维亚附近的深海。形大，体细长，鳞小；具1长臀鳍和2背鳍，第二背鳍较第一背鳍长得多；体褐色或淡绿色，具斑纹；可长达约2米。与两种欧洲深海鱼：西班牙蜉鳕(地中海蜉鳕、长体蜉鳕、大眼蜉鳕，*M. elongata* 或 *M. macrophthalma*)和蓝蜉鳕(*M. dypterygia* 或 *M. byrkelange*)有亲缘关系。

ling(botany)　参阅**heather**帚石楠。

Ling Canal(China)　参阅**Ling Qu**灵渠。

Ling Qu　灵渠　又作 Ling Canal。中国沟通长江水系和珠江水系的古运河。在今广西壮族自治区兴安县境内。又称陡河、兴安运河。秦统一六国后，向岭南用兵，秦始皇二十八年(公元前219)，派监郡御史禄凿灵渠运粮。灵

广西兴安县灵渠口
中国大百科全书出版社供图

渠的工程主要包括铧嘴、大小天平石堤、南渠、北渠、陡门和秦堤。大小天平石堤起自兴安城东南龙王庙山下，呈"人"字形，左为大天平石堤，伸向东岸与北渠口相接；右为小天平石堤，伸向西岸与南渠口相接。铧嘴是灵渠最主要的分水设施，位于"人"字形石堤前端，用石砌成，锐削如铧犁。铧嘴将湘江上游海洋河水分开，三分入漓江，七分归湘江。天平石堤顶部低于两侧河岸，枯水季节可以拦截全部江水入渠，汛期洪水又可越过堤顶，泄入湘江故道。南渠即人工开凿的运河，在湘江故道南，引湘水穿兴安城中，经始安水、灵河注大榕江入漓。因海洋河已筑坝断流，又在湘江故道北开凿北渠，使湘漓通航。南渠(长33千米)、北渠(长3.5千米)是灵渠主体工程。陡门为提高水位、束水通舟的设施，相当现代的船闸，主要建于河道较浅、水流较急的地方。据记载，明、清两代仍有陡门30多处。秦堤由小天水石堤终点至兴安县城上水门东岸，长2千米。灵渠的修建，联结了长江和珠江两大水系，对岭南的经济和文化发展有过很大促进作用。湘、桂间铁路和公路建成后，灵渠已被改造为以灌溉为主的渠道。

liṅga　林伽　印度教所崇拜的阴茎像，象征湿婆神。印度全国各地湿婆庙和家宅湿婆神龛主要供奉林伽，拜人形湿婆像的事不常见。林伽呈勃起状，以约尼为底座，约尼是女性生殖器像，象征湿婆的配偶萨克蒂女神。这种配合的含义是：阴阳二性永远不离；阴阳交合即万物的总体。信徒用鲜花、清水、青草、水果、树叶和干米供奉林伽。

Liṅgāyat　林伽派　又称维拉撒伊瓦派。印度教派别，流行在印度南部。该派以湿婆为唯一神祇。林伽即阴茎之像，象征湿婆。该派男女信徒都在胸前佩有林伽标志。林伽派早期主张完全废除种姓差别，在现代则略有灵活性，但仍激烈反对婆罗门，反对崇拜除林伽以外的任何偶像。他们否认吠陀的权威和轮回转世说，反对童婚和虐待寡妇，这种立场是19世纪社会改革运动的先声。

Lingayen Gulf　林加延湾　南海大海湾，构成菲律宾吕宋岛56千米长的西海岸。该湾在圣地亚哥岛(西)和圣费尔南多角(东)之间的入口处，宽42千米。湾内有圣地亚哥岛、卡巴鲁延岛和百岛群岛。南部沿海直辖市达古潘是主要商业中心，省府林加延港位于阿格诺河三角洲。

lingcod(*Ophiodon elongatus*)　**蛇鳕**　即长体蛇齿单线鱼。鲉目六线鱼科海鱼。口大，牙形似犬牙。捕食鱼类及乌贼之类，食量大。严格海栖，分布在北美太平洋沿岸。为受欢迎的垂钓鱼及商业鱼种。体长可达1.5米。鳍和尾发达。肉浅绿色，可食用。

Linggadjati Agreement　《林芽椰蒂协定》　又称 Cheribon Agreement(《井里汶协定》)。荷兰人与印度尼西亚共和国于1947年3月25日在西爪哇井里汶附近的林芽椰蒂丘陵签订的协定。第二次世界大战中日本军投降后不久，印度尼西亚的民族主义者就于1945年8月17日宣布印度尼西亚共和国独立。荷兰人企图恢复他们在印度尼西亚的统治权，因而与共和国政府发生冲突。盟军撤退后，荷兰人与共和国开始进行谈判，结果达成林芽椰蒂协定。协定的主要内容是：荷兰承认印度尼西亚共和国在爪哇(包括马都拉岛在内)和苏门答腊的事实政权；双方共同合作组成一个拥有主权的、民主的，包括印度尼西亚共和国、加里曼丹和大东邦在内的印度尼西亚合众国；印度尼西亚合众国再与荷兰共同建立以荷兰女王为元首的荷兰-印度尼西亚联邦。印度尼西亚合众国和荷兰-印度尼西亚联邦不迟于1949年1月1日成立。双方政府同意通过仲裁解决任何可能出现的他们自己不能解决的争端。该协定只拟定广泛的原则，细节问题则留待以后解决。但双方都按照自己的利益解释协定，结果演变成公开冲突。

linglong ware　玲珑瓷　又作 ling lung ware。中国明代(1368～1644)的著名瓷器品种。坯体上透雕各种菱形、圆形、三角形或缠枝花纹，然后挂釉烧成。花纹透光、晶莹似玉，显得玲珑剔透，故名。以清乾隆时期制品最精。在陶器中，这种镂孔不挂釉的制法在大汶口文化中即已成熟。晋代青瓷和唐越窑青瓷内也惯用这种技法，但均在镂孔处空洞无釉，亦名"镂空"。

Lingnan school　岭南画派　中国国画画派。崛起于20世纪初辛亥革命风云之中，创始人为高剑父、高奇峰兄弟和陈树人。他们和他们的艺术群体有相似的艺术主张，且都是五岭岭南的广东人，因此得名。高剑父(1879～1951)，广东番禺县圆岗乡人。14岁从居廉(古泉)学画。18岁后两次东渡日本留学。1905年后加入同盟会。辛亥革命后，辞却政务，潜心艺术。先后任广东美术会会长、广州艺术研究会会长、中山大学教授、广州市立艺术学校校长，并创设春睡画院、南中画院传授画艺。72岁病殁于澳门。高奇峰(1888～1933)名嵡，剑父五弟，年13随兄学画去日本，专攻艺术，亦加入同盟会，年20归

国。曾任岭南大学美术教授。卒年45。陈树人(1883～1948)名韶,广东番禺县明经乡人。17岁从居廉学画,与剑父为莫逆。两度赴日本留学,先后毕业于京都美术学校绘画

高奇峰绘《鹰》
中国大百科全书出版社供图

科和东京立教大学文学系。1905年加入同盟会后,追随孙中山奔赴革命。孙中山去世后,虽身居台省,却心寄林泉,不废诗画,至抗日战争胜利,即归里专事艺术。高氏兄弟和陈树人立志革新艺术。曾在上海创立审美书馆,宣传革命思想,出版《真相画报》,印行画集。提倡创造描写新的题材,反映时代精神。强调美育的社会意义,主张以道德观念感化人、教育人。主张以传统笔墨技法为主,吸取西方和日本艺术之所长。经过不断实践与探索,终于开拓了一条具有独特风格的道路,形成岭南画派。剑父的作品,意境清新,运笔遒劲;奇峰之造型生动有神,气势豪迈;树人则疏澹雅逸,极富诗意。他们以崭新的面貌活跃于画苑,被誉为"岭南三杰"。岭南派后期的画家,沿着艺术革新的道路不断地探索,生活面更广阔,题材内容更丰富,表现手法更多样化,创作了许多具有时代风貌和南国特色的优秀作品。

Lingones 林贡斯人 凯尔特部落,最早居住在高卢的塞纳河与马恩河之间。公元前400年前后,有些人跨过阿尔卑斯山,定居在意大利波河河口附近。这些林贡斯人属凯尔特诸部落迁徙浪潮中的一部分,其中还有博伊人和塞农人。公元前390年洗劫罗马时可能就有林贡斯人参加。意大利境内的林贡斯人为农业民族,长于金工和纺织。凯尔特人和罗马人在意大利连年战争,公元前224年林贡斯人终于屈服。公元前1世纪90年代高卢战争之后,这个部落已不见记载。高卢境内的林贡斯人在凯撒征服高卢时曾是罗马的盟友。公元69年,皇帝奥托赋予林贡斯人罗马公民权。

lingua franca 通用语 指辅助的或折衷的语言,用于没有其他共同语言的集团间。例如,用作外交目的的英语和法语、东非的斯瓦希里语、印度的印地语和英语、南太平洋的美拉尼西亚混杂语、东印度群岛的马来语。而lingua franca(法兰克人的语言)这一术语大概最早是用来称呼以南部法语和意大利语为基础的一种同行话或混杂语的,这种语言是中世纪十字军和商人为用于东地中海地区而创始的。文艺复兴后期欧洲探险者们还创始了许多其他类似的交际语。例如,印度葡萄牙语(斯里兰卡)、安南法语(印度支那)、帕皮亚门托语(以西班牙语为基础,库拉索岛通行这种语言)以及其他几种混杂英语。这些语言都是以欧洲殖民主义国家的语言为基础演变而来的。欧洲语言经过有限度地简化,发音和语法经过有限度地改变而成为混杂语。当混杂语或另种通用语代替社会原通用语言时,它即成为*克里奥尔语*(**creole**)。

língua-geral 杰拉尔混合语 16和17世纪受葡萄牙语影响在巴西发展起来的一种通用语。是欧洲人和印第安人之间以及不同语言的印第安人之间的一种交际媒介。杰拉尔混合语是一种经过修改的图皮南巴印第安语。

Linguet, Simon -Nicolas -Henri 兰盖(1736-07-14,法国兰斯～1794-06-27,巴黎) 法国新闻工作者和律师,因其热中于提出与众不同的观点而屡遭放逐、囚禁,并最终被送上断头台。曾在博韦学院读书,1751年获得学院三项最高奖赏。初时被列入启蒙哲学家,但很快成为他们的反对派。早期著作有:《亚历山大大帝时代史》(1762),书中认为尼禄杀人远少于亚历山大;《启蒙哲学家的狂热》(1764),书中猛烈攻击启蒙运动的学说。1764年进巴黎高等法院为律师,他的辩护杰作是1772年为莫朗吉埃伯爵写的《陈情书》。由于他对其他律师进行攻击,1775年被开除出律师公会。后来离开法国,到瑞士、荷兰和英格兰旅行,并创办《18世纪政治、民事与文学年刊》(1777～1792)。回国后不久,即因攻击迪拉斯公爵而被关进巴士底狱(1780～1782)。获释后前往英格兰,后去比利时,在布鲁塞尔得到神圣罗马帝国皇帝约瑟夫二世赐给的贵族称号和1 000金币。但他于1789年反对约瑟夫的政权,为比利时起义者申辩。法国大革命期间,他屡次提出陈诉。1792年退隐马恩省,后在此被捕并受审,以"谄媚维也纳和伦敦的暴君"而被巴黎判处死刑。兰盖的重要著作有:《民法理论》(1767),书中攻击孟德斯鸠;《公正的耶稣会史》(1768)和《罗马帝国革命史》(第2版,1766～1768)。

Linguistic philosophy 语言哲学 参阅**Analytic philosophy** *分析哲学*。

linguistics 语言学 将语言作为系统来研究的一门学科。它包括考察此种系统的性质、结构、组成成分以及变化情况等内容。

意图建立语言底层结构的理论叫做理论语言学,将语言学诸概念用于教学目的叫做应用语言学。语言学既可用共时方法来研究语言(即描写在一特定时间的某一特定语言),又可用历时方法来研究语言(通过历史探索某一特定语言的发展过程)。理论语言学在描写语言时倾向于将语言结构从现实语言现象即实际语言产生过程中分离出去,因而偏爱采用共时方法。理论语言学并不将语言习得考虑在内,也不考虑语言的实际使用和语言其他各个专门方面的研究成果,而这些都是由语言学的专业学者,如心理语言学者、社会语言学者或人类语言学者来研究。这些领域的成果常可成为应用语言学家手中有用的工具。

公元前5世纪的希腊哲学家们是西方最早的关心语言理论的人。这些哲学家们围绕人类语言起源和希腊语语法结构问题展开了辩论。公元前1世纪由亚历山大人狄奥尼索斯·特拉克斯编撰出第一本希腊语语法。其影响巨大,以致成为罗马语法学家们的楷模,而罗马语法学家的著作又成为中世纪和文艺复兴时期写成的各种通俗拉丁语言的语法基础。除了偶有一些持异议的学者如13和14世纪的思辩语法学家之外,大多数学者的著作都限于研究拉丁语及希腊语或致力于编写诸通俗拉丁语言的规范语法,以便教授"正确"的用法。文艺复兴时期以后,对世界诸语言的语法的兴趣与日俱增。这个兴趣的成果产生许多重要发现,有助于在19世纪将语言学作为一门科学建立起来。

19世纪的历史语言学者们发展了历时描写的比较方法,根据语法、词汇、语音对不同语言进行比较,希望发现共同的原始母语。历史语言学完成了它的使命,发现梵语、希腊语和拉丁语系谱相关,发现绝大多数欧洲语言都有亲缘关系,而且所有这些语言都是原始印欧语这种共同语言的后裔。历史比较法也展示出,语言发音的系统变化历经千百年而导致各种语言的分化。

瑞士语言学家斐迪南·德·索绪尔对19世纪末20世纪初语言学研究方向的改变起到重要作用。虽然索绪尔早期曾是一位比较语言学者或历史语言学者,但却开拓出新的研究领域,区分历时语言学和共时语言学,还区分"语言"(langue)和"言语"(parole)这两个概念。索绪尔认为"语言"是观察不到的语言底层结构,而"言语"则是这个结构的外部表现形式。随着他的遗作《普通语言学教程》(1916)的出版,这些概念的区分已为众所知,开始了语言学结构主义研究的新时代。索绪尔重新确定语言学研究的目的是描写"语言"的本质。虽然像美国语言学家E.萨丕尔和L.布龙菲尔德这些按照索绪尔理论进行研究的结构主义者对于语言学应该专门研究什么以及为什么要研究它这类问题见解不同,但是他们共同一致的努力方向是坚持语言研究要以经验实证为基础。结构主义者也摆脱掉以前采用的规范式的研究方法,认为观察语言应就语言本身而论而不能按照某人所设想的应该如何去做。

及至20世纪50年代,结构主义的各种弱点被一些语言学家所确证。他们指出,因为结构主义语言学家们从未完全接受索绪尔

所提出的关于人类语言系统是一种智力禀赋这一蕴含着的观念，因而他们将自己研究对象仅限于可观察到的各种现象。其结果是，有些结构主义者便倾向于忽视语言那些无法观察到的诸方面，并对显示所有语言之特点的一切事物全都不予注意。

美国语言学家 N.乔姆斯基向结构主义方法提出挑战，他说一切语言中都存在着普遍模式。乔姆斯基关心如何通过研究语言而了解思维的工作过程，从而强调语言的“心智”理论，而这正是结构主义者所摒弃的。乔姆斯基的著作使语言学研究的目的又一次有了改变。他主张语言学家应该研究操本族语者对自己语言之本能条件下的熟悉状况（语言能力），而不是探索操该语者对语言的实际产生的效果（语言行为）。

因为乔姆斯基认为，对那些构成操本族语者语言能力的诸规则进行描述，就可说明无数语言行为的实例，他希望编出一本语法书以证明那些本能条件下的规则。结构主义者侧重于收集操本族语者所产生的语言样本，然后加以分类。乔姆斯基与他们的作法截然不同，而是发展了转换生成语法，并对照实际语言标本进行了试验，以检查其结果。所谓转换语法，就是一套规则，对一种语言中全部合乎语法的句子都能“生成”结构性的描述。

从 1957 年乔姆斯基首先在《句法结构》一书中提出“转换生成语法”以来，这种语法继续在发展。自 20 世纪 70 年代起，许多转换生成语法学家将其注意力放在句法和语义学的关系上，这个问题曾为乔姆斯基所忽视，到 1965 年才提出来。

lingulid　舌形贝类　包括现存和古代绝灭类型的一类腕足动物。最初见于寒武纪（约5.7亿年前至5亿年前）地层，很可能起源于前寒武纪。舌形贝类是无铰小腕足类，壳无

舌形贝类
美国不列颠百科全书公司供图

铰合构造，由几丁质（指甲状物质）组成。现代海豆芽属（*Lingula*）见于正常的海洋环境，但在不适于大多数生物生活的多泥、缺氧的半咸水中最为普遍。小舌形贝属（*Lingulella*）是寒武纪的化石，外形和构造上都与现代海豆芽属类似。鳞舌形贝属（*Lingulepis*，大致限于晚寒武世）外形不同于其他舌形贝类，形态更像泪滴。舌形贝类是提供环境信息的有用化石；对于地层对比作用不大；是寒武纪腕足动物群的重要成员。

Linhai　临海　中国浙江省辖县级市。位于省境东南部灵江流域。是浙江沿海陆上交通枢纽之一。原为章安县地。三国吴太平二年（257）分章安置临海县，以临海山得名。隋开皇九年（589）并章安入临海，开皇十一年县治移今临海城关镇。唐至清历为台州、临海郡、台州府治所。1912 年废府留县，1986 年撤县改置临海县级市，由台州市代管。1988 年列入中国沿海经济开放区。面积 2 171 平方千米。括苍山主峰米筛浪（海拔 1 382 米，为浙东第一高峰），位于西部与仙居交界处，中部是丘陵。灵江横贯境内，沿河有狭长河谷平原。东部滨海平原河网稠密，沿海有头门、东矶列岛等。气候温和湿润，农产以稻米为主，其次为麦、薯、豆和玉米。经济作物有柑橘、棉花、甘蔗、蚕茧、茶叶等。渔业以海洋捕捞为主。有机械、电机、造纸、化肥、电力、丝绸、棉织、制药、制糖、酿造等工业。境内水力资源丰富，已建小型水电站 200 多座。手工艺品有绣衣、台布、草编等。公路通杭州、金华、宁波、温州，水运以灵江为主，出口物资由椒江市经海道转运。城东东湖小瀛洲有戚继光表功碑。人口1 110 000（2005）。

Linhe　临河　中国内蒙古自治区巴彦淖尔市辖区。位于自治区中部，河套平原西部，黄河和包兰铁路横贯市境。面积 2 354 平方千米。有蒙古、汉、回、满、达斡尔、壮等 14 个民族。境内土地肥沃，秦代曾置临河县，东汉时废。19 世纪汉人移垦，引渠灌田。1925 年由五原县析置临河设治局，1929 年设县。1958 年狼山县部分地区并入，1984 年设市。2003 年撤市，设巴彦淖尔市临河区。经济以农业为主，灌溉发达。黄河总干渠横贯东西，黄济、永济两大干渠由西南向东北平行贯穿，支渠纵横交织，全部耕地引黄灌溉。盛产小麦、黍、玉米、甜菜、胡麻、豆类、瓜果等，是自治区重点产粮区之一，也是国家优质农产品基地之一。境内有淡水湖 52 个，产草鱼、鲤鱼、鲫鱼。有食品、机械、建材、化工、缝纫、皮革、毛皮、家具、毛纺、地毯、造纸、印刷等工厂。公路可通往全盟各旗县和呼和浩特、包头及宁夏的银川市等。人口550 000（2005）。

Link Trainer　林克飞行练习器　复制的飞机驾驶舱，装置了全套的仪器和操纵系统，用来在地面训练飞行人员。这种驾驶舱会对操纵产生反应，就像一架飞行中的飞机一样。林克飞行练习器是第一个成功的飞行模拟机（**flight simulator**）。

linkage　连杆机构　在机械工程中，用铰链接合、滑动接合或球窝接合连接的刚性（通常为金属）杆系，其中每一根杆至少与两杆相连，以便构成一个或多个封闭链。当一根杆固定时，其他杆相对于此固定杆和其他杆的可能运动形式，取决于杆的件数和接合点的类型和数目。例如，铰接的四杆机构，所有杆都在平行平面内运动，不管固定的是哪一根杆，其他杆作约束运动，即它们以不变而限定的方式相对于固定杆运动。改变杆的相对长度，这种四杆机构就成为把匀速转动变为非均匀转动，或把连续转动变为摆动的实用机构；它是机械结构中最常用的连杆机构。

linkage group　连锁群　位于一条染色体上的所有基因。细胞分裂期间，这些基因作为一个整体而起作用，一同遗传给子代。连锁群的存在是某些遗传性状并不遵守孟德尔独立分配定律的原因。亦即独立分配定律仅适用于许多基因位于不同的染色体时。一条染色体上基因组成的变化出现于染色体断裂时。如果同源染色体在相同的部位断裂，那么断裂部分便互相交换。这种现象称为互换，通常出现于减数分裂过程中。性连锁与性别有关。例如，果蝇和人类的 X 染色体带有一套完整的基因，而 Y 染色体仅有少量基因。卵子有一条 X 染色体，精子有一条 Y 或 X 染色体，卵子与带有 X 染色体的精子结合，子代为雌性；与带有 Y 染色体的精子结合，子代为雄性。XY 型染色体的子代，除非 Y 染色体上具有相对应的基因（等位基因），就表现出 X 染色体的遗传性状。红-绿色盲、血友病是人类性连锁遗传的范例，由 X 染色体上的基因控制，因为 Y 染色体上没有等位基因去抵消其作用，所以男性较女性多发。参阅 **sex chromosome**。

linkage isomerism　键合异构　配位化合物中存在的原子组成相同但配位基与中心原子连接方式不同的现象。这样一些配位基称为两可配位体，即它们含有不止一个可与中心原子连接的原子。例如，氮-氧配位基 NO_2 在硝基化合物中通过其氮原子与中心原子连接，在亚硝基化合物中则通过其中一个氧原子与中心原子连接。

Linked Ring　连环会　1892年成立的英国摄影家协会，为最早主张摄影是艺术的团体之一。鲁宾逊（**Robinson, Henry Peach**）是其创始人中的知名人士。1893 ～ 1903 年举办年度影展，并称为“沙龙”，这个名称取自绘画界，且表达了他们的艺术宗旨。会员所持美学方法各异，但一致反对当代摄影作品中严格追求技巧的方法。会员拒绝在他们认为不能促使“摄影向它所能达到的最高艺术形式发展”的展览会上展出他们的作品。连环会还对摄影展览进行改进，影展中的作品不是顶天立地地挤满墙壁，而是都布置在视平线位置，展览室的墙上或相框上都用花卉或彩粉图案装饰。连环会吸纳多位世界级摄影家入会，以传播其摄影理念，如 A.施蒂格利茨、G.卡瑟毕尔和 C.H.怀特。这些艺术家后来大多加入摄影决裂者组织，在美国宣扬类似理念。

Linklater, Eric (Robert)　林克莱特（1899-03-08，苏格兰奥克尼群岛敦比～ 1974-11-07，阿伯丁）　苏格兰小说家、诗人、历史作家，以其讽刺才智著称。原在阿伯丁大学习医，后转学英国文学。第一次世界大战时在苏格兰高地警卫团服役，曾受过伤。退役后入新闻界，任《印度时报》助理编辑（1925 ～ 1927）。此后在阿伯丁教英语，1928 ～ 1930 年获英联邦奖学金赴美留学，写出长篇小说《胡安在美国》（1931）。第二次世界大战期间任奥克尼要塞司令，后在陆军部工作。战后任阿伯丁大学校长（1945 ～ 1948）。早期小说有《怀特·马的传奇》（1929）、《内斯人》（1932）和《马格纳

斯·梅里曼》(1934)。他是一个多产作家,他的第30本小说《"挑战者"号的航行》(1972)虽然是记述1872～1876年英国军舰"挑战者"号探险活动的非小说类作品,但也写得像其早期作品一样生动。著有自传三部:《骑在我背上的人》(1941)、《空间的一年》(1953)和《钢盔鼓号曲》(1970)。

Linköping　林雪平　瑞典东南部东约特兰省省会。临斯唐河,近罗克斯湖。从青铜器时代起便有人定居。中世纪在商业上有重要地位,并成为文化和宗教中心。现为铁路交通枢纽,开凿约塔、金达两运河和筑成斯德哥尔摩—马尔默铁路后,工业开始发展。有飞机、货车和小汽车制造业。林雪平大学建立于1970年,是斯德哥尔摩大学分校。人口:城市区约119 167(1989)。

Linlithgow　林利斯戈　苏格兰东南部西洛锡安行政区敕准自治市、城镇。市内有苏格兰4座古王宫之一(现已无屋顶),为苏格兰女王玛丽及其父詹姆斯五世的出生地。王宫的城堡焚于1746年。现为邻近工业城市格兰奇茅斯和巴斯盖特的住宅区。有造纸厂和威士忌酒厂。为西洛锡安历史郡首府、行政中心之一。人口11 866(1991)。

Linlithgow, Victor Alexander John Hope, 2nd Marquess of　林利斯戈侯爵(第二)(1887-09-24,苏格兰西洛锡安阿伯康～1952-01-05,阿伯康)　即V.A.J.霍普。英国政治家,任期最长的印度总督(1936～1943),第二次世界大战期间镇压对英国势力的反抗。1908年继承侯爵爵位。第一次世界大战期间在西线服役。1924年第一届工党政府组成时,任保守统一党副主席。在担任印度皇家农业委员会主席(1926～1928)和印度宪法改革特别委员会主席期间接触印度问题,1936年接替威林登勋爵出任总督。在印度5个省的选举中获得明显多数的国大党,在没有得到各邦邦长不使用其保留的权力凌驾于各邦政府之上的保证时,不愿上台执政。由于他消除了国大党的疑虑,使各邦自治得以顺利进行,但他未能得到印度各王公的赞同。1939年9月,他未与印度各政党商议,即发表广播,号召统一对德作战。这触怒了国大党的领袖们,他们要国大党各邦部长辞职。1942年8月,由于英国拒绝印度独立,国大党发起群众性非暴力反抗运动。他拘留国大党领袖,镇压反抗政府的活动。到他于1943年退职时,共有200多万人的志愿军和印度各邦为数可观的分遣队参加英国的军事行动。

linnaeite　硫钴矿　一种钴的硫化物矿物(Co_3S_4),或是具有通式$(Co,Ni)_2(Co,Ni,Fe,Cu)S_4$的一系列相似物质中的任何一种矿物。此系列中的其他矿物是:硫镍钴矿[$(Co,Ni)_3S_4$],Co∶Ni等于1∶1;硫铜钴矿[Co_2CuS_4];紫硫镍矿[Ni_2FeS_4]及硫镍矿[Ni_3S_4]。在热液矿脉中,硫钴矿常与其他金属硫化物伴生。代表性产地是德国的锡根地区。此系列矿物属等轴晶系,它们全都具有尖晶石状结构。关于化学式和详细物理性质,参阅**sulfide mineral**(表)。

Linnaeus, Carolus　林奈(1707-05-23,瑞典斯莫兰罗斯胡尔特～1778-01-10,乌普萨拉)又名Carl Linnaeus,瑞典文为Carl von Linné。瑞典植物学家、探险家,首先构想出定义生物

美国不列颠百科全书公司供图

属种的原则,并创造出统一的生物命名系统。父为堂区牧师。幼年即喜好花卉;八岁时得"小植物学家"的别名。曾在隆德大学和乌普萨拉大学学习,并获后者的医学学位。在乌普萨拉大学时遇老资格的植物学家O.摄尔西乌斯,他对林奈以后生涯的影响极大。1730年林奈任植物学讲师,2年后为乌普萨拉科学院到拉普兰考察。考察结果写成文章《拉普兰植物区系》,1737年于阿姆斯特丹发表;1811年J.E.史密斯以《拉普兰之拉基西斯》之名用英文发表。他此次旅行,尤其是他1735年发表的《自然系统》、2年后发表的《植物属志》,均使他建立稳固的声誉。其《植物种志》直至1753年方发表。《植物种志》第1版和1754年出版的《植物属志》第5版被国际公认为显花植物和蕨类植物命名的起始点。林奈将《自然系统》的手稿给植物学家J.F.格罗诺维乌斯,格罗诺维乌斯很喜欢这部手稿,自己出资将其出版。花各个部分的构造在进化过程中往往改变不大,林奈的系统主要即以花的构造为基础。虽然林奈自己也承认此系统是人为的,但此系统能使学者将植物迅速归入一个定了名的类别中。当时世界上有大量植物被发现,速度快得无法进行从容的研究。他的方法应用方便,在实践中非常成功,比它后出现的更为自然的系统也难以取代它。1736年他访问英格兰,在伦敦遇到植物学家和医生汉斯·斯隆爵士和牛津大学第一位植物学教授J.J.蒂伦尼乌斯。他随后回到荷兰,完成其著名的《克利福特园艺植物》,并在巴黎访问了杰出的植物学家朱西厄三兄弟,与他们建立了亲密的友谊。不久,他回瑞典定居,1738年他到斯德哥尔摩任开业医师,并取得相当的成功。1739年他与医生之女S.慕瑞亚结婚。婚后2年他被任命为乌普萨拉大学医学教授,但一年以后他改任植物学教授,这才是他真正喜爱的职业。他锲而不舍地将物质分类,不仅建立了植物和动物的系统,又将矿物分类,并写有一篇论当时已知疾病种类的论文。在以后的时间里他从事教学和写作,著有《瑞典植物区系》(1745)、《瑞典动物区系》(1746)、《西约塔兰博物志》(1747)、《斯堪的纳维亚博物志》(1751)、《乌普萨拉园艺植物》(1748)、《植物哲学》(1751)和《植物种志》(1753,一部重要的作品,书中充分阐明种名的原则)。1755年西班牙国王邀请他到该国定居,并提供慷慨的薪金和充分的自由,但被他谢绝。1761年他被授予瑞典贵族的特权,早在1757年他就被称为卡尔·冯·林奈。1774年一次中风发作后他身体极为虚弱,4年后逝世。他的手稿和他收集的植物、昆虫和贝类标本于1783年为J.E.史密斯所购得,现在伦敦伯林顿大厦的林奈学会妥为保管。

Linnankoski, Johannes　林南科斯基(1869-10-18,俄属芬兰阿斯科拉～1913-08-10,赫尔辛基)　芬兰小说家、演说家,争取芬兰脱离俄国独立运动的战士。其作品促进了20世纪初期芬兰民族的觉醒。最佳小说《逃亡者》(1908)描写农民生活。当时,他的更受欢迎的作品《火红的小花之歌》(1905),是描写一个年轻伐木工人恋爱奇遇的抒情幻想作品。这个故事被改编成3部成功的电影。

Linné　林奈环形山　月球上的一个环形山,以瑞典植物学家林奈的姓氏命名。19世纪因有人报道该环形山曾一度消失而引发一场科学争论,也促进了对月球的研究。1886年,阿森斯天文台台长J.施密特宣布这座先前易见的环形山消失,原地只剩一个白色的斑点。在1843年以前,施密特和另一些熟练观测者都认为林奈环形山是一个直径为约10千米的深陷环形山。在1843～1866年间,科学家显然没有对它作过仔细观测,但在1903年发现的一幅作于1788年的月面图中,林奈环形山也呈白斑状,这就使人对前所报道的变化大起疑窦。根据现代观测,它是一个宽约1.6千米的环形山,位于一个浅色土岗(纬度约28°N和经度约12°E)的中心附近。它的外貌随阳光照射方向的不同而变化甚大。迄今仍不能断定是由于构造上发生变化还是由于偶发气体所起的掩蔽作用造成了上述的情况。

Linnebach lantern　林内巴赫灯　又称林内巴赫投影机(Linnebach projector)。一种剧院照明装置,用于将剪影、色彩和大轮廓线投射为背景。最初由德国照明专家A.林内巴赫于19世纪发展起来,是一种具有粗灯丝的高强度灯,装置在内部漆成黑色的盒子内。盒子的一侧敞开,配有玻璃或云母幻灯片,还有可供投射的装置。它可以从后面向一个半透明的屏幕上投射,也可以从舞台前面向一块背景投射。设计经改进包括一个广角度的透视镜系统,以防止形象过分变形。20世纪中期之后被先进的投影设备所取代。

Linnet (*Carduelis*, or *Acanthis*, *cannabina*) **赤胸朱顶雀**　又称麻籽雀或大麻金翅雀。雀形目金翅科鸟类,产于欧洲,以植物种子为食。体长13厘米,有褐色条纹。尾叉状,带白边。雄鸟冠和胸红色。成群在原野觅食植物种子,常在灌木篱中鸣啭。美国英语中,

赤胸朱顶雀(*Carduelis cannabina*)
美国不列颠百科全书公司供图

linnet 一词亦指家朱雀(参阅 **rosefinch**)。

linocut 麻胶版画 用麻胶版刻成浮雕图案所印成的一种版画。这种版画的制作类似木版画(**woodcut**),但因为麻胶版较易雕刻,所以在美感效果上较木刻变化更多。麻胶版

毕加索的麻胶版画《临摹小克拉纳赫的女子胸像画》(1958)
美国不列颠百科全书公司供图

画可用大型材料刻制,刻出流畅的白色线条,或用不同的方法刻出多种不同的纹理。由于容易制作,所以非常适于作不需要表现明暗和色彩差别的大幅装饰性版画。

linoleum 油地毡 一种表面光滑的地面覆面材料,用氧化油、树脂、树胶及掺料等混合原料涂在粗麻布或毛毡的背衬上制成。在早期制作油地毡的过程中,先使一薄层亚麻籽油氧化;由于氧化作用主要发生在表面,所以把新油不断涂在氧化层的表面上。暴露数周,当油层厚度达到 2.5 厘米或更厚时,使氧化油与一种天然树脂相熔混,再与软木以及其他填料混合。这种工艺程序最后被一种快捷的方法所取代,即让亚麻籽油在一个圆筒状的大锅中氧化。锅中的油在升高的温度下被搅拌,氧化作用持续进行,直到在反应温度下呈黏稠状为止。油在热锅中与树脂混合,然后暴露在热空气中。在形成的具有高黏度的可塑性物料中掺入木粉和白垩粉,再与黏合剂、填料和颜料混合后,在滚筒之间被压成薄张,粘贴在浸透沥青的粗麻布或毛毡的背衬上,挂在高处或炉子上加热,使油地毡硬化。硬化过程可长达数周。

用现代工艺生产的油地毡常为单色或饰有镶嵌或印染图案。镶嵌图案系将两种不同颜色的油地毡片料剪成许多小方块在背衬上拼贴而成。用两种或多种颜色的材料混合,可呈现大理石花纹;将不同色彩的片料粉碎成颗粒,通过模板涂敷在背衬上,然后压成薄片,可产生其他花纹。油地毡富于弹性,保暖,受地面温度的影响小,不易燃烧,而且经过特殊的硬化处理,不易产生凹痕,不易受脂肪、油类或有机溶剂的侵蚀;但长期受潮或与某些强碱接触将受到腐蚀。

Linoproductus 线纹长身贝 有较腕足动物的绝灭属。化石遍布北美中部大陆区的早石炭到二叠纪(3.6亿年前至2.86亿年前)地

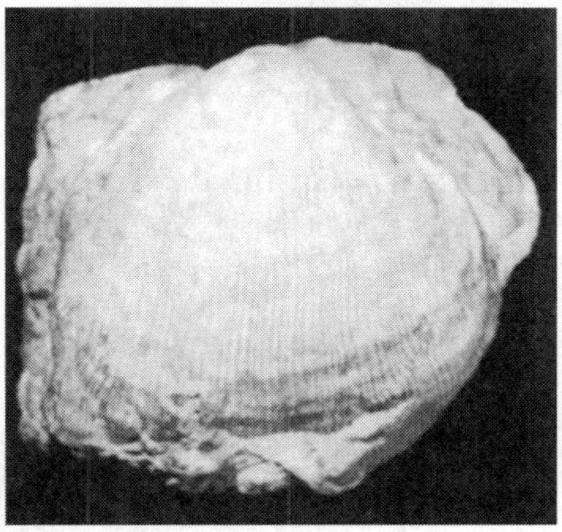

线纹长身贝(*Linoproductus*)
美国不列颠百科全书公司供图

层。是一种独特的无脊椎动物,以强凸的茎瓣及稍凹的腕瓣为鉴别特征。凸瓣上有细脊。

Linos (Greek mythology) 参阅 **Linus** 利诺斯。

Linosa Island 利诺萨岛 地中海佩拉杰群岛的一个岛。位于马耳他和突尼斯之间,兰佩杜萨岛东北偏北 48 千米处。属意大利西西里区阿格里真托省。面积 5.4 平方千米。土壤尚肥沃,但缺乏淡水。经济以农业和渔业为主。南岸的利诺萨村是人口集中地和港口。人口 5 937(2000)。

Linotype 莱诺铸排机 O.默根特勒于 1884 年在美国注册专利的排字机,能将铅铸排成一整行铅字(不像莫诺铸排机那样铸排单个铅字)。莱诺铸排机通常用以铸排字数多的正文,现基本已被照相排字取代。操作人员根据原稿要求的字号和字体,先选定所需的字模库,然后手揿字键(或由电子计算机的纸带或磁带控制)选择排成一行文字所需的铜模和嵌入各个单词之间的嵌片,传送到铸字机上的拼行装置。由一整行铜模铸成的铅字条,是长方形的金属固体(铅锑锡合金),其长度与行宽或栏宽一致。每个铅字条铸成以后,由一个还字装置把各个铜模送回字模库内的原处。铅字条冷却以后,放在排字手托内,以便拼版时插在适当位置。

Linqu 临朐 中国山东省潍坊市辖县。位于省境中部,沂山北麓。面积 1 833 平方千米。西汉置临朐县,南朝宋改昌国县。隋开皇六年(586)改蓬山县,大业初年(605)复名临朐县。城东 20 千米山旺村的硅藻土页岩中存有丰富的古生物化石,以"天然化石博物馆"闻名中外。山旺化石种类繁多,已发现 10 余门类近 200 种;植物有苔藓、蕨、裸子植物、被子植物等 128 种;动物中有昆虫、鱼、两栖、爬虫、鸟、哺乳等各纲,较大动物有鹿、犀、貘、猪等。1976 年发现的一具鸟化石填补了中国第三纪鸟类化石的空白。所有化石保存完好清晰,栩栩如生。化石地质年代为新生代第三纪中新世,约 1 000 多万年前。山旺古生物化石为探索华东北部中新世生物群、古地理、古气候以及地层对比等提供了重要依据,1980 年被国务院批准为国家重点自然保护区。农产以小麦、玉米、甘薯等为主,并产蚕茧和烟草,是全省蚕茧和烟草重要产地之一。工业有机械、化工、煤炭、纺织、电子仪器、水泥等。有公路北通胶济铁路线上的青州市。名胜古迹有百丈崖、老龙湾、唐代经幢。人口850 000(2005)。

Lins 林斯 巴西圣保罗州中西部高原的城市。海拔 396 米。1913 年建镇,1919 年为市政府所在地。咖啡为主要作物。也产稻米、玉米、花生、木薯、豆类和棉花。工业产品有酒、蜡、染料、陶器、靴鞋和食品。设有一机场。人口:城市 区约65 954(2000)。

Lins, Osman 林斯(1924-07-05,巴西维多利亚·德·圣安唐~1978-07-08,圣保罗) 巴西小说家。20 世纪中叶巴西小说的主要革新者之一。以传统风格写成的小说《访问者》(1955)和《锤线与岩石》(1961),以及短篇小说集《姿态》(1957)发表后,打破顺序叙事的方式,创作了 3 部作品从而获得声誉:《九,九个》(1966 年,由 9 篇记事组成)、长篇小说《阿瓦洛瓦拉》(1973)以及小说兼论说文《希腊监狱的王后》(1976)。这些作品的情节均按"文学建筑"的外部因素所制约的顺序叙述,其中有一些来自实体派的理论。《九,九个》中的几个故事,把黄道十二宫的图形和几何表意图形并列起来。《希腊监狱的王后》则在小说情节中穿插了许多文学理论和文学评论的短文。他还写过一些剧本。

Lins do Rego Cavalcanti, José 林斯·多·雷戈·卡瓦尔坎蒂(1901-06-03,巴西帕拉伊巴皮拉尔~1957-09-13,里约热内卢) 巴西东北地区现实主义小说家,以 5 部甘蔗种植园系列小说闻名,描写种植园古老的封建秩序和工业化带来的新生活方式之间的冲突。他成长在一个种植园的"庄屋"里,系列小说的第一部《甘蔗种植园的孩子》(1932)就是根据他自己的家庭和童年写成的。随后又出版《古怪的孩子》(1933)、《班格》(1934)、《小黑人里卡多》(1935)和《工厂》(1936)等作品。1943 年发表其力作《死火》,重新回到描写种植园的题材。

linsang 林狸 灵猫科非洲林狸属(*Poiana*)和南亚林狸属(*Prionodon*)3 种长尾哺乳动物的统称。3 个种的毛色各异,但均形似

猫科动物而体细长。体长可达 33 ～ 43 厘米,尾长几与身体等长,有带状纹,头狭,吻长,爪能缩回,毛厚且密。理查森氏非洲林狸(*Poiana richardsoni*)分布于非洲西部和中部。条纹林狸(*Prionodon linsang*)分布于马来西亚和印度尼西亚群岛。斑林狸(*Prionodon pardicolor*)分布于印度北部和缅甸的热带高地、中国南部和尼泊尔。3 个种均栖于浓密的森林和莽丛。两个亚洲种为严格的肉食动物,但理查森氏非洲林狸亦食植物。3 个种均夜间活动,树栖。每年产两窝,每窝 2 或 3 仔。

Linschoten, Jan Huyghen van　　林索登(1563,荷兰哈勒姆～ 1611-02-08,荷兰恩克赫伊曾)　荷兰旅行家和探险家。1583 年向南航行绕过非洲好望角到印度葡属果阿,后来又去北冰洋探险。在印度担任果阿大主教的簿记员。在印度居住 6 年(1583 ～ 1589)后回荷兰,此后写出两本有关印度各民族及其风俗习惯的著作,激起了荷兰与英国对印度与东印度群岛早期勘探贸易的兴趣。林索登致力于寻找去印度的短程路线。1594 年和荷兰航海家 W.巴伦支乘船去寻找经北极到东方的东北航线,到达新地岛后,巴伦支返回荷兰,林索登进入喀拉海,由于气候恶劣被迫返航。1595 年同巴伦支率领 7 条船驶往喀拉海,由于海洋结冰,又被迫返回。1601 年发表了上述探险的日记,引起荷兰人和英国人寻找通往印度的北部航线的兴趣。

linseed　亚麻籽　又作 flaxseed。为获取亚麻籽油和饼粉而培植的普通亚麻(*Linum usitatissimum*)品种的种子。主要种植在阿根廷、加拿大和美国,这个品种比那些主要为获得亚麻纤维而栽种的品种茎矮、分枝盛而种子多。亚麻籽在古希腊和古罗马时代就用作食物。在现代,主要食用价值只限于作牲口饲料。亚麻籽中的油被榨出来以后,剩下的粉渣含有大量的蛋白质和矿物质,可加热压制成饼,饲养牲畜。亚麻籽长在球状蒴果中,每个蒴果中有 10 粒长而扁的椭圆形种子,一头稍微突出。亚麻籽的标准长度约 3 ～ 4 毫米,重 3 ～ 9 毫克。通常为棕色,光滑,发亮,表面有一层黏性物质,所以湿时有发黏感。风干的亚麻籽通常含油 33% ～ 43%,视种子的类型、成熟程度、产地、土壤温度、降雨量及其他条件而异。亚麻籽油属于干性油,因此在空气中会变稠变硬。它比大多数植物油稍黏,所以用于油漆、印刷油墨、漆布、清漆和油布的生产。亚麻籽油的商品等级分为生油、精制油、熟炼油和吹制油,其中生油干得最慢。去掉生油中的游离脂肪酸、胶质和其他外来矿物质后,就成精制油。熟炼亚麻籽油其实并非经煮沸炼成的,而是在油被烧热时,加进一些油酸镁等类的干燥剂,以增强其干燥性能,所以它比生油和精制油干得都快,而且干后变得更厚、更密、颜色更深。将油加热到 125 ℃时吹入空气即成吹制油,干燥后成为更坚硬的薄膜,这种油用于瓷釉和内壁涂料。

lintel (architecture)　梁　参阅 **post-and-lintel system** 梁柱体系。

Linth, Hans Conrad Escher von der　林特　参阅 **Escher (von der Linth), Hans Conrad** 埃歇尔。

Linton, Ralph　林顿(1893-02-27,美国费城～ 1953-12-24,康涅狄格纽黑文)　美国人类学家,对文化人类学的发展有显著的影响。在费城的斯沃斯莫尔学院肄业的时候,便开

美国不列颠百科全书公司供图

始对考古学发生兴趣。1915 年毕业后,对新泽西州的一个史前遗址作了考察。但是从 1920 年开始在马克萨斯群岛停留两年以后,他的兴趣便从考古学转向人种学。1922 ～ 1928 年任芝加哥菲尔德自然历史博物馆美洲印第安和大洋洲收藏部主任。1925 年获得哈佛大学博士学位。1925 ～ 1927 年只身前往马达加斯加和东非进行考察,结果写成其人种学主要著作《纳塔拉人——马达加斯加的一个山区部落》(1933)。林顿曾任威斯康星大学(1928 ～ 1937)、哥伦比亚大学(1937 ～ 1946)、耶鲁大学(1946 ～ 1953)等校教授。另著有《人类研究》(1936),是集人类学、心理学及社会学各种理论之大成的作品,常被视为其力作。在《个性的文化背景》(1945)一书中,他提出"身份个性"的概念,认为这是一种文化中形成基本个性类型的共同因素。他最后一部重要著作是《文化谱系》(1955)。

Linton, William James　林顿(1812-12-07,伦敦～ 1897-12-29,美国康涅狄格纽黑文)　英国木刻家、作家、英国宪章运动的积极分子。早年即参加皇家学院的夏季画展,替书刊作版画。曾积极参加 19 世纪 40 和 50 年代初的政治活动,成立政治党派,编辑激进报纸。1866 年全家移居美国,并在纽黑文开设一印刷所。写过诗歌、自传,并著有版画技艺方面的书,其中包括《木刻大师》(1889)。

Lintong　临潼　中国陕西省西安市辖区。位于渭河平原东部,南倚骊山。因东有临河,西有潼河,故名临潼。区政府驻骊山镇。面积898平方千米。周时曾为骊戎国,秦置骊邑县。西汉高帝十年(公元前 197)改名新丰县。唐天宝七年(748)为昭应县。北宋大中祥符八年(1015)始称临潼县。1983 年划归西安市管辖。1997 年改为西安市辖区。秦始皇葬于临潼骊山之麓。陵墓建于公元前 247 ～前 221 年,史称征用 70 万劳役,历时 26 年方筑成华丽的地下宫殿,是现存中国古代最早的帝王陵,中国重点文物保护单位。1974 年在陵墓以东 1.5 千米处发掘出 3 个规模庞大的秦陶俑坑(兵马俑),内有8 000余兵马俑组成的军阵,场面雄伟壮观,是研究秦代历史的珍贵资料。该遗址已建成秦始皇兵马俑博物馆。骊山风景秀丽,是著名风景区。华清池是骊山脚下的温泉,秦代建"神女汤泉",唐代扩建为"华清宫"。秦、汉、唐历代在此广建离宫,有唐代杨贵妃入浴的贵妃池、唐代著名诗人白居易诗《长恨歌》所述长生殿遗址等。

临潼骊山华清池

中国大百科全书出版社供图

1936 年西安事变就发生在华清池,该处现已成为游览胜地。农业以粮、棉为主。盛产石榴、柿和枣,素称"临潼三宝"。工业主要有食品、建材、机械等中小型企业。陇海铁路、西渭高速公路和 108 国道等横贯全境。人口 670 000(2005)。

Linus　利诺斯　又拼 Linos。在希腊神话中,指哀悼的化身。这名字起源于一首挽歌的迭句,即仪式上的哭喊声"埃利诺斯"。分别同阿尔戈斯和底比斯有关的两个主要故事可以用来说明哀悼的起源。阿尔戈斯的故事认为利诺斯是阿波罗(阳光、真理和预言之神)和普萨玛忒(阿尔戈斯国王克洛托普斯的女儿)的孩子;他生下来就被抛弃并被狗撕成碎片。阿波罗为了报复,派复仇精灵波伊涅杀死阿尔戈斯城的孩子。英雄科洛伊布斯又杀死了波伊涅,于是便制订了一个阿尔尼斯节,又称杀狗日。节日期间无主的狗都要被杀,为利诺斯和普萨玛忒献祭致哀。据底比斯故事的说法,他是掌管天文的缪斯乌拉尼

亚和音乐家安菲玛洛斯的儿子，他本人也是一位伟大的音乐家。他创造了利诺斯歌，但由于竟敢同阿波罗抗衡而被阿波罗杀死。后来的一个带有半嘲弄意味的故事说，利诺斯是希腊英雄赫拉克勒斯的音乐教师，被自己的学生杀死，因为他想纠正学生的错误。

Linus, Saint　利努斯，圣（？，托斯卡纳？～76或79）　教皇（约67～76或79在位）。他或许是圣彼得的直接继任者。2世纪神学家伊里奈乌斯认为他就是圣保罗在《提摩太后书》第4章21节中所提到受信徒委托主持教务的利努斯。利努斯虽被列为殉教者，但他殉教之说有可疑之处。

Linxia　临夏　中国甘肃省临夏回族自治州辖县级市，自治州首府。位于省境中部大夏河下游。东北距兰州80千米。辖城南、城北、东关、西关、八坊、红园6街道办事处和城郊、枹罕、南龙、折桥4镇。面积88平方千米。秦灭罕羌侯置枹罕县，属陇西郡。西汉改属金城郡。东汉仍属陇西郡。西晋县废入河关县，属陇西国。前凉复置枹罕县，为河州治。北魏一度为枹罕镇治。北周为枹罕郡治。唐安史之乱为吐蕃占据。北宋熙宁二年（1069）复置枹罕县为河州治。金贞元二年（1154）复置枹罕县，属河州。元为河州路。明为河州，属临洮府，清改属兰州府。1913年废河州置导河县，属兰山道。1928年改为临夏县，属甘肃省。后属甘肃省第五行政督察区。1949年属临夏专区。1950年以临夏县城区设临夏市，仍属临夏专区。1953年升为省辖市。1956年降为临夏回族自治州辖县级市。1973年撤市并入临夏县，1983年复设市。处陇西黄土高原西缘，地势西南高，东北低，海拔1 800～2 000米。属温带半湿润季风气候，年平均气温6.8°C，年降水量500毫米。城区位于市境中部大夏河左岸，红水河横穿其间。工业有光学仪器、农机修理、造纸、印刷、皮革、服装及刺绣、民族用品等。城郊产小麦、玉米、马铃薯及蔬菜，居民多养奶牛。市内商贸、饮食业颇盛，自古为回、汉、藏等民族交易场所。为伊斯兰教活动中心，有“小麦加”之称。交通运输以公路为主，213国道等穿越市区，县、乡通汽车。是自治州文化中心，有省重点中学临夏中学和临夏回民中学。名胜古迹有红园和清真大寺等。人口220 000（2005），回族占总人口的45%。

Linyi　临沂　中国山东省辖地级市。旧称沂州。位于省境东南部沂河西岸。北魏永安二年（529）移即丘县于今市境西，并为北徐州治所，北周为沂州治所。隋开皇十六年（596）移临沂县治于今市区，大业初年（605）废即丘县入临沂。明洪武初年（1368）废临沂县入沂州。清雍正十二年（1734）置兰山县，升沂州为府，为沂州府治。1913年废府改临沂县。1958年曾设市，1962年复为县，1983年复置县级市。1994年升省辖市，辖兰山、罗庄、河东3区，沂南、郯城、沂水、苍山、费县、平邑、莒南、蒙阴、临沭9县。面积17 187平方千米，其中市区面积1 748平方千米。为鲁东南交通枢纽，新兖石、坪兰铁路和京沪高速、日东高速公路以及205、206、310、327等国道交织成网。公路南通徐州、新沂、连云港，西达枣庄、兖州、新泰、济南，北至益都、潍坊、高密、青岛，东去日照、岚山头。农作物主要有水稻、小麦、玉米、薯类，是鲁东南农产品集散地。工业以轻工为主，有纺织、陶瓷、建材、化学、造纸、机械、食品等工厂。为古代书法家王羲之的故乡。1972年在银雀山西汉墓中发现大批秦汉竹简，其中有《孙膑兵法》等先秦珍贵古籍。城东北汤头温泉建有疗养院。人口：全市10 150 000（2005）；市区1 890 000（2004）。

Linz　林茨　奥地利中部偏北城市，上奥地利州首府。横跨多瑙河。最初为罗马人的伦蒂亚要塞，中世纪成为重要贸易中心。15世纪时腓特烈三世在此设行宫，成为省城，以集市驰名。1785年起为天主教主教教区，变成重要文化中心，现有开普勒大学（1966）、美术学校、音乐学校、工业和美术设计学院（1947）、神学院、科学研究所、博物馆、美术馆、图书馆、档案馆、歌剧院和戏院等。天文学家开普勒、作家施蒂弗特和作曲家布鲁克纳都曾在这里生活过一个时期。城内有很多旧建筑物，如古城堡、圣马丁教堂、市政厅、旧大教堂（1669～1678）、天主教小兄弟会教堂等。林茨在波罗的海与亚得里亚海之间的铁路线上，又横跨多瑙河，有很多码头，河运繁盛。1938年后发展成为重要的工业中心，有钢铁厂和固氮厂。还生产机器、电气设备、纺织品、玻璃、家具、饮料、靴鞋、橡胶和烟草等。人口183 504（2001）。

Linz program　林茨纲领　奥匈帝国内日耳曼极端民族主义分子提出的意见书。因在上奥地利林茨城起草，故名。1882年由冯·舍内雷尔拟定，后由阿德勒、佩纳施托弗、帕泰和弗里德永等人完成。他们的主要目的是要加强由日耳曼人领导的中央集权政府，而使斯拉夫人居住的地区脱离奥地利帝国，因而要求把加利西亚（帝国的东北端）交给波兰人，把达尔马提亚（现代克罗地亚部分沿海地带）交给意大利实行自治。如果马扎尔人支持奥地利的日耳曼人，就把这两块地方送给匈牙利。林茨纲领煽起反斯拉夫人的情绪，尤其引起关于波希米亚行政划分的争议。此外还要求扩大公民权、征收累进税和制定保护穷人的立法。

Linzi　临淄　又拼Lin-tzu。中国山东省淄博市辖区。位于省境中部，淄博市中心（张店）东约30千米，小清河支流淄河西岸。面积668平方千米。周朝时期，临淄是当时势力强盛的齐国的都城，桑麻遍野，又富渔盐之利，十分富庶。战国时手工业有冶铁、制陶、纺织等，商业繁盛，还聚集了许多学者在此讲学。在秦统一全国后，仍然是重要的城市，西汉时为齐郡首邑。在公元3世纪末期的内战及公元3～4世纪历次胡人入侵期间，临淄惨遭蹂躏而成为废墟。北齐废临淄县。隋开皇十六年（596）复置，在原址西南约10千米处重建该城。直到清代末年为止，始终为临淄县治。临淄齐城遗址由大小两城组成。大城系百姓住区，小城为王宫所在地。城墙外尚有许多其他史迹遗址，包括齐国统治家族田氏4位君王的巨大坟冢。20世纪60年代后期，石油化学工业迅速发展起来，坐落在区境南部山区的齐鲁石油化学工业公司，是中国的大型综合石油化工基地之一。胶济铁路、济青高速公路、309国道过境。人口590 000（2005）。

lion（*Panthera leo*）　**狮**　体格强壮的大型猫科动物，在猫科内体型大小居第二位，仅次于虎。狮是最著名的野生动物之一，自古即称为“百兽之王”。现在主要分布于撒哈拉以南

雄狮（*Panthera leo*）
美国不列颠百科全书公司供图

的非洲一些地区。在印度古吉拉特邦的吉尔森林国家公园栖息着数百头狮，构成亚细亚宗，受到严格的保护。狮最喜栖于多草的平原和开阔的稀树草原。狮体长，腿短，头大，肌肉发达。雌狮与雄狮在体型和外形方面均相差甚大。发育成熟的雄狮身长约1.8～2.1米，不包括1米的尾长；肩高约为1.2米；体重170～230千克。雌狮体型较小，体长1.5米，肩高0.9～1米，体重120～180千克。狮的体毛短，颜色从浅黄、橙棕或银灰到深棕色各异，尾尖有一丛毛，颜色较其他体毛为深。雌狮的体毛更带茶色或沙色。雄狮的显著特征是鬃毛，各个体的鬃毛差异甚大，有的个体完全没有鬃毛；有的个体的鬃毛分布于面部边缘；或鬃毛量多而蓬松，覆盖着头后部、颈项和肩部，并垂到喉部和胸部，与沿着腹部分布的流苏状长毛相连接。有些个体的鬃毛和流苏状长毛颜色极深，几为黑色，这使这些个体的外貌十分威严。狮群居，这点在猫科动物中甚为独特。每一狮群由有血缘关系的几代雌狮、幼狮和一二头成年的雄狮组成，雄狮负责保护该群的领域并与雌狮交配。成年的雄狮对狮群来说是局外人，它可以拥有狮群数月至数年，这决定于它保护狮群不容其他雄狮加入的能力。狮群中个体的数目可少至4头，多至37头，但平均约15头。每一狮群有其界限清楚的领域，在猎物充足的地方领域面积可以小至20平方千米，在猎物稀少的地方领域面积可大至400平方千米。雄性的幼狮达到约3岁时即被逐出狮群，四处游荡，直至年龄够大（约5岁），足以接管别的狮群为止。但许多成年雄狮终生过着游荡的生活。有的雌性幼狮发育到性成熟仍留在原来的狮群里，但另一些则被逐出并加入其

他的狮群。同一狮群的个体于日间通常分成小群各自活动,但会聚拢来一同猎食或分享被捕杀的猎物。狮借吼叫和气味标志来宣布其领域范围。狮通常于傍晚夜猎前及黎明起

雌狮与幼狮
美国不列颠百科全书公司供图

身前发出其著名的吼声。雄狮还在灌木、乔木上,或在地上排尿以宣告它们的存在,从而留下刺鼻的气味标志。排粪和在灌木上摩擦身体亦可留下其他气味标志。狮猎食的动物体型各异,从羚羊、狒狒到水牛、河马都有,但它们最喜捕猎中型至大型的有蹄动物,如牛羚、斑马、黑斑羚及其他羚羊类等。狮也乐意吃任何找得到的肉,包括腐肉和新鲜的刚被猎杀的动物,狮借威逼或恫吓从鬣狗口中攫取这些食物。大部分的捕猎工作由狮群中的雌狮完成。猫科动物捕猎时并不注意风向,而风会将它们的气味吹送过去被猎物嗅到;它们仅仅奔跑一个短距离便会感到疲乏;因此它们的捕猎行动大部分以失败告终。捕猎时,雌狮(还有雄狮)耐心地充分利用每一可用的隐蔽物,偷偷接近猎物,然后以短距离的急速冲刺追上它。雌狮跃到猎物的身上后便咬其颈部直至将它杀死。狮群中的其他成员迅速聚拢来取食猎物,雄狮总是吃掉大部分的肉,结果群中的狮互相争食,较小的幼狮获得的食物很少甚至什么也得不到。有时雌狮成群捕猎,同群的雌狮包围一群猎物或从各个方向迫近猎物,使之惊慌失措,乘机予以捕杀。通常雌狮和雄狮捕到猎物后即饱餐一顿,然后在其附近休息数日。一头成年的雄狮一顿大约吃 34 千克肉后可休息一周再进行捕食。如果猎物丰富,则雌狮和雄狮均通常每天休息、睡眠或闲坐 20 小时,仅花 2 ~ 3 小时去捕食。

雌狮和雄狮均为多配性,一年四季均可生殖,但雌狮通常仅与群内一二头雄狮交配并受孕。在豢养条件下狮常常每年生殖一次,但在野生状态下最多每两年生育一次。妊娠期约 108 天,每窝产 1 ~ 6 仔,平均 2 ~ 4 仔。新生的幼狮目不能视,不能独立生活;毛厚,具深色斑纹,通常随着年龄的增加而斑纹逐渐消退。幼狮能跟随母亲约 3 个月左右,到 6 ~ 7 个月时断奶。到 11 个月时幼狮开始参与捕杀猎物,但可能要到 2 岁时才能凭自己的力量存活。3 ~ 4 岁时性成熟。幼狮的死亡率很高,野生的成年狮很少活到 8 或 10 岁以上,死亡原因主要是人类和其他狮子的攻击,或因在向猎物进攻时被踢伤或抵伤。但在豢养条件下狮可活 25 年甚至更长。在更新世晚期(140 万年前至 1 万年前),狮的地理分布范围极广,见于整个北美和非洲、大部分巴尔干地区,并通过安纳托利亚和中东分布到印度。约 1 万年前从北美消失,约 2 000年前从巴尔干消失,十字军东征时期从巴勒斯坦消失。到 20 世纪后期,狮的数量减少到几万头,因农业用地的扩大,国家公园以外的狮子也迅速失去它们的生境。但它们在坦桑尼亚的塞伦盖蒂国家公园和其他国家公园内受到保护,它们的未来是安全的,部分原因是狮对旅游者很有吸引力。在豢养条件下,人们能使狮与其他大型猫科动物交配。雄狮与雌虎交配所生的后代称为狮虎;雌狮与雄虎交配所生的后代称为虎狮;雄豹与雌狮交配所生的后代称为豹狮。美洲狮又称墨西哥狮、山狮,是新大陆产的猫属(*Felis*)动物。参阅 **puma**。

Lion, Gulf of　利翁湾　地中海一个海湾。沿法国南部海岸延伸,西起西班牙边界,东至土伦。有许多河流汇入此湾。海水平均含盐量为37.7‰;海水平均温度冬季13°C,夏季

利翁湾岸区的牡蛎养殖场
美国不列颠百科全书公司供图

22 °C。沿湾有比利牛斯山最东部支脉、几处咸水湖、罗讷河三角洲和马赛附近的石灰岩丘陵。岸区通过许多运河和航道与内地相连。主要港口是马赛和塞特。罗讷河三角洲西边的朗格多克海岸,新建有 7 个新城镇和旅游、娱乐中心。

lion-fish　蓑鲉　又作 turkey fish 或 firefish。又称火鸡鱼、火鱼。鲉形目鲉科蓑鲉属(*Pterois*)几种体色艳丽的印度洋-太平洋地区鱼类的统称。以鳍棘有毒而闻名。其鳍棘能致伤痛,但很少致死。胸鳍大,背鳍棘长。

飞蓑鲉(*Pterois volitans*)
美国不列颠百科全书公司供图

各个种均有其特别的醒目的斑马状条纹。受到惊扰时立即展开并显示各鳍,若敌害进一步进迫,即竖起背鳍棘进行攻击。最为人所熟悉的种类之一是飞蓑鲉(*Pterois volitans*),有时为鱼类爱好者所饲养,体上具红、褐、白色的条纹,体长可达约 30 厘米。印度洋-太平洋地区还有几种较小的鲉科叉指蓑鲉属(短鳍蓑鲉属,*Dendrochirus*)鱼类亦称火鱼或狮子鱼,如夏威夷的巴伯氏叉指蓑鲉(*D. barberi*,浅绿至粉红色)和东方的花斑叉指蓑鲉(*D. zebra*,浅红色)。

Lion of Fo　佛狮　又作 Lion of Buddha。又称石狮。中国艺术品。别具风格的咆哮的狮子雕塑。佛狮本来的意义是佛寺中的护卫者。佛狮往往是成对的,雄狮玩球,雌狮逗幼兽。在中国陶瓷制品和西方仿制品中,佛狮的种类很多。

Lionel of Antwerp　莱昂内尔(安特卫普的)　参阅 **Clarence, Lionel of Antwerp, duke of 克拉伦斯公爵**。

Lionne, Hugues de　利奥纳(1611-10-11,法国格勒诺布尔～ 1671-09-01,巴黎)　法国路易十四时代的外交大臣。在外交上奠定了基础,使国王路易十四能对西班牙(1667 ～ 1668)和荷兰(1672 ～ 1678)发动征服性战争。出身下层贵族,早年学习国际政治。1643 年路易十四 4 岁登基,枢机主教马萨林任首相,利奥纳出任外交顾问。在投石党运动期间(1648 ～ 1653),马萨林一度流亡,他留在巴黎代行职权。1659 年参与谈判《比利牛斯条约》,结束同西班牙的 24 年战争,并安排路易十四同西班牙国王腓力四世之女玛丽-泰蕾莎结婚。1661 年马萨林去世,路易亲政,利奥纳任大臣,参加国王的核心会议。两年后,他买到外交大臣的职位。1665 年西班牙国王腓力四世死去,多病的幼主查理二世即位,利奥纳和路易十四便乘机以西班牙没有交付玛丽-泰蕾莎嫁给路易时的陪嫁为由,宣布西属尼德兰大部分归属于玛丽-泰蕾莎。1667 年 5 月法军侵入西属尼德兰。他从勃兰登堡和巴伐利亚选侯那里取得对法国的支持。1668 年 1 月他与神圣罗马帝国皇帝利奥波德一世缔结密约,准备在查理二世去世时由法奥瓜分西班牙的产业。但是不久,英格兰人和荷兰人迫使路易接受法国仅能控制尼德兰少数城市的和约。他立即开始孤立荷兰人,以便使法国入侵尼德兰联省共和国。1760 年他与英格兰结盟,但尚未与瑞典和奥地利缔结条约以便使路易在 1672 年发动对荷兰的入侵即死去。科奥纳结盟计划的流产妨碍了路易对荷兰的征服。

Lions Clubs, International Association of 国际狮子俱乐部协会　1917年建于美国得克萨斯州达拉斯市的平民福利俱乐部,旨在全世界人民中培养"宽宏尊重"的精神,以及促进好政府、好公民和在民事、社会、商业、道德等方面的积极兴趣。因为比其他福利俱乐部更宽厚地接纳成员,并不向各行各业确定严格的成员配额,很快就成为最大的福利俱

乐部组织。其活动包括一般的社会福利项目、帮助盲人、提高知识以及支持联合国等。会员遍布约150个国家，总部设在伊利诺伊州的奥克布鲁克。

Liopelma 滑蹠蟾属 无尾目滑蹠蟾科唯一的属，3种。仅分布于新西兰山区。因具许多原始特征而被认为与美国西北部的有尾蛙（特鲁氏尾蟾，*Ascaphus truei*）有亲缘关系。产卵于潮湿生境，发育过程中不经蝌蚪阶段。

Lios Mor（Ireland） 参阅**Lismore利斯莫尔**。

Lios Na Gcearrbhach（Northern Ireland） 参阅 **Lisburn 利斯本**。

Liotard, Jean-Étienne 利奥塔尔（1702-12-22，日内瓦～1789-06-12，日内瓦） 瑞士画家，以粉彩肖像画著名。完成在巴黎的学业后，于1735年到罗马为教皇克雷芒十二世画像，并服务于教廷。1743年旅居维也纳时，为戴勒萨女皇及其家庭画像。曾于1753～1755年期间访问英格兰，并为威尔士公主及

利奥塔尔自画像
美国不列颠百科全书公司供图

贵族画像。1756年到荷兰工作。1773和1774年在英格兰皇家学院举办画展。1776年回到日内瓦。除优美雅致的粉彩画外，在珐琅画、铜版画、玻璃画等方面都有显著成就。利奥塔尔著有《绘画艺术论》。

Liouville, Joseph 刘维尔（1809-03-24，法国圣奥梅尔～1882-09-08，巴黎） 法国数学家。以对分析、**数论（number theory）**和**微分几何（differential geometry）**的研究，特别是发现超越数而著名。1833年在巴黎综合工科学校任教授。1836年创办《纯粹数学和应用数学杂志》（通常叫《刘维尔杂志》）并任主编，这个杂志在整个19世纪为提高和保持法国数学水平做了许多工作。著名的法国数学家E.伽罗瓦的大部分论文都是由他在1846年最先发表的。他是一个大胆的有创造性的数学家，研究了判断代数函数积分的解析性质的准则。1844年，他第一个证明超越数的存在，并构造了无穷多个这样的数。他还研究了微分方程和边值问题，其方法以后称为斯图谟-刘维尔理论，它在20世纪的数学物理以及积分方程理论中极为重要。他对微分几何的出色贡献是曲面可贴性和共形变换理论。著名的刘维尔定理是统计力学和测度理论的基础。在数论方面他对数值函数、二次表示和奇偶性函数的一般公式做出了贡献。他发表的著作虽然几乎都没有说明得到结果的方法，但以后得到了证明。他在分析方面第一个从单复变函数分析的一般定理，推导出双周期函数理论。他的著作没有汇编，大约有400篇论著和短文，其中有200多篇是数论方面的。

lip fern 碎米蕨 铁线蕨科碎米蕨属（*Cheilanthes*）植物。约180种，多小型，强壮，通常常绿。分布热带和温带地区，在干燥和岩石地区生长旺盛。叶直接从根茎长出，坚韧，

一种碎米蕨属（*Cheilanthes*）植物
美国不列颠百科全书公司供图

常被密毛。孢子囊生于叶脉顶端，叶缘卷曲，以保护孢子囊。

lip ring, lip plug, and lip plate 唇环、唇栓、唇板 通常为原始民族用来穿进唇部以改变唇形的环状饰物。唇栓也称唇饰。在南美当西班牙征服期间，土著民族常戴着用宝石、金或水晶制作的唇栓。在非洲若干地方特别是刚果（金）、坦桑尼亚和尼罗河上游流域以及南美博托库多人中间，唇栓和唇板穿进上唇和下唇的切口中。

Lipa 利巴 菲律宾吕宋岛西南部八打雁省直辖市。为水果产区的贸易集镇。1754年火山爆发后重建，第二次世界大战期间日军占领摧毁后再次重建。有服装业和农作物加工业。有一空军基地和柑橘试验站。有公路和铁路通往岛上其他各地。1947年设市。人口218 447（2000）。

Lipalian interval 利帕尔间隔 地质学中的一段时间，用于解释前寒武纪最晚期（不早于约8亿年前）仍缺乏生物而寒武纪最早地层（约5.7亿年前）中丰富的生物类型突然出现的现象。与前寒武纪的生物迹象不同，寒武纪动物群是比较高度发展和分化的，这些特征证明有过一个大部分重要的门都已出现的漫长发展进化时期。在许多解释上述现象的方案中，有一个是美国古生物学家C.D.沃尔科特提出的。他认为在年代最古的寒武纪和前寒武纪沉积之间生物类型迅速演化。在此间隔内由于地层遭受剥蚀或遗留物尚未发现而未见地质记录。沃尔科特用几乎全球都确实存在前寒武纪与寒武纪间不整合这个事实来证明他的观点。甚至更值得注意的是无化石的前寒武纪层位和富含化石的寒武纪地层之间清楚的差别，因为现在认为全球许多地点从最晚的前寒武纪（有时称为始寒武纪[Eocambrian]）到最早的寒武纪的沉积记录中不存在中断现象。

Lipari Islands（Italy） **利帕里群岛** 参阅 **Eolie Islands 埃奥利群岛**。

lipase 脂酶 一类能分解脂肪的酶，它广泛地存在于血液、胃液、胰液、肠液、脂肪等组织中。脂酶可把甘油三酯（即脂肪）水解为脂肪酸和甘油分子。脂肪的消化最早发生在前段小肠，胆汁盐可降低脂肪滴的表面张力，以使脂酶能够直接作用于甘油三酯分子并将其水解，以利小肠上皮对脂肪酸和甘油分子的吸收和重组。所谓重组就是指机体以脂肪酸和甘油为原料重新合成甘油三酯并贮存在脂肪组织中的过程。各种组织中的甘油三酯都不断地进行着这种自我更新过程。当需要时，贮存在脂肪组织细胞中的甘油三酯就会被脂酶水解，其产物经由血液供全身各“需能组织”摄取、利用（脂肪动员）；而在肝脏、肌肉等组织中，甘油三酯的水解产物并不随血液运行，而是被所在组织原地利用。

Lipchitz, Jacques 里普希茨（1891-08-22，俄国德鲁斯基宁凯～1973-05-26，意大利卡普里） 俄国出生的法国雕刻家，其风格建立在立体主义原则之上，也是非具像雕刻的先驱。

美国不列颠百科全书公司供图

青年时代在立陶宛维尔纳学工程。1909年移居巴黎，对法国先锋派艺术，特别是对立体主义感到新奇，后开始学雕刻。1912～1913年在沙俄帝国军队中短期服役后即回巴黎，将立体派绘画实验用于雕刻，例如《弹吉他的水手》（1914，纽约州布法罗奥尔布赖特-诺克斯艺术馆）。他主要用坚固的大块材料作静物雕刻或浅浮雕，将空间和形体分刻成立体主义的棱柱体，并加彩饰，模仿立体派绘画。约1925年开始创作一套雕刻，总称为“透明体”。这些铜雕，例如《竖琴师》（1928，纽约市琼斯夫人收藏馆），属于最早探索形体和巨大空间相互渗透的审美潜力的现代雕刻，对其后25年的雕刻

的发展颇有影响。有些“透明体”,例如《夫妇》(1928～1929,荷兰奥特洛克罗勒-穆勒国家博物馆),不再追求稳定性,而是追求连续的运动,力求表现感情。1941年迁居纽约市,获得了国际声誉。在精神方面又有新的追求,并再度谋求其作品的稳健。这两方面的结合使他创作了许多这样的作品:构图呈火焰形,以大块材料固着于地,有如膨胀的灌木丛,例如《祈祷者》(1943)及《普罗米修斯扼死秃鹰二号》(1944～1953,明尼苏达州明尼阿波利斯沃克艺术中心)。其最后一件也是最大的一件作品《柏勒洛丰驯服天马珀伽索斯》,于1977年被捐献给纽约哥伦比亚大学。

Lipetsk 利佩茨克 俄罗斯西部一州。面积24 100平方千米。西部为中俄罗斯高地的起伏丘陵地,东部是奥卡-顿河下游平原。顿河和沃罗涅日河自北向南纵贯中部地区。天然植被为森林草原。大部分橡树林地和几乎所有的草原已开垦,水土流失严重。农业发达,生产黑麦、小麦、玉米、燕麦、甜菜、马铃薯等。畜牧业较不发达。地方工业多为农产品加工,首府利佩茨克市除外。人口约1 241 000(1993)。

Lipetsk 利佩茨克 俄罗斯西部利佩茨克州城市与首府。位于顿河流域沃罗涅日河两岸。1703年彼得大帝在此建立炼铁中心。1897年和1934年先后创建的两家炼铁厂在20世纪60年代发展成大型钢铁联合企业。由于邻近库尔斯克铁矿和顿巴斯炼焦煤产区,已成为中央黑土带大型工业区的中心。生产机械、化工品、水泥、氮肥等。人口约466 000(1993)。

lipid 脂质 又称类脂。存在于动、植物组织内,不溶于水,无色和各种各样的一类有机化合物。可用有机溶剂如乙醚、石脑油或氯仿从动、植物体中提取。脂质的主要类型有中性脂质(或甘油三酯即甘油醇的脂肪酸酯)、磷酸甘油酯(或磷脂即甘油和磷酸的脂肪酸酯)、鞘脂(来自鞘氨醇的复杂脂质)、类固醇(如胆固醇)、类胡萝卜素和前列腺素。脂肪酸是一端带羧(COO—)基的长碳氢链。该碳氢链可被氢饱和或含一些双键(不饱和的)。代表许多食用脂肪和油脂的甘油三酯,由3个脂肪酸链与一个甘油分子通过脂肪酸的羧基与甘油的3个羟基之间的酯键而形成。脂质的流动性取决于链长和其饱和度,短的和不饱和的链较易流动并且有较低的熔点。脂质甘油三酯最常被动物用作储存能量,由于脂肪传热差,沉积在皮肤下层的中性脂质层还能使动物御寒。若动物食入的脂肪或碳水化合物比消耗的要多,则脂肪酸与甘油结合生成甘油三酯被储存于体内的脂肪组织中。需要时,这些储存的中性脂质可容易地被酶(脂酶)分解(水解)成甘油和脂肪酸,后者被血液带到目的组织(即骨骼肌)并进一步分解而放出能量。为了合成某些必需脂质,哺乳动物必需摄取一种或几种专门的脂肪酸(例如亚油酸、亚麻酸和花生四烯酸)。简单脂质甘油三酯是不溶的和可以小滴形式储存于细胞的优质的食物储备物。植物如蓖麻可将脂质储存于其蓖麻籽内。哺乳动物将脂肪储存于专门的脂肪细胞内,大量脂肪珠充满多数细胞。脂质甘油三酯是良好的可为身体提供能量的分子,含有比糖更多的成比例的可氧化的氢,而且其极性比蛋白质或碳水化合物小,可以无水态储存。当无碳水化合物可供分解时(如禁食期间),肝脏能将脂肪转化成葡萄糖(脑的唯一能源)。增加人体酸性酮的产生是一种副效应,称为酮病状态。磷脂是脂蛋白膜(神经元[神经细胞]轴突周围的鞘,并使它们可适当地传递神经脉冲)的重要组分,血液中血小板所含的磷酸甘油酯参与血凝块的形成。存在于神经组织和脑中的鞘脂为神经系统正常运转所必需。类固醇和类胡萝卜素与已讨论过的其他脂质不同,它们不被氢氧化钾水解成水溶性产物,类固醇和类胡萝卜素不可皂化。类固醇如胆固醇存在于许多细胞膜中,在合成许多生物活性化合物如胆汁酸、维生素D和某些激素(如皮质甾醇、雌激素、睾丸素、糖皮质激素和盐皮质激素)方面起着重要作用。类胡萝卜素在许多植物中提供黄色和橙色色素并参与光合作用。亚油酸的环状衍生物即前列腺素对代谢作用具有复杂效应,而且经常明显地起局部激素的作用。

lipid storage disease 脂质沉积症 又译脂类累积病。一组较罕见的遗传性脂肪代谢障碍,特征为脂类(尤其是脑苷脂、神经节苷脂、神经鞘磷脂)积蓄于身体各种组织内。病因是细胞中促进各该脂类代谢的酶缺乏,引起脂类积蓄。戈歇氏病患者体内缺乏葡萄糖脑苷脂酶,结果脑苷脂大量积聚于肝、脾、骨髓及淋巴结中。戈歇氏细胞为该病所特有,形大,内积聚多量脂质,细胞功能受影响。该病可分2型:①急性脑型,主要累及婴儿,初生时外观正常,迅即出现情感淡漠、发育迟缓、腹大,继之以严重的神经系统症状。死亡多发生于1岁以内;②慢性型,可于任何年龄发病,特征为脾肿大、贫血、皮肤上的褐色色素沉着斑。骨有特征性的改变,因钙化异常而致骨折、畸形。尼曼-皮克二氏病临床表现甚似戈歇氏病,但缺乏神经鞘磷脂酶,致神经鞘磷脂广泛积聚于身体各组织。该病多于1岁以内发病,患儿多于4岁以下即死亡。泰伊-萨克斯二氏病亦称黑朦性白痴。神经节苷脂沉积于患者身体组织。主要是中枢神经系统产生变性性变化,引起严重的智能缺陷。该病特征性的早期症状有肌肉软弱、对噪音极端敏感、视网膜中心附近出现樱桃红色斑(这种斑有时亦见于尼曼-皮克二氏病)。视力进行性减退,终至失明。患儿一般于3岁左右死亡。尼曼-皮克二氏病和泰伊-萨克斯二氏病均多见于犹太人。法布里氏病患者缺乏神经酰胺己三糖苷酶,与神经鞘磷脂有关的神经酰胺己三糖苷沉积于身体组织,引起淡紫色丘疹、心脏扩大、肾功能低下、角膜混浊、血管扩张等特征性表现。该病多见于男性,患者一般死于肾功能衰竭合并心血管疾病。脂质沉积症的治疗仅为减轻症状。

Lipizzaner 利皮扎马 又拼Lippizaner,又作Lipizzan。马的品种之一,以的里雅斯特附近利皮扎(前属奥匈帝国)的奥地利皇家种马场而得名。其育种可追溯到1580年,详细的育种记录可追溯到1700年。祖先为西班牙马、阿拉伯马及柏柏尔马。可分为6个品系。

利皮扎马
美国不列颠百科全书公司供图

利皮扎马身材较矮小,背长,颈短粗,体态强健。高150～157厘米、重450～585千克。鼻如鹰钩,头型不若其他轻型马美,但双眼富有表情。被毛多为灰色,栗色和棕色者少见。利皮扎马仅产于前属奥匈帝国的几个国家,曾有少量输到美国。维也纳西班牙骑术学校训练的利皮扎马最著名。

Lipmann, Fritz Albert 李普曼(1899-06-12,德国柯尼斯堡[今俄罗斯加里宁格勒]～1986-07-24,美国纽约波基普西) 德国出生的美国生物化学家。因发现辅酶A(与食物

美国不列颠百科全书公司供图

细胞转化成能量有关的一种重要催化物质)而与H.克雷布斯共获1953年诺贝尔生理学或医学奖。1924年获柏林大学医学博士学位,1927年获该校哲学博士学位。曾在海德堡大学生物化学家O.迈尔霍夫的实验室(1927～1930)、哥本哈根卡尔斯伯格基金会生物研究所(1932～1939)及纽约市康奈尔医学院(1939～1941)进行研究。1941～1957年任波士顿马萨诸塞综合医院生物化学研究室主任,1947～1957年任哈佛医学院生物化学教授。他在鸽肝提取物中发现一种有催化活性而又耐热的因子,1947年分离成功,1953年确定其分子结构,并定名为辅酶A。现已知辅酶A是作为糖和脂肪在无氧条件下分解的最终产物与乙酸结合。辅酶A是与细胞代谢有关的最重要的物质之一,它能促进氨基酸、类固醇、脂肪酸以及血红蛋白转化为能量。李普曼自1957年至去世前在纽约洛克菲勒研究所(今洛克菲勒大学)任教和进行科研。

lipoprotein 脂蛋白 一类脂质-蛋白质复合物。种类甚多。可分为可溶性脂蛋白(如

卵黄和动物血浆中者)及不溶性脂蛋白(如细胞膜中者)。血浆脂蛋白是胆固醇(cholesterol)通过血液和淋巴液运输的形式,故得到广泛的研究。胆固醇不能溶解于血液中,必须结合在脂蛋白上方能运输。有两类脂蛋白与此功能有关:低密度脂蛋白(LDL)和高密度脂蛋白(HDL)。低密度脂蛋白将肝脏合成的胆固醇携带到身体细胞;在此胆固醇与低密度脂蛋白分离,然后被细胞用于各种目的。高密度脂蛋白可能将过多的、无用的胆固醇从身体组织运回肝脏,胆固醇在肝脏降解为胆酸,然后排出。血液中的胆固醇约70%由低密度脂蛋白颗粒携带,其余的由高密度脂蛋白颗粒携带。动脉粥样硬化时血管壁上沉积的脂肪主要由低密度脂蛋白带来,而高密度脂蛋白可以减少或延缓此种粥样硬化的形成,因此有益于健康。身体细胞通过表面的受体从血液中吸取胆固醇;受体与低密度脂蛋白颗粒(连同结合于其上的胆固醇)结合,并将其从血液吸入细胞内。细胞能吸入的胆固醇数量有一定限度;细胞结合低密度脂蛋白颗粒后该细胞表面就不能形成更多的受体,使细胞不能进一步吸收胆固醇。细胞表面受体数量的减少意味着细胞吸收的胆固醇数量减少,更多的胆固醇留在血液中,增加了胆固醇沉积于动脉内壁的风险。有几种先天性遗传疾病称为高脂蛋白血症,表现为血液中脂蛋白的浓度升高。而患低脂蛋白血症时血液中脂蛋白浓度反常地降低。

Lippe 利珀 德意志过去的最小邦之一。1946～1947年以后,成为北莱茵-威斯特伐利亚州东北的一隅;更小的绍姆堡-利珀,在今下萨克森州的南部,系利珀家族另一支于17世纪40年代所建。两地于1990前均在西德境内。利珀家族的土地,位于威悉河中部东西弯曲处的南北两岸,向西南延伸至条顿堡林山。中世纪利珀家族发祥地是利珀河畔利普施塔特周围地区,在帕德博恩以西。1528年利珀的西蒙五世取得伯爵封号。17世纪初期,这个家族发生分裂,但自1720年登上邦君宝座的利珀-德特莫尔德一支重新统一了利珀领地的大部分,只有绍姆堡-利珀一支的领地除外。绍姆堡位于林特尔恩东北,约自1100至1640年间曾是一伯爵领地的首府。黑森-卡塞尔和不伦瑞克两邦曾获有该领地的少数疆土;但绍姆堡末代女伯爵之弟、利珀-阿尔韦迪森的菲利普却保有其余土地,自立为邦君,建都于比克堡。魏玛共和国(1919～1933)宪法规定,这两个邦均改为共和制政府。纳粹时期被废止。

Lippe River 利珀河 莱茵河右岸支流。流经德国北莱茵-威斯特伐利亚州。源出条顿堡林山西坡巴特利普施普林格附近。向西流,在韦塞尔附近汇入莱茵河,全长250千米。流经鲁尔工业区北缘。吃水不超过1.2米的小船和驳船可航行至利普施塔特。利珀河曾经用作运输煤、木材和农产品往来于威斯特法伦,但1929年被通至莱茵河的多特蒙德-埃姆斯运河所取代。利珀河为鲁尔区运河系统的水源。20世纪60年代,运河延至哈姆以东。

Lippershey, Hans 利珀希(约1570,德国韦塞尔～约1619,荷兰米德尔堡) 荷兰(当时为联省尼德兰)眼镜制造商,传统上把望远镜的发明归功于他。1608年10月2日,他把他的发明(他称为"观察器")呈献给荷兰的立法机关(议会),供作战使用。荷兰立法机关为奖励他拨给他900盾,但要求他把仪器改成双目望远镜。1608年底以前,法国的亨利四世和其他人都得到了他的望远镜。该仪器在天文学上的潜在重要性被巴黎的J.博维德雷所认识,于是他把这个发明报告了伽利略,后者立即制作了他自己的望远镜。

Lippi, Filippino 利比(约1457,佛罗伦萨共和国普拉托～1504-04-18,佛罗伦萨) 意大利文艺复兴早期佛罗伦萨画派画家,其作品对16世纪托斯卡纳风格主义画家有影响。

利比绘《圣伯纳德显灵》
美国不列颠百科全书公司供图

早期风格像波提切利,但线条的使用不如他灵敏和细腻。约1480～1485年间的作品中,成熟了一种较硬和更独立的风格,最著名的是《多比的历程》(意大利都灵萨包达美术馆)。分别于1480年和1486年受托绘制的《圣伯纳德显灵》(佛罗伦萨,巴迪亚)是最受欢迎的祭坛画。

Lippi, Fra Filippo 利比(约1406,佛罗伦萨～1469-10-08或-10,教皇国斯波莱托) 第二代文艺复兴时期的佛罗伦萨画家,他追随文艺复兴大师马萨乔,在融合国际哥特式风格基础上,形成清晰明朗富有个性的艺术特色,是佛罗伦萨画派的重要画家。1421年入当地圣马利亚·德尔·卡尔美尼隐修院加尔默罗会,接触了马萨乔的装饰壁画。1437年作《圣弗雷迪阿诺和圣奥古斯丁之间的圣母子》和《圣母子》两幅祭坛画,已有侧重用线造型的特点,那些浅浮雕式的明暗调子,偏暖的柔和色彩又跟安吉利科相似。利比擅长画圣母子,一批以最亲切方式描绘的怀抱小耶稣的圣母像,犹如真实生活的一面清澈的镜子。《圣母领报》(1441～1443)熟练地以最新透视成果将色彩与形象融为一体,画中站在门口的两个少女轻盈的衣饰明显地表示着人体的运动,这种细腻敏感的处理给后来波提切利以启迪。离佛罗伦萨不远的波拉托是利比的第二故乡,儿子菲利皮诺是15世纪下半叶的佛罗伦萨的名画家。1452～1467年利比与

利比绘《圣母子及两天使》(约1465)
美国不列颠百科全书公司供图

僧侣画家迪亚曼特合作,绘制波拉托主教堂壁画,其中最富有生活气息的是圣斯蒂芬庄重的祭礼场面,哀悼的人群分立死者两边,其中有梅迪契枢机主教、画家本人和他的忠实合作者。斯波累托主教堂的装饰壁画,包括《耶稣降生》、《马利亚之死》和《圣母加冕》是其最后的作品,该教堂的装饰工程因他去世而中断。利比坚定地追求实现自己艺术想象的新观念和技巧,在世时就很受人们赏识。其叙事性的作品把文艺复兴初期的理想渗入到平凡的生活画面之中。

Lippisch, Alexander M(artin) 利皮施(1894-11-02,慕尼黑～1976-02-11,美国艾奥瓦锡达拉皮兹) 德国出生的美国空气动力学家,他在20世纪20和30年代设计的无尾的三角翼飞机,对高速喷气式飞机和火箭发动机飞机的发展有重要意义。他成功地设计了世界第一架火箭推进飞机(该机系一种装有2台固体燃料火箭发动机的无尾滑翔机,于1928年6月11日在德国的罗恩山飞行成功)。他也是第一架液体燃料火箭飞机(Me163彗星式战斗机,1944年首次由德国空军使用)的主要设计人。第二次世界大战后到美国,1965年创建利皮施研究公司。他是三角翼构型的早期倡导者。

Lippizaner (horse) 参阅 **Lipizzaner 利皮扎马**。

Lippmann, Gabriel 李普曼(1845-08-16,卢森堡霍勒里希～1921-07-13,自加拿大赴法国的海上旅途中) 法国物理学家,由于首先制作出彩色玻璃照相版,获1908年诺贝尔物理学奖。以探寻直接彩色感光介质引起了摄影学的革新而著名。1883年任巴黎大学物理学教授,1886年任巴黎大学物理研究实验室主任。李普曼的科学才华是多方面的,但最著名的是他在光学和电学领域的贡献。早年(在P.居里之前)从事过有关压电效应和(在

美国不列颠百科全书公司供图

H.昂内斯提出证明之前)无电阻或超导电路中电磁感应的重要研究工作。曾发明一种能够对天体进行长时间曝光摄影的“定天仪”，该仪器能补偿地球在曝光期间的运动。1891年他提出了一种革命性的彩色摄影方法，后来称为“李普曼法”。该法不用染料和颜料，而是利用各种不同波长的天然色彩。他在一块全色感光板的乳剂背面涂上一层汞反光层，使光线通过感光乳剂后再反射回来，与入射光线相干，而形成潜影。潜影的深度是依每种光线的色彩而变化的。显影使潜影成为影像，观看时，效果鲜艳逼真。由于这种直接彩色摄影法需要长时间曝光，摄制过程既慢又费事，加上原板不能复制，故从未普及，但仍是彩色摄影进展中的重要一步。

Lippmann, Walter　李普曼(1889-09-23，纽约市～1974-12-14，纽约市)　美国新闻评论家和作家。60年的卓越工作使他成为世界上最有名的政治专栏作家之一。1909年毕业于哈佛大学。1914年协助创办《新共和》周刊，该刊曾对威尔逊总统产生影响。1917年曾一度任陆军部长贝克的助手。1919年被威尔逊总统派去参加凡尔赛和约谈判。曾为改革派的《世界报》撰写社论(1921～1929)，后任该刊主编(1929～1931)。随后转到《纽约先驱论坛报》工作，1931年9月8日起在该报开辟《今日与明日》专栏；他的专栏评论日益流行，最后被不止250家美国报纸和大约25家外国报纸同时刊用，并两次获得普利策奖(1958，1962)。他为了撰写评论搜集材料而周游世界。第一部著作《政治学引论》(1913)带有温和社会主义色彩；《趋势与主宰》(1914)一书则反对马克思主义；在《对于良好社会原理的探讨》(1937)一书中全盘否定了社会主义。第二次世界大战期间他力戒美国战后重新回到孤立主义政策。《公众哲学散论》(1955)因其自然法论而招致批评。最有影响的著作是《舆论》(1922；重印1956；平装版1965)，在此书中，他暗示老百姓现在无法合理地判断公众事务，因为宣传媒体要求速度和简略，公众所听到的只有标语口号而无内容。在《虚幻的公众》(1925)一书中他仍对真正民主的可能性持怀疑态度，但同时反对所谓的精英政府。

Lippmann, Yom-Tob　李普曼　参阅**Zunz, Leopold 聪茨**。

Lippold, Richard　利波尔德(1915-05-03，美国威斯康星密尔沃基～2002-08-22，纽约罗斯林)　美国抽象的丝构雕刻家。曾就学于芝加哥大学，并在芝加哥美术学院受过工业设计的训练。1937年毕业后，在密尔沃基建立了一所工业设计工作室。在多所学校任教，包括密歇根大学和亨特学院。1942年，在N.伽勃和构成主义的影响下，开始用黄铜、镍、金、银的细丝创造精致的网状雕刻品，这些紧密延伸于各焦点与各轴之间的反射光线，显示了一种理想的、无限范围的几何学概念。其《双子座太空船二号》(1968)等作品，用金属管子或其他形式的东西穿以金属丝，构成复杂的图案。其绝大部分作品是为在大房间上部用金属钩悬挂起来而设计的。《第十号天体的变化：太阳》(1953～1956，金丝构件)是最好的范例，这是纽约市大都会艺术博物馆向他订制的。60年代以来，其丝构雕刻出现在各类公共建筑物中。

Lipps, Theodor　利普斯(1851-07-28，巴伐利亚瓦尔哈本[德国]～1914-10-17，慕尼黑)　又译李普斯。德国心理学家，以其美学理论特别是神入概念而闻名。1877～1890年，在波恩大学工作，写成当时内容最全面的一本心理学著作《内在生活的基本事实》(1883)。后于布雷斯劳大学和慕尼黑大学任职。1897年著《空间美学与几何视错觉》，论述视错觉的实验研究，对当时这方面的研究有很大影响。他认为，神入就是将自己投射到知觉对象上的活动。人评价他人反应的办法是把自己投射到他人身上。在《美学》(2卷，1903～1906)一书中，他就是根据一种类似的自我投射的办法去评价艺术。

Lippstadt　利普施塔特　德国西北部北莱茵-威斯特伐利亚州城市。临利珀河。位于条顿堡林山山坡。1168年可能由利珀勋爵建造。1280年加入汉萨同盟。现留有数座13世纪教堂、露明木架的房屋和1773年的市政厅；在科珀芒旅店内还有一间优雅的洛可可厅。附近有黑林格堡等3座有护城河的城堡。为铁路枢纽。有锻造、金属加工和纺织厂。人口约60 396(1989)。

Lipscomb, Gene　利普斯科姆(1931-08-09，美国密歇根底特律～1963-05-10，马里兰巴尔的摩)　Eugene Allen Lipscomb的别名。美国橄榄球运动员。职业橄榄球具有传奇色彩的人物，他在20世纪50年代使职业橄榄球成为美国最流行的运动作出了贡献。身高2米，体重129千克，是一名优秀的阻截队员。他追赶带球进攻球员和带球四分卫的速度极快，能防守很大一块区域。没上过大学，从来不知道父亲是谁，11岁时母亲在上班的路上被杀。长大后加入美国海军陆战队，在军队打橄榄球。1953年退役加盟洛杉矶公羊队，但技术不高，很少上场。1956年加盟巴尔的摩小马队，这时技术已经成熟，他的个头、灵活和速度使他成为一名阻截好手，是巴尔的摩队赢得1958和1959年全国橄榄球联盟锦标的主要因素；他自己也有两年获称最佳球员。1961年转会匹兹堡钢人队，帮助钢人队打进橄榄球联盟决赛，他本人连续第4年获赢得最佳球员称号。1963年，他被发现因过量吸食海洛因死在公寓里。

Lipscomb, William Nunn, Jr.　利普斯科姆(1919-12-09，克利夫兰～2011-04-14，马萨诸塞坎布里奇)　美国物理化学家。由于研究硼化合物的结构和成键规律以及化学键的一般性质，获1976年诺贝尔化学奖。1941年毕业于肯塔基大学，1946年获加利福尼亚理工学院博士学位。1942～1946年，他作为物理化学家在科学研究和发展局工作，后在明尼苏达大学任助理教授。1959年离开这个大学时，他是物理化学组教授和组长。后又任哈佛大学教授，1962～1965年任化学系主任。他发展了X衍射技术，并应用在许多化学领域。他与他的同事们得到了许多硼氢化合物(硼烷)及其衍生物的分子结构图。著有《硼氢化物》(1963)和《硼及其有关化合物的核磁共振研究》(1969)。

Lipset, Seymour Martin　利普塞特(1922-03-18，纽约市～2006-12-31，弗吉尼亚阿林顿)　美国社会学家、政治学家。对阶级结构、比较政治学、名流体制及政党体制的研究均使他名闻世界。1943年获纽约城市学院理学士学位，随即任多伦多大学讲师(1946～1948)，后转为伯克利加利福尼亚大学助理教授(1948～1950)。1949年获哥伦比亚大学博士学位，1950～1956年在该校研究生院任教，并在1954～1956年兼任应用社会研究所助理主任。其后10年间，利普塞特任加利福尼亚大学社会学教授，其间在1962～1966年兼任该校国际关系研究所主任。自1966年起，又担任哈佛大学教授。1975年以后任斯坦福大学胡佛研究所政治学和社会学教授。他著述甚多，有《农业社会主义》(1950；1968修订版)、《工会民主》(1956；与他人合著)。另有《政治人》(1960；1981修订版)一书，曾获麦基弗奖。还有《革命与反革命》(1968)；《无理政治》(1970；与E.拉布合著，1978修订版)，此书获默德尔奖；《大学里的叛乱》(1972；1976年重版)；《四分五裂的学园》(1975；与E.C.莱德合著)。此四种著作曾详述其有关名流体制学说和政治学说。利普塞特还主编过《美国政治中出现的联合力量》(1978)和《信任鸿沟：公众心目中的商业、劳工与政府》(1983；与W.施奈德合编)等论文集，对20世纪60年代中期至80年代早期之间美国公众对全部主要制度设施之信任感的下降情况作了研究。利普塞特的著作对社会学领域影响深远，曾译成18种语言出版。

Lipsius, Justus　利普修斯(1547-10-18，布鲁塞尔附近上艾瑟～1606-03-23或24，布拉班特卢万)　佛兰芒人文主义者、古典学者、伦理和政治理论家。1572年任德国耶拿大学历史与哲学教授，1578年任莱顿大学历史与法学教授，1592年任卢万大学历史与拉丁语教授。他的第一部学术著作《校勘杂论》(1569)是有关文字校勘这一传统领域的。不久他就在拉丁语散文作品方面取得权威编订者的地位。他所编订的塔西佗(初版1574)和塞内加(1605)的著作，长时期以来一直是这类作品的典范，现在仍然有参考价值。他对古文物和历史的研究也有名，但更有名的则是他在伦理和政治理论方面的文章。1604年所撰评介斯多葛哲学思想的文章，虽然主要为罗马斯多葛而非希腊斯多葛哲学所激发，却是对这一学派最精辟、最全面的评述，历2个世纪之久而为学者所称道。他认为，古代哲学家和历史家不仅是研究的对象，而且是实践道德的典范。他曾以斯多葛主义者自居，对塞内加的研究成为其《论坚贞》(1584)一文的基础。同样，对塔西佗的研究也使他提出自己的政治理论，于1589年写出《政论六卷》。

Lipsius, Richard Adelbert 利普西乌斯 (1830-02-14，普鲁士格拉～1892-08-19，德国耶拿) 基督教(新教)神学家。著有《论外典、使徒行传和关于使徒言行传说》(1883～1887)。这部著作连同其他作品，对早期基督教典籍的源起和作者，特别是众使徒不足凭信的行为有所澄清。他还考证早期罗马教廷的历史，断定圣彼得从未到过罗马。他的温和自由主义神学主要体现在《哲学与宗教》(1885)中，他在书中把康德的唯心主义的某些方面同系统神学结合起来。

Lipton, Seymour 利普顿(1903-11-06，纽约市～1986-12-05，纽约格伦科夫) 美国雕刻家，以其金属雕刻所表现的抽象的有组织的形式而知名。曾在纽约市立学院学习，后在哥伦比亚大学学牙科(1923～1927)，未受过正规的艺术训练。1932年开始其雕刻师的艺术生涯，主要从事木雕。1945年后风格转向抽象，所用材料改为金属薄片。后期风格，主要为介于内在的与外在形式之间的表现。其体积庞大、结构精致的作品，给人以扭曲、弯屈、冻结在空间边缘的感觉。这些作品常暗喻动植物，或以动植物命名。主要作品有：纽约林肯中心音乐厅的雕刻(1964)，华盛顿杜勒斯国际机场的雕刻(1964)等。

Lipton, Sir Thomas Johnstone, 1st Baronet 利普顿(1850-05-10，格拉斯哥～1931-10-02，伦敦) 英国商人，利普顿茶叶企业帝国的创始人。1865年移居美国。干了5年各种工作之后，返回格拉斯哥，开起一家小食品店。由于买卖兴隆，他便在全英国开办起别的商店。为了能以最优惠的条件向其零售商店供货，他在锡兰(今斯里兰卡)购置了大面积的茶叶、咖啡和可可种植园，还在英格兰购置了果园、果酱厂、面包房和腌制火腿的工场。1898年他联合自己所有的企业组成利普顿公司。同年被封为爵士，1902年被封为从男爵。

liquefied natural gas 液化天然气 为便于贮藏和运输而液化的天然气(主要是甲烷)。液化天然气大约只有原体积的1/600，易于在海上运输。液化天然气是由天然气冷却到沸点－162 ℃以下而生产的，在大气压或稍高压力下贮藏于双层低温容器中。稍微升高温度即恢复为原来的气体状态。液化天然气(LNG)比**液化石油气(liquefied petroleum gas)**或其他液化气体更实用，因为化学成分与天然气相同，特别适于大量应用。由于对天然气的需求不断增加也促进了液化天然气的生产。过去有些偏僻地方的天然气无法利用，故只好烧掉。液化天然气的工艺使天然气可作为商品利用。现在用特种油槽船将液化天然气从阿尔及利亚、婆罗洲(今加里曼丹岛)和印度尼西亚输送到欧洲、日本和美国市场。

liquefied petroleum gas 液化石油气 又作LP gas或LPG。液态挥发性烃类丙烯、丙烷、丁烯和丁烷的多种混合物。早在1860年就被用作可携带的燃料，此后其产量和工业、民用消费量日益增长。一般的工业用气尚含有乙烯和乙烷及挥发性硫醇，后者用作添味剂以确保安全。液化石油气由"湿"天然气(含有可冷凝石油组分的天然气)中用吸收法回收，回收的产物沸点甚低，须经蒸馏除去较轻的馏分，再进一步处理以除去硫化氢、二氧化碳和水分，最后所得的产物再用管道或专用远洋油轮输送，也可用其他工具如卡车、火车或驳船等输送，尤以美国常见。民用液化石油气装在压力不高的罐内。液化石油气主要用于集中采暖系统，其次用于化学工厂作为原料，此外亦可用作发动机燃料。参阅**liquefied natural gas**。

liqueur 甜酒 香料型味甜的蒸馏酒，酒精含量24%～60%(容量)，相当于48～120美国标准度。常用白兰地作酒基，添加水果、香草和2.5%的糖浆使之带有甜味。最早大概由中世纪僧侣与炼金术士进行商业性生产，曾被命名为香脂、香甜酒或石灵药，一直被用作药品、春药和补品。水果甜酒是将水果浸泡在烈性酒中浸出香味与色泽；植物甜酒无色，用渗滤或蒸馏法制成。渗滤法所用的设备与咖啡渗滤器相似，上部置香草或香叶，用泵将渗滤器底部的酒基抽至香料的上面，以吸取香料的芳香成分。蒸馏法用香草、植物或其种子和根作香料，先在酒基中软化，然后添加酒精蒸馏，待香化后加糖、过滤。植物甜酒常添加植物色素。甜酒可以陈酿或直接装瓶。普通甜酒常根据配方命名，如杏子甜酒、菠萝甜酒、可可甜酒、木莓甜酒、薄荷甜酒、苦杏仁甜酒、紫罗兰甜酒等。后者加紫罗兰和荚兰豆香精油调味。库拉索甜酒用库拉索岛的绿橘干皮调制。其他如但泽黄金酒、葛缕子甜酒、嘉庆子甜酒、黑刺李金酒、橘子甜酒等都用水果调味。专用商标的甜酒由个人生产，通常用秘方酿制。法国甜酒的专用商标有按严格保密的配方于1510年开始生产的贝内迪克坦牌植物甜酒；按1607年的配方酿制的具有香味的黄色和绿色查尔特勒士牌植物甜酒等。意大利有加利亚诺甜酒和斯特雪加甜酒，都具有芳香味。英国有德拉姆布伊甜酒，以苏格兰威士忌作酒基，具有蜂蜜香味，按1745年从法国传到苏格兰的配方酿制；爱尔兰混合甜酒是用爱尔兰威士忌和蜂蜜酿成的清香酒。樱桃希林是丹麦酿制的樱桃甜酒。美国生产用白兰地和葡萄酿制的禁果酒和具有紫罗兰芳香和色泽的伊沃特酒。具有咖啡香的甜酒有墨西哥的卡赫卢阿和牙买加用朗姆酒作酒基的蒂亚玛丽亚酒。南非生产范德胡姆芳香甜酒。甜酒含有香料和助消化的成分，是流行的餐后酒。可直接饮用或调入冰水，也可与其他酒液、白兰地、乳浆调配饮用或用作甜点心的调味剂。

liquid 液体 在物理学中，物质的三种主要的聚集态之一。液体是气体和结晶固体之间的中间状态。固体的特征是具有由强内聚力引起的低势能，并且所含分子结合在一起，通常形成有序的晶格。正好相反，气体具有由弱内聚力引起的高势能，这使分子可自由运动并形成完全无规的分布。液体具有由适度内聚力引起的中等势能，既不具有结晶固体的有序性也不具有气体的无规性。液体分子不可能不受限制地在整个体积内运动，而是保持在几个分子直径程度上的有序排列。液体的其他显著特征还包括能在很小的剪应力作用下流动。此外，液体与自身蒸气或空气的接触面具有表面张力。这使得界面(除非有外力阻止)总是采取最小的面积。在没有重力和其他外力时，小液滴的稳定形状总是球形。液体与固体或其他不溶混的液体(即不能混合的液体)的界面也存在面际张力，这种张力决定该液体是否在其他物质上铺展开来。液体的电学性质决定于它的载流子的密度。除液态金属、熔融盐类和电离溶剂中的盐类溶液外，液体的电导率很小。在熔融盐类和盐类溶液中载流子是盐离子，而在液态金属中载流子则是电子。

liquid 流音 语音学术语，一种辅音，发音时舌在口腔内形成部分阻塞，产生一种像元音一样可以延长的响音辅音，如英语的l和r音。它既可以自成音节，也可不成音节，也就是说，有时像元音一样，在一个音节中起语音载体的作用。英语father(父亲)或捷克语krk(颈)中的r音和英语rattle(格格声)中的l音，都是自成音节的；而英语rim(边)中的r和lock(锁)中的l则是不成音节的。

liquid crystal 液晶 能像液体一样流动，但仍保持一定程度的晶体有序结构的物质。某些有机物质在加热时不直接熔化，而由晶态变为液晶(介晶)态。如果进一步加热到某一温度时，则形成真正(各向同性)液体。液晶态同时具有晶态和液态的某些特性，但总的来说，具有其独特性质。由于产生液晶状态的分子力很弱，其结构易受机械应力、电磁场、温度和化学环境等变化的影响。迄今已发现三种主要结构类型：碟状型、向列型和胆甾型。①碟状型液晶具有由雪茄烟状的分子组成的平面层状结构，分子的长轴垂直于层面。每层相当于一个(有时为两个)分子厚。层内分子因液晶物质不同，呈有序或无序排布。各层可相对自由流动，但每层内分子维持固定取向，且不能在层间移动。②向列型液晶的分子长轴仍是互相平行的，但是不分层；液晶分子好像装在盒子里的牙签，能保持它们的取向，但可在任意方向上自由运动。向列型液晶可在电场和磁场的作用下成行排列，因而产生若干特性，如能够在电场的切换下由透明体变为不透明体；上述特性已用于图像显示系统等多种技术。③胆甾型液晶形成薄层，每层有一个分子厚，分子长轴在层面内，且互相平行，类似于向列型液晶的二维结构；其特殊的光学性质之一是圆二色性，即将一束光分裂为两束，其中一束变为圆偏振，另一束被反射的现象。白光照射胆甾型液晶时,反射光因入射光的角度和温度不同而呈特征的彩虹色。温度的微小变化能引起颜色变化,这种特性有很多用途,如可用于测定表面(如皮肤)温度的变化。

liquid crystal display 液晶显示器 用于手表、计算器、笔记本式计算机及其他电子设备的光电装置。电流通过特定部分的液晶溶液造成晶体排列起来阻挡光线的通过。这样以受控、有序的方式在显示屏上产生视觉影像。液晶显示器的优点是比其他显示器(如阴极射线管)重量轻,耗电低。这些特点使其成为平板显示的理想选择,用于便携式和笔记本式计算机。

liquid-drop model 液滴模型 N.玻尔于1936年对原子核的描述,1939年他和J.A.惠勒用此模型来解释核裂变。按照这个模型,核子(中子和质子)性状像一个液滴里的分子。如果给予充分的额外能量(例如吸收一个中子),球形的核可以变为哑铃状,然后从颈部分裂为两个近于相等的碎片并放出能量。这种理论虽然不足以解释一切核现象,但作为此模型基础的理论却为核的平均性质提供了极好的估计。

liquidation 清算 指清偿债务或是通过协议或诉讼决定以前未予清偿的求偿数额。在法律上,其重要的含意是指企业的债权人和企业的所有人之间对企业的资产进行分配。在有偿债能力的法人或者非法人社团解散时,其资产通常是实行清算(变为金钱),而不是以实物进行分配。但对资不抵债的企业,则要在*涉讼财产的监管*(**receivership**)即在破产案产业管理人主持下进行清算,由法院指定破产案产业管理人出售其资产,以所得收入进行分配;或者为了债权人的利益可全部转让资产;或者用宣告破产的办法进行清算;或者用管理死者遗产的办法予以清算。

liquidity preference 流动性偏好 经济学中,指财富持有者将现金或银行存款用于交换如政府证券之类稳健而非流动的资产所需要的报酬。流动性偏好,最早为J.M.凯恩斯所使用,它涉及人们愿持有的货币量和利率之间的关系。按照凯恩斯的说法,人们偏好持有货币有三种意图:供日常手头交易使用、应付紧急的支出、用于投机。他还假设,持有货币作投机之用的金额将随利率作相反的变化。凯恩斯理论最主要之点是:当利率很低时,增加货币供应量不会激励追加投资额,反而会被增大的公众投机差额所吸纳。出现这种情况,是由于利率太低不能诱致财富持有者将货币去换取流动性较差的财富的形式,还由于他们期待利率上升。在后凯恩斯学派的分析中,流动资产的分类已扩大,倾向于将货币需求与范围较大的可变数联系起来。这些可变数是财富、保持财富的不同形式、不同形式的收益、收入水平以及利率。

liquor, distilled 参阅 **distilled liquor** *蒸馏酒*。

lira 里拉 原意大利货币单位,现为土耳其和马耳他货币单位。里拉是由查理曼引进欧洲的,他以1磅白银作为里拉的标准。中世纪并未铸造过里拉的硬币,里拉却用作结算的货币。至16世纪,意大利有好几个邦曾铸造过里拉硬币,重量各不相同。撒丁王统一全意大利时,里拉作为统一的货币单位。1862年以前,1里拉等于20索列迪;1862年,规定里拉采用十进制,1里拉等于100分。2002年使用欧元作为欧盟货币后,在意大利停止使用里拉。1881年奥斯曼帝国采用奥斯曼里拉代替皮阿斯特作为货币单位。1927年土耳其里拉取代奥斯曼里拉。土耳其中央银行负责其纸币和硬币的发行。1里拉等于100库鲁什。2005年发行新土耳其里拉,1新土耳其里拉等于原100万土耳其里拉。新币正面均印有土耳其国父、第一任总统凯末尔(1923～1938)的肖像。新纸币有1、2、5、10、20、50和100各种面值。硬币面值从1库鲁什到1新里拉。

里拉也是马耳他的货币单位,1里拉等于100分。马耳他中央银行负责发行,1972年取代英镑成为该国官方货币。

lira 利拉琴 有3～5根弦的梨形弓弦乐器,与中世纪的雷贝克琴有渊源关系。像雷贝克琴一样,也是中世纪提琴的前身。它基本未变地留存下来,成为巴尔干半岛的民间乐器,包括保加利亚的加杜尔卡琴、爱琴海的利拉琴、巴尔干斯拉夫人的古斯拉琴。它们的定弦和音域多种多样。lira一词最早出现于9世纪,用以指拜占廷型的阿拉伯拉巴布琴(是所有欧洲弓奏乐器的先祖)。拜占廷的利拉琴向西传播到整个欧洲。11和12世纪的著作家常常把提琴和利拉琴两个名称互换使用。利拉琴不像拉巴布琴和雷贝克琴,而像中世纪的提琴,后弦轴装在扁的轸斗内。意大利小提琴的前身"臂式利拉琴",是15世纪的一种有3～5根旋律弦加两根指板外低音弦的提琴。它的低音变种乐器是"膝式利拉琴"或称"利龙内琴"。

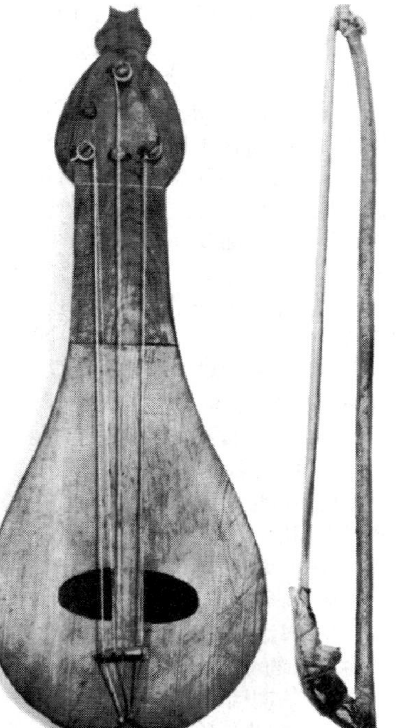

希腊利拉琴及琴弓
美国不列颠百科全书公司供图

Liri River 利里河 意大利中部河流。源出罗马以东辛布鲁伊尼山,流向南转东南,上游经过漫长而风景优美的狭窄谷地直至阿尔切,下游河谷展宽,在圣乔治附近与拉皮多河汇成加里利亚诺河;后转向西南,在明图尔诺附近注入第勒尼安海。全长158千米。流域面积4 950平方千米。1943～1944年冬,部分盟军向罗马推进,在拉皮多和利里河沿岸战斗激烈,盟军终于在1944年4月过河。

Liriope 小舌水母属 刺胞动物门水螅纲的一属,小型海水水母。半球形,最大直径30毫米。体缘下垂8根短触手,中央下垂一更短的柄状结构——垂管,下为口。一般认为只有一种,即四叶小舌水母(*L. tetraphylla*),但变异甚多。见于大西洋和印度洋-太平洋地区的温暖海域。受精卵直接发育成小型水母体,无固着生活阶段,所以生活史中不需要坚固的基质,分布不局限于沿岸海水中。有时在海面附近大量出现。

Lisa, Manuel 利萨(1772-09-08,新奥尔良～1820-08-12,美国密苏里圣路易斯) 西班牙血统的皮毛商人,1803年,美国购得路易斯安那后即自动取得美国公民资格。早年从事圣路易斯的皮毛商业活动,很快即成为密西西比河上游主要皮毛商之一,曾多次率领商队远行。1802年获准同奥萨格印第安人进行贸易的垄断权。1807年在比格霍恩河口建立商站(在今蒙大拿州)。翌年又在该地构筑雷蒙德堡,与克劳印第安人进行贸易。此堡后名曼努埃尔堡,是密西西比河上游第一个这类的边区商埠。后来在内布拉斯加州奥马哈附近,利萨又构筑利萨堡,此堡在1813～1822年间为密苏里河上最重要的驿站,控制着对奥马哈人、波尼人、奥托人及其他邻近的印第安人的贸易活动。1814年,利萨出任密苏里河各部落副代理人,负责堪萨斯河口以北贸易事宜。

Lisao 《离骚》 参阅 **Qu Yuan** *屈原*。

Lisboa 里斯本 葡萄牙中西部行政区。西和南濒大西洋,东南以塔古斯河(特茹河)为界。面积2 758平方千米。区首府*里斯本*(**Lisbon**,也为国家首都)以外的地区经济以农业、渔业、铁加工和旅游业为主。1967年11月当地发生大水灾,造成450人死亡和大面积破坏。人口约2 048 000(1993)。

Lisboa, António Francisco 利斯沃亚 参阅 **Aleijadinho** *阿莱哈丁诺*。

Lisbon 里斯本 葡萄牙语作Lisboa。葡萄牙首都和里斯本区首府,葡萄牙主要港口和最大的城市,也是商业、政治和旅游中心。位于欧洲大陆最西端。

自然地理和人文地理

城市特征 曾经是一个偏远的边区村

落,被认为是位于已知世界最远的边缘。15世纪时里斯本成为葡萄牙探险活动的中心。虽然现在这个到处都有白色住宅与优雅的公园、花园和四面环海的城市已不再是一个庞大的海外帝国的首都,但仍是一个繁忙的商业和旅游中心。

气候 里斯本气候温和稳定,年平均气温为17 °C。由于靠近大西洋和经常发生海雾,所以空气湿润。里斯本自18世纪以来就被推崇为冬季疗养胜地,但夏季却有些暑气逼人。年平均降雨量为666毫米。

城市布局 里斯本的诗人们传统上把蜿蜒曲折的塔古斯河比作城市的情人。的确,这条河流确实与城市休戚与共。里斯本的正式入口是一道宽阔的大理石台阶,从水边一直通向巨大的带有拱顶的商业广场。广场不朝海的三面被相同的18世纪的海绿色和白色的建筑所环绕。建于一个世纪之后的一座雄伟的拱廊打破了这种刻板的巴罗克风格的布局,这是进入城市中心的标志。广场中心矗立着一座约瑟夫一世国王骑在马上的青铜雕像。因此,英国水手们戏称这个地方为"黑马广场"。

里斯本市中心与塔古斯河,坐落在山顶上的是圣乔治城堡

美国不列颠百科全书公司供图

一些传统仍然保留。街道上仍然可以看见卖鱼小贩穿着长长的黑色裙子,把装着货物的篮子顶在头上。还可以听到从中世纪式的阿尔法马区的小咖啡馆里传来的被称为费多的忧郁、浪漫的音乐。在货船、军舰、班轮和渡船中间,一种被称为弗拉加塔的船别具特色。这种月牙形的船源自腓尼基人,船身漆黑,有粉红色船帆。它们仍然担负着港口内大部分的驳运工作。黎明时分,渔船将他们的捕获物卸在城市临海的台阶上与批发商们吵吵嚷嚷地讨价还价,而卖鱼小贩们则等着把鲜鱼装满篮子去沿街叫卖。里斯本虽已步入现代化,但在许多方面仍保留着19世纪城市的风貌。

景观 **城市位置** 里斯本建在位于塔古斯河(特茹河)和斯特劳海(帕利亚海)岸边的一片低矮起伏的小山坡上。城市依山而建,呈阶梯形。西北是辛特拉山,山上覆盖着地中海和北欧植物群,繁茂葱翠,绿意盎然,为里斯本人提供了一处理想的休憩场所。几个地质断层穿过里斯本及其周围地区。1755年的一次大地震使城市遭到破坏,但20世纪以来只有一些轻微的小震。

广场位于里斯本中心区拜克萨(低城)南端。1775年地震之后,拜克萨地区全部重建。街道呈格状分布,中间被宽阔的广场所隔断。一系列平行的街道从商业广场向北延伸到佩德罗四世广场,该广场常被称为罗西奥广场。每一条街道都以其最初的居民命名(如金匠住的街被命名为"黄金街")。罗西奥广场是传统的活动中心,还是自由大街的起点。自由大街非常宽阔,坡势平缓,是主要的散步场所。

城市最古老的部分阿尔法马区位于拜克萨以东。在这里,狭窄弯曲的街道,在杂乱无章的房屋中间穿过,通向河边。这一地区在最初建立里斯本的一座小山上有圣乔治城堡俯瞰着全城。和阿尔法马区大多数建筑物一样,这座城堡也是摩尔风格,用一位英国守护神的名字命名,以纪念1386年的一次联合。城堡下面简朴的白色圣文森特教堂守卫着这位圣徒的遗骨。

好几个街区向拜克萨以西的贝伦郊区延伸。每一街区都有自己独特的风格,反映出所建造的那个时代的特征。例如,"上区"最早可推溯至17世纪。它的一些街道非常陡峭,只好改为阶梯,行驶缆车甚至升降车(一种由法国工程师埃菲尔设计的铁制构造)。

住房 新的住宅工程、饭店和办公楼开始改变城市面貌。那个曾在20世纪40年代为20万战争难民提供一个中立的19世纪式避难所的色彩淡雅、睡意蒙胧的里斯本已经在新建筑施工的喧嚣声和飞扬的尘土中消失殆尽。里斯本已经以一个生机勃勃的现代化大都市的面貌出现在世界上。

蓬巴尔的拜克萨仍严格保持原有风貌,但自由大街两边的4层楼房及其附属街巷已被清一色现代风格的10层建筑所代替。新建筑一直绵延至山上,甚至到达阿尔法马。那里的居民们仍然在狭窄的街道上晾晒衣物和在门口台阶的火盆上烤沙丁鱼。

城市当局已经在城市北部和西北部建造了新的街区。另外,新的建筑还向西面贝伦方向推进以更新那些破败的街区。这些现代化的建筑,有些高达14层,是由里斯本的建筑师们设计的。一幢幢漂亮的色彩斑斓的现代化建筑在他们手中诞生。大部分新住宅留给最贫困的家庭(一部分是免费进住的)和收入微薄的人们。谢拉什住宅区建在欧石楠丛生的荒地上,从前认为这种地面很难建房,现在该住宅区却为里斯本10%的人口提供了住房。尽管如此,住房不足仍是一个有待解决的问题。数个贫民窟在城市边缘地区发展起来。许多富裕的家庭已经搬出城里,越来越多的别墅出现在被称为"葡萄牙的里维埃拉"的乡间,它位于里斯本和埃什托里尔之间,在城西16英里(26千米)处。

人民 虽然里斯本地区只占葡萄牙总面的大约3%,但却容纳了这个国家20%以上的人口。同样,城市市区大约占里斯本地区面积的3%,而这一地区大约居住着40%的居民。城市人口以葡萄牙人为主,也有一些外国居民,主要是外交官和从事进出口贸易的商人。根据家庭纯收入计算,里斯本是西欧最贫困的居民的首都。

几个世纪以来,里斯本人一直在讨论着一种忧郁的症状。据说这种忧郁为伊比利亚半岛上这块狭长地带所特有,被称为"萨乌达德",通常译作"忧郁情调"。它是一种由于相信宿命论而产生的焦虑心态。这种忧郁据说在费多中反映了出来。只有在里斯本费多才以其最原始的方式演唱。

葡萄牙基本上是一个天主教国家。世界上只有3个地方天主教的首席教士具有大主教的称号,里斯本便是其中之一。里斯本人通常不像北方的葡萄牙人那样虔诚,他们主要在举行家庭仪式如洗礼、婚礼和葬礼时才使用教堂。人口:市约556 797(2001)。

经济 **工业** 除了历史悠久的肥皂制

造、军需品和钢材等地方工业外,又增加了玻璃、电子、人造黄油和钻石切割工业。主要由国家资助的石油炼制业也有很大发展。

近年来工业的最大发展集中在城区以外塔古斯河的南岸。这一地区已经成为葡萄牙最重要的制造中心。世界上最大的水泥厂之一坐落在较远的河岸上,附近还有谷物仓库、一个钢铁联合企业、一家软木工厂和一家塑料工厂。

拥有19英里码头的里斯本港,现已拥有装卸集装箱货物的设施和汽车摆渡设施,而且仍在不断扩大。棉花、谷物和煤炭为重要的进口商品。

里斯本市的赫罗尼莫斯隐修院
美国不列颠百科全书公司供图

商业和金融 旅游业和商业在里斯本的现代化中发挥了重要的作用。旅游业的收入使经常发生的国家贸易逆差得到补偿。随着人口的增长,饭店、办公楼和公寓住宅的街区在全市到处涌现,银行的数量猛增。商店集中在加尔雷特大街和拜克萨区,但好的购物中心在机场方向的新住宅区中不断涌现。城市的主要市场坐落在凯斯多索德里火车站附近的河滨广场。

运输 铁路和公路把里斯本与葡萄牙内地及欧洲的其他地方连接起来。飞机场位于萨卡文的波尔特拉。四月二十五日桥自20世纪60年代中期建成后就一直是通向市区的主要通道。在里斯本漫长的历史上这是横跨塔古斯河的第一座桥梁。索塔之间长7 470英尺(2 277米),中央跨度为3 323英尺,悬在距水面230英尺的空中。

行政与社会状况 *政府* 作为葡萄牙的首都,共和国所有重要的机构都坐落在里斯本及其周围的郊区。国家议会在全国大会宫开会,国家档案馆也在宫内。坐落在阿尔图区西侧的那些17世纪建筑最初是圣本图女隐修院。再往西,朝着贝伦的方向是建于18世纪中叶的内塞西达迪什宫,现为外交部所在地。1700年建于贝伦的一座皇家宫殿现在是葡萄牙总统官邸。

与葡萄牙其他21个行政区一样,里斯本行政区也由一位文职总督管辖。总督是由中央政府通过内政部长任命的,并对中央政府负责。行政区划分为市,市再划分为区和教区。教区议会的代表通过地方选举产生。然后由他们选出作为行政机构的教区委员会。里斯本的市议会由教区委员会选定的代表和由当地公民直接选举出来的成员组成。它是地方政府的立法机构,负责选举行政机构市政府。市政府由行政区总督任命的主席领导。市政管辖范围之内的公共服务部门有城市供水、道路维护和环境卫生。这些部门的费用由中央政府拨款和地方税收解决。

保健 作为主要的中心城市,里斯本比葡萄牙其他地区拥有更多的医生和其他保健专业人员。市内医院有国立医院、私立医院和军队医院。国内医院由于公共资金不足,处境艰难。英国医院、法国医院和犹太医院主要为各自的小社区提供服务。

教育 葡萄牙规定对6岁至14岁的儿童实行免费义务教育。但是,里斯本公立学校的数量不能满足城市人口的需要。在某种程度上,私立学校缓和了这一矛盾。里斯本大学建于1290年,16世纪之前一直是葡萄牙唯一的一所大学。1537年迁至科英布拉。因此,在1911年第2所里斯本大学建立之前,里斯本一直没有大学。里斯本工科大学建于1931年。70年代期间又建立3所大学。虽然为扩大教育机会已经尽了最大的努力,但申请上大学的人数仍远远超过招生名额。

文化生活 里斯本的贾洛斯泰·古尔本金基金会和博物馆是以其捐赠者、一位亚美尼亚石油巨商的名字命名的文化中心。这里演出音乐和芭蕾舞并展览美术作品。

市内另外还有十几座博物馆,包括现代艺术、古代艺术、宗教艺术、装饰艺术和民间艺术博物馆。民间艺术博物馆里珍藏着许多当地优美的工艺品。

里斯本市交响乐团成立于1971年。国家音乐学院提供高等音乐和戏剧教育。市内有两座大剧院:圣卡洛斯剧院和玛丽娅二世国家剧院。

但是,这两座大建筑中哪一座也不像1755年地震以后新建或重建的那些教堂的内部那样具有剧场效果。这些教堂的内部分别用黄金、大理石、木雕和珍贵的瓷砖以巴罗克、洛可可或罗卡尔风格装饰。其中最杰出的代表是16世纪的圣罗克教堂,它那朴素无华的外表,使人绝想不到其内部丰富的色彩艳丽的瓷砖、绘画和镶嵌着不太贵重的宝石的马赛克。

由红砖砌成带有摩尔风格拱门和圆顶的古老的斗牛场,仍以其壮观的斗牛场面吸引着大批观众。

居民们可以向北或西走数英里来到3个主要的足球体育场当中的任何一个。许多新住宅区都绿树成荫,芳草萋萋,分布其中的小公园使里斯本原有的40多个公共公园的数量又有所增加。市内还有两个植物园和一个动物园。

历史

早期 *史前至摩尔人时期* 现在里斯本市中心所在的谷地,史前时代是塔古斯河分叉处的河床(现在地铁仍在同一地点分叉)。没有任何证据证明谁是谷地周围小山上的最早居民。虽然看起来这个城市可能是大约在公元前1200年由四处经商的腓尼基人作为贸易点建立起来的,但对此并没有什么确凿的证据。城市古代的名字奥利西波(Olisipo)可能源自腓尼基语 alis ubbo(可爱的小港),也可能源自神话中该城的建立者尤利西斯。

不论该城的起源如何,有一点可以确定,这个地区从公元前205年到公元409年处于罗马人的统治之下,凯撒把这个地区升格为市,并命名为夫利西塔斯·朱丽娅。被称为阿兰人的游牧民族从罗马人手中夺得了该城,后又被斯维比人驱赶出去,后来西哥特人又征服了斯维比人。

8世纪,北非的穆斯林入侵伊比利亚半岛时占领了里斯本。他们占据此地达433年,其间只有在公元844年受到诺曼人的侵犯和1093年受到卡斯提尔和莱昂的阿方索六世的侵犯。在摩尔人统治期间,该城有几个接近里斯本这一名字的变体:路兹波那(Luzbona),里克斯布那(Lixbuna),尤利科斯波尼(Ulixbone)和奥利西波那(Olissibona)。一些权威人士坚持认为穆斯林是以被攻克的罗马人的城堡来命名这个城市的,但里斯本的历史学家们认为该名源自 água boa(好水)。

葡萄牙的征服 当城市遭到葡萄牙国王阿丰索·恩里克斯率领的由英国人、佛兰芒人、诺曼人和葡萄牙人组成的十字军的进攻时,摩尔人躲在城墙背后坚持了好几个月。1147年葡萄牙人终于攻陷该城并成功地粉碎了摩尔人想夺回去的企图。摩尔人的宫殿变成了葡萄牙的一座王宫。据传说,里斯本大教堂原来是一座清真寺。

夺取里斯本之后,阿丰索国王在城东北105英里处科英布拉的一座峭壁上建立了他的朝廷。一个多世纪之后,到1256年,里斯本才成为国家的首都。

迪尼斯一世国王(1279～1325在位)宣布波多的地方方言葡萄牙语为国语。1290年他在里斯本建立了大学。在他统治期间,中央谷地周围小山的山头也都修建了隐修院和教堂。

1372～1373年间,里斯本被卡斯提尔人围困并遭到焚烧。他们逼迫费迪南德一世国王(卡斯提尔王位不成功的争夺者)断绝与英国的联盟。在此之后,国王迅速地修建了新的防御工事。他修建的城墙长达3英里多,建有77个塔楼,38个城门,圈围的面积超过247英亩。在他死后,这堵墙经历了卡斯提尔人在1384年的又一次进攻。

发现时期 当葡萄牙发现时期(1415～1578)开始时,里斯本的一次人口普查表明里斯本共有65 000居民,分住在23个教区之中。这些居民中相当数量的人成为富人,城市里出现了更多更大的豪华建筑。非洲奴隶在里斯本随处可见,奴隶贸易是葡萄牙起主要作用的贸易。伟大的探险家V. da伽马率领一支葡萄牙船队于1498年到达印度之后,威尼斯人对东方贸易的垄断被打破。德国、佛兰芒、荷兰、英国和法国的商人们在里斯本建立了他们自己的侨居地。1457年,当君士坦丁堡落到土耳其人手中时,希腊人、伦巴第人和热那亚人也失去了在那里的贸易领地,所以他们也都来到里斯本。

曼努埃尔一世(1495～1521在位)统治了这一时期。在他的统治下,葡萄牙继续对欧洲的建筑做出独特贡献。那是一种夸张的晚期哥特式的装饰风格,用以赞美航海探险、曼努埃尔和上帝。这种建筑风格的最好范例是贝伦塔和赫罗尼莫斯隐修院。它们是里斯本地区建筑史上最重要的里程碑。坐落在河岸上的5层的贝伦塔,是塔古斯河中段的一个要塞,建于1515年,后来塔古斯河改变了河道。赫罗尼莫斯隐修院及其教堂和回廊始建于1502年,是由一位法国血统的建筑师博伊塔克负责建设的。这座建筑直到世纪末才告竣工。还有另外4位建筑师参与了这项工程的建设,他们的建筑风格从哥特式到文艺复兴时期巴罗克式风格,无所不包。

曼努埃尔一世推进了里斯本小山之间中央谷地的都市化进程。他在中央谷地修建了一个广场即罗西奥广场,这里立即成为一个大家喜爱的聚会场所。在塔古斯河岸,他还建造了一座新的宫殿里贝拉宫。不久,在罗西奥广场与宫殿平台地之间,出现了纵横交错的街道。街道两旁出现了新的商店、教堂和医院。这些都标志着一个繁华城市即将诞生。

但是,繁华变成了幻想。1537年继承了曼努埃尔王位的约翰(虔诚的)永久性地把大学迁到科英布拉的王宫,远离首都。他还邀请耶稣会和宗教法庭到葡萄牙来反击里斯本邪恶的实利主义。坐落在罗西奥的宗教法庭对犹太人的迫害特别残忍。这些犹太人主要是当时的银行家、金融家和放债人。许多有钱的犹太人的财产和商品被没收。一些人带着他们理财和金融的专长,移居到荷兰和其他国家。结果,里斯本与外国市场的联系中断,国家的经济遭受到财政的严重困扰。

在这个时期,里斯本遇到了鼠疫和地震的袭击。不过,这些灾难较之换来50年繁荣所付出的代价还容易克服。当时,整个国家人口的一半都到新的殖民地去寻找财富去了。农田荒芜,食品靠从其他欧洲国家进口,价格昂贵。由于有一技之长的人大量外流,工资急剧上涨,建筑材料和生产资料价格也随之猛涨。从殖民地攫取来的财富一度使里斯本成为骄奢淫逸的海上女皇,但最终也让它付出了比这些财富更昂贵的代价。

1578年葡萄牙的塞巴斯蒂昂国王在摩洛哥一次灾难性的入侵中被杀死。两年之后,西班牙人进入葡萄牙,西班牙的腓力二世兼任两国的国王。1588年无敌舰队从里斯本起航进攻葡萄牙最古老的盟国英国。在以后的半个世纪中,里斯本作为西班牙本土的有钱人的港口,相对说来一直平安无事。1640年里斯本的贵族密谋为争取自由而战,他们将西班牙人赶走,恢复了葡萄牙的独立。

在与西班牙的战争中,英国给予葡萄牙人以军事援助。之后,根据1654年的克伦威尔条约,在里斯本经商和生活的英国商人建立起一家公司,后来被称为不列颠商行。商行与葡萄牙政府进行谈判,要求贸易特许权和其他特权,并吁请英国政府在必要的时候对葡萄牙当局施加压力。英国在经济上和政治上对葡萄牙都有强大的影响力,不列颠商行一直存在到1810年。

现代都市的演变 灾难和重建 18世纪前半叶,从葡萄牙殖民地巴西的种植园和黄金及金刚石的开采中获得的利润,使里斯本处于新的乐观和激动的狂热之中。但是这种狂热在1755年11月1日早上便告结束。当时所有的教堂都挤满了在万圣节追念亡者的人群,一场前所未有的大地震使整个城市陷入灾难。一共发生两次震动,间隔40分钟。塔古斯河的河水高出河床,咆哮着淹没了城市,接着便是大火。据信有30 000人死亡,9 000多座建筑物被毁。

从城市的外表来看,里斯本恢复的速度在当时来说是惊人的,但是这次地震在后来几代人的思想上留下了深深的烙印。重建在若瑟一世的首相塞巴斯蒂奥·卡瓦略领导下取得成功,并获得许多外国资助。塞巴斯蒂奥首相是实际上的国家统治者。他让国家总工程师曼努埃尔·达迈阿领导5个建筑师,不久就制定出重建被彻底毁坏的城市中心拜克萨的计划。河边的宫殿也遭到破坏,它的台地被扩大修建成新的商业广场。从那里往北,48条棋盘式街道网通向罗西奥和邻近一个新的广场菲古埃拉。清一色的两层楼房上面都有两层屋顶窗从铺了瓦的屋顶上凸出来。屋檐的犄角按里斯本的传统,向上翘起,有些像塔。这种为适应快速廉价建房而形成的建筑风格是基本上不带装饰的巴罗克风格。在首相被授予蓬巴尔侯爵称号之后,这种风格被称之为蓬巴尔式。

斯埃和大多数教堂都得到修葺或重建,但14世纪建的卡尔穆教堂仍保持原来面目,这座雄踞在小山头之上俯视拜克萨的哥特式建筑的没有屋顶的残垣,现被辟为考古博物馆。而它的隐修院现在则作为半军事性质的保安部队国家共和卫队的营房。宗教法庭所在地在地震中夷为平地,当蓬巴尔扩大和重新规划罗西奥时没有将其重建。90年以后,在它的原址上矗立起玛丽娅二世国家剧院。蓬巴尔废除了耶稣会等宗教团体,并将其住地改建为圣若瑟医院以代替遭到毁坏的万圣医院。医疗学校也挤在圣若瑟大医院里,直到19世纪末才有了自己的校舍。耶稣会见习修士的房屋则被改建为贵族学校。后来政府又驱逐了更多的宗教团体,他们的房屋改建成营房、医院、皇家学会和政府办公楼。

19世纪的扩张 19世纪初叶在伊比利亚半岛战争期间,里斯本处于法国和英国的交替控制之下。拿破仑战败以后,它又卷入内战直到1834年。在此之后,又是10年革命动乱。但19世纪的里斯本仍继续扩大,到1885年时,已拥有面积20 378英亩,人口在100年之中翻了一番,达到30万人。新的市政厅和阿尤达皇宫等公共建筑建立起来。港口实现了现代化,在河滩开垦出的荒地上建成了码头,修建了铁路,并建起了由马车作交通工具的公共交通系统,为下城服务。

城市里最大也是对其今后发展最重要的变化是在1880年开通了一条主要街道——自由大街。这条中间有6个车道的通衢大道两旁是带蓝色镶嵌砖的宽阔人行道。沿街栽有棕榈树,浓荫匝地,还有喷泉和养着金鱼和栖息着天鹅的水池。这条大街至今仍保持原样,街道两旁树荫下又增加了露天咖啡馆。

和这条新的通衢大道相接的是一系列新的街道,它们使城市向北扩展,自由大街两旁也出现了许多新的街区。1901年,电车出现在街头,使更多的人可以住到离他们的工作场所拜克萨更远的地方去。3道缆车在毗邻的小山之间上下运行。埃菲尔设计的巨大的升降车运行在城市的上城与下城之间。

从阿尔维拉引进的新的水源,使阿瓜斯利弗雷斯那些1748年的导水管得以延长。因此,通过管道,水可以直接通到家家户户,古时运水工人的叫喊声一去不复返。

20世纪 1908年葡萄牙国王和王储在商业广场的西北角遇刺身亡。两年之后,新国王曼努埃尔二世退位,共和国宣布成立,接着是一段全国局势不稳定时期。1932年当萨拉查接管这个摇摇欲坠的国家时,他建立起一个合作国家。他独揽决定政策大权直到1968年退休。在这期间,里斯本得到相当大的发展。在第一次和第二次世界大战时期,里斯本能够为20万外国人提供避难之所。

进入20世纪60年代,国家政策开始改变,允许经济扩张。长达30年之久的严格的稳定和自给自足政策(公认的低投资低消费政策)有所缓和,并开始接纳国际旅游者和国际性公司。1966年,萨拉查大桥(现称四月二十五日大桥;美国给予7 700万美元的援助)提前竣工建成。

1974年4月25日,萨拉查的继任者马尔塞洛·卡埃塔诺的政府在一次军事政变中被推翻。到80年代初,政治上的不稳定和经济上的困难仍然是很严重的问题,阻碍着国家和里斯本市进行社会和经济上的改革。对拨给里斯本市的政府资金的限制导致市议会中的激烈斗争,反对冒险性建筑项目的呼声不断上涨,这些项目将影响城市中一部分具有历史意义的城区的环境。

Lisbon, University of 里斯本大学 葡萄牙里斯本的一所公立男女合校高等学府。1911年恢复的这所现代大学的历史同科英布拉大学一样,可追溯到1288年建立的中世纪里斯本大学。葡萄牙国王迪尼斯捐款筹建了一所综合大学,招收欧洲各地的学者前来研究学问,并授予各国公认的学位。此后,里斯本大学几次迁往科英布拉,又几次迁回里斯本。1377～1537年,该校留在里斯本。当它再次迁往科英布拉时，校址就永久设于该地。1911年在里斯本成立科英布拉大学的姐妹学校，即今天的里斯本大学。现在里斯本大学所设学院包括理学、文学、法律、药学、医学、心理学和教育科学等学院。

Lisburn　利斯本　爱尔兰语作Lios Na Gcearrbhach。北爱尔兰一区，1973年成立。主要城镇和区首府为利斯本。工业区和居民区位于邓默里和利斯本城镇周围。农业地区养猪、养家禽、种植大麦。区面积444平方千米。人口约108 694(2001)。

Lisburn　利斯本　爱尔兰语作Lios Na Gcearrbhach。北爱尔兰利斯本区首府和城镇。原先跨唐郡和安特里姆郡。濒临拉根河，位于贝尔法斯特西南13千米处。17世纪成为联合王国最重要的亚麻纺织业中心之一。附近兰贝格有世界领先的天然和合成纤维研究所。其他工业有汽车部件和薄金属板工厂。人口42 110(1991)。

lishu　隶书　又拼li-shu。中国汉字书体之一，由篆书简化演变而成。相传为秦代程邈所创。实际上这种字体在战国时期(公元前403～前221)的文物上已经出现，当由程邈

汉隶《史臣碑》
美国不列颠百科全书公司供图

将这些来自民间比较简易的书写体搜集整理使之成为规范化的隶书，用以适应当时政权集中，文书繁多的需要。胥吏(即隶人)抄写公文，用小篆体不够便捷，故秦虽定小篆为正式书体，但社会上广泛使用的却是隶书。从秦二世诏版中便看到一些化曲笔为直笔更趋简易的字体，可见朝中亦已使用此种新兴的字体。1975年在湖北云梦睡地虎发现了1 000多支秦简，1980年又在四川青川发现两件秦木牍，知在秦统一全国以前约70年，隶书已经形成。在西汉前期约100年间，隶书只同小篆混用了一个不长时期，就取代小篆成为社会上通行的字体。早期隶书还偏近篆体，后来在使用中不断发展，无论在结构上或笔势上都渐渐形成与小篆完全不同的字体，"隶出而篆微"，它既打破了六书的传统，又导致楷书的形成，更推动草书、行书的出现，为2 000年来汉字的发展奠定了基础。这是汉字演进史上的一大转折点。隶书既成，要求美

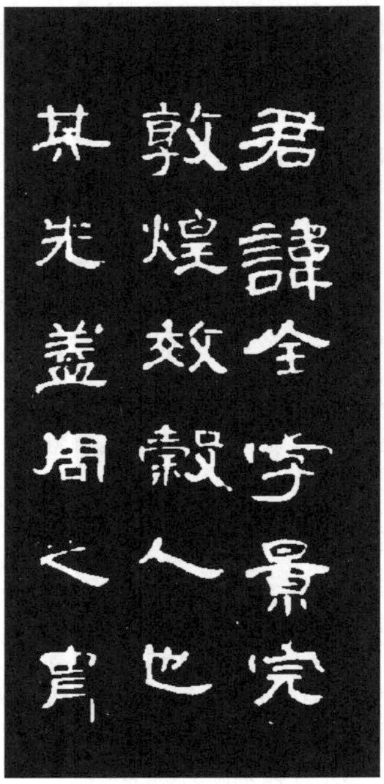

汉隶《曹全碑》
中国大百科全书出版社供图

化，更加波磔，则为"八分"。八分开始于西汉，大成于东汉。从1977年安徽阜阳地区出土的文帝时的汉简中已见其形迹，从1973年河北定县40号汉墓出土的宣帝时的汉简中，已知其成熟。在书法艺术上，存世以东汉时期居多的大量汉碑如《张迁碑》、《夏承碑》、《华山碑》、《礼器碑》、《曹全碑》等，都是八分的高品。书法史上又有唐隶之称，乃因唐代出现了一些写八分的书法家，如唐玄宗、史惟则、韩择木、徐浩等是。虽自成风格，但远逊于东汉。宋、元、明三代隶书，主要学习唐代，成就不大。明末黄道周以行草法入隶，清代中期金冬心用《天发神谶碑》意写隶，郑板桥合黄山谷行楷、郑谷口八分为一体，均有新意。其后，邓石如、伊秉绶、赵之谦出，风格朴厚，气势开阔，直追两汉，成就很大。

Lisichansk　利西昌斯克　乌克兰东部卢甘斯克州城市。濒临顿涅茨河。1721年在附近的利西亚巴尔卡哥萨克村庄(始于1710年)首次发现顿涅茨煤田的煤矿。现代工业有采煤、地下煤气化、化工和玻璃制造等。20世纪70年代建成一座炼油厂。与北顿涅茨克和鲁别日诺耶组成乌克兰最大的化学联合体之一。人口约127 000(1993)。

Lisieux　利雪　法国北部下诺曼底大区卡尔瓦多斯省城镇。为女圣徒德肋撒(生于19世纪，1925年追认为圣徒)故乡，纪念她的教堂成为世界各地天主教徒朝觐之处。利雪原以其哥特式街道和文艺复兴时期房屋闻名，但在1944年轰炸中被夷为平地。一座12～13世纪教堂(一部分重建于16～17世纪)为仅存古建筑之一。利雪博物馆收藏有古利雪历史和史前高卢-罗马时代的文物。6～18世纪为一主教区。被亨利二世流放的坎特伯雷大主教T.贝克特曾在此避难。1203年法

利雪镇的圣德肋撒教堂
美国不列颠百科全书公司供图

国从英国手中夺回该镇。百年战争(1337～1453)期间成为争夺之地。过去曾是制革和羊毛业中心，现有电器设备、电机、木器和食品加工厂。人口23 166(1999)。

Liski　利斯基　又拼Lisky，前称斯沃博达(1943年以前)或乔治乌-德治(1965～1990)。顿河岸上俄罗斯西部沃罗涅日州利斯基区的城市和行政中心，主要的铁路交叉点。有一些商店为火车机车服务。食品工业包括肉类包装和磨面粉。1937年建市，曾多次改名。人口约55 500(1993)。

Lisle　莱尔　美国伊利诺伊州东北部杜佩奇县村庄。在芝加哥以西。始建于1830年，1956年设村。现为住宅区，也有轻型制造业。村北的莫顿植物园(1921)占地600公顷，有4 800多种乔木和灌木。有圣普罗科匹厄斯隐修院和伊利诺伊本笃会学院(1887)。人口21 182(2000)。

Lismore　利斯莫尔　澳大利亚新南威尔士州东北部城市。位于里士满河北支，距海29千米。巴利纳为其外港。为农产品加工中心。生产机械、钢材、服装等。设南十字星大学分校。举办众多艺术节和音乐节。1856年建村；1946年设市。人口约30 083(2001)。

Lismore　利斯莫尔　爱尔兰语作Lios Mor。爱尔兰沃特福德郡的集市城镇。位于

利斯莫尔镇的男爵城堡
美国不列颠百科全书公司供图

诺克米尔当山南麓的布莱克沃特谷地。633年左右圣加太在此建有隐修院。1185年约翰王子(后英格兰国王)在此建男爵城堡,14世纪以前一直为主教住所。近代化学奠基人之一罗伯特·玻意耳1627年在此出生。利斯莫尔有河上贸易,为鲑鱼捕捞中心。人口约729(2002)。

Lismore 利斯莫尔 苏格兰阿盖尔历史郡阿盖尔-比特区岛屿,地处林尼湖口。长约15千米,宽不足3千米。约592年岛上建高隆班隐修院(早期凯尔特基督教)。13世纪成为阿盖尔主教驻地。现修复一小教堂作为堂区教堂。人口140(1990)。

Lismore, The Book of the Dean of 《利斯莫尔教长集》 苏格兰和爱尔兰的诗歌杂集,苏格兰现存最早的盖尔语诗集。主编为利斯莫尔教长詹姆斯·麦格雷戈爵士(约1480～1551)和他的兄弟邓肯。手稿收藏在苏格兰国立图书馆。其开头部分是有关麦格雷戈家族首领的拉丁文系谱片断,并有到1579年止的《福廷格尔纪事》和到1542年止的拉丁文苏格兰国王名单。其余则包括出自爱尔兰传说**阿尔斯特故事**(**Ulster cycle**)和**芬尼亚故事**(**Fenian cycle**)的英雄故事和歌谣,以及44名苏格兰作者和21名爱尔兰作者所写的杂诗。

Lispector, Clarice 利斯佩克托尔(1925-12-10,苏联乌克兰乔乔利尼克～1977-12-09,巴西里约热内卢) 巴西女小说家。巴西20世纪较重要的文学人物之一。她的作品描述了一种关于人类困境的极度个人主义的、几乎是存在主义的看法,以散文风格写成,特点是多用普通词汇,句子结构简单明了。第一本小说《濒于冷酷的心》(1944),由于敏感地表现了少年的心理,博得批评界好评。后来的作品,如《黑暗中的苹果》(1961)、《格·阿加所讲述的热情》(1964)、《活水》(1973)描写的人物都是对生活的意义开始陌生,后又积极探求,逐渐对自己有了认识,接受了在一个怪诞的,然而却是永恒的宇宙中自己所处的位置。她最精彩的散文见于她的短篇小说集,如《家庭关系》(1960)、《外籍军团》(1964)等。

Lissa(Croatia) **利萨** 参阅 **Vis 维斯**。

Lissajous figure 利萨如图形 又称鲍迪奇曲线,由其轴互相垂直的两族正弦曲线的交点所产生。美国数学家N.鲍迪奇在1815年首先研究这种曲线,法国数学家J.-A.利萨如在1857～1858年也曾独立地研究过。他用复摆底部流出的沙子的细流来描绘这种曲线。在两条曲线的频率和相位一致的情形下,所得到的是同坐标轴成45°(和225°)角的直线。在其中的一条曲线的相位比另一条曲线超出180°时,产生另一条直线,比上一条直线偏转了90°(即在135°和315°)。在振幅和频率一致而有不同的相位关系时,除了相位差是90°(或270°)时产生中心在原点的圆外,都形成具有不同角位置的椭圆。在曲线呈异相且频率不同的情形,产生复杂的网状图形。这种曲线在电子学中有特殊意义,它可以

利萨如图形

在示波器上显示出来,根据曲线的形状可以辨识未知电子信号的特性,这时,两条曲线之一是已知特性的信号。一般地说,这种曲线可用来分析任意一对彼此成直角的简谐运动的性质。

Lisse 利瑟 荷兰西部南荷兰省城市。位于哈勒姆和莱顿之间。为荷兰球茎花卉产区的贸易中心。设有国立球茎花卉学校和实验园圃。自1950年起每年3～5月举办花展,所占花园面积26公顷。人口约22 002(2001)。

Lissitzky, El 利西茨基(1890-11-22,俄罗斯斯摩棱斯克附近波奇诺克～1941-12-30,莫斯科) 俄国画家、印刷工艺家及设计师,20世纪初期抽象派艺术的先驱,他在印刷工艺、

利西茨基绘《普龙99》,20世纪初叶
美国不列颠百科全书公司供图

广告、展览设计上的创新影响尤为显著。早年在德国学建筑。1919年任维捷布斯克革命艺术学校教师,在此校任教的至上主义运动的画家和创始人马列维奇对其影响甚大。开始绘制一组抽象几何画,并赋予一个无意义的名称《普龙》(Proun)。这些画对构成主义艺术运动起了主要作用。1921年任国立莫斯科艺术学院教授。同年底因苏联政府反对现代艺术,去德国,结识了美术家兼设计家L.莫霍伊-纳吉。莫霍伊-纳吉在包豪斯设计学校讲课时,传播利西茨基对绘画和大众宣传工具的主张,在西欧和美国均产生了影响。1925～1928年利西茨基居住汉诺威市,为该市国立博物馆设计"抽象派艺术厅"(1936被毁)。1928～1929年冬利西茨基回莫斯科,仍从事革新艺术,在展览、印刷、集锦摄影及建筑等方面都开创了新工艺,对西欧产生一定影响。

List, (Georg) Friedrich 李斯特(1789-08-06,符腾堡罗伊特林根～1846-11-30,奥地利库夫施泰因) 德裔美籍经济学家。倡导保护关税以促进民族工业的发展。自学成才。发起组织德国中部与南部统一的工商业协会,任干事。主张废除分割德国各部的关税壁垒,并以此闻名。1825年由于持自由观点而被驱逐到美国,在宾夕法尼亚雷丁任德文报纸编辑。1827年出版《美国政治经济学大纲》,提出国民经济工业化初期需要关税保护,关税的作用实为促进国民生产潜力的投资。他入美国籍后,回到德国。1834年出任

美国不列颠百科全书公司供图

美国驻莱比锡的领事。1837年参与了莱比锡—德累斯顿铁路的修建,经济上受损失,于失望中到法国。在法国写成代表作《政治经济学的国民体系》(1841)。终因经济窘迫等问题而自杀。

list system 名单选举制 在选票上画一种记号选举若干候选人的选举方法,候选人通常是同一政党的成员。西欧很多国家都使用这种方法选举议会,其中有瑞士、意大利、比利时、荷兰、卢森堡和德国。选举人在通常由各政党准备的几张候选人名单中选投一张。各政党按其所获普选票数的比例获得议会的席位,席位通常按名单上所列候选人的姓名的次序授予候选人。虽然一般说来,名单选举制迫使选民投政党的票,而不是投个别候选人的票,但是这个制度作了许多更改,容许把选民对个别候选人的选择考虑在内。更改最多的是瑞士,其特点是混合圈选,即投票人愿意时,可以从几个政党提出的名单中混合圈选候选人。

Lista (y Aragón), Alberto 利斯塔(1775-10-15,西班牙特里亚纳～1848-10-05,塞维利亚) 西班牙诗人、评论家,被认为是18世纪末拥护新古典主义准则的后期塞维利亚派主要成员。20岁时在塞维利亚一所学院教数学。1807年任塞维利亚大学修辞学和诗学教授。曾在法国度过4年(1813～1817),后返回西班牙创办《批评者》刊物,建立马德里自由大学。毕生大部时间致力于以新古典主义的高尚趣味的原则教育人民,强调内容和形式两者需要平衡。著有作品《愚蠢的帝国》(1798)、《西班牙文学演讲》(1836)、《诗集》(1822,

1837)、《文学与评论文集》(1844)。

Lister, Joseph, BARON LISTER, OF LYME REGIS **利斯特**(1827-04-05,英国埃塞克斯阿普顿～1912-02-10,肯特沃尔默) 英国外科医师、医学科学家,"外科消毒法之父",预防医学的先驱。其父为酒商、业余物理学家、显微镜学

美国不列颠百科全书公司供图

家,对消色差显微镜的发明做出过贡献。利斯特于1848年入伦敦大学学院学医,1853年到爱丁堡为J.赛姆的助手。1859年任格拉斯哥大学钦定外科学教授,1861年任格拉斯哥皇家医院外科医师,开始外科消毒法的研究。当时外科患者手术后常发生脓毒症而死亡,病原被认为是"瘴气",但利斯特认为是一种花粉样的微尘。1865年他接受巴斯德的细菌病原理论,并用石炭酸来消毒外科医师的手及外科器械,当年8月12日将石炭酸应用于外科手术获得成功。1865～1869年间他主管的病房中手术死亡率从45%降到15%。1867年他报告了一系列病例。他的方法在普法战争期间广为采用,但在英、美仍遭怀疑及反对。1877年任伦敦皇家学院外科学教授,同年10月26日在国王学院医院用他的消毒法进行骨科手术成功,他的方法从此得到广泛接受。利斯特为人温和、羞涩、谦逊,对名利十分冷淡。

Lister, Joseph Jackson 利斯特(1786-01-11,英国伦敦～1869-10-24,埃塞克斯西哈姆) 英国业余光学家。他的发明在完善显微镜的物镜系统中起了重要作用,并将显微镜提高到重要科学工具的地位。利斯特发明的组合透镜方法,消除了一定的色差和球面像差,极大地改善了像的分辨率。1830年,他开始磨制自己的透镜,发展了多种工艺,并在伦敦向光学仪器制造者传授这些工艺。利用他新研制的透镜,利斯特第一个确定了哺乳动物血液中红血球的真实形状。他的成就得到公认后,于1832年成为皇家学会会员。他是外科医生J.利斯特的父亲。

Lister, Samuel Cunliffe 利斯特 参阅 **Masham(of Swinton), Samuel Cunliffe Lister, 1st Baron 马尚男爵(第一)**。

listeriosis 利斯特氏菌病 单核细胞增生利斯特氏菌(*Listeria monocytogenes*)造成的疾病。这种细菌曾在人类和50多种野生及家养动物中分离出来,这些动物包括哺乳动物、鸟类、鱼、甲壳动物和蜱。在自然环境,如动物的青贮饲料、土壤、植物、污水以及溪水中也曾分离出这种细菌。有证据表明,大多数人类病例都是由被土壤污染的食物所感染的。这种病出现于免疫系统功能低下或受损的人,如新生儿、孕妇及老年人,还见于免疫功能因其他疾病或因使用免疫抑制性药物而发生障碍的人。本病可表现为轻度的感冒样疾病而未被发现。成年人则以脑膜炎为最常被诊出的利氏菌病;此种菌也可造成心内膜炎、败血症、皮肤感染和其他病情。胎儿在子宫内受感染可造成流产、早产和死产;如果是活产,新生儿也可出现败血症或脑膜炎。对利斯特氏菌病,抗生素有效。绵羊、牛、山羊、马、猪和其他家畜均可感染此病而出现脑炎、败血症及自发流产。在动物病中,利斯特氏菌病亦称转圈病,因病畜常绕圈行走。

Liston, Sonny 利斯顿(1917?-05-08,美国阿肯色圣佛朗西斯县～1970-12-31?,内华达拉斯韦加斯) 原名Charles Liston。美国拳击运动员。1962年9月25日他于芝加哥在第一个回合中击倒了F.帕特森从而获重量级世界冠军。到1964年2月25日,他在迈阿密海滩以7个回合败于C.克莱(后改名M.阿里),失去冠军称号。利斯顿以强劲的击力与耐力而著称。他是佃农的儿子,曾两次长时间坐牢。据说他在狱中学会拳击。虽然他自称出生于1932年,但有证据表明,他早在1934年已开始拳击生涯,时年17岁,用名查尔斯("水手")·利斯顿。如此情况属实,那么他在获得冠军时已是45岁了。他身高6英尺1英寸,体重215磅。从1953年(他第一次有记载的比赛)至1970年,利斯顿共参加了54场拳击,其中有39场将对手击倒而取胜,只输了4场。

Lisu 傈僳族 中国少数民族。主要聚居在云南省,部分在四川省。人口634 912(2000)。语言属汉藏语系藏缅语族彝语支。文字有老傈僳文、"格匡式"拼音文、表音节文和新傈僳

傈僳族姑娘
中国大百科全书出版社供图

文4种。8世纪以前便居住在四川雅砻江和金沙江西岸广大地区。16世纪大批进入怒江地区。主要从事农业。长期保留原始公社制残余。由血缘家族关系组成村寨,由有威望的老人主持村寨事务。家庭多为一夫一妻的小家庭,只有独子或幼子才与父母同住。主食为玉米、荞麦。穿自织的麻布;行土葬,悬挂弩弓、织麻布工具作随葬品。住房有竹篾房、木楞房和土木结构房。人死后行土葬,有氏族墓葬场。节日以"阔时节"和"刀杆节"最为重要。曾信奉原始宗教,相信万物有灵。部分人信仰基督教。1954年建立了怒江傈僳族自治区(1957年改称自治州),1985年建立了维西傈僳族自治县,与其他民族建立了29个民族乡。

Lisu language 傈僳语 中国傈僳族语言。属汉藏语系藏缅语族彝语支。分布在中国云南省怒江傈僳族自治州和德宏傣族景颇族自治州以及丽江、迪庆、大理、楚雄等地。使用人口约48万。分怒江、永胜、禄劝3种方言。此外还分布在缅甸和泰国境内。傈僳语(福贡)语音特点:有34个声母:包括双唇、舌尖中、舌根塞音,各分清、浊、清送气三套共9个;舌尖前、舌叶、舌面前塞擦各分清、浊、清送气三套共9个;唇齿、舌尖前、舌叶、舌面前、舌根擦音各分清、浊及喉门擦音共11个;双唇、舌尖中、舌面前、舌根鼻音和边音各1个。有18个韵母:14个单元音韵母中包括7个口元音,7个鼻化元音;4个复元音韵母。傈僳语元音有松紧的分别,但与声调有对应关系;因处理成声调,元音的松紧就成为声调的附属现象。有6个声调:4个只出现松元音,即高平、高升、中平、低降;两个只出现紧元音,即次高平、中降。词类有名词、代词、数词、量词、动词、形容词、副词、连词、助词、感叹词、拟声词11类。以虚词和词序表示句子成分的关系。存在动词有生物与非生物的差别;形容词重叠并加前缀或后缀表示程度的加强或减弱;形容词后加重叠的后附音节表示一定的附加意义。句子主语在谓语之前;宾语在主语后,谓语之前;补语在谓语之后;形容词、数量词组作修饰语一般在中心词后,代词和名词作修饰语时在中心词前。原有拉丁大写字母及其变体形式的文字,通行于怒江以外地区和宗教界。1957年设计了新方案,主要在怒江地区使用。

Liszt, Franz 李斯特(1811-10-22,匈牙利雷丁～1886-07-31,德国拜罗伊特) 匈牙利语作Ferenc Liszt。匈牙利钢琴演奏大师和作曲家。著名作品包括12首交响诗、2首(完整的)钢琴协奏曲、多首宗教合唱曲以及大量形形色色的钢琴独奏小品。

青年时期和早期教育 李斯特之父亚当·李斯特为埃斯特哈齐亲王府中一名官员,亲王在艾森施塔特的王宫常有许多知名音乐家登门造访。亚当·李斯特是一位很有才气的业余音乐家,曾在宫廷音乐会拉大提琴。弗朗茨·李斯特5岁时即对钢琴发生兴趣,不久便从父学琴。对教堂音乐与吉普赛音乐均有浓厚兴趣。由于受父亲的影响他发展成为一名笃信宗教的孩子。弗朗茨8岁开始作曲,9岁在肖普朗和波兹索尼(今斯洛伐克布拉迪斯拉发)以音乐会钢琴家身份首次登台表演。他的演奏给当地的匈牙利权贵留下极

其深刻的印象，他们出资为他提供6年音乐教育的费用。亚当获准请假带弗朗茨去维也纳跟贝多芬的学生、作曲家兼钢琴家车尔尼学钢琴；并从维也纳宫廷乐监萨利埃里学作

美国不列颠百科全书公司供图

曲。在维也纳举行多次音乐会，成绩斐然。1823年李斯特随全家迁往巴黎，中途曾在德国举行几场音乐会。因非法国公民而被巴黎音乐学院拒之门外，遂师从雷哈和帕尔；前者为理论家，曾受业于海顿之弟米歇尔；后者是巴黎意大利剧院院长、轻歌剧作曲家。李斯特于1824年3月7日在巴黎首演引起轰动，其后不久又相继举行多场音乐会，6月份访问伦敦。翌年再次到英国巡回演出，在温莎堡为英王乔治四世演奏，并访问曼彻斯特，在那里他的《新大序曲》首次公演。1825年10月17日在巴黎歌剧院上演他的独幕歌剧《唐桑切》，即以此曲作为序曲。1826年赴法国和瑞士巡回演出，翌年重返英国。此后李斯特主要靠教琴谋生。1828年他堕入情网，爱上一名女学生，因爱情受挫缠绵病榻。病愈后长时期情绪消沉，对自己的事业疑虑重重。整整一年多他没碰过钢琴。他经历了严重的宗教悲观情绪，对钢琴大师的演奏生涯极端厌恶。为了弥补过去所受教育的不足，他博览群书，并与当时许多一流艺术家交往，其中包括拉马丁、雨果、海涅等人。1830年7月法国革命以国王查理十世退位和路易-菲力普加冕而告终，为此李斯特草拟了一首《革命交响曲》。

1830～1832年间他遇见3位后来对他的艺术生命产生极深影响的人。1830年底他结识柏辽兹并聆听其《幻想交响曲》的首场演出。他继承了柏辽兹娴熟的浪漫派配器手法和他后来一直保留着的那种魔鬼般的特性。1833年他完成了把柏辽兹《幻想交响曲》改编为钢琴曲的伟业，还协助柏辽兹改编他的其他作品并在音乐会演奏。1831年3月他第一次听帕格尼尼演奏，对炫技技巧重新发生兴趣，并决心将帕格尼尼的某些神奇的小提琴演奏效果移用于钢琴，根据《钟》而写成一首幻想曲。同一时期他又与肖邦相识，深受其诗情音乐风格的感染。

与达古尔夫人偕居时期 1834年，李斯特以钢琴独奏曲《诗意与宗教和弦》(取材于拉马丁诗歌集)和1套3首《幽灵》脱颖而出，成为一位成熟的作曲家。这些作品的抒情风格同他年轻时代受老师车尔尼风格影响的作品截然不同。同年，经诗人和戏剧家缪塞介绍结识小说家乔治桑和达古尔伯爵夫人弗拉维尼，并与后者发生暧昧关系。1835年她丢下家庭到瑞士与李斯特同居。二人同居达4年之久，共生育二女一子。虽然其间李斯特不时出访巴黎，但主要在瑞士和意大利。这时他还在新创办的日内瓦音乐学院任教，并发表论文《站在艺术家立场上》，鼓吹应该提高艺术家的地位，使之成为社会中受人尊敬的一员，而不再是一直被人当作某种高级佣仆。独奏钢琴曲集《旅游岁月》(1837～1854)的前两卷是为纪念与达古尔夫人的共同生活而作，作品诗意般地描绘瑞士和意大利的景色。第一部成熟的《超级练习曲》(1838，1851)是根据他青年时代的钢琴独奏曲《48首练习曲》的基础上修订而成，其技巧之高深令人瞠目结舌。他还将帕格尼尼的6首音乐曲(包括5首练习曲和《钟》)以及贝多芬3部交响曲、舒伯特几首歌曲和柏辽兹的其他作品改编为钢琴曲，从而使这些在当时还不引人注意的作品能为更多的人享受和欣赏。李斯特还根据当时一些流行歌剧创作许多幻想曲，在音乐会演奏时听众无不叹为观止。1839年末李斯特同达古尔夫人的关系开始紧张，她带着孩子返回巴黎。李斯特便恢复其演奏大师的生涯，协助波恩的贝多芬纪念委员会筹款建造贝多芬纪念碑。其后8年中，李斯特漫游欧洲，在爱尔兰、葡萄牙、土耳其和俄罗斯等国举行音乐会。暑假里他继续和达古尔夫人以及孩子们一起在莱茵河的农嫩韦斯岛度夏，直到1844年才彻底分手，李斯特携带子女返回巴黎。这些年中李斯特作为演奏大师才华冠世，成绩斐然，达到了顶峰。所到之处赞誉之声不绝，礼品和荣誉纷至沓来。他仍继续作曲，既写钢琴作品，又写歌曲。1839～1840年重返匈牙利(这是他自童年以来的第一次回归)成为一大要闻。他对吉普赛音乐重新萌发兴趣，为他的《匈牙利狂想曲》以及其他匈牙利风格的钢琴曲奠定了基础。他还为1845年的贝多芬音乐节创作一首康塔塔(这是他为合唱与管弦乐队写的第一部作品)和几首小型合唱曲。

在魏玛的作品 1847年2月李斯特在基辅结识赛因-维特根斯坦公主，后又在其波兰庄园度过一段时间。她很快就说服李斯特放弃演奏生涯而悉心作曲。同年9月在叶利扎维格勒(基洛沃格勒)举行他的最后一场音乐会。李斯特自1843年起担任魏玛宫廷特命音乐总监，1844年起在那里指挥音乐会，1848年决定定居魏玛。公主请求与丈夫离婚未成，不久后便来到魏玛与他同居。此时李斯特有充裕的时间进行创作，并指挥宫廷乐队演出歌剧和音乐会。这是他创作最旺盛的时期，作品包括最先的12首交响诗、《浮士德交响曲》(1854；1857～1861修订)、《但丁〈神曲〉交响曲》(1855～1856)、《B小调钢琴奏鸣曲》(1852～1853)、《降E大调第一钢琴协奏曲》(1849；1853和1856修订)、《A大调第二钢琴协奏曲》(1839；1849～1861修订)。还有一首降E调钢琴协奏曲作于1839年，但他生前未能演出，并且直到1988年才被人发现。在魏玛期间所作乐曲还有《死之舞》(为钢琴与管弦乐队创作)，《超级练习曲》、《帕格尼尼练习曲》以及《旅游岁月》前两卷等作品的修订本；合唱曲和其他许多作品。这些作品中有些在40年代或更早即已开始构思。这一时期创作的作品是惊人的。

当时的先锋派作曲家们认为魏玛是新一代作曲家的作品有机会演出的唯一城市，于是竞相来到李斯特身边拜师。所谓的新德意志乐派高举现代主义的大旗，自然使那些学院派音乐家大为不满。魏玛宫廷中的某些成员也因李斯特始终不渝地支持瓦格纳而耿耿于怀，而瓦格纳由于政治上的激进主义不得不于1849年在李斯特帮助下逃离德国前往瑞士。魏玛的那些泥古不化的公民也强烈反对公主公开和李斯特同居，而魏玛大公夫人慑于其兄俄皇尼古拉一世的压力不得不禁止赛因-维特根斯坦公主参加任何宫廷活动。原先任命李斯特的大公爵于1853年谢世，他的继承人对音乐没有什么兴趣。5年后李斯特辞职，其后仍逗留魏玛直到1861年，处境日趋艰难。儿子丹尼尔于1859年去世，年仅20岁。李斯特肝肠寸断，为纪念丹尼尔写了一首“管弦乐演说”《死者》。1860年公主离魏玛去罗马，希望教皇能批准她离婚；9月，忧心忡忡的李斯特立下遗嘱。翌年8月他离开魏玛，在柏林和巴黎旅游后到达罗马(其间他在巴黎与达古尔夫人重逢)。他和公主希望能在他50岁生日时举行婚礼，但在最后一刻，教皇撤回了他批准公主离婚的命令；他们二人都留在罗马，但分居二处。

罗马八年 此后8年李斯特主要寓居罗马，越来越潜心从事宗教音乐写作，完成清唱剧《圣伊丽莎白轶事》(1857～1862)和《基督》(1855～1866)以及一些小型作品。他希望创造一种新的宗教音乐，比当时流行的那种比较感伤的风格更为直截了当，更为动人。李斯特是19世纪中仅有的几名对格列高利素歌感兴趣的音乐家之一，但他的努力为宗教当局所不满，所作许多圣乐直到他去世多年后才出版。1862年他26岁的女儿布兰丁去世。他根据巴赫康塔塔《哭吧，哀悼吧》主题而创作的变奏曲很可能即因此事有感而发。公主的丈夫于1864年谢世，但他们二人未再谈嫁娶。1865年李斯特接受罗马天主教会4个次要圣职，但他始终未能成为神父。1867年为奥地利皇帝约瑟夫一世加冕为匈牙利国王而创作《匈牙利加冕弥撒曲》。这一次奉命写作恢复了他与祖国的联系。这时，他的女儿科西玛(19岁时嫁给李斯特的得意门生比洛)与瓦格纳关系暧昧并生有一私生子，此事导致二位作曲家反目，直到1872年才和好。

最后几年 1869年李斯特应大公爵之请重返魏玛开办钢琴教学大师班，二年后又应邀回布达佩斯办班。从那时起直到生命结束不断往返于罗马、魏玛和布达佩斯之间。1872年与瓦格纳重修旧好后，定期参加拜罗伊特音乐节。也偶尔在慈善音乐会上演奏钢琴，并继续作曲。他的音乐开始丧失其辉煌特色而在风格上变得更为严峻刻板、沉思内省，更具试验性。晚期作品预示了德彪西的和声风格，其中有一首题为《无调性小品曲》的作品已显现出巴尔托克甚至是勋伯格的手法。1886年李斯特最后一次离开罗马，到布达佩斯、列日、巴黎出席他的作品音乐会，然后去伦敦(这是45年来的第1次)举行几场他的作品音乐会。接着便去安特卫普、巴黎和魏玛。同年7月19日在卢森堡的一次音

乐会上作最后一次演出。两天后到拜罗伊特参加音乐节。他的健康不佳已有数月,接着便因高烧而卧床,但他还是勉强出席了两场瓦格纳音乐会。最后他的病发展成肺炎;由于女儿科西玛的麻木不仁,为了监督音乐节的工作而将他孤零零扔在家里,他的病情恶化,1886 年 7 月 31 日与世长辞。

评价 李斯特不仅是一代钢琴宗师,而且他是一位极富独创性的作曲家和浪漫主义运动的主将。作为作曲家,他大大扩展了钢琴作曲的技巧,不仅使这一乐器有了光采,而且赋予它一种丰满富丽、几乎像管弦乐那样的声音,他的大部分作品都有标题,或描写某一自然景色,或表达某种诗情画意,或刻画某一文学艺术作品的内涵。甚至在早期作品中他即已将当时的和声语言加以发展,而他晚期的变化音和声的发展后来导致调性失去作用,最终引导到 20 世纪的无调性音乐。他还创用了乐队的交响诗形式和"主题变形"法,即以一二个不同形式的主题作为整部作品的基础;瓦格纳歌剧中所谓主导动机体系即由这一原则衍变而来。作为钢琴家李斯特是举行全套节目独奏音乐会的创始者。当巴赫、贝多芬、舒伯特、柏辽兹、瓦格纳和罗伯特·舒曼的音乐尚未得到足够重视的时候,他将他们的作品改编为钢琴曲并在音乐会演奏,从而大大推动了它们的演出。他提挈青年作曲家,包括格里格、巴拉基列夫、鲍罗廷和德彪西;他的学生中很多人成为著名演奏大师。除作有 700 余首乐曲外,李斯特还有多种论著,论述肖邦、匈牙利吉普赛音乐、瓦格纳的《洛恩格林》和《汤豪舍》、菲尔德夜曲、弗朗茨艺术歌曲和魏玛的歌德基金会等主题。出版论文和通信集多卷。李斯特是当时的一位有争议的人物,他的革新受到攻击,他的竞争对手妒忌他的卓越才智和趾高气扬。有很长一段时间他只是被看作一个追求辉煌细枝末节的肤浅的作曲家,直到近年来人们才清楚地看出他作为作曲家革新了当时的音乐并预示了后来的许多发展。正如赛因-维特根斯坦公主所说,"李斯特将他的梭镖投到了遥远的未来"。

Līṭānī River 利塔尼河 阿拉伯语拉丁字母转写作 Nahr al-Līṭānī,拉丁语作 Leontes。黎巴嫩主要河流。源出巴勒贝克以西一低分水岭,向西南流经黎巴嫩与前黎巴嫩两条山脉之间的贝卡谷地,在迈尔季欧云附近西折,将黎巴嫩山脉切成 275 米深的壮观峡谷,在西顿以南注入地中海。下游地区通称为加西米亚。全程虽仅长约 145 千米,由该河灌溉的**贝卡(Biqāʻ, al-,)**地区则为黎巴嫩范围最大的农业区之一。利塔尼河管理局设于 1954 年,计划扩大灌溉面积,增加发电量和开发旅游区;但后来该项计划的主要成就仅限于建成几座发电厂。

Litchfield 利奇菲尔德 美国康涅狄格州西北利奇菲尔德县城镇(乡)。包括利奇菲尔德和班特姆两自治镇。1719 年创建并设建制。独立战争时期为革命军供给站。1784 年创办全国第一所法律学校。为格林山童子军领导人 E.艾伦和作家 H.B.斯托的出生地。现为旅游和农业(家禽、乳品、水果)中心。建有利奇菲尔德历史学会博物馆(收藏美国早期工艺品)。面积约 145 平方千米。人口约 8 316(2000)。

Litchfield, Paul W(eeks) 利奇菲尔德 (1875-07-26,美国马萨诸塞波士顿～1959-03-18,俄亥俄阿克伦) 美国实业家。在固特异轮胎及橡胶公司任总经理(1926～1930)及董事长(1930～1958)。1896 年毕业于麻省理工学院的化学工程系。起先在一家自行车轮胎制造厂工作。1900 年成为固特异轮胎及橡胶公司阿克伦厂的主管。此后迅速升迁,1926 年任总经理,4 年后任董事长。具远见卓识,建立研究与发展部,首先研制出实用的飞机轮胎、长距离传送带、飞机液压圆盘制动器、卡车充气轮胎及军用飞机防弹自动愈合油箱。1943 年固特异公司又以 150 万美元为资金,集中 250 名科研人员成立了研究中心。利奇菲尔德扩张固特异公司国外的企业,在爪哇、菲律宾、墨西哥、苏门答腊以及南美、欧洲和非洲等地建立了工厂与农场。他是个飞行倡导者。1910 年为固特异创立一航空部门并使公司开始建造"飘浮于空气"的飞行器,如观察气球、齐柏林飞船、可驾驶的气球等。其中很多创造了体积大小与升空高度的纪录。第二次世界大战期间,公司有37 000工人生产飞机及零件,为该国十大生产商之一。利奇菲尔德有空气动力、卡车、雇佣关系及商业等方面的论著。其自传《工业旅程》于 1954 年出版。

litchi(*Litchi chinensis*) 荔枝 又拼 lychee, lichi 或 leechee。水果,无患子科常绿乔木,据信原产于中国南部及邻近地区。树形美观,树冠紧密。羽状复叶,小叶2～4对,鲜绿色,椭圆形至披针形,长5～7.5厘米。花

荔枝(*Litchi chinensis*)
美国不列颠百科全书公司供图

小,色淡,排成疏松的顶生圆锥花序,花序有时长达 30 厘米。果簇生,卵形至圆形,色红如草莓,直径约 2.5 厘米;外果皮易碎;果肉白色,半透明,多汁;种子一粒,形大。果实鲜食,制罐头或晒干果,鲜果肉具麝香味,晒干后,甚甜微酸。自古以来荔枝就是广东人喜食的水果。1775 年传入牙买加,西方方知荔枝。据说 1916 年在佛罗里达首次成熟,在该州荔枝有重要的商业意义。地中海地区、南非、夏威夷和印度部分地区也有较小规模的栽培。以空中压条或种子育苗;在果园定植时,株距 7.5～10.5 米。大部分时间根区应保持充分湿度,仅需略作剪枝,不用经常管理;3～5 年后结果。

literary criticism 文学评论 泛泛地说,文学评论是对文学作品和文学问题所作的理智的思考。作为术语。它适用于任何有关文学的论述。更严格地说,这一术语仅适用于"实用评论",即解释作品的意义和评价作品的质量。这种狭义的文学评论,不但能与美学(关于艺术价值的哲学)区分开,而且可以与文学研究者所关心的其他问题,如传记问题、目录学、历史知识等问题区分开。在学术研究中,"评论"常被认为与"学问"不同。但在实践中,这种区别常常是人为的。在这里,评论概括文学理解的各个侧面,重点为对文学作品的评价,及作者在文学史中的地位。

文学评论的功用 文学评论的范围很广:从作品发表后的书评直到系统的理论性探讨。其主要功用是表达感受的变化,正是这种变化,使评价文学作品成为可能。文学评论家有时要发现、挖掘、核对和整理未知的文稿。他的责任不是维护作者的自尊心,而是对公众的和他自己的评价标准负责。

虽然一些评论家认为,文学应当从其他事情中孤立出来探讨,但是文学评论似乎总是公开或隐蔽地卷入社会的和政治的论争。最优秀的评论家从来就不重视所谓在文学评论和其他类型论文之间的分野。特别是在现代欧洲社会里,文学评论已经在关于文化和政治问题的争论中占据中心位置。在正统性十分严格的时期,文学评论实践是与书报检查的实践难以分清的。

历史发展 虽然几乎所有文学评论都是在 20 世纪写出来的,但是柏拉图和亚里士多德首先提出的问题仍然受到优先考虑。所有企图为文学的社会价值辩护的评论家,都不得不对柏拉图在《理想国》中发表的相反论点屈服。亚里士多德对于评论的实际贡献,与他对文学所作的道德辩护相反,在于他将诗的成分和种类进行了归纳。后来的希腊和罗马的评论家,在独创性方面,都逊于亚里士多德。

在中世纪,由于教会统治,古代文学评论典籍被埋没了,文学的想象力被怀疑。用神学来对万事万物作出解释,事实上禁绝了文学评论。

文艺复兴时期的文学评论,是在古典论著被发现后,尤其是从瓦拉 1498 年将亚里士多德的《诗学》译成拉丁文时起,直接发展起来的。一般来说,文艺复兴时期可以被看做是新古典主义时期,意指古代典籍被视为近代伟大作品的最可靠的典范。在这之后的两个世纪,美术、政治和科学上都发生变动,文学理论却没有什么进展,所以新古典主义的衰落是毫不奇怪的。

19 世纪初,浪漫主义是一个无定形的运动,开始于德、英、法、意、美等国,它找到了歌德等代言人。浪漫主义者倾向于把诗歌创作看成是一种先验重要的活动,与创造性地认识世界意义有密切关系。诗人被赋予神力。19 世纪晚期,德国哲学和法国大革命所带来

的希望促进了浪漫主义运动。但这些希望,有的被反动的政治毁灭,有的被工业资本主义和要求普遍自由的阶级的崛起所减弱。那些提倡文学想象力的人开始以新巩固的资产阶级为敌。反对商业化和体面人的唯美主义产生了,象征主义和颓废主义的文学评论问世。另一个极端,作为社会真相的确实记录的现实主义和自然主义的文学观,由别林斯基、左拉等人发展起来。

20世纪,学术式评论同作者和文人的批评之间已没有严格的界限。学术重点已移向形式主义。20世纪的评论,在范围和方法上比过去广泛,对细节比过去看重,它还借用了社会科学的程序。这种求助于科学的权威和方法的作法,是20世纪评论的明显特征。

literary sketch　文学小品　短小的散文体叙事作品,多为关于某种文化群落的某一方面的妙趣横生的描述性作品,由该文化群落圈内人士为该文化群落圈外读者所写,如发表在一家英国杂志上的关于一位在印度的旅游者的趣闻轶事即为一例。小品文风格轻松,不拘一格,不像故事和短篇小说那样富于戏剧性,但比故事和短篇小说多一些分析和描写。小品文作家保持一种聊天式的亲切口吻,轻描淡写地讲述自己的要点,不是直陈而是暗示结论。16世纪以后,中产阶级对社会现实主义和异国他乡的兴趣日益浓厚,小品文遂应运而生。这一体裁在18和19世纪最为盛行,以诸如J.艾迪生和R.斯梯尔发表在《旁观者》(1711～1712)上的著名小品文为代表。他们塑造了英国社会不同层面的代表人物,如旁观者先生、罗杰·德·柯弗雷爵士、森特里上尉及安德鲁·弗里波特爵士等,由这些人物对当时伦敦的习俗和风气发表评论。《见闻札记》(1819～1820)是W.欧文为美国读者写的关于英国风情的报道。

literati painting (Chinese art)　参阅 **wenren hua** 文人画。

literati painting (Japanese art)　**文人画**　参阅 **Nan-ga** 南画。

literature　文学　用文字记录下的作品的总称。常指凭作者的想象写成的诗和散文,可依作者的意图以及写作的完美程度而区分优劣。文学有各种不同的分类法,可按语言或国别分,亦可按历史时期、体裁或题材分。

literature, history of Western　西方文学史　欧洲文学虽然多种多样,但跟欧洲语言一样,都是一个共同的文化传统的组成部分。希腊语、拉丁语、日尔曼语、波罗的语和斯拉夫语、凯尔特语和罗曼诸语言均为印欧语系大家庭的成员。(芬兰语、匈牙利语和地中海东部诸如希伯来语的各种闪语族不属于印欧语系。然而,用这些语言撰写的文学同主要的西方文学有十分密切的关系,而且常常被归入西方文学之中。)它们共有的文化遗产主要是发源于古代希腊和罗马的文学。这一文化传统通过基督教得以保存、改造和传播,并因此留传给欧洲大陆、西半球和其他由欧洲人殖民定居地区各种方言文字。直到今天,这部分文学作品的主要特点都很一致,使它们同世界其他地方的文学有所不同。本条目探讨这些共同具备的特点。

古代文学　关于古代西方文学的一个显而易见的事实是该文学的绝大部分早已消失。其中有些是在尚未有可能落成文字之前已经被忘却;火灾、战争以至时间的侵蚀又夺去后代享受其中大部分的可能性;考古学家和古文书学家偶尔发掘恢复一些,但比例不大。可是,残存的用希腊文和更多是用拉丁文撰写的著作包括了在古代便被证明是古代世界创造性想象力和智力达到高峰的标志的那些文学作品。

古代五大文明为巴比伦与亚述、埃及、希腊、罗马和在巴勒斯坦的古以色列人的文化。每一种文明都和其他一个或一个以上的文明有过接触和联系。最古老的两大文明,亚述巴比伦王国的破碎的黏土刻板和埃及的腐烂的莎草纸卷轴,对现代并未产生直接的文学作用;然而巴比伦产生了第一部全套的法典以及后来在远方各国不断被重复又重复的两部原型神话史诗,而埃及关于超自然世界的神秘的直觉引得希腊人和罗马人浮想联翩。希伯来文化对西方文学影响最大,因为它早期作品作为基督教《圣经》的《旧约》而具有极高的地位;《圣经》自圣奥古斯丁时代起被翻译成拉丁文和每一种地方语言从而对西方思想产生十分深刻的影响。在此以前,犹太文明的强烈的精神性使它跟希腊、罗马世界很不相同。

希腊文学虽然受到美索不达米亚、小亚细亚和埃及的宗教神话的影响,但它并没有直接的文学祖先,看上去好像是自己创造的。罗马作家从希腊的教导里寻找主题、表现方法和对诗体格律的选择。罗马最终把火炬传到中世纪初期。那时候,希腊文学已经纳入拉丁传统的整体之中,只是在文艺复兴时期才凭自身的实力被重新发现,以致后来"经典"传统对文学的自然发展构成了威胁;尤其是在17世纪,有些评论家坚持要求当时创作的题材和风格必须同希腊、罗马作家的题材和风格相一致。

文学的一切主要类别——史诗、悲剧、喜剧、抒情诗歌、讽刺文学、历史、传记以及散文体记叙文——都是由希腊人和罗马人创造的,后世的发展多半是次要的扩展。荷马的希腊史诗是维吉尔的拉丁史诗的样板;阿尔凯奥斯和萨福的抒情诗的残篇片断回响于卡图卢斯和奥维德的著作之中;修昔底德的历史为李维和塔西佗的历史所继承。然而,公元前5世纪伟大的雅典人所创作的悲剧在罗马人塞内加的著作里难以找到可以与之匹敌的作品;柏拉图与亚里士多德的哲学著作在古代罗马人那里也找不到任何一部可以相与媲美的作品,因为讲究实际的罗马人都不是哲学家。希腊作家擅长抽象思维和论证;而罗马人的想象力却非常具体。他们的肖像艺术表明他们对人的个性特征十分感兴趣。

简言之,这些作家和其他作家,尤其是希腊作家的作品表现了西方人的想象力和精神特征。它们在西方人确立价值观念和把传统留传子孙后代方面起了一定的作用。荷马的史诗包罗万象,从如何正确对待陌生人到一旦卷入英雄对手、他们的敌人和监督一切的诸神之间的瓜葛纠纷的形势下应如何处世行事等问题都进行了探讨。埃斯库罗斯和索福克勒斯的悲剧出色地表现了人的重大突破:能从道德精神的高度看待自己的处境。在罗马作家中,从奈维乌斯、恩尼乌斯和加图到维吉尔、贺拉斯和塞内加许多人都相信强调责任感的崇高的斯多葛哲学(Stoicism)。柏拉图和亚里士多德的哲学思想表现了关于人的理想,这一理想在尤维纳利斯尖锐激烈的讽刺诗歌里,在阿那克里翁歌颂爱情和醇酒的诗歌里都可以发现。索福克勒斯的一支合唱队用歌声表达了这个有关人的理想,"奇迹千千万万,但没有一个奇迹比人,那跨越白色海洋的力量更奇妙……"。希腊与罗马文学所赞颂的人的理想是在更早的野蛮世纪里出现文明以后形成的。在古代世界消亡以前,这一理想被改造成为犹太教和基督教共有的精神理想,它们的作者预示中世纪文学的到来。

中世纪文学　中世纪一词此处用以指当时欧洲和地中海东部的文学,时间跨度对中古希腊文学是早自大约公元300年东罗马帝国或拜占廷帝国建立到15世纪末;对中古拉丁文学为476年罗马崩溃到15世纪末;对大多数用地区语言写作的文学则是从查理曼时代和他在法国提倡鼓励的卡洛林王朝的文艺复兴(约公元800年)到15世纪末。

基督教在罗马帝国的全部领土上得以确立其地位,意味着欧洲受到早期教会领袖所创建的对生命、文学和宗教的系统观点方法的影响和指导。在西方,基督教义和古典哲学融为一体,构成中世纪人从象征意义出发分析生命的习惯做法的基础。通过圣奥古斯丁,柏拉图思想和基督教思想得到调和;希腊的宇宙永恒和一致的秩序披上了基督教的外衣;自然变得神圣了,成为揭示精神真理的象征。古典文学也充满了这一类的象征意义;早先运用于解释《圣经》的注释或阐释方法现在扩大成为研究古典和世俗文学的总原则。那种把维吉尔看成是基督诞生以前的预言家并把《埃涅阿斯纪》分析成为记叙心灵通过生命抵达天国(罗马)的历程的寓言式或象征式分析方法,其实跟但丁在《神曲》中对自己及其游历的寓言式观念属于同一个传统。

教会不仅确立文学的目的,而且还保存了它。公元529年,圣本尼狄克在意大利的卡西诺山建立隐修院。随后,尤其是在6世纪和7世纪爱尔兰传教团到达莱茵河以及大不列颠与哥特人的传教团溯多瑙河而上以后,其他隐修院学术中心纷纷成立。这些寺院在欧洲先后遭到哥特人、汪达尔人、法兰克人以及后来的古斯堪的纳维亚人袭击的各个时期之后得以保存了西方唯一能获得的古典文学。在这时期的大部分时间内,保存下来的拉丁语作家和继续不断创作出来的拉丁语作品要比用地区语言写作的著作占绝对优势。例如,圣奥古斯丁的《论上帝之城》、德高望重的比德的《教会史》,萨克索的丹麦历史,还有哲学、神学、历史和科学领域里大多数重要作品,都是用拉丁文撰写的。

这时期有价值的文学作品存在于地区作品之中,欧洲在基督教确立以前的文学属于口头文学的传统。这一传统在冰岛的《诗体埃达》和又称为英雄史诗的各种萨迦，在盎格鲁-撒克逊人的《贝奥武甫》，在德语的《希尔德布兰特之歌》里都有所反映。它们都属于日耳曼语的头韵体传统，但它们最初都是由基督教的经文抄写者在所描述的历史事件发生以后的年代里用文字记载下来的，其中的异教成分同基督教的思想感情混合在一起。冰岛文学中的神话在每一种日尔曼文字都有所重复，而且显然来自共同的欧洲源泉。然而，只有斯堪的纳维亚语族的文本才对故事和其中人物作连贯的描述。不同国家的无数民歌民谣也反映了早年口头吟诵的地方传统。中世纪地区文学中涌现出许多文学类型，其中最著名的是传奇文学和宫廷爱情抒情诗。两者都是把通俗的口头文学传统的因素同更加博学和典雅的文学传统的某些因素结合在一起。而且，追根溯源，两者都来自法国。传奇文学是诗体叙述，常采用古典故事或亚瑟王的传说，并以赞颂骑士勇武的侠义故事取代了诸如《罗兰之歌》一类的封建社会的英雄史诗。传奇把关于爱情、忠诚和个人刚正不阿的复杂主题同对精神真理的寻求结合起来。当时，每个主要的西欧文学都表现了这两者的结合。描述爱情的抒情诗歌也有这样的由不同成分组成的背景。宫廷爱情诗歌的确切起源是个有争议的问题，同样，通俗爱情诗歌传统所起的影响问题也是众说纷纭。然而，有一点是显而易见的：无论是意大利的西西里学派，还是德国的以爱情为主题的抒情诗人，或者是拉丁文诗选《布尔伦诗集抄本》，总之，整个欧洲都群起模仿或重新阐释法国南方和北方诗人所塑造的理想化的贵妇人及其因相思而憔悴的追求者。

中古戏剧起源于教会在基督教历书的重要纪念日举办的宗教仪式。宗教礼拜仪式的戏剧性促使人们进行精心的设计，这种苦心经营最初表现为手势和动作，后来发展成为对宗教礼拜的人物和事件加上种种戏剧成分。这种做法日益增多，最后使戏剧变成在城镇街道或开阔空地的舞台或大车上演出的世俗事件。演戏的人是行业艺人或专业演员，由城镇雇佣在地方喜庆或宗教节日里进行演出。三大类型的戏剧得到发展：神秘剧、奇迹剧和道德剧。中古戏剧的剧目和主题仍然充满宗教色彩，但各出戏的戏目常常显示其幽默、滑稽、有时甚至是淫秽的性质，最为著名的道德剧中有一出戏是从荷兰文翻译过来的，其英文名称为《普通人》。中世纪文学的大部分作品出自无名氏之手，创作年代难以确定。最伟大的作家中有一些人——但丁、乔叟、彼特拉克、薄伽丘——是在中世纪后期出现的。他们的作品令人信服地表明，即使是最优秀的中古文学也只是过渡时期的产品，因为，它们虽然是中古社会的杰出评论家，它们同时显示了文艺复兴时期文学的伟大主题和形式。

文艺复兴　文艺复兴（“再生”）一词是用来指欧洲中世纪以后的历史时期。当时在思想和艺术探索方面出现的新精神觉醒是这个政治、宗教和哲学现象的主要特点。这种觉醒归根结底是古代希腊罗马精神的复苏；在文学方面，这意味着对伟大的古典作家发生了新的兴趣和进行了新的分析。学者们寻觅并翻译“失传的”古代文本。欧洲大约在1450年发展起来的印刷术大大促进了这些文本的传播。

文学和艺术在文艺复兴时期达到了过去任何时期所未曾达到的高度。这时期具备三大主要特点：首先是对知识的新的兴趣。这种兴趣体现在被称为人文主义者的古典文学学者身上，并对新作家提供了恰当的古典文学楷模。其次是由马丁·路德领导的新教改革所开创的新形式的基督教。它引导人们注意个人及个人的内心感受，并在天主教国家引起了可以用反宗教改革一词来概括的种种反响。第三便是大探险家的各种航行。其顶峰为克里斯托弗·哥伦布在1492年发现了美洲；这些航行对发展海外帝国的国家有深远的影响，也对当时最有天才的作家的想象力和思想意识产生深远的影响。

也许我们还可以列举许多别的事实，如科学和天文学方面的新发展，以及15世纪后期意大利的政治形势。意大利城邦内新的自由和探索精神在鼓励意大利文艺复兴的伟大先驱——但丁、彼特拉克和薄伽丘——方面是个重要的因素。法国文艺复兴时期文学的繁荣既表现在七星诗社诗人的诗歌里也表现在蒙田的深思反省的随笔之中。西班牙则在这一时期内产生了它最伟大的小说家塞万提斯。另一位超越其同时代人的作家是葡萄牙的史诗诗人卡蒙斯。戏剧在西班牙和葡萄牙都很兴旺，其出色代表为维加和吉尔·维森特。在英国也是戏剧称霸，它对文艺复兴时期的新知识和当地传统兼容并蓄，使马洛琼森、韦伯斯特和其他一些作家的作品生气勃勃，具有强大的生命力，至于英国最伟大的戏剧和诗歌天才莎士比亚，他从16世纪末到17世纪初一直蜚声文坛。

16世纪里，荷兰学者伊拉斯谟是人文主义发展的典型代表，其人文主义思想具体表现为批判性的探索精神、重视古典知识、不能容忍迷信以及高度尊重上帝的最为复杂精细的创造物——人。新教改革对文学的一个影响是在这时期内出现了大量的译成各国文字的优秀的《圣经》译本，包括早年由伊拉斯谟翻译的一个版本。这些译本为散文写作确立了新的标准。文艺复兴的时代动力一直延续到17世纪。那时候，弥尔顿体现了基督教的人文主义精神。

17世纪　17世纪，无论在文学还是在政治和社会方面，都是一个充满持续动荡和激烈风暴的时期。文艺复兴创造了一个肯于接受新思想的环境，对新科学和新哲学思想的传播起了至关重要的作用。17世纪困扰从多恩到德莱顿等一切严肃作家的大问题是蒙田提出的“我知道什么呢？”，或者，用更广泛的语词来说，是应该如何确定知识、信念、理性与宗教、玄学、伦理学、政治、经济学和自然科学等权威的依据和彼此的相互关系。

这时期所特有的好询问探究的态度在伟大的科学家和哲学家的著作中均可见到，如法国笛卡儿的《方法谈》（1637）和帕斯卡的《思想录》（1657～1658撰写）；英国培根的《科学推进论》（1605）与霍布斯的《利维坦》（1651）。这些著作的重要性在于它们把怀疑论的和理性主义的思想方法不仅运用于解决科学问题而且用于探讨政治和神学的论争以及研究理解力和知觉方面的一般性问题。这种对思想和语言的根本性的挑战对于人对自己的看法概念产生十分深刻的影响，并且反映在T.S.艾略特称之谓“感受的分化”一说之中。艾略特认为，内战以后，这种观念在英国扎下了根，因此，伊丽莎白时期和詹姆斯时期的作家可以“贪婪地接受任何经历与感受”，而内战后的英国诗人则正好相反，他们无法把思想和感受统一起来。

如果我们想要了解这时期的真貌，我们还必须考虑到17世纪初期和中期的各种社会与政治动乱所产生的巨大影响。在英国，17世纪文学通常分为两个阶段。以1642年封闭剧院为标志的内战（1642～1651）的爆发很自然地成为划分阶段的分界线。1660年王政复辟开始了一个新的时期。在法国，投石党运动（1648～1653）激烈的、两败俱伤的争斗也同样把17世纪划分成两个阶段。在此之后出现了也许是整个法国文学史上最伟大的时期——莫里哀、拉辛、布瓦洛和拉封丹的时代。在德国，17世纪初期主要是因宗教和政治冲突而进行的三十年战争（1618～1648），随后是德国君主企图仿效路易十四在凡尔赛的法国宫廷的中央集权和显赫名声。17世纪上半叶，尼德兰也卷入一场为脱离西班牙争取独立的斗争（八十年战争，1568～1648）。结果，荷兰不仅获得独立，而且出现了荷兰诗歌的黄金时代——斯皮赫尔、海因修斯和布雷德罗的时代。

主宰17世纪上半叶的内战和政治及宗教冲突在很多方面也是对反宗教改革的特有的反应。宗教冲突的格局在文学形式和文学所关注的各种事物里都有所反映。其中之一是文学和艺术中新发展的今人称之为巴罗克的风格。这种风格在意大利、德国和西班牙尤其突出，但在法国和英国也见得到。这种风格的最典型代表是意大利的马里诺、西班牙的贡戈拉和德国奥皮茨等人的著作。长期以来，许多评论家认为巴罗克文学十分腐朽；但当前对巴罗克文学的看法比较肯定，认为这是指以设计精巧、装饰华丽和大量使用寓言、修辞手段和大胆技巧为特点的一种风格。

如果说巴罗克文学是这时期意大利和德国的典型产物，那么，17世纪上半叶英国诗歌最出色的特性便是玄学派诗歌。玄学派诗人一词最初是德莱顿用来指多恩的，后来约翰逊博士加以扩大，现在则用以指一群各自风格迥然不同但都具备某些同巴罗克文学相似的特点的诗人，尤其是克拉肖。

也许17世纪最典型的争端是主张继续发展文艺复兴时期模仿古典文学的做法的倾向同新生的科学和哲学思想家以及新文学形式试验家的渴望与发现之间发生了冲突。在法国，这表现为厚古派和厚今派之间的斗争，前者认为文学风格和题材必须以希腊罗马的古典文学为楷模，而后者主张运用民族传统。西班牙的这种冲突表现为追求装饰、拉丁化和崇尚古典文学的做法（夸饰主义）跟赞成更为简炼、深刻和警句式风格的主张（概念主义）之间的斗争。这场斗争通过法国的厚今派和西班牙的概念主义思想预示着一种更适合新科学与探险时期需要的散文写作风格的兴起。因此,法国的厚今派大多为笛卡儿的追随者。英国也有类似的倾向,表现在皇家学会的作品之中,它们提倡使用简单的语言,更缜密的、无修饰的、比较自然的说话方式以适应理性话语。这方面的两大成就是弥尔顿和德莱顿的文章。

18世纪 把18世纪称为“理性时代”是抓住了一个有用的半真半假的说法,但却为了解全貌制造了混乱,因为重视理性也是前一时代某些时期的主要特点。更加确切的说法是,18世纪的特点为两大动力:理性与激情。对理性的尊重表现在追求秩序、匀称、规范和科学知识;重视感情的做法促进了慈善事业、对个人关系的推崇、宗教热忱以及对情感或感受的崇拜。在文学方面,追求理性的动力鼓励发展了讽刺、论证、风趣、简明的散文体,而强调激情则激发了心理小说和崇高的诗篇。

英国浦柏、斯威夫特和S.约翰逊的著作都十分明显地表现了对风趣、讽刺和论证说理的崇拜,进一步发展了17世纪德莱顿的传统。小说之所以确立为英国文学的一种重要的形式,一方面是由于菲尔丁、笛福和斯摩莱特的作品表现出理性的现实主义,另一方面是因为理查森的小说和斯特恩的《项狄传》对心理的探索。在法国,18世纪的重要特点在于启蒙运动的哲学和政治著作。启蒙运动对欧洲其他地方都产生了深远的影响,并且预示了法国革命的到来。伏尔泰、卢梭、孟德斯鸠与“百科全书派”的狄德罗和达朗伯等人的大部分作品都致力于有关宗教和社会问题的论战,常常同当局发生直接的冲突。18世纪上半叶,德国文学以英国文学和法国文学为楷模,尽管戏剧家和评论家莱辛也取得了一些有革新精神的进步。德国文学的伟大时代是在18世纪末,那时,对感情和高贵激情的培养和提倡在日后称之为狂飚突进运动中得到了最强有力的表现。同这场运动有密切关系的是德国文学中两位最伟大的人物:歌德和席勒。他们在戏剧和诗歌方面的成就远远超越了狂飚突进运动所掀起的波澜。

19世纪 在西方文学中,19世纪是各时期中一个最生气勃勃最有意思的时期。尤其有意思的是后来成为现代文学的许多条件和倾向都是在19世纪形成的。在这一时期产生或发展的有影响力的浪漫主义、象征主义和现实主义在现代文学潮流中都有所反映。20世纪的许多社会与经济特性也是在19世纪确定的。

浪漫主义 19世纪初最为重要的文学运动是浪漫主义运动。它起源于德国的狂飚突进运动时期。对浪漫主义这个最初阶段应该有的认识,就是对通常认为浪漫主义是以英国诗歌、以华兹华斯和柯尔律治以及1798年《抒情歌谣集》的出版为开端的说法要作重要的修正。此外,尽管1789年的法国革命和工业革命是影响19世纪初英国浪漫主义诗人的两大政治社会因素,但是浪漫主义文学的许多特点来自文学和哲学的源泉。卢梭在18世纪提供了主要的哲学背景。他强调个人和灵感力量的主张深深地影响了华兹华斯以及第一阶段的一些浪漫派作家,如德国的荷尔德林和蒂克与法国作家伯那丁·德·圣皮埃尔。后者的《保罗与童贞女》(1787)已经具备19世纪浪漫主义文学过于伤感的一些特点。虽然卢梭的影响多半是正面积极的,但我们必须看到,它在某些方面对强调智力的18世纪理想主义是消极性的反动。

浪漫主义信念的主要内容确实是对自知的信仰。18世纪后期,法国作家如法布尔·道利维等人企图用类似华兹华斯和柯尔律治的“灵感”论的“生命元气”说来解释物质世界。浪漫派作家认为,只有通过检验自己在大自然和原始纯朴环境下的激情才能解释事物的真实真理。由于强调内心灵感,诗人开始承担重要的如同先知和预言家一样的作用。与此同时,模仿古典文学形式的传统方法便被看作束缚人的规则而被排斥。诗人的作用要求新的直率,因而强调使用发自内心的语言和普通人的语言。华兹华斯甚至试图创造一种简单化的新语言。诗歌开始脱离18世纪所要求的社会内容,而诗人只需要对最后真理和他自己负责。浪漫派诗人的两大经典姿态是济慈的神秘的有预见力的人和拜伦的超人——确实,拜伦式英雄的讽刺成为后辈小说家的一个主题。例如,虽然陀思妥耶夫斯基本人有浪漫派先驱可循,他还是以拜伦的讽刺为主题。

陀思妥耶夫斯基是俄国人这一事实说明浪漫主义浪潮确实席卷整个欧洲。在西班牙、意大利、匈牙利、波兰和巴尔干半岛,浪漫主义主要表现在戏剧方面,但英国未能产生伟大的戏剧作品。19世纪早期和中期是一个诗歌与散文而不是戏剧的时代。浪漫主义风格的诗歌在欧洲到处可以发现——西班牙的埃斯普龙塞达、意大利代表民族感情的福斯科洛和莱奥帕尔迪、俄国的普希金与莱蒙托夫、波兰的密茨凯维奇。在美国,浪漫主义思潮也同新兴的民族感情结成联盟。这种浪漫主义的成分可见于库珀的探险故事、埃德加·爱伦·坡诗歌的超自然的神秘成分、惠特曼和朗费罗的诗歌以及爱默生和梭罗的超验主义理论。正如华兹华斯所预言的,超验主义肯定了“悟性”可以超越一般逻辑和经验的力量。

大约在1830年以后,浪漫主义诗歌的生命力开始衰退并让位于更为客观的风格。然而,浪漫主义的许多主题和技巧,诸如被误解的艺术家与痛苦的情人等继续被人采用。

后浪漫主义 人们可以论证,德国人海涅是第一位后浪漫主义诗人。然而,19世纪中叶的德国诗人大多追随华兹华斯,虽然在哈勒尔蒙特和奥地利人莱瑙的诗歌里可以发现新的倾向。后浪漫主义主要在法国发展,表现为帕尔纳斯派主义。这场运动是由戈蒂埃发起的,但在某些方面,帕尔纳斯派是浪漫主义的衍生物而不是对它的反动。由于它一心重视诗歌的纯形式成分、美学理论和“为艺术而艺术”,它改变了法国诗歌运动的方向,并在国外有很大影响。帕尔纳斯派最杰出的代表是波德莱尔,他认为,“一切不是艺术的东西都是丑恶和无用的。”新潮流的另一分支是印象主义的出现和象征主义运动,这是“借鉴”绘画、雕塑和音乐运动的结果。印象派作家的先驱魏尔兰运用暗示联想、气氛和急促的节奏来制造效果。象征主义要求精心选择字眼和意象来表现若即若离的情调和若明若暗的含义。马拉梅和兰波的作品都表达了象征主义。法国诗歌在19世纪中、后期的进展是个别诗人在发明个人用语的基础上所取得的成就。

教育的发展以及在英国流动图书馆的发展增加了对小说的需求。早在19世纪初,奥斯汀已经在《诺桑觉素》里讽刺了18世纪后期中古化浪漫主义的先驱哥特小说的过分渲染夸大的缺点,并且在《理智和感伤》中对理智和浪漫派的感伤之间的冲突加以挖苦。在法国,智力与激情的冲突在贡斯当的《阿道尔夫》(1816)、斯丹达尔的《红与黑》以及后来福楼拜的《包法利夫人》(1857)里表现得最为明显。福楼拜与巴尔扎克作品中所表现的一丝不苟的用文字描述的细节以及现实主义手法由法国的莫泊桑和意大利的维尔加所继承和发展,其发展顶峰为左拉的极端自然主义。左拉把《黛莱丝·拉甘》(1867)等小说形容为“文学外科解剖”。

但是,用现实主义和民族主义这样的名词来形容19世纪的伟大作家,如英国的艾略特、狄更斯和哈代以及俄国的果戈理、屠格涅夫、托尔斯泰、陀思妥耶夫斯基与契诃夫等人是不适宜的。这些作家都明显地主张文学要为一定的社会目的服务。这种倾向的根源在于许多西方国家中自由主义、人文主义和社会主义等正在兴起的力量。

浪漫主义戏剧衰亡退化为情节剧,这一现象在欧洲相当普遍。戏剧在探讨当代生活问题方面要比小说迟钝。通过挪威人易卜生,戏剧得以复兴,浪漫主义的幻想与现实及个人与社会的冲突得到重申。瑞典斯特林堡的剧本也具有这种冲突。在俄国,现代戏剧成为十分重要的影响,其起源可以追溯至果戈理的《钦差大臣》(1836),但19世纪后期屠格涅夫的《乡村一月》(1850),尤其是19世纪伟大戏剧家契诃夫的剧本才是真正的开端。

20世纪 20世纪开始时,欧洲和美国的社会文化状况同19世纪中、后期没有太多的不同。例如,人们可以从世纪交替时期的四位用英语写作的小说家的著作中发现新旧世纪的延续性。康拉德、哈代、詹姆斯和劳伦斯都在创作过程中表现了从19世纪末相对稳定的世界向以第一次世界大战为开端的新时代的过渡。在普鲁斯特的《追忆逝水年华》第一卷《斯万之家》(1913),纪德的《梵蒂冈的地窖》(1914)、乔伊斯的《尤利西斯》(1922)、卡夫卡的《审判》(在他去世后于1925年出版)和托玛斯·曼的《魔山》(1924)等这类小说中也可以发现新文学意识的觉醒。

成为20世纪20年代以来许多著作的特点的各种影响对这些作家也起作用。他们以及这时期前后的其他一些作家的作品都反映了对无意识和非理性的兴趣。这种影响的两大源泉是尼采和弗洛伊德。尼采是位德国人,纪德和曼两人都深受他的影响。弗洛伊德有关心理分析的著作在20年代对西方知识分子起了十分重要的影响,并不只有小说家才脱离19世纪的看法和风格。勃勒东的第一篇《超现实主义宣言》(1924)是主张自动作用和同传统彻底决裂的运动的第一篇正式的声明。超现实主义在强调梦幻、自动写作法和其他反逻辑方法表明弗洛伊德的影响。超现实主义作为一场正式的运动，持续的时间并不长，但它对20世纪的许多艺术和诗歌有深远的影响。里尔克的《杜伊诺哀歌》和《献给俄耳甫斯的十四行诗》(1923)、T.S.艾略特的《荒原》(1922)以及皮兰德娄描写变幻莫测的自我的《亨利第四》也都说明新时期的难以捉摸与作家们用各种办法企图说明这一时期并给它以一定的艺术解释。

20世纪10和20年代是西方文学走向国际和进行试验的时期。这个时期之十分重要，不仅因为它产生了一些伟大作品，还由于它为未来立下了格局。20世纪的重要作品清楚地揭示了日益强烈的危机感、紧迫感，表明人们怀疑19世纪关于人的个性心理是稳定的信念，并且对一切解决人的问题的哲学和宗教办法提出深刻的疑虑。到了30年代，这些20世纪思潮的特色非但没有被放弃，反而扩大到政治态度，作家分成两大阵营：拥护创作必须承担参与政治的一派和保守的反对这种以政治控制艺术的另一派。第二次世界大战也没有能解决这场有关介入政治的争论——在20世纪的最后25年中，类似30年代的影响重要创作活动的问题仍然非常强烈。

第二次世界大战以后，相对来说，没有出现什么伟大的作家。有一种说法看起来颇有道理：由于战争加速了令人不安的社会和技术的发展，而这类发展日渐积累的压力所产生的必然后果便使大作家越来越少。在这种动荡不定、含混不清的形势下，即使传统意义中的读与写完全停止了也没有什么可以奇怪的。在某些技术高度发达的国家里，如美国，在某些评论家的眼里，印刷文字已经失去其重要地位，已经在大众的头脑里被不需要观众在智力上积极参与的娱人耳目的电子文化所取代了。因此，过去在许多西方国家中对创立类似国际大众文化的东西起过作用的传播媒介未能给文学价值的问题提出更容易的答案。如果我们考虑到现代作家工作条件的异常情况，我们就不会感到奇怪为什么名誉声望难以判断，许多文学领域采取极端的试验为其特点，传统的文学形式正在失去其含义而互相消融。小说也许可以采用许多诗歌的特点，或者改造成某种更为出色的非虚构的报告文学。另一方面，对印刷版面的试验可以使诗歌看上去像文字图画。至于戏剧作品，失去了类似传统情节的东西便成为一系列精心编排的姿态或事件。然而，形式上的试验只是一个侧面。认为第二次世界大战以来的现代创作以试验为主的看法并不全面。它忽视了创作在20世纪初便获得的至今仍为争论议题的一些特点。大多数优秀的评论家认为，尽管缺少名家高手，尽管20世纪文学众多的风格和题材多半可能是昙花一现暂时性的，但是出色的文学作品仍然在出现，而且为数不少。

litharenite　岩屑砂岩　岩石碎屑含量超过25%的砂岩(即由直径为0.06～2毫米的颗粒组成的沉积岩)。岩屑砂岩最常见的是灰色或黑白相间的颜色，这是由于它含有深色岩石，主要是板岩、千枚岩或片岩以及安山岩或玄武岩碎屑的缘故。岩屑砂岩是在地壳变形地区迅速沉积而形成的。

litharge　密陀僧　又作lithargite。铅(Ⅱ)的氧化物(PbO)的两种矿物形态之一，与另一形态——铅黄——一起产出，呈皮壳状，具暗淡或油脂光泽，非常重，质软，红色，产于铅矿床的氧化带，例如在加利福尼亚州的库卡蒙加峰及特钟堡和爱达荷州黑利附近。尽管人造的氧化铅(Ⅱ)是一种密陀僧和铅黄的混合物，但也称为密陀僧。

Lithgow　利斯戈　澳大利亚新南威尔士州中东部城市。在蓝山山脉西坡，位于西部煤田的中心。始建于1824年。1945年设市。1977年与布拉克斯兰郡合并为大利斯戈市。19世纪末发展起钢铁和炼铜业。现有澳大利亚联邦轻武器厂(1912)、毛织和面粉加工厂。生产纺织品和陶器。经铁路和大西部公路通悉尼。设有一所工科学院。人口11 968(1991)。

Lithgow, William　利思戈(1582，苏格兰拉纳克郡拉纳克～约1645，拉纳克)　苏格兰旅行家和作家。商人之子，青年时代开始旅行，曾访问过奥克尼和设得兰群岛、德国、波希米亚和低地国家，1609年到达巴黎。次年去罗马，开始其第一次主要的游历。到1613年，已游历了希腊、中东、埃及、马耳他、西欧和英格兰。1614～1618年访问了北非和中欧。1619年去爱尔兰和西班牙(在此被异端裁判所拷问)。1627～1629年漫游苏格兰。他的主要文学巨著是《珍奇探险综述和19年长途艰苦旅程》(1632)，其中有许多文化和经济方面的详细报道。

lithia mica (mineral)　参阅 **lepidolite** *锂云母*。

lithification　岩化作用　又称石化作用。新近沉积的未固结的沉积物转变为岩石的复杂的过程。岩化作用可发生在沉积物沉积的时候，也可在沉积之后。胶结作用是涉及到的一种主要的作用过程，对于砂岩和砾岩来说尤其如此。此外，在沉积物内各种矿物之间以及矿物与孔隙中的液体之间要发生各种反应。这些反应称之为自生作用，可以在沉积物中形成新的矿物，或者是加入其他已经存在的矿物中去。矿物可以被溶解，并被重新分配到团块及其他结核中去，而且矿物溶解后，流到其他地区的沉积物中，或沉积下来，或与已经存在的矿物发生反应。沉积物在压力下由于颗粒的重新排列而被压实，减少孔隙空间，排出隙间流体。

lithiophilite　磷锰锂矿　与*磷铁锂矿*(**triphylite**)相似的常见的磷酸盐矿物。

lithium　锂(Li)　周期表Ⅰa族化学元素，即碱金属族中最轻的固体元素。锂为柔软、有光泽的白色金属，有几种锂的合金和化合物以工业规模生产。1817年J.A.阿尔韦德松在透锂长石矿中发现锂，另外还发现经济上具有可开采量的锂矿石，如锂辉石、锂云母、磷铝石和磷铁锂矿。在地壳中锂约占0.002%。矿石经化学处理生成氢氧化锂、碳酸锂或硫酸锂，然后再转变成其他化合物。电解熔融氯化锂与氯化钾的混合物可制得金属锂。锂比铅软，但比其他碱金属硬，可拔丝或轧片，具有体心立方晶体结构。锂及其化合物能使火焰呈深红色，据此可检验锂的存在。锂能浮在水面上，与水反应形成氢氧化锂(LiOH)和氢气。锂在空气中能与潮气反应，所以通常应涂以矿脂贮存。天然锂有两种同位素：锂7(92.5%)和锂6(7.5%)，并已制得5种放射性同位素：锂5、锂8、锂9、锂10和锂11，它们的半衰期均不到1秒。1932年，在J.考克饶夫和E.瓦耳顿的开创性的研究工作中，已将锂用作金属靶子，用人工加速的原子微粒使锂原子核发生嬗变：每一锂核吸收一个质子变成两个氦核。用慢中子轰击锂6产生氦和氚。铝、铅和其他的软金属可与少量锂生成合金而变得比较硬。锂的化学性质活泼，容易失去它3个电子中的1个电子，形成含Li^+离子的化合物。许多锂化合物的溶解度明显不同于其他碱金属的相应化合物。若干锂的化合物具有实际应用。氢化锂(LiH)是一灰色晶体，可由它的组成元素在高温下直接反应而制得。氢化锂是一个方便的氢气源，用水与氢化锂作用立即放出氢气。氢化锂也可用于生产氢化铝锂($LiAlH_4$)，后者能将醛类、酮类和羧酸酯类快速还原为醇类。氢氧化锂(LiOH)通常可由碳酸锂与石灰反应制取，它用于制造硬脂酸和其他脂肪酸的锂盐(脂肪酸盐)，这些脂肪酸盐在润滑油脂中广泛用作增稠剂。氢氧化锂也可用作碱性蓄电池电解质的添加剂和用作二氧化碳的吸收剂。其他具有工业重要性的化合物还有氯化锂(LiCl)和溴化锂(LiBr)，它们形成的浓盐水，在较宽的温度范围内能吸收大气中的水气，通常用于大的冷冻和空调系统。氟化锂(LiF)主要在搪瓷和玻璃业中用作助熔剂。碳酸锂(Li_2CO_3)较大的重要性不仅在于利用它可以制备锂的其他化合物，而且还发现它能有效地治疗躁狂抑郁性精神病。有机锂化合物中锂原子不以Li^+离子形式存在，但直接跟碳原子相连接，用于制取其他有机化合物。丁基锂(C_4H_9Li)由丁基溴(C_4H_9Br)与金属锂反应来制备，用于生产合成橡胶。锂原子序数3。原子量6.941。熔点179 °C。沸点1 317°C。比重0.534(20 °C)。化合价1。电子组态2,1或$1s^22s^1$。

lithium　锂剂　治疗躁狂抑郁性精神病的主要药物之一。主要以碳酸盐的形式存在。在缓解躁狂发作及安定病人方面，锂剂极为有效，不过它可能需要几周才能生效。用于长期维持剂量时，锂剂可防止躁狂和抑郁两种情绪波动，或大大减轻其程度。可抑制有时出现于躁狂抑郁病人的精神病特征。该药的作用机理不详。其副作用包括：排尿增加、震颤、腹泻、恶心、嗜睡，而剂量增加时可造成抽搐、昏迷及死亡。

litho-offset **平版印刷** 参阅 **offset printing** *胶印*。

lithography **平印** 利用水和油不相溶混的特性的平版印刷术。先使印版上经油脂处理的图文着墨,图文以外的空白部分吸收水分,排斥油墨;然后用着墨的印版进行印刷——

W.布雷德利约1900年绘制的平印广告画
美国不列颠百科全书公司供图

或者通过特殊的印刷机直接印在纸上(如在大多数美术品的印刷中),或者印在橡皮布滚筒上(如在书报的印刷中)。虽然慕尼黑的A.塞尼费尔德于1798年发明了平印,但直到19世纪中期美术家们才用来印制作品。在法国,T.热里科、E.德拉克洛瓦最早采用平印。H.杜米埃印制的画稿最多,近4 000种,其中有报纸上的漫画和各种图片。他还最先使用转印法,即用制版墨把画稿绘在纸上,然

毕加索绘《条纹衬衫》(1949)的彩色平印
美国不列颠百科全书公司供图

后转移到石版上,比直接画在石版上方便得多。到19世纪后半期,O.雷东则以平印为表现艺术的主要手段。彩色平印又称彩色石印画(chromo lithograph)或*石印油画*(**oleograph**),于19世纪后半期研制成功,虽很流行,但质量不高。到19世纪90年代,H.de土鲁斯-劳特累克终于使彩色平印达到新的水平。19世纪后期,美国画家J.M.惠司勒用转印法印制的泰晤士河优美景色,与19世纪中叶由美国柯里尔和艾夫斯公司印刷的简单粗犷的平印图片形成鲜明的对比。20世纪挪威的E.蒙克,德国的表现派画家特别是M.贝克曼、E.基尔希纳和K.珂勒惠支,墨西哥的J.C.奥罗兹科、D.里维拉和R.塔马约,美国的R.肯特、B.沙恩和R.劳申伯格,法国的H.马蒂斯和G.鲁奥,尤其是西班牙的P.毕加索赋予平印画以极大的魅力。

lithography, offset **平版印刷** 参阅 **offset printing** *胶印*。

lithophane **隐雕瓷** 素瓷或无釉的白胎瓷,胎上面模压着或压印着纹样,这些纹样通常为复制的绘画,只有借助于透射光才能看到。用手工绘制的纹样极少见。隐雕瓷生产

1850～1870年德国吊灯上的隐雕瓷画屏
美国不列颠百科全书公司供图

的时期大约是1830～1900年,大部分出自德国柏林的皇家瓷厂和迈森瓷厂,在英国则主要由明顿瓷厂和科普兰瓷厂生产。大多数隐雕瓷为画屏,有小件画屏,也有大件画屏。画屏有框架,常背面对光(自然光或人工光)悬挂;有些隐雕装饰在啤酒杯底部,当酒杯倒空时即可看见隐雕纹样。复制的绘画大多数是富于情感的维多利亚派作品,1850年明顿瓷厂用作隐雕题材的有忏悔者、守护天使以及母亲与垂死的婴儿。

lithophone (musical instrument) **石琴** 参阅 **stone chimes** *石钟*。

lithopone **锌钡白** 一种亮白色的颜料,用于油漆、油墨、皮革、纸张、油地毡和扑粉。19世纪70年代研制锌钡白作为碳酸铅(铅白)的代用或补充品,以克服铅白有毒、不耐风化和在含硫空气中变黑等缺点。锌钡白是硫酸钡和硫化锌的不溶性混合物,由硫化钡和硫酸锌的混合溶液沉淀,经过滤分离,并在高于600 °C的温度下焙烧而成。第一次世界大战后虽然锌钡白在许多应用上被二氧化钛所取代,但仍广泛用于许多产品,如水粉涂料。

lithops **类石** 又作 living stone、flowering stone 或 stoneface。番杏科(Aizoaceae)类石属(*Lithops*)植物,原产非洲南部。约50种。为多浆植物,通常称为活石头或花石。植株实

一种类石属(*Lithops*)植物
美国不列颠百科全书公司供图

际无茎。叶厚,埋于土内,仅见顶部;雨季生出2片新叶,肉质,半圆形,两叶合成一个圆形;然后老叶枯萎。植株侧向扩展,从一植株可有多数石状叶出露。因其形状奇特,世界各地均有栽培于室内以供观赏者。

Lithuania **立陶宛** 全称立陶宛共和国。东北欧国家。北连拉脱维亚,东、南与白俄罗斯接壤,西南与俄罗斯的加里宁格勒州及波兰为邻。西濒波罗的海。首都维尔纽斯。面积65 301平方千米。人口约3 798 000(1993)。

自然地理与人文地理 立陶宛地势以低洼的平原为主,间有冰川时代遗留的冰迹岗丘。波罗的海高地的湖泊和丘陵位于该国东部及东南部。立陶宛的河流均缓缓向西流入波罗的海。

立陶宛人约占总人口的80%。他们讲一种与拉脱维亚语极为相近的东波罗的语。立陶宛人大部为天主教徒。另有少数俄罗斯人、波兰人和白俄罗斯人。

立陶宛的农业经济在传统上主要是向俄罗斯市场提供食品。自20世纪40年代起,立陶宛迅速工业化,但农业仍保有重要地位,积极从事经济活动的人口中有约1/5仍在务农。牲畜饲养是农业的主要部门,且以乳制品和猪的饲养为重点。另外谷物、亚麻、甜菜、马铃薯和饲料作物的种植亦很重要。

立陶宛的计划部门将全国分为4个经济区。东立陶宛为有多种企业的发展中的工业区,其中包括金属加工、一般制造、木器加工和轻工业;该区并建有一些疗养地。南部地区占该国水电资源的一半以上,亦有金属加工、一般制造和食品加工工业;南方为集约化农业,尤其是牲畜饲养和甜菜种植。立陶宛北部工业甚少,但有重要的农业区,尤以出产冬小麦、亚麻和甜菜著称。西部地区一向以船舶修造和鱼肉加工闻名。另亦饲养马匹、奶牛和猪。

立陶宛对进口原料和燃料依赖严重。主

美国不列颠百科全书公司供图

要出口产品有机械、轻工产品和食品。立陶宛的主要贸易国大多是前苏联各国，特别是俄罗斯。

按照1992年通过的宪法，最高立法机构为议会，议员由普选产生，任期4年，约一半以上直接由单席位区选出，其余按比例代表制选出。总统为国家元首，由直接选举产生，任期5年，但任职不得超过两届。总理由总统任命，负责组织政府。

法院系统由最高法院、上诉法院、地区法院和地方法院组成。宪法法院负责裁定政府行为是否符合宪法。

历史 立陶宛各部族于13世纪中叶在明道加斯领导下达到统一。在他之后的继承者均以大公身份统治着统一的立陶宛，其中一位大公格迪米纳斯将立陶宛扩展为一个帝国，在14～16世纪该帝国统治着东欧的大部地区（参阅 **Lithuania, grand duchy of**）。1386年，在位的立陶宛大公又成为波兰国王，其后400年间，这两个国家一直紧密地联系在一起。立陶宛实际上成为波兰-立陶宛国家的附属成员，这种关系一直保持到第三次瓜分波兰（1795），立陶宛始被置于俄罗斯统治之下。

1864～1905年，俄罗斯化运动在立陶宛加紧推行。然而立陶宛的民族主义情绪在20世纪初仍见增长。1918年，立陶宛在德军占领之下，自行宣布独立。经过俄罗斯布尔什维克、波兰和立陶宛军队之间的多次战斗后，苏联于1920年与新独立的立陶宛签订和平条约。立陶宛由民主选出的联合政府一直执政到1926年，该国的议会民主因一次军事政变而部分中止。1939年，立陶宛被迫允许苏联在其领土上设立军事基地。1940年苏联红军占领立陶宛，不久即将该国并入苏联。

自1941年起，纳粹德国开始占领立陶宛，直至1944年苏联红军解放该地。此后立陶宛的经济实行了合作化，并被迫与苏联经济结为一体。然而立陶宛人民仍然对其20年的独立岁月记忆犹新，当戈尔巴乔夫于80年代中期开始在苏联实行自由化政策时，立陶宛的民族主义再次浮现，要求在处理立陶宛内部事务上从莫斯科获得更大程度的独立。1990年立陶宛宣布脱离苏联，1991年获得完全独立。在接下来的十年中，立陶宛转而发展市场经济。2004年成为北大西洋公约组织和欧盟正式成员国。

Lithuania, grand duchy of 立陶宛大公国 14～16世纪东欧强国之一，包括立陶宛、白俄罗斯和西乌克兰的土地。在条顿骑士团和利沃尼亚骑士团的征讨下，明道加斯（？～1263）统一了立陶宛各部族。到格迪米纳斯大公统治时期（1316～1341），领土大大扩展，东北跨过德维纳河上游，东南直抵第聂伯河，南方到达普里佩特沼泽。格迪米纳斯去世后，两子嗣位：凯斯图蒂斯治理立陶宛本身，防止日耳曼的骑士团蚕食领土；阿尔吉达斯大公则继续奉行扩张政策，征服俄罗斯和鞑靼的大片领土，把公国的版图从波罗的海扩展到黑海。俄罗斯人曾对立陶宛人产生很大影响。立陶宛人按照俄国的模式改组了军队、官署、法律和财政。允许俄罗斯贵族保持正教信仰、特权和地方自治。1385年在条顿骑士团的压力下，亚盖沃大公与波兰缔约，同意接受天主教、与波兰女王联姻、践波兰王位、使波兰与立陶宛共戴一主。波兰影响逐渐取代了俄国的影响。在维陶塔斯统治时期，大公国把东部国界扩展到乌格拉河和奥卡河，成为东欧最强大的国家。1410年，立陶宛与波兰共同作战，在坦嫩贝格战役中把条顿骑士团打得落花流水。1430年维陶塔斯死后，立陶宛继续拥有自己的统治者，虽然名义上臣服波兰，但保有自治权。1447年波兰人推选立陶宛大公卡齐米日为波兰国王，两国关系更加密切。卡齐米日为保障立陶宛的独立，给立陶宛的波雅尔以选立自己大公的特权。然而，由于缺少强有力的大公，立陶宛无力阻止鞑靼人对南部的侵扰，也未能抵住俄罗斯对诺夫哥罗德（1479）、特维尔（1485）的兼并。16世纪期间，立陶宛在经济方面取得重大进展，仍然保持强国地位。然而，在与莫斯科大公国发生利沃尼亚战争，（**Livonian war**，1558～1583）时，由于资源不足，不得不向波兰求援。因此波兰人要求两国正式合并。到1569年，立陶宛人不得不接受《卢布林联合》，从此以后，立陶宛大公国便成为波兰的一个组成部分，直至18世纪末波兰被瓜分，立陶宛转归俄罗斯帝国。

Lithuanian language 立陶宛语 属东波罗的语支，与拉脱维亚语关系极近，主要通行于立陶宛，1918年起成为该地区官方语言，是仍通用的最古老的印欧语言。16世纪起，已有立陶宛文学语言，最早文献是1525年的《主祷文》、一部教义以及"万福马利亚"的译文。这种语言因仅用于撰写宗教著作，在很多方面都不同于现代立陶宛语，词的结尾比现代立陶宛文学语言的词尾形式更长，而且多两个格，表现出较强的斯拉夫语言对它的词汇和句法的影响，重读方法与现代标准语也有区别。这些特征大多数从17世纪前半叶留存至今。19世纪有3种文学方言仍在使用：波罗的海沿岸的低地立陶宛方言、东部高地立陶宛诗歌方言以及主要通行在与东普鲁士接壤地带的西部高地立陶宛方言。现代标准文学语言是在西部高地立陶宛方言基础上形成的，使用有32个字母的拉丁字母表，制定人是被认为是国语之父的J.亚布隆斯基斯（1861～1930）。像所有的波罗的语言一样，立陶宛语中保存了许多印欧原始母语的特征，如名词和动词都使用双数形式，古立陶宛语中还保留了方位格的多数词尾-su。

Lithuanian literature 立陶宛文学 用立陶宛语创作的文学作品。在14和15世纪的立陶宛大公国时期，其疆域囊括从波罗的海到黑海的广大地区，当时的官方语言为白俄罗斯语，其后为拉丁语。在16世纪新教短暂的扩展时期以及此后的反宗教改革时期，宗教书籍开始使用本地的语言。已知的第一本立陶宛语书籍是M.马日维达斯的教义问答手册（1547）。稍后出现的是J.布雷特库纳斯或J.布雷特凯的宗教著作。《新约》出版于1701年，全部《圣经》出版于1727年。一直到18世纪，大部分书籍为宗教著作。除此之外，出版物中的第一本立陶宛文词典（1629，K.希尔维达斯著）是值得一提的。

18世纪出版了更多具有世俗倾向的书籍，其中有语法、词典以及第一本民歌集。这个时期最重要的著作是K.多涅拉伊蒂斯的长诗《一年四季》（1818），它是六韵步的诗行，显示了德国的影响，描绘了一年中的乡村生活。19世纪上半叶出现了一个建立立陶宛文学语言的新运动，它对该国早期历史抱有新的浪漫情趣。这个时期的文学，特别是S.斯坦内维丘斯和D.波什卡的诗中，明显存在着因法国大革命带来的西方巨大影响。尽管俄国禁止立陶宛的出版物采用拉丁字母，这次复兴仍由M.瓦兰丘斯和A.巴拉瑙斯卡斯两位主教继续了下来，前者的著作主要是宗教及教育书籍，后者是一位诗人，其主要作品是《阿尼克夏伊松林》（1858～1859）。这个阶段的文学试图将立陶宛人团结起来，反抗俄国的政治控制和波兰的文化影响。

由J.巴萨纳维奇乌斯于1883年创办的第一个现代立陶宛刊物《黎明》为下一代的文学定下了名称。著名的政论家和短篇小说作家V.库迪尔卡的一首诗成了独立的立陶宛国歌。立陶宛最著名的诗人J.马丘利斯(笔名马伊罗尼斯)是以诗剧和抒情诗而闻名的,他被称作立陶宛文艺复兴的诗人预言家。其他的杰出人物有哲学家、诗人、剧作家V.斯托拉斯塔(笔名维杜纳斯)、敏感的短篇小说作家比柳纳斯以及文学评论家J.图玛斯(通常称瓦伊日甘塔斯)。

立陶宛于1918年获得独立。作家们开始全神贯注在发展民族文化上,而且更注重提高文学的水平。有些人认为小说家和剧作家V.克雷韦-米茨凯维丘斯是立陶宛最伟大的作家,而J.巴尔特鲁沙伊蒂斯获得了杰出抒情诗人的名声。其他的知名人物有V.米考莱蒂斯,他是立陶宛现代传奇文学的先驱;V.斯鲁奥加和K.宾基斯均为诗人和剧作家;还有长篇小说和短篇小说作家I.塞纽斯。

立陶宛于1940年被苏联占领,1944年再次被占领后,作家们被迫遵循共产主义路线。在西方写作的立陶宛作家试图进一步努力发展民族文学。A.尼卡-尼柳纳斯的哲理诗、J.梅卡斯的田园诗以及M.卡蒂利什基的长篇小说都在采用新的表现手法上取得成功。短篇小说和抒情诗在风格上的成就尤为突出。

Litke, Fyodor Petrovich, Count (Graf) **利特克**(1797-09-28,俄罗斯圣彼得堡~1882-10-20,圣彼得堡) 俄国探险家和地理学家,勘探过北极。对俄罗斯的科学特别是地理学发挥了重要影响。1812年加入帝国海军后,参加了一次环球航行(1817 ~ 1819)。1821 ~1824年的4个夏季中,绘制了俄国北极地区新地岛西岸的地图,在该地进行了第一次科学考察,并研究了邻近的巴伦支海西南部。1826 ~ 1829年,又参加科学考察队进行环球航行,在白令海峡、西太平洋的小笠原群岛和卡罗林群岛上进行了测量并采集了科学标本。1845年协助创建俄罗斯地理学会,任学会会长至1873年(1850 ~ 1857年除外)。对自己的每次主要探险都写有记述。

litmus 石蕊 从生长在荷兰的几种地衣类植物中获得的带色的有机化合物的混合物。石蕊在酸性溶液中呈红色,在碱性溶液中呈蓝色,是最早和最通用的酸碱指示剂。在空气存在下用氨、碳酸钾和石灰处理地衣生成各种颜色的石蕊组分。1840年上述组分经部分分离,得到石蕊精等四种化合物。这些相近化合物的混合物于1961年被证实为杂环化合物吩噁嗪的衍生物。还有海石蕊(苔色素)是一种类似于石蕊、从同样地衣中但用不同方法获得的染料混合物。该染料的生产方法约于1300年从东方传到欧洲。

litoptern 滑距骨兽 已绝灭的滑距骨目(Litopterna)有蹄类哺乳动物。最初出现在古新世(始于约6 600万年前),绝灭于更新世(终于约10 000年前)。分布限于南美。在许多方面,滑距骨目动物的演化与北半球有蹄类相似。从化石纪录中可以看出滑距骨目演化的两条不同途径。一条以原马形兽为代表与马的演化非常类似,即四肢适应于奔跑,体型和功能上与马类相像,头骨长而低,具有类似马的颊齿。原马形兽类在上新世(终于约160

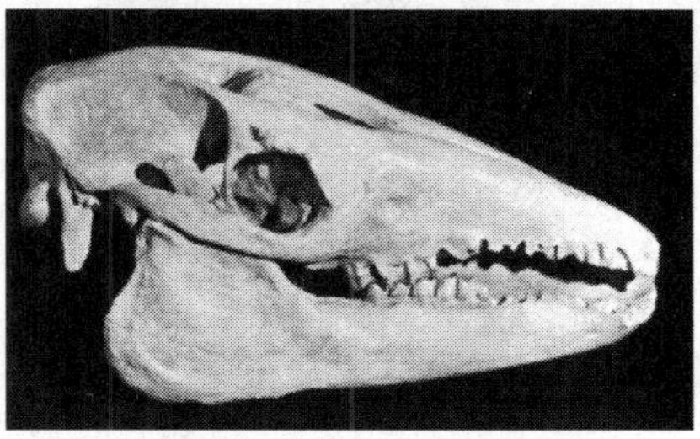

后弓兽的头骨
美国不列颠百科全书公司供图

万年前)绝灭,此时大约是真马出现于南美的时期。另一条演化途径以后弓兽为代表,其许多方面类似骆驼类,即鼻孔在颅骨上的开口很靠后,很可能其上面有一个短吻。更高等的哺乳类从北美侵入后,有些后弓兽类能够残存到更新世方灭绝。上新世期间,像马的滑距骨类在生活资源的竞争中被真马所淘汰。而后弓兽类则更适应其环境(很可能是沼泽地区),因此,能够与新进入的北美类型竞争一段时期。

litotes 曲言 辞格之一。有意识的轻描淡写,通过反面说法以达到加强语势的目的,例如英语中的常用说法"not bad!"("很棒!")及"no mean feat"("好技艺"或"好本领")便是。曲言法是古英语诗歌和冰岛传说文体的一个特点,并且是在许多方面与他们特有的斯多葛式的坚忍自制精神相适应的。术语缓叙法通常指轻描淡写欲扬先抑之法,曲言法则可看作是缓叙法的一种形式。

litre 升 公制中的容积单位。相当于1立方分米(0.001立方米)。从1901年到1964年,升被定义为1千克纯水在4℃(39.2℉)及标准大气压时的体积,到1964年又恢复原来的,即现在的值。1升约等于1.056 7美制夸脱。

litter 轿子 安装在两根杠上可移动的床或睡椅,有篷或无篷,两端由人或动物扛载。轿子在埃及的油画上可以见到,波斯人曾使用轿子,《以赛亚书》中也有记载。轿子在东方很流行。古罗马只有皇后和元老院议员的夫人才能乘坐轿子。到17世纪,轿子在欧洲盛行。有弹簧坐垫的马车出现后,轿子只在运送伤病员时使用。

littera da brevi (calligraphy) 参阅 **cancellaresca corsiva** 文书草体。

littérature engagée 介入文学 第二次世界大战结束后不久流行的说法。法国存在主义哲学家,特别是萨特,重新提出艺术家对社会的严肃责任这一思想。这个思想把存在主义的基本信条应用于艺术,即一个人通过自觉介入有意志的行动界定自己。这个立场反对"为艺术而艺术"的信条,反对"资产阶级"作家仅对自己的技艺尽职而不对读者负责。

Little, Royal 利特尔(1896-03-01,美国马萨诸塞韦克菲尔德~1989-01-12,巴哈马拿骚) 美国商人与投资者。创建了美国第一家多种经营的大公司——特克斯特朗公司。1919年毕业于哈佛大学,随即在南波士顿的一家合成纤维公司就业。1923年利特尔决定组建自己的公司,借得1万美元现金建起特种纱线公司。公司开始时是纺织品商号,成效有限。1944年改名为特克斯特朗公司。1952年经低利打击,利特尔改组公司,使其走向业务互无关联的多种经营。1960年他引退以前,已购买40家商号。该公司现在制造手表带、链锯、直升飞机、除雪机、电子设备及滚柱轴承等。最终,公司成为美国最大的多种经营公司之一。它的成功激励了其他公司大规模的多种经营。

Little Alfold 匈牙利小平原 匈牙利西北部外多瑙地区西北部的广阔盆地,一直延伸至奥地利和斯洛伐克境内(当地称为多瑙河沿岸低地),面积约8 000平方千米。南和东以外多瑙地区的高地(包科尼山和韦尔泰什山)为界,西抵奥地利阿尔卑斯山麓,北达斯洛伐克境内的喀尔巴阡山。多瑙河自西向东流经该平原。穿过杰尔的拉包河及其支流流经匈牙利;斯洛伐克境内的瓦赫河系在科马尔诺(科马罗姆)注入多瑙河。盆地的某些地区异常肥沃,盛产小麦、玉米、黑麦、大麦、甜菜、马铃薯、饲料、蔬菜和烟草;盆地有果园和葡萄园。奶牛、猪、马和家禽的饲养业也很重要。气候比较干燥,但周围高地水源充沛。匈牙利小平原仅有中部和中北部为真正的平原,而边缘都是被陵削的冲积扇和低矮的丘陵。主要居民区在杰尔。

Little America 小亚美利加 美国在南极洲的主要基地。位于凯南湾附近,罗斯陆缘冰东北缘。1928年最先成为R.E.伯德南极探险队的总部所在地。1933 ~ 1935年伯德再次探险时该地重新被利用和扩大。1940年伯德在该地东北方11千米处建立营地,取名"小亚美利加3号",作为美国政府资助的对玛丽伯德地探险的西部基地。第二次世界大战后,附近建立"小亚美利加4号"基地,作为"跳高行动"科学考察的指挥部;这项探险活动旨在考察和绘制南极洲的海岸线,并将美国的主权扩大到南极洲。1956年,一支探险队重新回到该地为1957 ~ 1958年国际地球物理年做准备时,发现早先小亚美利加营地的一部分已经由于冰架崩解而消失。因此在其东北数英里的凯南湾附近又建立"小亚美利加5号"基地,作为供给站和通往南极洲内陆的伯德考察站的1 014千米长"公路"的始发地。

Little Armenia 小亚美尼亚 又作Lesser Armenia或Armenia Minor。亚美尼亚鲁本王朝于12世纪在小亚细亚东南海岸西利西亚建立的王国,1199 ~ 1226年由鲁本家族统治,此后由奥辛一族统治,直至1342年为止。经过最初与拜占廷帝国的纠葛后,小亚美尼亚建立起来,并发展与西方的接触。法兰克文化对它的发展具有相当的影响。它位于威尼斯和热那亚与东方通商的道路上，因此地位重要。1375 年被穆斯林的马木路克人征服。

little auk(bird) 参阅**dovekie** 短翅小海雀。

Little Barrier Island 小巴里尔岛 新西兰北岛北部豪拉基湾北端岛屿。与北岛隔杰利科海峡(宽 24 千米)相望。东隔克拉多克海峡与大巴里尔岛相对。原为火山。面积 28 平方千米。地势峻峭，有森林覆盖，其豪图鲁山高 722 米，两侧为深壑。现为野生动物保护区。岛上无人定居。

Little Bighorn, Battle of the 小比格霍恩河战役(1876-06-25) 又称卡斯特的最后抵抗。美国陆军中校 G. A. 卡斯特率领的军队与一群北美大平原印第安人(达科他人[东苏人]和北夏延人)之间的战役。卡斯特和他的部下在战斗中全部被杀。对这场战役，人们曾多有议论：引起这次对抗的事件是美国政府对土著美洲印第安人所采取的以优柔寡断和混乱不堪为特征的政策。虽然《第二次拉勒米堡条约》(1868)正在生效，保证密苏里河以西的达科他地区专属印第安人，但是寻求黄金的白人矿工定居在神圣不可侵犯的达科他的土地上。美国政府不想把定居的白人迁走，又无力说服达科他人出售那个地区，并且认为印第安人对某一白人居民点的偶然袭击恰好把他们从条约的束缚中解放出来，于是就对印第安人事务局下了一道命令：限 1876 年 1 月 31 日以前，全部印第安人必须回到指定的保留地，否则以反对白人论处。由于多方面原因，如猎人不大可能获得这一消息、许多平原印第安人坚决拒绝让给白人更多的权力等，冲突是不可避免的。1876 年 6 月，政府派陆军准将 A. H. 特里率兵搜索印第安人并把他们赶走。特里率主力溯黄石河而上，企图在小比格霍恩河口阻挠印第安人的活动，而卡斯特和第 7 骑兵队则预定溯罗斯巴德河而上，横渡小比格霍恩河，以便使印第安人陷入两队人马夹击之中。卡斯特向前进军约 3 天，突然遭遇一大群在附近安营扎寨的苏人和夏延人，便放弃了原来的作战计划。他设想来个三股叉式的进攻，就命令上尉 F. 本田和少校 M. 雷诺领兵占据河的两岸，而他本人向西北挺进，从北方向印第安人营寨发起突然袭击。在卡斯特还远未到达营寨的北缘之前，雷诺就首先开始进攻，结果被印第安人打败，渡河而退，失去战略优势。他与本田的生力军联合起来，并肩插入敌阵，继续战斗。但在雷诺撤退时，印第安人的主力已经发觉卡斯特的来临，就骑马进攻，在一小时内把卡斯特及其部下全部击败，留下死尸约 200 具。这次战役的结局表明印第安人有巨大的威力，这大大触怒美国白人，并使他们大为震惊，因而就决定了那个地区的命运：政府出兵进行血洗，印第安人最终被迫投降。

Little Brothers of Jesus and Little Sisters of Jesus 耶稣小兄弟会和耶稣小姊妹会 在富科尔的榜样启发下组成的天主教修会。法国军官兼探险家富科尔在摩洛哥服役期间于 1886 年经历宗教信仰突变，隐居于撒哈拉沙漠地区的图阿雷格部落，1916 年被一股塞努西部落人枪杀。耶稣小兄弟会于 1933 年由法国人瓦尧姆创立于阿尔及利亚境内奥兰地区南部；小姊妹会于 1939 年由法国修女玛德琳娜创立于阿尔及利亚境内的图古尔特。两会修士分成小组生活，深入贫苦劳动阶级当中，与他们一样自食其力，希望借此感召他们信教。

Little Caucasus 小高加索山脉 俄语拉丁字母转写作 Maly Kavkaz。高加索地区南部的褶皱山脉。通过利赫斯基山脉，即里奥尼河和库拉河之间的分水岭与高加索山脉主脉相连接。行政上分属格鲁吉亚、亚美尼亚和阿塞拜疆。呈西北-东南走向。南面与亚美尼亚高地连接，包括亚美尼亚南部地区和土耳其和伊朗的邻近地区。西部为高度褶皱山脉，多为火山作用结果。中部和东部轻度褶皱。高度一般在2 400米以下。

Little Dipper, The (constellation) 参阅 **Ursa Minor** 小熊座。

Little Entente 小协约国 两次世界大战之间捷克斯洛伐克、南斯拉夫和罗马尼亚的共同防御协定。协定以 1920 ～ 1921 年间签订的几个条约为基础，旨在反对德国和匈牙利在多瑙河地区的统治，保卫成员国的领土完整和政治独立。20 年代，3 国实行经济和政治合作，并同法国结盟。1933 年希特勒上台后，它们建立了一个常设秘书处和由 3 国外长组成的常设理事会，一年举行 3 次会议，以协调制定共同的政策。30 年代，特别在德国占领莱茵兰(1936)和小协约国所依靠的法国支持已起不了多大作用之后，3 国逐渐奉行独立的外交政策。1937 年 4 月，当时受到德国威胁的捷克斯洛伐克提出，当协约国中的一国成为侵略的受害者时，其他两国保证给予充分的军事援助，这一要求遭到南斯拉夫和罗马尼亚的拒绝，至此小协约国已在政治上完全失去其重要性。1938 年 9 月德国吞并捷克斯洛伐克的苏台德地区后，小协约国最后瓦解。

Little Genesis 《小创世记》 参阅 **Jubilees, Book of**《禧年书》。

Little Karoo 小卡鲁 Karoo 又拼 Karroo；阿非利堪斯语作 Klein Karoo 或 Suiderlik Karoo。又称南卡鲁。南非开普省的山间高原盆地。在大斯瓦特山(北)和朗厄山(西南)之间。长约 245 千米，南北平均宽约 48 千米。包括高里茨、赫鲁特、陶斯和卡马纳西等河的流域，河谷(海拔 300 ～ 600 米)是唯一有人居住的地方。降雨量山区 407 毫米，谷地为 127 毫米。河水用于灌溉。美利奴羊和安哥拉羊产优质羊毛，谷地产谷物、烟叶和水果。主要城镇奥茨胡恩是一个鸵鸟养殖中心。

Little League 少年棒球联盟 国际少年儿童棒球运动组织，1939 年成立于宾夕法尼亚州威廉斯波特。联盟原来包括 8 ～ 12 岁的男孩，1974 年开始招收女孩。现在联盟包括有 13 ～ 15 岁少年参加的“高级组”和 16 ～ 18 岁少年参加的“大联盟组”。少年棒球场面积为职业棒球场的 2/3，一场比赛进行 6 局；而不是 9 局；每队 9 人，其中 2 人须在 11 岁以下。正规比赛阵容满 12 岁队员不得超过 7 名。每个联盟有 4 ～ 12 队，每赛季举行约 15 场比赛。胜者参加地方或地区的决赛以争取参加世界系列赛的资格。第二次世界大战后少年棒球运动发展很快。至 21 世纪初少年棒球联盟在美国和 100 多个其他国家中共有 250 万成员。类似的组织，如为 13 ～ 18 岁男女少年设立的鲁思棒球联盟(1952 ～ 1953 年称青少年棒球联盟)也十分兴旺。

little magazine 小杂志 小开本的、专为发表严肃文学作品的任何一种期刊。一般是前卫派的和非商业性的。这些杂志发行于 1880 年左右直至 20 世纪大部分年代，盛行于美国和英国，但法国作家(特别是 1880 ～约 1900 年的象征主义派诗人与批评家)也常常有类似这种刊物的出版，20 世纪 20 年代的德国文学也颇受它们的影响。小杂志这个名称，最主要的意义就是表明它们的编辑、经营、财务都是非商业性的。一种小杂志的创始常常是为了发表一些具有某种艺术价值但又由于下述 3 种原因的全部或其中之一而被商业性杂志所拒绝的作品。这 3 种原因是：①作家不知名，因而不能给刊物赚钱；②作品本身不拘常规，或者形式属试验性质；③作品违背大家认可的道德的、社交的或审美的几条行为观念之一。这些杂志中排在最前列的有：美国两份杂志，分别为《诗刊》(1912 创办)，尤其指早年在门罗有力的指导下的那些期数，以及由安德森主编的那本更古怪、经常也更为耸人听闻的《小评论》(1914 ～ 1929)；20 世纪第 2 个十年期间的一批英国杂志，其中的《自我中心者》(1914 ～ 1919)和《疾风》(1914 ～ 1915)两份非常引人注目；还有乔拉斯主编的《变迁》(1927 ～ 1938)。除了后一种之外，所有这些杂志都有一位主要的指导者——美国诗人和批评家庞德。他任《诗刊》和《小评论》的“驻外记者”，他设法使《自我中心者》从创办初期的女权运动杂志《新自由妇女》(1913)转变为一种前卫派文学评论的刊物，他还和刘易斯共同主办了两期《疾风》。因此，小杂志都显示出一个强有力的名人背景。在小杂志的历史上，类似的强大而有献身精神的名人有：美国诗人威廉斯，他的名字以不同的身份出现在许多小杂志上；英国批评家和小说家福特，他是《泛大西洋评论》(1924 ～ 1925)的主编和许多其他杂志的投稿人；法国的卡恩，他是个二流诗人，但也是个和几家法国象征主义期刊有联系的很活跃的编辑。

小杂志的历史总的来说有 4 个主要时期。第一时期从 1890 年到约 1915 年，法国的杂志主要是为了创立和阐明一项文学运动；英美杂志则为了传播有关欧洲大陆的文学和文化的信息并促进英美人接受之。第二个时期是从 1915 年到 1930 年，另外一些杂志，尤其是美国的杂志，这时成了现代文学的几乎每种变体的先驱，这时期一个引人注目的特征便是那些旅居国外人士创办的杂志。通常由年轻的英美批评家和作家在法国出版，但有时也在欧洲其他地方出版。这时期主要侧重在文学和美学的形式和理论方面，以及出版新作及有独创性的作品，如海明威的作品（刊登在《小评论》、《诗刊》、《本季度》及其他刊物上）；艾略特的作品（刊登在《诗刊》、《自我中心者》、《疾风》上）；乔伊斯的作品（刊登在《自我中心者》、《小评论》、《变迁》上）以及许多其他作家的作品。第三个时期是在20世纪30年代。开始出现许多左翼杂志，这种杂志起始于某种信念的宣传，往往在出版过程中编辑方针出现颇大的改变。1934年出版的《党派评论》也许是美国这类杂志中最为著名的，在英国则为《左派评论》（1934～1938）。

小杂志历史上的第四个时期约于1940年开始。这时期的特征，便是其评论文章是由一群大多是在大学或学院任教的批评家支持和鼓励的。在美国，这类期刊中有兰塞姆于1939年创办的《凯尼恩评论》，在英国有利维斯于1932～1953年间任主编的《调研》。这种评论家及各种相应的支持，诸如保持其独立的论点或刊物的出版人所给予的支持，代表一种“自立门户”的形式，这与小杂志早年的更为自发、更为古怪的本性根本不同。

Little Octobrist　十月儿童　苏联9岁以下的共产主义儿童组织成员，与14～28岁青少年参加的苏联共青团（**Komsomol**）有密切的联系。

little owl（*Athene noctua*）　**小鸮**　鸮形目鸱鸮科鸟类。体长约20厘米，羽毛呈淡褐色。见于欧洲、中亚和北非，已引入新西兰。白天活动，常栖息于开阔地。营巢于建筑物或

小鸮（*Athene noctua*）
美国不列颠百科全书公司供图

天然洞穴内。食各种昆虫、小型哺乳动物、鸟和爬行类。横斑腹小鸮（*A. brama*）和林斑小鸮（*A. blewitti*）见于印度和东南亚。

Little Poland Uplands　小波兰高地　波兰语作Wyżyna Małopolska。波兰南部多湖泊地区，面积25 000平方千米。位于中波兰低地之南，包括自琴斯托霍瓦-克拉科夫悬崖地（波兰侏罗山）至维斯图拉河之间的区域。拥有西里西亚高地（即西里西亚-克拉科夫隆起）、尼达盆地和海拔612米的圣十字山；行政范围属于克拉科夫省、琴斯托霍瓦省、凯尔采省、彼得库夫-特雷布纳尔斯基省。高地的北部与中部有维斯图拉河流过，东部则有维斯图拉河的支流桑河流经。该区地形是北部山地冰川与大陆冰盖南进造成的，其中有沙粒、冰碛和冰期后自北方吹来的黄土等迥然各异的地区。黄土沉积面积很大，以喀尔巴阡山山麓和卢布林高原尤甚。黄土上形成肥沃的棕色与黑色土壤，可种植黑麦、马铃薯、燕麦。维斯图拉河与桑河汇流处土壤为沙质且多沼泽。整个高地多草原与森林。西部（西里西亚高地）有丰富的煤矿，为欧洲重要烟煤产地之一。还有铁、锌、铅等矿藏。卡托维兹省的11个城市紧密联系，形成上西里西亚的都会集聚区核心，其中卡托维兹市为最大的中心。克拉科夫周围地区有波兰最大工业企业新胡塔（列宁）炼钢厂，在经济上与卡托维兹地区密切相关；该厂使用西里西亚的煤和俄罗斯的铁矿。其他重要都市有凯尔采、琴斯托霍瓦、彼得库夫-特雷布纳尔斯基和卢布林。

Little Richard　小理查德（1932-12-05，美国佐治亚梅肯～　　）　原名Richard Wayne Penniman。美国节奏与布鲁斯歌手和钢琴家。出生于一个有12个孩子的家庭，曾在教会里唱诗和伴奏，但后来其父因听说他有同性恋行为将他轰出家门。此后他一直在夜总会里演奏，随着一个兜售药品的巡回演出团行遍各地，自20世纪50年代初期起便为布鲁斯艺术家灌录唱片。他最先以《水果冰淇淋》（1956）成功走红，那是一种精力充沛有着肆无忌惮倾向的表演。其后类似的当红歌曲有《修长的莎莉》、《露西儿》和《美丽的莫莉小姐》。1957年他改变宗教信仰，并且随后被任命为神职人员。但他很快回到音乐领域，并成为拉斯韦加斯修道会很受欢迎的人，然后继续他的旅程，演出过很多部成功的电影。20世纪90年代中期继续在音乐会和盛大节日中出现，演唱世界名曲。堪称美国摇滚乐的一代宗师。

Little Rock　小石城　美国城市，阿肯色州首府，珀拉斯凯县县城。位于州中部沃希托山山麓，临阿肯色河。1722年法国探险家拉阿尔普曾抵此，据河床岩层构造而命名为“小

小石城市的州议会大厦
阿肯色州公园与旅游管理委员会供图

石”（上游3千米处还有“大石”）。附近为夸保印第安人住地。1820年勘测为准州府所在地。1831年设镇，1836年设市。19世纪80年代随铁路扩建成为重要交通枢纽。因邻近木材、石油、天然气、煤和铝矾土等原料的产地，20世纪40年代工业开始有计划向多样化发展。1969年阿肯色河水闸、大坝配套工程建成，成为河港。并为四周农业地区的主要销售市场。1957年因黑人入学权利问题发生州与联邦政府立场不一，导致军队介入，引起世界关注，其后10年内，公立学校全部取消种族隔离制度。1998年克林顿总统签署法令定中央高中为历史遗址，授予“小石城九勇士”国会金章。经济依靠政府行政服务、金融服务、食品加工、化妆品生产、通讯器材、数据传送设备制造业。有阿肯色大学（1927）、菲兰德·史密斯学院（1868）、阿肯色大学医学中心（1956）、阿肯色浸礼会学院（1884）和州立盲聋人学校等。麦克阿瑟公园内有阿肯色艺术中心和D.麦克阿瑟将军出生地。市东北有小石城空军基地（1955）。人口：市183 133；小石城-北小石城都会统计区583 845（2000）。

Little Saint Bernard Pass　小圣伯纳德山口　意大利语作Colle del Piccolo San Bernardo，法语作Col du Petit-Saint-Bernard。位于勃朗山地（北）与格雷晏阿尔卑斯山脉（**Graian Alps**，东南偏南）之间，在意大利边境西南，法国东南部的萨瓦省内。海拔2 188米。经过山口的公路连接法国的圣莫里斯堡（西南11千米）和意大利的莫尔热（东北16千米）。山口西南有教会招待所。

Little Sisters of Jesus　耶稣小姊妹会　参阅 **Little Brothers of Jesus and Little Sisters of Jesus** 耶稣小兄弟会和耶稣小姊妹会。

Little Tennessee River　小田纳西河　美国河流。源出佐治亚州东北部蓝岭山脉。向北流，转西北经北卡罗来纳州西南部和田纳西州，在劳道恩堡水坝以下汇入田纳西河。全长约240千米。河上有田纳西河流域管理局建造的3座水坝。

little theatre　小剧场运动　美国戏剧运动。为摆脱庞大的商业性剧场在戏剧形式和演出方法上的限制而建立起来的许多小型实验性戏剧中心。这场运动由一些青年剧作家、舞台设计师和演员于20世纪初发起，他们深受19世纪晚期充满活力的欧洲戏剧的影响。特别是德国导演M.赖恩哈特的革新理论、A.阿皮亚和G.克雷格的舞台设计观念以及巴黎自由剧院和莫斯科艺术剧院的实验演出，对他们的影响尤为深刻。波士顿的玩偶剧场（1912）、芝加哥的小剧场（1912）和纽约市的小剧场（1912）等均为实验活动的中心。通过鼓励自由表现、上演有才能的青年剧作家作品和仅以艺术价值作为选择剧本的标准，小剧场为不少剧作家如E.奥尼尔、G.S.考夫曼、E.赖斯、M.安德森和R.E.舍伍德等提供了一种有价值的早期锻炼机会。

Little Turtle　小乌龟（约1752，印第安纳韦恩堡附近～1812-07-14，美国印第安纳韦恩堡）　美洲印第安人、迈阿密部族首领。在美国国会讨伐印第安人的动荡时期名扬一时。1790年大破J.哈马将军的缺乏训练的民军。次年A.圣克莱尔将军率训练有素的卫戍部队在俄亥俄河与伊利湖之间构筑碉堡，竟被他消灭。至1793年与A.韦恩将军交战，始被征服。1795年8月签署《格林维尔条约》，印第安人同盟将俄亥俄的大部及伊利诺伊、印

第安纳和密歇根诸州的部分地区割让给合众国。嗣后他积极倡导和平,并成功地阻止迈阿密印第安人参加特库姆塞的肖尼联盟。参阅 **Fallen Timbers, Battle of**。

little wolf 参阅 **coyote** 丛林狼。

Littleton 利特尔顿 美国科罗拉多州中北部阿拉珀霍县县城,其部分地区属道格拉斯县和杰弗逊县。位于丹佛以南 18 千米。原是服务于金矿营地的面粉厂和粮仓所在地,1871 年修通铁路后兴起。当地经济原先主要为农业,第二次世界大战期间建立几座战争装备工厂,战后转为生产航天器材。原城市在 1965 年洪水中严重破坏,灾后重建住宅区,现在已和丹佛都会区的市郊连成一体。1999 年该市哥伦比恩中学曾发生两个学生开枪射杀多人事件。艾奇逊-托皮卡-圣菲铁路火车站(1887)现在成了艺术中心和美术馆。1890 年设市。人口40 340(2000)。

Littleton, Mark (U.S. author) **利特尔顿** 参阅 **Kennedy, John P(endleton)** 肯尼迪。

Littleton, Sir Thomas 利特尔顿(1422,可能生于英格兰伍斯特郡弗兰克莱～1481-08-23,弗兰克莱) Littleton 又拼 Lyttelton 或 Luttelton。英国法学家,《利特尔顿论租佃》(或称为《租佃论集》)一书的作者。这是英国第一部既不是用拉丁文书写,在实义上也不受民法(罗马法)影响的重要法律著作。由约翰·莱托和威廉·马克林尼亚出版的版本(1481 或 1482?)无疑是第一部印刷出版的关于英国法律的书。在 20 世纪他的著作有时仍然被当作权威著作加以援引。在英国历史上的一个大动乱时期,曾几度担任过高级职位:伍斯特郡的郡长、沃里克郡考文垂的记录法官、北部巡回区巡回法官(审判法官)以及民事法院法官(1466 年由国王爱德华四世任命)。1475 年受巴斯爵士勋位。利特尔顿为了对其第二个儿子理查德讲授法律,在他的《租佃论集》中细微地区分了中世纪各种类型的英国土地租佃方式。这一著作是用一种盎格鲁-诺曼语的特种格式——法语中的法律用语——写成的。

Littlewood, Joan (Maud) 利特尔伍德(1914-10-16,英国伦敦～2002-09-20,伦敦) 英国有影响的戏剧女导演。她厌弃商业性剧院的统一化程式和无关痛痒的社会题材,倾向演出涉及当代社会问题的实验性戏剧。就学于皇家戏剧艺术学院。20 世纪 30 年代创立专在露天剧场演出的戏剧联合会和表演剧院。1945 年在曼彻斯特成立为工人阶级观众演出的实验剧团,1953 年该团迁至伦敦东区斯特拉特福的皇家剧院。初期上演的剧目主要是莎士比亚剧作和其他古典作品,以及她丈夫 E. 麦科尔创作或改编的时事剧。麦科尔是一位民歌歌唱家和政治剧作家。剧团逐渐发展起一种更加明确的风格。她受 B. 布莱希特的影响,鼓励观众参加演出,允许演员即席表演和灵活处理台词。她后来的演出计划都是由演员参加讨论、集体制订的。1955 年成功地演出了她丈夫根据捷克作家 J. 哈谢克的小说改编的《好兵帅克》,此后她的影响越来越大。1963 年上演的《噢,多么美好的战争!》,是她最著名的杰作。她在这出戏里利用当时的流行歌曲、醒目的报纸标题和其他增强效果的手段,有力地抨击了第一次世界大战。其他著名演出剧目还有 B. 贝汉的《怪人》(1956)、《人质》(1958)和 S. 德莱尼的《尝一口蜂蜜》(1958),演出充满活力、喧闹、幽默,人物刻画却又细致入微。1964 年实验剧团解散,此后,她对非戏剧性的事业发生兴趣。但实验剧团仍然在她的指导下于 70 年代初期重新组建。1975 年后她离开英国去法国工作。1994 年出版自传。

Litton Industries, Inc. 利顿工业公司 美国跨国公司。1953 年由 C. B. "Tex" 桑顿(1913～1981)创立。原名电气动力公司。1954 年购买加利福尼亚圣卡洛斯制造电子管的利顿工业公司(1932 年成立)后改从其名,总部设在加利福尼亚贝弗利山。该公司经多次购买、出售其他公司后成为一家在世界上有 80 多家分公司的跨国公司。制造出售各种产品并提供劳务。业务范围从电子、电气部件和设备到航天及海运系统和设备。其名牌产品有利顿牌微波炉、皇家牌和胜利牌打字机。它也是国防上主要的包工公司。

littoral zone 滨岸带 受潮流、沿岸流和碎浪影响的海洋生态领域,深至低潮位之下 5～10 米,随风浪的强度而不同。这个带的特征是富含溶解氧,阳光和营养物充裕,通常波能高,水的运动大,在潮间亚带淹没和外露相交替。海岸线和近岸海底的地质性质差别极大。因而滨岸带动物群作为一个整体包括众多的物种及每一主要门类,虽然它的个体数量可能随地点而有较大变化。珊瑚礁、岩岸、沙滩和遮蔽海湾各有特殊的、具复杂联系的滨岸带动植物种群。栖居于滨岸带的生物类型在相当大程度上视海底类型及其外露受波浪作用的程度而定。外露的沙岸一般只发育很少的种群,特别是在高低潮线之间。然而栖息于波浪冲刷的岩岸上的少量生物,通常牢牢地黏结、固着于基底上。但在免遭强浪作用的海湾和小港,则常常发育有丰富的种群。海草、贻贝、藤壶等常覆盖在这里的岩岸上,它们之间爬行着各种蟹和蠕虫。保护性的沙泥质海底则为掘穴的软体动物、蠕虫和棘皮动物所充斥。

Littré, (Maximilien-) Paul-Émile 利特雷(1801-02-01,巴黎～1881-06-02,巴黎) 法国语言学者、词典编纂者、哲学家。所著《法语词典》(4 卷,1863～1873)为不朽的名著。是哲学家 A. 孔德的挚友,大力宣传孔德的思想。曾攻读医学以及英文、德文、希腊文、拉丁文和梵文,作为一个热情的民主主义者,曾参加 1830 年反对国王查理十世的起事。其后 10 年他着手于希波克拉底著作的翻译工作(10 卷),于 1862 年全部出版。第 1 卷出版时(1839),他阅读了孔德的著作,并立即成为孔德的信徒,发表许多论实证主义的著作。孔德于 1842 年失掉巴黎综合工科学校的教学工作之后,利特雷成为孔德的主要的财务赞助者之一。1852 年以后他与孔德的日益增长的神秘主义观点产生分歧,但直到孔德死后才发表其不同观点。这些观点见于所著《实证主义哲学言论集》(1859)和另一部著作中(1863)。此著作寻绎孔德的思想根源并分析其哲学思想体系及其效应。利特雷最终完成了在 1844 年开始编写的词典,由于它定义准确,反映了法语的历史发展,其价值是无可比拟的。词典对每个词都根据其过去曾有过的不同意义,在用法上给予权威的阐释。因为他具有唯物主义观点,经过一些争论后,于 1871 年被选进法兰西学院。1875 年成为上议院终身议员。

Lituites 喇叭角石属 头足纲类的绝灭属。化石见于海相奥陶系(5 亿年前至 4.3 亿年前)。独特的壳由连续排列的房室组成。壳以紧卷部分开始,几个螺环后逐渐伸直。

喇叭角石属(*Lituites*)动物化石
美国不列颠百科全书公司供图

壳的前部(最大部分)笔直,向前膨胀。房室之间的缝合线是环绕着壳的简单曲线。

liturgical drama 礼拜式戏剧 中世纪的一种戏剧类型,在教堂内或教堂附近演出,内容是关于《圣经》故事和圣徒故事。虽植根于基督礼拜式,但它们并不是标准教堂礼拜的基本部分。礼拜式戏剧使用拉丁语,对话常用简单的单旋律音调演唱,音乐也使用舞蹈音乐和游行圣歌曲调的形式。在 10 世纪的手稿中曾发现最早的礼拜式戏剧的痕迹。礼拜式戏剧在 12、13 世纪期间特别盛行。最流行的主题来自丰富多彩的《圣经》故事和圣徒故事,如 3 个马利亚、但以理在狮子坑中、愚蠢的童女、耶稣受难与升天故事等等。最后,礼拜式戏剧随着其剧目由世俗方面主持并采用地方语言而同教堂完全分离。参阅 **miracle play; morality play; mystery play**。

liturgical hours (religious service) 参阅 **divine office** 日课。

Liturgical Movement 崇拜礼仪改革运动 基督教各派教会内 19、20 世纪兴起的一种运动,其目的在于重新使人们积极而有所理解地参与基督教的正式崇拜礼仪。它力图使崇拜礼仪既符合早期基督教传统,又更加适应现代基督徒生活。运动的内容包括简化礼仪、制订新的礼文(例如天主教会把拉丁语礼文译成各国的通俗语言)以及重新培训平信徒和神职人员习演崇拜礼仪。教父著作研究、《圣经》研究、基督教考古学、不断发现的早期基督教文献和崇拜礼文,这些都是崇拜礼仪改革运动所利用的材料。在天主教,崇拜礼仪改革运动可追溯到19世纪中叶一些隐修院,特别是法国、比利时和德国本笃会隐修院的崇拜礼仪。约1910年以后,运动推广到荷兰、意大利和英国,再扩及美国。大约在第二次世界大战期间,它深入到各堂区,在法国和德国尤其具有堂区色彩。礼文修订,力图更加符合早期基督教礼文的思想和实践,也考虑到今天教徒的需要。早期的改革强调增加望弥撒领圣体的次数,对教会历作一些改动。教皇庇护十二世于1947年发布通谕,强调崇拜礼仪十分重要,必须争取人们参加,他这一举动发挥了重大作用。实际的礼仪改革始于1951和1955年对"圣周"的礼仪改革。第二次梵蒂冈会议(1962～1965)批准了崇拜礼仪改革运动的宗旨,建议全体天主教信徒积极参加崇拜礼仪,规定崇拜礼文使用通俗语言,推翻以拉丁语为唯一礼文语言的传统,并且命令改革圣事,这种改革已于20世纪70年代完成。1969年公布新的《圣句集》和教会历,1970年公布权威性的《罗马弥撒书》。基督教(新教)一些派别也修订和改写了礼文中的陈旧词句,在这方面他们往往利用更具广泛性的普世教会运动研究成果。1970年联合长老会公布公共礼拜用的《礼拜书》。1978年美国信义会出版修订本《信义会礼拜书》,提出不同礼文,有选择余地;也补充多种乐曲供选用。1979年圣公会采用修订本《公祷书》,每项礼文提供几种版本供选择,其中一种是传统本。

liturgical music 礼拜仪式音乐 又称教堂音乐(church music)。指为宗教礼拜仪式而作的音乐,通常与基督教传统有关。早期基督教礼拜仪式自犹太会堂的音乐实践发展而来,包含由会众咏唱的简单迭句或应答圣歌。这又逐渐演化成各种西方圣咏,最晚的格列高利圣咏在加洛林王朝的文艺复兴时期达到顶峰。

复调音乐起初只限于在几个主要节日应用。1200年左右,早期复调风格在巴黎圣母院乐派作曲家莱奥南和佩罗坦的壮丽奥加农中发展到最高点。14世纪,大量"附加句"唱词由一些多少是受过训练的作曲家配上音乐,大多用比较简单的主调音乐风格。而法国人则将"同一节奏法"用于经文歌,也用于弥撒曲的段落。最早把常规弥撒作为一个统一整体加以复调配乐的少数作品也出现于这一时期。中世纪晚期教堂音乐在手法和表情上日益直截了当。节奏上的微妙层次让位于对于调性、条理和对称的强烈感觉。文艺复兴时期确立了由小唱诗班而不是由独唱来咏唱复调音乐的常规。虽然无伴奏合唱风格与这一时期紧密相关,但教堂唱诗班有时还是有管风琴和其他乐器伴奏的。管风琴的礼拜仪式音乐亦在文艺复兴时期得到发展,以前只在没有唱诗班能够演唱复调音乐时才采用管风琴仪礼音乐。管风琴师奏出配了和声的素歌曲调、赞美歌和弥撒曲,接着是唱诗班和会众咏唱素歌歌词,二者轮番交替。"领唱赞美歌"在英国和巴罗克经文歌在意大利的兴起,激发了管风琴师即兴伴奏的能力。在德国,众赞歌是经文歌、管风琴音乐以及后来的康塔塔中的重要组成部分。H.许茨、F.通德和D.柏格兹特胡德使音乐在教堂礼拜中起着最重要的作用,至J.S.巴赫而达到顶点。

在古典主义时代,赞美歌、经文歌和弥撒曲继续创作出来。这一时期的大作曲家们在为仪礼歌词谱曲时,其着眼点往往不是教堂而是音乐厅。L.冯·贝多芬、F.舒伯特和A.布鲁克纳的弥撒曲,G.罗西尼和J.勃拉姆斯的经文歌,C.弗兰克和M.雷格尔的管风琴音乐,以及H.柏辽兹和G.威尔地的安魂曲构成19世纪教堂音乐的大相径庭的发展方向。在20世纪,R.冯·威廉斯、W.沃尔顿、B.布立顿、O.梅西昂、F.普朗克、I.斯特拉文斯基和K.彭德雷茨基都为这些古代曲式指出了新的途径。

liturgy of the hours 参阅 **divine office** 日课。

Litvínov 利特维诺夫 捷克共和国西北部北捷克州北部工业区。位于克鲁什内山脉(厄尔士山脉)山麓。建于1950年,为莫斯特-扎卢日-利特维诺夫工业联合体的一部分。利特维诺夫市有褐煤开采业,还有化工和石化联合企业。扎卢日有一炼油厂。利特维诺夫还是棉纺织品和服装的大生产区。人口约29 085(1991)。

Litvinov, Maksim Maksimovich 李维诺夫 (1876-07-17,波兰比亚韦斯托克～1951-12-31,俄罗斯苏维埃联邦社会主义共和国莫斯科) 原名梅厄·瓦拉奇。苏联外交家,外交人民委员(1930～1939),世界裁军和第二次世界大战前与西方强国建立集体安全体系反对纳粹德国的著名的提倡者。在帝俄军队中服役时受马克思主义影响,1898年参加俄国社会民主工党。1901年因革命活动被捕,越狱后逃往英国(1902)。1903年后加入布尔什维克,在整个欧洲从事党的活动。十月革命后任驻伦敦外交代表。1918年10月因在英国从事宣传活动被捕,翌年1月,与1918年率领驻苏特派团在苏被捕的英国新闻记者洛克哈特交换,回国后入外交人民委员部工作。1927～1930年任苏联出席国际联盟世界裁军会议筹备委员会代表团团长,曾提出全面裁军计划。1930年7月21日任外交人民委员,成为苏联出席1932年在日内瓦举行的世界裁军会议的首席代表。1933年率苏联代表团出席伦敦世界经济会议,1934年进行关于苏美两国建立外交关系的谈判。在纳粹德国的力量成为一种威胁时,他敦促国际联盟制订集体抗击德国的计划(1934～1938),并与法国(1935-05-02)和捷克斯洛伐克(1935-05-16)谈判签订反德条约。1939年8月《苏德互不侵犯条约》签订前夕,由于他是犹太人和坚持反德立场而被解除职务(1939-05-03)。1941年德国入侵苏联后,他恢复工作,任苏联驻美大使(1941-11～1943-08)和副外交人民委员。

美国不列颠百科全书公司供图

Litvonian Highland (Latvia) **立窝尼亚高地** 参阅 **Vidzeme** 维泽梅。

Litwos 李特沃斯 参阅 **Sienkiewicz, Henryk** 显克维奇。

Liu An 刘安 参阅 **Huainanzi**《淮南子》。

Liu Ao 刘骜 参阅 **Han——**:汉朝帝王序列下 **Hanchengdi Liu Ao** 汉成帝刘骜。

Liu Bang 刘邦 参阅 **Han——**:汉朝帝王序列下 **Hangaozu Liu Bang** 汉高祖刘邦。

Liu Bei 刘备 参阅 **Hanzhaoliedi Liu Bei** 汉昭烈帝刘备。

Liu Bingzhong 刘秉忠 (1216～1274-08) 又拼 Liu Ping-chung。中国元代政治家。初名侃,字仲晦。邢州(今河北邢台)人。早年为僧,法名子聪,号藏春散人。能诗文。元世祖(忽必烈)为藩王时,被荐至藩邸,因博学多能备受重视。建议劝农桑、兴学校、改革当时各项弊政,采取前朝制度。1260年世祖即位后命子聪制定各项制度,如设中书省。1264年命子聪还俗,复刘氏姓,赐名秉忠,授光禄大夫、太保、参领中书省事、同知枢密院事。1271年刘秉忠建议改元立年号,建国号为大元,定朝仪官制。又奉命营建上都开平(今内蒙古正蓝旗东)和大都(今北京)两城。

中国大百科全书出版社供图

Liu Bocheng 刘伯承 (1892-12-04,中国四川开县～1986-10-07,北京) 又拼 Liu Po-ch'eng。中国共产党第八至十一届中央政治局委员,第二至五届全国人民代表大会常务委员会副委员长。原名刘明昭。1911年参加辛亥革命。1912 年考入重庆军政府将校学堂。1914 年加入孙中山领导的中华革命党。在反对北洋军阀的护国、护法战争中以骁勇善战闻名，在四川酆都之战中他的右眼中弹

中国大百科全书出版社供图

致残。1926 年加入中国共产党。参与组织泸州、顺庆起义，任国民革命军四川各路总指挥、暂编第十五军军长。1927 年参与领导南昌起义，任中共前敌委员会参谋团参谋长。1928 年赴苏联入高级步兵学校、伏龙芝军事学院学习。1930 年夏回国后，历任中共长江局军委书记，中国工农红军学校校长兼政治委员，中央革命军事委员会总参谋长。红军长征中先后亲临前线指挥强渡乌江、占领遵义等多次重要战役。在 1935 年 1 月召开的遵义会议上，支持毛泽东的正确主张。抗日战争时期，任八路军一二九师师长，与政治委员邓小平一起率部转战敌后，发展人民游击战争，创建了晋冀鲁豫抗日民主根据地。解放战争时期，历任晋冀鲁豫军区、中原军区、第二野战军司令员。曾组织、指挥上党战役、邯郸战役、鲁西南战役、淮海战役、渡江战役和西南战役等大规模的战役。中华人民共和国建立初期任西南军政委员会主席。1950 年冬领导组建军事学院，任院长兼政治委员。1954 年任人民革命军事委员会副主席。1955 年被授予中华人民共和国元帅军衔。任中共第七届中央委员、中共第八至十一届中央委员和中央政治局委员。第二至五届全国人大常委会副委员长。1966 年起任中共中央军委副主席。由于年龄和健康原因，从 1982 年起不再担任党政军领导职务。主要军事论著收入《刘伯承军事文选》，另有《合同战术》、《论苏军合围钳形攻势》(1949)等大量译著。

Liu Che **刘彻** 参阅 **Han** ——：汉朝帝王序列下 **Hanwudi Liu Che** 汉武帝刘彻。

Liu-chou (China) 参阅 **Liuzhou** 柳州。

Liu Da **刘炟** 参阅 **Han** ——：汉朝帝王序列下 **Hanzhangdi Liu Da** 汉章帝刘炟。

Liu E **刘鹗**(1857～1909) 中国清末小说家。字铁云，别署洪都百炼生。江苏丹徒(今镇江)人。性格放达，通数学、医学、水利，曾行医经商，作幕宾，帮办治黄工程。主张筑路开矿，举外资兴办实业。1908 年因私售仓粟罪流放新疆，次年 7 月病死。他的小说《老残游记》作于 1903 年，写江湖医生游历见闻，描绘晚清政治黑暗和民间疾苦，揭露酷吏的暴政。叙景状物，时有可观。对语言的运用和在细节的描绘上都有较高的艺术成就。为著名的甲骨收藏家，著有《铁云藏龟》。

Liu Fuling **刘弗陵** 参阅 **Han** ——：汉朝帝王序列下 **Hanzhaodi Liu Fuling** 汉昭帝刘弗陵。

Liu Gongquan **柳公权**(778～865) 又拼 Liu Kung-chüan。中国唐代书法家。字诚悬，京兆华原(今陕西耀县)人。官至中书舍人、翰林书诏学士、太子太保，封河东郡公。楷书

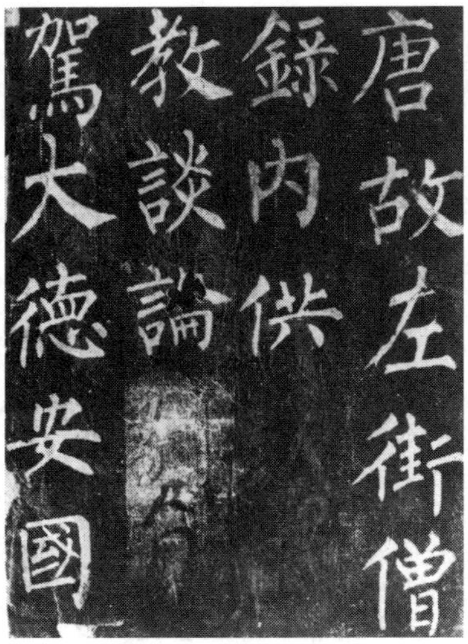

柳公权书《玄秘塔碑》
中国大百科全书出版社供图

尤高。师法主要是颜真卿，亦甚得力于欧阳询与薛曜。所书骨力遒健，结体紧劲，和颜真卿一样，"自出新意，暗合古法"。惟颜书多筋，柳书多骨，同被世重，影响深远，并称"颜柳"。他的代表作，有《玄秘塔碑》、《神策军碑》。墨迹有《王献之送梨帖跋尾》与《临王献之洛神赋》传世。米芾评他的书法"神气清健，无一点尘俗"；董其昌说他"极力变右军法"，自言"自学柳方悟用笔古淡处"。米、董可谓知柳甚深。中国楷书艺术，自此以后，虽有作者，亦不能自辟门户。故论楷书者，应以颜柳为断。二家相较，成就之大，柳不如颜，但书法学柳，取途较便。

Liu Haisu **刘海粟**(1896-03-16，中国江苏常州～1994-08-07，上海) 中国现代画家，美术教育家。原名槃，又名九，字季芳。擅长油画、中国画、书法，并从事美术教育和美术史论研究。6 岁入私塾习字画，10 岁入绳正书院学习，14 岁赴上海入画家周湘主办的布景画传习所学西画。1912 年与人创办上海图画美术院即上海美术专科学校前身，由此揭开中国现代美术教育的序幕。1915 年春，在该校西洋画科首次设置人体写生课，并于 1920 年首开雇用女模特作人体写生教学之先河。1921 年底，应蔡元培之邀赴北京讲学，作题为《欧洲近代艺术思潮》讲演。翌年 1 月举办油画、水彩画展览，其作品倾向于后印象主义，色彩强烈，备受赞誉。1919 和 1927 年曾两次东渡日本，与日本著名画家藤岛武二、桥本关雪等切磋艺术，并在东京举办画展，作品被日本天皇等购藏。1928 ～ 1931 年，受中国政府派遣赴欧洲考察美术，在法国和德国举办画展，其《卢森堡之雪》为法国政府收藏。回国后，先后在上海、南京举办大型个人画展。1933 ～ 1935 年再次赴欧洲考察、办展和讲学，广泛宣传中国传统文化艺术。回国后，在上海、青岛举行其第二度旅欧作品展览。1939 ～ 1941 年，他主持的中国现代名画筹赈展览在东南亚各地展出，将所得款项汇回国内支援抗战。1944 年春与画家夏伊乔结婚。1949 年以后，先后出任华东艺术专科学校校长、南京艺术学院院长。文化大革命期间曾受迫害，1976 年后平反。1979 年，中国美术家协会和中国美术馆联合举办刘海粟绘画展，展出他自 1922 年以来的油画、中国画、书法作品近 200 件。1983 年，其绘画近作展再次在中国美术馆展出。还多次在香港、日本和其他国家举行书画展。刘海粟的艺术融贯中西，以黄山为题材的绘画笔墨凝重，色彩鲜艳，气势恢宏。著述集为《海粟黄山谈艺录》、《刘海粟画语》、《齐鲁谈艺录》、《刘海粟艺术文选》等，1983 年以后相继在北京、山东和上海出版。另外出版画集几十种。

Liu Heng **刘恒** 参阅 **Han** ——：汉朝帝王序列下 **Hanwendi Liu Heng** 汉文帝刘恒。

Liu Hong **刘洪** 中国东汉天文学家。字元卓。山东蒙阴人。汉桓帝延熹年间(158～167)应召到洛阳，历任郎中、谷城门侯、会稽东部都尉、山阳太守等。206 年编成《乾象历》，颇多创新。将月亮运动不均匀问题首次引进历法，得出月亮运动表，提出推算月亮位置的方法。指出月行白道，黄白交角约 6°，在合朔时月亮离黄白交点不超过 15.3° 才发生交食。测得一近点月长度为 27.553 36 日，还得出交点月概念和长度值以及回归年、朔望月长度和交食周期等天文常数的新值，对后世历法有深远影响。

刘海粟绘《黄山云海滴翠》
中国大百科全书出版社供图

Liu Huaqing 刘华清(1916-10-01,中国湖北黄安[今红安]～2011-01-14,北京) 中国共产党第十四届中央政治局常务委员,中国共产党中央军事委员会副主席。1929年10月

中国大百科全书出版社供图

加入中国共产主义青年团,同年转入中国共产党。曾任湖北黄安县(今红安县)二程区刘家院子村共青团支部书记、少共二程区委组织委员、区委书记兼少先队总队长,游击中队长,陂安南县塔尔岗少共区委书记、八里湾区委书记。1930年12月参加中国工农红军后,任陂安南县军区指挥部少共团委书记,红安中心县军区指挥部团委书记,鄂东北道委秘书,鄂东北游击总司令部交通队指导员、参谋、秘书科科长。1934年后,任红25军政治部组织、宣传、文印科科长,红15军团政治部敌工部科长,红78师政治部宣传科科长,红31军司令部作战科副科长、机要科科长,红31军干部大队长兼政治委员。参加过鄂豫皖苏区历次反"围剿"战役。1935年参加长征。抗日战争爆发后,任八路军129师司令部秘书主任、政治部宣传科科长、供给部政治部主任。1941年后,任冀南军区政治部组织部副部长、部长,平原军区政治部组织部部长,冀鲁豫军区第六军分区副政治委员,冀南军区第7支队政治委员。曾参加晋东南反"九路围攻"、百团大战和冀南反"扫荡"战役。抗日战争胜利后,任晋冀鲁豫军区第2纵队第6旅政治委员。1948年参加淮海战役。1949年1月任第2野战军3兵团11军政治部主任,参加渡江战役。1949年后,任第2野战军军政大学政治部副主任,校党委书记,西南军区军政大学政治部主任,西南军区第二高级步校政治部主任、第2野战军10军副政治委员,大连海军学校副校长兼副政治委员。1954年在苏联海军指挥学院海军指挥专业学习。1955年被授予少将军衔。1958年毕业回国后任海军旅顺基地第一副司令员兼参谋长,海军北海舰队副司令员兼旅顺基地司令员,国防部第七研究院院长,第六机械工业部副部长、部党委常委兼第七研究院院长。1966年后,任国防科学技术委员会副主任,海军副参谋长。1975年后,任中国科学院党的核心领导小组成员,国防科委副主任。1979年后,任中国人民解放军总参谋长助理,副总参谋长。1982年任海军司令员、海军党委副书记。同年9月在中共第十二次全国代表大会上当选为中央委员。1985年9月在中国共产党全国代表会议上增选为中共中央顾问委员会委员。1987年后,任中共中央军事委员会委员、副秘书长。1988年9月被授予上将军衔。1989年11月任中共中央军事委员会副主席,1990年4月任中华人民共和国中央军事委员会副主席,参与领导人民解放军革命化、现代化、正规化建设工作。1992年10月在中共十四届一中全会上当选为中央政治局委员、常务委员,中央军事委员会副主席。1993年3月在第八届全国人民代表大会第一次会议上当选为中华人民共和国中央军事委员会副主席。

Liu Hui 刘徽 中国魏晋时期数学家。魏景元四年(263)为《九章算术》作注。所著《海岛算经》流传至今。《九章算术》于公元1世纪前后成书,是中国古代数学体系的核心。

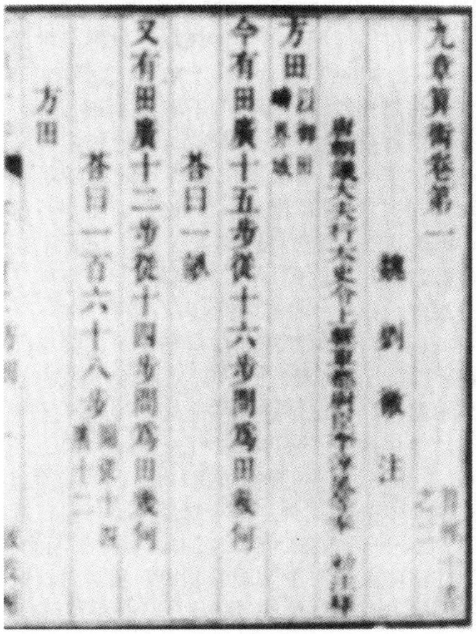

九章算術卷第一
魏 劉徽 注
方田
今有田廣十五步從十六步問爲田幾何
荅曰一畝
又有田廣十二步從十四步問爲田幾何
荅曰一百六十八步
方田

刘徽注四部丛刊本《九章算术》书影
中国大百科全书出版社供图

全书共有246个数学问题。其中对分数和正负数的计算、一次方程组的解法都是具有世界意义的成就。刘徽在其注中有不少创见。曾用几何图形分割后重新拼合等方法验证《九章算术》中各种计算的正确性。创建中国古代数学史上对数学命题进行逻辑论证的范例。关于圆周率的计算(割圆术)和棱锥体积的计算等都是《九章算术》注中的突出成就。割圆术用使圆内接正多边形边数依次加倍(由正六边形算起)的方法使正多边形逐渐趋近于圆。由此得出圆周率。他算出正192边形,得出圆周率近似值 $\pi \approx 157/50 (=3.14)$,又进而算出正3 072边形,得出 $\pi \approx 3\,927/1\,250 (=3.141\,6)$。这是极限概念在中国古代数学史上的最早应用。《海岛算经》是中国论述测量数学最早的专著。

Liu Jiang 柳江 珠江水系西江左岸重要支流。黔、桂水上交通要道。发源于贵州独山县南部,东流入广西境内称融江,南流到柳城改称柳江。河道弯曲,多浅滩。在广西象州县石龙与红水河会合后称黔江,长773.3千米,流域面积5.72万平方千米。

Liu Jin 刘瑾(?～1510) 又拼Liu Chin。中国明代宦官。本姓谈。陕西兴平人。武宗即位后,历掌钟鼓司、五千营、团营。与另7名宦官皆得宠信,为非作歹,时号"八虎"。常导武宗游宴微行。后掌司礼太监,遂把持朝政。索贿征敛,侵夺民田,滥置皇庄至300余处。引焦芳、刘宇等入阁结成阉党,斥逐忠贤。在东厂、西厂外,加设内行厂,侦缉四出,迫害异己,天下惶恐。朝士趋附者多谄呼"千岁"。刘瑾擅权专横,不仅激起民愤,也引起内廷和外廷的不满。1510年因查获其家中私藏玉带、衮衣等违禁物品以谋反罪被凌迟处死。

Liu Kaiqu 刘开渠(1904-10-01,中国安徽萧县～1993-06-25,北京) 中国现代雕塑家,美术教育家。1920年考入北京美术专科学校,后转入该校大学部学习油画。1928年赴法国巴黎高等美术学校雕塑系学习。在法留学期间,曾与人发起组织中国留法艺术研究会,向国内介绍欧洲的绘画和雕塑。1933年回国后任杭州艺术专科学校教授兼雕塑系主任。1934年创作巨型雕塑《一·二八淞沪抗战阵亡将士纪念碑》,开创了中国现代雕塑的写实风范。抗日战争爆发后,随国立杭州艺术专科学校辗转于湖南、贵州,于1938年到达成都。在成都期间创作完成的代表作有《王铭章骑马铜像》(1943)、《川军抗日英雄纪念像》(即无名英雄纪念碑,1944)、《孙中山先生坐像》(1944)、《李家钰骑马铜像》(1945)等。1949年任国立艺术专科学校校长。1951年任中央美术学院华东分院院长。1953年任北京人民英雄纪念碑设计处处长和雕塑组组长,创作完成主体浮雕。1959年任中央美术学院雕塑系教授、副院长。自1963年起,一直担任中国美术馆馆长,收藏委员会和艺术委员会主任。1982年创作了《肖友梅铜像》,1988年又创作了《蔡元培纪念像》。1982年出任全国城市雕塑规划组组长。刘开渠的雕塑在

中国大百科全书出版社供图

西洋写实观念与技巧的基础上,继承发扬了中国传统雕塑简练、单纯及线画的表现方法,形成了具有中国民族精神的独特风格。其作品手法细腻严谨,结构准确,重于内在生命的表现。著有《刘开渠雕塑选集》(1961)、《刘开渠美术论文集》(1984)等。

Liu Kan 刘衎 参阅Han——:汉朝帝王序列下Hanpingdi Liu Kan 汉平帝刘衎。

Liu Kunyi 刘坤一(1830-01-21～1902-10-06) 又拼Liu K'un-i。中国清末总督,湘军将领。字岘庄。湖南新宁人。1855年率团练在湖南与太平军作战。次年随湘军将领刘长佑

援江西，先后转战于江西、湖南、广西等地。1862年升广西布政使。1865年任江西巡抚。1875年擢两广总督。1879年调任两江总督。与李鸿章积极推行洋务运动。1890年仍任两江总督。次年受命帮办海军军务。中日甲午战争期间北洋陆海军节节失败，被任为钦差大臣驻山海关，节制关内外陆军，辽河一战全军溃败。1896年回任两江总督。1900年义和团运动爆发，在英国策划下与张之洞倡办"东南互保"，把义和团运动局限于华北地区。有《刘坤一遗集》。

Liu Qi　刘启　参阅**Han——**：汉朝帝王序列下**Hanjingdi Liu Qi** 汉景帝刘启。

Liu Shaoqi　刘少奇(1898-11-24，中国湖南宁乡～1969-11-12，河南开封)　又拼 Liu Shao-ch'i。中国共产党和中华人民共和国的主要领导人之一，中国杰出的共产主义革命家、政

中国大百科全书出版社供图

治家和理论家。原名绍选，字渭璜，曾用名卫黄，化名胡服、陶尚行等。少年时期在家乡上过私塾(中国的旧式初级学校)和小学，1919年中学毕业。1920年加入中国社会主义青年团。1921年到苏俄莫斯科东方劳动者共产主义大学学习，同年加入中国共产党。1922年回国从事工人运动，在中国劳动组合书记部(中华全国总工会的前身)工作。不久，到江西省西北部的安源煤矿同李立三等领导安源路矿工人大罢工，随后任工会组织安源路矿工人俱乐部代主任、主任。1925年5月在第二次全国劳动大会上当选为中华全国总工会副委员长。此后分别在上海、广州、武汉参加领导五卅运动、省港大罢工和武汉工人群众收回汉口英租界的斗争。1927年5月在中共第五次全国代表大会上当选为中央委员。第一次国共合作全面破裂后，他先后在河北、上海、东北等地从事中共秘密工作。1930年夏赴莫斯科出席赤色职工国际第五次代表大会，当选为执行局委员，并留在赤色职工国际工作。1931年1月在中共六届四中全会上当选为中央政治局候补委员。同年秋回国，任中共临时中央职工部部长、中华全国总工会组织部长。他在长期的工作中逐渐认识到党在国民党统治区的工作应该实行深入群众、长期隐蔽、积蓄力量的方针。1932年冬进入位于江西省南部和福建省西部的中央革命根据地，先后任中华全国总工会苏区中央执行局委员长、中共福建省委书记。1934年10月参加长征，任中国工农红军第八军团、第五军团中共中央代表和第三军团政治部主任。1935年1月在贵州省遵义县城召开的中共中央政治局扩大会议上，他支持毛泽东的主张。1936年春赴华北，先后任中共中央代表、北方局书记，执行中共中央关于建立抗日民族统一战线的政策，推动华北抗日救亡运动和抗日武装斗争的发展。在反对"左"倾错误路线的实践中，他对过去中共党的秘密工作中的关门主义和冒险主义进行了系统的批评。1937年抗日战争爆发后，他坚持中共中央关于深入敌后、发动群众、开展游击战争的方针，领导了开创华北抗日根据地的工作。1938年11月中共扩大的六届六中全会后，任中共中央中原局书记，组织力量深入华中敌后，开展游击战争。1939年7月发表《论共产党员的修养》。1941年皖南事变后，被任命为新四军政委、中共中央华中局书记和中央军委新四军分会书记，同陈毅等一起扭转了新四军的困难处境，恢复和发展了长江中下游地区的抗日武装力量，扩大了华中抗日根据地。1942年底回到延安。1943年3月任中共中央书记处书记和中央军事委员会副主席。1945年5月在中共第七次全国代表大会上作《关于修改党的章程的报告》，对毛泽东思想作了概括和论述。在中共七届一中全会上当选为中央政治局委员、书记处书记，和毛泽东、朱德、周恩来、任弼时组成以毛泽东为首的中共中央书记处。同年8月，日本宣布投降，毛泽东赴重庆同蒋介石谈判，在此期间，他代理中共中央主席职务。1947年3月国民党军队进攻中共中央所在地延安，毛泽东等率中共中央机关继续留在陕北指挥全国解放战争，刘少奇任中共中央工作委员会书记，同朱德等转移到华北，负责中央委托的工作。同年7～9月，在河北省建屏县(今平山县)西柏坡主持召开全国土地会议，制定了《中国土地法大纲》，确定了解决中国土地问题的基本方针，进一步推动了共产党领导地区的土地改革运动。1949年3月，出席中共七届二中全会，参与制定夺取解放战争的彻底胜利及党的工作重心由乡村转向城市的重大战略决策。同年4～5月间，受毛泽东的委托，赴天津调查研究，扭转天津经济恢复工作中的混乱局面。6月，率中共代表团赴苏联访问，同斯大林商谈两党关系和建立中华人民共和国的有关问题。1949年9月，在中国人民政治协商会议第一届全体会议上当选为中华人民共和国中央人民政府副主席，随后被任命为中央人民政府人民革命军事委员会副主席。1950年6月在全国政协一届二次会议上作《关于土地改革问题的报告》。1954年9月在第一届全国人民代表大会第一次会议上作《关于中华人民共和国宪法草案的报告》，并当选为第一届全国人民代表大会常务委员会委员长。1956年9月在中共第八次全国代表大会上代表中共中央作政治报告。在中共八届一中全会上当选为中共中央政治局常务委员、中央副主席。1959年4月，在全国人大二届一次会议上当选为中华人民共和国主席、国防委员会主席。60年代初期，中国的经济发生了严重的困难，他进行了大量的调查研究，并与周恩来、陈云、邓小平一起制定了一系列注重实效的政策措施，使国民经济得到恢复和发展。1960、1963和1964年他先后出访苏联、印度尼西亚、缅甸、柬埔寨、越南、朝鲜、巴基斯坦、阿富汗、东巴基斯坦(今孟加拉)等国。1965年1月在第三届全国人民代表大会第一次会议上再次当选为中华人民共和国主席、国防委员会主席。1966年"文化大革命"开始后，他受到批判，遭到林彪、江青集团的政治陷害和人身摧残，被免除一切职务。1980年2月中共十一届五中全会为恢复刘少奇的名誉作出专门的决议。他的主要著作收入《刘少奇选集》。

Liu Shi　刘奭　参阅**Han——**：汉朝帝王序列下**Hanyuandi Liu Shi** 汉元帝刘奭。

Liu Songnian　刘松年　又拼 Liu Sung-nien。中国南宋画家。钱塘(今浙江杭州)人，孝宗淳熙(1174～1189)时画院学生，光宗(1190～1194)时为画院待诏，宁宗(1195～1224)时受到赐金带的嘉奖。精山水人物。技法上虽受李唐斧劈皴影响，但笔法润雅，章

刘松年绘《四景山水图》之四：《冬》
中国大百科全书出版社供图

法严谨，在南宋四家中别具风格，为当时人所称道，因住在杭州清波门(俗呼暗门)而被称为"暗门刘"或"刘清波"。刘松年有不少表现文人雅士活动的作品，如《唐五学士图》、《溪亭客话图》、《春亭对弈图》等。他还善于表现西湖的秀美风光。现存《四景山水图》，画湖上贵族别墅园林，细致精巧。图中的春柳堤坡、夏日荷塘、秋山明净、冬雪老松及穿插的游春、纳凉、踏雪等活动都诗意盎然。人物画多工笔重彩，现存罗汉图3幅，线描流畅，神态逼真。他还为南宋抗金名将岳飞、韩世忠、刘锜、张浚画《中兴四将图》。另有《耕织图》。

Liu-t'iao Pien (China)　参阅 **Willow Palisade** 柳条边。

Liu Xiang　刘向(约公元前77～前6)　中国西汉经学家、目录学家、文学家。本名更生，字子政。沛(今江苏沛县)人。治《春秋穀梁传》。曾任谏大夫、宗正等。汉元帝时用阴阳灾异推论时政得失，弹劾外戚宦官专权，两次入狱。成帝即位后复被进用，改名向。升光禄大夫，领校中五经秘书，后又任中垒校尉。曾校阅群书，撰成《别录》20卷，成为当时宫廷藏书的书目提要汇编。另著有《九叹》等辞赋33篇，大都已亡佚。明人辑有《刘中垒集》。今存《洪范五行传》、《新序》、《说苑》、《列女传》等。另有《五经通义》，已佚，清马国翰《玉函山房辑佚书》中辑存1卷。刘向的小儿子刘歆(约公元前53～公元23)在《别录》

中国大百科全书出版社供图

的基础上编成《七略》，是中国第一部综合性图书分类目录。原书已失传。班固《汉书·艺文志》即以《七略》为蓝本。

Liu Xiang 刘翔(1983-07-13，中国上海～) 中国田径运动员。小学三年级时进上海普陀区少年体校，初练跳高。1996年进入上海市体校和上海市田径队青年队，由跳高改练跨栏。1999年5月在全国少年田径锦标赛上获跨栏冠军。2001年5月获第21届世界大学生运动会(北京)110米栏冠军；11月获第9届全国运动会110米栏冠军。2002年7月在国际田径联合会大奖赛瑞士洛桑站110米栏比赛中以13″12打破亚洲纪录和美国人保持了24年的世界青年纪录；10月第14届亚洲运动会(釜山)获110米栏冠军。2004年5月国际田联大奖赛大比赛中，以13″06获110米栏冠军，并打破他自己保持的亚洲纪录；8月在第28届奥林匹克运动会(雅典)110米栏决赛中，以12″91的成绩获金牌，打破12″95的奥运会纪录，平了英国选手科林·杰克逊1993年创造的世界纪录。刘翔的胜利改写了欧美选手一统世界短跑界的历史。在2006年7月的国际田联超级大奖赛洛桑站，奥运会冠军刘翔成功卫冕，并以12″88的成绩打破了尘封13年之久的12″91的世界纪录。

Liu Xie 刘协 参阅Han——：汉朝帝王序列下 **Hanxiandi Liu Xie** 汉献帝刘协。

Liu Xie 刘勰(约465～约539) 又拼Liu Hsieh。中国南朝齐梁文学理论家。字彦和，祖籍东莞郡莒县(今属山东)，永嘉之乱后，世居京口(今江苏镇江)。少孤贫，依附上定林

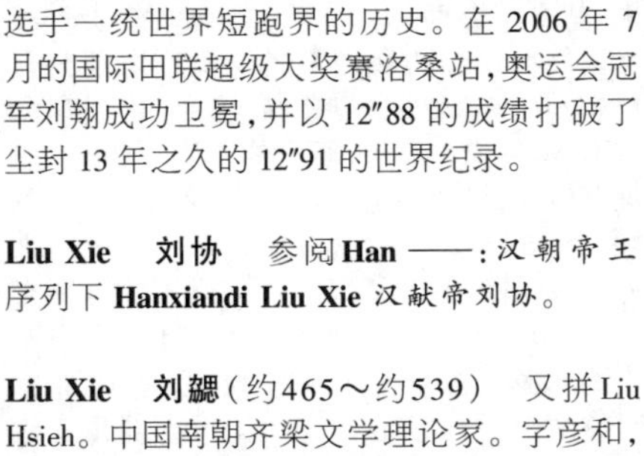

山东莒县浮莱山定林寺刘勰故居
中国大百科全书出版社供图

寺名僧僧祐。博通佛教经论。晚年奉敕撰经，经成后即出家为僧。所撰《文心雕龙》全面总结前代文学发展，是中国古代文学理论的杰出著作。全书50篇，注意探讨文学盛衰变化的根源，论述各体作品的特征和演变，创作批评的原则、方法，有不少独创的见解。还提出质文并重的主张，批评当时追求形式的风气。《文心雕龙》提出的理论对后代有重大影响，许多作家、批评家都受到本书的启发。近人范文澜有《文心雕龙注》(1958)。

Liu Xin 刘欣 参阅Han——：汉朝帝王序列下 **Han'aidi Liu Xin** 汉哀帝刘欣。

Liu Xiu 刘秀 参阅Han——：汉朝帝王序列下 **Hanguangwudi Liu Xiu** 汉光武帝刘秀。

Liu Xun 刘询 参阅Han——：汉朝帝王序列下 **Hanxuandi Liu Xun** 汉宣帝刘询。

Liu Yong 柳永(约987～约1053) 又拼Liu Yung。中国北宋词人。原名三变，字耆卿。也称柳七。崇安(今属福建)人。仁宗时进士，官屯田员外郎，世称柳屯田。词多写怀才不遇的愤懑和羁旅行役的离愁，如《雨霖铃》(“寒蝉凄切”)、《望海潮》、《八声甘州》(“对潇潇暮雨洒江天”)等都为传世名篇。一生狂放不羁，留连都市，不少词写歌妓生活和城市风光，在当时广为流行。精通音乐，长于以通俗口语入词，一变唐五代的雕琢风气。用铺叙手法创作大量慢词，促进了宋代慢词的发展。有《乐章集》。

Liu Yuan 刘渊(?～310) 中国历史上十六国时期汉国建立者。字元海。新兴(今山西忻县)匈奴族人。在位7年。谥光文皇帝，庙号高祖。匈奴族酋长，归附汉朝后，自谓是汉朝外孙，故冒姓刘。祖父於扶罗，为南匈奴单于；父豹，为左贤王。曹操分南匈奴为五部，以豹为左部帅。渊少读诗书，尤好《左传》及《孙子兵法》，汉化较深。魏咸熙时作为任子留在洛阳。父卒，继任左部帅，晋太康十年(289)任北部都尉，后为五部大都督，颇能团结匈奴五部部众。八王之乱时，他说动成都王颖命他返回并州(今山西)，调发五部之众协助成都王参加内战，被任为北单于、参丞相军事。他到左国城(今山西离石北)，利用北方民族矛盾和阶级矛盾，起兵反晋，称大单于，不久领众5万，建庭离石。永安元年(304)10月于左国城称汉王，建国号曰汉，任刘宣为相。刘渊屡次击败晋军进讨，但败于并州刺史刘琨。后依侍中刘殷、王育之谋，命将四出，进据河东，攻克蒲坂(今山西夏县西南)、平阳(今山西临汾西南)。王弥、石勒、汲桑、鲜卑陆逐延相继率部归降，声势大振。308年即皇位，建都平阳。两年后病死，子和嗣位。

Liu Yuan 刘元(1248～1317以后) 中国元代雕塑家。字秉元，蓟州宝坻(今天津宝坻)人。官至昭文馆大学士、正奉大夫，世称刘正奉。初为道士，从杞道录学艺，后又从阿尔尼格学习西天梵相。他在中国雕塑艺术的传统基础上，又吸收了印度、西域佛像的手法而成为一代大师。继唐代杨惠之后，他是又一高峰。元代至元～延祐(1264～1320)年间曾在两京(大都、上都)许多著名庙宇中造像，“神思妙合，天下无与比者”。尤其在发展脱空塑上，有很大贡献。明清两代在这方面的成就，就是受到他的影响。他在大都(北京)东岳庙(原址在白云观之东，阜成门外西南)塑造主神像“巍巍有帝王之度”。塑造侍臣像时，很久不能措手，后来忽然看到唐朝著名政治家魏徵的画像，受到启发，从而塑造出忠正谋国、“忧深思远”动人的侍臣像。他曾在“玄都胜境”(今北京西安门内天庆宫)塑三清像，“仪容肃穆，道气深沉”。刘元深得元世祖器重，命为匠工之长。仁宗甚至规定刘元非有旨不得为他人塑造神像。

Liu Yuxi 刘禹锡(772～842) 又拼Liu Yu-hsi。中国唐代文学家、哲学家。字梦得。洛阳(今属河南)人，自言系汉中山(今属河北定县)靖王刘胜的后代。唐顺宗永贞元年

中国大百科全书出版社供图

(805)与柳宗元等一起参加王叔文革新集团，反对宦官和藩镇割据势力。失败后贬为朗州司马，迁连州刺史。后因裴度力荐，迁太子宾客，加检校礼部尚书，世称刘宾客。和柳宗元交谊极深，人称“刘柳”。又常与白居易唱和，并称“刘白”。其诗通俗清新，以《竹枝词》著名。哲学著作《天论》论证天人区别，驳斥天人感应的“阴骘”之说，提出“天与人交相胜”、“还相用”说，认为天不能主宰人世祸福。对有神论产生根源有深刻分析。认为法制大行赏罚分明，人无求于天命；如法制松弛赏罚不明，人就只能祈求天命。还认为人在小河操舟能驾驭船只，无求于天；如在大海航行，安危莫卜，就只好委诸天命。刘禹锡后期对佛教也表现妥协。著有《刘宾客文集》，又名《刘梦得文集》。

Liu Zhao 刘肇 参阅Han——：汉朝帝王序列下 **Hanhedi Liu Zhao** 汉和帝刘肇。

Liu Zhiji 刘知几(661～721) 又拼Liu Chih-chi。中国唐代历史学家。字子玄。彭城(今江苏徐州)人。永隆(680)进士。历任史

官，官至左散骑常侍，后贬安州都护府别驾。一生从事史学，参与编修《则天皇帝实录》。著述颇多，今存《史通》为中国第一部史学评著。计内篇36篇，论述史书源流、体例及其编撰方法；外篇13篇，论述史官与历代史书得失。全书评述上古至唐代的历史著作，认为史学家应具才、学、识三长，而史识尤为重要。并强调“良史以实录直书为贵”，“不掩恶，不虚美”，指出旧史浮夸失实的弊病。

Liu Zhuang　刘庄　参阅**Han——**：*汉朝帝王序列下* **Hanmingdi Liu Zhuang** *汉明帝刘庄*。

Liu Zongyuan　柳宗元(773～819)　又拼Liu Tsung-yüan。中国唐代文学家、哲学家。字子厚，河东解(今山西永济)人，世称柳河东。曾与刘禹锡等参加顺宗时期旨在打击官

中国大百科全书出版社供图

官势力的王叔文革新集团，失败后贬永州司马。后迁柳州刺史，故又称柳柳州。和韩愈倡导古文运动，同被列入“唐宋八大家”，并称韩柳。但在哲学上和韩愈分歧很大，曾就“天”有无意志问题和韩愈辩论。在《天说》中提出未有天地之前惟有元气；天地既分之后，元气则居于天地之中。否定在元气之上另存在最高的主宰“天”，驳斥了天能赏功罚祸的天命论。杂文往往从典型事例中揭示深刻哲理，如《捕蛇者说》、《种树郭橐驼传》、《永州铁炉步志》、《三戒》、《蝜蝂传》等都能将政论哲理与文艺形象融为一体，构思新颖，文字生动。山水游记脍炙人口，善于抓住景物特征。著名的永州八记中，《钴鉧潭西小丘记》写石、《小石潭记》写潭水游鱼、《袁家渴记》写草木，侧重点不同而都有传神之妙。还常将身世感慨倾注于自然风景，借奇山异水受弃置寄托内心的愤懑不平，更增添作品的诗情画意。诗歌疏淡精美，反映放逐生涯的作品和写景小诗尤为人所称。有《柳河东集》。

Liubertsy (Russia)　参阅 **Lyubertsy** *柳别尔齐*。

Liudolf　利乌多尔夫(930～957-09-06，意大利诺瓦拉附近庞比亚)　士瓦本公爵、神圣罗马帝国皇帝奥托一世之子。950年被其父封为士瓦本公爵。952年自感继承权受到异母弟的威胁，遂与洛塔林吉亚的康拉德和美因茨大主教腓特烈在德意志发动叛乱。953～955年盘据雷根斯堡，并欢迎马札尔侵略者进入德意志。后来康拉德与腓特烈反正，他也投降，与其父和解。

Liudolfing DYNASTY　**利乌多尔芬王朝**　参阅 **Saxon dynasty** *萨克森王朝*。

Liujiaxia Hydroelectric Station　刘家峡水电站　中国黄河上游以发电为主，兼有防洪、灌溉、防凌、养殖等综合效益的大型水力发电站。在甘肃省永靖县境内。刘家峡全长12千米，宽200米。峡以上黄河干流流域面积约17万平方千米，占总流域面积的23%。峡内多年平均流量为830立方米/秒，占黄河径流总量的50%。黄河在此切蚀山原，山峰陡峭，水流急湍，前震旦纪变质岩的地层致密坚硬，透水性小，适宜筑坝建造水电站。1958年9月开工，1969年建成。整个工程由拦河主坝、副坝、发电厂、变电站等组成。拦河主坝高147米，长84米，顶宽16米，水库容量为57亿立方米，面积约140平方千米，不仅能供电站发电用水，还能提供下游农田灌溉(有效灌溉面积达5万多公顷)、工业用水，并是巨大的淡水水产养殖场。发电站装机容量(5台机组)127.5万千瓦，年发电量约57亿千瓦时，与盐锅峡、八盘峡水电站合称甘肃黄河“三峡”水电站，总装机容量175.75万千瓦。通过330、220千伏输电线路，连接陕、甘、青3省电网，构成东至关中平原，西达青海高原，南到陇南山地，北临河西的大电网。在黄河陇中段干流两岸，有效灌溉面积500平方千米。景泰川等电灌区已形成田、林、渠、路成网的“草原绿洲”。

Liulihe site　琉璃河遗址　中国西周(约公元前11世纪～前771)早期燕国遗址。位于北京房山琉璃河镇北的台地上，属西周时期燕境。遗址中出土有“匽侯”铭铜器，故为燕

琉璃河遗址

中国大百科全书出版社供图

国遗址。1973年起进行多次发掘，发掘出贵族墓地、随葬铜礼器、殉葬墓以及车马坑等。铜器铭文中有“太保”，即召公奭。《太平寰宇记》载汉良乡为燕中都，良乡城今尚存，距此遗址仅2.5千米。据此琉璃河燕国遗址为召公始封之地。现为国家重点文物保护单位。

Liupan Shan　六盘山　又作Liu-p'an Mountains。中国西部山脉。又名陇山。在宁夏回族自治区南部及与甘肃、陕西交界地带，是近南北走向的狭长山地。山脊海拔超过2 500

六盘山

中国大百科全书出版社供图

米，最高峰米缸山(美高山)达2 942米。山路曲折险狭，须经六重盘道才能到达顶峰，因此得名。山地东坡陡峭，西坡和缓。处强烈地震带，1920年海原发生8.5级地震。年降水量677毫米，是黄土高原中的“湿岛”。六盘山森林覆盖率46%，木材蓄积量122万立方米。野生资源丰富，有药用植物600余种，脊椎动物约200种，鸟类147种。1988年六盘山自然保护区列为国家级自然保护区。

Liupanshui　六盘水　中国贵州省辖地级市，新兴的工矿城市。位于省境西部。有贵昆铁路穿过。1978年设市。辖六枝特区，水城、盘县2县和钟山区。面积9 914平方千米，其中市区面积476平方千米。煤炭资源储量仅次于山西和内蒙古。贵州煤藏约有1/3分布在六盘水，有六枝、盘县、水城三大煤田，延伸150千米，面积约2万平方千米。埋藏较浅，煤种齐全，是重要的炼焦煤生产基地。1965年决定开发，设计能力为年产1 000万吨，被誉为“高原煤城”。与煤田的分布相一致，30万城市人口分散在面积1万平方千米的50多个居民点，仅在六枝、盘县、水城相对集中为3个聚落群。六盘水市就是取三者的第一个字组成。云盘镇为六枝特区驻地，外围还有木岗镇、郎岱镇、岩脚镇等工矿点，建有大型的煤矿机修厂和食品厂。水城聚落群集中在水城和钟山两镇，周围还有老鹰山镇、大河镇、汪家寨镇、大湾镇等工矿点，有钢

六盘水市一角

中国大百科全书出版社供图

铁厂、电厂、水泥厂、火药厂、矿灯厂等。盘县煤矿分布在南北走向的拖长江河谷，工矿点自北至南有土城、白果、火烧铺等镇。农产品有玉米、稻谷、小麦、薯类、烟草、油菜籽等。交通有贵昆电气化铁路穿越境内，南昆电气化铁路在红果交会，大水、盘西铁路支线沟通了主要矿区，302 国道和贵烟、刘平、两水等省道沟通市县乡。名胜古迹有盘县大洞古文化遗址、丹霞山、水城野钟黑叶猴自然保护区等。人口：全市2 960 000（2005）；市区420 000（2004）。

Liutiaobian（China） 参阅 **Willow Palisade** 柳条边。

Liutprand 卢特普兰德（?～744） 意大利伦巴第国王，在位时间长久，国家昌盛，为伦巴第人拓展和巩固国力时期。原为部族首领，712 年取得王位。730 年与拉韦纳的拜占廷总督结成联盟。在拜占廷人的支援下，他率兵侵入斯波莱托，并进攻罗马。739 年攻占罗马公国的 4 座城市。当 742 年他再次威胁罗马时，新教皇扎迦利赶赴特尔尼与他会晤，制止了他的扩张。此外，他还修订了作为伦巴第法典的《罗塔理国王敕令》。

Liutprand OF CREMONA **利乌特普兰德（克雷莫纳的）**（约920～约972） 伦巴第外交家、历史学家、主教，其编年史作是 10 世纪历史的重要资料来源。贵族家庭出身，在帕维亚宫廷中长大。947 年给意大利的实际统治者伊夫雷亚侯爵贝伦加尔二世当机要秘书。949 年任帕维亚驻拜占廷帝国大使。955 年离开意大利前往德意志国王奥托一世的宫廷。约 961 年任克雷莫纳主教。963 年他作为奥托使者前往罗马，为废黜约翰十二世、立利奥八世为教皇的宗教会议的重要参与者。968 年奥托派他前往君士坦丁堡商谈王子（未来的奥托二世）与拜占廷公主缔姻的问题。958 年开始写历史著作：《报复》记述 888 ～958 年的欧洲历史；《奥托史》歌颂德意志国王奥托一世；《君士坦丁堡出使记》对希腊人进行猛烈的攻击。他的著作对历史学者极有价值。

Liuvigild（Visigothic king of Spain） 参阅 **Leovigild** 莱奥维希尔德。

Liuzhou 柳州 又拼 Liu-chou。中国广西壮族自治区辖地级市。全区最大的工业城市、货运中心和交通枢纽。旧称马平。位于广西中部，西江支流柳江流经市区。湘桂、黔桂、枝柳等铁路在此交会。原为柳江县地。西汉始置潭中县。隋开皇十一年（591）改马平县。唐武德四年（621）设南昆州，贞观八年（634）改柳州，治所在马平。1937 年马平县改柳江县。1949 年末析柳江县设市。1950 年升为自治区辖市。辖城中、鱼峰、柳南、柳北 4 区及柳江、柳城、鹿寨、融安 4 县和三江侗族自治县、融水苗族自治县。面积18 677平方千米，其中市区面积667平方千米。市区在广西盆地中部的桂中平原，西北丘陵起伏，西南为土丘石山混杂地带，东南为峰丛谷地。柳江

柳州市鸟瞰
中国大百科全书出版社供图

在城区段是典型曲流（河曲），犹如环腰玉带绕城流过，木船可上溯至老堡口，小汽轮汛期可抵融安，南下可至梧州、广州、香港。近代又成为铁路枢纽和公路交通中心，历来是柳江流域和黔南、滇东最大的贸易市场和杉木、竹材、桐油、茶油、香菇、木耳、药材、柑橙、沙田柚、金橘等土特产的集散地。农产以稻谷、玉米、甘蔗、柑橙、金橘、沙田柚、蔬菜为大宗。1950 年后，工业发展很快，主要有钢铁、水泥、汽车、造船、空气压缩机、内燃机、机车车辆、工程机械、仪表、电机、家用电器、电子、农业机械、有色冶金、纺织、印染、日用化工、橡胶、食品、造纸、饮料、卷烟等工业部门。工艺品有美术陶瓷、手绘台布、石雕、砚台等。作为桂中交通枢纽、中国西南地区最大的中转站和铁路货运中心，湘桂、黔桂、焦柳等铁路在此交会，209、322、323 等国道过境，桂柳、南柳、宜柳高速公路全线开通，水运可直达梧州、广州、香港、澳门等地。有广西工学院、柳州师范专科学校等高等学校。名胜古迹有柳侯公园和柳侯祠（内存有唐代文学家柳宗元的许多文物）、鱼峰山、小龙潭、马鞍山、驾鹤山、大龙潭、都乐岩风景区等。人口：全市 3 540 000（2005）；市区960 000（2004）。

live-bearer 胎鳉 银汉鱼目胎鳉科多种鱼类的统称。仅分布于新大陆，墨西哥及中美最多。体小，多数体形细长，最大者仅约 15 厘米。胎鳉同与其近缘的鳉鱼相似，但生殖

胎鳉（*Poecilia vivipara*）
美国不列颠百科全书公司供图

方式不同，且雄鱼有由臀鳍变形形成的特化的交尾器，用以将精子输入雌体。胎鳉科也以雌雄有相当大的差异而著称，雌鱼一般较大而且色彩较暗淡。一胎产仔数尾到 100 多尾不等，一次交配可产数胎。通常为杂食性。某些种如食蚊鱼（**mosquito fish**）吞食大量蚊类幼虫，可用以控制蚊害。许多胎鳉为常见的水族馆展品，最有名者有虹鳉（**guppy**）、帆鳉（**molly**）、新月鱼（**platy**）、剑尾鱼（**sword-tail**）。

live-forever（plant） **长生草** 参阅 **house-leek** 家韭葱。

live oak 活栎 山毛榉科栎属（*Quercus*）红栎组几种北美产观赏和材用树的通称，尤指南方活栎（弗吉尼亚栎，*Q. virginiana*）。南方活栎为原产于古巴、大西洋和墨西哥湾沿海平原的巨大常绿树，在小丘和山脊上常高 15 米以上，但在贫瘠的海滨土壤上则呈灌木状。茎干在靠近地面处分出数条大枝，分枝水平伸展，长度达树高的 2 ～ 3 倍。叶椭圆形，常不分裂，上面深绿色而光滑，下面苍白色而有毛。南方活栎是一种贵重的材用树，在美国南部植作遮荫树和行道树。在良好的土壤上生长迅速，但不如想象的那样长命，已知最老的植株年龄在 200 ～ 300 年之间。活栎之得名是因为它常绿而耐活，砍伐或受损伤后会长出许多萌发条，萌发条枝折断后又会有许多萌发条产生。木材重而坚，曾用于造船。加利福尼亚活栎（禾草叶栎，*Q. agrifolia*）和内地活栎（*Q. wislizenii*）生长在北美西部，叶似冬青，通常为灌木，但也能达 15 ～ 25 米或更高；前者树形圆，栽为观赏植物。白栎组的峡谷活栎（*Q. chrysolepsis*）为材用树，有时高 27 米；槲果卵形，基部包以具软毛的黄色壳斗，故本种通称金杯栎；叶厚，革质，可在树上保持 3 ～ 4 年不落。

Livens, Johannis 参阅 **Lievens, Jan** 利芬斯。

liver 肝 脊椎动物体内最大的器官，分数叶，呈楔形，质如海绵，有许多代谢和排泄功能。肝脏是人体内功能最复杂的器官：能分泌胆汁（一种消化液），进行蛋白质、碳水化合物和脂肪的代谢，储藏糖原、维生素和其他物质，合成凝血因子，将废物和毒物从血液中移出，调节血容量并破坏陈旧的红血细胞。

肝脏与肠道和胆囊（**gallbladder**）有密切的联系以完成其多种功能。门静脉将静脉血从肠道带到肝脏，在此加工后再回到心脏。肝内有胆道系统，将胆汁引流到总胆管导入十二指肠，并引流入胆囊储存以后再排出。肝细胞间有胆道系统和血管穿行。肝细胞构成约 60% 的肝组织。肝细胞执行的代谢功能多于身体所有其他细胞集团。肝内血管系统最小的管道（血窦）内壁衬有库普弗尔氏细胞，在血形成、抗体产生和异物及细胞碎屑的吞噬中起作用。人类的肝脏每天分泌胆汁约 800 ～1 000毫升，内含消化膳食中的脂肪所必需的胆盐。某些代谢产生的废物、药物和毒性物质也由胆汁中排出。肝总管中的胆汁可流入胆囊，在此浓缩并储存。含脂肪的食物在十二指肠中可刺激胆汁从单胆囊流出，进入肠道。衰老的红血细胞在肝脏、脾脏和骨髓中破坏。血红蛋白分解过程中可产生一种色素——胆红素，胆红素释入胆汁，随胆汁通过肠道，并使胆汁具有其特征性的绿黄色。肝细胞能合成多种酶。血液通过门静脉和肝静脉流过肝脏时，肝细胞和酶将血液中许多物质滤出和改变。从肠道进入肝脏的营养物质被转变成能被身体细胞利用的形式或被储

存起来以备将来之用。脂肪被转变成脂肪酸,然后转变成碳水化合物或酮体,并由血液运到组织,在此进行进一步的代谢。糖类转变为糖原,并储藏在肝脏内,直至身体需要能量时糖原再转变为葡萄糖并释入血流。肝脏制造血清蛋白质,包括白蛋白和多种凝血因子,并将这些蛋白质释入血液。肝脏又将来自身体过程的含氮废物代谢,并将毒性物质解毒,代谢产物通过尿或粪便排出体外。肝脏功能障碍的一个常见征象是黄疸:血液中胆红素含量过高引致眼睛和皮肤发黄。黄疸的原因有:红血细胞破坏过多(溶血性黄疸),肝细胞摄入和转运胆红素的功能障碍(肝细胞性黄疸),或胆道系统阻塞(梗阻性黄疸)。肝细胞功能障碍的原因包括肝炎、肝硬变、肿瘤、血管梗阻或中毒。症状可包括身体虚弱,血压降低,容易出现青肿和出血,震颤,情感淡漠,脑波改变和腹腔积液。肝功能试验有助于鉴定疾病、估计肝脏损害和判断治疗效果。血液检查可查清胆红素、胆固醇、血清蛋白质、尿素、氨及各种酶的异常水平。注射酚四溴酞磺酸钠(BSP)并测量其在血液内滞留的时间,是另一个检查肝功能的方法。也可以用肝穿刺取肝活组织作显微镜检查以判断肝组织的情况。

急性病毒性肝炎是肝脏受病毒感染所致,包括甲型肝炎(通常通过粪便污染饮水和食物而传播)、乙型肝炎(通常因器械消毒不严通过注射或输用污染的血液或血浆等传播)、丙型肝炎(旧称非甲非乙型肝炎,由丙型肝炎病毒引起,是主要的输血后肝炎类型)。各种病毒性肝炎均可延续 2 ～ 6 周,疲乏感可延续 6 个月之久。肝炎通常为自限性,治疗包括卧床休息和禁酒。预防措施包括注意卫生,注射和输血过程必须严格消毒。肝硬变是不可逆的慢性疾病,特征为有功能的肝脏组织被成条带状或团块状的瘢痕组织所取代。病因有病毒性肝炎、慢性酒精中毒、胆道系统梗阻、肝静脉阻塞、心力衰竭、铁或铜沉积或某些类型的代谢性疾病。肝硬变可引起肝细胞功能衰竭和门静脉压异常增高,导致脾肿大和血管破裂。如果可能,治疗要求消除原发病因。例如,患有肝硬变的酒徒在卧床休息和完全戒酒之后症状可以大为改善。肝脏也能患许多其他障碍和疾病。肝脓肿可由急性阑尾炎引起,见于胆管者可由胆石引起,或出现于手术后。在热带地区,引起阿米巴性痢疾的寄生虫也能引起阿米巴性肝脓肿。在世界不同地区常见的各种其他寄生虫也能侵染肝脏。肝癌亦常见,大部分为继发性,原发于身体其他地方。糖原贮积病是一组遗传性代谢障碍,表现为糖原异常沉积于身体组织,尤其是肝脏;而血液中葡萄糖量不足。有些药物有时会损害肝脏,引起黄疸。

liver cancer　肝癌　以肝脏肿瘤为特征的几种疾病的统称;良性的仅发生在肝脏本身,而恶性的(根据定义)就是肝癌。大部分的恶性肝肿瘤为肝细胞瘤,或称肝细胞癌。肝细胞癌在美国占所有癌症的不到 1%,但在非洲、东南亚和中国则十分常见。这些肿瘤起源于肝脏内的功能细胞,占肝癌的 85%。其余的肝癌是从血管(血管肉瘤)、小胆管(胆管癌),或未成熟的肝细胞(肝母细胞癌)发展而来。肝母细胞癌主要见于儿童。不同类型的肝癌,治疗和愈后各异,取决于类型、病期或发展的程度。肝癌的成因各异,许多病例的病因不明。曾经感染过乙肝或丙肝病毒显然与肝癌密切相关,肝硬化也是。接触多种化学物质也能增加患肝癌的风险,如乙烯基氯(通常用于塑料制品)、二氧化钍(一度用于某些 X 射线程序)、黄曲霉毒素(生长于变质的花生和某些谷类制品上的真菌,会产生有毒物质)以及砷等。使用合成类固醇和口服避孕药也可能增加罹患某些类型肝癌的风险。其它一些疾病,如胆石症、结肠和胆囊的慢性炎症,以及某些寄生虫感染也都是罹患肝癌的危险因子。症状出现时,肿瘤常已发展到晚期阶段。其症状包括腹痛或腹胀,食欲不振,不明原因的体重减轻,刚吃一点饭就感饱胀,以及出现黄疸。患慢性肝病者会感觉到自己的整体健康状况突然恶化。试验室检查可能发现血钙增高,血糖降低,以及其他肝功能障碍的征兆。为了早期诊断出肝癌,通常需要进行血液化验,借以发现肝功能的异常。有一些特殊的化验方法可检测出血液中两种特殊的抗原,这种抗原也可显示是否罹患肝癌。如果怀疑得了肝癌,可以通过探察性手术或用细针穿刺肝脏取得采样进行切片检查。进一步的诊断要利用影像技术方法。在某些病例中,可用血管造影术的 X 射线检查方法来检查肝内和肝周围的血管情况。医生也能使用腹腔镜直接检查肝脏的情况。一旦诊断出罹患肝癌,就应判明其病期以便了解癌症已发展到什么阶段。有些肿瘤只是局部化的,或仅见于肝脏一块区域,可以完全切除。而有一些局部性癌瘤却不能完全切除,因为切除手术会导致剩余的肝功能受损,可能会致命。晚期的肝癌或已侵犯肝脏的很大部分,或已蔓延(转移)到身体的远处组织。肝癌的病情在症状出现以后发展极快与其他许多癌症相比,患者的总存活率较低,因为肝癌通常未能早期发现。只有在癌症仅局限于一小区域时手术才能将肝癌患者治愈。对无法进行手术的患者,冷冻疗法或注射乙醇可将某些局部的肿瘤破坏。此外可用阻断附近血管的方法对付另一些肿瘤,使其得不到营养而死亡。但这样的治疗方法有其内在的风险,因为它也会阻断血液流向健康的肝组织。放射疗法极少用于治疗肝癌,因为健康的肝细胞对放射线十分敏感。可以采用化学疗法,以找出并破坏尽可能多的癌细胞,此法尤其适用于肿瘤已蔓延到远处组织时。在某些病例中,化疗制剂可直接用到给肝脏提供血液的主要动脉里,这样既可以将杀灭癌症的药物直接送到肝脏,同时能尽可能减少身体组织接触这种药物。采取一些措施消除主要风险因素,就能大大降低罹患肝癌的风险。打乙肝疫苗、避免无保护的性交和接触人类的血液都能预防乙肝感染。排除直接接触血液的机会也能避免感染丙肝。饮酒应有节制;没有医嘱决不要用合成类固醇药物;接触乙烯基氯时一定要遵守操作规则。

liver fluke　肝吸虫　侵害宿主动物肝脏的扁形动物。参阅 **fluke**。

liver function test　肝功能试验　检测并判断肝脏各方面功能的一些实验室检查方法。许多疾病都会对多种肝功能和复杂的代谢反应产生不良影响,据此已设计出 100 多种试验方法以检测肝功能。这些反应与下列功能有关:蛋白质、脂肪、碳水化合物和胆汁的代谢,药物和毒物的解毒及清除。因为大部分在肝脏代谢的物质都要进入体循环,所以选择性地测定其中一些物质在血中的浓度,往往能提供有关患者肝脏情况的有价值的诊断资料。有时尿液检查所得的资料能证实血清学检查的结果。血清中有重要临床意义物质为氨、尿素、氨基酸、蛋白质、游离胆固醇和酯化胆固醇、胆红素及各种酶(主要为胆碱酯酶、血浆铜蓝蛋白、转氨酶和碱性磷酸酶)。耐量试验有助于判断肝脏的糖代谢(参阅 **glucose tolerance test; galactose tolerance test**)。测定肝脏解毒和清除毒物能力的试验有马尿酸试验和溴磺酞钠试验(**Bromsulphalein test**)。肝脏功能的检测手段还有 X 射线检查、活组织检查和放射性同位素检查等。

liverleaf(plant)　**肝叶草**　参阅 **hepatica** 獐耳细辛。

Livermore　利弗莫尔　美国加利福尼亚州西部阿拉梅达县城市。地处利弗莫尔-阿马多尔谷东缘,奥克兰东南 53 千米处。原为牧场,1869 年通中央太平洋铁路后得以发展。1876 年设镇,1900 年设市。为谷地土畜产品转运和加工中心。1952 年建立加利福尼亚大学所属劳伦斯辐射实验室后,促进了科学技术的发展(原子武器、核研究、医学和计算机相关制造业)。90 年代随着旧金山居民大量搬离城中心,该市人口迅速增加。设汽车娱乐区,并有专业摩托道。附近有水坝和水库。人口约73 345(2000)。

Livermore, Mary Ashton Rice　利弗莫尔　(1820-12-19,美国马萨诸塞波士顿～1905-05-23,马萨诸塞梅尔罗斯)　美国女权主义者和改革家。1836 年毕业于马萨诸塞州查尔斯顿女子学院,留校任教两年。1839 ～ 1842 年在弗吉尼亚一庄园任家庭教师,这一经历使其成为反对奴隶制度者。1845 年 5 月与丹尼尔·P.利弗莫尔结婚。她的丈夫是一位普救派牧师,积极主张戒酒。此后十年中,她不断为各种宗教和改革刊物写稿。1857 年夫妇二人决定移居堪萨斯,但因女儿患病不得不在芝加哥中止行程。在芝加哥的 12 年中,他们出任一位论派期刊《新盟约》编辑。1863 年,她出版了散文小品集《笔画》。南北战争爆发不久,她志愿参加战地服务,募集物资,工作中她确信赋予妇女选举权是许多社会改革(包括戒酒)的关键。于是她开始以更多的精力投入争取妇女选举权运动。1868 年当选为伊利诺伊州妇女选举权运动协会主席,1869 年创办女权主义者的报纸《鼓动者》。同年晚些时候当选美国妇女选举权运动协会副主席。亦于同年,她东去梅尔罗斯,出任《妇女杂志》主编。这是《鼓动者》与之合并的一家波士顿的新期刊,1870 年参与成立马萨诸塞州妇女选举权运动协会。两年后，她辞去《妇女杂志》主编职务，以适应繁忙的演讲日程。她以精湛的语言和不懈的努力激起公众舆论认识有必要教育妇女和修改关于酒的法令。

美国不列颠百科全书公司供图

她仍活跃于女权运动，1875～1878年担任美国妇女选举权运动协会主席，并于1893～1903年继L.斯通任马萨诸塞州协会主席。另外她还于1873年担任妇女协进会主席及于1875～1885年担任马萨诸塞州女基督徒戒酒联盟主席。1895年从巡回演讲团退休。她的演讲和文章曾在多种期刊发表，如《我的战争故事：一个女人的四年亲身经历》(1887)，《我的一生》(又名《七十年的阳光与阴影》)(1897)。与F.E.威拉德合编的《世纪女人》(1893)是一部非常成功的传记汇编。

Liverpool 利物浦 原加拿大新斯科舍省东南部昆斯县城镇。1996年与昆斯市合并。位于默西河河口，在哈利法克斯西南偏西142千米处。原属法国，1759年新英格兰殖民者以英国同名城市更此镇名。出产纸张、鱼和酵母。第二次世界大战后，造船、修船为重要工业。新斯科舍写日记作家S.珀金斯的故居已成为博物馆。1897年设镇。人口11 694(2001)。

Liverpool 利物浦 英国第5大城市，默西赛德郡中心、海港。属兰开夏历史郡。市区在默西河口湾右(北)岸呈新月形，离爱尔兰海数英里。1207年由英王约翰批准建立。中世纪发展缓慢。至18世纪由于与美洲和西印度群岛开展有利可图的贸易遂发展迅速，成为英国第二重要港口。利物浦第一个码头建于1715年，至世纪末，沿着默西河又建了另四个码头。1830年建成利物浦—曼彻斯特铁路。这是第一条在英格兰连接两个大城市的铁路。利物浦与威勒尔半岛间有渡船往来。至19世纪与20世纪更迭之时，码头总长达11千米，并继续改进了所有码头。但第二次世界大战之后，利物浦作为一个出口和客运港口的作用降低了，因而衰落。低资本投入和失业更加剧了这种状况。20世纪60年代甲壳虫乐队成为世界上最知名的摇滚乐队，风靡全球，这是利物浦为20世纪通俗文化的发展做出的最卓越贡献。重要建筑有18世纪的市政厅、19世纪的圣乔治厅、新哥特式圣公会大教堂和罗马天主教都会大教堂。文化机构有默西赛德郡博物馆和图书馆、沃克美术馆、皮克顿图书馆和利物浦大学，还有一个交响乐团。人口：市461 500；都会区1 409 400(1998)。

Liverpool, Charles Jenkinson, 1st Earl of, Baron Hawkesbury of Hawkesbury 利物浦伯爵(第一) (1727-04-26，英国汉普郡温切斯特～1808-12-17，伦敦) 即C.詹金森。英国政治家，英王乔治三世任内在英国政府中担任多种职务，因认为其在宫廷中私下活动具有影响而成为被广泛怀疑、同时又备受尊敬的对象。他被认为在美国独立战争期间在某种程度上控制着国王与诺思首相(1770～1782)之间的关系。军官之子，1760年成为乔治三世宠臣比特伯爵(第三)的私人秘书，1763年选入议会，任财政部联合秘书。比特退出政界后，成为下院“国王之友”派领袖。1773年任爱尔兰财政副大臣，为枢密院成员。1775～1778年任皇家造币厂厂长。美国独立战争期间，于1778～1782年任陆军大臣，执行诺思的政策。小皮特第一次任首相(1783年起)时，成为他的重要顾问。1786年任兰开斯特公爵郡大臣和贸易委员会主席。1791年起为内阁成员，约1801年因病残不再出席内阁会议，1804年年中辞去一切职务。1786年受封霍克斯堡男爵，1796年受封利物浦伯爵。

Liverpool, Robert Banks Jenkinson, 2nd Earl of, Baron Hawkesbury of Hawkesbury 利物浦伯爵(第二)(1770-06-07，伦敦～1828-12-04，伦敦怀特霍尔法夫厅) 即R.B.詹金斯、霍克斯堡男爵(第二)。英国首相(1812～1827)。在位时间虽长，但就政治远见论，逊于其同僚G.坎宁和卡斯尔雷子爵(后为第二代伦敦德里侯爵)，就军事才能论，逊于威灵顿公爵。他于1790年进入下院，不久成为首要的托利党员。历任印度督察委员会委员(1793～1796)、皇家造币厂总监(1799～1801)、外交大臣(1801～1804)、内政大臣(1804～1806，1807～1809)、陆军和殖民部大臣(1809～1812)。在任外交大臣期间，曾与法国谈判缔结《亚眠条约》(1802)。1812年5月出任首相。在维也纳会议(1814～1815)上，他竭力主张各国废除奴隶贸易。1819年恢复金本位，以增强英国的货币制度。为了制止工农业萧条引起的扰乱，曾先后在英国(1817)和爱尔兰(1822)停止实施《人身保护法》和推行其他高压措施(1819)。

Liverpool delft 利物浦精陶 从约1710年至约1760年在英国利物浦制造的锡釉陶器。有些制品类似布里斯托尔和伦敦的产品。在典型的利物浦精陶制品中有刻着诗句的益智罐，有从锡镴模型复制的钟形杯，以及小件饰物盘。装饰中常用仿中国图案。利物浦精陶中的另外两种具有特色的制品是粗饰着鱼形纹样的浅底炭罐和转印的花砖。后者一般为黑色或红色，也有彩色的，表现诸如当时著名的男女演员之类的主题。

Liverpool porcelain 利物浦瓷器 英国软质瓷器，相当重而且不透光，于1756～1800年间产于英国利物浦的一些工厂。产品大量出口到美洲和西印度群岛。最早的工厂由R.查弗斯创建，该厂从1756年生产的皂石瓷器类似伍斯特瓷器，瓷盘多为八边形，有的咖啡具及茶具为六面体。1765年查弗斯去世，P.克里斯蒂安接管该厂，继续生产(1765～1776)。所产茶壶常有“咬蛇”形把手、棕榈树形壶体和叶形装饰，为利物浦瓷器的佳作。

Liverpool Street Station 利物浦街车站 英国伦敦市东北部火车站，在主教门和大东饭店(1884)之间。1874年该车站在原贝德勒姆医院的旧址上兴建，是一幢宏伟的哥特式建筑。站台设在地下。1891年扩建。20世纪80年代车站有一部分改建为布罗德盖特住宅区。一直是伦敦最繁忙的火车站之一。

liverwort 苔 苔纲(Hepatopsida或Hepaticae)小型、无维管束、产生孢子的植物，8 000多种，构成苔藓植物部(Bryophyta)的一部分。包括原植体苔(配子体分枝，呈带状)和叶状苔(主

大香苔(*Conocephalum conicum*)无性植物(孢子体)产生在从有性植物(配子体)长出的长茎上
美国不列颠百科全书公司供图

要为叶苔目的种类)。苔纲有7个目，分类的主要依据为配子体的结构，孢子体的特征亦是分类的依据之一。苔类为世界性分布，但最主要分布于热带。原植体苔通常生长于潮湿的土壤或岩石上，而叶状苔既见于类似的生境，又见于潮湿林地的树干上。原植体苔的原植体形似分叶的肝脏，故得其英文名liverwort(意即“肝草”)。除少数水生属外，多数苔类借丝状的结构(假根)固着于基物上。苔类的生活周期具有性(配子体)世代及无性(孢子体)世代。配子体世代由孢子萌发而生成。精子从雄性生殖器官(精子器)逸出，以水为媒介游到雌性生殖器官(颈卵器)，一枚精子使一枚卵子受精，受精卵仍停留在颈卵器内，发育为胚。孢子体由胚发育而来，其顶端形成一个孢子囊。孢子囊破裂，释出孢子，开始新的配子体世代。无性繁殖通过胞芽(由配子体世代产生)或分枝脱离植物体来完

成。苔类对人无重要经济意义，但可为动物提供食物，促进林木的腐朽，又因能保持水分，故有助于岩石的崩解。梅茨格氏苔目的古苔属（*Hepaticites*）为化石属，其大部分种类可追溯到古生代泥盆纪（4.08亿年前至3.6亿年前），形似原植体苔。

livery company　同业公会　英国伦敦商业区任一行业的同业联合组织，大多由中世纪的行会即基尔特演变而来。同业公会中某些等级的人员享有特权，穿着特制的服装，或以毛皮为饰的一种长服。20世纪末期共有80多家同业公会。同业公会大多在14～17世纪由皇室授予特许状而组成，但织工公会则早在12世纪便已取得特许状。其他如商船公会、律师公会、农民公会、飞行员和领航员公会、家具制造商公会与科学仪器制造商公会是1925年以后成立的。烟斗及烟草商公会成立于1960年，它是19世纪废止的一家公会的重行组合。这些公会在许多方面显著不同，但其财力和影响力的范围却都是广阔的。几乎每一个公会都曾控制其行业的技艺和交易。公会名称大部分与技艺有关，如金匠公会、木匠公会；有一些则涉及食品供应，如面包业公会、葡萄酒业公会。目前大部分公会已失去对其行业的控制权，只有鱼商公会仍然有权搜查和检查设在伦敦比灵斯门的水产市场，金匠公会继续有权加刻产品的金银纯度检验证明印记，而枪械制造业公会也仍有权对小型枪支的制作质量进行检测。

大部分的公会由一个自行选派的小型团体进行管理，称为理事会。理事会由一位理事长或称首席理事及几名理事领导若干助理人员组成。很少公会限定其会员身份必须符合公会名称所代表的行业，只有药剂师公会规定其高级会员必须是医生，酿造业公会的会员资格必须为酿酒商，律师公会、商船公会、飞行员公会也要求其会员为本专业人员。依照伦敦的惯例，成为公会基本会员的条件即所谓"公会特权"的取得方式为父子继承、师徒传承（即拜一特权会员为师）、赎买或购买。在16世纪亨利八世统治期间，伦敦市议会定出了各公会的排列名次。当时的12大公会依次为丝绸商、食品杂货商、布商、鱼商、金匠、皮革商、裁缝、服饰杂货商、盐商、五金商、葡萄酒商以及织造商公会等。在中世纪公会权势达于顶峰的时期，各公会根据特许状或法令所赋予的权力管理其会员，如规定学徒期限及雇佣条件、检验货品的工艺水平并销毁次品，还以罚金及惩处办法强制实施其规章制度。公会的最主要的权限是，只准许那些可以自由进出伦敦商业区的人经营贸易，而这项自由进出的权利却只有公会会员能够获得。

16世纪起，不断变动的经济及政治环境使公会逐渐丧失其权力及影响力。多次企图使中世纪行会适应新型社会的尝试皆告失败。同业公会的管理层与人数日益增多的技工之间开始产生摩擦，后者对学徒制的种种限制深感不满。至1787年左右，大多数公会都放弃控制该行业的权力。然而在19世纪末期，同业公会方面掀起一项广泛的运动，目的是恢复它们在该行业中的影响力并为各学校和大学学院提供共同筹措的基金，兴办慈善事业及科技教育。慈善事业和救济贫困一直是古代行会的一项主要事务，现代的同业公会仍然保持着这一传统。

Livesay, Dorothy　李夫西（1909-10-12，加拿大马尼托巴温尼伯～1996-12-29，不列颠哥伦比亚维多利亚）　加拿大抒情诗人。她的作品从愤怒的抗议（《昼夜》，1944）到强烈的个人召唤（《诗选》，1957）都有。曾在多所学校就读，其中包括巴黎大学（1931～1932），她在那里对法国象征派诗人的研究影响了她自己的作品。影响其作品的第二个因素是大萧条时期她在蒙特利尔从事社会工作的经历，以及她为20世纪30年代C.D.刘易斯、S.斯彭德和W.H.奥登等开明诗人的社会福音所吸引。其他诗集有《献给人民的诗》（1947）、《召唤我的人民归来》（1950）、《新诗》（1957）和《在温尼伯度过的童年》（1976）。《诗集》1972年出版。获得多项奖励，包括加拿大总督诗歌奖（1944，1947）。1987年获加拿大最高文学荣誉——加拿大勋章。

livestock　家畜　农家饲养的哺乳动物。西方国家的家畜种类主要包括牛、绵羊、猪、山羊、马、驴和骡；在其他农业地区水牛、骆驼可能占主要地位。牛为牛属（*Bos*）动物，组成全世界最大的家畜类群，包含277个品种。其中著名的肉牛种有赫里福德牛、短角牛和安格斯牛；主要乳牛品种有荷尔斯泰因-弗里西亚牛、瑞士褐牛、艾尔郡牛、泽西牛及根西牛。养牛主要靠放牧，但现代畜牧业中，通常补充以配制好的饲料。牛有时用作挽畜，尤其在小规模农业和不发达地区。绵羊为盘羊属（*Ovis*）动物，是最早驯化的动物之一，可能于公元前10 000年即已驯化。全世界饲养的绵羊数几乎与牛相等，被公认的有200多个品种。绵羊与山羊有亲缘关系。饲养绵羊的主要目的是取用其毛、毛皮、肉，其次是挤奶。绵羊像牛一样以草为食，既食纤细矮小的禾草，亦食粗糙的野草。家猪为猪科动物，自古代起就已饲养以取食其肉。全世界有300多个品种。又可按市场销售的部分分为油脂型、腌肉型和瘦肉型猪，油脂型猪体重最大。猪的基本饲料是玉米，但其饲料也包括小麦、高粱、燕麦和大麦。山羊为山羊属（*Capra*）动物，饲养目的为取用其奶及副产品肉、皮、毛。品种多，构成3个较大类群：竖耳型（如瑞士山羊）、东方型（如努比亚山羊）、毛用型（如安哥拉山羊、克什米尔山羊）。山羊可放牧，可饲以苜蓿、干草以及谷类饲料。马为马属（*Equus*）动物，最早在中亚大量驯化，不仅作为家畜饲养，也用于乘骑、表演和赛马。作为家畜，马用于农活或乘骑（尤其在养牛的大牧场）。品种多，分类根据为其起源地（如克莱兹代尔马、阿拉伯马）、主要用途（如乘用马、挽马）、外貌（如轻型马、重型马和小型马）。马以禾草及其他牧场生长的草类为食，一般在饲料中补充干草、谷粒（主要是燕麦）及其他营养丰富的饲料。骡为公驴与母马杂交所生。驴和骡步履稳健，体格强壮，在许多农场上用为役畜，亦常用作乘骑。参阅 **fowl**。

Livia Drusilla　利维娅·德鲁西拉（公元前58-01-30～公元29）　又名尤莉娅·奥古斯塔。屋大维的忠诚妻子，常参与政事，为夫出谋划策。克劳狄安之女。原嫁尼禄。公元前

美国不列颠百科全书公司供图

42年生子提比略。公元前38年初，屋大维强迫她与尼禄离婚，而与他结合。屋大维死后，她害死许多争夺王位的对手，使自己的儿子提比略登上皇位。此后，其权势受到很大遏制。其孙克劳狄在位时期，她被神化。

living, standard of　生活水平　在社会科学中，指衡量个人或集团对商品和服务的期望或企求的尺度。换一种说法，生活水平专用于衡量某一个人或集团对于商品和服务所能达到的消费程度。它不仅包括私人购买的物品，也包括集体消费的商品和服务，例如由公用事业和政府所提供的。因此，生活水平应区别于个人经济福利。后者指实际已经达到的消费标准。生活水平也应与**可支配的收入（disposable income）**相区别，因为它还包括某些能增进幸福感而又非个人所能直接控制的项目，如公共事业和环境质量。有些社会科学家认为，一个人的生活水平（按其期望来说）深受其同等收入水准人们的消费模式的影响。因此，一个人的生活水平是会随其收入的改变而改变的。在论及一群人如一个国家的生活水平时，需要注意把一些衡量实际消费标准的平均值与围绕该平均值的偏差区别开来。例如，如果随着时间推移平均值有所增长，但与此同时富者愈富、贫者愈贫，则断言这个集体的生活都好起来了，可能是不正确的。所以，要比较那些偏差相差很大的国家的生活水平，可能极其困难。实际上，国家内部与国家之间有很大的不同。按大多数标准来衡量，发达国家与欠发达国家间的生活水平差别比之于经济发达国家（不管是社会主义的还是资本主义的）间的那种差别普遍突出得多。不管用什么量的指标来衡量生活水平，这些一般的问题是很显而易见的。有用的指标，除货币收入外，还可包括：某些食物的消费指数（如蛋白质）、估计寿命和基本的舒适生活条件（如安全供水）等。不过，应用这些指数来对不同国家和地区之间的生活水平进行比较，还会遇到很大的问题，特别是某些贫穷国家连最基本的数据（如可靠的人口估计）也不易获得，比较起来更加困难；再如，比较重要的部分如不能以可销售形式出现，因而不能包括在国民收入之内；用1美

元衡量实际收入或消费作为生活水平的指导牵涉到重要的技术问题；即使可以用货币来衡量的东西，定值也可能有扭曲；国际间用官方外汇率来比较更有误导性，特别在外汇市场受政府操纵的地方；一个时期内的比较要调整价格水平上的差距，但不总那么简单；如果两国间各种商品及服务的相对价格差别很大，就很难比较生活水平或消费水平。

Living Newspaper　活报剧　一种将当前时事、社会问题和有争议的事件编成戏剧，并在其中提出适当的改进建议的戏剧类型。在苏联，从1917年的革命时代起，这种技巧被用作宣传手段。20年代在德国，成为由E.皮斯卡托尔和B.布莱希特创立的叙事体戏剧的一部分。美国的活报剧于1935年创始，是联邦戏剧规划的一部分。剧作家和演出人E.赖斯是其主要支持者之一，他相信戏剧具有社会变革工具的作用。通过联邦戏剧规划的发展，活报剧成为一种最有效的新戏剧形式，用闪现的电影式技巧，生动地再现出农业、住房和经济的现实情景。活报剧在美国被认为具有共产主义倾向而受到的批评导致联邦戏剧规划于1939年结束。

living-rock cactus　石头掌　仙人掌科 *Ariocarpus* 属植物，共6种，尤指 *A. fissuratus fissuratus*。原产于得克萨斯州及墨西哥石灰石丰富的地区。植株矮小，几乎无刺，被

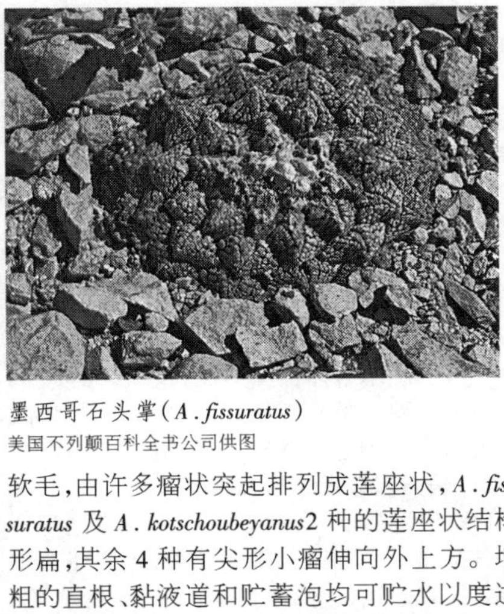

墨西哥石头掌(*A. fissuratus*)
美国不列颠百科全书公司供图

软毛，由许多瘤状突起排列成莲座状，*A. fissuratus* 及 *A. kotschoubeyanus* 2种的莲座状结构形扁，其余4种有尖形小瘤伸向外上方。增粗的直根、黏液道和贮蓄泡均可贮水以度过干旱的冬季。夏雨来时开花，花洋红色、白色、黄色或奶油色，直径2～5厘米。果实到次年夏雨前成熟。该属植物含多量生物碱（主要是大麦芽碱），有轻度致幻作用。

living stone (plant)　**活石头**　参阅 **lithops** 类石。

Living Theatre, The　生活剧团　轮演剧目剧团。以创新演出各种实验性戏剧而著称。这些戏剧往往题材思想激进，具有反传统、反权威和反观众的特色。这一剧团1947年由J.贝克和J.马利纳创立于纽约市，20世纪50年代期间在艰难的条件下维持了下来，演出过一些很少为人所知、新式和实验性剧目，如G.斯泰因、L.皮兰德娄、A.雅里、T.S.艾略特和A.斯特林堡等人的作品。1959年演出J.盖尔伯描写吸毒的戏剧《联系》首次获得重大成功。1961年该团在欧洲巡回演出《联系》及B.布莱希特和W.C.威廉斯等人的剧目，获得好评。回纽约市后，该团成员的非暴力抗议和无政府主义的政治观点在其演出中表现突出。1963年他们演出了K.H.布朗《禁闭室》一剧，描写无人性的军队纪律。不久后，贝克和马利纳以违反纳税法而受审并短期入狱，生活剧团遂告停演。1964年该剧团在欧洲实行"自愿流放"。因受东方神秘主义、完形心理疗法技术和阿尔托对废除艺术与生活界限的愿望影响，生活剧团有意在诸如《天堂就在眼前》等剧里震惊和激怒观众，演员在剧中表演了宗教仪式，煽动争论，直至观众离开剧场。1970年该团分裂成几个小团，散处各地。1999年后主要在纽约和其欧洲总部意大利热那亚演出。

Livings, Henry　利文斯（1929-09-20，英国兰开夏郡普雷斯特威奇～1998-02-20，德尔夫？）英国工人阶级剧作家，他写的滑稽戏表现了严肃的事实真相。他写的话剧类似道德小故事，展示他非凡的喜剧天赋和难以想像的力度和深度，所有这些由于他使用口语而更加突出。曾在J.李特伍德的戏剧工作室受过演员的训练。这番经历在他作品中有着持久的印象。第一部舞台剧《不管你是谁，给我住手！》，讲述一个盥洗室侍者的故事，1961年上演。其他作品有《致命快感》(1961年上演)和《宽厚温和的内莉》(1961年上演)等。后期作品一般不如前期的成功。自传《演员生涯艰辛的一面》于1994年出版。

Livingston　利文斯顿　苏格兰东南洛锡安大区西洛锡安区新建城镇。为苏格兰第四个新建城镇。1962年设置，目的是容纳格拉斯哥的过剩人口和为西洛锡安区提供工业发展区。计划将容纳10万人，建为地区中心。现有5个工业区容纳许多计算机硬件、软件公司。人口约41 647(1991)。

Livingston　利文斯顿　美国蒙大拿州中南部城市，帕克县县城(1887)。濒临黄石河，为加拉廷国家森林所围绕。1882年建为北太平洋铁路某路段总部所在地。1889年设建制。后建有巨大的机车修理厂。随着采矿业的发展，农业和牧业也发展起来。每年有一次集市。旅游业和地方工艺品对经济发展很重要。市南45千米为黄石国家公园北部入口。人口6 851(2000)。

Livingston, Edward　利文斯顿（1764-05-28，纽约哥伦比亚县［美国］～1836-05-23，纽约达奇斯县）　美国律师、议员、政治家，曾编纂刑法和刑事诉讼法典。1785年进入纽约市律师界。1795～1801年为国会共和党众议员，1801年被任命为纽约州地方检察官，同年当选纽约市长。因与一职员舞弊案有牵连，于1803年辞去上述职务并移居路易斯安那州。在新奥尔良执律师业时，他编纂了司法程序临时法典(1805～1825年在路易斯安那州实施)。1820年进入州议会，1821年编写了一部刑法和刑事诉讼法典。这一法典虽未

美国不列颠百科全书公司供图

为州议会采纳，但在欧洲和美国都产生广泛的影响。1823～1829年再次任国会众议员，1829～1831年为参议员。1831～1833年在杰克逊总统内阁中任国务卿，就南卡罗来纳州反对保护关税一案于1832年发表声明，斥责州拒绝执行国会法令的立场。1833～1835年任驻法国特命全权公使。

Livingston, Henry Brockholst　利文斯顿（1757-11-25，纽约州纽约［美国］～1823-03-18，华盛顿［哥伦比亚特区］）　美国最高法院大法官(1806～1823)。19岁时参加大陆军，曾与阿诺德一起作战，并曾任斯凯勒将军和克莱尔将军的副官，之后于1779年随其姻兄杰伊赴西班牙寻求援助。他在返航途中被英国人俘掳，在经过宣誓获释后，入奥尔巴尼学习法律，1783年获律师资格。在纽约市成功地执律师业，直至1802年被任命为州最高法院法官。1806年杰斐逊总统任命他为美国最高法院法官。在最高法院里，首席法官马歇尔的光彩使他黯然失色，他对宪法问题没有提出什么重要的意见。

Livingston, Robert　利文斯顿（1654-12-13，苏格兰罗克斯堡郡安克拉姆～1728-10-01，纽约克莱蒙特［美国］）　美国早期土地所有者、政治家和商人，他创立了纽约州著名的利文斯顿家族，并为他家族的财富奠定了基础。其父为苏格兰长老会牧师，于1663年移居荷兰鹿特丹。利文斯顿于1673年移居新英格兰，1674年在纽约奥尔巴尼的一边远村庄定居。他精通英语和荷兰语，能够成功地为操这些语言的人进行传译，不久即被任命为市镇职员和纽约印第安人事务委员会秘书。他在婚姻中得益，并对历任纽约总督发生影响。他购买了沿哈得孙河大片印第安人要求得到的土地，由此最终在纽约获得6.5万公顷的地产。1686年他获得许可，使他的土地所有权上升至采地（利文斯顿采地）。他还成为纽约政界的著名人物，担任过印第安人事务秘书(1692～1721)，总督会议成员(1698～1702)、纽约议会议员(1709～1726)及议长(1718～1725)。他的孙子威廉和曾孙爱德华、罗柏特R.和亨利·布罗克霍斯特均为美国政界著名人物。

Livingston, Robert R.　利文斯顿（1746-11-27，纽约州纽约［美国］～1813-02-26，纽约克莱蒙特）　美国早期领袖、大陆会议代表、第一任外交部长(1781～1783)、驻法国公使

(1801 ～ 1804)。1770 年起操律师业。他曾参加费城大陆会议，在会议所设的财政、外交、司法等委员会工作(1775 ～ 1776，1779 ～ 1781，1784 ～ 1785)。他是美国独立宣言起草委员会委员，又曾参与起草纽约州第一部宪法(1777)，并任纽约州第一任首席法官(1777 ～1801)。13 州邦联政府成立(1781)后，任命他为第一任外交部长。他在处理外交事务方面有重要贡献。1789 年 4 月 30 日，他根据新宪法在纽约主持美国首任总统 G. 华盛顿的宣誓就职仪式。1801 年，T. 杰斐逊总统派他前往法国谈判购买路易斯安那，结果为美国的外交建立了一件伟大的功勋。退休后利文斯顿热衷于蒸汽机的航海试验，并且与轮船的发明人 R. 富尔敦共同获得纽约海域轮船的专利权。

Livingston, William　利文斯顿 (1723-11-30，纽约奥尔巴尼[美国]～ 1790-07-25，新泽西伊丽莎白)　美国独立后第一任新泽西州州长。毕业于耶鲁大学，1748 年在纽约取得律师资格，1759 ～ 1760 年任纽约议会议员。其政治影响多以小册子及报刊文章的形式发挥作用，1752 年创办《独立评论报》，经常撰稿，翌年停刊，乃转向《纽约信使报》发表其政见。1772 年迁居新泽西殖民地，1774 ～ 1776 年，代表该殖民地先后参加第 1 次及第 2 次大陆会议。1776 年 6 月离开费城回新泽西任部队指挥官。自 1776 年起，连续担任新泽西州州长，迄于终老。1787 年代表新泽西州参加联邦制宪会议，翌年即使该州较早地批准新宪法。曾与史学家 W. 史密斯合编《1691 ～ 1756 年的纽约法律汇编》(2 卷，1752 ～1762)。

Livingstone　利文斯敦　又称马兰巴。赞比亚南端城镇。1907 ～ 1935 年曾是北罗得西亚首府。1927 年成为全国第一个都市。位于非洲南部主要铁路线上，是农产品和木材

利文斯敦镇附近的牧牛场
美国史密森学会国立非洲艺术博物馆供图

集散地。工业有汽车装配、锯木和家具制造业。有一座国际机场。旅游业日益发展，以维多利亚瀑布、卡里巴湖、利文斯敦狩猎公园、卡富埃和万基国家公园为中心。利文斯敦博物馆展有人种学、考古学方面的展品和历史文物。包括与探险家、传教士 D. 利文斯敦有关的展品。人口约98 460(1988)。

Livingstone, David　利文斯敦(1813-03-19，苏格兰拉纳克郡布兰太尔～ 1873-05-01，巴罗策兰奇坦博[今在赞比亚])　苏格兰传教士和探险家。在非洲南部、中部和东部旅行和进行传教活动达 30 年。他对西方人对非洲的态度的影响大于他以前和以后的任何其他个人。他在贫困的家庭环境中长大，受长老会教育，10 岁进纱厂做工。为准备当医生传教士，曾业余在格拉斯哥学习希腊文、神学和

美国不列颠百科全书公司供图

医学两年。1838 年参加伦敦传教会。1840 年任传教士，同年启程去南部非洲，1841 年 3 月到达开普敦。之后 15 年中逐步深入内地，到达许多白人从未到过的地方。他坚定传教，同时潜心从事地理考察。他憎恨并反对布尔人和葡萄牙人对非洲人的歧视。1849 年参与发现恩加米湖，获英国皇家地理学会金质奖章和奖金。自此一直与学会保持联系。1853 年他从赞比西河口的利尼扬蒂向西北进发，以寻找通往大西洋沿岸新的贸易通道。1854年5月到达西海岸的罗安达。1855年9月返回利尼扬蒂。11 月向东勘察赞比西河地区。1856 年 5 月到达莫桑比克的克利马内港。此行最重要的发现是赞比西河上烟波浩渺、水声如雷的大瀑布。他以英国女王的名字称之为维多利亚瀑布。1856 年底作为民族英雄返回英国。所著《南非考察和传教旅行》一书(1857)畅销一时。1858 ～ 1864 年他再度到东非和中非探险。由于利文斯敦关于在赞比西河地区进行经济和政治开发的计划还不成熟，1863 年英政府召回探险队。1864 年夏他回到英国。翌年出版《赞比西河及其支流探险记》一书。1866 年他第 3 次到非洲，除传教和查禁东非海岸的奴隶贸易外，还勘察中非分水岭和探寻尼罗河源头。因部下闹事和恩戈尼人的袭击，被迫改变原计划向北行。1867 年发现姆韦鲁湖，次年发现班韦乌卢湖，1869 年到达坦噶尼喀湖。他抱病行进，1871 年 3 月抵达卢阿拉巴河汇入刚果河处的尼扬圭(当时欧洲人达到的最西点)。1872 年再次向南进发，继续探索尼罗河源头。因病重，1873 年 5 月在伊拉拉地区的奇坦博村(在今赞比亚境内)去世。他的活动激发起外部世界对非洲的兴趣。他在地理、技术、医学和社会方面的发现至今仍有教益。他不仅是欧洲人在非洲建立帝国的先驱，也是非洲民族主义的先驱。

Livingstone, Sir Richard Winn　利文斯通 (1880-01-23，利物浦～ 1960-12-26，牛津)　英国古典文学学者和大学行政官员。他倡导将古典人文学科列为大学必修课程。曾就学于牛津大学，并在该校任研究员、导师及基督圣体学院图书馆馆长直至 1924 年。此间同时在首相古典文学委员会工作(1920)，同时也是《古典文学评论》的编辑之一(1920 ～ 1922)。1924 ～ 1933 年在贝尔法斯特女王大学任副校长。任期内他使该校有很大发展，并得到较多的财政支援。1931 年封为爵士。1933年回牛津，一直住到他结束学术生涯。他任基督圣体学院院长期间，为殖民地行政官员开设了暑期学校并为成年人扩大受教育机会。他还为女子住宿学校的建立发挥了重大作用。1944 ～ 1947 年任副校长。1950 年退休，最后 10 年从事写作和讲演。他坚决捍卫文科教育的价值，特别强调古典文学的重要性。一生对古典文学的赞赏见之于下列编著：《希腊精神及其对我们的意义》(1912)、《为古典文学教育辩护》(1916)、《希腊的遗产》(1921)、《希腊的庆典》(1923)、《希腊的使命》(1928)、《苏格拉底的画像》(1938)、《教育的未来》(1941)及《虹桥》(1959)。

Livingstone Falls　利文斯敦瀑布　刚果河上的 32 个急流和大瀑布。在刚果(金)的金沙萨和马塔迪之间 354 千米河段上。总落差约 260 米。瀑布从距海岸 160 千米的内陆开始，使该河从内地至河口段无法航行。但水电资源丰富，马塔迪上游建有英加大型水电工程。瀑布以苏格兰探险家、传教士 D. 利文斯敦的姓氏命名。为刚果河绘图的 H. M. 斯坦利于 1877 年越过该瀑布。

Livius, Titus (Roman historian)　参阅 **Livy** 李维。

Livius Andronicus, Lucius　李维乌斯·安得罗尼库斯(约公元前284，大希腊他林敦～约前 204，罗马?)　罗马史诗和戏剧的创始人。原是希腊奴隶，后为李维乌斯家成员所释。作为自由民，在罗马靠教拉丁文和希腊文谋生。他的主要作品是荷马的《奥德修纪》的译本，可能是为用作教材而译。译文以粗略的意大利萨图尔努斯韵律写成，从残存的近 50 行诗以及西塞罗和贺拉斯的评论来看，作品几无诗意。但它是第一部重要的拉丁文长诗，也是文艺翻译的第一部范本。公元前 240 年，作为罗马竞技会一部分，李维乌斯上演了一部从希腊文翻译过来的悲剧，也许还有一部喜剧。此后，他继续写作和上演悲、喜剧。主要翻译三大悲剧家埃斯库罗斯、索福克勒斯和欧里庇得斯的作品。公元前 207 年，为禳灾祈福，他受命创作一首献给朱诺神的赞美诗。作为对该诗禳灾成功的奖赏，他所主持的诗人和演员行会被允许设立在亚文丁山上的密涅瓦神庙中。

Livonia　利沃尼亚　德语作 Livland。立陶宛以北、波罗的海东岸土地。原指利夫人即芬兰-乌戈尔族定居的西德维纳河和高亚河河口地区。后来指几乎拉脱维亚和爱沙尼亚全部。13 世纪被宝剑骑士团占领，成立利沃尼亚同盟，其中包括教会国家、自由市镇和骑士直接统治的地区。1419 年成立联合立法议会，骑士团占有主要势力。1561 年骑士团解散，利沃尼亚同盟随之土崩瓦解。西德维纳河以北的骑士领地归属立陶宛，西德维纳河

以南地区(库尔兰)变成波兰的采邑,瑞典则攫取了爱沙尼亚北部。1621年,瑞典又攻占里加和叶尔加瓦,随后兼并全部爱沙尼亚和拉脱维亚北部。1721年北方战争结束后,瑞典把这些领土割让俄国。此后,俄国又侵占了拉特加列(1772)和库尔兰(1795)。在帝俄统治下,利沃尼亚被划分为3个行政区:爱沙尼亚、利沃尼亚和库尔兰。十月革命后,拉脱维亚和爱沙尼亚宣布独立,1940年并入苏联,1941～1944年曾被德军占领。

Livonia 利沃尼亚 美国密歇根州东南部韦恩县底特律西郊城市。始建于1834年。原为农业区。第二次世界大战后迅速发展为工业区和住宅区。设有马多纳学院(1937)和斯库尔克拉夫特初级学院(1961)及底特律赛马场。人口100 850(1990)。

Livonian Order 参阅**Brothers of the Sword, Order of the 宝剑骑士团**。

Livonian War 利沃尼亚战争(1558～1583) 俄国为控制大利沃尼亚而同波兰、立陶宛和瑞典进行的长期战争。1558年伊凡四世派兵入侵利沃尼亚,企图得到波罗的海的出海口。俄军夺取纳尔瓦和多尔帕特,包围雷瓦尔。利沃尼亚骑士团抵挡不住俄军的进攻,于1561年解散,并将利沃尼亚本土交给立陶宛保护,使库尔兰归属波兰,爱沙尼亚归属瑞典,厄塞尔岛归属丹麦。俄国为了维护对利沃尼亚的占领,不得不对瑞典和立陶宛发动战争。起初,俄军于1563年占领了波洛茨克和立陶宛到维尔纳的大片领土。1566年,俄国缙绅会议拒绝了立陶宛提出的和平建议。后来,在战争进行期间,俄国国内经历了16世纪60年代严重的社会动乱和经济破坏,而立陶宛却变得强大起来,1569年又与波兰联合,并拥有一位新国王S.巴托里(1576)。巴托里发动了一系列反对俄国的战役,1579年重新攻占波洛茨克并包围了普斯科夫。1582年俄国同立陶宛签订《雅姆扎波尔斯基和约》。俄国归还它所占领的所有立陶宛领土,并放弃对利沃尼亚的要求。1583年俄国又同瑞典缔结和约,把芬兰湾沿岸的一些俄罗斯城市让给瑞典,并放弃对爱沙尼亚的要求。

Livorno 里窝那 英语作Leghorn(来航)。意大利中部托斯卡纳区里窝那省省会、城市。临利古里亚海,东面与南面为低矮的里窝内锡山所包围。原为小渔村。1103年归属比萨教会后地位开始重要。佛罗伦萨的梅迪契家族统治时期成为最重要城市。1571年建梅迪契港,成为商业中心。哈布斯堡-洛林的利奥波德二世(1747～1792)时期城市扩建,港口增建防波堤。1675年成为自由港。1860年归属意大利王国。第二次世界大战中遭严重破坏。战后按原貌重建。几条从阿尔诺河通海的运河经此。名胜古迹有韦基亚城堡(1521～1534)、诺瓦城堡(1590)、斐迪南一世大公的大理石雕像和著名的《四摩尔人》铜像等。1595年的大教堂于1954～1959年全部重建。其他名胜古迹有新教墓地(18世纪英国小说家T.斯摩莱特的葬地)、诗人雪莱和拜伦居住过的两座别墅。乔瓦尼·法托里博物馆藏有法托里等托斯卡纳画家的绘画和现代绘画。风景如画的海滨大道旁有市水族馆、意大利海军学院。里窝那为意大利最大港口之一。铁路、公路和航空交通便利。进口原油、煤、谷物、磷酸盐和肥料、硅砂、金属矿物等,出口矿物油、衍生油、大理石、厚玻璃板、葡萄酒、橄榄油、番茄酱、纯碱、铜和铜合金等。有大型造船厂和小修船厂。工业有炼铝、炼铜、炼钢、炼油、化工等。人口:城市区约173 114(1988)。

Livy 李维(公元前64或前59,意大利威尼斯帕塔维乌姆～公元17,帕塔维乌姆) 拉丁文全名为Titus Livius。罗马三大历史学家之一,与萨卢斯特、塔西佗齐名。所著罗马史在他生前即成为经典著作,并对直至18世纪的历史撰写风格和历史哲学产生了深远影响。生平事迹及家庭背景不详,屋大维结束内战局面后才首次为人提及。他钻研过修辞学和哲学。公元前29年或此前不久他计划写罗马史。他一生的大部时间想必是在罗马度过的。他的罗马史共142卷。1～5卷起自罗马城奠基,截至公元前386年罗马遭高卢人洗劫;6～10卷为萨谟奈战争;11～15卷为征服意大利;16～20卷为第一次布匿战争;21～30卷为第二次布匿战争;31～45卷为珀尔修斯战争结束(公元前167)前的事件;46～70卷为同盟者战争前的事件;71～80卷为内战,至马略去世止;81～90卷为内战,至苏拉去世止;91～103卷为庞培在公元前62年凯旋前的事件;104～108卷为共和国的最后年代;109～116卷为内战,至凯撒被刺止;117～133卷自凯撒去世起至亚克兴角战役止;134～142卷为公元前29～前9年的事件。其中11～20卷和46～142卷已佚。在几位罗马历史学家中间,唯有李维没有参加过政务。他不是从政治上解释历史,而是从个人和道德的观点看待历史的进程。他在这方面的追求超过了对历史准确性的追求,同时对古文物研究所知甚少。李维与西塞罗、塔西佗共同奠定了新的风格。他创造了一种灵活多变的文体,古代评论家昆体良说这种文体"像奶汁一样富于营养"。李维写道:"当我叙述古代的事迹时,我的心也成为古代的了。"

Lixus 利克苏斯 摩洛哥境内的古代遗址,在今拉腊什海港以北,卢库斯河右岸。公元前7世纪腓尼基人居住于此,地位日见重要,后归迦太基人所有。迦太基灭亡后,又归罗马统治,成为罗马帝国的殖民地,在罗马皇帝克劳狄一世统治时期(公元41～54年)达于鼎盛。有些古希腊作家把神话中的金苹果园定在利克苏斯。

Liyang 溧阳 中国江苏省县级市。位于省境西南部,南与安徽省接壤。辖溧城、戴埠、南渡天目湖、新昌等17镇。面积1 535平方千米。春秋时已有溧阳之名。秦置溧阳县,旧治在溧水(古称濑水,1928年改名南溪)之阳故名。三国吴废,西晋太康元年(280)后置。隋开皇十八年(598)并入溧水县,唐武德三年(620)再置溧阳县于旧治,天复三年(903)迁治于今溧城镇。元至元十六年(1279)升为溧阳路,至元二十七年又降为县,元贞元年(1295)再升为州,明初复降为县。1983年划归常州市。1990年撤县建溧阳市。市南境属宜溧山地(又称界岭),锅底山海拔541米;西北境属茅山山地,丫髻山海拔410米;中部和东部属太湖水网平原,地面高程多在10米以下,平原诸河均汇入荆溪,东流经宜兴市注入太湖。在北亚热湿润季风作用下,盛产稻、麦、油菜籽以及茶、桑、竹、油桐、板栗和林木。矿产有煤、铜、铁、石灰石等。乡镇企业发达,工业有纺织、服装、食品、制茶、采矿、电力、钢铁、机械、化工、化肥、农药、建筑材料等部门。南渡河、荆溪河横贯东西,丹阳—金坛—溧阳的漕河纵贯南北,有航运、排灌之利;宁杭公路贯穿中部平原,水陆交通便捷。人口780 000(2005)。

Liyong, Taban lo 利永(1938,乌干达阿乔利古卢～) 多产作家,他的实验性作品及挑衅性言论在东非激起了文学界的争论。作品有富于想象力的短篇小说集《故事集》(1969)、自由体诗《又一个黑人死了》(1972)和《不发达的民谣》(1976)等。著作有争辩性和娱乐性的小品文《林博中的沉思录》(1970)、《穿制服的人》(1971)和《利永沉思录》(1978)。大胆的文学评论《最后的话》(1969)、半严肃半政论性文集《对敌人的十三次进攻》(1973)。他还编辑了口头传说故事《吃饭的头人》(1970)和《东非民间文化》(1973)。他的写作宗旨似乎是以独创的方式展现具有挑战性的新观念,从而振聋发聩,唤醒读者。他以轻松的笔调写一系列严肃的问题,被一些评论家称为油嘴滑舌、不负责任的小丑。但他始终是一个令人振奋和神秘莫测的作家,常常有一些有趣的东西要说。他在乌干达长大,在首都坎帕拉国立师范学院求学,后到美国田纳西州诺克斯维尔学院和华盛顿(哥伦比亚特区)霍华德大学继续大学学习,在艾奥瓦大学专攻写作,获文学硕士学位。1968年回乌士达,在肯尼亚内罗毕大学工作数年,先是在非洲研究所任研究员,后在文学系任讲师。1975～1977年在巴布亚新几内亚大学任文学系主任,后回苏丹任朱巴大学高级公共关系官员。

liyuan 梨园 英语作pear garden。中国唐代教练宫廷歌舞艺人的地方。唐玄宗精通音乐,选男女艺人各数百人于梨园学歌舞。所作新曲交梨园演奏,声有差误亲为教正。这些艺人称为"皇帝梨园弟子"。梨园中还有"小部音声",是由30名15岁以下孩子组成的少年班。除宫廷梨园外,还有两个梨园组织:一属长安太常寺,称"梨园别教院";一属洛阳太常寺,称"梨园新院"。两处教习水平均不及宫廷梨园。后人往往称戏班为梨园,称戏曲演员为梨园子弟,称戏曲界为梨园行。

liyuanxi 梨园戏 中国戏曲剧种之一。流行于福建省的厦门、泉州等地区和台湾省闽南方言区域,东南亚华侨聚居地亦有演出。梨园戏历史悠久,16世纪中叶已在福建泉州一带流行。因演出剧目和唱腔风格不同有大小梨园之分。大梨园又分"上路"、"下南"两支。上路戏指由浙江传入的古典戏曲,保留

《陈三五娘》剧照（苏乌水饰黄五娘）
中国大百科全书出版社供图

了不少南戏剧目如《蔡伯喈》、《王魁》、《刘文龙》、《朱文太平钱》等。下南戏指用本地声腔演唱的戏，剧目有《吕蒙正》、《郑元和》、《岳霖》等。小梨园原为官家富户的家班，演员都为少年，故名；脚色只7个，又称“七子班”；以生、旦戏见长，剧目有《荔镜记》、《董永》、《蒋世隆》等。梨园戏唱腔属南曲，用方言演唱，称“泉腔”。伴奏以洞箫和琵琶等弦乐器为主。唱腔为联曲体，留有不少古曲牌。上路唱腔淳朴刚劲，下南粗犷明快，小梨园缠绵婉转，各具特色。梨园戏的表演细腻古朴，载歌载舞，在部分表演中尚糅合一些傀儡动作。代表剧目有《朱文太平钱》、《朱弁冷山记》、《陈三五娘》、《高文举》、《胭脂记》等。

lizard　蜥蜴　蜥蜴亚目（Sauria）爬行动物的统称。与其近缘的蛇亚目合计占整个现存爬行类动物的95%。蜥蜴共分17科，3 700多个种。以热带地区的种类和数量为最多。从北极地区到非洲南部、南美洲和澳大利亚皆有分布。蜥蜴与蛇的外表特征相似：具角质鳞，雄性具有一对交接器（半阴茎），方骨可活动。典型的蜥蜴身体略呈圆柱形，四肢发达，尾部稍长于头部和身体的总和，下眼睑可活动。蜥蜴体长3～300多厘米，大多数的体长在30厘米左右。其头、背部或尾上有棱脊，喉部皮肤有皱褶而且颜色鲜艳，喉部下垂。蜥蜴与鱼类、两栖类一样，为冷血动物，体温由环境调节，但少数种的蜥蜴能将阳光的热量贮存于体内一段时间。多数蜥蜴为卵生，将卵埋入地中。胚胎发育出一些特别的牙齿用以咬破卵壳。但许多种为卵胎生。大多数种食昆虫及啮齿动物，但一些种类如鬣鳞蜥是食草动物。

各种蜥蜴的外形
A　旧大陆避役（*Chamaeleo* 属）　B　飞蜥（*Draco* 属）　C　墙蜥（*Lacerta* 属）　D　王蜥（*Basiliscus* 属）　E　角蜥（*Phrynosoma* 属）　F　壁虎（*Gekko* 属）　G　脆蛇蜥（*Ophisaurus* 属）　H　蚓蜥（*Amphisbaena* 属）　I　希拉毒蜥（*Heloderma* 属）　J　圆筒蜥（*Chalcides* 属）

lizard beetle　蜥甲　又作languriid beetle。又称拟叩甲。鞘翅目拟叩甲科昆虫，约400种。多分布于亚洲和北美。体窄长，长约5～10毫米。成虫淡红，鞘翅色深，以植物为食。车轴草拟叩甲（*Languria mozardi*）的幼虫可严重为害车轴草地。许多拟叩甲头顶部有发声器官，可发出短促而尖的声音。

lizard orchid（*Himantoglossum hircinum*）**蜥蜴兰**　兰科一种外形奇特的植物，零星分布于各种干燥的欧洲生境内。花绿紫色，每花有几枚长而稍扭曲的花被片，侧萼片似蜥蜴的后腿，唇瓣长，像蜥蜴的尾，花瓣和中萼片形成蜥蜴的头部和身躯。穗状花序，长约10～50厘米。蜥蜴兰有一股羊膻味，外形不整齐。

蜥蜴兰（*Himantoglossum hircinum*）
美国不列颠百科全书公司供图

Lizard Peninsula　利泽德半岛　在英格兰在英格兰康沃尔行政、历史郡凯里厄区。为不列颠岛最南端。沿岸景色优美，有高达75米的峭壁，还有小海湾。内地平坦开阔。当地蛇纹岩用作建筑材料。半岛上的波尔杜是1901年意大利工程师马可尼首次进行大西洋两岸无线电通信的地点，现建有纪念碑。

lizardfish　蜥鱼　狗母鱼科约36种多见于热带的海产鱼的统称。体长圆柱形，头上披

蜥鱼（*Synodus*）
美国不列颠百科全书公司供图

鳞。最大长度约50厘米,体杂色斑驳而与周围环境相混。大部生活于浅水,常栖于砂质地或泥质地区,有时部分埋于海底。肉食性,捕食时以其为数甚多的锐牙叼住其他鱼类。有时为渔民捕捞,但一般认为其肉味不佳。

Lizardi, José Joaquín Fernández de　利萨尔迪　参阅 **Fernández de Lizardi, José Joaquín 费尔南德斯·德·利萨尔迪**。

lizard's tail　蜥尾草　又作 water dragon。又称水龙草。三白草科(Saururaceae)植物美洲三白草(俯垂三白草,*Saururus cernuus*)的俗称。见于北美东部沼泽地区。具长匍茎,直立

美洲三白草(*Saururus cernuus*)
美国不列颠百科全书公司供图

枝高约60~150厘米。叶心形,具长柄。花小,白色,生于尖端下垂的穗状花序上,形似蜥蜴的尾巴。

Ljouwert (The Netherlands)　参阅 **Leeuwarden 吕伐登**。

Ljubljana　卢布尔雅那　德语作 Laibach,意大利语作 Lubiana。斯洛文尼亚的首都和经济、政治、文化中心。濒临卢布尔雅尼察河,位于狄那里克阿尔卑斯山脉北部高峰环

卢布尔雅尼察河畔的卢布尔雅那市
美国不列颠百科全书公司供图

抱的天然洼地中,常有浓雾。公元前1世纪的古罗马城埃莫讷即在此,为通往潘诺尼亚的战略要地,约在5世纪被异邦人毁坏。后斯拉夫人重建,名为卢维加纳,又于10世纪被马扎尔人毁坏。后经多次易手,1809年被法国占据,1813年前为伊利里亚行省的政府所在地。1821年神圣同盟成员国在此举行莱巴赫会议。1849年修通维也纳至此的铁路南段,促进了卢布尔雅那的发展;它成为奥地利统治下斯洛文尼亚民族主义活动中心。1918年结束外国统治而成为南斯拉夫的一部分。斯洛文尼亚1992年独立后,成为其首都。市内高高矗立有一中世纪碉堡。旧市区位于古堡和卢布尔雅尼察河之间;1895年大地震后仅存有少数奥地利巴罗克式古建筑物。新市区有很大的蒂沃利公园;多数具有历史意义的建筑物建于18世纪。市内现有博物馆、美术馆、歌剧院、卢布尔雅那大学(1595)、神学院(1919)、美术学院、斯洛文尼亚科学和艺术研究院和冶金研究所。为通往奥地利的铁路和公路交通的重要中心。生产水电站用涡轮机,还生产天然和合成纺织品、氧化铝、纸张、新闻纸、鞋靴、皮革、电动消费品、化学品和肥皂。人口约270 986(2000)。

Ljusnan　于斯南河　瑞典中部河流。源出挪威边境的山地,流向东南,经耶姆特兰省和耶夫勒堡省的斯韦格、于斯达尔、博尔奈斯,在于斯讷注入博滕海。全长430千米,流域面积19 800平方千米,为耶夫勒堡最长河流,亦为瑞典最重要的河流之一。现用于水力发电。以产鲑鱼著名。

LL Cool J　酷詹姆斯(1968-08-16,美国纽约州纽约市~　)　原名詹姆斯·托德·史密斯。美国说唱歌手和演员,20世纪80年代新说唱艺术的主要代表和街头歌舞明星,十几年间当红不衰。16岁时取艺名 LL Cool J(Ladies Love Cool James),头一个单曲唱片《我需要节奏》销售超过10万张。他的风格快速清脆、节奏曲婉、词句高傲。1985年发行第一张专辑《收音机》,并参加拍摄庆祝德福·詹姆唱片公司成立的影片《破碎节拍》(1985)。其后不断创作大胆而清新的曲调,广播电台播放了他的第一个说唱乐的浪漫歌谣《我需要爱》(1987)。1988年录制新曲《回到加州》,标志着西海岸说唱乐的兴起。一些批评家们对他的混合音乐风格提出批评。作为回击,1990年他与制作人 M.马尔合作,推出专辑《妈妈说把你打趴下》,无论在音乐方面,还是主题方面都有所创新,获得巨大商业成功;随即开始拍摄电影和电视剧。后来创作的专辑融合了流行乐的通俗和街头歌舞的机智。

llama (*Lama glama*)　**美洲驼**　偶蹄目骆驼科南美动物,与羊驼、原驼和骆马近缘,总称为羊驼类。与骆驼不同之处为无驼峰;体细长,腿和颈均长,尾短,头小,耳大而尖。群居,以禾草和其他植物为食。被激怒时喷吐唾液。羊驼类能进行种间杂交并生出能育的后代。美洲驼主要用作驮畜,但安第斯山区的人民也食其肉、剪其毛、用其皮,将其脂油用作蜡烛,其粪便干燥后可作燃料。美洲驼是最大的羊驼类,肩高平均120厘米。体重113千克的美洲驼能驮载45~60千克,平均每天能走25~30千米。美洲驼极能忍渴,耐力强,能以多种多样的食物为生,故在荒凉的安第斯高原和山地是重要的运输工具。美洲驼性温顺,但负载过重或受到粗暴对待时会躺下、嘶叫、吐唾沫、踢腿,拒绝前进。羊驼类在(南半球的)晚夏及秋天(11月至次年5月)繁殖。妊娠期约11个月,每产一仔。美洲驼通常为白色,亦可为纯黑色或褐色,亦可为白色而有黑色或褐色斑点。美洲驼和羊驼(*L. pacos*)均为家畜,未知有野生者;似乎在印加印第安文明期间或以前即已驯化。美洲驼、羊驼和原驼或划分为几个独立的种,或视为一个种——美洲驼的几个亚种。由于某些结构上的特征,骆马有时与其他羊驼类分开,视为单独的种—— *Vicugna vicugna*。大部分美洲驼畜群为玻利维亚、秘鲁、厄瓜多尔、智利和阿根廷的印第安人所豢养。美洲驼每两年剪毛一次,每次3~3.5千克纤维。美洲驼的毛由较粗的针毛(起保护作用的外毛,约占20%)和短而呈波浪形的下层绒毛(有隔绝作用)组成。其粗毛质量不及羊驼。毛色通常斑驳,一般带褐色色调,亦有纯黑或纯白色者。美洲驼毛经去污后的最终产量仅为原来重量的66%~84%。每个毛撮均呈波浪形。非常松软的纤维每厘米中有2~4个波形;但粗毛几为笔直。毛的长度为8~25厘米,粗毛较长。美洲驼的粗毛与绒毛的直径之间的差异不及山羊绒纤维明显;其毛纤维直径约10~150微米,下层绒毛的直径通常为10~20微米。毛纤维外层的鳞片不明显;皮层含色素,数量和分布各异,使之具有不同的颜色和色调。除最细的纤维外,美洲驼毛纤维有空心的中央核心(或髓质),结果密度减低,使纤维重量较轻。美洲驼毛纤维单独或与其他纤维混合用于针织品和制作外衣的机织织物。在产地用于制作地毯、绳索和织物。

Llandaff　兰达夫　威尔士南格拉摩根郡加的夫市的一部分。原为单独城镇,在塔夫河西岸,加的夫市中心西北约3千米。现存大教堂建于12世纪初乌尔班主教时期。中世纪

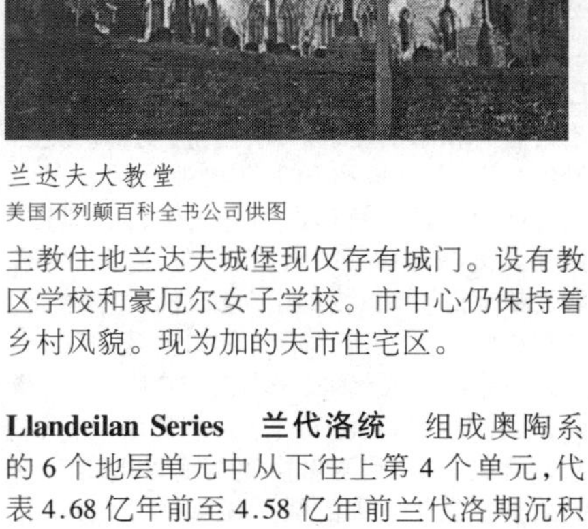

兰达夫大教堂
美国不列颠百科全书公司供图

主教住地兰达夫城堡现仅存有城门。设有教区学校和豪厄尔女子学校。市中心仍保持着乡村风貌。现为加的夫市住宅区。

Llandeilan Series　兰代洛统　组成奥陶系的6个地层单元中从下往上第4个单元,代表4.68亿年前至4.58亿年前兰代洛期沉积的全球所有岩石。该名源自威尔士卡马森郡

的兰代洛镇，这是传统的英国典型地区。这里该统地层的最大厚度将近760米，由页岩、石灰岩和砂质岩层组成。但其层底与下伏的兰维恩地层间不整合，因此不适于作全球地层典型剖面。国际地质科学联合会下属的国际地层学委员会迄今尚未界定任何全球层型剖面和点(GSSP)。附近，这英国典型剖面的基面之上，在圆滑雕笔石(*Glyptograptus teretiusculus*)生物带中发现有一组笔石动物群。在作出更精确的定义前，这生物带的基面一直被视作兰代洛统的基面。原则上，兰代洛统的顶部由在其上的卡拉道克统的基面予以界定。

Llandovery Series　兰多维利统　志留系4个主要分层中最低的一个，代表那些在4.38亿年前至4.28亿年前的兰多维利世期间在全球范围内沉积的所有岩石。此名来自威尔士南部达费德的兰多维利镇附近的那个典型地区，那里存在着厚约1 200米的含化石的页岩、砂岩和灰色泥岩。兰多维利统的底界与志留系的底界相重合。按1985年经国际地质科学联合会下属的国际地层学委员会批准正式划定的，这个边界的全球层型剖面和点(GSSP)被建立在伯克山页岩组的底面以上1.6米，这个页岩组位于苏格兰南部莫菲特附近的林布兰奇溪北岸，在多布斯林一带。兰多维利统的边界点，或所谓“金鞋钉”的标志是 *Parakidograptus acuminatus* 的笔石生物带的底界，这是靠这一种笔石与另一种笔石 *Akidograptus ascensus* 一同最早出现来确定的。兰多维利统的其他关键参照地区分别位于挪威南部的奥斯陆地区和加拿大魁北克省的安蒂科斯蒂岛上。所有这3个地区的介壳类动物相的特征是其腕足动物都属于下列3个属：斯特里克兰贝属(*Stricklandia*)、五房贝属(*Pentamerus*)和古腔贝属(*Eocoelia*)。兰多维利统的顶界靠覆于其上的文洛克统的底界划定。兰多维利统本身又分为3个世界范围的阶，即里兹兰阶、艾尔勒阶和泰利奇阶。

Llandrindod Wells　兰德林多德韦尔斯　威尔士波伊斯郡首府、城镇和避暑胜地，属拉德诺历史郡。1696年发现有治疗作用的矿泉后发展起来。19世纪通铁路后更遐迩闻名。矿泉浴场在20世纪60年代关闭，但1983年复开，现为一活跃的旅游中心，有许多旅馆、宽敞的街道、公园、博物馆和一潭6公顷的划船湖。西北部有古罗马时代的科伦城堡遗迹。人口4 362(1991)。

Llandudno　兰迪德诺　威尔士康威郡级自治市首府和海滨胜地。属登比历史郡。濒临爱尔兰海，在大奥梅和小奥梅岬之间。在大奥梅岬曾发现史前和古罗马人侵占的遗迹，该岬最高峰海拔207米，有电车、缆车、公路和天然小道可通，坡上山羊成群。小奥梅岬有些小山洞。城镇在原捕鱼和铜开采区，19世纪下半叶发展起来，城内街道宽阔，房屋精美，具有维多利亚建筑特色。刘易斯·卡罗尔在此给艾丽丝·利德尔讲述艾丽丝漫游奇境的故事。现为该郡的最大城镇。人口14 573(1991)。

Llanelli　拉内利　威尔士卡马森郡城镇。原为老移民区，18世纪晚期发展起来，成为有色金属制造业中心和运输无烟煤的港口。1951年码头关闭，生产马口铁的旧工厂停产。后来在特罗斯特港建起大冷轧钢厂，成为南威尔士现代化马口铁工业中心。人口44 953(1991)。

Llanelli　拉内利　威尔士达费德郡区和自治市。1974年建立。区的西缘附近为基德韦利，是威尔士最古老的自治市之一(1115年建)。其城堡建于1106年。基德韦利生产光学玻璃和硅石砖。巴里港的沿海城镇为划游艇中心，曾经出口煤。最近建成电力站。面积233平方千米。人口约73 500(1991)。

Llanelwy (Wales)　参阅 **Saint Asaph** 圣阿瑟夫。

Llangefni　兰盖夫尼　威尔士安格尔西岛城镇。属安格尔西历史郡。坐落于塞夫尼河畔安格尔西岛近中央，为该岛农业的市场中心，每星期三、四举办牲畜交易。工业主要是农具制造。由霍利黑德通往班戈的公路经过该城南面。为安格尔西岛行政中心。人口4 643(1991)。

Llangollen　兰戈伦　威尔士登比郡集镇。在迪河河谷内。1947年开始在此进行国际音乐比赛。旅游业发达，有许多具有地区特色的历史古迹，如瓦莱克鲁西斯隐修院(1200年建)和14世纪筑于迪河上的大桥等。人口3 267(1991)。

Llanilltud Fawr (Wales)　参阅 **Llantwit Major** 兰特威特马哲。

Llano Estacado　埃斯塔卡多平原　又称斯塔克德平原。美国高平原的一部分。在得克萨斯和新墨西哥州交界处。北界加拿大人河谷，东为平原的断层，南接爱德华兹高原，西邻俯临佩科斯河的梅斯卡莱罗岭。面积7.8万平方千米。海拔900～1 200米。地势平坦，土地肥沃，半干旱，有局部蓄水低地。有畜牧业，并出产小麦、高粱、棉花。石油、天然气生产也重要。当地主要城市有得克萨斯州的拉伯克和阿马里洛。因气候不利于健康又与外部处于孤立状态，限制了人口的增长。

Llanos　拉诺斯　西班牙语，意为“平原”。南美洲北部大草原，位于委内瑞拉西部，哥伦比亚东北部，面积约570 000平方千米。北、西两面以安第斯山脉为界，南接瓜维亚雷河和亚马孙河盆地，东至奥利诺科河下游和圭亚那高原。拉诺斯平原海拔高度很少超过300米，地势自奥利诺科河之西的低拉诺斯向安第斯山麓的高拉诺斯逐渐升高。高拉诺斯在河流之间形成广袤的平川，地势比谷底高出30～60米。拉诺斯将雨水排入奥利诺科及其西面支流瓜维亚雷河、梅塔河和阿普雷河等。每年降水集中于4～11月，降水量从中部平原的努特里亚斯市的1 100毫米到安第斯山附近的比亚维森西奥达4 570毫米。全年日平均气温超过24 °C。拉诺斯大部分地区为热带无树大草原，低洼地区遍生沼泽草和蓑衣草，干燥地区则生长长茎草和地毯草。树木集中生长在河流两岸及安第斯山麓，开阔的大草原上亦零星点缀着低矮栎树和棕榈树。大多数哺乳动物在狭长的森林带中栖息，到草原上觅食，其中主要有若干种鹿和兔子，以及食蚁动物、犰狳、貘、美洲虎和世界上现存最大的啮齿动物水豚。自西班牙殖民时代起，养牛业一直是拉诺斯经济的支柱。20世纪50年代伊始也发展起大量小规模农业。委内瑞拉拉诺斯的埃尔蒂格雷和巴里纳斯油田的发现极大地提高了该地区在经济上的重要性。

Llanquihue, Lake　延基韦湖　智利最大湖泊，湖区在延基韦和奥索尔诺两省内。与毗邻的托多斯洛斯桑托斯湖并称为智利名湖。面积约860平方千米，长35千米，宽40千米，深1 500米。西岸为农田；东岸为森林密布的安第斯山麓丘陵，远眺为奥索尔诺和卡尔布科火山，山后阿根廷边境处矗立特罗纳多峰(3 554米)。湖光秀丽，适于垂钓，湖滨城镇巴拉斯港、延基韦和奥克泰港等为旅游胜地。湖边有锯木厂和甜菜糖厂。湖水经毛林河注入太平洋。

Llantrisant　兰特里森特　威尔士朗达卡农塔夫郡级自治市城镇。属格拉摩根历史郡。位于两座陡峭山岭之间的山脊上，俯视着伊利河谷与格拉摩根谷。兰特里森特(意为“三圣教堂”)得名于伊尔蒂德、格韦诺及迪福德三圣徒，当地乡村教堂为纪念他们而建。保存得很好的凯禄山寨防护墙是铁器时代居民点的证明。18～19世纪该地重要性因北面工矿业兴起而大为降低。随煤矿业的衰落，人口又从北面谷地流向其南面村镇的新兴工业区。1967年英国皇家造币厂由伦敦的陶尔希尔迁此。M4号高速公路自加的夫经该地区通往塔尔伯特港，将该区与新兴工业区相连。人口9 136(1991)。

Llantwit Major　兰特威特马哲　威尔士语作 Llanilltud Fawr。威尔士格拉摩根河谷区城镇。属格拉摩根历史郡。曾发现有史前和古罗马时代遗迹。约公元500年在此建成的教会学院是当时著名的学术和宗教中心，使该城在中世纪地位十分重要。议会解散期间(1536～1539)学院关闭，以后成为蒂克斯伯里隐修院的一部分，现仅存有门房和鸽棚。兰特威特马哲现为零售业中心、游览地和住宅区。人口12 909(1991)。

Llanvirn Series　兰维恩统　在北威尔士最先研究的奥陶纪地层层序(奥陶纪为5.05亿年前至4.38亿年前)。位于兰代洛统之下，阿雷尼格统之上。在典型地区，该统厚约760米，其中有泥岩和页岩，还有火山熔岩和火山凝灰岩。一般认为有两个笔石化石带：下带是两分对笔石(*Didymograptus bifudus*)带；上带是莫氏对笔石(*D. murchisoni*)带。与威尔士地区兰维恩统相当的地层，在世界范围都有分布。在波罗的海地区主要是页岩，化石带中三叶虫(绝灭的海生节肢动物门)和笔石都有。兰维恩统的重要地层在东欧、北非、中国、澳大利亚及新西兰和南美都有。在上述国家和地区,相当于兰维恩统的地层,都用不同的地区性名称。

Llewellyn, Richard 卢埃林(1906-12-08,威尔士彭布罗克郡圣戴维兹～1983-11-30,爱尔兰都柏林) 威尔士小说家、剧作家。因描写威尔士矿工家庭的畅销小说《青山翠谷》(1939,1941年拍成电影)知名。后来出版的著作有《爬上欢鸣的高山》(1960)、《我要睡到……》(1966)和《山谷又青翠如故》(1975)。曾在威尔士和伦敦求学,后赴意大利学习旅馆管理,但开始以各种身份参与电影制片业的工作。写过两部成功的神秘剧《毒笔》(1938)和《绞索》(1947)。其他小说包括《唯有孤独的心》(1943,1944年拍成电影)和《饰花数朵》(1950)。《星光灿烂之夜》(1979)是他的第20部小说。

Llivia 利维亚 西班牙城镇和飞地。在法国东比利牛斯省内。行政上属西班牙赫罗纳省。早期为罗马人所建城镇,作为古代塞尔达尼亚(**Cerdaña**)地区首府直至1177年。1659年根据《比利牛斯条约》将塞尔达尼亚并入法国,同时建立利维亚政治飞地。设中立通道穿过法国领土至西班牙设防镇普奇塞达。17～18世纪为走私中心。现经营农产品贸易。人口961(1999)。

Lliw Valley 里乌谷 威尔士西格拉摩根郡一区。1974年设立。面积214平方千米。东起塔韦河,西至拉赫尔河河口湾,北抵布莱克山麓。该地区大部分城镇、村庄均在18～19世纪围绕矿场及铸造厂发展起来。现仍以冶金工业为主,克里达奇有世界最大镍精炼厂之一。近年力求工农业生产多样化。有新兴磁带生产业的戈赛嫩及庞特道埃都是人口集中地,并主要为斯旺西的工人住宅区。M4号高速公路1977年通至该区。

Lloyd, Clive 劳埃德(1944-08-31,英属圭亚那[今圭亚那]乔治敦～) 全称Clive Hubert Lloyd。西印度群岛板球运动员,大力击球手,1974至1985年任国家队队长,是西印度郡岛球队在国际赛事中取得非凡成绩的最主要原因。14岁辍学养家,在医院当职员。1966年首次参加国际赛。他身材高大,带深度眼镜,左手挥舞特重球板,能以极大力量击球和接球。曾参加国际决赛110场,平均每局跑动得分47分,19次超过100分,单局最高达242分。作为投球手善于中速投球,早期还是一名优秀外场手。带领西印度群岛国家队在世界杯赛中36次取得决赛胜利,其中连续得冠11次。退役后任裁判员,一直是板球界最受尊敬的人物之一。

Lloyd, Earl 劳埃德(1928-04-03,美国弗吉尼亚亚历山德里亚～) 全称Earl Francis Lloyd。美国篮球运动员,美国全国篮球协会(NBA)第一个非洲裔美国球员。先在西弗吉尼亚州立大学队打球,1950年夏与纽约尼克队签约,10月31日第一次上场得6分。短期在陆军服役后返回NBA,成为锡拉丘兹民族队重要球员(1952～1958)。帮助该队赢得1955年冠军。1960年从底特律活塞队退役。1968年在活塞队当助理教练,1970年任主教练至1971。

Lloyd, Harold 劳埃德(1893-04-20,美国内布拉斯加伯查德～1971-03-08,好莱坞) 美国电影喜剧演员。20世纪20年代片酬最高的明星,人们最熟悉的电影人物之一。1913年开始在单本喜剧影片中扮演配角。在他的早期电影中,"孤独的陆克"这一角色在一系列片子中获得成功。从《只不过有点神经病》(1915)开始,很快成为一个广为美国观众熟悉的银幕人物。1918年,他的银幕形象"陆克"被一个戴着圆框眼镜、有着平庸白脸的另一形象所代替。他善于在各种情节和状况中发挥自己的幽默,而且是第一个用惊险动作为笑料的喜剧演员。他表演各种杂技绝招,以银幕上最冒险的喜剧演员著称。在极为成功的《安全第末》(1923)中,他在一座几层楼高的大钟表针上悬挂了半天。在《害羞的姑娘》(1924)中,他在一辆失闸的电车顶上进行一次令人心惊肉跳的旅行。在无声电影最成功的片子之一《大学新生》(1925)中,他充当橄榄球赛中危险镜头的替身。其声望在无声电影盛行时期达到最高峰。有声电影出现后,他也拍了许多片子,最后的一部片子是《疯狂的星期三》(1947)。由于他对喜剧电影的贡献,1952年被授予奥斯卡特别奖。1962年劳埃德发行了他所拍电影的镜头汇编《哈罗德·劳埃德的喜剧世界》和《哈罗德·劳埃德生活滑稽的一面》,这两部片子在观众中的热烈反应,充分表现了他的无声喜剧片永恒的生命力。A.凯利编辑出版的《哈罗德·劳埃德:冒险喜剧之王》(1977)一书包括一篇影片录和由5位评论家写的阐述性短文。

劳埃德在影片《安全第末》中的剧照
美国电影学会供图

Lloyd, Henry Demarest 劳埃德(1847-05-01,纽约市～1903-09-28,芝加哥) 美国新闻记者。他揭露工业垄断集团弊端的作品成为新闻界揭发黑幕的典范。在哥伦比亚学院毕业后,1869年进入律师界。1872年进入《芝加哥论坛报》报社,在文学、金融和社论编辑室工作13年。他写的《大垄断集团的故事》揭露美孚石油公司和铁路公司采取各种手段来消灭竞争对手,在《大西洋月刊》(1881年3月号)上发表后轰动一时,使公众痛感必须制订反托拉斯的法律,为新闻界揭发黑幕的新流派树立了榜样。他对垄断集团的攻击后来扩展成他最重要的著作《反公利的财富》一书(1894)。1885年后,劳埃德全力从政,宣传自由贸易、劳工权利和消费者的权利。19世纪90年代去欧洲和新西兰访问,研究社会试验,主要考察如何调解工厂纠纷。1894年以独立的国家人民党候选人竞选国会议员,落选后退出政界,但仍支持社会党人。

Lloyd, Marie 劳埃德(1870-02-12,伦敦～1922-10-07,伦敦) 原名马蒂尔达·艾丽斯·维多利亚·伍德。19世纪末英国第一流女杂耍艺人。成名于当时流行的伦敦低级滑稽剧或称伦敦腔的低级滑稽剧。1885年以贝拉·德尔马的名字在山鹰杂耍剧场首次登台演出。6周后选定其艺名。艾略特写道,她对大众的深刻感染力来自她能够抓住并且表达出英国老百姓精神的能力。在她唱的歌曲和演出的滑稽短剧中,她向公众介绍了一系列值得研究的伦敦腔的幽默。这种幽默对小人物深表同情并且常常是近乎淫猥的。最精彩的演出有《花园里一切都美好》、《哦,波特先生》和《克伦威尔乱敲一下造成的损失之一》。

Lloyd, (John) Selwyn (Brooke) 劳埃德(1904-07-28,利物浦～1978-05-17,英国牛津郡普雷斯顿克罗马什) 英国保守党政治家,在1956年苏伊士运河危机英国外交蒙受耻辱时期任外交大臣,后在麦克米伦首相政府中任财政大臣。曾在剑桥大学攻读法律,1930年获律师资格。第二次世界大战中服过役,退役之后于1945～1976年一直任下院议员。作为一位能力很强的议会议员,他以保守党内的"少壮派激进分子"之一而闻名。1951年保守党重新上台时,在短期担任供应国务部长(1954～1955)和国防国务部长(1955)后,出任外交事务国务大臣(1955～1960)。在此期间,由于埃及夺回苏伊士运河,艾登首相联合法国于1956年10月入侵埃及。苏联和美国对此举的反对不久即导致由联合国安排停火和撤军。由于这些原因和健康不佳,艾登于1956年底辞职;劳埃德在新首相麦克米伦政府中保持原职。1960年7月任财政大臣,但在解决通货膨胀和收支平衡的问题上不得力,1962年7月与其他几位内阁高级官员一起被免职。他拒绝受封为贵族,而成为下院保守党后座议员。1963年加入新首相亚历克·道格拉斯-霍姆爵士的内阁,任掌玺大臣,直至1964年保守党失利。1970年保守党获胜,他当选为下院议长,直至1976年受封终身贵族,称塞尔温-劳埃德男爵。著有《议长先生》(1976)。

Lloyd George, David 劳合·乔治(1863-01-17,曼彻斯特～1945-03-26,威尔士卡那封郡拉尼斯坦德韦附近泰-纽怀德) 英国首相(1916～1922),于第一次世界大战后半期在英国政坛叱咤风云,去世那年被封为贵族。

父亲曾是曼彻斯特一所小学的校长,母亲是浸礼会牧师之女。父死家贫,迁居拉尼斯坦德韦,由舅父理查德·劳合(鞋匠和浸礼会牧师)赡养他们。劳合·乔治的许多信念正是从舅父那里吸收形成的。劳合·乔治 14 岁时，舅父培养他走上当律师的道路。他在法庭上进行成功的辩论，使不信奉国教者赢得在其堂区的教堂墓地埋葬的权利，从而崭露

美国不列颠百科全书公司供图

头角。年轻的劳合·乔治容貌俊秀，浪漫放荡，1888 年与 M.欧文结婚，但他的爱情并不专一，许多风流韵事使宽容的妻子也难以忍受。

1890 年劳合·乔治在卡那封自治市补缺选举中获胜，进入议会，这一席位他保持了 55 年。他很快以大胆、具有魅力、机智和掌握辩论的技巧而蜚声下院。1895 年选举后，自由党处于在野地位长达 10 年，在这期间他成为自由党激进派领袖。他强烈反对南非战争，1901 年在 J.张伯伦和保守党帝国主义派的据点伯明翰险遭私刑处死。和平降临后，他反对根据贝尔福的《教育法》（1902）以征税的办法资助教会学校。

1905 年 12 月贝尔福辞职，坎贝尔-班纳曼组成自由党政府，任命他为贸易委员会主席，进入内阁。在这一职位上，他负责制定的重要立法有：《商船法》（1906）、《专利与设计法》（1907）和《伦敦港法》（1908）。1908 年坎贝尔-班纳曼首相健康恶化，财政大臣阿斯奎斯继任，任命他接替其位置。当时上院对自由党的许多社会改革法案多方阻挠。与此同时，要求建造更多的战舰以与德国海军扩建计划相匹敌，威胁着将夺去用于社会改革的资金。为解决这些困难，劳合·乔治制订了著名的 1909 年“人民预算”，对出售土地和土地价值的自然增值征税，提高遗产税，并对收入逾3 000镑者征收附加累进所得税。上院保守党多数议员决定拒绝这一预算，从而导致举行两次大选，引发严重的宪法危机，并最后通过 1911 年《议会法》，大大地削弱了上院的权力。

劳合·乔治在第一次世界大战前所取得的主要成就是在社会保险方面。1908 年他访问德国，考察俾斯麦的保险金计划，决定回国后实施健康和失业保险。1911 年他提出《国民保险法》，口号是“以 4 便士换 9 便士”，由雇主和政府补足差额。这一议案遭到强烈反对，但他以巧妙的手段使议案在议会顺利通过。这样，他奠定了现代福利国家的基础。

1911 年 7 月，在与阿斯奎斯等商议后，他就摩洛哥危机问题向德国提出严正警告。当 1914 年 7 月底和 8 月初关于参加第一次世界大战的问题震撼着内阁的时候，他起初赞同孤立主义派的观点，但事态的发展把他推向另一边。1915 年阿斯奎斯被迫在联合的基础上吸收保守党重新组阁，任命他为军火大臣。在这一职位上，他为盟军的胜利做出了极其可贵的贡献。他对 D.黑格和 W.罗伯逊等军方统治集团所持的突破西线的可能性抱怀疑态度，主张从近东侧翼进攻。1916 年 6 月 5 日陆军大臣基钦纳遇难，阿斯奎斯任命他接替。当时陆军大臣的一切大权差不多都操纵在帝国总参谋长罗伯逊的手里，他对此感到十分恼火。12 月 5 日，阿斯奎斯被诱辞职，两天后劳合·乔治组阁。他随即以 5 人战时内阁取代 23 人的内阁，大大加快了决策的时间。他的最显著的成就之一是战胜潜艇威胁，强迫实行护航制度以做到这一点。由于潜艇封锁造成严重的食品短缺，因此必须采取有力的措施促进农业生产，并实行食品分配制（最后于 1918 年实行）。在这些方面，劳合·乔治做得十分出色。但在总体战略方面，他并不成功。1917 年 2 月在加来会议上，他提出计划，在即将发动的由尼韦勒将军统率的进攻中，将英军交由法国指挥。尼韦勒进攻一败涂地，只得接受黑格关于夏季发动佛兰德战役的计划，这场于 1917 年 7 月 31 日开始的进攻造成英军大量死亡，其主要目的一个也没有达到。1918 年 2 月罗伯逊提出辞呈，劳合·乔治同意，但黑格仍任总司令。由于情况危急，4 月成立由福煦元帅领导的统一司令部，5 月局势方稳定。

1918 年 11 月停战后，在 12 月的选举中联合政府派获得压倒性胜利。作为凡尔赛和会上的三巨头之一，劳合·乔治奉行在克列孟梭和威尔逊之间的中间路线，但实际上却跟随克列孟梭的更为严厉的政策。和约在英国受到欢迎，1919 年 8 月英王授予劳合·乔治功绩勋章。

在国内问题上，爱尔兰新芬党拒不承认英国议会。1919 ～ 1921 年内战激烈进行。1921 夏，劳合·乔治将镇压的政策改变为谈判，1921 年 12 月爱尔兰获得独立。1922 年劳合·乔治在所谓“鬻爵”的丑闻中陷入困境。议会两院指控联合政府出售贵族爵位和其他封号以换取对竞选提供巨额捐款。在托利党的一片不满声中，不期发生了恰纳克事件，批评家指责政府鲁莽的外交政策把国家推向毫无必要的英土战争的边缘。1922 年 10 月 19 日，议会保守党议员以 2:1 的多数支持劳合·乔治和 S.鲍德温提出的以独立党的身份进行竞选。劳合·乔治随即辞职。他晚年的境遇一落千丈，1926 ～ 1931 年他领导日益衰弱的自由党。此后他潜心撰写《战争回忆录》（1933 ～ 1936）与《和约真相》（1938）。1940 年丘吉尔邀请他参加战时内阁，他谢绝了。在他逝世前两个月，被封为德威弗尔伯爵。

Lloyd Webber, Sir Andrew　劳埃德-韦伯

（1948-03-22，英国伦敦～　　）英国作曲家。他的作品以摇滚乐为基础而又不拘一格，为 20 世纪晚期英、美音乐戏剧注入新的活力。劳埃德-韦伯出身音乐世家，曾就读于牛津大学马格达伦学院和皇家音乐学院。学生时代即与唱片制造商 T.赖斯合作，赖斯作词，他作曲。他们第一次引人注目的尝试是儿童流行音乐清唱剧《约瑟夫和惊人的五彩梦幻衣》（1968），它后来的一个标准长度的版本在全世界备受欢迎。接踵问世的是“摇滚歌剧”《超级明星耶稣基督》（1971），这是一部虽有争议却很受欢迎的作品，它把古典曲式和摇滚音乐交融在一起，讲述耶稣一生的故事。此剧长期连续上演，时间较之英国戏剧史中任何其他音乐剧为久。劳埃德-韦伯与赖斯合作的最后一部重要作品是关于阿根廷独裁者胡安·庇隆之妻爱娃·庇隆的音乐剧《艾维塔》（1978）。接着他将 T.S.艾略特一本儿童读物中的诗句谱曲而写成下一部重要音乐剧《猫》（1981）。其后他又和词作者 C.哈特和 R.斯蒂尔戈合作，创作又一部口碑载道的音乐剧《歌剧的幽灵》（1986）。其他音乐剧包括《歌与舞》（1982）、《星光直达快车》（1984）和《爱情面面观》（1989）。劳埃德-韦伯的最佳音乐剧都是一些题材大胆而不寻常的光彩夺目的力作，以生动活泼的旋律和富有力度和戏剧性的演出效果著称。他善于将摇滚乐、英国歌舞杂耍表演中的歌曲和歌剧曲式等完全风马牛不相及的体裁融于一体，写出具有广泛感染力的音乐。1992 年被封为爵士。

Lloyds TSB Group PLC　劳埃德 TSB 集团

又译劳合银行。英国最大的综合性商业银行之一，在国外有附属行和联行。也是一家大型保险公司。总行在伦敦。1765 年创立时名泰勒-劳埃德银行，1853 年改名劳埃德公司。1865 年与英伊利埃特父子公司合并，改组为劳埃德银行有限公司——一家合股公司。自 1865 年以来，该行已合并 50 余家银行。1889 年取名劳埃德银行（有限），1995 年与另一家银行 TSB 合并成立现集团。1982 年根据 1980 年公司法令重新注册，采用现名。1973 年该行买下几乎全部劳埃德-博尔萨国际银行的股权。博尔萨为伦敦与南美洲银行之简称，为 1923 年两家拉丁美洲银行合并而成。1936 年博尔萨购进英国-南美洲银行，使其在法国、西班牙、葡萄牙以及拉丁美洲大部分国家都享有权益。在 1973 年以后数年间劳埃德银行进一步扩张，到 1978 年已在 43 个国家设立办事处和分支机构，在世界各地提供国际银行业务、商业银行业务和金融业务。拥有 2 700 多家分支机构。

Lloyd's of London　劳埃德保险社

又译劳合社，正式名称为劳埃德公司。伦敦的国际保险市场的重要组织，拥有20 000多单独的承保人，他们各自接受保险业务，各自承担风险。公司一般提供高风险、特种海运、汽车、航空及非海运保险服务。保险社订有严格的财务制度和其他管理规章，但本身并不承担责任，各成员对本身承担的风险负无限责任。保险社的成员分成几百个小组（辛迪加），每个小组由几个到几百个承保人组成。由保险代理人代表小组成员在社内接受保险业务。小组制度是由于 20 世纪保险金额大大增大而发展起来的。这种制度可使风险分散给若干个体分担，当发生索赔时，各承保人仅对他本身所承担的份额负责。公司的历史可追溯至 1688 年 E.劳埃德在伦敦设立的咖啡馆。

1696年劳埃德在此出版《船只的新闻》。至1774年组织逐渐形成。公司规章几经变更，1871年时还只限于海运保险业务，至1911年才被授权做各种保险业务。

Lloyd's Register of Shipping　劳埃德船级社　世界上第一个也是最大的船舶分级学会，成立于1760年，主要从事建立商船的制造和维修标准，并提供技术服务，以帮助船主达到这一标准。自1764年起，它每年出版《船舶年鉴》，收载总吨位在100吨以上商船的资料。该社还出版快艇名录以及有关造船、船队和海难的统计性一览。

Llull, Ramon　卢尔（约1235，马霍卡～1316，突尼斯？）　又名雷蒙德·卢利。加泰隆奥秘神学家、诗人。他的著作促进了罗曼加泰隆语的发展，并在中世纪和17世纪欧洲对新柏拉图主义奥秘神学产生广泛影响。卢尔在马霍卡王宫中成长，身为骑士，但带有抒情诗人的特色。他在当地众多的摩尔人中间学通阿拉伯语。大约30岁时在异象中见到基督钉在十字架上，从此放弃宫廷生活，献身于传教事业。他遍游北非和小亚细亚，劝说穆斯林改奉基督教。卢尔声称在另一次异象中看到整个宇宙反映上帝的各种属性，其后约在1272年提出把一切知识都简化为原始道理并判定这些道理的共同点的方法。根据他的解释，任何现实事物都体现神性的某一方面，他试图以神学、哲学和自然科学为同源学科进行讲授。阿拉贡国王詹姆斯二世接受他的建议，在马霍卡成立讲授东方语言的学校。

Llwyd, Morgan　卢德（1619，威尔士梅里奥尼斯～1659-06-03，登比郡雷克瑟姆）　威尔士清教徒作家。所著《三鸟集》（1653）被认为是17世纪出版的最重要的威尔士语著作。该书是被读得最多的威尔士名著之一，共分两部分，论述政体的理论和宗教自由，采用鹰、鸦、鸽之间对话的形式（鹰代表克伦威尔，即世俗权力；鸦代表英国圣公会即国家教会；鸽代表非圣公会信徒，即内心之光的信徒）。他出身绅士家庭，也许早年在登比郡伦瑟姆受教育。在英国内战中，他担任议会军队的牧师。曾参加第一个不信奉英国国教的威尔士教会。其他著作有《致可爱的威尔士人》（1653）。两卷集作品选由威尔士大学出版社出版（1899、1905）。

Llyr　利尔　凯尔特神话中互相争战的两大神族之一的族长。一说利尔的子孙即黑暗势力，与多恩的子孙即光明势力永远相斗。在威尔士传说中，利尔及其子马纳维丹与爱尔兰人所崇奉的里尔和马纳南两神一样，都与海洋有关。

Llywarch Hen　卢沃奇·亨（活动时期6世纪）　9世纪威尔士波伊斯的一个说书人写的一组诗里的中心人物。此诗以波伊斯王国的威尔士人和墨尔希亚的盎格鲁-撒克逊人的斗争为背景，论及英雄的美德，表达对阵亡英雄的哀悼，哀叹老年不幸以及尘世万物的短暂。在这些故事中，散文用来叙述和描绘，韵文用于对话和独白，现仅存韵文部分。它们大部3行构成一节，保存在一15世纪时手稿《赫格斯特红皮书》中。这些诗在20世纪曾多次被编辑、翻译。

Llywelyn AP GRUFFUDD　卢埃林（阿普·格鲁菲德）（？～1282-12-11，威尔士波伊斯比尔斯附近）　威尔士北部圭内斯的邦主。英格兰正式承认的唯一一位威尔士统治者，死后不到一年，威尔士完全落入英格兰的统治。他的祖父曾使圭内斯成为威尔士的权力中心。但其父统治期间（1240～1246），国家几乎完全崩溃。1246年其父死后，他和弟弟欧文分治剩下的领土。1255年他夺取欧文的领地，开始再次建立圭内斯在威尔士的霸权。1258年自立为威尔士邦主，并接受威尔士其他诸侯的效忠。1262年以武力反对威尔士南部的英格兰贵族，并与反亨利三世的主要贵族S. de蒙特福特结成同盟。1265年蒙特福特被杀。两年后他签订一项条约，承认亨利三世的宗主地位。但在亨利三世去世、爱德华一世即位后，他再次公开反抗英格兰人。1276～1277年爱德华侵入威尔士，制服了卢埃林。1282年，卢埃林和他的兄弟戴维又发动一次争取民族独立的起义。爱德华的军队在比尔斯附近的战役中杀死卢埃林后不久，起义即告瓦解。

Llywelyn AP IORWERTH　卢埃林（阿普·约尔沃思）（？～1240-04-11，威尔士圭内斯阿伯康韦）　威尔士邦主，1283年英格兰统治威尔士前当地最杰出的统治者。卢埃林幼年时即被其叔戴维放逐。1194年他将戴维废黜，到1202年他已将威尔士北部的绝大部分置于自己控制之下。1205年卢埃林娶英王约翰的私生女琼为妻。然而，当他企图把权力扩大到威尔士南部而威胁到英格兰的属地时，约翰便侵入威尔士（1211），席卷了圭内斯的大部分。但卢埃林不久就收复自己的土地。他与反对约翰的强大诸侯们结成联盟，因而保住了自己的地位，并促使诸侯们迫使约翰签署《大宪章》（1215）。亨利三世（1216～1272在位）即位后承认他对差不多整个威尔士的控制。

Llywelyn y Glyn　卢埃林·伊·格林　参阅 **Lewis GLYN COTHI** 刘易斯（格林·柯提）。

LNG　参阅 **liquefied natural gas** 液化天然气。

Lo-ho（China）　参阅 **Luohe** 漯河。

Lo-Johansson, Ivar　洛-约翰松（1901-02-23，瑞典厄斯穆～1990-04-11，斯德哥尔摩）　瑞典小说家和社会批评家，他在50多部"无产阶级"长篇小说和短篇小说集中，以很大的同情描写工人阶级的生活。20世纪30年代中期，他出版了两卷短篇小说《农场雇工》（1936～1937），后又有长篇小说《土地无产者》（1941），细致而栩栩如生地描绘了无地农民的痛苦处境，因而首次获得好评。这些作品根据他对当年的回忆，进而对当时的社会现实提出了控诉。它们熔政论与小说于一炉，并以雇工集体为中心对象，这些特色使他的小说成为后来许多写瑞典劳工运动的纪实文学的楷模。或许更重要的是，这些作品促进了瑞典进行广泛的土地改革，其中包括1945年废止契约农场劳工。洛-约翰松还以炽烈的感情再现了个别人所受的苦难情景，例如在小说《她只是个母亲》（1939）中，他出色地塑造了一个农场仆人的妻子。20世纪50年代，他发表了一组8部自传体小说，第一部名《文盲》（1951），最后一部名《无产阶级的作家》（1960）。在他的自传体小说中，洛-约翰松突出了个人主义与集体主义之间的矛盾与冲突。20世纪70年代，他在一系列短篇小说中抨击7大罪恶，并在80年代写了一些回忆录。

Lo Kuan-chung（Chinese novelist）　参阅 **Luo Guanzhong** 罗贯中。

Lo-lang（ancient Korean colony）　参阅 **Nang-nang** 乐浪。

Lo-pu Po（China）　参阅 **Lop Nor** 罗布泊。

Lo-yang（China）　参阅 **Luoyang** 洛阳。

Loa River　洛阿河　智利最长河流。在安托法加斯塔区和塔拉帕卡区。源出安第斯山脉米尼奥火山山麓，向西南穿过群山，在卡拉马绿洲转向西再向北，经阿塔卡马沙漠，在托科皮亚以北复西折，穿过海岸山脉注入太平洋。全长约440千米。虽不能通航，但有灌溉、供水和为附近的铜矿及硝酸盐矿发电之利。

loach　鳅　鳅科小型细长淡水鱼类的统称。已知有200多种，主要分布在中亚和南亚，但欧洲已发现3种，北非发现1种。典型的泥鳅有细鳞，口周有3～6对须。有些种类，如

小丑泥鳅（*Botia macracanthus*）
美国不列颠百科全书公司供图

欧亚大陆的花鳅（有刺泥鳅，*Cobitis taenia*），眼侧各有一可动的短刺。泥鳅类生命力较强，通常夜间活动，可栖息于静水或流水水域，用须搜寻水底蠕虫、昆虫的幼虫和其他食物。栖于浅的滞水池塘中者会到水面吞咽空气，肠道可吸收氧气以辅助呼吸。一些亚洲泥鳅类是受欢迎的水族馆鱼类。其中如小丑泥鳅（大刺沙鳅，*Botia macracanthus*）长约13～

30厘米，体橙色，有3条黑色垂直带；库尔氏刺眼鳅（*Acanthophthalmus kuhlii*）长约8厘米，形似鳗鱼，桃红色，有多条黑色垂直带。条鳅（*Nemachilus barbatula*）和花鳅均体色斑驳，黄或褐色，长约13厘米，分布于欧洲和北亚。欧洲泥鳅（*Misgurnus fossilis*）呈淡黄色，具褐色斑带，长25厘米左右。欧洲泥鳅和相似的日本泥鳅（*M. anguillicaudatus*）一样，在气压急剧变化时（譬如在暴风雨之前）会增强活动，故有"气象鱼"之称。

loading　加感　通信技术中给天线加电感或按一定间隔给传输线加电感以改进工作特性。电话线路中的加感线圈可每隔1.6千米左右安置一个。抵消电容的影响后，它们使线路阻抗接近于等效的纯电阻。过短的无线电天线为了在工作频率谐振，可在天线电路中串联一个线圈。汽车无线电收音机一般都有一个加感线圈，这是因为车上的鞭状天线都太短，难与广播的频率谐振。有些电话和电报的缆线需要用磁性材料的螺线缠绕，以产生连续加感。

Loanda（Angola）　参阅 **Luanda** 罗安达。

Loango, Kingdom of　卢安果王国　历史上的非洲国家，位于奎卢和尼阿里两河盆地（主要在今刚果西南部）。1485年以前由维利人建立，曾是该地区最古老、最大的王国之一。1600年，王国从内地输入象牙和奴隶实行地方分权。王位继承人先轮任各省省长，地方官员任职终生。到18世纪，王国的政权已经支离破碎。1786年起王位开始长期虚悬，后来虽然拥立一个国王，却没有任何实权可言。

Loasaceae　刺莲花科　主要产于热带美洲的一个科。约15属250余种，多为草本缠绕植物。植株常被刺毛，触之奇痛。花艳丽、花形奇特，红色、橙色、黄色或白色。刺莲花属（*Loasa*）约100种，分布墨西哥至安第斯山。刺毛针状似荨麻，触之疼痛数日不退；花瓣囊状，5枚，黄色，遮盖着合生雄蕊，蜜腺具颜色。岩刺属（*Caiophora* 或 *Cajophora*）与刺莲花属近缘，约65种。产于热带美洲，主要生长于凉爽的安第斯山地区岩坡。红岩刺（*C. lateritia*）缠绕茎长达6米，花簇生，红橙色，花径5厘米，花瓣囊状。钩刺葵属（*Mentzelia*）具钩刺。北美钩刺葵（林德利氏钩刺葵，*M. lindleyi*）产于北美西部，花橙黄色，芳香，花径不到6厘米，杯状，花瓣5枚，黄昏开放。*Kissenia* 属仅2种，分布于西非、东非和亚洲西部。

Lobachevskian geometry　罗巴切夫斯基几何　参阅 **hyperbolic geometry** 双曲几何。

Lobachevsky, Nikolay Ivanovich　罗巴切夫斯基（1792-12-01，俄国下诺夫哥罗德～1856-02-24，喀山）　创立**非欧几里得几何**（**non-Euclidean geometry**）的俄国数学家。这种几何不是基于欧几里得的平行公设，即在平面上经过给定的一条直线外的一点可以作唯一的一条直线与该直线平行。他在1826年首先宣读了关于平行线问题的报告，1829年写成文章发表。通过证明一种非欧几里得几何在逻辑上是可能的，他同匈牙利数学家J.鲍耶（后者的理论发表于1832年）独立地对困扰

美国不列颠百科全书公司供图

数学家达2 000年之久的一个问题——欧几里得的平行公设能否从他的其他公设作为一个结论推证出来——做出否定的回答。他14岁入喀山大学学习，1811年获文学硕士学位，1816年任副教授，1822年任教授。由于他的行政才能，1820年任数学物理系主任，1825年在图书馆工作，1827～1846年任大学校长。他的卓越的组织能力和教育才能把喀山大学从混乱不堪的状态中挽救了出来。

罗巴切夫斯基的思想扎根于他的反对康德的先验的唯心主义。除了几何外，他在无穷级数理论，特别是三角级数以及积分学和概率论等方面，也做了出色的工作；在代数方面，1834年他发现了代数方程求根的一个近似方法。他同鲍耶一样，是死后才成名的。一方面是由于当时俄国的主要的数学家M. V.奥斯特罗格拉茨基对他并不赏识，另一方面由于他的文章发表在地区性的刊物上，未能得到广泛的注意。但他并不沮丧，而是不屈不挠，用俄文、法文、德文继续发表他的思想。他用德文在1837年发表《虚几何》一文，1840年出版《平行理论的几何研究》一书。而且在1855年，在双目近于失明的情况下，通过口授用法文出版《泛几何学》一书来阐述他的理论。然而非欧几里得几何获得普遍的接受却要等到在德国数学家B.黎曼1866年正式发表的关于构成几何基础的原则的思想的影响下，意大利数学家E.贝尔特拉米在1868年和德国数学家F.克莱因在1871年证明非欧几里得几何的相容性和普遍适用性之后。

Lobamba　洛班巴　非洲南部斯威士兰王国中部人口密集的乡村地区。位于中部大草原、埃祖威尼河谷东部，现斯威士兰行政和司法首都姆巴巴内以南18千米处。几乎完全在斯威士兰的中央。根据斯威士人习俗，洛班巴是"母象"，即皇太后住地，因而是斯威士民族精神之家。是该国立法首都。村里有议会大厦、皇帝的寝宫、斯威士国家议会机关和国家体育馆。每年在洛班巴举行国庆活动和芦笛舞节。西北有小火禁猎区和吉尔伯特雷诺兹纪念公园。人口5 746（最新估计）。

Lobanov-Rostovsky, Aleksey Borisovich, Knyaz　洛巴诺夫-罗斯托夫斯基（1824-12-30，俄罗斯沃罗涅日省～1896-08-30，俄罗斯舍佩托夫卡）　俄国外交家和政治家，1895～1896年任俄国外交大臣期间，将满洲北部划入俄国势力范围。1844年进入外交界，在柏林和巴黎任职后，1859年任俄国驻伊斯坦布尔公使，1863年卸职。1878年东山再起，历任驻伊斯坦布尔、伦敦、维也纳和柏林大使，成为俄国在欧洲最有影响的外交家之一。1895年3月任外交大臣。他坚决支持1894年缔结的法俄联盟，寻求与德国和奥匈帝国的友好关系，并解决了俄国与保加利亚之间因1886年俄国拒绝承认萨克森-科堡的斐迪南为保加利亚大公而引起的长期纠纷。他最注意远东问题。甲午战争后，中国被迫将台湾、澎湖列岛和辽东半岛割让给日本（1895年4月17日《马关条约》）。洛巴诺夫表示，如果日本将朝鲜的一个港口割让给俄国作为补偿，他个人愿意让条约生效。这遭到俄国颇有势力的财政大臣S.维特的反对，并为沙皇尼古拉二世所否决。随后，洛巴诺夫赢得了法德两国的外交援助，1895年4月3国迫使日本收回对辽东半岛的要求。之后，他与清政府签订秘约（1896-06-03），取得修筑中东铁路的权利。不久，他在从基辅前往西里西亚会见德国皇帝威廉二世途中去世。

Lobato, José Bento Monteiro　洛巴托　参阅 **Monteiro Lobato, José Bento** 蒙特罗·洛巴托。

Lobatse　洛巴策　博茨瓦纳东南部城镇。在首都哈博罗内西南约72千米处。通公路干线和铁路。设有博茨瓦纳肉类管理局。为博茨瓦纳高等法院和地质调查局所在地。人口约29 872（1997）。

lobbying　院外活动　个人或私人利益集团影响政府做出决定的任何企图；它原来的意思是，在议会外的走廊里进行种种努力，以影响议员的投票。某种形式的院外活动，在任何政治制度中都是不可避免的。在美国，院外活动得到特别的注意。它采用多种形式。集团代表可以出席立法委员会。政府官员可以被请到立法机构办公室、旅馆或私人家里"强行留下长谈"。可以写信或打电话给政府官员，并可以为了达到这一目的而组织运动。一些组织可以向自己喜爱的候选人提供金钱和服务。为了影响舆论，可以发动大规模的社会宣传运动，使用一切现代通讯技术。各种不同利益的、往往是互相冲突的支持者，可以向立法委员会就所讨论的复杂的法案提供广泛的研究。也可以向自己喜爱的立法者和行政官员提供大量的竞选活动捐款或其他援助。使用上述方法进行院外活动的人可能是庞大的企业或农业协会，或工会的专职人员；也可能是为出钱的主顾服务的个人职业院外活动者，也可能是来陈述自己的希望或冤情的普通公民。"向政府要求申冤"的权利在美国宪法第一条修正案中得到保护。联邦政府和大多数州为院外活动制订了规章。

lobed comb jelly　兜水母　栉水母门兜水母目动物。多形小。漂流在海中，主要是在

兜水母(*Lobata*)
美国不列颠百科全书公司供图

近岸的表层水中。兜水母(如 *Mnemiopsis* 属、*Bolinopsis* 属)以微小的水生动物为食。体透明,胶状。触手较其他栉水母为小,用于觅食。口周围有两个极大的口腕。

Lobedu(people) 参阅 **Lovedu 洛维杜人**。

L'Obel, Matthias de 洛贝尔(1538,法国里尔～1616-03-03,英格兰伦敦海格特) 法国医生、植物学家。他与 P.佩纳合著的《植物新志》(1570)一书是现代植物学的里程碑,论证了植物学和医学须建立在精确观察的基础上。他曾在蒙彼利埃大学师从 G.隆德莱。他观察和收集了约1 200种植物,试图按照叶的形状将其分成科,又根据这些资料写成《植物新志》。他关于建立属和科的初步见解后被林奈所发展,他定的一些属名至今沿用。《植物志》(2卷,1576)包括《植物新志》的第二版和附录《植物探微》,其中包括由植物学家P.彼得罗、马蒂奥利、R.多东斯及夏尔·德克吕斯等提供的1 486幅版画。1571 年起他移居低地国家,奥兰治的威廉死后,1584 年去英格兰,后来是英格兰国王詹姆斯一世的宫廷植物学家兼御医。

Lobeliaceae 半边莲科 桔梗目的一科。约 25 属 750 多种。一年生或多年生草本、灌木或乔木。原产东西两半球。有人把该科植物划归桔梗科,但该科植物的花为二唇形,与桔梗科不同。在非洲山地有柱状多粗毛的乔木种,如 *Lobelia gibberoa*,高 9 米,见于海拔1 200～2 700米处潮湿森林地带。*L. aberdarica* 高 2 米,生长于海拔2 100～3 400米处,海拔最高可达4 600米。泰莱基氏半边莲(*L. telekii*)叶上有毛,故外形毛茸茸状;能适应干燥寒冷的天气。蔓延半边莲(山梗菜 *L. erinus*)原产非洲南部;花小,外形似蝇,通常蓝色,也有粉红色、白间蓝色和纯白色者;叶绿色,亦有古铜色者。疏花山梗菜(*L. laxiflora*)为高大灌木;原产墨西哥和中美洲;穗状花序,具长柄,橘黄或黄色,齿状;广泛分布于山坡的森林边缘。唐宁氏草属(*Downingia*)、*Hypsela* 属、*Centropogon* 属、同瓣花属(*Isotoma*)、*Monopsis* 属、*Palmerella* 属、铜锤玉带草属(*Pratia*)等均有观赏种。参阅 **cardinal flower; Indian tobacco**。

Lobengula 罗本古拉(约1836,德兰士瓦莫塞加～1894-01,罗得西亚布拉瓦约附近) 南非恩德贝勒(马塔贝莱)国末代国王。王国建立者姆济利卡齐之子,在英国和布尔移民日益增大的压力下,他无法维护王国的独立。1870 年继承王位。深感内外危机严重,想与英国结盟以自保,于是先后给予南非英国当局和罗得西亚塞西尔·罗得斯英国南非公司以耕作(1886)和采矿(1888)的特权。但南非公司并不满足,力图开采布拉瓦约附近的金矿,因此举兵远征,于 1893 年 10 月灭掉恩德贝勒王国。

Lobi 洛比人 居住在布基纳法索(上沃尔特)西部地区及科特迪瓦(象牙海岸)的民族,操尼日尔-刚果语系的古尔语,从事农业,种植黍稷及高粱作为主要粮食,兼营狩猎。传统上奉行氏族制,没有正式政治组织。14 世纪前后伊斯兰教传入之前,洛比人基本上信万物有灵论。实行一夫多妻制。1897 年法国吞并洛比人土地,但由于洛比人善用毒箭御敌,直到 1903 年才被征服。

Lobo, Francisco Rodrigues 洛博 参阅 **Rodrigues Lobo, Francisco 罗德里格斯·洛博**。

lobotomy 脑叶切断术 切断一个或多个脑叶内神经传导路径的手术,曾用以根治顽固的精神分裂症、躁狂抑郁症和其他精神病。1935 年由葡萄牙神经外科医师埃加斯·莫尼兹和阿尔梅达·利马首创,由于当时并无可行的疗法使紧张、激动、妄想、不合作和狂暴的患者较长时间安静下来,故脑叶切断术很快便被广泛采用。前额脑叶切断术较常见,施行时先在颅骨钻两个孔以进入颅腔,然后再将两侧额叶的神经路径切断。此法旋被经眶脑叶切断术取代,后者以一支类似碎冰锥的器械穿过眼窝背部的薄骨,再将其尖部插入额叶。脑叶切断术通常施于电休克治疗无效者,使其容易管理。患者术后,紧张、激动多会减轻,但也有许多患者会出现更严重的情感淡漠、消极、缺乏主动性、注意力不集中和对生活的情绪反应深度和强度减低等副作用。脑叶切断术盛行于 20 世纪 40 年代,直到 1956 年左右,这是因为有抗精神病药和抗忧郁药等疗效更好的药物问世。脑叶切断术及其他精神外科手术,因会引起脑叶不可逆的有形的损害,从而造成人格损害,故在伦理上颇遭异议。脑叶切断术现已很少施行,在神经精神科领域内亦多遭排斥。

lobster 龙虾 甲壳纲十足目螯龙虾科(Homaridae,或拟海螯虾科[Nephropsidae],真龙虾)、龙虾科(Palinuridae,刺龙虾)、蝉虾科(Scyllaridae,蝉虾、西班牙龙虾、铲龙虾)和多螯龙虾科(Polychelidae,深海龙虾)动物的统称。均为海生,底栖,多为夜出性。以动物尸体为食,但亦食活鱼、小型软体动物和其他底栖无脊椎动物,以及海藻。某些种,尤其是真龙虾及刺龙虾,有重要的商业价值。龙虾有坚硬、分节的外骨骼。胸部具五对足(其中一或多对常变形为螯,一侧的螯通常大于对侧者)。眼位于可活动的眼柄上。有两对长触角。腹部形长,有多对游泳足。尾呈鳍状,用以游泳;尾部和腹部的弯曲活动可推动身体前进。真龙虾的前三对胸足具爪,第一对足上的爪极长。覆盖头部和胸部的背甲前方有明显的额剑(或吻)。美洲螯龙虾(*Homarus americanus*)和挪威龙虾(都柏林匙指虾、挪威海螯虾,*Nephrops norvegicus*)价值最高,常常以活龙虾的形式市售;可食部分为多肌肉的腹部和螯。真龙虾见于除极地外的所有海洋和较深的水域。欧洲龙虾(欧洲螯龙虾,*H. gammarus*)呈绿色,见于欧洲大西洋沿岸和地中海岩石质的海底。好望角螯龙虾(*H. capensis*)见于南非周围海域,体长可达 10～13 厘米,几无商业价值。美洲龙虾见于从拉布拉多至北卡罗来纳的水域,有时栖于浅水,但深至366米的水中数量更为丰富。体重约

(上)刺龙虾(*Palinurus*);
(下)美洲螯龙虾(*H. americanus*)
美国不列颠百科全书公司供图

0.45 千克、体长约 25 厘米的龙虾在浅水中捕捞。通常用龙虾笼(一种网箱,内置死鱼为饵)捕捞。在深水中龙虾可重达约 2.5 千克,常用拖网捕捞。特别巨大的个体可重 20 千克。美洲龙虾经常活着市售。身体背侧多为浅黑绿色或棕绿色,腹侧黄橙色、红色或蓝色;浸入热水中后变成红色。雌体经约 5 年的发育即成熟,准备产卵。夏季雄体将精子送入雌体体内,但受精要到春天方发生。每个雌体产卵3 000枚乃至更多,卵产出后附于雌体的游泳足上直至数月后幼体孵出。幼体身长约 1 厘米,自由游泳约 12 天,然后沉到水底,并停留于此。有些龙虾的寿命可达 50 年。狗鲨、鳐鱼和鳕鱼最常捕食龙虾的幼体。成年龙虾的主要天敌是人。刺龙虾身上多棘刺,无大螯。通常仅腹部可食,以龙虾尾之名市售。其触角亦极为发达。许多种栖于热带海域;但象龙虾(*Palinurus elephas*)见于英国至地中海。刺龙虾科有两个种在美洲具重要商业价值:加利福尼亚刺龙虾(*Palinurus interruptus*)产于太平洋沿岸,体长可达 40 厘米;西印度刺龙虾(*P. argus*)分布于百慕大至巴西,体长可达约 45 厘米。南非岩龙虾(*Jasus lalandei*)分布于南非附近水域,有重要的商业价值。蝉虾主要分布于热带,体颇扁,无螯,触角扁平,呈宽阔的片状。多数种类体短小,无经济价值。深海龙虾(多螯虾)体软,柔弱,具螯;有些种类无视觉能力,均无商业重要性。

lobster pot　龙虾笼　一种可移式捕龙虾工具。呈半圆柱形或矩形,从前以木条构成,今用塑料制成。笼的入口处装有网片漏斗,龙虾只能进入但无法逃出。龙虾笼由前后两室组成。龙虾类先钻进前室,接着经过一个网片漏斗或能自动关闭的门,进而陷入放着诱饵的后室。使用较广的是矩形笼,长度为76～102厘米。一组组(每组10～15只)龙虾笼沉到海底,并系上浮标以便找回。

local colour　乡土文学　一种文学体裁的名称,源于对一个地区及其居民的特征和特点的描述。它在美国南北战争后不久,以极其独特的体裁出现,成为延续近30年的唯一最流行的美国文学形式,满足了公众刚刚被激起的对祖国远方的兴趣,并使一些人得以怀旧忆昔。它着重描绘某一地区的特色,介绍其独特的方言土语、社会风尚、民间传说及自然景观。J.F.库珀的边疆小说被誉为乡土小说的先驱,与其并驾齐驱的还有著有纽约荷兰人故事集的W.欧文。加利福尼亚的淘金热给B.哈特(**Harte,Bret**)的小说提供了生动的、激动人心的背景,他在《咆哮营的幸运儿》(1868)这部作品中采用了矿工的土语、西部的背景并创造了栩栩如生的人物,是早期乡土文学小说之一。曾一度在加利福尼亚为哈特工作过的马克·吐温就采用了乡土小说的手法来描述他家乡密西西比河的生活。许多著名作家都曾首先通过对他们故乡的生动描绘而获得成功。许多著名作家的成名亦源于成功刻画了家乡生活:H.B.斯托、R.T.库克和S.O.朱厄特描绘了新伦敦的生活;G.W.凯布尔、J.C.哈里斯和K.肖邦记述了南方腹地的生活;T.N.佩奇以浪漫的笔触记录了弗吉尼亚种植园生活;小泉八云在开始日本历险前曾描写了新奥尔良的生活。许多作家传承了乡土文学的传统,包括W.卡瑟、W.福克纳和G.佩利。

Local Group　本星系群　由包括银河系在内的20多个星系组成的集团。其中约有一半是椭圆星系,其余的是旋涡星系或不规则星系。本星系群中的成员,可能也像其他星系群一样是由于相互间的引力才聚集成团的。银河系靠近本星系群的边缘,仙女座星系则靠近另一头,两者相距约为200万光年。

local race　地域人种　大体上相当于一个居群的居民集团。其中每一成员由于地理障碍或社会禁令只限于在本群之内通婚,而不与其他集团的人交往。在某些较大的地理区域,例如某个大陆范围内的诸地域人种所组成的集合体,就是一个地理人种(**geographic race**)。同一地理人种之内的成员,在遗传特质上相似,而同一地域人种之中的成员,则彼此在外貌上有更多近似之点。例如,挪威人与西班牙人同属欧洲地理人种,共同特征不过是"白"皮肤,高鼻梁,波状或平直头发,多为Rh-阴性血型;但西班牙人与意大利人则同属地中海地域人种,共同特征就更多,如身材矮小,卷曲黑发,肤色较"黑",常见血红素异常或葡萄糖-6-磷酸脱氢酶缺乏症,但能适应疟疾等等。一个地理人种之内的诸地域人种,由于很少完全隔开,在遗传结构上彼此趋于相似。如果一个地域人种内的人口很少,而又地处遥远,或地理障碍很大,那么,这个地域人种就会很特殊。南非卡拉哈里沙漠的布须曼人就是一个与世隔绝的例子,他们也是一个在遗传上很稳定的地域人种;反之,在欧洲或者东亚等人口密度很大的地区,地域人种之间的差别并不重要。

Locarno　洛迦诺　意大利语。德语作Luggarus。瑞士南部提契诺州城镇,在马焦雷湖北端,贝林佐纳以西马贾河口附近。史前时代已有人定居,789年首见记载。1513年由瑞士占领。1803年划入提契诺州,1878年前曾是该州三个州首府之一。为意大利风格的城市,古建筑有14世纪的米兰公爵城堡、《洛迦诺公约》签字处的法庭和几座古教堂。也是疗养和游览胜地。市内有机械厂和电化学工厂。居民讲意大利语,信奉天主教。人口约14 430(1990)。

洛迦诺镇的萨索圣母教堂
美国不列颠百科全书公司供图

Locarno, Pact of　《洛迦诺公约》(1925-12-01)　德、法、比、英、意互相保证西欧和平的一系列协定的总称。于1925年10月16日在瑞士洛迦诺草签,12月1日在伦敦正式签字。内容包括:①德、比、法、英、意互相保证条约;②德国和比利时之间、德国和法国之间的仲裁协定;③前协约国致德国的照会,解释按照《国际联盟盟约》第16条,对违反盟约的国家进行制裁;④法国和波兰之间、法国与捷克斯洛伐克之间的保证条约。保证条约规定:《凡尔赛条约》固定下来的德比和法德边界不可侵犯;除"合法的防御"或履行国际联盟义务之外,德国、比利时和法国绝不互相进攻;通过和平手段解决彼此之间的争端;在被认为是违背了这些保证的情况下,签字国将保卫被联盟判定为遭受侵犯的一方,在"公然违反"条约的情况下也复如此。法波和法捷条约规定,在反对遭受无端袭击时互相支持。公约的后果是,协约国军队于1930年即比原计划提前5年撤出莱茵兰。1936年3月德国进驻被《凡尔赛条约》规定为非军事区的莱茵兰,宣称在洛迦诺所设想的形势由于1935年法苏联盟而发生了变化。法国认为此举"公然违反"《洛迦诺公约》,而英国并不认为如此。德国在1938年同捷克斯洛伐克、1939年同波兰发生争执时,并没有要求进行仲裁。

Locatelli, Pietro　洛卡泰利(1695-09-03,威尼斯共和国贝加莫～1764-03-30,阿姆斯特丹)　意大利小提琴家和作曲家,最早为精湛演奏技巧而重视技巧的伟大小提琴家之一,从而扩展了小提琴的技术语汇。师承A.科莱利。曾广泛进行巡回演出,约于1721年定居阿姆斯特丹,并定期举行音乐会。擅长演奏双音(一次拉两根弦),常用特殊定弦表现特殊效果。他的练习曲和随想曲中的有些华美段落追求技巧效果而忽视音乐内容。所作奏鸣曲和协奏曲显示出他是一位严肃的音乐家,能写出优美而富有表情的旋律。

location theory　选址论　经济学和地理学中,关于选定经济活动的地理位置的理论。选址论要涉及到:为何种经济活动选址、选在哪里、为什么这样选等问题。选址可按大的范围如地区或都市区等来考虑决定;也可按小的范围如地段、街道、街段或场地等来决定。J.H.von屠能在其《孤立国》(1826)中提出了农业选址的早期理论。他所分析的模型是:在一自然条件完全相同的平原上,中央为一市场,周围为农地,运费仅与运载量和距离有关。这样,距市场最近的农民所生产的作物,市场价值最高,净利(即地租)最大。地租的决定因素是运费,地租随农地与市场之间距离的增加而减少,最后为零。屠能模型还论证到,农地距市场的远近还影响农业的经营方式,距市场近的农业集约程度高,距市场远的农业粗放程度高。1909年,德国经济学家A.韦伯在《工业选址理论》一书中,提出了工业选址理论,叫三角形定位论。它是在商品的市场和原料二产地已固定(即在地理上形成一三角形)的条件下,探索选择最佳的厂址。选址时要算出原料从二产地运到工厂及产品从工厂运到市场的总运费。原料和最终产品的重量都是运费和选择厂址的重要决定因素。对在加工过程中丧失重量的商品,从工厂到市场的运费要比从原料产地到工厂的运费少,因此厂址应选在靠近原料产地的地方。加工过程中若重量损失不大,则厂址靠近市场,运输总费用便会小一些。在三角形内确定了运费最小的厂址后,再选定廉价劳动力厂址备用。另外,对选址论做出重要贡献的还有W.克里斯塔勒的中心地点论。W.阿朗索《选址与土地使用:地租总编》(1964)凭借屠能模型来解说土地使用在市区内的各种变体。他试图应用各种类型土地使用(住房、商业和工业用地)对接近城市中心的要求程度加以解说。按照他的理论,各土地使用类型皆有其本身的地租梯度变化曲线或地租递价变化曲线。凭此曲线可确定对某一特定选址任何土地使用类型肯出的最大地租额。住户、商店和工业企业都根据各自地租递价变化曲线和接近城市中心的要求程度为选址而竞争。所有的住户,只要保持处在其接近城市中心要求程度范围之内，会试图占据尽可能多的土地。由于城市边缘附近的土地比较低廉，对接近城市中心的必要性较小的住户通常要在城市边缘附近选址；这些住户通常是些富人。贫穷的住户要求更加接近城市中心，所以选址时要与工商企业展开竞争，争取住房靠近市中心。但是，因为住户不愿为市中心地址付出工商业用地的价格，这样就总是要造成分片的土地使用体系。屠能、韦伯、阿朗索和克里斯塔勒的模型，都不是选址论领域的仅有贡献，然而它们是选址论的基石。这些理论已经被许多地理学家、经济学家和地域科学家加以扩充与发展。

Loch (of Drylaw), Henry Brougham Loch, 1st Baron　洛赫(1827-05-23，苏格兰？～1900-06-20，伦敦)　英国军人和行政官员，曾在英国和布尔人之间关系日益紧张之际出任南非高级专员和开普殖民地总督。他是职业军人，最初在印度服役(1844～1853)，曾参加克里米亚战争(1853～1856)和第二次(1857～1858)、第三次(1860)对中国的战争。1863～1882年任马恩岛总督，1880年封爵士，后为维多利亚总督(1884)。5年后被派往开普殖民地任总督和南非事务高级专员。他是坚定的帝国主义者，认为英国政府应该直接插手，而不让罗得斯等人决定英国扩张的方向。当罗得斯及其英国南非公司卷入1893年的马塔贝莱战争时，洛赫勉强批准动用英军去支援公司的军队。作为高级专员，他无法回避卷入"外国人"的问题，这些"外国人"主要是德兰士瓦境内对保罗·克留格尔的布尔人政府深为不满的英籍居民。洛赫深信克留格尔政权可在外来帮助下轻易推翻。"洛赫计划"主张：一旦时机成熟，便从贝专纳兰边界搞一次突然袭击。洛赫1895年4月返回英国后，罗得斯采纳他的计划，造成1895年12月詹姆森入侵德兰士瓦的失败。

Loch Cuan (Northern Ireland)　参阅 **Strangford Lough** 斯特兰福德湾。

Loch Éirne (Northern Ireland)　参阅 **Erne, Lough** 厄恩湖。

Loch Garman (Ireland)　参阅 **Wexford** 韦克斯福德。

Loch Neathach (Northern Ireland)　参阅 **Neagh, Lough** 内伊湖。

Lochaber　洛哈伯　苏格兰西北部高地行政区的一个区。设于1975年。由原因弗内斯和阿盖尔郡的部分地区组成。面积4 465平方千米。包括拉姆、埃格、坎纳、马克4岛和有全国最高峰本尼维斯山(1 343米)的山区。苏格兰大峡谷横贯全区。经济以自给农场、畜牧业和渔业为主。区首府威廉堡有铝加工制造业。马莱格为鲱鱼捕捞港，有轮渡通斯凯岛。人口约19 468(1982)。

Lochalsh (Scotland)　**洛哈尔什**　参阅 **Skye and Lochalsh** 斯凯-洛哈尔什。

Loches　洛什　法国中西部中部大区安德尔-卢瓦尔省城镇。位于图尔东南安德尔河左岸。有中世纪城堡高踞城镇之上，四周围有2千米长古城墙。城内有15世纪皇家住宅、10～11世纪的圣乌尔斯学院，以及设有11世纪要塞和15世纪城楼的古城堡遗迹。城镇6世纪设防。后成为王室住地。15世纪为一国家监狱所在地，路易十一将其政敌囚在当地铁牢中。现为农业贸易中心，新发展起食品加工和电子工业。城东北有洛什森林(约3 600公顷)。人口5 847(1982)。

洛什镇的15世纪皇家住宅
美国不列颠百科全书公司供图

Lochgilphead　洛赫吉尔普黑德　苏格兰阿盖尔-比特区的市和度假地。属阿盖尔历史郡。在法恩湖的小湾吉尔普湖顶端，濒临克里南运河(1793～1801年建)。原为一鲱鱼捕捞村，现为阿盖尔-比特区旅游和行政中心。人口2 421(1991)。

Lochmaben　洛赫梅本　苏格兰邓弗里斯-加洛韦行政区敕许自治市(城镇)。属邓弗里斯历史郡。在安嫩代尔谷地的几个小湖附近。据当地传说，苏格兰王罗伯特一世布鲁斯出生于当地的洛赫梅本堡。人口1 024(1991)。

Lochnagar　洛赫纳加山　苏格兰阿伯丁政区一座风景优美的红色花岗岩山。位于格兰扁山脉迪河以南。因诗人拜伦的佳句而闻名于19世纪。有11座高逾900米的山峰，最高峰是凯克卡恩比格(1 154米)。

Lochner, Stefan　洛赫纳(约1400，康斯坦茨主教管区博登湖梅尔斯堡～1451，科隆)　晚期哥特式画家，科隆画派最伟大的代表。主要以带有浓厚神秘色彩的宗教画知名。据认为曾在尼德兰随R.康平学画。《圣哲罗姆在经房里》(E.冯·施罗德的继承人收藏)可能是他现存最早的作品，从衣褶处理及细节描写上可以明显看出受康平的影响。约1430年定居科隆后，最早的作品是为圣劳伦茨教堂画的一幅祭坛画(现藏科隆瓦尔拉夫-里夏茨博物馆)。15世纪30年代晚期，在尼德兰接触到凡·爱克的艺术。第一幅受其影响的作品是《圣母与紫罗兰》(约1443，科隆大主教管区博物馆藏)。主要作品有大市政厅祭坛画《主保圣人祭坛》(现藏科隆大教堂)，为丢勒所赞赏，受凡·爱克的影响很深。1447年作名画《进入圣殿》(达姆施塔德的赫西舍斯国家博物馆藏)，后又作精致的《玫瑰凉亭中的圣母》(科隆瓦尔拉夫-里夏茨博物馆藏)。把自然主义同巧妙的色彩感结合起来，表现出节庆的、庄严的效果。其作品可能是格吕内瓦尔德之前中世纪德国神秘主义最成功的视觉艺术品。

洛赫纳绘《玫瑰凉亭中的圣母》
美国不列颠百科全书公司供图

lock　锁　保护门或贮藏器的机械装置，只有用钥匙或由知道密码的人按顺序操作才能打开。

早期历史　锁起源于近东，已知最古老的锁发现于尼尼微附近的胡萨巴宫废墟，大约有4 000年的历史。这种销钉制栓锁因广泛用于埃及，亦称埃及锁。它由扣紧门的大木闩构成，在木闩的上部是一个在其上表面钻有几个小孔的槽沟。固定在门上的组件内有几个活动木销，它们可向下落入小孔内，将木闩锁牢。钥匙是一把形似牙刷的木条，上面没有刷毛，而是与小孔内活动销相对的几根直立木钉。将钥匙插入活动销下面的钥匙孔内并向上抬起，活动销被顶出小孔，于是木闩连同插入钥匙孔内的钥匙即可向后滑出。在日本、挪威和法罗群岛曾发现过这种锁，埃及、印度和桑给巴尔现在仍在使用。《旧约》中的《以赛亚书》曾提到"我将大卫房屋的钥匙放在他的肩上"，说明当时人们是怎样携带钥匙的。销钉制栓锁的原理为许多锁采用，现代的耶尔锁将它发展到了完善的程度。

希腊人使用的锁门装置更为原始，用铁制镰形钥匙移动锁闩，钥匙上常装有雕刻精致的木柄。将钥匙插入门上的小孔内旋转，镰尖与锁闩咬合，将锁闩拔出。使用这种锁不甚安全，罗马人开始制造金属锁，通常用铁制锁，用青铜制钥匙(因此现已发现的钥匙比锁多)。罗马人还发明了锁芯，即钥匙孔周围的锁内凸出部位，只有当锁内的凸出部位能通过钥匙齿上的槽沟时，钥匙方能旋转。几个世纪以来，完全依赖锁芯提高锁的安全性，许多人独出心裁地设计锁芯并加工钥匙，使之除原配的钥匙外，其他钥匙均无法将锁打开。但无论构造多么复杂，利用仪器仍可了解锁芯凸出部位的形状和位置，因此这种装有锁芯的锁通常比较容易被撬开。罗马人首先制造小型钥匙，有的小到可以像戒指那样戴在手指上。他们还发明了挂锁；在整个远东和近东都发现了挂锁，大概是中国人独立发明的。中世纪时制作金属锁的工艺和技巧达到高水准，特别是纽伦堡的德国金属制造工人。锁的活动部件经过精密加工和组装，外表装饰华丽，甚至钥匙也常常是一种艺术品；但安全性全靠精心制造的锁芯，其他构造很少创新，唯一的改进是用盖板把钥匙孔隐蔽起来，或者打几个盲孔，使撬锁者不免耗费时间和精力。18 世纪法国人擅长于制造精致美观的锁。

现代锁型的发展　1778 年英国人 R.巴伦对锁的安全性做了重大改进，制造出装有双重制动栓的锁，并获得专利。制动栓为一杠杆或棘爪，当制动栓向下进入锁闩的槽沟内时，锁闩不能活动；用钥匙将制动栓抬起一定的高度，制动栓被顶出槽沟，锁闩即可滑动。巴伦锁有两根制动栓，钥匙必须使每根制动栓提升的高度不同，才能将锁闩拔出。这项重大改进是后来各种杠杆式锁的基本原理。

甚至巴伦锁也不能防止惯贼将锁撬开。1818 年英国朴次茅斯的 J.查布在制栓锁中加进一个止动弹簧，只要撬锁者把制动栓抬得略高些，弹簧就会把制动栓卡住。这不仅能防止锁闩被拔出，还可显示锁曾经被撬过。

1784 年，J.布拉马根据完全不同的原理制成的一种有名的锁在英国获得专利。钥匙虽小，但锁的构造复杂，造价昂贵，比以前的锁更安全。这种金属钥匙呈管状，一端有几条纵向窄槽，钥匙插进锁内后，把若干滑片压进槽内，滑片进入的深度由窄槽控制。当滑片进入槽内的距离合适时，钥匙就能转动，锁闩被打开。布拉马非常自信，在伦敦他开的商店里将锁展出，悬赏 200 英镑，奖给能第一个打开锁的人。50 多年后才被手艺高强的美国锁匠A.C.霍布斯于1851年打开，并领取奖金。

19世纪中期，工业革命后经济迅速发展，对锁的需求量急剧增加，制锁业进入全盛时期，根据杠杆原理或布拉马锁的原理造出许多精巧的锁。其中纽约市戴和纽厄尔公司制造的纽厄尔锁除有两套制动栓外，还有一个随钥匙转动的盖板，使撬锁者无法窥探内部；它的钥匙齿可以拆卸，因此能很容易地更换钥匙。1856 年在伦敦大博览会展出后始终未被人打开过。1848 年美国人 L.耶尔做出了卓越的贡献，他获得根据古埃及锁的原理改进的销钉制栓锁的专利。19 世纪 60 年代其子小耶尔将圆柱形耶尔锁的钥匙改为有细齿边的扁平小钥匙，这大概是现今世界上人们最熟悉的锁和钥匙。钥匙上的细齿将圆柱中的销钉抬高到合适的高度，就能转动圆柱。销钉（通常为 5 个）的长度加上钥匙齿形变化及其与锁孔的榫槽关系，组合起来，可千变万化。这种锁几乎一直用于建筑物的大门和汽车的车门上。

19 世纪 70 年代新的行窃方法袭击美国，盗贼劫持银行出纳员，强迫他们交出钥匙或保险箱和地下金库的密码。为了同这种犯罪行为作斗争，纽约州罗切斯特的 J.萨金特根据苏格兰一项早期专利的原理，于 1873 年发明一种锁，它利用时钟使保险箱只有在预定的时刻方能开启。

17 世纪初英国用的转字锁后来发展为不用钥匙的字码锁，锁内有许多圆环（上面刻有字母或数码）穿在一根转轴上。转动圆环，当形成某一特定的词或数，所有圆环上的缺口排成一直线时，转轴才能拔出。起初转字锁仅用作挂锁或用于幻术匣上，19 世纪下半叶其用途扩大到保险箱和金库门，经证明是一种最安全的保藏方式。字母和数码可按各种方式组合，其数目几乎没有限制；锁上没有可塞入炸药的锁孔，而且制作简便。

饭店和办公楼等的经理或管理员，常常需要一把能打开大楼内所有锁的通用钥匙。为了设计一套既能被本身的钥匙打开，也能被通用钥匙打开的锁，必须协调锁芯的构造，并使通用钥匙具有能使所有的锁芯失去效用的形状。另一种办法是开两个锁孔，一个用于普通钥匙，一个用于通用钥匙，或采用两组制动栓或杠杆，或者像耶尔锁那样，采用两个同心的圆柱。

现代的锁和保险箱　近年来还制成具有各种特殊功能的锁，有的能防止被炸开，有的能射伤或刺伤撬锁者，或者抓住他们的手。有的锁用几把不同的钥匙都能启闭，但只有用锁它的那把钥匙才能打开。防盗锁使人无法从锁孔窥探锁内零件的位置，或者无法感觉出撬锁工具压迫锁闩时阻力的微小变化。锁的变化虽多，有时还把各种锁的特点结合起来，但其基本原理仍然是布拉马式、杠杆式、耶尔式和字码式。例如瑞士的卡巴锁，采用耶尔锁的原理，但钥匙上没有齿边，而是在直边上有几处深的凹处，4 套销钉制栓压在凹处。芬兰的阿布洛伊锁是一种牢固的字码锁，其圆环不是分别用手转动，而是用一把小钥匙一次将圆环转到正确的位置上。

耶尔式的锁也可利用磁力工作，钥匙上没有细齿，而是一组小磁铁。将钥匙插入锁中，磁铁排斥装有弹簧的磁化销钉，使销钉上升，就像耶尔锁通过机械方法将销钉抬起一样。当销钉上升到合适的高度时，锁内的圆柱即可自由旋转。

第二次世界大战后，炸药知识普及，锁的防盗作用降低。因为大多数保险箱和金库的锁几乎都是无法撬开的，罪犯们干脆不去撬锁，直接用炸药将锁炸开。采用与锁扣不相连属的第二套锁闩，当发生爆炸时，锁闩借助弹簧自动将锁锁牢，可防止在锁孔内装填炸药将锁炸开。这样除了锯开钢板外，别无他法将保险箱打开。

罪犯采用的另一种方法是用电弧、氧乙炔焰把保险箱的钢板或铰链烧化，这种方法需数小时；防备的措施是采用耐热材料和能传走切割火焰热量的新的构造方法。

lock　船闸　位于运河或河流航道上（或船坞附近）、两端有门的水池，其中水位可以改变，以便升降船舶。在升降的高度很大时，就要用一系列互相连接但又互相隔离的水池（船闸）。在瑞典特罗尔海特运河上，用 3 座船闸使水位上升 23 米。现在用单船闸也能使水位有较大的提高，如绕过圣安东尼瀑布的明尼苏达州运河上的船闸，使水位提高 15 米。人字闸门可能是达芬奇为米兰的圣马科船闸发明的，它代替了早期的垂直提升的闸门，使得原来由于水位差太大而难以办到的马特桑那运河与大纳维格里奥连接起来。

Lock Haven　洛克港　美国宾夕法尼亚州中北部城市，克林顿县县城（1839）。位于鲍尔德伊格尔山区，在威廉斯波特西南 42 千米处，濒临萨斯奎汉纳河西部支流。1834 年建立，1840 年设自治镇，1870 年设市。为伐木业中心。生产汽车零件、纸张、纺织品。1870 年建立洛克黑文州立学院。附近有巴克泰尔自然区、州立凯特尔河和鲍尔德伊格尔公园。人口9 149（2000）。

Locke, Alain（LeRoy）　洛克（1886-09-13，费城～ 1954-06-09，纽约市）　美国教育家、作家、哲学家，主要以哈勒姆文艺复兴（**Harlem Renaissance**）的领袖而为后人铭记。1907 年在哈佛大学哲学系毕业后又入牛津大学（1907 ～ 1910）和柏林大学（1910 ～ 1911）学习。1918 年获哈佛大学哲学专业博士学位。此后在华盛顿［哥伦比亚特区］霍华德大学任哲学系系主任近 40 年，1953 年退休。毕生激励并指导黑人的艺术活动，推动整个美国社会认识和尊重黑人。他研究非洲文化，探讨非洲文化对西方文明的影响，敦促黑人画家、雕塑家和音乐家注意从而认同非洲的传统，从中获得创作素材和技巧。他鼓励黑人作家在黑人生活中寻找主题，为自己确立艺术高标准。他为《观察写真》杂志（1925 年 3 月号）编了一期哈勒姆特刊，使美国读者了解哈勒姆文艺复兴情况；他还将特刊文章扩充编成《新黑人》文集（1925），其中包括小说、诗歌、戏剧和散文。洛克还编辑论述黑人文化成就的《青铜丛书》。他在近 20 年的时间里每年都在《机会》和《种族》杂志上评论黑人文学作品和描写黑人的作品。从 1940 年起还按期为《不列颠年鉴》写关于黑人的条目，直至逝世。他的著作有：《四位黑人诗人》（1927）、《弗雷德里克·道格拉斯，一部反奴隶制的传记》（1935）、《黑人艺术——过去和现在》（1936）及《黑人及其音乐》（1936）。洛克是一位极为关注美学的人文主义者，他将自己的哲学命名为"文化多元主义"，并强调确立指导人们行为和人际关系的价值观念的必要性。

Locke, Bobby　洛克（1917-11-20，南非德兰士瓦省杰米斯顿～ 1987-03-09，约翰内斯堡）　南非高尔夫球运动员。4 次获英国公开赛冠军。擅长于轻击，由于在男子职业球员中击球数最低而先后于 1946、1950 和 1954 年获瓦登杯。9 次（1935，1937 ～ 1940，1946，1950 ～ 1951，1955）获南非公开锦标赛冠军，6 次获南非职业锦标赛冠军，和普莱耶一起被认为是南非最佳高尔夫球员。洛克是爱尔兰裔，14 岁首次在比赛中获胜。第二次世界大战期间在南非空军服役，驾驶轰炸机。战后先后在 1947 年加拿大公开赛、1952 ～ 1953 年法国公开赛和 1954 年德国公开赛上获冠军。

Locke, David Ross 洛克 参阅 Nasby, Petroleum V(esuvius)纳斯比。

Locke, John 洛克(1632-08-29,英格兰萨默塞特林格通～1704-10-28,埃塞克斯奥茨)英国哲学家约翰·洛克是英法两国启蒙运动的先驱者和美国宪法的思想鼓舞者,一生有多种著作,其中的《人类悟性论》一书对人类的认识能力,包括对当时的"新科学"(即现代科学)作了全面的阐述。

洛克的生平

早年生活 洛克的童年是在布里斯托尔以南6英里的彭斯福德度过的。他的家人是具有清教倾向的圣公会教徒。他的父亲,一位收入菲薄的乡村律师,在英国内战时期曾参加议会派一方作战——此举有助于以后他能把儿子送入威斯敏斯特中学就读,因为该校当时为一个议会派的委员会所控制(尽管校长巴斯比是一个保皇党人),该校的教学内容全面而详尽,但后来洛克却抱怨学校的纪律过严。1652年,洛克入牛津大学基督堂学院就读。当时,牛津的清教改良运动还没有动摇传统的学院派课程设置,如修辞学、语法、伦理学、几何学和希腊文等仍一应俱全。洛克感到这些课程枯燥无味,因而把兴趣转向传统课程之外,尤其专注于对实验科学和医学的研究。1656年他以文学士学位毕业,两年后又获得硕士学位,在此前后他被选为基督堂学院的公费研究者(相当于接受奖学金的研究人员)。1660年,作为学院新任命的导师,洛克热忱欢迎清教徒共和统治的结束和查理二世的重登王位。

牛津基督教会学院供图

1661年,洛克继承其父的一部分遗产,这保证他每年有一笔小小的收入。此时,除非他担任圣职,否则他的公费研究人员的资格就会被取消,但他不愿意当教士,他也不愿终生作教书匠,所以只当了4年大学教师。1665年,他以秘书身份随一个外交使团出访勃兰登堡,刚一回国又被聘请从事另一项外交工作,但他拒绝就任。他在这一时期的论文、一般著述以及通信都证实,他的兴趣一方面在于研究自然科学,另一方面则在于对道德、社会和政治方面基本原则进行探讨。为弥补所受学院教育的不足,洛克阅读了大量同时代的哲学著作,尤其是现代哲学之父笛卡儿的作品。但最吸引他的还是实验科学。他和R.玻意耳合作,后者是近代化学的奠基人之一,也是洛克的密友。在这一段时期快结束时,他还和另一位友人,著名医学家西德纳姆合作过。

结交沙夫茨伯里伯爵 最初洛克是作为一名医生引起政治活动家阿什利勋爵(后来成为第一代沙夫茨伯里伯爵)注意的。1666年夏季,阿什利勋爵访问牛津大学时偶染小恙,需要治疗,一个与双方相熟的人把洛克介绍给他。两人很快成为朋友。就在那年11月,一道皇家委任状使洛克担任公费研究人员的席位无限期延长。1667年,洛克进入阿什利勋爵在伦敦斯特兰德的埃克塞特官,成为他的家庭医生——尽管他并没有医学学位和行医的志愿。他成为阿什利勋爵的私人顾问,不仅在医疗方面而且在勋爵的一般事务方面都提供咨询意见。

阿什利勋爵是一位坚强的和积极进取的政治家,因而树敌颇多(其中有一些是文人——例如洛克的同窗、桂冠诗人德莱登)。然而,阿什利勋爵是否如同其政敌时常描述的那样,像魔鬼一般邪恶,仅仅从洛克对他满怀敬意这一点来考虑,便是大可怀疑的。阿什利坚决支持君主立宪制,支持由新教徒继承英国王位。力主公民自由和宗教宽容,并赞成议会裁决和英国实行经济扩张。当许多权势人物纷纷反对这些目标时,他仍然坚持自己的立场。由于这些事业也是洛克早已立志献身的目标,所以这位政治家和他的顾问彼此之间一开始就存在着一种完全的默契和理解——这种理解对两人都具有重要意义。阿什利甚至委托洛克负责他的儿子与拉特兰伯爵的女儿联姻一事的联络事宜;他还让洛克担任由他组建的一个委员会的秘书,该委员会致力于扩大英国和美洲,尤其是南部殖民地的贸易往来。洛克帮助起草了一份关于卡罗来纳新殖民地治理章程的文件,该文件扩大了所有殖民地居民的宗教信仰自由,仅拒绝承认无神论者。

在以后几十年中,洛克始终坚持他的个人研究工作,他的许多社交活动都是在有影响的聚会上与朋友讨论哲学和科学问题。早在1668年他就成为新成立的英国皇家学会(1663)的会员,这使他同科学上的新进展始终保持接触。人们也知道洛克圈子里的朋友们常在他家中聚会(有阿什利勋爵、梅普尔托夫特医生、西德纳姆及其医学界同事,同时也是一个神学家的蒂勒尔等人),因为洛克在《人类悟性论》的前言中曾提到过这样一次聚会。据洛克说,由于与会者在若干问题上陷入困惑,因此他们一致决定下次聚会时将一个一个地按次序讨论心智的各种能力,以便(用他们的话来说)"检验一下我们自己的认知能力,看看我们的理智适合研究什么对象,不适合研究什么对象"。洛克自己先在这一讨论会上发言,并把他对人类认识能力的看法写成两份书面草稿,在这两份仍保存至今的手稿中,19年后在其名著《人类悟性论》中大放光彩的理论已略露端倪。在伦敦的这些年里,洛克也接触了剑桥柏拉图学派的代表人物,该学派是基督教人道主义者,虽然对经验主义科学抱有同情却反对唯物主义,因为后者不能说明人类生活中的理性因素。他们倾向于在政治和宗教上持开明立场。就他们所讲授以信仰固有的先验理念为基础的柏拉图哲学而言,洛克不能赞同他们的观点,但他们的宽容理论、他们对实践行为即宗教生活之一部分的强调,以及他们对唯物主义的反对,都对洛克具有极大的吸引力。剑桥柏拉图学派与同一时期对洛克产生影响的另一学派,即宗教信仰上的自由主义派在精神上有密切的联系。后一学派认为,如果一个人公开表白信仰基督,仅凭这一点就足以获得基督教徒的资格,至于在若干非实质性问题上是否遵奉正统并不重要,不应该强求一律。这些宗教运动为洛克以后在荷兰结识反教条的神学自由主义派作了思想准备(该派神学家反对传统加尔文主义的狭隘心胸)。

1672年,阿什利被授予第一代沙夫茨伯里伯爵贵族封号,同年底被任命为英格兰大法官。尽管不久以后他即失宠被解职,但在任期内他还是建立了贸易与殖民事务委员会,洛克在该委员会中当了两年秘书。可是,洛克患上哮喘病,感到伦敦的空气和他所承担的重任对自己的健康很不利,于是他不得不于1675年返回牛津。

6个月后他离开英国去法国,在法国居住4年(1675～1679),大部分时光都是在巴黎和蒙彼利埃两地。在此期间,洛克接触了伽桑狄学派,尤其是该学派领导人F.贝尼耶。这一学派深深影响了洛克的形而上学和认识论方面的观点。P.伽桑狄是一位哲学家兼科学家,他反对笛卡儿哲学中过于推重玄想的因素,主张返回到伊壁鸠鲁的学说,即经验主义(强调感觉经验)、享乐主义(认为快乐即是善),以及微粒物理学(认为系由极微细的原子颗粒构成现实世界)。伽桑狄认为,对外部世界的认识取决于感觉,尽管人可以通过推理从那些由经验获得的证据中得知更多的信息。

当洛克返回英国时,他发现整个国家已因政见不同而陷于分裂。王位继承者詹姆斯(查理二世之弟)是罗马天主教徒,因此,以沙夫茨伯里伯爵为首的新教多数派想取消其王位继承权。沙夫茨伯里为此被囚禁于伦敦塔近一年,但当洛克回国时他又重新得宠并被任命为枢密院主席。然而,伯爵并未能使国王与议会的利害冲突得到调和,所以不久再次被解职;1681年被逮捕受审,最终由一个伦敦的陪审团宣判无罪。一年之后他逃亡荷兰,1683年死于该国。

后期生活 此时,没有一个沙夫茨伯里的至交好友在英国是安全的。洛克本人受到严密监视,他遂于1683年9月渡海逃往荷兰。

流亡荷兰 洛克旅居荷兰的日子比他所估计的要愉快得多:健康有了起色,结识了许多新朋友,又有时间就许多问题进行思考和写作。洛克在阿姆斯特丹度过第一个冬天,不久即成为该地阿明尼乌派著名神学家、抗议派教堂牧师菲利浦·范·林堡克的好友,两人之间的友谊一直保持到洛克去世。由于有菲利浦和其他好友作伴,从本土传来的坏消息似乎也更容易承受一些:经查理二世发布专令,洛克在基督堂学院的研究员席位被解

除(1684);第二年,英国政府又将一份通缉84名"叛国者"的名单送至海牙,洛克名列其中。洛克躲藏了一段时间,但不久又可在荷兰各处自由行动,这使他逐渐熟悉了荷兰的各个行省。

返回英国和隐居奥茨 洛克继续呆在国外有5年多的时间,直到1685年登上王位的詹姆斯二世被废黜。1688年秋,在宣布詹姆斯已确定一位男性继承者(因而也是一个罗马天主教徒)之后,国王的反对者们请他的侄子兼女婿,荷兰的奥兰治亲王、信仰新教的威廉来夺取王位。詹姆斯国王未作什么抵抗便被赶下王座。1689年2月,洛克作为奥兰治亲王夫人(即将加冕为英格兰女王玛丽二世)随行人员之一回到英国。洛克此时可说是凯旋归来,但他对荷兰却难免有几分留恋,因为他已经爱上这个国家。返英后,洛克很少参加公务活动,几次拒绝对他的大使任命,但接受了上诉委员会委员一职(许久以后,洛克于1696年又被任命为已恢复的贸易与殖民事务委员会的委员,并在该委员会的评议活动中起主导作用达4年之久)。但是,伦敦的空气再一次使他发病,他不得不离开城市到乡下朋友处长住。1691年,洛克隐居于奥茨,住在友人弗朗西斯爵士和马沙姆夫人坐落在埃塞克斯的邸宅内,此后仅仅偶尔才造访伦敦。可是,这并不意味着他在其一生的最后这些年中完全丧失了影响力,因为他始终是辉格党的思想领袖。许多辉格党重要议员都是洛克的老友,年轻的一代,尤其是他们当中最精明能干、不久以后成为大法官的萨默斯也常去请教他。在"光荣的、不流血的革命"中,沙夫茨伯里和洛克为之奋斗的主要目标都已实现,尽管强大的托利党的压力使威廉统治下的改革幅度受到了限制。首先,英国已经成为一个由议会控制的君主立宪国家。其次,确保臣民在法庭上应该享有的权利和自由有了真实的进步,宗教宽容的程度有所提高(尽管距离彻底的宽容还很遥远),言论自由和思想自由也得到确认。此外,洛克还亲自起草了一份讨论题纲,供友人克拉克在上议院讨论废止那项限制公民自由的《印刷管理法》时使用。该法令于1695年被废止,从而使新闻出版自由得到确认。

著作的出版 洛克的后期生涯中最主要的任务就是出版自己的著作,这些著作是他多年以来潜心思考的成果。《论宗教宽容信札》于1689年在荷兰的豪达匿名出版。早在牛津时代,洛克就已开始考虑这个问题。虽然洛克在1667年写的通信和一篇论文显示出他对宗教宽容的支持,但他在1660～1661年期间就这个题目写的两本小册子(直到1667年才出版)却惊人的保守。《两篇关于政府的论文》(1690)一书也是对政治的基本原则作长期思考的结果,这一思考是以洛克自己的观察为立论基础的。洛克看到,在所有这些社会和政治问题当中,最终起作用的因素是人的本性。然而,要了解人,仅仅观察他的行为是不够的,我们必须研究他的认知能力。早在1663年写作关于《自然法则》的论文时,洛克就已注意到这一点。1671年,如前所述,他开始写一部关于人类认知能力的著作——《人类悟性论》,该书直至1689年12月才出版(所有印刷本均注明为1690年出版)——甚至到那时该书也没有全部完成,因为洛克对以后重印的4个版本中的3个版本都作了修改,有时甚至是重大的实质性改动。(见后文"洛克的哲学思想"一节)。

晚年 洛克的晚年是在奥茨宁静的隐居中度过的。他的女主人是一位他已相识多年的马沙姆或称丹玛瑞斯夫人。她是对洛克曾起过重要影响的剑桥柏拉图派学者之一卡德沃思的女儿。洛克在这个家庭中感受到友情与舒适。许多朋友都到该地去看望他,其中有艾萨克·牛顿爵士,常来同洛克讨论使徒保罗的书札,这是双方都很感兴趣的题目;有洛克的侄儿兼继承人彼得·金(后来成为英国首席大法官);有克拉克携带妻子和儿女同来——洛克对他的孩子非常喜爱。洛克曾经从荷兰写过一系列的书信给克拉克,就如何最佳地教养他的儿子向他提出建议。这些通信为他的《教育漫谈》(1693)奠定了基础,该书就教育问题提出了若干新的见解。洛克还就经济利益问题、利息利率、英国的铸币政策以及范围更加广泛的贸易问题(维护重商主义观点)写出并出版了一系列小册子。1695年,他出版《基督教的合理性》一书,为减少基督教中的教条主义发出严肃的呼吁。

洛克死于1704年10月28日,葬于海莱弗的教区教堂。马沙姆夫人写道:"他去世时就像他活着那样,充满虔诚精神而又毫不矫揉造作,从容不迫而感情真挚。"这位知交对他的性格所作的评价看来是非常中肯的。洛克做事有条不紊,对钱财十分留意,有时还有点儿吝啬;他清心寡欲,虽然天性急躁,而且很重感情,但却懂得节制和自我约束。他很爱孩子,极重视友谊。无论是他的著作还是为人,都表现了他那种闻名于世的智慧和谨慎作风。

洛克的哲学思想

认识论 洛克对以下的一种观点持完全怀疑的态度:思想家仅仅凭借于推理就能认识宇宙的真实面貌。他虽然十分尊崇笛卡儿,但对笛卡儿的那种纯思辨精神却不无疑虑;至于经院哲学家们那一套所谓思辨,洛克则完全嗤之以鼻。在这个意义上讲,洛克是反对形而上学的。他认为,对世界的认识只能通过经验以及对经验的反省而获得,而玻意耳、西德纳姆、惠更斯和牛顿等人正在获得这种认识。他们才是推动知识进步的真正的哲学家。至于洛克本人,他为自己规定的任务则是——如他所说——低一级的,即探讨这种知识是如何被获得的,什么是"人类知识的起源、可靠性和范围,以及信仰、观点和意见的各种根据和深度"?

经验主义 关于知识的"起源"问题,洛克的答案是明确的。对世界的认识,一是源于对外物的感观认知,一是源于对自我认知亦即内心世界的反思,在洛克的语言中叫做"反省"。知识并不来源于人的头脑中固有的绝对观念或一般原理,也不能通过对这些原理作演绎推理而获得。在17世纪,曾经有过许多关于天赋认知能力的含糊其辞的谈论,洛克在《人类悟性论》的第一卷中研究了这类说法,并指出它们的毫无价值。在第二卷中,洛克首先指出,一切知识都来源于感觉经验和对内心世界的反省;然而从严格意义上讲,它们还不是知识本身,而只是为心灵提供了认识材料。洛克把如此提供的材料称为"观念"。观念是"展现在心灵面前"的客体,但并不是物质客体自身,而只是它们的体现者。洛克把观念区分为体现客体真实属性的观念(如大小、形状和重量)和体现客体被感知的性质的观念(如色、香、味),后者并不存在于客体中,只有在作用于人的感官时才体现出来。洛克把前者称为第一性的质,后者为第二性的质。

为了表明一切观念都来源于感觉和反省之中,洛克继而把观念加以汇集与分类。尽管观念会立即"呈现于心灵面前",但它们并不都是简单的。许多观念是复杂的,其各个简单组成部分可以通过分析而展示出来。感觉和反省所提供的只是这些简单的观念。人的心灵利用这些简单的观念构成了复杂观念,尽管洛克在这一点上态度模棱两可。有时,他使用"构成"、"组合"这类词汇并谈及人的心灵的"组合技能",但他始终认为,组合往往都是以已被感知的东西为依据的,并且与它们是"紧紧相伴随"的,而不是任意性的。

洛克所说的建立于因果推理之上的"反省",假如进一步详加论述,就无疑会把他导向十分困难的境地。他自己也承认有一处地方难以自圆其说。作为一个经验主义论者,他无法对实体这一观念作出解释。他认为,实体是根本性的和不可否认的,然而,它既不是由感觉和反省获得的简单观念,也不是从这类已知的简单观念推导出来的。事实上,他对实体几乎无话可说,只能认为它是"某个不可知的东西"。因而,不能说《人类悟性论》的第二卷已经完整地建立起了经验主义的理论体系。但洛克认为这种论证对他来说已足以使他能坚持自己的下述观点:对物质世界的认识完全是通过感觉经验获得的。

自我认识 有一些观念不是在心灵之外的东西,而是求诸于自身的和内在的。洛克认为有必要在《人类悟性论》的第二卷中将这些观念加以分类,从而为经验主义心理学奠定基础。洛克的信息来源是向内心探求而很少观察外在行为。洛克对感觉概念的描述是十分有名的,这是因他对心灵在认识过程中所起的阐释性作用给予了充分的注意。他就各种感觉之间的关系(尤其是视觉与触觉之间的关系)所提出的富有远见的看法,对后世的思想发展有深远的影响。对于记忆、分辨、比较、疯狂、愉悦和痛苦,对于各种情绪和观念之间的联想,他在书中都作了有价值的评述。

洛克认为,人对其自身的存在有一种直觉的认识,并假定人是同时作为物质实体与非物质实体(精神)而存在的,但洛克在这个问题上的看法并不十分清楚,甚至也产生过另一种想法,即人只是一种物质实体,而由上帝给他"附加"了思考的能力。然而,洛克最具有价值的贡献却在于他对人的个性的论述。在区分了各种不同类型的个性之后,洛克指出:人的个性依赖于自我意识——也就是说,我之所以是20年前做了某某事的那个人,是因为我自己当时做了那件事。

语言 洛克讲,《人类悟性论》第三卷亦即讨论语言问题的一卷,使他"耗费的心血"比该书其他任何一卷都要多;然而偏偏正是这一卷最为人所忽视。要理解认知过程,就必须先理解作为思考和交际工具的语言。词语是约定俗成的符号,但洛克认为,这种符号并不是对事物的直接反映而是对事物的观念的反映,因此洛克把他的"观念"理论引入了他对语言的描述。由词语所表达的观念常常是不明确的,有时候,甚至在并无与之相应的观念存在的情况下使用词语。普通词语的使用情况尤其是这样,但如果没有普通词语,语言就会变得内容贫乏,以致会失去其大部分价值。在洛克看来,普通词语的使用与一般概念的理论是紧密相关的。普通词语是否代表着某个具有典型作用的特定观念?或者,一般概念只不过是人的心灵作抽象推理的产物,而被附加上了一个名称而已?在探讨自然实体问题时,洛克强烈的倾向于一种概念论,这种理论认为,所以有可能使用普通词语,仅仅是因为它们代表了"名义上的本质"。按照这种观点,普通词语所表示的并非实在的本质而只是一种抽象的概念,是由"精巧的认知能力"促成的某种东西。洛克还讨论了简单观念以及观念之间的关系的名称问题,在这里,十分有趣的是,对于后来被称为富有逻辑性的和十分起作用的词语进行的讨论,在开始阶段所作的探讨其实是十分粗浅的。第三卷还包括对定义所作的一番有价值的论述,洛克反对认为所有的定义都必须通过比较和对照才能得出的理论。该卷的最后几章研究了语言缺陷的不可避免以及各种可以避免的滥用。

结论 在《人类悟性论》第四卷中,洛克探讨了人类认知能力的性质和范围。该卷的语气比前几卷更具有唯理主义色彩,因为源于其经验主义的怀疑论推动洛克在数学无可怀疑的确定性中寻求人类认知能力的理想范例。在这一点上,他与同时代的唯理主义者有一致之处,事实上,从第四卷的开头几章中似乎就可发现笛卡儿对他的直接影响。认知是一种感知,但它并非感官的知觉而是智性的知觉或直觉,常常通过一番审慎的论证过程而获得。然而,即便如此,论证的每一步也显然是直觉的,因此从严格意义上来说,认知在实质上是直觉的。

不幸的是,能够为直觉所感知并论证的东西是有限的。严格的认知并不完全局限于数学领域,但是凭直觉去感知物质世界内部的各种关系却是不可能的。第二卷和第三卷已经指出,观念和名义上的本质能够直接获得,而真实事物的内在本质却不能被知晓,所以从完全可以确定的知识这一严格意义上来讲,在这个领域是不可能有"科学"的。直觉唯一可能起作用的地方仅仅是在观念世界内部,而在洛克看来,这只是由经验推导出的观念世界,它在本质上并不是理智性的。因此,洛克也就把一般意义上的认知界定为直觉,亦即"对我们的各种观念彼此之间相互一致或不一致或彼此排斥的种种联系的一种感知"。在观念世界内部,确定的认识是能够被获得的,但如果涉及的是"其原型并非来自样态观念"的实体观念,答案便是不肯定的了。

尽管存在上述情况,而且听起来有些前后矛盾,洛克还是认为,在对物质世界的存在的"感受性认知"方面,知识接近于确定无疑。而且,人对自身存在的感知也是直觉的。在这些情况下,知识虽然并非是对观念之间的关系的理解,却仍然是确定无疑的。但洛克又明确指出,就绝大多数情况而言,对物质世界或对人自身存在的认知都是带有或然性的,是以判断而不是以直觉为基础的;这番话是在赞同一个强调客观证据无比重要的命题,这些证据是否符合真实世界,程度各有不同,而且有可能是错误的。洛克认识到需要有一个或然性的演绎逻辑,但他本人在这方面并未作多少研究。然而应该指出,后来由伯克利和休谟加以发扬的重要的常规次序归纳法理论,早在洛克的《人类悟性论》中便被提了出来。

政治学说 洛克研究政治哲学最为重要的著作是《两篇关于政府的论文》。第一篇论文是对罗伯特·菲尔默爵士所著《元老论》的反驳,该书写成于17世纪中叶,维护天赋王权论;第二篇也是更为重要的一篇论文,驳斥了鼓吹专制主义的政府论。

洛克将政治权力定义为"一种制定法律的权利,有权为管理和保护财产而规定出死刑以及相应的所有较轻的惩罚措施,并有权为执行法律和保卫全体公民不受外敌侵害而动用公共强制力量,而所有这些措施都只能是为了公众的利益"。因此,政府是一种信任,一个统治者若是不能确保公众的利益,就会失去这种信任。这也就是说,统治者的权力是有条件的而非绝对的。个人在进入市民社会时并非交出了他所有的权力。他通过"将自己的劳动"与最初赋予全体人类的东西"结合起来",以自己的劳动使之成为属于他自己的东西,从而建立起他对财产拥有的权力(这番议论是劳动价值论的萌芽)。他有权期望政治权力被运用来保护他的财产,保护他的人身和所拥有的财物;他也有思想、言论和信仰自由的权利。实际上他为进入市民社会而放弃的仅仅是裁判和处罚其同类的权利,这在自然状态中本是他所拥有的一项权利。他放弃了他"执行自然法的权力"并"把它交付给公众";他使自己遵守国内法,在自愿的服从中寻求自由。为了确保这一自由,洛克赞同一种混合政体——立法机关应当是一个经选举产生的机构,而执行机关则是单个的人即君主——而且他力主立法权与行政权的分立。人民是最终的主权归属,虽然在洛克的学说中这种直接统治权基于何处并不总是那么清楚。但是,如果政府失去人民的信任,人民总是有权撤回他们的支持并推翻这个政府的。

道德哲学 要想从洛克的著述中找出一套前后一致的道德理论是徒劳的。他认为道德可以是一门科学,就像数学那样具有确定性的观点是众所周知的。这可能暗含着一种唯理主义,实际上,在他的道德哲学中确有一种唯理主义倾向——尽管有时当他鼓吹一种有关道德的科学时,他心中所想的似乎仅仅是一种可能性,即有可能对道德问题讨论中使用的名词作精确的分析,也有可能对各种道德陈述进行澄清。在另一些时候,他又提出一种享乐主义的理论。"那些我们称为善的东西往往是能给我们带来快乐或增加我们的快乐或者减少我们的痛苦的"。但是并非所有的善都是道德的善,"道德上的善与恶仅仅是我们的自愿行为与某项法律之间的一致或抵触,因此,善与恶是由立法者的意愿和权力强加给我们的"。按照这种观点,法律所依据的是上帝的意志,即"道德的真实基础",尽管洛克的这种提法同他在别处讲到自然法的理论并不一致。

教育理论 正如洛克在《教育漫谈》中所阐述的,好的教育应该身心并重。儿童的身体不应该被娇惯,与此相反,倒是应该以各种方法使儿童的体魄经受磨炼。优秀的教育工作者坚持让儿童锻炼身体,充分的游戏和保持充足的睡眠,这是"大自然最有效的兴奋剂"。应该允许儿童自由宣泄他们的情感而不要施以约束。至于精神方面的训练,性格的培养要先于学习知识;教育工作者的目标在于给年轻人的心中逐步灌注德行、智慧和良好的教养。父母也必须关心教养孩子,因为没有任何教育的力量能够比父母的言传身教更为有效。同时也要让儿童掌握丰富而有用的知识:各种现代语言和拉丁语,地理和历史,数学作为"儿童抽象思维发展的本领";以及到年龄再大一些时学习民法、哲学和自然科学。作为娱乐,对儿童进行艺术、手工工艺和有益爱好的培养也应该是可行的。

宗教观 洛克年轻时代就对宗教派别的所谓"热情"深恶痛绝,终其一生他都厌恶宗教狂热。他是一个宽宏大量和容忍异端的圣公会教徒,渴望调停英国新教各阶层之间长期的斗争。他对教会掌政和教士身份的看法与不信奉国教者颇为相似,他也很赞同宗教自由学派、剑桥柏拉图学派和荷兰阿明尼乌学派的开明观点。这在他的《基督教的合理性》一文中有明显的表现。他认为,作为一个基督教徒有两个最基本的条件,也仅仅需要有这两个条件。它们是:第一,承认耶稣基督是上帝派来的救世主;第二,应该按照基督的教导而生活。洛克的观点一方面和自然神论者,另一方面和一神论者都相去不远,然而又不把洛克与他们归为一类。基督教精神,尽管是合乎理性的,但在需要理性的同时也需要启示。因为仅仅依靠人的理性是不够的,此外还必须有一种"通过圣灵"对上帝存在的体验;没有这种体验,任何宗教都是空洞的。然而,任何假借宗教真理的名义施行的迫害行为都是没有丝毫道理的,因为我们的知识和理解能力都十分有限,每个个人都是一个在上帝面前负有责任的生灵,因而这就预先假定了人的选择自由。出于同一理由,任何违背个人意愿的强迫只不过保证了表面上的服从和一致。

影响 洛克对有益的和使人变得高尚的知识的力量满怀信心,这使他当之无愧的成为启蒙运动的第一位哲学家。从更广泛的意义上说,他为一种思想传统奠定了基础,在其后的3个世纪中,这一传统被英国的经验主义学派和美国的实用主义学派加以发扬光大。在发展辉格党以排除天主教君主的论争和1688年革命为基础的理论中,洛克对自由主义作了经典性的阐述,而这种自由主义日后鼓舞了美国革命的塑造者和美国宪法的创制者。在人们继续对思想、自由和权威不断发出挑战和进行探索的20世纪，洛克的影响在西方依然能够被强烈地感受到而且经久不衰。

Locke, Matthew 洛克（约1630，英国德文埃克塞特～1677-08，伦敦） 在普赛尔之前的主要英国戏剧音乐作曲家。1661年任国王的常任作曲家。皈依天主教后被任命为王后的管风琴师。与C.吉本斯为雪利的假面剧《爱神和死神》(1653)谱写了音乐。也为W.戴夫南特爵士的《围攻罗得岛》(1656)谱写了部分音乐，该剧通常被认为是第一部英国歌剧。其他戏剧作品有：为戴夫南特改编的《麦克白》(1663)、为T.沙德韦尔的《普叙赫》(1673)和他改编的《风暴》(1674)写的音乐。在《风暴》中首次在英国音乐中采用了"轻"、"逐渐增强"等指示，并为弦乐器采用震音。他的器乐曲在和声上比声乐曲保守，但被认为是17世纪最好的器乐之作，例如为维奥尔琴写的《三声部小康索特》(1656)。也曾为查理二世加冕典礼写过音乐，并为皇家教堂写过赞美歌。他的《旋法前提》(1673)是英国最早论及"通奏低音演奏法的某些一般原则"的著作之一。

Lockhart, John Gibson 洛克哈特（1794-07-14，苏格兰拉纳克郡威肖～1854-11-25，罗克斯堡郡梅尔罗斯附近阿伯茨福德） 英国评论家、小说家、传记作家。所著《司各特传》

美国不列颠百科全书公司供图

(1837～1838)是英国最著名的传记作品之一。出生于长老会牧师家庭，祖辈为拥有地产的乡绅。曾在格拉斯哥和牛津大学就读，1816年开始在爱丁堡当律师。但他过于矜持寡言，不适宜当律师，于是转而从事写作。是托利党的《布莱克伍德杂志》自1817年创刊之日起的主要撰稿人。他与他人合写的《一部古迦勒底手稿的译文》，讽刺了苏格兰的名人。另一篇文章《论伦敦诗派》是一系列攻击济慈、雪莱、亨特和哈兹里特的文章的第一篇，以集体笔名发表，但主要由洛克哈特执笔。1818年结识欧洲浪漫主义的"元老"司各特，1820年同司各特的女儿索菲娅结婚，并凭借岳父的势力当上托利党《评论季刊》的主编(1825～1853)，后来又继承了司各特在阿伯茨福德的庄园。虽然他的《司各特传》因揭露司各特的缺点而受到同时代人的攻击，但它现在被认为是一幅理想化的肖像，在写其成就时大吹大擂，而对其弱点则只是巧妙地一带而过。在长期任《评论季刊》主编期间确实写过许多中肯的评论文章，审慎地赞扬了华兹华斯、柯尔律治、雪莱和拜伦。任主编初期(1828)写过一部彭斯的传记，表达了他对这位苏格兰诗人一生的深切同情。另外还写过一部"大胆"小说《亚当·布莱尔》(1822)，叙述一个牧师怎样被女色迷惑。

Lockheed Martin Corporation 洛克希德-马丁公司 美国大型航空航天公司，生产军用飞机、导弹、人造卫星、航天器发射系统、信息和技术服务、电子产品等。该公司系1995年合并当时美国第2和第3最大国防订货承包商——洛克希德公司和马丁·马利埃塔公司而组成。总部现设在马里兰州贝塞斯达。

洛克希德公司起源于1916年拉菲德弟兄在加利福尼亚州圣巴巴拉所创办的一家公司。数年后此公司解散，而兄A.拉菲德1926年却在好莱坞办起洛克希德飞机公司。他同设计师J.诺恩罗普一起制造了"织女星"飞机。这是一种胶合板制成的流线型单翼机，曾在飞行速度和续航性方面创造了许多记录。1929年洛克希德公司被底特律飞机公司收购，而底特律飞机公司又在1932年破产。同年投资商如R.格罗斯和C.格罗斯等买下洛克希德的资产。在大萧条时期，他们制造了"伊莱克特拉"型双引擎全金属的大型客机，使公司重新走向成功。

在第二次世界大战期间，洛克希德公司开始了与美国军方的长期合作，生产了P-38型"闪电"战斗轰炸机。随后公司组建一个绝密军用飞机分部——先进开发项目(ADP)，人称"科研重地"。在设计师C.L.约翰逊的领导下，先进开发项目生产了F-104型"明星战斗机"(Starfighter)、U-2型间谍飞机和SR-71型"黑鸟"间谍飞机。洛克希德公司还制造了反潜艇飞机和一些运输机——如C-130型"大力神"涡轮螺旋桨运输机、C-5型"银河"大型喷气式运输机等。

第二次世界大战后，洛克希德公司制造了几种民航班机(著名的有"星座"和"超星座"客机)，重返民用航空；但是L-1011型"三星"客机(1970年首次飞行)的生产却因为发动机制造商罗尔斯-罗伊斯公司的破产而遇到困难。由于这些项目中的损失，加上C-5型飞机的成本超支及越南战争后期军事订单的枯竭，使洛克希德公司的经济十分窘迫，1971年时只有依靠联邦政府担保的贷款才免遭破产。这种财务安排，又由于该公司曾向外国官员行贿以取得国外合同一事的败露而遭到猛烈的抨击。

先进开发项目所研制的F-117A型隐形战斗机于20世纪80年代参加服役。洛克希德导弹与航天公司是"阿金纳"航天火箭和"北极星"、"海神"式由潜艇发射的弹道导弹的主要承包商，它还生产"三叉戟"导弹。洛克希德公司的其他分部生产军用通信卫星和导弹跟踪系统。90年代初与波音公司合作，承担制造F-22猛禽式战斗机。1995年与俄罗斯的恩纳吉亚公司和赫鲁尼切夫宇宙研究中心联合组建国际发射服务公司，承揽商业性太空发射业务。

马丁公司成立于1928年，它是格伦·L.马丁公司(1917年组建)的后续公司。马丁公司的主要业务是为美国政府设计、开发和生产导弹和电子系统，为原子能委员会设计、开发和生产核子设施。1961年马丁公司与美国马利埃塔公司(1930年成立)合并，名为马丁·马利埃塔公司。美国马利埃塔公司的前身是1913年成立的美国沥青涂料公司，主要产品有集料、化学品、铝和水泥。自80年代开始，马丁·马利埃塔公司将其主要力量集中在航空航天和国防业务上。它是航天飞机计划的主要承包商，同时它制造"大力神"宇宙运载火箭。该公司还参加MX导弹计划和"爱国者"与"潘兴"导弹的生产，建造了"海盗"号探测器的火星登陆器和到金星探测的宇宙飞船"麦哲伦"号，以及设计并生产航天飞机的外挂箱。

lockjaw(disease) 参阅**tetanus** *破伤风*。

lockout 闭厂 在劳资纠纷中雇主拒绝雇用工人，把雇工关在厂外的一种策略。现代，闭厂很少被人采用。通常只有当工会为反对雇主协会某一成员而举行罢工时，和全体雇主协会成员事前已协议任何成员受到罢工影响便关闭自己的工厂时才采用这种手段。在19世纪80和90年代，当内华达、科罗拉多、爱达荷和犹他各州的银矿和铅矿矿工工会为8小时工作日和提高工资而斗争时，雇主常常闭厂。在这些年代，为反对肉品包装业、雪茄烟制造业、编织业和洗衣业等部门中的劳工骑士团，雇主也常用闭厂办法。

Lockport 洛克波特 美国纽约州西部城市，尼亚加拉县县城(1822)。在布法罗东北40千米处。建于1821年，1829年设村，1865年设市。在伊利湖与杰纳西河之间五道双重船闸(现为纽约州巴奇运河网一部分)的周围发展起来。地处尼亚加拉边境水果产区中心，利用充沛的尼亚加拉水力建立了多种工业，产品有纸张、纺织品、汽车零件、铸件、塑料等。人口24 426(1990)。

Lockwood, Belva Ann 洛克伍德(夫人)（1830-10-24，美国纽约州罗亚尔顿～1917-05-19，华盛顿［哥伦比亚特区］） 娘家姓Bennett。女权运动者、律师，是进入美国最高法院执行律师业务的第一位妇女。1848年与一位农场主、锯木厂经营者麦克纳尔结婚；1868年与一位牙科医生、浸礼会牧师洛克伍德结婚。曾从事教学，随后学法律，1873年获得国立大学法学院的法律学位，1873年在哥伦比亚特区执律师业。但当时由于"习惯"的原因，未能在最高法院履行其律师职责。她在国会中游说，使其通过一项法案，允许妇女在联邦法院中执行律师业务。1879年她成了第一位在美国最高法院执律师业务的妇女。洛克伍德夫人当时是倡导以法律保障女权的最得力者之一，努力促使通过赋予妇女平等财产权利和平等监护儿童权利的法律。在俄克拉何马州、新墨西哥州和亚利桑那州的州法律修正案中主张增加妇女参政的条款。1884年和1888年，曾作为全国平等权利党的候选人参加总统竞选。晚年成为一位坚定的和平仲裁提倡者。

Lockyer, Sir Joseph Norman 洛基尔(1836-05-17,英国沃里克郡拉格比～1920-08-16,德文索尔科姆雷吉斯) 英国天文学家。1868年,他在太阳大气中发现一种前所未知的化学元素,并把它命名为氦。洛基尔于1857年在陆军部任职,但他对天文学的兴趣使他终于改行研究天文。1866年他开始对太阳黑子进行光谱学观测,并于1868年发现日珥是太阳周围一个气层的隆起物,他称这个气层为色球。同年,他和P.让桑分别独立发明一种不必等到日蚀挡住太阳光芒,就能观测日珥的分光方法。洛基尔在太阳光谱中证认出氦这种元素比在地球上找到这种元素早27年。在1870～1905年间,洛基尔曾率领过8个日蚀远征观测队。他在锡德茅斯建有一座私人观测台并提出自己的恒星演化理论。他是多产作家,1869年还创办了科学期刊《自然》,自任主编直至逝世前几个月为止。1897年被封为爵士。

Locmariaquer 洛克马里亚凯 法国西部布列塔尼大区莫尔比昂省一处村庄和海滨胜地。位于欧赖南面,濒临莫尔比昂湾。以当地巨石碑闻名,包括现存最大史前糙石巨柱费里斯立石(原高20米,已断裂)。费里斯立石后面有3块雕刻石板和17块支撑石垒成的"商人桌"。人口1 316(1990)。

Locofoco Party 罗克福克党 1835年在纽约市组成的民主党激进派。主要由工人和改良派组成,反对各州银行、垄断、纸币、关税和在他们看来是反民主的和导致特权的任何财政政策。民主党正统派在纽约坦曼尼协会举行的一次提名大会上熄灭煤气灯以驱逐这些激进派,后者即用新产的自燃摩擦火柴(人称罗克福克)点燃蜡烛,并提名他们自己的候选人,党名即由此而得。在范布伦总统要求下,1840年7月4日由国会通过独立国库法,实现了该党的主要目标:政府同银行业完全分离。这时是该党的极盛期。1840年后,其政治影响主要限于纽约。这个十年结束时,许多罗克福克党人与焚烧谷仓派民主党人结盟,终于在奴隶制延续问题上退党。

locomotion 行动 生物整体在空间的移动,其生物学意义包括觅食、求偶、避敌等等。行动一般为主动运动,但某些生物借水流或气流漂移,以及寄生物随寄主迁移,这些也常被称为被动行动。动物的行动能力可由其组织结构上看出来。如纺锤形的体形说明该物种行动迅速而活跃;反之,围在保护壳里的球状生物体则表示该物种行动缓慢或营固着生活。所有动物的行动既需要推动机制,也需要控制机制。动物的推动机制在大多数情况下都是由肌肉的收缩而产生的推动力,但具体情况很不相同。动物占据了地球上各种自然环境(生态位)中的大多数;就运动而论,这些环境可以分为4种类型:空中的(包括树栖的)、水域的、挖掘的(地下的)和陆地的。不论在哪一种环境中,动物的行动都受到两种约束力:重力和阻力。为了对抗重力,除了一部分水生动物外,所有动物都有支持身体的骨骼系统:或是内骨骼,或是外骨骼;或是坚硬的组织,或是柔软的液压支持物。要起动还必须要靠肌肉做功来克服惯性。水生动物同样也必须克服惯性,但水的浮力减少了重力对行动的影响。在水中减缓或阻碍行动的主要是阻力。行动还可分为两个类型:体轴行动和附肢行动。前者如乌贼喷水反推、鳗鱼的波浪式前进及水蛭的拱曲-固定-伸直式爬行,都是体形在变动,借全身与环境相作用而产生推力。后者则仅靠附肢与环境作用产生推力。①水中行动。许多原生动物通过鞭毛、纤毛或伪足行动,波动和滑动偶见。水生无脊椎动物在水中游泳或在水底行动。游泳的推力完全来自生物体与水之间的相互作用。在水底行动中,水底表面提供了相互作用的表面。而某些水底行动与陆地行动型式完全相同;另一些实际上只能在水中实现,因为必须借水的浮力来减轻体重。鱼和其他鱼样脊椎动物的波浪式游泳,有似船借船尾的橹行进,橹左右划动,迫使水向后而船向前行进。体形细长而等粗的鱼如鳗鲡是全身作波浪式的横向摆动。但纺锤体形的鱼类却主要靠后半身的摆动;行动最快最活跃的鱼均见于此类型。鲸也靠摆动前进,但不同处是鲸尾上下摆动。一部分水生四足动物如蝾螈因具长尾,也采用侧向摆动方式前进。但大部四足动物是靠附肢划水:多数是利用后肢,少数利用前肢。②挖掘行动。挖掘动物行动的速度、方式和难易,取决于被挖掘物质的坚实程度及其内聚性。营挖掘生活的无脊椎动物进化出穿透土壤、木头和石头等不同介质的行动方式。营挖掘活动的脊椎动物有两栖类、爬行类和哺乳类。③陆上行动。只有节肢动物和脊椎动物进化出能迅速在地表面行动的方式。这两类动物都是借助一组具关节的附肢使身体脱离地面向前行动。这两类动物行走和慢跑时的步态外观不同,这是由于脊椎动物用4足行动而节肢动物具6足或6足以上。足多增加了稳定性,但却减低了可能达到的最高速度。脊椎动物行动最快时,步态不对称;但节肢动物的步态不可能是不对称的,否则附肢就会互相干扰。适于奔驰的脊椎动物的特征是上腿短而肌肉发达,下腿细而长。减少远端重量可以缩短摆动的周期,因此增加了动物的行动速度。跳跃式的行动主要限于大袋鼠、无尾两栖类、兔、某些啮齿类,以及许多科的昆虫。所有跳跃动物的后腿的长度都近于最前腿的两倍。哺乳动物的腿在垂直面上运动,而蛙腿是在水平面上运动。蛙以前腿着地,但大袋鼠是以后腿着地。爬行动物包括无脊椎动物的蠕行及拱曲-固定-伸长式爬行,和无附肢脊椎动物中的蛇行、直线、侧绕等行动方式。④树栖和空中运动。树栖动物必须具有很强的抓握能力,并且必须使自身的重心靠近所抓握的物体上。臂行(用前肢从一处向另一处摆动)只限于少数几种灵长类,如长臂猿和蜘蛛猴。滑行可分为两种不同的类型:重力性滑翔和翱翔。前者见于两栖类、爬行类和哺乳类;翱翔需借助天然气流,只见于鸟类。所有的滑翔动物身体的相对宽度都较大。昆虫、鸟和某些哺乳动物发展了真正的飞翔。3类动物飞翔的空气动力学相同。飞翔时,左右翅膀成环形或八字形同时转动,转动产生了向上的升力(以克服重力)和向前的推力(以克服阻力)。

locomotive 铁路机车 铁路上牵引列车的动力车。机车的主要动力有3种:蒸汽、电和燃油。第一辆能工作的机车是R.特里维西克于1803年为威尔士矿车轨道建造的新城堡号,但因太重,不适于在当时的铁制轨道上行驶。第一辆实用的机车由英国利兹附近米德尔顿煤矿的检验员J.布伦金索普于1812年建造,其双立式汽缸通过两个被其驱动的旋转轴依次带动与齿轨啮合的齿轮转动。到1829年,英国工程师G.斯蒂芬森制成火箭号机车——现代蒸汽机车的原型。他创造多烟管锅炉取代当时一直采用的单燃烧管锅炉。火箭号像现代机车一样,排出蒸汽并在锅炉火箱内产生牵引力,其活塞与一对主动轮相连,主动轮的内侧有凸缘,防止车轮滑出轨道。在美国,J.斯蒂芬斯于1825年造出第一台在3轨线路上行驶的机车,中间的轨道与发动机上的齿轮啮合。不久机车便从火箭号的一对主动轮发展为4个相连的车轮,机车的重量在车轮与铁轨间产生摩擦,使车辆得以向前行驶。直到1865年以后很久,美国一直采用称为美国型的机车,这种机车有4个主动轮和4个沿弧线行驶时起导向作用的导轮。像所有的蒸汽机车一样,它将水加热至沸腾,然后将产生的蒸汽输入汽缸,排汽的巨大力量推动与主动轮相连的活塞,使主动轮旋转,带动机车和列车前进。20世纪的蒸汽机车体积巨大,构造复杂,能牵引由200节车厢编组的运货列车,以每小时120千米的速度行驶,主动轮的直径达2米。最大的机车有16只主动轮,主动轮后面较小的后轮承载着给巨大卧式锅炉中的水加热的甚至更大的火箱。较小的机车,特别是在欧洲,燃料(煤或燃油)装在机车上,但多数机车的燃料和水由挂在后面的车厢装载。蒸汽机车的结构简单,耐磨损,但行驶较短的距离后即需大量的维修;同时由于行驶时过于沉重,容易使铁轨扭曲;每辆机车需要有各自的司机组;由于燃烧不完全和热损耗,其热效率很少超过约6%。由于这些原因蒸汽机车实际上已被淘汰,只有在中国、印度部分地区和南撒哈拉非洲部分国家还经常使用。

当蒸汽机车还正在发展时,设计家已开始进行以电作动力的实验。早在1835年曾尝试用蓄电池作电源,但直到1879年第一辆实用的电力机车才在柏林博览会上展出。1895年美国巴尔的摩-俄亥俄铁路公司的一辆电力机车在巴尔的摩港行驶;到1902年,电力机车在意大利铁路干线上运行。电力机车与自身产生动力的蒸汽机车和内燃机车不同,它仅仅将外来电能转换为动能,当遭受增大的荷载时,能短时间超过其额定功率发挥巨大的起动力和爬坡力。电力机车的机械构造简单,便于维护,其维修费用甚低,并且比内燃机车耐用。但为了经济合算,电力牵引要求能得到廉价的电力,而且运输量足以弥补发电站和架空输电线等设备所需的高额保养费。在斯堪的纳维亚各国和意大利有一半以上的铁路已经电气化,法国约有1/3,而美国约仅有 1/100 的铁路线电气化，大部分集中在东北的主要城市之间。

内燃机车利用柴油发动机带动发电机向牵引电动机供电，发电机直接由发动机的转轴传动。柴油配电发动机使用于 1925 年。德国于 1932 年在铁路干线上开始使用内燃机车，这是一种由两节车厢编组的流线型列车，平均速度为每小时 124 千米。美国于 1935 年用内燃机车牵引旅客列车，1939 年建造了第一列内燃机车货运列车。蒸汽机车的使用虽因第二次世界大战而延长，但战后内燃机车迅速在北美，然后在欧洲取代了蒸汽机车。内燃机车的热效率约为蒸汽机车的 4 倍，同等功率所需的燃料大大减少，而且加速起动快，行车速度高，轨道磨损低，检修保养比蒸汽车简便。内燃机车同电力机车一样具有高效率（在其发电功率的范围内），但不须投资建设变电所和配电网。内燃机车的灵活性对铁路管理人员特别具有吸引力，几辆机车可根据所需功率编组在一起牵引一列火车，而且只需一个司机组操作。对于用涡轮机作替代动力源已进行了大量的实验，利用飞机用的涡轮机作动力牵引旅客列车已获得成功，并于 1869 年在美国和加拿大开始运营。其他利用燃汽轮机和涡轮-电力联合动力装置的火车也已研制出来。

locoweed　疯草　豆科黄芪属（*Astragalus*）及棘豆属（*Oxytropis*）数种植物的俗称。原产北美西部及中北部草原。牲畜食之中毒，初时出现狂乱行为，继之部分瘫痪，视力障碍，

疯草（*Astragalus*）
美国不列颠百科全书公司供图

有时可致死。但大部分疯草牲畜不爱吃，仅于其他饲草得不到时方食。疯草中所含毒素量似与土壤情况有关。腐败的疯草会将毒素释出，有时会被其他无害的饲草作物吸收。许多种类矮生，高 45 厘米；叶被多少不等的毛，似蕨叶；花簇生。有一些种类特别危险：密柔毛疯草（密柔毛黄芪，*A. mollissimus*）叶被毛，花紫堇色；伍顿氏黄芪（*A. wootonii*）花白色；兰伯特氏棘豆（紫疯草，*O. lambertii*）花粉红色或淡紫色；光亮棘豆（*O. splendens*）植株被银色毛；花多，鲜艳，淡紫红色。

Locri Epizephyrii　洛克里伊壁犀斐里　又称洛克里，希腊人约于公元前 680 年在意大利靴形地带的"足尖"部分东侧建筑的一座古城。居民用洛克里伊壁犀斐里这一名字称呼其居住地，以别于希腊的洛克里。洛克里伊壁犀斐里是第一个有一部成文法的希腊公社，该法由扎琉科斯于约公元前660年颁布。

公元前 5 世纪的珀耳塞福涅神庙硬陶饰板，上有珀耳塞福涅被劫往冥府的浮雕，洛克里伊壁犀斐里出土
美国不列颠百科全书公司供图

洛克里伊壁犀斐里建立了移民点，公元前 6 世纪时抵抗过克罗顿的进攻，在伯罗奔尼撒战争中反对过雅典对西方的干涉。其后洛克里伊壁犀斐里时而附庸于罗马，时而效忠于罗马的敌人，到公元前 205 年，西比阿率罗马军队夺取了这座城市。公元 915 年，该城被西西里的穆斯林毁掉。1889 ～ 1890 年在这里进行过发掘，1954 年再次发掘，出土一座多立斯式的神庙即珀耳塞福涅（冥后）的圣殿，还有公元前 5 世纪的许多当地的硬陶饰板。史前文物的发现，证实了修昔底德和波利比奥斯著作中的记述——希腊人并非这里的首批居民。

locust　飞蝗类　蝗科直翅类昆虫，蝗虫的一类，数量常大量增加，并集成大群作长距离迁徙，所到之处植被悉为破坏。在欧洲，locust一词指体型较大的蝗科昆虫；体型较小者称为 grasshopper。在北美，locust 和 grasshopper 两词可指任何蝗科昆虫。在英语中，同翅目的蝉（cicada）亦可称为 locust；因此十七年蝉（晚秀蝉）的英文名亦作 17-year locust。蒌蝗科的种类俗称倭蝗（参阅 **pygmy grasshopper**）。变型理论可用来解释蝗群零散出现和消失的现象：可造成蝗灾的蝗虫种类有两型，即散居型和群居型，两型的颜色、形态、生理

沙漠蝗（*Schistocerca gregaria*）的群居型（左）和散居型（右）
美国不列颠百科全书公司供图

和行为各异。散居型的若虫（蝗蝻）能调节体色以与周围环境相一致；并不集合成群，代谢率和摄氧率低，且行动缓慢。而群居型的蝗蝻则为黑色与黄色（或橙色）相间，并有固定的花纹；集成大群；代谢率及摄氧率高；行动活跃，易受惊。两型成虫间形态的差别大于颜色的差别。散居型与群居型相比，其翅较短；足较长；前胸背板较窄，呈较高的弧形隆起；头较大。而群居型的前胸背板更显鞍形，肩更宽，翅更长。散居型蝗虫的蝗蝻在有许多其他蝗虫存在的情况下成熟，便变型为群居型；如果蝗群的密度足够大，持续的时间足够长，便形成群居迁徙型。反之，如果群居型蝗虫的若虫在与同类分离的情况下成熟便变回散居型成虫。散居型是正常的状态，而群居型是对环境剧烈变动的生理应答。如果一个地区对蝗虫的生长有利，蝗虫就不会形成迁徙的大群；反之，如果一个地区内缺乏合适的生境（称为边缘性地区），蝗虫就形成迁徙的大群。若连续几个季节均对蝗虫有利，于是本来有限的虫口得以大量增殖，许多个体被迫移到边缘地区。边缘地区的环境条件不利于已扩大的蝗虫种群的生存，这些种群又被迫回到面积较小的本来为该种群居住的地区；群集现象又出现。群居型蝗虫显得焦躁不安，易受激惹，在温暖干燥的日子当体温升高时便自发地飞行，飞行时肌肉的活动使体温进一步升高。只有当环境出现变化，如下雨，气温降低或黑夜降临时蝗群方停止飞翔。1869 年可能来自西非的许多沙漠蝗群飞抵英格兰，1889 年一个蝗群飞越红海，其大小估计达2 000平方英里。飞蝗（*Locusta migratoria*）的分布范围大于任何其他蝗科昆虫。飞蝗见于整个非洲，泰加林以南欧亚大陆大部分地区，东印度群岛，澳大利亚热带地区以及新西兰的草原地带。沙漠蝗（群居裂尾蝗，*Schistocerca gregaria*）分布于从非洲到旁遮普一带的干燥草原和沙漠，能飞到5 000英尺的高度。意大利飞蝗（意大利星翅蝗，*Calliptamus italicus*）和摩洛哥飞蝗（摩洛哥戟纹蝗，*Dociostaurus maroccanus*）体型较小，在地中海地区造成大面积的植物损害；摩洛哥蝗可向东分布，分布范围远至突厥斯坦。在南非，褐飞蝗（豹纹褐蝗，*Locustana pardalina*）和赤飞蝗（七带红蝗，*Nomadacris septemfasciata*）为害最烈。在中美洲和南美洲，主要的迁徙种类是南美飞蝗（巴拉那裂尾蝗，*Schistocerca paranensis*）；不迁徙的美洲裂尾蝗（*S. americana*，见于美国）可能是该属的一个散居型。19 世纪 70 年代落基山飞蝗（鄙视黑蝗，*Melanoplus spretus*）和迁徙蝗（血足黑蝗，*M. sanguinipes*）在加拿大和美国大草原给许多农场带来毁灭性的破坏。许多其他种蝗虫的数量偶然也会大增，达到足以称为蝗灾的地步。蝗灾一旦出现就几乎不可能扑灭或控制。控制措施包括消灭入侵蝗群所产的卵块；挖沟以捕捉蝗蝻；使用灭蝗机；用带轮筛网使蝗虫落入含水或煤油的槽中；使用毒饵；用飞机向蝗群及其孳生地喷洒粉末状或液态农药等。1945 年在伦敦成立治蝗研究中心；其宗旨为记录和预报蝗虫的猖獗发生和迁徙，对受威胁的国家发出警报，设计和监督控制措施，该中心也研究蝗虫的生活史以及其他特征。

locust　洋槐　豆科洋槐属（*Robinia*）植物，约 20 种乔木，全部原产于北美东部和墨西哥。最著名的是黑洋槐（假金合欢洋槐、黄洋槐，*R. pseudoacacia*），是欧洲广泛栽培的观赏

黑洋槐(*R. pseudoacacia*)
美国不列颠百科全书公司供图

植物。株高24米。羽状复叶，甚长，小叶长圆形，6～20枚。花白色，芳香，聚生成下垂的松散花簇。变种很多，有的变种无刺。是一种控制水土流失和提供用材的树种。英语中honey locust指皂荚，亦为豆科植物，产于北美，常用作观赏树，亦作篱树。

locust bird　蝗鸟　吃蚱蜢和蝗虫的各种非洲鸟类，尤指黑翅燕鸻(参阅**pratincole**)。玫瑰色椋鸟在印度亦称为蝗鸟。

Lóczy, Lajos　洛齐(1849-11-02，匈牙利波斯佐尼～1920-05-13，巴拉顿纳拉奇)　匈牙利地质学家。第一个对青藏高原周围的山脉(把昆仑山脉与中国中部南北走向的山脉与峡谷连接起来考虑)作了科学说明的人。1877～1880年任B.塞切尼伯爵考察队地质专家，旅行穿过印度与中国，著有《随B.塞切尼考察东亚的科学成果》(德文，1899)。1889年任布达佩斯大学地质学教授；1908年任匈牙利地质研究所所长。完成了对中国、匈牙利和第一次世界大战中对塞尔维亚的地质研究。他对戈壁滩和黄河流域北部地区干旱草原地层的研究是极为重要的。还发表过研究匈牙利巴拉顿湖区并解释该区地层建造的专著。在他去世后出版的著作中有第一次世界大战前匈牙利的新地质图和一部论述塞尔维亚西部地质的书，这部书使塞尔维亚地质图彻底改观了。

Lod　卢德　又称利达(Lydda)。以色列中部城市。地处特拉维夫-雅法东南的沙龙平原。该城屡见于《圣经》。从公元前5世纪直到公元70年被罗马征服，该城一直是著名的犹太学者和商人的中心。公元200年后成为罗马殖民城市迪奥斯波利斯。7世纪阿拉伯人征服巴勒斯坦后成为主要城市，1099～1191年为十字军占据。根据1947年11月29日联合国分治决议，该市当属拟议中的巴勒斯坦阿拉伯国领土。阿拉伯各国拒绝该决议后城市被入侵的约旦阿拉伯军团占领。1948年7月12日由以色列自卫军攻取后，改属以色列，并由大量犹太移民重新定居，现已占该市人口约4/5。1949年设建制。现为国内主要交通中枢，有重要公路、铁路联运站和国内唯一国际机场。该市航空工业为全国最大工业部门之一，为多国民航班机加油、维修，并制造民用和军用喷气机。该市还生产纸张、食品罐头和电器。人口约41 300(1987)。

Loddon River　洛登河　澳大利亚维多利亚州中部河流。源出东部高地，墨尔本西北80千米。流向西北转北，在斯旺希尔附近汇入墨累河。长逾320千米。流量不稳定，沿河修有数座水库。为古尔本灌溉系统的一部分。

lode　脉矿　采矿用语。指散布在无用岩石中的一定边界范围内的矿体(参阅**vein**)。

loden coat　洛登外衣　起源于蒂罗尔人的短上衣，用洛登呢缝制。这种毛料，最初由16世纪居住于奥地利洛代尔斯的农民用未脱脂的粗羊毛织成，厚实、柔软、防水。洛登

身穿洛登外衣的巴伐利亚男子
美国不列颠百科全书公司供图

呢有各种颜色，但以蓝绿色为最普通。这种短上衣有时有一个硬挺的立领，并缀以花边或银钮。

lodestone(mineral)　磁石　参阅**magnetite 磁铁矿**。

lodge　小屋　原为供短期或季节性居住的简易住房，如伐木工人的房屋，现泛指供狩猎人、滑雪运动员等临时使用的房屋。在欧洲庄园发展成为园林的过程中逐渐成为正式房屋，供猎场看守人、看门人、园艺工人等住用，建在园林入口或其他地方，在建筑形式上常与主要房屋协调。皇家园林中的这类小屋可能相当大，并可供高贵人物居住。例如，英国政治家约翰·罗素伯爵曾由女王维多利亚批准居住于伦敦里士满公园的彭布罗克小屋中达30多年。

Lodge, Henry Cabot　洛奇(1850-05-12，美国马萨诸塞波士顿～1924-11-09，马萨诸塞剑桥)　30多年的美国共和党参议员(1893～1924)；第一次世界大战后在国会成功地领导了反对美国加入国际联盟的斗争。1876年获哈佛大学授予的第一个政治学博士学位。此后3年留在该校讲授美国史。他毕生对美国史抱有浓厚兴趣，曾编过学术刊物，写过和编过有关美国重要历史人物和事件的著作。1880～1881年任州议员，1887～1893年任美国众议员，后为美国参议员。1917年美国参加第一次世界大战后，他极力为支援战争奔走呼吁。最初赞同成立国际性和平机构，但当威尔逊总统主张成立具有强制仲裁权力的世界组织时，他认为国家的主权将受到威胁，并认为美国不应承担如此重大的国际责任，

美国国会图书馆供图

起来加以反对。1919年任外交委员会主席。他竭力反对通过包括国际联盟盟约在内的凡尔赛条约，首先采取拖延策略，让人们把对国际联盟的热情冷却下来；其后又提出一系列修正案(所谓洛奇的"保留")，要求美国政府必须先经国会批准，才能接受国际联盟某些决定的约束。他成为美国孤立主义者的主要头面人物。威尔逊不接受洛奇的"保留"，认为它会破坏国际联盟的根本宗旨。美国参议院没有批准凡尔赛条约。洛奇声望日增，成为美国出席1921年华盛顿限制军备会议的4个代表之一。

Lodge, Henry Cabot　洛奇(1902-07-05，美国马萨诸塞纳汉特～1985-02-27，马萨诸塞贝弗利)　美国参议员、外交家，1960年竞选美国副总统失败。参议员老亨利·卡博特·洛奇

美国国会图书馆供图

(1850～1924)之孙，系官宦世家，曾有6人当过美国参议员，一人当过马萨诸塞州长。他当了几年新闻记者后，历任两届马萨诸塞州议会议员(1933～1936)和美国参议员(1937～1944，1947～1952)。1952年竞选参议员败于众议员约翰·肯尼迪。这一年，他积极支持艾森豪威尔竞选总统，艾森豪威尔当选后任命他为美国常驻联合国代表。1960年7月，被提名为共和党总统候选人尼克松的副总统搭档，竞选失败。后任美国驻南越大使(1963～1964，1965～1967)、驻德国大使(1968～1969)和越南问题巴黎和谈首席代表(1969)。随后任驻梵蒂冈特使(1970～1977)。著有《乘虚而入》(1932)、《暴风雨中有许多平静地区》(1973)和《真相如此》

(1976)等。

Lodge, Sir Oliver Joseph 洛奇(1851-06-12,英国斯塔福德郡彭库尔～1940-08-22,威尔特郡索尔兹伯里附近的莱克) 英国物理学家。他完善了金属屑检波器,这种无线电检波器是早期无线电接收机的心脏。1879年他在伦敦大学学院任应用数学助理教授。1881年在利物浦大学学院任物理学教授,在任期内,他进行多次电磁波传播和接收的实验。1890年,法国物理学家E.布朗利指出,在辐射电波的影响下,松散的铁屑凝聚或"黏结"在一起。洛奇将"振动器"加到这基本设计上,以便在电波之间使凝聚的铁屑疏散开。将这个改进的金属屑检波器连到接收电路上,即可检测出由无线电波传送的莫尔斯电码信号,并可用油墨印码器将这些信号印录在纸上。1894年首先在皇家学会演示的洛奇的装置,很快就成为早期无线电收报机中的检波器。10年后,该检波器就被磁性检波器、电解检波器和晶体检波器所取代。1897年,洛奇还获得用电感器和电容器调节无线电发射机和接收机频率的专利。1900年他当选为新成立的伯明翰大学的第一任校长,1902年被封为爵士。1900年后他成为心灵研究方面的著名人物,他深信存在着和死者通讯的可能性。

Lodge, Thomas 洛奇(约1557,英格兰伦敦?～1625,伦敦) 英国诗人、剧作家和散文家,他的创新精神和多才多艺是伊丽莎白时代的特点。主要以所著散文传奇《罗莎琳德》为人们铭记。莎士比亚的《皆大欢喜》一剧即取材于此。曾就读于牛津大学三一学院和伦敦林肯律师学院(1578)。所著《警惕高利贷者》(1584)揭露了年轻继承者如何被放债人引诱陷入挥霍和负债,此后多年从事各种各样的文学创作活动;诗有《变形六头女妖》(1589),这是一部奥维德诗风格的寓言诗,对莎士比亚的《维纳斯与阿多尼斯》影响很大。《菲莉斯》(1593)包括许多描写爱情的十四行诗和牧歌田园诗(原型取自法国和意大利)。《莫墨斯的一件琐事》(1595)第一次把古典讽刺诗和书信体诗文引进英国文学。传奇除《罗莎琳德》(1590)之外,最重要的有《美洲的玛格丽特》(1596)及论道德的小册子《智慧的贫乏和世界的疯狂》(1596)。1594年出版了两部剧本,《内战的创伤》(与R.格林合写)和《反映伦敦和英格兰的一面镜子》。为了谋生,曾从事冒险家生涯,劫掠海船但一无所获,1598年在阿维尼翁学医。1602年在牛津获医学博士学位,并在伦敦和布鲁塞尔行医。晚期作品有《论瘟疫》(1603)和两部主要译著《约瑟夫斯的名著》(1620)和《塞内加的著作》(1614),两本译著均多次出版。洛奇1600年以前的许多作品为人们未察觉的译作,显示了他吸取古典、法国和意大利素材的天才。他主要以诗歌和传奇享有声誉。

Lodi 洛迪 意大利北部伦巴第区米兰省城镇。位于阿达河右岸,米兰市的东南。公元前5世纪即为居民点。12世纪被破坏。后由腓特烈一世(红胡子)重建。1796年5月10日拿破仑在洛迪战役中打败奥地利,从而控制了伦巴第。著名建筑物有12世纪罗马式大教堂、因科罗纳塔教堂(1488～1494)等。为重要的工农业中心,以生产干酪、陶器、锻铁、毛纺织品等闻名。人口:城市区42 277(1993)。

Lodi 洛代 美国加利福尼亚州中部圣华金县城市。位于斯托克顿以北圣华金河谷与萨克拉门托河谷相接处,濒临莫凯勒米河。1869年建为中央太平洋铁路车站,1906年设市。1881年后以酿酒,特别是托考伊酒著称,也是农产品包装和加工中心。有些轻工业,其中包括大型轮胎压模厂。卡曼奇水坝和水库位于市东25千米处。亦有公园和动物园。人口:市56 999;斯托克顿-洛代都会统计区563 598(2000)。

Lodī DYNASTY 洛提王朝(1451～1526) 印度德里苏丹国最后一个统治家族。阿富汗血统。首代为巴鲁尔·洛提(1451～1489在位),是旁遮普最有权力的酋长。他精力充沛,意志坚强,把阿富汗人酋长和土耳其人酋长组成一个松散的联邦。开始只控制德里附近地区,后来一直推进到孟加拉国境。其次子塞干达尔(1489～1517在位)继续奉行父王的扩张政策。他占据比哈尔,在锡根德拉巴德建造现阿格拉城。塞干达尔长子易卜拉欣(1517～1526在位)试图加强皇家的权威,但他专横暴戾,引起人们的不满。结果,旁遮普总督道莱特汗·洛提把在喀布尔的莫卧儿统治者巴伯尔引入印度。1526年4月在第一次巴尼伯德战役中,易卜拉欣阵亡。洛提王朝遂亡。

Lodi, Battle of 洛迪战役(1796-05-10) 拿破仑第一次意大利战役中具有戏剧性的交战,他由此获得部下的爱戴。人们认为他英勇无畏,给他起了个"小班长"的绰号。交战发生在米兰东南31千米横跨阿达河的洛迪桥畔。拿破仑的意大利军为5 000人,J.-P.博利厄的奥地利军的后卫K.P.塞博滕多夫将军的部队为1万人。4月,拿破仑打败撒丁王国,使之退出战争后,挥师东北,进攻博利厄。博利厄深恐在大战中损兵折将,不肯出战。奥地利人不曾准备毁坏洛迪桥,只好苦苦抵御法军的进攻。拿破仑部署炮兵隔河轰击奥军大炮和防线,并命令纵队在洛迪的上、下游涉渡阿达河,然后又命密集的步兵纵队冲过桥去,迫使奥军撤退。奥军153人阵亡,1 700人被俘。拿破仑的报告把这次战斗当作一首小史诗来描绘,但博利厄却已逃之夭夭。

Lodi, Peace of 《洛迪和约》(1454-04-09) 威尼斯和米兰为结束米兰公国继位战争而签订的、规定由F.斯福尔扎继位的条约。它标志着长达40年的相对和平时期的开始。在此时期,统治意大利半岛的5个城邦——威尼斯、米兰、那不勒斯、佛罗伦萨和教皇国的权力处于平衡状态。和约承认F.斯福尔扎为米兰的统治者,威尼斯则重获它在北意大利的大片领土。其他参战者(米兰的同盟者佛罗伦萨、曼图亚和热那亚与威尼斯的同盟者那不勒斯、萨伏依和蒙费拉)均默认媾和。在签订和约的同时,又缔结了为期25年的共同防御协定,以保持现有的疆界和成立意大利联盟。联盟由教皇尼古拉五世于1455年3月2日正式宣布成立,不久即为几乎所有的意大利城邦接受。在15世纪,联盟的有效期虽经屡次延长,但是这一体制并未能完全制止战争的发生。各城邦继续为本身的利益反对其他的城邦。到1494年法国入侵意大利半岛后,联盟即不复存在。

Łódź 罗兹 原波兰中部省份(1975～1999),今罗兹(Łódzkìe)省一部分。

Łódź 罗兹 波兰中部省级市、罗兹省省会。14世纪始见记载,1798年建市。现为全国第二大城市和主要纺织工业中心,生产的棉制品在全国占很大比例,也生产毛、丝和化纤织物。为华沙—弗罗茨瓦夫铁路的重要运输中心,并有飞机场。为著名教育中心,设有多所高等院校、音乐中心和剧场。也是波兰电影制片业中心和欣欣向荣的美术中心。建有现代艺术博物馆和纺织博物馆。人口约789 318(2002)。

Łódzkie 罗兹 波兰中部省份。与六个省份相邻:北邻库亚瓦滨海省,东邻马佐夫舍省,东南邻圣十字省,南邻西里西亚省,西南邻奥波莱省,西邻大波兰省。为1999年波兰行政区划改革后设立的16个省份之一。主要包括原罗兹省、彼得库夫省、谢拉兹省等。省会为罗兹市。该省主要为平原地区。森林面积占1/5(主要为针叶林)。气候温和干燥,年平均降雨量少于500毫米,存在缺水问题。有2/3的人口生活在城市,主要城市包括罗兹、彼得库夫-特雷布纳尔斯基、帕比亚尼采、马佐维奇、谢拉兹等。约7/10的土地为农业用地。虽然土壤质量不高,但种植活动在当地经济中仍然发挥了重要作用。主要作物包括黑麦、马铃薯、甜菜、草料、蔬菜和水果。猪牛饲养和乳品业也很重要。大部分制造业位于罗兹工业区。罗兹工业区是波兰最大的工业地区之一。主要产业包括纺织品、医药、橡胶、食品、机械制造、陶瓷和伐木。当地褐煤资源丰富,用于生产波兰大部分电力。当地开采的其他资源包括石灰石、沙、黏土和沙砾。主要文化中心是罗兹。罗兹也是波兰电影产业中心。罗兹拥有很多由19世纪的富人建立的富丽堂皇的住宅建筑,这些建筑中有很多现在已经成为了博物馆。19世纪,波兰王国的大部分产品(主要出口到中国和俄罗斯)都是在罗兹的工厂中生产的。迅速的工业化带来频繁的社会冲突和罢工活动。1892年罗兹暴乱是波兰第一次大规模工人罢工。第二次世界大战期间,在罗兹建立了犹太区。虽然该市是欧洲拥有最多犹太人口的城市之一,但几乎全部犹太人都在大屠杀中丧生。德国人在撤退时破坏了罗兹的很多工厂,但战后该市及其郊区仍然是轻工业中心。面积18 219平方千米。人口2 612 890(2002)。

Loeb, Jacques 勒布(1859-04-07,德国科布伦茨附近迈恩～1924-02-11,百慕大哈密尔顿) 德国出生的美国生物学家,以人工孤雌生殖的实验研究闻名。曾获斯特拉斯堡大学医学博士学位(1884),后在维尔茨堡大学(1886 ～ 1888)、斯特拉斯堡大学(1888 ～ 1890)和那不勒斯生物站(1889 ～ 1891)研究生物学。1891 年去美国,先后在宾夕法尼亚州布林莫尔城的布林莫尔学院(1891 ～ 1892)、芝加哥大学(1892 ～ 1902)和伯克利加利福尼亚大学(1902 ～ 1910)任教授。1910 年在纽约洛克菲勒医学研究所(今洛克菲勒大学)工作,直至逝世。其大量实验工作在马萨诸塞州伍兹霍尔海洋生物实验室进行。1899 年开始孤雌生殖实验,把未受精海胆卵置于可控制的环境中,成功地育出海胆幼体,因而引起普遍兴趣,也带来了争论。后来把实验范围扩大到蛙,把孤雌生殖产生的蛙培养到性成熟期。这项研究的意义,在于证明受精卵分裂的开始受化学因素控制,实际上与遗传性状的传递过程无关。他又研究过脑生理学、动物的趋性和组织的再生、寿命的长短。他还以支持机械论出名,认为生命现象可用物理和化学的规律解释。晚年的重要贡献是蛋白质的胶体行为学说。

Loeb, Richard A. 洛布 参阅**Leopold, Nathan F(reudenthal), Jr.; and Loeb, Richard A.** 利奥波德(小)和洛布。

Loeffler, Charles Martin (Tornow) 勒夫勒 (1861-01-30,法国米卢斯～ 1935-05-19,美国马萨诸塞梅德菲尔德) 美国作曲家,作品以印象主义的抒情诗风格见称。少年时在柏林和巴黎学习小提琴和音乐理论。1881 年到美国,翌年任波士顿交响乐团小提琴手。1903 年辞职,专门从事作曲。他的交响乐作品几乎都由波士顿交响乐团作首次演出。其盛名不衰的作品是为钢琴和管弦乐队写的《异教诗》(1907),其中采用印象主义和弦以再现异教的古代。其他作品有:交响诗《童年的回忆》(1924)、《召唤》(1931)、《为四件弦乐器演奏的音乐》(1917)及大提琴和管弦乐队的《幻想协奏曲》(1894),还有一些歌曲、钢琴曲和其他室内乐作品。

Loei 黎 泰国东北部城镇和府。黎城为黎府首府,是濒临黎河的公路枢纽。府的面积 11 425平方千米,隔湄公河与老挝相望。西部碧差汶山蕴藏大量褐煤和铁。普克拉东国家公园是旅游胜地。人口:镇 14 433(1980);府 468 437(1982)。

loellingite 斜方砷铁矿 一种铁的砷化物矿物($FeAs_2$)。常与铁和铜的硫化物一起产于中温(中温热液)脉状矿床中。它往往与钴、镍及砷等杂质一起产于诸如德国厄尔士山脉的安德烈亚斯山、西班牙的安达卢西亚以及美国新泽西州的富兰克林等地。斜方砷铁矿是属于铁、钴、镍的砷化物类矿物,属斜方晶系,尽管它们含硫很少,但是仍然归入硫化物类矿物。详细物理性质,参阅 **sulfide mineral**(表)。

loess 黄土 不成层的、地质年代较新近的粉砂质或亚黏土(垆坶)质沉积物,它色调通常呈牛皮黄色或浅黄褐色,且主要是风成沉积的。黄土是主要由粉砂级颗粒组成的、被碳酸钙松散地胶结的沉积堆积物。它通常是均匀、不成层和高度多孔性的,并且被垂直毛细管穿过,以致使沉积物断裂并形成垂直的陡崖。黄土(loess)一词具有风成堆积成因的内涵,是德语词源,意思是"松散的"。这一词大约在 1821 年第一次用于莱茵河谷的黄土。

黄土覆盖了亚洲、欧洲和北美洲的广大地区。黄土在今天的温带和沙漠的边缘半干旱带分布最为广泛,它覆盖了地球陆地表面的大约 10%。黄土通常表现为肥沃土壤的表面覆盖层,肥沃土地有利于集约型农业。黄土保持垂直的乃至陡峭的壁的能力在中国的黄土高原特别明显,在那里,一些黄土悬崖高达 150 米,且有无数的由当地居民挖掘的地窖式的窑宅。在像普韦布洛印第安人那样的半干旱地区,人们则用黄土为基础的砖坯建造房屋和堡垒式的封闭状大厦。

物理和化学特性 黄土的优势粒级叫做黄土粒级,粒径在 0.02 ～ 0.05 毫米之间,包括粗、中粒尘埃的颗粒。用各种不同方法作的粒级分析表明,这一粒级的丰度大约为重量的 50%。黏土级微粒(小于 0.005 毫米)占了另外的 5% ～ 10%。一些黄土地区,距尘埃来源越来越远(例如从美国内布拉斯加州的桑德丘陵往东)。

典型情况下,黄土呈现出水分含量低,为 10% ～ 15%,随着孔隙度的降低,水分会增加。黄土的孔隙度为 50% ～ 55%,往下到大约 10 米深处,孔隙度稍降低。在这个深度以下,孔隙度作为粒级分布的函数而变化。如果黄土富含黏土,则孔隙度可减少到 34% ～ 45%。砂质黄土的孔隙度大约是 60%。

黄土含石英 60% ～ 70%,极值是 40% 和 80%。长石和云母 10% ～ 20%,碳酸盐5% ～ 35%。粉砂大约 2% ～ 5%,由闪石、磷灰石、黑云母、绿泥石、蓝晶石、绿帘石、石榴石、海绿石、辉石、金红石、夕线石、十字石、电气石和锆石等重矿物组成。颗粒典型地是稍稍被风化的。在最细小的粒级(小于 0.002 毫米)中,像蒙脱石、伊利石和高岭石这样一些黏土矿物对于碎屑成分来说是占优势的。在黄土堆积期间及其以后,黏土矿物可以通过各种不同的胶体作用过程和物理化学作用过程而形成。

黄土的矿物成分是极为均一的,但是,由于粒度大小和来源地区的不同而有局部的差异。尘埃组分的来源地区可由重矿物组合来揭示,研究表明,尘埃来源可以是当地的、可以是邻近地区的,或者是远处的。

黄土的化学成分,最经常是处在以下的百分比范围内:SiO_2, 50% ～ 60%; Al_2O_3, 8%～12%; Fe_2O_3, 2% ～ 4%; FeO, 0.8%～ 1.1%; TiO_2 和 MnO,大约 0.5%; CaO, 4% ～ 16%; MgO, 2% ～ 6%。

黄土的特征性碳酸盐含量决定于尘埃来源的性质,也决定于黄土堆积期间及其以后的地球化学作用过程与生物作用过程,还决定于降水及地下水的沥滤。碳酸盐在黄土中是以各种各样形式存在的,主要是作为石英颗粒和黏土颗粒集合体之上的覆壳,也作为细小颗粒和介壳碎屑而存在。次生浓缩物包括瘤状结核(黄土结核)和石灰堆积层(钙结层)。石灰常沿着腐烂的植物根、裂隙充填物和相似的通道而在黄土中形成管状覆壳。

黄土是抗压强度很低的、固结程度较差的沉积物。但是,只要它保持干燥,它就是稳定的。因为沿着草木植物的根发育的石灰质毛细管覆壳给予黄土一个纵向的结构,所以,黄土的分离面是纵向的。

但是,吸了水的和有负荷的黄土是易于崩塌和沉陷的。水分使颗粒间内聚力减少 2/3,而且内摩擦角也减小了(例如,从 32°减至 20°)。黄土里的地下水流带走了细小的、不溶解的矿物颗粒,并且,黄土中的这个机械分离作用可以伴随着矿物颗粒的溶解作用。这个作用过程产生凹陷、陷落洞、黄土井和崩塌谷,并且为冲沟侵蚀作用所大大加速。

分布与分类 世界上最大的黄土覆盖区位于北纬 55°至 24°之间:在中国黄河沿岸;内亚大陆荒漠的边缘;在中亚的哈萨克斯坦、乌兹别克斯坦、天山前麓、里海以东;在西伯利亚的贝加尔湖与勒拿河沿岸,以及鄂毕河与叶尼塞河汇水区域南部的广大地区。在欧洲,俄罗斯平原南部有广阔的、连绵不断的黄土覆盖区;在多瑙河流域盆地,沿着莱茵河,沿着德国-波兰平原早先内陆冰盖的边缘,以及在巴黎盆地都有大块的和成带的黄土区。在北美洲,黄土覆盖了普拉特河、密苏里河、密西西比河与俄亥俄河的平原和哥伦比亚高原。在南半球,南纬 30°与 40°之间,最有意义的黄土区包括乌拉圭和阿根廷的"潘帕斯黄土"和新西兰的一部分。

黄土盖层可以覆盖多种多样的地形;它们最经常出现在平原上,在河谷的侧坡、平滩和隆起,在山前麓原,以及在冲积扇。在山坡上和山前盆地里,黄土出现在最大海拔高度上,在欧洲达 400 ～ 600 米,在内亚达1 000～ 2 000米,在中国则达到4 000米。

黄土的岩石学分类是基于物理特性与化学特性,成因条件则部分地乃至全部被忽略。除了真正的或典型的黄土之外,黄土类的或类似黄土的沉积物也经常出现。黄土类沉积物中粉砂与其他组分、成分(黏土、砂和石灰)的比例,以及颜色、孔隙度、强度与可塑性都明显地不同于真正的黄土之可比较的特性。黄土类沉积物包括砂质黄土、黄土类砂、黄土类壤土、黏土质黄土,以及经受过成土作用过程变化的黄土。另一方面,黄土状沉积物则包括那些仅仅在某些特征(矿物成分、占优势的尘埃组分、颜色等)方面与典型黄土相似的沉积物。这些沉积物出现在黄土区域内部或其边缘,并且最经常与其他类型的沉积物混生。这类黄土状沉积物并不是严格定义的;它们通常被理解为包括黄土类壤土、黄土泥、含黄土岩屑,以及成层状黄土。

黄土的成因分类,与岩石学分类对照则大不相同,它是根据粉砂的来源及使得粉砂堆积下来的作用过程。这就需要关于黄土形成情况的知识,这必定涉及很多复杂情况,并就其所有分支细节一起,被称为"黄土问题"。

黄土形成地区的环境条件为花粉、螺的介壳残留物及其他动物残体所揭示。花粉分析仅仅揭示出古代植物生态的大致的轮廓,但是,花粉组合也表明在黄土沉积所适宜的环境中,有寒冷的草地、草原、森林草原、森林苔原和苔原。这些气候带位于广阔的更新世冰盖边缘以南,与西风带一起,由它们正常的(非冰期的)位置可以明显地表现出来。

成因和时代　在一个多世纪的时期内,提出很多部分冲突又部分互补的假说解释黄土中粉砂组分的成因。黄土的矿物成分(例如石英和长石)被风化作用削减成很小的颗粒,主要存在于半干旱区和干旱区。但是,尘埃的来源也可以是粉砂质的、砂质的非固结的第三纪(6640万年前至160万年前)形成的沉积物,例如,美国的奥加拉拉群。砂子和粉砂可以被风按大小分选,风再将其搬运,并沉积下粉砂。来自这种岩石单元的尘暴,甚至今天在亚洲的大陆沙漠里都是常有的;"大陆黄土"的粉砂含量就是以这种方式产生的。

尘埃的另一个重要来源可能是欧洲和北美洲更新世冰盖的边缘带。在几次冰进期或冰川期,极大量富含粉砂的冰碛物堆积下来。这些粉砂组分后来可能被西风带走,并沉积在一些地形凸出物的背风面,这有时被称为"冰川黄土理论"。

粉砂也可以从它们第一次沉积的起源地被带走,并被河流作用所分选。丰富的粉砂由河流产生,并在洪泛时期沉积在盆地里或山区边缘的冲积扇上。一些粉砂后来又被风从宽广的洪积平原上带走;这样的结果形成二次分选,一次是水的分选,一次是风的分选,因此,更严格地确定了典型的颗粒大小。在这种情况下,黄土的堆积并不需要与冰川作用联系在一起;事实上,大多数淤积黄土的年代并不要追溯到冰川作用时期。

关于黄土形成的各种冲突观点的原因在于粉砂组分可以被各种各样作用过程中的任何一种沉积下来,或者被再改造;并且,占优势的作用过程,取决于环境和其他情况,可以随着时间推移而改变。

有共同的意见认为,堆积下来的尘埃组分要转化成为黄土,就必须遭到成岩作用变化(即沉积作用以后的物理变化和化学变化)。成岩作用包括在干旱气候下石灰质、硅酸铝和其他物质细小颗粒遭水化作用而风化。在近地表处,粉砂和最细小的黏土质点被碳酸钙、三氧化二铁和铁的胶体化合物之运移的溶液胶结起来;石英颗粒得到了石灰质或铁质的覆壳或被膜,相邻的颗粒被胶结在一起。由于这些作用的结果,一些较细小的颗粒也达到了黄土组分的大小,即0.01～0.05毫米。已经证明,大约0.05毫米的颗粒大小对于促进草本植物茁壮成长是最为适合的。实质上,成岩作用把以尘埃形式沉积下来的沉积物转化成为松散胶结的粉砂岩。

黄土显著的特征就是在黄土形成的作用过程中发展起来,黄土形成作用与土壤形成作用是很相似的。这个情况可以作为黄土形成的成土理论的基础,这种理论认为,黄土是在半干旱条件下草地和森林大草原上风化作用和成土作用的产物。但是,用这种方式解释被几层古土壤分开的厚厚的黄土盖层的形成是很困难的。更合理的应当是多成因的起源,由这种起源,尘埃可以作为在时间和空间里交替的任何作用过程的结果而堆积下来,黄土形成则是由于在合适的气候条件下进行的成土作用过程的结果。

这些成土作用过程可以通过3种不同方式发生。表生作用是不具备黄土特征的矿物颗粒的堆积,这些矿物颗粒或许粉砂和石灰质的含量很高,它们在风化作用和土壤形成作用中获得了黄土的特性而转化成为黄土。在同生作用中,主要是风力成因的矿物颗粒的堆积与所有黄土特性的获得是在土壤形成作用影响下同时发生的。在原生作用中,由于搬运作用紧接着风化作用和成土作用发生,堆积的矿物质就具备了黄土的一切主要特性。

黄土形成的最佳条件被认为是存在于沿大陆冰盖的边缘,在像寒冷的草原、森林草原、黄土苔原这样的地区,也在大陆沙漠周边。在不是最佳条件的其他条件下,堆积的尘埃可能转化为不同于典型黄土的黄土状沉积物,即黄土类壤土、无灰质黄土、褐土或粉红色壤土,或者转化成为土壤。

黄土层的形成可以与冰缘地区的更新世冰川作用的寒冷干旱气候阶段相对比。黄土形成的气候阶段和时机曾三番五次发生过,正如末次冰川作用时期内发生的那样。

Loess Plateau(China)　参阅 **Huangtu Gaoyuan 黄土高原**。

Loesser, Frank (Henry)　莱塞(1910-06-29,纽约市～1969-07-28,纽约市)　美国作曲家、台本及歌词作者。为百老汇创作音乐剧成绩斐然,以《不努力,经商怎样才能成功》一剧获1962年普利策奖。20世纪20年代末担任一个音乐出版商的专职词作者。起初作品很少出版,直到1934年《但愿我是李生子》才由F.沃勒录制唱片。1936年移居好莱坞,成为一位优秀词作者,与H.卡迈克尔合作写了《小人物》和《两个昏昏欲睡的人》。还曾为B.莱恩、J.斯泰恩、A.施瓦茨、F.霍兰德和J.麦克休等作曲家作词。他作词作曲的第一首歌是《赞美上帝,传递弹药》,这是第二次世界大战期间第一首引起轰动的歌曲。大战期间他为陆军营士兵自演节目作曲,创作了步兵团团歌《你在步兵团做什么》。1947年起他的采用战后城市方言的歌曲经常在百老汇和好莱坞受到极大欢迎。歌曲《到中国去的慢船上》在1948年一炮打响。根据笑剧《查利的姑妈》改写的音乐剧《查利在哪里?》(1948)和根据D.鲁尼恩的故事写的《少男少女》(1950)都获得托尼奖,并被拍成电影(1952、1955)。曾为D.凯主演的影片《汉斯·克里斯琴·安德森》(1952)配乐,并以《宝贝儿,外面很冷》这首歌获1949年奥斯卡奖。

Loew, Marcus　洛伊(1870-05-07,纽约市～1927-09-05,纽约市)　美国电影业巨头和最早的影院创办人。出生于奥地利移民的家庭,九岁时便辍学养家,后来在经营皮毛生意中获得成功。在新兴电影业的巨大吸引下,到1905年时他已拥有一批镍币影院。嗣后,他又购下许多大剧院,既演出歌舞也放映电影。1920年买下一家名叫米特罗电影公司的制片公司;1924年,又合并高德温电影公司(S.高德温此时已经退出该公司),并聘请以L.B.梅耶为首的经理人员,公司改名为米高梅。洛伊积聚了巨大财富,他死后米高梅公司成为世界最大的电影生产厂家。

Loewe, (Johann) Carl (Gottfried)　勒威(1796-11-30,勃兰登堡哈雷附近勒贝云[德国]～1869-04-20,普鲁士基尔)　德国作曲家和歌唱家。作品以歌曲,尤以戏剧性谣曲为最著。在克滕担任唱诗班歌童时即开始作曲,在哈雷完成其音乐训练。常在欧洲巡回演唱自己的歌曲,获极大成功,在维也纳被称为"北德舒伯特"。虽作有歌剧、清唱剧和大量器乐曲,但今天几乎只有其歌曲为人所知。所谱歌德的《魔王》、苏格兰民谣《爱德华》、《奥卢夫先生》、《阿奇博尔德·道格拉斯》和《赖姆的汤姆》最受欢迎。

Loewe, Frederick　勒威(1904-06-10,维也纳～1988-02-14,美国加利福尼亚帕姆斯普林)　奥地利出生的美国作曲家。曾与A.J.勒纳(**Lerner, Alan Jay**)合写过不少引起轰动的音乐剧,包括非常成功的《我的漂亮小姐》(1956;1964年拍成电影)。父亲是维也纳演员和轻歌剧男高音歌手,他自己是一位神童,5岁就会演奏钢琴,7岁为父亲的演出节目作曲,13岁作为最年轻的独奏演员和柏林爱乐乐团合作演出。曾随F.布索尼和E.达阿尔贝深造。15岁创作流行歌曲《卡特里娜》,其活页乐谱销售量达百万张以上。1924年到美国。1942年在纽约市兰姆斯戏剧俱乐部与A.J.勒纳相识,勒纳邀请他共同为底特律一位演出人修改《向春天致敬》。后又两度合作,均失败,直至1947年在百老汇终以《布里加东》一剧获得了成功。接着问世的有《油漆你的车子》(1951)、《我的漂亮小姐》、电影《吉吉》(1958)和《卡米洛特》(1960)。《我的漂亮小姐》的音乐是美国音乐剧有史以来最成功的一部,由百老汇演出的原班人马录制的唱片销售达500万张以上。

Loewi, Otto　勒维(1873-06-03,美因河畔的法兰克福～1961-12-25,纽约市)　德裔美国医师、药理学家。因与H.戴尔均发现了神经冲动的化学传递而共获1936年诺贝尔生理学或医学奖。施特拉斯堡大学学医毕业后在欧洲及美国的大学研究及任教,1921～1926年进行神经学研究,第一次证明了某些神经合成的化学物质可将冲动从一个神经细胞传到另一个细胞,又可将冲动从神经元传到应答器官。曾与同事通过刺激蛙心神经使心脏收缩率降低;再将灌注过该蛙心的液体再灌注到心神经未受刺激的另一蛙心,结果使其收缩率亦降低,从而说明该灌注液中存在一种反应物质。1929年戴尔和H.达德利从动物组织中分离出该物质,并证实为乙酰胆碱。勒维还研究过糖尿病及洋地黄和肾上腺素的作用;设计了勒维氏试验以检测胰脏疾病。1940年任纽约大学医学院研究教授。

Loewy, Raymond　洛伊(1893-11-05,法国巴黎～1986-07-14,摩纳哥)　法国出生的美国工业设计家,通过自30年代开始从事产品设计所取得的成就,使工业设计成为一种专业。

在巴黎大学攻读电机工程，1910 年毕业，在拉诺学院深造时因第一次世界大战而辍学，战时在法国陆军服役，1918 年取得学位。1919 年去美国。最初，为《时装》杂志绘制插图，后为纽约几家百货公司设计橱窗。1929 年成立设计公司，1934 年为西尔斯-娄巴克公司设计冰箱，使产品畅销，并在 1937 年巴黎国际博览会上荣获一等奖。30 和 40 年代设计了多种多样的家用制品，轮廓简洁，棱角丰满。1945 年他和另外 5 人合创雷蒙德·洛伊联合公司，这是世界上最大的工业设计公司。在以后的岁月里，洛伊对美的想象力通过采用高度实用的“流线型”，构成了美国的现代工业设计，他的作品的形象充满国家的生活方式。他为史蒂倍克公司设计汽车，为宾夕法尼亚铁路公司设计机车和客车，并为灵猩公司设计公共汽车，都十分著名。对一般产品如电动剃刀、牙刷、圆珠笔、办公室用机器、软饮料瓶、收音机和商品包装的设计，也作过重要贡献，也许他最著名的设计是可口可乐瓶。60 和 70 年代洛伊将他的专业知识和线条柔滑而简洁的程式应用于航天技术。他参与为肯尼迪总统设计“空军 1 号”座机。1967 ～ 1973 年在美国国家航空和航天局供职，担任阿波罗宇宙飞船和天空实验室轨道飞行器的内部设计工作。著有《机车》(1937)、《精益求精》(1951)和《工业设计》(1979)等书。

Loewy, Salomon 勒维 参阅 **Sulzer, Salomon** 苏尔兹。

Löffler, Friedrich August Johannes 勒夫勒(1852-06-24，普鲁士奥得河畔法兰克福[德国]～ 1915-04-09，柏林） 德国细菌学家，1884 年与 E.克莱布斯一起发现白喉病原体白喉棒状杆菌(*Corynebacterium diphtheriae*)，习称克莱布斯-勒夫勒二氏杆菌。又和 E.鲁及 A.耶尔森同时指出白喉毒素的存在。他证明了某些动物对白喉有免疫性，这就促进了 E.贝林对抗毒素的研究。曾在维尔茨堡大学及柏林腓特烈·威廉大学学医。普法战争时参军。1874 年在柏林获得医学学位。短期任军医后，1879 ～ 1884 年在帝国卫生局任职，与 R.科赫共事。1888 年起任格赖夫斯瓦尔德大学卫生学教授，1903 ～ 1907 年任校长。1913 年他担任柏林罗伯特·科赫传染病研究所所长。1882 年他和 W.许兹一起鉴定了马鼻疽的病原——鼻疽普法伊费尔氏菌(*Pfeifferella* [*Malleomyces*] *mallei*)；1885 年他发现猪丹毒及猪瘟的病原；又和 P.弗罗施共同发现口蹄疫的病原为病毒(这是第一次发现病毒可引起动物的疾病)，又研制成口蹄疫的抗血清。

Lofoten 罗弗敦群岛 挪威北部诺尔兰郡群岛，位于挪威海中。所有岛屿均在北极圈内。该群岛组成罗弗敦-西奥伦群岛的南部，包括五个主岛(东湾岛、伊姆绥、西沃格、弗拉克斯塔和莫斯克内斯)，南北长 110 千米。群岛总长 175 千米左右。面积1 425平方千米。与大陆之间隔有弗斯特峡湾。最高峰是奥斯特沃岛上的希格拉弗斯廷(1 161米)。虽然地处北极圈以北，但由于受北大西洋暖流的影响，气温不很低。至少自 1120 年罗弗敦群岛便有人居住，同时厄于斯泰国王在奥斯特沃岛上的卡伯尔沃格为渔民建了一座教堂和一些住所。多鳕鱼和黑线鳕。渔汛期为每年 2 ～4 月。工业以加工鱼产品为主。种植土豆和草莓。土地稀疏难以种植粮食。奥斯特沃岛上的斯沃尔韦尔是该群岛主要城镇和港口。在莫斯克内斯岛和莫斯克岛之间有著名的莫斯肯斯特罗门海峡，亦称迈尔海峡(**Maelstrøm**)，海峡中的潮汐变幻莫测。该群岛风景优美，许多艺术家来此作画。著名挪威画家贡纳尔、贝尔格(1863～1893)出生在斯沃尔韦尔。人口：地方主教区26 241(最新统计)。

loft 阁楼 房屋中的上部空间或工、商业建筑内上部作仓库用的无隔断的较大顶楼。教堂圣坛屏上空可设十字架坛，教堂中也可设供唱诗班或管风琴师用的楼座。在剧院中，舞台口之上亦设有阁楼。和屋顶层不同，此种阁楼常一面临空，类似室内挑台，例如牲口棚中屋顶下的饲料阁楼。小型住宅中常设有作卧室用的阁楼以增加面积。许多现代城市中由于居住面积紧缺，工业库房中的上层统楼常被改建成住房，由住户将大空间分隔成小间。

Lofthuus, Christian Jensen 洛夫特许斯(1750-05-15，挪威里瑟尔～ 1797-06-13，克里斯蒂安尼亚[今奥斯陆]） 挪威改革运动的领导人。他要专制的丹麦-挪威朝廷纠正挪威农民遭受的不幸。他被监禁，并为农业改革献出了生命。1786 年 6 月首次去丹麦，向王储陈述农民由于苛捐杂税、官吏腐败以及重重剥削所遭受的苦难。他返回挪威后，组织一个请愿委员会，并要在 1786 年 11 月重返丹麦。为了避免遭受逮捕，他躲避到比较遥远的农村。挪威南部农民准备组织起来反对逮捕他，而他却在 1787 年 3 月入狱，被囚禁于克里斯蒂安尼亚。后来农民起义被镇压下去，但促使 1788 年进行一些改革。他卒于狱中。

Lofting, Hugh 洛夫廷(1886-01-14，英国伯克郡梅登黑德～1947-09-26，美国加利福尼亚圣莫尼卡） 英国出生的美国作家。所著儿童系列故事描写一位肥胖、温文、古怪的兽医多利特尔跟他的鹦鹉波利尼西亚学讲动物语言，以便更有效地解除动物的病痛。这位医生独自住在小水潭边，由鸭子管家，客人和病人都是动物。1904 ～ 1905 年在剑桥麻省理工学院学习，1906 ～ 1907 年在伦敦工业学院攻读土木工程。曾在非洲、西印度群岛和加拿大工作。1912 年立意当作家，定居纽约。一生大部分时间生活在美国，但他所有著作均以英国为背景。由于《多利特尔医生的故事》原是第一次世界大战时为使他的孩子们快乐他在从前线写给他们的信中编造的，所以他是战争、暴力和残酷的坚决反对者并不奇怪。曾在佛兰德和法国服役，后受伤退役。《多利特尔医生的故事》是他的系列故事的第一部，1920 年出版后立即获得成功。此后直至 1927 年，他每年都写一本有关多利特尔医生的书。这 7 本书一般认为是他的系列故事中的佳作，其中《多利特尔医生航海记》(1922)作为当年最优秀的儿童读物获纽伯里奖章。后来，洛夫廷为了摆脱已写腻了的人物，写了一本《多利特尔医生在月球》(1928)，把书中主人公送至月球，但迫于公众的要求，他又写了《多利特尔医生归来》(1933)一书。这套系列故事的最后一本《多利特尔医生和神秘湖》的写作历时 13 年，在他死后于 1948 年出版。电影《多利特尔医生》(1967)进一步提高了世界各地读者对他的作品的兴趣。《多利特尔医生集锦》(1967)是他的系列故事的精彩片断的汇集。还写有一些没有这位医生的作品。

log 测速仪 亦称海上测速仪。测量船舶航行速度的仪器。约于 1600 年发展出的第一具实用测速仪，由曲缘处附有铅块的饼状测程木板构成，附加铅块可使木板直立漂浮并免被拖动。当测速仪抛出船外后，它保持基本上不动，将测速仪上所系的绳(每隔相等距离打个结)释放于船后一定时间(以沙漏计时)，然后把绳与测速仪拉上船，用所间隔的时间除绳长即得船速。19 世纪时，由船拖曳并用测量绳同自动测速、测距装置连接的叶轮或螺旋桨取代了木板；目前则使用皮托计(参阅 **Henri Pitot**)与船底测速仪。皮托计有一根伸出船底的皮托管，该管有一个前向和两个侧向管孔，船行进时前向管中的压强大于两侧向管，此差异传至一装置中，被转换成速度值。船底测速仪亦由船底伸出，利用水动叶轮使小发电机转动，所发生的电流与船速成比例，故可利用该电流来指示船速。

log cabin 原木屋 原木构筑的小屋，在原木端部做出槽口，逐层垒叠，原木之间的空隙处用灰泥草皮、灰浆等填充。多见于林区。在北美洲为早期移民和后来的猎人、伐木人和林区居民所建。欧洲也有这种木屋，特别在斯堪的纳维亚国家，如瑞典在中世纪早期即有。形式虽有不同，但一般为单坡的木屋顶，窗很小。室内简单，只有一个统间，有时加以隔断或加建阁楼。现代避暑村舍也有用原木构筑(或用原木状的覆墙板)以取得类似于农舍的效果。

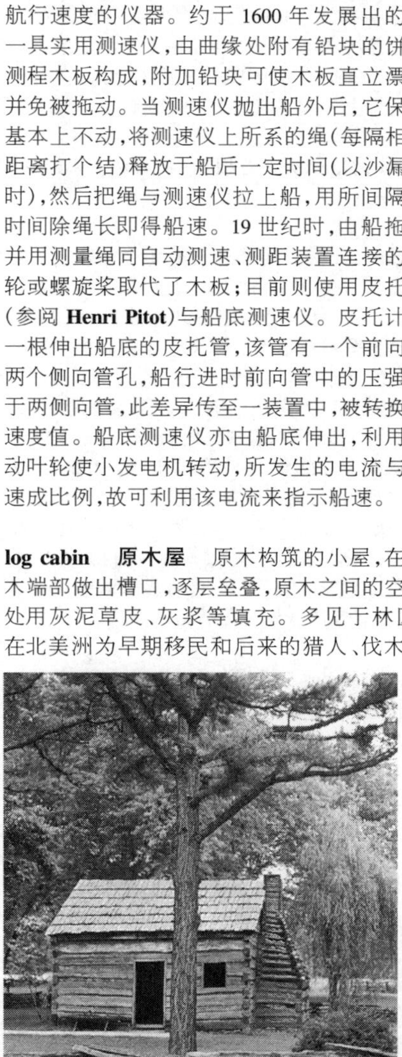

A.林肯童年时代居住过的原木屋，位于肯塔基州诺布河畔，建于 19 世纪初期
美国不列颠百科全书公司供图

Logan 洛根 美国犹他州北部城市，卡什县县城(1859)。位于卡什河谷，奥格登东北偏北56千米处，濒临洛根河。1856年摩门教徒定居卡什河谷，1859年规划，1866年设建制。1873年通太平洋联合铁路。经济以农业为主，有小型制造业，生产钢琴、风琴、纺织品和农机。设有州立犹他大学(1888)、摩门教寺院(1884)和神堂(1878)。附近有沃萨奇-卡什国有森林。人口42 670(2000)。

Logan 洛根 美国西弗吉尼亚州西南部城市，洛根县县城(1826)。东北距查尔斯顿64千米，邻近肯塔基州边界，濒盖恩多特河。1824年规划，初称朗斯维尔。1852年设建制，1907年改用印第安人首领洛根之名。1850年成为木材业中心，20世纪初期发展为采煤业中心。采煤业、贸易和服务业是该市主要经济活动。1972年布法罗克里克水坝坍塌，矿区淹没，导致118人丧生。附近有洛根酋长州立公园。人口1 630(2000)。

Logan, Harvey 洛根 参阅 **Curry, Kid** 柯里小子。

Logan, James 洛根(1674-10-20，爱尔兰阿马郡勒根～1751-10-31，宾夕法尼亚斯滕顿[美国]) 英属美洲殖民地政治家、商人，在英属殖民地学术界发挥突出作用。早年随当校长的父亲学习，1699年给W.佩恩当秘书。后随佩恩到宾夕法尼亚。曾任总督府参议。1736～1738年总督缺任时，他是实际上的行政长官。1722年选为费城市长。1726年任费城县法官，后任民事法院法官，1731年任宾夕法尼亚最高法院首席法官。靠买卖土地和与印第安人进行贸易致富。有植物学、伦理学和哲学方面的著作。他有私人藏书3 000多卷，后捐赠费城公共图书馆。

Logan, James 洛根(约1725，可能在宾夕法尼亚沙莫金[今美国森伯里]～1780，伊利湖附近) 印第安名达加朱特。北美著名的印第安人领袖。法国-印第安人战争(1754～1763)后迁往俄亥俄河谷。虽未曾担任酋长，但在许多印第安部落中享有盛誉，最初以对白人移民的友谊著称，后则以极端仇视所有白人而闻名。1774年，洛根全家在耶洛克里克大屠杀中被害。在随后爆发的冲突即邓莫尔伯爵之战中，他成为印第安人袭击白人定居点的重要领袖。同年10月10日波因特普莱森特战役印第安人战败，与白人议和。但已猎取白人头皮30多个的洛根，拒不和解。独立战争时期(1775～1783)，他参加莫霍克人组成的援军，帮助英军作战。

美国国会图书馆供图

Logan, John A(lexander) 洛根(1826-02-09，美国伊利诺伊杰克逊县～1886-12-26，华盛顿[哥伦比亚特区]) 美国国会议员，南北战争时期(1861～1865)联邦军将领，阵亡将士纪念日创始人。1851年毕业于肯塔基州路易斯维尔大学法律系。1859～1861年为伊利诺伊州选出的民主党议员。1861年辞去议员席位，参加联邦军，任他所创立的伊利诺伊第31步兵团团长。他在格兰特将军麾下作战，直至1863年7月攻克维克斯堡晋升为志愿兵少将。1864年继麦克弗森将军任田纳西军区司令，后被解除指挥权，因为谢尔曼将军认为他对后勤工作注意不够。南北战争结束后，作为共和党人，代表伊利诺伊州选入美国众议院(1867～1871)和参议院(1871～1877，1879～1886)。1865年参加创立联邦军退伍军人组织——共和国大军，连续3届担任其主席。1868年，作为大军总司令，他为阵亡将士纪念日举行创立仪式，要求大军成员于5月30日向阵亡将士墓献花以志悼念。

Logan, Joshua 洛根(1908-10-05，美国得克萨斯特克萨卡纳～1988-07-12，纽约市) 美国舞台剧和电影导演、演出人和作家。1927～1931年在普林斯顿大学读书时即从事戏剧活动，后获奖学金去莫斯科，在斯坦尼斯拉夫斯基指导下学习表演。1932年作为演员在百老汇首次登台，不久即开始做助理舞台经理的工作，接着担任导演。最初在百老汇成功地导演了《在意外延长的时间里》(1938)、《我与天使结婚》(1938)和《在朱庇特身边》(1942)，在最后这部戏中他开始与作曲家R.罗杰斯进行卓有成效的合作。第二次世界大战期间他曾在美国空军服役。1946年导演了非常成功的音乐剧《安妮得到你的枪》，这出戏由罗杰斯和O.哈默斯坦创作，由I.伯林作曲。洛根于1948年与人合写并独立导演了《罗伯茨先生》，1949年又与人合写、合作上演并导演了音乐剧《南太平洋》，此剧获得普利策戏剧奖。他导演的其他受欢迎的戏剧还有《愉快的生日》(1945)、《约翰爱上玛丽》(1946)、《野餐》(1953)、《范妮》(1954)和《苏齐·王的世界》(1958)。洛根1958年导演的影片《南太平洋》受到高度赞扬。他还导演过其他一些很受欢迎的影片，如《公共汽车站》(1956)、《再见》(1957)、《范妮》(1961)、《卡默洛特》(1967)和《油漆你的大篷车》(1969)。

Logan, Mount 洛根山 加拿大最高峰(5 951米)和北美第二高峰。在育空地区西南部圣伊莱亚斯山脉，加拿大-阿拉斯加交界处的苏厄德冰川之上，为克卢恩国家公园(22 000平方千米)中心。山峰脊岭宽约16千米，全长32千米。此峰以加拿大地质测量队创始人威廉·洛根爵士之姓氏命名。

Logan, Sir William Edmond 洛根(1798-04-20，加拿大蒙特利尔～1875-06-22，英国威尔士卡迪根郡莱赫里德) 19世纪最杰出的加拿大地质学家之一。他早年在爱丁堡大学受教育。1818年开始在伦敦他伯父处工作。1831～1838年在南威尔士任格拉摩根郡斯旺西市他伯父的煤矿和炼铜厂经理。在这个职位上，他测制了威尔士煤田地质图。他对下伏黏土层和树根化石与当地煤层密切联系的观察，为他的煤层就地形成的理论提供了决定性的证据。1842年加拿大地质调查局成立时，任局长直到1869年。他主要的地质调查著作是里程碑性的《加拿大地质报告》(1863)，是他20年研究的总汇。他另一重大成就是他认识到北美东北部的古生代(5.7亿年前至2.45亿年前)地层被一条明显的冲断层带所分开，此冲断层带沿圣劳伦斯河谷延伸，而后向南沿哈得孙河谷延伸，再向西南穿过宾夕法尼亚。此线被称为“洛根线”。此线以西的古生代地层相对未被扰动，此线以东的古生代地层则大大变形。洛根于1856年被封为爵士。

loganberry (*Rubus loganobaccus*) **洛根莓** 蔷薇科灌木。近蔓生，茁壮，形如黑莓。茎有皮刺。羽状复叶，小叶3～5枚。浆果深红色，味极酸，可制罐头，冻储做点心馅，以及酿酒。1881年首见于美国加利福尼亚州圣克鲁斯。以种子繁殖。据说是太平洋沿岸的野生黑莓和悬钩子的杂交种。在俄勒冈州和华盛顿州大面积种植，在英国和塔斯马尼亚也有栽培。

洛根莓((*Rubus loganobaccus*)
美国不列颠百科全书公司供图

Loganiaceae 胡蔓藤科 或称断肠草科。龙胆目的一科。约21属，500余种。木质藤本、灌木或乔木。主要原产于全世界热带地区。该科植物叶柄基部有退化的托叶；花序顶生，花瓣4～5裂，覆瓦状排列；蒴果，种子有翅或无翅。卡罗来纳茉莉(黄素馨、常绿钩吻，*Gelseminum sempervirens*)是该科常绿观赏藤本植物，花芬芳，簇生，黄色，内面橙色带粉红色。醉鱼草(**butterfly bush**，醉鱼草属[*Buddleia*])和马里兰斯皮赫尔氏草(*Spigelia*

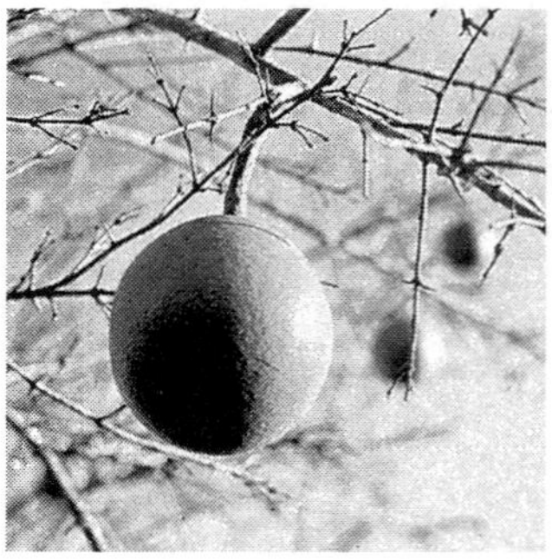
马钱子属(*Strychnos*)植物的果实
美国不列颠百科全书公司供图

卡罗来纳茉莉(*Gelseminum sempervirens*)的花
美国不列颠百科全书公司供图

marilandica)也栽培观赏。马钱子属(*Strychnos*)的茎皮和种子含有毒生物碱,可制箭毒(**curare**)及心脏和中枢神经兴奋药。斯皮赫尔氏草属(*Spigelia*)和马钱子属偶或分别划入姬苗科(Spigeliaceae)和马钱科(Strychnaceae)。

logarithm 对数 16、17世纪为了化简天文、航海、工程等应用中的算术计算而产生的数学函数或关系。对数的概念由苏格兰人J.纳皮尔(1550～1617)和瑞士仪器制造者J.比尔吉(1552～1632)各自发现。纳皮尔在1614年发表,而比尔吉则发表于1620年。两人都声称为发展和精炼他们的工作曾耗费了若干年,因此,不能肯定是谁首先发现的。16、17世纪,数学广泛应用于物理科学,数学研究主要是创立简化算术计算的方法,这引导纳皮尔创立对数以化简当时在天文学中应用的球面三角学方法。对数在计算数学上有巨大影响,它使得包含乘法和除法的问题分别简化为等价的但是更简单的加法和减法问题。因为对数简单地就是一个指定的底数的幂指数,因此数的相乘和相除分别等价于它们对应的幂指数的相加或相减。例如,取底数3,计算3的头几个非负整数幂为:$3^0 = 1$,$3^1 = 3$,$3^2 = 9$,$3^3 = 27$,$3^4 = 81$,$3^5 = 243$,$3^6 = 729$,$3^7 = 2\,187$,$3^8 = 6\,561$,$3^9 = 19\,683$,$3^{10} = 59\,049$,$3^{11} = 177\,147$等。那么,计算$81 \times 2\,187$,就等同于计算$3^4 \times 3^7$。由于两个具有相同底数的指数表达式相乘时,其积有相同的底数且其幂指数是原来两个幂指数之和,即$3^4 \times 3^7 = 3^{4+7} = 3^{11}$,而$3^{11} = 177\,147$,所以$81 \times 2\,187$就是177 147。这样,两个数相乘就简化成对应的表达式的指数相加。同理,$6\,561 \div 243 = 3^8 \div 3^5 = 3^{8-5} = 3^3 = 27$。这样,原来的两个数相除就简化成对应的表达式的指数相减。若把3的方幂表扩大到3的小数方幂表,就能够把任一正数表示成3的适当的方幂。结果是,包含正数的乘法和除法的任何问题都能够分别化简成相应的加法和减法的较简单的问题。用近代的术语来说,如果底数3要自乘A次以获得数B($B = 3^A$),则我们称A为B的以3为底的对数($\log_3 B = A$)。在前例中,因为$81 = 3^4$,就说81的以3为底的对数是4($\log_3 81 = 4$);同理,说2 187的以3为底的对数是7($\log_3 2\,187 = 7$)。自然,任一正数R都能像数3一样用来作为一个对数系统的底。这时,如果A和B是两个数值满足$B = R^A$,则称A为B的以R为底的对数,记作$\log_R B = A$。上述对数的讨论和例子是从底的选择到底的整数方幂然后到小数方幂逐步建立起来的,因而主要是代数性质的;但是最初由纳皮尔和比尔吉创立的对数却更多地是几何性质的,因而导致某些不方便的(虽然不是严重的)计算困难。例如在纳皮尔的对数中底数是数$10^7(1 - 1/10^7)$,因而用对数简化获得的数值必须用10^7相乘才得出正确的答案。英国数学家布里格斯建议纳皮尔用10的方幂而不是$10^7(1 - 1/10^7)$的方幂以便于计算。纳皮尔同意了,但没有完成这种修改就死了。布里格斯完成了这项工作,于纳皮尔去世的1617年发表了以10为底的从1～1 000的对数表,计算到14位小数。这个表的编辑和出版使得对数理论能够应用到实际的计算问题上去。1624年布里格斯把这个表扩充到包括从1～20 000和从90 000～100 000的所有整数;从20 000～90 000的空缺后来由荷兰的书商和出版商弗拉克(1600～1666)补上了。底数为10的对数今天称为布里格斯对数或常用对数,并且通用的常用对数表都导源于布里格斯的这些表。虽然如前所述,任何正数R都能用来作为对数系统的底,但是我们的记数系统是基于10的整数幂,这一事实使得常用对数在简化计算中特别有用。今天其他最常用的对数的底是用字母e表示的无理数,它的无限小数展开式的头几位是2.718…,以e为底的对数在微积分中极其有用,称为自然对数。近代的用法是用log表示常用对数(底为10),用ln表示自然对数(底为e);因此$\log B = A$的意思是$B = 10^A$,而$\ln B = A$的意思是$B = e^A$。除了10和e外,用任何别的数为底都必须明确标记出来,例如$\log_3$或$\log_5$。

Logau, Friedrich, Freiherr von 洛高(1604-06,西里西亚尼姆普契附近布洛库特[今在波兰]～1655-07-24,利格尼茨[今为波兰莱格尼察]) 笔名所罗门·封·戈拉夫。德国讽刺短诗诗人,以其直截了当、朴实无华的风格著称。出身贵族家庭,早年即成孤儿。曾在布里格和利格尼茨小王府服务并度过一生。他对自己被迫接受低下的职位忿忿不平,曾竭力讽刺宫廷生活,尤其是讽刺贵族阶级接受外国文化(主要是法国文化)习惯的虚伪做作,以及他们对德语采取的错误的轻视态度。他的言简意赅的讽刺诗支持诚实的贵族和忠实的德国爱国主义者的理想,坚决反对不同宗教信仰的集团之间进行无谓的流血冲突。他的作品尖锐锋利,坦率质朴,很少说教。这在当时是难得的。第一部讽刺诗集《100篇德国韵文格言》经扩充加工后,于1654年以《所罗门·封·戈拉夫的3 000首德国讽刺诗》的书名发表,1872年再版时取名为《弗里德利希·封·洛高格言诗全集》。洛高的格言诗曾一度被遗忘。他死后一个世纪,由莱辛和拉姆勒于1759年出版,改名为《弗里德利希·封·洛高格言诗》。

loggia 敞廊 又称凉廊。一面或几面敞开的房间、厅、廊或门廊。源于地中海地区,因当地需要开敞而有阴凉的起居活动场所。古埃及住宅往往在屋顶上或室内设有朝向内院的敞廊。意大利的敞廊在中世纪和文艺复兴时期常与广场结合,如佛罗伦萨的兰齐敞廊(1376年始建)。敞廊亦为别墅中必不可少的部分,往往装饰华丽,如罗马的法尔内西纳别墅敞廊有拉斐尔绘的壁画。

佛罗伦萨市的兰齐敞廊(1376～1382)
美国不列颠百科全书公司供图

logging 木材采运 把树木伐倒,锯成适当长度(锯木成段)和运输(沿滑道拖木材)到锯木厂的过程。这一过程的各个阶段因当地条件和技术水平不同而异。19世纪木材采运均为手工操作,现在世界上仍有一些地方用手工操作。在较寒冷地区,冬季用斧伐木,用牛、骡或马拉的雪橇把木材运到结冰的河上。待到春季解冻后,再将木材顺流而下运到锯木厂。现代的机械化采运是用横截锯或电动链锯将树木伐倒;比较年轻的种植园的树木,则用机器将整棵树一下伐倒。再将树木锯成标准长度,用卡车或拖拉机滑送到锯木厂,或用缆索从地面上空(高空牵引和空中滑行)或顺着地面(地面滑行)运到集中场地。也可用直升机和气球运送木材。根据当地条件也可采用特殊的木材采运方法。印度采伐柚木的方法是先进行环状剥皮(在外层树皮和皮层把树木环切一层,阻止水分和营养流动)使其枯死,几年后再伐倒。尼日利亚也常用这种方法,编成木排,顺河流送下去。一些亚洲国家还用大象运送木材。参阅 **forestry**。

logia 耶稣语录 根据学者假设可能存在的耶稣言论汇编,它或许是书面的,或许是口传的,流传于同观福音(即《马太福音》、《马可福音》和《路加福音》)成书时期。多数圣经学者都认为《马太福音》和《路加福音》的叙述大体依据《马可福音》。但有大量材料见于《马太福音》和《路加福音》,却不见于《马可福音》。这种材料主要是耶稣的言论。学者根据这一值得注意的现象假设,这种材料的可能的来源就是这样一部耶稣语录。但是《马太福音》和《路加福音》所共有的资料中不仅包括耶稣言论,也包括叙事材料。于是圣经学者又假设,可能存在一种包含耶稣语录在内的雏形福音书,即 Q 字原材料,这种原材料的存在纯属推理。另外一些学者固然承认 Q 字原材料的存在,却认为此外还有《耶稣语录》。最早提到《耶稣语录》的有 2 世纪小亚细亚赫利波利斯主教帕皮亚斯以及 2 世纪小亚细亚士每拿(士麦那)主教波利卡普等其他早期基督教著作家。帕皮亚斯著有《我主语录释》。据 4 世纪教会史学家优西比乌斯说,使徒马太用希伯来文对《耶稣语录》进行了整理和编排。有些学者争辩说,《耶稣语录》无非是预言弥赛亚降临的一批《旧约》神谕的汇编,但是这种看法不能令人信服。《耶稣语录》或许不是设想中的 Q 字原材料的一部分,也不是《旧约》有关弥赛亚的神谕的一部分,但是,学者普遍认为,早期基督徒或是把耶稣的言论写下来,或是口传——当时犹太人对于著名拉比的言论就是这样汇集的。马太和路加都采用了这种材料。

logic 逻辑 传统上逻辑学家曾将逻辑学分为演绎逻辑和归纳逻辑。但这种分法已经过时,因为过去归入归纳法的问题现已在自然科学的方法论中处理。故本条目所论之逻辑即指演绎逻辑及其一切分支。

演绎逻辑分为命题逻辑与名词表达式逻辑。广义地讲,除上述项目外,逻辑还包括:各种语言学说,如逻辑句法,即自然语言或人造语言的意义表达方式之间各种关系的研究;语义学,即语言表达方式与语言外的若干客体之间各种关系的研究。程式理论,即有关必然性、不可能性、可能性及偶然性等概念的学说,也属于逻辑学范围。

古代逻辑学 理论上,命题逻辑应先于名词表达式逻辑,但实际上是先有名词表达式逻辑。名词表达式逻辑的第一个系统是亚里士多德在公元前 4 世纪作出的。亚里士多德逻辑著作的汇集称为《工具论》,主要内容有:①语言结构理论,认为简单命题是由名词表达式(包括形容词)构造起来的;②对当理论;③换位理论;④三段论,其形式是直接的逻辑原理,不是推理形式或推理模式;另外,亚里士多德从三段论第一格推演出第二格和第三格,因此,他是逻辑史上第一个演绎系统的创立者;⑤模态逻辑,研究必然、不可能、可能和偶然等概念。亚里士多德不仅把这些概念应用于三段论,而且建立了一些更一般的原理。亚里士多德的学生泰奥弗拉斯托斯提出了"附加假定"的三段论理论,这也许是他对名词表达式逻辑的最重要的贡献。"附加假定"的命题同适当的直言前提结合就产生"附加假定"的三段论。加伦(死于公元 199 年)也对名词表达式逻辑作出贡献,即提出了复合三段论理论。在泰奥弗拉斯托斯、麦加拉学派和斯多葛学派的著作中,最早考察了命题逻辑。泰奥弗拉斯托斯建立了完整的假言三段论理论。麦加拉学派的欧布利德斯(约公元前 4 世纪)研究了一些悖论,如"说谎者"悖论;狄奥多罗斯(死于约公元前 307)试图把模态概念同过去、现在、将来等概念联结起来;狄奥多罗斯的学生斐洛第一个对蕴涵(即"如果…则"命题)作出了真值函项的解释。斯多葛学派的第二个奠基人克里西波斯(死于约公元前 207),对蕴涵、合取、不相容析取和否定都作了真值函项的解释。他建立了 5 个不可证式,其他各种推理模式可从这 5 个式根据某些规则推导出来。

中世纪逻辑学 和古代一样,语言研究在逻辑发展中起着重要作用。中世纪对形式逻辑的发展有以下几方面:①三段论方面的一个比较重要的改进是承认第四格。②推论学说:经院学者的推论使用了合取、相容析取和蕴涵。所有这些复合命题被经院学者作了真值函项的解释。经院学者提出不少为古代逻辑学家所不知道的新逻辑原理。③在中世纪,模态逻辑继续应用于三段论,但也有一些证据表明模态逻辑得到更一般的发展。许多模态论题是由伪斯科托斯、奥康姆、萨克森的阿尔贝特、瓦尔特·伯利提出的。④中世纪逻辑学家研究了不可解命题,即说谎者悖论。14 世纪和 15 世纪的逻辑学家讨论了解决说谎者悖论的各种方法。

近代逻辑学 16 世纪中期,彼得·拉米斯提出了新的逻辑观点。他把逻辑描述为"讨论的艺术",并把它同文法和修辞学相区别。按照拉米斯的看法,逻辑应当依次研究概念、判断、推理和证明。在推理中,包括直言三段论和假言三段论。在直言三段论中,他增加了涉及使用单称命题的三段论。拉米斯对逻辑的划分为《波尔-罗亚尔逻辑》(1662)的作者所采纳。此书由 4 个部分组成:第一和第二部分分别讨论概念和判断,似乎包括一些新的属于认识论的而不是属于逻辑的意见;第三部分讨论推理;第四部分讨论方法,欧几里得的《原本》是典范。

17 世纪数理逻辑兴起是从莱布尼兹开始的。他的纲领很重视建立在思想字母表之上的普遍语言,一般的推理演算和一般方法论。按照莱布尼兹的看法,普遍语言应当像代数或者像中国表意文字那样,由代表简单的未解析观念的基本记号所组成。复杂观念由包含基本记号的适当结构来表示。使用数字表示未解析观念,这在用普遍语言表述科学真理时有助于通过算术运算来计算。莱布尼兹成功地把数学方法用于解释亚里士多德的三段论,并提出一种"实加法"的演算。他指出对代数的某些部分很容易作出非算术的解释。

19 世纪特别是 19 世纪后半期,已为逻辑学的高度发展奠定了基础。德摩尔根成功地发展了三段论,创立和发展了关系理论。他建立了一种符号体系,在其中可以表达一个关系的矛盾和逆,一个关系的传递性,以及两个关系的相对积等概念。莱布尼兹关于创立能作非算术解释的代数演算的设想经过一些数学家的尝试,最后由英国数学家 G.布尔实现了。布尔建立了逻辑代数。按照他的观点,"真演算"的概念依赖于按照某些一般的、完全确定的组合规律来使用符号。布尔的演算可在名词表达式逻辑中作类的解释,也能在命题逻辑中加以解释。布尔代数后来由英国逻辑学家 W.S.杰文斯、美国逻辑学家 C.S.皮尔斯、德国逻辑学家 E.施罗德等作了改进。德国数学家 G.弗雷格认为自然数的概念可以归结为逻辑概念,因此,算术能被证明是逻辑的一部分。为此,他设计了一种符号语言,建立了命题逻辑和谓词逻辑。弗雷格对语言理论作出了重要贡献,他分析了涵义、所指、对象、概念和函项等概念,这对于语义学和意义理论具有十分重要的意义。在逻辑和数学基础研究中的另一种趋势,是从德国数学家和哲学家康托尔建立新数学学科——集合论开始的。康托尔最后在集合论中发现了悖论。

20 世纪的逻辑学 (1)逻辑主义、直觉主义和形式主义。罗素提出数学是逻辑的延伸,在数学和逻辑之间没有明确的界限,这种观点称为"逻辑主义"。为了论证这种观点,他与怀特海合作出版了 3 大卷逻辑经典著作《数学原理》(1910 ～ 1913)。《数学原理》是一部影响广泛的著作。除了纯逻辑论题(如命题逻辑、量词理论、类理论、关系理论)外,还包括基数算术和一般的序数和关系数理论以及序列和度量理论。直觉主义是由荷兰数学家 L.E.J.布劳威尔和他的学生 A.海廷提出的。按照他们的看法,数学预设了心智的构造,而心智的构造又预设了自然数集合。自然数序列可从对时间的直觉以及对人们经验的各个瞬间的知觉推导出来。直觉主义者拒斥排中律,也拒斥双重否定律,他们主张构造主义,即数学证明必须由有穷的心智构造的可能性加以解释,他们拒斥实无穷的概念。格丁根数学家 D.希尔伯特是现代形式主义的奠基者,主张在任意一个所断定的公理系统中,无矛盾性是公理真实性的保证。他把数学看成是一群公式,这群公式构成了一门新数学,即"元数学"的主题,元数学的任务是研究数学的基础,并予以保证。他指出,数学本身是具有纯形式推理的完全形式化的系统,丝毫不涉及有关公式的可能解释。在元数学中,推理要涉及内容。元数学的主要问题是探求数学理论一致性和完全性的证明。(2)命题逻辑和谓词逻辑。如华沙学派奠基人之一 S.莱希涅夫斯基的系统,C.I.刘易斯的严格蕴涵系统,J.鲁卡谢维奇的多值逻辑,莱希涅夫斯基的本体论系统和部分-全体关系理论,策梅罗的公理集合论,等等。(3)元逻辑研究:①公理系统性质的研究主要是一致性、完全性和可判定性。在这个领域内最重要的发现是哥德尔得到的,他成功地证明:一个演绎能力强到足以产生自然数算术的逻

辑系统,即罗素《数学原理》的系统,不是完全的;并且通过扩大它的公理基础也不可能是完全的。他还证明:包含自然数算术的系统的一致性只有在假定比较强的系统一致性的情况下才能被证明。②语法学和语义学成为元逻辑的部门。语法学研究逻辑语言并描述这种语言的纯形式方面。语义学研究语言和实在之间的关系,真值、指称、满足、定义(或规定)等属于语义概念。

logic of quantifiers 量词逻辑 参阅 **predicate calculus** 谓词演算。

Logical Atomism 逻辑原子论 该理论最初由英国哲学家兼数学家伯特兰·罗素和维也纳出生的哲学家路德维希·维特根斯坦创立。主张语言像其他现象一样,可以用确定的、不可约简的单位或要素的复合来加以分析。该理论认为,在一个语言的"原子"(一个原子命题)和一个原子事实之间,存在着一种绝对的一一对应;因而,对于每一个原子事实,都是一个相应的原子命题。一个原子命题断定某个事物具有某种性质(如"这是红的")。一个原子事实是简单事实,在于某个具体的个别事物具有一种性质。因此,按照语言反映实在的假设,世界可以看作是由可理解的简单事实组成的。罗素通过论著《数学原理》(1910 ～ 1913,与阿尔弗莱得·诺尔司·怀特海合著)中提出数理逻辑,试图证明哲学争端可以通过与解决数学问题极为相似的方式加以解决。罗素认为,原子命题是砖瓦,可以用联结词将它们组合成较为复杂的分子命题。

Logical Positivism 逻辑实证主义 又称逻辑经验主义,是 20 世纪 20 年代在维也纳提出的一种哲学理论。按照这种理论,科学知识是唯一的实际知识,一切传统的形而上学都毫无意义,应该抛弃。逻辑实证主义学派不同于早期的经验主义和实证主义(休谟、马赫等),他们主张,认识的最终基础取决于公共的经验证实,而不取决于个人经验。他们与孔德和穆勒也不尽相同,认为形而上学不是虚假,而是无意义——那些关于实体、因果性、自由、上帝等"无法回答的重大问题"之所以无法回答,恰恰因为它们根本就不是真正的问题。后种论点涉及的是语言,而不是自然,其根据是意义和无意义的一般论述。一切真正的哲学(按照维也纳学派的观点),都是语言的批判;其结果(此派一些重要成员认为)必将展示科学的统一——即关于自然的一切真正的知识,可以用各门科学共同拥有的一门语言表达。维也纳学派起源于第一次世界大战前物理学家和数学家的讨论,1929 年发表第一篇宣言。他们的一般结论是:穆勒和马赫的经验主义不充分,未能说明数学和逻辑的真理,未能圆满地说明自然科学中明显的先验的要素。1922 年,维也纳大学的哈恩向学生出示一本年前出版的维特根斯坦的著作《逻辑哲学论》。该书介绍了一种新的意义理论,在某种程度上,它受益于皮亚诺、弗雷格、罗素以及怀特海等人的逻辑研究。它为维也纳学派奠定了逻辑基础。第二次世界大战爆发后,该学派绝大多数成员移居美国。同时可在许多国家找到其追随者:波兰有一批数学逻辑学家;英国有艾尔,他的《语言、真理和逻辑》(1936;修订版 1946)一书,出色地介绍了维也纳学派的思想。不过,在英国,维特根斯坦本人更有影响。第一次世界大战前,维特根斯坦曾访问英国,在剑桥大学逗留一段时间,与罗素一道讨论过逻辑问题。《逻辑哲学论》表述并概括了他探讨哲学问题得出的结论。1929 年,维特根斯坦重返剑桥大学,在那里工作(偶有间断),直到 1947 年。后期,维特根斯坦对《逻辑哲学论》的学说进行彻底批判,形成新的哲学观点。他的《哲学研究》(附有英译的德文本,1953)是逝世后出版的。

logical relation 逻辑关系 议论或思维的各元素之间在下述两种意义之一上构成其合理性的那些关系:①可推论性或者;②可理解性。虽然不可理解的陈述当然不可能是合理的,但一个陈述就是没有以充分的证据或理由为根据,却仍然可能是完全可以理解的。大多数哲学家都把逻辑关系同实在、思维或议论之中的因果关系相对比。如果一个陈述或命题的真假要求另一个命题的真假,那么,它们就是在可推论性意义上具有逻辑关系。例如,"约翰有高的智商,因此极受欢迎"同"约翰具有高的智商"具有逻辑关系,因为若后者假,则前者必定也假,而若前者真,则后者必定也真。同样,"所有生物都需要氧气"和"所有生物都不需要氧气"也是在若一者真则另一者必定假的意义上具有逻辑关系。比较重要的逻辑关系是蕴涵(如上述第一个例子)和等值,以及如对当方阵所表明的反对(如第二个例子)、矛盾、下反对和下蕴涵。同这种可推论性条件相比,哲学家们几乎总是认为远为值得关心的是思维和议论的诸元素之间的这样一类关系:若这议论应是可以理解的,即若它应是关于并被承认是关于某个确定的对象、事件和事态,则必须维持这种关系。这些逻辑关系常常被认为存在于概念之间,与整个命题相对立。从某些语法规则可以引出一些明显的事例。例如,任何仅由前置词和副词组成的词串——如"到迅速地欢快地离开通过……"——都不会给出可以理解的断定。"谨慎在名誉上是浅蓝色的"表现出一种类似的但不是完全相同的不可理解性。然而,许多关系涉及的不是语法,而是一个表达或思维在其中发生的背景——常常是超语言的背景。例如,如果一个人向窗外望去,说:"天下雨了,不过我不相信";或者如果在他告诉你,他没有汽车之后,他仍然想把他的汽车卖给你;或者如果他要你关上门,但你们两人都知道门已经关上了;在所有这些例子中,他在说什么或做什么,都是不明不白的。一种更加普遍(也更含糊)的逻辑关系的概念就是逻辑学家可能对之发生特殊专业兴趣的任何一种关系,名词同其对象、函项同其主目(如一个方程同其 x、y、a 和 b)或元语言(对语言的论述)同其对象语言等的关系都是例子。但是,关于同逻辑作为一门理论学科的本质和范围有关的种种问题,对这第三种意义上的"逻辑关系"还说不出什么公认的实质性东西,因为有资格的专家中间围绕这些问题存在广泛的分歧。然而,20 世纪英美哲学关心、分歧和混淆的中心是形容词逻辑,并且在可以预见的将来,肯定仍旧如此。

Logician 名家 又称辩者。中国先秦时期以思维的形式、规律和名实关系为研究对象的哲学流派。《汉书·艺文志》列为"九流"之一。汉代学者将其与"儒家"、"道家"等并列为"六家"。"名"指名称、概念。"实"指实际存在的事物。名实即概念和实物的关系问题。春秋时期,名实问题受到许多思想家的关注。孔子主张用"正名"(纠正社会等级名分)方法巩固等级制度。墨子则提出"取实予名",认为"名"应当反映现实存在。《管子·九守篇》主张"名生于实"。《庄子·逍遥游》也说:"名者,实之宾也。"名实问题的争论形成战国时期以逻辑学和认识论问题为讨论内容的名辩思潮。战国时期名家学派的主要代表人物有尹文、惠施、公孙龙以及后期墨家。名家内部因观点不同又主要分成以惠施为代表的"合同异"派和以公孙龙为代表的"离坚白"派。后期墨家提出了"坚白相盈"的命题,荀况强调"制名以指实"的原则。秦统一六国后,名辩思潮随之消匿。

logicism 逻辑主义 数学中数学思想的一个学派,由 19 世纪末德国数学家 G.弗雷格和英国数学家 B.罗素所创立,他们主张数学实际上是逻辑学。逻辑主义者认为全部数学都能从纯粹的逻辑学推导出来,而不用任何特有的像数或集合这样的数学概念。参阅 **formalism**; **intuitionism**。

logistic system (philosophy) **逻辑斯谛系统** 参阅 **formal system** 形式系统。

logistics 后勤学 对于一个组织的物资为要达到给定目标的管理方法,它已成为管理科学和运筹学的一个内容丰富的研究领域。在管理科学和运筹学发展的早期,科学家们就用发展应用数学的方法来研究后勤学的问题。那时大多致力于形成存货管理的科学模型;制订设备、工程和产品的编制计划的政策;在计划分析中利用数学规划;机器维修和更新的测试操作训练;评价运输路线的选择以及减轻运输系统中的拥挤阻塞现象等等。这些问题天生的复杂性引起科学家们的兴趣,又加上大型电子计算机的有效处理,使这门学科在过去数十年中发展很快。总的说来,后勤学的模型把注意力集中在组织的最低一级的水平上。例如,过去数十年来所导出的数学模型曾处理过个别库存物资的补充、零件的初期采购、安排特殊订货的顺序、设备的特殊部分的彻底检修、特殊部件的更新等等。一个必然的结果是这些模型集中在单个类型的后勤决策(补充、采办、保养、运输)上,而不是关于多组类型的后勤决策。处理后勤学的大多数管理科学和运筹学的模型都不从解决最高级管理所提出的问题着手,不去寻求"大图形"的综合经济分析,他们几乎是作为一条公理来假定:为了对高级管理问题得到答案,分析必须从底层做起。但这种从底层做起的设想有严重的局限性。一个困难是要把组成部分的细节查清然后“相加”实在太难了。可能浪费许多时间和精力。而且“相加”的过程可能会增大而不是减小微观模型中近似假设的误差。

在大企业中多数后勤管理包括短期和长期决策。后勤学的模型提出了管理决策,它们一方面适合于日常事务(诸如补充、计划和修理),另一方面适合于长期的商业上的约定(诸如工厂的位置、生产能力的扩大和新产品的发展)。对于前者数学模型分析起来比较简单,只需要较少的数据和计算量;但是执行起来比较困难,它们常需要一种彻底的系统设计。相反,制定长期决策的模型时用一定合理程度的努力就能提供极有用的信息,但却需要非常多地使用计算机和处理数据,因而研究人员必须包括有能力建立一次性富有革新精神模型的人员、数据分析人员以及设计和实现操作系统的人员。

logogram　词符　用以表示整个单词的书写符号或图画。使用词符的文字体系有汉字、埃及象形文字和早期的楔形文字。未曾有过完全使用词符的文字体系。所有这些文字体系,都是既使用词符,又使用代表特定读音和音节的符号。

Logone River　洛贡河　乍得湖盆地沙里河的主要支流。流经喀麦隆东北部和乍得。流域大部分是沼泽地区。洛贡河雨季同贝努埃河系相连。乍得湖水定期减少对贝努埃河系

洛贡河上的鱼栅
美国不列颠百科全书公司供图

水的供应量,是干旱地区的严重问题。在乍得的邦戈尔以下,可行驶小型汽艇。河中鱼类资源丰富。

logos　逻各斯　希腊哲学、神学用语。指蕴藏在宇宙之中,安排宇宙并使宇宙具有形式和意义的绝对的神圣之理。希腊思想界关于逻各斯的概念至迟在公元前6世纪即已由哲学家赫拉克利特提出,他在宇宙的演化过程中发现与人的思维能力相类似的逻各斯。后来斯多葛派哲学家认为,逻各斯是渗透一切实在的理性和精神本原。他们称逻各斯为智慧、自然、神、宇宙灵魂,而宇宙就是由总的逻各斯内所包含的小逻各斯所构成。1世纪犹太哲学家斐洛指出,逻各斯是上帝与宇宙之间的媒介,上帝通过它创造世界,人心也可以通过它认识和理解上帝。斐洛与新柏拉图派认为,逻各斯一方面蕴藏在世界之中,另一方面又是超然于万物之上的上帝的灵智。《圣经·约翰福音》第1章说,耶稣基督是道(逻各斯)成肉身。早期教会进一步发展这种教义,但根据不是《旧约》中的提法而是希腊哲学思想。早期教父指出:基督既是先于创世而存在的逻各斯,那么,①他把圣父启示给人,这种启示是《旧约》中有关上帝的论述的主体;②他是人所共有的神圣之理,因此,公元前6世纪的哲学家以及其他过合理生活的人,都是基督降世之前的基督教徒;③他是上帝的旨意,上帝的话,宇宙就是通过他设计而成的。

logothete　文房长官　6～14世纪拜占廷的官员职称,司估税、收税和外交等事务。到11世纪有称为大文房长官的职称,为全部文官之长。14和15世纪时,文房长官的职位已成为虚衔。

logrolling　参阅 **birling 滚木比赛**。

Logroño　洛格罗尼奥　西班牙旧省名。1980年起改称拉里奥哈(**La Rioja**)。

Logroño　洛格罗尼奥　西班牙中北部拉里奥哈省省会和拉里奥哈自治区首府。临埃布罗河。初建于罗马时期。中世纪时,因地当朝圣路线并产销羊毛而发展起来。为一围有城墙的古城。有旧区和现代城区。现为农业和产酒地区的贸易中心。以出产里奥哈葡萄酒闻名。还有食品加工、锯木、家具和纺织业。人口:城市区115 922(1986)。

Logue, Christopher　洛格(1926-11-23,英格兰汉普郡朴次茅斯～2011-12-02,伦敦)　英国诗人,英国诗歌大众化运动的领导人之一。他本人辛辣的诗用爵士乐伴奏朗读,或者谱曲歌唱,或者写成海报张贴。这些诗具有政治内容,受德国诗人、剧作家布莱希特和英国民谣传统的影响很深。1944～1948年在英国陆军中服役。1951～1956年住在法国。第一部诗集《威克德雷姆十四行诗》(1955)在法国出版。他是P.聂鲁达在英国最早的赏识者之一,曾将这位智利诗人的20首诗改写为《讲述其爱情的男人》(1958)。此后出版的诗集有《纯洁少年之歌》(1960)、《洛格诗歌入门》(1966)、《新诗》(1969)和《绒毛》(1984)。海报诗有《我投工党的票》(1966)、《吻,吻》(1968)和《黑色侏儒》(1968)。曾将《伊利亚特》改编为极有新意的作品,其中已出版的3节为《普特洛克里亚》(1962)、《帕克斯》(1967)和《战曲》(1981)。他的作品还包括剧本、电影脚本、纪实小说、大量的儿童读物。

logwood(*Haematoxylon campechianum*)　**洋苏木**　即采木。豆科乔木,原产中美和西印度群岛。高9～15米,树干短而扭曲。羽状复叶,小叶广椭圆形。花小,黄色,簇生于叶腋。木材硬重,心材能提取一种也称为洋苏木的黑色染料。原产北美西南部的鼠李科植物倒卵叶孔达尔氏木(*Condalia obovata*)有时也称logwood。

Loheiya, Al-(Yemen)　参阅 **Luḥayyah, Al-卢海耶**。

Lohengrin　洛亨格林　天鹅骑士,一个德国传说中的英雄。该传说从中世纪起就以各种形式广为流传。故事基本内容是一个神秘的骑士乘坐一只由天鹅拖着的小船,来搭救

德国克莱沃镇的天鹅堡之塔
美国不列颠百科全书公司供图

一位落难的贵妇。他娶了她,但禁止她问自己的出身;后来她忘记了这个誓约,他就离开了她,再也没有回来。这个古老传说的德文本首次出现在沃尔夫拉姆·封·埃申巴赫的《帕尔齐法尔》里(约1210,一首主要与圣杯主题有关的史诗)。该传说本身可能源自一个七兄弟的神话故事,他们被一个恶毒的老太婆所害,然后又被变成七只天鹅。在这个故事里,这位天鹅骑士名叫洛亨格林,是寻找圣杯的英雄帕尔齐法尔的儿子,他从圣杯的城堡前来帮助布拉班特的艾尔莎,并娶她为妻,最后又回到圣杯的城堡。一首名为《瓦尔特堡战争》的中古高地德语诗中说,《洛亨格林》是故事比赛中讲述的一则故事。图林根侯爵赫尔曼一世(约1156～1217)曾在瓦尔特堡举行有名的歌手比赛大会,会上埃申巴赫吟诵的即此故事。在这个传说的法文本《天鹅骑士》(Chevalier au cygne)里,天鹅骑士娶了布永的比阿特里克斯。这个传说的英文本(Swan Knight)作于14世纪末或16世纪初,颇受法文本的影响。这一传说在德国流传甚广。尤其是它后来又和克莱沃镇联系了起来。该地的历届统治者把天鹅作为他们的饰章。在那里,天鹅堡的天鹅塔以及骑士同天鹅在一起的雕像使人们永远记住这个传说。

Loi-kaw　垒固　缅甸中东部城镇。濒临比卢河。地处森林茂密的丘陵。工业有木材、丝绸加工和水力发电。垒固地区灌溉工程是比卢河流域的重要项目。有简易机场及公路通东吁。人口36 478(1983)。

loincloth　缠腰布　一般为长方形织物,披盖于臀部和腹股沟周围。为最早服式的一种。也许是从一种围绕在腰部用来悬挂护身符和垂饰的带子演变成的。约公元前3000年,埃及人就用它缠绕身体数周,在前面打结,或用带束牢。有时是打褶的或部分打褶的,有

埃及18王朝时期法老阿肯那顿(右)穿着的缠腰布

美国不列颠百科全书公司供图

时也把它弄得硬挺使之在前面凸出。克里特人的缠腰布在公元前2000年左右就有考究的图案和装饰。缠腰布在20世纪仍为热带和亚热带一些地区的民族所穿用。

Loir-et-Cher　卢瓦尔-谢尔　法国中北部中部大区省份。由前奥尔良省西南部以及曼恩和图赖讷的小部分地区组成。面积6 343平方千米。有卢瓦尔河、卢瓦河和谢尔河流经。

卢瓦尔-谢尔省卢瓦尔河畔肖蒙的城堡

美国不列颠百科全书公司供图

省会布卢瓦(Blois)以及尚博尔、肖蒙和博让西等地的古城堡每年吸引数千游客。经济以农业为主。卢瓦河西北多林木丘陵地区经营混合农业。卢瓦尔河和卢瓦河之间平原是法国主要产粮区。草木茂盛的卢瓦尔河谷地主要种植葡萄、水果和蔬菜。开垦过的索洛涅沼泽地以其产野菜闻名,龙须菜是主要作物。布卢瓦地区发展起一些工业;卢瓦尔河人工岛上修建有核电站。过去分散在乡村的羊毛业已集中在罗莫朗坦-朗特奈。罗莫朗坦和旺多姆是风景如画的历史城镇。省下设布卢瓦、罗莫朗坦-朗特奈和旺多姆3个专区。属奥尔良教育区。人口305 937(1990)。

Loir River　卢瓦河　法国中部偏西北河流,是萨尔特河的支流。源出厄尔-卢瓦尔省的伊利尔以北。大致向西南偏西流,上游经小博斯平原西端,过沙托丹。旺多姆以下进入风景如画的卢瓦河谷,这里有史前时期穴居人住过的痕迹。流过拉弗莱什,在昂热北面与萨尔特河汇合。全长311千米,其中约114千米可航行。流域面积约7 000平方千米,年平均流量为35立方米/秒。

Loire　卢瓦尔　法国中东部罗讷-阿尔卑斯大区省份。主要由古代福雷地区及前里昂省和博若莱省的部分地区组成。面积4 781平方千米。为法国工业最发达地区之一。位于中央高原东部,卢瓦尔河自南向北在该省流经110多千米。省会圣艾蒂安(Saint-Étienne)位于卢瓦尔河和罗讷河之间储煤盆地中。圣艾蒂安西南和东北48千米线上有菲尔米尼、勒尚邦、圣沙蒙及其他工业城市。北部的罗阿讷是另一工业中心。工业盆地和罗讷河之间有高1 432米的皮拉山。圣艾蒂安东北有里昂山。福雷山的皮埃尔山峰高达1 634米。马德莱娜山则继续向北延伸。山林地区气候寒冷严酷;谷地带较温和。福雷水沼平原被大片开垦为牧场。罗阿讷平原种植谷物并养牛。里昂和博若莱山高山地区经营养牛业。19世纪圣艾蒂安煤田的产量占法国总量35%,现已衰落,产量已不足道。重工业如钢铁、炼焦、金属加工、军工、自行车制造和五金等尚须专业化以保持竞争力。遍及全省的纺织机供给着里昂的纺织业。罗阿讷西南的圣普列斯特拉普吕涅发现有铀矿。该省有许多建有中世纪教堂和城堡的古村庄。省下设圣艾蒂安、罗阿讷和蒙布里松3个专区。属里昂教育区。人口746 288(1990)。

Loire-Atlantique　大西洋岸卢瓦尔　法国西部卢瓦尔大区省份。临比斯开湾,跨卢瓦尔河口湾。面积6 815平方千米,其中2/3在卢瓦尔河北面,该河自东向西穿过该省。气候潮湿温和,适于农业。出产谷物、饲料、蔬菜和水果。葡萄园酿造名葡萄酒。工业大部集中在省会南特(Nantes)和造船港圣纳泽尔一带,有建材生产、化工、金属加工、纺织、食品加工和鞣革等。该省大部地区海拔在45米以下,有137千米长多岩石的沙质海岸。卢瓦尔河口西侧的拉博勒-埃斯库布拉克为海滨胜地。内地沼泽已排干开垦成牧场,更远的内地草原有混合性农业。东北部为丘陵区,有古老的要塞城镇沙托布里扬。卢瓦尔河南侧大利厄湖湖沼地区为理想的捕鱼和狩猎地。省下设南特、昂斯尼、沙托布里扬和圣纳泽尔4个专区。属南特教育区。人口1 052 183(1990)。

Loire River　卢瓦尔河　法国最长河流。源出中央高地南部,向西、北流至奥尔良,折向西流,于布列塔尼半岛南面注入大西洋。全长1 020千米。流域面积117 000平方千米。两岸城堡星罗棋布,风光秀丽。主要支流有阿列河。流域属温带海洋性气候。12～19世纪两岸不断修建防洪堤坝。15～16世纪中游地区大力发展经济作物。18世纪时经济十分繁荣。卢瓦尔河成为运输商品的大动脉,两岸港埠繁华。17～18世纪河运繁忙时,凿通运河与塞纳河通航水系连接,可把产品运往巴黎。这些起联系作用的运河太窄而不能通过现代船只,因而用处不大。为现代发展抛在后面的卢瓦尔河流域仍以农业为主,没有受到现代工业化的多少影响。

Loiret　卢瓦雷　法国中部大区省份。主要由前奥尔良省的东部地区组成。面积6 775平方千米。位于巴黎盆地。卢瓦尔河从东南部进入该省,呈弧形流经日安、叙利、奥尔良(**Orléans**,省会)和博让西。省名源出较短的水流卢瓦雷河。该省气候温和,平均年降雨期120天。最高点是南部索洛涅高原的一座小山,海拔251米。最低点在东北部起伏的加蒂奈地区,海拔53米。当地经营各式种植和养蜂业。西北部的博斯平原主要种植小麦、大麦和玉米。中部奥尔良大森林向卢瓦尔河谷倾斜;河谷内密集耕作,葡萄园的醋产量占法国总产量的1/2。工业主要分布在奥尔良地区。轮胎生产则在蒙塔尔吉。日安为有古代城堡的历史城镇,有历史悠久的制陶业。比农是大革命时期政治家H.米拉波的出生地。省下设奥尔良、蒙塔尔吉和皮蒂维耶3个专区。属奥尔良教育区。人口580 612(1990)。

Loisy, Alfred Firmin　卢瓦齐(1857-02-28,法国昂布里耶尔～1940-06-01,塞丰)　法国圣经学者、语言学家、宗教哲学家。一般认为是现代派神学的创始人。卢瓦齐曾在巴黎公教大学受教育。1879年立为司铎,留校任东方语言讲师。主张较为灵活地解释《圣经》以发展教义,遭到思想保守的教皇利奥十三世和庇护十世的反对。1893年因坚持异端而被公教大学撤职。1902年卢瓦齐写成《福音与教会》一书,奠定了现代派神学的基础。他在该书中指出:通过考证经文可以看出,耶稣以先知自命,他的教导中并不包含成立教会和建立圣事等内容,因此教会应宣讲希望的信息而不应宣讲一成不变的教义;科学新发现可以融合到宗教教义中,而与既定教条不发生矛盾,同时教会也可以跟上时代。这本书以及他的另外4种著作,于1903年被天主教会列为禁书。1907年教皇庇护十世主要针对他发出通谕,宣布现代派神学为异端。但卢瓦齐继续任教,1909～1929年在法兰西学院讲授宗教史,充实他自己的哲学,将基督教义和《圣经》作为一种人道主义伦理学体系而不是天主启示的历史见证。他还比较研究基督教以前的宗教现象以及它们在基督教义形成过程中所发挥的影响。与受天主教会谴责的其他许多现代派神学家不同,卢瓦齐对所受的绝罚不提出抗议,也从未声明改变自己的主张。

Loíza River　洛伊萨河　在波多黎各东部。源出卡耶伊山脉,在洛伊萨村附近注入大西洋。全长65千米。泛滥平原和沿河台地上种植甘蔗、烟草、香蕉和蔬菜。1948年上特鲁希略南面河上筑有水电站。为圣胡安的主要水源。下游13千米河段可通航。

Loja　洛哈　厄瓜多尔南部高原省份。南和西与秘鲁毗邻。面积11 295平方千米。全省多山，人口集中在洛哈山间盆地。省会洛哈（Loja）周围地区以种植玉米和养奶牛为主。陡峭的山坡上种植谷物、咖啡和马铃薯，谷地种植甘蔗。最著名的特产是手织的羊毛毯。该省有金、银、铜和高岭土矿，但只有金矿广泛开采。20世纪70年代发现了新的金矿和银矿。安第斯救济会努力改善印第安人居民的生活条件，与天主教会一起，协助全省发展轻工业。位于泛美公路上。人口约356 512（1981）。

Loja 洛哈 厄瓜多尔南部边远地区的主要城市和洛哈省省会。1553年建城，一个世纪以后毁于一场地震，后重建。在殖民时期，一度为全世界金鸡纳树（奎宁的来源）生产中心。经济以地区农业贸易为主。工业有制革、纺织和小型消费品制造等。位于泛美公路上，有班机通厄瓜多尔各主要城市。是天主教的主教驻地（1862），设有国立洛哈大学（1869年建为法学院，1943年升格为大学）和一所工业大学（1971）。人口约38 482（1989）。

Lok Sabha 人民院 印度两院制议会的下院。根据1950年宪法，由18岁及以上的公民普选产生，任期5年。议员由各邦地方选区直接选举产生。也有直辖区选出的代表，总统并可任命2名议员，代表英印混血人。80年代初期，人民院由544名议员组成（525名代表各邦，17名代表直辖区，2名由总统任命）。上院为联邦院，议员由各邦立法议会间接选举产生。印度总统由全体当选的议会议员和各邦立法议会议员组成的选举团选出，任期5年，更像一位立宪君主，而不是一位政府最高行政长官。实权属于总理，他领导包括内阁部长、国务部长和副部长在内的部长会议。部长会议向人民院负责。

loka 界 梵语，意为“世界”，印度教宇宙论名词，指宇宙或宇宙的任何一个特殊范围。宇宙最通常的划分是“三界”，初指天界、地界和气界，后指天界、世界和冥界。三界中每一界又分为七界，七界的名目和情况各说互异。有时，又云共有十四界而非三界，其中地上七界，地下七界。不管是哪一种区分法，都表明印度教的根本观念，即宇宙间有无数世界，层次分明。

lokapāla 护世天王 印度教与佛教神话中所说保护四方的四大天王。印度教的四大天王骑象，其中因陀罗守护东方，阎摩守护南方，伐楼拿守护西方，俱吠罗守护北方。俱吠罗汉语称多闻天王（日语称毗沙门），是印度教和佛教共有的天王。佛教的另外三天王是东方持国天王、南方增长天王、西方广目天王。

Lokāyata（philosophical school） **顺世论派** 参阅 **Cārvāka** *斫婆伽派*。

Lokeren 洛克伦 比利时北部东佛兰德省城市。位于根特东北偏东，临杜尔默河。著名的建筑有圣劳伦斯教堂（1721）、市政厅（1761）和几所佛兰芒文艺复兴时期的房屋。20世纪40年代，该市几乎垄断比利时兔毛生产加工业。其他工业有纺织和绳索制造。人口：城市区约35 100（1992）。

Loki 洛基 在诺尔斯（冰岛）神话中，他是一个狡猾的骗子，能改变形状和性别。虽然他的父亲是巨人法尔包提，但他却被列在埃西尔神族之中。洛基被写成是奥丁和托尔两位大神的伴侣，以妙计帮助他们，但有时却又给他们和自己带来难堪和困难。他还表现为诸神之敌，未经邀请就闯入他们的宴会，向他们索饮。他是致巴尔德尔神死亡的主因。结果被罚锁在岩石上。洛基创造了一个女子安格尔波达（带来痛苦的人），生下了3个邪恶的后代：死亡女神海尔、把世界围住的恶蛇约尔孟冈德和一只叫芬里尔的狼。

Lokoja 洛科贾 尼日利亚夸拉州东部河港和城镇。濒临尼日尔河西岸，与贝努埃河口相对。在卡巴—阿扬贝公路线上。在19世纪50年代后期，英国商人在贝努埃河与尼日尔河汇合点建商埠。1860年苏格兰探险家W.B.贝凯建镇。1860～1869年英国在此设第一个内地领事馆。1886～1900年为皇家尼日尔公司的军事司令部驻地。曾为卡巴省省会。从1967年起属夸拉州。现为科吉地方政府参议会所在地。是棉花、皮革、棕油、棕仁的集散中心，亦为当地伊格比拉人所产薯蓣、木薯、玉米、高粱、豆类、鱼、棕榈产品和牛油果的销售中心。旱季时富拉尼牧民从北方驱赶牛群渡过尼日尔河至此。当地主要从事轧棉、织布、棕油和牛油果加工。镇内有水力发电厂。附近有石灰石和铁矿藏。该镇原址帕蒂山为411米高的鲕铁矿山。有医院和中学。人口约50 340（1991）。

Lolland 洛兰岛 丹麦斯托海峡州岛屿，位于波罗的海，与西兰岛南部隔斯莫兰海峡相对。面积1 243平方千米，是丹麦第三大岛。北部和东部有森林，南部沿海地区多沼泽。土壤肥沃，适宜种植烟草和甜菜。尼斯泰兹的阿尔霍姆城堡，12世纪是王室驻地，现为旧式汽车博物馆。主要城镇有纳克斯考、马里博、萨克斯克滨、罗兹比和尼斯泰兹。罗兹比港是通往德国的主要轮渡港。人口约70 383（2001）。

Lollard 罗拉德派 1382年以后英格兰人对牛津大学哲学家、神学家威克里夫一派人的谑称，意为喃喃祈祷者。威克里夫的非正统教义和社会理论是16世纪宗教改革运动的先声。从14世纪70年代起威克里夫在牛津所宣传的宗教观点日趋激烈。他否认关于圣体的变体论，强调布道，并以《圣经》为基督教教义的首要根据。他认为教皇的设置缺乏《圣经》依据。他把教皇比作假基督。约1380年左右威克里夫在牛津大学的一些同事，在赫里福德的尼古拉斯领导下组成小组，是为最早的罗拉德派。后来传到牛津以外各地。1399年英格兰国王亨利四世即位，镇压异端。1401年英格兰始有以火刑处决异端分子的法令。而在此法令通过之前几天罗拉德派人士索特雷即已被烧死，是该派第一位因信仰而牺牲者。1500年左右罗拉德派复兴。1530年以前，罗拉德派即开始与新教合流。罗拉德派的传统促进了新教教义的传布，同时为英格兰国王亨利八世反教权法令进行了舆论准备。早期罗拉德派最完整的教义文献是《十二点结论》，原是为了在1395年向英格兰议会提出而拟订的。

Lolo（people） **罗罗** 参阅 **Yi** *彝族*。

Loma Mountains 洛马山 塞拉利昂东北部山脉。南北方向绵延约32千米。在花岗岩高原和热带稀树草原上陡然隆起，顶峰洛马山（宾蒂马尼山，海拔1 949米）是全国最高峰。山上一些河川流入塞瓦河支流巴贝河和巴菲河。

Lomami River 洛马米河 刚果（金）河流，刚果河主要支流，源出刚果（金）南部的加丹加高原，北流约1 500千米，在基桑加尼以西约113千米处的伊桑吉汇入刚果河。

Lomas de Zamora 洛马斯德萨莫拉 阿根廷大布宜诺斯艾利斯的城市和行政区。1861年建行政区。面积89平方千米。东北连拉努斯行政区，东接基尔梅斯行政区，东南界布朗海军上将城，西南邻埃斯特万·埃切维里亚行政区，西北与马坦萨行政区、首都和里亚丘埃洛河相连。除首府洛马斯德萨莫拉城外，主要城镇有班菲耶尔德、坦佩莱、图尔德拉和亚瓦约。设有洛马斯德萨莫拉国立大学（1972）。1910年获城市地位，1940年后发展成工业中心，有化工、电器和水泥厂。城市与行政区全部处在大布宜诺斯艾利斯城市区。通三条铁路干线和公路，人口：行政区609 621（1999）。

Lomaum Dam 洛马水坝 安哥拉西部卡通贝拉河上游的水坝。洛马水电站为大西洋沿岸的洛比托、本格拉等城市和内陆的万博（新里斯本）供电。水坝于1965年建成。

Lomax, Alan 洛马克斯（1915-01-15，美国得克萨斯奥斯汀～2002-07-19，佛罗里达塞夫港） 美国民族音乐学家，20世纪最富有献身精神而又学识渊博的民间音乐学者之一。在哈佛大学、得克萨斯大学与哥伦比亚大学学习后，与其父约翰·洛马克斯（也是一位很有名的研究民歌的学者）同往美国极南部的各监狱录制民歌演出的录音，供国会图书馆美国歌曲档案馆之用。这次旅途中，他们发现了伟大的布鲁斯歌手H.赖白里（又名铅肚皮）。1951～1958年他在欧洲录制了数百首英国、意大利和西班牙的民歌。作为一位渊博的民俗学者，他对爵士乐的历史与社会根源也很有兴趣，曾为早期爵士乐师“果子冻卷筒蛋糕”F.莫顿写过一本名为《果子冻卷筒蛋糕先生》（1950）的出色的传记。1960年，他的《英语北美民歌》出版。他与V.格劳尔一起研究的“曲调计量学”（即联系人类学数据对歌唱风格进行统计分析）是迄今为止对民歌所作的最广泛的研究。《曲调计量学：手册与训练法》于1976年问世。

Lombard 伦巴第人 日耳曼民族的一支，他们568～774年在意大利统治一个王国。伦巴第人是组成斯维比部族集团的日耳曼部落之一。1世纪时，他们的家园在日耳曼西北部。虽然不时同罗马人和邻近的部落作战，他们的主要部分似乎过着一种定居的畜牧生活。4世纪时，他们开始大规模向南迁徙。5世纪末，他们已经迁移到多瑙河北岸，大致相当于现奥地利的地区。546年，奥多因创立一个新的伦巴第王朝。此后20余年间他们与格庇德人断断续续发生战争，约在567年，奥多因的继位者阿博因征服了格庇德人。568年，伦巴第人越过阿尔卑斯山，侵入意大利北部。到569年末，他们已经征服波河以北除帕维亚而外的所有主要城市（帕维亚于572年亦失陷），并占领了意大利半岛的中部和南部地区。不久以后，阿博因被谋杀，由克莱夫继位统治18个月。克莱夫死后，伦巴第人没有选出继任者，由各公爵在其各自的城邦领土内行使权力。十年"公爵之治"陷于暴乱之中，584年，伦巴第人拥立克莱夫之子奥塔里为国王。他死(590)后，由都灵公爵阿吉卢尔夫继任，收复了大部分被法兰克-拜占廷联盟夺去的失地。7世纪末，伦巴第人放弃万物有灵的信仰，改宗基督教。700年，一个新的王朝取得了王位。这个王朝的第二代国王利乌特普兰德（712～744在位）大概是伦巴第最伟大的国王，他修明内政，然后逐渐收复仍然处于拜占廷统治下的地区。由于艾斯图尔夫（749～756在位）和狄西德里乌斯（756～774在位）入侵教皇的辖区，教皇阿德里安一世向法兰克国王查理求援。773年法兰克军队进入意大利，包围了帕维亚，历时一年城陷。查理俘获狄西德里乌斯，兼为法兰克人和伦巴第人的国王。伦巴第人对意大利的统治，从此结束。尽管伦巴第人已经失去独立的王国，但他们留下了许多传统和成就，特别是在艺术、语言和法律方面。

Lombard 伦巴第 美国伊利诺伊州东北杜佩县村庄，芝加哥郊区。位于芝加哥市中心以西30千米处。1833年建立。因为每年五月举行丁香花节而被称为"丁香村"。主要为居住区，有一些轻工业和服务业。有北方浸信会神学院（1913）和国家按摩疗法学院（1963年从芝加哥迁到伦巴第）。1869年建制。人口42 322（2000）。

Lombard, Carole 隆巴德（1908-10-06，美国印第安纳韦恩堡～1942-01-16，内华达拉斯韦加斯附近飞行途中） 美国女演员和喜剧演员，曾在20世纪30年代一些最成功的喜剧中任明星演员。她的第一个银幕角色是在《一次熟练的犯罪》（1921）中扮演13岁的野丫头。初中毕业后成为好莱坞的职业演员，1925年起扮演过一些小角色并在一些喜剧短片中露面。1930年她首次出演有声片，其喜剧才能继续有所发展，直到她的表演在《20世纪》（1934）中可以与J.巴里穆尔的表演相匹敌，才奠定了她的明星地位。随后她又在30年代几部最佳的怪诞喜剧（即使用俚语式快节奏对话、粗俗幽默和小丑人物的喜剧）中露面。她出演的最重要影片有《我的男人戈弗雷》（1936）、《没有什么东西是神圣的》（1937）、《他们知道他们要什么》（1940）、《史密斯先生和夫人》（1941）、《生存还是毁灭》（1942）。她曾先后与两个演员结婚，1931年与W.鲍威尔结婚，1933年离婚；1939年与C.盖博结婚。34岁时在巡回推销战争债券途中飞机坠毁而去世。

Lombard, Peter 参阅 **Peter Lombard** 彼得（伦巴第的）。

Lombard League 伦巴第联盟 意大利北部地区的联盟，12～13世纪时抵制了神圣罗马帝国皇帝对其主权的侵犯。联盟于1167年12月1日由16个城市组成，其中包括米兰、威尼斯、曼图亚、帕多瓦、布雷西亚和洛迪，后来扩充到20个城市。联盟得到教皇亚历山大三世的支持，用以反对皇帝红胡子腓特烈一世。腓特烈屡次被联盟的军队打败。经过6年停战（1177～1183）以后，腓特烈同意签订《康斯坦茨和约》。据约，腓特烈继续得到伦巴第各城市的效忠，但赋予这些城市以管理自己城邦事务的自由和司法权。伦巴第联盟的有效期原为20年，1198年和1208年又两次续约。1226年腓特烈二世重新确立其在北意大利的皇权时，联盟有效地抵制了腓特烈改组北意大利的企图。1250年腓特烈死后，联盟亦随之消逝。

Lombardi, Vince 隆巴迪（1913-06-11，美国纽约布鲁克林～1970-09-03，华盛顿[哥伦比亚特区]） 美国职业橄榄球教练。在纽约市福德姆大学时为号称"七巨石"的快速传球手之一。1937年大学毕业后在福德姆大学进修法律，短期参加小联盟职业橄榄球赛。1939年起任中学橄榄球教练。1959年2月就聘于格林贝包装工队，任主教练和总领队，对队员实施一套强度很大的训练办法，任职第2年这支一向习惯于输球的队伍就在全国橄榄球联盟西部联合会比赛中名列前茅，1961～1962年和1965～1967年获联盟比赛冠军。1966年和1967年赛季后又在超级橄榄球赛中先后战胜堪萨斯市队和奥克兰队。1968年辞去教练职务，改任包装工队总领队。后任华盛顿印第安人队主教练和总领队，1969年该队获14年来的第一次胜利。其执教生涯最辉煌的时刻是带领包装工队取得绿野大捷。这场比赛被视为经典赛事，以至于20世纪60～70年代许多球队纷纷效仿包装工队的打法。1970年赛季开始前逝世。其拼搏精神和对胜利的执著追求为人们所记忆。1971年为了纪念这位传奇教练，人们用他的名字命名超级碗杯。1970年设立隆巴迪奖用以奖励年度最佳大学生前锋。

Lombardo, Guy (Albert) 隆巴多（1902-06-19，加拿大安大略伦敦～1977-11-05，美国得克萨斯休斯敦） 加拿大出生的美国伴舞乐队领队，他和他的"高贵的加拿大人乐队"在除夕夜的电台与电视广播演出成为美国传统达48年之久。他指挥的音乐被称为"人间最甜蜜的音乐"，因而盛名持久不衰。他的乐队

美国不列颠百科全书公司供图

演出了300多首歌曲并销售2.5亿多张唱片。"高贵的加拿大人乐队"开始时是个9人重奏小组，1968年增加到16人。D.伯格曼从这个乐队1923年在安大略伦敦成立起至1971年去世止，一直是隆巴多的乐曲改编者。隆巴多1927年首次在芝加哥向全国广播，到1929年他成了纽约市"罗斯福格栅"（一个重复30余年的预订门票的节目）冬季演出中引人瞩目的人物。该节目停办后，隆巴多移居沃尔多夫-阿斯托里亚旅馆，继续举办除夕夜的电视广播，每次都以演奏《友谊地久天长》达到高潮。1937年加入美国籍。

Lombardo, Pietro 隆巴尔多（约1435，米兰公爵领地卡罗纳～1515-06，威尼斯） 15世纪晚期威尼斯重要的雕刻师与建筑师，以对该市的文艺复兴做出重要贡献而闻名。他也

隆巴尔多的执政官P.莫塞尼戈纪念碑

中国大百科全书出版社供图

是当时著名雕刻师图利奥和安东尼奥的父亲。早期作品带有佛罗伦萨的影响，但成熟期的风格明显带有北方思想的倾向。其第一件著名作品是安东尼奥·罗塞利纪念碑（1464～1467），位于帕多瓦城圣安东尼教堂。约1467年移居威尼斯，设计了许多纪念碑和

建筑物。他所作最著名的两个墓雕是威尼斯圣乔瓦尼和圣保罗教堂内的马利皮埃罗纪念碑(约1463)和执政官P.莫塞尼戈纪念碑(约1476～1481),后者有17个大理石雕刻的等身人像为陪衬。在上述纪念碑及其他许多工程中,他的两个儿子协助他从事雕刻。隆巴尔多还是圣马利亚圣迹教堂(1481～1489)的建筑师和首席雕刻师,该教堂被认为是文艺复兴时期威尼斯城最佳的建筑物之一。1482年完成拉韦纳城的但丁墓。1485年开始制作其最著名的纪念物——在特雷维索大教堂内的扎内蒂墓,其中大部分雕刻由他的儿子图利奥和安东尼奥完成。从1498～1515年,隆巴尔多担任威尼斯公爵府的首席石雕工艺师。

Lombardy 伦巴第 意大利北部一区。面积23 857平方千米。下设贝加莫、布雷西亚、科莫、克雷莫纳、莱科、洛迪、曼托瓦、米兰、帕维亚、松德里奥和瓦雷泽11省。全区可分成三个自然部分,北部山区(包括阿尔卑斯山及其山麓地带)、丘陵地带、低平原地区。阿尔卑斯山部分的贝尔尼纳峰高达4 049米。山麓地带多湖泊,包括该国最大湖泊加尔达湖。大陆气候。波河附近地区年降雨量逾610毫米,山区达2 032毫米。伦巴第面积仅占全国面积不足1/10,却是意大利所有区中人口最多者。公元前3世纪后为罗马帝国之一部。568～774年成为日耳曼民族**伦巴第联盟**(**Lombard League**)王国的中心。774年成为法兰克帝国之一部。先后属于西班牙(1535～1713)、奥地利(1713～1796)和法国(1796～1814)。1859年归属意大利。为意大利主要工商业区。生产钢铁、汽车、机器、纺织品、家具、皮革等。农业因科学使用肥料和灌溉,产量极高。低平原主要产牧草(当地牧场每年可收割8次)、谷物和甜菜;高平原种植谷物、蔬菜、果树、桑树等;山麓产水果、葡萄和橄榄;阿尔卑斯山区有优良牧场,饲养牛、猪、羊。伦巴第全区铁路网以首府米兰为中心,通瑞士、法国和德国。优质公路遍布全区。人口8 922 463(2001)。

Lombi(Zaire) **隆比** 参阅 **Boma 博马**。

Lomblen Island 龙布陵岛 又称卡武拉。印度尼西亚东努沙登加拉省小巽他群岛中索洛群岛的最大岛屿。位于弗洛勒斯海(北面)和萨武海(南面)之间,在弗洛勒斯岛东约40千米处,阿多纳拉岛以西。形状不规则,西南-东北长约80千米,东西宽约32千米,面积1 292平方千米。岛上多山,东北部海拔1 644米。沿海地区有火山灰沉积形成的许多小片肥沃土地。气候温和潮湿,雨季长,有利于耕种水稻。沿海有椰子种植园。岛民也从事深海捕鱼。龙布陵岛上人口稠密,居民为索洛人。交通运输主要在阿洛、索洛和弗洛勒斯岛群之间进行。

Lombok 龙目 印度尼西亚西努沙登加拉省岛屿,小巽他群岛之一。正西隔龙目海峡面对巴里岛,正东隔阿拉斯海峡面对松巴哇岛,北濒爪哇海,南临印度洋。面积5 435平方千米。有两条山脉几乎纵贯全岛;南方山脉是石灰岩丘陵,海拔716米,北方山脉中林贾尼火山海拔3 726米。河流短小,都不通航。沿岸到处峭壁陡立,东、西岸有小海湾,是良好锚地。龙目海峡深逾1 100米,被认为是亚洲大陆架的边缘,原因是海峡两岸龙目和巴厘岛的动植物显著不同。此地出现生物种的混杂现象。龙目岛已成为过渡地带的开始,在该岛亚洲生物逐渐被澳大利亚生物所取代。居民大部分是马来血统的萨萨克人,马塔兰周围城镇有华人,岛西部有一些巴厘人,东部有一些松巴哇人。萨萨克人是穆斯林,但他们的宗教有强烈的万物有灵论成分。农业是最主要经济部门,主要种植水稻、大豆、块茎作物、花生、烟草、椰子、蔬菜等。沿岸两块高地之间的中央低地带是稻田和人口集中地。马塔兰是岛上最大城市和省会。新港伦巴位于岛的西岸。人口1 957 128(1980)。

Lomé 洛美 多哥首都,濒临几内亚湾。1897年选为德属多哥兰殖民地首府后成为行政、商业和运输中心。此后建成420米长的码头和通往多哥内地主要城市的铁路。

洛美市的独立纪念碑
美国不列颠百科全书公司供图

20世纪60年代港口实现现代化,1968年建成的深水港年吞吐量150万吨。出口磷酸盐、可可、咖啡、椰干、棉花等。1978年建成炼油厂并开始修建热电厂。附近有国际机场。人民大厦为多哥唯一政党的总部。1965年建贝宁大学。人口约790 000(1999)。

Loménie de Brienne, Étienne-Charles de 洛梅尼·德布里安(1727-10-09,巴黎～1794-02-19,法国桑斯) 法国大革命前夕的神职人员和财政大臣。1760年任孔东主教,1763年任图卢兹大主教。由于玛丽-安托瓦内特的出力,他于1787年末主管财政工作,但他无法应付日益恶化的财政危机。巴黎高等法院反对他对特权等级征收土地税的计划。翌年6月他向教士会议增收义务税的要求只得到部分的同意;7月,他被迫同意召开三级会议的要求;8月,他实际宣布全国陷于破产,让位于J.内克,改任桑斯大主教,年末任枢机主教。他是向1790年《教士公民组织法》宣誓的少数几个高级教士之一。他以前是个宫廷宠臣,因此在恐怖统治时期受到怀疑,死于桑斯监狱。

Lomi, Orazio(Baroque painter) **洛米** 参阅 **Gentileschi, Orazio 真蒂莱斯基**。

Lomond, Loch 洛蒙德湖 苏格兰最大湖泊。位于苏格兰高地南端。形成斯特拉斯克莱德和中部行政区边界一部分。全长约39千米。至南部变宽呈三角形。湖面海拔仅约7米,冰蚀的湖底深达190米。湖水经利文河注入克莱德河湾。与格拉斯哥都会区交通便利,为城市居民喜爱的游览地。有巴勒赫、阿德卢伊等湖畔游览地。在因弗鲁格拉斯有一水力发电站。

Lomonosov 罗蒙诺索夫 1948年前称奥拉宁鲍姆(Oranienbaum)。俄罗斯圣彼得堡州城镇。濒临芬兰湾。1710年为缅什科夫大公所建,曾为沙俄皇族避暑胜地。当地的彼得大帝宫和中国宫在第二次世界大战中遭严重破坏,现已修复。人口约42 000(1991)。

Lomonosov, Mikhail Vasilyevich 罗蒙诺索夫(1711-11-19,俄罗斯霍尔莫戈雷附近～1765-04-15,圣彼得堡) 俄国诗人、科学家和语法学家,被认为是俄国第一位伟大的语言改革家,对自然科学也有重大贡献。曾受命改组了圣彼得堡皇家科学院并在莫斯科创建了大学(现以他的姓氏命名),还制造了俄国的第一批有色玻璃镶嵌贴面。父亲是贫苦渔民,他10岁时开始做渔民。由于当地知识匮乏已不能满足其日益增长的求知欲,他只身步行到莫斯科寻求出路。他立志艰苦自学,到莫斯科后开始艰苦奋斗。他隐瞒微贱出身进入学校。他的才智使他能在5年内完成8年的学业,在此期间内,他自学了希腊语并攻读了古典哲学。1736年进圣彼得堡学院。稍后赴德入马尔堡大学。1739年他在弗赖堡学采矿、冶金和玻璃制造,还与当时的许多诗人广交朋友,并沉迷于从孩提时代朗诵赞美诗起就产生的对诗歌的热爱。1741年回圣彼得堡。1743年5月,因对当局不满遭到逮捕。由于送给叶利扎维塔女皇的两首颂歌及他在学院中的声望,使他于1744年1月获释。1745

拉鲁斯图片公司供图

年他被俄国科学院任命为教授。这期间他发表了《冷热的原因》(1747)、《空气的弹力》(1748)和《电学理论》(1756)等重要论文。到1748年,在他获得实验室后的3年中,进行了4 000多次实验,结果建成了一座有色玻璃厂并生产出镶嵌贴面。1752年写出物理化学讲义。1756年在所发表的《光和色的起源》一文中对自然现象的同一性和物质构造理论作了探讨。1760年提出《固体和流体的反射》这一自然界的普遍规律(即物质及能量守恒定律)。从1755年起他更为关心莫斯科大学的发展。1757年他被委任为该大学理事,对之进行了改革。随后,他又发表了很多重要论文,如《精确的航道》(1759)、《北冰洋冰山形成的精确过程》、《地层学》(1760)等,对发展科学、商业和采矿业做出了重要贡献。罗蒙诺索夫在国内外都获得了声誉,他是瑞典皇家科学院院士,但生活极其简朴。他晚年受到迫害,死于圣彼得堡。

Lomonosov Ridge 罗蒙诺索夫海岭 北冰洋中主要海底山脉。长1 100英里(1 800千米),从北美大陆架上的埃尔斯米尔岛穿过北极附近,延伸至新西伯利亚岛大陆架附近,从而将北冰洋分隔成两大海盆。海岭影响了洋水环流、海洋生物和海冰运动。海岭顶部最高点深3 200英尺(975米),高出洋盆底部6 000~11 000英尺。大西洋一侧的海盆深度超过13 000英尺,其邻近海盆深约11 000英尺。当地无地震,形状不对称,地表起伏平缓。该海岭不是大洋中脊系统的一部分。

Lompoc 隆波克 美国加利福尼亚州西南部圣巴巴拉县城市。位于隆波克河谷,濒临圣伊内斯河。1874年创建为农业社区。1888年设建制。现经济多样化,有石油工业、矿业、钻石加工和花籽贸易,在范登堡空军基地有大型宇航联合企业。还建有联邦监狱。许多壁画构成著名景观。建有隆波克博物馆。南部海岸为冲浪胜地。市郊有州立史迹公园。人口:市约41 167(2003);圣巴巴拉-圣玛丽亚-隆波克都会统计区约399 347(2000)。

Łomża 沃姆扎 原波兰东北部省份(1975~1998),今属波德拉斯省和马佐夫舍省的一部分。

Łomża 沃姆扎 波兰东北部波德拉斯省城市。14世纪首见记载,1428年设市。位于该省中西部平原,濒临纳雷夫河和沃姆扎河。经济以食品加工、造纸和纺织业为主。第二次世界大战时遭毁坏,战后大规模重建。建有文化中心、博物馆,还修复了16世纪哥特式教堂。人口约63 936(2002)。

Lon Nol 朗诺(1913-11-13,柬埔寨波雷勉~1985-11-17,美国加利福尼亚富勒顿)军人、政治家,1970年推翻卷入印度支那战争的诺罗敦·西哈努克亲王的政府,至1975年共产党红色高棉接管了这个国家。1937年进入法国殖民地机构成为行政官员,后任省长。1952年加入军队,与越南共产党游击队作战,取得成功,在西哈努克亲王执政时期,他历任几个大臣的职务,1966~1967年任首相。1970年3月领导得到美国支持的政变,推翻了西哈努克,成为1972年以前的政府首脑。他放弃西哈努克在印度支那战争中采取的中立政策,而与美国和南越建立密切联系,允许它们的军队在柬埔寨境内作战。1972年3月10日,朗诺篡夺高棉共和国的全部权力,两天后自任总统。同时,共产主义的红色高棉运动在柬埔寨农村势力强大,1975年4月1日,在红色高棉共产党的起义者逼近首都时,他逃亡国外,定居美国。

London 伦敦 英国首都,曾是一个庞大帝国的工业、商业、政治中心,至今仍是英国最大港口和人口、商业及文化的重要中心。位于英格兰东南部,横跨泰晤士河,距北海河口湾50英里(约80千米)。城市生活紧张,但是,因有传统的公民责任感,并且市内绿地和空地较多,市容体现出一种人情味,使紧张状态变得缓和。尽管伦敦与多数其他世界大城市一样,已落后于20世纪末的前进步伐,但它至少还保留了前几个世纪的许多优越地位。

在地图上,大伦敦的轮廓是一个参差不齐的椭圆形,中央伦敦是中部一个不规则的区域,占全伦敦的1/6,包括历史上著名的中心区(现为金融中心)。空中俯视显示摩天大厦每年不断增加,但就城市规模而言,数量仍然较少。尽管人口十分稠密,但仍有面积很大的空旷地。泰晤士河本身就是这一地区最大的一个连绵不断的空旷地之一。人口:伦敦市约336 539;内伦敦约2 434 400;大伦敦约6 967 400(1994)。

自然地理和人文地理

景观 *位置* 泰晤士河由西向东蜿蜒流经的椭圆形白垩盆地充满着大量厚实的受侵蚀尚少的沉积物,包括源于第三纪时期始新世(5 780万年前至3 660万年前)的坚实岩石,沙粒、黏土、卵石阶丘,砂砾层和泰晤士河冲积层。中央伦敦有古代积累的厚达20英尺(6米)的填垫土。最早的拓居地是建筑在灌溉良好的砾石丘上,而黏土多少世纪以来一直用于生产建造城市所需的砖。

气候 盆地气候是不列颠群岛东部边缘的典型气候。中央伦敦中部的圣詹姆斯公园每年接受的降水量为23.5英寸(597毫米),但是,盆地其余地区的降水量各年不同,极端量为平均数量的70%~130%。气温温和(1~7月平均温度为3~22.5℃),变化很小,尽管城市比郊区更暖。自从1956年的《空气净化法案》获得通过后,城市的阳光和附近乡间的阳光同样充沛。该法案实行以来,伦敦上空已无烟雾,而出名的黄色浓雾则极为罕见。

动植物 伦敦以其与人类密切共存的动植物而引起生物学家们的特殊兴趣。在中央地带,公园、广场、私人花园、建筑工地、铁路边坡、荒芜街沟和断垣残壁上都可发现野生植物。许多最常见的植物都长有靠风传播的果实,因此,它们可以在任何有土壤的地方生根发芽。自1900年以来,在圣保罗大教堂方圆20英里的土地内,已发现1 835种开花植物和蕨类植物、221种苔藓和68种叶苔。

有4种数量众多的鸟惯于与人密切相处。野鸽成为伦敦鸟类的一个特点至少已有600年。家雀在中央伦敦大量存在,白头鸥从1895年以来习惯来此过冬,成群栖息在泰晤士河附近及其他地区。中央伦敦的建筑物上也栖息着数量众多的欧椋鸟,冬季从欧洲飞来的欧椋鸟又使数量增多。在伦敦内城,据考证有160种鸟,其中37种是繁殖的。在圣保罗大教堂方圆20英里内,从1900年以来,在广大的栖息地内聚集了245种鸟,其中100种每年都要来此营巢。

褐鼠是一种极为有害的动物,黑鼠在包括伦敦西区广大区域内的建筑物上层均可发现。家鼠随处可见。刺猬在郊外时常出现,而且还有几种蝙蝠。20世纪80年代初期,狐狸的数量有显著增长。

传统的周围地区 *泰晤士河及其附近地区* 伦敦主要的历史根基是泰晤士河。据传说,外国入侵者(公元43年克劳狄的征服)驱赶了土著人,在道路横跨此河的地点,建造了一座桥梁和一个城市(伦迪尼乌姆)。在罗马时期,泰晤士河较宽而浅。两条小河沃尔布鲁克河和弗利特河今天通过地下暗渠仍流入泰晤士河,但在当时却使罗马人能将船只驶入他们的设防城市以内。在罗马人离去后,他们建立的对外贸易,即便经过历史上暗淡的盎格鲁-撒克逊时期,仍继续存在,使得伦敦城变得富裕,因而强大起来。

在上游2英里的威斯敏斯特渡口,威斯敏斯特城发展起来。当地以前是一个小型罗马居民点,撒克逊时代为一个宗教社区,11世纪为一座皇宫。在商城和皇城之间,贵族和主教们建立了他们的城镇宅邸,每所宅邸均有自己的水门。最后,一条道路(斯特兰德路)从查灵克罗斯通到了伦敦城的10个城门之一——坦普尔巴。直到18世纪很晚时期,运输与贸易的主要通道一直是泰晤士河而不是斯特兰德路。当时,从伦敦到萨瑟克,所有横跨泰晤士河的桥都是木结构,1176~1209年,该河上终于建造了唯一的石桥。潮水咆哮地冲过它的19个桥孔,在1831年以前,乘坐小艇"飞跃穿过"桥孔一直是伦敦的惊险活动之一。1831年,伦敦桥被拆毁;取代它的桥在1969~1972年相继建成。位于下游1.5英里的壮丽的塔桥是霍勒斯·琼斯爵士在1886~1894年主持建造的。它有一对哥特式塔和一座中央吊桥,比伦敦桥及伦敦城的另两座桥布莱克弗赖尔斯桥(建于1756~1769年)和萨瑟克桥(建于1813~1819年)更为古雅。

被诺曼人征服后,该港口,在对外贸易增长了,伦敦桥向海一面的河堤12世纪开始修建,14世纪完成,使南堤的罗瑟里锡、德特福德和北堤的多格斯岛约42.5平方英里(110平方千米)的水域成为沼泽地。几个世纪后,这片土地仍是沼泽,但易于修建码头。

19世纪前,一直没有再筑河堤。到19世纪,伦敦终于停止将垃圾倾倒进泰晤士河,并修筑了主要下水道。1864~1870年,沿北堤岸,在石护壁后铺设了主管道,上面从布莱克弗赖尔斯桥至威斯敏斯特修筑了道路。约37.2英亩(15公顷)泥滩被改造成了公共用地(滑铁卢桥和亨格福德铁路桥之间的维多利亚堤岸花园)。1874年,同样筑在新下水主渠道上的切尔西堤岸也完成了。堤岸系统,除在议会两院处有短距离中断外,长达4.5英里。议会对面的河边,1869年建筑了艾伯特堤岸作为一个防洪设施,1910年,堤岸延伸

从泰晤士河南岸眺望夜暮下的
大本钟和议会大厦
美国不列颠百科全书公司供图

至威斯敏斯特桥下游郡议会大厦前，但是，只供行人使用，不能通车。伦敦的堤岸在 1971 年后又提高了 1.5 英尺，以防北海巨浪使水位升高可能引起的洪水。在伦敦桥下游 8 英里处，泰晤士河伍利奇河段的锡尔弗顿，建造了一个1 706英尺的活动防洪闸，1982 年开始使用。

码头的发展 在伊丽莎白一世女王统治时期，在伦敦桥和伦敦塔之间的泰晤士河北堤岸建立了"合法的码头"，作为船舶能够合法地将应课关税的货物运上岸的唯一地点。不久，运输量增大，码头无法承担，1663 年，议会准许在两岸建造替用的"特许码头"。在 1700 和 1770 年间，港口业务增加了一倍。到那段时间结束，上普尔河（在伦敦桥下游延伸不足 1 英里的那一河段）在只能容纳 600 只船的空间，竟容纳了1 775只船。货物从轮船卸到3 500艘驳船上，再转运到码头。但是，有时却陷于水上交通堵塞长达数周之久，并遭到河盗偷窃和袭击。为了使船舶能把货物直接卸在设有警卫的码头，存入安全的仓库，位于多格斯岛北端的西印度码头于 1802 年启用。1909 年，伦敦港务管理局成立，它接管了所有现存的码头并控制了泰晤士河和港口。

滨河地区的发展 伦敦港务管理局于 20 世纪 60 年代关闭了上游码头，决定出售占地 850 英亩的沿河财产，提供了一个重建伦敦富裕区的历史机遇。私人开发商们购买和恢复了位于沿河附近地区的"被遗忘的"广场和街心小公园。从滑铁卢至伍利奇的 12 英里滨河区，以前都是衰败的码头、工厂和破旧的房屋，现在却成为竞相投标和胡乱规划的对象，其中有些是不切实际的，另有一些甚至是愚蠢的。

这条两岸被大力开发的河，在 20 世纪 60 年代之前，一直是一条散发出恶臭的黑河。从 60 年代末期以来，由于大力进行防止污染的监管行动，鱼类回归数量不断增加。多年罕见的禽鸟也在泰晤士河不大喧闹的河段栖息繁殖。

伦敦城 口头上被称作"平方英里"的伦敦城实际上要稍大一些（677 英亩），最长处约1⅝英里，最宽处为 7/8 英里。该城是一个不可思议的混合体：古代的典雅与现代的效率、过时的习俗与新奇的事物相互融合。这个地方1 000年以来，传统一直受到尊重，革新也至关重要。

这里是世界最大的金融中心之一，尽管英镑集团（即货币和储备金与英镑挂钩的诸国）被有意识地撤销了。它还是世界商品贸易的一个中心，尽管事实上原料不再来源于不列颠殖民地，而交换的货物也并不是在伦敦港进行的。

城市中心 城市的中心是一个开阔地，有 8 条道路由此向四周辐射。在它南面是伦敦市长官邸。这是乔治·丹斯在 18 世纪中叶所设计，作为市长的住所、办公厅和法庭（市长为首席治安法官）之用的，它至今仍为每位市长在其一年任期内使用。从伦敦市长官邸顺时针方向往前是传统的金融街伦巴第街，它的每家金融机构上面悬挂着早些世纪设计的奇特的招牌。康希尔街和思雷德尼德街之间，是托马斯·格雷欣爵士的 1567 年皇家交易所第 3 次重建的场所。对面原先 18 世纪的底层矮墙里面是英格兰银行总部。这个总部建于 1921 ～ 1937 年，取代索恩的 1782 ～ 1802 年的杰作。有些人认为这一取代是银行给国家造成的最严重损失。在银行东面，横过一条狭窄小巷是证券交易所（1968），距其东北不远处是二次修复的伦敦市政厅，它是伦敦市政府所在地，初建于 1425 ～ 1445 年。

伦敦市政府是全国唯一没有法人特许状而展开工作的。选民们选出普通政务委员和高级市政官（其中一人由高级市政官从伦敦同业公会会员们每年指定的两名候选人中选为市长）。

律师协会 这座圣殿的入口通向弗利特街，它代表着伦敦城权力机构的另一环节。最初，它是圣殿骑士团骑士的英格兰总部，骑士团解散后，成为律师协会中的第一个协会。在这里，高级律师们有办公室并培训（至今仍培训）新一代的辩护律师。中殿律师协会、内殿律师协会、林肯律师协会、格雷律师协会（后两协会位于伦敦城边界正北）是一块宁静、谦恭、始终如一的"绿洲"。四个律师协会在 18 世纪几乎全部重建，但是，圣殿却保全了它的多次重建的圆形诺曼教堂及一个 13 世纪增建的建筑物。

穿过弗利特街便是大法院街，西边是皇家法院，东边是公共档案馆。法院通常称作皇家法院，是由斯特里特在 19 世纪设计的一群维多利亚时代哥特式建筑物。

威斯敏斯特城 不论君主前往何处，朝臣一旦不再追随而在威斯敏斯特安顿下来，行政部门便能发展。到了 16 世纪，议会成为制度化。国家贵族和教会高级僧侣感到在靠近其权力根源处保持宫殿比较方便。

斯特兰德区是连接伦敦城与威斯敏斯特城的环节，随着时间的推移，建筑物变得更加密集，但是，在盎格鲁-撒克逊时代（约 9 世纪），在罗马城墙外已有一座称作圣克莱门特丹斯的堂区教堂，它令人想起 9 ～ 11 世纪丹麦人周期性占领的那一时期。在斯特兰德区更西地区有它的"孪生"教堂——圣马利亚勒斯特兰德教堂（始建于 1147 年）。今天，两座教堂坐落在车行道中央的一片岛状土地上，圣克莱门特教堂由雷恩于 1680 年在教堂 15 世纪的塔周围重建，圣马利亚教堂由詹姆斯·吉布斯重建（1714 ～ 1717），成为一座融合意大利与英格兰风格的堂皇的巴罗克式建筑。圣克莱门特教堂在第二次世界大战时遭到轰炸，1958年重新修建。

在斯特兰德区南侧是萨默塞特大厦，始建于1776年，可能是现代专为政府办公而建筑的第一幢大厦。它是威廉·钱伯斯爵士设计的，尤以保管遗嘱档案及在20世纪70年代中期以前保管出生死亡记录而广为人知。19世纪增建了侧楼，1835年在一座侧楼内成立了皇家学院（现为伦敦大学的一部分）。

在斯特兰德区这部分的北面和西面约3/4英里长、不足半英里宽的一个平行四边形地带有许多伦敦剧场和首演电影院。直到大约19世纪中期，斯特兰德区还是伦敦遍布剧场、旅馆与购物中心的最漂亮的街道之一。

威斯敏斯特城是英国所有自治城市中最富有的一个。它沿着泰晤士河从圣殿延伸到切尔西桥，北面经过餐馆林立的索霍区和名医汇集的哈利街直到大协和运河。这里有英国最合乎理想的住房产业，甚至其较破旧失修的部分，也由于它们所处的位置而增值。

在这个地区有威斯敏斯特教堂（英国国教）、威斯敏斯特大教堂（天主教）、白金汉宫、威斯敏斯特宫、圣詹姆斯宫、主要政府机关、全国最重要购物区、新伦敦警察厅、伦敦大部豪华旅馆、图索德夫人蜡像陈列馆、4个美术博物馆，其中至少有两个具有世界水平。特拉法加广场的国家画廊收藏着西方绘画的珍贵杰作。塔特陈列馆建于1893～1897年，在靠近沃克斯霍尔桥的泰晤士河畔，它藏有大量英国绘画、现代外国绘画和雕塑品。

伦敦东区　东端城门外与利河之间是伦敦东区。到17世纪初期，这里已成为贫民聚居区。19世纪，码头有了发展，提供了打散工的机会。以剥削工人血汗自肥的成衣业和家具业也发展起来，使越来越多的贫民为获得不固定的菲薄收入而展开竞争。

过分拥挤的居住区内没有排水系统，尽管很早就建立了医院和施诊所，但是，1840年贝斯纳尔格林的平均死亡年龄是16岁，劳动阶级中50%的死者是5岁以下的儿童。19世纪后半叶，移民络绎不绝地涌来，除了贫困外，他们还遭受种族、宗教、排外等歧视的折磨。

伦敦东区在第二次世界大战中遭到野蛮轰炸与焚烧。重建后，人口密度较前大大降低，因为许多家庭在这个时期开始兴建的新城镇中获得了新的住宅和工作；1960年的人口还不到1901年人口的半数。工厂与人口开始持续迁出，这个自治市税收也随之下降。发展码头区的计划目的在于扭转这种衰落。斯皮特尔菲尔兹具有这个自治市最高的人口密度，它从胡格诺派丝绸织工在17世纪末逃往法兰西后，一直是移民接收区。最近来的移民是印度人和巴基斯坦人，他们同更早的西印度群岛移民浪潮以及20世纪初前后到达的爱尔兰人和东欧犹太人留下的小型移民团体融合在一起了。整个地区经过与其居民们洽商后开始重建。斯坦普尼-波普拉区，即旧科克尼区即将成为一个"新城镇"。

南部伦敦　伦敦内城的格林尼治、刘易舍姆、萨瑟克、兰贝斯、旺兹沃思等自治市位于泰晤士河南岸，但是，南岸这个名称主要是指1951年为不列颠音乐节而建设的一系列音乐和艺术建筑，它开始于泰晤士河下游的伦敦郡议事厅。南岸第一个永久性建筑是皇家音乐节会场，它每年向公众提供约450场世界著名的管弦乐队和芭蕾舞团的演出。1968年对外开放的海沃德美术馆经常举办重要的艺术品展览，并有3个雕塑展品陈列馆。国家电影院在一个角落，它上映世界各国的一流影片。国家剧场多年来一直在滑铁卢车站后面的老维克剧场（1816年建）内，于20世纪70年代中期迁到恰在南岸滑铁卢桥以东的新址。

布莱克弗莱尔斯和伦敦桥沿河一带称作河畔。这里有莎士比亚时代的环球剧场及与之齐名的剧场，温切斯特主教宫毗邻13世纪的萨瑟克大教堂（19世纪大部重建）。在伦敦桥这端周围曾一度有许多乔叟在14世纪、莎士比亚在17世纪提到的马车旅店。一个称作"乔治旅店"的这类马车旅店在1667年发生的萨瑟克大火后得到重建。1889年铁路的发展削弱了它的作用，但是，这家旅店仍继续在一种友好的气氛中运营。

萨瑟克和兰贝斯在第二次世界大战期间均遭到猛烈轰炸，许多工人阶级常去的著名场所，例如埃勒芬特卡斯尔和兰贝斯沃克等胜地，后来重建，但已失去了原貌。兰贝斯是这些自治市中人口最稠密的市之一。

伦敦的广场和公园　虽然琼斯（1573～1652）建筑师的作品在伦敦几乎荡然无存，但目前尚存的作品仍引人瞩目。琼斯漫游意大利归来，在思想上树立了对一位新的建筑师偶像——安德烈亚·帕拉弟奥——的崇拜。琼斯设计的建筑的两个伟大范例——王后的格林尼治宅邸（1616年设计）和白厅王宫的宴会大厅（1619～1623年）——都表明他没有盲目遵循帕拉弟奥的古典风格。他绝非是个模仿者，而是对一种观念和一种风格能进行个人解释的人。他对伦敦的巨大贡献不是帕拉弟奥式的威尼斯式窗而是梅迪契家族的托斯卡纳柱式，这体现在这个城市的广场上。广场源于梅迪契家族的科西莫一世于1571年在里窝那建造的阿尔梅广场，对亨利四世在巴黎修建的孚日广场（1603）有所启发。广场确定了未来200年伦敦城建筑的风格，一度形成椭圆和月牙状，但总是有助于增加城市结构的艺术享受。

琼斯的科文特加登广场（1630）三面由高屋围绕，街道有骑楼，西面为有低矮门廊的阴暗的圣保罗大教堂全部占据。当广场在那里存在了50年时，英王查理二世批准了一个蔬菜市场（科文特加登市场）在广场永久经营，但它只经营到20世纪70年代，随后便被河对岸的九棵榆树市场取代了。

伦敦西区的皮卡迪利广场
美国不列颠百科全书公司供图

伦敦一些景色最美的部分当时是为了贵族、有时也为了皇家地主的利益而设计的。南安普敦伯爵于1660年建造了布卢姆斯伯里广场，首次在地名中使用了"广场"一词。该街区由于联姻关系转给贝德福德公爵家族，他们又建造了一系列的花园广场，其中贝德福德广场（1775）是伦敦最美观的，而罗素广场（1800）则是最宏大的广场。布卢姆斯伯里文化圈系指一批文人和艺术家。1907～1930年这些人在邻近地区一个私人家宅聚会，最著名的有V.伍尔夫、E.M.福斯特、L.斯特雷奇、J.M.凯因斯和A.沃利。该区还有伦敦大学及其大学学院和伯克贝克学院。

不列颠博物馆　这颗文化王冠上的宝石建于1753年。它目前的建筑是1823～1852年间建造的，它的图书馆于1973年成为不列颠图书馆的组成部分。卡尔·马克思在其中撰写《资本论》的阅览室是将中央庭院加盖屋顶而建成的。博物馆的印刷间正如其手稿的收藏同样出名。这里从亚里士多德的《雅典宪法》到英国现代的名著均有收藏。博物馆的收藏种类特别繁多，尤其是埃及、西亚、东方、希腊、罗马和英国的古代文物。

在布卢姆斯伯里以西，纽卡斯尔公爵于1717年设计了卡文迪什广场，其女嫁给了牛津和莫蒂默伯爵爱德华·哈利，其孙女则同波特兰公爵结婚。牛津街以伯爵命名，而其姓氏则给予世界上医学专家汇集的一条街——哈利街。

牛津街的南侧属于伦敦唯一最大的私人地主——威斯敏斯特公爵(英国教会、王室和伦敦诸自治市被认为是 3 个最大的法定地主)。这片土地从牛津街开始延伸，穿过梅费尔，横跨海德公园角，再经贝尔格莱维亚和皮姆利科，直达泰晤士河。早先，它是威斯敏斯特大教堂的产业，到了 1677 年，当玛丽·戴维斯同托马斯·格罗夫纳爵士——格罗夫纳是威斯敏斯特公爵的族名——结婚时，被当作嫁妆。格罗夫纳广场约在 1700 年建成，在它周围的梅费尔区立即变成了高尚地区，直到今天仍然如此。

在 1874 年建立威斯敏斯特公爵领地之前，最后发展的那片格罗夫纳土地包括贝尔格莱维亚和皮姆利科。原先的布局于 1815 年制定，但被 3 个建筑商作了一些改动。他们在这片产业的部分地区订了长期租约，于 1824 年开始建造。土地所有人要求实现一种混合的发展。虽然这些房屋在它们吸引来的居民的类别方面原来有所差异，但是，今天占用房屋的人往往都是富有的。这个庄严的城市设计至今大体上仍保持完整。皮姆利科(泰晤士河畔)在第二次世界大战结束时已变得破旧，但经过猛烈轰炸幸存的那些部分，后来经过修复，又基本上恢复原貌。

特拉法尔加广场 特拉法尔加广场可能是所有广场中最著名的，一直属于公有而且没有花园。7 条主要交通干线使汽车能环绕这个巨大的铺设路面的空旷地行驶，广场中的一个胜利纪念圆柱上耸立着特拉法尔加战争(1805)的英雄 H.纳尔逊的塑像。两个喷泉池、4 个石狮、鸽群以及各种纪念性的军事塑像与之相映成趣。广场每年都吸引着大批群众集会的参加者，而且是疲倦的旅游者喜爱的休憩场所。

特拉法尔加广场定名于 1832 年，之后成百上千的棚屋从该区拆除。纳尔逊纪念柱建于 1842 年。国家美术馆占据广场北侧大部分。国家肖像馆与之毗邻。这些艺术馆以东是 J.吉布斯设计的圣马丁教堂。该教堂建于 1722 ～ 1726 年，取代了位于最早在 1222 年提到的教堂原址上的一座 1544 年教堂。这个位置将教堂烘托得十分壮丽。在南边，斯特兰德街通往东面相距半英里的城市，并改名为弗利特街。

纳尔逊纪念碑南面是竖立在查灵克罗斯旧址的查理一世塑像，爱德华一世的夫人卡斯蒂尔的埃莉诺的葬礼仪仗队 1290 年曾在此地安歇。克伦威尔的一些支持者曾投票赞成处决查理一世，但在王朝复辟后，他们本人也在此处遭到处决。此后，1633 年的塑像被重新发现，并被竖立起来。在西南是海军部拱门，它构成通向白金汉宫的林荫路的入口。

怀特霍尔 在特拉法尔加广场正南是怀特霍尔街，它一度是世界权力中心。今天，这里仍是英国政府部门所在地。在典型的维多利亚式建筑和第二次世界大战后的建筑中，点缀着一些优美的 18 世纪建筑物，它们至今仍供政府机构使用。街东侧是琼斯设计的宁静美丽的帕拉弟奥式的宴会大厅(1619 ～ 1623)。它是怀特霍尔宫经历了 1698 年大火后完整地保存下来的唯一重要部分。街对面是骑兵卫队演习场，建于 1760 年以取代一个更早的总部。每天皇家骑兵卫队戴着羽毛装饰帽子，从他们 35 层的奈特斯布里奇营房骑着黑马列队出营，在上午 11 时布岗。

再往南是旧财政部原址，大火以后在亨利八世网球场遗址周围建造，现在主要为内阁办公厅占用，有一走廊与唐宁街 10 号内阁官邸相通。乔治·唐宁爵士在 1663 ～ 1682 年间建造了这条筑有几所房子的短街作为一项投机，在沿街简朴的砖墙后面有 20 世纪 60 年代修复的 200 个房间。首相住在 10 号，财政大臣住在 11 号，政府的政党组织秘书住在 12 号。经外交部、联邦事务部、内政部和权力极大的财政部向南是议会广场，它有一个小的中心花园，内有长凳和塑像。这个广场通往英国最重要的建筑物中的两个：议会和威斯敏斯特大教堂。

议会 议会开始于 1265 年，当时亨利三世必须接受蒙特福特召集的议会。在亨利八世统治时期开始在规定日期开会，在都铎王朝时代，下议院发展了它的基本议事程序。早期的会议在威斯敏斯特大教堂的教士会礼堂举行，礼堂当时从 1547 年起坐落在威斯敏斯特宫的改供俗用的圣斯蒂芬小教堂内。上议院在旧王宫庭院的王宫民事申诉法庭内开会。王宫最初为忏悔者爱德华(1042 ～ 1066 在位)所建，它供议会使用直到 1834 年被大火焚毁。圣斯蒂芬教堂地窖，1526 年修道院的一部分以及中世纪的威斯敏斯特大厅是所有幸免于难的建筑。大厅于 1097 年完成，在 14 世纪改建时安装了堂皇的椽尾梁屋顶。1941 年 5 月，屋顶被燃烧弹损坏，但是后来予以修复。

在 19 世纪的这场大火之后，为修建一座新威斯敏斯特宫而进行的投标被巴里和普金赢得，前者因其工作而被封为爵士，后者是一位热诚的中世纪遗风爱好者，后疯癫而死。获奖的设计富于变化与动态因而冲淡了该建筑巨大厚重的外形，非常适合当时议会使用，而且几乎立即变成议会权力与其巩固地位的象征。东端的钟楼内安装了报时用的大本钟，该钟约重 13.2 吨。

威斯敏斯特教堂 教堂为忏悔者爱德华所建，1065 年被奉为圣地。为了纪念爱德华，亨利三世于 1245 年建造了一座更富丽堂皇的哥特式教堂，原有建筑只留下诺曼式地下室(1966 年后称作珍宝馆)、圣体容器小教堂(由中世纪的部分教堂地下室构成)以及黑色修道院，所有这些至今犹存。经过 25 年后，修建工作停顿，直到一个多世纪后再继续进行，完全模仿它开始的式样。8 边形的教士会礼堂是可辨认的 13 世纪中叶所造部分之一。亨利八世完成了其父于 1503 年在教堂东端开始建造的扇形拱顶和雕刻精美的小教堂。18 和 19 世纪恢复与增添的部分是很严格的；西面由尼古拉斯·霍克斯穆尔设计的双座尖塔从 1735 ～ 1740 年建成。从哈罗德三世(1066 年被征服者威廉一世击败)以来，几乎所有国王均在此行涂油礼和加冕，在 1760 年之前，他们死后均葬于此。许多政治、文学和军事等方面的著名人物也长眠此处，虽然另一些英名卓著的人物(例如莎士比亚、弥尔顿、马尔伯勒、纳尔逊和丘吉尔)葬在他处。

圣詹姆斯公园 圣詹姆斯公园位于怀特霍尔街各部和唐宁街背后，西面朝向白金汉宫。它是 6 个中心皇家公园中最古老、最别致的一个，赋予伦敦西区一种传统的美丽、安宁和整体感。

属于圣詹姆斯修女会的地面被亨利八世于 1532 年占用，建造了邻近的圣詹姆斯宫，形状像一个红砖玩具兵城堡。外交官们仍在圣詹姆斯宫廷呈递国书。斯图亚特王室准许公众进入这个查理二世按正式的凡尔赛宫风格装饰的公园。最初几位乔治国王取消了一段装饰性水域以建造皇家骑兵卫队的操场。每年 6 月初，国王的法定诞辰日由骑兵卫队在乐队伴奏下，行军旗礼表示庆祝。

白金汉宫 白金汉宫 1703 年为白金汉公爵建造，1762 年乔治三世将其买下。纳什重建这座公园时，他扩大并改造了王宫，同时设计了大理石拱门。拱门成为一个入口通道，1851 年迁至海德公园东北角。王宫临林荫路的一面于 1913 年重新设计。每当国王住在宫内时，屋顶便飘扬着皇家旗帜。不论国王是否在宫内居住，每年 4 ～ 9 月，皇家骑兵卫队每天早晨都在宫前广场换岗，其余月份每隔一天换岗一次。维多利亚女王规定白金汉宫为国王在伦敦的住所，而圣詹姆斯宫仅作为举行仪式的场所。

海德公园和肯辛顿公园 海德公园角对面是三拱式爱奥尼柱墙，这最初是海德公园入口处，由伯顿设计。伯顿还为海德公园设计了其他入口处的看守小屋。从这里，一条著名马道罗顿罗，在拱形的树枝下伸向西边。海德公园和肯辛顿花园曾是亨利八世巨大的森林狩猎区的中心部分，西伯恩河和泰伯恩河供给水源，两处园林共有面积 615 英亩。泰伯恩绞首台是一个高 12 英尺有 3 个支架的绞架，每个支架可吊 8 名罪犯，1783 年前一直竖立在海德公园东北角落。大理石拱门使毗邻的十字路口得名，现被繁忙的交通阻隔，但它以前占有海德公园的东北角，有一个讲演角、一个传统的露天讲坛，可进行公开论争。

朗河从肯辛顿花园的一个意大利风格的湖泊花园中流出，它一旦流入海德公园便成为瑟彭泰恩河。根据气候变化和参加者的耐力，这里经常开展划船和溜冰运动。威廉三世于 1689 年从海德公园西端划出 26 英亩土地以建造肯辛顿宫的花园，嗣后即位的国王们又进一步占地予以扩大。肯辛顿花园直至 19 世纪中叶才对一般公众开放。

红砖砌成的肯辛顿宫朴实无华，适合家居，它原是诺丁汉伯爵 1661 年的乡间宅邸，1689 年克里斯托弗·雷恩爵士为威廉三世予以扩建，后来威廉·肯特又为乔治一世进行扩建。约在 1700 年，在南面为那些愿意住在宫廷附近的人们建造了肯辛顿广场。维多利亚女王 18 岁即位时(1837 年 6 月)和其母住在肯辛顿宫。王室成员至今仍住在这里，宫殿大厅则对外开放。

肯辛顿花园矗立着伦敦比较引人瞩目的纪念碑之一：艾伯特纪念碑。它高 175 英尺，上面装饰着175个比真人略大的雕塑人物。这座维多利亚时期的哥特式奇异建筑系乔治·吉尔伯特·斯科特爵士于1863～1871年筹划，与此同时（1868～1874），他还制造了位于圣潘克勒斯车站的甚至更富于幻想的奇特作品，并保存至今。

摄政王公园 摄政王公园与普里姆罗斯山丘毗邻，从大理石拱门往北约15分钟行程。这个地方也是亨利八世狩猎区的一部分。细长形的湖泊是筑坝堵住泰伯恩河而成。公园于1815年对公众开放，这里是纳什设计的始自圣詹姆斯公园的凯旋路的终点。纳什从1811年工作到1830年，建造了滑铁卢广场（约克公爵纪念碑是后来建造的），后又修建了摄政王街南段至皮卡迪利。从该处，他无法再使摄政王街保持直线，但是，他却利用一个1/4英里的弯曲弧形而获得了优先通行权。为使这个弧形与直线连接，他设计出这座城市的第一条环形道路——皮卡迪利环形路。沿着称作扇形体的弧形部分，他建造了两排弯曲的有骑楼的建筑（在纳什死前十几年，骑楼已被拆掉）。他使建筑物向前延伸直到他的这条街必须同波特兰街区连接。沿波特兰街区，已在街道两旁排列着亚当的建筑（这些建筑也所剩无几）。他在这里建造了一座教堂。兰厄姆万灵教堂有一个圆形门廊，它把这两条街难看的接合点巧妙地掩盖起来。这个效果后来在19世纪因为豪华的兰厄姆旅馆的建立而受到损害，1931年不列颠广播公司在当地建起它的广播大厦时，街区景致发生了更大的变化。

纳什将摄政王公园修造完毕后，在它的3面集中修建了伦敦最堂皇的建筑之一：一系列的台地住宅。每层台地以连续的底层骑楼为基础，每幢房屋的正面构造形成一个华丽的统一体，有廊柱支持的门顶三角饰和统一的格构阳台，使每个住户仿佛占有一座宫殿的一部分。战争的损害和木料的腐朽使这些台地住宅在1945年后一直命运难测，但到了1970年，它们得以修复，被用于教育与宗教事业或供人们居住。

纳什的皮卡迪利环形路在1877年后已不再是圆形的，因为沙夫茨伯里大街从那里开始，穿过索霍和圣贾尔斯贫民区，最终成为伦敦西区的主要剧院街。自从法国人由16世纪的宗教战争起在索霍区找到了庇护所以来，它一直是外国移民的特殊驻地。后来，希腊人于1677年、意大利人在19世纪接踵而至。

皮卡迪利环形路白天交通拥挤，并不美观，但夜晚在霓虹灯照耀下，人群汇集，吸引了来自全世界的旅游者；它的喷泉池上部饰有铝制的爱神厄洛斯塑像（实际上，是纪念改革家第7代沙夫茨伯里伯爵的基督教仁爱天使塑像）。

城外的公园 在伦敦和威斯敏斯特城外另有4个皇家公园：格林尼治、里士满、汉普顿科特和布什。里士满公园从它在1637年由于业已消失的里士满宫的庭园而第一次被圈起以来，变化不大。池塘中鱼很多，几百年的栎树丛中生活着数百头鹿。

在泰晤士河上游更远处，经过特丁顿的潮水源头，是汉普顿科特和布什公园。汉普顿科特宫于1515年由枢机主教沃尔西开始建造，约在1528年将王宫及其内部陈设献给亨利八世，企图避免失宠而未成功。这座宅邸是一座雄伟的红砖建筑，具有白石特色和典型的都铎时期风格的螺旋形烟囱，为给亨利居住而予以扩大，到了17世纪，雷恩为了威廉国王及玛丽王后又予以扩建。雷恩种植了今天布什公园通道两旁生长的栗子树。

由此折回走向下游，是基尤植物园，位于里士满以南1英里处。虽然以前这里曾有一座王宫（1631），但是，基尤不是一个皇家公园。它是皇家植物园所在地，设有4个博物馆，1个研究和培训中心以及种有世界各地的树木与植物的花园。

格林尼治公园位于下游更远的伦敦桥向南5英里处。这个公园最初在1433年由格洛斯特公爵汉弗莱圈起。他在小山上建造了一个城堡，后来亨利八世予以扩建，查理二世于1675年将其拆毁以便建造雷恩的皇家天文台。格林尼治天文台所在地按国际惯例是经线的标准子午线计算起点，"格林尼治平时"即由此而来。皇家天文台本身在1948与1958年间迁至东萨塞克斯的赫斯特蒙苏城堡。公爵还在河畔建造了一座王宫——普拉森舍宫。亨利八世及其二女玛丽和伊丽莎白均在此诞生。在王宫后面的高地上，查理一世指示伊尼哥·琼斯为亨利埃塔·玛丽亚建造王后府邸，这座府邸现为国立海洋博物馆。查理二世后来拆毁了普拉森舍宫，命令韦布开始建造一座新王宫。威廉和玛丽将这个建筑物改为海军医院并让雷恩设计更多的建筑。尼古拉斯·霍克斯穆尔和约翰·范布勒爵士是以后扩建部分的建筑师。格林尼治公园内的所谓英国巴罗克建筑群，从河上观望，景色极美，是伦敦建筑构成中十分和谐、位置极佳的部分之一。

在城对面一侧较远处是另一片伦敦居民十分珍爱的空旷地汉普斯特德希思。坐落在伦敦最高丘陵上的这个富裕而又风景如画的汉普斯特德村的居民们组成一个保护集团，从1856～1872年一直在法庭进行论辩，以确保他们能自由进入一片完全受保护的自然空旷地。

行政状况 大伦敦面积约600多平方英里，但在行政上，它有10多个不同的伦敦。就电力和煤气供应及医院服务来说，大伦敦是一个拥有4个电力局、3个煤气管理处、4个都市区医院管理委员会的行政地区的组成部分。伦敦城有它自己的警察和以伦敦市长为首的政府。伦敦学校区由内伦敦教育管理委员会负责；外伦敦的自治市有它们各自的学校体制。1965年，各地方权力机构被废止，32个伦敦自治市（包括伦敦城）市政会建立起来，作为地方政府的基层单位，即拥有15万至34万人口的小"城市"。选举产生的自治市市政会确定每年对地方财产应征的税率并负责管理住房、公共图书馆、垃圾收集、自治市规划等方面的事物。

历史

早期 *建城和早期拓居地* 伦敦的历史实际上始于罗马时期。格雷斯彻奇街从伦敦桥通往康希尔，在罗马时期则从伦敦桥通往伦迪尼乌姆中心，罗马人在该处建造了一座长方形会堂。罗马人在当地定居17年后，爱西尼部落在布迪卡王后领导下举行起义并洗劫了该城。从他们焚毁的遗迹看，可以断定拓居地已经开始向西延伸，通过沃尔布鲁克通向后来圣保罗大教堂所在的丘陵地带。洗劫之后，一个更大的会堂在当地建成；这是一个长达500英尺的中间有通道的会堂。今天，莱登霍尔市场坐落在同一地点。为了保护这座城市，在西北边缘建造了克里普尔门堡垒，但是，城墙直到公元2世纪末才建成。城墙的残迹在巴比坎的边缘（称作伦敦墙街）和塔山的小公园中仍然依稀可见。中世纪时，这些城墙曾被重建并延长，因而需要建造更多的城门，但是仍保留了罗马时期的几个城门：奥尔德门、奥尔德斯门、毕晓普斯门、克里普尔门、拉德门、纽门。5世纪初，古罗马军团奉召返回罗马，在以后的两个世纪中，这个城市发生了什么情况只能靠推测，尽管罗马时期街道格局没有消失。

没有任何文字记载说明伦敦是怎样或什么时候落入撒克逊人手中的，但是，到了公元597年，当教皇格列高利一世派遣圣奥古斯丁从罗马前往英格兰时，伦敦仍然是或者重又成为一座重要城市。肯特国王艾特尔伯赫特一世建造了圣保罗大教堂，604年梅利特斯被任为教堂主教。在下一世纪，圣比德描述伦敦是一个有许多由陆地和海上到达的人们聚集的商业中心。此后，伦敦城从盎格鲁-撒克逊人的编年史中消失了一个多世纪，直到阿尔弗烈德大王（849～899）以及对丹麦人作战的时期才重有记载。

中世纪的伦敦 这座城市未来作为财政、军事——因而也是政治——力量中心的重要性在诺曼人征服时（1066）已经变得明显。征服者威廉一世最初的行动之一是授予特许状，向公民们许诺他们将享有忏悔者爱德华统治时期同样的法律保护，而且他不会容忍任何人伤害他们。为了显示这座城市的潜在力量，他在城墙外面建立了恫吓性的诺曼人城堡高楼，称作白塔。它是称作伦敦塔的城堡要塞的重要堡垒。伦敦塔大体上呈四方形（118英尺×107英尺），高90英尺，城墙各个角落均有塔楼，底座厚15英尺，顶端雉堞厚11英尺。英王理查一世从十字军远征归来，带回一个新的筑垒概念，开始环绕城堡高楼兴建同中心的幕墙体系，其间穿插着塔楼。这项工程最后由亨利三世完成。事实上，从那时以来，每个朝代都增添了一小部分建筑。伦敦塔容纳了几乎每个时期的英格兰建筑风格。它一直作为正式的皇家官邸直至詹姆斯一世时为止。其内部设有皇家造币所、皇家动物园、公共档案所、天文台和军械库。虽然人们一般认为它是一个传统的刑场，但在伦敦塔长达千年的历史中，在其境内只进行了6次罪犯处决。其余的处决都在塔山上举行，就法律意义而言，塔山是在城墙以外的。它一直用作关押政治犯的监狱。第一名囚犯是1101年被监禁的达勒姆主教，最后一名则是第二次世界大战时期纳粹德国副党魁R.赫斯。女王皇冠上的宝石在此陈列，同时展示的尚有珍藏的英格兰军械与盔甲。

亨利一世于1135年去世后，伦敦居民行

使他们选举英格兰国王的“权利”选中了斯蒂芬，3周后他在威斯敏斯特教堂加冕。约在1136年，一场大火焚毁了城市许多木建房屋及圣保罗教堂。在重建中，石头砖瓦房开始出现，街道地面经过铺设，至少由于露天下水道和地下管道而部分地变得洁净。到了12世纪末，丹麦商人的大片居留地的人数被德意志人超过，后者拥有他们自己的商业飞地——河畔的斯蒂尔雅德——直到1598年。其他重要的商业集团是加斯科涅人、佛兰芒人和北部意大利人。当后者作为银行家的地位得到巩固后，犹太人在1290年遭到剥夺、监禁，然后被流放，几百年没有返回。

都铎时期的伦敦 将近16世纪中期，伦敦的商业和人口有了惊人的增长。从1530～1600年，伦敦居民人数增加了两倍。宗教改革时期过剩人口最初在被亨利八世占据的宗教机构的庭园中找到了生活空间。为了填补由于宗教慈善事业的停顿而留下的空白，这个城市在1547年组织了救济贫民活动，在歉收时期提供粮食，促使5家皇家医院创办或重建。这5家医院是圣巴塞洛缪医院、基督医院、伯利恒医院(称作贝德勒姆精神病院)、圣托马斯医院和布赖德韦尔医院。许多当时成立的私人慈善机构至今仍在运营。由于垄断企业例如马斯科维公司(1555)、土耳其(后称莱文特)公司(1581)和东印度公司(1600)所控制的垄断企业的建立，商业获得了更大的发展。

到了1605年，该城市人口猛增至7.5万人。尽管有一些试图控制人口数量的法律，却仍有15万人住在城外。位于最初的伦敦桥一端的萨沃克成为这个城市的第26收容所。新兴工业包括丝绸织造和玻璃及花饰陶器的生产均建立了起来，这些工厂往往建在城外，因而不受伦敦市同业公会的限制性规定的约束。

亨利八世1529年开始把枢机主教沃尔西的约克宅邸改为怀特霍尔宫并在旷野对面建造圣詹姆斯宫时，威斯敏斯特城也开始在宫廷周围逐渐形成。在威斯敏斯特城和伦敦城之间，贵族们的豪宅开始出现，花园一直延伸到河边，各自设有水门。在这些宅邸对面沿斯特兰德街一带有显贵人士开会时期来城居住的豪华住所。不久，伦敦便指包括伦敦城和威斯敏斯特城以及它们之间的建成地区。

伊丽莎白(1558～1603在位)统治时期标志着伦敦城对英格兰的支配达到了顶巅。女王将她的力量建立在伦敦城的民兵组织、财富及爱戴之上。该城在1585年和1589年提供去国外服役人员的1/4并组织了武装民团，以防西班牙人入侵。

17世纪的伦敦 这一时期民团仍是一支值得重视的力量，查理一世曾损害了伦敦城的商业利益，随意无视它的特权就如同他无视议会的特权一样，1642年却由于民团驻守特恩格林而不敢攻打伦敦。对国王的敌对态度使这座设防城市成为议会支持的核心，而议会一方在内战中获胜大部应归功于这座城市的效忠。

1664～1665年，瘟疫在1348年的黑死病之后时常流行，致使7.5万伦敦居民死亡。翌年，伦敦大火从9月2日烧到9月5日，使城市4/5地区焚毁。在东北和最西端未焚毁地区，重建工程开始了。一个合理的街道规划遭到否决，但在原址建造的街道更宽而且稍直些。在1667～1671年间，大部新房(砖建，不再准许使用一半木结构)重建完竣。许多小堂区予以合并，少数教堂免于火灾，因此，除新建的圣保罗教堂外，只重建了50座教堂。克里斯托弗·雷恩爵士是数学家、天文学家、物理学家，虽然作为建筑师只受过非正规训练，却被委以设计教堂并监管建造的重任。

在圣保罗教堂中有雷恩的一句铭文：“读者，如果你们在寻找纪念性建筑，请环顾四周。”其实，整座城市到处都有雷恩设计的纪念性建筑。他设计的教堂既有朴实的荷兰式风格，也有哥特式风格，但主要是他自己对古典风格的理解，都显得巧妙得体，生气勃勃，是一系列根据基本建筑理念创作的产物。圣保罗教堂的圆顶是世界上最完美的，而且如同教堂的其余部分一样体现出古典主题思想并具有巴罗克优美风格的特征。伦敦大火纪念柱是根据雷恩的设计经修改后建造的，位于普丁巷附近，当年大火就是从这里的国王面包房开始的。雷恩还建造了城外其他4座教堂、位于切尔西的皇家医院、肯辛顿宫的一部分、格林尼治医院、格林尼治皇家天文台和汉普顿考特宫。

为了支持抗法战争，1694年40名伦敦城商人成立了英格兰银行，此后，伦敦城的货币市场成了国家事务中的一个重大因素。伦敦城在该国举足轻重的另一方面是全国报刊大多集中在弗利特街。《泰晤士报》于1785年在布莱克弗赖尔斯巷附近成立，只是在1974年才迁至新址。

现代城市的发展 到了1820年乔治四世即位时，伦敦已发生了很大变化。人口增加到110万。一些乡村和村舍在1666年曾是城里人度夏之地，现已成为房屋林立地区的一部分。有些建筑由当地大地主规划得十分完美，有些则是那些卑微贪婪的人们粗制滥造的建筑。

1689～1820年带来的城市变化并没有遵照任何有意识的规划。在城内，它的政府取得完全控制并管理得当。在境外，自从中世纪以来没有发生什么变化，在新区政府的服务和交通的发展缓慢。重要的开发商获得了议会的地方法案，使他们能够征收地方税，以资助铺设道路、照明、清洁和看守人员(负责保护生命和财产安全的团体)的开销。开发商的街道受欢迎的原因部分是由于有这些服务，这些街道的管理通常都井井有条。而小开发商则遗留下大片贫民窟和无人管理的地区，有待后人去清理。

伦敦是该国社会、贸易和金融的中心。它从东印度群岛和西印度群岛贸易利润及世界大部分地区的贸易中获得巨大财富，结果导致伦敦在戏剧、文学和艺术等方面，在英国居于最重要地位。这里有D.加里克、O.哥尔德斯密斯、S.约翰逊、J.雷诺兹，有伟大的家具制造者和银匠，有常住和来访的著名外国音乐家。但是，伦敦的规模却带来了日益增多的问题。

组织、创新和改革 虽然新的诊疗所和新的或扩大的医院降低了死亡率，但这个前泰晤士河畔的市镇如要继续发展，就必须有新的政府、交通和环境设施。在1820～1914年的伦敦，这些事项的发展却缓慢而费力。统计数字表明，建成区的人口从1821年的1 225 694增加到1901年的6 586 269，在这种背景下，创新改革却是零散进行的。1829年，组建了一个集中的都市警察部队，置于内务大臣的最终控制下，以取代互不协调的更夫和堂区警察。街道微弱的照明油灯，因采用煤气而进行了彻底改革，在煤气灯和焦炭公司(1812)成立后不久，又成立了几家同样的公司，散布在伦敦各地。1829年，公共马车开始了一场陆地运输方面的革命，后来不到10年又实现了铁路运输。1845年对公共卫生进行了调查，暴露了伦敦最严重的缺陷，随即在1852年通过立法，保证有更洁净的水源供应。1855年的一项法令(《大都会管理法案》)将地方政府的一些较小单位予以合并，以所有纳税人直接投票选举制来代替混杂的选举办法。重要工程例如主排水系统由都市工程管理局控制。

这些改革的势头在整个19世纪持续不断。新教堂、新学校、更佳的治安、重要的排水系统、对无家可归者的照顾都是改革家们留下的部分遗产；特拉法尔加广场、泰晤士河堤以及例如沙夫特斯伯里街、查灵克罗斯街这些穿过最破败不堪的贫民窟的街道都是他们最显著的纪念碑。政府的改革虽然没有那么猛烈，却一直在进行。1889年，伦敦郡政会取代了都市工程管理局，教区委员会根据《伦敦政府法案》(1899)被改为都会市镇委员会，各供水公司于1902年合并为一个公有的都市供水管理局。

公共工程和私人建筑继续改变伦敦的城貌。1863年一条蒸汽铁路的启用和1869年霍尔本高架铁道的建造又带动了新的泰晤士桥的建造以及巴特西桥、威斯敏斯特桥、布莱克弗赖尔斯桥、伦敦桥的重建。经过多年的商讨与争论，伦敦城外的公路桥成为公有，收费卡也取消了。许多南部主要铁道将其路线向北延伸，跨过泰晤士河进入伦敦，抵达维多利亚、查灵克罗斯、布莱克弗赖尔斯和坎农街等车站。在这个时代，首创精神、资金与充足的劳力结合起来，以广泛地利用新技能、廉价的运输和丰富的原料。

技术的不断进步，逐渐改变着伦敦居民的生活和这个城镇的面貌。票价低廉的郊区火车使工匠和办事员们可以住在离他们工作地点越来越远的地方。伦敦学校管理委员会根据1870年的《教育法案》建立起来，开始向所有人提供初等教育的机会，这是一项极为艰巨的工作。火车或马拉有轨车在1861年开始时并不顺利，但是在19世纪70年代变得重要了，20世纪初用上电灯后，成为城市的主要运输工具。到那时，电开始被用作地下交通的动力。1890年11月4日，威尔士亲王为英王威廉街至斯托克韦尔的世界第一条电气地下铁道举行了揭幕式。到1914年，随着使用汽油的公共汽车的出现，现代伦敦的运输网已经构成，并为郊区更迅速的发展铺平了道路。

城市发展不可避免地带来中央区地价的提高,办公楼、工厂和货栈的建造以取代小房屋,公有和私人资金不断流向住房和街道建设。第一次世界大战期间,空袭给伦敦造成了2 600名伤亡人员,但战争只带来短暂停顿,战争结束后,伦敦在更大的规模上继续发展。作为一个国家的而且在某些方面甚至是世界的首都,伦敦需要有能够满足其需要的体制。一个合并与扩大的时代接踵而至。从银行到医院,从电话局到发电站,几乎一切都得到了扩展。到1939年,大伦敦集合城市的人口已超过8 000 000。

第二次世界大战后的重建 第二次世界大战由于疏散和空袭造成的严重损失使现代伦敦的建设受到极大挫折。空袭炸死3万余人,炸伤5万余人,并损坏了大部分公共建筑,在伦敦城和斯泰普内地区,摧毁了整个街道体系。威斯敏斯特教堂和议会上下两院虽遭到损坏但却保存了下来,圣保罗教堂和城内伦敦市政厅的情况亦复如此。普通房屋和码头遭到了猛烈轰炸。

战争结束后,许多疏散人员逐渐返回。房荒由于房内结构腐朽而变得更为严重。重建工作虽受原料短缺的限制,但因已有了设计并做了勘察,所以仍比较顺利。《城镇与乡村设计法案》(1944)以及随后通过的1947、1954、1959、1968年的各项法案,给予重建工作前所未有的购买、指挥与控制权力。战后最显著的特点就是对新建房屋的巨额投资、恢复各项服务和伦敦港口、对有计划的城市经济的普遍接受,不断努力将工业转移到伦敦以外新兴的或扩建的城镇。

London 伦敦 加拿大安大略省东南部城市,米德尔塞克斯县县府。在安大略、圣克莱尔、休伦和伊利四湖之间。1792年选址并命名,本拟为上加拿大首府,未成,至1826年始有居民点。19世纪中叶是英国的要塞,因地处四湖之间,发展为一重要的运输和工业中心。现为铁路公路网交汇点。农产品有水果、蔬菜、谷物和乳制品。工业品包括食品、铜和钢铁产品、内燃机车、纺织品、电器设备和服装。建有西安大略大学(1878)及其附属学校。1848年设镇;1854年设市。人口:市335 539;都会区432 451(2001)。

London, Artur (Gerard) 朗登(1915-02-01,奥匈帝国摩拉维亚俄斯特拉发[今在捷克共和国]～1986-11-08,法国巴黎) 捷克斯洛伐克共产党官员,写了一本书,就自己受到的政治审讯作出强有力的自传性记述。14岁参加共产党,1936年西班牙内战时参加国际纵队。第二次世界大战期间,从1940年8月起,参加法国抵抗运动,1942年被德国人逮捕,关进毛特豪森集中营。战后回到法国。1947年在瑞士治疗他在集中营里感染上的肺结核病。回到捷克斯洛伐克后,1949年任共产党政府外交部副部长。1951年1月在主要针对前国际纵队队员的清洗中被捕;他被指控与菲尔德的所谓间谍活动有牵连,关押在匈牙利。1952年11月,和其他13名被告、包括前共产党总书记R.斯兰斯基在内,一起受到审讯。审讯具有强烈的反犹主义色彩:斯兰斯基、朗登和其他大多数被告都是犹太人,均被指控为犹太复国主义的代理人。朗登被判处无期徒刑。由于苏联领导人赫鲁晓夫的非斯大林化政策,他的案件得到复查,1956年获释,后平反。1963年离开捷克斯洛伐克,回到法国,同夫人莉塞合写《供词》(1968),记述了他的苦难的经历。此书由科斯塔-加夫拉斯于1970年拍成同名电影。

London, City of 伦敦城 英格兰大伦敦郡自治体。面积2.7平方千米。拥有伦敦自治市级行政权和其他权力,如支配自己的警察部队。城市的弧形从坦普尔巴沿着泰晤士河左岸至伦敦塔。靠近其中央处有圣保罗大教堂。另外还有英格兰银行、皇家交易所(不再运转)、股票交易所及伦敦金融区的其余部分。还有市政厅、市长官邸和宗谱纹章院、法院、伦敦报业传统中心——舰队街等。人口约5 000(1998)。

London, Fritz Wolfgang 伦敦(1900-03-07,德国布雷斯劳[今波兰弗罗茨瓦夫]～1954-03-30,美国北卡罗莱纳达勒姆) 德国出生的美国物理学家,与W.海特勒一起,第一次对氢分子作了量子力学讨论(1927)。曾就学于波恩大学、法兰克福大学、格丁根大学、慕尼黑大学(哲学博士,1921)和巴黎大学。曾任苏黎世和罗马的洛克菲勒研究所的研究员以及柏林大学讲师;从1933～1936年,他是牛津的帝国化学工业研究所的研究员;随后转到巴黎大学担任研究主任。1939年移居美国,担任北卡罗莱纳州达勒姆杜克大学的理论化学教授。1953年以后,他又是那里的J.B.杜克讲座的化学物理教授;1945年入美国籍,成为被授予荷兰皇家科学院的洛伦兹奖章的第一位美国公民。他的著作包括60多篇科学论文和两卷集的《超流体》一书(1950,1954)。他用同极分子化学键的理论对氢分子首次作出近代量子力学处理,这项开创性工作,被认为是近代化学最重要的进展之一。1935年他和他的兄弟H.伦敦一起提出了超导性的唯象理论,为理解分子力和澄清纯粹量子现象与许多最惊人的化学事实之间的联系,提供了新的基础。

London, Great Fire of(1666) 参阅 **Great Fire of London** 伦敦大火。

London, Great Plague of(1664～1666) 参阅 **Great Plague of London** 伦敦大瘟疫。

London, Jack 杰克·伦敦(1876-01-12,美国加利福尼亚圣弗朗西斯科～1916-11-22,加利福尼亚格伦埃伦) 美国小说家。他的作品以浪漫主义手法描写争取基本生存条件的斗争。他是作品被翻译得最多的美国作家之一。父亲是一个流浪占星术家。被父亲遗弃后由母亲和继父伦敦在加利福尼亚的奥克兰抚养长大,并随继父姓伦敦。14岁时因贫困辍学,开始冒险活动。他乘单桅小帆船在圣弗朗西斯科湾探险,不是偷牡蛎就是参加政府禁捕鱼的巡逻。曾充当水手去过日本,当过白坐火车到处流浪的无业游民,到过美国许多地方。还参加1893年大恐慌中失业大军组成的抗议队伍,目睹了萧条的情景,并以流浪罪被投入监狱。1894年成为斗志旺盛的社会主义者。他在公共图书馆学习达尔文、马克思和尼采的著作,形成了他自己的社会主义和白人优越论的混杂思想。19岁时在一年内学完中学4年课程,然后进入伯克利的加利福尼亚大学。一年后离开学校,参加1897年的克朗代克河的淘金热。但在第二年返回时,依然两手空空并找不到工作,于是决心以写作谋生。他研读各种杂志,为自己制订写作日程表,撰写十四行诗、民歌、笑话、轶事、惊险故事和恐怖故事,产量不断增长。自传性小说《马丁·伊登》(1909)最好地表现了他从事写作时的乐观精神和干劲,也许是他的最不朽之作。他写的阿拉斯加冒险故事,虽然常常粗糙,但题材新颖、笔力刚健,不到两年便开始获得认可。第一部书《狼的儿子》

杰克·伦敦州立历史公园供图

(1900)赢得广大读者,此后17年内写了50部小说和非小说类作品。曾乘双桅船到南太平洋,《斯纳克号的巡航》(1911)描述了他的冒险经历。1910年在加利福尼亚州格伦埃伦市附近的牧场定居,在那里建造了豪华住宅"狼舍"。他一生坚持社会主义信念,一直是革命者中的中心人物。1916年因服麻醉药品过量死亡,通常被认为是自杀。杰克·伦敦的作品质量参差不一。他写阿拉斯加的小说《荒野的呼唤》(1903)、《白牙》(1906)和《天大亮》(1910)都很杰出。除《马丁·伊登》外,还写了另两部饶有兴味的自传性小说:《路》(1907)和《约翰·巴雷康》(1913)。其他重要著作有《海狼》(1904)和《铁蹄》(1907)。20世纪20年代他的声誉在美国有所下降,但在全世界,特别在苏联,他的声誉仍然很高。1956年该国为纪念他出版的选集据说在5小时内就被抢购一空。由E.拉博尔等编辑的他的书信集3卷出版于1988年。

London, Tower of 伦敦塔 英国皇家要塞,也是伦敦的标志。在泰晤士河北岸,伦敦市东侧。1066年圣诞节威廉一世(征服者)加冕后开始在此建造要塞,以便控制当地商业社区、扼守通往伦敦普尔的通道。被称为白塔的中央城楼始建于1078年,紧靠在古罗马城墙内。12～13世纪,要塞向墙外扩展,形成以白塔为圆心、分内外两部分的防御要塞。内城墙上有13座楼塔,最著名的是布卢迪

伦敦塔鸟瞰
美国不列颠百科全书公司供图

塔、博尚塔和韦克菲尔德塔。外城墙上有6座楼塔、2座棱堡，四周有护城河，原由泰晤士河供水，1843年排干。护城河外的墙上有炮眼以便装炮，其中有些炮在国家庆典时仍在使用。建筑群共占地7公顷。唯一陆上入口在城堡西南角。13世纪建的水门在河流为主要通道的年代经常使用。伦敦塔长期被用作国家监狱，许多犯人在此被处死。伦敦塔军械库位于白塔原址及旁边的砖楼，收藏有中世纪初到现代的各种武器。17世纪前该塔为王室住地。现有军队驻防。该塔及其周围地区是不受伦敦市长和伦敦主教管辖的"自由区"。要塞总管一般由陆军元帅担任。塔内有常住长官，负责管理仪仗卫士。仪仗卫士至今仍穿着都铎式军服。塔旁有塔桥(1894)。

London, University of　伦敦大学　英国50余所高等学府的联合体，这些学府主要设于伦敦。它还审查所属院校以外的学生提出的学位申请，并授予他们学位。它是19世纪自由运动的产物。1825年，诗人托马斯·坎贝尔呼吁开设一所大学，为"技工"和"巨富"之间的阶级提供教育机会。根据这个建议，自由主义者和不信奉英国国教的人于1828年创建了伦敦大学(London University，现为大学学院)。该校提请颁发皇家办学特许状的申请遭到拒绝，因为它招收天主教徒、犹太人和其他不信奉英国国教的人士。1831年，国王学院在国教的赞助下成立，但因不信奉国教者的反对而未获得办学特许状。1836年，创办了伦敦大学(University of London)，它作为一种行政管理统一体自己并不招生授课，而只对另外两所学院的学生进行考试和给他们颁发学位。根据1849年办学证书的补充规定，学生可在英帝国的任何一所高等学府入学，由伦敦大学进行考试，并颁发伦敦大学学位。这样，从牛津大学到伦敦工人学院截然不同的院校的学生，都可得到伦敦大学的学位。1858年，未曾在任何一所大学学习过的学生，也可以向该大学申请学位。到了20世纪初期，其他许多高等学校成为伦敦大学的附属院校，其中包括贝德福德学院(英国第一所向女子授予学位的大学)、伦敦经济政治学院(一所现在享有国际声誉的社会科学研究中心)和后来合并成为帝国理工学院的另外三所高等学府。1900年，伦敦大学受权开始开设课程。在该校或它的所属院校就读的学生，被称为"校内生"；只参加该校举办的考试而在别处入学的学生，被称为"校外生"。

London Bridge　伦敦桥　伦敦泰晤士河上一座几经重建的大桥，连接南沃克的自治市大街和伦敦市的威廉王大街。童谣中的老伦敦桥由科尔彻奇的彼得建造(1176～1209)，以代替罗马晚期和中世纪早期先后建造的木桥。它的19孔桥拱跨度不同，架在大小不同的桥墩上，由于桥孔太窄，涨潮时河水形成一道道急流。最大的拱跨度为10.4米，最窄的为4.6米。最大的桥墩设在河中心，桥墩上有一座小教堂。完工后3年因火灾严重损坏。以后又发生多次灾难性事故，尽管如此，在几个世纪内一直是居民区和商业闹市。桥的两侧住宅和商店鳞次栉比，许多房屋伸到河面上。直到18世纪40年代威斯敏斯特桥建成之前，它是伦敦泰晤士河上唯一的桥梁。18世纪50年代，桥的很大一部分由C.拉贝利重建。19世纪20年代，将旧桥拆除，改建新伦敦桥。由J.伦尼设计，他的儿子建造。新伦敦桥只有5个拱，中跨为46米。20世纪60年代又进行改建，但旧桥的饰面石块拆下后运到美国亚利桑那州哈瓦苏湖城，砌在一座钢筋混凝土桥的外面，以吸引游客。

London Bridge　伦敦桥　儿童的唱歌游戏。至少8人一起玩。由两人面对面站立，握手高举成桥形。其他人依次把两手放在前面一人的腰间，列队自桥下通过。由搭桥的两人或全体唱："伦敦桥要塌了，要塌了，要塌了，伦敦桥要塌了，美丽的姑娘。"唱到最后一字时，搭桥的人垂下胳膊拦住恰好走到桥下的人，然后继续唱歌。在现在的玩法中，凡被拦住的人都必须留在称为"伦敦塔"的地方。游戏结束时，搭桥人要设法捉住被囚在那里的人。被捉住的两人要在下一轮游戏中搭桥。

London Bridge Station　伦敦桥车站　英国伦敦萨瑟克区伯蒙德西的火车站。在伦敦桥东南，盖伊医院之东北，毗邻旅游景点伦敦地牢。初建于1836年，为木结构，19世纪40年代重建成较永久性结构。1849年改建为东南铁路和格林尼治铁路两部分。第二次世界大战后曾进行大修。

London Clay　伦敦黏土　英国伦敦盆地内始新世(始于约0.54亿年前，延续约0.16亿年)的重要地层单元。直接位于大部分伦敦城之下。在雷丁层之上，巴格肖特沙层之下，属始新统最下部的伊普尔阶。在伦敦盆地中厚200米，呈棕、浅蓝或灰色。在大伦敦和萨里地区，伦敦黏土的上部由交替的黏土与砂构成，有时称为克莱盖特层。虽然伦敦黏土中动物化石并不特别丰富，但通过在很多地点全面综合采样，亦发现了各种不同的动物群组合。化石动物群以软体动物占优势，也有鱼类、腕足类、蠕虫、有孔虫、蟹、蔓足类等。伦敦黏土中发现的丰富多样植物群化石有重大意义。陆生植物(包括树木及其枝叶)被河流或风暴冲刮到海中，浸水后沉没到盆地底部的松软沉积中。树干以及棕榈、双子叶植物、松柏类植物的种子、果实等被保留下来。一般认为只局限于印度的三角洲和沼泽地的现代棕榈属 *Nypa* 的大果实在此特别丰富。动植物群落表明，始新世时西欧主要为温暖的、可能是热带的气候。伦敦黏土中鳄鱼化石的发现更进一步肯定了这种解释。

London Company　伦敦公司　又称伦敦弗吉尼亚公司。英国贸易公司。1606年4月由英王詹姆斯一世特许成立，目的在于开发北美东海岸北纬34°～41°之间的殖民地。它的股东都是伦敦人，与同时特许成立的普利茅斯公司不同，后者股东大多为普利茅斯人。公司成立后，立即于1606年12月派出120个殖民者，由船长J.史密斯和B.戈斯诺尔德率领，分乘三只船前往北美。他们于1607年5月到达弗吉尼亚，并在詹姆斯河口建立了詹姆斯镇。经过初期的艰苦经营，这块殖民地才生根发展，公司本身也进行了改组。弗吉尼亚公司的财富日益增加，但公司的地位却受到如下的打击：一是股东之间争吵日益剧烈，二是弗吉尼亚有民主政府的倾向和提倡种植烟草(国王认为烟草是"有害的"物产)这两件事触怒了国王。结果是英国派遣调查团调查，由王座法庭审理。1624年5月法庭判决，公司败诉而解散，弗吉尼亚遂改为皇家殖民地。

London Dock Strike　伦敦码头工人罢工　(1889)　英国伦敦港码头工人的一次有影响的罢工，使他们赢得了著名的"码头工人的六便士钱币"(每小时工资6便士)，并使英国工会运动得以重振。1889年8月19日工人活动家本·蒂利特、汤姆·曼和约翰·伯恩斯宣布成立码头工人工会。8月20日起，整个伦敦港关闭，伯恩斯领导罢工工人秩序井然地在伦敦街头游行。在澳大利亚所筹措到的财政支援，使得因缺少救济基金而出现的危机得以解除；急速汇来的约3万英镑和不久募集到的4.9万英镑使罢工得以无限期地继续下去。9月5日起，雇主开始与工人谈判，主要的调解人是威斯敏斯特天主教大主教H.E.曼宁红衣主教。9月10日达成协议。结果，码头工提出的每小时工资6便士和其他大部分要求得到了满足，9月16日复工。他们的胜利激励了其他工人，主要是非熟练工人纷纷建立新的工会，已有的工会会员人数也急剧增长。

London group　伦敦集团　英国艺术家团体，创于1913年11月，以不同派别的画家联合展出为目的。伦敦集团艺术家赞同描绘城市暨工人阶级，追求印象主义和后期印象派色彩鲜明、调子明亮的画风。其中一些激进的画家，作品受立体主义和未来主义的影响。激进和保守的艺术家在伦敦集团一直共存到1915年末，此时大多数激进派离开伦敦去为战争服务。在伦敦集团的第一次和第二次展览中，他们的抽象作品曾引起激烈的争论。

London Naval Conference 伦敦海军会议 (1930-01-21～04-22) 一次商讨海军裁军问题和检查1921～1922年华盛顿会议所订各项条约的会议。会议在伦敦召开，英国为东道国，与会者有美、法、意、日的代表。会议历时3个月，最后达成限制潜艇战和5年内停止建造主力舰的协议。《华盛顿五强条约》(1922)所规定的航空母舰限额继续有效。美、英、日于4月22日签署条约，规定3国拥有战舰的吨位比例为10∶10∶7。法、意反对规定比例和任何不平等待遇，拒绝签字。各项条约有效期至1936年。根据1930年条约，另一次海军会议于1935年12月在伦敦举行。但日本退出。1936年3月25日所签订的条约只不过是个咨询性的条约。1938年12月，意大利同意某些条款，1939年9月战争爆发，所有这些条约一律取消。

London Prize Ring rules 伦敦职业拳击比赛规则 管理赤拳拳击的一套规则。1838年制定，1853年修订，用以取代1743年布劳顿所拟订的一套规则。根据伦敦职业拳击比赛规则，比赛要在用绳圈出7.3米见方的台上进行，一方被击倒为一回合，休息30秒钟后，在8秒钟内回到台的中心。禁止头撞、抠眼、击打腰以下部位或脚踢。规定戴手套进行比赛的昆斯伯里侯爵规则于1867年颁布后，职业赤拳拳击比赛仍继续进行。1889年沙利文以75回合战胜基尔雷恩，蝉联最重量级冠军，这是在伦敦职业拳击比赛规则下进行的最后一次最重量级比赛。

London Stock Exchange 伦敦证券交易所 设在英国伦敦的证券交易市场。1773年由邻里咖啡店非正式营业的几个经纪人组成。1801年其成员中一伙人出资在巴塞洛缪巷教堂庭院内建造一大楼并于次年订立交易规则。其后规则几经修改。1973年该交易所同英国几个地区性的证券交易所合并，由各成员所组成的委员会管理。

London Zoo 伦敦动物园 在伦敦里真茨公园内，是世界上收养动物种类最齐全的动物园之一，尤以饲养稀有动物闻名。还有一座世界最大的动物学图书馆1828年开放，由伦敦动物学会经管。1955年开始重建。10年内建了一座人行桥、一座象馆、鹿馆、羚羊馆、鸟舍，还建有一座动物医院。1931年伦敦动物学会在贝德福德郡邓斯特布尔的乡村开辟一处附属动物园——惠普斯奈德动物园，占地195公顷，展出并饲养200种动物，共2 100多只。内设两个研究所，均由学会主办，一为韦尔科姆比较生理学研究所，一为纳菲尔德比较医学研究所。

Londonderry 伦敦德里 北爱尔兰1973年前的一郡。北濒大西洋。面积2 075平方千米，略呈三角形。气候温和，年降雨量1 000～1 250毫米。古迹证明当地史前已有人定居。郡设于1613年。18世纪初大批新教徒移往新英格兰。第二次世界大战中境内福伊尔湾为重要海军基地。1973年行政区划改组时，该郡被分为利马瓦迪、伦敦德里和马拉费尔特等区，部分地区划入科尔雷恩和库克斯敦两区。

Londonderry 伦敦德里 当地及历史上称德里(Derry)。北爱尔兰一个老城区的名称和较大范围的区的名称。老城区以福伊尔河西岸一座山岗为中心，部分地区四周围有城墙

伦敦德里福伊尔河畔风光

美国不列颠百科全书公司供图

(1618年建成)。1971年老城区面积10.4平方千米。1973年地方政府改组时，老城区及其附近的城乡区遂成为北爱尔兰26个区之一。两次世界大战中及战后曾为海军基地。主要行业为衬衫、服装、化工品生产，食品加工和其他轻工业。伦敦德里区和市共计面积380平方千米。福伊尔河中有鲑鱼，捕捞后提供市场销售。该区农民饲养羊和家禽，还种植大麦。福伊尔河口建有几个工业区。人口：105 800(1998)。

Londonderry, Robert Stewart, 2nd marquess of 伦敦德里侯爵(第二) 参阅 Castlereagh, Robert Stewart, Viscount 卡斯尔雷子爵。

Londrina 隆德里纳 巴西东南部巴拉那州北部城市。建于1930年。后迅速成为该州北部拓荒区的商业、政治和文化中心。工业有咖啡、棉花、稻米、水果、畜产品加工业。也有造纸与酿酒业。周围为咖啡种植区，市内有一个很大的咖啡工厂。市内有州立隆德里纳大学(1971)。有铁路和公路通圣保罗、州首府库里蒂巴和大西洋港口巴拉那瓜等城市。人口：城市区约388 331(1991)。

隆德里纳市的花园广场

美国不列颠百科全书公司供图

Lone Ranger 独行骑警 美国广播和电视节目、书籍、电影和连环画中的一个虚构人物，美国西部离经叛道的执法者。在所有传播媒介中，独行骑警的故事情节大同小异：约翰·里德生于1850年，是遭歹徒伏击的一组得克萨斯骑警队中唯一的幸存者，其余5人，包括他的哥哥丹尼尔在内，均遭杀害。印第安人汤托发现他后，护理他恢复健康。于是他戴上用他死去的哥哥的背心制成的黑色面具，骑上他的骏马西尔弗，成为独行骑警，在西部漫游，扶危济困，打击邪恶，主持正义。这个人物是乔治·W.特伦德尔和弗朗·斯特赖克在《独行骑警》广播节目中创造的。这个节目由密歇根底特律WXYZ电台于1933年1月30日首次播出，到30年代末，美国有400多家电台播出这个节目。广播使得作为《独行骑警》主题曲的罗西尼的《威廉·退尔序曲》家喻户晓，并使得"嗨-哟，西尔弗，走！"成为儿童游戏场上人们熟悉的吆喝声。第一部《独行骑警》电影系列片于1938年上映。1949年广播节目搬上电视屏幕，音响与图像和演员的形象相结合，这些演员也因而为人们所熟知。除少数几集外，独行骑警由克莱顿·摩尔扮演，汤托由杰伊·西尔弗希尔斯扮演。电视节目统一联网播映达4年之久，后由哥伦比亚广播公司独家买下，播映至1958年。之后仍联网播放。1980年一部全新的影片《独行骑警传奇》问世。

long 龙 又拼lung，英语作dragon。中国神话中的神异动物。传说能隐能显，春分时登天，秋分时潜渊。又能兴云致雨，后成为皇权象征。历代帝王都自命为龙，使用器物也以龙为装饰。但远古传说中龙可驯养。帝舜时董父、夏孔甲时刘累和师门都能驯龙。龙还可供人乘驾。《山海经》记祝融、夏后启、蓐收、句芒等都"乘雨龙"。另有书记"颛顼乘龙至四海"、"帝喾春夏乘龙"。前人分龙为四种：有鳞者称蛟龙，有翼者称应龙，有角者称虬龙，无角者称螭龙。

Long, Crawford Williamson 朗 (1815-11-01，美国佐治亚丹尼尔斯维尔～1878-06-16，佐治亚阿森斯) 美国外科医师。传统上公认为第一个在外科手术中用乙醚作麻醉药的人。朗在纽约市几家医院行医多年后，回佐治亚州杰斐逊开业。他发现在学生们的"乙

醚晚会"上，吸过乙醚的人碰伤后亦毫无痛觉。1842年应用乙醚麻醉施行颈部肿瘤切除手术成功。他还继续对另一些患者应用乙醚，但直到1849年才著文报道。而1846年，W.莫顿已发表了在类似的手术中应用乙醚麻醉的报道。尽管莫顿要求拥有发明权，但人们都认为朗应用乙醚比莫顿为早。

Long, George Washington de　朗　参阅**De Long, George Washington**德朗。

Long, Huey (Pierce)　朗(1893-08-30，美国路易斯安那温菲尔德附近～1935-09-10，路易斯安那巴吞鲁日)　盛气凌人和富有煽动性的路易斯安那州州长、美国参议员，他为确保

合众国际社供图

其对家乡州的控制而实行空前的行政独裁，终于使他的社会改革和基本福利计划为之黯然失色。早年家境贫寒，但仍设法受到充分的正规教育，1915年通过律师资格考试。25岁时选入州铁路委员会。他关于为州公用事业公司制订公平的条例的要求，以及他对美孚石油公司的抨击，使他广受欢迎。1924年参加路易斯安那州州长竞选，遭到失败。1928年在乡村地区的大力支持下获胜。他的生动的演说和别致的插科打诨，使他很快名扬全国。他做出的真正贡献是，在一个其道路建设和社会公益被可悲地忽视的州里，提出宏伟的公共工程计划和福利法案。作为一位为穷苦白人而斗争的战士，他实施教科书免费法，着手实行大规模兴修公路和桥梁的计划及扩充州立大学的设施，建立一所旨在对一切人免费治疗的州立医院。他反对富人拥有过分的特权。他以增加遗产税和所得税，以及征收石油开采税，来为这些措施提供资金。但他对立法机构成员直接发号施令，有时并以威胁相加。1932年他前往美国参议院任职前夕，解除经合法选举产生的副州长的职务，另指定两人接替，以便他在华盛顿进行遥控。1934年为了抵挡地方上对他的控制进行反抗，他对路易斯安那州政府加以彻底改组，废除地方政府，亲自任命全州教育、警察和消防人员。他绝对控制全州的民兵、司法、选举和税收机构，拒绝赋予公民以任何关于立法或选举的修正权。在参议员任内(1932～1935)，他提出分享财富计划，以谋取全国的权力。朗在权力最盛时遭暗杀，暗杀者之父是一个被他污蔑的人。

Long Beach　长滩　美国加利福尼亚州洛杉矶县港口城市。濒临圣佩德罗湾。原为印第安人经商营地，后为牧场。1880年规划为海滨游览地，以有13.5千米长的海滩而得名。1897年设市。1921年希格纳尔希尔发现石油后，工业和港口得到发展。第二次世界大战后，与洛杉矶都会区一起扩展。现有沿海石油开采业，岸外钻台有如耸立在美丽浮岛上的摩天楼。采用回灌海水的方法以控制因抽油而引起的地面下沉。1933年大地震中破坏严重。长滩与洛杉矶湾有塞里托斯水道相连。有补给站和船厂。经济以制造业和服务业为主，有飞机、造船、炼油、食品加工和海洋研究等行业。设有长滩市立学院(1927)、长滩加利福尼亚州立大学(1949)和长滩艺术博物馆。具有历史意义的横渡大西洋英国邮船"玛丽皇后"号自1969年以来即永久停泊在J码头用作水上博物馆、会议中心及旅馆。船上还展出1947年曾试飞的木制飞船"云杉雁"号。人口：市约461 522；洛杉矶-长滩主要都会统计区9 519 338(2000)。

Long Beach　长滩　美国新泽西州东部大洋县的狭长岛屿和市镇。距海岸6～10千米。内侧为巴尼加特湾和小埃格港，外侧为大西洋。自巴尼加特灯塔(1858，高50米)向南延伸19千米。岛上有著名的拉夫莱迪斯、哈维锡达、瑟夫城、希普博特姆、布兰特海滩和比奇港等游览胜地。有许多消夏别墅。是艺术家聚会之地。有海水浴、冲浪、钓鱼及划船等设施。比奇港以其瑟弗莱特夏季剧场著称。1899年设镇。人口：3 329(2000)。

Long Beach　"长滩"号　美国海军的第一艘核动力水面战舰，于1959年下水，排水量1.4万吨。它是一艘巡洋舰，但因核动力装置结构紧凑，故比同吨位常规动力巡洋舰的有效空间要大得多。它载有导弹及反潜武器和装置，每次出动能在海上持续活动6个月。

Long Branch　朗布兰奇　美国新泽西州东部蒙茅斯县城市。北距纽约市80千米，临大西洋。1668年始有人定居，1904年设市。18世纪80年代开始发展为海滨胜地，后成为格兰特、加菲尔德及威尔逊等总统的夏季陪都。兴办纺织、电子等工业和建立蒙茅斯学院(1933)以后，成为四季咸宜的住宅城市。电子仪器设备制造占重要经济地位。朗布兰奇包括埃尔伯朗、北朗布兰奇和韦斯滕德3个社区。人口31 340(2000)。

long-distance running　长距离赛跑　田径运动项目。包括3 000、10 000、20 000和30 000米以及26英里385码的马拉松(**marathon**)赛和越野赛。20世纪后半叶以前，英语国家开展与上述赛程大致相同的3、6、10、15英里赛跑。长距离和中距离赛跑一样需按预先计划好的速度跑，但与中距离跑相比，长距离赛跑取得胜利较少地依靠最后冲刺。在奥运会项目中，5 000和10 000米赛跑在跑道上进行，马拉松比赛在公路上进行。关于世界纪录参阅**Sporting Record**：Athletics；并参阅**Olympic Games**。

long-eared bat　长耳蝠　又作lump-nosed bat(肿鼻蝠)或big-eared bat(大耳蝠)。蝙蝠科大耳蝠属(*Plecotus*)19种小型通常群居动物的统称。分布于旧大陆和北美。体长约4～7

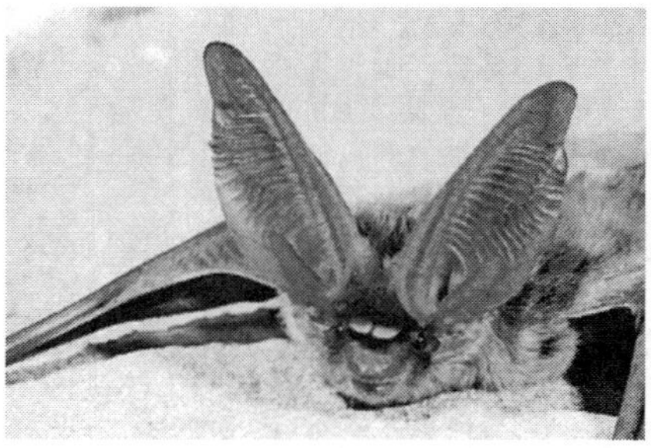

长耳蝠(*Plecotus phyllotis*)
美国不列颠百科全书公司供图

厘米(不包括3.5～5.5厘米的尾长)，体重5～20克。皮毛褐色，有些种吻部生有肉质肿块。耳长达4厘米，休息时折叠起来。飞行缓慢，常徘徊着从树叶上或墙上捕食昆虫。有冬眠习性。

long-eared owl (*Asio otus*)　长耳鸮　鸮形目鸱鸮科夜间活动的猛禽。常见于北欧和美洲的林区。有长耳羽。它的上体淡褐色，具斑

长耳鸮(*Asio otus*)
美国不列颠百科全书公司供图

点和条纹，下体白色具暗色条纹。长耳鸮的体长约30厘米。以小鼠、鸟、鱼、蛙和昆虫为食。

long-faced style of Buli (African art)　布利长面式样　参阅**Buli style**布利式样。

long-horned beetle　天牛　又作longicorn或wood-boring beetle。鞘翅目天牛科(Cerambycidae)昆虫，约25 000种。分布全球，但热带最多。长2～152毫米(长度达152毫米者不足天牛种类的1/8)，若把触角计算在内，长度可增加1～2倍。许多种类，如欧洲的蜂形虎天牛(*Clytus arietes*)的成虫，采花粉，体色黄、黑、橙相间，酷似胡蜂；另一些虎天牛属热带种类貌似蚁类；非洲的大天牛(*Pterognatha gigas*)则像一块苔藓或地衣。天牛幼虫淡黄或白色，体前端扩展成圆形，似头状，故俗名圆头钻木虫，上颚强壮，能钻入树内生活两年以上，破坏木材。化蛹前向外钻一孔道，在树内化蛹，新羽化的成虫经此孔道而出。天牛

有以下几个亚科：①锯天牛亚科(Prioninae)。鞘翅革质，淡褐色，前胸侧向扩展，缘有齿突。该亚科的松天牛属(异天牛属，*Parandra*，有时列入椎天牛科[Spondylidae])生于松树中，

(上)接骨木天牛(*Desmocerus palliatus*)；
(下)锯天牛亚科的天牛(*Derobrachus*)
美国不列颠百科全书公司供图

阔颈锯天牛(*Prionus laticollis*)的幼虫生活在葡萄、苹果、杨树等的根中。②天牛亚科(Cerambycinae)。该亚科的肋松天牛(*Rhagium cineatum*)胸窄，两侧各有一刺，鞘翅上有三条纵脊，幼虫生活在松树内。③花天牛亚科(Lepturinae)。本亚科的接骨木天牛(*Desmocerus palliatus*)肩部似着一黄斗篷，触角多结节，取食接骨木的花和叶，幼虫钻入茎髓中。④沟胫天牛亚科(Lamiinae)。本亚科的锯木天牛(墨天牛属[*Monochamus*])长约30毫米(不包括长触角)，幼虫在松、冷杉树内钻孔直径达10毫米。苹圆头天牛(*Saperda candida*)是一种最严重的苹果害虫。绕枝沟胫天牛(割枝天牛，*Oncideres cingulata*)产卵在枝条内，然后沿枝条圆周割一沟，最后枝条枯死并断裂，幼虫在枯枝中发育。

long-horned grasshopper　螽斯　直翅目螽斯科昆虫，约3 000种。与蟋蟀科的区别为听器位于前足。触角毛发状，等于或超过体长，鞘翅形状不同，产卵管剑形，多以卵越冬。雄体鸣声来自鞘翅互相摩擦，鸣声各种均不同。包括**树螽(katydid)**、**草螽(meadow grasshop-per)**、**尖头草螽(cone-headed grass-hopper)**和**盾背螽斯(shield-backed katydid)**。最后一类体棕色或灰色，栖于地面或矮草上，大多无翅或翅退化，包括摩门蟋蟀及峡谷蟋蟀。其余种类绿色，具长翅，生活于树或灌丛中。

螽斯(*Tettigonia viridissima*)
美国不列颠百科全书公司供图

Long Island　长岛　大西洋上一岛屿。在美国纽约州东南端，隔长岛湾与康涅狄格州南部海岸平行。西端是纽约市港口的一部分。包括金斯、昆斯、拿骚及萨福克4县。从哈得孙河口向东北延伸190千米，宽19～32千米，面积4 463平方千米。东端被分成两个狭窄的半岛。北侧半岛(长约40千米)伸至奥连特角，南侧半岛(长约64千米)达长岛东端的蒙托克角。北岸小海湾有弗拉兴、利特尔内克、曼哈西特、科尔德斯普林、亨廷顿、史密斯敦及杰斐逊港。南岸有一连串几乎连绵不断的沙州和沙嘴将包括牙买加海湾在内的几个海湾与大洋隔开。这一条沙带有几处宽展成小岛，成为著名的游泳海滩。该岛在欧洲移民定居前一直为印第安人居留地。根据新尼德兰与新英格兰联合殖民地所订《哈特福德条约》(1650)，从奥伊斯特湾至大洋为界，以西归荷兰人，以东归英国人。1664年3月长岛成为查理二世给约克公爵赐地的一部分。8月英国人攻占了新阿姆斯特丹和全部荷兰领地。长岛成为约克郡一部分。美国独立战争时期长岛既是亲英派又是爱国者活动的温床。长岛之战是1776年独立战争中英美双方的第一次交火。该岛现为蔬菜农场、家禽饲养和渔业(包括捕鲸和牡蛎养殖)地区。19世纪下半叶，长岛受到纽约市豪富的青睐，北岸豪宅林立，南岸则有供暑期度假者游憩的许多海滩和海湾，且铁路、公路交通均极便利。每日有数十万人从长岛到纽约市工作。长岛本身现在也已成为制造业中心。飞机和电器设备的制造是其重要的工业。人口7 448 618(2000)。

Long Island, Battle of　长岛战役(1776-08-27)　美国独立战争中，英军在纽约布鲁克林击溃大陆军的一次战役。1776年3月，英国将军豪勋爵撤离波士顿，在英国海军的掩护之下，率兵进占纽约城。大陆军将军G.华盛顿把1/3的兵力(只有2万正规军)配备在东河的长岛一侧。8月22日，豪率2万人的部队在长岛的格雷夫森德湾登陆，经过4天周密部署后，英军发起进攻，并且使大陆军蒙受沉重的损失(大陆军有1 200人被俘，双方各伤亡400人)。

Long Island Rail Road Company　长岛铁路公司　美国纽约州长岛的铁道企业。1834年成立。铁路干线东至长岛东端的格林波特，于1844年通车。长岛铁路公司1921～1928年收购了长岛其他几条铁路。20世纪初宾夕法尼亚铁路公司获得了长岛公司的控制股权，1966年又将其卖给了纽约州。1968年以后，长岛铁路公司由该州都市运输管理局管理。

Long Island Sound　长岛海峡　北大西洋的半封闭海湾。在美国纽约州和康涅狄格州海岸和长岛之间。长145千米，宽5～32千米。面积3 056平方千米。长岛海峡中有豪萨托尼克、康涅狄格和泰晤士等河注入。湾水大部自东口急速泻出。该海峡水浅，多浮游生物和水底生物，适合幼鱼生存。康涅狄格州沿岸出产龙虾、蟹和蛤，并有牡蛎养殖场。有大西洋沿岸水道穿经。长岛海峡为大西洋沿岸水道的一部分。岸边建有多处居民区和游艇娱乐区。

long jump　跳远　又作broad jump。田径运动项目，即在平地上向前跳出一段距离。原来分立定跳远和助跑跳远两项，现在，重要的比赛都不设立定跳远。助跑跳远早在公元前708年就是古代奥林匹克竞技会中的比赛项目。助跑跑道长度至少40米，沙坑面积不小于2.75米×10米，沙坑前至少1米处设有与地面齐平的起跳板。运动员一般在距起跳板30米外的地方开始助跑，逐渐加速，达到最高速起跳时须有一只脚正好踏上并尽可能接近起跳板前沿。如越过起跳板前沿，所跳成绩不予承认。起跳后在空中常用的动作有将两腿上收至胸部的蹲踞式和在空中继续做奔跑动作的挺身式。落地两腿并齐，身体要前冲，因为跳的远度是从起跳板边缘到身体任何部位在沙坑上留下的最近的痕迹计算。在国际比赛中，预赛3次试跳，跳得最远的8名运动员有资格参加决赛，作最后3次试跳，跳得最远者为优胜。关于世界纪录参阅**Sporting Record**：Athletics。并参阅**Olympic Games**。

Long Lake(Saskatchewan, Canada)　**长湖**　参阅**Last Mountain Lake 拉斯特山湖**。

long-legged fly　长足虻　双翅目长足虻科昆虫。形小，蓝或绿色，有金属光泽。捕食较小的昆虫，见于阴湿的沼泽周围。雄虻腹部末端的外生殖器明显，足上有杯状构造，交配

长足虻(*Condylostylus sipho*)
美国不列颠百科全书公司供图

时盖上雌虻的眼。许多种的婚飞形式奇特。幼虫细长，从外面看似乎没有头。常见于泥土、腐败植物和水中。

Long March 长征(1934～1936) 通称二万五千里长征。1934～1936年间,中国工农红军主力从中央革命根据地和鄂豫皖、川陕、湘鄂川黔等根据地向陕北根据地进行的战略转移。红军第一方面军由于王明"左"倾冒险主义的错误领导,未能打破国民党军的第五次"围剿",于1934年10月退出中央革命根据地,开始长征。长征初期,红军在错误的军事领导下仍未能摆脱被动地位,虽然连续突破国民党军四道封锁线,但人员从8万余人锐减至3万余人。这时,蒋介石匆忙调集重兵指向湘西,堵截了红军前进道路。在此危急关头,中共中央采纳了毛泽东关于改向敌军薄弱方向前进的建议,红军强渡乌江、攻占遵义,使红军避免了覆亡的危险。1935年1月,中国共产党在遵义召开了扩大的政治局会议,结束了"左"倾冒险主义在中央的统治,确立了毛泽东在党中央的领导地位。遵义会议后,红一方面军在毛泽东直接指挥下,转战贵州、四川、云南边界地区,纵横驰骋,穿插于国民党军重兵集团之间,四渡赤水、南渡乌江,从被动中夺得了主动。接着,威逼贵阳,乘虚进军云南,巧渡金沙江,强渡大渡河,摆脱了数十万国民党军的围追堵截,取得了战略转移中具有决定意义的胜利,6月13日到达四川懋功(今小金)。红军第四方面军于同年3月从川陕根据地开始长征,6月8日到达懋功。第一、四方面军会师后,共同北上,翻越雪山,跨过草地,9月上旬到达巴西、包座、阿坝地区。当时张国焘坚持逃跑主义,公然进行分裂活动,擅自率领第四方面军等部南下。中共中央和毛泽东率领红一方面军继续北上,攻占天险腊子口,翻越六盘山,1935年10月到达陕北吴起镇,同红军第十五军团(由陕北红军和从鄂豫皖根据地出发长征先期到达陕北的红军第二十五军组成)会师,接着取得直罗镇战役胜利,粉碎了国民党军对陕北根据地的第三次围攻。尔后又取得东征、西征的胜利。红军第四方面军南下后,经半年苦战,遭到严重挫折,部队损失过半,1936年3月退向西康甘孜(今属四川)地区。红军第六军团于1934年8月从湘赣根据地出发,10月到达黔东根据地同红军第二军团会合,向湘西地区发动攻势,以策应红一方面军长征。1935年11月,红军第二、六军团从湘鄂川黔根据地开始长征,1936年6月到达甘孜地区,同红军第四方面军会合。会师后,红军第二、六军团和第三十二军组成红军第二方面军。第二、四方面军共同北上,在红一方面军接应下,10月到达甘肃会宁地区,实现了红军三大主力的会合。至此,中国工农红军的长征胜利结束。红军第一方面军的长征途经11个省,翻越18座大山,跨过24条大河,步行25 000华里。长征途中,各路红军不断受到国民党军重兵的围追堵截,克服了千难万险,创造了人类历史上的奇迹。这次长征,保存和锻炼了革命的基干力量,将中国革命的大本营转移到了西北,为开展抗日战争和发展中国革命事业奠定了基础。

long metre 长韵 又作long measure,缩写为L.M.。由抑扬格四音步诗行组成的四行诗,其第一诗行与第四诗行押韵,第一诗行与第三诗行也经常押韵。例见I.瓦茨的诗《奇妙十字架》中的诗节:

See, from his head, his hands, his *feet*,
Sorrow and love flow mingled *down*;
Did e'er such love and sorrow *meet*,
Or thorns compose so rich a *crown*?

long moss(plant) **长藓** 参阅**Spanish moss** 西班牙藓。

Long Mountains(Norway) 参阅**Langfjellet** 长山山脉。

Long Parliament 长期议会 英王查理一世在1640年11月召集的议会,为了与1640年4～5月召开的短期议会区别,故名。其存在时期或认为截至1653年4月剩下的议员被克伦威尔的军队赶走为止,或认为截至1660年3月通过解散它的法案为止。查理一世所以在1640年连续召集两次议会,是由于需要金钱对苏格兰人进行第二次主教战争。在召集短期议会时,由于纷争很大,不久就匆匆收场。后因苏格兰人入侵英格兰北部,不得不重新召集议会商讨用金钱收买的办法退敌。但是,长期议会比短期议会更加不如王意。在最初9个月内,它就要求罢免国王的顾问,撤销枢密院制度,允许议会随时开会,以及非经议员同意不得解散议会。1642年1月,查理一世企图逮捕5名议员未遂,使国王和议会之间的关系更加紧张。下半年,英国内战爆发。1646年国王在战场上彻底失败。此后,军队执掌政权。1648年12月T.普赖德上校赶走大多数议员,只留下60名(称"普赖德大清洗")。剩下的这群人史称"残余议会",他们在1649年审判查理一世并处以死刑。1653年,残余议会解散。克伦威尔当护国公后,又于1659年5月复会。10月再次被赶走。12月又一次重新召开,新选出协商议会,开始谈判查理二世复辟问题。

long-period variable star 长周期变星 光度变化相当有规律的真实变星,其光度变化一个周期的时间需几月或几年。它们全都是红巨星和超巨星,其中一组光变周期约200天的特殊的恒星基本上都属于星族Ⅱ(主要是在星系核和星系晕中的年老恒星)。另一组光变周期为一年或更长的恒星则属于星族Ⅰ(通常是在星系旋臂中的年轻恒星)。长周期变星的亮度变化可达100倍,但释出能量的变化则小得多,因为这种低温恒星所释出的能量大部分在红外波段,不在可见光波段。长周期变星有时又称蒭藁增二型变星,因为蒭藁增二(鲸鱼座 *o*)是第一颗被确认为这种变星的恒星。参阅**flare star**。

Long Point 长角 加拿大安大略省南部诺福克县半岛。延入伊利湖,在韦兰运河终点科尔伯恩港西南约70千米。长近32千米,为无人居住的沙丘。辟有省立长角公园。半岛上的野生动物吸引许多渔猎者。1830年半岛设一灯塔,但其浅滩上仍常发生海难事件。

Long Range Mountains 长岭山脉 加拿大纽芬兰岛最高山脉。从雷角沿西海岸向北绵亘400千米。平均高度670米,刘易斯山为最高点(814米)。森林茂密,为纸浆和造纸厂提供丰富原料。为亨伯河发源地。南部泰布尔山周围多强烈海风,风速每小时达193千米。

long-range navigation 参阅**loran** 罗兰导航系统。

Long Xuyen 龙川 越南南部城市。濒临后江西岸,后江是湄公河水系之一。龙川与芹苴和朱笃通公路。附近地区有水产养殖、捕捞和水稻种植业。人口132 681(1992)。

Long Yun 龙云(1884-11-27,中国云南昭通～1962-06-27,北京) 又拼Lung Yün。中国滇系军政首领,爱国民主人士。字志舟。彝族。1914年毕业于云南陆军讲习堂。曾投效滇军,在唐继尧部任团长、军长。1927年2月发动兵变,逼唐下台,独掌云南军政大权。后投向广州国民政府,被任为国民革命军第三十八军军长,1928年任云南省主席,抗日战争期间任第一集团军总司令、军事委员长昆明行营主任兼陆军副总司令,统治云南达18年。1945年10月蒋介石为消灭地方势力,逼龙去职,调任军事参议院院长。1948年底龙摆脱蒋的控制潜往香港,加入中国国民党革命委员会。1950年1月从香港回到北京,历任中央人民政府委员,人民革命军事委员会委员,西南军政委员会副主席,国防委员会副主席,第二、三届全国人民代表大会常务委员会委员,第二、三、四届中国人民政治协商会议全国委员会常务委员,中国国民党革命委员会中央副主席。1957年被划为右派分子,1980年7月得到改正。

Longabaugh, Harry 朗加宝 参阅**Sundance Kid** 森丹斯小子。

Longair, Malcolm Sim 朗盖尔(1941-05-18,苏格兰邓迪～) 苏格兰天文学家。以其学术成就和教学业绩著称。1980年命名为苏格兰皇家天文学家。朗盖尔受教育于邓迪圣安德鲁斯大学和剑桥大学(获硕士、博士学位,1967)。1968～1969年间,他作为交换学者赴苏,在莫斯科苏联科学院P.N.列别捷夫物理研究所工作。1967～1971年间,他是剑桥大学的留校工作人员,1971～1980年间成为正式工作人员,他曾担任实验教师(1970～1975)和讲师(1975～1980)。他还在美国担任过两年客座教授。皇家天文学家一职的任命,使他又获得爱丁堡大学天文学钦定讲座教授和爱丁堡布莱克福德山皇家天文台台长的头衔。他与人合作,编了很多书,其中包括:《宇宙的大尺度结构》(1978)、《空间望远镜的科学应用》(1980)和《天体物理宇宙学》(1982)。他著有《高能天体物理学:导论》(1980)、《物理学的理论概念》(1984)和《阿利斯和空间望远镜》(1986)。1986年获不列颠百科全书奖。

longan（*Euphoria longana*） **龙眼** 又拼 lungan。无患子科热带果树。原产于亚洲，已引入世界其他温暖地区。树高9～12米。

龙眼（*Euphoria longana*）
美国不列颠百科全书公司供图

花小，黄白色。果近圆球形，淡黄褐色，果肉白色多汁，可食。

longbow **长弓** 长约1.8米的大弓。自百年战争直至16世纪，是英军的主要投射武器。以水松木制品最佳，开弓力约45千克力，箭长约94厘米，有效射距约180米。

longcase clock **落地钟** 又称祖父钟。装在落地木匣里并带有长钟摆的钟，通常高约1.8～2.3米。最早的落地钟因其外形修长且钟门由前方开启，被戏称为棺材钟。后来沃克于1876年写了一首流行歌曲《我祖父的钟》，使得"祖父钟"一名成为流行的称呼。最早的落地钟以古典建筑的风貌为特色，多年来样式不断变化，镶嵌和涂漆等装饰手法迭相更代，各领风骚。

Longchamp, William **朗香**（?～1197-01-31，法国普瓦捷） 基督教会政治家，1190～1191年英王理查一世（1189～1199在位）在第3次十字军期间离开王国时由他治理英格兰。诺曼人家庭出身。理查一世即位后，他被任命为大法官和伊利主教。在理查参加十字军出发后，他和达勒姆主教休·德普赛特共同担任首席政法官（1190-03），不久他将休赶下台。1190年6月教皇克雷芒三世任命他为教皇使节。虽然他对理查赤胆忠心，但他的傲慢的态度和反英的偏见，使他为英国人民所敌视。理查的兄弟约翰（后来1199～1216的国王约翰）叛乱时，他被迫逃往法国。1193年初他设法赎回被囚禁在德意志的理查。1194年3月理查回英格兰后，平息了约翰的叛乱，仍任命他为大法官，并多次派他充当外交使节。

Longden, Johnny **朗顿**（1907-02-14，英国约克郡韦克菲尔德～2003-02-14，美国加利福尼亚班宁） 美国骑手。40年（1927～1966）赛马经历中创6 032次（一说6 026次）英国良种马比赛优胜的世界纪录。1957年成为世界上第一个使用过5 000匹获胜马的骑师。出生于煤矿工人家庭。1912年随家由英格兰移居加拿大。1927年在美国犹他州开始赛马生涯。退出赛马运动后从事培育和驯养良种马的工作。

Longfellow, Henry Wadsworth **朗费罗**（1807-02-27，美国马萨诸塞波特兰［今在缅因］～1882-03-24，马萨诸塞剑桥） 19世纪最著名的美国诗人。曾在私立学校和波特兰学院就读。1825年毕业于鲍登学院。在大学期间特别爱读司各特的小说和欧文的《见闻札记》。这时他写的诗已在全国性杂志上发表。他翻译的作品非常流畅，因此在毕业时被聘为近代语言教授，但规定必须先去欧洲学习。他在欧洲研读法语、西班牙语和意大利语。1829年回国，任鲍登学院教授和图书馆馆长。他撰写、编辑教材，翻译诗歌和散文，并写作关于法国、西班牙和意大利文学的论文，但他感觉孤独。后哈佛大学聘他为教授，并给他另一次出国机会。1835年前往德国，此次访问了英国、瑞典和荷兰。1835年，他的第一个妻子去世。为此而悲伤的朗费罗定居海德堡，在那里受到德国浪漫主义的影响。1836年回哈佛。1839年发表浪漫主义小说《许珀里翁》和诗集《夜吟》，其中《生命颂》和《群星之光》两首诗立即被人们广为传诵。

芝加哥历史图片公司供图

1841年出版的《歌谣及其他》，其中包括《金星号遇难》和《乡村铁匠》，轰动全国，但他的《奴役篇》（1842）却逊色得多。他的长篇叙事诗《伊凡吉林》（1847）是一个哀怨感伤的爱情故事。写一对恋人伊凡吉林和加布里埃尔被拆散多年后，最终在加布里埃尔快死时团聚，写得较为成熟。朗费罗在主讲哈佛大学近代语言课程18年后，于1854年辞去教职。1855年根据H.R.斯库克拉夫特关于北美印第安部落的两部著作，采用芬兰史诗《卡勒瓦拉》的扬抑格韵律，写出《海华沙之歌》，立即引起人们注意。他的长诗《迈尔斯·斯坦狄什的求婚》（1858）是另一部广受欢迎的成功之作。1861年他第二个夫人突然去世，使他陷入忧伤之中。为获得精神上的安慰，翻译了《但丁神曲》，成为当时最著名的译作之一。他还写了6首关于但丁的十四行诗，是他最优秀的诗作。1863年他模仿乔叟的《坎特伯雷故事集》写的《路畔旅舍的故事》出版，显示出他写叙事诗的才华。其中第一首诗《保罗·里维尔的夜奔》成为全国家喻户晓的名篇。1872年出版的《基督：一个谜》是写基督教的三部曲。随后写了两首不完整的戏剧诗：《犹大-马卡比亚斯》和《迈克尔·安吉洛》。朗费罗生前受到国内外读者的热爱和赞扬。他逝世后，伦敦威斯敏斯特教堂的"诗人角"于1884年安放了他的半身像，使他成为享有这种荣誉的第一位美国诗人。

Longfellow-Evangeline State Commemorative Area **州立朗费罗-伊凡吉林纪念区** 美国路易斯安那州南部圣马丁县圣马丁维尔北面的历史胜地。位于拉斐特东南的特奇长沼畔。1934年建立，面积64公顷。主要特色是阿卡迪亚屋纪念馆，据认为它是L.阿塞诺从新斯科舍放逐回来后的住宅。阿塞诺在朗费罗的诗篇《伊凡吉林》中被描写为女主人公的情人加布里埃尔。该宅建于1765年，用手砍木料及木栓建成，这座三层单幢住宅、熏制室，连同与之相连的厨房均重新修复。

Longford **朗福德郡** 爱尔兰中部伦斯特省的郡。面积1 044平方千米。境内水系有香农河、厄恩河和因尼河以及高纳湖和里湖。该郡1/5地区是以泥炭沼泽为主的贫瘠草场。香农河畔一些草场雨季常被淹。1/10农地用于种植庄稼，主要作物有燕麦和马铃薯。多数农庄占地面积不到12公顷。居民主要养牛，供出口到米斯郡的较富有、较大的农庄去。也经营乳品业。1/4居民住在城镇。最大城镇是郡首府朗福德。人口30 296（1991）。

Longford, Edward Arthur Henry Pakenham, 6th earl of **朗福德伯爵（第六）**（1902-12-29，伦敦～1961-02-04，都柏林） 戏剧赞助人和剧作家，以任都柏林大门剧院的指导最为知名。朗福德1915年继承伯爵称号，曾在牛津大学受教育（1925年获学士学位；1928年获硕士学位）。1931年他收购财务情况不稳的大门剧院已发行售出的股票，遂成为一名共同指导。5年以后，组成了朗福德演出有限公司，在大门剧院与H.爱德华兹和M.麦克利亚莫瓦的剧团交替演出。朗福德以自己的财力津贴剧院，当1957年创立公众基金时，他亲自在都柏林街道上募捐。他希望把剧院保持为平民剧院，所以票价压低得惊人。他自己的剧本在那里演出的有《梅利安夫妇》（1931）、《人形兽》（1935）、《权势》（1935）。他的演出公司也演出过朗福德用盖尔语改写的埃斯库罗斯、索福克勒斯、欧里庇得斯和莫里哀等人的剧本。

longhair **长毛猫** 又作Persian。一种家猫，以毛长、软、平滑著称。原称波斯猫或安哥拉猫，后多称为长毛猫，但在美国仍称波斯猫。体大或中型，粗壮，腿短，头大而圆，鼻扁，尾短而多毛。眼大而圆，呈蓝、橙、金、绿或铜色，因毛色而定。毛软，纤细。颈部多毛，形如皱领。毛色多样。单色者有白、黑、蓝、红及奶油色。而带花纹者有：银色与黑色间杂（烟色）；银、棕、蓝、红色带深色花纹（虎斑色）；白色而略显发黑（灰鼠皮色）；奶油色、红色及黑色（龟板色）；龟板色而有白色斑点；蓝灰色与奶油色掺杂（蓝奶油色）及双色等。龟板猫、蓝奶油色猫及斑点猫几全为雌性，极少数为雄性且不育。蓝眼白猫可能耳聋。带暹罗猫斑纹（即体毛色浅，面、耳、腿、尾色深）

白色长毛猫
美国不列颠百科全书公司供图

的长毛猫称为喜马拉雅猫。具上述特征而爪为白色者称为缅甸猫。长毛狮子猫的面部短、平,似北京狗(狮子狗)。缅因浣熊猫亦称缅因猫,因误以为是浣熊与猫的杂种而得名,是一种长毛猫,产于美国新英格兰地区。体大而长,活泼,面长,毛较短稀。毛色多样。虽然一般认为长毛猫与短毛猫相比性格更沉静少动,但长毛猫亦好嬉戏,对人亲切,必要时也能自卫。

Longhena, Baldassare　隆盖纳(1596,威尼斯～1682,威尼斯)　17世纪威尼斯著名建筑师。V.斯卡莫齐的学生,继斯卡莫齐完成了圣马可广场上的新检察署工程(1584～1640)。他设计了基奥贾的教堂(1624～1647)、威尼斯赤脚修士会的圣马利亚教堂(1656～1680),还设计了位于大运河畔的佩萨罗府邸(1652或1659～1710)和瑞佐尼可府邸(17世纪60年代～1752或1756)。他设计的圣乔治·马焦雷教堂内的两架会合于同一平台上的平行的楼梯,为意大利和欧洲各地广为仿效。杰出作品为圣母永福教堂(1631或1632～1687),位于威尼斯大运河入口处,该教堂设计独特,平面呈八角形,上为

隆盖纳设计的威尼斯市圣母永福教堂
美国不列颠百科全书公司供图

巨大的穹顶,周围螺旋形地排列着雕像,起着扶垛作用。柱子及拱的布置,可以吸引游客目光并把他们导向祈祷处及其他设计部分,几乎达到了剧院的效果。他被誉为18世纪舞台布景式建筑的创始人。

Longhi FAMILY　参阅**Lunghi family**伦吉家族。

Longhi, Alessandro　隆吉(1733-06-12,威尼斯～1813,威尼斯)　油画家、铜版画家、威尼斯艺术家传记作家,他那个时代最重要的威尼斯肖像画家。画家P.隆吉的儿子。初从其父学习,后师从肖像画家G.诺加里。1759年被选为威尼斯学院成员。1762年出版《本世纪最著名的威尼斯画家传记及素描肖像》,是18世纪威尼斯绘画史重要的资料,书中文字与肖像都是自己蚀刻的铜版。所画威尼斯名流显贵主要袭用其父亲的洛可可风格并继承了16世纪威尼斯文艺复兴的肖像画传统。

Longhi, Pietro　隆吉(1702,威尼斯～1785-05-08,威尼斯)　原名P.法尔卡。威尼斯洛可可时期画家,以画小幅威尼斯社会和家庭生活景象著名。银匠A.法尔卡的儿子。早期

隆吉绘《威尼斯的犀牛展览》(约1751)
美国不列颠百科全书公司供图

在父亲的作坊学习。后到博洛尼亚师从风俗画家G.M.克雷斯皮。回威尼斯后,致力于描绘社会上层和资产阶级日常生活。这些作品略带兰克雷特的风格,但更富于讽刺性。他的风俗画受荷兰风俗画的影响,是当时威尼斯生活和大事的详尽记录;画面妩媚天真,而为大众喜爱;有洛可可艺术的亲切感,并表现启蒙运动特有的对社会观察的兴趣。他像华托,总以细微观察的人物素描为基础,许多素描留存至今。其许多作品都被制成铜版画。1756年威尼斯学院成立时被选入院。

longhouse　长屋　19世纪前美国东北部,特别是纽约州北部易洛魁印第安人的传统住房。也用以指其他北美印第安人的住房,今天则用以泛指易洛魁印第安人居留地的教堂和会议厅建筑,虽然这些房屋与传统的长屋相比,外形已截然不同。从纽约州发掘出来的许多长形房屋中可以看出,其长度为12～102米不等,但宽度总在6.7～7米左右。每所房屋沿两侧长墙每隔2米多筑一短墙,成为一间,房屋中间留有一条长长的通道,直达两端。据推测,每个家庭使用一间。每四间共同使用一个炊事用炉灶,屋顶上开口作烟囱。塞内卡人加尼奥达约所创美湖教,又名长屋教,即取名于此种建筑。参阅 **Handsome Lake cult**。

Longhouse Religion　长屋教　参阅 **Handsome Lake cult** 美湖崇拜。

longicorn　参阅 **long-horned beetle**天牛。

Longimanus　"长手"　参阅 **Artaxerxes I** 阿尔塔薛西斯一世。

Longinus　朗吉努斯(活动时期公元1世纪初)　又名狄奥尼西奥斯·朗吉努斯或伪朗吉努斯。有时被认为是《论崇高》——文学评论方面有重大影响的伟大作品之一——的作者的名字。现存最早的手抄本是公元10世纪的,于1554年首次印行,作者被认为是狄奥尼西奥斯·朗吉努斯。后来人们注意到,手抄本的索引上写的是"狄奥尼西奥斯或朗吉努斯"。于是作者的问题在几百年间给学者们带来不少麻烦,人们曾试图把作者认定为哈利卡尔那索斯的狄奥尼西奥斯、卡修斯·隆吉努斯、普卢塔克以及其他人等。解决的办法乃是称作者为伪朗吉努斯。《论崇高》显而易见属于1世纪的作品,因为它是对西西里修辞学家卡拉克特的凯基利乌斯在那个时期写的一篇作品的回答,其中有17章论述修辞格。它们一问世即引起评论家和诗人们的注意。约有1/3手抄本已失传。朗吉努斯在文学上将崇高解释为"精神伟大的反映",指渗透在整个作品中的作家的道德力和想象力,因而,文学作品中的伟大性第一次被归之于作家的内在品质而不是他的艺术造诣。作者指出思想的伟大,如果不是天生的,就是后天的,是可以通过竭力模仿他认为堪称典范的伟大作家(其中主要指荷马、狄摩西尼、柏拉图)得到的。引文被选用来解释崇高的涵义,有时也解释与崇高相反的事物。这些引文有时起到了保存一部分原作的作用,否则它们就会失传。例如萨福的一首颂诗,就是这样保存下来的。

Longinus, Gaius Cassius　隆吉努斯　参阅 **Cassius Longinus, Gaius** 卡修斯·隆吉努斯。

Longinus, Johannes　参阅 **Długosz, Jan** 德武戈什。

Longinus, Quintus Cassius　隆吉努斯　参阅 **Cassius Longinus, Quintus** 卡修斯·隆吉努斯。

longitude (geography)　**经度**　参阅 **latitude and longitude** 纬度和经度。

longitudinal wave　纵波　与传播方向相同的周期扰动或振动所形成的波。线圈弹簧的一端受到压缩时,即经受一个压缩波,此波沿弹簧长度伸展前进。弹簧螺旋圈上的任一点随波移动并沿同一路程回返,通过中间位置,然后倒转其运动。空气中的声波在其传播的方向上,驱动气体分子作往返振动,造成气体分子的压缩和稀疏。地震P(初)波也是纵

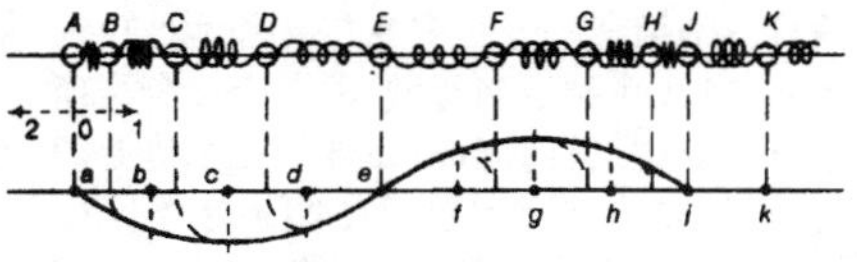

纵波及其横向表示

波。在纵波中，每个质点围绕正常静止位置振动并沿轴传播；所有质点，除了在振动相位中有逐渐的变化外，都参与同一形式的振动，即每个质点都要完成同样的循环。在传播方向上疏区与密区交替前进形成复合运动。机械模型有助于对纵波的阐述。在图的上部用线圈弹簧把小质量 *A*、*B*、*C* 等连接在一起，以表示具有惯性和弹性的传递介质。因为质量 *B* 有惯性，*A* 向左（箭头 2）的运动把弹簧伸开；而向右的运动则使它受到压缩（箭头 1）。通过弹簧，*A* 的运动传给 *B*，但其相位稍许滞后。质量 *B* 再把它的运动传给 *C*，依此类推，这冲量从 *A* 传至 *K*，滞后现象愈益增加。在图所示的瞬时，*A* 和 *J* 的相位差360°。即 *A* 正在开始第二次振动时，*J* 刚开始第一次振动。图的下部显示纵波的横向表示。在此，*a*、*b*、*c* 等是通过静止位置的垂线，其长度与振幅成比例。当位移向左时，从纵轴向上画垂线；当位移向右时，则从纵轴向下画垂线。连结垂线末端的光滑曲线即横向曲线。当 *aj* 表示一个波长，*ae* 和 *ej* 表示半周时，这横向曲线就包括一个压缩和一个稀疏。任何质量每秒所完成的整周数称为频率。

Longjumeau, Andrew of (French diplomat to Central Asia) **隆瑞莫** 参阅 **Andrew of Lonjumel** 安德鲁（隆瑞莫的）。

Longmen caves 龙门石窟 又拼 Lung-men caves。中国古代北方地区佛教石窟群之一。位于河南洛阳城南伊河两岸的龙门山，又称"伊阙石窟"，与敦煌石窟、云冈石窟并称中国

龙门石窟宾阳3号洞内的北魏石造像
美国不列颠百科全书公司供图

北方三大石窟群。现为国家重点文物保护单位。开创于北魏太和十八年（494）孝文帝迁都洛阳前后，后经东西魏、北齐、隋、唐、北宋400年间的营造，现存窟龛2 102个，造像10万余尊，题记碑碣3 600多品，佛塔40余座。代表性洞窟有北魏的古阳洞、宾阳洞、莲花洞和唐代的潜溪寺、万佛洞、奉先寺、看经寺等，以唐代窟龛为最多。造像以唐玄宗开元（713～741）前特别是武则天时期最多。主要大窟多与帝王、皇室祈求冥福有关。其中奉先寺为唐窟中最精美的大窟，主像卢舍那佛高达17.14米。龙门石窟的窟形单纯，题材简明集中，主题突出。北朝窟基本上为释迦佛、弥勒菩萨、三世佛、七佛和释迦多宝佛。隋唐时主像大多为阿弥陀佛、弥勒佛，也有卢舍那佛、药师佛、观世音菩萨、千手千眼观世音菩萨等，反映了唐代净土宗、密宗的兴起和石窟艺术世俗化的特点。艺术风格具有更多的东方形式，显示中国石窟艺术的变迁。石窟中的大量碑碣题刻是中国书法艺术的珍品。龙门石窟近代曾遭到破坏，著名的宾阳中洞的北魏"帝后礼佛图"浮雕已被盗往国外。

Longmont 朗蒙特 美国科罗拉多州北部城市，分属博尔德和韦尔德县，位于南普拉特河与落基山山麓丘陵之间，濒临圣弗兰河，海拔1 524米。1871年建为农业社区，1873年设镇，1961年建市。1873年通火车。现为灌溉区农畜产品加工和销售点，有甜菜加工业和蔬菜罐头加工业，及自动过滤器、化工品、野营帐篷和电器用品制造业等。罗斯福国家森林（包括落基山国家公园）在城西。人口：市71 093；博尔德-朗蒙特主要都会统计区291 288；丹佛-博尔德-格里利联合都会统计区2 581 506（2000）。

Longmyndian 朗明德系 英国什罗普郡南部前寒武纪晚期重要的时间地层单元（前寒武纪开始于38亿年前地壳刚形成时，终止于5.7亿年前）。根据朗明德高原地区的显著露头而命名。该系由高角度甚至倒转的不含化石的泥岩、砂岩、砾岩和火山岩组成。分为两个大的次级单元，西朗明德系和下伏的东朗明德系。前者由温特诺统紫色砂岩、砾岩以及一些浅绿色粉砂岩和页岩组成，厚约4 800米。东朗明德系又可分为上覆的明顿统和下伏的斯特雷顿统。明顿统厚约1 200米，由紫色和绿色页岩、砂岩和砾岩组成，与下伏斯特雷顿统之间存在一个不整合面（代表一个侵蚀时期而不是一个沉积时期）。斯特雷顿统由浅灰与浅绿色粉砂岩、砂岩、页岩和火山岩组成，厚达3 500米。斯特雷顿统之下并可能与朗明德系有关的地层是东乌利孔和西乌利孔统，地理上互相分隔但岩性相似，可能大致同时。东乌利孔和西乌利孔统由熔岩、火山凝灰岩和侵入岩体组成与上覆斯特雷顿统间有一个显著不整合面分隔开。在查恩伍德森林和英格兰中部地区，出现一套可与东朗明德系的斯特雷顿统对比的地层。可分为三部分，由下而上是布莱克布鲁克统、马普惠尔统和布兰德统。总称为查恩系的这些地层大部由火山岩（在马普惠尔统中最突出，在布兰德统中最少）和沉积的砾岩、砂岩、粉砂岩和板岩组成。查恩系沉积岩含有前寒武纪生物——查尔藻（*Charnia*）的印痕，在马普惠尔统较高层位中特别明显。相似的非完全一样的类型也发现于澳大利亚。它在动物学上的亲缘关系尚未确定，或被认为属于腔肠动物（珊瑚、水螅和水母），或被认为属于藻类。

Longomontanus, Christian 隆哥蒙塔努斯 （1562-10-04，丹麦朗堡～1647-10-08，哥本哈根） 丹麦天文学家和占星学家，因与第谷合作和支持第谷出版其作品而闻名。他用第谷的资料出版了《丹麦天文学》（1622）。这是一本解释第谷体系的书。第谷体系认为太阳绕地球运动，而其他行星则绕太阳运动。1632年，他开始建造哥本哈根天文台，但未及完成，1647年就去世了。

Longqing 隆庆 参阅 **Ming——**：明朝帝王序列下 **Mingmuzong Zhu Zaihou** 明穆宗朱载垕。

Longquan kiln 龙泉窑 中国瓷窑，始建于宋代。位于今浙江龙泉县大窑（原名琉田）村、金村及溙口等处。以烧制刻划花及素面青瓷闻名于世。精品有"梅子青"、"粉青"等。

龙泉窑葫芦瓶
中国大百科全书出版社供图

釉色葱翠，誉为青瓷的典型。元代生产规模扩大，沿瓯江两岸及松溪上游一带及云和、丽水、永嘉等县已发现当时窑址150多处。所制大盘口径达到60厘米，大瓶高达1米左右。釉面平滑如镜，毫不变形。明代龙泉青瓷胎多厚重，釉光透明，多以刻花纹取胜。龙泉青瓷在宋、元、明时期大量销往中亚、西亚、东南亚以及非洲许多国家。

Longshan culture 龙山文化 又拼 Lung-shan culture。中国黄河中、下游地区新石器时代晚期的一类文化。因1930～1931年首先在山东章丘龙山镇城子崖发现而得名。主要分布于山东、江苏、河南、陕西、山西。年代约为公元前2500～前2000年。遗址中有多处发现铜器，如铜锥、残铜片或铜碴等。石器制作精美，型制规整，有斧、锛、凿、铲、刀、镰、矛和箭头等。当时已有较发达的农业和畜牧业。陶器制作水平很高，80%以上用快轮作坯。有的轮制陶器薄如蛋壳，漆黑发亮，称为蛋壳黑陶，是龙山文化中最富特征的珍品。房屋建筑中已使用夯土造基，土坯砌墙，对中

龙山文化彩绘蟠龙纹陶盘,山西襄汾陶寺遗址出土

中国大百科全书出版社供图

国后来建筑技术有深刻影响。在河南相当于龙山文化时代的遗存中已发现有城墙和水井。还普遍发现用牛、猪、羊、鹿的肩胛骨做的卜骨,表明当时已有占卜风俗。

longship 北欧海盗船 又称 viking ship(维金海盗船)。帆桨船的一种。盛行在北欧海面达1 500年以上,在历史上有重要地位。船身长14～23米,叠接式木板结构,带有一面横帆(**squaresail**),在风涛海面上它格外坚固耐用。它的原型无疑是独木舟,并且其外形仍保持为首尾相同。公元前300年就有这种船,9世纪时海盗用过它,1000年L.埃里克松乘这种船到达美洲,荷、法、英、德的商人和军人也用这种船。见于巴约挂毯上的11世纪

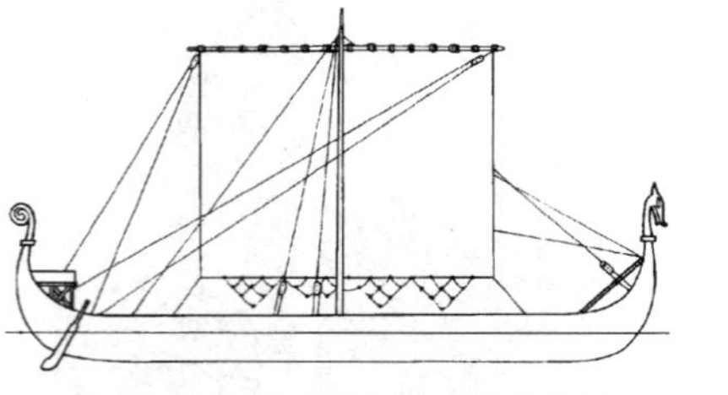

威廉一世(征服者)用过的那种类型的北欧海盗船

的某些品种,其帆桅由左右支索牵拉,说明它们的横帆在风向垂直于船龙骨横吹时仍能得到足够的控制以助航。约在1200年时,出现了尾舵,于是船首和船尾有了区别,海盗船发生了变革。

Longstreet, James 朗斯特里特(1821-01-08,美国南卡罗来纳埃奇菲尔德区～1904-01-02,佐治亚盖恩斯维尔) 美国南北战争时期的南部邦联军将领。1842年毕业于西点军

美国国会图书馆供图

校。战争开始时为南部邦联军准将,曾参加第一次和第二次布尔溪战役(1861-07,1862-08～09)。在半岛战役(1862-03～07)时任师长。1862年晋升中将,与R.E.李将军(正指挥官)联合指挥葛底斯堡战役,结果战败。1863年9月指挥奇克莫加战斗,突破联邦军防线。后于莽原战役中负重伤。1864年11月以右臂瘫痪的病躯重新督师作战,直至与李将军一起在阿波马托克斯投降。战后参加共和党,任美国驻土耳其公使(1880～1881)和太平洋铁路专员(1898～1904)。著有回忆录《从马纳萨斯到阿波马托克斯》(1896)。

Longton Hall porcelain 朗顿庄园瓷器 英国软质瓷器,仅生产约10年左右(1749～1760)。制品厚重、半透明,但是在制陶和上釉方面有许多缺陷。其典型色彩是淡黄绿、

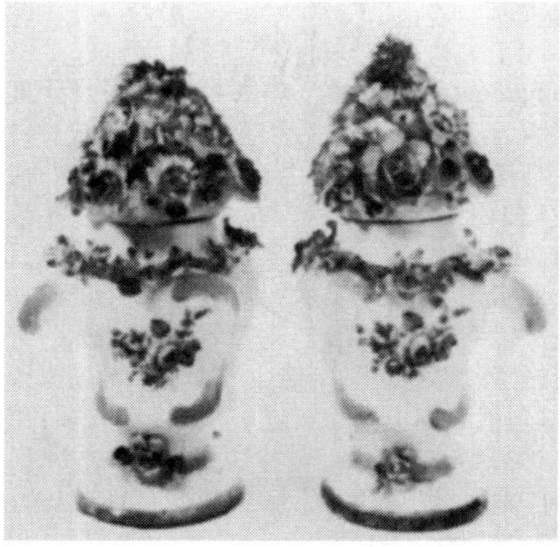

朗顿庄园瓷器

美国史密森学会供图

桃红、老红、绯红和深蓝。由威廉·利特勒建厂于斯塔福德郡。1749～1753年间,朗顿制造过一系列仿中国、迈森和切尔西原品的塑像。因其施釉过厚致使轮廓模糊,故称之为“雪人”。朗顿工厂还采用模塑法代替拉坯法来制造餐具,用钴蓝(或称“利特勒蓝”)绘饰。1754～1757年间,钴蓝被较柔和的粉末绀青所代替,并且出现了花椰菜、卷心菜和莴苣形状的汤碗、调味汁壶和大浅盘。此期间还制作了不少塑像,在其最后阶段(约1758～1760),利特勒曾集中精力生产青花餐具,并采用转移印花法生产茶壶和啤酒杯,试图以此来避免经济崩溃而未果。朗顿庄园所生产的人物塑像以“四个欧洲大陆人”最为精美。

Longueuil 隆格伊 加拿大魁北克省南部蒙特利尔行政区城市,在圣劳伦斯河畔,与蒙特利尔市隔河相望。1880年蒙特利尔—索雷尔铁路修到该城后,发展成为蒙特利尔市郊的重要住宅区和工业区。1961年与南蒙特利尔合并,人口几为原来4倍。为蒙特利尔地下铁道和雅克·卡捷桥东端终点。1969年雅克·卡捷市与该市合并,1874年设镇;1920年设市。人口129 874(1991)。

Longueville, Anne-Geneviève de Bourbon-Condé, duchesse de 隆格维尔公爵夫人(1619-08-28,法国万塞讷～1679-04-15,巴黎) 法国女王族,以貌美风流和在投石党内战中的影响以及最终信奉詹森主义闻名。其父母由于反对在路易十三未成年时任摄政的玛丽·德·美第奇的宠臣安克尔元帅而被投入万塞讷监狱,她诞生在监狱,后在卡梅利泰斯女隐修院受过严格教育。1635年被引进上流社会,不久成为交际明星。1642年嫁给比她年纪大一倍的诺曼底总督隆格维尔公爵。黎塞留死后,其父任路易十四未成年期摄政会议主席,1643年其兄大孔代在罗克鲁瓦取得辉煌胜利,她在政治上的地位也重要起来。1646年,她爱上了《箴言录》的著者拉罗什富科公爵。她是第一次投石党运动的领导人物,曾将其二兄孔蒂亲王阿尔芒及其丈夫引向叛党,但未能争取到大孔代。大孔代忠于朝廷,后来镇压了这次运动。第二次投石党内战在很大程度上也是她鼓动起来的。主要由于她的力量,先后把孔代和蒂雷纳引入叛党。在内战的最后一年,她与内穆尔公爵过从甚密,拉罗什富科为此与她分手。她由于受到遗弃,在宫廷中也很失意,就对宗教热心起来。1663年丈夫死后从诺曼底迁居巴黎。她的言论越来越倾向詹森派,成为该派的重要赞助人。她给教皇的著名信件成为波尔罗亚尔女隐修院历史的组成部分。由于健康状况不佳,嗣后未再离开她幼年受教育的卡梅利泰斯女隐修院。

Longueville, Henri II d'Orléans, duc de(duke of) **隆格维尔公爵**(1595-04-27～1663-05-11) 即库洛米耶公爵。法国投石党内战时期的著名叛乱分子,其继配妻子是著名的波旁-孔代王族的安娜-热那维埃夫(参阅**Longueville, Anne-Geneviève de Bourbon-Condé, duchesse de**)。1626年曾参加密谋反对枢机主教黎塞留;后在意大利和德意志作战中战功卓著。他的第一个妻子于1637年死去,1642年续娶孔代家族的安娜-热那维埃夫,这个妻子终于把他拉入投石党的阴谋。到1648年,由于征战,他成为诺曼底的实际统治者。1649年初回巴黎,后来参加重新兴起的叛乱,1650年1月18日与孔代亲王和孔蒂亲王一起被捕。获释后,为孔代的骄傲自大和妻子与人通奸所激怒,不复从事叛乱活动。余年任诺曼底总督。

Longumeau, Andrew of(French diplomat to Central Asia) **隆瑞莫** 参阅 **Andrew of Lonjumel** 安德鲁(隆瑞莫的)。

Longus 朗戈斯(活动时期2～3世纪) 希腊作家,《达夫尼斯和赫洛亚》的作者。这是第一部田园散文式的爱情小说,也是希腊爱情小说中最受欢迎的一部,描写两个弃儿达夫尼斯和赫洛亚被莱斯沃斯岛的牧羊人抚养长大,逐渐相爱,最后结婚的故事。著者没有致力于复杂的情节,而是着重刻画男女主人公之间爱情的发展,从他们童年时初萌天真复杂感情写到性爱的完全成熟。朗戈斯透辟的心理分析方法同其他希腊小说的肤浅描绘恰恰形成鲜明的对比。他对庭园胜景和四季更迭的富有风格的描写,显示出对大自然具有突出的感受。朗戈斯作品的主调颇受古代评论家认为田园生活类作品所具有那种特点的影响——即牧人生活的“甜美”。

Longview 朗维尤 美国得克萨斯州城市，分属格雷格县和哈里森县。东距路易斯安那州什里夫波特105千米，靠近萨宾河。为包括马歇尔和基尔戈在内的大都会工业区的中心。19世纪初始有人定居，1872年设建制。为萨宾河流域畜养的菜牛、猪和马的交易中心。20世纪30年代发现石油，工业扩大，人口增长。现为东得克萨斯油田的贸易中心，有炼油厂和输油管、机械厂、酿酒厂及食品加工厂；产品包括化学品、钢铁器材、运输设备、农田机械、铲土设备、飞机部件和服装等。有格雷格县历史博物馆、朗维尤艺术博物馆及莱都诺学院(1946)。城南有切罗基湖。人口：市约73 344；朗维尤-马歇尔都会统计区约208 780(2000)。

Longview 朗维尤 美国华盛顿州西南部考利茨县城市。南距波特兰50千米，在考利茨和哥伦比亚两河汇流处。1923年创建，1924年设建制。现为世界最大木材中心之一，有造纸、木材、制铝、油漆和食品加工业。有深水港。设有下哥伦比亚学院(1934)。人口34 660(2000)。

Longwell, Chester R. 朗韦尔(1887-10-15，美国密苏里斯波尔丁～1975-12-15，加利福尼亚帕洛阿尔托) 全称Chester Ray Longwell。美国地质学家，以对美国西部的研究著称。1916～1920年，作为俄克拉何马州地质调查局成员参加美国地质调查局并为耶鲁大学教员。1956年为斯坦福大学副研究员，其后为该校教授。朗韦尔的工作有野外实地研究和地质制图；对盆地与山脉地质和构造的研究；以及研究前寒武纪、中生代和新生代的地质史。他与人合写的著作有：《自然地质学》(1932)和《自然地质学概论》(1955)。

Longwood Gardens 朗伍德植物园 位于美国费城附近的肯尼特斯奎尔，由朗伍德基金会经营。该基金会与美国农业部及其他园艺机构合作，赞助到世界许多地方的考察活动，寻找观赏植物以引入美国。植物园创建于1800年左右，当时乔舒亚·皮尔斯和塞缪尔·皮尔斯种植了一些外国树种；现该园占地425公顷，种有许多热带及亚热带及当地植物。这些资产(称为皮尔斯氏公园)于1906年从慈善家皮埃尔·塞缪尔·杜邦处获得，他1921年设计了园内多个温室，1937年又创立基金会。除园艺品外，还有一个博物馆和一个露天剧场。

Longworth, Alice Roosevelt 朗沃思(1884-02-12，美国纽约州纽约～1980-02-20，华盛顿[哥伦比亚特区]) 美国总统T.罗斯福之女，因其才智和政治影响而闻名。1901年父亲当选后，她成为全国注视的中心人物。1906年她和俄亥俄众议员N.朗沃思结婚。她以大部分时间致力于政治活动，参加国会的辩论，为她赏识的候选人竞选，出任共和党的各种官职。朗沃思夫人家中有一个枕头，绣着铭文："如果你不能说出某人的某些好事，那就坐在我的边上。"这是她付诸实践的观点。她的大多数尖刻的批评是针对政治人物的，她说：W.G.哈丁"只是笨蛋"；C.柯立芝"满脸愁容，靠一根泡菜才断了奶"；F.D.罗斯福(她的远房堂兄)是"三分之一的傻瓜和三分之二的埃莉诺"。20世纪30年代，她为《妇女家庭杂志》和其他杂志撰写华盛顿评论专栏稿。1933年朗沃斯夫人出版回忆录《繁忙岁月》。

Longwy 隆维 法国东北部洛林大区默尔特-摩泽尔省城镇。靠近比利时和卢森堡边界，临希耶河。过去是巴尔公爵领地的一部分。1678年被法国吞并。1792年和1815年受到普鲁士的袭击，1870年和1914年又受到德国人的袭击。旧城区有17世纪建的防御工事。为铁矿开采地区重工业的中心。人口17 317(1982)。

龙岩市一角
中国大百科全书出版社供图

Longxi(China) 龙溪 参阅**Zhangzhou**漳州。

Longxing Monastery 隆兴寺 中国宋代北方佛教寺庙。位于河北正定城内。隋开皇六年(586)创建时名龙藏寺。971年宋太祖命铸大悲菩萨铜像并建阁，更名龙兴寺。清康熙

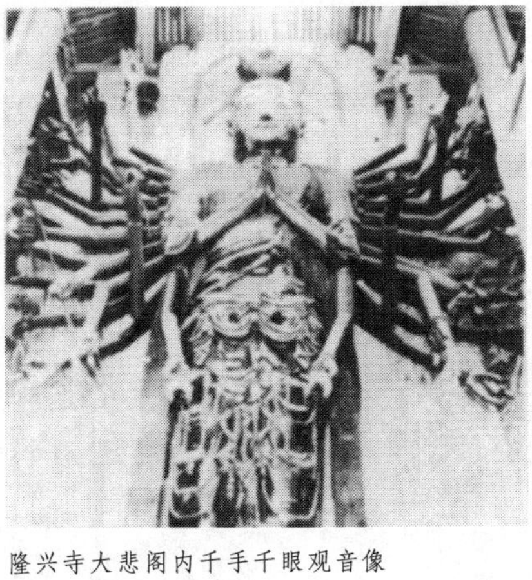

隆兴寺大悲阁内千手千眼观音像
中国大百科全书出版社供图

四十八年(1709)定名隆兴寺，又称大佛寺。寺内建筑分前后两部：前部有山门、六师殿(现存遗址)、摩尼殿，均为单层建筑；后部以楼阁为主，北面正中原是3层4重檐高33米的大悲阁，阁内有高22米的菩萨铜像。阁左右原有御书楼和集庆阁，阁前庭院中部东西对称有慈氏阁和转轮藏阁，都是3重檐2层楼阁。庭院东西两侧有配殿和廊庑。现大悲阁、御书楼、集庆阁均已不存。近代建有木廊砖龛保护铜像。寺内的摩尼殿、慈氏阁、转轮藏阁和山门是宋代建筑，铜像和像下的石雕座均为宋代艺术珍品。

Longyan 龙岩 又拼Lung-yen。中国福建省辖地级市。位于省境西南部，九龙江上游。西部是玳瑁山主体，千米高峰林立。群山中有小池、大池、黄斜、松洋等山间盆地。东部为博平岭西北坡，谷地幽深。中部为雁石溪谷地，溪流沿着向斜底部发育，形成串珠状盆地，以市区所在的龙岩盆地最大。唐开元二十四年(736)设县，初名新罗，天宝元年(742)改名龙岩。清升为直隶州，1913年复改县。1981年改市。1996年撤销龙岩地区和县级市，设地级龙岩市。辖新罗区和长汀、永定、上杭、武平、连城5县，并代管漳平县级市。面积19 027平方千米，其中市区面积2 685平方千米。矿产资源有煤、高岭土、膨润土、铁、锰、钨、锌、钼等。著名的马坑铁矿为中国富铁矿重点矿区之一，还有龙永煤田的无烟煤等。近年在东宫山发现大型高岭土矿床。水力资源丰富，水能理论蕴藏量208万千瓦，可开发量140.8万千瓦。建有棉花滩水电站。农产有稻、油菜籽、花生、烟草、茶叶等，烟草以品质优良著称。林产以毛竹、马尾松及松脂、笋干等为大宗。工业以卷烟、酿酒、造纸、水泥为主体，还有煤、铁及多金属采掘、冶炼、高岭土和膨润土采选等工业。龙岩对外交通方便，205、319国道和漳龙高速公路与漳泉、鹰厦铁路交织成网。名胜有永定土楼、梅花山、冠豸山、龙硿洞等。人口：全市2 860 000(2005)；市区460 000(2004)。

Lonjumel, Andrew of(French diplomat to Central Asia) **隆瑞莫** 参阅**Andrew of Lonjumel**安德鲁(隆瑞莫的)。

Lönnbohm, Armas Eino Leopold(Finnish poet) **伦伯姆** 参阅**Leino, Eino**雷诺。

Lönnrot, Elias 兰罗特(1802-04-09，瑞[典]属芬兰萨马蒂～1884-03-19，俄属芬兰萨马蒂) 芬兰民俗学者、语文学家。他采集民间谣曲及抒情诗编写出芬兰的民族史诗《卡勒瓦拉》(1835，1849年增订)。他还出版了《芬兰人的古歌及谣曲》(1840～1841)、谚语集、谜语集及符咒集。1832年在赫尔辛基大学获医学学位。1833年起任地方医官。供职于芬兰东部的卡亚尼，与俄罗斯卡雷里亚邻近。他在卡亚尼工作达20年，在此期间，他在俄

罗斯西北部的拉普人、爱沙尼亚人及芬兰人中间进行实地考察旅行，搜集有关芬兰-乌戈尔诸语言波罗的诸语支之亲属关系的资料及民间诗歌。他认为他所收集到的短诗是一部史诗的片断，但无完整抄本流传，所以他自己编写一些材料，把短诗连缀起来，赋予它完整的情节。很多学者对他这种做法不以为然，但《卡勒瓦拉》(**Kalevala**)对于芬兰民族的觉醒，对于芬兰艺术及文化所产生的影响是巨大的。兰罗特于1853～1862年间任赫尔辛基大学芬兰语言文学教授。他领导的民族复兴运动，提倡以芬兰文为民族语言(以前芬兰使用的语言主要是瑞典语)，为现代芬兰文学的诞生铺平道路。

Lons-le-Saunier　隆勒索涅　法国东部弗朗什孔泰大区侏罗省省会、城镇。位于第戎东南偏南，索尔旺河谷，海拔258米。四周是长满葡萄树的山岭。为一环境宜人的矿泉疗养地。生产光学仪器、干酪和发泡葡萄酒。在城内骑士大道上有法国国歌《马赛曲》作曲者鲁日·德·李尔的塑像，由19世纪法国雕塑家、纽约自由女神像的设计者F.A.巴托尔迪创作。在市政府大厦内的博物馆收藏有作曲家的曲谱。人口19 996(1982)。

Lonsdale, Frederick Leonard　朗斯代尔(1881-02-05，英国海峡群岛泽西岛圣赫利尔～1954-04-04，英国伦敦)　英国剧作家和歌剧歌词作者。其轻松风俗喜剧由于结构严谨并富于警句式妙语而得以流传下来。主要音乐喜剧作品有《卡多尼亚国王》(1908)、《巴尔干公主》(1910)和《群山少女》(1916)。20年代开始写剧本，最成功的有《不就是我们这些人吗?》(1923)、《切尼夫人最后的信息》(1925)、《试用期间》(1927)、《偶尔吟唱的加那利雀》(1929)和《一次足够了》(1938)。

Lonsdale, Gordon Arnold　朗斯代尔(1924-08-27，加拿大安大略科博尔特～1970?-10，苏联莫斯科)　原名莫洛迪。苏联间谍。1961年3月被英国法院判处25年徒刑。1932年随家迁往波兰。第二次世界大战期间曾以各种化名从事秘密活动。战后在苏联驻柏林军事管制当局工作。1950年大学毕业冒充德国人赴美为苏联从事间谍活动。1954年被派往英国，伪称加拿大商人，化名朗斯代尔。他建立一个情报网，专门收集英国多塞特郡波特兰水下探测机构有关探测潜艇的技术秘密。朗斯代尔于1961年1月7日被捕，并且以间谍活动受审。1964年4月22日，他同英国情报人员G.温互换后获释。著有自传《间谍》(1965)。

Lonsdale, Dame Kathleen　朗丝黛耳(1903-01-28，爱尔兰基尔代尔郡纽布里奇～1971-04-01，英国伦敦)　母家姓Yardley。英国女晶体学家，发展了几种X射线技术来研究晶体结构，是被选入英国皇家学会(1945)的第一位妇女。1922～1927年和1937～1942年，在伦敦的大学学院和皇家协会任W.H.布拉格的研究助手。1929年用X射线确定了苯化合物分子中碳原子的正六角形排列。后来发展了一种X射线技术，用来精确测定金刚石中碳原子之间的距离(达到7位数字)。还把晶体学技术用到医学问题上，特别是用到对类箭毒药物和膀胱结石的研究上。1949年任大学学院化学教授。

Lonsdale, William　朗斯代尔(1794-09-09，英国萨默塞特巴斯～1871-11-11，格洛斯特郡布里斯托尔)　英国地质学家和古生物学家。对珊瑚化石研究的结果指出，在石炭纪(3.6亿年前至2.86亿年前)和志留纪(4.38亿年前至4.08亿年前)之间还存在着一套过渡的地层——泥盆纪。他受的是军事教育，在萨拉曼卡战役(1812)和滑铁卢战役(1815)时在英国陆军服役，退伍时是中尉。1829年在萨默塞特大厦的伦敦地质学会任助理秘书和管理员。同年发表他两年前开始的对巴斯的鲕状岩层勘测的成果；后来又从事格洛斯特郡的鲕状岩层的勘测(1832)。他成了英格兰研究珊瑚的最高权威，描述了采自北美第三纪和白垩纪地层以及英国和俄国更古老地层中的珊瑚化石。1837年根据对南德文郡石灰岩中所含化石的研究，提出这些化石的时代应在石炭纪和志留纪之间。这一建议于1839年为英国地质学家A.塞奇威克和R.I.麦奇生所采纳，可以看作是他们据以建立泥盆纪的基础。

Lonsdale Belt　朗斯代尔奖带　英国拳击奖。1909年由英国全国体育运动俱乐部主席朗斯代尔勋爵发起设置。从1929年起奖带由英国拳击管理委员会授予。规定获得3次冠军者(不一定是连续)，奖带即归其所有。

Loo　卢　原作Lanterloo。属于尤克牌(**Euchre**)类的牌戏，常用于赌博。5～9人共打，一人一家。用牌52张。20世纪不再流行。最简单的打法是：给每人发3张牌，下一张牌摊开作为将牌。发牌人左侧一家先出牌。每墩牌的赢家可获总赌金的1/3。总赌金是发牌前各家所下赌注之和，赌注总数以外的附加部分有二，一是因"卢"(赢墩不成)而付出的钱，二是犯规的罚金。

Looe　卢港　英格兰康沃尔郡卡拉敦区一教区城镇。卢港河将城镇分为东、西两部分，

卢港河上七孔桥及当地独特的房屋建筑
美国不列颠百科全书公司供图

建并形成英吉利海峡的港湾。1587年获准制。现港湾为旅游胜地，游客对钓鲨鱼特别感兴趣。古迹有凯尔特人的教堂和本笃会隐修院等。人口5 002(1991)。

loofah(plant)　参阅 **dishcloth gourd** 丝瓜。

Lookout Mountain　卢考特山　美国坎伯兰高原西南一狭窄山岭，阿巴拉契亚山脉的一部分。从田纳西河莫卡辛湾西南延伸，长120千米。大部山峰高600米。主峰高730米。东北端峰顶的卢考特山镇视野开阔，景致优美，有陡坡铁路可达；所在山峰的洞穴中有鲁比瀑布(落差45米)，山顶有花园和奇形怪状的岩石构造。南北战争时期1863年的云端战斗即在此峰顶及周围进行。

Lookout Mountain, Battle of　卢考特山战役　又称云端战斗。美国南北战争时期粉碎南部邦联军对田纳西州查塔努加联邦军队包围的战役之一。参阅 **Chattanooga, Battle of**。

loom　织机　织布的机器。最早的织机于公元前5千纪出现。早期织机固定的机架上有多根平行纱线，形成经纱，相间归集成两组，提升其中一组，在经纱间可横穿过一根叫做纬纱的纱线。牵引纬纱穿过经纱的木制器具叫做梭子。在古代和中世纪的漫长时期中，织机在亚欧两地不断得到改进，但织布过程中的基本动作仍保持不变。最重要的变革是采用综，它是用来提升上面一片经纱的活动杆。在以后的织机中，综改为绳、金属丝或钢片。在亚洲，可能因丝织工艺的需要发明了手工提花织机，能按花纹要求一次提升很多根经纱，织出复杂的图案。最初，这一动作由一名提花工完成，在18世纪，提花动作在法国机械化，并由于采用冲孔卡片而进一步得到改进。由J.de沃康松和J.-M.雅卡尔发明的冲孔卡片所编制的机械提花程序，节约劳动力并可避免差错。同时，英国人J.凯发明的飞梭和E.卡特赖特发明的动力驱动等推动了产业革命，织机和其他纺织机械在产业革命中起了主导作用。现代织机仍保留以前织机的基本工作原理，但是逐步提高了自动化操作的程度。

loon　潜鸟　又作diver。潜鸟目潜鸟科潜鸟属(*Gavia*)的4种鸟类，能潜水。从前，因其外貌与䴙䴘相似而归入䴙形目(**Colymbiformes**)。潜鸟体长60～90厘米，特征为：喙呈长圆锥形而坚硬；翅小，尖形；前3趾之间具蹼；腿位于身体后部，因此步履蹒跚。羽毛

普通潜鸟(*G. immer*)
美国不列颠百科全书公司供图

浓密，背部主要呈黑色或灰色，腹部白色。在繁殖期间，潜鸟背部羽毛有白斑纹，但红喉潜鸟（*Gavia stellata*，在夏季有一个红褐色喉斑，在冬季背上具小白斑，而其他种潜鸟无这些斑纹）例外。潜鸟几乎全为水栖性，能在水下游很长距离，并能从水面下潜到 60 米深处。一般独栖或成对生活，但有些种，尤其是黑喉潜鸟（北极潜鸟，*G. arctica*）则成群越冬或迁徙。潜鸟鸣声有特色，包括喉声和怪异的悲鸣声，因此在北美称为 Loon（意为"笨鸟"）。食物主要是鱼、甲壳类和昆虫。常在水边堆积植物作巢。每窝产卵 2 枚（很少 3 枚），卵有斑点，呈橄榄褐色。双亲分担孵卵工作。雏鸟约在 30 天内孵出，其绒羽一干即随双亲进入水中。虽然潜鸟善于飞行，但除体型小的红喉潜鸟外，都需有宽阔的水面才能起飞。因而除红喉潜鸟外，仅分布于大湖。北美最多的潜鸟是普通潜鸟（北方大潜鸟，*G. immer*）；欧亚大陆的潜鸟是黄嘴潜鸟（白嘴潜鸟，*G. adamsii*）。红喉潜鸟和黑喉潜鸟实际上分布于极圈附近。黑喉潜鸟在北美洲的太平洋沿岸最多。

Loop, The　卢普区　美国伊利诺伊州芝加哥市中心第 35 街区。其中斯泰特街是主要商业区，有几家全国最大的百货商店；拉萨尔街有芝加哥华尔街之称，是中西部证券交易所和芝加哥交易所等大型金融机构所在地。西尔斯大厦建于 1974 年，高 443 米，为当时世界最高建筑物。

loop of Henle　亨勒氏襻　肾脏肾单位（**nephron**）内传导尿的小管的"U"形部分，又称髓襻，其主要功能似乎是从尿中重吸收水分和盐，见于爬行类、鸟类和哺乳类。进入襻的是盐、尿素和其他物质的溶液，流经曲小管时，大部分身体需要的溶解物（尤其是葡萄糖、氨基酸和碳酸氢钠）已被再吸收到血中。襻的第一段是降支，水可透过，到襻的转弯处，溶液中盐和尿素的浓度比血浆中高得多。溶液流经襻的升支时，氯化钠从小管扩散到周围组织中，因为周围组织中盐的浓度较低。在襻的第三段，必要时肾小管能进一步将盐分移出，甚至移向浓度高的组织中。这种主动转运过程耗费能量。健康人体从尿中再吸收盐分，以维持身体的需求：摄盐量低时，尿中盐分被重吸收而不排出体外；但摄盐量高时，多余的盐分被排泄出去。

looper　参阅 **measuring worm**尺蠖。

Loos, Adolf　洛斯（1870-12-10，奥匈帝国摩拉维亚布尔诺［今在捷克共和国］～ 1933-08-23，奥地利维也纳附近卡尔克斯堡）　奥地利建筑师。他设计的住宅对第一次世界大战后的欧洲现代派建筑产生很大影响。曾在德国德累斯顿学习，虽然曾长期旅居美国（1893 ～ 1897）及巴黎（1924 ～ 1928），但在维也纳从事建筑设计工作。他反对欧洲的新艺术派和美国的新古典主义，早在 1898 年就宣称要废弃建筑上不必要的装饰，他设计的第一座房屋，位于瑞士克拉朗的卡尔马别墅（1904 ～ 1906），即以其简洁的几何形式而开风气之先。1910 年设计的斯坦纳住宅，被称为第一所纯现代派的住宅，其正立面由若干巧妙地平衡的长方形组成。他修建的维也纳附近希青的朔伊住宅（1912），以逐层后退的平台及建筑体量的微妙处理而闻名。他设计的著名的大型建筑有维也纳的戈尔德曼和萨拉奇大厦（1910），外立面少量的古典风格细部，与光洁的大面积大理石墙面形成对比。

Loos, Anita　露丝（1893-04-26，美国加利福尼亚锡森斯［今芒特沙斯塔］～ 1981-08-18，纽约州纽约）　美国小说家和好莱坞电影剧本作家，以她的小说《绅士们偏爱金发女郎》（1925）而闻名。根据这一小说改编先后有一部话剧、两部歌舞剧和两部电影。到作者逝世时为止小说已印行 85 版，译成 14 种文字。露丝原为儿童戏剧演员，曾在加利福尼亚旧金山、洛杉矶和圣迭戈演出，也曾在早期电影中扮演角色。第一部根据她的剧本拍成的影片为《纽约帽》（1912），由 D.W.格里菲思导演，M.璧克馥和巴里穆尔主演。她 20 岁时已是一位专业电影剧本作家，为 60 多部默片写作剧本，其中有《党同伐异》（1916）、《贞洁的妖妇》（1919）、《尽善尽美的女人》（1920）、《歌舞剧里的波莉》（1922）和《学习恋爱》（1925）。《绅士们偏爱金发女郎》于 1925 年问世后，露丝一举赢得国际声誉，也使书中专门巴结富翁的美貌而浅薄的女主人公罗勒莱·李成为家喻户晓的人物。根据小说改编的舞台剧 1926 年在纽约首演，1949 年百老汇上演了改编成的歌舞剧，由卡洛尔·钱宁主演，1953 年上映了改编成的影片，由玛莉莲·梦露主演。露丝后来编剧的著名影片有《旧金山》（1936）、《萨拉托加》（1937）、《女人们》（1939）、《尘土中的花朵》（1941）和《我娶了个天使》（1942）等。

loosestrife　释战草　千屈菜科（尤其是千屈菜属［*Lythrum*］和 *Decodon* 属）及报春花科珍珠菜属（*Lysimachia*）和假珍珠菜属（*Steironema*）观赏植物的泛称。紫释战草（柳千屈菜，

紫释战草（*L. salicaria*）
美国不列颠百科全书公司供图

Lythrum salicaria）原产于欧亚大陆，现亦常见于北美东部，高 0.6 ～ 1.8 米，生于河岸和沟边；茎分枝；叶窄，轮生，无柄；穗状花序顶生；花红紫色，因花柱和雄蕊的相对长度不同，花粉的大小和颜色不同而分为三种类型。沼泽释战草（水柳、野夹竹桃，*D. verticillatus*）是多年生草本，原产于北美东部，生长于沼泽地或池边。欧亚黄释战草（普通珍珠菜、黄连花，*Lysimachia vulgaris*）是直立草本，高 0.6 ～ 1.2 米，在英格兰常见于河岸，也见于北美东部；茎分枝；叶渐狭，对生或轮生；花簇顶生，花深黄色。黄琉璃繁缕（木释战草、丛林珍珠菜，*L. nemorum*）较低矮，茎纤细，铺展；花黄色，单生；在英国常见。纤毛释战草（纤毛假珍珠菜，*S. ciliatum*）多年生，花黄色，原产于北美潮湿地域，也常见于欧洲。

Looy, Jacobus van　洛伊（1855-09-12，荷兰哈勒姆～ 1930-02-24，哈勒姆）　荷兰作家、画家。在他身上体现了 19 世纪晚期文学和艺术之间的密切关系。他起初以 19 世纪 80 年代荷兰文艺复兴的直接、个性化的风格写作，如通俗小说《我的猫之死》（1889）。他在早期小说《昙花》（1888）中使用一夜即谢的花来比喻短暂的心愿，是当时的一种象征主义手法。后期作品《庆典》（1902）更客观地描写了中产阶级下层的生活。自传《少年时代》（1917）、《青年时代》和《成年时代》（1930）表现出他巧于印象主义地用文字描绘的天才。

Lop Buri　华富里　泰国中南部城镇和大米集散中心。位于曼谷北，濒临华富里河，在国家南北铁路和公路干线上。为泰国主要历史名城之一。建于公元 5 世纪，曾是大城府王国主要中心之一。现保存有宫殿、寺庙、王家宾馆等名胜古迹，其中三尖塔是华富里府的象征。附近地区靠湄南河支流华富里河灌溉，主要农作物为水稻。人口：城镇约31 898（1993）。

Lop Nor　罗布泊　又拼 Lo-pu Po、Lop Nur。中国新疆维吾尔自治区东南部湖泊。古称泑泽、盐泽、蒲昌海等。在塔里木盆地东部罗布洼地。海拔 780 米左右，为塔里木盆地的最低处。盆地中河流如塔里木河、孔雀河、车尔臣河等汇集于此，曾经形成巨大的湖泊。蒙古语罗布泊即"众水汇聚之湖"。公元 330 年以前湖水较多，西北侧的楼兰城为著名的"丝绸之路"咽喉。此后湖水减少，楼兰城成为废墟。1921 年后塔里木河东流，湖水又有增加，1942 年测量时湖水面积达3 000平方千米，为中国第二大咸水湖。1962 年湖水面积减少到 660平方千米。1970 年以后干涸，现仅为大片盐壳。根据湖水变化，一些探险家认为罗布泊为"游移湖"或"交替湖"。近年来中国科学家做了实地考察，发现湖泊的西北隅、西南隅有明显的河流三角洲，说明塔里木河下游、孔雀河水系变迁时，河水曾从不同方向注入湖盆。湖盆为塔里木盆地最低处，入湖泥沙很少，沉积过程微弱。湖底沉积物的年代测定和孢粉分析证明罗布泊长期是塔里木盆地

罗布泊海市蜃楼
中国大百科全书出版社供图

汇水中心，只是湖水有时偏北，有时偏南，并非大范围的“游移”。

Lope de Vega　洛佩·德·维加　参阅 **Vega, Lope de** 维加。

Lopes, Baltasar　洛佩斯（1907-04-23，佛得角群岛圣尼古拉岛～1989-05-28，佛得角圣维森特）　笔名奥斯瓦尔多·阿尔坎塔拉。非洲诗人和小说家，对现代佛得角文学的形成起了积极作用。就学于里斯本大学，获法律和罗曼语文学学位。后返回佛得角，在圣维森特任教员和校长，直至1972年退休。用葡萄牙语写的小说《孩子》（1947）再现了一个佛得角人的经历，他长大后懂得，在他的土地上，人生不过是一个持久的悲剧，只有显示人的勇气才能赋予其意义。它标志着佛得角小说现实主义的开端，现已成为一部经典之作。他的诗歌在佛得角、葡萄牙、巴西的杂志上发表。他在1936年成为《光明》杂志的创始人之一，反对殖民主义，宏扬佛得角文化。他研究佛得角文化，写出《日尔贝托·弗雷雷眼中的佛得角》（1956）一书，还编选了《当代佛得角小说选》（1960）。

Lopes, Fernão　洛佩斯（约1380～约1460）　葡萄牙历史学家，最早和最伟大的葡萄牙皇室编年史编纂者，15世纪葡萄牙最有成就的散文作家。他在中世纪的编史工作中占有特殊的地位，因为他坚信获得历史真象最确切的方法就是依靠历史资料的证据。洛佩斯的早期生活不详。他的名字始见于1418年，当时他任皇室档案的主管。1434年，杜阿尔特国王指派他编纂葡萄牙编年史。他为此研读皇室档案，走访王国各地，检视隐修院等记录，参阅墓志铭，并熟读城镇和战场的地志。1454年退休时，他撰写的历史已经记到1411年。在当时的记录中，最后一次提到他是在1459年。他的编年史中阿方索四世死（1357）前的部分，早在16世纪初就散佚了，后来曾发现一个可能不完整的抄本。完整保存的部分有短篇的《佩德罗一世编年史》、详尽的《费尔南多编年史》以及长篇巨著《若昂一世编年史》，后者虽未完成，但已写了近400章，这是洛佩斯第一部付梓的作品（1644）。洛佩斯系统地利用资料，有时在他的正文中全文加以引用，然而更常见的是把他所阅读的资料（特别是档案馆的记录）写成有连续性的叙事文字。洛佩斯词藻丰富，笔调流畅，其文字于通俗中见典雅，为当时文风之特征。

Lopes, Manuel　洛佩斯（1907-12-23，佛得角群岛圣安唐岛～　　）　非洲诗人、小说家。作品描绘了干旱、饥荒和失业围攻下的人民的斗争。曾在葡萄牙科英布拉大学学习，后返回佛得角。1944年为西方电报公司工作。1951年调到亚速尔群岛，以后去葡萄牙工作，退休后继续生活在那里。他是佛得角现代文学先驱《光明》杂志的创始人之一。短篇小说《在海湾里啼叫的公鸡》（1936）是佛得角第一篇散文叙事作品。《暴雨》（1956）和《东风下的牺牲品》（1960）两部小说反映了人民的希望与愤怒，均获奖。他发表了许多有关佛得角文化的论文和两卷诗歌《一个落伍者的诗》（1949）及《克里奥尔人及其他诗篇》（1964）。他的诗反映了佛得角生活的主题，其中包括逃走和留下两种愿望间的冲突。

López, Carlos Antonio　洛佩斯（1790-11-04，拉普拉塔联邦亚松森～1862-09-10，巴拉圭亚松森）　巴拉圭第2个独裁者，结束了巴拉圭的孤立状态，力求巴拉圭现代化，并深深

美洲国家组织供图

地卷入国际争端之中。据传具有印第安人和西班牙人血统，父母亲很贫穷。早年在亚松森的圣卡洛斯神学院学习，后在该校执教。结婚后成为这个国家的最重要的家族之一的一员。1841年，即独裁者罗德里格斯·弗朗西亚逝世后一年，成为统治国家的两执政官中主要的一个。1844年宣布中止宪法，并撤掉另一个执政官，自任独裁者。他极端贪污腐化，占有全国一半的土地，视国家收入为己有，将巴拉圭商业的大部分掌握在自己家族手中。他虽然不喜欢外国人，但是鼓励欧洲工匠和专业人员移居巴拉圭，以发展工业和军队。他对政治反对派比他的前任宽大，1844年释放了全部政治犯。他正式宣布废除奴隶制和酷刑，不过到他去世时为止，这些还很盛行。他粗暴地对待神职人员，但试图改进初等教育。他与许多欧洲强国及美国建立了外交关系，但与美国的争执几乎导致战争，并因阿根廷总统罗萨斯拒不承认巴拉圭独立而介入1845～1846年阿根廷内战。

López, Francisco Solano　洛佩斯（1827-07-24，巴拉圭亚松森～1870-03-01，康塞普西翁省）　巴拉圭独裁者，他将国家拖入战争（三国同盟战争），巴拉圭几乎被巴西、阿根廷和乌拉圭摧毁。他是独裁者卡洛斯·安东尼奥·洛佩斯的长子。1862年9月10日其父去世后夺取政权。他在军队的支持下，很快确立

美国国会图书馆供图

了自己的最高统治地位。他不懂得巴拉圭必须在巴西和阿根廷这两个南美大国的争执中保持中立。1863年初与两国发生边界争端，并卷入巴西和阿根廷也参与的乌拉圭的内战。他显然希望在争端中扮演仲裁者的角色，从而主宰拉美的政治事务，结果错综复杂的外交阴谋使巴拉圭在1864年12月与巴西发生战争。他要求在阿根廷科连特斯省驻军的权利。这违背阿根廷保持中立的愿望，促使巴西、阿根廷和乌拉圭3国于1865年结成同盟，共同反对巴拉圭。虽然洛佩斯在1864年底顺利攻入巴西的马托格罗索省，但在1865年他入侵乌拉圭时却遭到惨败。1866年5月同盟军在图尔普蒂击败洛佩斯的军队，1867年7月攻占乌迈塔要塞。洛佩斯被迫撤往巴拉圭北部，在那里被杀。

López de Ayala, Pedro　洛佩斯·德·阿亚拉（1332，卡斯蒂利亚维多利亚～1407，纳瓦拉卡拉奥拉）　西班牙诗人、宫廷史官。所写《编年史》（标准版1779～1780）以直接观察和生动表述为特色，因而被列为西班牙早期的优秀历史著作。历任卡斯蒂利亚4位君主——彼得一世、亨利二世、约翰一世、亨利三世——的朝廷显官，曾任卡斯蒂利亚海军统帅（1359）、驻法国大使（1379～1380，1395～1396）以及卡斯蒂利亚宫廷大臣（1398至去世）等要职，毕生与当时的重要人物和重要事件有密切关系。作为诗人，他主要以《宫廷诗韵》（约1400）闻名，那是一首关于当时社会的自传体讽刺诗。

López de Legazpi, Miguel（Spanish explorer）**洛佩斯·德·莱加斯皮**　参阅 **Legazpi, Miguel López de** 莱加斯皮。

López de Mendoza, Iñigo, marqués de Santillana 洛佩斯·德·门多萨 参阅 **Santillana, Iñigo López de Mendoza, marqués de** 桑蒂利亚纳侯爵。

López Mateos, Adolfo 洛佩斯·马特奥斯（1910-05-26，墨西哥萨拉戈萨阿蒂萨潘～1969-09-22，墨西哥城） 墨西哥总统（1958～1964），扩大了工业发展和土地改革成果。曾是图书馆管理员和西班牙-美国文学教师，后进入联合国工作，开始其担任公职的生涯。1946～1952年当选为联邦参议院议员，后任革命制度党总书记。在任劳工部长期间，他善于调解各种争端，并参与起草美墨移民劳工条约。6年总统任期虽被指控贪污而蒙上阴影，但他加强了工业化程度，扩大了土地改革法的范围，并且发起了一次扫盲运动。

López Michelsen, Alfonso 洛佩斯·米切尔森（1913-06-30，波哥大～ ） 哥伦比亚总统（1974～1978）。其父阿方索·洛佩斯·普马雷霍曾两度担任哥伦比亚总统（1934～1938，1942～1945）。先后在波哥大、巴黎、伦敦和布鲁塞尔学习，在乔治敦大学和智利大学攻读研究生。1958年将自由党内的持不同政见者组成新党——自由革命运动，反对全国阵线。全国阵线是自由党和保守党于1957年组成的联合组织，以结束长达10年的内部暴力冲突。两党达成协议，保证两党轮流执政。洛佩斯认为，这窒息了真正的政党竞争和扼杀了领导才能。1962年竞选总统失败，但当选为参议员，1966年再次当选。1967年领导自由革命运动回到自由党内，被阿尔维托·耶拉斯·卡马戈总统提名任新建立的塞萨尔省省长。1968年8月任外交部长，任职期间，与苏联建立较密切的文化和贸易关系，并改善与其他拉美国家的关系。1974年全国阵线协议结束后，在16年来哥伦比亚第一次进行竞争的选举中取得压倒性胜利，当选为总统。任职后采取步骤，抑制通货膨胀，对高收入者增税，但物价补贴的取消和失业率上升激起劳工骚乱、农民夺地和游击队活动的浪潮。1975年宣布全国处于戒严状态。任期结束时，他的政府被指控贪污腐败，包括非法的毒品贸易，对政治暴力风波采取镇压措施等。

López Ortega, Domingo（bullfighter） **洛佩斯·奥尔特加** 参阅 **Ortega, Domingo** 奥尔特加。

López Portillo（y Pacheco）, José 洛佩斯·波蒂略（-帕切科）（1920-06-16，墨西哥墨西哥城～2004-02-17，墨西哥城） 律师、经济学家、作家，1976～1982年任墨西哥总统。曾在墨西哥国立自治大学和智利大学学习。毕业后当律师，后任法学、政治学和公共管理学教授。历任各种行政职务，1971年任财政部长。在这一职位上，他革新征税程序，追查逃税者，削减公共开支。任总统时，持较其前任更为保守的态度，贬低土地再分配的重要性，赞同设置非农业工作，开发石油和天然气，在税收上做出让步，以刺激发展工业和吸引外国投资。他继续执行埃切维里亚总统控制人口的计划，使国家的高出生率有所降低。他的最重要的政治改革是扩大众议院，将议员人数增至400名，其中至少留出100个席位分给反对党。他制订了由国有墨西哥石油公司开发在韦拉克鲁斯和塔巴斯科新发现的大量石油储藏的宏伟计划。这项计划使墨西哥的石油出口急剧增长，但所创财富有许多被缺乏效率的国营企业所浪费，或由政府和工会的官员中饱私囊。至1982年其任期结束时，其政府声名狼藉。洛佩斯本人旅居国外多年以逃避国内民众指责。在国际方面，他采取稍为和解的态度，供应美国石油和天然气，同时施加压力，迫使美国放宽贸易和移民限制。1978年墨西哥恢复与西班牙中断了38年的外交关系。

López Rega, José 洛佩斯·雷加（1916-10-17～1989-06-09，布宜诺斯艾利斯） 阿根廷政客，伊莎贝尔·马丁内斯·德·庇隆总统的亲信，当时事实上的总理。原为退职的警察下士，长期任右翼庇隆主义者领袖，胡安·庇隆流亡西班牙时的私人秘书。1973年随庇隆返回阿根廷。庇隆再次当选总统（1973）后，他被任命为社会福利部长和警察高级特派员，权力很大。后策划庇隆的第3个夫人伊莎贝尔任副总统。1974年庇隆去世，伊莎贝尔任总统，他的权力更大，协调总统府内所有秘书部门的工作。他是一个玩弄占星术的人，据传他运用拉斯普廷式的权力驾驭庇隆遗孀，于1974年9月将他的狐朋狗党塞入内阁，制定了不得人心的保守的财政计划。由于他的门徒、财政部长将比索贬值50%，解除对物价的控制，1975年春通货膨胀剧增。左翼庇隆主义者谴责他是法西斯分子和反革命分子，1975年7月庇隆主义议员指控他为极右恐怖集团反共联盟的煽动者。7月11日辞职，伊莎贝尔·庇隆匆匆指派他为驻西班牙特命全权大使，遂前往西班牙。同年底在军队的压力下，庇隆撤销其职务，此后10年，他藏匿起来。1986年在美国被捕，引渡至阿根廷，在等待审讯期间去世。

López Velarde, Ramón 洛佩斯·贝拉尔德（1888-06-15，墨西哥赫雷斯～1921-06-19，墨西哥城） 墨西哥后期现代主义诗人。他运用法国象征派的写作技巧于纯墨西哥题材。曾学过法律，当过新闻记者和公务员。第一部诗集《虔诚的血》（1916）描绘淳朴的乡村生活、肉欲与精神的冲突，以及对水神富恩桑塔的热爱。诗集《忧虑》（1919）更热烈地表现了前述诗作的主题。《心声》（1932）收集了他生前未发表过的诗作。他的诗虽然在生前未获得称许，但他后来终于被公认为20世纪墨西哥最伟大的诗人之一。他对墨西哥先锋派诗人的影响是巨大的。此外，他还写过笔调充满诗意的小品文集《分针》（1933）、《二月的礼物》（1952）等。

López y Fuentes, Gregorio 洛佩斯-富恩特斯（1895-11-17，墨西哥韦拉克鲁斯瓦斯特卡～1966-12-10，墨西哥城） 墨西哥小说家，墨西哥革命及其对生活的影响的最重要记录者之一。最初写作诗歌和小说，未获成功，转而描绘自己的革命经历。第一本成功的作品是《军营》（1931）。其后继续发表《土地》（1932），一本描写墨西哥革命家米利亚诺·萨帕塔的小说。《我的将军!》（1934）描写革命后将军们的生活。他最著名的作品是《印第安人》（1935），是一本对墨西哥土著民族生活的研究著作，以小说体写成。

lophophorate 触手冠动物 一切具有触手冠（口周围成扇形排列的一圈具纤毛的触手）的无脊椎动物。包括苔藓动物门、腕足动物门、帚虫动物门。纤毛运动时将带有食物粒子的水流送入口中。

lophophore hypothesis 触手环假说 一种观点，认为牙形石（牙齿状小结构，化石见于海相地层，代表一段很长的地质时期）实际上是部分触手环器官，并且支撑触手环器官用来呼吸、聚集或粗滤微小生物体，以供食用。触手环是许多种动物拥有的缘饰器官，包括腕足类和苔鲜类。据假说，这种具有牙形石的动物，很可能与任何已知动物截然不同。

Lophophyllum 顶饰珊瑚 海生单体珊瑚的绝灭属。其化石尤其为北美晚石炭世（3.2亿年前至2.86亿年前）所特有。包括在角珊瑚类（因该单体呈角状而得名）里。很可能喜欢温暖和较清澈的浅海水域。

Lophospira 脊旋螺属 腹足纲的绝灭属。化石见于海相奥陶系到泥盆系（5.05亿年前至3.60亿年前）。壳由一连串螺环组成，排列很像一连串向上的台阶，每个连续的螺环都比其下面的小。壳顶由锥形小螺环封闭。

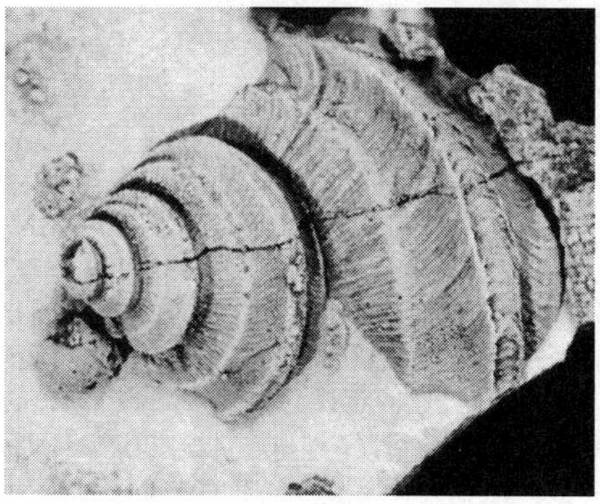

采自加拿大的奥陶系脊旋螺（*Lophospira*）化石
美国不列颠百科全书公司供图

lopolith 岩盆 与构造盆地共生的火成侵入体，接触面平行于围岩的层面。在理想的例子中，包围在岩盆上下的沉积岩层都从四面八方向中心倾斜，所以岩盆的凹面向上。直径达几英里至几百英里以上，厚度达几千英尺的一些岩盆是已知最大的侵入岩体。许多大岩盆主要由基性岩组成，典型的实例是南非布什维尔德的火成杂岩体，由花岗岩和基性岩两类岩石组成。其他许多岩盆不是复合的岩体就是分异的岩体。岩盆的补给管道据推测是比较小的，而且很可能位于岩盆的中心，可以把岩盆同更深处的更大的岩浆房连通起来。

Lopukhina, Yevdokiya Fyodorovna (tsarina) **洛普欣娜** 参阅 **Eudoxia**叶夫多基娅。

loquat(*Eriobotrya japonica*) **枇杷** 蔷薇科亚热带乔木。与苹果等温带果树有亲缘关系。常绿,树形美观,常栽培于公园和庭园以供观赏,高逾10米者较少见。叶革质,椭圆

枇杷(*Eriobotrya japonica*)
美国不列颠百科全书公司供图

形至披针形,长20～25厘米,簇生于枝端,叶缘粗齿裂。花小,白色,芳香;圆锥花序顶生。果稀疏簇生,圆球形、倒卵球形或梨形,长2.5～7.5厘米;果皮似李,坚韧,黄色至青铜色;果肉多汁,白色至橘黄色,内含3～4粒大种子;果味酸度适口。可能原产于中国华东中部,但已引入日本,在日本栽培最盛并为日本人所喜爱,有些日本优良品种已引入欧洲、地中海地区和其他几个地区。在许多亚热带地区,通常小面积商业化栽培。常用种子繁殖,而商业化栽培需嫁接,用盾形芽接或劈接繁殖。可用枇杷实生苗或由插条培育的榅桲砧木,用后者可使树形矮化。栽培于多种土壤(从沙壤土至黏土)均生长良好,约3～4年后结果。

Lorain **洛雷恩** 美国俄亥俄州北部洛雷恩县城市。位于伊利湖的布莱克河入口处,东距克利夫兰42千米,南邻伊利里亚。1807年建为商站,1836年设村,1874年设市。1872年通火车,开始有煤和铁矿石的贸易。1890年工业开始发展。现为美国中西部的运输中心,承运煤、铁矿砂和石灰石。工业有造船、汽车和卡车装配、钢管、电铲、起重机、轴承、石膏产品和服装。人口:市67 955(2003);克利夫兰-洛雷恩-伊利里亚主要都会统计区2 250 871(2000)。

Lorain, John **洛雷因**(1753,英国～1823,美国宾夕法尼亚菲利普斯堡) 美国农民、商人、农业作家,最先利用两个类型的玉米以产生杂交玉米。幼时即赴北美马里兰殖民地,在该处经营农场多年,1795年移居宾夕法尼亚州日尔曼敦。1810～1813年间,他向费城农业促进会的刊物投稿。1812年,他描述了他的实验(这是他已知的最早实验):将硬质玉米与葫芦籽玉米杂交,所得杂交玉米的产量比父本母本都高。同年移居宾夕法尼亚州菲利普斯堡,除经营农业外,还经营一家商店,并任邮政局长和治安官。1825年,他的遗孀出版了他所著的《自然与理性统一于农业实践中》一书。其中详细描述了他的杂种实验和把不同品种玉米的最优品质结合到一个品系中的尝试。

Loralai **洛拉莱** 巴基斯坦俾路支省奎达专区城镇和县。洛拉莱镇为县首府,位于洛拉莱河北,海拔1 430米。始建于1886年。有公路通赫尔奈、兹霍布、比欣和德拉加济汗。洛拉莱县面积19 073平方千米。设治于1903年。地形为一系列边缘有高山的狭窄谷地。牛、绵羊和山羊饲养为主要行业。山谷中有一些农业,主要作物为小麦、黍类、水稻、玉米和水果。普什图人为主要居民。人口31 900(1998)。

loran **罗兰导航系统** loran为long-range navigation的缩写词。海上及空中导航用的远距导航系统。它包括两个相距很远的发射台——主台和副台,由收到这两个台的同步脉冲的时间差确定位置线。主台连续播出一列脉冲,其持续时间一定,脉冲频率也一定(例如每秒发射25个脉冲,每个脉冲持续50微秒)。副台远离主台320～480千米,它接收主台脉冲信号后自动发射它自己的信号,其频率和脉冲持续时间和主台相同。船(机)载接收设备接收并记下两个脉冲到达的时间差,即可确定该船或飞机位于某一双曲线上。再调到第二个副台,又可确定船或飞机在另一条双曲线上。这两条双曲线的交点就是飞机的精确位置。机动式罗兰导航系统称为电子位置指示器(EPI),用于确定沿岸到副台间的距离。相关的系统如台卡导航系统(decca)和台卡跟踪和测距导航系统(dectra)利用连续信号而不是脉冲信号,通过相位差而不是时间差确定主副台之间的距离。

Lorant, Stefan **洛伦特**(1901-02-22,布达佩斯～1997-11-14,明尼苏达罗切斯特) 匈牙利出生的美国编辑、作家,新闻摄影的先驱。早年就读于布达佩斯经济学院。后曾先后在维也纳和柏林从事电影的导演、摄影和剪辑。1926～1933年任著名的《慕尼黑画报》总编辑。任职期间,大力开拓新闻摄影这一新领域。当时,新闻摄影在德国受到广泛的支持并得到空前的发展。在纳粹集中营受到短期监禁之后,1934年赴英国,在那里创办了当时英国最受欢迎的三家画报——《每周画报》(创办人和编辑,1934)、《小人国》(总编辑,1937～1940)和《图片邮报》(1938～1940)。1940年前往美国,1948年入美国籍。洛伦特对新闻摄影影响很大,特别是在其初创时期。他不但培养出了F.曼、A.艾森施塔特和R.卡帕这样一些出色的摄影家,而且还为新闻摄影订立了很多最基本的规则。他认为,摄影记者应该真实地记录所发生的事情,而不应该有意识地安排某个镜头。作为一名富有创新精神的画报编辑,他负责编排版面,突出图片大小与调子的对比,并设计封面。这种做法在当今的新闻业中已成为普遍采用的标准做法。他认为,新闻图片应组织得具有故事性,而不应使人看起来像是拼凑在一起的一些快照。洛伦特在美国可以说是以其总统题材的作品而最为闻名。他的《林肯生平影集》(1941;1957修订)是照片传记这一体裁的创始之作。其他作品有:《新大陆》(1946;1965修订)、《F.D.罗斯福》(1950)、《总统》(1951)以及《林肯画传》(1952;1969修订)。他还撰写过两本自传体作品:《我在希特勒集中营中的囚徒生活》(1935)和《旅英岁月》(1982)。

Loranthaceae **桑寄生科** 檀香目的一科,近65属,约850种。有人将槲寄生科的11属约450种(包括北美的油杉寄生属[*Arceuthobium*]和美洲寄生子属[*Phoradendron*]、欧洲的槲寄生属[*Viscum*]等)也划归该科。几乎仅分布于热带。大小各异,从小草本到高达10米的乔木。株形较小的种通常木质,寄生于树枝上,株形较大的种是根部寄生植物。该科植物叶不裂,通常常绿,有的种叶厚,肉质,成对,对生,叶具少量叶绿素,可制造养料;所有种都具有吸器,从寄主获得营养和水分。花常两性。浆果,具1棵种子。鸟类喜吃其果并弃其种子,或将种子从粪中排出,植物借此传播。旧大陆热带的桑寄生属(*Loranthus*)最大,约500种。澳大利亚圣诞树(*Nuytsia floribunda*)亦属本科。

Lorca **洛尔卡** 西班牙东南部穆尔西亚自治区穆尔西亚省城镇。跨瓜达伦廷河。曾被罗马人和摩尔人占据。1243年由阿方索十世收复。现该镇由旧城、新城、圣克里斯托瓦尔工业区和圣胡安农业区等部分组成。旧城保存有摩尔人城堡的遗迹。人口:城市区70 689(1999)。

Lorca, Federico García **洛尔卡** 参阅 **García Lorca, Federico** 加西亚·洛尔卡。

lord **勋爵** 英国对王子、君主或封建贵族(尤指直接受封于国王的封建领主,即男爵)的通称。今指王国贵族、上院议员,包括世俗议员和神职议员。勋爵的称谓通常被用来作为侯爵、伯爵、子爵的(无论是事实上的或名义上的)正式头衔的较不正式的替换用语,而对男爵来说总是这样用的(特别是在苏格兰,自古至今这始终是唯一正确的用法)。当称号为地区性时,省略of,如the marquess of A(A地的侯爵)称Lord A(A勋爵)。对公爵或侯爵的次子们,出于礼貌,在他们的教名和姓之前加该称呼,如Lord John Russell(约翰·拉塞尔勋爵)。对教区的主教来说,他的合适的头衔是Lord Bishop of A(A地的主教大人),无论他是神职贵族与否。一些内阁要员在他们的头衔前也用此称呼,例如:first lord of the Treasury(首席财政大臣,即首相),lord high chancellor(大法官),lord president of the council(枢密院长),lord privy seal(掌玺大臣)。在某些情况下,领导国家一个部门的委员会成员被称为lords commissioners(长官阁下),例如,财政部长官阁下,海军部文职或军职长官阁下。my lord(阁下)这一称呼不仅适用于主教和拥有此称呼的贵族,亦适用于英国高等法院的所有法官以及苏格兰大城市的市长。参阅 **lady**。

lord chancellor **大法官** 又作 lord high chancellor。英国的一个官职,他既是上议院议长,又是司法系统的首脑与掌玺官。他是内阁成员之一,掌管全国除保留由首相任命以外的一切司法官员的任免。这一官职始于撒克逊王忏悔者爱德华时期(1042～1066),他仿效法兰克王国加洛林王朝法院的方式任命了这一官员。14世纪以前,大法官一直由教士担任,充当王室牧师、国王的非宗教事务秘书和王室掌玺人。王室所有的事务都由大法官和他属下的一批牧师来处理;掌管财务账目(由最高司法官与司库管理)、起草令状并用玺,以及管理王室的书信往来。虽然像T.贝克特(1170卒)和T.沃尔西(1530卒)等大法官,任职期间拥有的大部分权力在几个世纪以前就已经取消了,但是这种具有中世纪初早期行政制度特色、身兼数职的做法一直沿袭到现代的大法官。英国大法官之所以没有像神圣罗马帝国的大法官那样变成政府的首脑,其主要原因是他承担了日益繁重的司法工作。所有写给国王的申请书,都要经过大法官。到亨利二世在位期间,大法官的大部分时间已用于处理司法工作。爱德华三世在位时,大法官法院已不再唯国王之命是从,这一官职便带有更为明确的司法性质。正是在这段时期,所有要求恩赐或赦免的申请书都呈交国王,而不是送交严格而拖拉的普通法法院,从此开始了大法官的衡平法管辖权(参阅 **equity**)。大法官法院是大法官庭的前身,后者根据1873年的《司法组织法》并入高等法院。高等法院的大法官庭主要负责衡平法管辖。大法官名义上是整个高等法院的院长和大法官庭庭长,同时又是上诉法院的成员,出席该院会议时即主持会议。但是到了现代,大法官在司法工作方面的作用几乎仅限于上议院和枢密院司法委员会。虽然自1939年以来,由于政务繁忙,现代的大法官已经无暇顾及他们的司法职务,但是,上述两机构开会时,只要他在场,就由他主持。大法官作为上议院的议长或发言人,始于英国诺曼王朝时代。那时御前会议(即君主法院)的大臣是大议会和议会的当然成员。后来,其他官员不再出席国会,大法官则仍继续参加。现在,他只是因职务关系参加议会,不过,自18世纪初以来,大法官就一直是贵族议员。作为上议院的议长,他的权力和职务与下议院议长有很大不同。他可以提出问题,但无权就议事程序作出裁决。他可以和下议院议长一样参加辩论,而且比下议院议长更经常地参加辩论。大法官也有一定的教会特权,因而至今保留着不得任命天主教徒担任大法官的禁令。大法官是英国唯一有宗教限制的官职。

lord chief justice **高等法院首席法官** 在英格兰和威尔士,指高等法院所属王座庭的主持人,其地位仅次于大法官。他由首相提名,经国王任命,通常由他主持刑事上诉庭,而且是上诉法院的当然成员。获得这一任命,就擢升为贵族,因而能够参加上议院的上诉审判工作。他同大法官以外的其他法官一样,不得与任何政党建立公开的联系。高等法院首席法官可以干预法律和司法问题的争论,他的职称来自1873年的《司法组织法》。

Lord Dunmore's War **邓莫尔伯爵之战** (1774) 弗吉尼亚殖民地发动的对肯塔基印第安肖尼族的攻击,由此扫除了殖民者征服这一地区时所面临的最后一道障碍。18世纪70年代初,白人不断蚕食肖尼族在肯塔基的猎区。1774年初,弗吉尼亚民兵攻占皮特堡,更名为邓莫尔堡(以总督J.默里的称号邓莫尔伯爵第四命名)。邓莫尔伯爵征召弗吉尼亚边区居民,与A.刘易斯上校联合进攻印第安人。肖尼族奋起抵抗,但在波因特普莱森特战役(1774-10-10)中遭到惨败。肖尼族酋长被迫签订《夏洛特营条约》,将猎区割让给白人移民。人们普遍谴责邓莫尔伯爵为了转移弗吉尼亚人对于王室政府的不满而蓄意发动战争。

lord high chancellor (British officer of state) 参阅 **lord chancellor** 大法官。

lord high steward **加冕事务长** 随诺曼公爵家族传入英格兰的一个荣誉职位。从1153年起,加冕事务长先后由莱斯特和兰开斯特的伯爵们担任,直到由兰开斯特公爵、"冈特的约翰"担任时为止。"冈特的约翰"控制了年幼的理查二世国王,加强了这个职位。后来发展到由他主持庭审,处理要求参加国王加冕礼的申请(在20世纪,举行加冕礼之前仍然要召开这样的法庭,但由一些事务官主持)。在1397年,"冈特的约翰"又树立了另外一个著名的传统,即以加冕事务长的身份主持议会对阿伦德尔伯爵等人的审判。在1421年克拉伦斯公爵("兰开斯特的托马斯")死后,加冕事务长不再是一个常设的职位。从那以后,事务长只被任命来主持申请法庭,在下一次加冕礼中执行某些礼仪上的任务,并在某些审判贵族的案件中担任那些以法官身份行事的上议院议员们的主席。1948年的《刑事司法法》废除了贵族在刑事诉讼中享有的特权,加冕事务长的司法任务就结束了。

Lord Howe Island **豪勋爵岛** 在太平洋西南部。澳大利亚新南威尔士州属地。位于悉尼东北702千米处。为火山岛。面积17平方千米。岛上森林繁茂,可耕地甚少。70%土地辟为国家公园。有稀有植物和鸟类。主要收入来源是旅游业。人口约369(1996)。

Lord Ordainer (English history) 参阅 **Ordainer** 约法爵士。

lord steward **王室总务长** 英国王室重要官员,原来只管内务,曾被称为王室的总管。在都铎王朝和斯图亚特王朝,这一职位具有相当重要的政治地位,到18世纪则达到内阁阁员的等级。不过,到1924年,就不再是一种政治性的职位,此后由国王自行决定其任免。按理王室总务长负责王室的日常管理工作和财务工作,但实际上这些事务由王室大管家主持。所以现在王室总务长纯粹是一个礼仪性的职务,尽管他仍然是宫廷中的第一名高官,而且是贵族并为枢密院顾问。过去,王室总务长还有法律的和司法的权力。他主持宫廷会计室即供应部的工作,与司库等人一起管理宫廷的开支,给王室供应必需品。供应部有权维护王宫管辖区(半径为19千米)以内的治安和处理冒犯者。12世纪以后,王室总务长还主持王室总务长法庭,该法庭对国王仆人的犯法行为或重罪有管辖权。他也主持宫廷法庭,这是由王室总务长和宫廷司法官主持的记档法庭,该法庭管辖王宫管辖区内发生的至少有一方是王室成员的民事或刑事案件。到17世纪,他负责主持新成立的王室总务长和宫廷司法官法庭(宫廷法庭)。这个法庭和马夏尔西监狱到19世纪中叶被废除。

Lords, House of **上议院** 英国两院立法机构的上院,于13和14世纪作为议会(**Parliament**)的一个独特的组成部分出现,目前由下列部分组成:①坎特伯雷和约克的大主教,达勒姆、伦敦和温切斯特的主教以及21名在英格兰具有主教地位的主教;②英格兰、苏格兰及联合王国其他各地的全部公爵、侯爵、伯爵、子爵、男爵等世袭贵族;③从1980年1月起,根据1958年《终身贵族法》所产生的所有终身贵族和女贵族;④最高法院(上诉法院和高等法院)法官。这最后一个部分为英国终审上诉法院。这样,有资格在上议院就座的总人数超过1 170人。当今上院的权力被严格限制——这是必要的,否则,保守党在上议院享有的永久和实际上的多数,将与代议制政府的原则不符。上院的权力是在1911年和1949年的议会法中规定的。1911年法案规定,由下院议长提出的所有议案,如金融议案,在送交上院审议一月后,无论是否得到上院的同意,都将成为法令。根据1949年法案,所有其他社会议案,假定在连续两届议会上通过并在前一届议会的二读和后一届议会的三读之间经过一年,即使得不到上院的批准也成为法律。上议院在议会中,除次要的和仅仅是推迟权的建议以外,起更为重要的作用。它的最有用的职能是修订下议院未充分详细制定的议案和非争议性议案,即在下院一读后经极少的争论即行通过的议案。

Lord's Cricket Ground **贵族板球场** 历史悠久的世界主要板球运动组织玛丽勒本板球俱乐部总部所在地和主要球场,英格兰与各国来访球队进行比赛的场地,也供其他一些比赛使用。该球场原于18世纪80年代建于伦敦里真茨公园西南圣玛丽勒本区多塞特广场。1809年移至圣约翰林区。1815年又移至现址里真茨公园以西圣约翰区伍德路。贵族板球场也是管理板球的世界组织国际板球联合会的会址。该球场被誉为世界"板球之乡"。

Lord's Prayer **《主祷文》** 拉丁语作 Oratio Dominica,又称我们在天上的父(Pater Noster)。耶稣传给门徒的祈祷词,全体基督徒在公共礼拜上通用的祈祷词。《主祷文》在《新约》里有两个文本,较短者见于《路加福音》第11章

2～4节，较长者见于《马太福音》第6章9～13节《登山宝训》中。两处都说明是作为祈祷词的范本。许多学者认为，《路加福音》本较为接近原始文句，《马太福音》本的一些话是为了崇拜礼仪的需要而增加的。《主祷文》与按照耶稣时代犹太教模式制订的其他祈祷词相似，包含犹太教祷文的3个共同要素：赞美上帝，祈愿，渴望上帝之国降临。它具有一项开头称呼和七项祈求。天主教会所用的《马太福音》本如下（中国天主教会标准汉译本）："在天我等父者，我等愿尔名见圣；尔国临格；尔旨承行于地，如于天焉。我等望尔，今日与我，我日用粮；尔免我债，如我亦免，负我债者；又不我许，陷于诱惑，乃救我于凶恶。"新教大多数派别所用的《主祷文》如下（中国基督教会标准汉译本）："我们在天上的父，愿人都尊你的名为圣；愿你的国降临；愿你的旨意行在地上，如同行在天上。我们日用的饮食，今日赐给我们；免我们的债，如同我们免了人的债；不叫我们遇见试探，拯救我们脱离凶恶。因为国度、权柄、荣耀全是你的，直到永远。"新教文本末尾的《荣耀颂》或许是在公元1世纪初增加的，因为见于《福音书》的一些早期手抄本。至于耶稣要在《主祷文》中表达什么意思，圣经学者看法不一。有些人认为它是"存在主义"的，涉及人在世上的现在体验；另外一些人说它是末世论的，讲的是未来的上帝之国。这篇祈祷词本身包含上述两种解释，而且由于译本互有歧异，翻译过程也产生问题，因而问题就更加复杂化。例如，"日用的"希腊文原词可释为"明日的"，因此，"我们日用的饮食，今日赐给我们"就可以根据末世论解释为"未来的天上筵席，今日让我们先尝。"这种解释有埃塞俄比亚文本为佐证；拉丁教父哲罗姆所引用的佚本《希伯来人福音》经文也用"明日的饮食"这个词组。由末世论的解释法可见，《主祷文》在早期教会中是用于圣餐礼的。

Lord's Supper（Christianity） 参阅 **Eucharist** 圣餐。

Loredan, Pietro 洛雷丹（？～1439，威尼斯） 威尼斯贵族和海军将领，该城著名英雄之一。他在海战中取得的胜利，确保威尼斯与地中海地区的贸易对手相比享有绝对优势，并确立威尼斯15世纪在意大利东北部的统治地位。曾在威尼斯舰队中当舰长，1416年在一次决定性的海战中击败奥斯曼土耳其人。1431年在拉帕洛附近击溃热那亚舰队。5年后在对曼图亚的战争中晋升为将军。1438年被选为最高统帅，收复波河沿岸威尼斯的多处要塞，确立了威尼斯在该地区的统治地位。但最终在与家族宿敌的权力之争中失败。1439年被杀害。

Lorelei 洛勒莱 德国圣戈阿斯豪森附近莱茵河中的回音岩。传说洛勒莱原系一位少女，由于对不忠实的恋人感到绝望投入莱茵河自尽，死后变成一个引诱渔船触礁沉没的海妖。德国作家C.布伦坦诺宣称该传说的基本要点是他在小说《哥德维》（1800～1802）中首创。这个故事曾是许多文艺作品、歌曲的主题，海涅所写有关她的诗曾有25位作曲家将之谱成音乐。

Loren, Sophia 罗兰（1934-09-20，意大利罗马～ ） 原名Sofia Scicolone。享有国际盛誉的意大利电影女演员。最擅长扮演富于激情而又带有乡土气息的女性。起初她那雕塑般的身段引起人们的注意，到后来人们才认识到她是一个极有感情深度的天才女演员。罗兰是一个私生孩子，童年在贫困的、受战争摧残的那不勒斯郊区度过。15岁时赢得当地美女比赛第2名，以后到罗马做模特儿和临时电影演员，两年后在一部半纪录片《海底非洲》（1952）中扮演主角。《那不勒斯的黄金》（1954）和根据歌剧《阿伊达》改编的同名电影（1954）使她在欧洲闻名，进而成为国际明星。虽然其大部分好莱坞影片比较平庸，但在《榆树下的情欲》（1958）中扮演的悲观而诡计多端的姑娘以及在《黑兰花》（1959）中扮演的匪徒的寡妇引起了艺术评论界的重视。她在V.德·西卡导演的影片《乔恰拉女人》（1961）中的表演赢得人们对她的极大尊敬，在这部影片中她扮演了意大利战争时期

罗兰在影片《薄伽丘1970年》（1962）中的剧照
布朗兄弟公司供图

一个少女的慈母，这次演出使她获得奥斯卡最佳女演员奖。以后拍的片子有《昨天、今天和明天》（1964）、《意大利式的结婚》（1964）、《向日葵》（1970）、《神父的妻子》（1971）、《拉曼查人》（1972）和《特殊的一天》（1977）。1957年同早年的电影界导师C.庞蒂结婚，但由于苛刻的意大利离婚法律，使庞蒂遭到重婚罪的起诉，致使这次婚姻于1962年中断。在宣布庞蒂以前的婚姻无效以后，他们于1966年复婚。霍奇纳尔写的《索菲娅·罗兰的生活和爱情故事》于1979年出版。

Lorena 洛雷纳 巴西圣保罗州东南部城市。海拔524米，1782年建镇，1788年为市政府所在地。为稻米、玉米、豆类、马铃薯、甘蔗、咖啡和水果产区的贸易中心。有糖厂。也生产化工品、水泥管和家具。地处圣保罗和里约热内卢之间，有铁路和公路，交通便利，设有机场。人口约67 766（1991）。

Lorengau 洛伦高 巴布亚新几内亚阿德默勒尔蒂群岛马努斯岛东北部城镇。1942年为日军侵占。两年后被盟军夺回，成为美国海空军基地的一部分。现为转运椰干的港口。人口约4 547（1990）。

Lorentz, Hendrik Antoon 洛伦兹（1853-07-18，荷兰阿纳姆～1928-02-04，哈勒姆） 荷兰物理学家。他的电磁辐射理论经P.塞曼的各种发现得到证明，也促成了爱因斯坦的狭

美国不列颠百科全书公司供图

义相对论。1902年与塞曼共获诺贝尔物理学奖。1878年任莱顿大学数学物理学教授。他的博士论文（1875）把英国J.C.麦克斯韦的电磁理论更加精密化，使之满意地解释光的反射和折射。虽然他的物理学研究范围广泛，但中心目标是建立单一的理论来解释电、磁和光的关系。按照麦克斯韦的理论，电磁辐射虽然是由电荷的振荡产生的，产生光的电荷则是不清楚的。他后来建立理论，认为物质的原子也可能由带电的粒子构成，提出原子内这些带电粒子的振荡是光的来源。假如真是这样，则强磁场必然影响振荡，从而影响由此产生的光的波长。1896年，他的学生塞曼证实了这种现象，名为塞曼效应。但是，这种电子理论没能解释迈克耳孙-莫雷实验的否定结果。该实验是企图比较来自不同方向的光的速度，从而测得地球通过设想能传光的以太时的运行速度。他试图克服这种困难，在1895年引进了地方时（不同地点的不同时间比率）的想法。受到爱尔兰G.F.斐兹杰惹关于接近光速的运动物体在运动方向收缩的提法的影响，1904年扩展了他的思想，得出洛伦兹变换。这些变换是描述运动物体的质量增大、长度缩减、时间延长等特性的数学公式，构成爱因斯坦狭义相对论的基础。1912年，任哈勒姆的泰勒研究所主任，但仍兼任莱顿每周讲演的荣誉教授。

Lorentz, Pare 洛伦茨（1905-12-11，美国西弗吉尼亚克拉克斯堡～1992-03-04，纽约阿蒙克） 美国电影导演，他所拍摄的由政府资助的纪录片集中反映了20世纪30年代美国人力和自然资源的浪费现象。洛伦茨原是纽约市的知名影评家。1935年他应聘为联邦政府制定一个反映美国农业问题的电影计划，在重新安置署（后成为农业部的一个部门）的资助下，成立了影片摄制组。次年洛伦茨的《划破大平原的犁》（1936）上映。这部纪录电影经典作品以富于诗意的画面、娓娓动听的解说和音乐的完美结合，记述了对大平原的滥加开发，终于导致30年代在大草原中形成干旱尘暴地带。他为农业部撰稿和导演的另一部影片《大河》（1937），记述了密西西比河流域的历史和田纳西河流域管理局对该地区所

起的作用，进一步显示了纪录片对有力地推动社会改革所具有的潜力。这两部影片在美国国内和国外都获得了商业上和艺术上的成功，引起了不仅对影片中提出的问题，而且对电影的纪实方法的广泛讨论。洛伦茨的摄制组于30年代后期改为美国电影社，业务扩大到为政府各部门摄制影片和短片。洛伦茨导演的《为生命而斗争》(1940)是一部震撼人心的真实故事，记述一位青年医生如何在城市贫民窟里为征服怀孕期和分娩期的疾病与死亡而斗争。美国电影社于1941年被国会解散。洛伦茨于第二次世界大战期间为美国空军摄制影片。1946年，他与S.舒尔伯格一起为陆军部摄制了一部记述纽伦堡审判中列举的种种纳粹罪行的实况纪录片。这部影片在德国放映了两年，场场满座，但在美国直至1979年才上映。

Lorentz-FitzGerald contraction 洛伦兹-斐兹杰惹收缩 又称空间收缩。在相对论物理学中，物体在相对于观测者的运动方向上的长度会收缩，而其他方向的尺寸则不收缩。这一收缩现象是1889年由爱尔兰物理学家G.F.斐兹杰惹提出的，但后来又由荷兰学者H.洛伦兹独立提出。19世纪80年代的迈克耳孙-莫雷实验证明，所有的观测者尽管相互间有相对运动，光速永远不变，对经典物理学的假说提出挑战。斐兹杰惹与洛伦兹试图证明测量仪器的收缩将使光速的明显不变性归结为实验的人为现象，以保住经典物理学概念。1905年德裔美国物理学家爱因斯坦提出光速确为普适常量，并且证明空间收缩成为不同观测者的相对运动的合乎逻辑的结果，从而推翻了经典物理学的观点。重要的是，当速度接近光速时，收缩现象成为空间与时间的一个特征，而与压缩、冷却或任何类似的物理作用无关。参阅 **time dilation**。

Lorentz transformations 洛伦兹变换 相对论物理中的一组方程，它描述以匀速作相对运动的两组坐标系统的空间和时间坐标的关系。为了描述接近光速的高速运动现象的需要，它公式化地表述了相对性概念：空间和时间不是绝对的；长度、时间和质量都与观察者的相对运动有关；真空中的光速为常量，与观察者或光源的运动无关。1904年荷兰物理学家(参阅 **Hendrik Antoon**)发展了这一方程。参阅 **Galilean transformations**。

Lorenz, Konrad 洛伦茨(1903-11-07，奥地利维也纳～1989-02-27，阿尔滕堡) 奥地利动物学家，现代行为学的奠基人。现代行为学用比较动物学的方法研究动物的行为。他的学说有助于帮助人们了解如何根据行为模式追溯其进化情况，他亦以对攻击性行为起源的研究著名。1973年他与动物行为学家K.von弗里施及N.廷伯根共获诺贝尔生理学或医学奖。

洛伦茨为矫形外科医生之子，自幼即对动物感兴趣，饲养了多种动物，如鱼、鸟、猴、狗、猫及兔，其中许多是他在幼年郊游时带回家中来的。小时候即给附近的舍恩布鲁纳动物园患病的动物作护理。他又用日记的形式保留了详细的鸟类行为的记录。1922年他从中学毕业后按父亲的愿望学医，他在纽约哥伦比亚大学学习两个学期后回到维也纳学习。在学医期间洛伦茨继续详细观察动物行

美国不列颠百科全书公司供图

为。1927年他写的有关寒鸦的观察日记在威望很高的《鸟类学杂志》上发表。1928年他在维也纳获医学博士学位，1933年获动物学博士学位。他的科学工作受到好评，大受鼓舞，建立了寒鸦、灰雁等鸟类的群落，对它们进行观察，并发表一系列观察鸟类的论文，很快获得国际声誉。1935年，洛伦茨描述了鸭雏及鹅雏的学习行为。他观察到在孵出后的一个关键时期内幼雏学会跟随其真正的亲体或养父母。这过程称为烙印，与来自亲体客体的视觉及听觉刺激有关；这些刺激引出幼体随后的一些应答，这些应答会影响个体以后的成年行为。洛伦茨出现于刚孵出绿头鸭幼雏面前，并模仿母鸭的嘎嘎鸣声，幼雏于是认为他是它们的母亲因而总跟在他身后，他借此实践论证了烙印现象。1936年德国动物心理学会建立。1937年，洛伦茨与人共同担任新创刊的《动物心理学杂志》主编，该杂志成为最主要的行为学杂志。同年他担任维也纳大学比较解剖学及动物心理学教授。1940～1942年任柯尼斯堡阿尔贝图斯大学普通心理学系教授和系主任。1942～1944年洛伦茨在德军中任军医，在苏联被俘成为战俘。1948年被遣返奥地利。1949～1951年任阿尔滕堡比较行为学研究所所长。1950年他在威斯特伐利亚布尔德恩的马克斯·普朗克研究所内建立比较行为学研究室，1954年与他人共同担任研究所的领导。1961～1973年他担任塞维森的马克斯·普朗克行为生理学研究所所长。1973年，他与弗里施及廷伯根一道同他们在动物行为模式方面的发现而被授予诺贝尔生理学或医学奖。同年，洛伦茨成为在阿尔滕堡的奥地利科学院比较行为学研究所动物社会学研究室主任。

洛伦茨的早期科学贡献在于阐明本能行为动作的本质，特别是这些动作如何发生，以及为进行这些动作需要什么样的神经能源。他又研究了在动物体内同时被激活的两个或多个基本驱力如何导致行为。他与荷兰的廷伯根合作，证明不同形式的行为在一个行动顺序中是和谐一致的。洛伦茨的理论使人们能在现代科学的基础上理解在物种内部行为是如何进化的，尤其是生态因素在行为进化中起什么作用，以及行为对物种生存具有什么适应价值。他认为动物物种的遗传结构使之能学习那些对该物种的生存十分重要的信息类型。他的理论也明白显示了行为模式在动物个体生活过程中是如何发育并成熟的。在他的研究生涯的后半期，洛伦茨将其思想应用于人类这种社会性动物的行为研究中，这种研究方式的哲学和社会学含意都引起争论。在《攻击性》(1963)这本流传的著作中，他论证人类的争斗和好战行为是天生的，但人对人类的基本本能需要有适当的理解并准备满足这些需要后争斗和好战行为便可以被环境所改变。他观察到低等动物的争斗行为对其生存有积极意义，如有利于驱走竞争者及维护领域。同样，人类的好战脾性也可以仪式化成为对社会有用的行为模式。在另一本著作《镜后：人类知识自然史研究》(1973)中洛伦茨探究了人类思维和智能的本质，并将现代文明中存在的种种问题主要归因于他的研究中揭示出的种种限制。洛伦茨的著作除上文提到者外还包括：《所罗门王的戒指：对动物行为方式的新见解》(1952)；《人与狗》(1953)。以上两书均为内容生动有趣的半科普读物，描述了他在动物方面的体验和对动物行为的观点。还有《行为生物学基础》(1981)，该书全面地重申及评价他工作中的重要主题。A.尼斯贝特的《康拉德·洛伦茨》(1976)一书充分描述了洛伦茨的生平及其研究动物行为常用的方法。

Lorenzetti, Ambrogio 洛伦采蒂(约1290，锡耶纳共和国锡耶纳～1348) 彼得罗·洛伦采蒂的弟弟。与杜乔和S.马尔蒂尼并列的最重要的意大利锡耶纳画家，确证出自其

A.洛伦采蒂绘《圣母领报》(1344)
美国不列颠百科全书公司供图

手的作品只有6幅。已经显示出现实主义的个性化，力求掌握构图与形体的意蕴。以在公共宫的《寓言》最明显，这是锡耶纳最重要的装饰壁画。对透视和古希腊罗马发生强烈兴趣，是文艺复兴的先导。

Lorenzetti, Pietro 洛伦采蒂(约1280或1290，锡耶纳共和国锡耶纳？～约1348，锡耶纳) 意大利锡耶纳画派哥特式画家，与其弟安布罗焦在黑死病前几年同为锡耶纳世俗艺术的主要代表。可能是杜乔的学生。最早的作品是阿雷佐的圣马利亚教堂的祭坛画(1320)，线条幽雅，色彩丰富，有杜乔的影响。中央部分《圣母子》没有杜乔那种冷冰冰的感

觉。这些特点以及丰富的装饰性细节和人物的立体造型,使此画成为当时锡耶纳艺术中罕见的有生气的作品。1330～1340年期间,一度在阿西西的圣弗朗西斯科下教堂作壁

P.洛伦采蒂绘《圣母诞生》(1342)
美国不列颠百科全书公司供图

画。成熟期风格集中表现于最后一幅较大的作品《圣母诞生》三联画(1342,锡耶纳杜奥莫歌剧院博物馆),用装饰性的细节和家庭轶事作为主祭坛画的主题表现了他非等级性的、人性的倾向。此画以熟练的透视技巧以及合理的人物空间安排,成为当时最先进的透视习作之一。

Lorenzini, Carlo　罗伦齐尼　参阅 **Collodi, C.科洛迪**。

Lorenzo MONACO　**洛伦佐修士**(约1370或1371,锡耶纳共和国锡耶纳～约1425,佛罗伦萨)　原名皮耶罗。意大利国际哥特式风格画家,把锡耶纳画派有韵律的幽雅线条和装

洛伦佐修士所绘《圣母加冕》(约1413)中的附饰画《耶稣降生》
美国不列颠百科全书公司供图

饰感同乔托弟子的佛罗伦萨传统结合在一起。大幅多联画《圣母子》(1406～1410,佛罗伦萨乌菲齐美术馆)与《圣母加冕》(1413,藏处同上)反映了他的典型画法:淡黄的色调、对涡旋衣饰的偏爱、有韵律的曲线形式和对光的理解运用。在祭坛台座小画中,装饰性构图与富有表现力的线条格外明显。晚期作品如《博士来拜》(约1422,藏处同上)表明了他构图能力的成熟。晚年作品如壁画《圣母生平》和《圣母领报祭坛画》(1420～1424,佛罗伦萨特里尼塔教堂巴托里尼礼拜堂)可以看出他受L.吉贝尔蒂自然主义的影响。

Lorenzo THE MAGNIFICENT　**罗伦佐(高贵的)**　参阅 **Medici, Lorenzo de' 梅迪契**。

Lorestān　洛雷斯坦　又拼Luristan。伊朗西部地区。洛雷斯坦也是一个历史区,名称意为卢尔人之乡,位于胡齐斯坦低地与内陆高地之间。大片山地呈西北-东南走向。较高山脉之间是水源充沛有牧场的小块地区。外侧山坡上覆盖着栎树林,间有榆树、槭树、胡桃树和杏树。卢尔族是土著居民,已与伊朗人和阿拉伯人混血,讲波斯方言,是伊斯兰教什叶派信徒。约公元前1000年伊朗印欧民族包括米底人在此居住。约公元前700～前625年辛梅里安人和西徐亚人断续统治该地区。约公元前620年米底统治者基亚克萨里斯逐出西徐亚人。在居鲁士大帝统治下,约公元前540年洛雷斯坦被并入发展中的阿开民帝国,相继成为塞琉西、安息和萨珊王朝一部分。北部的小洛雷斯坦自1155年至17世纪初,被一些霍尔希迪王朝的独立诸侯统治。南部大洛雷斯坦自1160～1424年间在法兹拉耶夫的统治下独立,其首都伊达杰已成土丘遗迹。农业是该省经济支柱。作物有水稻、小麦、大麦、棉花、油籽、甜菜、蔬菜和水果。工业有水泥、食品加工、榨糖、羊毛加工、轧棉等。开采铁和钼矿。有铁路和公路通博鲁杰尔德和阿里古达尔兹。

Lorestān Bronze (metalwork)　参阅 **Luristan Bronze 洛雷斯坦青铜器**。

Loreto　洛雷托　意大利中部马尔凯区安科纳省城镇和主教区,著名朝圣地。以其圣母堂闻名。据传说,原建于巴勒斯坦耶稣故乡拿撒勒的圣母堂,1291年时土耳其军威胁要予以摧毁,遂由天使迁到泰尔萨托,1294年又越过亚得里亚海迁往雷卡纳蒂附近的月桂林中,1295年迁至现址。圣母堂用石砌成,堂内壁龛中有木制圣母圣婴像,堂周围有高大的大理石围墙。长方形教堂入口台阶上有教皇西克斯图斯五世的巨型雕塑,正门上方有圣母圣婴铜像,教堂内装饰有镶嵌和壁画。除教堂外,该镇只有一条狭长的街道,两侧有出售宗教物品的商店。人口:城市区约10 618(1990)。

Loreto　洛雷托　秘鲁东部省份,1866年建制。面积348 177平方千米,占全国总面积1/4以上。几乎全境处在亚马孙雨林区,平均海拔152米。气候湿热,雨量大,多河流。重要输出物产有橡胶、巴西果、皮革、硬木。种植水稻、甘蔗、香蕉、木薯等热带植物。居民集中在河流沿岸,尤其是省会伊基托斯(**Iquitos**)。内地有少为人知的印第安居民。运输主要靠河流。1980年洛雷托南部划为乌卡亚利省。人口约654 100(1990)。

Loria, Ruggiero di　参阅 **Lauria, Ruggiero di 劳里亚**。

lorica　兜甲　某些原生动物,如喇叭虫属(*Stentor*)和许多轮虫分泌的一种管状、锥状或瓶状的结构。许多物种还把沙粒和其他颗粒结合在兜甲内以增加其强度。兜甲很宽松,后端封闭,前端有一大孔,生物体的一部分(或其附肢)可以由此伸出。兜甲在原生动物分类上很重要。参阅 **test**。

Lorient　洛里昂　法国西部布列塔尼大区莫尔比昂省海滨城镇。位于坎佩尔东南和巴黎西南偏西,斯科夫河在比斯开湾与布拉韦河汇合处的右岸。城镇几乎全部毁于1944年的轰炸,于第二次世界大战后重建。城南的克罗门为法国最重要渔港之一,通过铁路向巴黎和波尔多提供水产。附近第二次世界大战中德国人建潜艇基地已为法国使用。斯科夫河沿岸兵工厂专门用预制件生产海军舰艇。主要工业为纺织和生产家具、油漆、鱼罐头和游艇航海设备。早年法王路易十三(1610～1643在位)在此建造城堡。1664年,路易十四(1643～1715在位)准许一贸易公司在此设立,该城镇改名洛里昂(L'Orient,意为与之贸易的东方国家),迅即繁荣起来。1719年又一重要贸易公司在此设立。路易十六(1774～1792在位)曾买下当地港口并建起皇家兵工厂。人口59 271(1990)。

lorikeet　长尾吸蜜鹦鹉　吸蜜鹦鹉亚科(Loriinae)多种鹦鹉的统称。参阅 **parrot**。

Lorillard Company　洛里亚尔公司　美国资格最老的烟草制品制造商。1760年在纽约市创立,创办人为法国移民P.洛里亚尔。公司起先生产烟斗丝、雪茄、咀嚼烟草、鼻烟,1860年开始生产自卷香烟的烟丝。19世纪80年代才生产香烟。香烟主要有1926年开始制造的老金牌和1952年开始制造的肯特牌。该公司现在实为跨行业企业洛氏公司的一家分公司,总部设在纽约市,主要制造厂设在北卡罗来纳州格林斯伯勒。

Lorimer, George Horace　洛里默(1867-10-06,美国肯塔基路易斯维尔～1937-10-22,宾夕法尼亚温科特)　美国《星期六晚邮报》编辑。1897年任文艺编辑,后改任主编。在他任职30余年(1899-05-17～1937-01-01)期间,《晚邮报》获得极大成功,原因之一是他对美国广大读者在文学方面的喜好能作出精确敏锐的判断。早年曾在芝加哥为P.D.阿穆尔的肉类加工公司工作(1887～1895),后自营食品批发业失败,去波士顿充当报纸记者。1897年C.H.K.柯蒂斯买下《星期六晚邮报》时聘他为文艺编辑,后任主编。1932年洛里默成为柯蒂斯出版公司总裁。他在《晚邮报》刊登了美国当代最优秀作家的作品,其中有:S.克莱恩、F.诺里斯、T.德莱塞、杰克·伦敦、W.卡瑟、R.拉德纳、F.S.菲茨杰拉德、S.刘易斯。他还把欧洲著名作家如J.康拉德、J.高尔斯华绥介绍给美国读者。

loris　懒猴　懒猴科懒猴属(*Loris*,修长懒猴)和蜂猴属(*Nycticebus*,慢行懒猴)印度-马来无尾灵长类的统称。栖息于森林。被毛柔软灰色或褐色。眼大,四周环有黑斑。食指短。树栖,夜行性,白天蜷缩身体睡觉。行动极其慎重,时常用脚倒悬身体,空出手来去握树枝或抓食物。印度和斯里兰卡的修长懒猴(*L. tardigradus*)体长约20～25厘米,四肢细长,手小,头圆,吻尖削;以昆虫和小动物为食;独栖;妊娠期5～6个月,每产一仔。5种慢行懒猴(蜂猴),体强健,四肢较短而有力,

修长懒猴(*L. tardigradus*)
美国不列颠百科全书公司供图

吻圆,眼和耳都较小;分布于亚洲东南部和马来半岛。小蜂猴(*N. pygmaeus*)体长约25厘米。蜂猴(*N. coucang*)体长约27～37厘米。蜂猴行动比修长懒猴属动物迟缓,以昆虫、小动物、果实和植物等为食;妊娠期约6个月,每产1～2仔。

Loris, Heinrich　洛里斯　参阅**Glareanus, Henricus 格拉雷阿努斯**。

Loris-Melikov, Mikhail Tariyelovich, Graf (Count)　**洛里斯-梅利柯夫**(1826-01-01,俄国梯弗里斯～1888-12-24,法国尼斯)　俄国军官和政治家,亚历山大二世(1855～1881在位)统治末期的内务部长,提出旨在废除俄国独裁统治的改革计划。亚美尼亚商人之子,莫斯科拉扎列夫东方语言学院和圣彼得堡近卫军士官学校毕业。1843年参加轻骑兵团。1847年调往高加索。1863～1875年任捷列克总督。俄土战争(1877～1878)中任军团司令,战绩辉煌。因英勇杀敌,封伯爵。1879年任伏尔加地区总督,后调往俄国中部。他向俄皇建议实施行政和经济改革。亚历山大皇帝任命他为特别委员会主席,授权使用国家机器镇压革命运动,并制订改革计划。6个月后亚历山大解散该委员会,任命洛里斯-梅利柯夫为内务部长(1880-11)。他建议实行改革,由地方选举的代表向政府提出解决某些现实问题的建议。但该计划未及实施即因亚历山大遇刺(1881-03-13)而夭折。1881年5月辞职后退休。

Lorrain, Claude (painter)　**洛兰**(1600,法国沙马涅～1682-11-23,罗马)　别名克劳德·热莱。法国理想化风景画家。他追求理想境界,主张艺术要比自然本身更美。作品富于诗意,对同时代的、尤其对英国18世纪中期到19世纪风景画的发展有较大影响。在英语中通常简称其为克劳德,出生在洛林公爵领地的农村,12岁便失去双亲。在此后几年内,他去罗马旅行,随意大利风景画家A.塔西学画。1625年回到法国南锡,给画家C.德鲁埃当助手,为一座教堂画壁画。1626年冬返回罗马永久定居,1633年入圣卢加画院。其最早一幅签署日期的风景画作于1629年。由于勤奋工作,1637年已在意大利成为风景画大师。一生作画甚多,保存下来的油画有大约250幅,素描千余幅,铜版画44幅。其早期作品受到塔西以及荷兰、佛兰德斯画家的影响,细致生动,富有绘画性,艺术魅力很强。这时期画了许多素描,直接师法自然。

克劳德·洛兰绘《风景:伊萨克与雷贝卡的婚姻》(1648)
美国不列颠百科全书公司供图

其风景画多绘有人和动物以及树木、流水等,并画上一些古代的或当代的建筑。在一些描写海港的画中,光线的处理十分得当,往往画上一轮刚出海面的太阳。1640年起,构图变得更为古典和雄伟,画面的一侧是高大的树木,另一侧是古代遗迹和一些小树,前景是人物,在开阔的原野上画一条河流,以及小山等等。人物不像以前的作品那样穿着现实服装,而是古代的或《圣经》中描述的装束。50年代的作品画幅更大,色调呈冷银灰色,体现出一种诗的崇高感,如著名的《魔堡》。其素描成就同油画不相上下,约有一半是写生,一般用粉笔或钢笔作画,还有些素描是为其油画创作做准备的。主要作品有:《有河的风景》(1631)、《海港景色》(1634)、《瓦齐诺广场》(1636)、《风景:摩西的裁决》(1640)、《罗马近郊的风景》(1645)、《海港》(1648)、《欧罗巴被劫》(1667)等。

Lorraine　洛林　德语作Lothringen。法国大区,包括法国东北部的孚日、默兹、默尔特-摩泽尔、摩泽尔诸省。幅员大致相当于历史上的洛林地区。首府梅斯。全区面积23 547平方千米。北部与德国、卢森堡和比利时毗邻。法国对这一地区的统治可追溯到17世纪。法国早在1552年攫取了默兹、图勒和凡尔登,建立了立足点。根据结束波兰王位继承战争所签订的条约(1738),洛林被给与了原波兰国王、法王路易十五的岳父斯坦尼斯瓦夫一世。斯坦尼斯瓦夫于1766年死时,洛林就并入法国,以南锡为首府。法国大革命期间(1790)划分为几个省。普法战争(1870～1871)法国战败后,部分并入德国,第一次世界大战后归还给法国。洛林有几个欧洲最大的铁矿。但铁的质量差。普法战争后,铁矿开采迅速发展。尽管如此,该区人口在20世纪有所减少。乡村人口外流促进畜牧业扩大。农业以乳品生产为主,大麦代替小麦成为主要作物。葡萄种植业仅限于图勒周围地区。森林覆盖全区面积的1/3以上。以福尔巴克为中心的煤产区,1960年以后产量急剧下降。默尔特-摩泽尔省的布里埃,以及隆维和蒂永维尔等地开采铁矿,但由于进口高质量矿石造成产量下降,金属加工业也随之减少。在默尔特-摩泽尔省的默尔特河畔栋巴勒附近开采盐。有铁路通柏林、阿姆斯特丹、布鲁塞尔、巴塞尔和米兰等城市。1957年建立欧洲经济共同体后,促进了洛林地区的经济发展。洛林地区公园创立于1974年。洛林是巴黎盆地的一部分(东部孚日山岳除外)。人口2 310 376(1999)。

Lorraine, CARDINALS OF　**洛林枢机主教**　出身于信奉天主教的吉斯家族(洛林家族支系)的历代枢机主教。按年代顺序排列于后,并各以●为标记。吉斯家族其他的枢机主教,参阅**Guise, cardinals of**。

● **Lorraine, Jean de Lorraine, 1st cardinal** (1er cardinal) **de**　**洛林枢机主教(第一)**(1498-04-09,法国巴尔～1550-05-18,约讷河畔诺让)　法兰西枢机主教。出身于著名的吉斯家族,为第一吉斯公爵之弟。3岁时即成为梅斯副主教,20岁时成为枢机主教。曾掌管过许多大主教区、主教区和隐修院。生活放荡奢侈,把大量钱财挥霍于巴黎邸宅的宴乐。在奖掖学者、作家和艺术家方面,以及在施舍方面,无人可与他相比。曾任国王弗兰西斯一世的顾问和外交官,在宫廷中罗致一批吉斯家族的羽翼,但在弗兰西斯一世在位末期逐渐失宠,退隐罗马。他希望成为教皇,始终未能如愿。

● **Lorraine, Charles de Lorraine, 2nd cardinal** (2e cardinal) **de**　**洛林枢机主教(第二)**(1524-02-15,法国茹安维尔～1574-12-26,阿维尼翁)　信奉天主教的吉斯家族最重要的成员之一,16世纪中叶最有影响的法国人。第一吉斯公爵克洛德的次子。1538年法国国王弗兰西斯一世任命为兰斯大主教。亨利二世即位后不久,任命他为枢机主教(1547)。其叔父去世后,他继承了洛林枢机主教称号和许多权益。他在政治上也举足轻重。作为枢密院成员,积极支持法国干涉意大利的政策。1559年参与法国与西班牙之间的《卡托-康布雷齐和约》的谈判。懦弱的弗兰西斯二世在位时,他与其兄在1559～1560年间是政府的实际首脑。他虽然迫害胡格诺派,但主张召开一次法国全国性宗教会议寻求与他们和解。1562～1563年在特伦托会议上捍卫高卢派。1570年引退。

Lorre, Peter　洛尔(1904-06-26,匈牙利罗沙黑吉～1964-03-23,美国加利福尼亚好莱坞)　原名拉斯洛·罗恩斯坦。匈牙利出生的美国电影演员。在惊险电影中塑造了一个圆脸、口齿不清、声音柔和的阴险形象。1931年在F. 朗格导演的德国经典影片《M》中扮演心理变态、杀害儿童的杀人犯,使他在国际上一举成名。其表演被认为是银幕上对罪犯最杰出的性格刻画之一。4年后在《疯狂的爱情》(1935)中扮演角色,第一次出现在好莱坞的银幕上。以后他扮演了各种狠毒的施虐狂角色,这类影片有《罪与罚》(1935)、《马耳他之鹰》(1941)、《卡萨布兰卡》(1942)和《五指怪物》(1946)。他还扮演了《本先生》(1937～1938)系列片中的日本侦探。他在后来拍的片子中有时扮演滑稽角色,这在某种程度上冲淡了他那一贯令人毛骨悚然的形象。50和60年代他常出现在电视屏幕上。

lorry 参阅 **truck** 运货汽车。

Lorsch 洛尔施 德国中部黑森州村庄,曼海姆以北。以其中世纪隐修院遗迹闻名。1932年于遗迹中发掘出彩绘玻璃窗的残片(大概制作于加洛林时代)。1991年该隐修院(包括入口)被联合国教科文组织列为世界遗产。德国史诗《尼贝龙根之歌》中称此地为英雄齐格弗里德的葬地。人口约11 896(1999)。

Lortzing, Albert 罗尔青(1801-10-23,普鲁士柏林[德国]～1851-01-21,柏林) 全名Gustav Albert Lortzing。作曲家,19世纪德国轻歌剧风格的创始人。这种风格一直到20世

中国大百科全书出版社供图

纪中叶始终得到人们青睐。作为音乐家罗尔青主要靠自学。1828年演出他的独幕歌舞杂耍表演《亚尼纳的阿利·帕沙》。1832年写了《莫扎特生平事迹》(未上演),其中选用了W. A.莫扎特作品中的音乐。1833～1844年作为男高音歌唱家在莱比锡演唱。最成功的歌剧是根据彼得大帝的一件轶闻而写的《沙皇和木匠》(1837)。其他歌剧还有《水精》(1845)、《军械工》(1846)等。他的风格源自德国歌唱剧和19世纪初的法国喜歌剧。

lory 短尾吸蜜鹦鹉 吸蜜鹦鹉亚科(Loriinae)多种鹦鹉的统称。参阅 **parrot**。

Los, Îles de(Guinea) 参阅 **Los Islands** 洛斯群岛。

Los Alamos 洛斯阿拉莫斯 美国新墨西哥州中北部城市,阿拉莫斯县县城(1949)。位于赫梅斯山区帕哈里托高原,在圣菲西北56千米处。1917年当地建立洛斯阿拉莫斯牧场男童学校,城市由此得名。1942年后美国政府在此建立原子能研究基地(300余幢建筑,占地199平方千米),并建造雇员居住城。第一颗原子弹及氢弹均在此研制成功。1962年研究机构转归私人所有。1969年设市县统一政府。人口11 909(2000)。

Los Angeles 洛斯安赫莱斯 智利比奥比奥地区比奥比奥省省会。建于1739年,1852年设市。1820年被大火焚毁,曾遭受多次地震破坏,在与阿劳坎印第安人的长期斗争中多次被毁。现为农产品加工中心,加工牛奶、酒、小麦、甜菜、水果和木材。泛美公路途经该市,另有公路、铁路同康塞普西翁相通,并有铁路支线同南北铁路干线相接。人口约109 606(1999)。

Los Angeles 洛杉矶 美国加利福尼亚州南部的亚热带都市,是棕榈树、游泳池、电视演播室和航天工厂的集中地,在美国是仅次于纽约的人口最多的城市和都会区。位于东为圣加布里埃尔山脉、西为太平洋的广阔沿海平原上,面积1 207平方千米。高速公路网引人注目。汽车在洛杉矶居民生活中简直无所不在,使得一位英国观察家班厄姆不得不学习驾驶以便能"了解洛杉矶的庐山真面目",据说有些学者为了阅读但丁著作而先学意大利语,班厄姆正是由此而得到启发。

洛杉矶市是洛杉矶县府的所在地,该县包括有80余座城市,诸如贝弗利希尔斯、帕萨迪纳和长滩。另外还包括两座海峡岛屿(圣卡塔利娜岛和圣克利门蒂岛),一座山峰,名为圣安东尼奥山,人们熟知的别名为"老秃子",山高3 072米,还有超过2 300平方千米的沙漠和120千米的海岸线。洛杉矶这个大都会区为其惊人的发展付出了代价,它具有今日都市的所有特征:烟雾弥漫的天空、污染了的港口、阻塞的高速公路、拥挤的教室、意外事故不断的少数民族聚居区,以及在破产边缘摇摇欲坠的年度预算。由于市和县在物质和精神上纠结在一起,因此凡涉及洛杉矶的事,都和这两个实体有关。

自然地理和人文地理

景观 城市布局 城市形状古怪,像一张烧焦的纸片。在其范围之内既有独立的自治区,如贝弗利希尔斯和卡尔弗城,也有非自治的县区。平均海拔约84米,从海平面到卢肯斯山(又称埃尔西姊妹峰)的1 549米不等。圣莫尼卡山脉占地面积238平方千米,海拔900米,把该市一分为二,在好莱坞、贝弗利希尔斯和太平洋帕利塞兹与圣费尔南多河谷南部边界线之间。圣费尔南多河谷是个面积570平方千米的地区,内有近郊社区,诸如:伯班克、格伦代尔、北好莱坞、电影摄制城、谢尔曼橡树镇、恩西诺、塔萨娜、伍德兰希尔斯和圣费尔南多传教城等。

圣费尔南多河谷的东西要道本图拉大道是一条27千米长的集市街,街上有许多土特产商店、民族风味饭店、银行、药房、购物中心、汽车代销处和房地产公司。20世纪20年代它还只是一条土路。如果河谷是个独立实体,正是第二次世界大战后的繁荣把这个国家最大的城市之一的这条土路变成一条主要街道。圣费尔南多河谷曾经是中等阶级白人家庭远离拥挤的闹市和避开种族纷争的世外桃源,现在这里的乡村房舍都被拆去,兴建起公寓楼和购物中心。胡桃树果园和菜园被改建为黑人、西班牙裔和亚裔的住房,这些人都在新建的工厂工作,从基础工业工厂到高技术工厂都有。伯班克长久以来曾是电视喜剧演员的嘲笑对象("伯班克的自杀率极低,因为住在伯班克使自杀成为多余"),现在该地是全国的娱乐业中心。这里是唱片录音公司、全国广播公司和3家主要的电影制片厂(迪斯尼电影制片厂、华纳兄弟影片公司和哥伦比亚影业电视公司)的大本营。

好莱坞在市中心区西北13千米处,由一位禁酒主义者威尔科克斯于1887年投资兴建,他意欲将他这块土地建成为不饮酒、敬畏上帝的居住区。1910年这里供水缺乏,好莱坞就并入了洛杉矶。翌年,日落大道和高尔街十字路口的勃朗度客栈成了好莱坞的第一个电影制片厂,60年后,哥伦比亚影业电视公司迁来伯班克,前者才被弃置不用。这时影星们早已离开好莱坞,许多人迁入贝弗利希尔斯幽静的山腰旁的宅邸,其中最著名的为皮克费尔,这是范朋克于1919年为璧克馥所建。此外,电视制片人A.斯佩林的拥有123个房间的豪宅更是光彩照人。

气候 北面和东面的海岸山脉缓解了夏日的酷暑和冬季的严寒。即使在最热的月份,湿度也较低,夜间较凉快。夏季最常有的预报是"夜间和早晨多云",下午晴。市不同地段天气预报也有不同。圣费尔南多河谷在冬季的气温要比圣莫尼卡山脉对面低几度,在夏季则高几度。市平均气温约18 °C。日间最高气温可达32 °C,最低气温可降至0 °C左右。年平均降雨量356毫米,多在冬季月份降雨。

自然现象 ①烟雾。加利福尼亚的第一位欧洲探险者卡夫里略于1542年报告说"一个大海湾"的上空飘着"团团烟雾",这个大海湾可能就是现在的洛杉矶港口。4个世纪后,1943年9月,洛杉矶人第一次经受了大片的空气污染。他们发现加利福尼亚南部远近驰名的阳光是在创造一种逆温,即一层暖空气压在下方盆形盆地的冷空气上。太阳不断烧烤从工厂和炼油厂烟囱尤其是县里的成百万辆汽车、搬运车和大卡车尾管喷出来的有害烟雾。洛杉矶人花了许多年时间和成亿美元,最后只得维持现状:既然不能净化空气,只要不明显变糟就是了。城市空气污染管理委员会的首脑对他们说,"对工业和交通结构不作彻底革新,不严厉限制发展,对生活方式不作根本的改变",就没有什么有效的办法可使烟消雾散。

②地震。大圣安德列亚斯断层距离洛杉矶市中心商业区最近处为53千米,但是交叉通过大都会区的还有40余道已知较小的断层。自从19世纪50年代以来尚未有超过里氏7级的地震袭击加利福尼亚南部,但是洛杉矶人对周期的小震已习以为常,1925年圣巴巴拉曾遭到破坏性的地震,长滩-康普顿和

圣费尔南多河谷都分别于1933年和1971年受到大地震的破坏。

③风灾。该市偶尔也受到圣安娜风的袭击，这是一种干热风，经常通过圣安娜峡谷吹来，故名。它是从内地高原吹下来的空气受压变热形成的。在圣安娜风袭来时，洛杉矶人显得坐卧不安。美国侦探小说家钱德勒曾经这样写道："连温顺娇小的妻子们也都摸摸切肉刀的刀口，端详着她们丈夫的脖子。"

④火灾。天气炎热时干旱风猛吹过狭窄的峡谷就加大了密布灌木丛的山上发生大火的危险性。该市损失最大的一次灌木林火灾发生于1961年，富足的西部社区贝莱尔有484家房屋被焚毁。山腰上的人家不但有火灾的危险，还要担心泥石流，因为冬雨拍打着被大火烧得光秃秃的峡谷壁，就会发生这种危险。

人民 1981年该市在庆祝建市200周年时，白人成了少数民族，正如当年建市时一样。1990年人口普查时，把"西班牙裔"视为一个民族而非种族团体，白人约占人口的2/5，西班牙裔约2/5，黑人1/8。亚裔、太平洋群岛裔和美国印第安人则为人数较少的少数民族。

洛杉矶市一角

中国大百科全书出版社供图

黑人 虽然该市44名奠基者中有26名的祖先是非洲人，一个黑人成衣匠的孙女曾经拥有现为贝弗利希尔斯的土地，但在1931年，洛杉矶人中只有38 894名黑人。60年后，大多数来自南方乡村的黑人移民潮使黑人人数升至500 000左右。居住房模式使他们的孩子只能入实际上是种族隔离的非公立和低水平的学校。为要维持"就近入学"状态，经过了长期的、艰苦的法庭斗争，于1981年以种族隔离主义分子的胜利告终，该市各种族儿童被彼此隔离开来。此事恰恰发生在洛杉矶人庆祝其城市建立200周年之际，建立该市的人却正是黑人和黄种人及他们的22名子女。

沃茨，这个占地2.5平方英里的市中心南面的黑人聚居区，于1965年8月11日炎夏夜晚发生爆炸。黑炭巷的火焰使白人瞥见了悲惨、愤怒的乡村黑人蜗居在城市贫民窟中的情景。经过6天的大火和抢劫，死亡34人，伤1 032人，3 952人被逮捕。1992年洛杉矶中南部种族紧张局面又酿成一次暴乱，结果死52人，损失7.75亿美元。

美籍墨西哥人 年轻的美籍墨西哥人自称奇卡诺人，即墨西哥裔美国人，他们在受匪徒蹂躏的聚居区里长大，这里工作缺乏，居住条件在标准以下，学校过分拥挤，满街毒品泛滥，福利救济金不足。不同于也在贫民窟大街上游荡的同龄黑人，在祖先的这块土地上，他们还多了一层说异国语的语言障碍。洛杉矶县几乎占全州一半讲西班牙语的人口。洛杉矶有一个墨西哥都会中心，其规模仅次于在墨西哥城的中心，这些聚居区的居民正团结起来以显示他们日益增长的政治势力。

亚裔和太平洋群岛裔 "我们正在同黑人和墨西哥裔美国人争夺同一块面包，"一位华裔美国人社会工作者在20世纪70年代末这样说，此时亚洲人和太平洋群岛人在该市的人口正在急剧增长，并且还在帮助安顿从越南、老挝和柬埔寨来的难民。离市政厅几条街的小东京，自20世纪初就一直是美国大陆最大的日裔美国人的集中地。第二次世界大战期间约有40 000名日裔南加利福尼亚人被拘留在隔离营里。被释放后，有20年时间，小东京一直萧条疲怠。到80年代它才再次充满生机，主要由日本人投资重新发展起来。

人口：市3 694 820；洛杉矶-长滩主要都会统计区9 519 338；洛杉矶-阿纳海姆里弗赛德联合都会统计区16 373 645(2000)。

经济 洛杉矶原为葡萄园、橘树、牛奶场之乡，现已成为工业都市区的中心。以这个城市繁忙的新金融区为圆心半径计60英里。如果这个"黄金圈"是一个国家的话，那么其国民生产总值将是世界最高的了。

农业 20世纪50年代洛杉矶人口几乎增长了50%，而农田每天要被推土机推掉3 000英亩(1 200公顷)，仅高速公路1英里就需要40英亩田地，从而使它不再是美国最富裕的农业县了，而这是它自从1910年以来一直所保有的地位。

工业 第一次世界大战之前，旧金山是加利福尼亚州制造业的中心，但是从20年代起，洛杉矶就远远超过它了。主要产品有航天设备、石油及精炼油、加工食品、电子器件、药品、玻璃、橡胶、水泥等。

①航空。西半球的第一届国际航空会议于1910年在洛杉矶郊区举行。12年后，道格拉斯在他的圣莫尼卡飞机制造厂1星期生产1架飞机。第二次世界大战时的美国军用飞机有1/3是在洛杉矶地区制造的。该市为1984年奥运会所做的准备中主要的一项就是整修国际机场。

②石油。洛杉矶坐落在一个主要矿藏上。1892年道赫尼就开始将当地的原油出售作工业燃料用。1921年，在汽车对石油产品表现出极大的需求之后，人们在锡格纳尔山发现了世界上每英亩产油桶数最多的石油矿藏。其最初50年间，2 400口油井共生产原油8.59亿桶。

电影 两代电影观众都把洛杉矶视作世界的影都。虽然近年来某些主要制片厂一直在出售它们价值连城的房地产，但是洛杉矶仍然在电影、电视、广播和录音业中居主导地位。20世纪福克斯影片公司的外景场地已变成"世纪城"，这是一个数百万美元的"速成城市"。坐落在圣费尔南多河谷的环球影片公司，其摄制活动成为每年来此观光的数百万游客的极受欢迎的参观项目。

运输 在都会区工作的绝大多数洛杉矶人都驱车上班，只有极少数人才使用公共交通工具。令人奇怪的是，20世纪初该市的惊人发展却都有赖于优质的市际运输服务，参与运转的红色大电动车由铁路大王和艺术收藏家H.E.亨廷顿所经营。而这种设备在40年代初却成了高速公路交通的严重障碍。

传播媒体 该市的第一份报纸《明星周报》于1851年开始发行。30年后，《洛杉矶时报》创刊。翌年由H.G.奥蒂斯将军购得，变成城市建设的推动者、保守的共和党人和反工会势力的必读物。20世纪60年代报纸传至其孙奥蒂斯·钱德勒手中时改持较为自由与世俗的立场。后来它变成了人们早餐桌上的读物；80年代它的竞争对手主要倒不是午间报赫斯特公司的《观察先驱报》，而是来自郊区的报纸，包括圣费尔南多河谷格调不同的《每日新闻》。该地区有三个广播电台和一个电视台为说西班牙语的居民服务，还有一个电视频道播放汉语、日语和朝鲜语节目。

行政与社会状况 **政府** 选举产生的1名市长、15名议员，以及市检察官、审计员和7人组成的教育委员会任期均为4年。县则由5名区长组成的委员会管理，任期亦4年。他们负责管理市县重叠机构的一大堆事务。

教育 县内有5所州立学院和约20所初级学院。该地区最古老的两所高等学府是南加利福尼亚大学(1880)和西方学院(1887)。前者尤以下列各系最为著名：法律、医学、牙科、工程和表演艺术。国家资助的加利福尼亚大学洛杉矶分校(1919)有范围极广的大学本科和研究生课程，尤其着重生命科学和地球物理学以及艺术。加利福尼亚理工学院成立于1891年，当时名叫思鲁普科技研究所，1910年迁至帕萨迪纳现址。那里的研究人员与喷气推进实验室和威尔逊山天文台联合指导对宇宙空间的探测。

娱乐和文化生活 **公园** 在兰乔拉布尔沥青坑占地23英亩的汉考克公园是石油大王汉考克于1916年赠给该县的。1906～1913年间在挖掘这些黑色的、冒泡的坑池时发现一个独特的"宝库"，内有久已绝灭的哺乳动物的化石头骨和尸骨浸泡在沥青中。此外，公园还以与原物同样大小的动物群像为号召物来吸引游客，诸如特大的哺乳动物、美洲乳齿象、剑齿虎、地獭和短面熊等。

格里菲斯公园绵延在4 064英亩崎岖不平的山地上，其面积大于贝弗利希尔斯。大耳黑尾鹿有时从公园的半山腰闲步下山来加入市动物园里近3 000种奇奇怪怪的动物行列。幽默大师W.罗杰斯在太平洋帕利塞德的大牧场和无声片时代牛仔演员W.S.哈特在纽霍尔的大牧场均被保留下来作公园用。从市内通过高速公路很快就能到达商业性的迪斯尼乐园、诺特浆果园、海洋地和魔山。

体育 校际体育比赛最精彩的是南加利福尼亚大学和加利福尼亚大学洛杉矶分校之间的激烈对抗赛。每年元旦玫瑰碗体育场的橄榄球赛在帕萨迪纳举行。洛杉矶人还赞助主要的职业球队联合会，有棒球、橄榄球、篮球、冰球等。在圣阿尼塔公园和好莱坞公园还举行赛马会。

古迹 洛杉矶人保留了一部分过去的西班牙-墨西哥古迹，主要应该归功于C.F.拉米斯，一位19世纪末20世纪初文笔生动的编辑和作家，他使圣加布里埃尔大天使教堂(1771)和西班牙国王圣费尔南多教堂(1797)得以保留下来。奥雷拉大街是一条狭窄的街道，墨西哥商店、咖啡厅比比皆是，还有阿维拉家族的砖坯住宅(约1818)，自从1930年以来一直是游客参观的热点，现在是洛杉矶州立历史公园村的一部分。该村占地40英亩，包括初建市时的广场和居民们所筹建的第一座教堂(1822年落成，1861～1862年重建)。

西蒙·罗迪亚的3座塔(分别为99、97和55英尺高)，人们多称之为瓦兹区三塔，是一位未受过教育的意大利移民罗迪亚花了33年时间用碎砖瓦、碎盘子、碎瓶子和贝壳等砌成的，后来他解释道："我想做一件大事，我就做成了。"1954年他完成这项工作后，将它们送给一位邻居就走了，再也没有回来。

19和20世纪之交，西班牙传教团房屋式样的建筑物被加利福尼亚木质外壳的有外廊的单层住宅所取代，这种平房是以格林兄弟所设计的形式为模型，两兄弟于1908年在帕萨迪纳建成8 000平方英尺的甘博住宅，现在拨作建筑设计专业学生实验室用。赖特在完成现称为巴恩斯德尔公园的霍利霍克大厦之后，又在20世纪20年代初期接受了几起加利福尼亚南部的设计任务。R.M.申德勒协助赖特建造霍利霍克。19世纪后半叶，I.吉尔被普遍认为是该市最受到冷遇的建筑师，而R.诺伊特拉则是最有影响者。他的钢架洛弗尔大厦建于20世纪20年代末，是国际式建筑的不朽之作。

洛杉矶闹市区最惊人的悦目之物就是布雷德伯里大楼(1893)。太阳光照在这座5层楼的、由精致的法国铁制部件、比利时大理石和墨西哥瓷砖构成的内院上，既温暖又明亮。在美国最后一批火车站大建筑物中，联合客车终点站(1939)是西班牙传教团式建筑的极佳说明。市的中央图书馆(1926)是古德休所设计的最后一座建筑物，他那浅黄色拉毛粉饰的低矮建筑物重现了吉尔的风格，但基本形式是古典装饰风格的。它比相邻那座著名的里奇菲尔德大楼存在的时间长久，这座大楼是1920年装饰艺术的极佳典范，但是在60年代被拆除，腾出地方给一家银行和石油公司建筑两座摩天大楼用。

艺术 洛杉矶时常接待杰出的作曲家和作家，诸如I.斯特拉文斯基、W.福克纳、F.S.菲茨杰拉德和A.赫胥黎。无数小说均以该市为主题，其中传世最久的有菲茨杰拉德的《最后的一个巨头》(1941)、赫胥黎的《许多夏季过后天鹅死了》(1940)、E.沃的《爱人》(1948)和韦斯特的《蝗虫的日子》(1939)等的小说，还有钱德勒及其继承人麦克唐纳(米勒的笔名)以洛杉矶为主题写的小说。洛杉矶还为世界书籍收藏家所向往，他们除在此可见到洛杉矶古书商泰斗J.蔡特林所收集的古书外，还可以收集到优秀出版商诸如S.马克思、G.达尔斯特罗姆和W.里奇等所出版的书籍；蔡特林的书店已成为来访作家、画家、摄影师、图书收藏家的聚会处。

洛杉矶已发展成为活跃的艺术品市场。许多主要的美术馆分布在好莱坞西部拉西恩加和梅尔罗斯大道上高雅的餐厅、古玩店和珍本书店之间。

表演艺术在音乐中心举行，该中心内典雅的多罗西·钱德勒馆是洛杉矶爱乐乐团的总部，阿曼森剧院用来上演话剧、音乐喜剧和轻歌剧，还有一个蛋糕形的马克·塔珀会场是为舞台实验演出设计的。音乐中心没有常驻歌剧团，1983年前它完全依靠纽约市、伦敦、哥本哈根和莫斯科等地的芭蕾舞团提供演出，后来乔弗里把他的芭蕾舞团从纽约市迁移到多罗西·钱德勒馆。

好莱坞圆形剧场建在好莱坞山的一个天然圆形凹地，在此演出的第一部作品是《凯撒大帝》(1916-05-19)，1922年正式上演节目名为《众星交响乐》。在格里菲斯公园的露天希腊剧场提供了名目广泛的夏季表演会，多数为音乐节目。尤尼弗萨尔城的尤尼弗萨尔圆形剧场，自从1982年重新开放以来全年都有节目上演，剧场的座位上方为穹顶建筑。亨廷顿·哈特福德剧院坐落在好莱坞靠近摄影棚的地点，即1914年在此摄制过《脂粉气男人》的地方。舒伯特剧院在世纪城内，与为拍摄影片《喂，小妞！》(1969)而建造的大规模的80年代纽约背景地有几条街区的距离。影都内的小型创新剧院不断出现。

令人耳目一新的加利福尼亚州立科学和工业博物馆坐落在陈列馆公园内，离县立自然史博物馆不远，后者是美国第四大自然史博物馆。州立博物馆中独一无二的化石收藏品已转移到汉考克公园内发现沥青坑的佩奇博物馆，它与洛杉矶县艺术博物馆同在那块仿佛漂浮于黑沥青池的历史名地。20世纪80年代初期，一位东京建筑师荒田礒崎计划将现代艺术博物馆建在音乐中心附近。位于高地公园的西南博物馆专陈列印第安人的艺术和手工制品，收藏有纺织品、壶罐、篮子以及这个领域的照片和书籍，这是美国在这方面收藏的丰富的5个博物馆之一。供娱乐游戏的儿童博物馆使城市中心增添了生气。青年艺术中心是建在市美术馆附近的巴恩斯德尔公园综合区的一个组成部分。

帕萨迪纳的诺顿西蒙博物馆收藏有上下2 000年的艺术品。附近圣马力诺既有收藏丰富的珍本书、手稿和英国艺术品的亨廷顿图书馆和美术馆，又有一个好客的、如同公园般的植物园，常招徕游客欣赏园中的玫瑰花、茶花、沙漠植物和日本园圃。保罗·格蒂博物馆坐落在马利布海滩上方，是古代海滨别墅的复制品，1976年它从其创建者手中继承了7亿美元的遗产，遂成为世界上最富有的博物馆。洛杉矶人除了有帕萨迪纳、圣莫尼卡、伯班克等市图书馆以及县的区域和社区图书馆可供查找资料外，加利福尼亚大学洛杉矶分校还有一个美国最好的学院图书馆。校园外的克拉克纪念图书馆以收藏德莱敦的著作而闻名。

历史

都市的发展 西班牙-墨西哥城镇 1769年8月2日，由G.de波尔塔拉率领的一支西班牙远征队为寻找设立传教会的地点宿营在一条河附近，他们称之为波尔西温库拉河，以表示对波尔西温库拉天使女王圣母马利亚的敬意。这个地区的第一批欧洲人与居住在附近扬纳村的操犹他-阿兹特克语、爱好和平的印第安人交换了礼物后，于次日早晨就离开了该地。尽管克雷斯皮神父在这一夜之间经受了3次地震，却仍然在日记里写道：河边树林中这块令人愉快的地方，有建立一个大居民区所需要的一切条件。

两年后，在营地东北约14千米处成立圣加百列大天使传教团。10年过去了，F.de尼夫州长从墨西哥招募来44名人员成功地开拓了这块肥沃的河谷地，他们之中多数为印第安人和非洲裔。1781年9月4日，这些无文化的殖民者在现称为洛杉矶河的西岸集会，要求获得曾许诺给他们的这块土地。人们对这重大日子发生的事知之不详，但是故事杜撰者把这个城市的建立披上一块有纪念意义的美丽面纱，使其后的发展与此佳名十分相称，只可惜这个名字与河流的名字长期混淆不清。现在大家都同意该市的正确名称

洛杉矶加利福尼亚大学校园

美国不列颠百科全书公司供图

为“天使女王圣母马利亚城镇”。这个镇在开始的年代里对美国人很生疏，当J.查普曼这个第一位美国佬成为洛杉矶人时，人们还以为他是英国人，一个从波士顿来的颇有风度的海盗。他于1818年和一位黑人私掠船船长T.费希尔一起在此登陆。第一个通过险峻的陆上通路于1826年来此的外来者是捕兽毛皮商J.史密斯，4年后，独立了的墨西哥把他们的国旗在镇上升起。

洛杉矶于1835年R.H.达纳来访时建市，当时人口约1 250人。达纳在他的著作《两年水手生涯》(1840)中写道：“在有创业精神的人民手中，这会成为怎样的一个国家呀。”1846年美国与墨西哥爆发战争时，这座加利福尼亚首府聚集着勇敢进取的人们，P.皮科州长觉得无法抗拒“这群美国佬移民”：他们耕种农田、开垦葡萄园、建立磨坊、砍伐木材、开办工场，从事成千上万种行业，他们似乎觉得这都是理所当然的事，而这些事情却正是加利福尼亚人所疏忽或蔑视的。美国军队在J.C.弗里蒙特上尉和海军准将R.F.斯托克顿率领下于1846年8月13日进入该市时未开一枪。翌年1月，镇压了反叛，1847年7月4日洛杉矶庆祝第一个独立纪念日。

美国城市　洛杉矶于1850年4月4日设建制，并成为洛杉矶县首府。1849年，一位开拓者医生抱怨说这个无法无天的砖坯砌成的牛镇“仅有的职业就是赌博、酗酒、卖淫”，但在淘金热潮中，旧金山和萨克拉门托饥肠辘辘的矿工们大啖来自加利福尼亚的牛肉，城市便繁荣起来。一场灾难性的干旱(1862～1865)以及其后几年牛价的跌落结束了牧场时代。大片西班牙和墨西哥的拨赠土地被抵押出去并宣布破产，这些土地的主人对美国的法律和利率一无所知，于是新一代的洛杉矶人把土地分割开、圈围起来成为种植场。到了1860年，该市已经非常美国化：斗牛被禁止了，取而代之的是棒球俱乐部的建立。

随着铁路的通车(1876年的南太平洋铁路，1885年的圣大非铁路)洛杉矶人开始将当地柑橘运往他们的东部老家，并采用了大规模的广告游说来引诱移民到西部新伊甸园来。加上各铁路竞相减价，19世纪80年代的繁荣使该市人口几乎增加了4倍，从1880年的11 183人增至1890年的50 395人。克雷斯皮神父选定的营地被有进取心的精明而具开拓精神的美国佬所侵占，他们决心建造一座他们想象中的理想城市，只有两件东西仁慈的上帝未给予他们，即港口和足够的供水。

与旧金山和圣迭戈不同，洛杉矶没有天然港。一条任意划出来的狭窄的“鞋带状”土地把这座内陆城市与港口连接起来，这个港口在市政厅南23英里处。在有权有势的南太平洋铁路势力和自由港联合会之间展开一场大规模斗争之后，洛杉矶于1909年通过合并获得了圣佩德罗和威尔明顿两个港口社区。港口建设工程始于1899年。1914年第一个市属码头的启用正好与巴拿马运河的竣工在同一日子。运河使大西洋沿岸港口与洛杉矶之间的距离缩短了近13 000千米。洛杉矶成为西海岸最为繁忙的海港。

1904年，为了寻找新的水源以维持该市的持续发展，供水办公室督办W.马尔霍兰前往市东北400千米处的欧文斯河谷勘探，回来后提出一个大胆设想，即用一套导水管将内华达山南坡的融雪引入洛杉矶千家万户的水龙头。该计划激起欧文斯河谷牧场主的愤怒，却使两个洛杉矶投机辛迪加发了财，人们对这和错误做法议论纷纷，最后以极为戏剧化形式拍制成了电影《唐人街》(1974)。

1913年11月5日成千上万的洛杉矶人围观欧文斯河水一泻而下注入费尔南多的溢洪道，W.马尔霍兰对观众说：“这不是吗，相信了吧!”375千米长的导水管有142条支管，总计84千米长，外加一条引向莫诺河盆地的169千米延伸管道。整个装置设备供应该市需水量的80%。余下的20%供水来自本地水井、加利福尼亚输水道和科罗拉多河。

1976～1977年的严重干旱使洛杉矶人尝到了缺水的滋味，但主要的还是1985年由法院下令要他们将科罗拉多河水与亚利桑那州分享以后。同时，占加利福尼亚可用地面水的雨和融雪约3/4在北部，而一半以上的人却居住在南部，因此，富足的大农场主和足智多谋的城市环境保护论者之间的“水战”不断在州议会、法院和投票站进行着。

现代城市　20世纪初的10年，在旧金山清理完1906年地震后遗留的碎石垃圾时，洛杉矶居民已从约10万人增加到近32万人。一位当地企业家于1902年开设了全美第一家电影院，另一位则建造了该市第一座汽车库以供数量日增的汽车停放之用。但是从P.莫顿和C.菲利普斯经营的红灯区妓院出来的张着阳伞的女人仍然乘坐敞篷马车。这一切使得退休杂货店老板、牙医和不断从中东涌来洛杉矶的小麦农场主感叹不已。

“美德反而有害了，”一位作家在《时髦人士》杂志(1913年3月刊)上这样报道说。他把洛杉矶描绘为一个“畸形发展的村庄”，挤满“招魂方士、女巫、占星的、看骨相的、看手相的以及所有受祖传秘方的吹牛大王”。接着是作家移居的浪潮，如出一辙，他们把这个城市描绘成一个怪人的露天会馆。

“洛杉矶是身心不健全的人的最后隔离地，”B.罗素这样说，F.L.赖特也表示同意。“就好像你把美国翻倒过来了，所有最平庸低劣的人都滑溜到加利福尼亚南部去了，”1940年时他这样评论道。但不出几年，洛杉矶却聚集了欧洲最有天赋的避难者，如曼兄弟、A.勋伯格、B.布莱希特、B.瓦尔特、F.魏菲尔、L.福伊希特万格和A.诺伊曼，因而这个城市被人戏称为“第四魏玛共和国”。

接下来的几十年中，洛杉矶自然人文景观逐渐繁荣。1955年迪斯尼乐园落户附近的阿纳海姆，立刻吸引众多游人。1984年奥运会在此召开，并获得经济收益。此前1932年奥运会即在洛杉矶召开，当时建起了奥运史上第一个奥运村。并非一切都令人满意，该城同样面临自然和人为灾难。1994年1月，发生地震，以圣弗尔南多为震中。地震造成60人死亡，多个路段瘫塌。森林大火和泥石流威胁着城市建筑。1999年和2000年传出洛杉矶警察腐败丑闻，种族冲突一触即发。

Los Angeles County Museum of Art　洛杉矶县立艺术博物馆　综合博物馆，分别收藏亚洲(印度、中国西藏地区、尼泊尔)、伊斯兰、中世纪、欧洲和现代艺术品。最大的建筑是拥有四层楼的阿曼森美术馆，专门陈列永久性的展品；毗邻的弗朗西丝和阿曼德·哈默大楼专供临时展览之用；利奥·S.宾中心包括图书馆(藏书6万多册)和礼堂。收藏现代艺术品的罗伯特·O.安德森大厦于1986年开馆。纺织和服装研究中心在美国西部首屈一指。博物馆建于1913年，在它1961年成为独立机构之前一直是洛杉矶县立历史、科学和艺术博物馆的组成部分。1965年迁入现址。

Los Angeles Times　《洛杉矶时报》　洛杉矶出版的每日晨报。20世纪60年代开始由地区性报纸发展成世界大报之一。创刊于1881年。1884年老板H.奥蒂斯将此刊并入一家公开招股公司(时代镜报公司)后，该报得到发展，很快便成为加利福尼亚州保守政治主张的重要力量和该州南部的主要喉舌。虽然它的新闻报道反映了它的政治偏见，但由于它对加利福尼亚南部发展的贡献和它在技术及其他方面的革新，受到普遍重视。1922年它创办了美国第一家报纸自有的广播电台。1928年它开始用飞机送报至其他城市。1917年H.钱德勒接替他岳父奥蒂斯任报纸出版人以来，《洛杉矶时报》一直在钱德勒家族控制之下。1944年N.钱德勒接替了他父亲。1960年，他为了集中精力办好公司而辞去出版人职务，其子O.钱德勒接管时报。O.钱德勒当出版人后，时报的文体、编辑和编辑方针经历了引人注目的变化。该报从传统的极端保守立场发展成为中立、公正、全面的新闻报道的典范。这在很大程度上是依靠提高工作人员素质和大量增加工作人员，在美国各地和国外开办时报分社，并开展对重要事件作彻底的、勇于面对现实的、有足够深度的报道。该报还增加专栏，并努力使版面现代化，以反映出它作为美国一份杰出的全国性报纸这一脱颖而出的形象。1991年O.钱德勒辞去董事长职务后，该报经历了一系列变化，但一些变化也遭到批评。2000年时代镜报公司被论坛公司收购，这使得拥有时代镜报公司多数股份的钱德勒家族占有论坛公司重要股份(参阅 **Chicago Tribune**)。2004年该报获5项普利策奖，是其创办以来获奖最多的一年。

Los Angeles Zoo, The　洛杉矶动物园　1912年以格里菲斯公园野兽展览园的名义建于美国洛杉矶市的动物园。也是一所全部位于户外的动物园，包括一个主体动物园和一个儿童动物园，共占格里菲斯公园(南加利福尼亚最大的州立公园)32公顷。主体动物园大约有动物500种，共2 000只，依照动物生产的洲别而予以编组。它拥有帝猸、高山獏和加州神鹰，也是第一个繁殖犀鸟的动物园。

Los Baños　洛斯巴尼奥斯　菲律宾吕宋西南部的旅游城镇。邻近内湖湾南岸。因有来自马基林山山麓的温泉水得名，洛斯巴尼奥斯意为“浴场”，泉水输送至镇内各宾馆。设有菲律宾大学农学院。20世纪60年代，此地的国际水稻研究所培育了一种被称为神奇水稻的高产稻种 IR8 号。曾是美国空军基地和日本的集中营所在地。人口:城市区82 027(2000)。

Los Dos Caminos　洛斯多斯卡米诺斯　委内瑞拉北部米兰达州西北部城市。在加拉加斯东。位于中央高地。曾为咖啡、可可、甘蔗的商业中心。由于首都的发展,已成为加拉加斯大都市区郊外住宅区。有洪堡天文馆、一个国家公园和拉卡洛塔机场。经高速公路可通向城西约13千米处的加拉加斯中心区。人口约74 701(2000)。

Los Glaciares National Park　冰川国家公园　在阿根廷西南部圣克鲁斯省。地处安第斯山,环绕阿根廷湖和别德马湖向西延伸部分,临智利边界。面积4 459平方千米。建于 1937 年。分为两个截然不同的地区。东部是森林和草原,西部有高耸的山峰、湖泊、冰川及雪原。最高点菲茨罗伊峰海拔3 375米。野生动物有栗色羊驼、毛丝鼠、大秃鹫、美洲鸵鸟等。可钓鱼。经湖泊或公路可达公园。

Los Islands　洛斯群岛　法语作Îles de Los。大西洋中的小群岛。在西非几内亚首都科纳克里附近。由塔马拉岛、卡萨岛、鲁姆岛、布兰奇岛、德·科赖尔岛和若干小岛组成。塔马拉岛最大。仅塔马拉岛和卡萨岛上有较大居民点。群岛为火山岛屿,岛上覆盖着棕榈树。塔马拉岛及卡萨岛曾有过铝土矿的开采,1972 年已告罄。英国曾于 1812 年在塔马拉岛上设防,限制奴隶贩卖和海盗。1904 年属法国,1958 年归属独立的几内亚。

Los Lagos　洛斯拉戈斯　又译湖区。智利南部一区。东邻阿根廷,西濒太平洋。1974 年建立,下设瓦尔迪维亚、奥索尔诺、延基韦和奇洛埃省,面积68 247平方千米。北部为森

洛斯拉戈斯区内的托多斯洛斯桑托斯湖
美国不列颠百科全书公司供图

林覆盖的海岸山脉,瓦尔迪维亚河和布埃诺河流域低地,中央盆地南端和安第斯山脉;南部为安第斯山脉、山麓和峡湾,科尔科瓦多海湾,奇洛埃岛及其东、南方众多岛屿。19 世纪中叶,德国移民促进了北部地区的经济发展。现经济以农业为主。生产马铃薯、牛肉、乳制品、小麦、燕麦和水果。瓦尔迪维亚省的木材生产在全国占重要地位。工业以农林产品加工业为主,也有钢铁厂、铸造厂和鱼罐头厂。北部多湖泊,如卡拉夫根、潘基普利、里尼韦、兰科、普耶韦和智利最大的延基韦湖。旅游业兴旺,为收入主要来源之一。区首府**蒙特港(Puerto Montt)**是泛美公路和南北铁路干线终点。南部较贫穷,农业以生产马铃薯为主,伐木也重要,渔业资源待开发。人口稀少,主要为印第安人,大多居住在奇洛埃岛。运输几乎全靠水路。人口约1 050 600(1999)。

Los Mochis　洛斯莫奇斯　墨西哥西北部锡那罗亚州西北部城市。位于沿海平原。20 世纪 50 年代建立的富埃尔特河灌溉区使该城发展为农业(玉米、棉花、甘蔗、番茄,以及牛和猪)中心。工业有榨糖和罐头食品厂。旅游业是辅助经济财产,因该城为冬季疗养胜地和捕鱼、狩猎中心。通公路、铁路。有一机场。人口约162 659(1990)。

Los Pijiguaos　洛斯皮吉瓜奥斯　委内瑞拉玻利瓦尔州西部皮吉瓜奥斯高原的铝土矿床及相关的采矿矿区。该矿床为一大型高品质红土型矿床,面积5 000平方千米,估计储量 5 亿吨。1974 年发现,1987 年开始商业性开采,1993 年达到近 300 万吨。矿石顺奥里诺科河运至东北约 500 千米处大圭亚那城奥尔达斯港铝厂加工。

Los Ríos　洛斯里奥斯　厄瓜多尔中西部省份。主要是瓜亚斯河及其众多源头河流经的森林茂密的低地。东面为安第斯山脉的西部。面积6 511平方千米。农业是其经济基础,生产大量的棉花和稻米,也生产咖啡、甘蔗和香蕉。东部珍贵的森林中产轻木、雪松、象牙椰子(植物象牙)和巴拿马草(用于编织巴拿马草帽)。公路不发达,交通运输主要依靠瓜亚斯河水系。省会为巴巴奥约。人口约451 064(1981)。

Los Santos　洛斯桑托斯　巴拿马西南部省份。东濒巴拿马湾,南濒太平洋。面积3 867平方千米。玉米、稻米、糖、猪、牛和家禽产量在全国居前列。为运河附近城市所需鸡蛋和鸡肉的主要供应地。省会为拉斯塔布拉斯,原为采金城镇,现为主要贸易中心。有公路连泛美公路。人口约79 971(1983)。

Los Teques　洛斯特克斯　委内瑞拉中北部城市,米兰达州首府。在加拉加斯西南。为顽强抵抗西班牙征服者的印第安人酋长瓜伊开普罗(约 1560 年去世)出生地。原是加拉加斯的居住区和游乐区,20 世纪 70 年代已发展为工业城市。人口约140 617(1990)。

Los Tuxtlas(Mexico)　**洛斯图斯特拉斯**　参阅 **San Andrés Tuxtla** 圣安德烈斯-图斯特拉。

Losch, Maria Magdalene von (German actress)　**洛施**　参阅**Dietrich, Marlene**黛德丽。

Loschmidt, Joseph　洛喜密脱(1821-05-15,奥地利帝国波希米亚普钦[今在捷克共和国]~1895-07-08,奥地利维也纳)　德国化学家,推进了芳香烃的研究。洛喜密脱是农民的儿子,由他的乡村牧师资助接受教育,1839 年在布拉格德国大学就读。1841 年移居维也纳,1843 年大学毕业,但不能取得教职。他想在经营上成功的企图,在 1854 年因破产而告终,他决定研究自然科学。1856 年洛喜密脱取得教师资格,并在维也纳六年制中学获得一个职务。他回头研究化学和理论物理学,不久即开始发表科学论文。1868 年任维也纳大学的物理化学助理教授,并继续在维也纳科学界起重要作用。洛喜密脱首先用双线和三重线形象地表示有机分子中双键和三键。他认识到,大多数"芳香化合物"(即芳香烃,因它们由芳香物质提炼而得名)可由苯经过用其他元素或基团取代其中的一个或两个氢而衍生出来。"芳香族的"一词因此用于称谓结构中具有苯环的任何烃类,不论它是否芳香的。洛喜密脱最先阐明,在含有若干 OH 基的醇中,各 OH 基分别连接在不同的碳原子上。他部分地解释了若干有机和无机化合物的结构,其中有苯、甲苯和臭氧。他还认识到,一种元素可有若干化合价。洛喜密脱对于空气分子的大小和 1 摩尔分子中的分子数(该数现在通称为阿佛伽德罗常数)进行了可能是首次精确的计算。他算出空气分子的直径稍微小于10^{-7}厘米,相当接近公认值 0.5×10^{-7}厘米。

Losey, Joseph (Walton)　洛西(1909-01-14,美国威斯康星拉克罗斯~1984-06-22,伦敦)美国电影导演。其强烈的个人风格往往体现于刻画紧张甚至激烈的人际关系的影片中。在哈佛大学获得文学硕士学位(1930)以后,曾短期从事图书和戏剧评论。1935 年任娱乐业报纸《综艺》驻欧洲记者时,听过苏联杰出电影导演、理论家 S.爱森斯坦的课。30~40 年代在百老汇导演舞台剧,在艺术上最大的成就之一是他 1947 年导演 B.布莱希特的话剧《伽利略传》。1945 年,他的短片《手中的枪》获得奥斯卡金像奖的提名。以后开始导演一些故事片,表明个人对一些有争论的问题的看法,如和平主义(《绿发男孩》,1949)、种族偏见(《不法之徒》,1950)和警察犯罪(《小偷》,1951)。1952 年他和其他很多人一道被指控为共产党而列入黑名单,只好前往英国隐姓埋名,直到《吉卜赛人和绅士》(1958)问世。他导演的影片大部分由英国剧作家兼演员 H.平特编剧,其中包括《仆人》(1963)、《意外事件》(1967)和 1971 年获戛纳电影节大奖的《中间人》。这些影片蜚声国际,特别受到法国影评界的推崇。后来的影片有《暗杀托洛茨基》(1972)、《玩偶之家》(1973)、《克莱因先生》(1976)等。

Loskop Dam Nature Reserve　洛斯科普水库自然保护地　南非德兰士瓦省东北部自然保护区。濒象河。在水坝四周,面积 128 平方千米。风景如画的山谷已重新放养曾栖居于此的野生动物,其中有非洲旋角大羚羊和其他种属的羚羊、长颈鹿、斑马、牛羚、白犀牛及 200 多种鸟类。水库盛产鱼类。

Lossiemouth　洛西茅斯　苏格兰北海渔港和度假地。在马里政务会辖区。由锡敦、勃兰登堡(该镇商业中心)等旧渔村和新建的斯托特菲尔德居民点发展起来。因捕鱼业下降而衰落,后因旅游业和临近富尔马尔-金洛斯空军基地使经济繁荣起来。为首届英国工党首相 J. R. 麦克唐纳的诞生地。人口 7 184(1991)。

Lossky, Nikolay Onufriyevich　洛斯基(1870-12-06,俄罗斯维捷布斯克附近克雷斯拉夫卡～1965-01-24,法国圣热讷维耶沃-德布瓦)俄国直觉主义哲学家。研究认识、因果关系和道德的本性。他的哲学糅合了多家学说,尤其是莱布尼兹的单子论和柏格森的直觉主义。毕业于圣彼得堡大学,1907年在德国受威廉·冯特指导获博士学位,后在圣彼得堡任教至1921年。1922年由于宗教信仰被苏维埃政府流放,后在布拉格的俄罗斯大学任教多年。1942～1945年为布拉迪斯拉发大学教授。1946年移居美国任纽约市圣·弗拉基米尔俄罗斯正教神学院教授。著有《从唯意志论观点出发的心理学的基本学说》(1903)、《认识的直观基础》(1906)、《作为有机整体的世界》(1917)、《感觉的、理智的和神秘的直觉》(1938)以及《上帝和原罪》(1941)。

Lost Colony　失却的殖民地　北美洲北卡罗来纳罗厄诺克岛上早期的英国殖民地。建于1587年,但在1590年前神秘消失。1584年,沃尔特·雷利爵士为建立贸易站曾对北卡罗来纳沿海诸岛进行勘察。由于印第安人的威胁,1585年在罗阿诺克岛上所建移民点于次年即行撤销。1587年,J.怀特总督复率英人约100名来此定居。怀特旋返英格兰搬运物资,迨及1590年8月返抵该岛时,岛上已空无一人。仅存的遗迹为刻在两处树干上的Croatoan及Cor两字。移民可能悉遭印第安人杀害,也可能随友好部落他徙。其消失的原因至今仍为不解之谜。参阅**Roanoke Island**。

Lost Generation　迷惘的一代　泛指第一次世界大战后的一代人;又特指一批美国作家,他们在第一次世界大战爆发时刚刚步入成年,并在20年代获得文学上的声誉。这个称呼源出G.斯泰因向海明威说的一句话:"你们都是迷惘的一代。"海明威把这句话用作《太阳照样升起》(1926)一书的卷首引语。这部小说生动地描绘了战后亡命国外幻想破灭的青年在巴黎酗酒和生活放荡的情景。这一代青年之所以"迷惘",是指这一代的传统价值观念不再适合战后的世界,并且由于美国满足于哈定总统的"恢复常态"政策,使这批青年感到这个国家极端偏狭,追求实利而且冷漠无情,从而他们在精神上与美国疏远起来。这批人包括海明威、菲茨杰拉德、多斯·帕索斯、肯明斯、A.麦克利什、H.克莱恩和许多其他作家。迷惘的一代在20年代把巴黎作为他们的文学活动中心。但他们从来没有形成一个文学流派。到20世纪30年代,这些作家分道扬镳,他们的作品也失去那种特有的战后伤感情调。这个时代的迷惘的一代最后一批代表作有菲茨杰拉德的《柔和的夜晚》(1934)和多斯·帕索斯的《大钱》(1936)。

lost-wax process　脱蜡法　又作cire-perdue(失蜡法),即把根据设计形状制成的蜡壳封装在两层耐热的材料中,翻铸成空心金属铸件的方法,小型实心铸件可用实心蜡模铸造。两种情况下都是让蜡熔化流出,再将熔融的金属注入留下的空腔中。除了澳洲之外,脱蜡法在各大洲的使用可以上溯到公元前3千纪,一直没有什么改变。要把泥塑原型翻成青铜,需先翻成阴模,在阴模里面涂上熔化的蜡,其厚度须与青铜铸件所需的厚度相同。然后取下模子,在蜡壳上遍涂耐热的混合材料。在蜡壳外部接上一些蜡管,用做灌注青铜的导管。把金属钉子穿过蜡壳钉入芯模使其固位。此时,蜡壳已经为耐热的涂层所布满,把它反扣在烘炉上。受热以后,涂层干了,蜡通过导管流出。然后把涂层铸模护在砂中,用熔化的青铜通过导管灌到蜡所腾出的空间。冷却以后,把外部涂层及芯模拿掉,再对青铜铸件进行最后的修饰。参阅**investment casting**。

Lostwithiel　洛斯特威西尔　英格兰康沃尔行政、历史郡雷斯托梅尔区一城镇(堂区)。濒福伊河。最初在雷斯托梅尔城堡(约1100)四周发展起来。13世纪为康沃尔公爵首府和锡矿或造币城镇,所熔化的锡都需纳税并经质量检验。锡矿区(约1280)遗址在奎伊街。人口2 452(1991)。

Lot　洛特　法国西南部南比利牛斯大区省份。由历史上吉耶讷省的凯尔西区的部分地区组成。面积5 228平方千米。范围从中央高原西部扩展到阿基坦盆地。洛特河流经该省石灰岩高原,形成一条东西向深谷。省会卡奥尔(**Cahors**)是法国最古老的城镇之一。冬季多湿暖风,春秋季高原上刮冰冷的山风。大部分村庄和城镇分布在农业发达的背风山谷中。谷地种植蔬菜、谷物、果树和烟草,较低山坡上还栽培葡萄。高原上放牧牛羊,并发现有块菌。工业不很发达。菲雅克有航空工厂。著名的古夫尔-德帕迪拉克有一个地下河流的落水洞,在罗卡马杜尔附近,是朝觐中心。卡奥尔东面的佩什-梅尔洞穴内有史前壁画。该省下设卡奥尔、菲雅克和古尔东3个专区。属图卢兹教育区。人口160 034(1999)。

Lot, Ferdinand　洛特(1866-09-20,法国巴黎～1952-07-20,巴黎附近)　研究中世纪初期和罗马帝国末期的法国历史学家,以罗马文明向中世纪文明过渡的专著驰名于世。1909年任巴黎大学教授。主要著作有:《对H.卡佩统治时期和10世纪的终结的研究》(1903)、《蛮族的入侵和在欧洲的殖民》(1937)和《中世纪的军事艺术和军队》(1946)。其最著名的作品为《古代的终结与中世纪的开始》(1931)。一生获得过多种荣誉。

Lot-et-Garonne　洛特-加龙　法国西南部阿基坦大区省份。由前吉耶讷(**Guyenne**)和加斯科涅(**Gascony**)省的部分地区组成。位于阿基坦盆地中部的平原上。面积5 358平方千米。东南-西北走向的加龙河流贯该省并经过省会阿让。该省主要为海洋性气候。农业兴旺,有谷物种植、养牛和乳品业。特产水果,以出产制蜜饯用的李子闻名。也生产优质葡萄酒。为法国主要烟草产地之一。工业不发达。该省下设阿让、马尔芒德、内拉克和洛特河畔新城4个专区。专区名均由镇名而来,4个城镇都有中世纪建筑。该省属波尔多教育区。人口305 396(1999)。

Lot Kamehameha (Hawaiian king)　**洛特·卡米哈米哈**　参阅**Kamehameha V卡米哈米哈五世**。

Lot River　洛特河　法国河流。源出法国南部洛泽尔省洛泽尔山附近的塞文山脉。向西流480千米后,在艾吉永附近与加龙河汇合,流域面积约11 400平方千米。在科斯石灰岩高原形成深峡谷。在特吕耶尔河畔昂特赖格接纳最重要支流特吕耶尔河,在其上游建有水坝以便水力发电。穿过德卡兹维尔附近的阿韦龙煤田,流过卡奥尔和中世纪城镇洛特河畔新城,最后汇入加龙河。下游从加龙河起260千米长运河化河段可通航。

Lota　洛塔　智利南部比奥比奥区康塞普西翁省重要采煤中心。濒临阿劳科湾。建于1662年,1852年开办采煤企业后持续发展。1888年,连接康塞普西翁的铁路修通,加快了发展速度。工业还有砖厂、耐火材料厂和炼铜厂。为沿海船只加煤站。上洛塔为行政机关所在地,下洛塔为商业及住宅区。当地的伊西多拉库西尼奥公园以风景优美驰名智利。人口约50 123(1992)。

Loṭf ʿAlī Khān Zand　卢特夫·阿里汗·桑德(1769,伊朗桑德设拉子～1794,德黑兰)伊朗桑德王朝的末代统治者。加法尔汗之子。最初父王派他统率桑德在拉雷斯坦省和克尔曼省的军队。1789年父王死后,他赶回设拉子时,已有一个竞争者自立为国王。他把对手处死,自立国王。此后4年间,他几次兴兵讨伐拥有优势军队的阿迦·穆罕默德·汗·加贾尔。1791年设拉子的总督把城献给加贾尔的军队,卢特夫·阿里汗始终未能得到一个作战的新基地,经常转移。1794年上演了内战的最后一幕,加贾尔粉碎4个月的抵抗,夺得克尔曼城。卢特夫·阿里汗企图从城中逃跑,但被生擒,押送到加贾尔处,加贾尔以酷刑将其折磨至死。

Lothair　洛泰尔　又译洛塔尔。统治者之名,按国别分列于后,并各以● 为标记。参阅**Chlotar**。

与此字相等之外语:

法语	Lothaire
德语	Lothar
意大利语	Lotario

法　国

● **Lothair　洛泰尔**(941～986-03-02)　法国加洛林王朝国王(954～986)。路易四世的长子。父王死后被选为国王,但初被大于格、后又受叔父科隆大主教布鲁诺的控制。965年布鲁诺死后,他的地位每况愈下,只有一块狭小的领地,而且由于各采邑之间的倾轧而四分五裂。他坚持要取得洛林,使之脱离与德意志的臣属关系,也造成灾难性的后果:他支持洛林反对奥托二世的叛乱(976),迫使奥托将下洛林公爵领地给予他难以驾驭的兄弟查理;他企图在亚琛劫持奥托的家属(978)计划落空,并引起一次对法兰西的报复性入侵;第3次入侵洛林(985)不仅未达到目的,反促使兰斯大主教阿达尔贝鲁支持H.卡佩反对他。死前仍准备再次远征洛林,死后由其子路易五世继位。

德意志/神圣罗马帝国

● **Lothair I　洛泰尔一世**(795～855-09-29,德国普吕姆修道院)　法兰克皇帝。皇帝路易一世(虔诚者)的长子,查理大帝之孙。814年路易继承查理大帝的皇位后,立洛泰尔为

美国不列颠百科全书公司供图

巴伐利亚国王,817年又立他为同朝皇帝。同年路易颁布《授权诏令》,其中规定:在他死后,为了求得帝国的统一,洛泰尔的两个弟弟丕平和路易(后名日耳曼路易)在洛泰尔的宗主权之下拥有各自的王国——阿基坦和巴伐利亚。洛泰尔自822年起为意大利国王,翌年由教皇帕斯加尔一世加冕称帝。824年洛泰尔颁布《罗马建制诏》,确定皇帝对罗马城的宗主权,并要求教皇对皇帝宣誓效忠。829年虔诚者路易在第二个妻子朱迪思的影响下,修改了《授权诏令》,将原先授予洛泰尔的部分帝国领地授予朱迪思的儿子查理。洛泰尔与帝国政府决裂。一场宫廷革命使他于830年重新立为同朝皇帝,但不久又被取消。833年洛泰尔发动三子叛乱,推翻路易,由他取而代之。但是翌年路易复位,洛泰尔的统治权就仅限于意大利。838年丕平死,虔诚者路易又制订一项新的领土划分计划,除了巴伐利亚及其附近区域划归日耳曼路易而外,他将帝国版图分别划给洛泰尔和秃头查理,洛泰尔得到东部地区,并拥有帝号,但取消了817年诏令中规定的对其他邦君的宗主权。840年虔诚者路易死,洛泰尔再度宣称拥有817年诏令所赋予的权利,但于841年丰特努瓦战役中被其兄弟日耳曼路易和查理击败。843年8月三方签订《凡尔登条约》,规定洛泰尔占有法兰克王国中部地区(从北海到意大利),路易获得东部地区,查理则得到西部地区,而皇帝称号仍归洛泰尔。早在844年,洛泰尔即将意大利政权移交给其长子路易二世,855年又将其所辖地区划分给路易(自850年起称帝)及另外两个儿子洛泰尔和查理。洛泰尔逊位后隐修。

● **Lothair(Ⅱ)　洛泰尔(二世)**(约835～869-08-08,意大利皮亚琴察)　法兰克王国洛泰林基亚(洛林)的分封王。法兰克皇帝、原查理曼帝国中部地区统治者洛泰尔一世之次子。855年父亲死后,他得到莱茵河以西、北海与阿尔卑斯山之间的地区,称为洛泰林基亚(意为洛泰尔王国,即今洛林)。863年其弟普罗旺斯的查理死后,他又获有维埃纳和里昂附近地区。855年洛泰尔在父亲的逼迫下,与圣莫里斯隐修院院长希克贝特之妹泰特贝尔加结婚。泰特贝尔加未生孩子,洛泰尔企图解除婚约,与已生孩子的情妇瓦尔德拉达正式结婚。洛泰尔控告泰特贝尔加与其兄私通,但是败诉。此后,洛泰尔请科隆大主教金特和特里尔大主教托伊特高德以教会名义对他的妻子提出控告。在亚琛召开的两次宗教会议决定取消他与泰特贝尔加的婚姻,并于862年批准他与瓦尔德拉达结婚。然而,教皇尼古拉一世推翻了上述决议,并免去金特和托伊特高德的大主教职务(863)。865年8月洛泰尔被迫接回泰特贝尔加。867年阿德里安二世继任教皇,洛泰尔逼使泰特贝尔加亲自向新教皇提出离婚要求。869年教皇接见洛泰尔,允许加以考虑。此后不久,洛泰尔死于返国途中。

● **Lothair Ⅱ(or Ⅲ)　洛塔尔二世(或三世)**(1075-06初～1137-12-03或04,今奥地利境内布赖滕旺)　德意志国王(1125～1137),神圣罗马帝国皇帝(1133～1137)。1125年洛塔尔二世当选国王是君主选举制对世袭继承制的胜利。反对洛塔尔的霍亨斯陶芬王室据世袭制提出了要求。洛塔尔是苏普林堡伯爵格布哈德之子,出生后数日,其父阵亡。他继承了萨克森境内黑尔姆施泰特周围的大片领地。1088年参加反对神圣罗马帝国皇帝亨利四世的一次叛乱。1110年与诺德海姆和不伦瑞克两支的女继承人丽兴察结婚,遂成为萨克森最有权势的贵族和德意志北部最富有的邦君。由于在1104年支持德意志国王亨利五世反对其父亨利四世,1106年亨利五世任命他为萨克森公爵,但不久即与亨利五世发生冲突。1112～1115年,他不断参与反对亨利的叛乱。他的军队于1115年在韦尔费斯霍茨打败了国王。1125年亨利五世去世,他当选为德意志国王,在亚琛加冕。洛塔尔的支持者与霍亨斯陶芬王室的继承人康拉德与腓特烈弟兄展开内战。1130年英诺森二世和阿纳克莱图斯二世争当教皇,双方都请求洛塔尔给予支持。1131年3月洛塔尔在列日接见英诺森,1132～1133年进军意大利。1133年6月洛塔尔加冕为神圣罗马帝国皇帝。1134年返回德意志,继续讨伐霍亨斯陶芬王朝的成员。不久腓特烈表示屈服。1135年3月班贝格议会宣布和平,归还腓特烈的领地士瓦本。1135年9月康拉德也以同样的条件与洛塔尔讲和。此外,洛塔尔还鼓励在易北河以东地区扩展德意志的势力,并传播基督教。1135年,丹麦国王埃里克二世宣布臣属于洛塔尔,波兰亲王博莱斯瓦夫三世答应朝贡,并接受德意志封赠的波美拉尼亚和吕根岛。在与拜占廷皇帝约翰·康尼努斯缔结协定后,洛塔尔在1136～1137年进行第二次意大利远征,将西西里国王罗杰二世的军队赶出意大利半岛的南部。他在回师德意志途中去世。

意大利

● **Lothair I**　参阅**Lothair I**(Germany/Holy Roman Empire)　洛泰尔一世(德意志/神圣罗马帝国)。

● **Lothair Ⅱ　洛泰尔二世**(?～950,伦巴第都灵)　混乱的后加洛林时期的意大利国王,931～947年与父王共为国王。在伦巴第贵族贝伦加尔二世入寇时,父王逃往普罗旺斯,而他则留在意大利。他为了加强自己的地位,与勃艮第鲁道夫二世的16岁女儿阿德莱德结婚。但他发现贝伦加尔二世在意大利掌握实权,而自己只不过是傀儡。洛泰尔可能是被贝伦加尔毒死的。

Lothair of Segni (pope)　**洛泰尔(塞尼的)**　参阅 **Innocent Ⅲ** 英诺森三世。

Lothian　洛锡安　又称里昂乃斯。苏格兰早期的一个省份,在特威德河和福斯河之间。现苏格兰有东洛锡安、西洛锡安、中洛锡安3区。3～4世纪,这一地区被伏泰第尼人占领,7世纪中期为北英格兰的盎格鲁人征服,自约975年起由苏格兰国王统治。1333年英王爱德华三世取得洛锡安,但又被苏格兰人逐步夺回。边界城镇特威德河畔的贝里克自1482年起一直在英格兰手中。

Lothian　洛锡安　苏格兰东南部行政区。1975年设立。面积1 813平方千米。人口密度仅次于斯特拉斯克莱德行政区,居苏格兰第二位。这个新行政区包括东洛锡安、中洛锡安、西洛锡安和爱丁堡市等区。行政区政府机关设在爱丁堡市。许多地区位于苏格兰中央地堑的东海岸。在兰默缪尔丘陵(南)、东海岸和福斯湾的冰后期隆起海滩(东、北)之间地区,肥沃的冰川黏土层下有丰富的煤矿床。工农业发展潜力大,一直为苏格兰的重要地区。沿岸低地土质肥沃,降雨量低,日照时期长,以发展种植业为主。主要经济作物为大麦,用以酿造威士忌酒和啤酒。亦种植小麦、燕麦、种用马铃薯和精饲料。农场规模大,经济繁荣,高度机械化。邻近都市市场,促进了当地发展乳品生产、商品菜园以及生猪、家禽饲养业。兰默缪尔丘陵内陆地带有绵羊饲养业。19世纪,西洛锡安和中洛锡安采煤业达到鼎盛,在庞弗斯顿开始采油,这个早期采油业到了20世纪反而衰落了。现采煤业实行了合理化改革,集中在几个现代化大型煤矿开采。1978年在托内斯和福斯湾开始建核电站。近期矿业萧条,转而发展轻工业和兴办汽车装配厂。轻工业,特别是电子工业正在进一步发展。达尔基斯为著名的电子工业集中区。苏格兰首府爱丁堡及其港口利斯从中世纪时起就是当地商业、市场和文化中心。西洛锡安的利文斯顿是新兴城市(1964)。人口758 600(1994)。

Lothringen　参阅 **Lorraine** 洛林。

Loti, Pierre　洛蒂(1850-01-14,法国罗什福尔～1923-06-10,昂代)　路易-玛丽-朱利安·维奥的笔名。法国小说家。作品中的异国情调使他在当时享有盛名。他作为海军军官到过中东和远东,为他的小说和回忆录提供了异国情调的背景。他在海军学校受训后,

1881年升任海军上尉。1885～1891年在中国海域服役。后来连续提升，于1906年任舰长。第一本小说《阿齐亚德》(1879)发表后，即从事文学创作。他发表了一本又一本小说，赢得评论家们的尊敬和大众的爱戴。《冰岛渔夫》(1886)及《菊子夫人》(1887)这样的杰作，再加上严格的评论家的赞许，为他1891年进入法兰西学院铺平了道路。每年他都发表一部新著。有时候是一部小说，如《拉曼绍》(1897)、《幻灭》(1906)。在这些小说中，他客观地描述爱情故事，每次舰队抛锚靠岸时，他都试图以爱情来满足自己的梦想和消弭自己的忧郁心情。有时候他还把自己写进书中，如《一个小孩的故事》(1890)、《少年》(1919)、《一个年轻的穷军官》(1923)等，它们能更充分反映他那充满激情的天性。他还是一位天资出众的观察家，每次出海归来，都带回丰富的素材，然后把它们写成简朴的、音乐般的散文。这种文学上的印象主义与他性格上更深邃的气质相通。爱与死在他的作品中占有重要地位，透露出他对情感生活消逝的深切失望情绪。这种失望由他对人类状况的亲切同情而有所缓和，诸如《怜悯与死亡的书》(1890)、《凄切道路上的反思》(1889)这类书都是他坦率艺术技巧的极好例证。

lotic ecosystem　激流生态系统　参阅**riverine ecosystem** 河流生态系统。

Lotichius Secundus, Petrus　洛蒂西乌斯·色孔多斯(1528-11-02，黑森施吕希滕附近尼德尔策尔～1560-10-22，下帕拉蒂纳特海德堡)　德国新拉丁文艺复兴运动的杰出诗人之一。先后在法兰克福、马尔堡和维滕贝格求学。参加了新教徒对马格德堡的保卫(1547)，后来留学蒙彼利埃和帕多瓦，在帕多瓦取得医学学位。1557年在海德堡任医学和植物学教授直至去世。他的哀歌、诗和颂文最初发表于1551年，全集于1561年问世，学者兼诗人J.卡梅拉里乌斯为全集写了一篇献词。他的诗用拉丁文写成，受到卡图卢斯和奥维德的影响，显示出对乡村的感情，他的爱情诗具有坦率的自传性质，并展示了16世纪的情感。

Lotophagoi(Greek mythology)　参阅 **Lotus-Eater** 食莲者。

Lots, Feast of(Judaism)　参阅**Purim**普珥节。

lottery　抽彩给奖　抽彩给奖是通过抽签摇彩、凭机会在一定范围的人们中分配奖品或奖金的方法。它是赌博的一种方式，抽彩给奖的开办人将出售彩票所得款项，扣去一切开支(包括税金)和利润后，分作若干份大小奖金分发给中奖者。抽彩给奖作为一种生财筹款之道，颇具吸引力。它组织简便，举办容易，故极为流行，但是否正当颇有争议。凭抽签分配财物，古已有之。《旧约》载有上帝指示摩西调查以色列人口，通过抽签分配他们土地。在欧洲有史可证的抽彩活动可溯至15世纪的勃艮第和比利时，当时有的城市曾为构筑防御工事或救济贫民发行彩票，筹措经费。1530年佛罗伦萨创建第一个公开发行彩票的机构，获利甚丰，意大利其他城市相继仿效。意大利统一后，于1863年开办了第一所国营彩票机构，定期抽彩为政府筹措经费。在英国1566年女王伊丽莎白一世曾批准发行彩票以筹款修建港口和弥补其他公用。抽彩给奖在英国除1699～1709年一度禁止外，17～18世纪都很盛行，1826年始宣布为非法。在美国1776年国会投票通过举办彩票为美国独立运动筹措经费，但废弃未执行。其后30年间只实行过小规模的抽彩给奖，作为"志愿纳税"的途径，并用此法协助建立了如哈佛、耶鲁等好几所大学。私人组织的作为出售商品和财产手段的抽彩给奖在英美均流行。1831年度在美国8个州内就发行过420种彩票。由于反对者日众，1827年美国禁止邮局代售彩票，许多州都颁布反彩票法，彩票在欧洲许多国家的情况与英美相似而不同于意大利。尽管反对者大有人在，但抽彩给奖也像其他形式的赌博一样，至今未能禁绝。现代由国家举办或经国家批准由私人举办的大规模抽彩给奖为数甚多，不受宗教或地域限制。

lotto(game)　**洛托**　参阅 **bingo** 宾戈。

Lotto, Lorenzo　洛托(约1480，威尼斯～1556，教皇国洛雷托)　意大利晚期文艺复兴画家，以其透视肖像画和宗教题材的神秘画知名。深受威尼斯画派画家的影响，早期作品的褶纹和风景处理以及偏冷的调子显然具有15世纪文艺复兴盛期的特点。1508～1512年间在罗马曾受拉斐尔的影响。在《基督入殓》(1512)和《基督显圣容》(约1513)中抛弃了早期的干冷色调，采用流畅的画法和浅淡、欢快的色彩。1513年后主要住在贝加莫，风格趋于成熟，此时的最成功作品是圣贝纳迪诺教堂和圣斯皮里托教堂的祭坛画，在运用光线和明暗对比方面有所创新，偏爱丰富的色彩。约1526或1527年回威尼斯，很快就受到提香明亮色调和宏伟构图规模的影响。其主要兴趣在尽力刻画人物的内心感情和心理变化。以后的作品变得更加富于感情，充满神秘色彩。大量肖像画刻画出了人物的性格，《四圣徒拜圣母》(约1540，安科纳皮亚察圣马利亚教堂)把他的叙事体绘画发挥得淋漓尽致。

Lotto carpet　洛托地毯　土耳其手工栽绒铺地用品，因其在16世纪威尼斯画家洛托作品中几次出现而得名。图案的特点是大地由若干条带状阿拉伯花饰组成，多为红地黄花。这种图案在16及17世纪安纳托利亚的爱琴海岸一带生产的地毯中极为盛行，后来在特兰西瓦尼亚或土耳其欧洲部分一些地区生产的小毯中也都采用，但发展为更接近于几何图案。17世纪，西班牙昆卡地区把这种图案用在黄和橘黄配色的地毯中，欧洲许多其他国家也进行仿制。

Lotuko　洛图科人　又拼Lotuxo或Latuka。苏丹南部民族，居住在托里特附近，操尼罗-撒哈拉语系沙里-尼罗语族东苏丹语支语言。种植黍稷、玉米、花生和烟草，饲牛众多。村庄设防，规模较大，常有茅屋数百间，分为若干区。设有统一首领，但承认世袭祈雨巫师

正在跳舞的洛图科人祈雨巫师
美国不列颠百科全书公司供图

的管辖权。9个降雨区中各有其行使宗教和政治权力的祈雨巫师。还有一些父系氏族分布在祈雨区之外。祈雨巫师控制着系统复杂的年龄组。每年为成年者举行成丁礼。洛图科人信仰一最高神明纳约克，认为他是生人和死者之间的中介力量。

lotus　莲　几种不同植物的通称。古希腊所说的莲是鼠李科的枣莲(莲枣，*Ziziphus lotus*)，为丛生灌木，原产于南欧；果大，内含淀粉，可制面包及发酵饮料，在古代是穷人的食品，据说所酿的酒可使人知足而忘忧。埃及所说的莲是**睡莲**(**water lily**, *Nymphaea lotus*)，属睡莲科。蓝莲(蓝睡莲，*N. caerulea*)在埃及艺术中占主要地位。印度教的圣莲是水生的开白花或粉红花的莲花(荷花，*Nelumbo nucifera*，参阅 **Nelumbonales**)。北美东部产五瓣莲(黄莲，*N. pentapetala*)，花黄色。莲树(古罗马人所称的利比亚莲)可能是南欧的榆科植物南方朴(*Celtis australis*)，其果实似小樱桃，初呈红色，成熟时变黑色。在植物学上，*Lotus*是豆科的一属(百脉根属)，约100种，分布于欧洲、亚洲、非洲及北美的温带地区。如英国的牛角花(百脉根，*L. corniculatus*)，为矮生地被植物，花小，鲜黄色，常带深红色条斑，簇生。在北美有20多种百脉根属植物，俗名为鹿巢菜、鹿车轴草、假木蓝等，可用为牧草。长期以来人们用睡莲科植物莲花的图案装饰建筑，从古埃及时期以来即常用以装饰柱头，也是亚述圣树的基部和腓尼基石碑碑顶的雕饰。这些装饰造型后衍变为爱奥尼亚柱型。从古代起，莲花即象征繁殖力及有关观念，如出生、纯洁、性、死者的转生等，在占星术中象征旭日。

lotus bird　参阅 **jacana** 水雉。

Lotus-Eater　食莲者　希腊语复数作Lotophagoi。希腊神话中的希腊英雄奥德修斯在利比亚海岸遇到的一个部落的成员。他和他的部下是被一阵北风从马莱阿角吹到那里去的。当地居民的特殊习俗从他们的名称可以看出。他们请奥德修斯的探子吃这种神奇的植物。人们吃了它，就会得一种快乐的遗忘症。他们必须被人拖回船上锁在划桨手的座位上，否则就永远不会返回自己的岗位。希腊人把一些非麻醉性植物称为罗托斯(Lōtos)，但是在这里这个名称指的可能是罂

粟，因为罂粟成熟的种子荚和真正莲花的荚相似。“食莲”这一成语被许多古代作家用来比喻“忘却”、“精神恍惚”。

Lotus Sūtra **《妙法莲华经》** 梵语作Saddharmapuṇḍarīka-sūtra；汉语又简称《法华经》。大乘佛教较早的经典之一，中国和日本的天台宗以及日本的日莲宗奉之为真理的精华。其他一些部派也认为此经华美有力，是大乘佛教的最重要而最受人欢迎的经典之一。据《法华经》说，佛陀在万劫之前即已证得圆悟，成为永恒之佛。佛陀发出神妙语言——例如他使人顿见万万万千世界，其中各有自己的佛——从而表现他自己是应受人信仰和崇敬的至尊者。从这种经过拔高的佛陀论看，小乘佛教所讲解脱而修成罗汉的道理无非是渺小的权变，而此经则讲众生都可以通过无数菩萨的恩惠而圆悟成佛，并进而有所进益。此经主要体裁为偈颂，共28品，包含许多咒语。公元3世纪（中国西晋时代）始译成汉语，流传于中国和日本，两国许多佛教徒都相信，仅诵念此经即可求得解脱。此经的第25品专论大悲菩萨观世音的荣耀和大能，另称《观音经》。

Lotuxo 参阅 **Lotuko** 洛图科人。

Lotze, Rudolf Hermann **洛采**（1817-05-21，萨克森包岑［德国］～1881-07-01，柏林） 沟通德国古典哲学和20世纪唯心主义的哲学家。1834～1838年在莱比锡大学攻读医学和哲学博士学位时，认为肉体过程本质上是机械的。经过短期医疗实践后，集中精力钻研哲学。1842～1844年在莱比锡大学任教，1844～1880年任格丁根大学哲学教授，1880～1881年任柏林大学哲学教授。最初作为生理学家在反驳活力论的论争中闻名。他强调根据存在来描述价值，这种宗教哲学影响了现代思想。他的基本理论见《逻辑学》（1843）、《微观世界》三卷本（1856～1864）及《形而上学》（1879）。

Louang Namtha **琅南塔** 旧称华空。老挝西北部城镇。位于南塔河上游，北距中国边境约16千米，西距缅甸边境约80千米，有公路通缅甸东部和琅勃拉邦。琅南塔镇四周主要是山区。南塔河发源于中国边境，在会晒东南注入湄公河。山地居民佬听族占大多数。低地居民为谷地佬人的近亲踏族人。境内出产大米、柚木等。此外南塔河流域有尚未开采的褐煤和铜，会晒附近有沙金、蓝宝石和锆石。

Louangphrabang **琅勃拉邦** 原拼作Luang Prabang。老挝北部城镇。琅勃拉邦城是湄公河港口，在首都万象西北偏北210千米处。从1353年起为澜沧王国的首都，称孟沙瓦。约1563年迁都万象后，为向琅勃拉邦金佛致敬改用现名。18世纪初澜沧王国分裂，它又成为琅勃拉邦王国首都。1946年后，该城仍为王室驻地和宗教中心。无现代化工业，仅有些漆器和金、银首饰等手工艺品制造业。商店多为印度人和中国人经营。设有几所师

琅勃拉邦博物馆（早为王宫）
中国大百科全书出版社供图

范学校。20多个佛塔中的富西佛塔，相传供奉着佛的足印。城镇周围是印度支那气候最干燥的地区之一。该省人口1/2是谷地佬人，以种植玉米、水稻和饲养家禽为主。高地大部居民是佬听族，山地为苗族。人口约68 400（1985）。

Loubet, Émile(-François) **卢贝**（1838-12-31，法国马尔萨讷～1929-12-20，蒙泰利马尔）法国政治家，法兰西第三共和国第7任总统，促成与梵蒂冈决裂（1905），改善与英国的关系。原为律师，1876年进入众议院，捍卫共和事业，特别为推行免费义务世俗初等教育而斗争。1885年进入参议院。1887年12月至1888年3月任公共工程部长。1892年2月任总理兼内政部长，11月因法国巴拿马运河公司倒闭后的财政丑闻而下台，在其继承者的内阁中短期任内政部长。1899年任共和国总统，以主张解决德雷福斯事件著称。当德雷福斯被军事法庭再次判罪后，他宣布对其赦免，取消放逐令，这标志着共和主义者的力量胜过保皇主义者、天主教神职人员和军方的力量。他的总统任期并以法国政、教完全分离为特征。1905年，在激烈的争吵中，国家与天主教以及与新教和犹太人的宗教信仰脱离一切关系。他在外交方面也很活跃。曾出访沙皇尼古拉二世、英王爱德华七世和意王伊曼纽尔三世等。1904年与英国签订《英法协约》，改善了两国关系，并解决了殖民地纠纷。

Loubomo **卢博莫** 旧称多利西。刚果（布）南部城镇，运输中心。靠近布拉柴维尔—黑角铁路干线的枢纽站。是通向喀麦隆和加蓬的公路的南面终点站。有飞机场。为采金、铅矿中心和贸易中心（皮革、西沙尔麻和牛）。有小规模工业，生产胶合板、木材和碳酸饮料。人口约83 605（1992）。

louderback **熔岩流错位残体** 由熔岩流覆盖的、缓缓倾斜（通常为15度或小于15度）的断块。在干旱地带熔岩耐侵蚀，地块倾斜之前熔岩就流出地表面的任何地方，这坡度格外显著。熔岩流错位残体在美国的盆地和山脉区是常见的（几乎遍布于整个内华达州、犹他州的西半部、加利福尼亚州的东南部和亚利桑那州的南部，以及墨西哥的西北部）。在这些地区，它们常用于确定地层和断层的相对年代。有时，周围地区受到极大的侵蚀，剩下的熔岩流错位残体成为具有相对平顶的方山。

loudness **响度** 声学中，声所产生的听觉强度的量度。人耳所接受的声和响度约与声强的对数成正比：当声强很弱时，就听不到声；声强太大时又令人厌烦并且对耳有危害。人耳所能容忍的声能量，比刚刚能听到的量几乎大2×10^{12}倍。这一范围因人而异，也因声的频率而异。响度的单位为方，一方等于一分贝的声强差。一个给定声的方数等于由人耳判定为等响度的1 000赫纯音的分贝数。任意一个声，当判明为1 000赫的纯音的声强增大1分贝时，就说响度增加了1方。由于响度看来不随方数成比例地增大（即：60方并不是30方响度的2倍），更实用的另一响度单位是宋。宋的定义是具有40方响度级的纯音的响度。按照这一标度，听到的声为这一参照声的响度的2倍，它的响度就是2宋。若宋以S表示，方以P表示，则方程式$\log_{10}S=0.03(P-40)$近似成立。

Loudon, Gideon Ernst, Freiherr von（baron of） **劳东男爵** 参阅 **Laudon, Gideon Ernst, Freiherr von** 劳东。

Loudon, John Claudius **劳登**（1783-04-08，苏格兰拉纳克郡坎伯斯朗～1843-12-14，伦敦） 苏格兰园艺师、建筑师。当时最有影响的园艺学著作家，其作品促成维多利亚风格的花园、公园和居住建筑的建设。劳登与其妻J.W.劳登（1807～1858）合著有《郊区园艺家及别墅手册》，流传甚广，是英国中产阶级小型花园的范本。劳登就学于爱丁堡，后在苏格兰的伊斯特达尔赖的一个苗木培养工兼园艺师处当学徒。1803年移居伦敦，不久成为一个有成就的园艺师，同年写了有关公共广场布置的论文。1806年开始大量写作，内容包括园艺学、园林设计及有关科目，其中有《园艺百科全书》（1822）、《园艺杂志》月刊及主要著作《英国植物园和灌木园》（1838）。他提倡不规则的、观赏与学术相结合的、同时可供植物学研究用的园林，以别于纯以观赏性、艺术性为主的风景式园林。这种观点成为维多利亚风格园林的主要倾向，例如他的晚期作品德比植物园（1839～1841）就是最早的这种植物园之一。他对于建筑的关心显然是由于对园艺的兴趣。他著有《村舍、田园和别墅建筑百科全书》（1833），成为乡村风土建筑的专家。这本书是专门为中产阶级而不是为贵族写作的，这是前所未有的，因而有助于维多利亚式郊区建筑风格的形成。

Loudonia **劳登氏草属** 小二仙草科的一属。3种。见于澳大利亚南部干燥地区。多年生草本植物。茎坚硬光滑，高约30厘米。花多，黄色。果实具2个或4个翅。贝尔氏劳登氏草（*L. behrii*）俗称金旗草，果实薄而轻软，能在微风中飘动，产于南澳大利亚、维多利亚州西部和新南威尔士。金黄色劳登氏草（*L. aurea*）和罗氏劳登氏草（*L. roei*）仅产于南澳大利亚和西澳大利亚。前者俗称爆裂花，果实膨大，黄色，受压即炸裂。

Loudoun (Scotland) **劳登** 参阅 **Kilmarnock and Loudoun** 基尔马诺克-劳登。

loudspeaker 扬声器 又作 speaker。在放音系统中，将电能转换为向室内或空中辐射的声信号能的设备。信号能指具有对应于例如语言、音乐以及其频率在可听范围内的（大致由 20 到20 000赫）所有其他信号的特殊形式的电能。扬声器应保持这种信号能的基本特征。扬声器的含义，不包括蜂音器、响铃以及警报器之类的装置，因为这些装置的声信号能，在形式上与电信号不相对应。在扬声器中，将电能转换为机械能的部件常称作机动源或音圈。它使一张膜片（例如纸盆）产生振动，此膜片再使和它紧接触的空气产生振动，从而产生与原先语言或音乐信号模式对应的声波。最常见的机动源包括一个在强磁场内运动的金属线圈，但膜片也可受静电力或压电材料的激励而发音。单只扬声器难以产生所录制声音的全部频率范围。因此，习惯上将频谱分为几部分，每部分的声音由专为该频率段设计的扬声器产生。扬声器通常分为高频扬声器和低频扬声器两类。

Louga 卢加 塞内加尔西北部城镇。为牲畜贸易中心。有公路、铁路向西北通往圣路易港，西南通达喀尔。周围是花生种植区。居民为富拉尼人和沃洛夫人。人口67 154（1994）。

Loughborough 拉夫伯勒 英格兰莱斯特行政、历史郡查恩伍德区的城镇。邻近索尔河，濒拉夫伯勒运河，在莱斯特西北 17 千米处。13 世纪获准开设市场和定期集市。现为一富庶农区的市场中心。生产电器、大钟和针织品。拉夫伯勒工学院于 1966 年成为一所新大学的核心。人口46 867（1991）。

Loughrea 洛赫雷 爱尔兰戈尔韦郡的市场城镇。在雷湖北岸，都柏林西 185 千米处。建有天主教大教堂（1900 ～ 1905）。保存有中世纪城堡和隐修院的遗迹。附近有许多地下室和地下通道以及两座毁坏了的塔。人口3 271（1991）。

Louis 路易 统治者之名，按国别分列于后，并各以●为标记。

与此字相等之外语：

捷克语	Ludvík
荷兰语	Lodewijk
法　语	Louis
德　语	Ludwig
匈牙利语	Lajos
意大利语	Luigi
波兰语	Ludwik
葡萄牙语	Luís
西班牙语	Luis

安茹-曼恩

● **Louis I 路易一世**（1339-07-23，法国万塞讷～ 1384-09-20，西西里王国阿普利亚比谢列） 法国安茹公爵、曼恩伯爵、普罗旺斯伯爵。国王约翰二世之子。他的兄弟查理五世于 1364 年继法国王位后，任命他为朗格多克和吉耶讷两省总督。他抗击英军多年，并严厉镇压同情英军的地区，尤其是布列塔尼。1380 年查理五世死后，他任摄政，极力扩大自己的势力范围。敌对教皇克雷芒七世答应把将在意大利中部成立的伊特里亚王国封给他，他就同意支持这个敌对教皇。1380 年，克雷芒的盟友西西里女王乔瓦娜一世接受路易为她的继承人。但与他竞争这一地位的都拉佐的查理接管了西西里，在路易未及援救之前就将乔瓦娜杀害。即使如此，克雷芒仍在阿维尼翁为他加冕，使他成为西西里和耶路撒冷国王（1382 年 5 月）。路易向意大利南部进军，准备攻打查理，但尚未进行决定性战役即已死去。

● **Louis II 路易二世**（1377-10-07，法国土伦～ 1417-04-29，昂热） 安茹公爵，曼恩和普罗旺斯伯爵（1384 ～ 1417），那不勒斯、西西里和耶路撒冷的国王。1389 年继承其父的称号，并加冕为那不勒斯国王，但那不勒斯实际上由拉迪斯拉斯统治。路易在 1390 ～ 1399 年占据那不勒斯，然后撤退到普罗旺斯。1409 年敌对教皇亚历山大五世再次任命他为那不勒斯国王。他进入罗马，发动重新夺取那不勒斯的战役（1409 ～ 1410），但以失败而告终。后又奉敌对教皇约翰二十三世之命进入罗马，终于在罗卡塞卡战胜拉迪斯拉斯（1411-05-11）。但约翰二十三世转而支持拉迪斯拉斯，他被迫返回法国治理自己的领地。

● **Louis III 路易三世**（1403-09-25，法国安茹～ 1434-11-15，意大利科森扎） 安茹和图赖讷公爵，曼恩和普罗旺斯伯爵，那不勒斯和西西里名义上的国王（1417 ～ 1434）。安茹的路易二世之子。1419 年 9 月由教皇马丁五世加冕为那不勒斯国王。他募集一支人数可观的军队，乘船去征服那不勒斯王国。但是，无嗣的那不勒斯女王乔瓦娜二世（1414 ～ 1435 在位）却承认阿拉贡的阿方索五世为她的继承人（1421）。阿方索到那不勒斯后，竭力阻止路易接管。然而，乔瓦娜二世后来又抛弃阿方索，立路易为继承人（1423），任命路易为卡拉布里亚公爵领地的总督。1433 年 4 月反复无常的乔瓦娜又剥夺了路易的继承权。同年 6 月，路易的军队已经取得王国的大部分。但在即将把阿方索赶走时，路易突然死去。

巴伐利亚

● **Louis I 路易一世**（1174-12-23，巴伐利亚凯尔海姆～ 1231-09-15，凯尔海姆） 巴伐利亚的维特尔斯巴赫家族的第二代公爵。他使家族的领地和势力大增。1183 年继承父亲奥托一世为公爵，大力扩展巴伐利亚领土，建立了兰茨胡特、兰道、伊泽尔和施特劳宾等城市。因支持霍亨斯陶芬的腓特烈（皇帝腓特烈二世）争夺神圣罗马帝国皇位，1214 年腓特烈授权路易为其子管辖莱茵河巴拉丁领地。路易参加了第 5 次十字军东征埃及（1221），1225 ～ 1228 年成为腓特烈二世在德意志的摄政者。1228 年路易反叛腓特烈之子亨利，3 年后被谋杀。

● **Louis I 路易一世**（1786-08-25，法国斯特拉斯堡～ 1868-02-29，尼斯） 巴伐利亚国王（1825 ～ 1848），开明的德意志民族主义者。就位后迅速转为保守，尤以赞助文艺事业著称，将慕尼黑建成德意志的文艺中心。马克西米连一世的长子，受过良好的教育。青年

美国不列颠百科全书公司供图

时期是热诚的德意志民族主义者，在对普鲁士与俄国的战争（1806 ～ 1807）和对奥地利的战争（1809）中，他勉强地在拿破仑的大本营工作。在巴伐利亚，他成为反法派的领袖。在维也纳会议（1814 ～ 1815）上主张把阿尔萨斯-洛林归还德意志未成。1818 年巴伐利亚开明的宪法带有他的烙印，他一再对抗梅特涅提出的对文件作根本修改的要求。在宗教问题上他比较保守，反对父王使隐修院世俗化的政策。路易开明的声望使他在登位时得到普遍的拥护，但他很快就使臣民失望。国王与议会经常不和，1830 年欧洲爆发革命后，他不信任所有的民主制度。厄廷根-瓦勒施泰因内阁（1831 ～1837）向右转变，其后，卡尔·冯·阿贝尔主持政府期间（1837 年起）遵循一条严格反动的和教权主义的道路，恢复了许多隐修院，开始破坏开明宪法。但是，路易在位时期文化上光辉灿烂。作为热诚的艺术赞助人，他收集的艺术品构成慕尼黑两个最著名的博物馆的核心。他对慕尼黑进行的大规模规划奠定了今日城市的布局和古典风格。1848 年革命爆发后，路易让位给儿子马克西米连二世。

● **Louis II 路易二世**（1845-08-25，慕尼黑纽芬堡宫～ 1886-06-13，巴伐利亚施塔恩贝格湖） 巴伐利亚国王（1864 ～ 1886），作曲家瓦格纳的崇拜者和保护人。他将其领地并入新

美国不列颠百科全书公司供图

成立的德意志帝国（1871），但只间断地关心国事，宁愿过一种越来越病态的隐居生活，又滋长一种大兴土木狂。巴伐利亚国王马克西米连二世的长子。在政治上，他是一个浪漫主义的保守派。1864 年其父去世，他学业未竟就继承王位。路易站在奥地利一边参加七周战争（1866），战败后与普鲁士结盟（1867），通过首相克洛德维希在德意志的两大强国间谋求和解。作为德意志爱国者，他拒绝拿破

仑三世关于法国、奥地利、巴伐利亚结成同盟的建议,在1870～1871年反法战争中立即参加普鲁士一方。1870年12月,在俾斯麦的倡议下,路易致函德意志各诸侯,号召建立一个新帝国。后来日益脱离政治,专心于个人所好。路易崇拜瓦格纳,为这位音乐家的终生保护人。他喜欢戏剧和歌剧,并在巴伐利亚的群山上大兴土木。19世纪80年代初,他几乎完全停止社交活动。1886年6月10日,一个医务小组宣布他精神错乱,由叔父卢伊特波尔德任摄政,而把他送到施塔恩贝格湖附近的皇室山庄休养。路易投湖身亡。

● **Louis III　路易三世**(1845-01-07,慕尼黑～1921-10-18,匈牙利沙尔堡)　巴伐利亚末代国王(1913～1918),1918年11月的革命结束了维特尔斯巴赫王朝的统治。1868年娶奥地利-埃斯特大公斐迪南之女玛丽亚·特蕾西娅为妻。1912年12月其父去世,他继任摄政。1913年11月5日,他自立为国王。他主

美国不列颠百科全书公司供图

要关心改进农业和运输业,并继承了维特尔斯巴赫王朝保护艺术的传统。他尽力避免卷入第一次世界大战,但从1917年起反对鲁登道夫的军事政策。社会党人艾斯纳领导的巴伐利亚革命完全出乎路易的意料。他虽未退位,但在1918年11月13日解除了文武官员的效忠誓言。他因过度忧愤,死于流亡中。

佛兰德

● **Louis I　路易一世**(约1304～1346-08-25,法国克雷西附近)　又称讷韦尔的路易。佛兰德、讷韦尔和勒泰勒伯爵。在百年战争开始几年中,支持法国反对英国。佛兰德伯爵贝蒂讷的罗贝尔的孙子和继承人。在法国宫廷中长大,后与法兰西的玛格丽特结婚。他是十足的亲法派,并利用法国的帮助与佛兰德人对抗。在他统治下,佛兰德实际上不过是法国的一个行省而已。在他统治时期,佛兰德和荷兰为占有兰泽岛进行的长期斗争,由1323年3月6日签订的条约而告终。路易统治后期,佛兰德人反抗获得成功,在阿特威尔德统治下,物质上取得极大繁荣。阿特威尔德同英格兰的爱德华三世结盟,与瓦卢瓦的腓力六世争夺法国王位。路易赞助腓力,1346年在克雷西战役中阵亡。

● **Louis II　路易二世**(1330-11-29,佛兰德布鲁日附近马尔堡～1384-01-30,佛兰德圣奥梅尔)　佛兰德、讷韦尔和勒泰勒伯爵(1346～1384)。他将女儿马尔加雷嫁给勃艮第腓力公爵,为后来佛兰德与勃艮第合并铺平了道路。他与父亲路易一世一样亲法,依赖法国的势力镇压自己的臣民。1382年,根特的阿特威尔德打败路易二世,占领布吕日,成为佛兰德的摄政。但其胜利为期短暂,1382年11月阿特威尔德与法军交战,遭受惨败,本人被杀。两年后路易二世死去,其独女玛格丽特为勃艮第女公爵,于是佛兰德成为勃艮第大领地的一部分。

法　国

● **Louis II　路易二世**(846～879-04-10,法国贡比涅)　绰号口吃者路易。法兰西(西法兰克)国王(877～879)。国王秃头查理二世之子,867年成为阿基坦国王。877年父王去意大利时,由他任摄政。同年父王死,他成为西法兰克国王。在位时间很短。最重要的事件是特鲁瓦宗教会议(878),在会上,教皇约翰八世请他协助去反对在意大利的敌人,没有成功。路易和其堂兄弟东法兰克统治者小路易一致同意保持他们各自的父亲于870年在《梅桑条约》中商定的关于洛塔林基亚的划分。

● **Louis III　路易三世**(863～882-08-05,法国圣但尼)　法兰西(即西法兰克)国王(879～882),曾在索库尔大败诺曼人,暂时遏制其对法国北部的入侵。父王口吃者路易二世死后,他与弟卡洛曼平分王国,他获得西法兰克和纽斯特里亚。在西法兰克一些心怀不满的贵族和东法兰克国王小路易的鼓动下,对他发动入侵,以割让洛塔林基亚西部而告终。880～881年,他与兄弟联合进攻篡权者普罗旺斯的博索,但未获胜。异教徒诺曼人的频繁袭击已演变成征服行动,对他构成最大的威胁。881年他在索库尔击败诺曼人,使之遭受惨重的损失。但这位精力充沛的能干国王却于翌年去世,时年不足20岁。

● **Louis IV　路易四世**(921～954-09-10,法国兰斯)　绰号海外归来的路易。法兰西国王(936～954)。他的大部分统治时间消磨于同其封臣大于格进行的斗争。923年父王傻瓜查理三世被囚,其母携他去英格兰。936年返回法国,由兰斯大主教阿尔唐加冕为国王。当时朝权掌握在大于格手中,他不甘心作傀儡,阿尔唐是他的主要支持者。他甚至从巴黎迁往拉昂以躲避于格的势力。940年,于格和韦芒杜瓦的埃贝尔占领兰斯,攻打拉昂,他英勇地保卫该城。但是,德意志国王奥托一世援助叛军。941年他似乎被彻底击败,但在942年11月,他与奥托讲和。943年埃贝尔死后,于格也与他和解。945年,他在干涉诺曼政局时被俘,并被移交给于格,于格将他囚禁1年。获释后,他与奥托结成紧密的同盟,于946年收复兰斯。949年,他重新掌握拉昂。951年于格同他讲和。

● **Louis V　路易五世**(967～987-05-21或22)　绰号懒王路易。法兰西国王,加洛林王朝的末代君王。父王洛泰尔在世时,他就于979年6月8日即王位。不久,同阿基坦伯爵遗孀阿德拉伊德结婚,成为阿基坦国王。986年其父王去世,他不听其母后埃马和兰斯大主教阿达尔贝罗关于与德意志国王奥托三世友好的忠告。他正要以叛国罪审讯大主教时,却因狩猎意外事故死去。他的叔父下洛林的查理是加洛林王朝唯一在世的成员,但不得人心,王位由H.卡佩继承,从此开始了法国的卡佩王朝。

● **Louis VI　路易六世**(1081～1137-08-01)　绰号胖子路易。法国国王(1108～1137)。由于他恢复了封建贵族的皇权,因而使法国王朝获得了权威与尊严。1098年由其父腓力一世指定为继承人,早在腓力1108年去世前,他已是实际统治者。他很快认识到首要的事情是使拥有王家领地的那些难以驾驭的贵族就范。他在位期间,大部分时间花费在与贵族进行斗争上。他实行绥靖政策,同教会和教士保持良好关系。他进行的主要战争是1104～1113年和1116～1120年对英王亨利一世的战争。1124年,他能聚集法国许多地方的力量以抵制神圣罗马帝国皇帝亨利五世的入侵威胁。路易最后一项主要成就是促成其子路易七世同阿基坦公爵威廉十世的女继承人埃莱亚诺的婚姻。

● **Louis VII　路易七世**(约1120～1180-09-18,巴黎)　绰号小路易。法国卡佩王朝的国王。1131年成为其父路易六世的继承人,父王死后于1137年成为唯一统治者。他同阿基坦公爵威廉十世之女埃莱亚诺结婚,从而暂时将卡佩王朝领土扩展到比利牛斯山。他沿袭其父的绥靖政策,任用出身微贱而可靠的人进行治理,巩固对王家领地的统治,而不再扩张新的疆土,借以树立国王的威信。但对他的统治构成主要威胁的是安茹和诺曼底伯爵杰弗里及其子亨利(后为英王亨利二世)。1152年3月路易因埃莱亚诺行为不检而予以遗弃,她同当时已控制阿基坦的亨利结婚。路易后又同香槟的阿莉克丝结婚,她的加洛林王族血统给王朝增加了威望,他们的儿子成为法国腓力二世。1152～1174年,路易与亨利发生多次冲突,只是由于盎格鲁-诺曼家族的争执,才使法国没有受到严重的侵犯。

● **Louis VIII　路易八世**(1187-09-05,巴黎～1226-11-08,法国奥弗涅蒙庞谢尔)　绰号狮

15世纪插图画中路易八世加冕时的情景

美国不列颠百科全书公司供图

子路易、狮心路易。法国卡佩王朝国王(1223年起)。在位的短暂期间大部用于在普瓦图和朗格多克建立王权。1212年占领圣奥梅和埃尔,以阻止形成强大的佛兰德。1216年前往英格兰支援叛乱分子。最初获胜,后在海上被击败,众叛亲离。1217年签订和约时获得秘密赔款1万马克。他即王位后,于1224年占领普瓦图,1226年讨伐阿尔比派异教徒,获胜。路易是卡佩王朝第一个大量封土的国王,并订立了归还封地的条款,使转移王室地产更为困难。他还扩大了国王的其他特权。他的长子路易九世和平地继承了王位,其他儿子获得封地。

● **Louis IX　路易九世**(1214-04-25,法国普瓦西～1270-08-25,突尼斯附近)　又称圣路易。法国国王(1226～1270),最孚众望的卡佩君主,1248～1250年率领第7次十字军前往圣地,后在另一次十字军远征途中去世。

美国不列颠百科全书公司供图

国王路易八世之子,在双亲的特殊照料下长大。他向经验丰富的骑手学习骑术和狩猎的秘诀。教师教他圣经、历史、地理和古代文学。母亲教授宗教课程,把他培养为虔诚的基督教徒。1226年路易八世远征归来,不幸在蒙彼利埃去世。路易九世未满13岁即位,由其母摄政。不得不与英国国王亨利三世支持的贵族叛乱及阿尔比派叛乱作斗争。1229年王军击败图卢兹伯爵雷蒙七世,迫其接受《巴黎条约》,承诺死后整个格朗多克归属王室。当巴黎大学学生叛乱时,路易下令关闭大学,遣散师生。当英王亨利三世在布列塔尼登陆时,路易九世亲自率兵出征。他下令重建昂热的城堡,并进逼亨利三世的基地南特。亨利未获任何成果随即引军撤离。1234年5月29日路易九世与普罗旺斯伯爵贝伦加尔四世之女玛格丽特结婚。1242年路易在塔耶堡桥再次击败入侵的英格兰国王亨利三世。1244年12月他决定前去解放圣地。当时圣地正处在危急之中:耶路撒冷已于1244年8月23日落入穆斯林之手,埃及苏丹军已经攻占大马士革,如果西方国家不立即出兵,东方的基督教王国便会迅速崩溃。因此,法国的贵族们同意随国王进行第6次十字军东征。路易九世将摄政权交给母后,于1248年8月25日从埃格莫特携带妻儿起程。他的舰队约有兵船100艘,共载士兵3.5万名。他打算在埃及登陆,攻占埃及的主要城镇,并以这些城镇交换叙利亚的城市。他的远征军在塞浦路斯过冬,1249年6月在埃及达米埃塔附近登陆。路易九世率第一批人员离船上岸,在穆斯林土地上竖起圣德尼军旗。6月6日进入达米埃塔城,然后直逼开罗。然而,由于尼罗河涨水,使他耽搁了9个月。1250年2月8日开始攻占曼苏拉要塞。这时法国远征军已经精疲力竭,几千具阵亡者的尸体漂在尼罗河上,那些没有丧命的人又遭到瘟疫的袭击。路易九世只好下令撤至达米埃塔。随后他本人也染上了疫疾。埃及的军队乘胜追击,1250年4月7日将路易九世俘获。经过长期谈判路易九世在交付大量赎金之后获释,在阿克与王后重新团聚。后因母后去世,他返回法国。他在西方的基督教世界享有很高威望。他开始同英王亨利三世谈判,1258年5月28日在巴黎签订和约,英王向他称臣。他对文学艺术非常关心,在他的鼓励下,博韦的樊尚(又译文岑)撰写第一部大百科全书《大宝鉴》。他在位期间外国学生和学者云集巴黎大学。他对圣地念念不忘。1269年再次决定远征非洲。1270年7月初法国远征军在突尼斯登陆,最初势如破竹,连连获胜,并占领了迦太基。但是瘟疫再度袭击他们,路易九世也无法抗拒,1270年8月他将法兰西王国前途委托给其子腓力后去世。十字军解散,路易遗体运回法国,于1271年圣灵降临节前夕安葬于圣但尼大教堂。教皇卜尼法斯八世追认路易九世为圣徒。他是唯一被罗马天主教会列为圣徒的法国国王。

● **Louis X　路易十世**(1289-10-04,巴黎～1316-06-05,法国万塞讷)　绰号固执者路易。法国卡佩王朝国王(1314年起)、纳瓦拉国王(1305～1314)。在位期间饱受在父王美男

美国不列颠百科全书公司供图

子腓力四世时期已经相当严重的贵族骚乱之苦。他是腓力的长子。1305年4月4日母亲去世后,他获得纳瓦拉国王的称号。1314年11月30日继承父位后,他将纳瓦拉的王位让给二弟,即后来的法王腓力五世。路易的主要政策是缓和贵族的不满,并为发动反对佛兰德的战争求得援助和筹备款项。他几乎给每一省的贵族集团都颁发了特许状,并以类似的办法争取教士们的支持。他恢复了大法官的职位,并将父王的许多不得人心的大臣和顾问革职和投入监狱。路易的遗腹子约翰一世只活了5天,因此,由其弟腓力五世继位。

● **Louis XI　路易十一**(1423-07-03,法国布尔日～1483-08-30,普莱西-莱图尔)　瓦卢瓦家族的法国国王(1461～1483)。查理七世之子。路易童年时代主要在图赖讷的洛什度

美国不列颠百科全书公司供图

过。1436年同苏格兰的詹姆斯一世之女玛格丽特结婚。1439年国王派他督察在朗格多克抗击英军的防务,然后任命他为普瓦图督抚。但路易为了夺权,充当了1440年所谓"布拉格叛乱"的头目。后来查理七世宽恕了他的反叛行为,任命他为多菲内总督。他曾参加1440～1443年的数次对英战役,1443年迫使英军解除对迪埃普的包围。1444年率领雇佣军进攻巴塞尔。失败之后他又进攻阿尔萨斯境内的哈布斯堡王室领地。与此同时查理七世已经侵入洛林,正在南希举行受觐典礼。路易前往南希后,因反对查理的宠臣布雷泽而被放逐到多菲内,路易在多菲内建立中心法院,改革地方行政,创办瓦朗斯大学,设立代表会议,并批准城镇的特权。他还开发煤矿与森林,促进商业的发展。他不顾父王的禁令,与萨伏依公爵订立瓜分米兰公国的密约,并娶萨伏依公爵之女为妻(1451)。1456年查理率兵进逼路易的边境一带,路易逃往尼德兰,进入勃艮第公爵好人腓力的宫廷。1461年查理去世,路易终于成为法国国王。他选拔下层贵族和中产阶级人士组成王室顾问团,协助他行使权力。1465年心怀不满的王公组成社会福利联盟,对路易发动一场战争,使整个法国濒于崩溃的边缘。但小贵族并不反对国王,中产阶级也团结在路易的周围。开战不久社会福利联盟即土崩瓦解。不过,路易也不得不放弃大片土地:把索姆诸城镇归还给勃艮第,把诺曼底让与C. de弗朗斯,以交换贝里。1467年好人腓力死后,大胆查理成为勃艮第公爵,与布列塔尼的法兰西斯和英格兰的爱德华四世结成联盟。1468年路易侵入布列塔尼,随后同大胆查理在佩隆内举行会谈。谈判期间查理获悉列日发生了由路易的代理人挑起的暴动。他在盛怒之下将路易软禁起来,并强迫路易作出大量的让步。路易在佩隆内受辱之后为了瓦解英勃同盟,就支持兰开斯特家族反对英王爱德华四世,可是兰开斯特家族在1471年彻底失败,他的希望完全落空。1475年以后路易资助瑞士各邦和洛林的勒内二世同大胆查理交战。1477年1月查理在南希战死,路易随即开始

肢解勃艮第。依照《阿拉斯条约》(1482),路易保有对勃艮第公国、皮卡迪和布洛奈的统治大权,并占有弗朗什-孔泰和阿图瓦。路易在西班牙和意大利推行积极的政策。大胆查理死后萨伏依成为他的保护国。就法国国内情况而言,路易在粉碎贵族的反抗后,能在全国各地行使他的权威。他不知疲倦地工作,可能由于过度劳累,患大脑动脉硬化症,临终前两三年一直隐居于普莱西斯莱图尔。

● **Louis XII　路易十二**(1462-06-27,法国布卢瓦～1515-01-01,巴黎)　法国国王(1498起)。1465年继承父亲查理而成为奥尔良公爵。国王查理八世幼年时期,他曾发动叛乱,后被监禁(1488)。重新获得国王宠信后,在查理八世入侵意大利期间(1494～1495),曾在阿斯蒂指挥军队。查理八世死后,他于1498年成为法国国王。他撤销以前的婚约,以便与查理的遗孀、布列塔尼的安娜结婚,从而加强了她的公国和他的王国之间的私人关系。他关心的另一件事是实现对米兰公国的要求。他的军队于1499年夏季将与他争雄的L.斯福尔扎赶出米兰,但同年冬季斯福尔扎又收复了该公国。为实现查理八世对那不勒斯王国的要求,他与阿拉贡的斐迪南二

美国不列颠百科全书公司供图

世缔结了瓜分该王国的《格拉纳达条约》(1500),但一年后这两个国王却因瓜分不均而兵戎相见,到1504年3月,法国完全丧失了那不勒斯。1504年9月签订《布卢瓦条约》,哈布斯堡皇帝马克西米连一世承认路易为米兰公爵,作为交换条件,答应如果将来路易十二无子嗣,则米兰和勃艮第将归马克西米连的儿子、即后来的查理五世和他的未婚妻、即路易十二的女儿克洛德所有。而克洛德又是布列塔尼的当然继承人,因此法国有丧失布列塔尼的可能。法国人对此感到愤懑,1506年5月路易召开三级会议,坚持克洛德应许配给他的假定继承人昂古莱姆的弗兰西斯。1507年6月,当路易再次越过阿尔卑斯山平定热那亚的叛乱时,他在萨沃纳会见了斐迪南,以组织新的反对威尼斯的联盟,即1508年成立的康布雷联盟,但该联盟逐渐分崩离析,最后多数成员和英格兰结成反法的神圣同盟。他的野心过大,其事业以惨败告终。在法国国内,他很得人心。从1506年在图尔召开的三级会议起,他被称为"人民之父"。他精简和改进了司法行政,极力保护最卑贱的子民免受压迫,维持战争直至1509年而未增加直接税捐,他的王国得以避免内战,并且,直至他的统治结束时,得以免受侵略。

● **Louis XIII　路易十三**(1601-09-27,法国枫丹白露～1643-05-14,圣日耳曼昂莱)　绰号正义者路易。法国国王(1610～1643),同其首相黎塞留枢机主教密切合作,使法国成

巴黎国家图书馆供图

为欧洲的最重要的国家。亨利四世的长子,1610年5月父王被刺后即位。因被摄政母后玛丽·德·美第奇排斥于权力之外,忿而把有野心的吕伊纳作为心腹,使之成为政府的主宰人物。他把母后贬到布卢瓦。母后曾在1619～1620年两次策动叛乱,均未成功。1621年吕伊纳去世,南部新教胡格诺派发动叛乱。1622年春,他亲临战场,攻克一些要塞。同年9月,黎塞留成为枢机主教,1624年任首相,很快成为政府中最有势力的人物。1628年10月攻下胡格诺派叛乱分子的拉罗谢尔要塞以后,黎塞留立即说服他领兵进攻意大利(1629),但他的进攻使法国与哈布斯堡的关系更加紧张。1630年母后要求路易放弃黎塞留支持新教国家的政策并解除其职务。路易几经犹豫后决定支持黎塞留,将母后及其叛乱兄弟奥尔良公爵加斯东流放。此后接受黎塞留的方式严惩持异议的贵族。1635年5月法国向西班牙宣战。1636年8月,西班牙军队向巴黎挺进。黎塞留建议撤出该城,但他表现了惊人的勇敢,集结军队击退入侵者。到1642年12月黎塞留去世时,法国已经取得对西班牙的重大胜利,路易十三被人尊为欧洲最强大的君主之一。5个月后,他死于结核病。其子路易十四继位。

● **Louis XIV　路易十四**(1638-09-05,法国圣日耳曼昂莱～1715-09-01,凡尔赛)　别名路易大帝、大君主路易、太阳王。法国国王(1643～1715)。在法国历史上最辉煌的一个时期,主要在凡尔赛的宏伟皇宫统治他的国家,成为古典时代专制君主制的象征。路易十三之子。1643年5月继承父位。他9岁时巴黎的贵族和高等法院因敌视首相、枢机主教J.马萨林而造反。1653年首相马萨林战胜了造反分子。此后朝政由马萨林独揽,路易十四即便在成年后也不敢过问。1661年马萨林死去。路易十四表示他要负起统治王国

美国不列颠百科全书公司供图

的全部责任。他认为自己是上帝在人间的代表,所有造反行为都是罪过。他每天工作8小时,任何小事也不放过。非常幸运的是当时法国人才辈出,英杰遍地。路易十四善于利用他们。他是大作家莫里哀和J.拉辛的保护人。在他的时代法国的生活方式、主要城镇结构和山河面貌都有很大变化。他大力营建新的行宫,其中的凡尔赛宫至今犹存。在路易十四时代J.-B.科尔贝尔进行了一场经济革命。1667年路易十四进攻西属尼德兰。他发誓要消灭荷兰人的信奉新教的商业共和国。他将整个基督教新教世界视为敌人。他把法国新教徒看做潜在的叛乱者。除了强行使他们改变信仰外,1685年还撤销曾给予他们信仰自由的《南特敕令》,随后加以无情的迫害。他通过吞并佛兰德的部分领土和占领洛林和弗朗什-孔泰而扩展了法国的疆界。他的舰队同英格兰和荷兰的舰队势均力敌。英格兰、荷兰和神圣罗马帝国结成同盟,联合反对路易十四的扩张主义。在1688～1697年的战争中路易多次获胜。但在签署《赖斯韦克条约》以后他放弃了所获得的部分领土。1700年西班牙哈布斯堡王朝末代国王查理二世死后无嗣,王位继承引起争夺。路易宣布其孙、安茹的菲利普为西班牙国王(腓力五世),从而导致与日益扩大的反法同盟间的战争。在历时10余年的战争中,法国屡屡受挫,后来由于反法同盟内部分化及英国的内争,致使《乌得勒支条约》(1713～1714)保留了腓力的王位。路易十四生前,法国臣民奉承他,他是使法国达到鼎盛时期的最杰出的君主,但人们指责他,特别由于他的宗教政策埋葬君主制度,他无可纠正的错误在于将所有国家机器集中于一身,使君主制度成为人力无法承担的重负。但外国报刊把他比作嗜血的老虎。伏尔泰把他比作罗马皇帝奥古斯都,在治国方面既有优点,亦有缺点。后来对路易十四的评价由于作者们的政治观点各异而不相同。

● **Louis XV　路易十五**(1710-02-15,法国凡尔赛～1774-05-10,凡尔赛)　绰号深受爱戴者路易。法国国王(1715～1774),统治无能,使王权衰落,导致1789年法国大革命爆发。路易十四的曾孙,勃艮第公爵路易之子。路易十四去世(1715-09-01)后,他成为国王;1723年2月成年以前,由奥尔良腓力二世摄

政。奥尔良死后，路易任命波旁-孔代公爵路易-亨利为首相，后者使他与波兰逊王斯坦尼斯瓦夫一世之女玛丽·莱什琴斯卡结婚。1726年路易的私人教师弗勒里主教取代波旁成为首相，但路易与波兰的姻亲关系使法国

美国不列颠百科全书公司供图

卷入波兰王位继承战争(1733～1738)，与奥俄两国作战。1744年弗勒里死后，路易十五声称从此不要首相。但是他非常懒惰，又缺乏自信心，根本无法协调各部大臣的工作，对国策不能进行坚强的领导。政府蜕化成玩弄阴谋的廷臣和谄媚者的帮派。他独居深宫，与相继受宠的情妇们厮混，有些情妇左右朝政。1739～1741年的情妇温蒂米尔侯爵夫人曾纠集主战派，将法国拖入毫无结果的奥地利王位继承战争(1740～1748)。1745年9月，他立蓬巴杜侯爵夫人为正式情妇，这位夫人的政治影响一直持续到1764年她死去为止。他企图用阴谋手段决定国际事务的进程，1748年左右建立了秘密外交网，对欧洲各主要首都都派去谍报员。最初，他企图用秘密外交争取使法国的候选人赢得波兰王位，未获成功。不久，他又扩大间谍网，旨在同瑞典、普鲁士、土耳其和波兰形成反奥地利联盟。由于大臣们对此秘密全然不知，致使外交政策陷于混乱。1756年，他在蓬巴杜夫人的怂恿下与奥地利结盟。法国和奥地利遂同英国和普鲁士开战(七年战争，1756～1763)。但由于在大陆上对奥地利承担义务，他无法集中国力与英国在各殖民地进行斗争。结果，到1763年，法国几乎将在北美洲和印度的全部殖民地丧失给英国。尽管蓬巴杜夫人的宠臣舒瓦瑟尔公爵(1758～1770年任外交大臣)恢复了法国的军事力量，但路易在波兰的秘密外交失败，俄、奥、普三国瓜分波兰(1772)，实际上排除了法国在中欧的势力。路易十五在位末年，企图剥夺高等法院阻挠国王立法的特权，以加强日趋衰微的王权。但是司法官员不待召开三级会议，就宣布自己是王国根本法的捍卫者，并使各省高等法院同巴黎高等法院密切联合一起，加强了反对王室的立场。他们推翻了J.劳建立的财政制度，并一度瓦解布列塔尼省政府。路易十五的长期统治的特点是国王在道义和政治方面的权威日趋衰落，外交和军事上屡受挫折，导致1789年革命的爆发。路易十五死后为人民所痛恨。

● **Louis XVI 路易十六**(1754-08-23，凡尔赛～1793-01-21，巴黎) 法国大革命前波旁封建王朝的最后一代君主(1774～1792)。1792年9月21日君主制被废除。他和王后玛丽-安托瓦内特以反革命罪被送上断头台。王储路易的第三子，初为贝里公爵，1765年其父死后，成为王位继承人。记忆力极好，擅长拉丁语和英语，对历史和地理颇感兴趣。1770年同神圣罗马帝国皇帝弗兰茨一世的女儿奥地利女大公玛丽-安托瓦内特结婚。1774年5月10日即王位。他缺乏足够的勇气去消除宫廷各派系的势力，也未能对杜尔哥(**Turgot，Anne-Robert-Jacques**)或内克(**Necker，Jacques**)等改革派大臣给予必要的支持。在1789年以前，贵族的反动力量日益强大。1787年贵族们反对财政总监C.A.de卡洛纳所提出的税收、经济和行政改革，结果国王不得不在翌年7月决定召开由教士、贵族和平民的代表参加的三级会议。1789年以后，主要由于路易十六向宫廷的反动势力投降，使法国未能建立起君主立宪政体。路易本来应该与中产阶级改革派结成同盟，但他在1789年却接受以查理为首的宫廷反动集团的控制，竭力维护教士和贵族的特权。他

美国不列颠百科全书公司供图

认为大革命会自生自灭。这时，他的怠惰、昏庸、愚昧充分暴露出来。他不断以狩猎、制锁和作泥瓦匠等个人爱好自娱。1789年7月初，他解除内克的职务，8月表示不愿批准国民议会通过的《人权和公民权利宣言》，10月6日他和家人被迫从凡尔赛宫迁到巴黎土伊勒里宫。路易十六一错再错，他不听从保王党代表米拉波伯爵向他提出的秘密建议，而于1791年6月20日从首都逃往东部边境，结果引起巨灾大祸。他在瓦雷讷被人捉获，解回巴黎。从1791年秋季起，路易十六寄希望于外国干涉。他支持吉伦特派所提出的与奥地利交战的政策，为的是法国一旦在军事上失利，他就可以恢复王权。1792年4月法奥战争开始。奥军司令不伦瑞克公爵公开声明：如果法国人民危及王室的安全，他将捣毁巴黎。法国人听了以后十分愤慨。1792年8月10日，巴黎市民和外省民兵占领了土伊勒里宫。结果，立法议会宣布暂时停止国王的权力，9月21日成立法兰西第一共和国。11月，在土伊勒里宫的一个秘密橱柜中发现路易十六勾结外国人阴谋进行反革命活动的铁证。12月3日决定对路易十六以叛国罪进行审判。他在国民公会两度出庭。尽管吉伦特派竭力为他开脱，但是国民公会仍然给他定了罪，1793年1月18日判处他死刑。21日，路易十六在巴黎革命广场上了断头台。

● **Louis (XVII) 路易(十七)**(1785-03-27，法国凡尔赛～1795-06-08，巴黎) 1793年为法国挂名的国王。国王路易十六的次子。在成为王储前名路易-查理，封诺曼底公爵。

美国不列颠百科全书公司供图

1792年8月10日君主制被推翻后，路易-查理与王族其他成员被关入巴黎丹普尔监狱。翌年1月21日路易十六被处决，法国的流亡贵族立即宣布路易-查理为法国新国王。在囚禁时的艰苦条件损害了他的健康。他的死是对君主立宪派的严重打击。验尸报告确定路易死于淋巴结核，他最后几个月的生活情况曾被保密，因此谣言四起，有人说他没有死，而是逃出了丹普尔监狱。有人断言他是被毒死的。在以后几十年中，有30多人自称是路易十七，但均证据不足。为终止争论，1999年末科学家们进行了DNA测试，从保存的心脏中提取样本，与众多皇室成员的头发样本进行比较。2000年4月宣布死在狱中的小男孩是路易(十七)。

● **Louis XVIII 路易十八**(1755-11-17，法国凡尔赛～1824-09-16，巴黎) 1795年起为挂名的法国国王，1814～1824年则为事实上的法国国王，仅在"百日"时期中断。他是路易十五的孙子，太子路易的第4子，封普罗旺斯伯爵。他的两位长兄去世。活着的哥哥于1774年即位为路易十六后，他成为王储。1789年大革命爆发，他留在巴黎。1791年逃亡出国，发表反革命宣言，组织流亡贵族团体，请求其他国家君主支持同大革命作斗争。1793年路易十六和王后被处决后，他宣布自己是太子路易十七的摄政。1795年6月路易十七死后，他又自立为路易十八。1795～1814年，他游历欧洲，在普鲁士、英格兰和俄国逗留，推动保王派的事业。1804年拿破仑称帝后，他的希望日趋渺茫。尽管财政拮据，但他却不肯退位和接受拿破仑的年金。1813年拿破仑失败，1814年联盟军队开入巴黎。同年5月3日，他回到巴黎。在这前一天，他正式声明要实行君主立宪制，设两院制议会，

实行宗教宽容，给全体公民以宪法的权利。拿破仑从厄尔巴岛返回(1815-03-17)，而M.内伊元帅又投奔拿破仑之后，他逃往根特。在滑铁卢战役以后，即7月8日，返回巴黎。

巴黎国家图书馆供图

在路易十八统治时期，法国进行了大革命以来第一次关于议会政府的实验。国王拥有行政权和“立法动议权”，而主要是咨询性的议会则表决法律和批准预算。他死后，由其弟阿图瓦伯爵继位，是为查理十世。

日耳曼/东法兰克

● **Louis II　路易二世**（约804，法兰西阿基坦？～876-08-28，法兰克福）　别名日耳曼人路易。东法兰克国王，统治着后来演变成为德意志国家的土地。加洛林王朝皇帝虔诚者

美国不列颠百科全书公司供图

路易的第3子。817年查理曼帝国分裂时，他得到巴伐利亚。路易曾参加830～833年之间反对父皇的叛乱。840年父皇死后，他又与异母弟秃头查理联合反对长兄洛泰尔一世拥有管辖全帝国的权力。根据843年8月签订的《凡尔登条约》，查理、洛泰尔一世和路易分别获得帝国西部、中部及东部地区。路易得到法兰克尼亚人、士瓦本人、巴伐利亚人及萨克森人占据的地区以及东面的加洛林省。洛泰尔一世后与查理反目。854年路易派遣其子小路易入侵阿基坦。858年亲自西征，企图废黜查理，但两次出兵均告失败。860年签订《科布伦茨和约》，路易宣布放弃对西法兰克王国的领土要求。855年洛泰尔一世死去，领地由诸子分享，其子之一洛泰尔获得洛塔林基亚(大洛林)地区。洛泰尔无嗣，日耳曼人路易与秃头查理达成协议，在洛泰尔死后瓜分他的领土。但在869年洛泰尔死后，查理毁约，独吞了洛塔林基亚。870年路易进犯洛塔林基亚，根据《梅尔森条约》，路易与查理平分洛塔林基亚，路易得到弗里斯兰以及莱茵河以西极大一块土地。861～873年之间，因分封土地引起父子兄弟之间的互相混战。路易在去世之前支持法兰克天主教徒在摩拉维亚的传教活动，但不能保持对该地区的控制。他企图夺取查理所辖的洛塔林基亚地区，没有成功。

● **Louis III　路易三世**（约830～882-01-20，法兰克福）　别名小路易。东法兰克王国的分封王。他是东法兰克国王日耳曼人路易之子。日耳曼人路易的异母兄弟西法兰克国王秃头查理一向垂涎阿基坦王国，852年将其侄阿基坦的丕平二世囚禁。翌年，阿基坦诸领主表示愿将阿基坦王位献给日耳曼人路易或他的儿子。854年小路易受父命率军前往阿基坦。然而，丕平越狱逃回阿基坦，阿基坦人立即背叛小路易，迫使他退回巴伐利亚。日耳曼人路易死(876年8月)后，小路易获得弗兰克尼亚、图林根和萨克森等地，并打败秃头查理，将东洛塔林基亚并入自己的版图。他乘胜侵入西法兰克王国，根据《凡尔登条约》(879)和《里布蒙条约》(880)，他又获得西洛塔林基亚。

● **Louis IV　路易四世**（893，巴伐利亚旧厄廷～911-09-24，法兰克福）　绰号儿童路易。东法兰克王国加洛林王朝最后一代国王。东法兰克国王阿努尔夫之子，897年被立为

约9世纪印记中的路易四世像
美国不列颠百科全书公司供图

王储。899年父王去世，他于900年登上王位。虽然在理论上他是统治者，但实际上由美因茨大主教哈托一世把持朝政。这个王国十分虚弱，无力抵抗马扎尔人的入侵。910年马扎尔人在奥格斯堡附近打败王国的大军。路易翌年去世。

德意志/神圣罗马帝国

● **Louis I　路易一世**（778，阿基坦普瓦捷附近沙斯讷伊～840-06-20，德国彼得索伊）　绰号虔诚者路易。法兰克人统治者查理曼的儿子，813年立为共主，814年其父死，成为皇帝。曾两度被儿子放逐，但均恢复帝位(830，834)。死后，加洛林帝国陷入混乱。781～814年统治阿基坦，颇有政绩。814年在亚琛加冕。称帝后的首要任务是执行查理曼的遗嘱。然后他将帝国分给自己的3个儿子(洛泰尔、丕平和日耳曼人路易)。817年7月在亚琛大会上确定阿基坦归属丕平，巴伐利亚归属日耳曼人路易，而立洛泰尔为共主和皇储。818年皇后去世，4个月后路易一世同巴伐利亚的尤迪丝结婚，823年6月生子大胆查理。829年将阿莱曼尼亚给予查理。洛泰尔发动叛乱，废黜父皇。830年10月经尼日梅冈会议决定，路易一世复位。翌年2月在亚

美国不列颠百科全书公司供图

琛大会上做第二次领地划分，洛泰尔得到意大利。832年路易从丕平手中收回阿基坦，给予查理。路易一世前妻的3个儿子再度叛变，废黜了他们的父亲。834年3月路易一世同丕平和日耳曼人路易媾和。同年下半年洛泰尔又一次起事，但因孤掌难鸣，遂撤至意大利。路易一世得胜以后把更多的领地交给查理。839年日耳曼人路易谋反，但被赶回了巴伐利亚。839年5月30日召开沃姆斯会议，做第四次领地划分。他把法兰克帝国给予洛泰尔和查理，把巴伐利亚给予日耳曼人路易。839年底日耳曼人路易起兵反对父皇。路易一世决定于840年7月1日在沃姆斯召集会议。然而会议尚未召开，路易一世即在英格尔海姆附近莱茵河中的彼得索伊岛上去世。洛泰尔、日耳曼人路易和查理(另一子丕平已去世)之间的争吵在他死后持续了几十年。他被称作虔诚者是由于他对教会的虔诚和大度。作为一个统治者，他宽宏仁慈，却优柔寡断。

● **Louis II　路易二世**（约822～875-08-12，伦巴第布雷西亚附近）　法兰克皇帝(850～875)。作为意大利统治者，遏制了阿拉伯人对亚平宁半岛的入侵。洛泰尔一世的长子，844年接过对意大利的管辖权，同年6月在罗马加冕为伦巴第国王。850年加冕为皇帝。855年，当洛泰尔一世把王国分给诸子时，他分得了意大利。洛泰尔死后，路易二世成为唯一的皇帝。859年他从兄弟、洛林国王洛

泰尔二世手中夺取了土地。863 年另一个兄弟普罗旺斯的查理国王死时，他又获得其大部土地。当时，阿拉伯人已经侵入意大利南部许多地区，他必须对阿拉伯人作战。866 年全线出击，在拜占廷舰队的帮助下攻占阿拉伯人的大本营，取得战争的胜利。872 年在卡普阿附近又一次获胜。但是他的军队实力不足，已不可能再对阿拉伯人进行决定性的打击，于是他就引兵退回意大利北部，不久死去。他的唯一后嗣是一个女儿。因此加洛林王朝的长房男系随着他的死亡而断绝。

● **Louis III　路易三世**（约880或882，法国欧坦？～928-09，法国阿尔勒）　绰号瞎子路易。普罗旺斯国王、法兰克皇帝（901 ～ 905）。短暂的在位期间以恢复加洛林王朝在意大利的权力所作的努力归于失败为标志。普罗旺斯国王博索之子。887 年博索死，胖子查理三世皇帝把他置于自己的保护之下。890 年他被承认为普罗旺斯国王。900 年，一批贵族反对意大利国王贝伦加尔的统治，他被迎往意大利；10 月被选为伦巴第国王。901 年 2 月，他在罗马由教皇本尼狄克四世加冕为皇帝。902 年贝伦加尔将他俘虏，他被迫离开意大利。904 年企图重新夺取意大利。905 年 7 月又在维罗纳被贝伦加尔俘获。贝伦加尔刺瞎他的双目，将他送回普罗旺斯，直至去世。

● **Louis IV　路易四世**（1283?，慕尼黑～1347-10-11，慕尼黑）　绰号巴伐利亚人路易。上巴伐利亚公爵（1294 年起），联合的巴伐利亚公爵（1340 ～ 1347），德意志国王（1314 年起），神圣罗马帝国皇帝（1328 ～ 1347）。维特尔斯巴赫王朝第一代德意志籍皇帝。在位时，不断进行外交和军事斗争，以保卫帝国不受教廷支配、独立推选皇帝的权利，巩固自己的地位，提高家族的地位。路易二世的次子。由于没有要求王位的权利，他的母亲把他送往维也纳的宫廷，在那里成长。1313 年他在加麦尔斯多夫取得对哈布斯堡家族的决定性胜利。后来，军事上的胜利使他得以控制上巴伐利亚和莱茵巴拉丁领地。根据 1329 年的《帕维亚协定》，维特尔斯巴赫家族分为巴伐利亚支和巴拉丁支领地，路易四世在帝国政策问题上得到后一支的支持。他最紧迫的问题是同哈布斯堡家族进行斗争。1322 年 9 月 28 日在米尔多夫展开决战，他获得胜利，俘获国王腓特烈。为图谋领土，同韦廷家族达成世袭同盟，并与荷兰的玛格丽特结婚（1324），1345 年获得荷兰及其附属地。教皇约翰二十二世曾任命那不勒斯的罗伯特为意大利的皇帝代表。路易自己的皇帝代表强迫教皇和罗伯特为米兰解围而使路易卷入异端诉讼，于 1324 年 3 月被判处绝罚。在教廷及其他敌人心目中，他从此只是巴伐利亚人路易，因而留名历史。1326 年路易在意大利境内大胆反对教皇，此后分别在米兰和罗马接受伦巴第铁王冠（1327-05-31）和罗马公众代表献上的帝国王冠（1328-01-11）。1333 年 11 月 19 日发布退位诏书，把王位让给堂弟下巴伐利亚人亨利；1335 年把卡林西亚给予哈布斯堡家族；1338 年 5 月在法兰克福议会发表即皇位的声明，得到各城市和教会的支持。这时除列日和康布雷主教管区外，帝国所有的教士都服从他的统治。为了使教皇屈服，他急于与法国兵戎相见。当英王爱德华三世在 1339 年 9 月向法国宣战并于 1340 年 1 月在根特自立为法国国王时，路易成为英法两国间的仲裁人。1342 年由于安排儿子路易的婚姻问题，他在整个帝国内极不得人心，1343 年 9 月让位给儿子勃兰登堡-蒂罗尔的路易。

荷　兰

● **Louis　路易**　参阅 **Bonaparte，Louis** 波拿巴。

匈　牙　利

● **Louis I　路易一世**（1326-03-05～1382-09-10，匈牙利瑙吉松博特）　绰号路易大帝。匈牙利国王（1342 年起）、波兰国王（1370 年起），长期在位，大部分时间与威尼斯和那不勒斯交战。1342 年 7 月继承父王查理一世，成为匈牙利国王。1346 年在亚得里亚海港口城市扎拉被威尼斯人打败。1347 年率兵远征那不勒斯，为被杀害的弟弟安德鲁报仇。1348 年占领那不勒斯，但不久因发生瘟疫不得已撤出。1351 年，他确认《1222 年金玺诏书》（《自由宪章》），并实施限制继承权的法律，规定：贵族庄园由男系继承，不得分割或赠送。如男系无嗣，庄园则归于王室。这些措施使他财产自主，不再依赖议会。对威尼斯的第二次战争（1357 ～ 1358）取得较大胜利。根据《扎拉条约》（1358 年 2 月），威尼斯所属达尔马提亚的大多数城镇划归匈牙利。在东方，他在保加利亚北部打败了土耳其人。波兰国王卡齐米日三世无嗣，指定他为继承人。他在 1370 年 11 月 17 日加冕为波兰国王。1378 年以后对威尼斯发动第三次战争，根据 1381 年 8 月的《都灵条约》，夺得全部达尔马提亚。

● **Louis II　路易二世**（1506-07-01～1526-08-29，匈牙利莫哈奇）　匈牙利和波希米亚国王（1516 年起），为亚盖沃世系统治这两个国家的末代君主，土耳其人征服匈牙利大部地区

美国不列颠百科全书公司供图

之前统治全匈牙利的末代国王。弗拉迪斯拉斯二世的独生子。小时多病，但很聪明。1508 和 1509 年分别加冕登匈牙利和波希米亚王位，1516 年 3 月即位，1521 年 12 月亲政。翌年 1 月与奥地利玛丽亚公主结婚。两人都贪恋纸醉金迷的生活。1526 年夏，当奥斯曼土耳其人进攻匈牙利时，他率兵前去迎击，但在多瑙河畔的莫哈奇溃败，据说在落荒时溺水而死。其后匈牙利被土耳其人和奥地利哈布斯堡王朝瓜分。

那不勒斯

● **Louis　路易**（1320，那不勒斯～1362-05-26，那不勒斯）　绰号塔兰托的路易。普罗旺斯伯爵（1347 ～ 1362），塔兰托和亚该亚大公，后因与那不勒斯女王乔瓦娜一世（1343 ～ 1382）结婚而成为那不勒斯国王。据信，他在 1345 年 9 月谋杀匈牙利的安德鲁事件中起过重大作用。1347 年 8 月与安德鲁的遗孀乔瓦娜结婚。当安德鲁的弟弟匈牙利的路易一世占领那不勒斯时（1348），他与乔瓦娜逃到阿维尼翁，接受教皇克雷芒六世的保护。匈牙利国王从那不勒斯撤走后，乔瓦娜和路易一度收复那不勒斯，但在匈牙利第二次入侵之前，他们又逃往加埃塔。1352 年再度返回那不勒斯，并由教皇为他俩加冕为王。路易重新获西西里岛的大部地区（包括首府巴勒莫），但一场贵族叛乱迫使他返回大陆。

● **Louis I -III**　参阅 **Louis I -III**（Anjou/Maine）路易一世至三世（安茹/曼恩）。

纳　瓦　拉

● **Louis　路易**　参阅 **Louis X**（France）路易十世（法国）。

葡　萄　牙

● **Louis　路易斯**（1838-10-31，里斯本～1889-10-19，葡萄牙卡斯凯什）　葡萄牙国王（1861 ～1889）。与上半个世纪相比，他在位期间宪政顺利实施，完成铁路网的修筑，实施政治经济改革，人民生活在多方面能与时代相衔接。他是女王玛丽亚二世和她的丈夫费迪南德二世的次子，长兄佩德罗五世夭折后即位。1862 年与意大利公主 M. 皮娅结婚。他即位之初遇到财政困难，他起用新生党领袖安东尼奥·马利亚，奉行政府举债弥补赤字而发展经济的政策。进步党指责路易偏袒且倡导共和体制。路易亲自与英国签订有关莫桑比克和印度问题的条约，并通过仲裁解决其他领土争端。他曾将莎士比亚等人的作品译成葡萄牙文。

西　班　牙

● **Louis　路易**（1707-08-25，马德里～1724-08-31，马德里）　西班牙国王（1724）。腓力五世之子。生于西班牙王位继承战争时期。战争正是由于对他的法国父亲能否继承西班牙王位的争议而引起的，所以他的出生，受到法、西两国的欢迎。法王路易十四为其教父。1709 年被立为假定继承人，称阿斯图里亚斯亲王。1724 年 1 月 15 日其父退位时继承王位，2 月 9 日正式宣布为国王。但 8 月 19 日病倒，可能患天花，12 天后死。腓力五世重践王位。

louis　路易　又称金路易。法国大革命前流通的金币。法郎（**franc**）与利维尔原系银币，价值均大大减少，以致到 1740 年时非有较大单位的铸币不可。法王便造出金币，并以王名路易命名。也称金路易。大革命后，拿破仑继续这种做法，但称其铸币为拿破仑。这些金币价值均为 20 法郎。

Louis, SAINT 路易(圣) 参阅 **Louis**(France) 路易(法国)项下的 **Louis IX** 路易九世。

Louis COEUR-DE-LION 路易(狮心) 参阅 **Louis**(France)路易(法国)项下的 **Louis VIII** 路易八世。

Louis DE FRANCE 路易(法兰西的)(1661-11-01～1711-04-14,法国默东) 别名 le Grand Dauphin。路易十四之子。他死在其父(1715年卒)之前,王位遂传给他的孙子路易十五。一生依赖父亲的恩惠,以怯懦、卑屈和庸碌出名。他有3子:其中勃艮第公爵路易曾当过两年太子,是路易十五的父亲;安茹公爵菲力普后成为西班牙国王腓力五世;查理为贝里公爵。

Louis D'OUTREMER 路易(海外归来的) 参阅 **Louis**(France)路易(法国)项下的 **Louis IV** 路易四世。

Louis LE BÈGUE 路易(口吃者) 参阅 **Louis**(France)路易(法国)项下的 **Louis II** 路易二世。

Louis LE FAINÉANT 路易(懒王) 参阅 **Louis**(France)路易(法国)项下的 **Louis V** 路易五世。

Louis OF NASSAU 路易(拿骚的)(1538-01-10,拿骚迪伦堡～1574-04-14,尼德兰奈梅亨附近莫克) 尼德兰贵族。在尼德兰反抗西班牙统治早期(1566～1574),是重要的军事与政治领导人物。从小信奉基督教信义宗。1556年以后住在布鲁塞尔,积极参加反对宗教迫害的斗争,向法国和莱茵兰的新教领袖寻求援助。1567年西班牙阿尔瓦公爵到达尼德兰后,他和一些新教下层贵族逃往国外。1568年4月回国,向尼德兰北部展开进攻。同年5月在海利赫莱打败西班牙军,但于7月21日在埃姆斯河上的耶姆古姆被阿尔瓦公爵的军队打得惨败。他在南方的一次战役中也一败涂地,退至法国。1572年初,当“乞丐军”在布里勒和弗利辛恩得胜后,他发动另一次进攻,5月下旬攻占埃诺的蒙斯,但6月初又受西班牙军包围,9月终于投降。1574年试图率领在德意志招募的军队横渡默兹河。4月在莫克被击溃,他和弟弟亨利一起阵亡。

Louis OF TARANTO 路易(塔兰托的) 参阅 **Louis** (Naples) 路易(那不勒斯)项下的 **Louis** 路易。

Louis THE BAVARIAN 路易(巴伐利亚人) 参阅 **Louis**(Germany/Holy Roman Empire)路易(德意志/神圣罗马帝国)项下的 **Louis IV** 路易四世。

Louis THE BLIND 路易(瞎子) 参阅 **Louis** (Germany/Holy Roman Empire)路易(德意志/神圣罗马帝国)项下的 **Louis III** 路易三世。

Louis THE CHILD 路易(儿童) 参阅 **Louis** (Germany/East Franks)路易(日耳曼/东法兰克)项下的 **Louis IV** 路易四世。

Louis THE DEBONAIR 路易(虔诚者) 参阅 **Louis**(Germany/Holy Roman Empire)路易(德意志/神圣罗马帝国)项下的 **Louis I** 路易一世。

Louis THE FAT 路易(胖子) 参阅 **Louis** (France)路易(法国)项下的 **Louis VI** 路易六世。

Louis THE GERMAN 路易(日耳曼人) 参阅 **Louis**(Germany/East Franks)路易(日耳曼/东法兰克)项下的 **Louis II** 路易二世。

Louis THE GOOD 路易(善良的) 参阅 **Bourbon, Louis II, 3ᵉ duc de** 波旁公爵(第三)。

Louis THE GRAND MONARCH 路易(大君主) 参阅 **Louis**(France)路易(法国)项下的 **Louis XIV** 路易十四。

Louis THE GREAT 路易大帝 参阅 **Louis** (Hungary)路易(匈牙利)项下的 **Louis I** 路易一世;**Louis**(France)路易(法国)项下的 **Louis XIV** 路易十四。

Louis THE JUST 路易(正义者) 参阅 **Louis**(France)路易(法国)项下的 **Louis XIII** 路易十三。

Louis THE LION 路易(狮子) 参阅 **Louis** (France)路易(法国)项下的 **Louis VIII** 路易八世。

Louis THE PIOUS 路易(虔诚者) 参阅 **Louis**(Germany/Holy Roman Empire)路易(德意志/神圣罗马帝国)项下的 **Louis I** 路易一世。

Louis THE STAMMERER 路易(口吃者) 参阅 **Louis**(France)路易(法国)项下的 **Louis II** 路易二世。

Louis THE STUBBORN 路易(固执者) 参阅 **Louis**(France)路易(法国)项下的 **Louis X** 路易十世。

Louis THE WELL-BELOVED 路易(深受爱戴者) 参阅 **Louis**(France)路易(法国)项下的 **Louis XV** 路易十五。

Louis THE YOUNGER 路易(小) 参阅 **Louis**(Germany/East Franks)路易(日耳曼/东法兰克)项下的 **Louis III** 路易三世。

Louis, Joe 路易斯(1914-05-13,美国亚拉巴马拉斐特～1981-04-12,内华达拉斯韦加斯) Joseph Louis Barrow 的别名,又称“褐色轰炸机”。美国拳击运动员。1937年6月22日在芝加哥比赛中以8个回合击倒 J.J.布雷多克,夺得重量级世界冠军。他的不败纪录一直保持到1949年3月1日退出拳击界,他是重量级拳击有史以来保持冠军称号时间最长的人。他成功地卫冕25次,把对手击倒21次。第二次世界大战期间,他在军队里服役,因而未能更多次卫冕。路易斯在底特律开始拳击生涯。1934年他赢得美国业余体育联合会(AAU)175磅级赛的冠军。并赢得“金手套”称号。1934年7月4日,他首次参加职业拳击赛,在此后12个月中,他先后打败了6个重量级冠军,包括P.卡内拉、M.贝尔、J.夏基、布雷多克、M.施梅灵和J.J.沃尔科特。1936年在与施梅灵交手中,路易斯首次在职业赛中失利。但1938年,他在击败布雷多克而夺冠后,同施梅灵再度相遇,只用了一个回合就把他击败。1939～1942年是路易斯的巅峰时期。从1940年12月～1941年6月,他7次卫冕成功。第二次世界大战后他不那么活跃了,1949年以不败纪录退出拳坛。这样,E.查尔斯才得以接替他的宝座。1950年9月27日,路易斯重返拳坛,向世界冠军挑战,但在15个回合中按得分被判输给了查尔斯。1951年10月26日,路易斯在他最后一场重要的比赛中,经过8个回合被未来的冠军R.马西亚诺击倒。从1934～1951年,路易斯打了71场,胜68场,其中54场把对手击倒。他出拳十分精确,动作简练,经常用重拳把对手击倒。晚年他在内华达州拉斯韦加斯的凯撒宫当接待员。1981年去世,被安葬在阿灵顿国家公墓。死后被授予国会金奖(1982)。

Louis, Morris 路易斯(1912-11-24,美国马里兰巴尔的摩～1962-09-07,华盛顿[哥伦比亚特区]) 美国画家,属抽象表现主义纽约画派。路易斯曾经在巴尔的摩市的马里兰学院学习绘画(1929～1933),1937～1940年间,他为公共事业振兴署的联邦艺术设计局创作油画。1953年后他的作品采用了竖直波纹的着色法,《鸢尾》(1954)是其代表作。1961年,路易斯的作品以刺目的平行色纹,从一个底角流向另一个底角,代表作有《阿勒法-费》(伦敦塔特画廊)。他的晚期绘画多使用垂直色条。

Louis, Victor 路易(1731-05-10,法国巴黎～1800-07-02,巴黎) 原名 Nicolas Louis。18世纪晚期法国最活跃的新古典主义建筑师之一,特别因剧院建筑而著名。在至少有7次未成功的尝试之后,于1755年获罗马大奖。在罗马时(1756～1759)因触怒建筑学院院长被赶出学院,不得参加王室建筑的设计工作。1765年逗留波兰,毫无所获,后遂返回法国,开始接受委托任务。贝桑松的省长官邸(1771年始建)是他第一个重要的建筑物,接着是他的杰作波尔多大剧院,这是法国大革命前最大的剧院。他用12根科林斯式巨柱构成给人以深刻印象的柱廊,典雅的新古典主义走廊和对称的楼梯靠一个玻璃穹顶采光。这一建筑物成为后来法国剧院建筑的样板,也是G.加尼埃设计的巴黎歌剧院的原型。路易另一个重要的委托任务是营造巴黎王宫花园的围墙。他设计了一个巨大的结构,在地面一层连续不断的拱形建筑物上方,壁柱与壁面相间,外观极为和谐一致。还在墙的一角建造一座剧院(法兰西剧院),后成为法兰西喜剧院的院址。他最后的设计是波尔多的一个巨大的公共广场,为法国大革命所中断,他一生的事业也以此告终。

Louis XIII style 路易十三风格 法国国王路易十三(1601～1643)当政时期的视觉艺术。1610年路易继位时还年幼,玛丽·德·美第奇代子摄政,以与意大利关系密切之便,将大量意大利艺术品引进宫廷。受意大利和佛兰德斯风格主义的影响,真正的法兰西风格到17世纪20年代末以后才得以发展。这时,意大利画家卡拉瓦乔的影响与法国对风俗画的新兴趣一拍即合。但法国的基本传统仍在意大利人卡拉齐兄弟的影响下为S.武埃所继承。虽然人们认为N.普桑的作品对法国后期绘画有很大影响,但真正培育出第二代学院派画家的是武埃。这个时期的法国雕刻并无质量高的杰作,缺乏路易十四时期的天才。玛丽·德·美第奇和路易十三时期的艺术建树主要在建筑方面。首席建筑师S.德·布罗斯设计了雷恩法院,并为玛丽·德·美第奇设计了巴黎的卢森堡宫(1615年建)。路易十三时期的家具结构坚实、敦厚,以其雕凿精细和旋木工艺巧妙(在车床上加工)而著称。常见的装饰主题包括带翼天使、华丽的涡形装饰、旋涡花饰(图案雕花镜框)、花果垂饰图案和怪异的脸谱。

Louis XIV style 路易十四风格 路易十四(1638～1715)当政时期的法国视觉艺术。最

17世纪晚期凡尔赛宫内的路易十四风格前厅(模型)
美国不列颠百科全书公司供图

有影响的画家是N.普桑,其古典主义风格为法国画家所普遍接受。1648年,画家C.勒布朗在法王赞助下创建皇家绘画雕刻学院。F.吉拉尔东是路易十四最宠爱的艺术家,不仅为国王作过许多雕像,还为宰相黎塞留设计过陵墓。A.柯塞沃克也曾受王室器重,设计过马萨林主教的陵墓。路易创建的戈布兰工场专为王宫和公共建筑物制造豪华的家具和装饰品,进一步发展了民族的装饰艺术风格,其影响很快波及邻国。例如,家具以玳瑁或进口木料贴面,以黄铜、锡铅合金和象牙镶嵌,或全以金箔镶面,用镀金的厚铜皮包角或其他易磨损部位和毛糙的把手等,并饰以各种图案。这一时期较常见的装饰主题包括贝壳、半人半兽的森林神、小天使、垂花纹饰、花环饰、神话题材、涡形装饰(饰纹镜框)、叶状卷涡纹和海豚。1665年是法国艺术史上的重要一年,G.L.贝尔尼尼来巴黎为罗浮宫设计了新的正门,但意大利巴罗克风格与法国人的气质无法相容,因此罗浮宫最后是按照法国古典主义新潮完成的。罗浮宫系路易十四的大臣柯尔贝尔的规划,国王的兴趣是在凡尔赛宫。17世纪60年代,他开始翻修古老的猎宫,并以规模庞大的王宫向世界炫耀。这是极其壮观的杰作。凡尔赛宫的每一局部都与整体保持着一致。法国人通常把凡尔赛宫看成是古典的,也有人认为它是极端巴罗克风格的建筑,其节奏变化是极为现代的,也是兼容并包的。凡尔赛宫的景观布置也匠心独运,它的建立对欧洲其他国家在艺术上与心理上都产生了巨大的影响。

Louis XV style 路易十五风格 以精湛的工艺著称的装饰艺术风格,即洛可可风格。

1740～1760年的路易十五风格小客厅(模型)
美国不列颠百科全书公司供图

主要表现在18世纪的法国细木家具上,后又转向大量点缀路易十五王室和贵族住宅的各种洛可可式的最精致的新式产品上。著名的洛可可画家有F.布歇及雕刻家、画家和装饰家J.-L.-E.梅索尼埃等。当时流行每一家庭至少备有两套家具,一套夏用,一套冬用。家具务求既实用又美观。椅子都用曲形腿和花形装饰。除自然和东方风物的题材外,幻想题材占了装饰主题的很大一部分。所有陈设的表面都以珍禽异兽和异国风光装饰得富丽堂皇。常常采取稀有树种如郁金香、柠檬树和紫罗兰等名贵树木以取得豪华奢丽的效果,还进口纹理极为丰富、色泽美艳的大理石。这一时期的磨光技术已达顶峰,几乎可与远东艺术珍品相匹敌。极端洛可可式的装饰除整体保持和谐平衡外,也审慎地增加了非对称因素。

Louis XVI style 路易十六风格 又拼Louis Seize。法国路易十六在位时期(1774～1793)的视觉艺术,是洛可可艺术的最后阶段

约1780年的路易十六风格小客厅(模型)
美国不列颠百科全书公司供图

和新古典主义的最初阶段。在路易十五晚期，新古典主义在建筑、绘画、雕刻和装饰艺术中占了统治地位，它是旨在反对极端洛可可风格的产物，但部分也是由于意大利古庞贝和赫库兰尼姆出土文物的普及，以及以J.-J.卢梭"回到自然"的号召所确立的基础。路易十六当政时期最重要的画家是新古典主义者J.-M.维恩的学生J.-L.大卫；最杰出的雕刻家是J.-A.乌东(1741～1828)，他为许多同时代的杰出人物作了穿古袍的肖像，其裸体雕刻《狄安娜》有好几个变体，艺术家试图以这些雕像唤起对古代希腊裸女的感情。路易十六和年轻的皇后玛丽·安托瓦内特的奢侈的宫廷风格刺激了当时一些技艺高超的乌木家具工匠或细木工匠，从而在家具的总体风格上仍然是新古典主义(即简朴的直线条和古典主题)，其做工之精微复杂不亚于迄今为止的任何一个时期。

Louis-Charles de France **路易-查理** 参阅 **Louis**(France)路易(法国)项下的 **Louis XVII** 路易十七。

louis d'or(monetary unit) **金路易** 参阅 **louis** 路易。

Louis -Napoléon 路易-拿破仑 参阅**Napoleon III** 拿破仑三世。

Louis of Nevers 路易 参阅 **Louis**(Flanders)路易(佛兰德)项下的 **Louis I** 路易一世。

Louis-Philippe 路易-菲力普(1773-10-06，巴黎～1850-08-26，英格兰萨里克莱尔蒙特) 法国国王(1830～1848)，以上层资产阶级的支持作为统治基础，最后因无法赢得新兴工

美国不列颠百科全书公司供图

业阶级的效忠而失去政权。初称瓦卢瓦公爵，1785年其父继承奥尔良公爵的称号，遂为夏尔特尔公爵。1789年法国大革命爆发，他参加支持革命政府的进步贵族团体，翌年参加雅各宾俱乐部。1792年4月法奥交战，他参加北方方面军，同年9月晋升少将。1793年4月偕指挥官C.-F.杜穆里埃投奔奥军，并去瑞士避难。同年11月其父被雅各宾派政府处决，他成为奥尔良公爵。他在美国住了两年多后返欧。于1800年初到达英格兰，并长期居住。1809年去西西里，与那不勒斯国王的女儿结婚。路易十八第一次复辟(1814)时回国。1830年查理十世试图推行镇压法令，触发一场叛乱(7月27～30日)，这使路易-菲力普得到掌权的机会。7月31日，立法议会选举他为王国摄政。两天后查理退位，8月9日，路易-菲力普加冕。给路易-菲力普以权力的革命乃是上层资产阶级对君主制的胜利。他在右翼极端君主派和社会党人及其他共和党人之间采取中间路线，以巩固自己的权力。尽管他加强了法国在欧洲的地位。他和英国合作迫使荷兰承认比利时独立。但是，1846年工农业萧条，人民普遍不满。在无产阶级和中产阶级起义的压力下，他于1848年2月24日逊位。

Louis Seize(visual arts) 参阅 **Louis XVI style** 路易十六风格。

Louisbourg 路易斯堡 原加拿大新斯科舍省东北部城镇。在布雷顿角岛东侧，悉尼南40千米。1995年后属布雷顿角区域自治市的一部分。建于1713年，以法国路易十四命名。后成为重要的渔业和造船业中心。法国在此修筑了坚固的工事，使之成为法国在北美的最重要的要塞之一。1745年要塞被围困48天之后失陷于英国。1748年重新归属法国。1758年，在七年战争中再次为英军攻占，成为英军征服加拿大的基地。此后，英国人将要塞破坏。该镇现位于一国家历史公园(60平方千米)内，1980年修复被毁城镇约1/5。为渔港，有水产加工业。居民多为亲英分子和海兰行政区苏格兰人后裔。人口：区域自治市105 968(2001)。

Louise of Savoy **路易丝(萨伏依的)**(1476-09-11，法国蓬丹～1531-09-22，枫丹白露附近格雷) 法国国王弗兰西斯一世的母亲。1515年弗兰西斯即位后，她曾两度摄政，在治理国家方面起了积极作用。弗兰西斯第一次远征意大利时(1515～1516)，她被封为昂古莱姆女公爵，并任摄政。1525～1526年国王第二次远征意大利时，她再次任摄政。这时，她把英格兰的亨利八世同神圣罗马帝国皇帝查理五世的联盟拆散。弗兰西斯被俘并解往西班牙，她积极从事谈判，使之获释，并与奥地利的玛格丽特于1529年议定弗兰西斯一世与查理五世之间的《康布雷条约》，即所谓的"夫人和约"。

Louisiade Archipelago 路易西亚德群岛 在新几内亚岛东南200千米，属巴布亚新几内亚。约有100个岛屿，分布在26 000平方千米的海域内。大部分岛属小珊瑚建造。最大的塔古拉、米西马和罗塞尔3岛为火山岛，多山，四周环礁。人口约16 478(1987)。

Louisiana 路易斯安那 除了得克萨斯南部及佛罗里达半岛以外，路易斯安那部分地区与美国本土任何地方相比，均处于更南端，其最大城市新奥尔良大致与开罗、新德里及上海处在同一纬线，该州的地理位置在很大程度上形成了它的复杂的独有特性。

路易斯安那1812年加入联邦，成为美国第18州。它拥有曾在战略上占重要地位的地区，在这里，北美大陆内地的水体经宏大的密西西比-密苏里河水系流入温暖的、北边呈曲线的新月形墨西哥湾。自1682年以来，路易斯安那的上空曾飘扬过7种旗帜并不出人意外，当年法国探险家拉萨尔在这块土地上安置了一个木制十字架，以法国国王路易十四的名义占据了这块领土。其后所产生的各种文化传统明显地反映在路易斯安那州社会、政治及艺术生活的各个方面。

路易斯安那的亚热带气候构成了近海牛轭湖气势宏大、森然幽静的景色，河岸繁茂、潮湿的植被下蕴藏着丰富的石油资源。该州大部分地区土质肥沃，这使路易斯安那到1860年已成为一个富裕的农业区，甘蔗种植园和棉花种植园均呈繁荣景象。20世纪初伐木业曾一度繁荣。第二次世界大战后，路易斯安那的工业化进程加快。矿产品丰富，该州在石油生产方面居全国的前列。

但在发展的过程中，路易斯安那并非一帆风顺，也出现过灾难性和骚乱的局面。激烈的领土争端和内部政治权力的斗争，阻碍了该州的社会和经济发展，并使许多政治机构陷于瘫痪。通过广泛地使用奴隶，种植园积累了大量财富。路易斯安那州约有1/3人口便是这些奴隶的后代，他们的文化对路易斯安那州的社会结构具有很大影响。自南北战争以来，种族歧视和种族冲突损害了州的发展，这种情况在整个重建时期及随后发生的以三K党活动为标志的对抗，到20世纪60年代和以后的民权斗争中一直存在。

4条天然界线和3条人为界线构成了路易斯安那州与邻近各州的边界。它的邻州分别是阿肯色州、密西西比州及得克萨斯州。路易斯安那州面积123 678平方千米，其中包括7 770多平方千米的内陆水域。首府为巴吞鲁日。

自然地理与人文地理

土地 地形 路易斯安那具有美国南部濒墨西哥湾诸州所共有的地貌特征，密西西比河是主要的例外，该河流经整个路易斯安那，其三角洲一直延伸到墨西哥湾内。这条北美洲大河的航道经常变化，因而产生了巨大的阿查法拉亚盆地，并在沿岸留下了大量沉积物。尽管如此，据估计，由于联邦政府为保持密西西比河的主水道地位修建的堤岸系统使其他次要水道易受冲蚀，路易斯安那无海滩的海岸线正以每年约41平方千米的速度受到破坏。

路易斯安那有3种地带：低地区、阶地和丘陵。低地区包括沿海的沼泽地和密西西比洪泛区及其自然堤岸与起伏较缓的地形。雷德河流域的地形海拔很低，但有许多因河道内输送的木材多处堵塞后蓄水而成的筏塞湖。红色土壤与流域的冲积平原有关。阶地包括密西西比河北部及东北部所谓的"佛罗里达堂区"的大部分，以及路易斯安那西南部的高草原。高地丘陵位于雷德河流域两侧及佛罗里达堂区的北部。路易斯安那州的最高点在该州西北部，海拔163米。

土壤 路易斯安那的土壤一直是该州最宝贵的资源之一。全州近1/3的土地覆盖着肥沃的冲积层，这些冲积层是州内河流和牛轭湖泛滥时沉积而成。在沿海的沼泽内有腐殖土及泥炭。在低洼地有各种肥沃的冲积土壤：密西西比河流域和雷德河流域较为轻质、

粗糙的底土，年代较早的冲积层及黄土性土或风积土壤。在高地或丘陵地带内，有更成熟但不甚肥沃的土壤。

气候　路易斯安那属亚热带气候，这是该州地处墨西哥湾的必然结果。由于它也位于广阔的密西西比-密苏里河流域的河口，在大西洋和太平洋的中间地带，该州因而也受大陆性气候模式的影响。夏季炎热、潮湿，但下午常有雷雨调节气温。冬季较温和。路易斯安那常遭热带风暴袭击。飓风季节长达6个月(6～11月)。年平均气温由州最北端的18 °C到密西西比河河口的21 °C。7月最高，月平均温度为28 °C，1月最低温度为10 °C。夏季平均温度不超过28 °C。该州亚热带气候较为显著的特点之一，与其说是炎热，不如说是潮湿。路易斯安那州北部的霜期从11月1日开始，而最东南部则从12月14日开始。作物平均生长期为220～320天。而平均年降水量在士里浦特约为1 143毫米，在新奥尔良则为1 422毫米以上。

动植物　路易斯安那的自然植被分为三大部分：第一部分包括森林、高地松及阔叶树、低洼地阔叶树及秃杉；第二部分包括草原或干草原；第三部分包括沼泽地或湿地。在路易斯安那的南半部，沿巴吞鲁日向西延伸的一个地区，活栎及其枝叶下垂的铁兰十分普遍。木兰遍布全州，其花为州花。

在路易斯安那南部的沼泽地带，麝香鼠、其他长毛的啮齿目动物以及短吻鳄遭到捕杀。鸟的种类甚多，有本地生长的，也有外来的候鸟。但过去常见到的褐色鹈鹕(州鸟)、象牙嘴的啄木鸟及野火鸡现在已几乎绝灭。灰松鼠、鹿及鸽则数量颇多。鱼、虾、淡水螯虾、蟹及牡蛎是沿海和沼泽地区人们的食物和经济收入来源。

住区模式　路易斯安那北部形成一个自然区，包括东北部的路易斯安那三角洲、红河流域及北部的路易斯安那丘陵。路易斯安那南部由阿沃耶莱斯堂区及位于31度纬线以下所有堂区组成，有3个主要分区：①佛罗里达堂区；②路易斯安那西南部，这里住有许多盎格鲁撒克逊新教徒，但也有一个地位较高的法裔少数民族；③中间地带，这一地区有各种不同的称谓，如“阿卡迪亚人住地”、“江河与牛轭湖之乡”或“糖缸”。

路易斯安那州南部的帕卢尔德湖景观
美国不列颠百科全书公司供图

在江河与牛轭湖之乡的一些堂区中的最早居民点是建在一条狭长的河边地带。小河则充作公路使用。佛罗里达堂区的盎格鲁撒克逊人利用古老的土地分界线制度建立的不规则住区模式，与这种排列成行的村落住区模式形成了鲜明对照。在自然堤岸较宽的地带则建起了种植园。南北战争以前，人们从东部各州来到路易斯安那北部高地，在松林中互不相连的农庄中定居下来。1880年以后，路易斯安那的西南部开始得到开发，草原变成了稻田。如同美国内地各州一样，那里的住区街道也采取类似的棋盘式格局。

人民　如果说路易斯安那的特征在于它的地貌和住区模式的多样化，那么它的民族和文化也同样呈现出多样性。当地最早的欧洲移民来自法国或西班牙，只是到后来才有美国人在佛罗里达堂区和路易斯安那北部定居。每个住区都保留了某种明显体现出宗教信仰的文化传统，居民们有的信奉天主教，有的信奉新教。路易斯安那州的法裔，特别是阿卡迪亚人的后裔，在路易斯安那南部的大部分地区占有优势；很多居住在这里的人也被阿卡迪亚人的生活方式所同化。许多堂区都讲法语，人们在整个路易斯安那的南部都可以听到带法语口音的英语。此外，在路易斯安那州的南北两区还有几处“文化孤岛”。它们由意大利人社区、西班牙人社区、匈牙利人社区、德国人社区及达尔马提亚-斯拉沃尼亚人社区组成。该地区还有几个不同民族混居的住区。

路易斯安那的民族比美国南方腹地各州的民族更具多样化的原因不仅是由于历史形成的住区模式，还由于有欧洲、拉丁美洲及古巴的移民来到新奥尔良，并经新奥尔良前往路易斯安那各地。不过，路易斯安那州外国出生的居民人数已在减少。现在，该州4/5的人口是出生在本地的路易斯安那居民。大多数在国外出生的居民住在该州已城市化的堂区，尤以新奥尔良的人数最多。

从该州最早的时期起，黑人就一直在路易斯安那起着重要作用；在20世纪后期，他们仍约占全州人口的1/3。在过去，黑人主要集中在有大种植园的地区，他们承担了种植园的艰苦工作。20世纪初该州曾出现过大规模向外迁移，第二次世界大战之后黑人又向该州各城市区迁移。尽管该州黑人在许多通向较高的社会和经济地位的传统途径中一直遭到排斥，但他们的文化却对路易斯安那及该州主要城市新奥尔良的特色和生活起着一定的作用。

全州人口大约有3/4居住在路易斯安那州南部，而路易斯安那有近1/3的居民住在3个人口最密集的堂区。1950年，城市人口首次占全州人口的绝大多数。人口4 468 976 (2000)。

经济　美国南方诸州过去一直受经济欠发达之苦，路易斯安那也不例外。1941年以前，近1/ 3的劳动力从事以原料为基础的初级产业，仅有1/ 5的工人在采矿、建筑及制造业等二次产业部门工作。这种不平衡现象使人均收入减少，直到1930年，该州的人均收入还仅为全国人均收入的一半多一点。

第二次世界大战加快了路易斯安那州的工业发展进程，从事制造业的工人数量大增。最重要的发展是建立了以本地区石油、硫磺、盐及水为基础的化学工业。1947～1957年曾出现过投资热。在此期间，近海石油首次得到大规模开采。

资源　路易斯安那境内所有地区都蕴藏有石油资源，但主要油田开发则在什里夫波特与门罗之间，以及路易斯安那南部的大部分地区进行，油田勘探作业已移到墨西哥湾进行。天然气资源也已得到利用。包括联邦水域的近海油井在内，路易斯安那州在原油生产方面居全国第三位，天然气生产方面居全国第二位。在路易斯安那发现的石油往往与已知的100多个盐丘、基岩上的气泡状侵入岩以及覆在盐上的冠岩中的硫磺有关。路易斯安那的盐产量居全国之首，硫磺的生产也居全国前列。该州的天然气资源一直是工业动力的主要来源。可供开采的丰富的矿物燃料已用于发展电力。利用土壤资源和气候条件进行了对森林等自然资源的保护工作，结果出现了大面积的“私人林场”。路易斯安那的水资源丰富，而且水质优良。

管道将原油输送到炼油厂，或将天然气作为能源输送到该州每个家庭、工厂和远方的市场。动力线遍布该州各地。

工业与农业 化学品、石油及运输设备是主要产品。棉花在农业中不再占最主要地位。1960年，棉花是最赚钱的经济作物，但不到20年，大豆成为主要的农产品，肉牛居第二位。其他农产品包括大米、甘蔗、乳制品、家禽及蛋类。路易斯安那现在依赖农业的程度已经大为减少。

运输 水路一直是路易斯安那州的重要运输渠道。包括大西洋沿岸的近岸内河航道在内，路易斯安那的可通航水道达7 680～12 000千米。这条航道是路易斯安那唯一的东西向水道及运河系统，由密西西比湾到萨宾河全长约500千米。它是由克卢萨哈奇河（在佛罗里达州）到布朗斯维尔（在得克萨斯州）的一条更长的水道的一部分。在海运方面，新奥尔良港居全国第二位。位于密西西比河上游深水航道的巴吞鲁日，在运输石油、化学品及铝和谷物等方面均居重要地位。

19世纪30年代以后，路易斯安那境内的铁路已很普遍。而铁路在开始阶段是只为轮船提供燃料而铺设。该州的第一条铁路由克林顿一直通到哈得孙港。20世纪初，随着伐木业出现空前繁荣的局面，铁路运输达到了顶峰。现在路易斯安那境内尚在使用的铁路线约达4 800千米。州内有公路数千英里。飞机场约180个，其中新奥尔良国际机场是主要机场，也是通往拉丁美洲的一个枢纽。

行政与社会状况 **政府** 1921年通过的州宪法是在108年当中路易斯安那的第10部宪法。这部宪法已生效50多年。在这期间，路易斯安那经历的巨大变化超过了建州109年中所发生的变化。

1812年的最早的宪法使大种植园主阶级与大工商企业阶级获得政治权力，并赋予州长以较大的任命权。南北战争前的1845和1852年宪法扩大了选举权，并使每个政府职位均由选举产生。以人口为基础的代表制使大种植园主在立法机构继续占有压倒优势的地位。曾以“南部邦联”一词取代“合众国”的1861年宪法，以及后来的1864年宪法和1868年宪法均可称为“南北战争时期宪法”，而1868年的宪法还将选举权扩大到包括白人和黑人的所有男子。标志南部重建时期结束的1879年宪法限制了立法机构的行动，而赋予行政机构的权力则超过1812年宪法所规定的范围。1898年通过的宪法实际上剥夺了路易斯安那州黑人的公民权。1913年宪法与1921年宪法是在为解决20世纪出现的问题而召开的几次大会上制定的。宪法制定者在许多方面未能如愿，主要原因是在他们头上还笼罩着过去的种种阴影。1974年制定了一部新的州宪法。

路易斯安那的州长仍是该州权力最大的官员，这不仅是由于传统的影响（和个人的工作表现），而且是因为州长在许多行政机构、委员会及由州长委任的职位均拥有授予官职的权力。州长任期4年，任职不得连续超过两届。另有几名州的官员由选举产生，其他官员由州长任命。路易斯安那议会为两院制：参议院有39名议员，众议院有105名议员。议员任期4年。1974年宪法保留了一项1956年宪法的修正案，即税收议案需经两院2/3的投票通过，以控制州长对经费的使用。

路易斯安那的地方自治采用弗吉尼亚的县政府制度。堂区（县）、自治市及特区均系地方政府单位。全州共有64个堂区，面积大小不一，如奥尔良堂区为515平方千米，而卡梅仑堂区则为3 732平方千米。选出的堂区管理委员会称作“治安陪审团”，这是美国任何其他地方所没有的。

路易斯安那约有300个有建制的自治市，为州一级的单位，它们行使受严格限定的权力。建制章程以法律方式详细说明，明确了按人口数量划分的3类自治行政单位：市5 000人、镇1 000～4 999人和村150～999人。由议会建立的特区可以行使新的或更多的地方政府职能。

1975年制订的一项法令批准了开放预选制，用于选举州的官员。按照这种制度，所有候选人均由一次投票表决选出。初选时，凡获选票超过50%者即当选任职。如果没有一个候选人获得超过半数的选票，则在票数最多的两名候选人中进行第二次预选。从前，民主党员一旦被提名即等于获胜。然而，在开放预选中，有多个候选人的民主党投票选区实际上保证了一个唯一的共和党候选人有第二次预选的机会。结果，路易斯安那于1979年选出了南方重建时期以来的第一位共和党州长。

州的最高级法庭是最高法院。该法院的7名法官由民选产生，任期10年。上诉法院、区法院以及大部分较小法院的法官也是民选产生的。

路易斯安那的法律制度与其他49州的法律的不同之处在于它不是以习惯法为基础，而是以民法为基础。这种民法是一种成文法或称法典。路易斯安那利用其殖民传统，所编法典系根据法国的《拿破仑法典》，其后又受西班牙法律的影响，二者均源于《罗马法》。民法中所包括的一些广泛原则是由法律方面各个领域的权威人士草拟的。在路易斯安那，法律体现在宪法之中，宪法赋予立法机构制订法律的权力，而法院的职能则限于将法律应用于已知的若干种犯罪行为。法院不受以前判决的束缚。法律决定一切人权和产权，并被用于民事和刑事的程序。

教育 1974年宪法对教育行政机构作了调整，设立了5个委员会：①州大学董事会，负责监管高等教育；②3个独立的管理委员会，分别管理路易斯安那州立大学、南方大学及其他州立学院与大学；③政策委员会，负责管理初等与中等教育。从1988年开始，公立初等教育和中等教育由一位政府任命的主管人管理。

路易斯安那州立大学既是一所接受政府赠地的大学，又是一所包括文理科的大学，它是全州高等教育的基础，校园分别设在巴吞鲁日、尤尼斯、什里夫波特以及亚历山德里亚。该校原来在新奥尔良的校园则成为新奥尔良大学。位于拉斯顿的路易斯安那工科大学与拉斐特的路易斯安那大学是该州许多大学中的两所，这些大学中有许多是在20世纪30和40年代由一年制或二年制的初级学院发展起来的。巴吞鲁日的南方大学在什里夫波特和新奥尔良均设有分校，是一所规模很大、专收黑人学生的公立大学。与此相同的还有格拉姆布林的州立格拉姆布林大学。设在新奥尔良的图兰大学是一所一直办得十分出色的私立学校。天主教的两所学校，洛约拉和泽维尔以及私立黑人学校迪拉德，均设在新奥尔良。

保健与福利 为给包括65岁以上的老人在内的各类公民提供一种经济保障和社会福利制度，立法机构制订了一系列计划。州政府为母亲和儿童提供帮助和福利，也为残疾人和穷困的盲人提供救济。州的各个部门都分别提供一些福利救济，但目前最主要的是保健和人力资源部。该部通过设在新奥尔良的总部及分布在各堂区的地方组织，向路易斯安那州公民提供各种服务。州立的服刑和教养机构由公共安全和教养部统一管理。刑事制度往往受到过多的政治干预。

由州政府出资并管理的慈善医院系统在美国50个州中并不多见。该系统拥有几所综合性医院及数所精神病医院。设在新奥尔良的路易斯安那慈善医院建于1811年，接受过一些公众的资助，但长期以来主要由州政府提供资金。

文化生活 在路易斯安那州南部，天主教教会拥有广泛的势力，在路易斯安那州北部及黑人居民中，浸礼会教友占优势，这两派教会的势力对路易斯安那的社会和文化生活均有重要影响。新奥尔良以及许多较小的社区都曾资助过艺术机构和慈善事业机构。克里奥尔人（法国或西班牙移民的后裔）创造了独具特色的艺术、建筑及烹饪，这些大都集中在新奥尔良地区。种植园主模仿克里奥尔人，因此居住在路易斯安那州北部冲积地堂区的人比生活在高原地带的人具有更开阔的眼界。

在民间文化和艺术方面，路易斯安那州人一贯坚持自己的传统。在音乐领域里这一点尤为明显，不论是包括著名的乡村布鲁斯歌曲在内的黑人民歌、盛行于路易斯安那州南部的乡村舞蹈（阿卡迪亚人后裔的伴舞乐队）、路易斯安那州北部的社区赞歌、新奥尔良移民传到芝加哥及其他地方的爵士乐，还是由新奥尔良的普雷瑟韦申大厅乐队以迪克西蓝爵士乐演奏的古典名曲，都充分体现出其各自的传统。

新奥尔良有一家歌剧团和一家交响乐团。19世纪时，新奥尔良曾经是一个主要的文化中心。那里的法裔社区居住着一些艺术家，例如伟大的野生动物画家J.J.奥杜邦、以描绘美国西部生活而闻名的G.卡特林，一些作家，如W.惠特曼、S.安德森和W.福克纳也曾到过该地区。20世纪30年代以来，什里夫波特、门罗、巴吞鲁日和拉斐特等城市均创建了各自的博物馆及美术馆、交响乐团、合唱团及小型剧团。

利用人们对南北战争以前的历史的兴趣以及克里奥尔人烹饪（法国菜、西班牙菜、黑人菜和印第安人菜的大杂烩）的吸引力，旅游业已发展成为重要产业。在新奥尔良，以“肥美的星期二”、“忏悔星期二”为高潮的一系列游行活动和舞会已成为一项全国的活动。公园甚多，路易斯安那以狩猎和钓鱼场所而闻名，被称作“渔猎乐园”。

有读写习惯的克里奥尔文化为该州提供了历史悠久的报业传统。第一家报纸《路易斯安那箴言报》于1794年创刊。19世纪初期，另外8家报纸在新奥尔良发行。农村的堂区也出版自己的报纸。主要报纸则集中在城市堂区发行。

历史

早期殖民 在欧洲人到此探险之前至少16 000年，印第安人就居住在后来成为路易斯安那的这片地区。至少7处考古遗址已被发掘。较著名的有波弗蒂·波因特遗址（大约在公元前700年）以及马克斯维尔遗址（公元100～550年）。路易斯安那的大多数印第安人居住在高地及沿海草原搭建的狩猎和采集帐篷内，不过在土地较肥沃、地势较低的滩地，也有从事农业的印第安人居住地。18世纪初，当欧洲人开始移民该地时，大约有1.5万名印第安人生活在这一地区。到1980年，当地的印第安人仅为原来的1/5。他们的传统体现在许多地名上，这使路易斯安那州的地图大有地方色彩。

首先发现该地区的欧洲人是西班牙人，但在该地区实行殖民的却是法国人。法国于1702年开始在这一地区大批殖民，当时，伊伯维莱与他的兄弟比恩维莱到此探险，企图建立一些永久性殖民地。1718年，比恩维莱建立了新奥尔良市。法国于1712年将土地使用权赐予克罗札特，1717年又将土地使用权赐予苏格兰商人劳，他的西部公司于1720年倒闭。1731年，当路易斯安那成为法国直辖殖民地时，人口由不满1 000人迅速增加到近8 000人（包括奴隶在内）。除法国移民外，成千上万的德国人后来也到达此地，他们住在位于新奥尔良北部的河岸，人们称之为德国海滨区。18世纪60年代，随着讲法语的阿卡迪亚人的到来，殖民地的开拓有所发展。这些阿卡迪亚人是被英国人从加拿大的新斯科舍驱逐出来的。

1762年，根据一项秘密条约，路易斯安那及新奥尔良被割让给西班牙，从此西班牙在这里建立其统治和势力达40年。1779年，西班牙人将巴吞鲁日从英国人手中夺走，又占领了西佛罗里达全部地区，此时的西佛罗里达已从半岛向西越过墨西哥湾，延伸到密西西比河。1800年，西班牙人将路易斯安那归还法国。1803年，美国完成了对路易斯安那的购买。

19世纪 路易斯安那后来被划分为奥尔良准州和路易斯安那准州。奥尔良准州主要包括该州目前边界之内的部分，路易斯安那准州包括密西西比河及密苏里河流经的广大地区。1810年，奥尔良准州有7.7万人，于是有人提议将准州改为州。1812年，奥尔良准州申请加入联邦时，东区，即今佛罗里达堂区也包括在内。佛罗里达堂区的人民曾反抗西班牙人，并建立起西佛罗里达共和国。

由于奴隶在欣欣向荣的甘蔗和棉花种植园的辛勤劳动，19世纪30年代出现了经济繁荣的局面。与此同时，在路易斯安那的政治事务方面也出现了各种必然发生的分歧。在政治进程中先是法国和美国的利益冲突，然后是农场主和农民的利益冲突。尽管自耕农有选举权，但代表权却掌握在种植园贵族手里，他们在决定选区单位时将奴隶也计算在内，从而使一人一票原则失效。在这种情况下，又由于19世纪50年代两党制崩溃，路易斯安那州人在脱离联邦的问题上意见不一。在1861年的政党代表大会上，赞成脱离联邦的这部分人占了上风，尽管后来的调查表明大部分公民当时希望留在联邦内。

因为到1862年5月1日新奥尔良即被联邦军队占领，路易斯安那州南部脱离联邦的时间甚短。南北战争结束后，路易斯安那于1868年重新加入联邦，紧张的战后重建时期开始。住在新奥尔良的联邦共和党人和来自农村堂区的前南部邦联支持者之间发生了政治冲突。1876年以后，民主党人与共和党人展开选举竞争，获得自由的黑人公民则成为选举较量的工具，他们的选票在州内有举足轻重的地位。意见分歧的派系之间多次发生摩擦，其中影响最大的一次为1874年9月14日在新奥尔良发生的冲突，当时白人联盟曾一度从共和党人的警方手中夺取对该市的控制权。1876年，民主党人宣布尼科尔斯将军当选为州长，但共和党人则宣布帕卡德获胜。双方的主张在著名的海斯-蒂尔登辩论中与挑选那一年的总统选举团成员这件事缠绕在一起。共和党人操纵着州选举监察委员会，向国会递交了两套选举结果，而民主党人也递交了他们的结果。选举人委员会接受了共和党的选举团成员名单，这种做法正如该委员会处理南卡罗来纳、佛罗里达及俄勒冈等州有争议中选举团成员一样。1877年1月，尼科尔斯与帕卡德同时宣誓担任州长，并成立了两个相互对立的州政府，这种情况持续到1877年4月20日美国总统海斯下令联邦军队撤出路易斯安那州府，让白人民主党留下掌权为止。海斯当选为总统是双方达成协议的一个条件。

种植园经济继续存在，而包括白人和黑人在内的农民阶级则被迫失去农场所有权，成为收益分成制的佃农。在19世纪80和90年代出现的农民抗议产生了平民党，当时还出现了似乎可以推翻该州种植园主-商人-律师统治地位的机会。可是到20世纪初，路易斯安那却受到限制性统治；在1896年的州长选举中，当权人物挫败了农民的改良运动，并制定了1898年宪法。结果，几乎所有黑人在法律上都被剥夺了运用选举权的权利，而路易斯安那州的许多白人对行使选举权却不感兴趣。

20世纪 1890年以后的30年间，广阔的伐木林吸引了一些大公司来到路易斯安那，而石油和天然气蕴藏的发现也有助于工业的加速发展。尽管这些趋向本有可能为路易斯安那经济的最终发展奠定基础，但该州政治领导人却并未作好准备在增加税收和人民的服务性事业方面充分利用这些发展。因此，路易斯安那仍然是一个落后的、实行种族隔离的、基本上以农业为主的社会。

20世纪20年代后期，富于煽动性的平民党党员H.P.朗取得了州长职位，部分原因是由于路易斯安那当时的社会经济发展严重受阻。由于有农村地区和刚刚形成的工人阶级的支持，朗以现实主义取代了保守的领导人一贯保持的空谈作风。在他的管理下，该州福利事业和教育事业的发展、州内建造的若干桥梁、道路和医院都不是采取过去那种所得税预扣法，而是实行以债券作保证的债务流动法。自从朗实行了他的政策以及他的兄弟E.K.朗继续执政以来，还没有一个州政府认为应将这种以增加税收为一系列公共福利筹措资金的措施予以改变。E.K.朗于1948和1956年两次担任州长职务。

在第二次世界大战期间及战后时期，路易斯安那州的经济有了进一步发展。这种发展主要是靠石化工业，并与墨西哥湾近海石油和天然气开发有密切的关系。自20世纪60年代以来，美国最高法院对于学校种族隔离及黑人选举权的裁决引起的“第二次南部重建”已在路易斯安那产生了重大影响。在种族和宗教问题上发生的冲突，使朗氏兄弟二人在路易斯安那州北部和南部之间建立的联系遭到破坏。

1964年，J.麦基森任路易斯安那州州长。他首先奠定了一种维护“法律和秩序”的坚定舆论，并以这种舆论来制止因取消种族隔离而引起的抗议浪潮。麦基森以在第二届任内对宪法进行修正为号召，于1968年成功地重新当选为州长。在当时有“盛产石油的路易斯安那”称号的这个州里，社会环境得到改善，经济形势日益发展，E.爱德华兹州长（1972年当选，1976年连任）的事业也从中受益。爱德华兹虽然未能在1980年连续第三次当选为州长，但他却在1984年继共和党人D.特里恩的政府之后，第三次当选州长，这是史无前例的。该州南部的阿卡迪亚人和黑人选举人力量的合作成为一种典范。

路易斯安那州在接受建立一个取消种族隔离社会的挑战中所取得的进步可以如下事实证明：在登记的选民中，黑人与白人的比例和整个居民中黑人与白人的比例几乎相等。扩大权利和就业机会的可能性也是存在的。可是，该州相对不足之处仍然表现在政治腐败和由世界石油供应过剩而出现的经济衰退等方面，这是由于州政府过于依赖石油跨州税造成的结果。

Louisiana Creole 路易斯安那混合语 又译路易斯安那克里奥尔语。路易斯安那州法国人、非洲人和印第安人混血后裔所操语言。它与海地混合语有密切关系。既不要把它与居住在新奥尔良及其附近的法国上层阶级的后代所操的路易斯安那地方标准法语相混同，也不要把它与阿卡迪亚人（卡琼人）所操语言相混同。后两种语言均为法语方言，带有一些古体或地方特征；而路易斯安那混合语则是一种以法语为基础的混合语。参阅**Cajun；Haitian Creole；creole**。

Louisiana Purchase 路易斯安那购地 美国1803年自法国购买的密西西比河流域西半部地区。购地面积2 144 520平方千米，每0.004 05平方千米售价不足3分。这是美国历史上最大一笔土地交易,使美国的面积增加了1倍,极大地丰富了美国的资源,加强了美国的战略地位,并有力地推进了开拓西部的事业和进一步确定了联邦宪法中的涵蓄权力原则。1803年以前,路易斯安那地区一直为欧洲大陆多年来感兴趣的目标。17～18世纪的探险及零散移民使密西西比河及大部分河谷地带为法国所控制。七年战争期间法国第一次中断对该地区的统治。1762年将密西西比河以西的路易斯安那让给西班牙,1763年又将在北美的其余领地实际转让给了英国。但这种局面为时不长,其后在拿破仑军事统治时期,法国重新获得了统治权。1800年10月1日,在拿破仑诱劝下,西班牙国王查理四世勉强同意考虑把路易斯安那归还法国。国王至少口头应允下来,条件是法国绝不将该地转让给第三国。随着归还条约的签订(《圣伊尔德丰索条约》,1801年3月21日确认),发展中的具有商业意义的新奥尔良港及具有战略性的密西西比河河口均归法国所有。华盛顿官方很快接到所传要归还的报告,极为不安。在此前12年中,美国人已源源西迁至坎伯兰、田纳西及俄亥俄诸河流域。新移民的生存需要自由使用密西西比河,将其出口货物在新奥尔良进行转运。根据《圣洛伦索条约》,西班牙于1795年赋予美国以此项权利:准许美国国内各港口货物经密西西比河口运出而免交关税,亦允许等待转运的美国货物在新奥尔良存贮或临时存放。但在1802年美国这一权利实际上被西班牙取消。西部紧张气氛日益加剧,T.杰斐逊总统面临的前景是:墨西哥湾的战略门户将落在一位新的、狡诈的和更强有力的人物手里。杰斐逊遂令美国驻法国公使R.R.利文斯顿采取两项措施:一是去找拿破仑手下大臣C.M.de塔列朗,目的是如果此项行动尚未实施,设法阻止路易斯安那复归法国;二是如果西班牙已将该地让给法国,设法至少把新奥尔良买下来。与塔列朗的直接谈判结果似已全无达到目的之可能。数月以来,利文斯顿只能甘心于那种可望而不可及的一线希望。可是,当公使得知西班牙总督取消美国存贮货物权的消息后,甚至这种希望也破灭了。情报令公使有理由做出最坏设想:这一不利举动很可能为拿破仑所指使,下一步则将是对美国人完全关闭密西西比河。利文斯顿手中只有一张可打的王牌,即让外界知道美国要和英国建立友好关系,这种做法毕竟对美国最为有利,而在当时英美和解是拿破仑最不愿意见到的。有理由认为,法国在圣多明各战事失利、与英国重新开战的危机迫在眉睫,以及资金短缺等因素促使法国于1803年提出将整个路易斯安那地区卖给美国。此时J.门罗作为杰斐逊的全权公使抵达巴黎。尽管两位美国公使既无指示又无权力处置购地一事,但其后与拿破仑代表巴尔贝-马尔布瓦的谈判很快取得了成果。5月2日签署条约,但所注日期却提前至4月30日。根据条款,该地区以法国从西班牙手中接收时的规模卖给美国。为购得这一大片土地,美国同意立即支付1 125万美元并承担该地居民向法国索要的375万美元赔款,连同利息总计为27 267 622美元。确切地讲,所购地片不明确。条约措辞含糊,边界划分不清,未能保证确认西佛罗里达是路易斯安那的一部分,亦未确定西南部边界。对此美国谈判者十分清楚。然而在美国把路易斯安那边界确定下来之前,先出现一个购地是否合法的基本问题。宪法是否提供了这一行动的合法性?总统在原则上是一位对法律条文作严格解释之人,认为需要修改宪法以使这笔交易合法化。但参议院经过充分考虑和辩论后以24票对7票批准了该条约。划定边界有待于与西班牙和英国的谈判。就西佛罗里达及得克萨斯所有权问题与西班牙争执甚烈。终于在1819年从西班牙手中买下佛罗里达并确定了西南部边界线而告结束。该界由墨西哥湾沿萨宾河至北纬32°,向正北延伸至雷德河,沿河至西经100°子午线,然后北上至阿肯色河沿河上溯至其源头,再向北或向南(当时不知阿肯色河源头所在)至北纬42°,并沿此线向西至太平洋。北部边界于1818年由英美两国开会和平解决。以伍兹湖与落基山脉之间的北纬49°为美国-加拿大边界。落基山脉为路易斯安那地区西部边界,密西西比河从各种实用性因素考虑作为东部边界。购地的大部分地区有矿产、可耕地、牧场、森林及野生动物等资源。整个地区划分为路易斯安那、密苏里、阿肯色、艾奥瓦、北达科他、南达科他、内布拉斯加及俄克拉何马几个州,此外,还包括堪萨斯、科罗拉多、怀俄明、蒙大拿及明尼苏达等州的大部分土地。

Louisville 路易斯维尔 美国肯塔基州最大城市,杰斐逊县县城。临俄亥俄河。是包括肯塔基州杰斐逊县和印第安纳州克拉克及弗洛伊德县在内的都会区的中心。与印第安纳州的新奥尔巴尼和杰斐逊维尔通河桥。1780年设镇,1828年设市。至1811年成为边境地区和河船贸易点。1820年成为主要河港。南北战争中为军事指挥部和联邦军重要给养库。曾是逃亡奴隶的落脚点。19世纪80年代,路易斯维尔和纳什维尔铁路延伸至佛罗里达州的杰克逊维尔。第二次世界大战期间新兴多种工业,其中最引人注目的是橡胶业的发展。为威士忌酒和卷烟主要产地。也生产合成橡胶、油漆、铝制品、汽车、陶器和印刷品等。服务业占重要经济地位,特别是保健业。路易斯维尔国际机场是全国空运货物的一个中心。旅游业也是经济的重要组成部分。设有美国盲文印刷厂(1858)。路易斯维尔大学建于1798年,当时是杰斐逊神学院。罗马天主教的斯波尔丁大学(1814)和贝拉迈恩学院(1950),以及南浸礼会和长老会的神学院(前者建于1859年,后者建于1853年)均设于市内。另有美术馆和自然史与科学博物馆。1875年起,每年5月在路易斯维尔的丘吉尔丘陵草地举行*肯塔基大赛*(**Kentucky Derby**),因而该市成为马赛的象征。每年的肯塔基州交易会(美国最早的农业交易会之一)上有马术表演。此外,市内多历史建筑物。人口:市256 231;都会统计区1 025 598(2000)。

Loukaris, Kyrillos 参阅 **Lucaris, Cyril** *卢卡里斯*。

Loup River 卢普河 源出美国内布拉斯加州中东部,由北、中、南三条支流汇成。东流入普拉特县普拉特河。全长109千米。如包括北卢普河在内,则长485千米。分洪水坝和谢尔曼水坝为卢普河水力工程的一部分。

louping ill 跳跃病 又作leaping ill。主要见于绵羊的一种病毒性疾病,表现为脑炎和脊髓炎。由蓖子硬蜱(*Ixodes ricinus*)传播。其他哺乳动物包括人和林地鸟类也易感染。受染绵羊常跳来跳去,故名。本病最常见于英格兰北部及苏格兰。无特效疗法,可用疫苗预防。

Lourdes 卢尔德 法国西南部普罗旺斯-阿尔卑斯-蓝岸大区上比利牛斯省的朝圣城镇。位于图卢兹西南,比利牛斯山脚下,跨波河两岸。城镇及其要塞,在中世纪时形成一个战

卢尔德镇波河左岸的教堂
法国国家旅游局供图

略据点。百年战争期间,经过18个月的围困,法国终于在1406年从英军手里夺取了这个据点。在波河右岸的中世纪城堡建有引人注意的14世纪的防御工事。从路易十四在位(1643～1715)到19世纪初,该城堡一直是国家监狱。1858年从2月11日至7月16日一名14岁女孩在城镇附近河左岸洞穴中多次幻见到圣母马利亚。1862年教皇宣布这种异像真实可信,于是批准对卢尔德圣母的膜拜仪式,洞穴中地下水被视为神水。从此卢尔德成为一主要朝圣中心,每年有近300万朝圣者(其中有约5万名病残人)到此。由于来卢尔德朝圣者愈来愈多,洞穴上方1876年建的教堂拥挤不堪,遂于1958年建成能容纳2万人的巨大混凝土地下教堂。人口17 252(1982)。

Lourenço Marques (city and province, Mozambique) **洛伦索-马贵斯** 参阅 **Maputo** *马普托*。

Lourenço Marques, Baía de (Mozambique) **洛伦索-马贵斯湾** 参阅 **Delagoa Bay** *德拉瓜湾*。

lourie(bird)　参阅 **turaco** 蕉鹃。

louse　虱　复数作lice。虱目无翅寄生性小昆虫,3 300多种。虱目有两个主要的亚目:食毛亚目和吸虱亚目。前者的种类又称咬虱或嚼虱,寄生于鸟类及各种哺乳动物,以羽毛、鳞片、皮肤、毛发的柔软部分为食,偶食干燥的血液。后者的种类称为吸虱,仅寄生于哺乳动物,包括人类,仅以寄主的血液为食。第三个亚目象虱亚目,包含两个种,寄生于象类及非洲疣猪。虱的身体扁平,分为头、胸和腹三部分。眼、触角和口器均位于头部。偶无眼。眼仅能感受明暗。触角短。口器的结构取决于虱的类型。食毛亚目的口器适于咬嚼。吸虱的口器具3条口针,用以刺入皮肤;吸血时先分泌一种物质以防血液凝固。胸部小,具3对短足,足的末端具爪或钩,借以紧紧攀附寄主身上。腹部扁平,几为透明。虱类终生生活于寄主动物身上,唯一的例外是人的体虱,生活于衣服上。卵黏附于寄主的毛发或羽毛上,称为虮子。产卵数量甚多,在适宜条件下虱繁殖极快;据估计一只雌虱在8周左右的时间内可产生5 000只后代。虮子约1～2周后孵出若虫。若虫经过逐渐变态,蜕皮3次,约1个月后变为成虫。每一种虱均寄生于其具体的寄主,尚未有证据表明虱能转换寄主种类。在野生的寄主种个体中,虱侵染非常普遍。在驯养的动物中,严重的侵染使动物感到瘙痒难忍,动物会搔抓或在其他物体上蹭擦以缓解痒感,结果皮肤或皮毛受到损害,有时还引起继发感染。虱从一个寄主个体转移到另一个体时会传播多种疾病,包括狗的绦虫病和鼠的鼠伤寒。侵染人类的虱主要是人虱(*Pediculus humanus*)。人虱有几个变种或亚种,依侵染的人体部位命名:头虱(*P. h. capitis*)和体虱(*P. h. corporis*)。阴虱(*Phthirus pubis*)亦寄生于人类。在人口密集或卫生情况不良的条件下,虱侵染往往广泛蔓延。头虱通过人际直接接触及共用帽子、梳子等传播。体虱亦通过人际接触及共用衣服、被褥传播。阴虱主要通过性活动传播。虱侵染使人感到非常难受,并可引起继发感染,尤其是小儿的脓疱病。此外,体虱是回归热、战壕热和斑疹伤寒病原体的主要携带者。用洗头液、肥皂和含六氯化苯的洗液能迅速治愈虱侵染;预防虱的传播必须将衣服、被褥及其他共用的物品消毒。

louse fly　虱蝇　双翅目虱蝇科寄生昆虫。刺吸口器,吸温血动物的血。有翅或无翅,各属不同。有翅的虱蝇寄生在鸟身上,一般暗

虱蝇
美国不列颠百科全书公司供图

褐色,体扁平,外表革状。绵羊虱蝇(*Melophagus ovinus*)是最常见的无翅种类,约6毫米长,红褐色,寄生在绵羊身上;雌体约每周产约1条幼虫,共产10～20条幼虫;绵羊虱蝇离开寄主几天即不能存活;因能污染羊毛,使之售价降低从而造成重大经济损失;有些杀虫剂对它有效。鹿身上有弃翅虱蝇(*Lipoptena depressa*)和新弃翅虱蝇(*Neolipoptena ferrisi*),它们有时互相连成链状,第一只吸寄主的血,第二只吸第一只的血,以此类推。

lousewort　马先蒿　玄参科马先蒿属(*Pedicularis*)植物。约500种草本,遍布北半球,尤其是亚洲中部和东部山地。花两侧对称,有时很不规则,如格陵兰马先蒿(*P. groenlandica*),花粉红色,长2.5厘米,形似象的头、长鼻和耳,故俗名小象花。该属植物半寄生于其他植物的根上,家庭花园难以栽培。

披针形叶马先蒿(*P. lanceolata*)
美国不列颠百科全书公司供图

Louth　劳斯　爱尔兰语作Lú。爱尔兰伦斯特省的郡。面积821平方千米,是爱尔兰最小的郡,大部处在中央低地内,一般海拔60米。只有1/8土地未经改良。许多泥炭沼泽已经开垦,用于放牧和种植庄稼。梅里芳特和莫纳斯特伯茨有隐修运动兴盛时期的凯尔特教堂的遗迹。多盎格鲁-诺曼时代城堡。2/3人口住在城镇。邓多克和德罗赫达(**Drogheda**)为城市住宅区。邓多克是劳斯郡首府。当地农业正从小农庄式过渡到大牧场型。人口88 514(1981)。

Loutherbourg, Philip James de　卢泰尔堡(1740-10-31,富尔达修道院长管区富尔达～1812-03-11,英格兰米德尔塞克斯奇西克)　Loutherbourg又拼 Lauterbourg, Loutherbourg。又名Philipp Jakob Ⅱ。早期浪漫主义油画家、插图画家、版画家和布景透视画家,特别以风景画、战争画,以及为戏院所作富有革新精神的舞台布景设计和特殊效果闻名。最初随父(斯特拉斯堡的细密画家)学画,约1755年去法国工作。1767年被选入法国皇家绘画雕刻学院。在官方的沙龙展览会上赢得D.狄德罗的赞扬。1771年带着给D.加里克的介绍信到伦敦。1773年加里克聘他为特鲁里街剧院舞台效果正式顾问。他精心制作浪漫主义的布景,除灵巧的垂放式布景外,还使用透明布景以获得魔术般的效果。他首先使用画好的舞台垂幕,让布景的更换隐蔽在幕后进行。他担任舞台设计一直到1785年。1780年成为英国皇家学院院士。

Louvain　卢万　佛兰芒语作Leuven。比利时中部布拉班特省城市。临代勒河。有运河通布鲁塞尔以东的斯海尔德河。始建于9世纪。14世纪时,卢万成为织布业中心和欧洲最大的城市之一。1425年建立卢万公教大学。该市不仅为主要的文化中心,也是一个农业市场。工业有食品加工、酿酒、制革、机械、化工、锯木和铸钟等。该市的市政厅(1448～1463)是哥特式尖顶建筑的杰作之一。哥特式圣彼得教堂保存有两幅包茨的画和大部为马西斯的铜铁制品。人口:城市区约85 592(1993)。

卢万城貌,中间为圣彼得教堂
美国不列颠百科全书公司供图

Louvain, Catholic University of　卢万公教大学　1970年建立的比利时的两所大学,它们的前身都是1425年创办于卢万的一所著名高等教育机构。其一(Katholieke Universiteit te Leuven)用荷兰语授课,校址仍在卢万。另一(Université Catholique de Louvain)用法语授课,校址在老卢万西南偏南约24千米的新建城市新卢万。原来的大学是由教皇马丁五世应布拉班特公爵若望四世的请求创办的,组织结构仿效巴黎大学的模式。1517年,荷兰学者伊拉斯谟参与了创建卢万公教大学语言学院的工作。这所学院从事希腊语、拉丁语和希伯来语的研究。16世纪时期,利普修斯和墨卡托曾在该校任教。卢万公教大学是16世纪反对宗教改革思想的主要中心。法国革命使该校于1797年关闭,但在1834年比利时主教团重建该校,使之成为一所用法语授课的天主教大学。20世纪30年代,卢万公教大学开始用荷兰语讲授一部分课程。尽管比利时政府在此之前曾禁止大学用荷兰语授课,但由于比利时国内为数可观的荷兰语人口的压力,政府改变了它的政策。在经历学潮、民族抗议和政局动荡后,1969年该校重新改组,分为荷语和法语两个部分。1970年,分别确定了这两个部分独立的合法地位。

louver　百叶　装在门窗上,用木材、玻璃或其他材料制的平行横向板条,能通过空气或光线并可避免日晒、雨淋,或为活动式或为固定式。源自欧洲中世纪建筑屋顶上的通风小阁(多用在有开敞壁炉的厅中),现在的百叶形式即来自这种小阁洞孔的开闭装置。现

代有些通风和空调设备的进气和排气系统仍用这种形式。百叶窗是全部装有用玻璃或其他材料制作的百叶的窗。百叶门是局部装有百叶的门，以便在门关闭时通风。壁橱上有时装有百叶门。百叶天花是设在光源下的百叶，目的在于将光源隐蔽起来。

Louvet, Jean　罗维特(1934-09-28，比利时拉卢维耶尔～　　) 比利时剧作家，主要的写作题材是工人阶级的生活和苦难。矿工之子。年轻时受存在主义的影响。作品具有强烈的自传体性质，它超越了意识形态，体察了比利时南部瓦龙人的历史。1960～1961年，在经历了一连串全国大罢工和许多民间的动乱之后，他与人联合创办了拉卢维耶尔普罗剧院。他的剧作就是首次在此上演的。第一部作品《上帝的随从》(1962)是对工人阶级的异化状态作的一个说教的、不完整的幻象。其他作品有《元年》(1963；描写一位退休劳动者的梦想)、《服饰》(1979；描写对小资产阶级的批判)和《警告》(1995；又名《警告的枪声》；用戏剧形式表现了1945年召开的瓦龙会议)。

Louvet (de Couvray), Jean-Baptiste　卢韦(1760-06-12，巴黎～1797-08-25，巴黎) 法国大革命期间以吉伦特派著称的文人。在做书商期间，他就以一部放荡的小说的作者而闻名，1786～1791年陆续出版，并多次再版，书名各异，如《福布拉骑士的爱情》，有些版本则用《福布拉骑士的奇遇》。革命初期加入雅各宾俱乐部，任通讯委员会委员，1792年3月发行《哨兵报》反对宫廷的政策。该报不久就获得J.M.罗兰领导下的内务部的津贴，他并由此得以当选为卢瓦尔省出席国民公会的议员。在国民公会内加入吉伦特派并参与了向罗伯斯比尔的攻击(1792-10-29)。在审讯国王路易十六时，他投票赞成判以死刑，但缓期执行。吉伦特派垮台(1793-06-02)后，他离开巴黎避祸。结束恐怖时期的热月反动后，他于1794年10月返回巴黎，翌年3月8日再次选入国民公会。其他吉伦特派都已变成保王党，而他依然是个共和派。在督政府时代，他在五百人院中代表上维埃纳省。

Louvois, François-Michel Le Tellier, marquis de　卢瓦侯爵(1639-01-18受洗，巴黎～1691-07-16，法国凡尔赛) 即F.-M.勒泰利耶。法国路易十四时期陆军大臣(1677～1691)，对法国军队的改组做出贡献。法国最有钱有势的官员、陆军大臣M.勒泰利耶之子。在其父的培养帮助下，很早就进入陆军部，积累了许多军事管理方面的经验。1662年起获准在其父不能视事时代行其职责的权利。同年因与库唐沃侯爵之女结婚，更加提高了自己的社会地位。路易十四对西属尼德兰提出主权要求，导致法国与西班牙间爆发权力转移战争(1667～1668)，他随路易出征，经受了第一次重要考验。这次征战的军需供应不足，但卢瓦侯爵却很好地完成了自己的任务。勒泰利耶指导其子工作直至1677年他本人改任大法官为止。卢瓦侯爵后来的生涯因两件事而受到损害：①对新教徒的迫害导致1685年取消曾给予新教徒以一定自由的《南特敕令》；②对巴拉丁领地的破坏。历史学家们指责他挑起对新教徒的迫害，派军队驻入新教徒家中迫其改宗天主教。但新的研究表明，他不应对此负责。尽管他缺乏强烈的宗教感情，但有共谋的过失。作为精明的政治家，他懂得宗教的统一对路易有利，他按国王的意志行事。作为个人，他不喜欢迫害新教徒的方式，因为它会促成军纪涣散。他对破坏巴拉丁领地负有很大的责任。当路易对它提出主权要求并导致奥格斯堡联盟战争时，他毫不犹豫地动用军队。当军事上要求摧毁莱茵兰，防止它成为入侵法国的基地时，他鼓励摧毁巴拉丁领地的主要城市：沃尔姆斯、施派尔、曼海姆和海德堡。当然，卢瓦侯爵不能独自对此负责，这些行动是经过国王批准的。卢瓦侯爵和国王的关系常常是紧张的，特别在他的晚年。1683年科尔贝尔死后，他扩大了对国家事务的控制。随着卢瓦侯爵对自己意见的坚持，路易的怨忿也日益增长。终于在奥格斯堡联盟战争的困难岁月里(1689～1697)，宫廷中对他不利的传闻迅速增加。据同时代的人认为，只是由于他突然去世，才免被投入巴士底狱。然而，史学家不同意这种说法，因为临阵换帅，路易要付出的代价太大。许多史学家把改善法国军事机器的全部荣誉都归于卢瓦。其实，勒泰利耶是革新者，他只是个卓越的行政官员，完美实现其父的改革。但他的工作出色，在其死后，法国军队成为欧洲最强大的军队之一。

Louvre Museum　卢浮宫博物馆　法语作Musé du Louvre。又译罗浮宫博物馆。正式名称大卢浮宫。法兰西国立博物馆和艺术品陈列馆，设于巴黎一座巨型王宫之内。王宫建在12世纪腓力·奥古斯都所筑城堡的塞纳河右岸的遗址上。1546年，喜好收藏艺术品的弗兰西斯一世把旧城堡全部拆除，在原址上另建新宫居住，即卢浮宫，以后几乎历代法兰西君主都有所扩充。弗兰西斯一世在位期间，在建筑师P.莱斯科主持下，只完成现代卢浮宫的一小部分。原来这一部分，便是今天方宫的西南一角。17世纪时，路易十三和路易十四曾增加许多主要建筑物，形成一座综合型宫邸。路易十三的首相黎塞留枢机主教为其主搜集到许多艺术名品。路易十四及其首相马萨林枢机主教又获得若干珍贵的艺术收藏品，其中包括英王查理一世的藏品。卢浮宫列柱廊的设计，是由一个委员会负责的，委员包括建筑师C.佩罗和L.勒沃以及装饰家兼画家C.勒布朗等人。

路易十四于1682年把宫廷迁往凡尔赛，卢浮宫不再为王室所用。18世纪时，人们开始想把这里辟为一处公共博物馆。昂热维耶伯爵对于大画廊的兴建与计划安排颇多贡献，而且一直为博物馆搜求重要艺术品。1793年，革命政府把位于大画廊内的中央陈列馆向公众开放。拿破仑执政期间，开始修建方宫及沿里沃利大街的北翼厢房。19世纪时，两列主要边缘建筑连同附属于它们的画廊及展览亭，由东向西亦告竣工，拿破仑三世时开始向公众展出其藏品。全部竣工

巴黎卢浮宫博物馆
中国大百科全书出版社供图

后的卢浮宫，是一处庞大的综合性建筑群，构成两个主要的“四合院落”，各自包容一个大天井。

在20世纪80年代及90年代，卢浮宫这座巨型综合建筑物经历了一度重大的改建过程，以使古香古色的博物馆更为今日游观者所向往而感到方便。为此目的，在卢浮宫两庭院中部的拿破仑宫和竞技宫的地下，又兴建起一些宽敞的房屋和场地，有办公室、商店、展览厅、储存场地、停车场，还有一座大礼堂、一处旅游公共汽车站和一家自助餐馆。这个地下建筑群的地面入口位于拿破仑宫的中心，上部是一座钢架玻璃金字塔形结构，由美国建筑师贝聿铭设计。地下的辅助设施和游乐场所等所构成的综合体，于1989年对游人开放。1993年，在博物馆建馆200周年纪念日那天，重修的黎塞留宫邸亦对游人开放；这里原由法国财政部占用。至此，卢浮宫全部建筑都被用于文物陈列展出。新开放部分拥有展出面积超过21 368平方米，亦由贝聿铭设计，其中陈列着欧洲绘画、装饰艺术及伊斯兰艺术等珍品。新场地另有3座玻璃镶顶的内庭，里面展出法兰西雕刻艺术创作和古代亚述人的各种艺术品。地下购物中心和地下停车间亦同时开放。

卢浮宫的绘画藏品是世界最丰富的博物馆藏珍品之一，其中收有欧洲各个时期直至印象主义画派的全部代表作品。卢浮宫所藏15～19世纪法兰西名画，在世界上堪称无与伦比；此外，藏品中还有意大利文艺复兴时期画家的杰作多幅，同时有巴罗克时期佛兰德及荷兰画师的精品，收藏数量也很可观。中世纪、文艺复兴时期和现代艺术品部陈列着法兰西诸王所藏珍宝——青铜器、小画像、陶器、绣帷、首饰、家具等。希腊、罗马古文物部也展出埃特鲁斯堪艺术品，其特色是以建筑、雕刻、镶嵌及青铜器、珠宝、陶器等为主。埃及古文物部成立于1826年，用以陈列拿破仑远征埃及所获各种珍品。东方古文物部以其所藏美索不达米亚艺术品而显得极其重要。

1954年，卢浮宫博物馆另辟基督教古文物部，以陈列早期基督教文物、东正教文物以及科普特教会文物，主要有象牙琴键、象牙球、料器、瓷器、织物、金币以及希腊教会和俄罗斯教会的圣像等。

Louÿs, Pierre　卢维（1870-12-10，法国根特～1925-06-04，巴黎）　法国小说家、诗人。他的优点和局限在于以完美的手法描绘异教徒淫荡好色的生活。他经常出入于帕尔纳斯派和象征派诗人的团体，并成为作曲家德彪西的朋友。创办了一些短命的文学杂志，著名的是1891年办的《海螺号》杂志。他关于萨福爱情的散文诗《比利蒂斯之歌》(1894)，自称译自希腊文，甚至骗过了专家。描写古代亚历山大高级歌妓生活的小说《阿佛洛狄忒》(1896)使他闻名于世。最佳小说为《妇人与傀儡》(1898)，以西班牙为背景。他的文学名声主要建立在性爱描述上，而不是建立在纯粹的美学观点上，这一名声已逐渐消失。

lovage（*Levisticum officinale*）　**欧当归**　伞形科草本植物。原产于南欧。今有栽培，其茎和叶可制茶、用做蔬菜及用于食品(尤其是肉类)调味。其根茎作为驱风药，种子常作糖

欧当归（*Levisticum officinale*）
美国不列颠百科全书公司供图

果和甜露酒的调味品。欧当归有相似于芹菜的香甜味，从其开花顶枝提取的香精油可用于香料和调味品。

Lovale　参阅 **Luvale** *卢瓦勒人*。

Lovat, Simon Fraser, 11th Lord　洛瓦特勋爵(第十一)（约1667～1747-04-09，伦敦）　即S.弗雷泽。苏格兰詹姆斯党人，弗雷泽家族族长，以仇杀和多次改变效忠对象而闻名。第7代洛瓦特勋爵之孙。第9代洛瓦特勋爵死后，他强娶其夫人，从而引起与该夫人的亲属阿索尔的默里家族之间的宿仇。结果他于1698年被判死刑。经阿盖尔伯爵说项，得免一死。1701年以"奸污"罪受审。但未出庭，再次逃脱法律制裁。他前往法国，与流亡的斯图亚特王室发生接触。1703年衔詹姆斯党人的使命回苏格兰，却投靠了苏格兰政府首脑昆斯伯里公爵。回法国后被囚禁了10年。1715年逃回苏格兰，努力为当局效劳。1730年获得洛瓦特爵位。为了获得更大的报酬，他又致力于建立詹姆斯党人协会(1739)。1740年"老王位觊觎者"J.爱德华秘密封他为弗雷泽公爵。他伪装效忠乔治二世，但当詹姆斯党在普雷斯顿潘斯获胜后，他即公开支持斯图亚特王室。詹姆斯党在卡洛登战败后，他为当局所俘，1747年被处决。

Love, Augustus Edward Hough　勒夫（1863-04-17，英格兰萨默塞特滨海韦斯顿～1940-06-05，牛津）　又译乐甫。英国地球物理学家和数学家。发现一种地震波的主要类型，这种地震波后来即以其姓氏命名。1899～1940年任牛津大学自然哲学的塞德利教授职位。他假定地球由密度不同的一些同心圈层组成，并认为由于地壳与其下面的地幔之间密度不同，出现一种限于在地球表层即地壳范围内传播的地震波。他的预见由地球表层内地震波变化情况的记录证实。他提出了一种根据勒夫波的测值测量地壳厚度的方法。除在地球物理理论方面的工作之外，他研究了弹性力学，并著有《弹性力学数学理论》(共2卷，1892～1893)。

Love Canal　拉夫运河　美国纽约州尼亚加拉瀑布一邻接地区，为20世纪晚期一场环境灾难的发生地。拉夫运河原是废弃的运河，40和50年代变成胡克化学塑料公司所产生的化学废物(包括多氯联苯、二噁英和杀虫剂)的堆弃场。随后若干年内，运河被填满，并由公司交与发展中的尼亚加拉瀑布城，该城准许在上面建造房屋。但是，1978年州政府官员在该区住宅地下室中测出有毒的化学物质从地下溢出。随后的调查确定，该区居民不寻常地高度罹患染色体疾病，据推测是因长期暴露在有毒化学废物中所引起。拉夫运河大部分地区因此而撤空，废弃的土地由纽约州收购。经过长期诉讼，1 300名原先住在拉夫运河的居民同意以2 000万美元了结他们对胡克公司和尼亚加拉瀑布城的控诉，胡克公司则面临支付涉及该地区的巨额清洁费用。拉夫运河为美国史上由化学废物造成的最恶劣的环境灾难，该地名也成为其他社区遭遇类似问题时的代名词。1994年胡克公司同意支付9 800万美元赔偿纽约州政府用于清洁费用。次年该公司与联邦政府签订协议，三年内支付1.29亿美元清洁费用。

love grass　画眉草　早熟禾科画眉草属(*Eragrostis*)植物，约250种，一年生或多年生丛生禾草。原产于世界热带和温带地区。平原画眉草(*E. intermedia*)、沙画眉草(*E. trichodes*)、弯叶画眉草(*E. curvula*)在北美南部种作饲料。弯叶画眉草原产于南非，其他地方已引种观赏，可用于改造荒地或水土流失的土地。臭草(大画眉草，*E. cilianensis*)是一种一年生杂草，原产地中海地区，现传入许多地方，其叶上的腺体散发霉臭味，牲畜大量食用可致中毒。

love-in-a-mist（*Nigella damascena*）　**大马士革黑种草**　毛茛科一年生草本植物。原产于地中海地区，现栽培于全世界温暖地区的庭园。高45～60厘米。叶带状。花优美，蓝色或白色，直径约4厘米，位于一圈线状绿色苞片内，有些杂交种的花粉红色或紫

大马士革黑种草（*Nigella damascena*）
美国不列颠百科全书公司供图

色。果实球形，常带紫色。

love seat　鸳鸯椅　一种宽大的、可坐两人的椅子。17世纪末期和18世纪鸳鸯椅的早期制作者们的动机，可能并不像后人所认为的那样出于谈情说爱的考虑；他们更直接关心的，是为当时穿着宽大服装的人提供较大的空间。但是，从19世纪初期起，鸳鸯椅的制作名副其实；为强调成双的意思，椅子的两部分常被制造得更具有象征性，如制成S形。

lovebird　情侣鹦鹉　鹦鹉亚科(Psittacinae)情侣鹦鹉属(*Agapornis*)的9种小型鹦鹉，产于非洲和马达加斯加。因其羽毛艳丽，常似乎充满深情地双双偎依栖息而著名。传说

黑面情侣鹦鹉（*A. personata*）
美国不列颠百科全书公司供图

失去配偶后会悲伤而死，但这说法未能证实。体长10～16厘米，体矮肥，尾短。多数种类嘴红色，具明显的眼环。雌雄外形相似。集大群在林中和灌丛中觅食种子，可能危害庄稼。有些种类在树洞中做巢；雌鸟把筑巢材料放在腰羽下携运，使草和树叶从喙中通过而使之柔软。每窝产卵4～6枚，孵化期约20天。情侣鹦鹉在小型鸟舍中很受欢迎。不易驯化，但能学些技巧和模拟人声，好与其他鸟类争斗，声响亮粗厉。生命力强，寿命长。坦桑尼亚的黑面情侣鹦鹉(*A. personata*)体羽呈绿色，头淡黑褐色，有一条黄色带横跨胸部和后颈；笼养者常见蓝色和淡白色的变

种。最大的种类是安哥拉至南非产的玫瑰红面情侣鹦鹉(*A. roseicollis*)。

误称为情侣鹦鹉的有热带美洲森林的小鹦鹉(*Forpus* 属)及虎皮鹦鹉。参阅 **parakeet**。

Lovech 洛维奇 保加利亚中北部城镇,濒临奥瑟姆河。工业发展迅速,产品有自行车、摩托车、汽车、农机、皮革制品等。19 世纪土耳其时代晚期,在激发反土耳其精神上曾起重要作用。民族英雄、革命者列夫斯基在附近的卡克里纳被绞死。为纪念其生平,现设有列夫斯基故居博物馆。其他重要名胜有德韦塔希卡岩洞。该洞原为史前期人类住所,现辟为公园,洞内有石笋、钟乳石、地下河和瀑布。人口约51 945(1992)。

Lovecraft, H(oward) P(hillips) 洛夫克拉夫特(1890-08-20,美国罗得岛普罗维登斯～1937-03-15,普罗维登斯) 美国幻想和恐怖短篇小说与故事作家。20 世纪哥特式恐怖故事大师之一。从小对科学感兴趣,但因终身体质虚弱而未能踏进大学之门。他以受雇为人作文和加工改写为生,一生大部分时间在孤独和贫困中度过。死后作为作家的声誉日增。1923 年后,他的大部分作品发表在《离奇故事》杂志。他的克苏尔胡神话系列故事描写普通新英格兰人与可怕的外星人的遭遇。在这些短篇小说中,他将新英格兰地理和文化的详尽知识与精心构思的新奇神话融为一体。他的其他短篇小说写类似的恐怖事件,恐怖和可怕的幻想在故事里被描写得出乎意料的逼真。《查尔斯·德克斯特·沃德案件》(1928)、《在疯狂山上》(1931)和《笼罩英斯茅斯的阴影》(1936)被认为是他最优秀的短篇小说。

Lovedu 洛维杜人 又拼 Lobedu,又称巴洛维杜人(Balovedu)。南非德兰士瓦北部讲班图语的民族,其近邻是文达人和聪加人。生活以种植玉米、黍类、南瓜、花生等为主,狩猎和畜牧为辅。牛也是一种货币形式,用于某些社交及交易场合,啤酒则是传统的报偿或赔偿用的物品。聚敛财物为洛维杜人所不齿,农产品用于消费而不用于出售。洛维杜人住在有栅栏防护着的村庄里。每村拥有20～80 个可供居住、工作和社会活动的小型建筑物。村内往往有几代男性亲属同住,也有其他关系的亲属参杂其间。洛维杜人的亲属关系、政治、经济、宗教都集中于一名雨后身上,雨后据信可以祈雨以满足农耕之需。基督教在洛维杜人中间推行缓慢,但影响其文化很深;一些传统习俗如一夫多妻、精灵附体以及击鼓狂舞之类,已被认为不合时宜。洛维杜人现在被安置在莱博瓦非独立的黑人国(前班图人家园),男人到南非工矿上做工时,女人留在莱博瓦。

Lovejoy, Arthur O(ncken) 洛夫乔伊(1873-10-10,柏林～1962-12-30,巴尔的摩) 美国哲学家。以对观念史和知识论的研究而著名。曾在斯坦福大学(1899～1901)、华盛顿大学(1901～1907)、密苏里大学(1908～1910)执教。1910 年任约翰斯·霍普金斯大学教授,逝世前为该校荣誉教授。1938 年退休,这一年他创办了《观念史杂志》。他是美国大学教授协会的创建人之一。最著名的著作是《存在的巨大链条:观念史研究》(1936),它探讨了从早期希腊到 18 世纪这段时期的观念史及其意义与分支。《观念史论文集》(1948)探讨了像浪漫主义、进化主义、自然主义以及尚古主义这些一般观念,进一步表明了洛夫乔伊是美国首屈一指的观念史家。洛夫乔伊的主要哲学著作《反对二元论》企图为认识论的二元论辩护,以反对 20 世纪的一元论。最后著作《对人性的思考》(1961)以及《理性、悟性与时代》(1961)均与浪漫主义有关。参阅 **Great Chain of Being**。

Lovejoy, Elijah P(arish) 洛夫乔伊(1802-11-09,美国缅因阿尔比恩～1837-11-07,伊利诺伊奥尔顿) 美国报纸编辑,废奴主义者,美国南北战争(1861～1865)前为捍卫在北部印刷反奴隶制文章的权利而遭杀害。1827 年在密苏里州圣路易斯办学并进入新闻界,6 年后任长老会周刊《圣路易斯观察者》编辑,强烈谴责奴隶制并拥护逐步解放奴隶的主张。1835 年不顾圣路易斯市一些重要人物的联名信的威胁,他在一篇社论中重申自己的观点以及维护发表这种观点的权利。在暴力的威胁下,他的报社被迫迁至伊利诺伊州奥尔顿。但在此后一年中,仍被暴徒捣毁数次。1837 年 11 月 7 日夜,洛夫乔伊在保卫报馆时被暴徒杀害。洛夫乔伊遇害的消息震动了北方人民并极大地增强了废奴主义情绪。

Lovek 洛韦 柬埔寨在1431年暹罗国王博隆玛腊贾二世洗劫吴哥以后的首都,位于金边和洞里萨湖之间。1553 年安赞王在此兴建王宫。1594 年大城的纳腊萱占领洛韦,以后该城一直由篡位者控制,直到柬埔寨国王在葡萄牙人和西班牙人的帮助下重返该城。1618 年吉·哲塔王二世在乌栋建立新首都以后,洛韦的重要性消失。

Lovel, Francis Lovel, Viscount 参阅**Lovell, Francis Lovell, Viscount 洛弗尔子爵**。

Lovel and Holland, John Perceval, 1 st Baron 拉弗尔和霍兰男爵(第一) 参阅 **Egmont, John Perceval, 2nd earl of 埃格蒙特伯爵(第二)**。

Lovelace, Augusta Ada King, countess of 洛夫莱斯伯爵夫人(1815-12-10,米德尔塞克斯皮卡迪利特勒斯[今在伦敦]～1852-11-29,伦敦玛丽勒本) 英国数学家,C. 巴贝奇的工作伙伴。她为巴贝奇发明的首架数字计算机设计了一个程序,从而被称为第一位计算机程序设计者。她是著名诗人拜伦与夫人A. 米尔班克的女儿。她出生两月后其父母离婚。此后她父亲永离英国,因而她对生父一无所知。自小接受家庭教师教育,后来凭自学获得知识,但在进修中曾得到伦敦大学首席数学教授 A. 德·摩根的帮助。1835 年7 月 8 日,与金男爵第八 W. 金结婚;1838 年W. 金加封为伯爵,她便成为洛夫莱斯伯爵夫人。早在 1833 年,夫人即对巴贝奇的机器发生兴趣,1843 年因译注意大利数学家兼工程师 L. F. 梅纳布雷亚的论文《巴贝奇分析机原理》(1842),对该机器更感兴趣。她的详细注解,尤其是描述这部拟议中的"分析机"如何利用程序来计算伯努利数的部分,非常杰出。她指出,"分析机"编制代数模型正如雅卡尔提花织机编织花朵和叶子等图样一样。1977 年 D. L. 穆尔所著的传记《艾达·洛夫莱斯伯爵夫人——拜伦的嫡出女儿》出版。

Lovelace, Richard 洛夫莱斯(1618～1657,伦敦) 英格兰诗人、军人、保王党人。他优美的抒情诗和勇敢的经历使他成为完美的保王党人的典型。可能生于荷兰,其父当时在那里服兵役。在查特豪斯和牛津受教育。16岁时或稍后写喜剧《学者》(在白衣修士剧院上演),仅序言和后记留存至今。在反对查理一世的叛乱时期曾参加对苏格兰的征讨(1639～1640)。此间,写有悲剧《军人》,但从未上演,现已失传。1642 年回到肯特庄园,被挑选向敌对的下议院提交保王党的一份请愿书。他因此被监禁在伦敦塔,写有《狱中致阿尔西》,其中有"石墙筑不起监狱,铁栅织不成牢笼"这样的著名诗句。此后 4 年大部分在国外度过,1646 年为法国人在敦刻尔克与西班牙人作战时负伤。1648 年再次被监禁,在这期间整理出版了《卢卡斯塔》(1649)。他唯一出版的其他著作是《卢卡斯塔:理查德·洛夫莱斯先生遗诗》,其中包括《哀歌》,日期为 1660 年,由其兄弟达德利编辑整理。

Loveland 拉夫兰 美国科罗拉多州北部城市。属拉里默县,在落基山脉弗兰特岭东部,南距丹佛 72 千米,临大汤姆森河。始建于 1877 年建设科罗拉多中央铁路时期,1881年设市。现为当地所产甜菜、苜蓿、蔬菜、小粒谷类作物、樱桃、牲畜等农牧产品的加工和装运中心。制造业有玩具、电子仪器、活动房屋等制品。为附近的埃斯蒂斯公园、罗斯福国家森林和落基山国家公园的旅游基地。人口:市50 608;柯林斯堡-拉夫兰都会统计区251 494(2000)。

Lovell, Sir (Alfred Charles) Bernard 洛维尔(1913-08-31,英格兰格洛斯特郡奥尔德兰德康芒～2012-08-06,柴郡斯韦顿纳姆) 英国射电天文学家,英国焦德雷尔班克实验站的奠基人和站长(1951～1981)。洛维尔曾就学布里斯托尔大学,1936 年获得博士学位。一年后,任曼彻斯特大学物理学讲师,为该校的一个宇宙线研究小组成员,直到 1939 年第二次世界大战爆发才中断。当时,他出版了第一本著作《科学和文明》。第二次世界大战期间,他服务于空军,从事有实用价值的雷达探测和雷达导航的研究,为此,于 1946 年荣获大英帝国勋章。1945 年返回曼彻斯特大学继续任物理学讲师。洛维尔得到了一个退役的军用雷达,用之研究宇宙线。由于周边城市的干扰防碍了他的科研,遂将包括一个探照灯基架在内的设备迁往曼彻斯特以南约 20 英里处的一片开阔的田野焦德雷尔班克。不久,校方同意将这块曾属于大学生物系的土地,提供给他作为一个永久性机构的基址，并资助他利用探照灯基架作为基墩，建成他的第一台射电望远镜。

洛维尔最早用他的射电望远镜研究的是流星观测。大约在此15年之前，当一些天文学家发现，当某些流星雨出现时，有射电波从流星上弹回，目视观测到的流星数远少于射电回波记录的数目，表明流星雨中实有的流星数量比看到的多。为了测定回波是否源出于流星，洛维尔于1946年10月9～10日之夜，用他新建的射电望远镜观测一个特定的强而密的流星雨。伴随着流星雨的星数从最初的增多到最后的减少，仪器的传输机上的射电信号来自流星雨方向。整个夜晚，不仅光波流星的数目和接收到的射电回波的数目相符，两组观测的计时也与预期的一致，从而得出射电回波源于流星的结论。洛维尔根据这一事实，将他的射电技术应用探测出现于白天因而不为人所知的流星雨。进一步的实验表明，流星的轨道为椭圆形，从而证实它们是太阳系的成员，而非源出星际空间。1947年，洛维尔升任曼彻斯特大学高级讲师，1949年为荣誉高级讲师，1951年晋升为射电天文教授，直至1980年。在此期间，他着手规划并筹建更大和更先进的射电望远镜，并于1957年建成一台口径250英尺的、在世界上是同类型中最大的一个。该仪器基架每分钟沿地平方向自转20°，反射镜面则每分钟沿垂直方向运行24°。随着望远镜建设的进展，他发表的著作有：《射电天文学》(1952)、《流星天文学》(1954)和《空间的射电探索》(1957)。

鉴于当时的空间探索即将来临，他奋力于苏联发射人造卫星之前建成其射电望远镜，并成功地跟踪观测了1957年10月4日上天的第一颗苏联人造卫星，从而率先展示了新射电望远镜应用的前景。此后，焦德雷尔班克巨型射电望远镜就成为精确测定人造地球卫星、空间探测器以及载人宇宙飞船的非常得力的工具，也是传输空间探测器运载的仪器搜集的资料和数据的独特工具。1958年，英国广播电台邀请洛维尔在电台作了一系列科普讲话，取名为“里思讲座”，后汇集成书《个人和宇宙》，于1959年出版。他于1961年受封为爵士，以表彰他在射电天文领域所做的开创性研究。那年在焦德雷尔班克已有20项射电天文课题取得进展。其中一批研究工作在他的专著《外层空间的探索》(1961)中有所论述。此后，他的研究领域主要集中在：宇宙学、外层空间的射电（其中也包括1968年发现的脉冲星的射电）、遥远的类星体的角直径测定，还有耀星。洛维尔荣获多所科学机构和院校的荣誉学衔和一些科研单位和组织的名誉会员称谓。1955年当选皇家学会会员，1960年荣获皇家奖章。1969～1971年任皇家天文学会主席，1981年被授予皇家学会金质奖章。

Lovell, Francis Lovell, Viscount　洛弗尔子爵（1454～1487?）　Lovell又拼Lovel。英格兰政治家，在15世纪80年代的王朝斗争中支持国王理查三世，领导第一次叛乱，反对理查的敌人、王位继承者亨利七世，后来参加骗子西姆内尔(**Simnel, Lambert**)的叛乱。蒂奇马什的洛弗尔男爵第八约翰之子。在1480年对苏格兰的远征中被格洛斯特公爵理查（后来的理查三世）封为骑士，1483年1月封子爵。理查三世在位时期(1483-06～1485-08)他一直是国王的侍从。1485年他为理查在博斯沃思原野对里奇蒙伯爵（后来的亨利七世）作战。理查阵亡后，他至科尔切斯特圣所，翌年逃出，在约克郡领导一场对亨利七世有可能造成危险的叛乱，但组织得很差。叛乱失败后，他逃往尼德兰。1487年5月与林肯伯爵约翰·德拉·波尔一起前往爱尔兰。他们支持骗子“国王爱德华六世”，率德意志雇佣军入侵英格兰，6月被亨利七世的军队在诺丁汉郡东斯托克击败。此役之后，洛弗尔杳无音讯。1708年在牛津郡的一个秘密地窖里发现一具坐在桌前的骸骨，据信洛弗尔是躲藏在那里死去的。

Lovell, James A(rthur), Jr.　洛弗尔（小）（1928-03-25，克里夫兰～　　）　美国航天员。1970年险些发生严重事故的“阿波罗”13号月球飞行的指令长。1952年毕业于马里兰

美国国家航空和航天局供图

州安纳波利斯海军学院。曾任美国海军试飞员，1963年参加载人航天计划。1965年12月4日，他与F.博尔曼参加“双子座”7号创纪录的14天飞行，并第一次成功地在太空与晚11天发射、由W.M.小希拉和T.P.斯塔福德驾驶的“双子座”6号会合。他还与E.奥尔德林参加了1966年11月11日发射的“双子座”12号的4天轨道飞行，这是“双子座”系列的最后一次飞行。1968年12月21日，他同博尔曼、W.安德斯乘“阿波罗”8号发射，作第一次载人环绕月球飞行。这次飞行是“阿波罗”11号登月飞行前3次准备飞行中的第一次。航天员F.W.海斯、J.L.小斯维格特和他乘坐的“阿波罗”13号于1970年4月11日起飞，飞往月球上的弗拉-毛罗环形山区。4月13日在离地球约330 000千米处，因服务舱的氧气瓶爆炸破裂，造成动力和氧气不足，被迫中断登月飞行。“阿波罗”13号的乘员组改变航线，绕月飞行一圈后就返回地球。到“阿波罗”13号于4月17日成功地返回时，洛弗尔的航天飞行时间记录已超过715小时。1971年他任休斯顿约翰逊航天中心的副主任。1973年从海军和航天计划退役。

Lovelock, Jack　洛夫洛克（1910-01-05，新西兰库欣顿～1949-12-28，纽约市）　新西兰田径运动员。1936年在奥运会上爆出冷门，以3分47.8秒的成绩获胜并创1 500米赛跑世界纪录。该成绩保持至1941年。原来，他曾于1933年7月在美国新泽西州普林斯顿以4分7.6秒跑完1英里，创世界纪录。由于美国选手坎宁安于1934年打破此项纪录，因此在1936年奥运会上呼声甚高，不料洛夫洛克巧妙安排速度，出奇制胜。

Lover, Samuel　洛弗（1797-02-24，都柏林～1868-07-06，泽西岛圣埃利耶）　爱尔兰出生的英国小说家、歌词作家、画家。早年自学，他不愿继承父亲证券经纪人的事业而成为一个成功的画家，主要绘肖像。他还写歌词，著名的有《罗西·奥莫尔》(1826)。他曾把这首歌改编为长篇小说(1837)和剧本(1837)。最著名的长篇小说是《汉迪·安迪》(1842)。由于视力恶化而不得不放弃绘画。

Lovett, William　洛维特（1800-05-08，英国康沃尔纽林～1877-08-08，伦敦）　英国宪章运动领袖，要求选举改革的《人民宪章》的主要起草人。原在伦敦做细木工。他自学经济学和政治学，成为空想社会主义者R.欧文的信徒。1829年任英国合作知识促进协会名誉秘书。1836年与另外一些伦敦的激进分子创办伦敦工人协会，两年后协会公布《人民宪章》。他主张温和路线，与宪章运动强硬派领袖F.奥康纳意见相左。因此，虽然1839年他任宪章运动全国代表大会秘书，但起的作用不大。大会期间在伯明翰发生宪章运动者的骚乱，他被逮捕入狱1年。在狱中与同狱的J.科林斯写成《宪章运动：人民的新组织》一书（参阅**Chartism**）。1841年创立全国人民政治与社会改良促进协会。1857年以后为工人阶级写作许多教科书。其自传于1876年出版。

Lovin' Spoonful, the　爱之匙乐队　美国60年代中期的民谣摇滚乐队。最初成员有J.塞巴斯蒂安、Z.亚诺夫斯基、S.布恩和J.巴特勒。后来加入的有J.耶斯泰尔。1965年成立于纽约格林尼治村，创造出欢快的音调和卡通的形象。该乐队演唱的民谣摇滚融入了熟练的音乐技巧、插科打诨、布鲁斯以及即兴坛罐乐队的打击乐（英国摇滚中占重要地位的噪音爵士乐），创作出7首排行榜前十名的单曲。首张专辑《你相信魔力吗?》(1965)和《纳什维尔猫》(1966)歌颂音乐的解放力；其他专辑有温柔浪漫的《你不用这样好》(1966)、《白日梦》(1966)、《你曾下定过决心吗?》(1966)和异常喧闹的《城市之夏》(1966)。主要歌曲作者塞巴斯蒂安（也是主唱、吉他手、口琴手和自动竖琴手）和主吉他手亚诺夫斯基都唱过民谣；低音乐手布恩和鼓手巴特勒曾经演奏过摇滚乐。他们创作了5张专辑，曾为两部电影配音，1969年解散。亚诺夫斯基因吸食大麻被捕，于1967年离开乐队；塞巴斯蒂安1968年离开乐队。90年代乐队重新组合（塞巴斯蒂安和亚诺夫斯基二人除外）举办演唱会。2000年入选摇滚乐名人堂。

loving cup　赞颂杯　大型双耳杯。常用银制，可以制成多种形状。过去在结婚、宴会或聚会上，可以由许多人共同使用一只赞颂杯

P.德拉梅里制作的镀银带盖英式赞颂杯
纽约大都会艺术博物馆供图

祝酒，象征着友谊和团结。赞颂杯经常作为奖品发给比赛或其他竞技的优胜者。法国的婚礼杯是一种底部稍浅的赞颂杯。

Low, Sir David (Alexander Cecil)　洛(1891-04-07，新西兰达尼丁～1963-09-19，英国伦敦)　新西兰出生的英国记者，当代最伟大的政治漫画家和讽刺画家之一。自学成才，11岁便向报刊投稿，17岁时开始当专业画家，1911年起在澳大利亚悉尼的《公报》周刊工作。由于作冒犯澳大利亚工党首相休斯的漫画(《比利传》，1918)而获名声。1919年应邀到英国，在《明星报》工作到1927年。后入比弗布鲁克爵士的《旗帜晚报》，大力反对该报所持右翼政见，并创作了最为优秀的作品，如《毕林普上校》等。第二次世界大战期间及以前的数年，他的政治漫画达到顶峰，赢得世界声誉，也受到希特勒的极端仇视。作品立意纯朴，运笔娴熟，感人甚深，特别是在有关法西斯主义和压迫等大是大非问题上尤其如此。这类题材的许多作品收在《愤怒的年代》(1949)中。1908～1960年共出版30部画集。《自传》于1956年问世。1962年受封为爵士。

Low, Sir Hugh　洛(1824-05-10，英国伦敦克拉普顿～1905-04-18，意大利阿拉西奥)　马来半岛第一任成绩卓著的英国行政官。原在婆罗洲北的拉布安小岛上当殖民官员30年。他在那里取得行政经验，能操流利的马来语，并以博物学家闻名。1877年4月起任霹雳的驻扎官12年。他创立邦议会，网罗当地的马来人、华人和英国人领袖为议员。同时，还大批任用马来人当官。在注意不让马来人拥有真正独立的同时，他还成功地在一个种族和文化混杂的国家建立起一个有效率的行政制度。

Low, Juliette Gordon　洛(夫人)(1860-10-31，美国佐治亚萨凡纳～1927-01-18，萨凡纳)　婚前名Juliette Magill Kinzie Gordon。美国女童子军创始人。1886年嫁与W.M.洛(1905年卒)。在英格兰旅行时，她遇见童子军创始人、将军罗伯特·巴登-鲍威尔爵士。由于她对英国女童子军感兴趣，乃于1912年在萨凡纳组织了美国的首批女童子军。这项运动发展迅速，遂致力于建立一个全国性机构，并且于1915年创立了美国女童子军。作为女童子军的负责人，她遍游全国，募集资金，扩大童子军人数。1919年代表美国出席首届国际女童子军会议。1927年去世时，美国各州的女童子军人数均已超过14万人。21世纪初，其成员数量已达到370万。

Low, Seth　洛(1850-01-18，美国纽约布鲁克林～1916-09-17，纽约贝德福德希尔斯)　美国市政改革者、大学创办人、慈善家。他在任哥伦比亚学院院长期间，将其从一所城市拥挤街区的小学院转变成一所规模宏伟的大学。1870年毕业于哥伦比亚学院，随即参加他父亲兴旺的进口商务，并成为丝业界巨擘。曾两度当选布鲁克林市长(1881～1885)，以改革文官制、提高行政效率、改组公立学校以及提倡地方自治而闻名。1890～1901年任

美国国会图书馆供图

哥伦比亚大学校长。通过吸收或联合的办法，使内科外科医学院、巴纳德学院、师范学院以及其他附属机构更密切地纳入大学的体系，并建立大学评议会以及哲学和纯科学两个研究生院。他的慈善行为表现在：捐赠新校园内壮观的中央大楼，出资支持各种教授讲席，通过F.巴纳德资助妇女教育。1899年为第一届海牙和平会议的代表。1901年当选纽约市长，废除市政中的家长制，做出按经商原则管理市政的实例。1903年未获连任，但继续从事杰出的公共服务，作为亚拉巴马州塔斯基吉学院校董会主席(1907年至逝世)，他尽力促进黑人的教育事业。

low comedy　低俗喜剧　戏剧性或文学性的娱乐节目，用夸口吹牛、噱头笑话、醉后胡诌、打情骂俏、插科打诨、打打闹闹以及其他狂欢放纵的活动以博一笑。低俗喜剧可以单独演出，也可以作为滑稽场面加在较严肃的戏剧形式之中。它源于古希腊罗马喜剧中演员的喜剧式即兴表演。在中世纪宗教剧、莎士比亚戏剧以及闹剧和歌舞杂耍表演中，在电影喜剧演员的滑稽动作和电视中，均可看到这种低俗喜剧形式。

Low Countries　低地国家　欧洲西北沿海地区，包括比利时(**Belgium**)、荷兰(**Netherlands, The**)和卢森堡(**Luxembourg**)。又称比荷卢三国(Benelux countries，由3国国名的头两个字母组成)。东接德国，南临法国。于1947年建立比荷卢关税同盟，其后逐渐发展到1960年签订条约，成立比荷卢经济同盟。这些国家沿北海海岸的许多土地以及深入到内地若干距离的土地，或低于海平面或只略高于海平面，故称为低地国家。如荷兰有1/4以上土地低于海平面。自然沙丘和一系列人造海堤和堤防使这片由人工排干形成的大多低于海平面的平坦国土免遭水灾。鹿特丹以北的亚历山大王子低地低于海平面6.7米，是低地国家中的最低点。主要河流有斯海尔德河、默兹河及莱茵河下游的几条支流，它们由广泛分布的运河和航道网相连接。斯海尔德河、默兹河和莱茵河诸三角洲及须得海等处已开拓出8 000多平方千米良田。须得海原是北海伸入荷兰西北海岸深处的一处浅海湾。在种族上，低地国家形成了西欧的古日耳曼语与拉丁语继承者之间的过渡地带。荷兰和比利时北部操荷兰语(日耳曼语族)及佛兰芒方言，而比利时南部则操法语(罗曼语族)及瓦隆方言。在卢森堡，多数人操卢森堡语(一种德国方言)。比利时和卢森堡的人口大部分是天主教徒，而在荷兰则天主教徒和新教徒各占一半。低地国家人口密度在欧洲乃至全世界均属最高之列。这3个国家都已高度城市化，该地区的总人口中约有9/10住在城市或城市化的社区。比利时的布鲁塞尔和安特卫普，荷兰的阿姆斯特丹、鹿特丹和海牙，均为欧洲主要城市。低地国家是世界上工业化程度较高的地区之一，其市场经济主要依靠对外贸易。为了有助于保证和保护他们的贸易，他们率先进行经济合作，并于1922年结成比卢经济同盟，第二次世界大战后建立了比荷卢联盟。该同盟允许三国间人口、商品、资金及劳务自由流动，协调三国的经济、财政及社会各领域的政策，并实行共同的对外贸易政策。1958年创建欧洲经济共同体的6国中便有这3个低地国家。公元前1世纪低地国家被罗马人征服，并一直受罗马人统治，直到5世纪初才改由法兰克人所控制。9世纪中叶，法兰克的加洛林帝国崩溃后，低地国家地区涌现出若干行政单体，其中有佛兰德郡、布拉班特公爵领地、荷兰郡和列日主教管区。15世纪和16世纪初，勃艮第公爵家族及后来哈布斯堡王朝的统治给这个地区带来一定程度的统一和稳定。1568年发生叛乱，反抗西班牙哈布斯堡王朝的统治。12年后，在新教徒占优势的北方各省建立了荷兰共和国，即联合省。1648年西班牙正式承认荷兰的独立。17世纪期间，联合省始终是欧洲商业强国之一。1795年，低地国家受革命的法国统治，1814年重新结合为独立的荷兰王国。但是南方各省，由于在17世纪和18世纪(到1795年)期间仍受哈布斯堡王朝的统治，而且大多数人口为天主教徒，此时起而反抗北方，并于1831年成立独立的比利时王国。卢森堡在历史上长期是神圣罗马帝国的侯国，于1815年建立大公国，作为单独的国家由荷兰国王统治。1890年，这种联盟关系结束。第一次世界大战期间，荷兰保持中立，而比利时和卢森堡则被德军占领。第二次世界大战期间，低地国家都遭受德国的蹂躏。

战后，3国都放弃中立政策，并成为北大西洋公约组织的创建成员国，后又发展成关税同盟，并于1960年扩大成为比荷卢三国经济联盟。低地国家实行世袭君主立宪制，政府形式采用议会制。

lowboy 矮屉柜 指装有4或6条腿和2或3个抽屉的小梳妆台。有些类似高屉柜(highboy)的下半部分，常与高屉柜配合制造。1750年以前制作的样式中柜腿由横木连接，此后通常采用弯脚。

Lowden, Frank Orren 洛登(1861-01-26，美国明尼苏达森赖斯市～1943-03-20，亚利桑那图森) 美国律师、政治家，伊利诺伊州州长(1917～1921)，1920和1928年的共和党总统候选人提名的主要竞争者。早年由明尼苏达迁至艾奥瓦，在农场工作，在学校教书，并上大学。后去芝加哥学习法律，毕业不久便成为著名的公司法律顾问。在从事法律和政治工作的全部时期，始终热衷于农业，在伊利诺伊州自己的大农场里实行科学种田。1906年进入众议院后，成为维护农业利益的发言人，支持有利于农场主的立法。在众议院工作至1911年。1917年当选为伊利诺伊州州长，这一职务使他得到全国的注目。他极力拥护美国参加第一次世界大战，开始实行在伊利诺伊州全境修建公路和运河的广泛计划，并开始进行一系列的赋税改革。到1920年，他已成为共和党领导人之一。但在同年举行的共和党全国代表大会上，他与L.伍德将军在竞选总统候选人提名上僵持不下。在第9轮投票时，两人都被迫为W.G.哈定让路。1924年党内提名他为副总统候选人，但他未参加竞选。4年以后，他在试图获得共和党总统候选人提名时再次遭到失败，这次是败给H.胡佛。此后他再未担任公职，但在整个大萧条期间他仍然鼓吹联邦应帮助农场主。

Lowe, Doug 洛(1902-08-07，英格兰曼彻斯特～1981-03-30) 英格兰中程赛跑运动员。先后在1924年巴黎奥运会和1928年阿姆斯特丹奥运会上获800米赛跑金牌。曾在剑桥大学学习法律，成为该校赛跑冠军。佩尔泽曾于1926年在伦敦胜洛；1928年洛参加奥运会之余，乘胜前往柏林与佩尔泽比赛，胜佩尔泽。洛是一名讲究策略的赛跑运动员，注重在比赛中取胜而不在乎提高速度，他通过使用一种冲刺技术得到好成绩。

Lowe, Sir Hudson 洛(1769-07-28，爱尔兰戈尔韦郡戈尔韦～1844-01-10，英格兰伦敦) 英国将军。1793年起，他在英法战争中几次担任指挥官。1816年到拿破仑被流放的圣海伦娜岛任总督。由于对拿破仑进行严格的管制而受到舆论的指责。1817年拿破仑患重病时，他也没有采取任何措施来改善生活条件。1821年5月拿破仑死后，他返回英格兰。后来，他指挥驻锡兰的英军(1825～1830)。

Lowe, Robert 洛 参阅Sherbrooke, Robert Lowe, Viscount 舍布鲁克子爵。

Lowell 洛厄尔 美国马萨诸塞州东北部城市，米德尔塞克斯县城市。在波士顿西北40千米，位于康科德与梅里马克两河汇合处。是全国第一个规划的工业城市。1653年创建，初为农业社区，称作东切姆斯福德。因有梅里马克河的波塔基特瀑布(10米)丰富的水力，加之米德尔塞克斯通波士顿的运河于1803年竣工，19世纪初发展成为重要的棉纺业中心。1824年运河成网，为梅里马克河沿岸众多纺织厂提供便利。1826年设镇，以纺织业开拓者洛厄尔名字命名。1835年波士顿—洛厄尔铁路修通，该镇得到进一步发展。至19世纪中期，洛厄尔已成为美国重要工业城市之一。因其纺织业发达，曾有“纱锭城”和“美国的曼彻斯特”之称；亦引起狄更斯和特罗洛普等欧洲作家兴趣，在他们作品中有对该镇印象的描述。1924年前后纺织业发展极盛，后出现衰退，纺织厂逐渐迁至南部诸州，经济呈现多元化。现有电子、化工、纺织等工业。医疗保健、高等教育及其他服务业亦占重要经济地位。画家惠司勒出生地现辟为艺术馆。洛厄尔州立学院(1894)与洛厄尔技术学院(1895)于1975年合并成为洛厄尔大学。洛厄尔国家历史公园建于1978年，以纪念美国最早的纺织厂。1836年建市，人口：市区105 167；洛厄尔主要都会统计区301 686(2000)。

Lowell, A(bbott) Lawrence 洛威尔(1856-12-13，美国马萨诸塞波士顿～1943-01-06，波士顿) 美国律师和教育家，哈佛大学校长(1909～1933)。领导该校取得重大的学术发展。出身波士顿望族，是天文学家柏西瓦·洛威尔和诗人艾米·洛威尔的兄弟。毕业于哈佛大学(文学士，1877；法学士，1880)，在波士顿做律师达17年，继而在哈佛大学任教。1909年任校长。数年之内修正了前任艾利奥特的选修制；设计综合考试，以补偿课程支离孤立之弊；实施个别辅导方案以补充本科的课堂讲授。任内学生人数增加了2倍，教师人数增加了近3倍；外界捐款由2 200万美元增加到1.3亿美元；增建了建筑、企业管理、教育、公共卫生等新的专业学院。他对美国教育的影响反映在《原则问题上的冲突》(1932；修订版，1956)和《向美国学术传统开战》(1934)两书中。

Lowell, Amy 洛威尔(1874-02-09，美国马萨诸塞布鲁克莱恩～1925-05-12，布鲁克莱恩) 美国女作家、演说家、意象派最主要的诗人。出身波士顿著名的洛威尔家族。28岁起即开始致力于诗歌创作，但直到1910年才有作品发表。1912年出版第一部诗集《彩色玻璃大厦》，1914年又出版诗集《剑刃与罂粟花籽》，其中包括她最初的自由诗及她所称的“多韵散文”。《一则评论性寓言》(1922)是她模仿亲属J.R.洛威尔的《写给评论家的寓言》写成并匿名发表的，在她披露其为作者之前曾引起广泛猜测。此后，她活泼、有力的个性，以及她的独立性和热情使她成了引人注目的人物。在她取代E.庞德成为意象派的领袖之后，庞德便立即改称意象派为“艾米派”，以表达对她我行我素品格的赞扬。虽然她勇于探索新的形式和技巧，但创作上仍安于保守，保持诗的固定格式，并于晚年同一切激进的诗歌流派断绝关系。《紫丁香》和《模式》是最经常被收入诗选的两首诗。她的作品还有《法国六诗人》(1915)、《现代美国诗歌倾向》(1917)、《坎·格兰德的城堡》(1918)、两卷本传记《约翰·济慈》(1925)、《几点钟》(1925)、《东风》(1926)和《出售的歌谣》(1927)。她的《诗歌全集》出版于1955年。洛威尔还为杂志写有评论性文章，并且经常发表演说。

Lowell, Francis Cabot 洛威尔(1775-04-07，美国马萨诸塞纽伯里波特～1817-08-10，波士顿) 美国纺织商，世界第一家包括从原棉到成品布全部工艺过程的纺织厂的主要创办人。1810～1812年访问不列颠群岛，深入研究了兰开夏和苏格兰的纺织工业。返美后他同P.T.杰克逊、N.阿普顿合伙，于1812年在马萨诸塞州沃尔瑟姆成立波士顿制造公司。他和发明家P.穆迪合作设计成功高效率的力织机和纺纱装置。他的工厂良好的工作条件和他为工人建造的舒适住宅，为当时作出了榜样。

Lowell, James Russell 洛威尔(1819-02-22，美国马萨诸塞剑桥～1891-08-12，剑桥) 美国诗人、评论家、散文作家、编辑、外交家。在提高美国人对文学的兴趣方面起了很大作用，为美国文坛一代宗师，但其声名在20世纪有所下降。

美国国会图书馆供图

洛威尔出身于新英格兰一名门望族，1838年毕业于哈佛大学，1840年获法学学位。他在学术上并无特殊成就，也无意于从事律师业务。1844年他与颇有才情的女诗人玛丽·怀特结婚。他们之间的爱情使他写下了诗集《生命中的一年》(1841)中的那些诗，玛丽则竭力鼓励他有所建树。

1845年，洛威尔出版了《谈古代诗人》，在这些评论文章中他呼吁废除蓄奴制。1845～1850年，他在各种期刊上发表了50篇左右的反对蓄奴制的文章。他的《比格罗诗稿》于1846年6月17日开始在杂志上逐期发表，于1848年出第一集。这些讽刺诗对废奴运动尤有影响。洛威尔在这些用早期新英格兰的充满谐趣的方言写成的诗中反对墨西哥战争，认为战争为的是要扩大蓄奴制的疆土。1848年他还发表了两篇极为重要的诗作：《朗弗尔先生的梦幻》和《写给评论家的寓言》。前者是一首大受欢迎的长诗，歌颂四海之内皆兄弟的境界；后者则为对当代美国作家的评估，妙趣横生，令人捧腹。同年还出版了他的第二本诗集。这些诗作使洛威尔声名大噪，成为美国文坛上的新星。

1853年，他的子女中有3人相继死去，接着他的妻子去世。此后他的文学作品主要是讨论文学、历史和政治中一些问题的论说性文章。1855年，他在洛厄尔学院讲学，随即被聘为哈佛大学近代语言教授，接替朗费罗。1855～1856年在意大利和德国学习1年之后，在哈佛任此教席达20年之久。1857年他与一直在照料他剩下的唯一孩子梅贝的弗朗茜丝·邓拉普结婚。同年，他开始主编新创立的《大西洋月刊》共4年。他吸引了著名的新英格兰作家为该刊撰稿。他本人写了又一系列的《比格罗诗稿》在该刊发表，宣扬合众国思想，于1867年结集出版。在美国南北战争结束之后，他写了4首纪念性颂歌来宣传他的建立合众国的主张，其中最为出色的是《哈佛纪念会上朗诵的颂歌》(1865)。他的论文如《合而为一》和《洗裹尸布的人》(1862)也反映了他当时的思想。

美国总统格兰特前后两任期间，政治腐败，洛威尔为之痛心，于是努力在他的作品中提供一些英雄主义和理想主义的典范。在1864～1872年，他与诺顿共同主编《北美评论》，此时他发表了评介但丁、乔叟、斯宾塞、弥尔顿、莎士比亚、德赖登、华兹华斯、济慈诸大家的论文。这些以及其他论文收在先后两集《在我的书海中》(1876)。在后期长诗《大教堂》(1870)中，他雄心勃勃地试图回答宗教和现代科学彼此冲突的要求问题，但仅获有限的成功。

洛威尔曾在1876年共和党全国代表大会上支持海斯竞选总统；海斯当选后，作为回报任命他为驻西班牙公使(1877～1880)和驻英国大使(1880～1885)。他在任内赢得英国文艺界和政界的极大赞誉，接替阿诺德为华兹华斯学会主席。1885年其续弦妻子去世后，他退出公众活动。

洛威尔是新英格兰文人的典型，他的修养与魅力，精深的学识与多方面的文学才能，都不同寻常。然而他的最优秀的作品均在他30岁之前写成。他的后期作品大多缺少活力。他的作品，精彩的只是部分，就总体而言则缺乏重心，且在早年令人瞩目的成功之后即难以为继。

Lowell, Josephine Shaw　洛威尔(夫人) (1843-12-16，美国马萨诸塞西罗克斯堡～1905-10-12，纽约州纽约)　母家姓 Shaw。美国女慈善家和社会改革家。主张慈善事业不仅应减轻受惠者的痛苦，还应当妥善安置他们。出身于波士顿一个富有的家庭，幼年随父母到国外旅行近5年，曾在巴黎、罗马等地就学，后在纽约市及波士顿完成学业。1863年嫁给马萨诸塞第二骑兵上校C.R.洛威尔，一年后洛威尔在弗吉尼亚锡达河战役中受伤而死。洛威尔夫人在美国内战后开始从事慈善事业，积极参加纽约全国自由民救济协会的工作。1876年任纽约慈善委员会第一名妇女委员，直至1889年。根据她在该机构进行的调查，1885年在美国成立了第一所低能妇女收容所，1886年成立妇女救济院(后改为州立青年妇女培训学校)。1882年洛威尔夫人参与创办纽约慈善组织协会，领导该协会25年；在此期间曾撰写大量论文，讨论救济工作的理论基础。所著《社会救济与私人慈善事业》(1884)一书，影响很大。她曾与他人合作成立纽约消费者联盟(1890)、妇女地方自治联盟(1894)和纽约州民政改革协会(1895)。除了《社会救济与私人慈善事业》之外，她还发表了约40篇有关战争的报告和讲演词，并参与劳工运动及反对帝国主义运动。

Lowell, Percival　洛威尔 (1855-03-13，美国马萨诸塞波士顿～1916-11-12，亚利桑那弗拉格斯塔夫)　又译洛韦尔。美国天文学家，曾预言冥王星的存在并组织搜寻，导致该行星

利克天文台档案馆供图

的发现。他是马萨诸塞州有名望的洛威尔家族的一员(A.L.洛威尔和A.洛威尔是其兄弟)，1883～1893年从事文学和旅游活动，大部分时间是在远东，在他所写的《朝鲜》(1886)、《远东的精神》(1888)、《能登》(1891)和《神秘的日本》等书中就有关于这方面的记述。在此期间，他还曾担任过一段时期的朝鲜派驻美国特别使团的顾问和外籍秘书。19世纪90年代，他受G.斯基帕雷利有关发现火星"运河"报道的吸引，决心把他的财富和精力用于研究火星。经过认真选址，他在弗拉格斯塔夫建造了一座私人天文台。他提出过一种现已抛弃的理论，即火星上的智能居民在整个星球上修建了灌溉体系，以利用极冠处每年融化的水。他认为那些运河就是依赖灌溉体系生长的植物带。他写过许多有关这一内容的书，其中一本名为《火星及其运河》(1906)。1965年7月，美国"水手"4号行星探测器在飞经火星时所得到的资料，使洛威尔这一多年遭到反对的理论彻底破产。20世纪初，他还曾用数学方法深入研究过天王星的轨道。他把天王星轨道的某些不规则性归之于海王星以外一颗未知行星的作用并计算出它的位置。1905年，他组织天文台人员对该行星作系统的搜寻，1915年还发表《论海王星以外的行星》一书。在他逝世14年后，这项搜寻工作终于以成功地发现冥王星而告结束。

Lowell, Robert (Traill Spence), Jr.　洛威尔(小) (1917-03-01，马萨诸塞波士顿～1977-09-12，纽约州纽约)　美国诗人。以所作复杂的自传性诗歌知名。洛威尔长于波士顿，为J.R.洛威尔的侄曾孙，A.洛威尔、P.洛威尔和A.L.洛威尔的远房堂兄弟。他对本家族的清教徒传统感到厌弃，很大程度上这是由于他厌恶那种醉心于金钱的积累的心态。但同时他又一直对这种传统感到兴趣，这成为他的许多诗歌的题材。他先就读于哈佛大学，在受了南方形式主义诗派影响之后，转至俄亥俄州甘比尔的凯尼恩学院。当时即兴诗派主要代言人兰塞姆在该学院任教。1940年毕业后，与小说家斯塔福德结婚，并暂时改宗罗马天主教。

第二次世界大战期间，他出于人道原因拒服兵役，被判徒刑一年零一天。他在康涅狄格州丹伯里的联邦监狱服刑5个月后出狱。他的诗《在囚笼里》记叙了这段经历，此诗收入诗集《威利爵爷的城堡》(1946)中。以后收在《人生写照》(1959)中的《回忆西大街和勒普克》则说得更为详尽。他的第一本诗集《异地》(1944)描绘一个处于危机中的世界和对于精神安宁的渴望。《威利爵爷的城堡》中的诗作体裁风格较多变化而又把握自如，获1947年普利策奖。其中有两首最为人所称道：《南塔凯特贵格会教徒墓地》和《黑岩上的谈话》。前者哀悼在第二次世界大战中于海上阵亡的表兄弟温斯洛；后者是庆祝基督圣体节的颂诗。

洛威尔1948年离婚后，次年与作家和评论家哈德威克结婚(1972年离异)。1951年，他出版了一本独角戏剧本集《卡瓦纳家族的磨坊》。其后数年在国外度过，1954年在波士顿定居。他的《人生写照》获1959年全国图书诗歌奖，集中有一篇《里维尔街91号》是自传性散文；另收一组忏悔诗共15首，其中最重要的为《在苍茫中醒来》，写他在精神病院中幽居的生活；另一篇《臭鼬出现的时刻》极富戏剧性地描述他的精神错乱的情状。

洛威尔在20世纪60年代参加了争取民权的活动和反战运动，这增加了他以后的三本诗集中对国事和公众权益的关心。这三本诗集为《献给联邦死难者》(1964)、《大洋附近》(1967)和《1967～1968笔记》(1969)。最后这本诗集是诗人一生中极为动荡的一年的诗体记录，展示了政治、他个人以及他所属的文化这三者之间的关系。洛威尔的戏剧三部曲：《美国旗》，将美国文化置于历史长河中来考察，1965年出版，1968年修订后再版。他的晚期诗集有为他赢得第二次普利策奖的《海豚》(1973)和《一天天》(1977)。他的译作有《法伊德拉》(1963)和《被缚的普罗米修斯》(1969)；《仿作》(1961)则是欧洲一些诗人的作品的意译。此外尚有《波德莱尔的〈海上行〉和其他诗作译意》(1968)。

洛威尔在其诗歌中表现了当时公私生活中的主要矛盾，技巧精湛，形容逼真。他的早年诗作充满了彼此冲突的形象和不和谐的音响，表达了一种世界观：唯有半是怀疑半是信仰的宗教神秘主义能冲淡这个世界的惨淡光景。洛威尔的晚期诗作则为更悠闲的谈话体。

Lower Austria　参阅 **Niederösterreich 下奥地利**。

Lower Burma　下缅甸　缅甸一历史和地理地区。包括南部孟加拉湾、安达曼海沿海和

三角洲地区。曾是勃固地区孟人王国的中心。1826年和1852年两度被英属印度政府占领，后迅速发展成为缅甸主要水稻种植和出口地区。仰光(**Yangôn**)是第一大城市。

Lower California(Mexico) 参阅 **Baja California** 下加利福尼亚。

Lower Canada 下加拿大 加拿大魁北克行政区1791～1841年曾用名。1841年联邦法令公布后改称加拿大东区(**Canada East**)。参阅 **Quebec**。

Lower Egypt 下埃及 埃及的地理和文化区。主要包括尼罗河三角洲地区，有大面积肥沃土壤。下埃及和上埃及有明显的差异，位于上埃及的尼罗河谷居住中心都离沙漠地区很近。在王朝以前时期，下埃及为与上埃及分隔的政治实体。美尼斯(活动时期约公元前3100)将两个地区统一起来。

Lower Himalayas(Asia) **下喜马拉雅山** 参阅 **Lesser Himalayas** 小喜马拉雅山。

Lower Hutt 下哈特 新西兰北岛南部城市。位于惠灵顿东北约14千米。为高度城市化的哈特河谷地区的重要商业中心。建有汽车装配、石油设备、塑料、玻璃、铁路修配和机械等工厂。设有许多研究机构。人口94 540(1991)。

Lower Saxony 下萨克森 德语作Niedersachsen。德国一州。面积47 344平方千米，为德国第二大州(面积)。地处横穿德国西北部的重要地带。西起荷兰边界，东至梅克伦堡-西波美拉尼亚和萨克森-安哈尔特州边界，北接汉堡及石勒苏益格-荷尔斯泰因州狭窄地带(再往北便是丹麦)，南临北莱茵-威斯特法伦州(包括鲁尔工业区)、黑森州和图林根州。1946年11月1日，英国军事管制政府把原普鲁士的汉诺威省和不伦瑞克邦、奥尔登堡邦和绍姆堡-利珀邦合并，建立下萨克森。

土地　除了南部少数高原地区外，全州属北德大平原。北半部的大部是沙土低地，有石南属常青灌木、沼泽和圩垸低地，零星的森林点缀其间。西北部北海中由12个岛屿组成的东弗里西亚群岛和大约840平方千米的沿海土地实际上低于海平面，靠类似于附近荷兰境内的堤坝保护，以防海淹。下萨克森一半以上土地处于威悉河及其支流富尔达河和威拉河流域，不过不来梅港(在威悉河河口)大部分居民点及不来梅市区(威悉河上游64千米)本身构成单独的政治实体，为德国各州中最小的州。在威悉河和其他流入北海的河流河口处有肥沃的沼泽地，主要供牧业使用。东北地区的土地没有如此肥沃，部分地区为森林所覆盖。其中便有吕讷堡灌木地，以老式的红色农舍及被称为“巨人坟墓”的古代巨石结构著称，该地现为著名的野生动植物自然保护区。中南地区有两个大湖：施泰因胡德湖(约32平方千米)和迪默湖(约16平方千米)。南部地区为高地，包括威悉、代斯特和哈茨诸山。重要的米特尔兰运河自东至西横穿下萨克森中南部。

与中南地带相比，北方的沙土低地人口稀少。南方山地树木丛生，其水槽形的峡谷为优质农田，再往北，一片丘陵地带也是优质田。这片丘陵为狭窄的带状沃土，没有树木，经常有风，被称为沃野，自东至西横穿该州。除了供养农业人口外，这个地区因位于平原和山地交界处，在历史上还是一连串小城镇发展的核心。下萨克森冬季温和、夏季暖热适度，雨水四季均匀稳定，年降雨量600～900毫米。

人民　下萨克森的人民以下德意志人自居。共同的古代萨克森族祖先和共同的语言——低地德语将他们联结在一起。低地德语与荷兰语、弗里西亚语及英语有紧密的联系，与官方语言——高地德语则截然不同。有些地区文学作品仍以低地德语创作，在该州大部分地方低地德语仍为家乡语言。威悉河以东古代汉诺威王朝所辖各地，包括曾在威斯特伐利亚权势之下的历史较短影响不深的不伦瑞克、埃姆斯兰、奥斯纳布吕克和南奥尔登堡各地，以及奥尔登堡北部的弗里西亚部分和东弗里斯兰等分散地区之所以连结在一起，正由于上述统一的文化感情。约4/5的人口是新教徒，在该州西部有为数不多的天主教徒。

就现时地域范围而言，1939年下萨克森的人口总数达450万，到1946年，从被战火分裂或破坏的欧洲其他地区拥入大量难民，尽管战争中有不少人死亡，但人口仍增至620万。到1950年，人口达到674.4万。20世纪50年代有34万多难民被转移到德意志联邦共和国的其他各州，因为那里能提供更好的生活条件。1968年年中，人口超过700万大关，主要是由于人口的自然增长，不过在某种程度上，也是由于移民所致。主要城市有汉诺威、不伦瑞克、奥斯纳布吕克、奥尔登堡、萨尔茨吉特、格丁根和威廉港。

经济　作为当地主要经济传统支柱的农业在下萨克森仍比在德国大部分其他各州都更重要。其农场生产小麦、黑麦、燕麦、马铃薯及奶牛和肉牛。有相当大部分土地为森林所覆盖，也有小部分是未开垦的荒野和荒地。然而制造业和服务业目前已成为下萨克森的经济基础，汉诺威和不伦瑞克是多种工业的主要中心。该州主要制造业有卡车和其他机动车、重型机械、橡胶制品、化学制品、无线电和其他电子设备及染料和油墨。铁矿石的蕴藏量很大，煤和石油藏量次之。

运输　下萨克森有良好的运输设施，汉诺威是德国西北部铁路和公路最重要的枢纽站。内地水路如米特尔兰运河、多特蒙德-埃姆斯运河及许多其他运河的建设更提高了该州在德国地区经济中的重要性。此外，主要河流通航里程很长，威悉河和易北河尤为突出。每年都有数千万吨货物通过威廉港、埃姆登港、诺登哈姆港和布拉克港，这显示了下萨克森在地方贸易和世界贸易中的重要性。主要机场是汉诺威-朗根哈根机场。吕讷堡荒地和南部山地自然景色优美，西北部还有海滨胜地吸引众多游客。

政府和社会状况　政府由州总理、州总理公署和8个部组成。本州分成4个行政区(不伦瑞克、汉诺威、吕讷堡和威悉-埃姆斯)。20世纪后期下萨克森的政党计有社会民主党(左翼)、基督教民主党(中右)、自由民主党(中左)和绿党(左翼)。司法机构由宪法法院、上诉法院、地区法院和各地方法院组成。学生可上公立小学和中学，也可上专门学校。高等学府有格丁根大学、马克斯·普朗克科学促进学会的7所学院、汉诺威和不伦瑞克的理工大学，以及若干所较小的学院。

文化生活　与德国其他州一样，下萨克森也有兴盛的、得到政府充分资助的文化生活。在汉诺威、奥尔登堡和不伦瑞克都有州立剧院。州首府也是文化中心的汉诺威还有3座值得夸耀的剧院，其中的州立剧院在该地区40多个城镇进行演出。其他著名的剧院有威廉港的下萨克森北部州立剧院、格丁根市的德意志剧院、希尔德斯海姆市的市立剧院和采勒市的宫廷剧院(该剧院在一幢1674年建造的漂亮的巴罗克风格建筑物中演出戏剧)。此外还有几百座电影院满足较为大众化的各种口味。《汉诺威汇报》是主要的州报。汉诺威也是农业和林业出版业的中心。一份著名的文化期刊《韦斯特曼月刊》便是在不伦瑞克编辑出版的。无线电广播和电视节目则由北德意志广播电台播放，基地在汉堡，但工作室在汉诺威和奥尔登堡。人口约7 475 800(1992)。

Lower Southampton 下南安普敦 美国宾夕法尼亚州东南部巴克斯县的城镇。费城人，即遐迩闻名的南安普敦之友，于1686年在此定居。至20世纪初仍是郊区，因与费城相邻，其农产品畅销。19世纪70年代开通铁路，20世纪20年代起发展较快。后发展成费城的一个住宅郊区。1928年设立上南安普敦和下南安普敦之前，这里一直是南安普敦城镇区(1703)的一部分。城镇区内的乡镇有费斯特维尔、锡尔斯、特莱弗斯和内沙米尼福斯。人口约19 276(2000)。

Lower Tauern(mountains, Austria) 参阅 **Niedere Tauern** 下陶恩山。

Lower Tunguska River(Russia) 参阅 **Nizhnyaya Tunguska River** 下通古斯卡河。

Lowes, John Livingston 洛斯(1867-12-20，美国印第安纳迪凯特～1945-08-15，马萨诸塞波士顿) 研究英国文学的美国学者和循循善诱的教师，以其考证作者作品的学术方法及引经据典的说话和写作风格而闻名。1888年获华盛顿和杰斐逊学院文学士学位，1891年获硕士学位。1902年开始在哈佛大学攻读英语，1905年获博士学位。1905～1909年，在宾夕法尼亚州斯沃斯莫尔学院教英语；1909～1918年，在密苏里州华盛顿大学任教；后入哈佛大学任教，1939年退休。第一部著作是《诗歌中的常规与违例》(1919)，叙述英国诗歌史上的创新及其随后产生的反响。他的杰作是《通往上都之路》(1927)，考证了S.T.柯尔律治的《古舟子咏》和《忽必烈汗》的创作灵感和用词。该书在学者和诗歌读者中很受欢迎。其他著作有《谈读书和其他短文》(1930)和《杰弗里·乔叟的艺术》(1931)。

Lowestoft 洛斯托夫特 英格兰萨福克行政、历史郡韦弗尼区城镇。原为丹麦人居民点。1757～1802年生产洛斯托夫特瓷器(**Lowestoft porcelain**)。1831年建港口。1847年通铁路后发展成为渔港和海滨胜地。有一些轻工业。人口62 907(1991)。

Lowestoft porcelain 洛斯托夫特瓷器 英格兰磷酸盐软质瓷器,酷似鲍瓷,1757～1802年间产于萨福克郡的洛斯托夫特。制品属日用瓷类,如罐、茶壶和水盂。一般为小件制品,重量轻,大都以白色和蓝色装饰,也采用

约1790年的洛斯托夫特瓷器——圆筒形有柄大杯
美国不列颠百科全书公司供图

多色装饰,包括鲜艳的砖红色。在1770年以后采用了转移印花技术。制品造型仿自银器或鲍瓷和伍斯特瓷。洛斯托夫特制品无工厂标志,但其特有风格有助于对它的鉴别,如在咖啡壶、茶壶内施釉,以及在把手和壶咀与壶体连接处画上蓝线等。有些制品上带有日期及主人姓名,而带有迈森和伍斯特工厂标志的样件也并不稀罕。有些为出口欧洲和美国而在中国制造和装饰的瓷器常与洛夫托斯特瓷器相混淆,而且在美国至今仍被误称为"东方的洛斯托夫特"。

Lowie, Robert H(arry) 洛伊 (1883-06-12,奥地利维也纳～1957-09-21,美国加利福尼亚伯克利) 奥地利出生的美国人类学家,对北美平原的印第安人曾进行广泛研究,其中对克劳族印第安人的研究堪称典范。所著《文化与人种学》(1917)、《原始社会》(1920)以及《社会组织》(1948)对人类学理论都有影响。洛伊在哥伦比亚大学师事F.博厄斯,1908年获哲学博士学位。1908～1921年任职于纽约市美国自然历史博物馆,并在C.威斯勒的指导下多次到大平原印第安人中间进行实地考察,足迹深入肖肖尼人、黑脚人、克劳人等地区。研究成果写成18篇专论,对人种学具有独创性的贡献。除《克劳族印第安人》(1935)外,还汇编3册克劳语教科书。他的《原始社会》一书对人类学影响很大,在社会组织理论方面被奉为权威之说几达30年之久。此作涉及范围广泛,举凡亲属关系、司法制度、财产、政府以及其他课题,多所论列,对文化传播概念之形成起很大作用。1921～1950年任伯克利加利福尼亚大学人类学教授。他一生对心理学深感兴趣,在所撰《人种理论史》一书中,以颇大篇幅详予论述。他还提出文化淘汰是自然淘汰的一个方面,可以部分地决定有益或有害的基因。此后又研究德意志文化,著有《德意志民族》(1945)、《了解德国指南》(1954)等。另著有《洛伊自述》(1959),并把1911～1957年间论文33篇汇为一编,题名《人类学论文选》,由C.杜布瓦编辑出版(1960)。

Lowin, John 洛文(1576-12-09受洗,英格兰伦敦克里普尔盖特～1659-03-18或1669-03-16入葬,伦敦) Lowin又拼Lewen。英国演员。莎士比亚的同事,长于演军人和十足的恶棍等喜剧角色。木匠之子,曾在金匠铺当过8年学徒。1602年加入伍斯特剧团当演员。1603年参加国王供奉剧团。曾在J.韦伯斯特《马尔菲公爵夫人》中创造博索拉一角。据说莎士比亚曾辅导他饰演亨利八世角色。他扮演的法尔斯塔夫则广为人知,他在琼森的剧作中饰演的角色也令人难忘,这些角色有莫罗斯(《两性人》)和马门(《炼金术士》)。曾和J.泰勒共同担任国王供奉剧团经理,作为寰球剧院和黑衣修士剧院总管,也握有相应的股份。

Lowlands 低地 又称苏格兰低地。苏格兰文化和历史区。以邓巴顿至斯通黑文为界,东南部为低地,西北部为高地。传统上也按照方言划分低地和高地。低地区使用苏格兰英语,而高地区使用苏格兰盖尔语。低地区包括米德兰河谷和南部高原两大区域。

"低地"一词有时在更严格的意义上,用来专指米德兰河谷。典型沉积岩结构,含有煤层。大部地区在福斯河和克莱德河流域内。煤成为此地区高度集中的工业基础。苏格兰人口的80%居此。现采煤业和其他重工业下滑,但仍为苏格兰经济中心,生产电子设备、计算机。并有电信、计算机软件、金融等服务业。

Lowndes, Marie Adelaide 朗兹 (1868,法国～1947-11-14,英格兰汉普郡埃弗斯利克罗斯) 母家姓贝洛克。英国女小说家、剧作家,以常常根据真实案例写成的谋杀案小说知名。她是诗人、散文家H.贝洛克之姐,几乎没有受过正规教育。但由于其家庭在知识界的显赫地位,结识当时不少著名文人。16岁时发表第一篇短篇小说,20年后出版第一部长篇小说。写有一系列关于历史和小说人物研究的著作,如《珀涅罗珀之心》(1904)和《巴巴拉·雷贝尔》(1905)。1912年出版描写被害者心理状态的《盔甲的裂缝》。翌年出版描写肢解者杰克凶杀案的小说《房客》。她在20世纪头40年里写下大量作品,包括赫克里斯·波皮奥探案集和自传《我也在阿卡迪亚住过》(1941)。

Lowry, Laurence Stephen 劳里(1887-11-01,英格兰曼彻斯特～1976-02-23,德比郡格洛瑟普) 英国画家,以表现现代城市生活凄凉和冷清的工业风景画著称。1905～1925年断断续续在曼彻斯特和索尔福特的美术学校就读。1910～1952年长期在曼彻斯特的一家房地产公司工作,从收租员升至出纳主任。1915年对描绘索尔福特、曼彻斯特以及英格兰中东部其他一些地方的工业风景发生兴趣。在此后的20年间,他开拓了城市风景画的一种独一无二的题材,即以烟囱和其他工业建筑物为背景,前面则是一群群破衣烂衫的人形在奇异的游离状态中移动。画面的颜色同样死气沉沉,但是能够显示出强烈而微妙的色调关系。有力的构图和巧妙的画笔掩盖了他的技法中的未经正式训练的幼稚因素。1939年在伦敦举行首次个人展之前,他很少得到公众的承认。评论家对于他的实际水平依然意见不一,但是普遍同意他的艺术思路有独到之处。去世后不久,英国皇家学院举办了其作品回顾展,受到广泛好评。

Lowry, (Clarence) Malcolm 劳里(1909-07-28,英格兰柴郡伯肯黑德～1957-06-27,苏塞克斯里佩) 英国小说家、诗人。他的杰作是《在火山下》(1947)。父亲是富有的棉花经纪人。他从9岁开始因角膜糜烂而几乎失明,13岁时经手术治疗后才恢复视力。曾在剑桥附近的莱斯学校就读,因反对传统的资产阶级教育到轮船上当仆役前往中国。后来在剑桥大学求学时,写出以此次航行为题材的长篇小说《在海的彼岸》(1933)。1932年在剑桥获文学士后,住在伦敦。后赴巴黎,同一个美国女人结婚。1935年只身前往美国,投奔好莱坞影城。与夫人团聚后又去过墨西哥的库埃纳瓦卡。他的名著《在火山下》即以该地为背景。回好莱坞后,结识女作家M.邦纳。邦纳成为他的第二个妻子。他们住在温哥华附近的一座茅屋里。在那里,他大量改写了《在火山下》,以便得以出版。该书出版后受到一些评论家的称赞,但基本上未受到公众重视,直至他死后他的声誉急剧上升后才获得反传统杰作的地位。1954年劳里夫妇离开加拿大,先去意大利,后来在英格兰定居。1961年出版短篇小说集《主啊,请从天堂听我们的声音》,翌年出版《诗选》。1965年出版《书信选》。

Lowyn, John 参阅 **Lowin, John** 洛文。

loxodrome 等斜线 又称等角航线或球面螺旋线。以固定的锐角截割地球各子午线的曲线。沿等斜线航行时,船的航迹始终与子午线斜交,且罗盘上航向始终指向同一方向。P.努内斯于1550年首先发现这种曲线,他误认为这是球体上两点间的最短路线(参阅**great circle route**)。由于子午线向两极会聚,按等斜线行驶的船将沿一螺旋线绕地球航行,最后以某一地极为极限。在墨卡托投影图上,等斜线是一直线。等斜线用于简化小比例尺的海图。

Loxonema 曲线螺 腹足类(蜗牛类)的绝灭属。化石见于奥陶纪到早石炭世(5.05亿年前至3.2亿年前)地层中。具有独特的高

采自美国纽约州的泥盆系曲线螺(*Loxonema hamiltoniae*)化石

美国不列颠百科全书公司供图

螺塔的细长壳,并有细的轴向饰线。体螺环的壳口基部有特殊的唇。

Loxton 洛克斯顿 澳大利亚南澳大利亚州东南部城镇,濒墨累河,为广大水果灌溉种植区的服务中心。欧洲移民于1894年开始在此定居。1907年设镇,并以附近牧羊场巡边员W.洛克斯顿之姓氏命名。该地出产小麦、羊毛、水果和葡萄,镇内有一家酿酒厂、若干机械厂与水果包装厂。该镇靠政府贷款开辟的军垦(农业)区,于1948年建成,为该州面积最大的军人屯垦区。1973年洛克斯顿开设一座仿古村庄,展示早期移民的生活方式。附近有卡潘达、梅迪亚和里利等岛屿自然保护区公园,该州首府阿德莱德在镇西南约240千米处。人口3 322(1991)。

Loy, Mina 洛伊(1882-12-27,英国伦敦～1966-09-25,美国科罗拉多阿斯彭) 原名Mina Lowy。现代主义女诗人,作品强烈主张男女平等,毫不回避地描绘女性性欲和感情生活等个人内心活动诸方面。1897年开始学习艺术,1899年赴德国慕尼黑学习绘画,1901年返回伦敦,1902年赴巴黎游历,1903年在巴黎与S.哈威斯结婚,1907年迁居佛罗伦萨。在佛罗伦萨接触到未来主义者。1913年在诗歌中使用未来主义文学理论来加速争取男女平等的政治进程。1914～1917年间在小刊物上发表诗歌,因率直地谈论个人的生育、性和对婚姻不再抱有幻想等隐私问题,人们对其毁誉参半。1915年在现代主义杂志《别人》上发表《恋歌》。1916年加入纽约市前卫运动,赢得了当时的现代主义者W.C.威廉姆斯、E.庞德和T.S.艾略特等人的赞许。1917年写了《致詹妮斯的歌》(为《恋歌》的后续发展),激励妇女在感情上和物质上摆脱对男子的依赖。同年与哈威斯离婚。1918年与A.克拉凡结婚。1923年返回巴黎,出版诗集《卢那·贝德克尔》,强调在争取男女平等方面的经验和为艺术而艺术的理念。20世纪20～30年代集中绘画和长篇小说创作。1953年赴阿斯彭和女儿们住在一起。她的全集《最后一个卢那·贝德克尔》于1982年出版。

Loy, Myrna 洛伊(1905-08-02,美国蒙大拿雷德斯堡～1993-12-14,纽约州纽约) 原名为玛纳·威廉斯。美国电影女演员。在20世纪30年代,因扮演一些口齿伶俐、足智多谋、老于世故的角色而走红。在鼎盛时期被称为"好莱坞女王",电影制片厂把她当作所有男人的梦中情人而倍加推崇。

父亲是农场主,她于1918年迁到美国洛杉矶。先是在一家合唱团当舞蹈演员,后在1925年拍摄的《宾虚传》里扮演一个小角色。在此后的十年间,她所扮演的基本上都是一些外国情妇的小角色。后来逐渐在《阿罗史密斯》(1931)、《傅满洲的面具》(1932)和《红楼艳史》(1932)等影片中担任重要角色。洛伊扮演的角色成为美国观众眼中外国荡妇的典型形象。在《瘦子侦探》中,洛伊和鲍威尔合演了尼克·查尔斯和诺拉·查尔斯这对夫妻侦探,成为一对十分默契的银幕搭档,共同主演13部影片。他们通常扮演机智、老练、爱喝马丁尼酒的查尔斯夫妇或其他类似角色。由于《瘦子侦探》大受欢迎,电影公司又拍摄了多部续集,其中《迷雾重重》(1936)通常被认为是该系列片中最好的一部。洛伊在这一时期其他的出色影片还有《歌舞大王齐格飞》(1936)、《假戏真做》(1936)、《试验飞行员》(1938)、《雨季来临》(1939)、《再次爱上你》(1940)和《痴怨情鸯》(1941)。

第二次世界大战期间在美国红十字会工作,后成为联合国教科文组织的代表。战后把时间分配在演戏和政治事业两方面,因而不经常出现在屏幕上。任全国反对住房歧视委员会的干事和顾问。美国宪法第1修正案委员会的成员,该委员会是由一些著名的好莱坞演员组成,抗议众议院非美活动委员会的行动。尽管如此,她仍然在大受欢迎的《黄金时代》(1946)、《单身汉与时髦女郎》(1947)、《燕雀香巢》(1948)、《春晓大地》(1949)和《父亲大人》(1950)等影片中有出色的表演。晚年到处参加舞台剧的巡回演出,偶尔出演电影角色。扮演的最后一个角色是在《告诉我你要什么》(1980)中,该片是个普通的喜剧片,但洛伊的表演还是非常出色。1991年,被授予奥斯卡终身成就奖。

Loyal Forty-seven Rōnin, The (Japanese play cycle) **《四十七义士》** 参阅 **Chūshingura**《忠臣藏》。

Loyal League (U.S.Civil War) **忠诚派同盟** 参阅 **Union League** 联邦派同盟。

Loyal Publication Society 忠诚出版协会 分设在纽约与新英格兰的两个团体。在南北战争期间印制传单与印刷品拥护联邦,抨击"铜头毒蛇"(即南方同情者)。除散发"明确效忠联邦"的材料外,还与共和党结成同盟,参与州和全国的政治活动,但其主要目的仍在于宣传。规模较大的纽约忠诚出版协会,出版了90种小册子共90万份。设在波士顿的较小的新英格兰忠诚出版协会,协助前者散发拥护联邦的宣传品。

Loyalist 效忠派 又称托利党人。美国独立战争时期忠于英国的殖民地居民,约占当时美洲殖民地人口总数的1/3。他们并不限于任何特殊集团或阶级,但在下列阶层中为数最多:官吏及其他为英国王室服务的人,他们在维持王室的权威方面有既得利益;英国国教的牧师们及其在殖民地北部的教区居民,他们也要宣誓效忠和服从国王;教友派、德国各教派成员及其他真心实意的和平主义者;大地主,特别是北部的大地主,以及城市中富有的商人集团,他们的营业和财产受到战争影响。效忠派最为共同的特点是内在的保守主义和对母国与王室的忠诚。许多人起初不过是在争取殖民地权利的斗争中敦促采取克制态度,只是在他们的激进派同伴把所有不参加自己行列的人都公开指斥为托利党人时,才采取积极的效忠立场。效忠派在南部、纽约州和宾夕法尼亚州人数最多,但在任何一个殖民地均不构成大多数。纽约州是他们的强大堡垒,比在任何一个其他殖民地的人数都多。新英格兰的效忠派比任何其他派别的人数均少。效忠派没有形成一个团体去支援英国军队,但是作为个人他们参加了英军,或者组成他们自己的游击组织。单是纽约州就提供了大约2.3万名效忠派军人,或许相当于其他各殖民地合在一起的效忠派军人总数。效忠派战士在爱国者(美国的革命者这样称呼自己)中引起了仇恨与憎恶,当他们在战斗中被俘时,被当作叛徒对待。G.华盛顿深深憎恨他们,早在1776年就曾说过:"他们在对抗中甚至比正规军更为激烈,危害更大。"大陆会议建议对效忠派采取镇压措施,各州都通过了处置他们的严厉法律,通常是禁止担任公职、剥夺公民权、没收财产或课以重税。从1776年3月起,大约有10万名效忠派逃离美国(独立战争时期各殖民地的居民总数估计为250万～300万,逃离者占居民总数的3%～4%)。最后逃离的人中绝大部分去了加拿大,英国政府在那里为他们提供了庇护所,赔偿了他们的财产和收入损失,对效忠派官员支付了养老金。1789年美国新宪法通过后,美国反对效忠派的公众情绪大为低落。1812年战争以后,各州余留的反对效忠派的法律均被废除。

Loyalty Islands 洛亚蒂群岛 法属海外领地新喀里多尼亚的石灰岩珊瑚岛群,在太平洋西南部。由乌韦阿岛(**Ouvéa Island**)、利富岛(**Lifou, Île**)和马雷岛(**Maré, Île**)等岛屿组成。总面积1 970平方千米。海拔最高处90米以上。长久以来为英法冲突争夺之地,1853年归属法国,1946年行政管辖归属新喀里多尼亚。种植山药、芋头,主要出口品为椰仁干。居民为美拉尼西亚人,说多种语言。人口约17 912(1989)。

Loyd, Sam 洛伊德(1841-01-31,美国宾夕法尼亚费城～1911-04-10,纽约州纽约) 美国智力游戏设计家。原学习工程学,领有水暖和机械工程师的开业执照。14岁起设计棋局难题。1860年任国际象棋大师P.C.墨菲所主编的《国际象棋月刊》棋局难题编辑。1868年为《美国国际象棋难题》杂志撰稿。1878年发表本人所著《国际象棋战略》一书。后转而设计智力游戏,发明了"蠢驴难人"、"过舒适生活的猪"和"巴棋戏"。其子参与设计,1896年父子共同主办智力难题专栏,广为各报刊所采用。他们将简单代数公式加以改头换面,拟成难题,耐人寻味。

Loyola, Saint Ignatius of 依纳爵(罗耀拉的),圣(1491,卡斯蒂利亚罗耀拉～1556-07-31,罗马) 西班牙神学家,16世纪天主教改革运动中具有影响的人物,耶稣会创立人。

罗耀拉的圣依纳爵的遗容面膜
美国不列颠百科全书公司供图

他于1517年在亲戚纳赫拉公爵、纳瓦拉总督曼里克·德拉腊手下为骑士,从事军事和外交活动。1521年保卫潘普洛纳要塞抗击法兰西军,中炮弹,右腿骨折,左腿亦受轻伤。养病期间,他阅读了关于基督生平和圣徒生活的作品,决定仿效圣徒的苦行以赎罪。他到旷野苦修。后到巴塞罗那学习将近两年。1526年迁往阿尔卡拉。此时召收一批门生,身着特殊服装。不久,以异端嫌疑被捕受审,但未被定罪。其后离开阿尔卡拉。到达萨拉曼卡后,再次被捕受审,他的伙伴也被扣押,但又一次被宣布无罪,当局禁止他在完成学业之前讲道,因此依纳爵别离门生出国。1528年2月到达巴黎,留住甚久,取得巴黎大学文学硕士学位。此时他汇集一批人,为成立耶稣会准备条件。1535年初,因健康缘故未待完成神学学业而离开巴黎。在西班牙居住半年多,然后到博洛尼亚再转威尼斯,闭门学习。1537年1月他的伙伴自巴黎来威尼斯。1537年6月他和他的多数伙伴一同受神职。依纳爵最后一段生活是在罗马及其近郊度过的。1539年他的伙伴决定成立永久性组织,规定除发神贫、贞洁、听命于教皇三愿外,再加上听命于公选上级一愿。次年,教皇保罗三世批准成立这个新修会,定名为耶稣会。他当选为总会长。在他主持下耶稣会发展极为迅速,到他死时耶稣会已有会士约1 000名,分属12个分会。意大利有分会3个,西班牙有3个,德国有2个,法国和葡萄牙各有1个;此外,印度和巴西各设有1个海外分会。依纳爵晚年重视德国和印度,特派得意门生卡尼修斯和方济各·沙勿略分别前往两地。也曾派遣传教士去刚果和埃塞俄比亚。1546年他秘密接纳甘迪亚公爵和加泰罗尼亚总督博尔吉亚入耶稣会。4年后此事传开,引起轩然大波。在罗马创立格列高利大学的前身罗马学院以及培养德国教士的德国学院。他为堕落妇女和改信天主教的犹太人分别成立收容所。晚年最重要的工作为拟订耶稣会章程,章程强调长期严格培训会士。他认为发愿听命于教皇是耶稣会的“宗旨和立会之基”。

Lozère 洛泽尔 法国南部朗格多克-鲁西永大区省份。位于中央高原东南部,跨大西洋-地中海分水岭。面积5 167平方千米,为法国最小省份之一,也是山地最多、人口最少的省份。由热沃当区和前朗格多克省阿莱斯、于泽斯主教区属地组成。省名源出洛泽尔山(1 699米),此山在芒德老教堂镇的西南。芒德是洛泽尔省省会,也是当地唯一较大的城镇。省东南部是塞文山脉(有国家公园),西南部是被雄伟的塔恩峡谷分开的索沃泰尔和梅让高原,北半部是森林覆盖的上热沃当花岗岩山脉。共有大小河流400多条源出该省。气候潮湿、严酷,差别大。几乎无工业。除河谷地区外,全境几乎都用于放养牛羊。旅游业不断发展,但农业人口仍大量外流。该省分为芒德、弗洛拉克两个行政区,属蒙彼利埃教育区。人口约72 200(1988)。

Lozi 洛齐人 又称马洛齐人(Malozi)或巴罗策人(Barotse),从前称阿卢伊人(Aluyi)。由分属于6种文化群的大约25个部落组成,居住在赞比亚西部(其地原称巴罗策兰),操尼日尔-刚果语系的贝努埃-刚果诸语言。从前所有这些部落都被称为巴罗策人;他们臣属于一个称为巴罗策部落的最高酋长,并扩展到赞比亚、安哥拉部分地区及纳米比亚的卡普里维地带。巴罗策部落原称阿卢伊部落,1838年被南非的科罗罗人征服;在科罗罗语里,“阿卢伊”变成了“巴罗策”。1864年,阿卢伊人打败了科罗罗人,从此“巴罗策”就变成了“洛齐”(“马洛齐”),既指占支配地位的部落,也指其臣民。统治部落占据赞比西河泛滥平原,人民大众则每年按洪水的涨落,在分设于平原和水边的两组村落之间迁来迁去居住。他们善于利用水位变化、土壤和草地的不同条件,发展农、牧、渔混合的多种经济。洛齐人的权力分散在各主要酋长之手,各首府都有议事会,组织体系颇为繁复。

LPG 参阅 **liquefied petroleum gas** *液化石油气*。

LSD 麦角酰二乙胺 lysergic acid diethylamide的缩写,又作lysergide。合成的强力致幻药,可由麦角碱(如麦角胺和麦角新碱,两者是麦角的主要成分;而麦角则为麦角菌感染谷物时形成的菌核)得出。通常LSD是在实验室合成。其基本化学结构和麦角碱相似。它的结构还和几种其他药物(如蟾毒色胺、二甲-4-羟色胺磷酸、骆驼蓬碱和伊博加碱)相似;它们都可阻滞脑组织中5-羟色胺(一种神经递质)的作用。LSD可导致显著偏离正常的行为,也许是因为它抑制5-羟色胺,不过其确切药效仍属未知。但正因其有此作用,LSD一度在医学上试用于作精神病模拟药,以引发一些据认为有似真精神病(主要指精神分裂症)的精神状态。使用后,LSD可经任一处黏膜(甚至可由耳部)吸收,并在30～60分钟内生效。其效力通常延续8～10小时;偶有部分作用可持续数日。有两个严重的副作用,即精神症状的持续或短暂再现。因LSD是未批准药物,其治疗应用均属实验性质。20世纪60年代总有人建议用LSD治疗神经症,特别是对于传统心理疗法难以处理的病人。LSD还曾试用于治疗酗酒,用于减轻临终癌症病人的痛苦。在治疗麻醉药成瘾、孤独症儿童和所谓的精神变态人格等情况时,也曾试用本药作为辅助。至90年代初为止,这些实验均未得到证实;研究者并未发现LSD有何临床价值。在实验室外使用LSD,可能造成危险。情绪波动、时空定向障碍和冲动性行为,是对服药者特别有危险的并发症。服药者可对周围人的动机和意图产生越来越大的怀疑,甚至会攻击他们。至60年代中期,LSD的合法使用显著减少。在美国,LSD的生产、拥有、销售、转让和使用都受到1965年的《药物滥用控制修正条例》的限制。至1966年唯一获准制造LSD的生产商也从市场上撤回其产物并转交给联邦政府。研究项目则在政府机构国立心理卫生研究所的监督下进行。目前还在应用的LSD主要来自黑市。

LTH(luteotropic hormone) 参阅 **prolactin** *催乳激素*。

Lu 鲁 公元前11世纪中国西周分封的诸侯国。在今山东西南部。姬姓。开国君主为周公旦长子伯禽。建都曲阜(今属山东)。春秋时国势已衰。春秋后期鲁桓公后裔季孙氏、孟孙氏、叔孙氏三家崛起,执掌鲁国政权。公元前562年(鲁襄公十一年)公室为三家所分,由季孙氏专权。伯禽封国初按《周礼》在国内采取“变其俗,革其礼”的统治,使鲁国保存较多的西周典籍制度,故史称“周礼尽在鲁”。战国时成为小国。公元前256年为楚国所灭。

Lú(Ireland) 参阅 **Louth** *劳斯*。

Lu-an(China) **潞安** 参阅 **Changzhi** *长治*。

Lü Buwei 吕不韦(?～公元前235) 又拼Lü Pu-wei。中国战国末秦国政治家。濮阳(今属河南)人。原为阳翟大商人,在赵都邯郸遇秦公子子楚,认为“奇货可居”,于是助以重金,并入秦游说华阳夫人立子楚为太子。公元前250年子楚即位为庄襄王,吕不韦任相国,封文信侯。公元前246年秦王政(即秦始皇)即位,继任相国。公元前238年因牵连嫪毐叛乱事罢相国,回封国河南。岁余秦王政恐其为变,逼命全家迁蜀,遂自杀。任相国时曾招致宾客编《吕氏春秋》(亦称《吕览》),总结先秦各派学说,宗主道家,形成包括政治、经济、哲学、道德、军事等各方面内容的理论体系,在理论上和史料上都有很高的价值。《汉书·艺文志》著录《吕氏春秋》26篇,今存。

Lu Chi(Chinese author) 参阅 **Lu Ji** *陆机*。

Lu-chou (China) **庐州** 参阅 **Hefei** 合肥。

Lu-chou(China) 参阅 **Luzhou** 泸州。

Lü Dao 绿岛 又拼 Lu Tao，又作 Green Island。中国台湾省台东县离岛乡一岛屿。原名火烧岛，亦名鸡心屿。位于台东市以东约33千米的太平洋上，南距兰屿约60千米，东西宽约3千米，南北长约4千米，周长约20千米，总面积约15平方千米。该岛与兰屿及菲律宾北部岛屿的火山属同一系列，岛上多丘陵，少平地，中部地势较高，溪流呈辐射状。最高点火烧山海拔281米，在岛的西南部；次高点阿眉山海拔275米，在岛中央；两山均为火山口的遗迹。岛的东南面系临海断崖，长达百余米。公馆、中寮、南寮三村均集中于西北部海岸地带，其中南寮村为该岛经济中心，村南有南寮湾（建有渔港），是该岛对外海道交通的门户。岛上特殊地形景观颇多，除岛中央有半人工风景的绿岛公园外，东南端小丘下有观音洞，东部海边有栗子洞，东北角海岸外有楼门岩，北部海岸有将军岩和将军崖，南端有海参坪，东南一带尚有咸水温泉。人口约2 717(1999)。

Lü Dongbin 吕洞宾 又拼 Lü Tung-pin。中国神话中道教八仙之一。传说为唐末道士。名喦，字洞宾，号纯阳子，自称回道人。京川人（一说河中永乐人）。咸通三年(862)64岁

吕洞宾木雕像，18世纪
巴黎吉梅博物馆供图

进士及第。后游长安，遇钟离权得道。元代封为“纯阳演政警化孚佑帝君”。全真道奉为北五祖之一，通称吕祖。另一说吕洞宾实无其人，其传说起于北宋岳州一带。有点水为酒报答老妇和度化歌伎白牡丹的故事。后一故事以宋人颜洞宾故事附会。中国画中吕洞宾身佩神剑、手执拂尘，或画成打筒子渔鼓的老人。在八仙中声望最著，流传故事最多。《道藏》中有《纯阳帝君神化妙通记》7卷。

Lu-fei K'uei 陆费逵(1886-09-17，中国陕西汉中～1941-07-09，香港九龙) 中国出版家、中华书局创办人。复姓陆费，字伯鸿，浙江桐乡人。早年任汉口《楚报》主笔。未久因言论

中国大百科全书出版社供图

忤当道，《楚报》被封而到上海，任昌明公司上海支店经理兼编辑，次年改任文明书局编辑，兼文明小学校长。1909年，进入上海商务印书馆任编辑及出版部长。1912年与友人陈协恭、戴克敦、沈知方等创办中华书局，任总经理一职，时年27岁。此后20余年专注经营，使该书局迅速发展，分局遍及国内外，印刷工厂分设香港、上海，成为全国规模最大的出版公司之一。1937年抗日战争爆发后移居香港，设立中华书局办事处，主持香港分局工作，曾连任国民参政会参议员。

Lü Fengzi 吕凤子(1886-07-07，中国江苏丹阳～1959-12-20，南京) 又拼 Lü Feng-tzu。中国现代国画家、美术教育家。原名濬，字凤痴，别署凤先生。1907年秋考入南京两江优级师范学堂图画手工科学习。1910年到上海创办神州美术院。1912年回丹阳创办正则女校。以后曾任镇江中学校长、国立中央大学艺术科教授、国立艺术专科学校校长、正则艺专校长、江苏师范学院艺术系教授等职。一生从事艺术教育，培养了大批美术人才。擅长书画，仕女、佛像别具风格。早期博览古代作品，潜心于传统绘画的研究，一面吸收西洋写生技巧，开始树立自己风格。中年以后，画过不少抒情写意的仕女人物和纪游写生的山水，以及其他静物、花鸟等，都能抒发新意，自成家法。抗日战争后，多画一些愤世嫉俗、讥讽时政的作品。中华人民共和国建立后，努力创作新题材的作品。晚年所著《中国画法研究》(1961)系统阐述了中国画的独特风格与勾线技法。

中国大百科全书出版社供图

Lu Hsiang-shan 陆象山 参阅 **Lu Jiuyuan** 陆九渊。

Lu Hsing 禄星 参阅 **Fu-Lu-Shou** 福禄寿。

Lu Hsün (Chinese author) 参阅 **Lu Xun** 鲁迅。

Lu Ji 陆机(261～303) 又拼 Lu Chi。中国西晋文学家。字士衡，吴郡吴（今江苏苏州）人。出身于东吴世家，祖父陆逊是东吴丞相，父陆抗是东吴大司马。晋灭吴后与弟陆云退居旧里勤读。太康十年(289)到洛阳，以文章为当时文士推重。曾任国子祭酒、著作

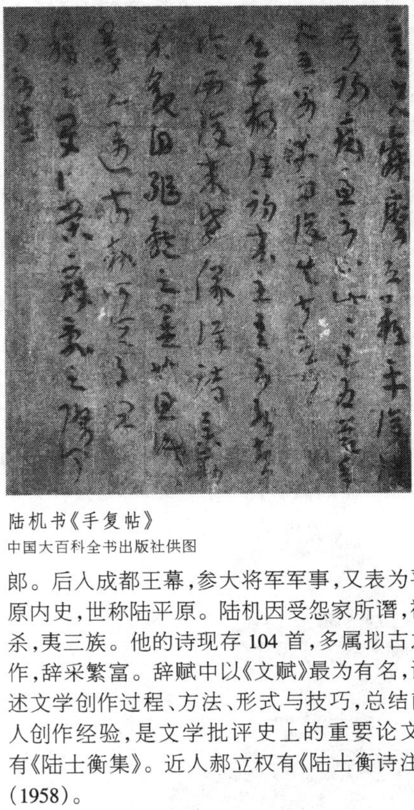

陆机书《手复帖》
中国大百科全书出版社供图

郎。后入成都王幕，参大将军军事，又表为平原内史，世称陆平原。陆机因受怨家所谮，被杀，夷三族。他的诗现存104首，多属拟古之作，辞采繁富。辞赋中以《文赋》最为有名，论述文学创作过程、方法、形式与技巧，总结前人创作经验，是文学批评史上的重要论文。有《陆士衡集》。近人郝立权有《陆士衡诗注》(1958)。

Lü Ji 吕骥(1909-04-23，中国湖南湘潭～2002-01-05，北京) 中国音乐理论家、作曲家、音乐活动家。原名吕展青。少年时自学箫、笛、琵琶、钢琴、小提琴，曾任中、小学音乐教员。1932年在武汉与张庚创建武汉左翼戏剧家联盟，1933年参加上海左翼戏剧家联盟音乐小组活动。1937年10月到延安。1938～1945年先后任延安鲁迅艺术学院音乐系主任、副院长等职。抗战胜利后，赴东北任东北大学鲁迅文艺学院副院长、院长等职。1949年中华全国音乐工作者协会成立，吕骥当选为主席。1949～1957年，任中央音乐学院副院长，并历任中国音乐家协会主席和名誉主席。从30年代初至抗战初期，他的主要作品有：《自由神》(1935，电影《自由神》主题歌)、《新编“九一八”小调》(1935，活报剧《放下你的鞭子》插曲)、《中华民族不会亡》(1936)、

《保卫马德里》(1936)等。在延安及敌后抗日根据地时期的主要作品有《抗日军政大学校歌》(1937)、《陕北公学校歌》(1937)、《铁路工人歌》(1946)以及大合唱《凤凰涅槃》(1941)

中国大百科全书出版社供图

等。他的声乐作品具有鲜明的时代性、战斗性及群众性。在题材、形式、音调的构成上显示了他的创作个性。5个乐章的大型合唱《凤凰涅槃》，是他对以戏剧性、叙事性为主导的音乐体裁，在曲调创作、结构形式、风格特点以及音乐内涵等方面进行的新探索。他重视对中国民间及古典音乐的研究，在延安时就撰写了《中国民间音乐研究提纲》。他倡导古琴打谱工作，促进《琴曲集成》的编辑出版。他的论文《从原始社会到殷商的几种陶埙探索我国五声音阶的形成年代》(1978)，填补了中国音乐史研究中的一项空白。他主持出版了《中国民间歌曲集成》(1988)。1988年出版有《吕骥文选》(上、下册)。

Lu Jiaxi　卢嘉锡(1915-10-26，中国福建厦门～2001-06-04，福建福州)　中国物理化学家。中国科学院院士。台湾台南人。1934年毕业于厦门大学化学系，1937年赴伦敦大学

中国大百科全书出版社供图

化学系，进行核化学和放射化学研究，1939年获博士学位。同年去美国加州理工学院继续深造，在著名化学家L.C.鲍林指导下从事结构化学的研究。后在美国国防研究委员会马里兰州研究室和加州大学化学系工作，在燃烧与爆炸研究方面取得出色成绩。1945年回国，历任厦门大学化学系教授、系主任、理学院院长、副教务长。1955年受聘为中国科学院数学物理学化学部学部委员。1960年后，历任福建物质结构研究所所长、研究员，福州大学化学系教授、副校长，中国科学院院长和中国化学会理事长。他还是国际纯粹与应用化学联合会物理化学专业委员会增设委员、分子结构和光谱工作委员会国家代表。主要成就有：通过晶体和分子结构测定，证实了W.G.宾尼和G.B.B.M萨瑟兰根据量子化学理论分析提出的过氧化氢分子构型；根据对二联苯不寻常晶体的测定，确定了其分子结构，并对这个新型芳烃进行了量子化学理论分析；通过对氮化硫及其同类物雄黄和雌黄等的分子结构测定，确定了它们的非过渡元素原子簇构型；根据以双氮分子充分活化作为主要矛盾进行的理论分析，提出固氮酶中钼铁蛋白非朊辅基固氮活性中心的 $MoFe_3S_3$ 网兜状原子簇“福州模型Ⅰ”结构模型，后进一步发展成为孪合重烷型双立方烷的“福州模型Ⅱ”；对Mo-S、Fe-S、Mo-Fe-S过渡金属元素簇合族的合成和反应，组织开展了系统研究，并在此基础上提出“元件组装设想”，以四元环型过渡金属M、M′原子“簇元”作为基本“元件”，阐明了单烷型、重烷型过渡金属元素簇合物的“自兜”合成反应原理。已发表学术论文60余篇。1978和1980年在第三、四两届国际固氮学术会议上宣读了《新中国固氮研究》等论文。还曾与人合译《化学键的本质》一书(1966)。

Lu Jiuyuan　陆九渊(1139～1193)　又拼Lu Chiu-yüan 中国南宋哲学家、教育家。字子静，号存斋。抚州金溪(今属江西)人。因曾在江西贵溪县象山书院讲学，学者称他为象

中国大百科全书出版社供图

山先生。哲学上提出“心即理”说，认为心是世界本原和唯一实体，“宇宙便是吾心，吾心即是宇宙”。就人而言，人同此“心”，心同此“理”。认为朱熹“格物穷理”的理学支离烦琐，而主张向内省察的“易简工夫”。因为人性本善，在“发明本心”过程中会重新获得被物欲所蔽的善。陆九渊学派亦称象山学派。其后由王守仁发扬，成为陆王学派。陆的著作由其子陆持之于1205年编为《象山先生全集》(28卷)，和弟子的问答编为《象山语录》(4卷)。现有中华书局点校本《陆九渊集》(36卷，1980)。

Lu Mountains (China)　参阅 **Lu Shan** 庐山。

Lü P'ei-lin　吕沛林　参阅 **Taixu** 太虚。

Lü pipes　律管　中国古代校正乐律的器具。由管径相同、长短不同的竹管制成。管的音高按中国古代十二律为准。12支律管依十二律从低音到高音排列，其顺序为黄钟、大吕、太簇、夹钟、姑洗、仲吕、蕤宾、林钟、夷则、南吕、无射、应钟。其间奇数各律称“律”，计“六律”；偶数各律称“吕”，计“六吕”，合称“律吕”。

Lü Pu-wei (Chinese minister)　参阅 **Lü Buwei** 吕不韦。

Lu Rongting　陆荣廷(1859，中国广西武鸣～1928-11，上海)　又拼Lu Jung-ting。中国旧桂系军阀首领。本名亚宋，字干卿。中法战争时投唐景崧部当兵，战后裁员加入绿

中国大百科全书出版社供图

林。1893年被清政府招抚。1907年参加镇压孙中山、黄兴发动的镇南关(今友谊关)起义，升左江镇总兵。1911年武昌起义后，广西独立，陆被推举为副都督。1912年初任广西都督。1916年反对袁世凯称帝，宣布广西独立，并进军广东。1917年任两广巡阅使。同年孙中山组织护法军政府，陆对护法阳迎暗拒，勾结直系军阀反对孙中山。1921年6月被孙中山击败，陆通电辞职，后去上海。1922年陆回广西任边防督办。于1924年9月下野去沪，后移居苏州，1928年在上海病死。

Lu Shan　庐山　又作Lu Mountains。地垒式断块山。中国国家级风景名胜区和避暑胜地。位于江西省九江市以南，星子县以西。耸峙于长江中下游平原与鄱阳湖畔。自东北向西南延伸，面积约349平方千米。东西两侧为大断裂，山体多峭壁悬崖，相对高度1 200～1 400米。主峰大汉阳峰海拔1 474米，山势雄伟。1996年12月以自然与文化遗产列入世界遗产名录。传周代有匡氏兄弟7人上山修道，结庐为舍，因名庐山。又称匡山、匡庐。东汉明帝(公元58～75在位)时为中国佛教中心之一。6～8世纪又为道家、诗人、学者驻地，寺庙道观遍布。胜迹有五老峰、仙人洞、三叠泉、含鄱口等。庐山属中亚热带湿润山地气候，以春温、夏凉、秋爽、冬寒为特点。植被丰富，森林繁茂。江湖水气郁结，云海弥漫，年平均雾日191天，有“不识庐山真面目”之称。山中牯岭，又名牯牛岭，以有大块岩石状如牯牛得名，海拔1 167米，为庐山风景名胜区中心集镇，建有疗养院、文化宫、博物馆、宾馆等。九江市区有公路直达牯岭镇。庐山植物园因有地形屏障，成为中国南北植物驯化基地。1990年建成九江珍稀濒

庐山风光
美国不列颠百科全书公司供图

危植物种质资源库。中国地质学家李四光提出第四纪期间庐山有冰川发育，引起国际学术界瞩目。

Lü Shuxiang　吕叔湘（1904-12-24，中国江苏丹阳～1998-04-09，北京）　中国语言学家。1926年毕业于国立东南大学外国语文系。曾在中学任教。1936～1937年在英国牛津大学和伦敦大学留学。1938年回国，先后在云南大学、华西协合大学、金陵大学、中央大学担任中文教学和研究工作。1950～1952年任清华大学中文系教授。1952年调中国科学院语言研究所，历任研究员、副所长、所长、名誉所长，兼任《中国语文》杂志编委、主编。还担任中国文字改革委员会委员、副主任，中国语言学会会长。吕叔湘是近代汉语语法研究的开创者。主要著作有《中国文法要略》（3卷，1942～1944）、《语法修辞讲话》（与朱德熙合著，1952）、《汉语语法分析问题》（1979）。《中国文法要略》突破了模仿印欧语语法的框架，探索汉语自身的语法规律，反映了20世纪上半叶汉语语法研究的成就。书中通过比较揭示汉语的特点，是一部古今比较语法。这部书是迄今为止对汉语句法全面进行语义分析的唯一著作。《语法修辞讲话》着重实际用例的分析，强调语言知识对语言实践的指导作用，剖解了语言实践中出现的大量问题，具有“匡谬正俗”的作用。吕叔湘还著有《文言虚字》（1944）、《语文常谈》（1980）、《汉语语法论文集》（增订本，1984）。主持编纂《现代汉语词典》（1978）、《现代汉语八百词》（1980）。他的重要著作、论文已汇编成《吕叔湘文集》。

中国大百科全书出版社供图

Lü-ta（China）　**旅大**　参阅 **Dalian** 大连。

Lu Tanwei　陆探微（？～约485）　又拼 Lu T'an-wei。中国南朝宋画家。吴（今江苏苏州）人。美术史上和顾恺之并称“顾陆”。南朝宋明帝时（465～472）为常在侍从，多为皇帝、贵族、大臣画像；还画过很多古贤人物故实和佛教画，如《孔子与十弟子》、《姜后免冠》、《降灵文殊》等图。他的艺术在顾恺之的基础上有进一步的发展。在人物形象上创造一种所谓“秀骨清样”的典型，适合当时上层社会人士的审美要求；在线条上创造一种挺秀刚劲所谓“锐利如锥刀焉”的线型；他更参照大书法家王献之的草书，一笔而成气脉通连的“一笔书”体势，创造连绵不断、一气呵成的“一笔画”。他的声誉在南朝高过顾恺之。当时南北对峙，在文化艺术方面却不断交流、融合，主要是北朝学习南朝。因此，今天虽看不到陆探微的真迹，但从北朝如龙门石窟、麦积山石窟、洛阳北魏永宁寺遗址出土的有关雕塑中，以及南朝如《竹林七贤与荣启期》砖印线画中，都可以探索到陆探微的一些艺术风格特点。

Lü Tsu（Chinese mythology）　**吕祖**　参阅 **Lü Dongbin** 吕洞宾。

Lü-tsung（Buddhist philosophy）　参阅 **Ritsu** 律宗。

Lü Tung-pin（in Chinese mythology）　参阅 **Lü Dongbin** 吕洞宾。

Lu Xiujing　陆修静（406～477）　又拼 Lu Hsiu-ching。中国南朝宋道士。字元德。吴兴（今浙江）人。通儒学、谶纬，旁及佛典。早年弃家修道，好游历。453年在建康（今南京）卖药，应宋文帝召入宫讲道，太后王氏执弟子礼。461年居庐山，筑精舍于白云峰下。467年宋明帝礼请至京，为筑崇虚馆。在馆广收道经，整编成“三洞”，为《道藏》奠定基础。所编《三洞经书目录》是最早道藏书目，著斋戒仪范百余卷，奠定道教仪式。卒谥简寂先生。被宋徽宗追封为丹元真人。

Lu Xun　鲁迅（1881-09-25，中国浙江绍兴～1936-10-19，上海）　又拼 Lu Hsün。中国现代文学家。原名周树人。1898年进南京水师学堂，次年改入铁路矿务学堂。1902年赴日本留学，初入东京弘文学院，毕业后入仙台医学专门学校。两年后弃医从文，到东京研究文学，加入革命团体光复会。1909年回国，在杭州、绍兴等地教书。1911年任绍兴师范学校校长。1912年到南京临时政府教育部工作，后随部迁北京。新文化运动兴起，鲁迅于1918年任《新青年》编辑，开始用笔名鲁迅，发表抨击家族制度和礼教弊害的白话小说《狂人日记》（A Madman's Diary），为中国新文学第一篇白话小说。小说从果戈理同名小说得到启示，体现中国新文化运动彻底反封建的精神。1921年在《晨报》副刊发表中篇小说《阿Q正传》（The True Story of Ah Q），还写了收入《热风》和《坟》里的许多杂文。《阿Q正传》塑造了贫苦农民阿Q的不朽典型，批判人们在失败时以“精神胜利”来自我安慰的消极态度。1923年这些小说编入《呐喊》（Call to Arms）。《呐喊》体现五四文学革命的实绩，使鲁迅成为中国现代文学的重要奠基人。1920年起在北京大学、女子师范大学、厦门大学、中山大学等校任教，致力于系统研究和讲授小说史。后来将讲义整理成中国的第一部小说史《中国小说史略》（Outline History of Chi-

中国大百科全书出版社供图

nese Fiction)出版。1926年出版《彷徨》(Hesitation),编定《汉文学史纲要》。1927年10月以后定居上海。参加无产阶级革命文学论争,译介马克思主义文艺理论。同时主编《语丝》周刊,与郁达夫合办《奔流》月刊、组织"朝花社",提倡新兴木刻艺术。这几年发表的杂文,编成《而已集》和《三闲集》。1930年参加发起中国自由运动大同盟、中国左翼作家联盟,遭到国民党通缉。在这前后领导左翼文艺界,对"新月派"、"民族主义文学"、"自由人"和"第三种人"进行论战,对国民党的政策提出强烈抗争。1933年参加中国民权保障同盟,和宋庆龄等营救被捕的革命者。日本军队占领东北以后,鲁迅写了大量杂文抨击国民党对外不抵抗、对内"围剿"红军的政策。1934～1935年写了5篇历史小说借古喻今,合以前的3篇,集成《故事新编》。1936年拥护抗日民族统一战线政策,提出"民族革命战争的大众文学"的口号,作为文艺界的努力方向。从参加左联到病逝上海,鲁迅的杂文写得更多,共有《二心集》(1932)、《南腔北调集》(1932)、《伪自由书》(1933)等8个集子。他的杂文是政论性和形象性相统一的精品。他的小说思想深刻,是反映中国民主革命趋势的一面镜子,在艺术上,熔中外小说技法于一炉,又有新的创造,因而有中国现代小说的开山和楷模之称。中华人民共和国建立后,在北京、上海、绍兴建立鲁迅博物馆、纪念馆。作品收入《鲁迅全集》、《鲁迅译文集》。

Lu Xun Memorial 鲁迅纪念馆 为纪念伟大作家鲁迅,中国在他生前生活过的地方建立的博物馆,包括:①绍兴鲁迅纪念馆,位于浙江省绍兴市都昌坊口。1953年建成开放。该馆包括鲁迅出生和度过平生三分之一时光的故居,鲁迅童年时代嬉戏的乐园百草园,鲁迅少年时代就读的私塾三味书屋和一座以鲁迅生平事迹为内容的陈列厅。②北京鲁迅博物馆,位于北京市阜成门内西二条鲁迅故居(1924～1926)。从1949年开始定期开放。1956年在故居东侧建成新馆。1996年,为纪念鲁迅逝世60周年和建馆40周年,又新建陈列厅、文物库房和多功能厅,并推出新的鲁迅生平事迹陈列。③广州鲁迅纪念馆,位于广州市文明路215号,1959年建成开放。馆址钟楼,系1927年鲁迅任中山大学教务主任兼文学系主任时居住和工作的地方。④上海鲁迅纪念馆,位于上海市东江湾路146号鲁迅公园内。1951年1月7日,山阴路大陆新村9号鲁迅故居(1927～1936)复原开放。1956年鲁迅逝世20周年时,在现址建成江南民居式新馆,同时从万国公墓迁葬鲁迅墓于馆侧,毛泽东手书墓碑,陈植设计墓园,萧传玖创作墓前鲁迅铜像,该馆鲁迅生平事迹陈列以其最后在上海的辉煌十年为重点。

Lü Yen (Chinese mythology) **吕嵒** 参阅 **Lü Dongbin 吕洞宾**。

Lu You 陆游(1125～1210) 又拼Lu Yu。中国南宋诗人。字务观,号放翁。越州山阴(今浙江绍兴)人。幼年受父辈爱国思想教育,立志抗金复国。高宗时应进士试,为秦桧

中国大百科全书出版社供图

黜免。孝宗时中进士。任镇江、隆兴通判。中年入蜀,在四川宣抚使王炎幕助理军务,后又在范成大幕中任参议官。一生力主抗击金兵,恢复失地,屡遭投降集团排挤打击。晚年罢职,长期在山阴乡居。爱国热情至老不衰。临终作《示儿》诗,叮嘱"王师北定中原日,家祭无忘告乃翁",仍关注国家命运。诗与尤袤、杨万里、范成大并称"南宋四大家",成就实在三人之上。今存诗9 000多首。诗大都抒写抗金报国、光复中原的情怀及壮志难酬的悲愤,谴责当道的屈辱投降。风格雄浑奔放,感情炽烈真挚,在中国爱国主义诗歌传统中占突出地位。农村诗以清新秀丽见长,富乡土气息,表现对农村生活的亲切感情和对农民辛勤耕作的同情。词兼有豪放、婉约的风格。《钗头凤》("红酥手")倾吐被迫与妻唐琬离异的痛苦,为人所熟知。有《剑南诗稿》、《渭南文集》、《陆游集》(1976)等。

Lualaba River 卢阿拉巴河 刚果河之源,全长1 800千米,均在刚果(金)境内。发源于加丹加省(沙巴)高原。上游有许多瀑布和激流,在72千米内落差457米,已用于发电。有644千米河段可以通航。在孔戈拉以南,该河进入一条深而窄的峡谷——鬼门,完全不通航。此后可间断通船。博约马的7条瀑布为卢阿拉巴河终点,刚果河起点。

Luan He 滦河 又作Luan River。中国华北地区大河流之一。旧称濡水。发源于河北省丰宁满族自治县巴彦古尔图山北麓。上游闪电河经内蒙古自治区多伦折向东南,接纳小滦河后始称滦河。中游穿行于燕山山地,在承德市先后汇兴州河、伊逊河、武烈河、鹦鹉河(热河)、柳河、瀑河等支流,在喜峰口穿过长城。下游汇青龙河,在乐亭附近分成几道细流,经过约50千米宽的三角洲注入渤海湾。全长877千米,流域面积4.47万平方千米。上游流经坝上地区,河床宽浅,水流迂缓,沿河有许多沼泽地。承德以下夏季可通行小船,是旧时军事给养运往承德市的唯一水路,也是河北各地至长城外地区的贸易路线。滦河中游谷深坡陡,落差较大,水力资源丰富。库容29.3亿立方米的潘家口水库建在瀑河汇入滦河处。从潘家口水库引水,以补给天津、唐山二市的用水。引滦入津工程于1983年完工;引滦入唐工程也于1985年竣工。

Luanda 罗安达 又拼Loanda。前称圣保罗-德罗安达。安哥拉北部城市和首都。濒大西洋。全国最大城市、第二大海港。1576年由保罗·迪亚斯建立,1627年成为殖民地首府和向巴西贩运奴隶的主要口岸。气候温暖,四季如春。建有国际机场和国立罗安达大学(1962)。主要出口咖啡、棉花、钻石、铁和盐。1955年在附近发现石油,建有炼油厂(1981年被游击队破坏,后又修复)。沿海为热带平原,内陆为台地,有宽扎河等河流穿过。宽扎河的卡姆巴姆贝水坝(1963)向罗安达市供应电力。产咖啡、棉花、甘蔗、油料

罗安达市的圣米格尔要塞
美国不列颠百科全书公司供图

作物、棕油和果仁;养牛业很重要。人口约2 555 000(1999)。

Luang Lake 銮湖 又作Thale Luang或Thale Sap。又称他里式湖。在马来半岛东海岸的泰国南部沿海潟湖,在其南岸的宋卡城镇与泰国湾相通。长80千米,宽24千米,是富饶的渔场。湖中多小岛。

Luang Prabang (Laos) 参阅 **Louangphrabang 琅勃拉邦**。

Luangwa National Park 卢安瓜国家公园 在赞比亚东北部,面积15 540平方千米。分为南、北两个公园。海拔500～1 100米不等。原为野生动物保护区,1972年辟为国家公园。该园沿193千米长的卢安瓜河裂谷延伸,植被有林地、稀树草原和灌木丛。园内多野生动物,其中包括小猴、狒狒、豹、狮、象、斑马、黑犀、河马、灰棕色白斑羚、旋角大羚羊、水牛、驯鹿、非洲大牛羚、野狗、鬣狗、猎豹、长颈鹿、大羚羊及红棕杂灰白色羚等,还有鹳、鹅、鹤和深红色蜂虎等多种鸟禽。卢安瓜河亦为尼罗河鳄鱼栖居地。公园通航空线和公路。

Luangwa River 卢安瓜河 非洲南部河流。源出马拉维-赞比亚边界,从赞比亚伊索卡附近的源头起向南-西南流,汇入赞比西河。

全长800千米。该河流域有几个狩猎公园。下游形成赞比亚-莫桑比克边界的一部分。

Luanping　滦平　中国河北省承德市辖县。位于省北部，长城古北口外，西南与北京市邻接。面积3 195平方千米。县府驻滦平镇。地处燕山山脉中段，山区占总面积的90％以

滦平县境内的明代长城
中国大百科全书出版社供图

上。滦河流经县境东北部，西部有潮河流贯，属海河流域。属暖温带季风气候。清乾隆四十三年（1778）设滦平县。1928年属热河省，1956年热河省撤销划归河北省。境内矿藏主要有煤、铁，经济以林业、畜牧业为主。农作物有玉米、高粱、水稻等。盛产红果、杏仁。无角山羊为地方名产。京通铁路和101、102国道由县境通过。有明代长城、秦汉时期的烽燧、小城子汉城遗址和辽代兴州古城等古迹。人口340 000（2005）。

Luanshya　卢安夏　非洲南部的赞比亚中部城镇区，有"铜带的花园城镇"之称。为邻近的罗恩安蒂洛普矿区的服务中心，亦为通往恩多拉的一条铁路支线的终点站，有公路与其他产铜区城镇连接，也有一座机场。工业有采铜、炼钢、通用机械厂和多种制造厂等。人口约146 275（1990）。

Luapula River　卢阿普拉河　非洲中南部河流。源于赞比亚东部班韦乌卢湖之东的班韦乌卢沼泽（世界上最大的沼泽之一）。全长560千米，大部分河道为赞比亚与刚果（金）间的边界。上游向南再向西缓慢下降，但转向北后有一串瀑布。班韦乌卢湖周围的许多沼泽地带边缘多有白沙滩。卢阿普拉河为谦比西河的延伸，谦比西河河口掩没在一大片纸莎草丛中。卢阿普拉河在约翰斯顿瀑布以下才可通航，距此约160千米处为其流入姆韦鲁湖的河口。公路几乎与卢阿普拉河平行，连接地区首府曼萨与姆文达和卡万布瓦。若干支流上有渡船。

luau　芋叶宴　又称露奥。现代夏威夷宴席。luau原指一种当作蔬菜吃的芋头叶，后指用这种叶子配制的菜和吃这种菜的宴席。它不同于古代只有男人参加的、隆重的礼仪性宴会，而是一种非正式的现代宴席。标准的芋叶宴在一张铺有朱蕉叶、用水果和鲜花作点缀的矮桌上进行。传统的菜包括：芋泥（**poi**），在地下炉灶内烤制的全小猪，将芋叶和猪肉裹在朱蕉叶内蒸制的菜食，用调料汁液腌渍过的生鲑鱼片，烤甜薯，用椰子汁烧制的鱼或鸡，贝类，还有甜食。进餐时伴有舞蹈和音乐。

Luba　卢巴人　又称巴卢巴人（Baluba）。刚果（金）东南部操班图语诸民族。20世纪末，约有559.4万人，其居住地区广阔，遍于刚果（金）南部大部地区。卢巴一名，适用于许多不同的部落，这些部落虽然血统不一，但语言相近，呈现许多共同的文化特征，还有共同的政治历史；这段历史始于16世纪卢巴帝国的建立，终于17世纪后帝国的衰亡（参阅**Luba-Lunda states**）。卢巴人可细分为三个支系：加丹加的卢巴-山卡基人、开赛的卢巴-班博人、加丹加北部和基伍南部的卢巴-汉巴人。这些人与其他刚果民族都在历史上、语言上和文化上互有联系。山卡基支系还与隆达帝国的早期缔造者有关系。卢巴人住在热带大草原和森林里，从事狩猎、采集食物和农耕（木薯、玉米），也饲养小牲畜，生活在只有一条街大小的村庄里，街道两旁排列着长方形茅舍。他们以集约方式在刚果河畔及其主要支流分布地带进行捕鱼。帝国灭亡后，形成许多小

卢巴人的女子祖先木雕像
巴黎人类博物馆供图

酋长国或地方自治宗系集团。卢巴人行割礼和女子成丁礼，有狩猎、魔法和巫医等会社。虔信一位至高无上的神，并崇奉祖先和自然神灵。文学发达，尤以传奇组诗为著；山卡基人和汉巴人长于木雕，尤以人形木雕、用作礼器的斧头及头饰最为有名。

Luba-Lunda states　卢巴-隆达诸邦　中非的一个国家联合体，在今刚果民主共和国境内，15世纪末到19世纪末为兴盛时期。卢巴在开赛河以东，卢阿拉巴河河源周围；隆达在宽果河以东，开赛河河源周围。15世纪晚期，小群猎象者在隆达建一王国，统治者均称姆瓦塔·亚姆沃。在这一中心国家周围，许多卢巴-隆达卫星国扩展开来，到17世纪已达刚果盆地南部、安哥拉西部和赞比亚。姆瓦塔·亚姆沃的王国一开始就与安哥拉的葡萄牙人建立间接的联系，以奴隶、象牙换取服装和其他商品。18世纪初，姆瓦塔·亚姆沃王国的移民向西南迁移，建卡曾贝王国，定都于姆韦鲁湖以南的卢阿普拉河流域（今赞比亚共和国境内）。借助葡萄牙人的武器建国的卡曾贝-隆达昌盛至19世纪末，后沦为英国殖民地。这些一度独立的国家现均为刚果民主共和国的一部分。不过隆巴人仍推选领袖，实行礼仪自治。最后一位卢巴统治者从1891～1917年对卢巴实行统治。

Lubango　卢班戈　原称萨达班代拉。安哥拉西南部城市。在纳米贝（前称木萨米迪什）以东约160千米。有铁路相接。最初于1885年由自马德拉群岛迁来的殖民者所建。位于威拉高原山谷（海拔1 760米）。谷坡上下，层层园林，风景优美。本是安哥拉腹地的主要葡萄牙人定居点。城市建筑为葡萄牙风格，有大教堂、商业大厅、工业大厅和中学。人口约105 000（最新统计）。

Lubbock　拉伯克　美国得克萨斯州西北部城市、拉伯克县县城（1891）。北距阿马里洛190千米，是南部平原的商业中心。1890年由老拉伯克和蒙特雷两地合并而成，原为放牧中心。自流灌溉使平原得以经营混合农业，生产棉花、谷物，饲养牛。1909年通圣菲铁路，设市，成为全国主要的内陆棉花市场之一及多种农业和工业联合体的中心。重要产品有石油、农具、推土设备、棉籽油、工程设备等。附近的里斯空军基地也是促进经济发展的因素。该地设有得克萨斯技术大学（1923），校园内有博物馆和畜牧遗传中心。另有拉伯克基督教学院（1957）。成立得克萨斯工程大学医学中心等现代化医院，是地方医疗中心。州立麦肯齐公园和布法罗湖泊区均有娱乐设施。一年一度的潘汉德尔南部平原交易会是地区盛事。1970年5月一场前所罕见的龙卷风使数千人失去家园。两年后政府下令解除禁酒令。其著名的音乐节吸引了众多摇滚乐歌手和其他一些西得克萨斯音乐家。人口：市206 481；拉伯克都会统计区227 890（2000）。

Lubec　卢贝克　美国缅因州东部华盛顿县城镇。位于伊斯特波特以南，临大西洋。约1780年始有人定居，1811年设建制。现为海滨游览区和渔业区的商业中心。有沙丁鱼和鲑鱼加工业。该镇州立阔迪黑德公园为美国最东点，园内有建于1808年的灯塔，1858年重建。卢贝克与坎波贝洛岛有桥相通，岛上的罗斯福坎波贝洛国际公园为F.D.罗斯福总统的夏季住所所在地。面积86平方千米。人口1 652（2000）。

Lübeck　吕贝克　全称Hansestadt Lübeck。德国北部石勒苏益格-荷尔斯泰因州城市和

主要港口。濒临特拉沃河和瓦肯尼茨河。距波罗的海14千米。当地早期居民点是斯拉夫公国所在地。公元1143年荷尔斯泰因伯爵阿道夫二世在该地建一德意志城市。1157年被大火焚毁。1159年狮子亨利又在此建一新城。该城作为与北欧和东欧原料生产国以及西欧制造中心的主要贸易点,发展迅速。1201～1206年曾短期属于丹麦,但1226年辟为自由城市。1358年成为汉萨同盟总部驻地。1398年吕贝克运河开通,极大方便了盐的运输。15世纪初已发展为德国第二大城市,拥有22 000居民。1630年汉萨同盟解体,吕贝克仍为波罗的海最重要港口。法国革命和拿破仑战争(1792～1815)期间贸易完全瘫痪。1815年后吕贝克加入德意志邦联,1866年属北德意志邦联,1871年并入德意志帝国。随着1900年修建易北河-吕贝克运河,吕贝克经济开始复苏。1937年纳粹统治时期将其划入普鲁士石勒苏益格-荷尔斯泰因省。第二次世界大战中有历史意义的内城大部遭到破坏。战后进行了修复。吕贝克著名的名胜古迹有哥特式圣马利亚教堂(13～14世纪,砖结构)、罗马风格大教堂(始建于1173年)、哥特式结合文艺复兴式的旧市政厅以及中世纪城堡、城门等。运输纸制品、木制品、水果、粮食、汽车、盐和肥料等货物。工业有造船,金属加工和食品加工。金融、通信和旅游业也占重要经济地位。1987年联合国教科文组织将内城列为世界遗产。吕贝克为德国最大波罗的海港口。人口约213 496(2002)。

Lubecki, Ksawery Drucki　卢贝茨基(1779-12-28,俄罗斯圣彼得堡～1846-05-23,圣彼得堡)　波兰政治家,曾恢复波兰在拿破仑战争之后在俄国沙皇统治下成为"会议王国"时期的支离破碎的财政。他是古俄罗斯留里克统治家族的后裔,生于王公家庭。最初任俄军军官。1813～1815年为俄国占领下的华沙公国临时政府的成员,1817～1821年在柏林和维也纳进行谈判,成功地解决了波兰的外债问题。1821年波兰财政濒临崩溃之际,他受命担任俄国控制下的波兰会议王国财政部长,杜绝各种弊端和有效地征收过期未付的税款,在3年内使预算达到平衡。他利用预算的盈余发展国家矿山和冶金业,并资助日益兴起的纺织工业。此外,他还创办土地信用社(1825)和波兰银行(1828)。他坚定捍卫波兰的自主权,但他是一个保守派,极力把1830年的波兰革命运动限制在合法的范围以内。他最后成为一个眼见1830年波兰起义失败和波兰会议王国并入俄罗斯帝国而只得顺从的人。1832年他被任命为俄国国务会议委员,在圣彼得堡度过余生。

Lubelskie　卢布林　波兰东部省份。西北邻马佐夫舍省,北邻波德拉斯省,南邻喀尔巴阡山省,西邻圣十字省。东与白俄罗斯和乌克兰两国接壤。为1999年波兰行政区划改革后设立的16个省份之一。主要包括原卢布林省、比亚瓦波德拉斯卡省、海乌姆省和扎莫希奇省。省会是卢布林。卢布林省有多样化的地形。该地区很多地方都是沼泽和泥炭沼,森林(主要为针叶林)面积占1/4。气候以大陆气候为主。年平均降水量为550～650毫米。大约一半人口为城市人口,最大的城市包括卢布林、海乌姆、扎莫希奇和比亚瓦波德拉斯卡等。该省东部地区居住着乌克兰少数民族。卢布林是波兰最不发达省份之一。该省7/10的土地用于农业。农业为该省的经济支柱,主要作物包括谷物、马铃薯、甜菜、草料、烟草、啤酒花、水果和蔬菜。猪牛饲养业也非常重要。地方制造业反映出了该省的农业特点,主要产业包括制糖、肉类包装、面粉加工、烟草加工和酿酒。其他重要产业包括化工产品加工、水泥制造、汽车和飞机制造以及家具制作。最近开始了天然气生产。虽然该省景色优美,并有很好的文化遗址,但旅游业并未充分开发。建有罗兹托切和波莱斯基两大国家公园。扎莫希奇旧城是著名旅游景点,是意大利文艺复兴风格的典范,1992年被联合国教科文组织列为世界遗产。风景优美的卡奇米日镇是艺术家、作家和旅游者聚集之地。省会卢布林有很多历史建筑,包括14世纪的卢布林城堡,其中的圣三一小教堂中保存有杰出的拜占廷壁画。卢布林东南部建有第二次世界大战时期欧洲第二大纳粹集中营马伊达内克集中营,大约有36万人死于该集中营。17世纪,由于与哥萨克人、瑞典人、俄国人的战争,再加上战争带来的灾难性瘟疫,该地区不断衰落。1809年并入华沙公国,1815年并入波兰王国。1918年,第一个独立的波兰政府在卢布林成立。第二次世界大战期间,德军在该地区建立了200多个劳改所、监狱和集中营,但同时卢布林也是波兰反抗运动的核心地区之一。1944年7月22日,苏联支持的波兰民族解放委员会在海乌姆发表了《七月宣言》,建立了共产主义政权,将政府设在了卢布林。战争结束后,该地区大部分人口离开了被毁城镇,移居到西部地区。面积25 114平方千米。人口2 199 054(2002)。

Lüber, Thomas　吕伯　参阅**Erastus, Thomas** 埃拉斯都。

L'ubercy(Russia)　参阅**Lyubertsy**柳别尔齐。

Lubiana(Slovenia)　**卢比亚纳**　参阅**Ljubljana** 卢布尔雅那。

Lubin, David　卢宾(1849-06-10,俄罗斯帝国波兰克沃达瓦～1919-01-01,意大利罗马)　波兰出生的美国商人、农业改良家。由于他的活动,1905年建立了国际农业学会,作为收成、价格和贸易资料的世界情报交换中心,以保护各国农民的共同利益。1853年随家庭迁英格兰,1855年迁纽约市,曾任金首饰商、珠宝商、布匹商。1865年到加利福尼亚和亚利桑那州淘金。1874年回加利福尼亚经营谷类生意。在加利福尼亚经营商业和农业很成功。曾帮助领导果农组织起来,争取从铁路方面得到更好的待遇。后为农民积极鼓吹关税保护,但未成功。1896年他到欧洲旅行,使眼界扩大到国际,提出了建立国际农业学会的计划。建议被英国、美国、法国所忽视,但意大利的维克托·伊曼纽尔三世却鼓励他把学会设在罗马,并协助召开成立大会,结果得出一项协定,有77个国家批准。卢宾毕生在学会担任美国代表。

Lubitsch, Ernst　刘别谦(1892-01-28,德国柏林～1947-11-30,美国加利福尼亚好莱坞)　德裔美国电影导演,以拍摄复杂微妙的社会风俗喜剧片而闻名。早年学习表演艺术,1911年参加德国著名戏剧导演M.莱茵哈特的剧团。在舞台上扮演过一些配角,直到第一次世界大战前不久,才成为一部单盘喜剧影片的导演并在其中扮演角色。第一次世界大战后不久,他精心制作的那些古装戏剧片是德国最先在国外放映的影片。这些影片中的佼佼者,特别是由于摄影手法上的创新而受到赞扬的有:《杜巴利夫人》(1919)、《女王安娜传》(1920)、《法老之妻》(1921)和《爱妃苏姆隆》(1920)。刘别谦的导演声誉由《木偶新娘》(1919)和《牡蛎公主》(1919)等喜剧片牢固奠定。1923年他受托在一部场面豪华的好莱坞古装片《罗西泰》(1923)里为女演员M.璧克馥当导演。作为移居美国的第一位重要的德国导演,他的成功引起了许多人的效仿。此后5年间,他形成了一种别具一格的风格,即所谓"刘别谦风格"。这是含而不露与妙趣横生相结合,从而创造出只是暗示男女关系的复杂微妙的喜剧片。这种风格的早期影片有他的喜剧默片《禁入的乐园》(1924)、《婚姻周期》(1924)——这部影片将布景改革成为剧情的一个组成部分、《少奶奶的扇子》(1925)、《再吻我一次》(1925)和《如此巴黎》(1926)。最后三部由刘别谦任导演兼制片人。在此后的整个生涯中,他一直兼任制片人。在他早期的有声电影《璇宫艳史》(1929)和《赌城艳史》(1930)中,他不在拍摄场面的同时录制对话,而采用后期配音,从而使摄影机摆脱隔音箱。在30年代M.谢瓦利埃和J.麦克唐纳的音乐片中,他第一个将歌曲插入情节使歌曲成为影片的有机组成部分。虽然他这一时期的正剧片《被打断的摇篮曲》(1932)由于出色的摄影技巧而受到赞扬,但他最受欢迎的影片则是喜剧片《天堂里的烦恼》(1932)、《风流寡妇》(1934)、《妮诺契卡》(1939)、《街角小店》(1940)、《活下去,还是不活》(1942)、《天堂可以等待》(1943)、《克伦尼·布朗》(1946),以及在他死后完成的《穿貂皮大衣的女人》(1948)等。

Lübke, Heinrich　吕布克(1894-10-14,德国恩克豪森～1972-04-06,西德波恩)　德国政治家,德意志联邦共和国总统(1959～1969)。曾就读于几所德国大学,在第一次世界大战中服役后,他把许多小的德国农民组织统一为德国农民联盟。1926～1933年任该联盟主任。在国社党时期(1933～1945),他始终未积极从事政治活动。第二次世界大战后,吕布克在威斯特伐利亚协助建立基督教民主党,1946～1952年为北莱茵-威斯特伐利亚州议会议员。1947～1952年并任该州粮食和农林部长。1949～1950年和1953～1959年为联邦议会议员,1953年参加阿登纳总理的内阁,任联邦粮食和农林部长。在此职位上,他在使西德农业现代化方面起了重要作

美国不列颠百科全书公司供图

用。1959年阿登纳拒绝竞选联邦总统，吕布克被提名为基督教民主党总统候选人，1959年7月当选为总统，1964年连选连任。虽然他的总统权力受宪法限制，但由于他仪态庄严，处事慎重，因而颇得人心，尤其在阿登纳任总理的后期有效地干预了国内政治事务。1969年初辞职。

Lublin　卢布林　波兰东部卢布林省城市和省会。濒临贝斯奇察河。9世纪末建为要塞，1317年设镇。1569年波兰和立陶宛两王国在此签署《卢布林联合》条约。16世纪末达到经济高峰。1795年属奥地利，1815年又属俄罗斯。1918年第一个波兰独立临时政府在此宣布成立。1941年纳粹在东南郊马伊达内克建立马伊达内克(**Majdanek**)集中营和灭绝营。第二次世界大战后，为波兰民族解放委员会的所在地，并作为临时首都。位于克拉科夫、华沙和俄罗斯之间通道的要冲，为波兰东南部的工业和文化中心。生产农业机械、化学品、汽车和卡车、食品(尤其是食糖)和啤酒。设有天主教大学、玛丽·居里-斯克沃多夫斯卡大学以及医学、农艺和工程学校，还办有许多博物馆、剧场和音乐中心。著名的建筑包括中世纪城堡，1954年重新修复，改建为19世纪新哥特式建筑，后曾一度用作监狱。人口约357 110(2002)。

Lublin, Union of　《卢布林联合》(1569)　波兰和立陶宛两国之间的条约，两国依约联合成一个国家。1385年以后，这两个国家共戴一主。但因西格蒙德二世(1548～1572在位)无嗣，波兰人害怕在他死后两国发生分裂，就力主实行联合。利沃尼亚战争爆发(1558)后，莫斯科大公国对立陶宛构成严重的威胁，因此，立陶宛贵族也愿与波兰唇齿相依，1562年提出联合的主张。1569年1月在卢布林召开议会，但两国代表未能达成协议。西格蒙德二世立即兼并了立陶宛波德拉谢和沃利尼亚两省。同年6月恢复谈判。7月1日签署实行联合的《卢布林联合》条约。联合后采取联邦制：国王由两国联合选出；两国都有各自的军队、国库、行政机关和法律；两国在外交方面一致；设有共同的议会。但在议会中，波兰有更多的代表，成为主导的一方。联合后的政治实体存在到18世纪末被瓜分为止。

Lubnān ash-Sharqī　东黎巴嫩山脉　参阅 **Anti-Lebanon Mountains** 前黎巴嫩山脉。

Lubny　卢布内　乌克兰波尔塔瓦州城市。苏拉河上一河港。12世纪始建居民点。1783年设建制。有纺织、服装、家具和建筑业。设有农林学院、医科学校和地方博物馆。人口约52 572(2001)。

lubrication　润滑　在滑动面间施加某种物质，以减少磨损和摩擦。自从润滑脊椎动物关节和黏液囊的滑液被发现后，自然界便开始利用润滑作用。史前人类用泥和芦草润滑橇，以拖运猎物或建筑用的木料和岩石。而当第一部载重马车以动物脂肪润滑轮轴后，动物脂肪即广被采用，直到19世纪石油工业兴起，原油乃成为润滑剂的主要来源。原油的天然润滑能力，随着汽车、飞机、柴油机车、涡轮喷气发动机和各种动力机械专用润滑剂的研制而不断改善；这种改善又使工业机械与其他机械的速率和能力的提高成为可能。

润滑类型　润滑可分为流体膜润滑、界面润滑及固体润滑3种基本类型：

流体膜润滑　这种润滑系用流体膜使滑动面完全隔开。流体膜可人为形成或自然形成，前者如汽车轴承上的油，后者如平滑橡胶轮胎与潮湿路面间的水。流体一般为液体；但也可为气体，最常用的为空气。为了使滑动面保持分离，润滑膜内的压力必须与滑动面的负载相平衡。如果润滑膜的压力源自外界，则该系称为流体静力润滑系；若面间压力源自各面本身的形状与运动，则该系称为流体动力润滑系。后者受润滑剂的黏度影响。

界面润滑　这种润滑介于无润滑滑动和流体膜润滑之间；其面间摩擦取决于面与润滑剂的性质，而非润滑剂的黏度。界面润滑包含了润滑现象的重要部分，通常见于开机与关机时。

固体润滑　当普通润滑剂无法对负载或温度极值产生足够阻力时，石墨和二硫化钼等固体便广泛用作润滑剂。不仅限于用脂肪、粉末和气体等作润滑剂，在有些高级机器中，也用某些金属作滑动面。

润滑剂的功能　润滑剂主要用来控制摩擦和磨损，但通常还具有许多其他的功能，这些功能依用途而异且彼此相关。

控制功能　有效施于滑动面的润滑剂，其数量与性质对滑动面间所生摩擦的影响极大。例如，若略去热和磨损等相关因素，仅考虑两油膜润滑面间的摩擦，则这种摩擦为不加润滑剂时的1/200。流体膜润滑的摩擦直接与流体的黏度成比例(表1)；石油衍生物等若干润滑剂，因黏度范围颇大，故可满足大范围的功能需求。而界面润滑的摩擦，其受润滑剂黏度的影响，就比受润滑剂化学性质的影响小；例如精密的仪器就绝不可用会侵害或腐蚀优良金属的流体来润滑。

润滑面由于磨蚀、腐蚀和固体-固体接触而发生磨损，加入适当的润滑剂将有助于克服。润滑剂形成一膜，使滑动面间的距离加大，从而降低磨蚀污染物与粗糙面造成的伤害，故可减缓磨蚀型与固体-固体接触型的磨损。润滑剂在控制面腐蚀上具有双重作用：停机时用作防腐剂；机械运转时，借涂施在润滑面上的一层保护膜(内含能中和腐蚀物的添加剂)，控制腐蚀的发生。润滑剂控制腐蚀的能力，与金属面上的润滑膜厚度及润滑剂的化学组成直接相关。此外，润滑剂借减少摩擦与散热，亦有助于控制温度。其效果取决于润滑剂的用量、周围的温度及外界冷却设备。润滑剂的类别对滑动面的温度也有较小的影响。

表1　三种典型润滑剂的特性

润滑剂	相对黏度(空气=1)	施于轴承的典型最小膜厚(英寸)	施于轴承的典型单位负载(磅/平方英寸)
空气	1	0.000 05～0.000 4	1～10
水	33	0.000 4～0.001	25～75
油	1 000	0.002～0.004	200～500

其他功能　许多润滑剂在流体传动装置中用作液压流体。有些在机械系统中用来除去污染物，例如洗涤剂-分散剂添加物可使淤积在内燃机滑动面的油泥悬浮起来并清除。具高介电常数的润滑剂在变压器与开关装置等特殊应用中，则用作电绝缘体；欲得到最佳绝缘性，润滑剂必须不含污染物与水。润滑剂还可在能量传递装置(如减振器)中，及在承受高断续负载的齿轮等机件周围，用作阻振流体。

润滑剂的种类　润滑剂种类极多，主要类别有：

液体、油状润滑剂　动植物生成物无疑为人类最早且大量使用的润滑剂，但因其缺乏化学惰性及人类对润滑需求越来越大，它们遂被石油产品及合成物大量取代。猪油与鲸脑油等若干有机物，则因具特殊润滑性质，而仍用作润滑添加物。石油润滑剂主要为碳氢化合物，从地球自然形成的流体中萃取，因含下列性质而广被使用：①黏度适用范围广；②挥发性低；③具惰性(防止润滑剂变质)；④抗腐蚀(防止滑动面变质)；⑤成本低。

合成润滑剂一般为油状中性液体，虽然并非直接来源于石油，但具有若干类似石油润滑剂的性质，在某些方面甚至优于石油润滑剂。当温度变化时表现出较大的黏度稳定性，并可抗磨、抗氧化、抗火。由于性质变化颇大，故各有特殊用途。表2列出几种较通用的合成润滑剂类别及其用途。

表2　合成润滑剂及其典型用途

合成润滑剂	典型用途
二元酸酯	仪器油、喷射式涡轮机润滑剂、液压流体
磷酸酯	抗火液压流体、低温润滑剂
硅酮	阻尼流体、低挥发性润滑脂基剂
硅酸酯	传热流体、高温液压流体
聚乙醇醚化合物	合成发动机油、液压流体、成形与拉拔化合物
氟碳化合物	不可燃流体，极度抗氧化润滑剂

另一类油状润滑剂为固态或半固态油脂，系在液体润滑剂中添加增稠剂而成。主要的增稠剂有：铝皂、钡皂、钙皂、锂皂、钠皂与锶皂。非皂增稠剂则包括改性黏土、细硅石等无机化合物，或环脲、酞花青颜料等有机化合物。在下列情况下，用油脂润滑证明比用油润滑合适：①不须经常施用润滑剂；②须用润滑脂涂封以防润滑剂流失及污染物进入；③要求润滑剂不得滴落或溅泼太多；④滑

动面对不精确度较不敏感。

固体润滑剂 为一层由无机化合物、有机化合物或金属构成的固料膜。

兹列出3种常用作固体润滑剂的无机化合物：①层格固体。石墨与二硫化钼有排列成层的晶格结构，同层原子间键合力强，异层原子间键合力相当弱，致一层可在另一层上滑动。二硫化钨、云母、硝酸硼、硼砂、硫酸银、碘化镉与碘化铅亦属此类。石墨的低摩擦力主要因为有吸附膜，若无水蒸气存在则会丧失润滑性而变成磨蚀物。石墨与硫化钼均具化学惰性及高热稳定性。②各种软固体。铅白、石灰、滑石、膨润土、碘化银和一氧化铅等无机固体，可用作润滑剂。③化学转化覆盖膜。许多无机化合物可借化学反应在金属面形成薄膜，硫化物膜、氯化物膜、氧化物膜、磷酸盐膜与草酸盐膜等为最著名的润滑覆盖膜。

固体有机润滑剂通常分为两大类：①肥皂、蜡与脂肪。此类包括钙皂、钠皂、锂皂等金属皂，蜂蜡、鲸蜡等动物蜡，硬脂酸、棕榈酸等脂肪酸及猪油、牛脂等脂肪酯。②聚合膜。此类包括聚四氟乙烯与聚氯氟乙烯等合成物。这种膜式润滑剂的主要优点为防止暴露于自然环境时引起变质，因此现代预应力混凝土建筑采用1.3厘米厚的聚合膜板，使位于柱顶的梁得以方便地膨胀与收缩。

软金属薄膜若与其下的硬基质黏附良好，则可成为有效的润滑剂；这类金属包括铅、锡和铟。

气体润滑剂 由于应用相同的流体膜润滑原理，所以气体润滑在许多方面与液体润滑类似。气体与液体虽同属黏性流体，但有两方面截然不同。前者的黏度较后者小得多，可压缩性则较后者大得多，故空气等气体的膜厚与负载能力随之小许多(表1)。一个处理种种气体的装备常适合用气体润滑滑动面，以简化装置并避免污染润滑剂与润滑剂造成污染。此类气体相当多，包括空气、水蒸气、工业气体与液态金属蒸气。

流体润滑剂的特性 在一定情况下可作润滑剂用的物料很多，不可能对其性质一一加以论述，现仅将具有商业重要性的流体润滑剂的特性简述如下：

黏度 流体润滑剂最重要的性质为黏度，因为它决定滑动面间产生的摩擦量，及是否能用足够厚的膜以避免固体-固体接触引起的磨损。黏度的测量通常是用黏度计测量标准状况下润滑剂的流率；流率愈高表示黏度愈低。流率依所用单位为米制、英制或商业制，分别以厘泊、雷恩或万用赛波特秒(SSU)表示。大部分液体的黏度随温度升高而下降。为使摩擦变异保持最小，黏度随温度波动的改变须小，故常用黏度指数评定流体。黏度随温度变化愈小，其黏度指数愈高。

倾注点 指润滑剂停止流动时的温度，在评估低温流动性上颇为重要。因此它成为从一组其他性质相同的润滑剂中选择一种时的决定性因素。

闪点 指润滑剂在试验火焰压力下瞬间发火花时的温度，有助于评估抗火性。像倾注点一样，闪点有时为选择适当润滑剂时的主要考虑因素，尤其是在润滑加工高度易燃性物料的机械之时。

油性 一般指在界面润滑情况下操作的相对能力。此术语与润滑剂润湿、附着于面的倾向有关。目前尚无测量油性的正式方法，主要根据主观判断与经验确定。作特定用途的最适润滑剂，未必需要油性最高者；例如长纤维润滑脂比机油油性低，但常适合填充滚动轴承。

中和值 量度新油的酸、碱含量的标准，并指示旧油氧化降解的程度。此值由标准分析化学滴定法测定，即中和1克润滑剂所需氢氧化钾的毫克数。

锥入值 量度润滑脂膜性的标准。其法为将标准锥落入受试润滑脂中，以锥入深度代表等级：该值愈高，润滑脂的流动性愈大。

Lubumbashi 卢本巴希 1966年前称伊丽莎白维尔。刚果(金)第二大城市及该国东南部矿区主要工业中心，在赞比亚的恩多拉西北180千米处。1910年比利时殖民者在

卢本巴希市街景

美国史密森学会、国立非洲艺术博物馆供图

此建采铜业居民区，1942年建市区。大多数地区矿业公司将总部设在该城。为矿产品(铜、钴、锌、镉、锗、锡、锰和煤)的运输中心。矿藏开采由政府的机构控制，但外国矿业公司也参与。其他工业有印刷、酿酒、面粉加工、糖果生产、香烟、制砖和肥皂。有国立博物馆及卢本巴希大学(1955)。有铁路通往大西洋沿岸和印度洋沿岸。城外有国际机场。独立后不久，前加丹加省在1960～1963年企图脱离共和国的时期，卢本巴希为政治不满情绪的中心地。人口约851 381(1994)。

Lubuskie 鲁布斯卡 波兰中西部省份，波兰面积最小、人口最少的省份之一。北邻西滨海省，东邻大波兰省，南邻下西里西亚省。西与德国接壤。为1999年波兰行政区划改革后设立的16个省份之一。包括原戈茹夫省和绿山城省。省会为大波兰地区戈茹夫和绿山城。鲁布斯卡省为低海拔地区，有一些冰碛山丘、河谷和湖盆。是波兰森林覆盖率最高的省份之一，主要为针叶林。气候非常温和，年平均温度为8.5°C。春季来得很早，夏季长而温暖，冬季很温和。年平均降水量为500～600毫米。是波兰人口最稀少的省份之一。2/3的人口为城市人口，最大的城市是省会大波兰地区戈茹夫和绿山城。虽然气候适宜农业生产，但土地贫瘠，只有2/3的土地是耕地。主要农作物包括谷物、甜菜、油菜籽、啤酒花、马铃薯。有波兰最大的酿酒厂之一。主要产业包括火车和汽车零部件制造、化工品和纺织品制造以及一些石油和天然气开采。当地木材支持了造纸业和家具制造业。交通欠发达。当地优美的风光吸引了很多徒步旅行者、自行车运动爱好者、骑手和独木舟运动爱好者。打猎和采蘑菇是当地非常受欢迎的活动。边界地区的贸易和服务主要是满足德国客户的需求。著名历史建筑物包括大波兰地区戈茹夫的13世纪大教堂和14世纪的哥特教堂。设有一蝙蝠自然保护区，是中欧最重要的蝙蝠过冬地。主要节日包括戈茹夫举行的夏季电影节和在绿山城举行的国际民俗节，以及在大波兰地区戈茹夫举行的国际吉普赛民间聚会节。在绿山城举行的葡萄丰收庆祝活动是为了纪念该地区作为欧洲最北部的葡萄种植区之一的历史。18世纪中期，该地区并入普鲁士。1871年成为德意志第二帝国的一部分。1945年，波茨坦会议确定了奥得-尼斯线为波兰与德国的边界线。1945～1947年之间，德国人口被迫离开该地区，波兰人迁入。面积13 984平方千米。人口1 008 954(2002)。

Luca（Italy） 参阅 **Lucca** 卢卡。

Luca DA CORTONA **卢卡(科尔托纳的)** 参阅 **Signorelli, Luca** 西纽雷利。

Lucan 卢坎(公元39，西班牙科尔杜瓦[今科尔多瓦]～65，罗马) 老塞内加之孙，小塞内加之侄，诗人和罗马共和政体拥护者。所著《内战记》(一称《法尔萨利亚》)，作为唯一没有提及众神干预的主要拉丁史诗而受人注意。他受过斯多葛派哲学家科尔努图斯的教诲，后在雅典受教育，因显露了修辞学家和演说家的天才，深得尼禄皇帝器重。但不久尼禄嫉妒他的诗才，不再允许公开朗诵他的诗歌。卢坎看透了尼禄的暴政，同时又因禁止吟诵他的诗歌而心怀怨恨，遂成为皮索密谋暗杀尼禄的领袖人物之一。事情败露后，他被迫割开动脉自杀。《内战记》是他唯一尚存的诗，从凯撒和庞培的战争一直写到庞培被杀，凯撒抵达埃及，但到第10卷时突然中止。他并非是一位伟大诗人，但却是一位伟大的修辞学家，具有卓越的政治和历史洞察力。该诗虽然文风和词藻都很平常，且韵脚单调，修辞却常常因为文笔生动有力和情感炽热而升华为真正的诗篇，其精彩之处见于加图对庞培致以庄严肃穆的悼词的描述之中。崇高的谈吐和有力的评语散见全诗各处。随着该诗的展开，诗人的共和思想显得更为突出，这无疑是因为尼禄暴政变本加厉，使他对尼禄的仇恨随之增长，对古罗马共和政体深怀眷恋之情。他是欧洲中世纪最受欢迎的诗人。他的作品对P.高乃依和17世纪法国其他古典剧作家具有很大影响。

Lucan, George Charles Bingham, 3rd Earl of 卢肯伯爵(第三) (1800-04-16，英格兰伦敦～1888-11-10，伦敦) 即G.C.宾厄姆。英国军人，在克里米亚战争中的巴拉克拉瓦战役里指挥包括著名的轻骑兵旅在内的骑兵师。卢肯伯爵第二之子，曾在威斯敏斯特受教育。1816年授海军少尉，1826年晋升中校，曾参加1828年对俄军作战的巴尔干战争。

1826～1830年任议员。1839年承袭卢肯伯爵。1851年晋升少将。1854年克里米亚战争爆发时请求参战，任骑兵师长。在巴拉克拉瓦战役中，因向俄国防守坚固的阵地进攻而造成大批伤亡，他本人腿部受伤，1855年被召回国，此后没有担任任何军职，但1865年却晋升为上将，1887年又成为陆军元帅。

Lucania 卢卡尼亚 古代意大利南部桑尼特人的一个部落卢卡尼人的领地，相当于巴西利卡塔地区的大部加上萨莱诺省的大部和科森扎省的一部。这一地区早在公元前5世纪中期卢卡瓦人抵达前，已是希腊人统治的俄诺特里亚地区的一部分。卢卡尼人在公元前4世纪就有极富活力和特色的文化。卢卡尼人虽然在公元前298年与罗马结盟，但是后来反抗罗马，在皮洛士战争（公元前280～前275）、第二次布匿战争（公元前218～前201）和同盟者战争（公元前90～前88）中屡遭失败和洗劫，终于衰落。

Lucaris, Cyril 卢卡里斯（1572-11-13，克里特干地亚～1638-06-27，博斯普鲁斯海船上［土耳其］） 希腊语作Kyrillos Loukaris。东正教君士坦丁堡牧首。主张按基督教加尔文宗的原则改革正教，他的努力激起他自己的教会和耶稣会的广泛反对。1602年当选为亚历山大牧首，1620年当选为君士坦丁堡牧首。卢卡里斯在牧首任上力图推行加尔文主义，选派许多青年希腊神学家到荷兰、瑞士和英格兰的大学学习。其中一个学生日后任亚历山大牧首的梅特罗法内斯·克里托波洛斯发现了卢卡里斯用拉丁文写成于1629年在日内瓦出版的《正教信纲》。卢卡里斯在18条信纲中实际上阐明了加尔文主义的全部要点。《正教信纲》在东正教会内引起争论，耶路撒冷牧首多西狄奥斯于1672年召集会议，谴责加尔文主义全部教义，重新调整东正教教义，以区别于新教和天主教。由于法兰西和奥地利大使向奥斯曼苏丹穆德拉四世进行交涉，卢卡里斯5次被迫辞职，每次都赖英格兰和荷兰外交官协助复职。最后有人向穆拉德四世控告卢卡里斯挑拨哥萨克人反对土耳其，卢卡里斯以叛逆罪被判处绞刑而死。

Lucas VAN LEYDEN 路加斯·范·莱登（1489或1494，莱登［尼德兰］～1533-08-08之前，莱登） 北欧文艺复兴时期画家及铜版画家。先从其父雅各布松习艺，后入莱顿画家恩尼尔布雷松的作坊。早年版画如《穆汗默德和僧侣塞吉厄斯》（1508），构图清晰明确，显示出神童般的技艺。《苏珊娜和长老们》（1508）及其著名组画《圆形基督受难像》（1510），皆以层次的精确、风景美妙著称。1510年在丢勒影响下作《挤奶女工》及《戴棘冠的耶稣画像》，后者备受伦勃朗赞赏。其画线条与造形稳重明确，构图质朴，可置于当时最有功力的版画之列。1521年在安特卫普遇丢勒，受其影响，学蚀刻铜版，并将蚀刻术与雕线术结合运用。著名的马克西米连皇帝肖像（1521）为此技法的代表作。其著名油画《自画像》（约1508）充分体现客观性并采用鲜艳的橙红色作背景而赋予一种奇特的色彩感。《最后的

路加斯·范·莱登绘《圣乔治解救公主》（约1508～1509）
美国不列颠百科全书公司供图

审判》是路加斯·范·莱登的最佳作品（1526，莱顿市立博物馆委托制作），人物清楚匀称，空间处理合理。

Lucas, George 卢卡斯（1944-05-14，美国加利福尼亚莫德斯托～　） 美国电影导演、制片人和编剧，他创作了几部电影史上最受欢迎的影片。卢卡斯中学时代即对制片发生兴趣。受电影摄影师H.韦克斯勒的鼓励，进入南加利福尼亚大学电影系学习（1966年获文学士学位）。卢卡斯的第一部长故事片《THX 1138》（1971），是一部恐怖幻想片，描述遥远未来的一个充满机器人而毫无人性的社会。他的第二部影片《美国风情画》（1973），以同情的笔调回顾60年代初期美国青少年的生活，获得惊人的票房价值。接着卢卡斯花费4年时间编写和拍摄了《星球大战》（1977）。这是一部描写星球间大打出手的惊险片，有生动的人物、逼真的外空布景和一系列惊险的特技效果。影片推出后，立即大受欢迎，成为电影史上卖座率最高的影片。它的成功，引起其他众多的科学幻想片纷纷仿效《星球大战》有效地利用电子计算机制作特技效果的新技术。继《星球大战》之后，卢卡斯又拍摄了其他类似的巨片：《帝国反击战》（1980）和《杰迪归来》（1983）。他还为S.斯皮尔伯格和其他人执导的几部影片担任制片人。卢卡斯影片公司（1978或1979年建立）设在加利福尼亚州的一个占地3 000英亩的牧场上，设有若干部门，其中最有名的一个特技部门叫做“工艺灯光与魔术部”。

Lucas, Robert E., Jr. 卢卡斯（小）（1937-09,15，美国华盛顿亚基马～　） 美国经济学家，因发展和运用合理预期理论而获1995年诺贝尔经济学奖。合理预期是一种经济学假说，它认为个人因过去经验和预期结果而作出的私人经济决定可以影响国家财政政策的预期后果。他的著作在20世纪70年代中期鹊噪一时；它对凯恩斯在宏观经济学的影响及政府对国内事务干预的效能提出了质疑。小卢卡斯毕业于芝加哥大学，1959年获文学士学位（历史），1964年获经济学哲学博士学位。1963～1974年在宾夕法尼亚州匹兹堡的卡内基-梅隆大学任教，1975年回到芝加哥大学任经济学教授。其《经济周期理论研究》（1981）收集了他20世纪70年代以来的研究成果，而《经济周期模型》（1987）则概述了他的经济理论。合理预期假说最初是J.F.马思为说明传统的凯恩斯经济模式无法预测投机市场的价格而于1961年提出的。凯恩斯经济模型之一的菲利普斯曲线认为，政府可以通过刺激通货膨胀从而鼓励一些预期提高收益的公司增加工资、吸收更多的工人。小卢卡斯对菲利普斯曲线的批评显示，通货膨胀可能持续上升而结果失业率总不出现相应的下降，因为提高的生产成本和提高的消费价格最终会抵销增高的收益和增高的工资，从而使公司和工人双方的预期效果都归于破灭。小卢卡斯还因其对投资理论、国际金融及经济增长理论的贡献而闻名。

Lucca 卢卡 又拼Luca。意大利中北部城市，托斯卡纳区卢卡省省会。地处肥沃的塞尔基奥河谷地。四周几乎被小山丘包围，北和西为阿普阿内山。原为利古里亚人城镇，

卢卡市的圣马蒂诺大教堂
美国不列颠百科全书公司供图

后为埃特鲁斯坎人城镇。公元前180年建立罗马居民点。城中心仍保存有罗马时代的长方形街区，并已发现城墙、广场和竞技场的遗迹。为通往帕尔马、佛罗伦萨、罗马、比萨等地公路的交叉点，经济繁荣，很早便成为主教区。476年后先后被哥特人、拜占廷人、伦巴第人和法兰克人统治。10世纪末城镇地位下降。1118年以后基本保持独立。1799年沦为法国领土。1815年并入西班牙。1860年归属意大利王国。卢卡市有许多各种风格的教堂，最著名的有圣马蒂诺大教堂、圣弗雷迪亚诺大教堂、福罗的圣米凯莱大教堂等。该市还以其保存良好的防护墙（1561～1650）和许多16世纪精美的宫殿而闻名。普雷费图拉

宫从前是豪华的公爵宫，现为国立美术馆。此外还有图书馆和档案馆等。卢卡市长期为重要音乐中心，是作曲家L.波凯利尼和G.普契尼的故乡。为公路、铁路交通枢纽和富饶农区的农产品集散地，出口高质量的橄榄油。传统生产丝织品，也生产烟叶、纸张、纺织品、麻织品和葡萄酒。有面粉厂。人口：城市区约86 676(1990)。

Lucca, Republic of　卢卡共和国　1801年12月27日，拿破仑再度占领意大利，驱走奥地利军队之后，在卢卡地区建立的一个共和国。它存在不足4年。1805年6月，拿破仑将卢卡作为一个公国授予其妹艾丽莎，它遂成为新的法兰西帝国的一部分。

Luce, Clare Boothe　卢斯（1903-03-10，美国纽约州纽约～1987-10-09，华盛顿[哥伦比亚特区]）　全名Ann Clare Boothe Luce，母家姓Boothe(布思)。美国女剧作家、政治家和著名人士，以她幽默的讽刺意识和40～60年代在美国政治中的作用而闻名于世。她在纽约州加登城和塔里敦受教育后，1930年任《时尚》杂志副主编，1930～1934年任《名利场》杂志副主编和主编。她为《名利场》写的一些讽刺文章被收集在《自命不凡的顽固派》(1931)之中。1929年她与第一个丈夫T.布罗考离婚。1935年与出版家H.R.卢斯结婚。所写3个剧本中，《女人》(1936)是在百老汇演出657场的喜剧；《与男孩们吻别》(1938)是刻画美国生活的讽刺剧；《错误边缘》(1939)是反纳粹剧本。3部剧本均被改编成

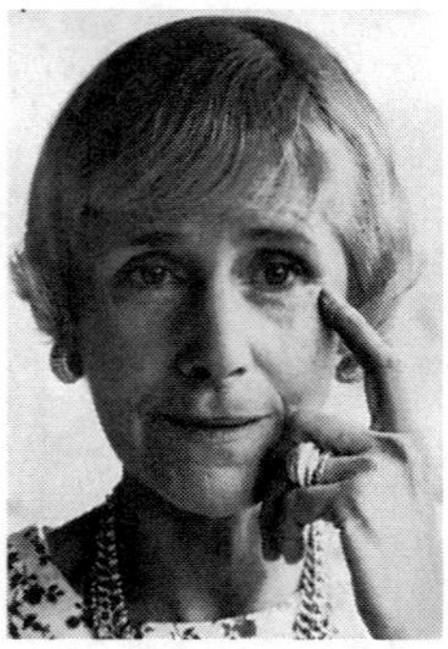

美国不列颠百科全书公司供图

电影。1943～1947年被选为共和党众议员，在共和党内颇有影响。1953年被D.D.艾森豪威尔总统任命为驻意大利大使，1956年因健康原因辞职。1959年和1964年短暂恢复政治活动。1981年成为R.W.里根总统对外情报咨询部门的成员。1983年被授予总统自由奖章。

Luce, Henry R.　卢斯（1898-04-03，中国山东登州～1967-02-28，美国亚利桑那菲尼克斯）　美国杂志发行人。创建了发行《时代》、《幸福》和《生活》杂志的出版王国，成为美国新闻史上最有势力的人物之一。他为了教育“消息闭塞”的美国公众而办的出版物受到广泛模仿。《时代》周刊试图用叙事体报道消息。该新闻杂志也重视国际事件，卢斯认为这是美国其他报刊忽视的领域。《时代》将各类文章登在专门栏目内，并常常建议读者对其报道应加以关注。他出版的杂志经常利用其资料室的调研材料，使消息和文章更臻完备。他的记者和编辑在一起写消息，名曰“集体新闻学”。出身于长老会传教士家庭。10

美国不列颠百科全书公司供图

岁时进中国北方烟台的英国住宿学校读书。后只身先去英国，又去美国，进大学预备学校，最后进耶鲁大学。在耶鲁编过校刊，被选入优秀大学生荣誉学会，1920年以全班最优秀成绩毕业。在耶鲁时他和同班同学B.哈登来往，后来共同创办《时代》。这个周刊活泼的版面编排、大部分由哈登设计的独特风格以及突出报道人物的做法，都引人注目。1929年哈登逝世后卢斯出版了《幸福》杂志，1936年出版了《生活》杂志，它很快成了最受欢迎的杂志。1929～1964年卢斯任时代公司所有出版物的总编辑，1964年引退，改任公司全部出版物的编辑主席。卢斯创办的其他杂志有1952年出版的《房屋与家庭》(后售出)和1954年创刊的《体育画刊》。他还在1931年创办广播系列报道《时代的进展》，1935年摄制同名的电影新闻片。1935年与美国剧作家克莱尔·布思结婚。两人都性格坚强，善于辞令，政治上保守，对共和党及其政策以及全国政治有重要影响。

Luce, Stephen Bleecker　卢斯（1827-03-25，美国纽约奥尔巴尼～1917-07-28，罗得岛纽波特）　世界上第一座开设研究生课程的美国海军军事学院主要创办人和首任院长。1841年入海军军官学校，其后逐级晋升为海军少将(1886)。致力于改进海军教育，曾出版《航海技术》(1863)一书，成为标准教科书。他认为海军军官需要继续深造，经过长期游说，于1884年在罗得岛纽波特成立海军军事学院并任院长，直到1889年退休，但1910年前仍为该校特别顾问。就是在卢斯的积极倡导下，A.T.马汉海军上校在海军军事学院授课中阐述了海上力量理论。这一理论在19世纪末20世纪初为世界所公认。其后，日本、英国和德国也建立了类似的海军高等学府。

Lucena　卢塞纳　菲律宾吕宋岛中南部城市。位于靠近锡布延海的塔亚巴斯湾顶端。早在西班牙人来到之前，该地已成为重要居民点。为主要渔港和当地物资批发中心。有食品加工厂(主要加工椰子)。卢塞纳有主要公路和铁路相通。巴纳豪-圣克里斯托瓦尔山脉国家公园位于此地。1961年设市。人口约151 000(1990)。

Lucerne　卢塞恩　德语作Luzern。瑞士中部的一个州，位于阿尔卑斯山北麓，有罗伊斯河和小埃默河穿流其间。面积1 492平方千米。1803年为一个独立的州，1848年成为瑞士联邦的一部分。全州陆地面积中约90%土地肥沃，主要收入来源是大田作物、水果、养牛、工业(主要集中在首府周围地区)和旅游业。工业有纺织、机械、冶金、造纸、木材、烟草、电气设备、磨石、玻璃、陶瓷等。并有造船业和汽车装配厂。德国和意大利之间的客货运输多数经过该州。居民多讲德语，信天主教。首府为卢塞恩市。人口约324 044(1992)。

Lucerne　卢塞恩　德语作Luzern。瑞士中部卢塞恩州首府，濒临罗伊斯河，在苏黎世西南。罗伊斯河在此地从卢塞恩湖(四森林州湖)西北分部流出。卢塞恩得名于8世纪所建的本笃会圣莱奥德加尔修道院。该市从附近的渔村发展起来，约在1178年建市。原居民为修道院农奴。1230年左右圣哥达山口开放后，成为上莱茵和伦巴第之间重要的贸易中心。1291年，哈布斯堡鲁道夫四世(亦称德意志鲁道夫一世)不顾当地人民独立的意愿，买下了修道院和城市。在鲁道夫继承人的统治下，由于政治不稳定导致卢塞恩1332年加入由乌里、施维茨和翁特瓦尔登等州在1291年组成的联盟。经过抗击哈布斯堡军队的森帕赫战役(1386)，这个联盟赢得了独立。到1415年，该城通过签订条约、武装占据或购买等方式已经拥有今天卢塞恩州的大部分土地。宗教改革运动时，在各天主教州中居领导地位，1579～1874年间为教皇的教廷大使驻地。在拿破仑军队的进攻下，该城的贵族政权被迫于1798年放弃权力。曾为赫尔维夏共和国的首都。1803年恢复州首府地位。罗伊斯河把城市分为两部分。市内有7座桥，是瑞士风景最美丽的地区之一。两座最古老的桥：小礼拜堂桥(1333，与更为古老的水塔相通)和兹普罗伊埃尔桥(1407)，均有遮顶并以17世纪的镶板装饰。旧城位于罗伊斯河右岸，有保存完整的14世纪城墙(城上有9座城楼)、幽静的小巷和点缀有中世纪和文艺复兴时期房屋和巴罗克式房屋的广场。著名的建筑有现用作历史博物馆的旧市政厅(1602～1606)、阿姆·吕恩宫(1617)、圣彼得小教堂(建于1178年，1750年改建)、霍夫基尔克(8世纪大教堂和圣莱奥德加尔的联合教会教堂)和玛丽阿希尔夫教堂(1676～1681)。还有托瓦尔森雕塑的“卢塞恩之狮”纪念碑(1819～1821，纪念1792年为保卫巴黎杜伊勒里宫惨遭杀害的瑞士卫兵)、冰川公园(1872～1875年发掘出的冰河时期的遗迹)和内容丰富的瑞士运输博物馆(1959)。河左岸有州政府大楼，或称里特兹歇尔宫(1557～1564；1577～1804为耶稣会学院)、州立档案馆(1729～1731，有洛可可式马利安小厅和图书馆以及中心图书馆[1951]，中心图书馆有古钱币学、博物学和有关海尔维第的收藏品)、圣弗朗西斯·埃克萨菲尔(耶稣会)教堂(1667～1677)、带有洛可可式十字形耳堂的14世纪哥特式方济各会教堂、企业大楼(1675)、新市政厅(1913)、理查·华格纳博物馆(1933)、现代化的圣安东尼小教堂(1954)、

美术馆和议会大会堂(1932～1933)。除了各种州立、市立学校外,还有瑞士中部运输学校、瑞士天主教圣乐学校、瑞士中部工学院、瑞士食品和旅店管理学校。亦为州最高法院、商务裁判所、刑事法院、少年法庭和联邦保险法院所在地。城市四周风景壮观,气候温和,公路和铁路交通便利,是瑞士最大和最重要的旅游胜地之一。湖上的汽艇运输与山中的铁路和索道相连,并有一条直通的窄轨铁路与恩格尔贝格的冬季运动中心相连。有夜总会、海滩、划船、赛船、赛马、骑马越障碍等娱乐场所和设施;有一年一度的国际音乐节和传统的四旬斋前狂欢节。该市的商业和工业主要依靠旅游贸易。居民讲德语,大部分信奉天主教。人口约59 370(1991)。

lucerne (botany) 参阅 **alfalfa** 苜蓿。

Lucerne, Lake **卢塞恩湖** 德语作Vierwaldstätter See(四森林州湖)。瑞士中部的重要湖泊。位于卢塞恩、下瓦尔登、乌里和施维茨诸州之间。地处陡峭的石灰岩山地中间。面积114平方千米,长约39千米,最宽处约3千米,最深处214米。霍尔夫、比尔根山、马根霍恩、塞利斯贝格等巨大岬角伸入湖中,湖形曲回。罗伊斯河穿湖而过,穆奥塔、恩格尔贝格等河注入湖内。该湖地处瑞士联邦最初4个州的中心地带,有许多历史传说,例如传说瑞士联邦奠基人曾在湖西岸集会。卢塞恩城位于著名夏季旅游区,是湖畔主要城镇。

Luchaire, Achille **吕谢尔**(1846-10-24,巴黎～1908-11-04,巴黎) 法国历史学家、研究卡佩王朝(987～1328)和教皇英诺森三世(1198～1216)的权威。1879年任波尔多大学教授。1899年任巴黎大学中世纪史教授。从1895年至去世为伦理和政治科学院成员。主要著作有:《卡佩王朝早期法国君主制度史》(1883)、《卡佩王室直系统治下的法国制度》(1892)、《路易六世一代编年史》(1890)和《路易七世的法令研究》(1885)、《英诺森三世》(6卷,1904～1908)等。

Luchana, Baldomero Espartero, Count (conde) **de** **卢查纳伯爵** 参阅 **Espartero, Baldomero** 埃斯帕特罗。

Lucia, SANTA 参阅 **Lucy, Saint** 露西,圣。

Lucian **卢奇安**(约公元120,叙利亚科马吉尼萨莫萨塔[今土耳其萨姆萨特]～180后,雅典[希腊]) 希腊语作Lucianos,拉丁语作Lucianus。古希腊修辞学家、讽刺作家,《神的对话》和《冥间对话》的作者。他曾当过泥塑学徒,不久离家去小亚细亚西部接受希腊文化教育,他特别喜爱荷马、柏拉图和其他讽刺诗人的著作,从而有成效地掌握希腊语言和文化并成为演说家。他到处作模范演说并公开讲演,以显示其辩才。他去过意大利和高卢。他在罗马友人帮助下曾获得亚历山大法庭的首席接待员的职务,数年后重回雅典从事演说活动。传统上认为是卢奇安的散文作品约80件,其中有10篇为伪作。他的作品以冷嘲热讽,富于机智见称,对当时文学、哲学及知识界生活等方面的虚妄与愚昧现象进行了深入而往往是苛刻的批判。他谈及最多的论题之一是人们未能认识到伟大和财富是短暂无常的。卢奇安在《冥间对话》中,借犬儒学派哲人迈尼普斯之口,嘲弄王公贵人,提醒这些人们死后一无所有,反不如他逍遥自在,一无所失。在《尼格里努斯》这一作品中,卢奇安利用这位柏拉图式的哲人对罗马城种种弊端进行非难,以罗马人之矫饰、缺乏素养和贪婪无度与雅典人之宁静和高尚的生活加以对比。在文学批评领域里卢奇安的杰作是《怎样写历史》的论文。他特别强调批判那种他认为是骗子的人,如犬儒学派的佩雷格里诺斯之流。他的写作风格成为罗马帝国后期和拜占廷时代作家们的楷模。

Lucian OF ANTIOCH, SAINT **卢西安(安提阿的),圣**(约240,叙利亚科马吉尼萨莫萨塔[今土耳其萨姆萨特]～312-01-07,小亚细亚比希尼亚尼科美底亚[今土耳其伊兹米特]) 基督教神学家和殉教士。曾对《圣经》的希腊文本进行分析,提出一种抄本,通称《卢西安拜占廷抄本》或《卢西安叙利亚抄本》。直到19世纪圣经评注学出现以前,这种抄本由于文字清晰而通用。他主张首先要分析经文的字面意义,包括直接表达和间接表达的字面意义,不能一味按照亚历山大派的方法去进行索隐,寻找隐喻。卢西安的考证方法影响他的门生和同道关于基督和三位一体教义的观点,形成安提阿学派的神学主张。在325年的尼西亚会议上,有人批评卢西安的主张,把它同阿里乌派的谬论联系起来,认为它同该派反对基督的绝对神性的观点有关。269年他也曾同神格唯一论有牵涉。卢西安的和解性的信仰声明(一项发表于289年,另一项在他逝世后的341年安提阿会议上发表),获得教会首脑的认可。不论他的同道和门生的神学见解如何,他的研究方法促使基督教神学采取历史现实主义的方法去驳斥非基督教的古典思想。4世纪初罗马皇帝马克西米努斯迫害基督教,卢西安拒食供奉罗马偶像的肉,因而受酷刑和饥饿而死。

Luciano, Lucky **卢西亚诺**(1896-11-11,意大利西西里莱尔卡拉弗里迪～1962-01-26,那不勒斯卡波迪基诺飞机场) Charles Luciano的别名,原名Salvatore Lucania。20世纪30年代初美国犯罪集团势力最大的首领。1936～1945年囚于狱中时和1946年被驱逐到意大利以后,依然有很大的势力。1906年卢西亚诺随父母从西西里移居纽约市。10岁就已参与行凶抢劫、到商店行窃及敲诈勒索等犯罪活动;1916年因贩毒坐牢6个月。由于他总能顺利地逃脱逮捕,而且在掷骰子时往往赌赢,所以有"幸运儿"的绰号。1920年加入纽约新兴犯罪集团首脑J.马塞里亚的黑帮,1925年前后成为马塞里亚的主要副手,指挥贩运私酒,开设妓院,贩运毒品和进行其他犯罪活动。卢西亚诺谨慎地发展他与所有新生犯罪集团的关系,成为"盟主之盟主"。1934年他同其他犯罪家族首脑一道发展了全国犯罪辛迪加。1935年纽约特别检查官T.E.杜威搜集了卢西亚诺开设妓院、组织电话传呼妓女的拉皮条勾当及其他有关勒索活动的罪证,对他起诉。1936年卢西亚诺受审,处以30～50年徒刑,囚于纽约州丹尼曼拉的克林顿监狱。卢西亚诺在狱中继续发号施令,指挥犯罪活动。因此,他的犯罪辛迪加依然十分活跃,很有势力。1946年他获得假释,被驱逐到意大利,住在罗马。1947年他到古巴,美国犯罪辛迪加的全体头目前往拜谒,并交纳巨款。但是舆论和美国禁毒署的压力迫使处境困难的古巴政府将他驱逐出境。卢西亚诺最后到了那不勒斯,指挥向美国的毒品运输和向美洲的偷渡活动。1962年他在那不勒斯死于心脏病,葬于纽约州昆斯圣约翰天主教公墓。

Lucidor (Swedish poet) **卢西多尔** 参阅 **Johansson, Lars** 约翰森。

Lucifer **路济弗尔** 希腊语作Phosphoros。在古典罗马神话中指启明星(即黎明时出现的金星)。其拟人姿态为男子手执火把,诗歌以他为黎明的先驱。在基督教时期,人们认为撒旦在堕落以前名叫路济弗尔。

Lucifer **路济弗尔**(?～约370) 撒丁地区卡利亚里主教。罗马皇帝君士坦提乌斯二世信仰阿里乌主义(**Arianism**),353年指使教会会议宣布反对阿里乌主义的亚大纳西(亚历山大的)有罪。教皇利贝里乌斯认为这次会议不公正,要求路济弗尔请求皇帝重新召开会议。355年举行米兰会议,虽然路济弗尔努力为亚大纳西辩护,亚大纳西仍再次受到谴责。路济弗尔拒绝在决议上签字,结果被流放到东方。他在该地撰写了5种小册子,严肃指责皇帝,其中大量引用古拉丁文经文,富有学术性。362年流放结束,到达安提阿。362年亚大纳西在亚历山大召开会议,决定宽恕宣布放弃自己观点的阿里乌派分子。路济弗尔坚决反对这次会议,于是回到撒丁,成立路济弗尔派,主张凡与阿里乌派有牵连的教牧人员一律撤职,接纳阿里乌分子的主教都一律处以绝罚。该派曾在西班牙、高卢和罗马有少数人拥护,后来衰落。

luciferin **荧光素** 一类有机化合物,在有荧光素酶存在的条件下可氧化发光。各种荧光素化学结构各异,例如发光菌的荧光素完全不同于萤火虫的荧光素。每一种荧光素都有相应的荧光素酶。参阅 **bioluminescence**。

Lucilius, Gaius **卢齐利乌斯**(约公元前180,意大利坎帕尼亚苏埃萨奥伦卡～约前103或102,奈阿波利斯) 讽刺诗的首创者。出身于罗马名门并受过良好教育。希腊学者的朋友,熟悉希腊礼仪,这些都成为他的讽刺的对象。与西庇阿·埃米利安努斯将军过从甚密,曾在西班牙服役于将军麾下。他在罗马消磨了一生中的绝大部分时间,在中年之后才开始利用其丰富的经历进行写作。他的著作在他逝世后汇编出版,共30卷,现留存仅约1 300行左右。对于后来的罗马讽刺诗人贺拉斯、佩尔西乌斯及尤维纳利斯等的成长有影响。

Lucite 卢西特 又称普列克斯玻璃(Plexiglas),在英国称珀斯佩有机玻璃(Perspex)。聚甲基丙烯酸甲酯的商品名。是由许多简单分子甲基丙烯酸甲酯(单体)聚合成长链(聚合物)而制得的高分子量合成有机化合物,这一过程(聚合反应)可由光或热引发,但制造商品时通常使用化学催化剂。卢西特具有高的尺寸稳定性、良好的耐候性和耐冲击性,无色且高度透明,但可以加入其他物质着色或使之不透明。通常用模塑法加工成固体制品或铸成薄板。用聚甲基丙烯酸甲酯制成的物品具有使光束在其表面范围内反射的特性,因而可使光束沿着弯曲或有拐角的管件、纤维束或板状物传播并从其末端或边缘反射出来。卢西特广泛用于飞机的座舱盖和窗户、船的挡风罩等,也用于制造装饰品、像章和照相机镜头以及汽车的停车灯和尾灯。在医学上,卢西特用于照明装置和目检内部器官的装置。

Lucius I, Saint 卢西乌斯一世,圣(?~254-03-05) 教皇(253~254在位)。据迦太基主教西普里安记载,卢西乌斯一世继承前代教皇科尔内留斯的政策,宽大处理在罗马皇帝德西乌斯迫害基督教期间叛教的信徒。他反对以伪教皇诺瓦替安为首的主张严惩这些信徒的诺瓦替安派。丹麦以卢西乌斯一世为哥本哈根市的主保圣人。他在罗马皇帝瓦莱里安迫害基督教期间殉教的说法未经证实。

Lucius II 卢西乌斯二世(?,教皇国博洛尼亚~1145-02-15,罗马) 原名卡西亚内米西(Gherardo Caccianemici)。教皇(1144~1145在位)。登位前曾协助教皇英诺森二世反对伪教皇阿纳克莱图斯二世。在他继前代教皇切莱斯廷二世之位后,西西里国王罗杰二世兵临教皇领地,强迫他接受休战协定。阿纳克莱图斯二世之弟皮耶莱奥尼乘机率领罗马市民宣布脱离教皇统治,建立共和体制。卢西乌斯二世率军攻击叛乱者失败,或许在战争中负伤而死。

Lucius III 卢西乌斯三世(1097?,托斯卡纳卢卡~1185-11-25,维罗纳) 原名阿卢辛戈里(Ubaldo Allucingoli)。教皇(1181~1185在位)。他在登位后被迫离开罗马,因为罗马市民宣布罗马成立共和政府,不容教皇干预。在1184年维罗纳会议上,卢西乌斯三世得到神圣罗马帝国皇帝腓特烈一世同意,通谕绝罚异端分子及其保护者;异端分子经教会审讯后仍坚持谬误者一律交由世俗当局处决,通常是烧死。这次会议贯彻1179年第三次拉特兰会议的决议,设立中世纪异端裁判所,镇压鼓吹善恶分别由两造物主创造的清洁派异端。

Łuck(Ukraine) **武茨克** 参阅 **Lutsk** 卢茨克。

Luckman, Sid 勒克曼(1916-11-21,美国纽约布鲁克林~1998-07-05,佛罗里达北迈阿密海岸) 美国职业橄榄球前卫。在全国橄榄球联盟12个赛季中(1939~1950),在芝加哥熊队运用新的T字阵形打进攻战,成绩卓著。作为哥伦比亚大学的一名学生,勒克曼是第二代和第三代犹太移民的典范。跻身于杰出的犹太裔美国运动员之列,擅长篮球、拳击和橄榄球,并且通过体育运动融入主流社会,迈向成功。1939年毕业。1940年加盟熊队,同年12月熊队以73:0的优势大胜华盛顿队。以后熊队又在1941、1943和1946年获得冠军。1943年被评为全国橄榄球联盟最有价值队员。1965年入选橄榄球名人堂。

Lucknow 勒克瑙 印度北部北方邦首府。傍戈默蒂河。为公路铁路枢纽,农产品(芒果、甜瓜和土产杂粮)贸易中心。有食品工业、制造业、手工业及铁路修配。1528年被莫卧儿王朝创建人巴伯尔占领后即成为重要之地。市内有著名历史建筑物如伊玛姆大清真寺、土耳其门等。设有勒克瑙大学、音乐学院、穆斯林神学研究所、中央药物研究所、工艺美术学院、邦立博物馆、植物园和国家动物园等机构设施。人口:市约2 207 340;都会区2 226 933(2001)。

勒克瑙市的土耳其门
美国不列颠百科全书公司供图

Lucknow Pact 《勒克瑙协定》(1916-12) 印度国大党与全印穆斯林联盟之间达成的协定,国大党勒克瑙会议于1916年12月29日和全印穆斯林联盟于12月31日通过。国大党勒克瑙会议标志着党内温和派与激进派的重新联合,由马拉塔人领袖B.G.提拉克领导。这一会议以及由这一会议所产生的这一协定同时标志着民族主义的开端,导致产生1920~1922年莫汉达斯·甘地的不合作运动。协定既涉及印度政府的结构,也涉及印度教徒与穆斯林集团之间的关系。关于前一点,协定中提出的建议在戈卡莱"政治遗嘱"的基础上前进了一步。各邦和中央议会4/5的议员在广泛的选举权的基础上由选举产生。行政会议成员,包括中央行政会议成员,有一半是印度人,并由会议本身选举产生。同时,国大党同意,在各邦议会选举中,将穆斯林选民分开,有利于穆斯林选民(可超过人口比例),这在各邦都如此,但在旁遮普邦和孟加拉邦应为印度教徒和锡克教徒划出选区。协定为印度教徒与穆斯林在基拉发运动中的合作以及为甘地从1920年开始的不合作运动铺平了道路。

Lucretia 卢克雷蒂娅 传说中的古罗马烈女。贵族科拉提努斯的美丽而贤淑的妻子。被罗马暴君塔奎之子塞克斯图斯奸污。她要求父亲和丈夫立誓为她复仇,随即自戕。此后,布鲁图率领被激怒的群众起事,把塔奎家族赶出罗马。这一事件(据传发生在公元前509年)标志着罗马共和国的诞生。莎士比亚有一篇叙事诗描写卢克雷蒂娅的故事。

Lucretius 卢克莱修(活动时期公元前1世纪) 全名蒂图斯·卢克莱修·卡鲁斯。拉丁诗人和哲学家,以其唯一的一首长诗《物性论》而知名。此诗是对希腊哲学家伊壁鸠鲁的物质理论现存的最充分的阐述。诗篇也涉及他的伦理和逻辑学说。

生平 除去卢克莱修这一诗篇外,对于他人们几乎一无所知。如果说有一点材料的话,那也是十分靠不住的。一位主要的拉丁教会教父哲罗姆在他的编年记中的公元前94年(也可能是公元前96或93年)项下记载说,卢克莱修诞生于这一年,多年之后,他因服春药而神经失常;但是在清醒的间隙里他写了几部书,这些书后来都由西塞罗修订过,卢克莱修是在44岁时(公元前51或50年)自杀的。语法学家和修辞学教师埃利乌斯·多纳图斯在他为维吉尔撰写的"生平"里指出,维吉尔是在他17岁的生日那天(公元前54或53年)穿上了成人的外袍的,而卢克莱修就是在同一天死的。但是多纳图斯也有自相矛盾的地方,因为他说那一年度的执政官和维吉尔诞生那一年的执政官相同(即克拉苏和庞培,公元前55年)。这后面的日期似乎因西塞罗在公元前54年给他兄弟的一封回信里一句话而部分地得到证实,因为这句话表明,卢克莱修已经死了,还表明西塞罗可能已经参预对他的诗的出版事宜:"卢克莱修的诗正像你在信中所写的那样——它们有许多表现了天才的精彩之处,而且艺术手法也非常了不起。"除了西塞罗所提到的仅有的一处之外,唯一提起卢克莱修的同时代人便是罗马的历史学家科尔内利乌斯·内波斯,因为他有"在卢克莱修和卡图卢斯死后"这样一个短语,而卢克莱修提到过的唯一的一个同时代人便是梅米乌斯,他的诗便是献给梅米乌斯的。此人可能是盖乌斯·梅米乌斯(他是公元前58年度行政长官苏拉的女婿,卡图卢斯和盖尤斯·海尔维乌斯·辛纳的保护人),而卢克莱修则"希望"同此人结为朋友。

《物性论》 卢克莱修的作品的标题是对伊壁鸠鲁的主要著作《论自然》的标题的解释,也是对多元论的自然哲学家恩培多克勒同一名称的教训诗的解释。卢克莱修除了他的老师伊壁鸠鲁之外,最仰慕的就是这位恩培多克勒了。

卢克莱修把他的论述分成6卷,每卷的开头都有一段措词十分讲究的引言。第1和2卷确立了原子构成的宇宙的主要原则,反驳了苏格拉底以前论述宇宙的哲学家赫拉克利特、恩培多克勒及安那克萨哥拉的对立的理论并且暗中也抨击了斯多葛派,这是同伊壁鸠鲁派对立的一个道德家的派别。第3卷说明原子的结构和灵魂的必死性,结尾处则意气风发地要人们相信这样一个命题"死亡对我们来说算不了什么"。第4卷描述感官知觉、思想和某些身体功能的机制,但对情欲却加以谴责。第5卷描述这个世界和天体的创造和运作以及生命和人类社会的演化。第6卷解释大地和天空的特殊现象，特别是雷电。全诗结尾处描述了雅典的瘟疫，而同这一阴暗的死亡景象相对照的则是开头向维纳斯神吁请的春天与诞生的景象。

诗歌的论据 可以归纳为下述诸点：

①任何事物都不能凭空创造出来或者把它消灭。宇宙是一个无限的真空空间和无数不可消灭的物质粒子（原子）——不过它们的种类是有限的。原子只是在形状、大小和重量方面有区别，它们是坚不可摧的、不变的、永恒的，是物质分割的极限。它们是由不可分的、最小的部分或单位所构成。较大的原子有更多这样的部分，但即使较大的原子也是微小的。所有的原子在无限的空间里永无终止地向下移动，并且，如果它们不是有时发生最微小的偏离的话，它们是永远不会碰撞到一起而形成原子体系的。世界的无限多元性的创造便是由于这些不确定的偏离；它们还中止了因果关系的链条，从而造成了自由意志的活动空间。所有的事物说到底就是为或大或小的空间所隔开的、活动着的原子体系，这些原子按照本身形状或多或少地结合在一起。所有的体系都是可分的，因而是可以死亡的（诸神是例外），并且全部变化是可以用不变的原子的加、减或重新组合来解释。

②灵魂是由极其细微的原子构成的，它有两个相互联系的部分："生命"遍布于全身，它是感觉的原因；"意向"则位于胸部，是中心的意识。灵魂随着身体诞生和成长，而人一死，它就像"烟"那样地消散了。

③虽然诸神存在，但是它们既不能创造，也不能操纵世界。作为极其细微的原子的体系，他们住在遥远的地方，同人事不相干，对于人来说，他们是完满幸福的理想生活的范例（没有精神上的恐惧、感情的波动和肉体的痛苦）。

④人们通过感官知觉认知，通过理性根据某些规则进行论证。虽然感觉是可靠的，但是理性却可能作出错误的推论。物体所以能被看到，是因为它们从它们的表面放出相应的细微物质以触及眼睛正有如气味触及鼻子那样。个别的原子在原则上是感觉不到的，因为它们没有可以放出的部分。感官认知物体的特征和事故，理性则推论出原子和空间，空间的存在可以解释被察觉到的物体运动。

⑤人们寻求快乐，躲避痛苦，这是很自然的事情。他们的目的便应当以此来引导他们的生活，最终使得他们得到最大的快乐和最小的痛苦。而只有他们通过哲学克服对死亡和诸神的恐惧，他们才能做到这一点。

诗歌的文学方面的特点 诗歌的语言风格和精神都是出色的。卢克莱修的问题是，他是在一个拉丁语根本没有哲学词汇的时期把伊壁鸠鲁的平铺直叙的和抽象的希腊散文转化为拉丁的六音步诗行。他成功地把普通的语词当专业的语词使用。比如，他把concilium（"人民的集会"）用来表达一种"原子体系"，用primordia（"开头的织物"）用来表达构成事物的组织结构的"原子"。在必要时他也创造新词。在诗的措词和风格方面，他借重于更早的拉丁诗人，特别是罗马诗歌之父昆图斯·恩尼乌斯。他自由地使用头韵和半谐音、庄重且往往适合韵律的古体形式及古老的结构。他还组成一种为奥古斯都时代诗人所否定的、富于表现力的复合形容词，比如"狗的轻轻睡着的心"、"森林破坏性的风"。他模仿或响应荷马、戏剧家埃斯库罗斯和欧里庇得斯、诗人和评论家卡利马科斯、历史学家修昔底德及医生希波克拉底。他的六音步诗行处于把这种格律引入拉丁语的恩尼乌斯的六音步诗行和使这一格律趋于完美的维吉尔的六音步诗行的正中间。他的诗里也有不合格律的地方，有因元音或音节的省略而听来刺耳的地方，有在韵律方面反常的例子。

卢克莱修对维吉尔的影响是深刻的，特别是对于维吉尔的《农事诗》。而当维吉尔写出"能够了解事物的原因的人是幸福的"（《农事诗》第二章）这样的诗句时，很明显指的正是卢克莱修。

卢克莱修严肃地表明他是同情无知而又不幸的人类的。他的道德方面的热情表现在他对伊壁鸠鲁的感激和对以下几种人的憎恨上。他恨预言者，因为他们用死后永恒的惩罚这种威胁向人们灌输宗教的恐惧；他恨埃特鲁斯坎人的占卜者，是因为他们散布有关雷电的传说；他恨伪哲学家斯多葛派，是因为他们相信天意；他恨伪哲学家柏拉图派和毕达哥拉斯派，是因为他们宣扬不朽的灵魂可以转世。religio（宗教信仰）在诗中第一次出现是作为把可怕的头从上天伸出来的妖怪。没有被这些妖怪所吓倒的伊壁鸠鲁于是穿过无限的宇宙越过"世界的燃烧着的壁垒"，冲进自然的堡垒并且胜利地带回了有关可能的和不可能的事物的知识，有关把事物的各个特点、把真实的和不真实的事物区分开来的"深埋界石"的知识。"这样宗教便在我们脚下被粉碎，而他（伊壁鸠鲁）的胜利使我们上升到天空"。

Lucullus, Lucius Licinius　卢库卢斯（约公元前117～前58或56）　罗马将军。公元前88年任会计官，曾参加L.C.苏拉向罗马的进军。后历任营造官和执政官。公元前74年卢库卢斯任执政官时，本都国王米特拉达梯侵入罗马的比希尼亚行省。卢库卢斯任西利西亚总督，后又兼任亚细亚总督，指挥罗马军队进行抗战，公元前74年冬把敌人逐出库齐库斯，公元前72年在卡比拉击败敌人。后来，米特拉达梯又和他的女婿亚美尼亚国王梯格兰结成同盟。卢库卢斯进攻亚美尼亚，击败梯格兰，公元前69年攻占亚美尼亚的首都蒂格拉诺塞塔。但因部下三次哗变（公元前68～前67），只得草草收兵。米特拉达梯收复他失去的大部领土，卢库卢斯的政敌趁机通过一项法案，要他交出兵权。直至公元前63年，他才得以在罗马举行凯旋式。此后他过起极度奢华的退隐生活。

Lucy, Saint　露西，圣（？～304，西西里锡拉库萨）　意大利语作Santa Lucia。基督教殉教贞女。在许多传说中她的名字与光有关，因此又称为视力的主保圣人。在中世纪的艺术作品中她手捧盛有自己双目的盘子。据外典记载，露西出身于西西里殷实人家。她拒绝婚嫁和财物，发愿要效法3世纪圣女阿加塔持守童贞。某人向她求婚不成，老羞成怒，向当局检举她。当局判处她入妓院为娼。上帝发挥神力，任何人都无力将她移动，无法将她押走，使此项命令竟不得执行。判她火刑，火焰竟也不能伤害她，最后她被行刑者用剑刺穿颈部而死。

Lucy, Richard de　鲁西（？～1179-07-14，英国肯特莱斯内斯大隐修院）　英格兰国王亨利二世（1154～1189在位）时期的首席政法官，支持亨利对坎特伯雷大主教T.贝克特进行斗争，在亨利由于王室内部对其王权提出挑战而长期缺席时，英国实际上由鲁西控制。他原籍诺曼底栋夫龙附近的卢塞。可能是在亨利一世时期开始为英格兰王室服务。1143年成为埃塞克斯的政法官和行政司法长官。约1155年亨利二世任命他为首席政法官。作为亨利二世的主要顾问之一，他参加制订许多重大的立法，包括财产法和司法程序的改革。亨利的敌人指出鲁西是克拉伦登宪法（1164）的主要作者，该宪法坚持（与贝克特的立场相反）对那些在教会法庭被判定犯有重罪的教会人员应由世俗当局而不由教会予以惩罚。1166年和1169年，鲁西两次被贝克特处以**绝罚**（**excommunication**）。1170年贝克特被国王的追随者谋杀，部分地是由于他拒绝解除这些绝罚金的结果。1173～1174年，当亨利在诺曼底、安茹和英格兰北部对反叛分子作战时，鲁西在国王领地的其他部分大力维持亨利的统治。

Lucy, Sir Thomas　露西（1532-04-24，英格兰沃里克郡埃文河畔斯特拉特福附近查尔科特～1600-07-07，查尔科特）　英格兰乡绅。莎士比亚可能将他丑化为《亨利四世》和《温莎的风流娘儿们》里的法官沙洛。1565年被封为爵士。据说莎士比亚年轻时，露西曾检举他偷查尔科特公园里的鹿。但此事只在莎士比亚死后才流传开来。

lud　圣林　沃加克人和兹梁人用以祭祀的园林。四周围有高木栏，园内通常由杉树林、火堆和供桌组成。由世袭的守护人看管，严禁破坏园林树木。在一些地区，妇女和儿童不准入园。每年园林举行祭祀仪式，通常在供奉某一神祇的古树旁进行。圣林是膜拜之地，其周围不得发生非礼的行为。参加活动的人们，须先行沐浴净身，然后入内。每家都有各自的圣林。一些规模较大的圣林，则是全氏族祭宴的场所。祭品需在园里全部吃掉，并把牺牲之皮悬挂树上。在芬兰-乌戈尔民族中，大多数都有类似的献祭园林。在莫尔多瓦人的圣林（keremet）中举行的仪式，既可上祭太阳，也可下祭黑夜。在落叶树园林里，人们可上祭天神；在杉树园林里，人们可下祭林中的精灵。切列米斯人的圣林祭献仪式，只许使用本族语言。使用外语，是对神的冒渎。这一地区的有些献祭园林是专祭奠先辈的英雄人物的。一些早年的旅行者，看到过这些英雄人物的雕像。芬兰语中的hiisi和爱沙尼亚语中的hiis显然也是指类似的园林，不过有关实际献祭或其他仪式未见载籍而已。19世纪后半期，圣林在因格里亚依然存在。祈祷和祭祀的对象是雷神乌可(Ukko)和农神桑普萨(Sämpsä)。

Lüda(China) **旅大** 参阅 **Dalian** 大连。

Luddite 卢德派 19世纪英国手工业者为破坏替代了他们工作的纺织机器而组成的集团。该运动于1811年末在诺丁汉郊区开始，次年发展到约克郡、兰开夏郡、德比郡和莱斯特郡。卢德派一般戴假面具，在夜间行动。他们的首领(不一定真有其人)称为卢德王。他们禁止对人身施用暴力。1812年，有一群卢德分子被一个名叫霍斯福尔的雇主下令枪杀。为了以牙还牙，其他的卢德分子把这个雇主干掉。利物浦第2代伯爵R.詹金森的政府采取严厉镇压手段，1813年在约克举行公开审判，把许多人绞死和流放。1816年仍有这类暴动，但由于镇压和不断恢复生机的繁荣，该运动不久即销声匿迹。"卢德派"一词现被广泛用于反对科技变化的个人或群体。

Ludendorff, Erich 鲁登道夫(1865-04-09，普鲁士属波兰波兹南附近克鲁谢乌尼亚～1937-12-20，德国慕尼黑) 普鲁士将军，第一次世界大战后期德国军事政策与战略的主要

美国不列颠百科全书公司供图

负责人。战后成为反动政治运动的领袖，最终加入纳粹党。毕业于士官学校。1908年任陆军总参谋部第二处(紧急部署和动员处)处长，在总参谋长H.von毛奇领导下对修改施里芬计划曾起到重要作用。该计划的核心是：不惜破坏比利时的中立，从侧翼包抄法国，并一举击溃之。1913年调任步兵团团长。1914年，第一次世界大战爆发时任西线第2集团军军需局局长，后调往东线任第8集团军参谋长，从此成为兴登堡将军的得力副手。德军虽然在对俄作战中取得巨大胜利，但在西线马恩地区却遭到失败，从而表明了他参与修订的施里芬计划的破产。1916年凡尔登之役后德皇为了在东、西两线同时发起进攻，委任兴登堡和鲁登道夫二人总揽军务。他们追求所谓"光荣的和平"，企图孤注一掷，动员大后方全部力量实施总体战。1917年他批准对英国进行无限制的潜艇战，结果导致美国参战。1918年在西线发动总攻遭到失败，他力主顽抗到底，但政府人士掣肘，乃愤而辞职。德国十一月革命时避居瑞典，1919年2月返回德国，曾先后参与1920年卡普暴动和1923年希特勒的未遂政变。1925年为纳粹党总统候选人。1924～1928年为国家社会党的国会议员。鲁登道夫创立了"总体战"理论，并于1935年著《总体战》传世。他反对克劳塞维茨的关于战争是政治另一种手段的继续这一论点，认为政治从属于战争，一个国家要动员全部物质和精神力量来进行战争，和平只不过是两次战争之间的间歇。

Lüdenscheid 吕登沙伊德 德国中西部北莱茵-威斯特伐利亚州城市。在埃森东南部伦讷河与沃尔姆河之间丘陵起伏、林木茂密的绍尔兰地区。9世纪时为法兰克居民点。1278年建制。中世纪是冶铁业中心，为汉萨同盟成员。是地区行政和商业中心。旧城中心保存有萨维奥尔教区教堂(有1072年建的塔楼)和有护城河的城堡等古迹。为工业和金属加工业中心，制造铝、金属品、塑料和合成纤维等。人口79 829(2003)。

Lüderitz 吕德里茨 前称安格拉佩克纳。纳米比亚(前称西南非洲)城镇。濒临大西洋。葡萄牙航海家B.迪亚斯1487年到达这里。1883年处于德国保护之下，成为德国在西南非洲的第一个居民点。1908年修建铁路时，在纳米布沙漠腹地发现钻石，该镇成为蓬勃发展采矿城镇。现南非政府为开采钻石，将矿区划为禁区；但该镇本身不受限制。吕德里茨也是龙虾的捕捞和加工中心。有公路和铁路通首都温德和克及南非共和国。镇内有一座小博物馆，展出科伊桑各族人民使用的工具和其他考古和历史文物。人口约7 700(1991)。

Ludhiāna 卢迪亚纳 印度西北部旁遮普邦中部城市。位于萨特莱杰河旧河岸，在今河道以南13千米处。在德里—阿姆利则铁路干线上，为数条铁路的交轨点。始建于1480年。现为重要农产品市场和工业中心。最大工业部门为针织业。也生产纺织品、钢、机械，并有农产品加工业。设有旁遮普农业大学及其他院校。亦有美国长老会开办的一所医学院和医院。郊区约80%土地已开垦，大部分靠锡尔欣渠浇灌。出产小麦、玉米、棉花和花生。人口约1 395 053(2001)。

ludi publici 公众赛会 古罗马盛会。通常定期举行以奉祀各神，主要项目为马车竞速和各种戏剧演出。它们与同葬仪有联系的斗剑比赛有别，由一位特别官员主持。每年9月为奉祀朱庇特神而举行的罗马赛会，又称大赛会，是历史上最为悠久而最有名的公众赛会。

Ludi Saeculares 参阅 **Secular Games** 百年节。

ludi scaenici 戏剧比赛会 古罗马的戏剧会演，与公众赛会同时举行。希腊式的罗马戏剧最初就是在这种赛会上演出的。戏剧比赛会最初在罗马赛会上表演，日后成为奉祀女神库柏勒的墨伽伦西亚节的主要庆祝活动。最初演出严肃的戏剧，到了帝国时期则主要上演滑稽剧和哑剧。

Ludington 拉丁顿 美国密歇根州西部城市、梅森县县城(1855)。南距马斯基根93千米，临密歇根湖皮尔马克特河河口。19世纪40年代始有人定居，1873年设建制。为大湖区港口，与威斯康星州诸港通火车和汽车轮渡。生产木材、金属制品、表壳、公路和铁路设备。市北有州立拉丁顿公园。人口8 357(2000)。

Ludington, Sybil 勒丁顿(1761-04-05，纽约弗雷德里克斯堡[今美国拉丁顿维尔]～1839-02-26，美国纽约尤纳迪拉) 婚后名西比尔·奥格登。美国独立战争女英雄。纽约民兵军官(后为G.华盛顿将军助手)H.勒丁顿之女。1777年4月26日信使来报，W.特赖恩总督攻打康涅狄格的丹伯里，而此地存有民兵的弹药。西比尔·勒丁顿自告奋勇，衔命召集村民。这位16岁的小姑娘彻夜骑马奔驰约65千米，使警报在周边地区传开。1784年10月与律师E·奥格登结婚。居住在尤纳迪拉直至去世。

Ludlow 拉德洛 英格兰什罗普行政、历史郡南什罗普区一城镇("教区")，濒临蒂姆河。有一古堡高踞于城镇内，可能是1085年罗杰·德·拉西所建，已于18世纪倒坍。该城约建于城堡建成后，城镇布局为12世纪方格式。1189年获准设建制，市民特权多因忠顺于约克王室而得。1461年爱德华四世登位后，城堡成为王室财产，城镇领有皇家特许状。因地位险要，在英国内战期间，是什罗浦最后向国会军投降的要塞(1646)。旧城墙的大部分和原有七座城门中之一座至今仍在。城内有许多精美的露明木架建筑和乔治时期的房屋。巨大的圣劳伦斯教区教堂中央有高塔，有14、15世纪的玻璃窗；诗人A.E.豪斯曼的骨灰葬于教堂墓地。蒂姆河上的拉德福德桥建于中世纪，已作为古文物。拉德洛是一座繁荣的商镇，以销售赫里福德种牛闻名。亦是一旅游中心，除轻工业外，其工业主要为农业服务。人口10 100(1998)。

Ludlow 拉德洛 美国马萨诸塞州中南部汉普登县的城镇。濒临奇科皮河，在斯普林菲尔德东北部。约1751年创建，名为斯托尼希尔。1774年改为现名(可能从英国拉德洛之名)、设建制，由于奇科皮河将其与斯普林菲尔德隔开，过河困难，故从斯普林菲尔德划分出去。拉德洛原为一独立的磨坊镇，现属混合型经济，有一些轻型制造业。有两块林地和一个公园。奇科皮河畔的印第安跳崖是块岩石悬崖，根据当地史载，在菲利普王战争(1675～1676)中，由咆哮雷领导的一队印第安人为逃避追击者从这里跳入水中。面积73平方千米。人口21 209(2000)。

Ludlow, Edmund 勒德洛(约1617，英格兰威尔特郡梅登布拉德利～1692-11，瑞士沃韦) 英国内战时期的激进共和派。曾为议会派作战，但后来成为克伦威尔护国政体的

主要反对者。威尔特郡一爵士之子。曾在牛津大学三一学院和伦敦内殿律师学院受教育。内战爆发后参加国会军,亲临多次战役。1646年进入国会。1648年帮助独立派将长老派逐出国会。他是1649年1月判决查理一世死刑的法官之一。2月参加国务会议。1651～1652年任克伦威尔军队司令,在爱尔兰粉碎保王派的抵抗。1653年克伦威尔任护国公后,他公开表示反对,认为克伦威尔背叛了共和原则。为此,他一度被囚禁于博马里斯城堡。王政复辟后,他逃往瑞士(1660-08),在流亡期间撰写回忆录。

Ludlow Series 拉德洛统 志留系4个主要分层中(按自下而上的顺序)的第3个,它代表那些在约4.21亿年前至4.14亿年前的拉德洛世在全球范围内沉积的所有岩石。此名来自位于英格兰什罗普郡拉德洛镇西面紧接着的那个典型地区,那里有厚约350米的粉砂岩和石灰岩地层。拉德洛统的底界是1980年经国际地质科学联合会所属国际地层学委员会批准,用P.科皮斯采石场中的一个全球层型剖面和点(GSSP)正式划定的。该采石场位于拉德洛西南4千米处的拉德洛-威格莫尔公路南侧。此边界点与下埃尔顿组的底界重合,后者与 *Neodiversograptus nilssoni* 笔石生物带底界相等。拉德洛统的代表性贝壳动物中,有属于克尔克贝介属(*Kirkidium*)的许多种腕足类动物,这些贝壳动物分布在许多相距遥远的地方,如美国中西部和俄罗斯的阿尔泰山区,均有发现。拉德洛统的顶界是由覆于其上的普里多利统的底界划定的。拉德洛统又分为两个世界范围的阶:戈尔斯蒂阶和拉德福德阶。

Ludlul bel nemeqi 《知者赞》 古代美索不达米亚宗教典籍中的哲学作品,述见弃于众神的某人探索人间多变和命运无常之理,又名《咏受难义人》或《巴比伦的约伯记》,与《圣经》中的《约伯记》相仿。

Ludmila, SAINT 卢德米拉,圣(约860,波希米亚梅尔尼克附近[今在捷克共和国]～921-09-15,波杰布拉迪附近捷京城堡) 斯拉夫女殉教士。她是第一位信奉基督教的捷克大公博里奥伊的妻子。博里奥伊死后,他们的儿子拉蒂斯拉夫娶德拉霍米拉,生瓦茨拉夫,交给祖母卢德米拉抚育,成为基督教徒。拉蒂斯拉夫死后,反基督教分子控制波希米亚,反对卢德米拉。921年其孙瓦茨拉夫即位后,卢德米拉同反对派特别是儿媳德拉霍米拉的关系进一步恶化。德拉霍米拉摄政,支持异教徒。卢德米拉在宫中被人绞死。据说是出自德拉霍米拉授意。

Ludo (board game) 参阅 **Pachisi** 印度巴吉西棋。

Ludwig, Carl F. W. 路德维希(1816-12-29,黑森-卡塞尔卡塞尔附近维岑豪森[德国]～1895-04-23,德国莱比锡) 全名Carl Friedrich Wilhelm Ludwig。德国生理学物理化学学派的创始人。曾在马尔堡大学(1846～1849)、苏黎世大学(1849～1855)、维也纳大学(1855～1865)及莱比锡大学(1865～1895)任生理学教授。以对心血管系统的研究而著名。1847年发明记波器以记录动脉血压的变化;1867年发明一种简单的血流速度计以测量通过动脉和静脉血流的速率;还发明一种水银血-气泵,用以从血液中分离气体,从而了解氧和其他气体对血液净化所起的作用。用接近血浆成分的溶液灌注蛙心,首次使动物器官离体存活(1856);最先将血管运动中枢定位于延髓;第一个测量了毛细血管血压。发现了心脏减压神经及加速神经。1871年与美国生理学家H.鲍迪奇一道提出心脏活动的"全或无定律"。1844年著文论述尿的分泌,奠定了尿与淋巴形成的现代理论;假定肾小球在尿生成时起被动过滤器作用,滤过速度由血压控制。又采用尿氮测定以近似地表示整体动物的蛋白质代谢速率。首次证明人类的消化腺可能受分泌神经的影响。他是一位优秀的生理学教师,他的学生中有近200名(包括鲍迪奇及美国医生W.韦尔奇)成为杰出的科学家。

Ludwig, Emil 路德维希(1881-01-25,德国布雷斯劳[今波兰弗罗茨瓦夫]～1948-09-17,瑞士阿斯科纳附近) 德国作家。由于写过许多通俗传记而享有国际声誉。原学法律,25岁开始写剧本和诗歌。第一次世界大战时期任德国报纸驻外记者。此后写过一部长篇小说《狄安娜》(1918～1919),1920年出版J.W.von歌德的传记,这使他成为强调人物个性的"新传记派"的作家。读者对路德维希的作品毁誉参半。他写的传记已有英译本的是:《拿破仑》(1927)、《俾斯麦》(1927)、《威廉·霍亨索伦》(1927)、《歌德》(1928)、一部引发许多争议的耶稣传记《人之子》(1928)、《林肯》(1929)、《兴登堡》(1935)、《克娄巴特拉:一个女王的故事》(1937)、《罗斯福:命运和权力的研究》(1938)、《三幅画像:希特勒、墨索里尼、斯大林》(1940)和《贝多芬》(1943)。《奥瑟罗》(1947)是根据莎士比亚的悲剧改写的一个富有想象力的故事。

Ludwig, Otto 路德维希(1813-02-11,图林根艾斯费尔德[德国]～1865-02-25,萨克森德累斯顿) 德国小说家、剧作家和评论家。主要由于他的现实主义小说而为人们所知。他的现实主义小说促进了"中篇小说"的发展。他创造了"诗的现实主义"一词,后来用以描述他的许多同代人的写作。早年对诗歌和音乐发生兴趣,1838年发表歌剧《烧炭妇》。由于萨克森-迈宁根公爵的照顾,他得以继续学习音乐,在莱比锡从师F.门德尔松(1839),但因健康状况欠佳和怯场而放弃。后迁居德累斯顿,从事文学研究,写故事和剧本。他的心理剧《世袭林务官》(1850)是试写德国非席勒悲剧的一种尝试,虽然立即引起注意,但仅获得部分成功。他的更能传世的作品,包括关于图林根生活的一系列小说在内,如其剧作一样注重细节描写和绵密的心理分析。其中最著名的是《欢乐者及悲哀者》(1851)和《天地之间》(1855)。他的《莎士比亚研究》(1891)显示出他是一个剖析入微的评论家。

Ludwigsburg 路德维希堡 德国西南部巴登-符腾堡州城市。濒临内卡河,在斯图加特正北。在符腾堡公爵E.路德维希的宫邸四周发展起来。该宫邸是德国最大的巴罗克式城堡,有18座主要建筑和450多个房间。路德维希堡1718年设市。市内路德维希堡宫处在优美的公园中,宫内有一肖像馆、国家美术馆和档案馆、地区博物馆、小教堂和剧场。堡内和公园内举办音乐会和一年一度的花园展览会。为铁路枢纽和会议中心。电影业发达。生产机械、铁制品、金属线、管风琴和瓷器。人口约87 581(2003)。

Ludwigshafen 路德维希港 德国西南部莱茵兰-普法尔茨州城市,莱茵河左岸港口。建于1606年。1859年设市。诗人和剧作家F.席勒从斯图加特逃出后曾在市内玛丽亚·希梅尔法尔特朝觐大教堂居住。为铁路枢纽、商业中心和葡萄酒产区的门户。以19世纪60年代建起的大化学工业闻名,也生产钢材、电子设备和机械,1897年海港开放,促进了铁、煤、农产品贸易。当地的西南体育场使该市变为一个体育中心。人口162 836(2003)。

Lueger, Karl 卢埃格尔(1844-10-24,奥地利维也纳～1910-03-10,维也纳) 政治家、奥地利基督教社会党领袖、维也纳市长。出身于工人阶级家庭。曾在维也纳大学学习法律。1875年当选为首都市议会议员,不久即因揭发贪污而名声大噪。1885年被选入奥地利帝国议会。1889年参加创建基督教社会党,始终为该党最有力的领导者之一。他认为在多民族的奥匈帝国中,各民族应该一律平等。他反对哈布斯堡的二元君主制,主张成立联邦国家。1897年起任维也纳市长。他把一些郊区划入城市,由市政府经营电车、电力和煤气,扩建公园、花园、学校和医院。在他治理下,维也纳成为一个现代化的大都会。奥地利开始实行普选(1907),主要是由于他的努力。

Luena (people) **卢埃纳人** 参阅 **Luvale** 卢瓦勒人。

Luening, Otto 吕宁(1900-06-15,美国威斯康星密尔沃基～1996-09-02,纽约州纽约) 美国作曲家、指挥家及长笛演奏家。以在作曲上运用磁带录音机的革新试验闻名。十几岁时在苏黎世师承F.布索尼,并与电子音乐有了最初的接触。曾在美国和欧洲演奏长笛和钢琴,先后在伊斯曼音乐学校、亚利桑那大学、本宁顿学院和哥伦比亚大学任教。1953年与V.乌撒谢夫斯基合作写了《为磁带录音机和管弦乐队创作的狂想变奏曲》,其中磁带录音机担任独奏的角色。他们二人合作的作品还有《诗之轮回与铃声》(1954)和为莎士比亚《李尔王》演出而作的戏剧配乐。1959年起任哥伦比亚普林斯顿电子音乐中心副主任。他为传统乐器也创作了相当数量的音乐作品,其中包括《第一交响幻想曲》(1922～1924)和《路易斯维尔协奏曲》(1951)。他的《威斯康星交响曲》于1976年首演。自传《美国作曲家的奥德赛》于1980年出版。

Luffa（plant genus） **丝瓜属** 参阅 **dishcloth gourd** 丝瓜。

Lufira River **卢菲拉河** 刚果民主共和国卢阿拉巴河支流。源于利卡西以南的加丹加（沙巴）高原，经由乌彭巴湖注入卢阿拉巴河。长500千米。在利卡西以下有大坝，形成410平方千米的人工湖，蓄水发电。为利卡西的冶炼业及坎博韦和卢本巴希之间的产铜区供电。

Lufkin **拉夫金** 美国得克萨斯州东部皮内伍兹地区城市，为安杰利纳县县城（1890）。位于博蒙特西北175千米处，邻近戴维-克罗基特与安杰利纳国家森林之间的安杰利纳河和萨姆·雷本水库。1882年建，1890年设市。初为木材加工中心，现为得克萨斯国家森林总部所在地。库德利普林业中心和得克萨斯林业博物馆均设于此。当地资源尚有漂白土、石油和天然气。经济以林业、混合农业、制造业和旅游业为基础。市内有动物园。另有州立安杰利纳学院。人口约32 709（2000）。

Lufthansa **汉莎航空公司** 德国空运组织。1953年1月6日在科隆成立。由联邦政府、德国全国铁路公司和北莱茵-威斯特伐利亚州合办，此后又接纳私人投资。它是1926年1月6日成立的德国汉莎航空公司（DLH）的继承公司。1945年战争结束时德国汉莎航空公司停止营业，1951年正式清理。1955年4月，汉莎航空公司在国内开始定期通航两个月后，就开始横渡大西洋、直飞纽约市；同年它开始设立飞抵巴黎、伦敦、马德里和里斯本的定期班机，并有特别班机飞往莫斯科。1956年首航蒙特利尔、芝加哥、里约热内卢、圣保罗、布宜诺斯艾利斯、巴格达、德黑兰；1958年首航印度；1959年首航曼谷。到20世纪末汉莎航空公司的广大航空网以法兰克福为中心辐射通向远方的城市，如智利圣地亚哥、墨西哥城、洛杉矶、安克雷奇、东京、香港、悉尼、约翰内斯堡以及欧洲、近东其他数十个航空站。

Lugalbanda **卢加尔班达** 现存的苏美尔各叙事诗以及《卢加尔班达史诗》或《卢加尔班达与恩麦卡尔》等故事中的主要人物。参阅 **Enmerkar**。

Lugalzagesi **卢伽尔扎吉西** 又拼Lugalzaggisi。美索不达米亚南部乌玛城的“恩西”（圣王），约公元前2375～前2350年在位。他先征服大城拉格什（约公元前2375）和基什，然后又占领苏美尔的城乌尔和乌鲁克（唯有他代表乌鲁克第三王朝）。在统一苏美尔全境之后，他又向地中海岸扩展领土。但是在位25年以后，他的帝国被阿卡得的有力的统治者萨尔贡的王朝消灭。

Lugang **鹿港** 又拼Lu-kang。中国台湾省西部彰化县的城镇。面积39.46平方千米。位于县境西北部濒海地带，在鹿港溪（浊水溪冲积扇的分流）下游接近河口处，距县治所在地彰化市（该镇东北方）约12千米。昔为开发台湾主要移民及贸易港口之一。原名“鹿仔港”，后习用现名。1662年郑成功收复台湾后，曾为汉人移民入垦台湾中部的港口。清康熙末年已具商港兼渔港规模。乾隆四十九年（1784）鹿港正式开辟港埠，与对岸泉州对渡互市，主要输出稻米，次为糖、樟脑等；输入则以棉布、丝、纸品等为主。自此贸易渐盛，一直持续到道光末年，当时与台南府及北部艋舺（今万华）并称“一府二鹿三艋舺”。咸丰以后，浊水溪数次泛滥成灾，致使河口日趋淤

鹿港老街
美国不列颠百科全书公司供图

废，不复往昔繁华景况。今鹿港仍为全省文化重镇之一，镇内多名刹古迹，著名的有龙山寺、天后宫、文开书院和泉郊会馆等。其中鹿港天后宫与北港朝天宫并为台湾两大妈祖庙，历史悠久，香火鼎盛。鹿港是保全大陆移植的乡土文物最多的城镇，是研究台湾民俗和开发史重要对象。省第17号沿海公路干线经此。人口82 811（1999）。

Lugano **卢加诺** 德语作Lauis（劳伊斯）。瑞士南部提契诺州最大城镇。濒临卢加诺湖。南有圣萨尔瓦托雷山（912米），东有布雷山（925米）。6世纪时首见记载。1499年被法国占领，1512年由瑞士收复，1798～1803年是海尔维第共和国卢加诺州的中心。1803年划入新建的提契诺州，1878年以前，是该州三个州首府之一。在1848～1866年把奥地利人驱逐出伦巴第的斗争中，设有意大利民族主义者领导人G.马志尼的总部。卢加诺具有意大利城市风格，主要古建筑有13世纪的圣洛伦佐教堂和法沃里塔别墅（1687，欧洲私人最大的艺术品收藏处之一）。位于圣哥达铁路线上，旅游业和国际信贷是财政收入的主要来源。也有一些工业，生产巧克力糖、卷烟、丝绸和机械等。居民讲意大利语，多信天主教。人口27 462（1987）。

Lugano, Lake **卢加诺湖** 意大利语作Lago di Lugano或Lago Ceresio（切雷肖湖）。在马焦雷湖与科莫湖之间的湖泊，面积49平方

瑞士卢加诺镇附近的卢加诺湖
美国不列颠百科全书公司供图

千米，其中部的31平方千米在瑞士提契诺州，东北部及西南部在意大利伦巴第区。海拔271米。最长35千米，最宽3千米，最深288米。接纳众多山间溪流，湖水经特雷萨河注入马焦雷湖。除卢加诺湖湾周围地区以外，林木丛生的其他湖岸均陡峭险峻，寂静荒凉。湖畔主要城镇为瑞士的卢加诺。

Lugansk（*oblast* and city, Ukraine） 参阅 **Luhansk** 卢甘斯克。

Lugard, F.D. **卢加德**（1858-01-22，印度马德拉斯圣乔治堡～1945-04-11，英格兰萨里阿宾格） 1888～1945年英国殖民史上发挥重要作用的行政官员，曾在东非、西非和香港任职。他的名字特别与尼日利亚联系在一起，在那里，他曾任高级专员（1900～1906）和总督（1912～1919）。1901年封为爵士，1928年晋升贵族。

父母是传教士，在印度传教，他在英国接受教育。在桑德赫斯特皇家军事学院短期学

美国不列颠百科全书公司供图

习后，加入诺福克军团，派驻印度。19世纪80年代参加英国对阿富汗、苏丹和缅甸的战争。正当前途似锦时，与一位已婚女子恋爱，毁了前程。为避人耳目，跟随探险家D.利文斯敦在东非与劫掠奴隶的阿拉伯人作战。1888年在尼亚萨湖附近向用栅栏围起的一奴隶拘留地发起袭击时身负重伤。后进入英国东非公司工作，1890年8月率领一支商队沿着人迹罕至的道路，走了1 300千米，历时5个月，抵达布干达王国。发现这里的泛灵论者、穆斯林、新教徒、天主教徒（后两种人经从南路先期到达的英法传教士教化）和名义上

的国王之间进行着复杂的斗争。18个月中，卢加德强迫实施和平，发动声势浩大的西征，赢得了与国王签订效忠英国的条约。

1894～1895年卢加德接受了另一个危险的任务，为皇家尼日尔公司与法国竞争缔结勘探中尼日尔的条约。尽管困难重重，并且头部中了毒箭，他还是获得了成功。接着他为一家私营殖民公司前往半沙漠的贝专纳兰保护地寻找钻石。此时殖民地大臣J.张伯伦委他以第一个官方职位，建立由英国人指挥的非洲兵团，以抵挡从尼日尔河至尼罗河与英国争夺殖民权利的法国军队，这就是著名的西非边防军。他的成功使他被任命为北尼日利亚高级专员。在3年的时间里，他通过外交或迅雷不及掩耳地使用他的那支小部队，在这方圆80万平方千米的广大地区内建立英国统治。他的政策是支持土著政权和部落酋长、他们的法律和法度，禁止劫掠奴隶和施用酷刑，主要通过当地统治者实行控制。这一政策对英国在非洲和其他地区的统治产生很大的影响。

1902年卢加德与F.肖结婚，她是一位出色的旅行家、殖民地政策权威、伦敦《泰晤士报》报人。由于她不能适应尼日利亚的气候，卢加德乃离开非洲，出任香港总督（1907～1912），任内创办香港大学。

1912年他回到非洲，将尼日利亚的两部分统一成为一个幅员辽阔的国家。尼日利亚的南部和北部存在着很大的不同，卢加德并不企图把两部分的制度完全融合，而是保持某种程度的二元制。卢加德完成了统一的艰巨任务，尼日利亚于1914年1月1日正式宣告统一。

1919年他正式退休，但作为治理殖民地的权威而继续工作。他写了名著《英属赤道非洲的二元托管》（1922）。1928年封男爵，在上院就殖民地问题发表权威见解。他出任国际常设委任统治委员会、国际奴隶与强迫劳动委员会英国委员和国际非洲语言与文化研究所主任。1929年妻子亡故，使他极为悲痛，在隐居所几乎不停地工作，就影响英帝国内外土著人种利益的问题进行潜心研究。

Lugbara 卢格巴拉人 主要居住在乌干达西北部和毗邻刚果民主共和国地区的民族。语言属尼罗-撒哈拉语系沙理-尼罗语族的中苏丹语。卢格巴拉人是定居农民，主要以轮作锄耕为主。小米为传统主食，同时也大量种植木薯和烟草。许多卢格巴拉人移居乌干达南部，成为干达族地主的佃农。以家畜或铁器为结婚聘礼，行一夫多妻制。卢格巴拉人没有集中的政权机构，由祈雨师及族长进行管理。政府指派的酋长管理较大地区。大多数卢格巴拉人仍奉祀祖先，信奉造物主阿德罗亚。卢格巴拉人是乌干达境内受现代社会变革影响最少的民族之一，具有强烈的自我认同感。

Lugdunensis 卢格杜南西斯 又拼Lugudunensis。又称高卢卢格杜南西斯（Gallia Lugdunensis）。罗马帝国的一个省。首府吕登农（今里昂）。省辖首府西北塞纳河和卢瓦尔河之间的所有土地，包括后来成为巴黎的地方在内。在高卢战争期间（公元前58～前50），凯撒征服这一地区。在奥古斯都时代，它变成罗马的一个省。

lugeing 短雪橇运动 一种小型雪橇运动。雪橇为木质或铁木结构，装有宽大的钢面冰刀，运动员坐在其上操纵，用脚和挽绳掌握方向。创始于16世纪，是奥地利的传统冬季体育项目，在德国和波兰也很流行。1957年起该项运动由国际短雪橇联合会管理。1964年首次列为冬季奥运会比赛项目。100千米的时速并不少见。参阅**Olympic Games**。

短雪橇运动
美国不列颠百科全书公司供图

Lugeon, Maurice 吕容（1870-07-10，法国普瓦西～1953-10-23，瑞士洛桑） 瑞士地质学家。最早对整个阿尔卑斯山作出全面解释。1876年随父母迁居洛桑，1893年从洛桑大学毕业，1898年任该校教授。1901年在法国地质学会宣读的一篇论文中，提出对阿尔卑斯地质中一切有区别的、似乎互不相关的单元的综合论述。证明阿尔卑斯山系北缘是由叠加的巨大推覆体（岩层的褶皱片体逆掩到下面岩层之上）构成的。他关于瑞士和意大利交界处的辛普朗山口附近的山体是向北推动的巨大平卧褶皱的理论，当开凿了辛普朗隧道（1905）、取得该区域的地质剖面资料后，被完全证实。吕容的工作同瑞士地质学家H.沙尔特的工作有密切关系；后者早认识到，阿尔卑斯的前山是由越过先存在的岩层推进了几十千米的褶皱构成的，并提出这种运动是由岩层顺缓坡向下的重力蠕动或塑性流动引起的。吕容是沙尔特观点的主要支持者，并且把这种观点应用到他对整个阿尔卑斯山的解释中。他作为坝址专家顾问，也赢得国际声誉。著有《堤坝和地质学》（1933），总结他在这方面的研究成果。

Luger pistol 卢格尔手枪 又称帕拉贝鲁姆手枪（Parabellum pistol）。1900年首次生产的、用于军事和商业的德国半自动手枪。该枪口径为7.65毫米和9毫米，有一个肘节闭锁机。射击的后座力可使该装置打开，从弹匣中取一发新子弹纳入枪膛。弹匣装在握把里，是可拆卸的，内装8发子弹。1898年奥地利人G.卢格尔（G.Luger）发明该枪后，曾研制出许多不同型号的卢格尔手枪。从1908至1938年，卢格尔手枪是德国武装部队的标准手枪。其他国家的武装部队曾在某个时期使用过这种武器的有：巴西、保加利亚、芬兰、伊朗、挪威、瑞士和土耳其。

Luggarus（Switzerland） **卢加鲁斯** 参阅**Locarno 洛迦诺**。

Lugné-Poe, Aurélien-François-Marie 吕热-波（1869-12-27，法国巴黎～1940-06-19，阿维尼翁新城） 法国演员、戏剧演出人。他向法国观众介绍了M.梅特林克和P.克洛岱尔等当代伟大剧作家。毕业于巴黎音乐戏剧学院。先后在自由剧院和艺术剧院演出。后经营著名的作品剧院（1892～1929），在那里上演H.易卜生、A.斯特林堡、G.豪普特曼等人的作品。监制演出了有争议的O.王尔德的《莎乐美》，1912年首演了克洛岱尔的《给玛丽报信》。他尽力提携初露头角的剧作家，通过演出欧洲大陆剧作者的现代杰作对法国戏剧发展做出了重要贡献。

Lugo 卢戈 意大利北部艾米利亚-罗马涅区拉韦纳省城镇。著名的有一拱顶的市场和一座14世纪城堡改建成的市政厅。该镇在第二次世界大战中是激战的战场。现为农业和商业中心。生产葡萄酒、纸张、鞋靴、肥皂等。人口：城市区32 725（1990）。

Lugo 卢戈 西班牙西北部加利西亚自治区省份。北濒比斯开湾。面积9 803平方千米。始建于1833年。该省里瓦德奥至巴克罗河口湾之间100千米长的海岸线上分布着小港口和渔村。内地有坎塔布连山脉。米尼奥河流经西南部，注入大西洋。当地有药泉吸引游人，但经济以农、渔业为主，为西班牙黑麦和马铃薯主要产地，但牛、猪饲养也具较重要的经济价值。1980年在圣塞布连建成西班牙第一家铝厂，从而刺激了该省的工业发展。省会卢戈，其他重要的城镇还有蒙多涅多、蒙福特-德莱莫斯和比韦罗等。人口407 881（1988）。

Lugo 卢戈 西班牙西北部加利西亚自治区卢戈省省会。位于拉克鲁尼亚东南，濒临

卢戈镇的罗马时代城墙，远景为大教堂
美国不列颠百科全书公司供图

米尼奥河。罗马时期创建,当年城垣今成为人行道。曾先后被斯维比人、摩尔人和诺曼人占据。10世纪时由阿方索三世收复。名胜有哥特式的圣弗朗西斯科教堂和罗马式大教堂(1129)。现为商业中心,有农业产品交易会和集市以及肉食加工厂。人口78 795(1988)。

Lugoj 卢戈日 罗马尼亚西部蒂米什县城市。濒临蒂米什河两岸,位于蒂米什瓦拉东南偏东53千米,布加勒斯特西北约350千米。中世纪德意志殖民势力很强,在河北岸建镇;罗马尼亚人在河南岸建镇。此镇在民族主义运动中曾发挥重要作用。卢戈日为一正教主教区所在地,有几座古老的教堂。现为纺织和木材加工工业中心,丝绸为其特产。其他工业有制革、食品加工、酿酒和农机制造。人口约54 350(1989)。

Lugol's solution 卢戈尔氏液 法国医师让·卢戈尔于1829年引用于临床的抗菌剂。是先后将10%碘化钾和5%游离碘溶于85%的水中配成的透明棕色水溶液。是有效的杀菌剂和杀霉菌剂,用于开放伤口时刺激性小于碘酊。

Lugones, Leopoldo 卢贡内斯(1874-06-13,阿根廷里奥塞科[今玛丽亚镇]~1938-02-19,布宜诺斯艾利斯) 阿根廷诗人、文学评论家、社会评论家。被许多人认为是当时阿根廷文化生活中的杰出人物,对年轻一代作家有强烈的影响。他开始是一个倾向社会主义的新闻工作者,是以尼加拉瓜诗人鲁文·达里奥为首的现代主义实验诗人集团中的活跃成员。第一本重要诗集《金山》(1897),以其自由诗体和异国形象的运用,显示出他与现代主义追求的血缘关系。这种手法,后来在《花园的黄昏》(1905)和《感伤的月历》(1909)两本诗集中继续使用。1911～1914年间,住在巴黎,编辑《南美洲评论》。第一次世界大战爆发时,回到阿根廷。他的政治观点的变化,即从青年时期的激进社会主义转变成强烈的保守的民族主义,是与他的艺术观点的变化并行的。他摈弃现代主义,喜欢用现实主义风格写作民族题材。这种转变,在散文随笔《加乌乔战争》(1905)中已见端倪,而在《风景书》(1917)中更为显现。后者是一本诗集,描写阿根廷乡村之美。在散文方面,他继续发掘乡间的题材,如短篇小说集《倒楣的故事集》(1924)、长篇小说《影子的天使》(1926)等。1929年后,他成为法西斯主义者。晚年在剧烈的感情紧张状况中自杀身亡。

Lugosi, Bela 卢戈希(1884-10-20,匈牙利卢戈斯[今罗马尼亚卢戈日]～1956-08-16,美国加利福尼亚洛杉矶) 原名贝洛·布洛什科。电影演员,以在经典恐怖片《德拉库拉》(1931)中扮演举止高雅的吸血鬼德拉库德伯爵的阴险形象而著名。曾就读于布达佩斯戏剧艺术学院。1902年首次登台演出,1913至1919年为布达佩斯国家剧院演员,并在布达佩斯以阿里斯蒂德·奥尔特的艺名出演了几部匈牙利影片。1919年前往德国,在那里当电影演员,1921年移居美国。他在美国组织了匈牙利剧团,自任舞台监督、导演和主演。该剧团于1927年在纽约演出了舞台剧《德拉库拉》,并进行巡回演出。1923年首次在好莱坞拍摄影片《无声的命令》,后因在影片《德拉库拉》中扮演主角而享有国际盛誉。这部影片成为好莱坞吸血鬼影片的样板,卢戈希以后专门扮演各种妖魔鬼怪。他的其他著名影片有《黑猫》(1934)、《吸血鬼的印迹》(1935)、《狼人》(1941)和《猿人》(1943)。卢戈希晚年吸毒成瘾,陷入穷困潦倒的境地。1955年,作为吸毒者自愿住进诺沃克的加利福尼亚州立医院;同年年底被允许出院。死后,按照他生前的愿望,穿着他在《德拉库拉》中所穿的宽大黑色披风埋葬。

卢戈希在《德拉库拉》中的剧照

美国不列颠百科全书公司供图

Lugouqiao 卢沟桥 英语作Marco Polo Bridge。中国北京市重要古建筑之一。位于北京市区西南8千米。原是永定河古渡口,桥建于1187年,清代曾重修。是北京市最古老的石砌连拱桥。桥身长266.5米,有11孔石拱,结构坚固,造型美观,两边140根石栏柱头上雕有石狮485个,千姿百态,栩栩如生。著名意大利旅行家马可·波罗曾赞扬为"世界上最好、独一无二的桥"。1937年7月7日中国军队在此抗击日本侵略军,从此开始了历时八年的抗日战争。现为国家重点文物保护单位,桥旁已另建新桥通行。

卢沟桥

中国大百科全书出版社供图

Lugudunensis(Roman province) 参阅**Lugdunensis 卢格杜南西斯**。

Luguru 卢古鲁人 又称鲁古鲁人(Ruguru)或瓦卢古鲁人(Waluguru)。居住在坦桑尼亚中东部丘陵地带、乌卢古鲁山区及沿海平原的民族,操班图语。虽然住区人口过于稠密,城市及庄园就业机会严重缺少,他们也不愿随便放弃那已经定居至少300年的山区家园。20世纪末,卢古鲁人口约120万。山区雨量充沛,有河水灌溉的集约农业(种植高地稻谷、玉米、木薯)。卢古鲁地区有些地方平均每平方千米可供养300人以上。许多人定居在乌卢古鲁山周围的低地平原上。卢古鲁族是由不同血统的人组成的。这些居民发展了或采用了共同的语言和文化,但是崎岖的地势以及南北邻人的入侵,限制了村庄之间的交往。卢古鲁民族实行母系继嗣制,有50个族外婚的氏族,根据土地、头领、标识等又可分为800多个家系。历史上,他们很少有过高于家系一级的政治组织,只有当祈雨师地位提高、要求贡品时,才有例外。邻近民族也挑选卢古鲁人的祈雨师。山区卢古鲁人现在大多是天主教信徒,低地卢古鲁人是穆斯林。卢古鲁人种植谷物,除供本族生活所需外,还向当地城镇和达累斯萨拉姆输出大量产品。他们在山区种植咖啡比较成功;由于采采蝇为害,无法养牛。坦桑尼亚有几处最大的波罗麻种植园,都位于卢古鲁地区周围的低洼地,许多非卢古鲁人到这里来工作。卢古鲁人也向这些人出售粮食。

Lugus 卢古斯 凯尔特宗教所崇奉的主要神祇之一。据罗马皇帝J.凯撒说,此神相当于罗马人所崇奉的墨丘利。古代凯尔特人各族普遍崇拜此神。

lugworm 沙蠋 多毛纲沙蠋属(*Arenicola*)环节动物。体型往往较大。深钻在沙质海底或潮间带。渔民用作鱼饵。欧洲沿岸的沙蠋,如海沙蠋(*A. marina*)成体长约23厘米。北美沿岸的鸡冠沙蠋(*A. cristata*)长7.5～30

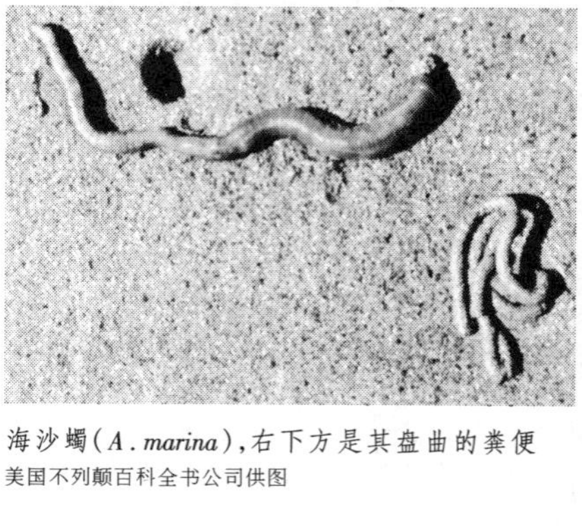

海沙蠋(*A. marina*),右下方是其盘曲的粪便

美国不列颠百科全书公司供图

厘米。沙蠋体分节,头端深红,头后的体节较肥大而色较淡。向尾端渐细而呈黄红色。体中部有刚毛和约12对羽状鳃。沙蠋取食腐败的有机碎屑,并且将食物颗粒连沙粒一起吞下。退潮时在洞口可见其排出的盘曲的粪便。钻入深度可达60厘米。雌雄同体。异体受精。

Luhan, Mabel Dodge　卢汉(1879-02-26,美国纽约布法罗～1962-08-13,新墨西哥陶斯) 美国女作家。她的坦率的自传描述了同时代美国名人的许多情况。在纽约和国外时,她周围聚集了一批文艺界和政界名人,她的生活和写作就是围绕他们展开的。后来定居于陶斯镇的艺术家聚居区,周围是普韦布洛印第安人,她很喜欢这些印第安人简朴的生活方式。在那里,她的住所又成为有名的艺术家和作家的聚会之地。她尽力把她同G.斯泰因、J.里德和W.李普曼等名人的关系记录下来而很少顾及这是否适当或触及他人隐私。她的《个人回忆录》包括以下几卷:《背景》(1933)、《欧洲的经历》(1935)、《鼓动者和动摇者》(1936)和《陶斯沙漠的边缘》(1937)。《洛伦佐在陶斯》(1932)表达了她对D.H.劳伦斯的深刻见解。《陶斯及其艺术家》(1947)介绍了49位艺术家和他们的作品。

Luhansk　卢甘斯克　俄语拉丁字母转写作Lugansk,旧称伏罗希洛夫格勒(1938～1958,1970～1989)。乌克兰一州。位于乌克兰最东部,顿涅茨河畔。河北为起伏不平的干旷草原;河南为顿涅茨山脉的低丘,原为森林草原,而今和北部一样几乎全已开垦。该州包括顿涅茨煤田的东部和工业区。经济以采煤、钢铁、重型机械和化学产品为主。卢甘斯克的城市人口约占5/6。农业发达,主产粮食,向日葵也占重要地位。城市周围有蔬菜种植业。面积26 700平方千米。人口约2 871 100(1991)。

Luhansk　卢甘斯克　俄语拉丁字母转写作Lugansk。旧称伏罗希洛夫格勒(1935～1958,1970～1989)。乌克兰卢甘斯克州城市和行政中心。在卢甘河与奥尔霍沃河汇合处。1795年首见记载,当时设有官办铸铁厂,向里海舰队供应军械器材。19世纪90年代,因顿涅茨煤田的发展而兴旺。现主要工业为重型机械制造,有巨大的内燃机车厂。也生产钢管、采煤设备、车辆零件和精密仪器,并开采煤矿。还有食品和木材加工业。设有师范、医药、农业与机械制造学院。人口约503 900(1991)。

Luḥayyah, Al-　卢海耶　又拼Luhaiyah或Loheiya。也门西部城镇。濒红海,地处帖哈麦海滨平原,为小型港口。建于15世纪中叶。18世纪末筑有城墙和堡垒。1800年左右至第一次世界大战期间属奥斯曼帝国。1918年被英国占领。后属阿西尔的伊德里斯统治者。1925年由也门收复。1934年被沙特占领,后根据同年签订的《塔伊夫条约》归还也门。港口在城西南,为开阔的浅水锚地。一度为也门咖啡出口中心,但近200年来,该城及其港口均已衰落。从前的坚固城堡已成废墟。交通仅限于沿海运输。也门的国际海运业现集中于荷台达的艾哈迈迪港。人口2 656(最新统计)。

Lühou　吕后　参阅**Gaohou** *高后*。

Luhuan Island　路环岛　中国澳门特区岛屿。位于氹仔岛以南,西与珠海市的大横琴岛相对峙,面积7.087平方千米,自东北向西南斜卧于海中,长约4千米,人口4 200。路环岛地势较氹仔岛高,山丘亦较多,其中塔石塘山海拔174米,为全澳门最高山峰。岛内有九澳水库和黑沙水库。路环岛和氹仔岛之间有长约2 225米的路氹公路连贯。渔业较发达。工业有电力、机械、水泥、造船等。名胜古迹有谭公庙、妈祖像、圣方济教堂、高尔夫乡村俱乐部等。

Luhya　卢赫雅人　又称卢雅人(Luyia)。生活在肯尼亚西部省、操班图语的几个关系密切而无首领的民族(包括伏古苏人、塔德乔尼人、万加人、马拉马人、佐佐人、蒂里基人、尼亚拉人、卡布拉斯人、哈约人、马拉奇人、霍洛人、马拉戈利人、达赫人、伊苏哈人、基萨人、尼奥勒人、萨米亚人等)的文化语言群体。"卢赫雅"一词,系"阿巴卢赫雅"的简称,意为"家人",是1930年左右一个非洲地方互助会首次提出来的。到1945年,在战后的殖民时期,当人们发现一个超越部落组织的共同体在政治上有利时,"卢赫雅人"便已作为民族群体出现了。诸不同小部落的成员联合为卢赫雅人这个群体,在肯尼亚政治生活中取得与其他大部落相同的地位。20世纪80年代,卢赫雅人是肯尼亚位居第二的种族集团。卢赫雅人大多实行父系的自治族系制,各有耕地,种植玉米、棉花及甘蔗作为经济作物;种植黍稷、高粱、蔬菜等自己食用。卢赫雅人也饲养少数家畜,并参加维多利亚湖附近区域的贸易等活动。许多卢赫雅人流入城市寻找工作。

Luichow Peninsula (China)　参阅**Leizhou Bandao** *雷州半岛*。

Luiken, Johannes　参阅**Luyken, Jan** *勒伊肯*。

Luini, Bernardino　卢伊尼(?～1532,米兰)　文艺复兴时期的伦巴第画家,以画神话与宗教题材的壁画知名。现存肯定出自其手的只有一幅壁画,即米兰附近基亚拉瓦莱天主教西多会隐修院的《圣母子》(1512)。卢伊尼的大部分板上画是以圣母为题材的。1506～1513年达·芬奇在米兰期间卢伊尼受到很大影响,这从卢伊尼《圣家族》的人物脸型与构图上可以看出。

Luís (Pereira de Sousa), Washington　路易斯(佩雷拉·德·索萨)(1869-10-26,巴西马卡埃～1957-08-04,圣保罗)　巴西总统(1926～1930),他未能在大萧条前夕加强巴西业已衰弱的经济。路易斯在圣保罗州长大,在该州从政30多年,担任过多种公职,包括圣保罗市长和州长(1920～1924)。1926年11月15日当选为巴西总统后,开始实施大规模修筑公路的计划,但因外债累累和咖啡市场崩溃而步履维艰。他虽然试图限制咖啡的生产,但是由于1929年开始的世界性经济萧条,巴西仍有大量咖啡积压。在任期即将终了时,他企图使另一位圣保罗政治人物普列斯特斯接替他,从而操纵1930年的总统选举,使普列斯特斯获胜,因而犯了一个使他声名狼藉的错误。反对派候选人瓦加斯的支持者后来发动政变,于1930年10月24日将他废黜。路易斯流亡欧洲,直到1946年才回到自己的国家。

Luiseño　卢伊塞诺人　操犹他-阿兹特克语的印第安居民,居住在加利福尼亚州洛杉矶以东和以南,以及圣迭戈以北之大片地带,其名来自西班牙教团圣·路易斯(莱伊·德·弗兰西亚)一名。虽然有些卢伊塞诺人住在沿海地区并以鱼类及软体动物为食,但绝大多数为山民,采集橡实及其他种籽、果实、块根,并用弓箭或陷阱猎捕各种猎物。温暖季节,男人无衣着,女人系围裙。住房为半地下式泥土覆盖房舍,聚居成村落。由有亲缘关系的居民组成氏族或准氏族,氏族具有地区的、政治的及经济的职能;还有各种与氏族平行而又关系密切的宗教团体,具有礼仪及政治职能,氏族内每个成员都属于一个宗教团体。由几个家庭组成的群体各有一名首领,在多数地区还有一名大首领。卢伊塞诺人惯于采用神秘仪式;在他们的概念中,有一巨大、全能、复仇之神,而这种概念在北美土著居民中是罕见的。此神名钦吉奇尼什;为崇奉此神,他们举行许多男童成丁仪式,有些仪式还要求饮用曼陀罗致幻剂。同样受到重视的是葬礼,对于死者,要举行许多送葬及周年纪念等仪式。20世纪90年代,卢伊塞诺人的后裔只有2 694多人,多居住在加利福尼亚南部。

Luisetti, Hank　卢塞蒂(1916-06-16,旧金山～　)　美国大学篮球运动员。第一个采用单手投篮技术的选手。在进攻和防守中运用多种技巧,包括背后运球或者传球。他首创在一场比赛中得50分的大学生篮球赛纪录。卢塞蒂在整个篮球生涯中共得1 596分。他所在的斯坦福大学队3次获太平洋协会冠军,并推广快攻突破战术以及兼用人盯人和区域防守的战术。第二次世界大战期间卢塞蒂在海军服役,退役后参加业余篮球比赛并任教练,直到50年代初期。1959年入选篮球名人堂。

Luish language　参阅**Luwian language** *卢维语*。

Luisian Stage　路易斯阶　北美太平洋沿岸地区中新世重要的年代地层单元(中新世开始于约2 600万年前,延续约1 900万年)。位于莫恩阶之下、雷利兹阶之上。因加利福尼亚州圣路易斯奥比斯波县研究过的露头而得名。根据特征性有孔虫(有钙质壳的单细胞生物)化石又细分为三个次级单元。路易斯阶在时代上大致相当于欧洲等地的海尔微阶。

Luitpold　卢伊特波尔德(1821-03-12,巴伐利亚符兹堡～ 1912-12-12,慕尼黑)　巴伐利亚摄政王(1886 ～ 1912)。在他当政期间,巴伐利亚在自由政府领导下繁荣昌盛,慕尼黑成为欧洲的一个文化中心。国王路易一世的第三子。他自愿入军界,在七周战争中支持奥地利对普鲁士作战。在其侄路易二世统治后期,他代行国王权力。在路易精神失常后,他任摄政王。幼王奥托即位后,他继续任此职。他采用内阁负责制,进行选举改革(1906),使巴伐利亚成为整个德意志最民主的王国。他摄政的 26 年被视为巴伐利亚的黄金时代。首都慕尼黑欣欣向荣,被人看作一个文化中心。他是许多艺术家的朋友,为发展文化和艺术拨出巨款,并创建"艺术之家"作为集会场所和展览中心。

美国不列颠百科全书公司供图

Luján　卢汉　阿根廷布宜诺斯艾利斯省城市和全国朝圣中心。濒临卢汉河。传说 1630 年有人用牛车运送圣母像经此城原址,牛车陷入泥中不得行走,遂即在此址建教堂,谓圣母愿停驻于此。之后,周围居民日益增多,1755 年建市。现有一新哥特式天主教大教堂将原教堂和圣母像环抱。每年5月21日圣餐日吸引大批朝圣者。另有省历史和殖民博物馆。人口74 766(1999)。

卢汉市的新哥特式天主教大教堂

美国不列颠百科全书公司供图

Lukács, György　卢卡奇(1885-04-13,布达佩斯～ 1971-06-04,布达佩斯)　匈牙利马克思主义哲学家、作家和文学评论家。20 世纪前半期对欧洲共产主义思潮颇有影响。他的主要贡献是制定了马克思主义的美学体系,不赞成对艺术家进行政治控制,捍卫人道主义和马克思关于工业社会异化的理论。出身于富有的犹太人家庭,1918 年加入匈牙利共产党,成为马克思主义者。曾在短暂的匈牙利共产党政权中任文化教育人民委员。1919 年该政权被推翻后,移居维也纳 10 年,主编《共产主义》刊物并参加匈牙利地下运动。其论文集《历史与阶级意识》(1923)重新对马克思作了独特的评价,但被指责为偏离马克思主义正统学说。1930 ～ 1931 年间,在莫斯科马克思-恩格斯研究院工作。1933～1944年间在苏联科学院哲学研究所工作。1945 年回匈牙利,任国民议会议员,并在布达佩斯大学教授美学和文化哲学。他是 1956 年匈牙利政变的主要人物,在暴乱期间任文化部长。后来被捕,并被驱逐到罗马尼亚。1957 年获准回到布达佩斯,写了 30 多本书和几百篇文章和讲稿。他的主要哲学著作中有关于黑格尔、存在主义和美学的书和论文。

美国不列颠百科全书公司供图

Lukashenka, Alyaksandr Hrygorevich　卢卡申科(1954-08-30,白俄罗斯维捷布斯克州科佩西～　　)　白俄罗斯政治人物,支持共产主义。1994 年成为白俄罗斯总统。毕业于莫吉廖夫师范学院及白俄罗斯农业科学院。20 世纪 70 年代中期担任政治指导员,并从军五年。其后在共青团及地方党组织中担任低级职务。1982 ～ 1990 年在集体农庄及国营农场负责管理与党务工作。1990 年当选白俄罗斯最高苏维埃人民代表。在议会中组建民主共产主义者派,是唯一反对苏联解体协议的代表。1994 年在莫斯科俄罗斯国家杜马发表演说,呼吁组成新斯拉夫国家联盟。1994 年当选总统,加强与俄罗斯的联系,并与俄罗斯总统叶利钦签署若干协议,旨在建立两国间各种形式的联盟。1996 年说服选民批准新宪法,扩大总统权力,延长总统任期。因抵制经济、政治改革,在媒体及人民中压制持不同政见者,致使白俄罗斯孤立于欧洲邻国及国际社会之外。1999 年与叶利钦签署《俄罗斯和白俄罗斯联盟条约》。1999 年总统任期届满,但根据商定的新条件继续当政。2001 年 9 月再次当选总统。2006 年 3 月第三次当选。

Luke, Saint　路加,圣(活动时期公元1世纪)　根据基督教传说,路加是《新约》第三部福音书《路加福音》以及《使徒行传》的作者和圣保罗的伙伴。有关路加的最早资料见于使徒保罗的书信,其中称他为"同工"和"亲爱的医生"。"同工"这个称呼表明路加是包括教师和传教员在内的工作小组中的专业人员。路加的行医如同保罗的织帐篷,是为了谋生,但路加的主要工作是传教。如果他确是《路加福音》和《使徒行传》的作者,那么就可据以了解他的活动性质和详况。他自称不属于目击基督传教活动的人们。但是,在《使徒行传》中有一部分章节,作者自称"我们",表明他与保罗同工,共同教化信徒,也可能靠祈祷为人治病。路加写作的文风和词汇丰富,说明曾受良好教育。在《歌罗西书》第 4 章第 11 节,路加在受割礼问题上与其他同事的区分,使许多学者推论路加不是犹太人。但路加精通《旧约》,再考虑到路加著作中所注意的重点,还可推断路加是受希腊生活方式影响较深而不重视宗教仪礼的犹太族基督徒。2 世纪后期的一些著作提供有关路加的更多的资料。2 世纪神学家伊里奈乌斯所著《驳异端》一文提到路加是《路加福音》和《使徒行传》的作者。该文一开始就说:"路加生于叙利亚境内的安提阿,业医。他是众使徒的门徒,后伴随保罗一直到保罗殉难。……路加 84 岁长眠于维奥蒂亚……路加在阿哈伊亚附近写成《路加福音》。"《路加福音》和《使徒行传》可能成书于公元 66 ～ 73 年的犹太人起义期间或其后不久。有些学者发现《提摩太前书》、《提摩太后书》、《提多书》和《希伯来书》的文笔及其他特点与上述两卷书相似,因此怀疑路加也是这几封书信的作者或执笔人。但又有学者认为,连《路加福音》和《使徒行传》也不是出自路加手笔。

Luke, Gospel According to　《路加福音》　《圣经·新约》4 部福音书中的第 3 部。同《马可福音》和《马太福音》并称"同观福音"。相传作者是《歌罗西书》第 4 章第 14 节所称"亲爱的医生"、使徒保罗的亲密伙伴路加。它显然是由非犹太裔基督教徒为向非犹太人传教而写,例如:它追溯基督的家谱一直到人类始祖亚当,而不是追溯到犹太人的祖先亚伯拉罕。成书时间地点不明,大多数学者断定在公元 63 ～ 70 年间,也有人认为稍晚。路加的记叙虽与同观福音的其他两部相似,但独特之处甚多,同时涉猎范围较广。

Lukin, Lionel　卢金(1742-05-18,英国埃塞克斯小登莫～ 1834-02-16,肯特海斯)　建造现代"不沉"救生船的先驱。1785 年他获得制造小艇的专利。这种小艇使用了水密舱、软木和其他轻材料,即使注满水也不会沉没。他还发明冰下救生筏和雨量计等。

Luks, George (Benjamin)　卢克斯(1867-08-13,美国宾夕法尼亚威廉斯波特～ 1933-10-29,纽约市)　美国"垃圾箱派"画家。曾在费城以及德国、伦敦和巴黎等地学习。1894 年自欧洲返美,为费城《新闻报》作插图。这期间结识画家R.亨利、J.斯隆及W.格拉肯斯。在纽约《世界报》工作时,他开始画人物画。风格是写实主义的,如《商业宣传员》

卢克斯绘《商业宣传员》(1905)
美国不列颠百科全书公司供图

(1905,马萨诸塞州安多弗艾迪生美国艺术画廊藏)、《摔跤运动员》(1905,波士顿美术博物馆藏)等。1908年和另外几位画家组成“八人画派”,同年在纽约举行画展,被认为是美国当代绘画史早期的主要事件。

Lukuga 卢库加 参阅**Kalemie** 卡莱米。

Lukuga River 卢库加河 刚果(金)卢阿拉巴河的支流,从坦噶尼喀湖西岸向西流经320千米后注入卢阿拉巴河。该河是坦噶尼喀湖水唯一的泄出口。其支流沿岸有低品位煤矿藏。

Lula da Silva, Luiz Inácio 卢拉·达席尔瓦 (1945-10-27,巴西加拉尼温斯～) 原名Luiz Inácio da Silva,别名Lula。巴西政治人物,2003年任总统。生于伯南布哥州佃农家庭,当过擦鞋童、街头小贩、工厂工人。后来进入五金厂工作并加入工会。1972年离开工厂,专职负责工会法律部工作。1975年当选工会主席。为反对军政府经济政策,卢拉·达席尔瓦发动提高工资运动,受到全国瞩目。1978～1989年发动一系列罢工,招致被控违反国家安全法而被捕,判三年半监禁,但被最高军事法庭于次年释放。1982年首次作为劳工党候选人竞选圣保罗州州长一职,结果位居第四。1983和1984年在州首府组织群众示威,支持总统直选。1986年当选国会众议院议员。1989年成为劳工党总统候选人,但败给F.科洛尔。后继续作为劳工党候选人参加1994年和1998年总统竞选,排名第二。2002年击败塞拉,赢得61.5%的选票。2003年1月出任巴西第40任总统。他致力于惩治政府腐败,改善经济状况,实行社会改革。

Lule River 吕勒河 在瑞典北部北博滕省。源出挪威边境,向东南流动,在吕勒奥注入波的尼亚湾。全长450千米。两条主源头河之间有萨勒克国家公园。源头多湖泊,有些筑坝用于水力发电。沿主河道有落差很大的瀑布,建有大型水电站向附近铁矿区和铁路以及更南地区供电。

Luleå 吕勒奥 瑞典北部北博滕省省会和海港。位于吕勒河入波的尼亚湾的河口。建于1621年。当时建在河口以上11千米处。1649年移现址。现为路德派主教管区中心。也是教育中心,设有十余所专业学校。加默尔斯塔德教堂现为省立博物馆。主要工业部门有炼铁、造船、机械制造、伐木等。港口斯瓦特斯塔登在化冻期出口铁矿石,是瑞典最大的出口港之一。人口:城市区约68 924(1993)。

Luli 卢利(活动时期公元前705) 推罗和西顿两城市的腓尼基国王。亚述王萨尔贡二世死后(公元前705),他联合埃及的沙巴卡和犹太的希西家,反抗萨尔贡继承人辛那赫里布。公元前702年辛那赫里布率兵征讨,他放弃推罗城,逃往塞浦路斯。

Lüliang Shan 吕梁山 又作Lü-liang Mountains。中国山西省西部山脉,黄河与汾河的分水岭。北起管涔山,南至龙门山,南北延伸约400千米,呈东北-西南走向。吕梁山主峰

吕梁山主峰关帝山
中国大百科全书出版社供图

关帝山海拔2 831米。吕梁山北段分为平行的东西两列:东为云中山,西为芦芽山与管涔山,中夹静乐盆地。高峰海拔多在2 500米以上,南段降低到1 000～1 500米。西南端转为北东东向,称龙门山。黄河切穿龙门山形成峡谷和著名的壶口瀑布。吕梁山为一自然地理分界。吕梁山以西为黄土连续分布的典型黄土高原,水土流失严重。山地以东黄土断续分布。关帝山、芦芽山保存有较多森林,海拔1 700～2 500米处有华北落叶松、云杉林(主要是青杄),1 700米以下有油松、白皮松、栎类等,2 500米以上有发育良好的亚高山草原,为重要牧场。吕梁山南段森林多已破坏。关帝山已建立自然保护区。吕梁山两侧蕴藏有丰富煤层。太原以西的西山、古交煤矿已大规模开采。

Luling(China) **庐陵** 参阅 **Ji'an** 吉安。

Lullubi 卢卢比人 在伊朗西部扎格罗斯山区的谢里佐尔平原居住的古代部落群。他们是一个好战的民族,在阿卡得国王纳拉姆辛统治时期(约公元前2254～约前2218)和阿卡得帝国的末期(公元前2334～前2154)特别活跃。卢卢比人显然曾被纳拉姆辛征服,纳拉姆辛曾在一件美索不达米亚雕刻品即纳拉姆辛石碑上记述其战功;不过卢卢比人很快就再度独立,对美索不达米亚南部进

约公元前2250年的纳拉姆辛石碑
美国不列颠百科全书公司供图

行骚扰,导致阿卡得帝国灭亡。后来卢卢比人虽不及其一些邻族势力强大,但直到美索不达米亚历史的末期,他们一直是制造不安和骚乱的根源。

Lully, Jean-Baptiste 吕里(1632-11-28,佛罗伦萨～1687-03-22,巴黎) 意大利出生的法国宫廷歌剧作曲家。自1662年就完全操纵了法国宫廷中的音乐活动,他的创作风格在全欧洲广泛地被模仿。父母均为意大利人。他入法国籍后将姓名法国化。1652年开始在路易十四的宫廷乐队中任小提琴手,后领导新成立的王室小提琴乐队,并为国王谱写舞曲。1658年,开始为宫廷创作芭蕾音乐。1664～1671年与莫里哀合作,写有《逼婚

美国不列颠百科全书公司供图

记》、《埃莉德公主》和《贵人迷》等。自1672年开始直到他去世,与剧本作家P.基诺合作,写出的歌剧与芭蕾舞剧有古典的《阿蒂斯》(1676)和《伊希斯》(1677)、英雄的《罗兰》(1685),也有田园式的《和平寺院》(1685)。他死于因他的长指挥棒而引起的足部受伤感染。吕里是一个野心家,靠用阴谋手段夺取名位,从路易十四宫廷乐队的一名小提琴手飞快得到擢拔,担任宫廷作曲家(自1661年起)和王室音乐教师(自1662年起)等皇家职务。接着他又获得歌剧演出的专利权,至1674年,在法国任何地方上演歌剧都必须由他批准。1681年,取得贵族证书,成为王家大臣之一。其歌剧风格在早期与意大利大师F.

卡瓦利和 L. 罗西相似,但很快就融汇了当时的法国乐汇,从而创造了一种与众不同的新风格。他在芭蕾舞剧中加进了诸如小步舞曲一类的新舞蹈,并采用了更大比例的快步舞曲,如布雷、加沃特、季格等。他的歌剧被称为"用音乐写成的悲剧"。他建立了法国序曲的形式,并摒弃意大利人所喜欢的"清宣叙调"风格,而代之以有伴奏的宣叙调,后者的特点是节奏极为自由,歌词配乐十分精确。他发展了一种适合于法语的朗诵风格,这一革新冲淡了宣叙调与咏叹调之间的界线,使法国歌剧的表演有了更大的连贯性,而咏叹调本身仍保留不少意大利的特色。他的歌剧常常用恰空乐章来结束;在这方面 J.-P. 拉莫和 C. 格鲁克均起而效之。除谱写歌剧外,还写有几首圣乐作品、舞曲及《交响组曲和三重奏》等。

Lully, Raymond(Catalan mystic) **卢利** 参阅 **Llull, Ramon** *卢尔*。

Lulonga River 卢隆加河 在刚果(金)中北部,由洛波里河和马林加河在巴桑库苏附近汇合而成。向西及西南流经 200 千米与刚果河合流。全程通航。

Luluabourg 路路阿堡 参阅 **Kananga** *卡南加*。

lumbago 腰痛 一种纤维肌性损伤引起的下腰部疼痛。多见于中年人。挨伤(肌肉内出血和韧带断裂)、抬举时用力过度、摔伤或冲撞伤、后背突然扭动都能引起腰痛。卧床休息、局部热疗、按摩及涂擦止痛软膏能使症状减轻。有一种腰痛类型,其肌肉周围的鞘内有块状物沉积,可在肌肉使用过度、受凉或受风后出现疼痛;局部热疗和医疗体操能使症状暂时减轻。腰痛亦见于椎间盘损伤。

lumbar puncture 腰椎穿刺 又作 spinal tap。用穿刺针直接抽取脑脊液的一种检查方法。通常在第三、四腰椎间进针,刺入蛛网膜下腔。腰椎穿刺一般用于测量颅内压;采集脑脊液以进行细胞学、化学和细菌学检查;注入脊椎麻醉药或抗生素;为 X 射线摄片而注入空气或造影剂等。

Lumberton 兰伯顿 美国北卡罗来纳州南部城市,罗伯逊县县城(1788)。临兰伯河。

兰伯顿市附近收获季节的烟叶田
美国不列颠百科全书公司供图

建于 1787 年,1852 年设市。经济以木材、烤烟、纺织、服装制造业和销售农产品为主。市西北的彭布罗克为克罗亚坦印第安人居住中心。设有州立彭布罗克大学(1887),原为印第安人教育中心,1953 年后对各民族开放。人口20 795(2000)。

Lumbinī 兰毗尼 佛教传说中的园林,是著名朝拜圣地,在今尼泊尔南部边境。据说摩耶夫人站立在此园,手攀婆罗双树枝,生释迦牟尼。

Lumbwa (people) **伦布瓦人** 参阅 **Kipsikis** *基普西基人*。

lumen 流明 光通量(或光量)单位,定义为:从一个具有 1 坎德拉光强的均匀点光源,经一球面度向外流出的光量。用于人工照明的计算。

Lumet, Sidney 卢美特(1924-06-25,美国宾夕法尼亚费城~2011-04-09,纽约州纽约)美国电影、电视与舞台导演。是 20 世纪后半期最多产的重要美国电影导演之一。其父是犹太裔演员。童年时代即登台演出。1950 年为哥伦比亚广播公司导演电视剧。他导演的第一部影片《十二个愤怒的人》(1957)预示了他后来长期对城市环境、犯罪以及个人处理道德冲突难题等主题的关注。他在据 A. 米勒原作导演的《桥上一瞥》(1962)、据 E. 奥尼尔原作导演的《长夜漫漫路迢迢》(1962)以及《典当商》(1965)这些力作中确立了心理剧大师的声誉。60 年代末转而导演较轻松的影片,但后来重又拍摄严肃的城市戏剧,如《安德森磁带》(1971)、《塞尔皮科》(1973)和《热天下午》(1975)。《电视网》(1976)是对商业电视的讽刺性剖析。在后来的影片如《埃克乌斯》(1977)、《告诉我你要什么》(1980)、《死亡陷阱》(1982)、《城市王子》(1981)和《裁决》(1982)中,他继续深入考察人的复杂感情。后期影片包括《不设限通辑》(1988)和《夜落曼哈顿》(1997)。获多项奥斯卡获提名。2005 年获奥斯卡终身成就奖。

Lumière, Auguste and Louis 吕米埃兄弟(奥古斯特1862-10-19,法国贝桑松~1954-04-10,里昂;路易1864-10-05,贝桑松~1948-06-06,班道尔) 法国发明家,制造摄影设备的

路易・吕米埃
美国不列颠百科全书公司供图

先驱,他们发明了称作电影机的早期电影摄影机和放映机。他们摄制的电影《工人们离开吕米埃工厂》(1895,通常称《工厂大门》)在巴黎上演,被认为是第一部电影。他们在

奥古斯特・吕米埃
美国不列颠百科全书公司供图

里昂读书时,就显示出科学方面的才华。路易致力于研究如何能大批地使底片显影的问题。18 岁时,他开设了一家制造照相底片的工厂并立即获得成功。到 1894 年吕米埃工厂已达到年产1 500万张左右的底片。当年他们的父亲安托万应邀去参观在巴黎举行的爱迪生电影视镜展览。回到里昂后,他的描述使路易和奥古斯特着手研究把活动影像和放映结合起来的问题。路易找到了解决的办法,并于 1895 年取得专利。1895 年 12 月 28 日在巴黎卡普辛路大咖啡馆的放映得到了公众的普遍称赞并导致了电影史的开端。吕米埃的设备包括一架既可用来摄影又可用来放映每秒 16 个画格的摄影机。他们最早的影片(1896 年内共拍摄了 40 多部)都是法国人民日常生活的纪实,如火车到站、打纸牌、辛勤的铁匠、婴儿哺食、士兵行军、城市街景以及早期的喜剧短片。吕米埃兄弟拍摄了最早的新闻片——关于法国摄影学会会议情况,和最早的纪录片——4 部关于里昂消防队的影片。1896 年开始,他们派一队受过训练、有革新精神的摄影师兼电影放映员到世界各地去放映电影并拍摄新内容。

luminescence 发光 发光是某些物质在较冷时产生的光发射。它和燃烧的木柴、熔化的铁或电加热的灯丝等炽热物体发的光不同。霓虹灯、日光灯、电视、雷达、X 光机透视屏都展示着发光现象。有机物如鲁米诺、萤火虫的荧光素、广告颜料等都可发光。闪电和北极光也属发光。这些发光现象不是由于物质温度高于室温而产生的,所以常称为冷光。发光材料的实用价值在于把不可见的能量变成可见光。

物质吸收了能量(如紫外线或 X 射线、电子射线、化学反应能)而发光。能量使物质中的原子达到受激态。由于受激态是不稳定的,物质将会回到基态而把所吸收的能量释放出来,成为光或热或二者兼有。发光的效率决定于激发能量转变成光的程度。只有少数物质的发光效率达到有实用意义的数值。发光的微晶材料叫做磷光体。最早人工合成的磷光体可能是不纯的硫化钡,发光效率很低,又不稳定。1866年制出了更稳定的硫化

锌,这是现代技术中最重要的一种磷光体。纯硫化锌并不发光,只有当它含有少量所谓激活剂时才发光。某些金属的氧化物或硅酸盐、磷酸盐等,如用特定的方法制备,也可以发光。

不同类型的发光 *光致发光* 电磁波照在物体上产生的发光。其发光的波长通常都长于或等于激发光的波长。在极少数情况下才会短于激发光波长(反斯托克斯辐射)。紫外线转换为可见光有非常重要的应用。γ 射线和 X 射线激发磷光体或其他物质发光是通过使原子电离,接着电子又和离子复合而产生可见光。这种现象被应用于 X 光机荧光屏和检测 γ 射线的闪烁计数器。

电致发光 在气体、液体或固体中的放电所产生的发光。日光灯是电致发光和光致发光的结合:灯中的水银原子由于两电极放电而被激发,水银原子发出的紫外线被磷光体转换成可见光。薄层的硫化锌两面加电场可以产生发光也是电致发光。在加速电子(阴极射线)的轰击下,许多物质如钻石、红宝石、磷光体等会发光。阴极射线发光的应用是电视、雷达、示波器、电子显微镜的荧光屏,但需要高效率的和几种选用颜色的磷光体。

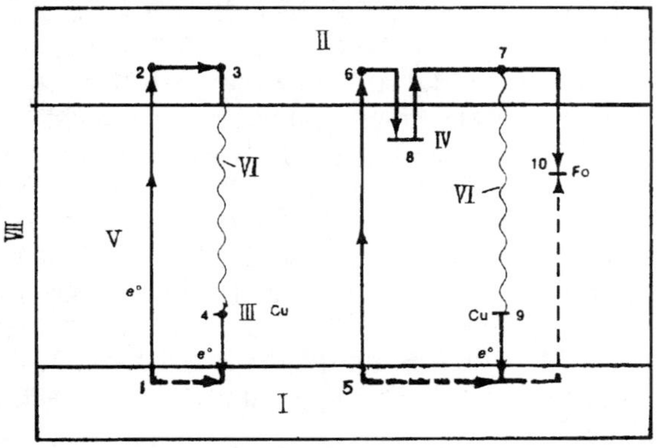

电子因吸收光从价带向导带跃迁
Ⅰ 价带 Ⅱ 导带 Ⅲ 激活剂能级
Ⅳ 陷阱能级 Ⅴ 吸收 Ⅵ 发绿光
Ⅶ 总能量

放射发光 放射性物质激发的发光。钟表或仪表分度上的发光涂料就是利用放射发光。它们含磷光体和放射性物质氚或镭。

化学发光和生物发光 某些化学反应释放的部分能量可以激发电子至较高能级,对于发光分子,这就可以产生化学发光。化合物鲁米诺能产生很强的化学发光,它被过氧化氢氧化后可发蓝色或蓝绿色光。另外还有光泽精和洛粉碱。20 世纪 60 年代发现:草酸酯在非水溶液中被氧化时,如同时有发光的芳香族化合物在溶液中,就会发很亮的光,效率高达 23%。生物发光是一种由酶催化的特殊的化学发光,其效率可达 100%。

磷光和荧光 二者的区别尚有讨论的余地。对于有机分子,磷光是指多重数不同的能级间电子跃迁产生的光,荧光则指多重数相同的能级间电子跃迁产生的光。对于无机的磷光体,情况要复杂得多。磷光是指磷光体持续的发光(余辉),荧光则是近于瞬时的过程,在激发后只能维持 10^{-8} 秒左右。

热致发光 不是指温度辐射,而是指已被激发了的物质由于加热使光发射加强。某些矿物,特别是某些磷光体被光激发后,可以有这种现象。

发光材料和磷光体化学 硫化锌磷光体中硫化锌纯度要极高。高纯度硫化锌加少量(0.1%～0.001%)铜盐或银盐(激活剂)以及约 2% 的氯化钠或其他碱卤化合物,加热到 1 000 °C,就可制成硫化锌磷光体。碱卤化合物的作用是促进熔融,并作为共激活剂,对提高发光效率非常重要。

某些氧化物类型的矿物受辐照时会发光。有些需要激活剂,如红宝石(氧化铝,以铬作为激活剂)、硅锌矿(正硅酸锌,以锰作为激活剂)。有些如白钨矿(钨酸钙)发蓝光,无需激活剂。这些矿物都可以人工合成,其效率比天然的高得多。周期表第二族元素的硅酸盐、硼酸盐、磷酸盐用锰激活,可以发出从红到绿的各种颜色的光,被用于彩色电视的荧光屏。

激活剂分布在硫化锌等晶体中,这些晶体叫做基质。激活剂离子被基质离子包围,形成发光中心,磷光体的激发-发光过程就在这里发生。这些中心彼此不能太靠近,否则它们会相互消弱活性,反而妨碍发光。猝灭剂这个名称主要是指铁、钴、镍等离子,它们即使很少,也能使发光体不发光。

当前无机发光材料的工业生产量远远多于有机发光材料,但在特殊领域中有机材料越来越重要。户外广告所用的油漆和染料含有发光很强的有机分子,如荧光素、曙红、碱性蕊香红等。它们的缺点是在光照下不耐用。有机材料用作荧光剂在送洗衣物、纸币、身份证、邮票等上面作不可见标记,还用于生物学和医学的软组织荧光显微术。它们受不可见的紫外辐射激发即发出荧光。

发光物理 电子得到激发能后从基态跳到较高的能级再返回较低能级时发光。但发光的颜色几乎和激发粒子的能量无关,主要决定于发光中心的激发态。

气体分子被激发时,它们的发光光谱表现为宽的谱带。不仅电子跳到较高的能级,而且原子整体的振动和转动状态也被激发了。由于后者的能量只有电子跃迁能量的 10^{-2}～10^{-4},许多这样的能量加到一个电子跃迁能量上,就形成一簇不同的能量,包含许多相差无几的波长,因而成为一个谱带。对于大分子,几个谱带可能重叠。溶液中分子的发光大多数也是带状光谱。

晶体中的电子能量形成能带。在基态时,电子基本上都在价带,激发后有的到达导带。硫化锌等发光体的价带和导带的能量差相当于紫外甚至波长更短的光子。激活剂离子在能带间隙中增加了一些能级。如果电子从价带被激发到这种能级上,当它们返回基态时就可以发出可见光。陷阱是点阵中某些缺陷所产生的低于导带的能级,但电子不能从这些能级直接回到基态。

图中所示为硫化锌中价带Ⅰ(基质点阵的基态)、导带Ⅱ(基质点阵的激发态)、激活剂能级Ⅲ和陷阱能级Ⅳ的相对位置。1、2、3、4 代表一种情况,5、6、7、8、9、10 代表另一种情况。当激发能量够大时,电子上升到导带(1→2,5→6),离开中心(2→3,6→8),可能被缺陷所俘获(8),也可能返回电离中心(激活剂),先占据中心的激发态(3→4),然后回到基态而发光。陷阱的能级大约在导带下 0.25 电子伏。被陷电子在和电离中心复合之前,先要靠热能升到导带。这就延缓了发光的时间。有的材料陷阱很深,电子在其中的寿命可达几个月,室温下要用红外线照射才能将电子释放出来。这称红外释光现象。如果电子和猝灭剂离子复合(10,猝灭剂能级),就不产生发光。

固体的电致发光的产生是靠外加的电场。特制的硫化锌粉混在绝缘的有机材料层或玻璃层中,层厚只 0.01 厘米,夹在两电极之间即可发光。在砷化镓、碳化硅、硫化锌单晶上加直流电压可以得到高效率的发光。

Luminism 光亮主义 一种特别强调色彩光亮度的绘画风格,为 1851～1875 年间一批直接受哈得孙画派影响的美国独立画家的作品所特有。光亮主义风格最杰出的画家是 F.莱恩和 M.海德等。他们的作品几乎都是风景画和海景画,并以平滑细腻的完整性、清澈的冷色调、细致入微的景物以及靠光线造型等特色而著称。作品的画面一般都包括陆地、水域和天空。天空占构图的二分之一,构图通常呈长矩形。画面结构呈几何形,特殊对象的轮廓线皆与画边平行。其空气氛围感的处理与法国印象派画家(参阅 **Impressionism**)和其他外光画家截然不同。印象派绘画的空气氛围比较统一,情景交融,而光亮派的画面则深不可测,变化朦胧,空间与物体被强烈的光的轮廓勾画得一清二楚,往往给人以永恒之感。幽秘深远而又总是显得做作的透视使人仿佛面临一个沉寂的、有时是神秘的艺术境界。

luminous intensity 发光强度 单位时间内每单位立体角发射的可见光的量。光源每秒内发射的光量的单位(光功率或光通量)称为流明。流明是由视觉来计算的。人眼最敏感的光波长为 555 纳米(1 纳米 = 10^{-9} 米);在这一波长,每瓦辐射功率或辐射通量(流明效率)有 685 流明,而在其他波长,流明效率要小一些。发光强度的单位是 1 流明/球面度,球面度是立体角的单位,球面所包围的一个点四周有 4π 球面度。这个发光强度单位又称为标准烛光或坎德拉,即 1 流明/球面度。

luminous moss 发光藓 又作 elfin-gold。即羽状光藓(*Schistostega pennata*),以前称紫萁状光藓(*S. osmundacea*)。真藓目的光反射植物,原产于北半球。在树洞、岩石缝隙、土洞、树根下形成绿色垫状。株高约 1 厘米余。拟茎体的下部光裸,上部有 2 行拟叶体,植株形似小蕨叶。雄株有芽状繁殖器官。雌株的小孢蒴形似别针头。原丝体的透镜状细胞内有叶绿体,能反射光线而使植株呈金绿色。

luminous paint 发光涂料 含有磷光体、能在黑暗中发光的涂料。磷光体发光受外部辐射能源如紫外线等辐照后仍持续一段时间。硫化锌及硫化钙是这类磷光体。某些发光涂料含有辐射能源,如放射性镭盐。这种涂料能无限期发光,适于作各种刻度盘和信号标志的涂料以便夜间读数。

lump-nosed bat 肿鼻蝠 参阅 **long-eared bat** 长耳蝠。

Lumpenproletariat 流氓无产阶级 按马克思在《共产党宣言》中的说法,指产业工人阶级的最下层,包括游民和刑事犯等不良分子。马克思说,流氓无产者"这种旧社会最下层的消极的腐朽物"不仅无意同他们的"正派的弟兄们"(无产阶级)一起参加革命活动,而且往往"被收买去干反动的勾当"。

lumpsucker 吸盘圆鳍鱼 又作 lumpfish。鲉形目圆鳍鱼科某些海鱼的统称,产于北部冷水区。体短粗,无鳞,皮肤光滑或具骨质结节。与亦常被置于圆鳍鱼科的狮子鱼一样,腹面具一强大吸盘,由腹鳍形成,用以牢牢

圆鳍鱼(*Cyclopterus lumpus*)
美国不列颠百科全书公司供图

吸附在海底。肉食性,行动迟缓。著名的种为 *Cyclopterus lumpus*,常称圆鳍鱼,在欧洲名为海母鸡或母鸡鱼,因为其雄鱼会守卫照看鱼卵,直到幼鱼孵化,约6～7周内不进食。此种鱼产于北极和北大西洋两岸,为大型圆鳍鱼,最大可达约60厘米长,5～6千克重。

Lumumba, Patrice (Hemery) 卢蒙巴 (1925-07-02,比属刚果奥纳卢阿～1961-01,刚果加丹加) 非洲民族主义领袖,刚果民主共和国首任总理(1960-06～09),在一场政治危机中被迫下台,不久被暗杀。一个小的部族(巴特特族)人,这对他以后的政治活动产生很大的影响。他的两个主要敌手——领导加丹加省脱离共和国的冲伯和后来成为国家总统的卡萨武布——分别属于两个强大的部族,并从各自的部族中得到巨大的支持,从而使他们的政党具有地方的特性。与此相反,卢蒙巴的党则强调其全刚果的性质。在基督教新教教会学校学习后,前往金杜港工作。接着去利奥波德维尔(今金沙萨)任邮局办事员,后任斯坦利维尔(今基桑加尼)邮局会计。1955年任独立的刚果公务员工会地区主席。他并积极参加刚果比利时自由党的活动。1956年应比利时殖民部邀请去比考察。回国时被捕,以挪用邮局公款罪被判徒刑12个月。出狱后政治活动更加积极。1958年10月创建刚果民族运动党——刚果第一个全国性政党。12月出席在加纳首都阿克拉召开的全非人民大会,当选大会常设组织成员。

美国不列颠百科全书公司供图

受泛非目标的鼓舞,他的观点开始趋向战斗的民族主义。1959年比利时政府宣布从当年12月举行地方选举开始,5年内刚果独立。民族主义者认为这是骗局,号召抵制,遭到镇压。10月30日斯坦利维尔发生暴力冲突,造成30人死亡。卢蒙巴被指控犯有煽动骚乱罪被捕入狱。后刚果民族运动党改变策略参加选举,在斯坦利维尔大获全胜。1960年1月比利时政府召开刚果各党派圆桌会议,商讨政治变革的问题。刚果民族运动党提出,没有卢蒙巴出席,它将拒绝参加。卢蒙巴遂获释,飞往布鲁塞尔。会议决定5月举行全国选举,6月30日刚果独立。选举结果他的党遥遥领先,卢蒙巴被邀组织的首届政府于1960年6月23日成立。独立后不过几天,一些部队掀起了反对比利时指挥官的斗争。在一片混乱中,矿藏丰富的加丹加省趁机宣布脱离共和国。比利时派出军队,名义上是为了保护比利时国民,但实际上主要前往加丹加,支持冲伯分离主义政权。刚果呼吁联合国驱赶比利时军队,帮助恢复国内秩序。但卢蒙巴却无力挽回狂澜。联合国军傲慢、武断,而刚果所结成的政治联盟则从根本上动摇他的政权。比利时军队没有撤出,加丹加继续分离。联合国军拒绝帮助镇压加丹加叛乱,卢蒙巴请求苏联援助,将他的军队空运至加丹加。他要求非洲独立国家于8月在利奥波德维尔开会,以便一致行动对他进行支持。9月5日,持温和路线的总统卡萨武布将他免职,卢蒙巴立即对这一行动的合法性提出质疑。这样,两个集团都声称自己是合法的中央政府。9月14日,刚果军队领导人蒙博托上校夺取政权,后与卡萨武布达成工作协议。10月,联合国大会认可卡萨武布政府的全权证书。11月,卢蒙巴设法从利奥波德维尔前往斯坦利维尔,于12月2日为卡萨武布的军队俘获。1961年1月17日被押送给加丹加分离主义政权,遂遭杀害。他的死在整个非洲引起愤慨,他的敌人也追认他为"民族英雄"。

Lumut 卢穆特 又译红土坎。西马来西亚(马来亚)的港市,位于马六甲海峡天定河口,离怡保锡矿镇西南77千米。是天定海岸区的主要城镇,也是马来西亚最好的屏蔽深水港。具有干船坞设备的一支马来西亚皇家海军驻在此处。附近的邦咯岛以及岛上的休假饭店有渡船直达卢穆特。人口1 736(1991)。

Luna "月球"号探测器 苏联不载人月球探测器系列。"月球"2号(1959-09-12)是第一个到达月球的航天器。"月球"3号(1959-10-04)第一次完成绕月飞行,并发回第一张月球背面的照片。"月球"9号(1966-01-31)第一次实现在月球上软着陆。"月球"16号(1970-09-12)第一次将月球土壤样品带回地球。"月球"17号(1970-11-10)将一辆探测用的遥控自动车送上月球软着陆,它还载有电视设备,将数平方千米月球表面的实况图像发回地球。"月球"22号(1974-05-29)绕月运行了2 842圈,对其附近空间进行科学研究。"月球"24号(1976-08-09)取回了月表约2米深处的土壤样品。

Luna, Álvaro de 卢纳(约1390,卡斯蒂利亚卡涅特[西班牙]～1453-06-02或22,巴利阿多利德) 卡斯蒂利亚王室总管。约翰二世懦弱无能,在位期间卢纳几乎成为实际上的统治者。卢纳是阿拉贡一贵族的私生子,也是卡斯蒂利亚历史上没落时期唯一杰出的政治家。他精于政事,善于立法,惯于征战,同时也不愧为一名诗人和才子。他的弱点在于生而未得半点祖业,只有靠利用个人权位积累财富。卢纳早年深得约翰二世赏识。他拯救国王免受反叛贵族的威胁(1420)后,被任命为宫廷总管。此后他力保王权,虽两次遭罢黜(1427,1438),但皆因继任者无能而东山再起。1447年约翰二世娶葡萄牙公主伊莎贝拉为妻,她决心消除卢纳对其夫的欺凌,于1453年劝说约翰下令逮捕卢纳并将其斩首示众。

Lunacharsky, Anatoly Vasilyevich 卢纳察尔斯基(1875-11-23,俄罗斯帝国乌克兰波尔塔瓦～1933-12-26,法国芒通) 俄国作家、文艺评论家、政治家。他和M.高尔基在内战时期为保护俄国的艺术珍品免受损害做了许多工作。1898年因从事革命工作被流放。曾任布尔什维克的《前进报》编辑。他宣传社会民主主义,对俄国学生和国外的政治避难者进行演说。1905年革命期间被捕入狱。1909年和高尔基同在卡普里岛,并在那里与A.鲍格丹诺夫一起为俄国工人中的优秀分子开办高级学校,因列宁反对,这项计划随即停止。他曾热心研究宗教在新社会中的地位问题。1909年出版《集体主义哲学大纲》。1917年3月回国协助列宁、托洛茨基工作,革命胜利后任教育人民委员。1933年任苏联驻西班牙大使。他的作品很多,其中有3部剧作被译成英文,于1923年出版。

lunar calendar 阴历 用朔望月(即月相周期)组成年的历法,每一太阳年(回归年)中约有12.37个朔望月,因此,要使阴历的历年同回归年保持一致,必须定期增加日数(闰日)。巴比伦人可能是首先使用这种完全根据月相周期的历法,巴比伦历每个历月

的月首定在蛾眉月的第一天。这种历法虽也定期地采用闰月,但闰日的设置却是任意的,只要宫廷的占星家意识到历法和季节严重失调就可置闰。不过从公元前380年前后起,开始有了固定的置闰规则,即在19年内设置7个闰月。古代希腊的天文学家们也发明了协调太阴年和太阳年的置闰规则。罗马历可能就是从古希腊的阴历演变而来的。在某些宗教团体中,阴历还在使用。犹太教历就是一例,该历把公元前3760年零3个月定为历元。犹太宗教年开始于秋季,一年有12个月,每月交替有30日和29日并定期增加闰年和闰月。另一种阴历是伊斯兰历(回历),历元定在公元622年7月15日,即伊斯兰教先知穆罕默德从麦加迁到麦地那的一天。伊斯兰历不考虑历年同回归年的不一致。

lunar caustic　硝酸银棒　硝酸银(**silver nitrate**)的熔铸形式。

lunar deity　月神　代表月球的神,或男或女,其属性反映月亮的盈亏。参阅 **moon worship**。

Lunar Orbiter　月球轨道飞行器　1966～1967年进入绕月轨道的美国不载人航天器系列,共5个。它们共拍摄1 950幅包括月球两极和背面在内的月表大部分区域的高分辨力广角照片,有的照片拍摄时离月球只有45.6千米。根据照片选择出5个可供"阿波罗"号载人飞船着陆的地点;照片还可供制作月图,其清晰度比从地球上用望远镜观测到的要高出100倍。参阅 **Moon exploration**。

Lunceford,Jimmie　伦斯福德(1902-06-06,美国密西西比富尔顿～1947-07-12,俄勒冈锡赛德)　美国爵士舞蹈乐队领队。他的有节奏感和训练有素的管弦乐队在1934～1945年间演奏小号手S.奥利弗及其他人的改编曲,赢得大众赞赏,并对摇摆乐和第二次世界大战后的舞蹈乐队均有很大影响。青年时期就精通所有的簧管乐器,但很少在乐队中演奏,因为他更喜欢指挥。1929年开始乐队领队生涯前,曾在田纳西州孟菲斯市培养和组织了一个中学生的管弦乐队。娴熟的表演技巧、精确的合奏和中速的2拍子摇摆乐节奏是伦斯福德乐队的标记。20世纪30年代该乐队可与D.埃林顿、巴锡"伯爵"和B.古德曼的乐队媲美。1939年乐曲改编者奥利弗离去,至1942年乐队的盛况开始衰退。伦斯福德在一次巡回演出中去世后,由钢琴手E.威尔科克斯和萨克斯管手J.托马斯两人继续领导乐队,维持了数年。

Lund　隆德　瑞典南部马尔默胡斯省城市。位于马尔默东北。约建于1020年。1103年成为全斯堪的纳维亚大主教管区中心。现为路德派主教管区中心。市中心矗立着12世纪罗马风格的大教堂。有文化历史博物馆、装饰艺术档案馆等。以作为瑞典南部的文化中心而闻名,有该国历史最悠久的大学之一(1666年建立)。该市也有重要工业,如

隆德市的隆德大学图书馆
美国不列颠百科全书公司供图

包装、印刷、纺织和食品机械制造等。人口:城市区约87 681(1991)。

Lunda　隆达人　分布在刚果(金)东南部、安哥拉东部、赞比亚北部和西北部广大地区的几个操班图语的民族。各区域性的群体——刚果(金)境内穆索坎坦达的隆达人以及卡赞比人、欣杰人、卡农盖沙人、恩登布人、卢瓦勒人(卢埃纳人、巴洛瓦勒人)、乔奎人、卢查齐人、松戈人和姆本达人——都是刚果人血统,并曾脱离刚果南部的中央隆达王国(参阅 **Luba-Lunda states**)。在刚果(金)西南部,他们现已分布到宽果河,在雅卡人和其他民族中间建立了政权。隆达人大多数居住在热带草原,其间河流交错,两岸为森林地带,许多群体以采集食物和打猎为主,其次是捕鱼。所有群体都实行轮作锄耕,种植木薯、黍稷、花生、豆类和玉米,饲养小牲畜,有的群体饲养少量的牛。卡赞比的隆达人曾以象牙商和奴隶贩闻名。继嗣制度南北有别,南部实行母系制而北方为父系制,至于卡潘加隆达人则采用父系和母系双轨制。婚聘彩礼不重,寡妇继承财产与表家换亲婚姻颇为习见。村庄小而拥挤,政治结构复杂。隆达人的宗教主要是信仰一位是天神或是地神的至上神明,同时也崇奉祖先。

Lunda empire　隆达帝国　非洲历史上一个讲班图语的国家,16世纪在开赛河上游地区建立(在今安哥拉东北部和刚果[金]西部),1600～1750年建立了许多卫星国(参阅 **Kasanje; Kazembe; Luba-Lunda states**)。隆达帝国由一个集权的核心、一批和中央联系紧密的省、一批纳贡但享有广泛自治的省和沿边一些独立但以共同的隆达文化为基础的王国组成。帝国不仅在印度洋上与阿拉伯人通商,而且于1650年左右开始在大西洋上与葡萄牙人进行贸易,主要输出象牙和奴隶,进口布匹和枪支。19世纪50年代,帝国势力达到顶峰。1884年葡萄牙军队侵入西部,1898年比利时人通过刚果自由邦侵入东北部,帝国遂被瓜分。但反对刚果自由邦的游击战坚持到隆达领袖被俘获和处决的1909年。

Lundeberg, Christian　隆德贝里(1842-07-14,瑞典瓦尔布～1911-11-10,斯德哥尔摩)　瑞典工业家和政治家,主持1905年瑞典政府,通过谈判结束瑞典-挪威联盟。钢铁业巨擘,1885年进入上议院。1899～1908年任上议院副议长,1908～1911年任议长。1888年以后,他成为议会中各保守集团的当然领袖。在议会以及国务委员会中(1896～1900年和1902～1904年任主席),极力主张加强国防和维持瑞典-挪威联盟。1905年瑞典、挪威两国的分离已经无法避免,国王奥斯卡二世任命他为联合政府首相,与挪威进行谈判,以求达成使瑞典感到满意的分离。在两国出现危机的氛围中,他成功地拟定了各方都能接受的分离条件。联盟解体后,隆德贝里政府于1905年10月辞职。

Lundi River　伦迪河　津巴布韦东南部河流。源出圭鲁的高地草原,向东南流,至希波河谷与沙谢河汇合,穿过低地草原在奇维里加瀑布附近与萨比河汇合,形成萨韦河。伦迪河全长418千米。支流众多。该河上游有圭诺拉水坝,下游已列入萨比-林波波河灌溉计划。

Lundkvist, Artur　伦德克维斯特(1906-03-03,瑞典乌德永阿～1991-12-11,斯德哥尔摩)　瑞典诗人、小说家和文学批评家。伦德克维斯特自幼在乡村中长大,但由于他爱好文学,自觉与农村格格不入。他10岁时离开学校,从此自学。20岁时他移居斯德哥尔摩,出版了他的最初的诗集《余烬》(1928)和《黑城》(1930)。在20世纪30年代,他成为活力论运动的最杰出的代表之一,并参加了"五青年"诗人团体。他对生活的肯定以及将人的本能和情欲理想化采取了一种性神秘主义的形式,这种性神秘主义与英国小说家劳伦斯所提倡的颇为相似。在第二次世界大战的阴影笼罩下,伦德克维斯特的作品出现了悲观主义的情调和对一种新的人类团结的渴望。1942年,诗集《十字路口》出版时,早期诗作中的超现实主义的形象已冲淡了不少。1960年的《会说话的树》和1977年的《逃遁和生存》则是诗与散文的合集。1952年的《塔什干的罂粟花》和1965年《古巴是这样生活的》则是旅途印象记。伦德克维斯特通过他的评论、随笔以及翻译介绍国外文学的作品众多,为任何其他瑞典批评家或作家所不及。1934～1935年间,他创办了文学杂志《驼队》并与埃克勒夫合编该杂志。他向本国读者介绍了美国诗人艾略特、小说家福克纳以及劳伦斯。1968年他被选为瑞典文学院院士。1983年,他以学院的评选诺贝尔文学奖得主的评审团最有影响的团员之一的身份,对将该奖授予W.戈尔丁提出异议,因而引起一场争论。伦德克维斯特认为该奖应为C.西蒙所得(西蒙于1985年获此奖)。

Lundy　兰迪　布里斯托尔海峡中的小岛,距英格兰西南部德文郡北岸18千米。主要为花岗岩结构,高峭壁。兰迪海拔142米,面积4平方千米。长期为海盗船和走私船的基地。1969年归属国立托拉斯。角嘴海雀和其

他海鸟在岛上栖息繁殖。兰迪的名称源自挪威文,意为角嘴海雀。人口52(1981)。

Lundy, Benjamin　伦迪(1789-01-04,美国新泽西萨塞克斯县～1839-08-22,伊利诺伊洛厄尔)　19世纪20和30年代美国出版商和主要的废奴主义者。早年在弗吉尼亚州惠灵当制造马鞍的学徒工,由于目睹到奴隶贸易的残酷性,遂立志献身废奴事业。1815年在俄亥俄州组织联邦人道协会。1821年创办不定期的《世界解放思潮报》,1835年在费城出版《国民问询报》(后改称《宾夕法尼亚自由人》)。他一生中孜孜不倦地寻觅适合自由黑人安身的场所(如加拿大和海地)。1836～1838年与众议员J.Q.亚当斯密切合作,共同反对合并得克萨斯,以避免扩大蓄奴地区。1839年移居伊利诺伊州,恢复出版《世界解放思潮报》,直至去世。

Lundy's Lane, Battle of　伦迪小路战役(1814-07-25)　在尼亚加拉瀑布城以西1.6千米处的交战,它结束了1812年战争期间美国对加拿大的入侵。1814年7月5日在奇珀瓦战役中击败英军之后,J.布朗将军统率的美军在昆斯顿驻扎下来。7月24日夜,P.里亚尔将军率领的一支英军向伦迪小路移动。25日,英军司令官G.德拉蒙德将军指挥的部队从金斯顿前来增援。美军向前挺进,战斗在下午6点钟开始。双方在黄昏和黑暗中奋力厮杀。英、美两军各伤亡800多人,德拉蒙德、里亚尔、布朗均受重伤,里亚尔被俘。这是整个战争中伤亡最惨重的一次交战,双方谁也没有赢得决定性的胜利。战役迫使美军停止前进,第2天即撤至伊利堡。

Lune, River　伦河　源出英格兰坎布里亚郡纽比金附近,向西流动45英里(72千米),再转向南,在兰开夏希舍姆以南数英里处注入爱尔兰海。该河流经奔宁山脉北部,在森德兰岬角附近的入海口低潮时呈现出大片沙坪。沿岸最大城镇是兰开斯特。

Lüneburg　吕讷堡　德国中北部下萨克森州东北部行政区。西濒北海。面积15 346平方千米。下萨克森州4个区中最大者。名称取自该区第二大城市及首府。该区位于易北河下游和阿勒尔、威悉河之间低高原上。西部是北海岸冲积平原和沼泽地,东部高原斜坡伸入德国东部下阿尔特马克地区。最大城市采勒在南部,临阿勒尔河。吕讷堡市在高原东北边缘。西部主要是牧场,饲养牛羊;东部有吕讷堡荒原。传统的经济来源为饲养牛羊、伐木和养蜂,近年马铃薯和黑麦产量有所增加。于尔岑镇附近低地生产甜菜和小麦,镇西有天然气田。土地最贫瘠地区多种植针叶树。旅游业日益发展。吕讷堡荒原成为度假胜地。8月花季在200平方千米的吕讷堡荒原自然保护区可看到该地区最美的风景。平均人口密度每平方千米95人,许多地区仅为每平方千米20人。居民多为西撒克逊人后裔,操低地德语,近90%居民信奉新教。吕讷堡荒原以传统红砖农舍和古代独石建筑"巨人墓"闻名。人口1 450 666(1989)。

Lüneburg　吕讷堡　德国中北部下萨克森州城市。濒临伊尔默瑙河。在吕讷堡荒原东北缘。曾是汉萨同盟主要成员。1705年属汉诺威。1866年成为普鲁士的一部分。第二次世界大战中未受到破坏。名胜古迹有市政厅(13～18世纪)、圣约翰和圣尼古拉斯教堂(13～14世纪)等。1900年后发展起工业,生产化工品、机械、纺织和食品加工等。有食品、金属、煤、盐等贸易业。为旅游中心和疗养地,有盐泉和泥浴场。为吕讷堡大学总部所在地。人口70 614(2003)。

Lüneburger Heath　吕讷堡荒原　德国中北部下萨克森州一个地区。在阿勒尔河和易北河之间。其主要特征是有一个大鞍状峰从西北至东南长达55英里(90千米),平均海拔250英尺(75米),最高点维尔瑟德山高达554英尺(169米)。土壤为石英砂,主要生长石楠属和灌丛。北部和深谷中有大片栎、桦、山毛榉林,南部有水杉和落叶松林。主要生产马铃薯、越橘、酸曼果。有养羊和养蜂业。以多光秃巨石闻名,众称其为"巨人墓"。乡间有许多优美的下萨克森式农舍。许多地区辟为国家自然保护区,为郊游胜地。通公路、铁路。1945年5月4日,德军在此向北欧英加联军司令蒙哥马利元帅投降。

Lünen　吕嫩　德国西北部北莱茵-威斯特伐利亚州城市。濒临利珀河和赛滕运河,在多特蒙德北部。建于1336～1340年。1341年设市。附近的施洛斯卡彭堡城堡原为政治家F.冯·施泰因最后的住地,现为多特蒙德博物馆。为铁路枢纽、河港和前煤炭基地。有铸铁厂、炼铜厂和一座大发电厂。生产机械、电子产品、水泥、玻璃和鞋类。人口91 450(2003)。

Lunenburg　卢嫩堡　加拿大新斯科舍省东南部城镇、卢嫩堡县县城。濒临大西洋港湾卢嫩堡湾,在哈利法克斯西南偏西92千米处。最先为印第安人村落,后为法国渔村,再后(汉诺威王朝时)德国吕讷堡人来此设居民点,18世纪开始有瑞士移民。美国独立战争中此地被美国舰队夷平。现为重要渔港。曾为"布卢诺斯"号船的停泊港。该船在国际纵帆船比赛中多次夺标,是北大西洋渔船队常胜冠军,1946年在海地附近海域沉没。加拿大1角银币正面有该船图案。卢嫩堡渔业博物馆展有该船荣获的奖品。除捕鱼和鱼类加工外,还有造船、商用菜蔬等行业。每年9月举行新斯科舍渔业展览会和渔民联欢会。1888年建镇。人口2 599(1996)。

lunette　弧形窗　在墙上或弧形天花板上由拱形成的窗孔,作新月形或半圆形,有时作为窗,有时作为放装饰或雕刻的凹龛,或仅为由拱或拱顶所形成的部分墙面而在其中饰以壁画。弧形窗的早期例子见于罗马的君士坦丁巴西利卡(310～313),位于侧堂拱顶上供中堂采光用。维尼奥拉设计的罗马耶稣教堂(1568～1584)是许多巴罗克式教堂的样板,在其中堂筒形拱顶的底部使用了弧形窗。19世纪中常用于大的厅堂内,或在筒形拱顶的两端,或作为平顶下的凹龛。

Lunéville　吕内维尔　法国东部洛林大区默尔特-摩泽尔省城镇。位于沃祖斯和默尔特两河汇合处。15世纪与洛林公爵领地合并。1766年并入法国。1801年法国和奥地利在此签订《吕内维尔条约》。为规划有序的18世纪城镇,有漂亮的城堡和洛可可式教堂。生产瓷器、纺织品和铁路设备。人口20 200(1999)。

Lunéville faience　吕内维尔彩陶　自1723年在法国吕内维尔出产的锡釉陶器和一种素烧的精陶。第一家工厂是由雅克·尚布兰特建立的。1749年,当流亡的波兰国王斯坦尼

约1770年的吕内维尔彩陶——伏尔泰胸像
美国不列颠百科全书公司供图

斯瓦夫一世(路易十五的岳父)成为洛林公爵并定居该镇时,该厂即变成他的御用陶器制造厂。早期吕内维尔彩陶器是以多色的或蓝的单色釉下彩装饰。其装饰类似日本陶器和鲁昂彩陶。晚期吕内维尔彩陶器以多色的或绿的单色釉上彩装饰,使人联想起施特拉斯堡彩陶。但吕内维尔彩陶器上的中国人形象是雍容华贵的中国绅士,而施特拉斯堡彩陶器上的形象则是平民百姓,例如渔夫。吕内维尔也出产大型彩陶狗和狮子,供花园装饰用。约从1755年起,P.-L.西夫勒用一种白陶土(又称洛林陶土)捏制塑像,这是一种素烧的铅釉精陶,外表很像素瓷。吕内维尔工厂还生产过铅釉精陶,有些制品呈洛可可风格。

lung (Chinese dragon)　参阅 **long 龙**。

lung　肺　在有呼吸功能的脊椎动物体内,肺作为主要的呼吸器官位于左右二侧胸腔,负责向血液输送足够数量的氧,并将血液中的二氧化碳排出体外。在人类,二侧肺外各被覆一薄膜性的囊腔——胸膜腔(胸膜脏层覆盖肺,而胸膜壁层贴在胸壁内面);二肺的通气气道分别通过左右支气管与气管相通;肺血液循环系统则通过肺动、静脉和心脏相通。

　　肺是一对软、轻、海绵状、有弹性、正常时

含气的器官。把肺放在水里,健康肺浮在水面,而病肺(如死胎婴儿肺)则沉入水底。二侧肺的内面,自肺底至肺尖连线的上 1/3 处是肺门,支气管、动脉、静脉、淋巴管和神经都经由此处进入肺。主支气管进入肺后,即经多次反复分枝,最后形成的气道管道系统颇像一棵大树。支气管的直径最终减至不足 1 毫米(0.04 英寸)。直径在 3 毫米以下的支气管称为“细支气管”,是*肺泡*(**pulmonary alveolus**)前的最后一段通气道。呼吸过程(即氧和二氧化碳在肺泡腔和肺泡壁毛细血管之间的交换过程)是在肺泡里完成的。肺有分叶,肺叶间各有一裂;右肺三叶,左肺二叶;因心脏的位置不对称,故左肺略小于右肺。每叶肺的内部又按细支气管的分布分成无数个肺小叶,一个细支气管支配一个肺小叶,肺小叶则单纯由肺泡和有呼吸功能的呼吸性细支气管(无完整管壁结构的细支气管)构成。除呼吸功能外,肺还有其他机体功能,如吸收和排出水、酒精及某些药物。在正常情况下,人体每天排出的水中有 1/4 是经由肺蒸发的;某些麻醉剂,如乙醚和笑气的给药及其排泄途径都是经呼吸道;血液中的脂肪常常通过肺泡上皮来储存和转运;此外,肺还参与糖代谢过程,糖代谢主要在肝脏完成。人在平静状态下,只有大约 1/20 的呼吸面积处于活动状态。肺泡内的气压和人所处环境的气压相等。因胸膜腔内的不全真空,肺经常处于被动膨胀状态。当膈肌(胸、腹腔之间的肌性结构)和肋间肌收缩时,胸腔(连同胸膜壁层)扩大,又因胸膜腔不全真空之故,胸膜脏层连同肺一齐随之扩张,空气随之进入肺——即完成吸气过程。反之即呼气过程。肺是极易受到伤害和感染的器官。某些微生物感染可大面积的破坏肺组织,但治愈后取而代之的只能是没有呼吸功能的纤维瘢痕组织。到目前为止,还没有证据表明:肺损伤后可以再生。

lung cancer　肺癌　肺组织来源的恶性肿瘤。肺癌的记载最早见于 19 世纪中叶的文献,直到 20 世纪早期,肺癌的发病率一直很低。但到了 20 世纪后期,在 28 个发达国家(包括美国)中,肺癌一跃成为男性主要的致死恶性肿瘤;80 年代,肺癌又取代乳腺癌,成为美国女性因肿瘤死亡的主要原因。毫无疑问,卷烟这种在第一次世界大战后开始不断增加的消费品,是导致肺癌发病率直线上升的最主要原因。也正是由于这个原因,在未来几十年里,肺癌的全球发病率还将继续上升,尤其是在妇女人群和在发展中国家。肺癌的多发年龄为 45 ～ 75 岁。20 世纪后期,在那些具有吸烟传统的国度里,80%～ 90%的肺癌是因吸烟所致;每天的吸烟量和吸烟习惯也和肺癌的发病有密切关系;开始吸烟的年龄越早,肺癌发生的危险性越大;此外,不吸烟者的被动吸烟也与肺癌发病有关。90 年代初的一项研究表明,美国每年因被动吸烟而死于肺癌者多达2 500～3 300人,这个数字约为美国每年死于肺癌者总数的 2%。肺癌的致癌因素还有氡气和石棉粉尘的吸入。大量接触这些物质的工人肺癌发病率极高。再有就是铀和沥青铀矿的矿工、铬和镍冶炼厂工人、电焊工、大量卤代醚接触者和与烃基化合物生产有关的工人,如洗煤和煤加工厂、煤焦油提炼厂工人、沥青工等的肺癌发病率也很高。

肺癌的基本临床分型:肺小细胞癌和肺非小细胞癌。肺非小细胞癌又分三型:肺鳞状细胞癌、肺腺癌、肺大细胞癌。肺小细胞癌,又称燕麦细胞癌,约占肺癌总数的20%～25%。癌细胞的形态特点:呈圆形、卵圆形或燕麦形。各类型肺癌中以肺小细胞癌的浸润性为最强,常常在出现症状时,就已发生转移或扩散。肺小细胞癌的存活率很低。肺鳞状细胞癌约占原发性肺癌总数的25%～30%。癌细胞呈扁平形,成层鳞状排列;发生部位多在大支气管周围,即所谓中心型肺癌。比起其他类型的肺癌来,肺鳞状细胞癌的浸润性稍弱,故手术效果较好。在世界范围内,肺腺癌仅约占原发性肺癌总数的25%～30%,但在美国肺腺癌最为常见。肺腺癌的癌细胞呈柱状或立方形,并常形成中空的腺腔结构。癌的发生部位多在小的周边支气管;肺腺癌病人的初始症状,常常是因癌转移所致淋巴结肿大、因胸膜扩散所致胸腔症状、因对侧肺转移所致 X 光阴影或因远端转移所致其他脏器的占位性病变。肺大细胞癌约占原发性肺癌总数的 20%左右。学术界对肺大细胞癌是否是一种独立的类型存在不同意见,有人认为它仅仅是一种不典型的鳞癌或腺癌。肺大细胞癌多原发在肺的周边区域。

肺癌的最初阶段常无症状。后期症状主要有咳嗽、胸痛、气短、痰中带血、反复肺炎、体重下降、纳差、体虚等。有时,肺癌的最初症状是因肿瘤转移所致的身体其他器官的占位性病变。肺癌的治疗手段主要有:手术切除、化疗和放疗。治疗方案的选择主要依据患者的一般健康情况、肺癌发展阶段和肺癌的临床分型。肺非小细胞癌的首选治疗方案是外科手术切除,但在很多情况下,心脏或呼吸道的合并症会限制手术治疗的适应症范围。非手术适应症还有:双肺肺癌患者、已发生多脏器转移者。此外,肺小细胞癌对化疗颇为敏感。因此,肺小细胞癌的首选治疗方案是化疗、放疗或放疗加化疗,而不是手术切除。肺癌的治疗只有在早期才最有效,因此时的癌肿较小,患者身体的一般情况还未恶化。但实际上,多数患者在诊断时已是肺癌晚期,因此,治愈前景并不乐观。大部分患者确诊后的生存期限不到 1 年,5 年存活率仅有 10%。

lung congestion　肺充血　一种病理状态,感染、高血压或心力衰竭等引起的肺部血管扩张及肺泡充血或淤血。主动性肺充血由传染因子或刺激性的气体、液体及病原微生物引起。肺泡壁及其中的毛细血管充血扩张。被动性肺充血的病因为毛细血管压过高(因心脏病变所致),或毛细血管舒张(发生在血液渗溢之后)。左心衰竭时因肺静脉血不能进入左心,可致严重肺淤血(左心衰竭的重要体征),肺泡毛细血管扩张,压力逐渐升高。最后压力高到血液可通过管壁进入肺泡,使之充满血液。二尖瓣窄可引起慢性被动性肺淤血。血液充满肺泡,其中的含铁质色素遍及肺组织,使其变性,最后形成瘢痕组织。毛细血管壁也逐渐变厚,气体交换受到很大妨碍。患者呼吸困难,咳血,病变进展时皮肤呈青紫色。因毛细血管松弛所致的被动性肺淤血常见于心脏功能减弱的长期卧床患者。血液蓄积于肺脏下部,但通常仍有足够数量的健康肺组织以营呼吸。肺水肿表现酷似肺充血,但病因稍异,肺泡中充满的是水样的血浆,而非全血。炎症性水肿见于流感或细菌性肺炎。机械性肺水肿时毛细血管通透性增高,病因同肺充血。萎陷的肺脏再度充气后也可能发生肺水肿,原因不明。手术中若静脉输液量过大,术后血压就会升高并产生肺水肿。肺水肿又见于大剂量照射和严重的变态反应。肺水肿时肺脏苍白湿润,体积扩大,重量增加;2 ～ 3 小时内便可蓄积 2 ～ 3 夸脱(1 夸脱约合 0.95 升)的液体;在急性病例,10 ～20 分钟内即可致命。肺水肿的临床表现为呼吸困难,肺部听诊有湿啰音,口唇、指、趾发绀。患者虚弱到无力咳出积液,故有可能被自己肺部的分泌物“溺死”。

lung infarction　肺梗塞形成　一种病理现象。肺脏的一块或数块组织因动脉血液供应不足而坏死,坏死的组织称为梗塞。血流的停止或减少通常起因于供应肺部的某条动脉血管发生阻塞。血管阻塞的原因为栓塞(栓子是来自心脏的血栓或血流中的气泡)或血栓形成(血管本身形成的血凝块)。若肺脏本来健康,这样的阻塞不会引起组织死亡,因为血液可来自侧支循环。但若肺脏充血、感染或空气供应不足,肺部血管阻塞之后就会形成肺梗塞。由于肺组织及肺脏周围的胸膜腔均无感觉神经末梢,所以肺脏深处产生的梗塞不会引起疼痛,若梗塞波及表层,则体液和血液渗溢到肺脏和胸膜腔的间隙中。胸膜腔因有积液而扩张,影响肺脏的充气。若出现疼痛则表明病变已累及胸膜。疼痛可局限于胸廓周围、肩部和颈部,或往下到达膈肌。疼痛的原因可能是积液压迫了胸膜壁层的感觉神经末梢。吸气时疼痛加剧。肺梗塞的临床表现为咯血、咳嗽、发热、中等度的呼吸困难、心率加快、胸膜摩擦音、呼吸音减弱,轻叩胸部时可闻浊音。验血可见白细胞增高、血沉加快。若 2 ～ 3 天内梗塞未能愈合,则要2 ～3 周后方为瘢痕组织所代替。

Lung-men caves(cave temples)　参阅 **Longmen caves** *龙门石窟*。

lung plague　肺疫　又称传染性胸膜肺炎。引起牛、水牛、绵羊和山羊肺炎和胸膜炎的一种急性细菌性疾病。由丝状支原体所致。参阅 **mycoplasma**。

Lung-shan culture (China)　参阅 **Longshan culture** *龙山文化*。

lung squeeze(medicine)　**肺压缩**　参阅 **thoracic squeeze** *胸挤压症*。

Lung-yen (China)　参阅 **Longyan** *龙岩*。

lungan（tree） 参阅 **longan** 龙眼。

lungfish 肺鱼 肺鱼亚纲（有人认为是目）6种现存的和一些已绝灭的呼吸空气的鱼类的统称。分布于南美、非洲和澳大利亚的江河和湖泊中。南美洲肺鱼（*Lepidosiren paradoxa*）和非洲肺鱼（非洲肺鱼属[*Protopterus*]，4个种，有人认为是1个种）同属于美洲肺鱼科。本科的种类体细长，形似鳗鱼，被小鳞，具二肺；胸、腹鳍呈长丝状，用以察觉周围环境。南美肺鱼长约1米；东非肺鱼（埃塞俄比亚非洲肺鱼，*P. aethiopicus*）是非洲肺鱼中最大者，体有黄色斑驳，长可达约2米。美洲及非洲肺鱼均筑巢产卵，由雄鱼护卫。在旱季南美肺鱼埋入泥中夏眠，直到雨季；非洲肺鱼藏在茧中夏眠，茧是由鱼体分泌的物质硬化而成的革质囊。澳大利亚肺鱼（*Neoceratodus forsteri*）属于角齿鱼科，产于澳大利亚昆士兰。与前两者不同，仅有一个肺，而且鳞大，胸、腹鳍呈桨状；长可达约1.25米，重10千克。产卵于水草间、不筑巢、旱季亦不夏眠，比南美肺鱼及非洲肺鱼原始。

非洲肺鱼（*Protopterus annectans*）的幼体，胸鳍以上有未成熟的鳃丝
美国不列颠百科全书公司供图

Lunghi FAMILY **伦吉家族** Lunghi又拼Longhi或Longo。意大利三代建筑师的家族。在罗马从事业务。该家族的第一代老伦吉名马蒂诺（卒于1591），1588～1590年受教皇西克斯图斯五世之命建造斯拉沃尼亚的圣吉罗拉莫教堂，并将未完成的罗马瓦利切拉的圣马利亚教堂建成。其子奥诺里奥（1569～1619）1612年开始他的主要作品——罗马最大的教堂之一——圣卡洛教堂（1612～1679），他逝世后，由他的儿子小马蒂诺（1602～1657）继续建造，直至1656年回米兰为止。小马蒂诺的杰出作品是特雷维广场上的圣温琴佐与圣阿纳斯塔西奥教堂（1646～1650）；1638年开始建造圣安东尼教堂，但因故没有完成；阿曼纳蒂设计的卡埃塔尼（现称鲁斯波利）府邸中有一座楼梯（约1640）是他的另一重要作品。

马蒂诺·伦吉设计建造的圣吉罗拉莫教堂
美国不列颠百科全书公司供图

Lunglei 隆莱 印度东北部米佐拉姆邦中南部城镇。为米佐丘陵人口最多的市镇之一。位于艾藻尔市以南211千米处。四周地区由海拔150～275米的南北走向丘陵构成。特莱斯沃里河与图伊韦河以近90°角穿切丘陵形成深窄河谷。农作物有水稻、油籽、棉花、花生、南瓜和玉米。产木材、蜂蜡、橡胶和树胶。手工业生产土布、铁器、木器、竹藤器、服装等。居民以卢夏族人为主，居住在河谷两旁的山坡上。多信奉基督教。人口17 205（1981）。

Lungwebungu River 隆圭温古河 赞比西河最大的源头支流，在中非西南部。源出安哥拉的中部高原，向东再折向东南流入赞比亚境内，在芒古以北105千米处汇入赞比西河。全长645千米。

lungworm 肺蠕虫 袋形动物门线虫纲后圆线虫超科寄生蠕虫。寄生于包括海豚、鲸在内的哺乳动物的肺和呼吸道，如寄生于猪的后圆线虫属（*Metastrongylus*）和绵羊的网尾线虫属（*Dictyocaulus*）。许多种在兽医学中十分重要。管口线虫属（*Angiostrongylus*）常为鼠类寄生虫，也可寄生于人。生活史或不经中间寄主，或以螺和蛞蝓为中间寄主。肺蠕虫不等于肺吸虫，肺吸虫属吸虫纲，如并殖吸虫属（*Paragonimus*）。

lungwort 肺草 紫草科肺草属（*Pulmonaria*）植物，尤指药用肺草（*P. officinalis*）。多年生草本，广布于欧洲稀疏的树林及灌木丛中。植株被毛；叶具白色斑点，基生叶心形；茎生叶广椭圆形，抱茎；花茎长达30厘米；花序下垂，花圆筒状，粉红色，后变蓝色。可栽作庭园花卉。长叶肺草（*P. longifolia*）叶较狭，花较小，分布同上种。

一种肺草属（*Pulmonaria*）植物
美国不列颠百科全书公司供图

lungwort（lichen） **肺草** 参阅**tree lungwort** 肺衣。

Lunheng 《论衡》 英文作Disquistions。中国东汉思想家**王充**（**Wang Chong**）的重要著作。开始写作于汉明帝永平二年（公元59年），历时三十余年完成。该书历来著录为85篇，今传世各本，《招致篇》有目无文，实存84篇。该书广泛吸收先秦以来儒家、道家、法家、墨家等学派的思想，总结了前人思想，特别是汉代自然科学的成就，对"天人感应"、神学目的论和谶纬之学进行了批判。在具体的论证过程中，作者细致地观察、记述了许多自然科学现象，并作出思辨性的解释，其中有很多内容是有价值的自然科学发展史的资料。书中的内容与正统思想迥异，被视为"奇书"。作者死后，《论衡》只在吴地流传，直到东汉末年才开始受到知识界的广泛重视。在后来长期的宗法社会中，作者与该书经常遭到攻击，然而书中表现的思想却一直受到一些思想家的推崇。《论衡》开始著录于《隋书·经籍志》，历代官私书目大多把《论衡》列为杂家。现有多种版本传世。

Lūni 卢尼河 印度西部拉贾斯坦邦河流。源出阿拉瓦利山西坡，阿杰梅尔镇附近。上游称萨加马蒂河。向西南方流动，穿越该区山地、平原，下游穿过沙漠，最后没入古吉拉特邦卡奇沼泽地东北部的荒地。全长530千米。为季节性河流，水源多来自阿拉瓦利山西南坡。主要支流有焦瓦伊河、苏格里河和焦伊厄里河。河名源于梵文，意为"盐河"，因河水含盐量高而得名。为当地唯一河流和主要水源。

Lunn, Sir Arnold (Henry Moore) 伦恩（1888-04-18，印度马德拉斯～1974-06-02，伦敦） 英国回转滑雪运动员和国际滑雪运动权威人士。1922年首先设置回转门从而首创现代高山回转滑雪运动。在牛津大学求学期间创立牛津滑雪俱乐部，1903年创立英国滑雪俱乐部，1908年创立高山滑雪俱乐部，1924年创立坎大哈滑雪俱乐部。1925年参与组织英格兰-瑞士大学生比赛以推广回转滑雪运动。1930年国际滑雪联合会接受他的建议，承认回转与滑降并列为比赛项目。1936年参与组织冬季奥运会。任国际滑雪联合会执行委员（1934～1949）和国际速降滑雪委员会主席（1946～1949）。自1919年起主编《英国滑雪年鉴》达50多年，并写了许多有关滑雪、登山、哲学和基督教的书。1952年因对英国滑雪运动和英国与瑞士关系有卓越贡献而受封为爵士。

Lunsar 隆萨 塞拉利昂中西部城镇。是水稻、棕油和棕仁的传统贸易中心。1933年以后，随城东马兰帕铁矿的开采而发展起来。铁矿1975年已停产。有公立保健中心、天主教医院、穆斯林青年协会和几所学校。人口23 791（1984）。

Lunt, Alfred; and Fontanne, Lynn 伦特夫妇（伦特1892-08-19，美国威斯康星密尔沃基～1977-08-03，芝加哥；芳丹1887-12-06，英国埃塞克斯～1983-07-30，美国威斯康星杰纳西迪波特） 芳丹原名莉莉·路易丝·芳丹。伦特与芳丹为美国夫妻演出队，曾在从《老特鲁里的甜美奈尔》（1923）到《老妇还乡》（1958）

等20多部戏剧中合作演出。两人也曾与剧作家N.科沃德长期合作，后者的《生活设计》(1933)便是为他们而作。伦特夫妇终于赢得戏剧史上最著名的夫妻演出队的美誉。

伦特曾就读于卡罗尔学院(位于威斯康星州)与哈佛学院，为演剧生涯而辍学。1912年在一波士顿轮演剧目剧团中首次登台，此后担任过许多戏剧和歌舞杂耍角色。1919年在百老汇演出B.塔金顿剧作《克拉伦斯》的剧名角色，其艺术成就达到高峰。芳丹在英国师从E.特里学艺，1905年在街头表演中亮相；1909年首次得到在伦敦演出的机会，在特鲁里街哑剧团担任角色；1910年第一次在纽约市演出。芳丹数度返英，其间她在百老汇渐有名气，于1917年和1919年两度与伦特在百老汇相遇。1919年夏，两人首次合作演出戏剧。1921年当伦特巡回演出《克拉伦斯》时，芳丹被誉为喜剧《杜西》的明星。翌年5月26日两人结婚。

1924年伦特夫妇加入戏剧公会，同年演出《卫兵》，两人被热情地推崇为百老汇舞台杰出的一对。1929年伦特夫妇离开戏剧公会前，以精湛的演技，尤其是演出有关外遇的喜剧，为戏剧公会取得许多成功。伦特夫妇不断在演技上精益求精，频繁排练以求达到两人特有的配合默契、轻松自如。一般认为伦特夫妇以演出萧伯纳、科沃德、拉蒂根等人的喜剧见长，但两人演出各种戏剧同样出色。演出的剧目包括《武器与人》(1925)、《羊之歌》(1926)、《医生的困难抉择》(1927)、《伊丽莎白女王》(1930)、《安菲特里翁38号》(1938)和《海盗》(1942)。两人曾分别演出E.奥尼尔的两出戏剧，伦特参加演出《马可·百万》(1928)，芳丹演出的是《奇妙的插曲》(1928)。夫妇俩也一同演过电影与电视。自30年代起，伦特执导了多部戏剧，以及大都会歌剧团的两出歌剧。

伦特夫妇在长达55年的婚姻期间，不论台上台下，几乎形影不离。1958年纽约市的原“寰球剧院”为纪念他们二人改名为“伦特-芳丹剧院”。

Lunyu 《论语》 又拼Lun yü，英语作Analects of Confucius。中国古代思想家孔子言论的汇编，儒家经典之一。由孔子门人和再传弟子集录整理，是研究孔子思想的主要资料。西汉时《论语》有三种，即今文本《鲁论语》20篇、《齐论语》22篇和《古论语》31篇，后二种均亡佚。东汉末郑玄以《鲁论语》为主，参考《齐论语》、《古论语》，为之作注，成为后世的流传本。《论语》文字简朴，叙一事仅数十字，然意思完满。全书仅1.2万字，但影响极大。南宋朱熹将《论语》、《大学》、《中庸》、《孟子》合为“四书”，在儒家经典中地位益高。重要注释本有三国时期魏何晏《论语集解》、南北朝时期梁皇侃《论语义疏》、宋朱熹《论语章句集注》、清刘宝楠《论语正义》。今人杨伯峻有《论语译注》。

Luo 卢奥人 又称卡维龙多人(Kavirondo)。居住在肯尼亚西部靠近维多利亚湖的卡维龙多平坦地区和坦桑尼亚北部，为肯尼亚第二大民族(约占总人口的14%)，仅次于基库尤人。在肯尼亚共和国建立初期，与基库尤人共同掌握国家政权。卢奥人语言属尼罗-撒哈拉语系沙里-尼罗语族的东苏丹语；他们为定居农民，兼营畜牧，在卡维龙多地区以外的东非各地，多是雇农、佃农和城市工人。传统上卢奥人每一群体自成一自治政治单元，由氏族或宗族管理。没有酋长和集中的权力机构，各单元为合作关系。卢奥人的传统宗教信奉造物主尼亚兹，奉祀祖先，现在多数已是基督教徒。20～21世纪之交时，多数卢奥人信奉基督教。

Luo Changpei 罗常培(1899-08-09，中国北京～1958-12-13，北京) 中国语言学家。字莘田，号恬庵，笔名贾严耕。满族。北京宛平人。1915年在国会当速记员，同年考入北京

中国大百科全书出版社供图

大学中国文学系。1919年毕业后又在哲学系攻读两年。后任中学教员，西北大学、厦门大学、中山大学教授。1928年起任中央研究院历史语言研究所研究员，1934年起任北京大学教授。1937年抗日战争爆发后，任西南联合大学教授、中文系主任兼北大文科研究所所长；1944～1948年在美国波莫纳学院和耶鲁大学任访问教授。1948年回国，仍任北京大学教授兼文科研究所所长；1950年筹建中国科学院语言研究所，并任所长。罗常培是一位承先启后的语言学家，在汉语音韵学方面著有《汉语音韵学导论》(1949)、《汉魏晋南北朝韵部演变研究》(第一分册，与周祖谟合著，1958)等。前一著作用现代语言学方法，对音韵学一些重要术语作出科学阐明，使音韵学摆脱了玄虚含混的概念。后一著作填补了汉语上古音和中古音研究之间的空白。在汉语方言方面，所著《厦门音系》(1930)、《临川音系》(1940)以厦门音、临川音与《广韵》作比较，后者还与北京音作比较，找出对应规律。《唐五代西北方音》(1933)是第一部研究古代方言的著作。在中国少数民族语言研究方面，他是这一领域的先驱。他建议并参加了1939～1944年对云南少数民族语言进行的调查，为汉藏语系语言研究奠定基石。他自己调查和研究了白、傣、独龙、怒、傈僳、纳西、景颇、苗等民族语言，写了专著《莲山摆彝语文初探》(1950，与邢公畹合著)、论文《贡山俅语初探》(1952)等。《罗常培语言学论文选集》(1963)汇集了他的重要论文。

Luo Gan 罗干(1935-07，中国山东济南～) 中国共产党第十六届中央政治局常务委员，中央政法委员会书记。1960年加入中国共产党。1953年入北京钢铁工业学院压力加工系学习。1954年赴民主德国留学。1962年毕业于民主德国富莱堡矿冶学院机械铸造专业。

中国大百科全书出版社供图

1962～1969年任一机部机械科学研究院课题组组长、技术员。1969～1970年下放一机部“五七”干校劳动。1970～1980年任一机部机械研究院漯河筹备处室主任、一机部郑州机械研究所副所长。1980～1981年任河南省进出口委员会副主任、省科委主任。1981～1983年任河南省副省长、中共河南省委书记。1983～1988年任全国总工会副主席、书记处书记、党组副书记。1988～1993年历任劳动部部长，国务院秘书长、机关党组书记，中央国家机关工委书记。1993年后历任国务委员，国务院秘书长、机关党组书记，中央国家机关工委书记，中央政法委员会副书记、书记，中共中央书记处书记。2002年11月在中共十六大上当选为中央政治局常委。历任中共第十二届中央候补委员，第十三至十六届中央委员，十五届中央政治局委员、中央书记处书记，十六届中央政治局委员、常委。

Luo Guanzhong 罗贯中(1330?～1400?) 又拼Lo Kuan-chung。中国元末明初小说家、戏曲家，长篇小说《三国志演义》作者。名本，字贯中，别号湖海散人。山西太原人。生卒年不详，活动年代约为1328～1400年间。性格“与人寡合”。生活在社会动荡的年代，政治抱负未得施展，遂转向小说、戏曲的创作。所撰小说相传有十余种之多。长篇小说《三国志演义》(Romance of the Three Kingdoms)据陈寿《三国志》、裴松之注和元代《三国志平话》等写成。描写东汉末(169)至晋武帝太康元年(280)期间的政治斗争和军事斗争。塑造了曹操、刘备、诸葛亮、关羽等典型人物形象。该书把历史演义小说的创作推向高峰，对后世影响很大。今存其他署名小说还有《隋唐两朝志传》、《残唐五代史演义》、《三遂平妖传》等。杂剧有《赵太祖龙虎风云会》等3种。小说多经后人增删，有的已非原本面貌。《录鬼簿续编》载有他的小传。

Luo Jialun 罗家伦(1897-12-21，中国江西进贤～1969-12-25，台湾) 又拼Lo Chia-lun。中国文史学家、教育家。字志希，笔名毅，浙江绍兴人。1914年入上海复旦公学肄业。1917

年考入北京大学文科，与同学傅斯年、顾颉刚、段锡朋等过从甚密。当时适值“新文化运动”兴起。1919 年他与傅斯年等创办《新潮》月刊，用新标准评价旧文化，用新文学表现新人生，用新态度促进新社会，风行一时。五四运动时，被推为 4 代表之一，到各使馆递送意见书，并被派为北京学生界代表，往南京、上海等地大学进行联络。1920 年赴美国留学，入普林斯顿大学研究历史与哲学，后转哥伦比亚大学。1922 年赴英国入伦敦大学，翌年至德国入柏林大学研究院，1925 年入法国巴黎大学主修历史与哲学。1926 年回国后不久参加北伐。翌年协助蒋介石筹办中央党务学校。1928 年随北伐军北进，被任命为清华大学校长，宣布停止过去毕业生全部派遣留美办法，代之以公开考试，选拔成绩优良者赴美深造；并将清华教育基金移交中华教育文化基金董事会代管，使其直接受教育部管辖，纳入国立大学的行政系统。1930 年辞去校长职务，在武汉大学任历史系教授；翌年调任南京中央政治学校教务主任兼代教育长。1932 年任中央大学校长，1941 年辞职。同年奉命为滇黔考察团团长。1943 年又任新疆监察使兼西北考察团团长。1945 年赴伦敦参加筹备联合国教育、科学及文化组织。后出任国民党中央党史编纂委员会副主任委员，从事革命史实的搜集与编纂工作。1947 年出任国民政府首任驻印度大使。1950 年回到台北，担任国民党中央党史编纂委员会主任委员。1952 年兼任台湾考试院副院长。1957 年改任国史馆馆长。主要著作有：《新人生观》、《新民族观》、《文化教育与青年》、《科学与玄学》、《中山先生伦敦蒙难史料考订》、《逝者如斯集》等及诗集多种。

Luo Ronghuan　罗荣桓（1902-11-26，中国湖南衡山[今衡东]～1963-12-16，北京）　又拼 Luo Jung-huan。中国共产党第八届中央政治局委员，第一、二届全国人民代表大会常务委员会副委员长。1927 年 4 月到武昌中山大学读书，加入中国共产主义青年团，随即转入中

中国大百科全书出版社供图

国共产党。同年参加鄂南暴动，任农民自卫军党代表，率部参加湘赣边秋收起义，在毛泽东领导下进军井冈山。土地革命战争时期，历任中国工农红军第四军连、营、纵队党代表，第四军政治委员，第一军团政治部主任。他执行毛泽东的建军路线，在部队基层建设中国共产党的组织，建立政治工作制度，为创建新型的人民军队作出重要贡献。他参加了位于江西东南部和福建西部的中央革命根据地第一至第五次反“围剿”和二万五千里长征。抗日战争时期，历任八路军一一五师政治部主任、政治委员、代师长，山东军区司令员兼政治委员，中共中央山东分局书记，统一领导山东抗日民主根据地的党政军工作，提出向敌占区进军的“翻边”战术，粉碎日军频繁的“扫荡”、“蚕食”。1945 年指挥军队在山东进行大反攻。

抗日战争胜利后，罗荣桓任东北民主联军副政治委员、东北野战军政治委员、东北军区第一副政治委员和第四野战军第一政治委员。参与指挥了辽沈、平津等重大战役。中华人民共和国建立后，曾任最高人民检察署检察长、中国人民解放军总政治部主任兼总干部管理部长、人民革命军事委员会副主席。1952 年领导筹建人民解放军政治学院，后兼任院长。1955 年被授予中华人民共和国元帅军衔。1959 年后还主管全国民兵工作。他是中共第七届中央委员、第八届中央政治局委员。第一、二届全国人大常委会副委员长，国防委员会副主席。

Luo Yusheng　骆玉笙（1914-08-24～2002-05-05）　中国曲艺女演员。艺名小彩舞。9 岁拜苏焕亭为师学唱京剧老生，14 岁在南京登台清唱二簧，17 岁时改学京韵大鼓。1934 年

中国大百科全书出版社供图

师从韩永禄，习唱鼓王刘宝全之“刘派”曲目。由于她嗓音甜美，音域宽阔，韵味醇厚，高低咸宜，在京、津一带甚有影响。其师韩永禄为她设计的唱腔悠扬动听，“嘎调”尤为激越感人；她被誉为“金嗓歌王”。骆玉笙在刘派唱腔长于抒情的基础上，兼融“白（云鹏）派”吐字清晰、韵味隽永和“少白（凤鸣）派”低回婉转、曲折跌宕之长，结合自己的天赋，经过长期的艺术实践，终于形成了独具风格的“骆派”。她擅演悲曲，代表曲目有《剑阁闻铃》、《红梅阁》、《子期听琴》、《击鼓骂曹》等。1949 年后，又编演了新曲目，如《正气歌》、《光荣的航行》等，以声情激荡、昂扬向上著称。她在 70 高龄时，演唱了以老舍小说《四世同堂》改编的电视剧主题歌《重整河山待后生》，声情并茂，饮誉曲坛。1971 年起在天津曲艺学校教学。曾任中国曲艺家协会主席。

Luo Zhenyu　罗振玉（1866-06-28～1940-05-14）　中国古文字学家。字叔蕴，又字叔言，号雪堂。浙江上虞人。清朝秀才。1896 年起在上海创办学农社、东文学社。1900 年后在湖北等省任农务、教育方面职务。1902～1904 年在上海、苏州任学校监督。1906 年入

中国大百科全书出版社供图

京任学部咨议，收购了大量古籍、古物、甲骨、铜器、碑帖等。1911 年流寓日本，整理研究甲骨、彝鼎和敦煌文物，潜心著述。1919 年回国组织东方学会，提倡保存古代文化。1924 年进逊帝溥仪宫廷，入直南书房。1925 年溥仪被逐出故宫后，罗振玉与日本人密谋将溥仪移送天津，后又参与策划成立“满洲国”。1932 年起，入仕“满洲国”。罗振玉少年时代就酷爱金石铭刻，后大力搜罗，拥有甲骨近 2 万片。所著《殷商贞卜文字考》（1910），首先考定安阳小屯为殷墟，出土甲骨为殷室遗物。所编《殷虚书契前编》（1912）、《殷虚书契菁华》（1914）、《殷虚书契后编》（1916）、《殷虚书契续编》（1933）共收甲骨 5 000 余片，是殷墟系统发掘前重要集录。他在《殷虚书契考释》中提出“由许书（指许慎《说文解字》）以上溯古金文，由古金文以上窥卜辞”的方法，考释文字应注意卜辞辞句的通读和分类的主张，为甲骨学者所推重。该书增订本共释字 561 个，为数可观。他是中国近代在金石学方面集大成的学者，代表作《三代吉金文存》（20 卷，1937），集录罗氏家藏商周金文拓本 4 813 器，为金文研究者必读之书。在简牍方面，《流沙坠简》（1914，与王国维合著）为中国学者研究简牍的开山之作。

Luohe　漯河　又拼 Lo -ho。中国河南省辖地级市。位于省境中部沙河南岸，淮北平原北部。辖源汇、郾城、召陵 3 区和舞阳、临颍 2 县。面积 2 617 平方千米，其中市区面积 1 020 平方千米。境内地势平坦，河流纵横，土地肥沃。市郊翟庄曾出土新石器时代的黑陶、彩陶、石斧、石镰等。明代逐渐形成水陆码头。清末设螺湾河镇。京汉铁路通车后，在此建站，将“螺”字雅化为“漯”，始有漯河名。原属郾城县，1949 年设市。20 世纪 50 年代以来，全部耕地逐步建成旱涝保收、高产稳产田。农业发达，是中国著名的牲畜、粮食、烟叶集散地。轻纺工业占有重要地位。主要工业部门有农业机械、纺织、化工、制革、造纸、仪表、卷烟等。除京广铁路纵贯市区外，西有漯河—宝丰支线与焦枝线相接，通西南各省；东有漯河—周口支线通往豫东各地。有地方铁路经舞阳通舞钢市。公路网密布，有班车通往

省内各重要城镇及湖北武汉等地。沙、澧两河在夏秋季节可通行小型客货轮。交通便利，现已成为豫中地区物资集散中心。古迹有三晋乡祠等。人口：全市2 580 000(2005)；市区1 250 000(2004)。

Luorawetlan(people)　**洛拉维特兰人**　参阅 **Chukchi** 楚克奇人。

Luorawetlan languages　洛拉维特兰诸语言　又拼Luoravetlan。语系名称，包括楚克奇语、科里亚克语、堪察加语、阿留申语及克列克语，这些语言均通行于西伯利亚东北部。洛拉维特兰诸语言常与叶尼塞诸语言、尤卡吉尔语及吉利亚克语一起被划入古西伯利亚语群。洛拉维特兰语系最大语言是楚克奇语和科里亚克语。

Luoxiao Shan　罗霄山　中国湖南、江西两省边界山地中段和南段的总称。包括武功山、万洋山、诸广山等一系列雁行山地。除个别山岭海拔达1 500～2 000米以外，大部分为1 000米上下。最高峰南风面，在江西省遂川县境，海拔2 120米。山地间夹有长条形断陷盆地，堆积有红色岩层。经后期地壳变动，断陷盆地抬升，河流切入红色岩层之中，形成丘陵。森林覆盖率较大，保存有部分原始次生林，有银杉、冷杉、银杏、福建柏等珍稀和孑遗树种。人工林以马尾松、杉、毛竹为主，并有油茶、油桐、漆树等。蕴藏有钨、煤、磁铁矿等矿产资源。

Luoyang　洛阳　又拼Lo-yang。中国河南省辖地级市，著名古都。旧称河南府。位于省境西部。是河南西部陆路交通重要枢纽，辖西工、老城、瀍河回族、涧西、吉利、洛龙6

洛阳市的名胜白马寺
中国大百科全书出版社供图

区和孟津、新安、栾川、嵩县、汝阳、宜阳、洛宁、伊川8县，并代管偃师县级市。面积15 492平方千米，其中市区面积554平方千米。市区地处伊洛盆地，四周群山环抱。南临伊阙，背靠邙山，西有函谷，东踞虎牢，形势险要。伊、洛、涧、瀍四河蜿蜒其间，黄河在北部流过，水源充足，土地肥沃。远在五六千年前，中华民族的祖先就在这片土地上劳动生息。公元前770年周平王从关中平原东迁，定都洛邑，洛阳开始成为全国首都。秦置洛阳县。东汉光武帝建武元年(公元25)在此建都，使洛阳成为当时中国最发达的城市。北魏太和十七年(493)自平城(今大同)迁都来此，城市又经过大规模扩建。隋、唐时以洛阳为东都，城市发展达到鼎盛时期。洛河北岸为皇城，南岸为商贾平民居住地，城周25千米，设三大市场(丰都市、大同市和通运市)，人口达百万以上。丰都市周围4千米，有120个行业、3 000多个店铺和400多家旅馆，商业繁盛。通运市周围3千米，有郡国船只数以万计。自东周到东汉、曹魏、西晋、北魏、隋、唐、后梁、后唐，先后有9个王朝在此建都，历时900多年，故有“九朝古都”之称。洛阳还是中国古老的文化中心，经学、佛学、理学都渊源于此。古代一些杰出的史学家、科学家、文学家多云集于此，留下许多著名作品。在历次王朝的更替中，战乱使洛阳城屡建屡毁。宋以后，行政中心东迁，洛阳地位一落千丈。明、清为河南府治，1912年废府留洛阳县。陇海铁路修通后，洛阳的交通地位有所提高。1948年析洛阳县城区置市，1955年设省辖市。1949年以前洛阳仅有一座小电厂和一些手工作坊。20世纪50年代以来工业发展迅速，80年代后已成为以机械工业为主，并有电力、化工、冶金、建材、纺织、食品等部门的重要工业基地。拖拉机厂、轴承厂、矿山机械厂、铜加工厂、玻璃厂和耐火材料厂等均居中国重要地位。陇海、焦枝两条铁路交会于此，207国道纵贯南北，310国道横穿东西，洛开高速公路已建成通车。名胜古迹有40余处，著名的有白马寺、龙门石窟、关林、古墓博物馆以及汉、魏和隋、唐洛阳故城遗址等。有53个科学研究院、所及洛阳大学、河南科技大学等高等院校。洛阳素有“牡丹花城”之称，王城、牡丹两公园的牡丹花色被誉为“天下第一”。人口：全市6 480 000(2005)；市区1 490 000(2004)。

Luoyang Bridge　洛阳桥　中国现存最早的大型石梁桥。又名万安桥。位于福建泉州洛阳江入海处，由北宋学者蔡襄于1053～1059年间主持建成。建桥时发明了伐型基础、尖端重力式桥墩等工艺，同时利用潮汐涨落浮运架设桥梁，利用养殖牡蛎黏结和加固桥基桥墩。现存桥长834米，有46个桥墩，47个桥孔。

Luoyi　洛邑　中国周朝(约公元前11～前3世纪)东都。周成王时为巩固对东方领土的统治，在周公主持下营建都城。共二城，即王城和成周，统称洛邑。王城在瀍水之西，成周在瀍水之东，即今洛阳洛河北岸、瀍水东西。1949年后进行大规模发掘。20世纪50年代初在今洛阳车站西南发现一座1 485米×1 410米的古城。后在城外围又发现一座春秋时代古城，仅北城墙尚存，长2 890米。根据古城年代、规模、位置等考定为东周王城。70年代在瀍水东岸北窑村发现西周房屋基址、墓地、祭祀坑以及铸铜作坊遗址，但成周具体位置尚待考定。

Lupemban industry　卢本巴文化期工艺　更新世晚期非洲南撒哈拉石器工艺，约始于4万年前。卢本巴文化期工艺起源于南撒哈拉非洲森林地带的山果文化期工艺，并且取代了后者。卢本巴文化期工艺的特点是小巧精美，包括：石凿、石锛、石刨(表明可能有精致的木制品)、单边刮削器和石叶。最典型的

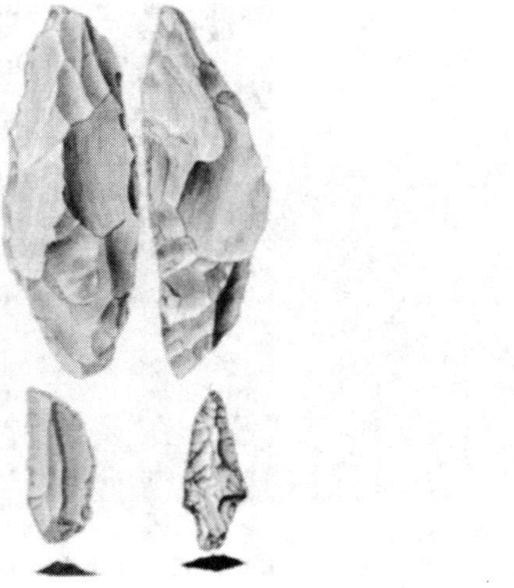

卢本巴石器
美国不列颠百科全书公司供图

卢本巴石器，是一种细长矛尖状两刃器，削制精美。

Lupercalia　牧神节　古罗马节日。每年2月15日在牧神祭司主持下举行庆祝仪式，先由牧神祭司宰羊和狗。两名青年祭司被带到祭坛，有人用沾血的刀触他们的前额，用羊毛浸奶擦干血迹。于是两名祭司大笑，然后举行宴会。宴会后众祭司从牺牲的皮上割下皮条，分两队绕帕拉蒂诺山奔跑。据说皮带抽出的声响可以治愈不育之症。

Lupescu, Magda　卢佩斯库(1896?，罗马尼亚雅西～1977-06-28或29，葡萄牙埃什托里尔)　本名马格达·沃尔夫。罗马尼亚女冒险家，作为罗马尼亚国王卡罗尔二世的情妇对20世纪30年代的罗马尼亚公共事务施加了广泛的影响。早年情况不详，只知其父为犹太人，母为天主教徒，夫名塔姆佩亚努，是个陆军军官。20年代初，她与王储卡罗尔私通。卡罗尔宁可放弃王位继承权，也不想结束这种关系，遂于1925年流亡国外。但是后来他又想登位，伪称已与卢佩斯库断绝关系。1930年6月回国登位后，立即把她接回布加勒斯特。不久她就兴风作浪，据传她的影响超过政府中的任何一位大臣。民族农民党领袖I.马纽说：“我国的所有坏事，几乎都是宫中的犹太势力所致。”1940年9月卡罗尔退位后，她随之逃亡国外。两人于1947年7月正式结婚后受封为埃列娜公主。1953年卡罗尔死后，她继续住在葡萄牙。

Lupin(China)　**胪滨**　参阅 **Manzhouli** 满洲里。

lupine　羽扇豆　豆科羽扇豆属(*Lupinus*)植物。草本，部分木质化。广泛分布于地中海地区，但北美西部大草原尤多。已知约200种。很多种在美国作为观赏植物栽培，还有少数几种作为覆盖作物或饲料作物。草本羽扇豆株高达1.25米，叶生于植株下部，掌状，分裂，花穗直立。通过杂交和选种，已培育出一些观赏价值很高的品种。卢塞尔氏杂交种尤为人爱种，高约1米，花穗长而密，花色多样，种于遮荫庭园。得克萨斯小蓝帽

即一种羽扇豆。在欧洲和其他地区，植株较高的羽扇豆属植物，如白羽扇豆（狼豆，*L. alba*），种作冬季固氮覆盖作物。英语 lupine（有时拼作lupin）来自拉丁语，意为狼，因为人们

一种羽扇豆属（*Lupinus*）植物
美国不列颠百科全书公司供图

曾错误地认为这类植物“狼吞虎咽”地耗尽土壤中的矿物质。事实正相反，羽扇豆属植物能在土壤中固定空气中的氮素供其他植物利用，从而使土壤肥沃。野羽扇豆（多年生羽扇豆，*L. perennis*）和纳塔尔羽扇豆（*L. nuttallii*）均具蓝色花穗，见于北美东部干燥开阔的林地和田野。蔓生羽扇豆（铺散羽扇豆，*L. diffusa*）和多毛羽扇豆（*L. villosus*）遍布美国南部。多叶羽扇豆（*L. polyphyllus*）原产美国西北部太平洋沿岸地区，现已遍布美国东北部和毗邻的加拿大。

Lupino FAMILY **卢皮诺家族** 英国最著名的戏剧世家之一。第一代卢皮诺可能于1612年左右在意大利享有盛名。其后裔G.威廉（1632～1693）作为一个政治避难者来到英国，是一位职业歌手、吟诵者和木偶大师。其子G.查尔斯（1662～1725）8岁时即为演员及木偶操纵者。王政复辟后，该家族被授予许可证，为国王查理二世演出。英国哑剧开创者、剧院经理兼演员里奇曾收了一个名为G. R.E.卢皮诺（1710～1787）的男孩为学徒，后者之子T.弗雷德里克（1749～1845）成为一个布景艺术师和舞蹈演员。该家族的家谱说明，几乎所有后裔都和舞台有联系。G.H.卢皮诺（1820～1902）有16个子女，其中至少有10人成为职业舞蹈演员；2人和著名女演员、伦敦不列颠剧院经理（1871～1899）莱恩的家庭联姻。G.胡克的长子乔治（1853～1932）几乎可称为旧式丑角在当时的硕果仅存者，出生于伯明翰皇家剧院的一个化妆室里。他的两个弟弟，阿瑟（1864～1908）及H.查尔斯（哈里）（1865～1925）都是20世纪初的著名杂耍剧院演员。G.卢皮诺的子女中，巴里（1884～1962）除当演员外，还是家族档案保管员；斯坦利（1894～1942）是一个尽人皆知的喜剧演员，在伦敦特鲁里街剧院演出杂耍多年。

巴里曾在英国当过多年喜剧演员，后去各地巡回演出，包括澳大利亚（1913）、南非和远东。他擅长哑剧和音乐喜剧，并独立或与人合作写过约50部哑剧。他多次去美国巡回演出，还演过几部电影。斯坦利演出的时事讽刺剧和音乐喜剧令人怀念，他写过几部剧本、小说和回忆录。其侄H.乔治（1892～1959）取了萨拉的姓氏，更以其舞台艺名L.莱恩为人所知。莱恩成为一个著名的伦敦佬喜剧演员，并广泛巡回演出杂耍剧、音乐喜剧和哑剧。1937年在英国音乐喜剧《我和我的女友》中饰斯尼布森获巨大成功，他在剧中创造了“兰贝斯走步舞”，据信，系象征伦敦兰贝斯区带有伦敦气派的居民那种神气活现的步伐。斯坦利的女儿艾达（1916生）于1932年初登英国影坛，后迁居美国，于1934年在那里步入影坛。1942年她在《艰难的道路》中扮演角色，被纽约影评界选为最佳女演员。她自行独立制片、导演过几部影片，并经常在自己导演的影片中扮演角色，还为电视进行创作、导演及演出。她结婚3次，每个丈夫都从事娱乐性行业。

Lupton, Thomas Goff **勒普顿**（1791-09-03，伦敦～1873-05-18，伦敦） 英国美柔汀法雕版画家兼细密画画家，曾用软钢版印出1 500张优质版画。这种软钢版很受欢迎，所以自1823年起就取代了铜版。勒普顿的作品有复制的透纳的风景组画，如《英国的江河风光》和《英国的港口》，以及当代英国名画家的肖像油画。

Lupus（English ecclesiastic） **卢普斯** 参阅 **Wulfstan** 伍尔夫斯坦。

lupus erythematosus **红斑狼疮** 一类特异性炎症的总称。常见有盘状红斑狼疮和系统性红斑狼疮两种类型。有报告指出：盘状红斑狼疮中约有5%～10%的病例可发展为系统性红斑狼疮，但这一观点并未得到广泛的认同。盘状红斑狼疮是一种皮肤病，多见于女性。主要病变为表面黏着有灰棕色鳞屑的特异性红斑，受累部位主要有颧弓、鼻梁、头皮、口唇、颊黏膜等。位于颧弓和鼻梁处的红斑常呈蝴蝶状。治疗应避免日晒和其他辐射；抗疟药有时可缓解部分患者的症状。系统性红斑狼疮（SLE，又称播散型红斑狼疮）可累及机体的任何器官、组织，尤其是皮肤、关节、肾脏、心脏、浆膜（如腹膜、关节滑膜）、淋巴结等。其病程常是波动的，有时呈急性发作，有时则缓解。本型病人的预后在很大程度上取决于内脏受累的程度和范围。那些肾脏或中枢神经系统受累的病人之预后显然要比那些单纯关节炎型患者要重得多。

两型红斑狼疮的皮肤病变形式大体相同。本病之诊断根据为：典型的皮肤病变及其对日晒的特征性反应、不致畸形的关节炎、肾炎、血液中的抗自家细胞核（核酸和蛋白质成分）抗体阳性。据信，自体免疫（抗原抗体结合）反应是本病炎症过程的起始动因。红斑狼疮细胞因子是最早被认定的典型的自体抗体之一。治疗应以对症为主，包括镇痛、消炎，尽可能有效地控制受累脏器的损伤，并保持其功能。

Luque **卢克** 巴拉圭南部中央省西北部城市。建于1635年。巴拉圭战争（1864～1870）中曾为临时首都。现向附近亚松森市场供应柑橘、甘蔗、烟草、棉花和牲畜。制造吉他、竖琴，生产肥皂、酒和砖瓦。也有加工厂。有铁路和公路通亚松森。人口约83 591（1992）。

Lur **卢尔人** 伊朗西部山区穆斯林民族，讲一种与波斯语极相近的单独语言。他们被认为是土著种族，与伊朗人、阿拉伯人及其他地方的人有浓厚的混血关系。卢尔人和近邻

卢尔人的游牧部落
美国不列颠百科全书公司供图

的巴赫蒂亚里人都是半农半牧的部落。由于牧草丰美，卢尔人一直以放牧为生，迄至20世纪，主要为适应来自外部的经济和政治压力才发展起农业。伊朗西部边界的卢尔人一度几乎独立，后被礼萨·巴列维国王平定。部落首领在游牧人群中的传统权威，比在完全定居人群中，作用更大。同库尔德人和巴赫蒂亚里人一样，卢尔人的妇女在传统上比阿拉伯或波斯的妇女自由。

lur **卢尔号** 又拼lure。黄铜号角或小号，在斯堪的纳维亚的史前期出土文物中发现。圆锥形管身长1.5～2.5米，弯曲呈S形，像猛犸的长牙，尾端为一金属平盘。号嘴固定

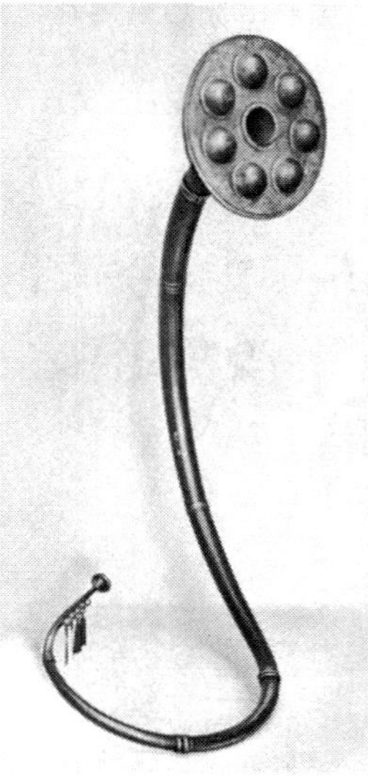

青铜器时代晚期的卢尔号
美国不列颠百科全书公司供图

在乐器上。通常成双地吹奏，可能在举行仪式时吹奏。

Luray Caverns **卢雷岩洞** 美国弗吉尼亚州西北部一组石灰岩洞穴。位于佩奇县卢雷镇附近。1877年发现。占地26公顷的岩洞是几百万年前由地下河和渗入的酸性水形成的。日久天长黏土被水冲走，只剩下石灰岩硬壳。在岩洞已经形成，而且石灰水滴已发

展为钟乳石很久以后,岩洞被冰川泥所填充。酸性冰川泥腐蚀洞穴岩,改变其形状。后来,冰川泥被流水冲走,呈现无数色彩斑驳的钟乳石、石笋、石柱和石瀑,蔚为奇观。洞里有许多高9～43米的石厅,有间接光照明,并有廊道、阶梯和桥连接。洞内恒温12 °C。岩洞入口处建有卢雷乐声塔,安装了高35.7米的钟琴,共有大小不等的编钟47只,最重的为3 466千克,最轻的只有5.7千克。1978年被列为联邦自然景物保护区。

Lurçat, Jean　吕尔萨(1892-07-01,法国布吕耶尔～1966-01-06,法国圣保罗)　法国画家、图案师。常被誉为法国20世纪图案艺术和挂毯编织复兴方面最起作用的人物。其第一批挂毯早在1917年制成并展出,但到1936年才转而主要设计挂毯。1939年与T.杜布若耶和M.格罗迈尔一起赴法国挂毯编织历史名城欧比松,与编织大师F.塔巴尔合作在那里建立制造现代挂毯的中心。在其设计的1 000多幅最有名的挂毯中,有《四季》(1940)、《启示录挂毯》(1948)及《世界之歌》(1957～1964)。还从事戏剧布景和服装、陶器、书籍插图、石版画等图案的设计。写过诗并著有关于挂毯的书籍。

Lurgan　勒根　北爱尔兰克雷加文区(1973年建,原属阿马郡)市镇。1610年始有英国定居者。17世纪末兴起亚麻制造业,至今仍为该地主要行业。J.洛根1699年由此移出,成为宾夕法尼亚州创建者之一。现有1836年所建的勒根堡。人口20 991(1981)。

Luria, Isaac ben Solomon　卢里亚(1534,奥斯曼帝国巴勒斯坦耶路撒冷～1572-08-05,叙利亚塞费德[今以色列采法特])　绰号"狮子"。犹太教喀巴拉派创始人。据传,他幼时丧父,被母亲带到埃及,住在她富裕的娘家。他在那里闭门苦读近7年,潜心研究犹太教神秘主义喀巴拉派的经典著作《光辉之书》。1570年游历到巴勒斯坦的塞费德(今采法特)。该地为当时喀巴拉派中心,他在该地会见了当时该派最著名的人物摩西·本·雅各·科尔多维罗。同时他在该地开始传教,提出新的创世论,吸引许多信徒。他解释创世,人的堕落及恢复神、人和谐的方法,并说明上帝创造世界后隐退,但灾难降临,出现邪恶,于是消除人间邪恶的斗争开始,之后经过再造人的原型亚当出现,世界恢复原状。虽然他在塞费德只住了两年,但他的喀巴拉派影响却特别深远。1572年死于当地发生的一场瘟疫。卢里亚还是一位诗人,他的诗流传至今的很少,主要是3首安息日三餐赞美诗。这些诗当时印入祈祷书,流传很广。他的随谈录在他死后由大弟子维塔尔辑录而成。他亲自写的教理著作很少,仅为《光辉之书》第一章作了评注。卢里亚的喀巴拉影响深远,它在17世纪假弥赛亚沙贝塔伊·泽维所发动的运动和一个世纪后的哈西德运动中都曾发挥作用。

Luria, Ruggiero di(Italian admiral)　参阅 **Lauria, Ruggiero di** 劳里亚。

Luria, Salvador (Edward)　卢里亚(1912-08-13,意大利都灵～1991-02-06,美国马萨诸塞列克星敦)　意大利出生的美国生物学家,因对噬菌体的研究而与M.德尔布吕克及A.D.赫尔希共获1969年诺贝尔生理学或医学奖。卢里亚1935年毕业于都灵大学,成为放射学专家。1938年逃离意大利到法国,曾于巴黎巴斯德研究所学习噬菌体研究技术。1940年到美国,不久结识德尔布吕克,并通过他加入美国噬菌体研究组(一个致力于解决病毒自我复制问题的非正式科学团体)。1942年,和研究组的成员一起摄得一张噬菌体颗粒的电子显微镜照片,证实了他们以前对噬菌体形态的描述:有一个圆形的头部及一条细尾。1943年,卢里亚和德尔布吕克发表论文,证明病毒的遗传物质会发生经常不断的变化,这和当时流行的观点截然不同。他还证明,同一培养物中同时存在着对噬菌体敏感的和有抗性的细菌,这是细菌的自发突变株经选择而产生的。1945年,赫尔希和卢里亚证明,不仅存在这样的细菌突变株,而且还存在噬菌体的自发突变株。1964年卢里亚成为麻省理工学院塞奇威克讲座生物学教授,1974年成为麻省理工学院癌症中心主任。卢里亚著有大学教材《普通病毒学》(1953)和为普通读者写的《生命:没有终结的实验》(1973)。

Luristan(Iran)　参阅 **Lorestān** 洛雷斯坦。

Luristan Bronze　洛雷斯坦青铜器　Luristan又拼Lorestān。自20世纪20年代晚期以来在伊朗西部洛雷斯坦扎格罗斯山脉的哈尔辛、霍拉马巴德和阿里施塔山谷,特别是在泰

约公元前10～前9世纪制作的洛雷斯坦青铜器——巨角塔尔羊形支座
美国不列颠百科全书公司供图

佩·锡亚勒克遗址出土的马饰、日用器具、武器、首饰、带钩、典礼与祈祷用物等青铜器,其制作年代大致为公元前1500～前500年间。其确切来源不详,学者们认为这些铜器是由来自俄国南部的游牧民辛梅里安人或者由其他印欧民族如早期的梅德人和波斯人制作的,辛梅里安人可能在公元前8世纪侵入了伊朗。

Lurton, Horace H(armon)　勒顿(1844-02-26,美国肯塔基纽波特～1914-07-12,新泽西大西洋城)　美国最高法院大法官(1910～1914)。南北战争爆发时参加南部邦联的军队。战后完成学业,并在田纳西州的克拉克斯维尔成功地执行律师业务,直到1886年当选为州最高法院法官为止。1898～1910年在范德比尔特大学教授法律。1893年克利夫兰总统任命他为第六联邦巡回上诉法院法官,给当时在该院任首席法官的塔夫脱留下深刻的印象。1900年接替塔夫脱担任该院首席法官;而塔夫脱在就任总统以后利用第一个机会提升他为最高法院大法官(1910)。他当时66岁,是过去曾被任命的大法官中年龄最大的一位。他在宪法问题上是一个保守主义者,反对那种认为可以通过司法当局对宪法的解释来实现社会改革的想法。

Lusaka　卢萨卡　赞比亚城市和首都。位于该国中南部海拔1 280千米的石灰石高原上。19世纪90年代在北罗得西亚的形成过程中,英国南非公司从当地首领手中接管了

卢萨卡市的开罗大街
中国大百科全书出版社供图

卢萨卡所在地区。1924年控制权移交给英国殖民部。1935年卢萨卡成为北罗得西亚的首都。在争取独立的运动中,该市发挥了重要作用;是1948年非洲人社团联合会创办北罗得西亚人大会的地方。1953年南北罗得西亚联盟成立后,卢萨卡成为非暴力反抗运动(1960年)的中心。这一运动带来了赞比亚的诞生,卢萨卡则成为该独立国家的首都。卢萨卡的政府新区与铁路沿线的老城区形成对照。尽管卢萨卡基本上依赖于近郊的农业地区,本身又是玉米和烟草的重要集散地,其经济却是混合型的,有水泥生产、纺织、制鞋业和食品加工业等。城外有一座国际机场和赞比亚大学(1966年建校),蒙达万加植物园亦设在附近。该市位于通往坦桑尼亚的大北公路和通往马拉维的大东公路的交叉点,并有铁路与利文斯敦(马兰巴)、恩多拉和坦桑尼亚相连。周围地区大部分为平坦的草原,有大型牧场和农场。高3～6米的白蚁土丘是景观中的一种常见特色。农业和家畜饲养业是该地区的主要经济活动,产品包括玉米、牛肉、生皮、乳制品和烟草。尼扬贾人和索利人是当地的主要种族,还有少数欧洲人和亚洲人。人口约982 362(1990)。

Lusatia　卢萨蒂亚　德语作Lausitz,索布语作Luzia。又译劳济茨。欧洲中部地区。中欧索布人(又称卢萨蒂亚人或文德人)的领土。历史上卢萨蒂亚的中心位于今日德国东部境内的尼斯河和施普雷河上游,即科特布斯(北)和德累斯顿(南)之间。索布人为斯拉

夫民族的一支，公元9世纪定居于卢萨蒂亚，并向西扩展到萨勒河一带，标定了法兰克帝国东部的边界。928年，该地被德意志人征服，1002年又被波兰人征服，1018年并入波兰版图。1033年被德意志人夺回，由德意志的迈森和勃兰登堡两邦瓜分。其后，卢萨蒂亚被迫接受残暴的日耳曼化，索布人的经济受到严酷的限制。1368～1370年神圣罗马帝国皇帝查理四世宣布卢萨蒂亚为波希米亚皇室领地，索布人的苦难才稍有缓解。1635年，三十年战争结束。根据《布拉格和约》，卢萨蒂亚并入萨克森。1815年又被瓜分，下(南)卢萨蒂亚转让给普鲁士，上(北)卢萨蒂亚继续受萨克森统治。普鲁士强使下卢萨蒂亚接受强化的日耳曼化运动；其西部完全日耳曼化，操索布语的人数大大减少。1871年后东部亦有类似的遭遇。20世纪30年代末期，这里的索布居民又遭到希特勒的压迫。第二次世界大战后，卢萨蒂亚的西、中两部分于1949年并入东德。东德保证索布人有使用自己的语言和保持自己独特文化的权利。卢萨蒂亚东部成为波兰的一部分。

Lusatian languages 劳济茨诸语言 参阅 **Sorbian languages** 索布诸语言。

Lusatian Mountains 卢萨蒂亚山 捷克语作 Lužické Hory(卢日山)，德语作 Lausitzer Gebirge(劳西茨山)。捷克共和国波希米亚最北面的山群，苏台德山脉的一部分。东起耶什泰德山脊，西至杰钦的易北河(拉贝河)峡谷，并伸入波兰和德国。主要由砂岩构成，但圆锥形小山中有火山岩岩组。卢萨蒂亚山由尼斯河将其与伊泽拉山隔开。

Luscinus, Gaius Fabricius 卢西努斯 参阅 **Fabricius Luscinus, Gaius** 法布里齐乌斯·卢西努斯。

Lushai 卢谢人 参阅 **Mizo** 米佐人。

Lushai Hills(India) **卢谢丘陵** 参阅 **Mizo Hills** 米佐丘陵。

Lushan Plenum 庐山会议 中国共产党1959年7～8月间在庐山举行的中央政治局扩大会议(7月2日至8月1日)和第八届中央委员会第八次全体会议(8月2日至16日)的统称。会议总结了1958年"大跃进"以来的经验教训，并根据毛泽东提出的搞好综合平衡，以农、轻、重为序安排国民经济计划的精神，降低了一些过高的工农业生产计划指标。7月14日中国共产党政治局委员、国务院副总理兼国防部长彭德怀就如何总结"大跃进"的经验教训给毛泽东写了一封信，陈述在实际工作中出现的"左"倾错误。还有一些人也发表了类似意见。毛泽东认为彭德怀信中的意见是右倾机会主义的反党纲领，是向党的进攻。因而正式召开第八届中央委员会第八次全体会议，发动了对他们的批判，并作出关于"彭德怀、黄克诚、张闻天、周小舟反党集团"的决议。彭的国防部长一职，不久即由林彪取代。庐山会议后，中共中央进一步在全党开展"反右倾"斗争，背离了为克服严重经济困难所采取的许多切合实际的政策。党的民主生活遭到严重损害，打断了全国纠正"左"倾错误的进程，使"左"的错误延续了更长时间。1978年十一届三中全会取消了对彭德怀等人的错误结论，为他们恢复名誉。

Lüshun 旅顺 英语旧称 Port Arthur。中国辽宁省大连市辖区，即旅顺口区。位于辽东半岛最南端，三面环海，北与甘井子区相邻。有铁路通大连。面积506平方千米。境内为低缓丘陵，海拔多在200米以下。南端老铁山地势最高，海拔465米。海岸曲折，长达100多千米，港湾甚多。旅顺口港北靠白玉山，东有黄金山，西有老虎尾半岛，其间水道宽不及300米，形势险要。港阔水深，冬不封冻，为优良海港。秦汉时即为海上交通要港，晋时称马石津。唐名都里镇，辽金时称狮子口。明洪武四年(1371)，明军由山东登莱渡海来辽东，由此登陆，因旅途顺利，故改称旅顺口。清康熙五十二年(1713)设旅顺水师营。光绪二十年(1894)起先后被帝俄、日本强占达50年之久。现已建成中国重要海军基地之一。近海渔业、海水养殖和晒盐业有了很大的发展。交通便利，铁路通大连，是黑(河)大(连)、鹤(岗)大(连)等公路的终点。名胜古迹有汉牧羊城遗址、唐鸿胪井、中苏友谊纪念塔等。至今尚存中日甲午战争、日俄战争遗址。人口210 000(2005)。

旅顺口港停泊的客轮
美国不列颠百科全书公司供图

Lusignan FAMILY 吕济尼昂家族 法国西部省份普瓦图的高贵家族，许多成员参加过十字军东征，有的成为耶路撒冷、塞浦路斯和小亚美尼亚的国王。其另一支系承袭拉马什和昂古莱姆伯爵爵位，曾促成英格兰贵族反对国王亨利三世的叛乱。10世纪时，吕济尼昂贵族于格(或称休)一世原是普瓦图伯爵的臣属。早期该家族成员曾参加十字军东征。但直到于格八世的儿子时期，该家族才兴盛起来。于格八世的长子和继承人棕发的于格九世(1219卒)领有拉马什伯爵领地。1200年于格的封建领主英格兰国王约翰娶了他的未婚妻昂古莱姆的伊莎贝拉为妻。这一暴行使于格倒向法兰西国王腓力二世(奥古斯都)，双方结为联盟，最后导致约翰王失去其在欧洲大陆上的领地。约翰为了安抚于格，允将自己的女儿琼许配于格十世(1249卒)为妻，但未成婚。相反，约翰死后，于格十世于1220年娶其遗孀伊莎贝拉为妻。于格和伊莎贝拉在是否效忠于约翰的继承人、伊莎贝拉所生子亨利三世的问题上，曾经表现摇摆。法兰西国王路易九世将普瓦图作为伯爵领地封给他的弟弟阿尔丰斯，于格最初表示支持。但在伊莎贝拉盛怒之下，于格又改变主张，结果在亨利三世支持下发生严重叛乱。叛乱中于格丧失了主要据点，但路易九世赦免了吕济尼昂家族成员，他们重新宣誓效忠。伊莎贝拉和于格十世共生子女9人，其中5人应其异父兄长亨利三世之请前往英格兰，获得了封地、财物和贵族称号。这对英格兰贵族不利，他们终于掀起了反对亨利的叛乱，吕济尼昂兄弟于1258年被逐出英格兰。于格十三世(1303卒)宣誓拉马什和昂古莱姆效忠于法兰西国王美男子腓力四世。于格八世的另外两个儿子分别成为耶路撒冷和塞浦路斯的国王。盖伊(约1129～1194)娶耶路撒冷国王鲍德温四世之妹西比尔为妻，于1186年继承耶路撒冷王位。但1187年他在同穆斯林作战时失去首都，1192年放弃徒有其名的耶路撒冷王位，换得塞浦路斯的王权。盖伊的兄弟阿马里克二世(阿莫里二世，1205年4月1日卒)继承塞浦路斯王位，娶西比尔的姐妹伊莎贝拉为妻，从而于1197年继承耶路撒冷王位。阿马里克建立塞浦路斯独立王朝，直到1475年塞浦路斯割让给威尼斯为止。1269年后，阿马里克的后裔世世代代享有耶路撒冷国王称号。该家族统治塞浦路斯的最著名成员为彼得(彼埃尔)一世(1369卒)。他多次发动反对穆斯林的征战，为夺回圣地作最后努力。后为心怀不满的塞浦路斯贵族杀害。

Lusitani 卢西塔尼亚人 伊比利亚半岛的民族，居住在今葡萄牙境内，公元前2世纪曾抵御罗马的入侵。卢西塔尼亚人可能是伊比利亚东北部凯尔特卢森斯人的一支。公元前194年，他们最初与罗马人发生冲突，并与凯尔特伊比利亚人联合共同对抗罗马人，持续至前179年。前153年，他们在杰出战略家维里阿瑟斯领导下，联合许多凯尔特伊比利亚部落与罗马人作战，约前147～约前139年间，屡挫罗马军。维里阿瑟斯被其部下受罗马人指使杀害后，罗马征服了卢西塔尼亚人。卢西塔尼亚一名曾是罗马人在葡萄牙中部所建行省的名称(公元前27年)。

Lusitania “卢西塔尼亚”号 英国远洋班轮，1915年5月7日被德国潜艇击沉，由此间接促使美国加入第一次世界大战。该轮重3.2万吨，共载有乘客和船员1 959人，由纽约驶返利物浦。根据爱尔兰南部海面的商船遭到潜艇击沉的事件以及该海域潜艇活动情况的报告，英国海军部预先警告“卢西塔尼亚”号客轮绕道行驶，并建议采用规避战术，曲折航行，以迷惑德国潜艇。但“卢西塔尼亚”号船员对此漠然置之，1915年5月7日下午被一枚鱼雷击中船中部，引起猛烈爆炸，另一枚击中船尾。不到20分钟“卢西塔尼亚”号沉没，1 198人葬身海底，其中有美国公民128人。这一事件在美国引起普遍义愤，公众切望美国参战，但美国政府坚持其中立政策。1915年5月13日，美国政府照会柏林，对当时潜艇战原则提出指控。后来，到1917年，美国以德国潜艇战为由参战。

lussatite 正绿方英石 一种分布广的硅氧矿物，是低温方石英的纤维状变种。它在低温热液矿床的表面附近与蛋白石和玉髓一起产出。最初在法国吕萨特的沥青脉中发现；在捷克共和国、奥地利和匈牙利也有产出。关于详细物理性质，参阅 **silica mineral**（表）。

Lussy, Melchior 卢西（1529，瑞士施坦斯～1606-11-14，施坦斯） 天主教活动家、反宗教改革运动积极分子。曾代表瑞士信奉天主教各州参加特伦托会议，并驻在保罗四世、庇护四世、格列高利十三世、格列高利十四世等四代教皇宫中致力于增进教廷利益。1557年在教皇国军中供职，1560年在威尼斯军队供职，贩卖瑞士雇佣军充实教皇兵力，从而致富。卢西与米兰枢机主教博罗梅奥友善。在瑞士天主教地区推行特伦托会议制定的各项改革中，他起了重要作用。他在故乡翁特瓦尔登大权独揽。他也曾从事外交活动，大多是维护天主教事业。

Lustenau 卢斯特瑙 奥地利西部福拉尔贝格州城镇。887年首见记载。1814年归属奥地利。濒莱茵河。在多恩比恩以西。刺绣有名，也产纺织品和金属制品。人口18 579（1991）。

lustration 祓除邪恶 在古希腊和古罗马，个人与社区除去礼仪上所禁忌的种种不净（例如，杀生、接触分娩或死尸所造成的污染）所进行的各种仪式，也有仅仅为摆脱渎神或卑贱状态而进行此种仪式的。不净对于参加圣礼或接触圣物，都是很危险的。祓除邪恶有多种方法，如用水喷洒身体或在水中洗澡，用血或泥之类的东西擦身，也有举行复杂的仪式（其中包括悔罪）。此外，还有采用烟熏仪式以驱除邪恶的。当一个社区或因集体犯罪、或因长期厄运及某一时期积累的恶行而需要涤罪时，采用的方式因文化不同而不同。例如希腊人的方式，通常只是让一些能够吸收污染的人或动物穿过村子，随即将他们驱逐出去；在古罗马，人们拿着涤罪的物资围绕应祓除邪恶的个人或社区转一圈。许多著名的公共祭祀仪式，如环绕帕拉丁山丘的牧神节及环城祭都属于这一类型的活动。

lustre 光泽 矿物学中，指矿物表面在反光性能方面的外观。光泽取决于矿物的折射率、透明度以及矿物的构造。这些性质的变化产生了不同种类的光泽，而反光程度的变化，造成了同一种光泽的不同亮度。其种类和亮度对于具有相同对称性的晶面是相同的，而在具有不同对称性的晶面上，则可能不同。对光泽的种类通常描述如下：①金属光泽。如金、锡、铜等金属的光泽，具有金属光泽的矿物一般不透明，其折射率接近于2.5。②金刚光泽。金刚石以及其他折射率高（介于1.9～2.5之间）、密度较大的透明或半透明矿物，如白铅矿及铅的其他化合物等所具有的近似金属的光泽。③玻璃光泽。矿物界中最常见的光泽，见于折射率介于1.3～1.8之间的半透明和透明矿物，如石英。④松脂光泽。如闪锌矿。⑤油脂光泽。如霞石、角银矿。⑥珍珠光泽。如滑石，平行于完全解理面的表面呈现这种光泽，是由于微细解理裂纹的重复反射产生的。⑦丝绢光泽。如纤维石，具纤维状构造的矿物呈现此种光泽。⑧暗淡或土状光泽。即无光泽，如白垩。

lustred glass 虹彩玻璃 一种新艺术派的艺术玻璃品，具有丰富的色彩和光泽。19世纪末由美国人L.C.蒂法尼首先生产，用作窗玻璃。而虹彩玻璃发明者A.J.纳什的原意是想用人工方法仿造从罗马废墟附近发掘出来的那种因久埋地下受到腐蚀而形成的天然虹彩玻璃。1893年蒂法尼在纽约长岛创建斯陶尔布里奇玻璃公司，生产具有虹彩装饰的玻璃制品，包括酒杯、碗、花瓶、灯具和首饰，深受公众欢迎。蒂法尼虹彩玻璃与欧洲的产品不同，具有珍珠般而非镜面般的光泽，原因在于施染具有金属光泽颜料的玻璃底料图案和色彩不同。欧洲用透明玻璃，获得闪亮的光泽；蒂法尼用不透明玻璃，产生柔和的、缎子般的光泽。对黄色透明玻璃施染虹彩后获得金色；而将钴蓝色透明玻璃夹在两片透明的黄色玻璃之间，再进行虹彩处理，可获得闪光的深蓝色。在蒂法尼虹彩玻璃制品中，有一种绚丽多彩的精制品，是把热玻璃在多种颜色的碎玻璃上滚动，并把表面产生的气泡压破而制成的。另一种精致的虹彩玻璃，是将透明的彩色玻璃丝或片装饰在不透明的玻璃制品上，涂上金属化合物后，即产生色彩明暗对比的效果。参阅 **Art Nouveau**。

约1900年L.C.蒂法尼制作的彩虹玻璃碗
美国不列颠百科全书公司供图

lustreware 闪光陶器 一种以金属光泽彩料装饰的陶器。这一类的各种装饰技术至少可追溯到9世纪。其中一种技术起源于中东，它是通过一套多工序的工艺，使制品上带有金属闪光色斑。这种技术在西班牙生产出了著名的西班牙-摩尔陶器，以及意大利和西班牙的马约利卡陶器。还有一种闪光陶器，价格低廉，制作简单，颜料中含有金盐和铂盐。这种技术虽然源于18世纪西班牙的马约利卡陶碟，却是由英国人发明的；它在整个19世纪期间获得了最广泛，也最具经济效益的应用。西班牙生产的多种光泽彩料中，有金-绿染色的光泽彩料和褪去光泽的铜光泽彩料；至17世纪，它们渐被亮红铜光泽彩料所取代。在16世纪的意大利，带有珍珠状反光的宝石红和金黄光泽彩料最为流行。

闪光陶器
（上）约1200年的波斯闪光陶大罐；
（下）19世纪初期的英国银白光泽彩料大罐
美国不列颠百科全书公司供图

Lūt Desert 卢特荒漠 在伊朗东部克尔曼、锡斯坦和呼罗珊省，从西北到东南约200英里（320千米），宽约100英里。东部是一些巨大的沙丘，西部则是由风扫的走廊隔开的沙岭。最低处是盐洼地，海拔不到300米，夏季酷热、干旱无处可比。

lute 诗琴 16～17世纪盛行于欧洲的拨弦乐器。在欧洲文艺复兴和巴罗克时期的大众艺术和音乐中占重要地位。源自阿拉伯的厄乌德琴，13世纪被东侵返回的十字军战士取道西班牙带到欧洲。现在阿拉伯国家仍在使用。欧洲的诗琴像厄乌德琴一样，有一个厚的梨形琴体，一个带有向后弯的轸斗的琴颈，弦张在一个粘在面板上的琴马上。欧洲诗琴在面板上刻出一个大的圆形音孔，面板上饰有穿孔的花纹。最早的欧洲诗琴仿照阿拉伯乐器的规格，也有4根弦，用羽管拨子弹奏。到14世纪中叶，变成双弦或多道弦。到15

1510年V.卡尔帕乔祭坛画中演奏诗琴的天使
美国不列颠百科全书公司供图

世纪拨子废弃不用，用手指拨奏，可移动的品加到指板上，加添了第5道弦。到16世纪，古典式样的诗琴定型，有6道弦。从中央C以下的第2个G起，按G-c-f-a-d′-g′定弦。演奏技巧形成体系，音乐用“奏法记谱法”记写，放在线上的字母或数字标明应按的品位和右手应拨的弦。到1600年，伟大的波洛尼亚派和威尼斯派的诗琴制造家兴起。由于他们的乐器做工精细，音响匀称，因而对诗琴的普及有很大作用，并为其独奏乐曲（幻想曲、舞曲乐章、尚松改编曲）、歌曲伴奏、合奏乐曲的开端铺平了道路。约在1600年以后，法国诗琴演奏家对定弦做了修改。与此同时，诗琴本身也增加了低音弦，因此要求放大琴颈和琴头。这样修改过的乐器叫**大诗琴**(**archlute**)，其中包括**基塔隆琴**(**chitarrone**)和**双颈诗琴**(**theorbo**)。一种比较小的大诗琴为法国17世纪诗琴家所用。它的曲目要求庄严的格调和装饰音风格以及新的分解和弦和滑音技术，对17世纪的拨弦键琴作曲家有显著影响。到18世纪，键盘乐器的盛行使诗琴黯然失色。20世纪的诗琴家如J.布里姆和W.格尔维希等成功地恢复了诗琴和它的曲目的演奏。

从“类属”的角度来看，“诗琴”一词泛指一种弦鸣乐器，它的弦与面板或音板平行，伸张到一个单独的颈上。就这一意义而言，印度的锡塔尔琴亦可归入诗琴一类。用弓演奏而不是拨奏的诗琴称为“提琴”。

luteinizing hormone（LH） **黄体化激素** 又作interstitial-cell stimulating hormone(ICSH)，又称促间质细胞激素，或译为黄体生成激素。两种促性腺激素(gonadotropic hormone，用以调节性腺活动的激素)之一，由垂体产生。成分是糖蛋白，与促卵泡激素(FSH)协同发挥作用。在雌性个体排卵之后，黄体化激素促使格拉夫氏滤泡转变成黄体(能分泌孕酮的内分泌腺)。在雄体，黄体化激素能刺激睾丸间质细胞的发育，间质细胞能分泌雄性激素——睾酮。黄体化激素的分泌量呈周期性的变化(尤其在雌性)。参阅 **follicle-stimulating hormone**；**menstruation**。

luteotropic hormone **促黄体激素** 参阅**prolactin** 催乳激素。

Lutero, Giovanni 参阅 **Dosso Dossi** 多索·多西。

Lutetian Stage **路特阶** 始新统4个阶中的第2个，代表路特期(距今5 200万年前至4 360万年前)在全球范围内沉积的所有岩层。路特阶与其上覆的巴顿阶一起构成中始新统。这个阶的名字来源于法国巴黎的拉丁文古名“Lutetia”，在巴黎城周围的地区通常被看作是这个阶的典型区域。在传统习惯上，“巨厚灰岩组”(Calcaire Grossier formation)的底被用以确定路特阶的底；但是，全球性层型剖面和层型点(GSSP)还没有确立。路特阶常常被认为包含3个有孔虫生物带，从下到上是：*Hantkenina aragonensis*，*Globigerinatheka subconglobata* 以及 *Morozovella lehneri*。

lutetium **镥**(Lu) 化学元素，周期表Ⅲb族过渡稀土金属。硬度最高、密度最大且排在最后的镧系元素。镥是由C.A.von韦耳斯拔和G.于尔班在1907～1908年各自独立发现的。于尔班以巴黎的古罗马名(Lutetia)命名这个元素。于尔班为了表达他对出生城市的尊敬所给的名字被人们广泛地采用，除了在德国通常称之为cassiopium(直至1950年)。镥是最稀有的稀土元素之一，存在于磷钇矿和黑稀金矿等稀土矿中，镥虽在有重要工业价值的独居石矿中仅占约0.003%，但仍可作为副产品被提取。可用离子交换技术分离和提纯。在核裂变产物中也含有镥，用碱金属或碱土金属热还原镥的无水卤化物可制得金属镥。在稀土元素中，镥的熔点最高。天然镥由两种同位素组成：稳定的镥175(97.41%)和放射性镥176(2.59%，半衰期3×10^{10}年)。其放射性同位素用于测定一些与地球年龄有关的陨石的年龄。镥很少有其他用途。镥具有典型3价稀土的性质，可生成一系列白色镥盐如氧化镥、硫酸镥和氯化镥等。镥原子序数71。原子量174.970。熔点1 656 °C。沸点3 315 °C。比重9.835(25 °C)。化合价3。电子组态2，8，18，32，9，2或(Xe)$4f^{14}5d^{1}6s^{2}$。

Luṭfī as-Sayyid, Aḥmad **卢特菲·赛义德**(1872-01-15，埃及～1963-03-05，埃及) 埃及新闻工作者、律师，20世纪前半期埃及现代化事业的主要代言人。早年习法律，后在司法部门工作。1907年3月创办《贾里达赫报》，代表埃及民族主义温和派乌玛党的观点。第一次世界大战爆发后，驻埃及的英国当局严格检查新闻，他离开报馆。第一次世界大战结束时，他参加埃及代表团与英国进行结束英国占领的谈判。在谈判期间，他目睹了埃及各党派不断争吵，遂决心脱离政治，专搞教育事业。他认为埃及民族性格软弱，人民一贯屈从政府，根源在于埃及始终由独裁政府统治，压制社会和政治的独立思想。因此他希望教育公众承担政府责任。他主张将妇女从伊斯兰教社会传统的卑下地位中解放出来；主张仿效西方文明的技术进步；把教育民众视为解救社会的途径。退休前始终致力于埃及的社会进步和精神提高。

Luther, Hans **路德**(1879-03-10，德国柏林～1962-05-11，联邦德国杜塞尔多夫) 德国政治家，两度担任魏玛共和国总理(1925，1926)，致力于使德国在第一次世界大战后出现的灾难性通货膨胀得到控制。在柏林、基尔和日内瓦学习法律后，在柏林任地方文官。1913年当选为全国市政代表会议秘书。1918年当选为埃森市长，赢得了德国西部地区最佳行政官员之一的声誉。1922年12月在W.库诺内阁中任粮食和农业部长。1923年10月G.斯特来斯曼接任总理后，任财政部长，成功地完成了使恶性膨胀的国家货币得到稳定的任务。接着在W.马克斯的内阁中继续担任财政部长，参与谈判达成新的德国战争赔偿解决方案——道威斯计划(1924)。1924年12月选举后，马克斯未能组成新的内阁，1925年1月路德被任命为德国总理。他贯彻执行重要的税收和贸易措施，而其最重要的成就是，与其外交部长斯特来斯曼一起，使德国参加统称《洛迦诺公约》(1925-12)的各项协定。《洛迦诺公约》签字后，他立即辞职，但1926年1月又被召回，组成短命的少数派内阁，于同年5月垮台。1930年接替沙赫特任国家银行行长，1933～1937年任德国驻美大使。1937年辞职，整个第二次世界大战期间一直过着隐退的生活。战后在慕尼黑政治学院执教，并任西德政府非正式顾问。

Luther, Martin **路德**(1483-11-10，萨克森艾斯莱本［德国］～1546-02-18，艾斯莱本) 又译马丁·路德。16世纪宗教改革和新教的创始人，传播西方文化以及基督教的关键人物之一。通过他的行动和他的著作，他促成了这样一个运动，这个运动不仅将产生基督教的三大神学分支(和天主教与东正教)之一，而且将成为社会、经济与政治思想的苗床。

作为教育者和修士的路德

早期的生活和教育 马丁·路德1483年11月10日生于图林根萨克森地区艾斯莱本(德国)。他的父母汉斯和玛格丽特·路德原来是从默拉迁到那里去的，但不久又从那里迁往曼斯菲尔德；汉斯·路德在该地一处铜矿工作，事业上的成功使他不仅能租用几座熔炉，而且1491年在小镇的地方议会中取得了一个位置。路德留存下来的有关童年的少数回忆反映了在他那个年纪常见的忧郁的虔诚和严格的纪律。他的求学经历似乎没有什么特别可以记述之处：就读于曼斯菲尔德的拉丁学校；在马格德堡一家学校(由共同生活弟兄会所主办，弟兄会是中世纪的一个俗人团体，专门从事圣经研究和教育)一年；15岁时在爱森纳赫，在这里结识了几位受尊敬的年长朋友。1501年春天，他进入爱尔福特大学学习人文学科，这是德国最老也是办得最好的大学之一。他常在此发表长篇严肃认真的议论，乃至人们给他起了"哲学家"的绰号，他还弹奏诗琴。他按部就班地学习人文学科课

美国不列颠百科全书公司供图

程，1502年以文学士的学位毕业。1505年他取得文学硕士学位，在17位应试者中名列第二。在这个年纪能在人文学科方面取得硕士学位的很少，因此他实现了双亲对他的期望。同当时其他许多双亲一样，汉斯·路德打算要自己的儿子成为一名律师，因此当马丁开始研究法律时，他十分乐于为儿子购买昂贵的教科书。但是当得知他的儿子不同他商量便决定从事宗教活动并申请加入爱尔福特的奥古斯丁隐士会时他很气恼。

马丁·路德修士 有关他决心献身于宗教事业的原因不详。在他后来的并不总是可靠的《餐桌闲话》里记述说，1505年7月2日正当他看望父母之后返回的时候，他在施托滕海姆村庄附近遇到了一场雷暴，他在恐怖中高呼："圣安娜救我，我要作一名修士！"在路德的《论修士的誓言》(1521)里，他说："我不是自由地或自愿地成为一名修士的，而是当时被突然死亡的恐怖和痛苦所包围，因此我许下了一个不得已的和必须遵守的誓愿。"他卖掉了他大部分书籍，只留下维吉尔和普劳图斯的作品，并在1505年7月17日进了爱尔福特修道院。

爱尔福特的奥古斯丁会 由于参加过隐士生活的圣奥古斯丁会，路德已加入了一个重要的托钵修会，这个修会在15世纪中叶便已经有了两千多个分会。由于1473年实现的改革，路德参加的爱尔福特的这个会对规章采用了严格的、必须恪守的解释。在约翰·冯·施陶皮茨(路德的导师和修会的代理总会长)的主持下，于1504年对章程作了修订。1506年9月路德作为一名修士进行了入教宣誓，继而便准备接受圣职。1507年4月他被任命为神甫，5月初他举行了他的第一次弥撒。他曾经研究过图宾根著名的唯名论者加布里埃尔·比尔(1495年卒)所写的有关弥撒教规的一篇论文。比尔和其他"现代的"唯名论者一样，宣称只有有名称的个别事物才存在，普遍概念系通过直观形成，他对待仪式则心怀敬畏。这时他的父亲正好和一批朋友前来，路德便抓住这第一个机会亲自解释他的使命的紧要性质。他父亲生气地反驳他："你难道没有读过《圣经》，说一个人要敬重他的父母吗？"这句话深深植根在他的记忆里。

维滕贝格大学 路德被选在神学方面进行深造。他的一些大学教师是英国哲学家、神学家奥康姆的现代方式的唯名论者；奥康姆的观点从根本上破坏了盛行的经院哲学理性主义，而这一思想流派建立于11世纪，试图调和启示与理性。1508年路德进入维滕贝格大学(1502年成立)，奥康姆主义虽然在这里有一个立足点，但是宣称一般事物存在并且能为理性所认识的唯实论学派却受到了诸如马丁·波利奇这样学者的拥护。这个小市镇同爱尔福特形成对比，但至少这所大学是年轻和向前看的，以后正是由于它的地点比较偏僻，路德才保全了性命。城堡教堂(人们称它为万圣教堂)同大学有密切的联系，而萨克森的选帝侯智者腓特烈三世(1463～1525)对二者都给予慷慨的庇护。1509年3月路德在维滕贝格大学取得了圣经学士学位，又返回爱尔福特攻读下一个学位即名言学士学位，需要对《名言》作出自己的阐述，《名言》是彼得·隆巴德所编的一部中世纪的神学教科书。他已经开始了教授亚里士多德的尼可马亥伦理学的课程，现在则开始了作为讲授名言的神学者的生涯。他的一些注释存留下来，如果说它们的神学并不动人的话，人们却显然十分强烈地感到哲学特别是亚里士多德已进入了神学的领域。

德国奥古斯丁会代理总会长约翰·冯·施陶皮茨作为路德的老师、朋友和保护人在他一生的事业中起了非常重要的作用。施陶皮茨在神学方面似乎被培养成一个托马斯主义者(唯实论者)，但是他也受到他的修会的奥古斯丁传统的影响，尽管他的神学还表现了来自15世纪后期现代献身精神(人们用这一词来描述共同生活弟兄会的精神状态)同德国神秘主义的结合的成分。他企图在德国恢复更加严格的纪律和把严守清规与隐居修道的奥古斯丁会教士团结起来，他的做法引起了争议，于是路德和另一名修士被选派去罗马提出持不同意见的宗教团体的请求。大概在1510年年底他进行了一生中最长的一次旅行，但是罗马教士的轻浮和上层神职人员中表现得如此明显的世俗气使他的诚意受到震动。请求失败了，但路德回来后成了施陶皮茨一个忠实的支持者。

施陶皮茨对他的有才能的学生表示关注，也许还对这个学生的内省精神感到惊讶，便鼓励他去读博士学位，随后从事公开布道事业。1512年10月9日路德取得了神学博士学位。对路德来说，这个学位是重要的，它意味着对公众所负的责任。不久他就接替施陶皮茨的圣经神学讲座，担起了一位教授的义务。这是他终生的职业，向自己的学生讲解《圣经》，是一项要求他展示最好才能和最大精力的任务，他一直从事这项工作直到年老体弱生命终结才放弃。在讲课中间，他以演讲方式开始了新教的宗教改革。

宗教和神学问题 就在这时，路德本人的在宗教和神学方面的困难变得严重起来了。他已经以其特有的和认真的热情深入探索福音的完美性，寻求正确实现修会的规章。尽管如此，不久他便发现自己处于他难以理解的问题之中，为解决不能确定和怀疑的事物而苦苦挣扎，不幸地背上了难以承受的罪恶重担，无论是教会的圣礼安慰(例如圣餐和忏悔)还是高明的领导者的明智忠告都不能减轻这一重担。中心在于不平静的良心的痛苦使他陷入焦虑不安和绝望状态。奥康姆主义神学学说是鼓励一种外向的道德主义，强调人的意志，但是它把不能肯定的方面留在了恰恰是路德最需要加以明确的各种论点上，因此它所强调的东西也并没有减轻他的困难。对路德的神学来说，"诱惑"将成为一个重要的词，这个词意味着为信仰而战斗，而施陶皮茨关于这种战斗所能说的是，这样的经验乃是马丁·路德的饮食。神学问题使这些内向的、精神上的困难加重了。

"上帝的正义性"的发现 在圣保罗的思想世界门口，路德被拦住了——这条道路被一个词堵住了，这个词加重了他的困难到一种几乎难以忍受的程度。这便是"上帝的正义性"的概念。他的忧郁的童年虔敬使得他十分了解上帝的判断，并且作为维滕贝格大学人文学科的讲师，他曾不得不对古希腊的正义概念作出解释，这个概念是他在亚里士多德的《尼可马亥伦理学》中发现的。受到某些唯名主义者著作中使用"正义性"或"正义"一词的鼓励，他开始认为上帝的正义最初是上帝反对罪人的积极的、惩罚性的严厉措施——就是说，是在特殊的行动中。在《罗马书》(第1章第17节)里明确指出"上帝的义正在这福音上显明出来"这一点最后加重了他的困惑。于是路德作出结论，上天的要求表明它超越了对于揭示在诫条里的律法，对于内心的纯洁，对于内向的动机和意图的表面上的服从，因此恩惠本身就成了一种要求、一种强烈的请求。这样一位上帝能被人畏惧，但不能为人所爱，能让人服从，但是出于强制，却非出于愉快的自发性，而路德则感到愉快的自发性才是基督教徒服从的本质。

路德的内心斗争 在路德不能服从律法的意识之上还加上了一种伪善的感觉，这种感觉驱使他走到了伦理神学家称之为"公开的亵渎"的边缘。1545年，在一个著名的自传片断(他把这一片断作为他的全集的序言)里，他是这样描述他的感情的：

> 不管作为一名修士我的生活是多么无可指责，在上帝面前我感到自己是一个良心极为不安的罪人，我也不能相信我的苦行赎罪会使他感到高兴。我并不爱、而实际上我恨这位公正的上帝，如果不是带着公开的亵渎，至少带着严重的怨言，因为我对他感到愤怒，而我要说的是"下列的情况对上帝来说仿佛确实还不够似的，即悲惨的罪人由于原罪并由于十诫的律法而在种种灾难的压迫下会永远地消失，可是上帝还非得把接二连三的不幸加给他们，甚至根据福音要人们承受他的愤怒"。因此我怀着一颗紧张和极为激动的良心发怒了，可是在这里我依然继续敲打着保罗的门，迫不及待地渴望知道他到底是什么意思。
>
> 这样他就陷入了困境。但是当他在祈祷和冥思中探索经文，研究这些词的联系时，终于他得到了启发。
>
> 终于我开始懂得上帝的正义是这样一种正义，由于这种正义，正直的人靠上帝的恩赐也就是信仰和被动地理解的一句话"上帝

的义正在这福音上显明出来”而活着；由于这种正义，仁慈的上帝通过信仰证明它的合理，就像经上写的那样。“正直的人将靠信仰而活着。”这时我感到自己得到再生并且通过敞开的大门走进了天堂本身。

关于这一内心斗争是存在着重大争论的，但是看来可以肯定的是：路德确实有过他后来描述的这样一次危机，并且危机是像他所说的那样得到解决的。关于他的发现是否有所创新这一点人们也有争论。在古希腊周延的正义的概念和《圣经》中有关上帝的正义性的教义（这种正义性是表现在历史和人类经验领域中的一种神圣的拯救活动）之间事实上存在着深刻的区别，而路德在这一点上曾深入探索过保罗的词汇。路德在这件事上记忆的准确性而且其完整性有时也受到非难，但是一位现代天主教历史学家约瑟·洛茨的论断却是站得住的：即如果这发现不是新的，无论如何“对路德来说却是新的”。

作为神恩的灵魂拯救 如果路德不把这件事记下来，那也许有必要对诸如此类的事进行猜测以便说明为什么他赋予因信称义以新的重要性，这是在新教的新的神学结构中保留的一个重点。灵魂拯救最早是从神恩方面以及从上天的恩赐方面加以考虑的；而上帝大度的、宽恕的怜悯之心就表现在耶稣基督身上；此外受到宽恕的和洗净的良心可以得到安宁；摆脱了犯罪负担的灵魂可以以一种欢快的、自发的、创造性的服从精神侍奉上帝——以上种种在路德看来乃是福音的核心。在翻译《圣经》时路德在“因为我们看定了，人可以因信称义，不在乎遵行律法”（《罗马书》第3章第28节）这句话“信”一词的后面加上“只有”一词，因为他感到这是德语的要求。在他之后的改革者保留了“只有”或“只是”一词，因为这个词似乎能保卫这一重要的教义以反对这样一些歪曲，似乎灵魂拯救还要依靠人类的成就或作为人类功业的一种报酬。

路德的释义经验的评价 不应当把这一经验孤立起来看，因为路德还谈到了词汇的其他问题（比如“悔改”这概念），并且不能认为这对他来说是一次突变式的个人经验，就像圣奥古斯丁所曾经历过的那样，在米兰的花园里对上帝有过一次神秘的体验；或者像18世纪循道宗创始人约翰·卫斯理那样，曾在伦敦的阿尔德斯盖特街有过一次改宗基督教的经验。有关这事发生的日期，也有很多争论。路德早期讲稿的发表自然会使人们对这位年轻教师的这些早年成果进行探索。虽然早时的一种看法，认为事情一定发生在路德最初讲解《诗篇》的时候（1513～1515），已受到苛刻批判，但是路德之使用中世纪的那种往往在一个单一的正文中发现三四层意义的多面比喻手法，他之集中于一种历史意义以及以基督为中心的释义神学，这种种都使得某些学者相信，这次启发对他来说一定发生在他关于《罗马书》的讲演之前（1515～1516）。

有的事情要看人们对这一发现本身如何评价：如果它是这样一种发现，即释义是一种恩赐，人们要被动地而不是主动地理解它，那么（正如在提到奥古斯丁的《论精神与文字》时所看到的），路德便几乎没有超出奥古斯丁的框架，这大概是早期的事情；如果从另一方面来说，它是有关拯救信仰同上帝一词的关系比较成熟的发现，那么这必然是较晚时期的事情，也许是在1518～1519年。现在许多学者倾向于后面的看法，他们强调的是路德的思想如何受到启发以及如何因开始于1517年的教会斗争的强大压力而有所改变。

在年代方面的这一讨论的真正收获在于证明路德1509～1521年的整个发展时期是何等重要，以及在这整个时期中他的神学的专用词汇和范畴是处于变动之中的。确实，关于《诗篇》（1513～1515）、关于《罗马书》（1515～1516）、关于《加拉太书》（1516～1517）以及关于《希伯来书》（1517～1518）的伟大布道演说表明他的思想日益丰富和成熟。

作为布道者和管理者的路德 在这期间他的其他任务也多起来了。从1511年起他一直在他的修道院里布道，1514年他成了教区教堂的布道者。这个讲坛成了他作为牧师的长期而富有成果的布道生涯的一个中心，而在这期间，路德为普通老百姓深刻而又睿智地讲解《圣经》，把它同他们的实际生活背景联系起来。在他的修会里他成了院长，并在1515年4月成为兼管其他11个修道院的教区牧师。这样他就被卷入具体的行政管理和照管宗教事务的世界，这为他提供了宝贵的经验，使他在随后年代里获益匪浅，因为那时他的大量通信中有一大部分涉及关怀德国教会和医治贫苦人们的心灵的问题。

新成立的维滕贝格大学发现它正面临当时欧洲各大学的一次大学危机，也就是在旧的和新的大学课程之间的紧张关系中必须表明自己站在哪一方面。在路德到来之前，马丁·波利希这位在维滕贝格大学占首要地位的教授已经表明对人文主义的影响持欢迎态度，尽管他本人更加倾向于比较古老的托马斯主义。现在路德带头开办一种新的课程，内容包括用直接研究《圣经》的圣经人文主义来取代亚里士多德和经院哲学的神学家，把复活的希腊语、希伯来语和一种革新的拉丁语当作工具来使用并且把“老一代教父”（早期的教父或教师）特别是圣奥古斯丁作为教义的标准。这样一个课程大纲是路德在他的同事、比他年长的卡尔施塔特和他的年轻的朋友梅兰希顿的帮助下设计出来的。1517年2月，他写出了反对经院哲学神学家的一系列提纲，并且提出要在其他大学为这些提纲进行辩护。虽然想输出维滕贝格大学课程表的企图没有取得成功，但是在5月他仍然能写下这样的话，即至少在维滕贝格大学我们的战斗取得了胜利——我们的神学和圣奥古斯丁的神学居主导地位。但是，如果说他的这些提纲没有起什么作用，那么在同一年里他后来写的东西的命运就完全不同了。他几乎想不到这些作品竟会引起一连串事件，结果把西方基督教世界都给搅翻了。

作为改革者的路德

有关免罪的争论 *免罪的性质* 对免罪的性质和范围在中世纪晚期作出了越来越明确的规定，但仍然在教义上有不明确的因素，被称为时代的神学的一个弱点。免罪是由于罪行而受到现世的惩罚有一部分用金钱来偿付，是把苦行赎罪的实践用金钱来代替；苦行赎罪是忏悔圣礼的一个部分，忏悔圣礼则要求悔罪者的悔悟，要求神甫为他免罪，免罪以教皇的权力为依据，由他所委派的代理人来执行。很快地免罪甚至意味着上天的宽恕能够买卖，而且那些毫不悔悟或忏悔的人也可以取得上天的宽恕。在中世纪由于教皇的财政困难更加复杂，免罪的办法如此频繁使用，乃至奥格斯堡富格尔的金融商号竟不得不就教会方面有关赎罪券的谈判加以管理。

当1476年教皇西克斯图斯四世把免罪的权力扩大到炼狱中的灵魂时，人们对之有了更多的误解。诉求贪婪和恐惧，与免罪同时产生的豪奢作风和有关情况，某些赎罪券销售员往往是无耻的论调，都成了人们抱怨的对象。路德本人便曾多次在布道中反对这种滥用职权的行为，因为他的保护人选帝侯腓特烈便在维滕贝格的城堡教堂里堆积了有免罪作用的大量圣物。但是路德提出公开抗议的直接原因是腓特烈在他的土地上禁止赎罪券，但附近地区却能轻易得到。这是授予各种特权的大赦年赎罪券，表面目的是为重建罗马圣彼得大教堂。但是秘密安排却是，德国收入的一半归美因茨大主教年轻的阿尔贝特，由于他很快提升教会高级职位，须支付费用而负债累累。

《九十五条论纲》 路德对此事毫无所知，稍后才有所了解。使他最感气愤的是久已习惯于这类勾当的多米尼克会修士、赎罪券销售员约翰·台彻尔过分的要求。考虑了这些要求，路德“为了阐明真理”，起草《九十五条论纲》张贴在维滕贝格万圣教堂大门上，这是1517年10月31日的事情，正当万圣节的前夕，在万圣节，那里将有盛大的圣物展览。这些《论纲》都是试探性的意见，其中某些意见路德本人也不同意。《论纲》并不否定教皇在这件事上的特权，尽管也含蓄地批评了教皇的政策；更未抨击像炼狱的教义这样一种已经确立的学说。但是确实强调了基督教的精神的、内向的性质。《论纲》第1条便宣称基督教徒终生都在忏悔之中，第62条宣称教会的真正财富是上帝的荣耀与恩惠的至圣福音，这两条表现了作者的意图。结尾部分抨击了虚伪的和平，年轻的布道者路德常常抨击那样一部分人的“安全”，那些人把圣恩认为是可以廉价取得的某种东西而拒绝承认要作一个基督徒就要背着十字架通过磨难进入天堂。路德把这些《论纲》的印行件送给美因茨大主教和他的主教。对此印刷术的发明起了作用。印行件流传到四面八方，结果本来只是一个地方事件成了在日益广大范围内公开争论的问题。

对《九十五条论纲》的反应 感到惊讶和烦恼的美因茨大主教在1517年12月把这份文件送到罗马，要求禁止路德的请求，同时也谴责了赎罪券销售员的过分行为。其时在许多人看来，这只不过是多米尼克会和奥古斯丁会之间的又一场争吵而已。由一个名叫康拉德·维姆皮那的神学家起草的反论纲针锋相对地提出了台彻尔1518年1月底在法兰克福的多米尼克会听众面前所维护的看法。当这些反论纲的印行件于3月传到维滕贝格

时，被激怒的大学生公开焚烧掉。罗马方面教皇只是指示奥古斯丁会的代理总会长加布里埃尔·德拉·沃尔塔通过通常渠道，在当时情况下是通过施陶皮茨来处理这个不服管教的修士。路德本人则准备了一份很长的拉丁文手稿，对《九十五条论纲》作出解释，这份手稿直到1518年秋天才得以出版；这是在神学方面有一定重要性的文件，它表明从路德最初的肤浅抗议已经走出了有多远。此时，德国的奥古斯丁会于1518年4月25日在海德堡举行会议，他被解除了作为教区牧师的额外职务。在这样环境中，得到解脱，正如他的预期。朋友们的支持使他得到很大安慰，他本人也表现得坦荡大方并把两个年轻人多米尼克会的马丁·布塞尔和狄奥多尔·毕布利安德尔争取到自己方面来。

在这一时期路德的神学是一种最特别的"十字架神学"，也就是强调十字架上基督的启示的神学。按照路德的说法，"十字架神学"在世俗的智慧看来似乎是一种愚蠢的东西，是和神圣的权力与威严的自然神学相对立的，他抨击这种神学为经院哲学的"荣耀神学"。这时对他来说重要的乃是14世纪的德国神秘主义者约翰·陶勒所宣传的内向宗教和经他本人编辑和出版的一本神秘主义的小册子《德国的神学》（1516～1518）。因此在这几个月里，他十分着重地指出，基督徒需要在痛苦和诱惑中分担基督的苦难。虽然他所强调的这些东西后来退到路德发展的神学的背景之中，但对激进的宗教改革始终是重要的，《德国的神学》是激进的宗教改革的一份重要的和创新的文件。

约翰·埃克的卷入 当路德不在时，也许是灾难性的是他的年长的同事卡尔施塔特采取行动大大地扩展了这场争论的范围和公开性。因戈尔施塔特的一位学者约翰·埃克（1486～1543）卷入了这场争论。埃克是个有一点学问、极好争辩的人，和路德是通过他们共同的友人早已相识的。埃克曾为他的朋友埃赫施塔特的主教写了有关《九十五条论纲》的某些看法，而这些手稿形式的意见，所谓"疑问记号"在路德去海德堡开会之前不久传到了维滕贝格；路德本人则用一些"星号"作了回答；但是关心保卫维滕贝格纲领的卡尔施塔特提出了379条论纲展开辩论，而在发表之前又加上了26条。其中某些条使埃赫施塔特受到指责。多米尼克会继续要求对路德进行谴责，把他定为异端的活动在罗马开始慢慢地在进行。路德本人没有使情况改善，发表了一篇论判处绝罚的权力的大胆布道词，明确表示作者不会含糊地接受教皇根据某种没有充分肯定的权力所作出的决定。

奥格斯堡的会见（1518） *路德在卡耶坦面前* 教皇把路德召赴罗马的诏令送到了奥格斯堡的枢机主教卡耶坦（1468～1534）那里，卡耶坦是一位著名的托马斯主义者。但是在这一危险时刻政治致命地介入进来，在这一时期路德事件本来可以迅速地、以高压手段加以处理而不会给教会造成更大的损害，但这时渗入了政策方面的考虑。原来作为神圣罗马帝国7位选帝侯之一的腓特烈对教皇来说是至关重要的，因为选举新皇帝的日期已迫在眉睫，教皇不敢同他作对。结果是命令路德在奥格斯堡同卡耶坦进行个人会见。10月7日他带着皇家的通行证到达那里，讨论从赎罪券问题转到信仰和圣恩之间关系的问题（在诸如洗礼和圣餐之类活动中不应得的上帝恩赐），这时两位神学家之间就善行能得"财宝"——据教皇西克斯图斯四世的定义，基督已经获得这一"财宝"——的意义展开辩论，生气的枢机主教斥退路德，除非路德无条件地放弃自己的看法否则不要再来见他。

路德从奥格斯堡逃走 当路德心中不安地等待时，萨克森的地方议员听到谣言说，他要被押解到罗马去。最后他的朋友设法使他从城市的一个便门匆忙逃离。于是他便把教皇发给基督教公会议（或普世会议）的呼吁以及对他的活动的一个全面辩护写给他的国王。在这同时，卡耶坦也不失时机地向腓特烈斥责路德，使腓特烈感到为难，对路德来说，十分重要的是他和选帝侯的秘书、人文主义者格奥尔格·斯帕拉丁之间有深厚的友谊。这时维滕贝格大学的神学院也为路德上书国王，指出路德受辱使大学的命运和它的声誉也受牵连。一时间，似乎路德竟不得不离开，也许去法国或波希米亚。但这时教皇的使节卡尔·冯·米尔提茨出现了，米尔提茨对选帝侯施行"大棒和胡萝卜"的战术，时而在他面前威胁路德，时而又拿出金玫瑰来向他表示问候，金玫瑰是教皇的崇高荣誉和认许的象征。使节答应了他可能做不到的事情，路德于1519年1月在阿尔滕堡同他见面之后感觉到了这一点，开始对他有所怀疑。经卡耶坦的请求教皇给赎罪券所下的定义似乎表明，路德确实触到了关于它的某些非同小可的含混不清之处。

莱比锡的辩论（1519） *路德和埃克之间的辩论* 路德在奥格斯堡同埃克已经有过接触，夏天在莱比锡安排了一次公开辩论。这首先是埃克和卡尔施塔特之间的一次辩论，虽然埃克最后的目标是路德，但萨克森的公爵乔治（选帝侯腓特烈的堂兄弟）对宗教改革者的仇视态度给路德的参加制造了困难。最后的安排是由埃克7月底在普莱森堡的城堡轮番同维滕贝格大学的两位神学家进行辩论。起先通过小册子已有过一些较量。埃克和卡尔施塔特争论的问题是奥古斯丁的有关神恩和自由意志的教义，卡尔施塔特既不想干预赎罪券的问题，也不想干预教皇权力的问题。在初步问题中，提出了教皇权力起源的问题，于是路德在辩论前至关紧要的一些星期里转而研究教会史和教会法。有很多人从维滕贝格前来参加，辩论就在两个大学的神学家、乔治公爵和教会与国家知名人士都出席的情况下开始了。埃克发挥辩才设法把路德引向这样一个立场，在这一立场上路德不仅怀疑康斯坦茨公会议（1414～1418）的权威性，而且维护了波希米亚的宗教改革家扬·胡斯的某些主张，而胡斯是曾被康斯坦茨公会议宣布为异端并被烧死在火刑柱上的。莱比锡在德国是对波希米亚抱有强烈反感的地区，这种表白被认为是伤感情的，使埃克有理由大肆吹嘘说这次辩论是他个人的胜利。在早些时候路德在谈到辩论时说过，它不是以上帝的名义开始的，也不会以上帝的名义结束，他离开莱比锡时因埃克的巧辩而多少感到有点受挫和困惑。

路德对权威的怀疑 埃克能够带着新的威信去罗马了，这种威信使官方对路德定罪的过程增加了严厉的程度。路德不得不联系教会、宗教会议和《圣经》的权威研究他迄今的行动进一步意味着什么。他的通信表明在他对教皇权力的态度上正到达类似一次危机的地步。在辩论之后曾经有过一次小册子的交锋，这次交锋表明在德国和瑞士的人文主义者中间路德有强有力的支持者。路德本人卷入了同莱比锡各方面神学者的争论，如果现在他越来越有力和越来越激烈地用本国语写作的话，他的论辩性著作也将揭示他对于他本人和当时神学之间争端的深刻认识。两座天主教的大学即传统的据点科隆和卢万接着也责难路德的学说。但是路德主要关心的并不是论争，而他的《良好工作的讲道》（1520年6月发表）是对于因信称义的伦理含义的重要阐述。作为一个小册子，应当同路德在随后几个月里发表的有关基督教自由的更为著名的小册子联系在一起。1520年6月15日颁发教皇谕令（教皇加盖印记的命令）或"主驱逐"以反对路德学说的41款，接着就是在罗马焚烧路德的作品。受命把教皇谕令持赴德国各城市的是埃克和人文主义使节、枢机主教吉洛拉摩·阿莱安德罗（1480～1542）。

1520年宗教改革论文 埃克和阿莱安德罗惊讶地发现德国的舆论是何等迅速地转向路德一边。和前一年对他的态度完全不同，埃克在莱比锡不得不躲起来以逃避人们对他使用暴力，阿莱安德罗在激动的信件中尽力使教廷（教皇的行政机构）震惊以认识德国教会面临的严重危险。路德的友人认识到他的处境是何等危险，设法劝他不要如此激烈行事，但是这时他的行动已大大地超越他们的眼界了。按照路德本人对他自己的看法，同教会方面的全部伪善和犯罪相比，他可以说是太有节制了。这结果便是1520年夏天那些挑战的小册子。作为真正的宣言的第一个小册子，是他的《致德国基督教贵族书》，这是写给年轻皇帝查理五世治下的德国统治者、诸侯、骑士、城市居民的。它争辩说，在这一危急时刻，神的权力拒绝接受对教会的修正和德国人民对罗马（即教皇统治当局）表现的不满，世俗权力便必须加以干预并召开一个改革会议。这一文件组织得不好，写得松松散散，不够完整，但在民众各部门中引起深刻的反响，在随后的几个月里路德也被卷到全国对罗马的忿恨浪潮之中。

他的第二篇论文《有关教会巴比伦囚房的序论》是写给神职人员和学者的，是一个教会革命的文件。不可避免地使许多温和的人文主义者疏远，因为它把教会的7件圣事只归结为3件（洗礼、圣餐和忏悔），它否定弥撒并攻击变体论（即在圣餐这一圣事中面包和酒这些物质变成基督的肉体和血的教义），对教皇的权力展开激烈的攻击，坚持《圣经》至高无上的地位和个人良心的权利。第三篇是写给教皇的，它是在喧闹之后的轻微呼声，是一篇论理的次要经典之作《论基督徒的自由》，阐明因信称义的伦理含义，表明他的思想和他的公开行动始终和一贯的神学精髓相联系。1520年12月10日在维滕贝格的埃尔斯特门前学生们燃起篝火，当他们把宗教法规学者的作品投入火中时，路德把针对他本人的教皇谕令也投了进去，说了适当的诅咒："因为你败坏了上帝的真理，但愿上帝把你在火中摧毁。"

1521年1月教皇发布正式判处绝罚的谕令，虽然这是在整个德国接受谴责之前几个月的事情。就在这时，帝国议会在沃尔姆斯召开会议，在会场之外拥护和反对路德双方都进行了大量活动。最后，智者腓特烈从皇帝那里得到许诺，路德不应未加审讯便予定罪，他应当被召到议会来。这种做法激怒阿莱安德罗，他坚持认为教皇定罪便足够了，世俗当局只需执行他的命令。这也使路德的友人感到吃惊，他们极力劝他不要去议会。路德则坚定不移地决心赴会并于1521年4月启程，途中得知皇帝已下令焚烧他的作品时也没有停止前进。原来是对一个异端分子的安全拘留现在却好像成了一次胜利进军，当4月16日路德到达沃尔姆斯时，竟有德国骑士的一支马队陪送他，街道上也挤满了人，使他的敌人大为恼火。

沃尔姆斯议会和敕令(1521) *路德同议会的对抗* 1521年4月17日傍晚刚开始，路德出现在教会和国家知名人士面前，他发现他面前的年轻皇帝查理五世冷淡和怀有敌意。一堆作品放在他面前，当他被正式询问是否承认这些作品时，他的法律顾问坚持要把书名讲清。鉴于放弃信仰的严重性，路德要求给他考虑的时间，这也许是他的敌人没有料到的请求。他得到一天宽延期限，次日下午，在一个更大的大厅里，在更加拥挤的集会者面前，路德再次出现。这次人们不能不允许他作一次长篇演说。路德对他的作品作了区分；对于谕理作品他无需也不应放弃；对于他论辩中的过激之处他愿意道歉，其余作品他也不能撤回；当他进而说明缘故时，向他提出一个粗暴的要求，要他作出简单明确的回答。他用坚定不屈的语句作了回答。如果根据《圣经》或明显的理由证明他确实错了，他就撤回。否则他不能违背按上帝的意旨行事的良心。虽然现在证据表明他当时所作著名的结论："我坚持自己的立场，我只能如此。"这句话的真实性有问题，但是它至少记下了路德在一个欧洲都为之瞩目的时刻所作回答的口气。当埃克和路德高声讲话时，一时间出现了混乱，皇帝便下令中止审判。路德大踏步穿过拥挤的敌人走向自己的朋友，他举起一只手表明松了一口气并得到了胜利。

之后，就是一场外交上的交锋。显而易见，路德有强大有力的朋友；骑士里有人在响动着军刀，农民的标志也出现在街道上。路德曾夸口说，他若是愿意的话，他也许能挑起这样一场较量，连皇帝的生命也未必安全；他这样说显然是有人为他撑腰。急进的宗教改革家和社会革命家托马斯·闵采尔后来断定，如果路德放弃他的看法，愤怒的骑士是会把他杀死的。不管怎样，当他在特里尔的大主教那里受到亲切的接待时，他现在得到了他长期要求取得而未能得到的东西，好比在讲理的公正的法官面前得到一次真正的申诉。但现在他再不能作甚至次要的让步，由于宗教会议的无能为力讨论也中止了。路德正式被命令退去，他便带着自己的通行证离开了。

尽管路德在道义上取得了重大的胜利，但是他的敌人在残缺不全的议会通过了沃尔姆斯敕令仍然取得某些重大成就。敕令宣布路德为不法分子，他的著作受到查禁。这敕令使他一生蒙上阴影，束缚他的行动。还意味着他的国王，至少在一个时期，必须谨慎行事，不能公开支持他的被保护人。结果是假称受到劫持的路德被秘密地安置在爱森纳赫附近瓦尔特堡的一座有传奇色彩的城堡里。

路德在瓦尔特堡 路德在这一森林环绕的住所里一直呆到1522年3月。他化名容克格奥尔格或骑士乔治，穿着世俗服装，留起胡子并且胖了起来。缺少活动和丰盛得异乎寻常的饮食给身体带来了苦恼，另一方面，在他的思想里，对几个月来的危机进行了反省，对他认为重大诱惑的那种极度压抑的时期产生了激烈的反应。但是他决不是无所事事的。他完成了《尊主颂》(祈祷书中基督的母亲马利亚之歌)的完美注解，还为在弥撒中讲解使徒书和福音书的布道词编纂了一个汇编本，他认为这也许是他写得最好的著作。虽然不能出版书籍，但是他还是写出了他的最出色的论辩性文章《对卢万大学神学院成员拉托穆斯的论证的反驳》，这篇文章对释义进行了光辉的阐述。在所有工作中最重要的是，他开始从希腊原文把《新约》译成德文。他并不认为这样的工作应当由一个人来做，不久他便要他的同事，特别是梅兰希顿参加这一工作。路德是一个有管理才能的人物，他们译成的《新约》(1522年9月出版)如同后来从希伯来语译出的《旧约》出版(1534)一样，是一件不朽的工作，它对德国人民的语言、生活和宗教具有深刻和永恒的影响。现在他必须处理由于他的反抗行动引起的某些实际问题。私人弥撒、教士独身、宗教誓愿并非理论问题，但是这些都牵涉到法律、财政和礼拜仪式有关事务。他就这些问题直率地写出自己的看法，斯帕拉没有办法阻止它们出版，在维滕贝格情况越来越困难，由于各种理由，国王、大学和教堂教士会都渴望事情慢慢进行。

维滕贝格的骚动(1521～1522) *激进的改革* 但是城镇和大学的活跃分子却决心全力向前推进，1521年10月初在街上和教堂里都出现了暴力场面。路德在12月初秘密看望他的朋友时对此并不感到惊讶，正是由于他的影响使得奥古斯丁会修士可在新的一年里作出决定，凡是愿意的都可以还俗。这时出现了两位激进的领导者，一个是无可改变的动乱制造者卡尔施塔特，另一个是热情奔放、能言善道的奥古斯丁会修士加布里埃尔·茨维灵。当卡尔施塔特宣布他和一个16岁的女孩子订婚，穿着俗人的服装在圣诞节主持两种圣餐式(面包和酒)，在一篇激烈的小册子里攻击圣像，在无数的文章里斥责誓愿和弥撒并且要求举行本国礼拜仪式的时候，显而易见这里的纲领无论在时机方面还是在方法方面都和路德的不同。而且，它对《圣经》的诉求是墨守法规的，对路德来说原是基督徒自由选择范围内的事却成了必然的事。在这新的一年里，镇议会发布了一项值得注意、起有开拓作用的文告，对宗教、公共道德和穷人救济工作作了调整，这一文件在很大程度上要归功于路德的学说，有些也许是出于卡尔施塔特的倡议。1521年年底由于号称茨维考的先知们的到来，混乱的情况更为严重，这些人是来自茨维考镇的活跃的激进派，他们以深入人心的方式谈到他们通过作梦和幻象得来的启示，宣称世界的末日临近了，所有的神甫都将被杀死。焦急而无计可施的梅兰希顿急忙写信给路德要他想办法，路德向他提出了明智、镇定的意见。

平衡改革的恢复 在随后的月份里局势更为恶化，1522年3月路德返回维滕贝格，在他给他国王的一封理应是著名的信里说明了他所以不服从指示的理由。继而他特意地再次穿上奥古斯丁会修士的服装，在他的镇上的教堂里布道，在一系列强有力的布道中恢复了宗教改革的平衡。在这些重要的发言中，路德的保守主义和激进的宗教改革方式之间的分歧趋于明朗。路德对使用暴力表示悲痛，因为上帝的话才是改革的动因。他认为叛乱必然会造成破坏并使无辜者流血；真正的崇拜对象是在人们心里，如果人们的心变了，教堂墙壁上的圣像也就必然没有用了。再者改革的步伐还必须考虑到那些还没有改宗的、比较软弱的弟兄们。从这时起路德便在两条战线上作战，既反对天主教徒，也反对他笼统地称为"狂信派"的那些人。维滕贝格危机的一个后果是放慢了实际改革的步伐，虽然他实施了一种改革的仪式(或"弥撒式"，1523)，但是直到1526年他才提出了本国的礼拜仪式(或"德意志弥撒")。在整个德国，福音派的运动继续发展，显而易见沃尔姆斯敕令并未到处施行。1522到1523年纽伦堡议会便拒绝镇压福音派教士，要求召开全国性的宗教改革会议；虽然在随后一年里天主教的压力加强了，但议会再次强烈要求召开一次宗教会议，并且只同意"尽可能"推行敕令。

农民战争 *激进改革派的活动* 在路德去沃尔姆斯来回途中，明显的社会和政治动荡使他惊惶不安。其后数月他发表了公开信，警告萨克森的统治者和诸如施特拉斯堡这样一些城市的议会，要他们注意激进的学说将激起革命的危险。1523年他在一篇重要的论文《论世俗政府》中阐述了他对于世俗政府的观点，在文章里他坚定地叙述基督教诸侯的义务和世俗政府在上帝为人类所安排的事物中的地位；他在神的和世俗的政府两个王国之间作了区分，其中只有上帝一种统治；他强调公民服从的义务和反对合法当局的罪恶性。

在萨克森，激进的宣教者为他们非宗教的统治者提出了一个问题。在奥拉明德，曾经在维滕贝格受到谴责的卡尔施塔特使人们转而信奉他本人提出的神秘寂静教。路德应国王的请求在这一地区巡回布道，但是遭到敌视和嘲笑。路德本人对于高利贷这样的社会弊端是持反对态度的，但是在爱森纳赫，暴躁的宣教士雅科布·施特劳斯却领导展开了一场反高利贷和什一税的激烈运动。最可怕的是在阿尔施泰特这个小镇，一位放荡不羁的天才人物托马斯·闵采尔把他自己独出心裁的礼拜仪式的改革和一个圣战的纲领结合到一起。闵采尔本人先前是一个"马丁派"(即马丁·路德的追随者),他不仅具有卡尔施塔特那样的对神秘主义的热情,并且加上了爆炸性因素(也许是受胡斯学说的影响),这更加深了路德的极大恐惧情绪。闵采尔发出革命的威胁并宣称上帝将使世界摆脱它的羞耻。路德的警告和事件本身迫使统治者采取行动:1524年夏天闵采尔跑掉了,卡尔施塔特也被放逐。闵采尔在一个小册子里写道,路德只不过是一个"既宿娼又饮酒"的无耻修士,称他为"说谎博士"。卡尔施塔特也写了一系列的小册子攻击他先前的同事,就中特别指责他亲自参加圣餐式。路德在一篇深刻和具有威力的论文《在圣像和圣礼问题上反对上天的先知》来答复。他宣称,激进的宗教改革家追求的是荣誉和光荣,而不是拯救人们的灵魂。

路德对农民战争的反应 1524年夏天在黑森林地区爆发农民战争。他们的纲领动机不一。他们要求的是具体的中世纪的自由,和狩猎法、森林法、什一税有关。他们有人援引天主教的教义,另一些人援引茨温利和路德的神学,因为路德树立了成功地反抗当局的榜样,根本不尊重权贵,他们有关基督教的自由和全体信徒分享教职的学说较之他在两个王国之间所作的微妙的区分更加明白易懂。因此无论路德受到理解还是受到误解都不能不考虑他在农民战争中的影响。有些持温和立场的农民把路德列入可能的仲裁人之中。他本人在1525年5月发表了《告诫自由》,对士瓦本农民所提《十二条》进行分析,他同情正当的抱怨,批评了诸侯,但反对所称基督徒造反的提法:"我的亲爱的朋友们,基督徒并不是多到可以集合起来成为一群暴徒。"路德还声称,没有人与人之间不平等,世俗王国就不能存在。

1525年春天,图林根的农民在托马斯·闵采尔等人的领导下发动起义,立即有所向披靡之势。面临迫在眉睫的政治混乱,路德写了一篇严厉、刻毒的大张传单《反对杀人越货的农民草贼》。这篇文字虽然比不上闵采尔的歇斯底里的宣言那样激烈,但也是够糟糕的了。看来这像是他有关《十二条》的温和小册子的一个附录。这些在农民取得最大成功时写的话,和在他们1525年5月15日弗兰肯豪森之战中溃败接着受到血腥报复之后所写的话是很不一样的。路德不肯让步,也不想重新得到失去的名望,无论在那之后还是在任何时候人们都不能指责他在统治者面前卑躬屈膝。这些表现了路德的典型性格。由于过去他曾拒绝成为骑士的工具,所以他也从未"接受"农民的事业。但是他坚定了许多农民倾向于激进思想的信念,这种激进思想很快在再洗礼派运动中找到比较和平的一致。

分水岭的一年(1525) *路德和伊拉斯谟* 从别方面来说,1525年也是路德生涯中分水岭的一年。1525年6月在农民战争的最高潮时期,他和先前的修女凯瑟琳娜·冯·博拉结了婚。他确实需要有人照顾,她表明是一位出色的妻子和能干的女实业家。他的家庭对他来说有重要意义,是他的基督教使命的一个象征,因此他把家庭生活包括在基督徒生存于这个世界的3个等级(或"万物的等级")之中,其他两个等级是政治生活和教会生活。就在这同一年,他和伟大的人文主义者伊拉斯谟公开决裂了。两个人之间的分歧很久以来便已明显,伊拉斯谟在路德身上看到了他一直不喜欢的那种人,即性情刚烈、固执己见的托钵神学家,对于他看到的宗教改革也越来越不喜欢了。尽管如此,两个人有同样的一批仰慕者和朋友,他们都不愿参加争论。伊拉斯谟在他的《论自由意志》(1524)里攻击路德被奴役的意志的教义,激起路德在《论意志的束缚》(1525)中对它作了响亮的答复。这虽是一篇片面的、激烈的论文,仍然包含有经过充分论证的深刻思想。智者腓特烈是在那一年去世的。两人只见过一面,但路德应感谢这位国王的地方很多。新的统治者选帝侯约翰和他的继承者约翰·腓特烈都是真诚支持路德的,他们和其他诸侯,特别是黑森的方伯菲利普和勃兰登堡的阿尔贝特一道在帝国议会里组成了一个团结一致的集体。

施派尔议会 查理五世对改革者的敌视态度和他对天主教信仰的忠诚从来没有改变过,但是他必须考虑政治上的迫切需要,他同教皇与法国国王的争端,以及为反对土耳其人而需要支持。1526年在施派尔议会上,沃尔姆斯敕令被搁置起来,待一次全国性的宗教会议再作决定。在这期间作出规定,各诸侯必须按他对上帝和皇帝能承担的责任来行动。路德申明人们已不再有畏惧和纪律,每个人都是随心所欲地行事。结果人们有可能计划把萨克森教会重新组织起来,法学家和神学家进行了一次视察(1527～1528)。某些学者已经看到梅兰希顿的《视察指导》(1528)和路德的评论——从评论人们可以看出他对于世俗当局干预宗教事务的不信任——之间的一种紧张关系;虽然路德完全同意福音派"地方教会"的发展,但那里有路德宗教义的这样一些方面,模糊了而不是反映了路德的神学特点。在1529年第二届施派尔议会上,重新恢复的天主教的压力使得先前的让步发生了逆转,从而引起了福音派诸侯和一些城市的抗议,抗议第一次使他们取得了抗罗宗或抗议宗(基督教新教)的名称。

有关圣餐的争论 *改革者中间教义的分歧* 有关圣餐的教义上的分歧分裂了福音派的共同战线。虽然所有改革派都拒绝接受弥撒的圣餐,但在基督是否存在于圣餐之中的问题上他们之间有深刻的分歧。路德拘守《圣经》词句,坚持认为基督的话"这是我的身体"必须照字面解释,因为譬喻并不能用来解释《圣经》,除非从上下文来看很明显需要这样做。卡尔施塔特的异想天开的论证(他说"这"这个词指的不是面包和酒而是基督的肉体)很快就被放弃了。但茨温利的看法却得到不少人的赞同,他说这里的"是"一词必须被理解为"意味着",他的博学的朋友、人文主义者约翰·奥科兰帕迪乌斯也为基督的存在从早期教父的著作中找到了依据,强调指出2世纪的德尔图良的看法:"身体"意味着"身体的标志"。这样看来,最初的辩论是就解释的原则,就惯例的用词而展开的,不过《圣经》的论证却转向到是不是符合《约翰福音》的问题(例如《约翰福音》第6章,第54节:"吃我肉喝我血的人就有永生。")

辩论变成了有关基督学(即基督的教义)的复杂问题。茨温利坚持区分基督的两种性质,在一个地方的乃是一个人的身体的属性,所以基督的人体不在这里而是在天上。另一方面,路德则强调作为调解者的耶稣基督这一个人的不可分的统一性。他并没有深入探讨有关"普遍存在"或无所不在的玄学教义(其他路德派发展了这一教义),只是坚持认为只要基督愿意他就可以在任何地方现身,我们不应想像他在天上就"像鹳鸟在巢里"那样。马丁·布塞尔和施特拉斯堡神学家同意瑞士人的比较积极的意见,布塞尔则用早期教父的实在论的语言支持基督的真正存在。路德的论文《基督的这句话"这是我的身体"仍然坚定地反对狂信者》(1527)表明在进行争论的3年里他并没有后退一步。茨温利的拉丁语小册子《友好的注解》(1527)远不是像标题所说那样友好,这使得路德十分愤怒,便回敬了一篇《最后晚餐的忏悔》(1528)。这篇文章使布塞尔深信他误解了路德,路德所说的并不是一种地方性的、受到局限的存在;从这时起,他便加紧了他那虽然尴尬却还是善意的和解企图。

马尔堡会谈和奥格斯堡议会 一个共同战线在政治上的好处是显而易见的,尤其对于易受责难的茨温利和黑森的方伯菲利普是如此。于是邀请双方的神学家于1529年10月在马尔堡举行私下里的会谈。路德一开头便指出,在他看来,茨温利对福音并不很理解。当茨温利问是不是允许一个基督徒问一下基督如何存在于最后晚餐的面包和酒里时,路德回答说,如果基督命令他吃酸苹果和粪,他也会照办,因为这是命令。在3天的辩论之后,在圣餐问题上并没有取得一致,但由于许多误解被清除,气氛变得明朗些了。如果说会谈失败了,在其他一些问题上却达成了协议,如果不是即将召开的帝国议会使得维滕贝格的神学家们离开这个瑞士人的话,这些协议也会是有成果的。作为一个被宣布为非法的人,路德不能参加决定命运的这次奥格斯堡议会,不得不烦躁不安地留在科堡的城堡里,把传播福音的事委托给梅兰希顿;梅兰希顿工作十分出色,他拟订的《奥格斯堡信纲》(1530年)是宗教改革的伟大文件之一,又是路德宗的标准教规。

路德利用他的影响加强了选帝侯对妥协的反对态度,尽管从这个时候起他不能不同意政治方面的新教活动,因为它通过施马尔卡尔登同盟而日益有了军事的形式。同盟是新教诸侯为准备对天主教的进攻进行武装抵抗而成立的。但是政治形势再次迅速发生了变化,面临着土耳其的进攻的皇帝同意通过纽伦堡宗教和约(1532)和新教徒休战。这是一段宝贵的喘息时期,从路德后来年代的作品来看,它的效果是显而易见的。现在路德越来越多地把事情交给梅兰希顿去办了。反对者想拆散两人之间的友谊。谈到这件事时路德说,如果梅兰希顿自己愿意被他们的敌人争取过去,"他能够很容易成为枢机主教并有妻子儿女"。

路德宗教主义的发展(1530～1546) *梅兰希顿的领导* 在圣餐协定——通过这一协定南部德国人在最后晚餐问题上达成协议——中,路德默认胜利的布塞尔在1536年同梅兰希顿和解(维滕贝格协约),不过布塞尔不能扩大协定并使瑞士人参加进来。当亨利八世派出英国使团前来讨论参加施马尔卡尔登同盟的问题时,起草神学议程(维滕贝格条款,1535)的就是梅兰希顿,议程附有关于释义的模棱两可的声明,但关于这一声明路德写道:"这十分符合我们的学说。"但是当路德认为关于教皇梅兰希顿写得口气过于和缓时,他就不愿学梅兰希顿的样子了,因此在教皇的宗教会议临近时他起草了他自己的不妥协的《施马尔卡尔登条款》(1537)。

梅兰希顿在教育方面的伟大著作给他在德国争得了导师之名,但是路德在教育方面也是一位重要人物。关于需要学校他写给德国议员们的公开信(1524)以及他已经出版的布道演说《论要使儿童上学》(1530)表明他对教育的关心何等明智和富有远见。他本人写了两部重要的教理问答的文献、文辞优美的《小教理问答》和《大教理问答》(1529),对象是教师和牧师。

在维滕贝格,路德有几位能干的同事:优斯图斯·乔纳斯、约翰内斯·布根哈根、菲利克斯·克里兹扎克(克路齐格尔)。他的门徒和朋友在许多城市里宣扬福音的教义,这是路德宗的教会生活方式。路德虽然不以礼拜仪式的专家而知名,但是他也提供了礼拜的规则,由此派生出其他许多教会规则。在西方的基督教世界里到处都感觉到路德著作的影响。路德宗教会在斯堪的纳维亚植根最深并处于完全的优势地位,在奥地利和匈牙利地区也有深刻的影响。路德了解赞美诗的重要性,鼓励他的朋友写赞美诗。他写了20首优美的赞美诗,其中4首被收入他的第一部新教赞美诗集(1524)之中。著名的《我们的上帝是一座坚强的堡垒》在欧洲历史上几乎成了一件大事。在他一生的最后10年,约翰·卡尔文(1509～1564)在瑞士是一位正在上升的天才人物,不过路德同他的个人接触是很少的。他继续猛烈攻击狂信者,狂信者这时在再洗礼派之外还包括诸如卡斯帕尔·施文克菲尔特——试图调和不同集团的一位改革者——这样一部分激进派。虽然路德始终保持他这样一个观点,即错误只有通过福音才能得到克服,但是他还是接受了再洗礼派的惩罚。

黑森的菲利普事件 1540年布塞尔和梅兰希顿带头默认黑森的菲利普的重婚,路德和这事也有关系,如果他愿意,他本来是能够加以制止的。如果搞一个情妇,菲利普本来可以容易地对他那无可救药的好色加以补救,但他拒绝这样做,他犯罪的良心使他不能参加圣礼。实在没有办法的办法,作为一种还不那么坏的事情,是暗中允许他娶第二个妻子。当事情已为大家知道时,路德生气地威胁说要把整个事件公开出来。他本人决不想降低道德标准,因此在以后的年代他恫吓说他要离开维滕贝格,因为这里的公共道德对如此长期受到福音教育的城市是一种耻辱。在1537年得了一场重病之后,他成了一个几乎是长期带病的人,过早地衰老,很少有感到舒服的时候,往往处于病痛之中,于是在讲解完了《创世记》之后他的布道活动便结束了。在他一生的最后10年里,他不得不亲眼目睹通过准备特伦托宗教会议(1545～1563)和天主教军事力量日益加强的威胁而表现出来的教皇统治的恢复,他认为他受到了致命的伤害。他的最后一篇出色的论争性论文是《论宗教会议与教会》(1539)。在他晚年的作品《反再洗礼派》、《反犹太人》、《反罗马教皇统治》、《由魔鬼建立》中,最激烈的是最后一篇,粗鲁、愤慨,仍然是挑战性的。

路德最后的活动 1546年年初,路德应邀去艾斯莱本调解两位傲慢的年轻诸侯曼斯菲尔德的阿尔布雷希特伯爵与盖布哈德伯爵之间的争端。他年老有病,但他们却是他的"当局",是他不能不服从的。他在下雪的冬天启程,留下他那因焦虑不安而发呆的妻子。他给她的信逗她开心、安慰她、最后谈到使命圆满完成。但是他劳累过度了,几小时后冰冷的死亡降临他的头上。他于1546年2月18日在艾斯莱本去世,这也是他出生的地方,他的遗体就葬在威登堡万圣教堂。由对他十分了解的布根哈根和梅兰希顿所致的伟大悼词并不单纯是一般的颂词。他们要证明的是,他的知心朋友把他看成是一位真正伟大的人,挺立在教会的先知和博士的历史行列里,通过他的一生和见证,上帝的福音已经发出,它正在战胜,并将战胜。

作为神学家的路德

路德有如梅兰希顿或卡尔文,不是一个自成体系的人,然而在他去世后路德宗神学家之间的论争——各人诉诸他的思想的一个方面——却证明路德本人的学说的广大、连贯性和微妙的平衡。他的神学的基础是《圣经》;他本人的和奥古斯丁的思想之间的区别是重要的,在对他的思想发生影响的事物中仅次于《圣经》的必然是奥古斯丁。对他来说灵魂拯救的教义是首要的,在这里重要的是福音与信仰这两个伟大的、多面的、复杂的概念。他那往往是微妙的有关公民服从的教义并不总是为他后来的信徒所理解,而德国历史中非神学的因素保存了、并且在某种程度上甚至歪曲了这种误解。他的有关基督徒在这个世界的使命以及有关人的生活在这个世界上的重要性的教义已经成为一般新教和清教徒遗产的一部分。在其他问题上——给予基督教自由活动余地,他的有关律法在基督教生活中的作用的概念以及他之坚持基督在圣餐中真正存在——他的神学有别于出现在归正宗(长老宗)教会、清教主义和诸如再洗礼派等宗派的模式。

Luther v. Borden 卢瑟诉鲍登案(1849) 美国最高法院因1842年罗得岛发生称为多尔暴乱的冲突而作出的决定。1842年春,罗得岛有两个州长和两个立法机关。一个政府要把严格限制选举权的旧殖民地宪章保留为州宪法。另一个由T.W.多尔领导的、给予白种男公民选举权的政府控制了罗得岛的西北部。多尔政府最后诉诸军事行动,但未能占领该州的军火库。这时,较保守的政府宣布实行军事管制。这场冲突的诉讼案提到最高法院。法院回避哪一个州政府合法这一问题。但首席法官R.B.塔尼明确宣称:面对暴乱的执政的州当局(保守的政府),在法律上有权实施军事管制。

Lutheran 信义宗信徒 参阅**Lutheranism** 信义宗。

Lutheran Church in America(LCA) **美国信义会** 北美信义宗教会,1988年与信义宗另外两个教会合并成为*美国福音信义会*(**Evangelical Lutheran Church in America**)。

Lutheran Church in Württemberg 符腾堡信义会 1534年德国宗教改革运动期间成立于符腾堡公国的独立信义宗教会。第一次世界大战后德国改建共和,该教会与政权脱离关系。1933～1945年纳粹统治德国期间,该教会坚持独立,有效地抵制政府的控制。该教会参加德国福音会(由信义会、归正会和归正信义合一会合并而成)。

Lutheran Church-Missouri Synod 信义会密苏里大会 美国基督教信义宗保守派教会,1847年由自德国萨克森州迁居密苏里州与自巴伐利亚迁居密歇根和印第安纳州的移民成立于芝加哥,初名密苏里、俄亥俄和其他各州德裔福音信义会大会。在德国受神职的牧师、神学院教授沃尔特先后自1847～1850、1864～1878年任该会主席。该会积极兴办教育,传播福音,合并同宗教会和大会,在港口城市接待新来德裔移民并引导他们入会,因而发展迅速。1917年取消会名中的"德裔"字样,1947年采用现名。1967年与美利坚信义会、美国信义会和福音信义会大会(1971年加入密苏里大会)一起组成协作性机构美利坚合众国信义协进会。1969年,保守派人士重新控制决策职位,自此密苏里大会内部发生分歧,结果,1974年大批师生脱离该会所设立的康科迪亚神学院,两年后10万脱离密苏里大会的信徒组成福音信义会协进会。争论的问题是基督教会的自主权与大会的权威,其次是传教事业的性质。而且,新成立的协进会这一派按立妇女为神职人员,密苏里大会则反对。1982年协进会与另外两个信义宗派别筹划,在1988年组成美国福音信义会。

Lutheran Church of Oldenburg 奥尔登堡信义会 德国奥尔登堡的信义宗独立教会。在宗教改革运动中,拥护路德信仰的牧师们控制了奥尔登堡。1573年通过了教会管理章程和信义宗各项信纲。在第一次世界大战结束(1918)、德意志共和国成立之前,该教会一直受本州世俗首脑管辖。1918年以后,该教会脱离政府管辖,教会行政制度改革。在纳粹时代(1933～1945),该教会力图抗拒世俗政府的控制,第二次世界大战结束后,该教会经历了更新时期。该教会的首脑是主教,地区会众的首脑是监督。该教会参加世界信义会联合会和德国福音会,但没有参加德国联合福音信义会。

Lutheran Council in the United States of America(LCUSA) **美利坚合众国信义协进会** 美国基督教信义宗组织。为4个信义会组织的合作机构,代表美国全体信义宗信徒的95%。该会成立于1967年,其前身为全国信义协进会。参加美利坚合众国信义协进会的有美国信义会、美利坚信义会、信义会密苏里大会和福音信义会大会。1977年信义会密苏里大会退出协进会。

Lutheran Synodical Conference **信义会联合会** 美国几个具有保守倾向的信义宗组织1872年组成的合作机构。各成员组织严格遵守关于《圣经》和信义宗各项信纲的保守解释。1963年威斯康星州信义会大会和福音信义会大会(前称挪威裔信义会大会)退出联合会,仅余信义会密苏里大会和势力较小的福音信义会大会尚属这个联合会。1967年美利坚合众国信义协进会成立,信义会联合会解散。

Lutheran World Federation(LWF) **世界信义会联合会** 基督教信义宗的国际合作机构。1947年成立于瑞典隆德。是自由协进组织,代表信徒5 500万以上。联合会成立伊始即积极从事救济第二次世界大战中流离失所人员以及其他不幸者。联合会负责国外传教、社会福利和教育事业。自成立以来,间隔5～7年由主席召开一次世界大会。主席和执行委员会成员由大会选举产生。执行委员会每年召开一次会议,负责选举作为该联合会专职人员的秘书长。总部设在日内瓦。

Lutheranism **信义宗** 又译路德主义。西方基督教中宗奉马丁·路德宗教理论的一支,既反对天主教,也反对加尔文派、安立甘宗和宗教改革运动时期的派别。信义宗各教会往往自称福音派以区别于归正宗,但这种区分并未一贯严格遵守。要想界定或理解信义宗,必须对路德的个人经历和他对《圣经》的研究有所了解。路德于1517年发表为辩驳赎罪券而撰的著名的《九十五条论纲》,并抨击中世纪晚期西方教会的神学及圣礼仪式。1521年路德受绝罚,他的门徒接受"路德派"的称呼,这有违路德的意愿,而且名称本身常带有嘲弄意味和派别意识。此后,路德派运动由维滕贝格大学扩展,经大半个德国而达到斯堪的纳维亚半岛,在那里成为国定教会。到16世纪末及17世纪,路德时期的神学活力被严峻的正统主义所取代。但这种情势反而引发了虔敬派的反应,他们主张在正确的教义外必须还有活的信仰,因此除了崇拜仪礼之外,鼓励从事传教和慈善工作。18世纪的信义宗受到理性主义的影响。在19世纪里,正统主义被重新提出,丹麦籍主教兼诗人格伦特维为此说的重要提倡者。另一个丹麦人克尔恺郭尔,以高度个人化的哲学观点,批判正统主义与国家教会,他的哲学日后成为存在主义的基础。最早来到美国,定居于新尼德兰及新瑞典(特拉华河畔)的移民中有许多是信义宗信徒,此后的信义宗信徒为德国移民,大多定居于现在的中段大西洋岸各州、谢南多厄河谷、佐治亚及新斯科舍。由于大多数的美国新教信徒为归正宗,再加上地理和语言上有些隔阂,信义宗在美国早期的政治和宗教观念的形成上并未起重要作用。它在美国国土上的扩展得力于向西部边疆拓殖的移民,以及19世纪与20世纪初期大量的德国、挪威、瑞典、丹麦和芬兰移民。这些移民中有许多定居于中西部,稍后又往更远的西部推进。由于移民具有欧洲不同的语言与习俗,于是依照原来的民族组成派别。由于长期的语言和种族障碍,使信义宗的统一迟至20世纪中期这些障碍消除、内部联系加速后才完成。信义宗的教义通常包括9项独立的文献,合称《协议书》。其中3项为早期基督教会所有的《使徒信经》、西派形式的《尼西亚信经》以及所谓的《亚大纳西信经》。6项为16世纪宗教改革运动的产物——《奥格斯堡信纲》、《奥格斯堡信纲辩》、《施马尔卡尔登条款》、路德的两本《教理问答》及《协议书》。9项中只有3篇早期的信经和《奥格斯堡信纲》为所有的信义宗信徒所承认。路德的《教理问答》几乎已普遍地被接纳,但有许多信义宗教会因《协议书》的教理条目严格和烦琐而予以摒弃。虽然信义宗内部自1530年的《奥格斯堡信纲》以来在许多问题的意见上有所分歧,但一般认为,《奥格斯堡信纲》和路德的《小教理问答》在教理上界定了信义宗。信义宗是非天主教和非东正教的基督教各派中年代最久、人数最多的一支。它在地理分布上曾特别集中于北欧、西欧和德国人与斯堪的纳维亚人所居住的年轻的国家。在瑞士、低地国家与苏格兰这些以归正宗为主的国家中,它的势力较弱,在以安立甘宗为主的英帝国和英联邦中也居次要地位。由于早期欧洲大陆各传教会以及后来信义宗一些派别的不懈努力,信义宗在海外传教和扶植新教会方面有可观的发展。信义宗没有世界性的总部,但全世界大多数信义宗信徒与设在日内瓦的世界信义会联合会保持合作。

Lutherbourg, Philip James de (Romantic painter) 参阅 **Loutherbourg, Philip James de** 卢泰尔堡。

lutite **泥质岩** 又称泥屑岩。由黏土级或粉砂级颗粒(直径小于0.063毫米)组成的各种细粒沉积岩。这些造岩物质主要来自非海相(陆相)岩石。纹层状的和易裂成薄层的泥质岩称为页岩;主要由黏土级颗粒(直径小于0.003 9毫米)组成的不易劈裂的泥质岩称为黏土岩;主要由粉砂级颗粒组成的泥质岩称为粉砂岩;由混合组分组成的泥质岩有时称为泥岩。但是这个名称不确切,泥质岩、黏土岩、泥岩、粉砂岩和页岩等名称在使用时有部分重叠。

Luton **卢顿** 英格兰贝德福德地理、历史郡一个城镇和自治市。面积43平方千米。位于M1公路东侧,伦敦西北48千米处。素以生产草帽闻名。现为汽车工业城市。建有国际机场。人口约183 300(1998)。

Lutosławski, Witold **卢托斯瓦夫斯基** (1913-01-25,华沙～1994-02-07,华沙) 20世纪杰出的波兰作曲家。曾在华沙音乐学院学习理论和作曲,并在华沙大学学习数学,后来在波兰音乐生活中起了积极作用。早期作品风格保守,基本上遵循传统的西方调性体系,有时使用波兰民间曲调为创作素材。《交响变奏曲》(1938)和两架钢琴的《帕格尼尼主题变奏曲》(1941)显示他早期受传统曲式的影响。他自称他为弦乐队所写的《葬礼音乐》(1958)标志着他的风格转变。该曲是为纪念匈牙利作曲家巴尔托克而作,运用12音技巧,得到联合国教科文组织国际作曲家论坛的重视。在为1961年威尼斯音乐节所写的《威尼斯竞技会》中,他第一次把偶然音乐手法与传统效果相结合,曲中采用了非线谱的、以视觉提示的记谱法来引导演奏者进行各种即兴表演。他的管弦乐作品最有名,其他有钢琴乐曲、儿童歌曲、合唱曲和一首弦乐四重奏(1964)。《管弦乐队协奏曲》发表后不久,1955年受到政府奖励。后期作品尚有《第二交响曲》(1967)、《大提琴与管弦乐队协奏曲》(1970)、《13件弦乐器的前奏曲与赋格曲》(1972)和《新事曲》(1979)。

Lutsk **卢茨克** 又拼Łuck。乌克兰沃伦州城市和首府。地处斯特尔河弯曲处,有天然屏障。是一座古城,原隶属立陶宛-波兰,18世纪末叶并入俄国。1919～1939年曾再次归属波兰。旧城有14世纪柳巴尔特城堡等古建筑和3座16～18世纪的寺院。现为工业中心,有科学仪器制造、食品业和其他轻工业。20世纪70年代后期建成一座汽车制造厂,生产"沃伦扬卡"牌汽车。设有师范学院和医科学校。人口约217 900(1998)。

Luttelton, Sir Thomas 参阅 **Littleton, Sir Thomas** 利特尔顿。

Lüttich(city, Belgium) **吕蒂希** 参阅 **Liège** 列日。

Lutuli, Albert (John Mvumbi) **卢图利** (1898,罗得西亚～1967-07-21,南非斯坦杰) 祖鲁族首长、导师和宗教领袖,南非非洲人国民大会主席(1952～1960)。第一个获得诺贝尔和平奖(1960)的非洲人。他毕业于美国教

美国不列颠百科全书公司供图

会办的师范学院，是最早3个非洲籍教员之一。1936年当选格劳特维尔5 000人部落酋长。1946年，在一次非洲矿工罢工中，遭到镇压造成死8人伤近千人大惨案时，又被选入土著代表会议(咨询机构)。1948年应美国基督教公理会邀请访美，回国时，南非国民党刚上台，执行种族隔离政策。值此时刻，他当选为纳塔尔省非洲人国民大会主席。1952年该会联合南非印度人大会发起反抗非正义法律运动，8 500名男女自愿入狱。他被罢黜酋长职。同年非洲人国民大会选他为主席，嗣后他持续作反种族歧视宣传，虽经多次迫害从不屈服。1956年12月与其他155人一起被捕，被控叛国，次年获释。由于他持久进行反种族歧视的正义运动和对广大人民的精神影响，引起国际上的重视，被提名为诺贝尔和平奖的获得者。1957年卢图利号召"留在家罢工"，群起响应，白人也参加由他召开的群众大会。1960年沙佩维尔群众为抗议通行证法举行示威，遭到镇压，他呼吁全国哀悼，并烧掉自己的通行证。政府取缔非洲人国民大会和泛非主义者大会。1961年获准去奥斯陆领受诺贝尔奖金。回国后，撰写自传。1967年7月21日，在住处附近步行通过交叉线时被火车撞死。著有《让我的人民前进》(1962)一书。

Lutyens, Sir Edwin (Landseer)　勒琴斯(1869-03-29，伦敦～1944-01-01，伦敦)　英国建筑师。以在传统建筑设计中才华出众与别出心裁而闻名，尤其以其新德里规划及总督府设计著称。在伦敦皇家艺术学院学成后，在一建筑事务所工作，不久即离职自行开业。他早期作品中吸取当地的传统形式，后来结识著名园林设计师G.杰凯尔，杰凯尔教给他"意图明确与效果直接"的设计方法(这是杰凯尔从J.罗斯金那里学来的)，从此他的设计风格发生了变化。1896年在芒斯特德·伍德住宅设计中显示出他的才能而声誉鹊起。接着又设计了一系列精美的乡间住宅，将过去的各种风格应用于当代的居住建筑中。1910年左右，他的设计重点转向大型公共工程。1912年受聘作印度新首都新德里的规划。在他的规划中有一条中央大道和若干条放射状道路，并具有田园城市的图式，以宽阔的道路将一系列六角形的街区分隔。总督府的设计为古典风格与印度装饰相结合的产物。

Lützen, Battle of　吕岑战役(1632-11-16)　三十年战争中一次战役，瑞典国王古斯塔夫二世在这次战斗中丧生。瑞典人进行这次战役是为了协助北德盟友，对抗神圣罗马皇帝斐迪南二世的军队。古斯塔夫和萨克森-魏玛的伯恩哈德得知神圣罗马帝国司令华伦斯坦已派巴本海姆率军一部执行另一任务，就在萨克森的吕岑之外，向华伦斯坦挑战。浓雾推迟了瑞典人的进攻，虽然率领骑兵回来的巴本海姆受重伤，华伦斯坦的军队依然获胜。但是，在瑞典国王阵亡后，伯恩哈德担任军队统帅，扭转了全线的局势，并缴获了帝国所有的大炮。巴本海姆步兵的到来，才使华伦斯坦有序地退却。

Lützow, Adolf, Freiherr von　吕措(1782-05-18，柏林～1834-12-06，柏林)　普鲁士陆军少将，拿破仑战争期间(1813～1815)的著名游击队领袖。1795年加入普鲁士陆军。曾经参加奥尔施塔特战役(1806)，目睹普军被法军打得一败涂地。1808年退伍，翌年参加F.冯希尔领导的流产的反法群众起义。1811年重新加入普鲁士陆军。在解放战争爆发时(1813)，他组织一支主要由非普鲁士人组成的志愿骑兵团(称吕措志愿军)，深入法军阵线后方作战。1813年6月4日的停战使吕措的骑兵团位于分界线的错误一方，实际遭到歼灭。吕措重整队伍后，进行游击战，一再负伤。1815年6月16日，他在林尼指挥骑兵团，但被法军击溃，并被俘，但两日后在滑铁卢逃脱，战后仍留在普鲁士军队内。

Luvale　卢瓦勒人　又拼Lovale，又称卢埃纳人(Lwena或Luena)。赞比亚西北部和安哥拉东南部使用班图语的民族。在历史、语言、物质文化和宗教信仰方面，与其东北面的隆达人和恩登布人有密切联系，后两个部落的居住范围向北伸延至刚果(金)南部。在文化方面，同东面的卡翁德人以及安哥拉东部的重要族群乔奎人和卢查齐人相似。但是卢瓦勒人早已与隆达人产生分化；自20世纪40年代以来，部落政治已数次使此两族为争地而激烈冲突。但两族却共同反对南方强大的洛齐人。卢瓦勒人与赞比亚西北诸部落不同，还在于卢瓦勒人具有牢固的家系和氏族结构。平民家系集团具有重要的社会和政治职能，大部独立于部落酋长之外，酋长权力有限。卢瓦勒人奉行母系制，喜欢交错从表联姻。男性的成年仪式(姆坎达)是一项重要经历，也就是一种过渡礼仪，通过这个仪式才能获得正式的男子身份以及随之而来的各种责任。卢瓦勒人是著名的渔人，每年向铜带采矿中心出口鲇鱼干。尽管大部分地区的猎物所剩无几，他们仍保留着积极的狩猎传统，也饲养牛。木薯和玉米是主要农作物，花生和薯蓣也很重要。卢瓦勒人向远至南非的劳动中心迁移，通常只能得到最卑下的工作。卢瓦勒语是赞比亚8种官方语言之一。

Luvua River　卢武阿河　刚果(金)卢阿拉巴河的支流。源自刚果(金)和赞比亚交界处的姆韦鲁湖北端，向西北流经基安比后与卢阿拉巴河汇合，全长约350千米。该河从基安比以下有160千米河段可通航浅水船。该河中游有急流。皮亚纳姆万加有瀑布，已用于发电。

Luwian　卢维人　又称卢伊特人。古代安纳托利亚民族，已绝种。与赫梯人有血缘关系，为晚期赫梯文化中的主要集团。卢维人的语言由赫梯帝国首都博阿兹科伊所发现的楔形文字泥版文书而为世所知(参阅**Luwian language**)。赫梯的法律(约公元前1500)中，卢维亚是作为一个异邦而提及的，它与阿尔扎瓦和基祖瓦德纳两个地区大致相当。不过阿尔扎瓦和基祖瓦德纳在赫梯帝国早期(约公元前1700～约前1500)，都是独立王国，后来成为帝国附庸。从语言上可以证明卢维人的文化曾经渗入赫梯帝国。赫梯帝国崩溃(约公元前1180)后，卢维人的象形文字铭文在安纳托利亚东南部和叙利亚北部是随处可见的，这说明卢维人已扩展到新地区，在那里组成一些"叙利亚-赫梯"小邦，或称晚期赫梯诸邦。赫梯人和卢维人的宗教信仰大致相同。两个民族都以雷雨之神为主神，两种语言都称月神为"阿尔玛"。卢维人完全吸收赫梯人的文明，很难辨别卢维人的文化特征。公元前1千纪的卢维诸小邦的艺术作品，以赫梯主题与中东风格结合，说明它们也受到阿拉米人和亚述人的影响。卢维人的重要性在于：在赫梯帝国崩溃之后，他们维护赫梯传统将近500年之久。

Luwian language　卢维语　Luwian又作Luvian或Luish。已消亡的印欧语言，主要通行于古代安纳托利亚南部地区，与赫梯语、巴莱（帕拉）语及吕底亚语关系密切，是吕西亚语的前身。现代关于卢维语的知识主要来自博阿兹克伊（在今土耳其境内）赫梯档案馆遗址中所发现的楔形文字泥板，其上刻有*luwili*（在卢维）这一副词形式。由这个副词作为引导词的各段文字，是在祭祀某些神灵时所说的话。研究卢维语楔形文字的先驱工作是E. 福莱尔于1922年完成的。除楔形文字刻写的卢维语泥板外，还有许多用象形文字刻写的铭文，这些文字与公元前18～前17世纪赫梯语的印章文字同一来源。象形文字卢维语(通常称之为象形文字赫梯语)的文献最晚不迟于公元前8世纪的后半叶晚期。破译这种语言的大部分工作是在20世纪30年代完成的，1947年在卡拉泰普遗址发现了用卢维象形文字和腓尼基文字对照刻写的双语碑铭，一般认为象形文字卢维语是卢维语东部方言，而楔形文字卢维语则是中部方言。约公元前600～前200年用字母文字书写的**吕西亚语**(**Lycian language**)，常被看作是由卢维语西部方言衍生的。参阅**Hittite language**。

lux　勒克斯　国际单位制(SI)的光照度(参见**luminous intensity**)单位。1勒克斯(拉丁文"光")相当于1流明平均分布于1平方米面积时的光照度；也等于处处都与1国际烛光(坎德拉)的点光源相距1米的面上的光照度。1勒克斯等于0.0929英尺-烛光。

Luxembourg　卢森堡　比利时东南部省份。面积4 441平方千米。默兹河的3条支流乌尔特河、瑟穆瓦河和莱斯河流经该省。东毗卢森堡大公国，南与法国接壤，西临那慕尔省，北与列日省相连。下分5个行政区：阿尔隆、巴斯托涅、马尔什昂法梅涅、讷沙托和维尔通。原为卢森堡大公领地的一部分。1831年成为比利时的一个省。其东北部的巴斯托涅周围地区在第二次世界大战期间特别在德国的突围之役(1944～1945)中，受到严重破坏。

3/4地区在**阿登**(**Ardennes**)高地上，其余南部约1 000平方千米地区是作为巴黎盆地一部分的比利时洛林。阿登高原东北部的巴拉克-德弗赖蒂尔山区高达600米，圣于贝尔森林海拔为560米。高原区1/3以上土地被林木覆盖，高地上有云杉和苏格兰松，河谷中有栎、白桦和山毛榉。阿登高原贫瘠的酸性土壤和变化无常的气候，使农业大体局限于养猪和牛、乳品业以及燕麦、黑麦、丁香和马铃薯种植。瑟穆瓦河谷的冲积平地通过大量施肥大面积种植烟草。阿登区大力发展旅游业，出口部分木材并有限地开采石英和板岩。比利时洛林地区为砂岩和石灰岩丘陵，丘陵间是黏土、泥灰岩和页岩结构的低洼地区。约一半地区仍被森林覆盖，不足1/3的地区用作牧场或种植农作物(小麦、马铃薯和饲料作物)。也有饲养牛、猪和奶牛的畜牧场和果园。该省的工业集中在东南部昔日繁荣的比利时洛林铁矿周围。洛林铁矿曾为米松和阿朗济的高炉及阿蒂斯的炼钢厂提供原料。阿登地区的人口主要集中在市场和游乐城镇：乌法利兹、拉罗什昂阿登、圣于贝尔、利布拉蒙和维尔萨姆；瑟穆瓦河谷的弗洛朗维尔、布永和希尼；东南部的阿尔隆和维尔通。阿登有两处自然保护区：鲁热蓬塞(1969年建)和塔耶高原保护区(1968年建)。名胜古迹有布永的古城堡废墟和弗洛朗维尔附近已经修复的奥瓦尔天主教西多会修道院。人口约230 827(1990)。

Luxembourg 卢森堡 全称卢森堡大公国。欧洲最小的国家之一，位于欧洲大陆西北部。面积2 586平方千米。南北最长处82千米，东西最宽处56千米。首都卢森堡市。西、北与比利时接壤，南邻法国，东毗德国。东部与德国以乌尔河、叙尔河及摩泽尔河为界。人口约380 000(1991)。

土地 卢森堡全境分为两个截然不同的自然地理区：北部为厄斯灵区，占国土面积1/3，南部为邦佩伊区，或称古特兰(意为“好土地”)，占国土面积2/3。厄斯灵区为森林茂密的阿登山(平均高度450米)向东伸延的余脉，形成一片深谷切割的高原。最北端的布尔格普拉茨峰(约550米)为全国最高点。厄斯灵区土地原本瘠薄，经使用盐基性矿渣肥料发展农业，现已出产大麦、燕麦、裸麦及马铃薯。山坡牧草地放养肉牛，隐蔽的山谷中还有一些乳制品工厂。绵延起伏的邦佩伊高原(平均高度250米)为巴黎盆地向东北延伸部分，多砂岩山脊，曾是欧洲品位较高的铁矿床之一，20世纪末已开采殆尽。邦佩伊区的农田较北部肥沃，小麦、水果及葡萄的种植均已高度机械化。森林覆盖面积约占全部土地的1/3，大多为落叶林。

卢森堡的温和气候介于海洋性与大陆性之间，冬、夏两季冷热适中，湿度较高。年均降水量为810毫米。

人民 现代卢森堡的种族构成以法国人与德国人为主。卢森堡当地人口的出生率极低，造成劳动力短缺，但大批的外来移民使这一问题得到缓解。移民大多来自葡萄牙、意大利和其他南欧国家。许多移民及外国工人受雇于钢铁工业，外资银行或总部设在卢森堡市的欧洲内部组织。官方语言为法语、德语和卢森堡语(一种德语方言)。人口中天主教徒最多，亦有一些新教徒(大多为路德派信

美国不列颠百科全书公司供图

义宗)及少数犹太教徒。人口大都集中在卢森堡市及西南部的一些小城市，该地区19世纪末以来一直是这个大公国的工业中心。

经济 卢森堡属发达的市场经济，主要以重工业、国际贸易及银行业为基础。卢森堡的人均收入仅次于瑞士，居世界第2位。

制造业约占国内生产总值的1/4，雇用了1/5的劳动力。以阿尔贝德钢铁公司为主的钢铁工业受到政府鼓励，为更好地适应外国公司的激烈竞争和世界钢铁需求量减少的局面，该公司已于20世纪末进行改组。1974～1981年间，该国工业总产量下降1/5以上，最大工业企业阿尔贝德公司的减产是其中最主要原因。然而，几家美国公司和其他一些跨国公司已在卢森堡建厂，生产汽车轮胎、化学品及其他商品。

卢森堡西南部的铁矿蕴藏已基本上开采殆尽，他们的联合炼钢炉现在依靠法国的铁矿来维持生产；焦炭及石油亦必须进口。卢森堡的大部分能源需求均靠进口石油及其他矿物燃料。

160多家银行在卢森堡市设有分行，到20世纪末该市已成为欧洲最重要的金融中心之一。银行业及金融服务业在卢森堡经济中已起着越来越重要的作用。欧洲经济共同体的欧洲投资银行总部即设在卢森堡市，欧洲法庭亦设于此。

农业在国内生产总值中所占的比例很小，雇用的劳动力也不多。农场趋向小规模和高度机械化。农产品基本能满足国内需求。国土的1/4为牧草地，牲畜饲养及其副产品在农业生产中占很大比重，其次为小麦、大麦及其他谷类植物。摩泽尔河谷地盛产著名葡萄酒。

成立于1919年的工人联合总会是卢森堡的主要工会组织。许多工人从法国、比利时和德国乘公交车辆来此上班。大公国的对外贸易受欧洲经济共同体尤其是德国、比利时和法国的控制，三国共占卢森堡外贸总额的70%左右。卢森堡属于比荷卢经济联盟。

政体与社会状况 卢森堡为君主立宪制国家，属议会政体。宪法授予一院制众议院以立法权，议员由直接选举产生，任期5年。国务委员会由大公任命，起一个第2立法院的作用，主要履行咨询职能。行政权属于大公，但由首相及其内阁行使，直接对众议院负责。司法系统以高等法院为最高机构，法官由大公任命。

卢森堡无所不包的社会福利制度，几乎惠及全民。各项福利计划提供医疗保险、养老金、工伤补助、家庭津贴及失业救济。卢森堡的生活水平高，平均预期寿命达74岁。人口中几乎没有文盲，政府对6～15岁未成年人实行义务教育。小学授课使用德语和法语两种语言，整个教育制度十分强调语言课程。卢森堡不设立4年制学院或大学，故许多卢森堡青年均去国外就读。

卢森堡有两份欧洲最古老的报纸，分别创刊于1848年和1880年，其发行量属世界最高之列。卢森堡广播电视台是一家私营广播公司，以数种语言传播电台和电视台节目，传播信号在卢森堡境外均可收到。卢森堡另一主要文化机构是大公国学院，该机构负责促进艺术及人文学科，并举办语言学、民俗学、文学艺术及自然科学方面的展览。

历史 在罗马征服时期(公元前57～前50年)，卢森堡地区即有比利时族的特雷维里人居住。公元400年后，日尔曼族入侵，该地区成为奥斯特拉西亚法兰克王国的一部分，后被并入查理曼帝国的版图。963年，阿登伯爵齐格弗里德以其领地换取位于阿尔泽特河沿岸的一个罗马小城堡，卢森堡遂成为一独立实体。这个城堡即成为后来卢森堡市的核心，并以其名Lucilinburhuc(意为“小堡垒”)命名整个卢森堡，齐格弗里德的后继者通过征服、条约、婚姻和继承不断扩充其领地。其后代康拉德于1060年受封为卢森堡伯爵。卢森堡伯爵亨利四世于1312年成为神圣罗马皇帝亨利七世，而卢森堡王朝的另一位成员查理四世皇帝，于1354年使这块伯爵领地成为公爵领地。

1441年，卢森堡被割让与勃艮第王室，1477年又成为哈布斯堡王室的领地。16世纪中叶，卢森堡又成为西属尼德兰的一部分。西班牙王位继承战争(1704～1714)结束后，卢森堡由西班牙转交给奥地利哈布斯堡王室统治。

维也纳会议(1815)使卢森堡成为大公国，并将其授予奥兰治·拿骚王子和荷兰国王威廉一世。1830年，比利时人起来反对威廉一世时，大部分卢森堡人亦随之响应。之后，卢森堡西部法语区即行脱离，成为比利时的一部分，大公国其余部分仍处在荷兰的拿骚王室统治之下，成为该王朝的私人财产。1867年，欧洲列强使大公国成为一个独立国家，主权属拿骚王室。各大国并保证卢森堡在欧洲政治中享有永久中立地位。

19世纪70年代的技术进步使卢森堡得以利用其铁矿蕴藏建立一个庞大的钢铁工业，该国在以后的数十年间逐渐由一个农业国转变为工业国。1914年，德国违背卢森堡永保中立的立场，侵入并占领了大公国直至1918年第一次世界大战结束。1921年，卢森堡与比利时订立经济同盟。第二次世界大战期间，大公国再次被德军占领，大公全家逃亡英国。1944年卢森堡得到解放，随后放弃中立，于1949年加入北大西洋公约组织。或许更为重要的是，大公国不但是1944年比荷卢三国经济联盟的创始国，并且也是欧洲煤钢

共同体(1952)及欧洲经济共同体(1957)的创始国。1993年加入欧盟,并且发挥积极作用。欧盟在卢森堡设有多个办公机构,卢森堡两任首相雅克·桑特和让-克洛德·洛克在欧盟中担任要职。20世纪末成为重要金融中心,传媒、广播和电子商务发展迅猛。20～21世纪之交时,经济迅速发展,自称是世界上生活水平最高的国家(以人均国内生产总值为依据)。2000年79岁高龄的让大公宣布退位,由其子亨利继位。

Luxembourg 卢森堡 又称莱泽堡(Letzeburg)。卢森堡的城市和首都,在该国中南部。卢森堡市地处砂岩高原,阿尔泽特河及其支流佩特吕塞河蜿蜒穿流高原形成一道道

卢森堡市的圣母大教堂及要塞城墙

美国不列颠百科全书公司供图

深谷。阿尔泽特河湾里有一个称作博克的岩岬,为天然屏障。罗马人和法兰克人先后在岩岬修筑要塞或称城堡,后来在要塞周围建设了中世纪的城镇。963年,阿登伯爵齐格弗里德购买该城堡,标志着卢森堡开始成为独立的实体。卢森堡一名源自该城堡之古名卢奇林博胡克("小堡垒")。老城建于高处,有雄伟的大公宫殿(1572)、市政厅(1830～1838)和哥特式建筑圣母大教堂(1613～1623)。城区向西扩展,在老城对面的阿尔泽特谷地兴起了格隆德、克劳森和普法芬塔尔郊区。各区之间有桥梁连通。该市教堂里有波希米亚国王、卢森堡伯爵瞎子约翰(死于1346年)的坟墓。古老的城堡先后经西班牙人、奥地利人、法国人和荷兰人的精心整修,成为仅次于直布罗陀的欧洲最坚固的要塞。1815～1866年间,作为德国邦联的堡垒由普鲁士人驻防;1867年拆除。旧城西缘的早期防御工事已为景色优美的公园所代替。公园内有卢森堡广播公司的无线电电视演播室。城内有几家博物馆,特别是卢森堡国家博物馆。在城东的哈姆有军人墓地,埋葬5 000余名美国军人,包括巴顿将军。在北郊的艾希,在最早的钢铁厂(1845)的旧址上建有很多铸铁厂,以利用该国南部地区生产的矿砂。各式各样的工业企业都集中在郊区。卢森堡一直是重要的公路和铁路枢纽。20世纪,它又成为有着很多银行的兴旺发达的金融中心。卢森堡是欧洲投资银行、欧洲法院和欧洲共同体若干主要行政机构的所在地。人口约79 800(1999)。

Luxembourg, François-Henri de Montmorency-Bouteville, duc de 卢森堡公爵(1628-01-08,法国巴黎～1695-01-04,凡尔赛) 即F.-H. de 蒙莫朗西-布特维尔。荷兰战争(1672～1678)和大同盟战争(1689～1697)中法国国王路易十四最有战功的将领之一。弗朗索瓦·德·蒙莫朗西-布特维尔的遗腹子,由远亲孔代女公爵抚养。他体弱驼背,但仍从军。1648年,在孔代指挥下,他在朗斯战役中与西班牙人作战功勋卓著。1650年,在投石党运动的第二阶段,他参加孔代的追随者一方,反对枢机主教马萨林。1653年投石党运动失败,他加入西班牙陆军。1659年获赦返法。两年后,他通过婚姻取得卢森堡公爵称号。1668年孔代为他谋得中将军衔。1672年6月,路易十四入侵尼德兰联省共和国,他被派往科隆选侯国指挥一支军队。1672年冬,他奉命守卫已经攻占的荷兰城市乌得勒支。1673年底面对奥伦治的威廉的优势兵力,他巧妙地从乌得勒支撤退。1675年7月晋升法国元帅,次年受命指挥莱茵军。1678年8月14日,即和约签订后4天,他在蒙斯附近的圣但尼打败奥伦治的威廉。1679年3月,路易十四以行使巫术的罪名,把他投入监狱。14个月后宣告无罪,但被逐出巴黎和凡尔赛。1681年应召回宫中,任国王侍卫队长。1689年,法国与其他欧洲主要国家交战后不久,他任王军总司令。1690年7月1日,他在西属尼德兰的弗勒侣斯击败瓦尔德克亲王乔治·腓特烈的军队。在以后4年中,屡挫奥伦治的威廉(已即英格兰王位,称威廉三世)。1691年4月占领蒙斯,在施泰因科克和内尔文登两次大战役中击败威廉。1694年他载誉回凡尔赛。

Luxembourg National Museum 卢森堡国家博物馆 卢森堡的国家博物馆,原卢森堡国立博物馆,设在卢森堡市一座晚期哥特式和文艺复兴时期的官邸内,收藏有高卢-罗马艺术品、钱币、中世纪雕刻、甲胄和当代艺术品,并设藏书25 000册的图书馆。该馆还举办"卢森堡的要塞"展览,有实物模型。此外,还设有地质、矿物、天文(包括一座天体仪)等展厅。1988年该馆被分为两部分,历史艺术博物馆和自然历史博物馆,后者于1996年迁至他处。

Luxemburg, Rosa 卢森堡(1871-03-05,俄罗斯帝国波兰扎莫希奇[今在波兰]～1919-

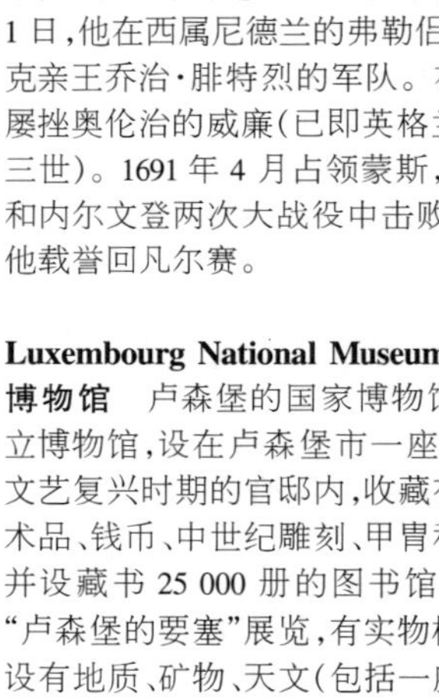

美国不列颠百科全书公司供图

01-15,德国柏林) 波兰裔德国革命家和鼓动家,在建立波兰社会民主党和德国共产党前身斯巴达克思同盟中发挥主要作用。作为政治理论家,她发展了马克思主义的博爱论,强调民主和革命群众运动以实现国际社会主义。1919年1月斯巴达克思起义期间遭谋害。一个中产阶级犹太人家庭5个孩子中最小的一个。在中学读书时即参加地下活动。1889年移居瑞士苏黎世,学习法律和政治经济学,1898年取得博士学位。在苏黎世她参加国际社会主义运动。她与她的伙伴们建立了波兰社会民主党,该党成为后来的波兰共产党的核心。民族问题是她的主要论题之一。在她看来,民族主义和民族独立是对阶级敌人资产阶级所作出的倒退性让步。她一贯低估民族主义的追求,强调社会主义的国际主义。这成为她不同意列宁及其民族自决论的一个重要的方面。1898年与吕贝克结婚后取得德国国籍,住在柏林积极参与第二国际的最大和最有力量的德国社会民主党的活动。为批判修正主义者伯恩施坦,她写了《改良还是革命?》(1889),捍卫马克思主义的正统性和革命的必要性,强调议会不过是资产阶级玩弄的骗局。1905年俄国革命爆发,在这之前,她认为世界革命最有可能在德国首先发生,现在认为革命将在俄国点燃。她于是前往华沙参加斗争,被捕入狱。她总结实际斗争经验写了《群众性罢工、政党和工会》(1906),强调群众性罢工是俄国以及西方国家的无产阶级取得社会主义胜利的唯一的最重要的手段。与列宁相反,她贬低严密的政党机构的必要性,认为组织机构将自然地从斗争中产生。为此,她一再受到正统的共产党的严厉指责。出狱后去柏林,1907～1914年在社会民主党党校教书。第一次世界大战爆发后,德国社会民主党支持政府,卢森堡站在反对一方,与李卜克内西和其他激进分子组织斯巴达克思同盟,力主通过革命结束战争,建立无产阶级政权。这个组织的理论基础就是她在德国狱中以尤尼乌斯的笔名写的小册子《德国社会民主党的危机》(1916)。在这一著作中,她同意列宁的观点,强调推翻现存政权,建立强大的国际,以阻止大规模屠杀的重新爆发。1918年11月德国爆发革命,她和李卜克内西一起,力主成立工人和士兵苏维埃,但被保守的社会党政府和军队所挫败。12月底他们建立了德国共产党,但她在《俄国革命》(1922)一书中批评列宁的党所持的农民和民族自治的立场,并责备它使用独裁和恐怖的手段。1919年1月15日她和李卜克内西在柏林遭反动军队杀害。

Luxemburgian language 卢森堡语 又作Luxembourgish, Letzeburgisch, Letzebuergesch 或Luxembourgeois。德语方言,只通行于卢森堡。为西部中古德语方言群的一种摩泽尔-法兰克尼亚方言。这种古老语言以许多法语词汇丰富自己,终于成为卢森堡全国各阶层人都通用的语言。卢森堡居民一般都兼操双语或三语。大多数人既操卢森堡语,又操法语或德语,或者兼用三者。1830年法语和德语成为国家官方语言,1939年卢森堡语成为第3种官方语言。卢森堡语主要用于口头,而法

语一般用于政府机关或法庭，德语大多用于报刊。3种语言都是本国学校教学用语。

Luxi 潞西 中国云南省德宏傣族景颇族自治州辖县级市，自治州首府。位于省境西南部，境内有昆(明)畹(町)公路穿过。面积2 987平方千米。1935年以芒遮板行政区改置潞西设治局，1948年改潞西县。1996年撤县设市。市政府驻芒市。地处芒市坝子东北，四周群山环绕，西有芒市河流贯，土地肥沃，气候温暖。此地区历史上曾是热带病流行的“瘴毒之区”。滇缅公路通车后，经济有所发展。自从20世纪50年代以来，由于兴建各项事业，已成为滇西著名粮仓和经济作物产区。盛产稻谷、玉米、油菜籽、小麦、豆类等。芒市河下游遮放地区产的大米，粒大、色白、味香、高产。还产甘蔗、咖啡、茶叶、枫茅、金鸡纳霜、剑麻、香蕉、菠萝、木瓜、芒果、菠萝蜜等，其中小粒咖啡尤为著名。还有多种热带、亚热带优质木材和野生动植物，如柚木、红木、竹类、柯子、木棉、罗芙木等。热带动物有孔雀、金丝猴，向称“孔雀之乡”。工业有电力、机械、农具、化工、造纸、食糖、食品、水泥、制革和粮食加工等部门。交通以公路为主，320国道过境。名胜古迹有三仙洞、菩提寺等。人口340 000(2005)。

Luxor 卢克索 又称埃尔-阿克瑟(El-Aksur)或阿尔-尤库瑟(Al-Uqṣur)。上埃及基纳省的市镇，**底比斯(Thebes)**古城遗址的南半部。

卢克索的阿蒙神庙遗址
美国不列颠百科全书公司供图

古遗址 底比斯南半部是环绕着伟大的阿蒙神庙四周发展起来的，今称阿尔-尤库瑟(阿拉伯文)，意为“宫殿”，或卡斯特拉(castra，罗马文)意为“堡垒”，其遗址在附近已有所发现。靠近尼罗河，与河岸平行，第十八王朝后期的阿孟霍特普王三世(公元前1390～前1353年在位)在此兴建美丽的神庙供奉众神之王阿蒙-瑞、神后穆特和神子孔斯。

虽然在第十八王朝早期，即使不是更早，此地可能是一座神庙，如今只剩一座小亭。阿蒙神庙由图特安哈门和霍伦希布续建完成并经拉美西斯二世扩建；托勒密时代也有少量添建。这座多柱式的厅堂曾一度改建为基督教堂，其西边仍可见到科普特教堂遗址。

阿蒙神庙最初由一座四周建有环柱的中庭和一些厅堂居室构成，其中一座厅堂内设有供奉亚历山大大帝的花冈石神龛。前庭三面环绕着双列优美的纸莎草形丛柱，柱头的设计仿效含苞待放的纸莎草伞状花序。北端原计划建一两侧有塔楼的入口，后来设计有所变更，改加上成为全庙最具特色的一列14根16米高的雄伟石柱，柱头也是纸莎草伞状花序。可能原打算用来建成类似在凯尔纳克那样的多柱厅堂的中殿，但侧廊未兴建起来，代之以在两侧建起围墙。拉美西斯加建一座外庭和高耸的塔门，在外庭内双列廊柱之间装饰着他自己的巨型雕像。塔门上雕绘节日欢庆景象和他在叙利亚作战时战绩的片段。塔门前是巨大的法老像和一对方尖塔，其中一座仍存在，另一座则在1831年被搬走，重立于巴黎的协和广场。

神庙的外庭是纪念当地穆斯林圣人谢赫·优素福·阿尔哈盖克的清真寺。他的节日以船队游行的方式来庆祝，有如古代“华丽的奥佩庆典”。传说奥佩庆典期间在第2个月的第19日，阿蒙从凯尔纳克乘着华丽的大船，由穿着节日服饰的底比斯人扈从，亲临他在卢克索的另一座神庙。大柱廊墙上的浮雕就是描绘为节庆期间圣船游行作种种准备的情况。

晚近的变迁 底比斯政治衰微后，卢克索仍是城中人口聚居之地，集中在拉美西斯塔门附近。一支罗马军团曾在第十八王朝神庙内设立其指挥部，而神庙附近和拉美西斯庭院中也曾兴建科普特教堂。法蒂玛王朝时期在庭院中教堂地基上兴建了清真寺供奉向卢克索传入伊斯兰教而著名的谢赫·优素福·阿尔哈盖克。因应附近农业区的需要而兴起的现代市镇分布在神庙的北边、南边和东边。这里有许多教堂和清真寺，人口约一半为基督教徒。卢克索是开罗-阿斯旺铁路线上的一个站，有一座机场，有渡轮开往尼罗河西岸。近年来建起了许多观光设施及一座新的当地文物博物馆。人口约147 900(1986)。

luxury tax 奢侈品税 对于那些被认为并非生活所需的、而是供奢侈享受的商品和劳务所课征的税。现代对珠宝和香水所课的税，就是奢侈品税。课征奢侈品税可能带有对富人征税的意图，如18世纪末和19世纪初英国就对使用四轮马车和雇用男仆征税。奢侈品税也可能是由于道德原因或由于国家某些紧急情况，迫切需要改变消费模式而征收的。当代，奢侈品税在增加岁入上的作用，可能已超过道德上的原因。此外，为增加岁入而对低收入人民的“奢侈品”课税，如征收娱乐税，这使早期奢侈品税的累进性质开始消失。为了避免道德上的含义，经济学家们现将需求弹性低的东西如烟草及啤酒这些“奢侈品”视为必需品。

Luyia(people) 卢雅人 参阅 **Luhya 卢赫雅人**。

Luyken, Jan 勒伊肯(1649-04-16，尼德兰阿姆斯特丹～1712-04-05，阿姆斯特丹) 又称Johannes Luiken。荷兰石版画家、诗人。所写作品既有情歌，又有宗教诗。青年时代出版《日耳曼抒情诗》(1671)。因受德国神秘主义小说家J.伯麦的影响，加入虔信派基督教会。他还是一个插图画家，但逐渐成为禁欲主义者，过着一种退隐生活。晚期诗作有《基督和灵魂》(1678)。死于贫困。

Luynes, Charles d'Albert, Duke de 吕伊纳公爵(1578-08-05～1621-12-15，法国隆格维尔) 法国国务活动家，1617～1621年支配年轻国王路易十三的政府。他于1611年成为路易十三国王的驯猎鹰手。路易由于被摄政母后玛丽·德·美第奇忽视，发挥不了政治影响，于是便依赖野心勃勃的吕伊纳。他曾策划阴谋，致使玛丽的权臣安克尔侯爵于1617年4月24日被刺。当时，他已成为国务顾问和昂布瓦斯总督。后国王将其母放逐到布卢瓦，任他为首相。他与英格兰恢复友好关系，并试图通过外交手段，使信奉天主教的哈布斯堡王朝与德意志和波希米亚的新教徒之间保持均势。1619～1620年，他镇压了由玛丽·德·美第奇领导的两次大贵族叛乱。1619年成为吕伊纳公爵和皮卡尔迪总督。尽管他并无军事才能，路易于1621年3月却任命他为法国陆军统帅，对法国南部的胡格诺派叛乱者发动进攻。他在攻击蒙托邦要塞失败后不久死去。

Luzern (canton and city, Switzerland) 参阅 **Lucerne 卢塞恩**。

Luzhou 泸州 又拼Lu-chou。中国四川省辖地级市。中国历史文化名城。长江上游重要河港。位于长江和沱江汇合处。市区三面靠山，一面依水，形势险要。西汉置江阳县，

泸州市忠山
中国大百科全书出版社供图

东汉设江阳郡。南朝梁大同年间(535～546)改置泸州，为州治所。隋改江阳县为泸川县。元复称泸州。1913年改称泸县。1950年划泸县城区设市。1983年升为省辖市。辖江阳、纳溪、龙马潭3区及泸县、合江、叙永、古蔺4县。面积12 247平方千米，其中市区面

积2 132平方千米。市境北部多丘陵，南部为山地，是四川省主要的煤炭、天然气、硫铁矿分布区之一。工业以化工、酿酒和机械为主。泸州天然气化工厂、四川天然气化工厂和泸州化工厂均为四川大型的重要化工企业，化工产值占全省1/6。有酒厂1 000多个，从业人员3万多。曲酒产量占四川的1/10，其中泸州老窖特曲和古蔺郎酒均属中国名酒。有长江起重机厂、长江挖掘机厂和长江液压件厂等大型厂矿，是中国机械工业基地之一。盛产稻谷、烤烟、生猪和毛竹，还产大桂圆、荔枝。合江的竹器，泸州的藤器、纸伞自古有名。泸州水陆交通方便，是长江上游第二大河港，川、滇、黔公路转运枢纽，有321国道纵贯全境，有隆纳高速公路与成渝高速公路相连接。有泸州接成渝线上隆昌的地方铁路，泸州到成都有直达班机。市内有泸州大学、泸州医学院，四川公安干部学院，以及西南化工研究院、四川省天然气化工研究所、四川省水稻研究所等。名胜有玉蟾、佛宝、忠山等。人口：全市4 740 000(2005)；市区1 400 000(2004)。

Luzia 参阅 **Lusatia** *卢萨蒂亚*。

Lužické Hory(central Europe) **卢日山** 参阅 **Lusatian Mountains** *卢萨蒂亚山*。

Lužnice River **卢日尼采河** 奥地利下奥地利州和捷克共和国南捷克州河流。源出奥地利弗赖瓦尔德森林，北流入捷克，经特热邦湖区至塔博尔，进入山峡，后转向西南流入伏尔塔瓦河。总长208千米。流域面积4 224平方千米。

Luzon **吕宋** 菲律宾群岛中最大和最重要的岛。面积104 688平方千米，是菲律宾首都与主要都市马尼拉及奎松城的所在地。在菲律宾群岛北部，东接菲律宾海，南临锡布延海，西濒南海。北隔吕宋海峡与台湾相望。大部在马尼拉之北，大致成长方形，呈南北走向，但马尼拉之南则有两半岛，八打雁半岛和比科尔半岛分别向南和东南方向延伸，使吕宋岛呈不规则状。海岸线长逾5 000千米，有许多优良港湾，西有仁牙因湾和马尼拉湾，东有拉蒙湾和拉戈诺伊湾。吕宋(意为“大光”)占菲律宾陆地总面积的35%，南北最长处740千米，东西最长处225千米。地势北高南低，河流多南北走向。重要山脉北有中科迪勒拉山脉，沿东海岸大部为马德雷山脉，沿中西部海岸为三描礼士山脉。最高峰普洛格山海拔2 930米。比科尔半岛上有若干不相连的锥形火山，如锥形近于最完美并仍活跃的马荣火山(2 462米)。塔阿尔湖是火山口湖，内湖面积891平方千米，是全国最大湖泊。主要河流有卡加延河、阿布拉河、阿格诺河、邦板牙河和比科尔河。吕宋岛工业(集中在马尼拉附近)和农业(稻米、玉米、椰子、甘蔗、芒果、香蕉)都居全国第一位。马尼拉以北的中部平原延伸160千米，是主要产粮区。再往北则是伊富高山地居民开垦的极为壮观的稻米梯田。邦多克和比科尔半岛上有广阔的椰子园。矿产有铁、金、锰、铜等。林区出产优质硬木。除马尼拉和奎松城外，吕宋岛的主要城市有帕赛、甲万那端、莱加斯皮、碧瑶、八打雁和拉瓦格等。全国约1/2人口居住在该岛。人口(包括附近岛屿在内)约30 660 000(1990)。

Luzon Strait **吕宋海峡** 连接南海和菲律宾海的一系列海峡。北起台湾岛南至菲律宾吕宋岛，长达320千米。可分为三个主要海峡：北面的巴士海峡、中间的巴林塘海峡、南面的巴布延海峡。有巴坦群岛和巴布延群岛。是航运要道。

Luzzatto, Moshe Ḥayyim **卢扎托**(1707，威尼斯共和国帕多瓦[意大利]～1747-05-06，巴勒斯坦阿卡[今以色列阿卡]) 犹太教神秘哲学家和作家，现代希伯来诗歌的奠基人之一。他写过抒情诗，在1727年左右，创作了戏剧《胜利之塔》。但他很早即转而致力于犹太神秘教义之研究，终于相信自己已得神示，最后更相信自己便是弥赛亚。在被意大利的拉比们逐出教门后，他移居阿姆斯特丹(1736)，写出了道德剧《正大光明赞》和伦理学著作《正大光明之路》(1740)。后者至今仍被列为经典著作。

Luzzatto, Samuel David **卢扎托**(1800-08-22，的里雅斯特[意大利]～1865-09-30，帕多瓦) 别名Shedal(谢达勒)。犹太作家和学者。在用希伯来文和意大利文写成的作品中，对犹太教作了富有感情的介绍，而不是冷静的哲理性说明。他的希伯来文诗歌也充满了民族精神。作为学者，他的主要成就在于注释《圣经》，以及研究希伯来语言和希伯来文学史。他的希伯来语作品于1882～1894年间出版，其他语言作品于1890年出版，用意大利文写成的自传于1882年问世。

Lviv **利沃夫** 俄语作Lvov。乌克兰西部一州。面积21 800平方千米。从喀尔巴阡山脉峰线起，跨聂斯特河上游流域和罗兹托切台地，直到布格河盆地。土壤和植被类型多样，北部有混合森林，高地为森林干草原，聂斯特河沿岸为草地，喀尔巴阡山坡有茂密的森林，浑圆山顶有草甸。大部分地区已开垦为农田，农业得到大力发展。主要作物有黑麦、小麦、玉米和甜菜。山区主要利用高山夏季牧场饲养牛羊，有大规模的木材加工业，家具制造业遍及各地。日达乔夫有乌克兰最大的造纸厂。矿业也占有重要位置。鲍里斯拉夫附近有油田，规模虽小，但对当地很重要。达沙瓦和鲁德基储藏大量天然气，通过管道输往利维夫市(州首府)，供当地使用。该地区出产天然硫磺，还开采钾盐。人口约2 771 300(1991)。

Lviv **利沃夫** 俄语作Lvov，波兰语作Lwów，德语作Lemberg(伦贝格)。乌克兰利沃夫州城市及州首府。位于罗兹托切台地上。该城是加利西亚诸侯罗曼诺维奇于13世纪中叶所建，历史上一直是加利西亚的行政中心。现加利西亚分属乌克兰和波兰。利沃夫形势险要，为东西交通要道，扼喀尔巴阡山各隘口，历史上为兵家必争之地。1349年归属波兰，但1648年和1704年先后为哥萨克人与瑞典人占领。1772年第一次瓜分波兰时为奥地利所有，1914～1915年又归俄罗斯。1918年底，于利沃夫成立的西乌克兰共和国政府旋即夭折，因波兰人将乌克兰军队驱逐出城，重新获得控制权。1939年利沃夫为苏联占据，后又被德国人占领。1945年被苏联吞并。现代的利沃夫保有其重要地位，为9条铁路的交叉点，因此工业相当发达。机械产品有大轿车、农业机械、装载机械、自行车和电视机；还有种类甚多的消费品生产和食品加工工业。利沃夫亦是一主要出版业中心和文化中心。沙皇统治时期乌克兰文化在俄罗斯乌克兰受到压抑，但在利沃夫却很繁荣。该城有一所大学，建于1661年，苏维埃时期以乌克兰诗人与记者伊万·弗兰科之名命名，还有许多研究机构。人口约810 000(1993)。

Lvov, Georgy Yevgenyevich, Prince(Knyaz) **李沃夫**(1861-11-02，俄罗斯图拉附近波波夫卡～1925-03-07，法国巴黎) 俄国社会改革家、政治家，二月革命(1917)时期的临时政府首脑。贵族出身，在莫斯科大学取得法律学位。曾任公务员，1893年辞职，成为图拉县地方自治会成员。日俄战争(1904～1905)期间，在远东组织志愿救济工作。1905年参加新成立的自由派立宪民主党，选入第1届国家杜马(俄国议会，1906年5月召开)，并于1906年被非正式提名担任部长职务。第一次世界大战期间，成为全俄地方自治机关联合会主席(1914)与全俄地方自治机关和城市联合会领导人之一(1915)，后者为伤病者提供救济并为军队筹集军需品。尽管他的活动常为那些反对志愿组织的官僚们阻拦，认为这些组织侵犯了他们的职权，李沃夫的组织还是对战争作出了重要的贡献，他终于赢得许多政治自由派人士和军队指挥官的敬重。当帝国政府倒台时，他(经过沙皇尼古拉二世的事后批准)成为临时政府的总理(1917-03-02[新历03-15])。李沃夫还兼任内务部长，但他那最初由自由派，后来(05-05[新历05-18])又有温和的社会党人参加的政府，未能满足公众越来越高的激进要求。7月，在一次威胁要推翻临时政府的左派大示威后，他辞职(07-07[新历07-20])后，由A.克伦斯基继任。10月布尔什维克夺得政权时，李沃夫被逮捕，但又逃脱，最后定居巴黎。

Lwena(people) **卢埃纳人** 参阅 **Luvale** *卢瓦勒人*。

LWF 参阅 **Lutheran World Federation** *世界信义会联合会*。

Lwoff, André **利沃夫**(1902-05-08，法国艾奈堡～1994-09-30，巴黎) 全名André-Michael Lwoff。法国生物学家，论证溶原现象(噬菌体[一种侵害细菌的病毒]感染细菌后，仅随细菌的分裂而传递到细菌各世代)的存在而与F.雅各布和J.莫诺共获1965年诺贝尔医学或生理学奖。他具有俄罗斯-波兰血统。曾在巴黎大学求学。后毕生在巴黎的巴斯德研究所做研究工作，1966～1972年在该研究所董事会任职。1959年起兼任巴黎大学微生物学教授。1968年从巴斯德研究所退休后，在附近的维勒瑞夫的肿瘤研究所任所长。其

美国不列颠百科全书公司供图

获诺贝尔奖的研究证明，在感染细菌后，病毒可借称作原噬菌体的非感染型连续传给细菌以后各代。并指出，称为原噬菌体的病毒在一定条件下可产生一种感染型，它破坏细菌的细胞，而释放出的病毒又能感染其他细菌。还发现维生素可为微生物的一个生长因子，且具辅酶作用。著作包括《纤毛纲动物形态发生问题》(1950)以及《生物序》(1962)等。第二次世界大战期间因从事法国地下工作而获得抵抗运动勋章，并成为荣誉军团的军官。

Lwów(Ukraine)　参阅 **Lviv** *利沃夫*。

Ly DYNASTY(Vietnamese history)　**李朝**　参阅 **Later Ly dynasty** *后李朝*。

Ly Bon　**李贲**(？，越南北部交州～549，老挝)　又称李南帝，越南第一个王朝的缔造者和第一位伟大的独立维护者。542年领导反对中国交州刺史的暴动，占领首府龙编。2年后称帝，号李南越帝贲，国名"万春"，辖越南北部和中部大部分地区。547年被中国军队击败。他逃往老挝，被当地人杀死，斩首献给中国朝廷。尽管李贲的王国只维持了很短几年，但却为以后真正独立的越南国家大越奠定了基础。世称前李朝，以区别于李太祖1009年建立的*后李朝*(**Later Ly dynasty**)。

Lyadov, Anatoly　**利亚多夫**(1855-05-11，俄国圣彼得堡～1914-08-28，诺夫哥罗德帕利莫

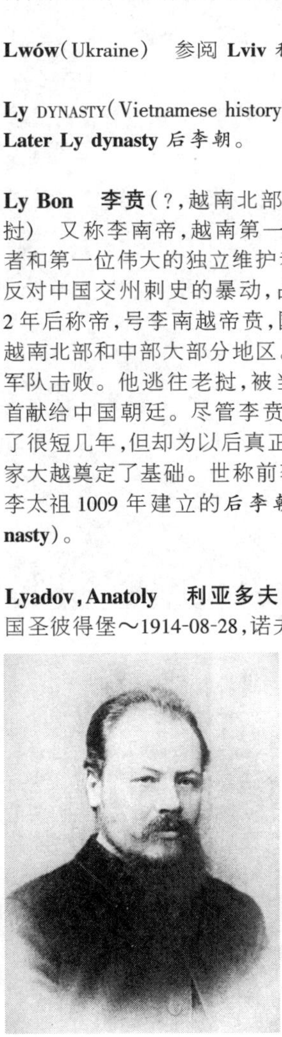

中国大百科全书出版社供图

夫卡)　全名 Anatoly Konstantinovich Lyadov，Lyadov 又拼 Liadov。俄罗斯作曲家。他的管弦乐作品和富有诗意、优美精致的钢琴小品使他在俄罗斯浪漫主义音乐中赢得重要地位。帝国歌剧院指挥之子；1870年进入音乐学院学习作曲，师承里姆斯基-科萨科夫，因学习懈怠于1876年被学校除名；两年后复学，后在音乐学院和帝国教堂担任教学职务。1897年以后，大部时间从事帝国地理学会收集的民歌的改编工作。1900年以前，主要创作钢琴曲。最成功的两首管弦乐作品是《基基莫拉》和《魔湖》。

Lyallpur(Pakistan)　**莱亚尔普尔**　参阅 **Faisalābād** *费萨拉巴德*。

lyase　**裂合酶**　生理学术语。一类能催化分子在双键处加成或分解析出水的元素(氢、氧)、氨的元素(氮、氢)或二氧化碳的元素(碳、氧)的酶。例如，脱羧酶可从氨基酸中分解析出二氧化碳，脱氢酶可使分子分解析出水。参阅 **enzyme**。

Lyautey, Louis-Hubert-Gonzalve　**利奥泰**(1854-11-17，法国南锡～1934-07-21，托雷)　法国政治家、军人、法国元帅，是关于殖民主义具有传播文明的优点的忠实信奉者。他把摩洛哥建成法国的保护国。尽管幼年时脊骨受过伤，但学习成绩很出色，1873年入圣西尔军事学院。1880年前往阿尔及利亚。两年后回到法国，升任上尉。1894年被派往印度支那，在东京湾结识约瑟夫·加列尼，接受了后者关于征服是传播文明的一种手段的看法。他应加列尼之召前往马达加斯加，两年后征服该岛。1902年返回法国，在阿朗松指挥第十四轻骑兵团。1904年阿尔及利亚总督若纳尔为他取得艾因塞弗拉军分区司令职务。摩洛哥曾向法国抗议他蚕食摩洛哥领土，但若纳尔保护了他。1906年起任奥兰军区司令，继续不断地把边境向西推移。1910年被召回国，在雷恩任军长，但1912年法国刚刚宣布对摩洛哥的保护权，他就被任命为派驻摩洛哥的总驻扎官。在非斯打败起义部落后，他废黜了苏丹哈菲德，由其较为可靠的兄弟优素福接替。但在征服和平定全国的过程中，他表示出对地方习俗的尊重，给阿拉伯人留下了庄严和有才干的印象。1916～1917年被召回法国任陆军部长，后又返回摩洛哥任职至1925年。1912年当选为法兰西学院院士，1921年晋升法国元帅。

lycanthropy　**变狼狂**　一种精神障碍，患者认为自己是只狼或别的动物。无疑变兽妄想的基础是一度广泛流传的人可变为动物的迷信观念，因而多发生在相信灵魂会转生和轮回的人群中。一般认为，人可变成该地区最凶猛的野兽：在欧洲和亚洲北部为狼或熊；在非洲为鬣狗或豹；在印度、中国、日本及亚洲其他地区为虎；当然也可以是别的动物。人变兽的迷信及精神障碍均与相信动物守护灵魂、吸血鬼、图腾崇拜、巫师、狼人有关。许多民族的民间传说、神话故事和传奇故事都证明变兽信仰到处流传。人变兽的传说可追溯到远古。在古希腊部分地区，可能自史前时期起狼人的神话就与奥林匹亚宗教联系在一起。阿卡迪亚地区苦于狼患，因此对狼宙斯顶礼膜拜。利凯乌斯山区每年有一次聚会，据说在祭司准备的祭宴中杂有人肉，尝过的人会变成狼，除非戒人肉9年，否则不能恢复人身。罗马人也有这种迷信，并称被魔咒镇住或草药变成狼的人为"翻皮"。中世纪的欧洲，到处都相信狼人的传说。盗匪歹徒利用这种迷信，有时在盔甲之外加披狼皮。那时，变兽妄想很少出现，因为若被认为是狼人，就会被活活烧死，极少被认为是精神异常的表现。这种迷信在现代已不普遍，但在原始落后及闭塞隔绝的地区，仍有残余。参阅 **werewolf**。

Lycaon　**吕卡翁**　希腊神话中的阿卡迪亚国王。传说他是不敬神的残酷的国王，曾试图哄骗众神之王宙斯去吃人肉。宙斯没有受骗，一怒之下发起一场洪水蹂躏大地。人们讲述这个故事显然是为了解释一个特殊的仪式——吕卡伊亚节，这个仪式是在吕刻俄斯山为宙斯·吕刻俄斯举行的。

Lycaonia　**利考尼亚**　古安纳托利亚的一个内陆地区，在托罗斯山以北。居民粗野好斗，在中部高原放羊和野驴。早期历史不详，曾被亚历山大大帝、塞琉西王朝、帕加马的阿塔罗斯王朝以及罗马统治。该区有跨越安纳托利亚的公路穿过。沿途为群集的城市中心。自塞琉西时期以来，伊康即为其首府和重要城市。利考尼亚基督教化较早。4世纪时即有比安纳托利亚其他区域组织更完善的教会体系。

Lycaste　**利卡斯特兰属**　兰科的一属。约45种，原产于热带美洲，附生或土生。萼片大于花瓣。假鳞茎卵形，上有叶片1～3枚，

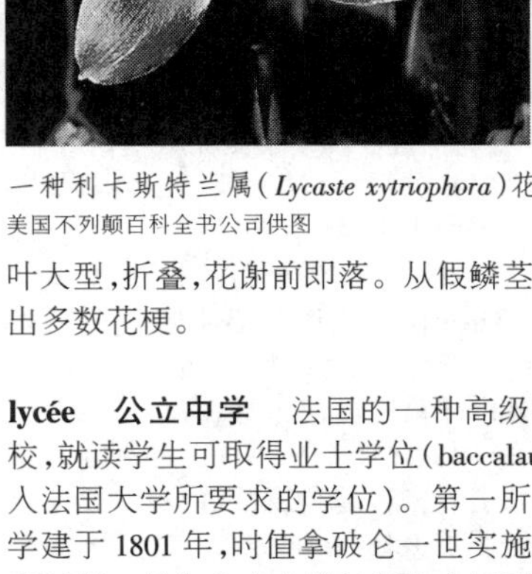

一种利卡斯特兰属(*Lycaste xytriophora*)花卉
美国不列颠百科全书公司供图

叶大型，折叠，花谢前即落。从假鳞茎基部生出多数花梗。

lycée　**公立中学**　法国的一种高级中等学校，就读学生可取得业士学位(baccalauréat，进入法国大学所要求的学位)。第一所公立中学建于1801年，时值拿破仑一世实施教育改革时期。早先公立中学只招收全国天赋最高的学生，学制7年。这样的公立中学有3种：古典中学、现代中学和科技中学，各有其不同

的专业领域。然而,到 20 世纪后期,这种公立中学制度进行了改革。公立中学招收 15～18 岁的学生,学制改为 3 年。这些公立中学的课程设置只有两种,其中较普遍的是那种进行普通教育和技术教育的高级中学(LEGT);其前身是传统的学院式高级中学。进入 LEGT 的学生第一年在 3 个基础班中选一班就读(人文、科学或技术),后两年则集中研读略深一些的课程(如:文学-哲学,或数学和物理)。在 LEGT 的头两年中,除了学生各自的主修科目外,还有共同的基础课程。另外一种公立中学是职业高级中学(LEP),它所提供的一系列职业技术课程和大学相应的课程接近。进入 LEP 的学生可选择一些课程学习,最后可获得 30 多种技术业士学位中的一个。

Lyceum　吕刻昂　公元前335年亚里士多德建立的雅典学园,位于祭祀吕克欧的阿波罗的小树林中。因为他惯于在林荫中一边散步一边给他的学生讲课,该学园及其弟子们有逍遥学派之称。林荫遮盖的环绕学园的路径即是所谓"逍遥路"。亚里士多德大部分现存著作包括了他在此讲学所作笔记,由其弟子整理编辑成集。

lyceum movement　学园运动　早期有组织的成人教育形式,在美国东北部和中西部极为盛行。1826 年,大学讲师 J.霍尔布鲁克在马萨诸塞州的米尔伯里发起创立了第一个学园。这一运动以亚里士多德给古希腊青年讲学的场所命名。学园是自愿参加的地方组织,为人们提供机会去倾听就当前人们感兴趣的题目举办的辩论会和讲座。美国的学园发展迅速,到 1834 年已达 3 000 个。按照霍尔布鲁克的设想,每一学园都应为推广学识,特别是为推广自然科学知识作出贡献。在迫切需要知识的社区,设立学园的设想如火如荼;学园很快发展到包括一些家庭学习活动,如写论文、讨论、辩论和讲学等等。早期学园讨论的一个主要问题便是建立公立学校。起初,学园都是地方投资兴办的,由社区出讲演者,但到 19 世纪 40 年代后期,学园已变成用报酬邀请校外的讲演者发表演讲的职业化机构。这些在各州作巡回演讲的著名讲演家中有 R.W.爱默生、F.道格拉斯、H.D.梭罗、D.韦伯斯特、N.霍桑及 S.B.安东尼。爱默生的许多文章原先就是为学园写的讲稿。学园蓬勃发展,直到美国南北战争时期。后来,它便逐渐融合进**肖托夸运动**(**chautauqua movement**)中。在美国学园运动全盛时期,它们对扩大美国学校课程设置、发展地方博物馆和图书馆都曾做出贡献。

Lyceum Theatre　伦敦兰心剧院　伦敦剧场,位于斯特兰德大街附近的惠灵顿街。1771 年起那里就有一座被称作"兰心"(意为学园)的大厅。1834 年启用的一座新建筑被称作皇家会堂和英国歌剧院。亨利·欧文爵士及其剧团于 1878～1899 年间在那里演出,在他的经营下,该剧院成为当时伦敦最著名的剧院。1904 年扩建后,它成为一个杂耍剧场和演情节剧及哑剧的场所。第二次世界大战后改为舞厅,还用于举办摇滚音乐会。20 世纪 90 年代中期经重新修建,再次用作剧院。

lych-gate　停柩门　lych又拼lich。又作corpse gate。又译墓地廊道。教堂墓地前有屋顶的门道,葬礼开始时在其下停柩。这种门的最普遍形式带有简单的双坡屋顶,上用瓦或茅草覆盖。7 世纪时存在于英国,因几乎全为木制,现存的较早实例极少。

lychee(fruit)　参阅 **litchi 荔枝**。

Lychnis　剪秋罗属　石竹科的一属。约35种。多是观赏植物。主要原产于北温带。该属一些植物通称捕蝇花或冠军花。捕蝇花一词指该属一些茎有黏性和有毛的种。该属常

布谷鸟剪秋罗(*L. flos-cuculi*)
美国不列颠百科全书公司供图

见的庭园花卉有布谷鸟剪秋罗(裂瓣剪秋罗,*L. flos-cuculi*)、皱叶剪秋罗(猩红剪秋罗、马耳他十字花,*L. chalcedonica*)、朱尖花(佐夫花,*L. flos-jovis*)及毛剪秋罗(*L. coronaria*)。花瓣 5 枚,白色、粉红色、红色或紫色。

Lycia　吕西亚　又译吕基亚。古代安纳托利亚(今土耳其)西南部一个地区,滨地中海,在卡里亚和潘菲利亚之间,腹地达托罗斯山。根据公元前 14 和 13 世纪的埃及人、赫梯人等的记载,吕西亚人位于北方的赫梯人和沿海岸的亚该亚希腊人之间。公元 43 年它与罗马所属潘菲利亚合并,4 世纪时又成为独立的行省。

Lycian alphabet　吕西亚字母　公元前 5～前 4 世纪小亚细亚西南部吕西亚人的文字体系。吕西亚字母明显地与希腊字母有关系,但其关系的确切性质尚不清楚。有几个吕西亚字母似乎与克里特文字体系和塞浦路斯文字体系的符号有关系。吕西亚字母有 29 个(6 个元音),有几个音在希腊字母中是没有的。用吕西亚文字刻成的最重要的铭文发现于克纳克的一根石柱上,铭文尚未解读出来。另一些铭文常为希腊语和吕西亚语的对照形式,所记多为随葬器物。

Lycian language　吕西亚语　一种已消亡的语言,曾通行于小亚细亚西南部(今土耳其),使用以西部希腊字母原形为基础创制的本土的吕西亚字母。铭文可溯源至公元前 500～前 200 年。1945 年以前,学者们曾认为吕西亚语与希腊语或伊朗语关系密切;但在 1945 年丹麦语言学家 H.佩泽森发表了一篇很有说服力的论文,指出吕西亚语属于安纳托利亚语族,以后又有其他学者认为吕西亚语与卢维语有关系,法国学者 E.拉罗什亦主此说。现在普遍认为吕西亚语由卢维语西部方言衍生而来。参阅 **Luwian language**。

lycopene　番茄红素　一种异戊二烯类有机化合物。能使番茄、蔷薇果、山楂果及其他许多果实带有红色。是黄色物质胡萝卜素的一种异构体,两者的分子式都是 $C_{40}H_{56}$,但结构不同。1873 年从黑色泻根属植物欧薯(一种欧洲山药)中分离制得,又于 1875 年从番茄中分离出来。

Lycoperdales　灰孢目　担子菌纲的一目,约 270 种。如多见于林地或草地的腐木上的地星和马勃。很多种马勃幼嫩时可食,成熟后内部组织干燥并呈粉末状,被触动后担子

(上)量湿地星(*Geastrum hygrometricus*);
(下)网纹灰孢(*L. perlatum*)
美国不列颠百科全书公司供图

果破裂而迸出孢子,其英文名 *puffball* 由此而来。低疣灰球(*Calbovista subsculpta*)为可食马勃的一种,沿旧路基分布,或见于牧场。灰孢属(*Lycoperdon*)近 50 种,形小,常见,世界性分布。夏秋两季见于树林和锯屑。网纹灰孢(*L. perlatum*[*gemmatum*])表面有斑状痕,幼嫩时可食。马勃属(*Calvatia*)约 35 种,主要见于温带。大马勃(*C. gigantea*)幼嫩时可食,内部白色,于晚夏见于腐殖土壤,大者阔达 1.2 米,内含孢子达 10^{13} 个。地星属(*Geastrum*[*Geaster*])约 30 种,分布广泛,有一个膨大的星状基部,于夏秋两季见于林中落叶层。厚皮马勃目

(Sclerodermatales)为独立的目,有人将其并入该目。厚皮马勃生于土壤或朽木,担子果似马勃,有坚硬的外壳,成熟后里面黑色。柄灰孢属(*Tulostoma*)约50种,见于旱地。

Lycophron OF CHALCIS **利科夫龙(哈尔基斯的)**(活动时期公元前3世纪末) 希腊诗人、学者,最知名的原因在于人们认为他是现存《亚历山大》一诗的作者。应聘在亚历山大图书馆工作期间(约公元前285)曾写有关喜剧和一系列悲剧的论文,现仅存少量片段。《亚历山大》在形式上是一位使者的演说,其中记录了卡桑德拉的预言。它把对博学和晦涩的崇拜引向极端,材料深奥难解,用词奇僻,文体矫揉造作,神和人的名字用崇拜的头衔或用谜一样的纡曲说法加以伪装。提到罗马和西方的地方有相当的历史价值,人们认为它们更加适合于公元前197年的情况而不是一个世纪以前的情况。因此有时人们认为《亚历山大》并非出自悲剧作家利科夫龙之笔,而是后世其他作者所著。

Lycophyta 石松部 产孢子的维管植物的一部,包括石松之类。世界性分布,共4属,约1 200种。本类植物形小,可直立生长、匍匐生长,或生长于岩石或树木上。分枝通常为二叉式。有真根、茎、叶,能营光合作用。孢子囊位于特化的叶——孢子叶上,孢子叶聚生成球果状的结构——孢子叶球。产生同型孢子(孢子只有一个类型)或异型孢子(产生两种孢子,即小孢子和大孢子)。石松目(Lycopodiales)分为2个现存属:舌叶石松属(*Phylloglossum*),仅分布于澳大利亚和新西兰;石松属(*Lycopodium*),主要为热带植物,但亦常见于温带地区。某些植物学家将石松属分为4～12个属。卷柏目(Selaginellales)仅有一现存属——卷柏属(*Selaginella*)。卷柏具异型孢子。茎上有一种器官——根托,与土壤接触后可产生不定根。水韭目(Isoetales)含一现存属——水韭属(*Isoetes*),特征为茎呈紧密的球茎状,叶狭长似羽管笔状,根排列成明显的几行。水韭多分布于较凉爽的气候条件下。与其他维管植物一样,本类植物的生活史也有无性世代(孢子体)和有性世代(配子体)的世代交替。石松目的配子体萌发自同型孢子。产生精子的精子器及产生卵子的颈卵器均位于配子体内,精子游入颈卵器与卵子结合即发生受精。受精卵在配子体上发育成孢子体。配子体最后死亡。孢子体成熟后散出孢子,生活史又反复进行。卷柏和水韭产生雄性和雌性的配子体,雌、雄配子体的大部分发育过程在孢子囊内进行,然后配子体落到地上,受精后产生孢子体。通常水韭产生的孢子数量远多于卷柏。已绝灭的石松类植物在泥盆纪及白垩纪(4.08亿年前至2.86亿年前)的地层中特别丰富。鳞木属(*Lepidodendron*)和封印木属(*Sigillaria*)的种类生长成高达30米以上的乔木,其叶有时长达1米。世界上的煤层大部分是由这些已绝灭的乔木的残遗形成。

Lycurgus 利库尔戈斯(活动时期公元前7世纪?) 传说中古代斯巴达的立法者,斯巴达的大多数制度是他创立的。现未确定是否实有其人,且难以确定哪些法是他所立的。希腊作家希罗多德(公元前5世纪)最早提到这位立法者,说他属于亚基斯家族,他的改革是在克里特法制的启发下进行的。历史家色诺芬(公元前4世纪从事写作)认为他是在多里安人入侵拉科尼亚(约公元前1000年)后不久创建斯巴达法律的。到公元前4世纪中叶,一般认为他属于欧里庞提家族,给查列鲁斯国王当摄政。希腊化时代的学者,以此为根据,推算他是公元前9世纪的人。希腊传记作家普卢塔克在《利库尔戈斯传》中综合了民间关于他的生平的一切传说。普卢塔克叙述他怎样去埃及旅行,并说这位改革家把荷马的史诗传入了斯巴达。鉴于公元前400年以前的作家们对他持有不同的看法,近世一些学者认为利库尔戈斯不是真人。他们指出希腊人倾向于把政治和社会制度的起源说成是某个人的个人意图。然而,许多历史家却认为利库尔戈斯曾创建高度军事化的公社制度,使斯巴达与希腊其他各城邦完全不同。如果此说可信,那么利库尔戈斯还可能划分过斯巴达两个传统政府机构——元老会议(元老及两名国王)和公民议会的权限。

Lycurgus 利库尔戈斯(约公元前390～约前324) 雅典政治家和演说家,以理财有方和严惩贪污闻名。他支持狄摩西尼反对马其顿的扩张。在马其顿于喀罗尼亚打败雅典后的12年(公元前338～前326)里管理国家财政,据说使政府岁入增加了一倍。他改组军队,整顿舰队,修理船坞,建成由斐洛设计的军火库。他执行了大规模的营造计划,用石料重修了狄俄尼索斯剧场。他下令由官方缮写和保存3位伟大悲剧作家埃斯库罗斯、索福克勒斯和欧里庇得斯的作品的抄本。利库尔戈斯刚毅正直,忠心报国,以提高公共道德和个人道德为己任。在古时所存的他的15篇演说中,现仅有《斥莱奥克拉特斯》一篇完整无缺。这篇演说借喀罗尼亚战役之后莱奥克拉特斯在一片恐慌中叛逃雅典的事件,极力强调爱国主义的重要性。

Lycus(river, Lebanon) 参阅 **Kalb River, Al-凯勒卜河**。

Lydd 利德 英格兰肯特行政、历史郡谢普韦区一城镇(堂区)。附近英吉利海峡畔的邓杰内斯建有核电站。14世纪以前一直位于一个岛上,属于**五港同盟(Cinque Ports)**之一。现距海5千米。附近费里菲尔德机场与欧洲大陆通汽车渡船。人口3 173(1991)。

Lydda(Israel) **利达** 参阅 **Lod 卢德**。

Lydgate, John 利德盖特(约1370,英格兰萨福克利德盖特～约1450,贝里圣埃德蒙兹?) 英国诗人,主要以所写伦理及祈祷诗著称。在其《遗训》中,他曾谈到幼年时期在贝里圣埃德蒙兹的本笃会隐修院作过见习修士,1397年成为牧师。他的诗现存有145 000行。仅有的散文作品《制造分裂的魔鬼》(1422)是一篇凯撒传记,篇幅很短。他的诗作篇幅长短不一,有像《特洛伊纪事》和《王子蒙尘》这类的长篇叙事诗,也有寥寥几行的即兴之作。长诗中有一篇译自法文题名《理智与淫欲》(约1408)的讽喻诗,主题是歌颂贞操,写景状物,清新委婉,对句天成。《特洛伊纪事》一诗,系奉威尔士亲王,即后来的亨利五世之命而作,始于1412年,成于1421年,实际是圭多·德尔·科隆所著《特洛伊史》一书的译述。《底比斯之围》成于《特洛伊纪事》之后,主要情节取材于一部散佚的法国传奇,饶有薄伽丘的写作特色。他高度称赞乔叟的作品,并以乔叟的诗法为楷模。1426年翻译纪尧姆·德·德吉尔维尔的《人生的历程》。1431～1438年间,他从事《王子蒙尘》的翻译工作,根据薄伽丘著作的法文本,将该诗译成乔叟式庄严的诗体格式。他还写了一些爱情寓言诗,如《黑骑士的不平》及《玻璃圣殿》,一些圣徒传。译述过伊索寓言。此外,还写过一些应命诗篇,以及宗教及世俗的抒情诗歌。利德盖特作品的质量参差不齐,好诗很少。尽管如此,他创作高峰时期写的诗仍然优雅、生动。长期以来,他与乔叟齐名,其作品的深远影响,几乎长达一个世纪之久。

Lydia 吕底亚 古安纳托利亚西部的一个地区,西滨爱琴海,占有赫尔姆斯和凯斯特两河的河谷。据说吕底亚人是金银币的创始者。公元前7世纪中期至公元前6世纪中期,他们一度称霸小亚细亚,对西方的爱奥尼亚希腊人发生过很大影响。吕底亚人为经商的民族。据希罗多德记载,他们是首先开设常年零售商店的民族。他们发明的金属硬币被希腊人迅速采用,在公元前6世纪改变希腊文明的商业革命中起了重要的促进作用。

Lydian language 吕底亚语 通行于安纳托利亚西岸中部地区古吕底亚王国的印欧语,已消亡。大多数文献为美国文物发掘家在吕底亚首都萨狄斯所发现,最早可溯至公元前5或公元前6世纪,大多数则系公元前4世纪之物。东部希腊语字母是吕底亚字母的原型。1936年,吕底亚语经意大利学者P.梅里吉证明是一种印欧语言,1959年O.卡鲁巴也提出有力的证据,认为吕底亚语应划归印欧语系安纳托利亚语族,因为它与赫梯语、卢维语和巴莱(帕拉)语具有许多共同特征。

Lydian mode 利底亚调式 在音乐中,指中世纪8种教会调式的第5种。参阅 **church mode**。

lye 碱液 用水浸草木灰后滤取的碱性液体,一般用于洗涤或制皂。泛指任一强碱溶液或固体,如氢氧化钠或氢氧化钾。参阅**sodium; potassium**。

Lyell, Sir Charles, BARONET **赖尔**(1797-11-14,苏格兰福弗尔郡金诺尔迪～1875-02-22,伦敦) 又译莱尔。苏格兰地质学家。他使关于地球表面所有特征都是由地质年代很长时期中的物理的、化学的和生物的作用过程产生的这一观点得到普遍接受。这个概念叫做均变论(为J.郝屯最早提出)。赖尔的成就为演化生物学奠定了基础,同时也为对地球发展的理解奠定了基础。他于 1848 年被封为爵士,1864 年被封为准男爵。

生平 赖尔出身在苏格兰东部格兰扁山

美国不列颠百科全书公司供图

脉之麓金诺尔迪一个高贵的家庭。但是,他主要的童年生活是在英格兰南安普敦附近的新福里斯特度过的。在他满两岁以前,他的父母就迁居到了那里。他父亲是一位博物学家,博览群书,涉及各门学问,也包括地质学。赖尔是全家 10 个孩子中最大的,他上过一系列私立学校,他并不是一个特别勤奋的学生;他更热衷于在新福里斯特闲逛,宁可在家听他父亲的教诲,也不愿去那些私立学校,因为那些学校男生们喜欢恶作剧,并有大鱼吃小鱼的等级制度,他永远不能真正地具备那些学校的精神。赖尔的第一项科学嗜好就是采集蝴蝶和水生昆虫,这项活动他热烈地进行了好些年,尽管当地居民把这看作是非男子汉气的。他的观察力远远超出了任何一个普通男孩。后来,这种采集和比较的本能导致了重要的发现。赖尔 19 岁时进入牛津大学,在那里,他对于古典文学、数学和地质学的兴趣特别受到激励,在地质学方面激励他的是 W.巴克兰热情洋溢的讲课。巴克兰后来由于试图通过研究来自洞穴沉积中的化石来证明诺亚洪水而广为人知。赖尔以旅行和从事地质学研究来度过学期之间漫长的假期。他 1817 年写的关于雅茅斯低地起源的短文预示了他后来的工作。深入到地质观察和文化考察中的赖尔于 1818 年与其全家作了一段时间的欧洲大陆之行,此行以其一天步行的英里数而显得尤为突出。1819 年 12 月,他获得文学士学位的荣誉,并迁往伦敦研究法律。

经历 赖尔因为勤奋地研究法律而使视力受到削弱。他寻找并发现解脱目疾的办法,就是在户外地质工作中度过更多的时间。在这些假期当中,他于 1822 年访问了萨塞克斯,以便目睹地壳垂直运动的证据。1823 年,他访问巴黎时,会见了著名的博物学家 A. von 洪堡和 G.居维叶,并与法国地质学家 L.-C.普雷沃一起考察了巴黎盆地。1824 年,赖尔研究了金诺尔迪附近淡水湖中形成的沉积物。在伦敦的时候,赖尔会见了像 W.司各特这样的文人雅士,并积极参加了几个科学协会的活动。

对地质学的新探讨 为了促进结束其法律之学习,赖尔于 1825 年应招去酒吧打工,但随着他父亲又给予他财力上的支持,他投身地质学实践又更胜于法律,他在当年发表了其第一篇科学论文。赖尔强调今天的常规自然作用过程及其产物在种类和规模大小上,都与过去的没有什么不同,所以,地球应该是很古老的,因为这些每天都在发生的作用过程进行得太慢了。他与雄心勃勃的青年地质学家 R.麦奇生(又译莫企逊)一起考察了法国和意大利若干地区,在那些地区,可以找到他所提出原理的证据。赖尔独自一人从意大利北部向南行至西西里岛,恶劣的道路与食宿条件使得旅行很困难,在埃特纳山周围地区,他发现了很显著的证据,来支持他关于自然原因适合解释地球特征的信念,以及他关于甚至像埃特纳山这样的现代特征也具有很久远的古老历史的信念。这次从 1828 年 5 月到 1829 年 2 月的旅行结果,远远超出了赖尔原先的期望。他一回到伦敦,就立即开始写《地质学原理》,该书第一卷于 1830 年 7 月出版。今天读者可能会感到惊奇,为什么这部罗列丰富事实的书却声称是论述原理。赖尔必须通过大量事实和例子来阐释他的原理,因为在 1830 年,他的科学探究方法是很新颖的,甚至多少有点是异端邪说。C.达尔文的评论表明赖尔的成就是多么辉煌,达尔文说:“我考核出的最前一名……向我清楚地表示出,比起我把他们作品放在身边并且在以后还一直阅读的其他任何一位学者来,赖尔研究地质学的方式有着惊人的高超之处。”

1830 年夏天,赖尔穿过地质情况复杂的比利牛斯山脉旅行到西班牙,那里是封闭的、压抑的社会,既使他入迷,而又对他加以拒斥。他回到法国,因得知国王查理十世被废黜,以及地质学家可以只谈论政治,而使他感到惊讶。返回伦敦,他继续投入《地质学原理》的写作,1831 年 12 月完成了第 2 卷,1833 年 4 月完成了第 3 卷也是最后一卷。他坚定扎实的工作受到偶然的社会捐款或科学捐款而得到援助。同时也因为去到德国的、靠近他情人玛丽·霍纳的家的火山地区去旅行而感到宽慰。他于 1832 年 7 月与玛丽结婚,并到瑞士和意大利度过了漫长的蜜月及地质旅行生活。玛丽的父亲是很有地质知识的,玛丽也与赖尔有相同的兴趣。在 40 年中,她是赖尔最亲密的伴侣;由于玛丽有能力参与他的工作而使他们婚后的幸福与日俱增。

在此后的 8 年中,赖尔过着平静的生活。冬季用来搞研究,参加科学活动与社会活动,并修订《地质学原理》一书。该书销售得那样好,以致频繁地需要再版。新版的资料是在夏季旅行期间搜集的,包括 1834 年与 1837 年两次访问斯堪的纳维亚。1832 ～ 1833 年,赖尔去伦敦国王学院举行了很受欢迎的讲学,后来由于太费时间而辞去了教授职务。

科学的声名 《地质学原理》的出版,使赖尔跻身于他所从事的领域中公认的领袖之林,迫使他把更多的时间用于科学事务上。在这些年里,他得到了像达尔文和天文学家 J.赫歇尔爵士这些人的友谊。1838 年,赖尔的《地质学纲要》出版了;这本书记述了欧洲的岩石与化石,从最近代的、赖尔所具备的专业知识,直到那时已知最古老的都涉及到了。这本图文并茂的著作,与《地质学原理》一样,周期性地扩版与更新。

1841 年,赖尔应邀去北美讲学与旅行了一年,1845 ～ 1846 年又再次去了 9 个月,19 世纪 50 年代又有两次短期访问。在旅行期间,赖尔访问了美国密西西比河以东的几乎每个地方以及加拿大东部的很多地方,他沿途几乎观察了所有重要的地质“纪念地”,包括尼亚加拉瀑布。赖尔为旅行的相对舒适而感到惊讶,虽然他们看见很多本来荒芜的地方,新近却被人宣布占有了。赖尔与大多数富有的维多利亚女王时代的人不同,他在美国南北战争中是合众国事业的畅言无忌的支持者。他对北南双方都很熟悉,他钦佩南方的勇敢与军事技能,但他相信北方胜利的必要性与不可避免性。

19 世纪 40 年代,赖尔成为在科学界以外也有很大知名度的人,他与辉格党领导人约翰·罗素勋爵、伦敦警察厅(“苏格兰场”)的创立者罗伯特·皮尔爵士以及英格兰历史学家托马斯·麦考利等都有社交往来。1848 年,赖尔因为他的科学成就而被授予爵位,并开始与皇室家族有了长期友好的交往。1844 年,他与英国物理学家 M.法拉第一起研究防止矿山灾祸事故。1851 ～ 1852 年,他担任过国家大型展览的特派专员,同年,他帮助开始在牛津大学的教育改革,他长期来一直反对不列颠学院的教会统治。赖尔的专业声望继续不断地增长;在他活着时,得到了很多奖赏和荣誉学位,包括 1858 年得到的伦敦皇家学会的最高奖章——科普利奖章;他多次担任过各种不同的科学学会和基金会的主席。日益增长的声望和职责并没有使他放弃地质学探索。他和夫人玛丽实际上每年夏天都要在欧洲或不列颠旅行,他们 1854 年冬季访问了马德拉群岛,研究该岛本身的起源及其上稀奇古怪的动植物群。1858 年他骑在小黑骡背上进行了大量的重复研究之后,最终证明埃特纳山是反复发生的小型喷发所形成的,而不是像一些地质学家一直坚持的那样,是由一次突变性的隆升所致。他写给夫人玛丽的信上说:“一只好的骡子,就好像给一位年迈的地质学家提供了一双年轻的腿。”

1859 年达尔文《物种起源》一书的出版给予赖尔的工作以新的激励。虽然达尔文在风格和内容两个方面都从赖尔的《地质学原理》里汲取了大量东西,但赖尔始终未能共享他的门徒对进化的信仰。但是,阅读《物种起源》一书,对他在 1863 年出版《人类古老性的地质证据》一书时处于极点的研究工作又有了新的推动。在那本书里,赖尔试图通过自然选择来接受进化。然而,只有在 1865 年他完成对《地质学原理》的主要修订时,他才完全采纳了达尔文的结论,并为他自己的理论补充了强有力的论据,这使得达尔文的学说赢得了新的追随者。为什么赖尔在接受达尔文主义上是犹豫不决的呢?关于这一点,达尔文本人作了很好的解释:“考虑到他的年龄、他以前的观点,以及他的社会地位,我认为他的行为是英雄的。”

1865 年以后,由于赖尔精力的衰退,他的活动就较为局限了,虽然他始终没有完全放弃户外的地质工作。比他年轻 12 岁的夫人于 1873 年在一次短暂的急病之后突然逝世,这使得赖尔写道:“我致力于我心爱的科学的日常工作之中,以便把我生活中已造成的可怕的变化遗忘得尽可能地远。”1875年，当赖尔修订《地质学原理》第12版时，他与世长辞了，遗体被安葬在威斯敏斯特教堂内。

评价 赖尔在他的时代是这样一个典型人物：他一开始是一个业余地质学家，通过研究和实践经验而成为一个专业地质学家。但是，与那时的和现今的大多数地质学家不同，他从来不把观察和采集看成是它们自身的目的，而是用它们来建立和检验理论。《地质学原理》为达尔文周围的一批年轻科学家们开辟了时代的新前景，并带来了新的变化。只有当他们离去以后，赖尔的声望才开始减低，很大程度上是坏在那些没有像达尔文一样仔细地读过《地质学原理》而且也不认为达尔文向赖尔学习是他自己的事的评论家们的手里。赖尔仍旧为一些地质学家所低估，这些地质学家看不到他们每天所使用的方法和原理实际上是从赖尔起源的，并且在赖尔那个时代是革命性的。为现今的读者而作的对赖尔的工作及其重要性的持久评价，清楚地体现在达尔文下面一段评语之中：“《（地质学）原理》的伟大功绩，就在于它改变了人们思维的整个格调，所以，即使人们看见赖尔从来没有见过的事物时，也总是部分地通过赖尔的眼睛看到的。”

Lyell, Mount 莱尔山 澳大利亚塔斯马尼亚州西部矿区。矿区发现于19世纪80年代，其名字取自西部沿海山脉中880米山峰的名字，而该山峰是以19世纪英国地质学家C.莱尔的姓氏命名的。该矿区先开采黄金，后开采白银，目前该州约有90%的铜采自该区。1968年后开发出新的地下大矿藏。矿工多住在附近的昆斯敦。所产矿石由铁路北运至伯尼港，然后大部船运日本，其余运往新南威尔士的肯布拉港。

lygaeid bug 长蝽 异翅目长蝽科昆虫，3 000多种，包括许多重要的作物害虫。体长3～15毫米，一般不超过10毫米。褐色，可有鲜明的红、白或黑色斑点、条纹。马利筋长

马利筋长蝽（*Oncopeltus fasciatus*）
美国不列颠百科全书公司供图

蝽（美洲脊胸长蝽，*Oncopeltus fasciatus*）具显著的宽阔红色及黑色条带。旧大陆（或埃及）棉籽尖长蝽（*Oxycarenus hyalinipennis*）和澳大利亚的果树小长蝽（*Nysius vinitor*）均为害果树。蝉大眼长蝽（*Geocoris punctipes*）食螨、白蚁和其他植食性小昆虫。因本科有一种为害巨大的*麦长蝽*（**chinch bug**）以植物体液为食，所以本科有时被称为麦长蝽科。

Lyly, John 黎里（1554?，英格兰肯特～1606-11，伦敦） 英国最早的散文作家，其文风对英语有持久的影响。他的剧作对英国喜剧中散文对白的发展亦有贡献。就学于牛津大学的马格达伦学院，约在1576年去伦敦。他在伦敦发表了两部传奇小说而一举成名：一为《尤弗依斯》（又名《对于才智的剖析》，1578）和《尤弗依斯及其英国》（1580）。从此他成为16世纪80年代最出风头的英国作家。两书以书信形式叙述了一个有浪漫色彩的私通故事，信中夹杂了不少有关宗教、爱情和书信体裁之类题目的议论。他对选词、遣词、造句之讲究，常用古典神话中的故事作比喻，加上他的过于雕琢的绮丽的文句，形成一种历时不久的伊丽莎白散文文体，名“尤弗依斯体”（或译“绮丽体”）。这两部“尤弗依斯”小说使英国散文开始讲究起形式来。黎里本人则在1580年以后放弃小说创作，致全力於喜剧写作。1583年，他掌握了第一座黑衣修士剧院，他的最早的剧作：《坎帕斯比》和《萨福和法翁》即在该院上演。除了《月中女子》之外，所有黎里的喜剧都由为儿童演出的一个剧团上演，伊丽莎白不时亲临观看该剧团的演出。他的剧作首演的年份为：《坎帕斯比》和《萨福和法翁》（1583～1584）；《加拉西亚》（1585～1588）；《恩底弥翁》（1588）；《弥达斯》（1590）；《爱的变形》（1590）；《蓬比妈妈》（1590）和《月中女子》（1595）。这些剧本除一个之外都用散文写成。其中最出色的为《恩底弥翁》，有些评论家认为该剧作虽有过分雕琢之嫌，仍不失为一部杰作。在英国戏剧中，黎里的喜剧较之他的前辈所作，实是一个极大的进步。它们的故事情节采自古典神话传说，人物的对白为尤弗依斯体，其中文艺复兴时期盛行的卖弄学问之处俯拾即是；然而对白之优美与俏皮，情节结构之精美与轻巧，达到了后来更有才赋的剧作家也不敢忽视的水平。黎里的声望在基德、马洛和莎士比亚崛起之后日见其衰；伊丽莎白女王对他的给予财政资助的呼吁置之不理。他原来指望能继蒂尔尼之后任宫廷宴会主持人，然而他却在蒂尔尼之前，在潦倒中怀着一腔怨愤死去。

Lyme disease 莱姆病 蜱传细菌性疾病。1975年首次明确本病，并以本病首次被发现的地点美国康涅狄格州莱姆镇来命名。此后在美国各地区以及欧洲、亚洲、非洲及澳洲均有发现。莱姆病是布氏疏螺旋体（*Borrelia burgdorferi*）感染所致。这种螺旋体由各种蜱传播。在美国东北部通常是达敏硬蜱（*Ixodes dammini*）；在西部是太平洋硬蜱（*I. pacificus*）；在欧洲则为蓖子硬蜱（*I. ricinus*）。蜱吮吸鹿或其他受染动物时获得本病螺旋体。达敏硬蜱主要吮吸弗吉尼亚鹿和白足鼠的血，特别是在高草地带，以夏季最为活跃。硬蜱的幼虫和若虫比成虫还更可能吸食人类，因此也更易传播本病。在人类，本病有三期：第一也是最轻的一期，其特征为在咬后几天以至一月之内在身体任何部位可出现牛眼状环形疹。皮疹常伴有感冒样症状，如头痛、疲乏、发冷、食欲下降、发热和关节肌肉酸痛。大多数莱姆病患者都只感到这第一期症状，从没有严重发病。但一小部分进入第二期，这通常始于受染后两周至三个月之间。进入本期的征象有游走于各关节间的关节痛以及神经症状，如记忆、视力、行动等功能障碍。莱姆病的第三阶段通常在受染后两年内开始，则以致残的关节炎和类似于多发硬化的神经症状为主。但症状变异很大，有些患者可有面肌麻痹、脑膜炎、记忆力丧失、情绪波动，以及注意力无法集中等情况。因莱姆病可类似其他疾病，有时诊断困难，特别是当没有典型皮疹史时。早期应使用抗生素（通常成人给四环素，儿童给青霉素）以防止病情发展至更严重阶段。后者要用更有力的抗生素，不过以后症状还可周期性复发。

lyme grass 欧滨草 参阅**wild rye***野黑麦*。

Lyme Regis 莱姆里吉斯 英格兰多塞特行政、历史郡西多塞特区一行政堂区。地处一俯瞰小港湾和海滩的陡峭山丘上。该区3个庄园在《末日审判书》（1086）中有记载。1284年由爱德华一世核准建制。1311年成为英格兰主要港口之一。现经济以旅游业为主。当地景色优美，有许多乔治时代的房屋。人口3 851（1991）。

lymph 淋巴液 浸浴组织的无色液体，可维持其液体平衡，并把组织中的细菌带走。淋巴液取道淋巴管道最后进入血液循环。淋巴液各种成分中最重要的要属淋巴细胞和巨噬细胞，它们是人体免疫系统中主要的细胞成分，机体可以通过它们抵御外来致病微生物的侵袭。淋巴液取道淋巴管从组织中进入静脉血流，途中，滤经几个淋巴器官（脾、胸腺）和大量淋巴结。淋巴管内压力低于血压，故流速较血流为慢。淋巴管的通透性较之于血管为高，故许多大分子蛋白质和大分子代谢废物无法回到毛细血管，却能进入淋巴管，再进入血流。这些大分子蛋白质可能是局部组织的合成产物，也可能是血液在某些特殊场所送入组织的。

淋巴管与血管接轨的位置：在脊椎动物，一般位于腔静脉进入心脏的部位；在哺乳动物，取道胸导管，在锁骨下静脉与血管接轨。不同于血管的动、静脉分枝，淋巴管只在一个方向上反复分枝，从组织细胞间的淋巴管源头，到终端淋巴导管为止，淋巴管道系统的分枝情况类似于静脉血管网架。淋巴管凡较大者都有管内瓣膜装置，以保证淋巴液回流方向。在哺乳动物，淋巴液回流的动力来自淋巴管壁的平滑肌蠕动。而较之为低等的动物，淋巴管上每隔一段距离就有一个肌性膨大部分——淋巴心脏——不断地泵动淋巴液回流。

所有多细胞动物都有识别、中合并吞噬外来微生物的能力。巨噬细胞就是这一类动力细胞，它们能包绕并吞噬异物。在进化水平上所有高于有骨鱼的动物都有集中的淋巴组织，这些组织主要由巨噬细胞和淋巴细胞构成（淋巴细胞是一种有化学中合致病微生物能力的血液白细胞）。哺乳动物的脾、淋巴结、胸腺都是由淋巴组织构成；此外，凡在致病微生物易于入侵的部位，如肠、扁桃体、腺样增殖体等器官组织中，都有淋巴组织集中的地方。从不同途径进入体内的细菌和异物多被淋巴液捕获并运送到淋巴结，淋巴结内

的淋巴窦间架有许多淋巴细胞构成的髓索和滤泡。当有致病微生物或异物入侵时，淋巴细胞反应性增生，其中一部分留在原地，另一部分随淋巴液回流转移到其他部位的淋巴结。部分淋巴细胞产生抗体以对抗入侵细菌，另一部分则直接参与细胞免疫，攻击、包裹并吞噬异物。

淋巴系统的主要功能除把大分子蛋白质和体液运送回血液循环外，还有免疫功能，所以很多感染性疾病和非感染性病变过程都可引起淋巴结肿大。细菌、变应原颗粒、转移的恶性肿瘤细胞等都会集中到淋巴结，刺激淋巴细胞增生，从而导致淋巴结肿大。淋巴液回流受阻可导致上游淋巴液潴留在组织间，引起组织水肿，这种情况即淋巴水肿。

淋巴系统恶性肿瘤——淋巴细胞白血病、恶性淋巴瘤等——表现为淋巴细胞在机体不同部位，不同性质的恶性增殖。急性淋巴细胞白血病是一种常见的儿童血液病，预后很差，这种病表现为骨髓和循环血中幼稚淋巴细胞高度增生，病程发展快。慢性淋巴细胞白血病多发于45岁以上成人，病程发展较慢，幼稚淋巴细胞在骨髓中的增殖速度也较慢，淋巴细胞成熟程度也较急性者为高。急淋和慢淋二种病人多伴贫血。由于幼稚淋巴细胞恶性增殖而导致局部淋巴结肿大是恶性淋巴瘤的主要特点。恶性淋巴瘤的分类繁杂，而且由于视角不同，有不同的分类办法。最基本、最实用的分类法把恶性淋巴瘤分成“霍奇金氏恶性淋巴瘤”和“非霍奇金氏恶性淋巴瘤”二类。和其他感染性疾病一样，梅毒、传染性单核细胞增多症、结核、淀粉样变性等病人也有淋巴结肿大的症状。

lymph node　淋巴结　淋巴组织组成的小圆团块，外有结缔组织包膜包绕并与淋巴管相连。淋巴结内是由结缔组织纤维组成的网络，其中包含着大量小而圆的细胞，每个细胞都有一个大而圆且深染的胞核，当它们被淋巴液带出时就成为淋巴细胞。在淋巴结中，淋巴液中循环的微生物和其他物质要接触同感染作战的吞噬细胞和淋巴细胞。沿着淋巴管分布有大量淋巴结。连结淋巴结的淋巴管运输淋巴液缓慢进出淋巴结。淋巴液在淋巴结滤过时，就接触到许多吞噬细胞——能吞噬微生物或其他异物的细胞。但异物在淋巴结中特别要接触淋巴细胞，后者可以直接攻击入侵者或合成抗体来对付入侵者。淋巴结的另一功能是向流过的淋巴液增添淋巴细胞和抗体，这就保证了免疫应答的能力能遍布全身淋巴系统。正常情况下，淋巴结小而不显，但因细菌入侵而发炎时人类淋巴结可胀大至1～2厘米。除沿全身淋巴管分布的大量淋巴结外，在某些区域如颈、腹股沟和腋窝等处还有成簇的淋巴结。淋巴结还在癌瘤的传播上起一定作用。因淋巴管遍布全身，所以恶性肿瘤常侵袭淋巴管。脱离肿瘤的细胞被带到淋巴结，滞留在那里并开始生长，于是形成继发性肿瘤。因此在外科治疗癌瘤时必须切除许多淋巴结以保证肿瘤的完全切除。

lymph nodule　淋巴小结　集结的淋巴组织，形小，局限，通常位于消化道、呼吸道及膀胱等黏膜湿润的上皮下的疏松结缔组织中。淋巴小结多位于易受微生物及异物侵犯的部位，具有防御作用。淋巴小结与淋巴结的区别是体积小，无明确的结缔组织被膜，且不沿淋巴管分布，因此亦无滤过作用。淋巴小结亦常有生发中心。小肠中聚集的淋巴小结称为派尔氏集合淋巴结。扁桃体亦是淋巴小结聚集的部位。

lymphatic system　淋巴系统　脊椎动物循环系统的一个子系统，由复杂的淋巴管道、淋巴组织和淋巴器官构成。淋巴系统通过收集未能及时返回血流的体液和捕捉来自组织、血液中微小颗粒的方式来维持机体的液体平衡。它还通过向机体提供淋巴细胞——免疫活性细胞——的方式帮助机体抵御细菌感染。本条目主要讨论人类的淋巴系统。淋巴系统可以理解为一个必要的排水系统。因为循环血液在流经机体各类组织时，血浆会通过毛细血管壁漏出到组织间隙中，从血管中漏出的这一部分血浆即被称为组织间液或细胞外液，其中含有组织细胞所必须的氧、葡萄糖、氨基酸和其他营养物质。完成物质交换后，漏出血浆中的绝大部分旋即又返回到循环血液中，但还有一部分连同其中各种微小颗粒一起残留在组织间隙中，然后再经由淋巴管系统返回血流，否则循环血液就会越来越少。淋巴系统就是以这种方式维持体液平衡的。这些微小的淋巴毛细管网几乎遍布机体所有组织，没有淋巴管分布的部位仅有：浅表上皮、黏膜、骨髓和中枢神经系统。淋巴管网高度密集的部位有肺、胃肠道、泌尿生殖系统和真皮。细胞外液一旦进入淋巴管即名淋巴液，并逐级向下排放。淋巴管的口径也逐级扩大：毛细淋巴管以盲端起于组织间隙，再汇集成淋巴管，最后形成两支淋巴干——右淋巴导管和胸导管，分别在颈根部注入静脉。前者收集机体右上部分的淋巴液，然后注入右锁骨下静脉；后者收集机体其余部分的淋巴，注入左锁骨下静脉。淋巴液回流的动力来自淋巴管壁的平滑肌，淋巴管瓣膜有助于淋巴回流。淋巴管行程中有许多淋巴结，其功能是清除循环淋巴液中的异物，如致病微生物等。

除循环功能外，淋巴系统还是机体免疫系统的重要组成部分，淋巴细胞就是消灭外源致病微生物的主要白细胞类型之一。淋巴细胞可分为T细胞和B细胞两种。淋巴细胞在全身各处均有分布，以淋巴系统内最为集中，以便更有效地行使其免疫功能。淋巴器官一般可分为初级和次级两大类。初级淋巴器官含胸腺、骨髓、胚胎肝脏以及禽类的腔上囊（法氏囊）。人类以胸腺和骨髓在免疫功能上所起作用最为关键。初级淋巴器官是B细胞和T细胞成熟分化的场所。次级淋巴器官则为更多的淋巴细胞分化的场所。所有的淋巴细胞均源于骨髓干细胞。向B淋巴细胞转化的干细胞继续留在骨髓并完成其成熟分化，而向T细胞分化的干细胞则迁移至胸腺，再完成其成熟分化。分化成熟的B、T淋巴细胞脱离初级淋巴器官，随血液迁移至次级淋巴器官——其中淋巴细胞的激活还需要有抗原（异物颗粒和致病微生物）的刺激。

胸腺位于胸腔上方、胸骨的后面。呈不对称两叶。胸腺的外层周边为皮质，含有丰富的淋巴细胞；中心为髓质。T细胞的成熟分化发生在皮质。人的胸腺出现于胚胎早期，持续发育到青春期，其后便日渐萎缩。据信，T细胞数量随年龄增长而逐渐减少的原因就是胸腺萎缩。在胸腺皮质发育成熟的T细胞（胸腺细胞）能辨别“自己”和“非己”物质。T细胞与“自已”的主要组织相容性复合体（MHC）分子接触、相识的过程就是“阳性选择”。那些具有可识别性的MHC分子的细胞被选择性地保留下来，而那些未结合有MHC分子的细胞将会被消灭。然后，胸腺细胞便迁移致髓质，并进行“阴性选择”——即将可攻击自身组织细胞的胸腺细胞去除。通过阳性和阴性选择，绝大部分胸腺细胞都被消灭，只有5%～10%存活下来，经由输出淋巴管离开胸腺，进入血液和次级淋巴器官。应当指出，胸腺并没有输入管道，从而证明胸腺并非循环淋巴细胞的中转站，而是T细胞的制造厂。

在哺乳动物，B淋巴细胞的发育场所是骨髓，胚胎期是肝脏。和胸腺不同，骨髓并无青春期萎缩现象，所以B淋巴细胞的数量也不随年龄的增长而减少。次级淋巴器官主要有淋巴结、脾脏、肠道淋巴小结、阑尾、扁桃体以及与黏膜相关淋巴组织。次级淋巴器官有二个基本功能：一是淋巴细胞继续成熟分化的场所；二是T细胞、B细胞有效捕捉抗原的部位。淋巴结体积小、豆状、有被膜，由淋巴组织构成，且数量极大。淋巴结沿遍及全身的淋巴管网分布，尤以腋窝、腹股沟、颈部和膝部等处最为集中。淋巴结内淋巴细胞经高内皮微静脉（淋巴组织中特殊的毛细血管后微静脉）自血液进入淋巴组织。T细胞聚集在内皮层（副皮质区），而B细胞则集中在外皮层的生发中心。淋巴液，连同各种抗原一起，经由输入淋巴管进入淋巴结，并在滤过过程中接触并激活淋巴细胞。被激活的淋巴细胞随淋巴液一起经由输出管道进入血液，再进入全身各部位。

脾脏为腹腔脏器，位于胃的后方。结构上虽与淋巴结相似，但其功能却是滤过血液，而非滤过淋巴液。其主要功能之一是它使血液与淋巴细胞接触。脾脏的功能成分由巨噬细胞和淋巴细胞构成，前者位于红髓，可吞噬病菌、坏死血球和细胞碎片；后者则分布于白髓，数量巨大。脾动脉分支成网后进入红髓，血内致病微生物可被弥散分布的巨噬细胞捕获；血液被滤洗后进入脾静脉。在白髓，T细胞集中分布在中央小动脉周围；而B细胞则聚集在生发中心，并被抗原诱导转化为可产生抗体的浆细胞。黏膜相关淋巴组织是另一种重要的次级淋巴器官。它们几乎与任何器官的被覆黏膜有关，尤以胃肠道、泌尿生殖道和呼吸道最为重要。这些部位与外界相通，广泛接触各种有害微生物，必须要建立自己的抗原捕获，及向淋巴细胞提呈的系统。例如，作为小肠的黏膜相关淋巴组织，肠道淋巴小结就能够提取路经此处的抗原，并将其提呈给黏膜下层的T、B淋巴细胞。此外，肠道还有一些器官结构不太明显区域，也起到黏膜相关性淋巴组织的功能。次级淋巴器官的宿主大都能提供一个庞大的免疫功能空间，即便将脾脏、部分淋巴结、扁桃体或者阑尾全都切除也无关大局。但初级淋巴器官就不同了，其重要性是显而易见的，如迪乔治综合征和涅泽洛夫氏病这两种自身免疫性疾病就是因为胸腺发育不全，继而导致T淋巴细胞数量明显减少。如将禽类的腔上囊切除，亦可导致B细胞数量减少。骨髓破坏亦可伤及机体的免疫功能，这不仅因为骨髓是B细胞的发育场所，而且还是各种淋巴细胞的前身——干细胞的源头。

lymphedema 淋巴水肿 淋巴系统受阻以致组织内有液体聚积的异常情况。淋巴水肿可为原发性或继发性。原发性淋巴水肿最常见的就是单纯性先天性淋巴水肿，自出生就出现，但并非家族性（遗传性）。类似但为家族性的见于米尔罗伊氏综合征和努南氏综合征。这几个类型淋巴水肿常侵犯两腿的膝以下部分，多以足部的无痛肿胀开始，逐渐沿脚上行。虽然开始时无痛，但极端者要影响双腿功能而且影响美观。原发性淋巴水肿更常见于妇女，常需抬高患肢并应用弹力袜套。在极严重病例可能需要手术引流受阻淋巴管道。在继发性类型中，淋巴水肿最常源于感染，但也可见于手术切除淋巴结或放射治癌之后。如因感染所致，可用抗生素治疗。

lymphocyte 淋巴细胞 淋巴系统中具有重要作用的一型白细胞。在人体，淋巴细胞占白细胞总数的20%～25%。淋巴细胞有两个主要类型：B淋巴细胞和T淋巴细胞，或

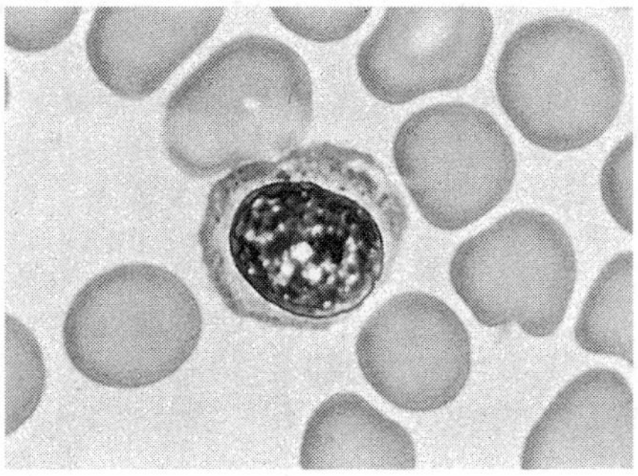

人体淋巴细胞（相差显微镜照片）
美国不列颠百科全书公司供图

称B细胞和T细胞。两者都源于骨髓中的干细胞，然后再经血至淋巴组织如脾、扁桃体以及淋巴结。大多数T细胞都长寿，一般可活2至4年，但大多数B细胞都短命，一般只活一周至几个月。通过表面上的受体分子，淋巴细胞可同抗原（异物或微生物，都是寄主视为"异己"之物）结合而将其清除。每个淋巴细胞都有可与特定抗原结合的受体。人体能对几乎一切抗原都作出反应，这是因为体内含有亿万个淋巴细胞而许多细胞都携带着独特抗体。B细胞一旦结合到一个抗原例如一个细菌或一个病毒上时，就受到刺激并增生成一个由相同细胞组成的无性繁殖系（克隆）。其中一些B细胞分化成为分泌抗体的浆细胞。分泌出的抗体和前体B细胞上的受体分子一样，在血或淋巴中可以和靶抗原结合，中和它或破坏它（参阅 **antibody**）。抗体产生过程持续几天，直到战胜抗原。其他B细胞也增生但不分化为浆细胞，它们成为记忆细胞，它们为免疫系统提供了一种长期记忆的机制，某一特异类型的抗原再度侵入时则使机体表现出一种增强的感受性。T细胞在进入淋巴组织之前先要在胸腺中成熟，并在其中分化为辅助性、抑制性和细胞毒性三类T细胞。辅助性T细胞受到相应抗原的刺激就分泌淋巴因子，这些淋巴因子促使B细胞分化为浆细胞，增加抗体的产生。抑制性淋巴细胞可减弱这个反应，故名。细胞毒性T细胞被白细胞介素已激活可结合受染细胞（特别是受病毒感染的细胞）并将其绞死。参阅 **leukocyte**。

lymphogranuloma venereum 性病性淋巴肉芽肿 又称腹股沟淋巴肉芽肿或尼古拉-法弗尔病。一种常见的通过性交传播的淋巴管及淋巴结的衣原体传染病。表现为淋巴结肿大、溃疡，生殖器官增大及直肠狭窄。发生于世界大多数地区，尤其是热带及亚热带。男女感染率大致相同。各种族均可受染。在美国南部，尤其在贫困阶层中呈地方性流行。通常感染后5～21天在生殖器出现原发损害，且常为一过性，易被忽略；感染后10～30天出现腹股沟淋巴结热、肿、触痛（腹股沟淋巴结炎），此时才引起注意。女性常不发生腹股沟淋巴结炎，一开始即表现直肠症状。发病后可有发热、寒战、头痛及关节痛。腹股沟淋巴结形成脓肿并破溃流脓。晚期表现包括继发性溃疡，男女两性生殖器官的象皮病；肛门周围息肉样生长物，直肠的炎症、溃疡及狭窄；偶见关节炎、结膜炎及神经系统病变。病程各异，可由无症状的感染到极度虚弱乃至残废。有效的治疗方法不多：金霉素与磺胺嘧啶联合应用于腹股沟淋巴结炎阶段有中度疗效；对直肠损害及其他部位的溃疡，四环素族抗生素加氯霉素或磺胺嘧啶应用到症状改善后30天可能有效；青霉素无效；由腹股沟淋巴结抽脓可缓解症状；有时手术或反复扩张对直肠狭窄有效；整形外科手术的适应症为象皮病。所有病例均应定期随访，抽血检查以排除梅毒感染。

lymphoid tissue 淋巴组织 组成免疫系统的细胞、组织和器官，包括骨髓、胸腺、脾脏及淋巴结。淋巴组织的结构根据其具体免疫功能的不同而异。其中结构最为完备的是胸腺和淋巴结，均外覆包膜，境界清楚，结构各具特点。脾脏的淋巴组织由环绕小动脉的结构疏松的细胞柱组成。骨髓的淋巴组织与造血细胞相混合因而无明显可辨的结构。消化道、呼吸道等部位的淋巴组织分散在黏膜上皮下的疏松结缔组织中，许多淋巴细胞四处游走，与入侵的微生物和抗原物质相接触。有异物侵入的局部可出现细胞生发中心，形成淋巴小结。一些小结可变为相对永久性的结构，如扁桃体、阑尾的淋巴组织及派伊尔氏淋巴集结，而大多数小结根据局部反应的需要出现或消失。淋巴系统中有数型细胞。网状细胞形成纤维细网，组成多数淋巴器官的构架。巨噬细胞吞噬异物，亦可能改变异物的抗原性，从而启动免疫应答。这些细胞在淋巴结内是固定的，而在疏松结缔组织中可以游走。淋巴组织中最常见的细胞类型是淋巴细胞。淋巴细胞也是源于骨髓造血干细胞，然后随血液进入淋巴组织。T淋巴细胞在胸腺内发育成熟，而后进入其他淋巴器官，如脾。而B淋巴细胞在骨髓内发育成熟，而后进入淋巴器官。T和B二类淋巴细胞在机体免疫功能中发挥关键作用。

lymphoma 淋巴瘤 一组恶性疾病，常起自淋巴结或起于淋巴组织（包括肺、脾或皮肤内）。通常分为两种类型：*霍奇金氏病*（**Hodgkin's disease**）和非霍奇金氏淋巴瘤。霍奇金氏病治愈率较高，非霍奇金氏淋巴瘤不易治愈。霍奇金氏病是一种癌瘤性疾病，引起淋巴结和脾脏的肿大以及严重贫血。伯基特氏淋巴瘤是淋巴系统的一种癌，最常见于非洲儿童；研究表明它可能是由爱泼斯坦-巴尔二氏病毒造成，或者与之有某种关系。其他非霍奇金氏淋巴瘤还有各种名称，它们可以根据所含细胞的形态进一步细分，它们可为弥漫性或呈结节状。一般说来，结节型比弥漫型进程较慢。弥漫性大细胞（组织细胞）型淋巴瘤具有高度侵袭性，能侵犯皮肤、肝脏、肺脏、肾脏，甚至脑部。诊断淋巴瘤的主要类型要求分析常取自淋巴结的活组织材料。

lymphoreticuloma 淋巴网状细胞瘤 参阅 **Hodgkin's disease** *霍奇金氏病*。

Lynch, Benito 林奇（1885-06-25，阿根廷布宜诺斯艾利斯～1951-12-23，拉普拉塔） 阿根廷小说家。他关于阿根廷乡村生活的作品，以朴素、直率的风格探索了普通人在日常生活活动中的心理状态，因而给描写南美洲草原人民的加乌乔小说传统带来一种崭新的现实主义。第一本重要小说《佛罗里达的鹰》（1916），描写父子间的冲突：父亲是一个牧场主，儿子是一个留学欧洲的学生。林奇的写作手法与一般生动而耸人听闻的加乌乔神话大不相同，他写加乌乔小说，文笔朴素，语含讥讽，例如《拉克拉》（1918）。《挖骨头的英国人》（1924），一般认为是他的最佳作品，写一个英国人类学家和一个加乌乔姑娘悲惨的恋爱故事。他还写了几本短篇小说集。

Lynch, John (Mary) 林奇（1917-08-15，爱尔兰科克郡科克～1999-10-20，都柏林） 爱尔兰政治人物，1966～1973年和1977～1979年任爱尔兰总理。学习法律，1936年进入司法部工作。1945年取得律师资格，遂辞去公务员职务，在科克巡回审判区当律师。1948年作为反对党的一员进入政界，与德瓦勒拉一道亲密工作。在他的党——替天行道士兵党（共和党）——于1951年执政后，他于1951～1954年任议会秘书，1957年任盖尔语地区部长，1957～1959年任教育部长，1959～1965年任工商部长，1965～1966年任财政部长。当1966年勒马斯辞去总理职务时，党内就继承问题发生争执，林奇作为各方都能接受的候选人，于11月成为共和党主席，出任总理。1972年林奇在就爱尔兰参加欧洲经济共同体问题举行的公民投票中获胜，1973年

1月1日爱尔兰成为欧洲经济共同体成员。他虽然赞成爱尔兰与北爱尔兰统一，但却对爱尔兰共和军临时派分子的恐怖活动采取强硬的态度，数年来逮捕了其中的一些人。在1973年选举中失败后，他的党在1977年选举后重新上台。然而，由于对党的前途感到灰心，他于1979年12月辞去领导职务。

Lynch, John R(oy)　林奇(1847-09-10，美国路易斯安那康科迪亚帕里什～1939-11-02，伊利诺伊芝加哥)　美国南北战争结束后的黑人政治家，密西西比州议会议员和美国众议院议员，19世纪70和80年代共和党著名的活动家。原为奴隶，南北战争中获得解放，定居于密西西比州纳奇兹县，一边学习摄影一边上夜校。1869年任该县治安法官，同年11月选入密西西比州众议院，1871年再度当选。虽然黑人在密西西比州议会从未成为多数，但他于1872年被选为众议院议长。同年选入美国国会，1874年连选连任。1876年南方"重建时期"结束，林奇竞选第3任失败。1880年再次竞选，已被宣告为失败者，但他对选举结果提出质疑，结果重又当选。他在国会众议院中支持民权立法。1883年隐退。1889年B.哈里森总统任命他为财政部驻海军部的第4审计官。作为共和党积极分子，曾是出席1872、1884、1888、1892和1900年共和党全国代表大会代表，1884年任大会临时主席，成为主持美国一个大党的全国代表大会的第一位黑人。著有《重建真相》(1913)。

Lynchburg　林奇堡　美国弗吉尼亚州中部一行政独立城市，位于坎贝尔县与贝德福德县，地处兰岭山脉山脚下的詹姆斯河畔。1757年始有人定居，1805年设镇，1852年建市。1840年建成通里士满运河及1852年修通铁路后逐渐繁荣。南北战争后发展成为制鞋和制铁中心。现代经济包括制造业和农业；农产品有烟草、玉米和其他谷物。该市的大学有弗吉尼亚神学院(1888，浸礼会)、伦道夫-梅肯女子学院(1891，美以美教会)、林奇堡学院(1903，基督徒教会)、中弗吉尼亚社区学院(1966)和自由浸礼会学院(1971)。人口：市65 269；都会统计区214 911(2000)。

lynching　私刑　指群众暴力的一种形式。暴民以执行法律为名，不经审判就把他们认为是罪犯的人处死，往往还进行拷打和肢解。"私刑法"("林奇法")这个词指私自建立的法庭不经正常的法律程序对人判刑。这个词来自查尔斯·林奇的名字，他是弗吉尼亚的一个种植园主和爱国者，在美国独立战争期间主持一个非正规的法庭以惩罚亲英分子。在很多国家里的不稳定的情况下，一些非正式组织的团体试图补充或代替合法的程序，进行了简单的和不正规的审判。中世纪德国的费米克法院就有某些私刑，英国边境地区也有私刑。中世纪西班牙的圣兄弟团制度，俄罗斯和波兰的针对犹太人的作法也与此类似，尽管在这些情况下有合法建立的当局的支持。1882～1951年间，美国有4 730人被私刑处死，其中1 293名是白人，3 437名是黑人。20世纪50年代和60年代，私刑仍然与种族纠纷联系在一起，民权工作者和鼓吹者受到威胁，有时还被暴徒们杀死。

Lynd, Robert (Staughton); and Lynd, Helen 林德夫妇(罗伯特1892-09-26，美国印第安纳新奥尔巴尼～1970-11-01，康涅狄格沃伦；海伦1894-03-17，伊利诺伊拉格兰奇～1982-01-30，俄亥俄沃伦)　海伦·林德母家姓为Merrell。美国社会学家。他们合写的《米德尔敦》丛书不但成为社会学的经典著作，而且受一般读者欢迎。他们是最早应用文化人类学的方法研究现代西方城市的学者。罗伯特和海伦于1921年结婚。罗伯特曾主编《出版周刊》(1914～1918)，后来在纽约市几家出版公司工作。1923～1926年间，主持社会和宗教研究所的小城市社会学研究项目，1927～1931年担任社会科学研究委员会的官员，同时在哥伦比亚大学教授社会学(自1931年始)。单独著作题名《为什么要有知识？》(1939)。海伦曾长期在纽约州布朗克斯维尔镇的萨拉·劳伦斯学院教书(1929～1964)，单独著有《论羞耻和认同》(1958)及《为了发现》(1965)等。林德夫妇以在印第安纳州曼西市所进行的社会阶层之调查为基础，合写了《米德尔敦——现代美国文化研究》(1929)和《米德尔敦在过渡中——对文化冲突的研究》(1937)。这些著作显示出林德夫妇把中产阶级作为人类学意义上的一个部落来看待，这是个创新。《米德尔敦在过渡中》一书主要对20世纪30年代大萧条所引发的社会变革作了分析。

Lyndsay, Sir David　林赛(约1490～1555-04-18前)　Lyndsay又拼Lindsay。宗教改革运动前的苏格兰诗人，他讽刺天主教会和当时政府的腐败。是苏格兰文学黄金时代红极一时极有才华的宫廷诗人之一。他用通俗的苏格兰语所写的训诲诗以下流的插科打诨及将训诲和幽默融为一体为特色。出身于贵族家庭，任过詹姆斯四世的太子侍从和陪伴。12年后他照管的王子已是詹姆斯五世，但完全陷于道格拉斯派控制之下，林赛因而被宫廷辞退。1528年再次为国王效命。他是一位有影响的外交家，曾肩负重要使命代表国王出使欧洲各国君主宫廷。他的大部分诗篇均写于他在朝廷供职的那些辉煌年代。他的《讽刺三个等级》是现存唯一完整的苏格兰道德剧，1552年上演。它以戏剧形式反映了16世纪中叶的宗教、政治和社会生活中的迫切问题。《国王陛下鹦鹉的遗言和抱怨》(1530)，为庆祝国王摆脱道格拉斯派控制而写，它集讽刺、喜剧和训诲为一体，其中国王临死的鹦鹉向国王和朝廷提出忠告。《戴维·林赛爵士对国王训斥的回答》(1536)是凯尔特诗人使用诗歌体嬉笑怒骂的例证。《国王的老猎狗巴格谢的抱怨和公开自白》(约1536)是一首短训诲诗，通过一只狗的口吻讽刺宫廷生活。

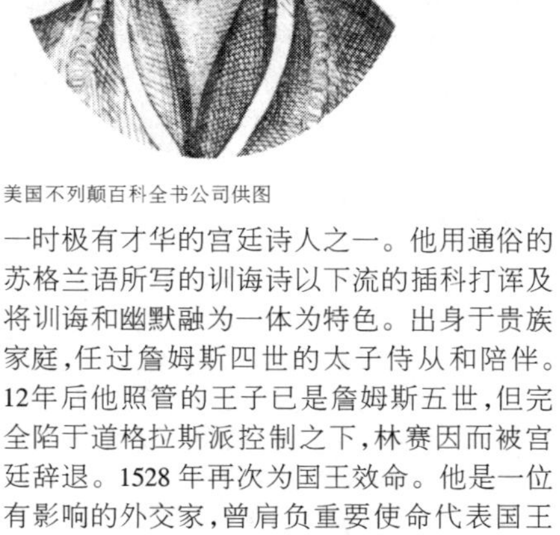

美国不列颠百科全书公司供图

Lynen, Feodor　吕南(1911-04-06，慕尼黑～1979-08-08，慕尼黑)　德国生物化学家。因对胆固醇和脂肪酸代谢的研究而于1964年与K.布洛赫共获诺贝尔生理学或医学奖。曾求学于慕尼黑大学，1942～1947年任该校化学系讲师，后升为教授。在慕尼黑研究活细胞的中间代谢时，他发现了辅酶A的乙酰化作用。这是固醇和脂肪酸生物合成的一系列反应中的第一步。1954年，吕南任慕尼黑马克斯·普朗克生物化学研究所所长。他很受国际科学界尊敬。他在固醇和脂肪酸合成中的发现，被诺贝尔奖金委员会誉为对纯化学和对胆固醇所致心脏病治疗方法研究的一个贡献。

Lynmouth (England)　林茅斯　参阅**Lynton and Lynmouth** 林顿-林茅斯。

Lynn　林恩　美国马萨诸塞州东北部埃塞克斯县城市。濒临马萨诸塞湾，在波士顿东北。1629年设镇，1850年设市。早期有制革和制鞋业。1643年建全国第一家炼铁厂。1848年后发展成全国最大制鞋中心。20世纪30年代后经济多样化，以医疗保健和电信为主的服务业提供大量就业岗位。有通用电气公司的许多工厂。主要生产鞋靴、喷气发动机、发电机、电气仪表、机械、纺织品和服装。风景名胜有林恩林地市立公园(8 100公顷)和林恩滩避暑地。附近的斯旺普斯科特有19世纪60年代发起基督教科学运动的M.B.艾娣历史纪念厅。人口约89 590(2002)。

Lynn Canal　林恩运河　北太平洋东部风景优美的窄水道，在美国阿拉斯加州东南部。从查塔姆海峡向北延伸，在海恩斯以南分为两个小湾，一个通奇尔卡特河口，另一个通华盛顿州内水道终点斯卡圭港。长100千米，宽5～19千米。可通航。运河中生活着多种鱼类和哺乳动物，如座头鲸和斯特勒海狮。

Lynn Lake　林莱克　加拿大马尼托巴省西北部矿村。在亚极带的伦迪尔湖区。1941年附近发现铜和镍矿后发展起来。1951年将谢里登镇(南193千米)迁至此。有铁路和航空线与南面的帕斯相通。镍矿产量占全省很大比重，还生产硫酸铵化肥。人口699(2001)。

lynnhaven　林黑文牡蛎　一种常供食用的牡蛎(oyster)。

Lynton and Lynmouth　林顿-林茅斯　英格兰德文行政、历史郡北德文区一行政堂区。

林茅斯位于东林河和西林河河口。林顿建在150米高的峭壁顶上。两地均为避暑胜地，在埃克斯穆尔国家公园内。人口1 738（2001）。

lynx（*Felis lynx*）　**猞猁**　短尾的猫科动物，分布在欧洲、亚洲和北美洲北部。与红猫及狞猫有亲缘关系。以前三者合为猞猁属（*Lynx*）。猞猁有几个亚种。加拿大猞猁有时

猞猁（*Felis lynx*）
美国不列颠百科全书公司供图

列为单独的种——加拿大猞猁（*Felis canadensis*）；西班牙猞猁有时亦列为一个种（*F. pardina*），现仅存于西班牙南部山区，濒于绝灭。猞猁腿长，爪大；耳有簇毛，脚底有茸毛；头宽而短；被毛黄褐至奶油色，夹杂棕色和黑色斑点，尾尖和耳毛为黑色，颈毛形成皱领状。冬季毛密而柔软，长达10厘米，可用于服装饰边。体长80～100厘米，尾长10～20厘米，肩高约60厘米，体重10～20千克。除交配季节外单独或成小群栖息，夜间活动，不出声。会爬树，善游泳，以鸟类和小兽为食，偶也食鹿。加拿大猞猁大部分以雪鞋兔为食，故其种群的增减与捕猎对象雪鞋兔种群的增减一致，有规则地每9年或10年成为一个增减周期。冬末或春初繁殖，一窝1～4仔，妊娠期约2个月。

lynx spider　**猞猁蛛**　蜘蛛目尖眼蛛科动物的俗称。世界性分布。常见于北美洲南部地

猞猁蛛（*Peucetia viridans*）
美国不列颠百科全书公司供图

区。眼排成六角形，腹部向后渐尖。不结网，但能迅猛捕食植物上的昆虫。

Lynyrd Skynyrd　**林纳德·斯金纳德乐队**　美国摇滚乐队，20世纪70年代在南方摇滚乐兴盛时期名声赫赫，其特色是三把吉他的合奏和坚毅的工人阶级的自我定位。主要成员包括R.范赞特、G.罗辛顿、A.科林斯、S.盖恩斯、B.鲍威尔、L.维尔克松和A.派尔。乐队曾用过多个名字，最终定为现名，为的是嘲弄一位反对男生蓄发的体育教师。1973年发行纪念奥尔曼兄弟乐队中已故的杜安·奥尔曼的专辑《自由的鸟》，以三把吉他交相伴和，立即引起轰动。后来推出《甜蜜的阿拉巴马家乡》以回应尼尔·扬嘲弄口吻的《南方人》，接着发行《二次帮助》（1974），从而建立起在南方摇滚乐中的牢固地位。1977年，正当走红之时，他们所乘坐的飞机在吉尔斯伯格失事，歌手范赞特和吉他手盖恩斯遇难，乐队解体。1987年幸存成员再度联手，由范赞特的弟弟约翰尼担任歌手。

lyochrome（pigment）　参阅 **flavin** 黄素。

Lyon　**里昂**　又拼Lyons。法国中东部罗讷省省会，位于索恩河和罗讷河交汇处的多丘陵地带。公元前43年是古罗马军队驻防地，后成为高卢都城。2世纪基督教传入，古

里昂市风光
中国大百科全书出版社供图

典文化发展达到巅峰。177年基督教徒遭受到罗马皇帝马可·奥勒利乌斯的迫害，197年L.S.塞维鲁在里昂大批屠杀基督教徒。1032年并入神圣罗马帝国，但实权却掌握在该市的大主教手中。1312年归属法兰西王国。文艺复兴宣告一个经济繁荣、知识辉煌时代的到来。1464年创办商品交易会，意大利商业银行家到来，里昂开始繁荣。17世纪成为欧洲丝织业中心。早在1473年传入印刷技术，里昂很快成为欧洲印刷业中心之一。法国大革命给经济带来困难，国内市场衰退，国外市场关闭，致使丝织行业疲软。1793年该市又被山岳派共和军围困，直到19世纪才重新繁荣起来，工业才有所扩展。城市发展始于20世纪50年代。其四周是工厂区和住宅郊区。索恩河右岸的旧里昂保留着文艺复兴时代最精致的建筑群。罗讷河东岸分为富人区和工厂及工人住宅区。南面，沿着罗讷河的费赞和圣丰，构成法国最大的炼油综合企业。里昂现在经济多样化。纺织业以生产人造纤维和丝绸为主；化工业为基础工业，生产染料、合成纤维和石油产品。重要的冶金工业广泛发展：有铸造、机械、电器和电子设备制造等。建筑、食品加工和印刷业均很繁荣。里昂是除巴黎以外法国最重要的教育中心，有一所大学。当地有众多博物馆，文化生活丰富。市图书馆藏有最初50年的各种印刷样品以及古书珍本。剧场有歌剧院、市剧院和一些受到全国公认的先锋派剧团。每年6月在富维埃的罗马剧院举行音乐和戏剧节，它使人想起这个城市的悠久历史。人口：市410 455；都会区1 170 000（1982）。

Lyon, Amy　**莱昂**　参阅 **Hamilton, Emma, Lady** 汉密尔顿夫人。

Lyon, Butcher of（Nazi leader）　**里昂屠夫**　参阅 **Barbie, Klaus** 巴比。

Lyon, Corneille de　**里昂的高乃依**（约1500，海牙～1574?）　法国16世纪著名肖像画家。早年到法国，1524年进入里昂王宫，1541年被任命为皇储（后来的亨利二世）画师。1547年亨利二世登位后，高乃依既是他的画师又是贴身男仆，并成为法兰西公民。主要作品是为宫廷画的肖像画。有其签名的作品几无所存，罗浮宫博物馆的一些王室人物肖像画也难以确定是其所作。

Lyon, councils of　**里昂会议**　天主教会的第13、14次普世会议。1245年教皇英诺森四世自神圣罗马帝国皇帝腓特烈二世围困下的罗马城潜逃到里昂，召开会议，出席者仅有主教150名，重申绝罚腓特烈二世并予以废黜。英诺森四世在会上还号召各君主支持法兰西国王路易九世筹备第七次十字军行动。后来，拜占廷皇帝迈克尔八世表示东正教会愿与罗马教廷恢复联合，于是教皇格列高利十世决定于1274年召开第二次里昂会议。约200名东正教会代表和西派各主教通过信仰声明，达成形式上的重新统一。然而，希腊教会不久就否定了这次会议的决议。

Lyon, Mary (Mason)　**莱昂**（1797-02-28，美国马萨诸塞巴克兰附近～1849-03-05，马萨诸塞南哈德利）　美国致力于妇女高等教育的先驱，霍利奥克山女子学校（后改为学院）的

南哈德利霍利奥克山学院供图

创建人及第一任校长。她17岁开始教书；1817年起靠纺织所得进入马萨诸塞州阿什菲尔德的桑德森学院求学，并靠教书维持生活。她作为教师和行政管理者的成功以及对她所训练的年轻女子的要求，导致她计划为妇女创办一所永久性学校。通过她的老师、地质

学家爱德华·希契科克的帮助，获得必要的经济支援。1835年在南哈德利村附近选定校址，1836年霍利奥克山女校建成，1837年11月8日开学，莱昂任校长直至逝世。

Lyon faience 里昂彩陶 16世纪至1770年在里昂生产的锡釉陶器。最初由意大利陶工制作，16世纪的里昂彩陶仍接近意大利的原品，即所谓伊斯托里亚多风格的乌尔比诺马约利卡陶器。其主题常为历史故事、神话或圣经故事，例如现藏不列颠博物馆的一个刻有“里昂，1582”的大圆盘就是如此，其整体装饰显然来自于1554年里昂出版的一部圣经的插图。17世纪时，里昂的产品似乎都是些药罐和素白陶器。到17世纪晚期，里昂彩陶几乎与都灵彩陶难以区分。它们都是把中国装饰艺术与建筑上的装饰技法糅合在一起，并在其中点缀着异国情调的鸟类、植物和昆虫，唯一的区别是都灵彩陶采用红色色料，而里昂彩陶代之以黄褐色色料。除少数制品有署名外，一般的里昂彩陶制品都不署制作者名。

Lyonia 南烛属 杜鹃花科的一属。约45种，灌木。产于北美和亚洲。花朵白色或粉红色，叶丛密生，均美观。除亮叶南烛（*L. lucida*）外，均落叶。叶互生，有短柄，叶缘光滑或有细齿。花通常钟状或坛状。通常的栽培种有高3.6米的女贞南烛（*L. ligustrina*）、高1.2～1.8米的亮叶南烛、高1.8米的玛丽安南烛（*L. mariana*）等，后一种对牲畜有毒。这些栽培种在潮湿土壤或沼泽土中生长良好。

Lyonnais 里昂 法国历史和文化大区。包括法国东部的卢瓦尔与罗讷两省，幅员相当于前里昂省。作为一个以前的省或旧政权的政府，里昂北邻勃艮第；东接栋布、布雷斯和多菲内；南与朗格多克接壤；西与奥弗涅和波旁交界。旧里昂由隶属于里昂的领土构成，其范围在索恩河和罗讷河以西（最远处为里昂山）、罗讷河以东（紧靠里昂）和索恩河以东（在里昂北边）。它包括维米（索恩河畔的讷夫维尔）周围地区。维米有权投票确定其自己的捐税，因而称作弗朗-里昂。里昂省建于16世纪，当时博若莱和福雷并入旧里昂省。整个地区1790年改为罗讷-卢瓦尔省，1793年又划分为罗讷省和卢瓦尔省。罗讷河、索恩河和卢瓦尔河流经这一高度工业化地区。里昂市一直是丝绸和织物工艺的中心；冶金、化学、车辆、军械和食品加工等行业也很发达。谷类、甜菜和牲畜都是主要的农产品。虽然临近罗讷河谷，但里昂却是由中央高地的轮廓分明的高地构成，其平均海拔为700～900米。中央高地的农场一般较小，但乡村居民外移也导致耕地合并。小农场由家庭拥有和耕作，附近土地往往出租。平原多为旷野。农庄很分散。天主教势力很强大，里昂尤为如此，它是重要的传教活动中心。里昂有一个人数众多的加尔文宗信徒的聚居区。1870年以来，许多路德会教友从亚尔萨斯迁至里昂。里昂的犹太人很多。地区方言很少说。讲法语时带有沉闷音调和鼻音，时常夹杂一些地方话。

Lyonnesse 里昂乃斯 又拼Lennoys，Leonais。神话中的一块“湮没无闻”的土地，据说它曾把英格兰西部的康沃尔和英吉利海峡中的锡利群岛连接起来。里昂乃斯的名字首次出现在马洛礼记述亚瑟王盛衰史的15世纪后期散文《亚瑟王之死》里，书中的里昂乃斯是英雄特里斯丹的故里。其实，亚瑟王传奇早就把特里斯丹与里昂洛瓦联系在一起了，后者可能是布列塔尼圣波勒德莱昂附近的一地区，里昂洛瓦于是成了马洛礼笔下的里昂乃斯。有一个关于该地区一片被淹没的森林的传说（它至少从13世纪起就已盛传），与亚瑟王传奇毫无关系。一部记叙威廉（伍斯特的）旅行的15世纪拉丁文散文著作详细说明了一片从圣迈克尔山延伸到锡利群岛的被淹没土地。W.卡姆登的《不列颠志》（1586）从康沃尔古物收藏家R.卡鲁的一部手稿中获取此名，并将这片土地称为里昂乃斯。

Lyonnesse（ancient Scotland） **里昂乃斯** 参阅 **Lothian 洛锡安**。

Lyonnet, Pierre 利翁内特（1708-07-22，荷兰马斯特里赫特～1789-10-10，海牙） 又称Pieter Lyonet。荷兰博物学家、雕刻师，以其熟练的解剖技巧及昆虫解剖学图解闻名。1760

美国不列颠百科全书公司供图

年发表《柳木蠹蛾幼虫解剖》，这在当时出版过的解剖学著作中也是插图最为精美的。书中的铜版画插图描绘了4 000多条肌肉，并标明了未见记载的神经及呼吸管等细节。该书出版后引起轰动，有人指责他的图曾加修饰，不合真实。1762年第二版中，他刊出所用仪器的图，并描述了所采用的方法以回答对他的批评。他虽受过律师业务的训练，但却成为受人尊敬的生物学家，把大部分时间用于雕刻博物学插图。1742年为F.C.莱瑟尔的《昆虫的神学》、1744年为A.特朗布雷关于淡水水螅的论文制图。

Lyons（France） 参阅 **Lyon 里昂**。

Lyons, Joseph Aloysius 莱昂斯（1879-09-15，塔斯马尼亚斯坦利[澳大利亚]～1939-04-07，悉尼） 澳大利亚政治家，促使1931年组成澳大利亚统一党。1931～1939年出任总理，使国家经济从世界经济大萧条中恢复过来，并加强了国家的防御力量。17岁时成为教育部的一位教师。1909年当选为工党塔斯马尼亚州议会议员。1923～1928年任塔斯马尼亚州的第一位工党总理，提出发展工业和向政府雇员提供福利救济金的法案。1929年当选为澳大利亚联邦议会议员，任邮政部长、公共工程和铁道部长。1931年辞职，领导新成立的澳大利亚统一党在竞选中获胜。他的政府减少失业，促进工业多样化，1934年财政出现盈余。30年代中期，鉴于欧洲的不稳定和日本对中国的侵略，提出加强国家军事力量。他的政府对文化活动、科学研究和公共卫生给予了一些支持。死于任上。

Lyot, Bernard(-Ferdinand) 李奥（1897-02-27，法国巴黎～1952-04-02，埃及开罗） 法国天文学家。1930年发明日冕仪，一种在非日食期间也能观测日冕的仪器。在李奥日冕仪问世之前，只有在日食之际才能观测日冕，但由于日全食罕见，并因日全食过程过短（不超过7分钟），难以满足对日冕进行持续地科学观测的要求。仅仅遮挡住太阳的光辉圆面仍不足以看见相当暗淡的日冕，这是因为地球大气散射日光，大气的亮度大而使细微的日冕不得见。然而，李奥登上法境内的比利牛斯山日中峰天文台，该处的海拔高、大气弥漫程度小，用配有他改进的透镜和研制的单色滤光器的日冕仪，得以逐日地拍摄日冕的照片。1939年，他利用日冕仪和滤光器，演示了第一部日珥动态的电影。1939年，当选为法国科学院院士。同年，获英国皇家天文学会金质奖章。

Lyotard, Jean-François 利奥塔尔（1924-08-10，法国凡尔赛～1998-04-21，巴黎） 法国哲学家，后现代主义运动的主要领导人。在索邦大学学习后，于1950年完成哲学教育学位，开始在中学任教。1954年，成为反斯大林社会主义组织“社会主义或野蛮主义”成员，在该组织的报纸上发表文章，严厉谴责法国在阿尔及利亚的殖民主义活动。1966年起，开始在巴黎第十大学教授哲学。1970年，转到巴黎第八大学任教，1987年成为该校荣誉退休教授。在80和90年代的很多时间里，他在法国以外的大学任教，担任过美国加利福尼亚州大学的法语教授和佐治亚州爱默里大学法语和哲学教授。其第一部主要哲学著作是《论述/形象》（1971），他在其中对语言符号的意义性和造型艺术的意义性进行区分，认为艺术的某些方面是理性永远也无法掌握的。在《欲望经济》（1974）中，他认为欲望是理性思维永远无法理解的，欲望和理性处于永恒的紧张对立中。在他最具影响力的著作《后现代状况》（1979）中，他将后现代时代定义为对全部“元叙事”都失去信仰的时代。因为对“理性”、“真理”、“进步”这样的“元叙事”都已经不再抱有幻想，后现代年代转向更加狭窄的“小叙事”，例如边缘人群日常生活的历史。他最为重要的哲学著作是《衍异：论争中的言辞》（1983）。

lyre 里尔琴 弦乐器。有轭架和一横木从琴身伸出，与琴身平。弦从琴底的尾板或琴前伸展向横木。大多数里尔琴用拨奏，少数用弓奏。箱形里尔琴有一个箱状木制琴身和木制音板；碗形里尔琴有一个圆的琴体和弯的背以及皮制面板。箱形里尔琴在古代中东流行甚广。在苏美尔人的浮雕上(公元前3000)可见坐在地上的乐人演奏大里尔琴的场面,有的琴高100厘米以上,琴呈不对称状,一臂较长。在苏美尔时代以后,小型不对称里尔琴盛行一时,大多是竖持或略带倾斜,用拨子演奏。巴比伦还有一种横着持琴的小型里尔琴。古希腊人将它视作智慧和稳健的象征,他们的里尔琴可分为以里拉琴和基萨拉琴为代表的两个类型。基萨拉琴显然源自亚洲,里拉琴或为本土乐器或来自叙利亚。二者的演奏技巧、调音、装弦法均相同,标准弦线数为7根。在中世纪欧洲出现了一些新的里尔琴变体。欧洲里尔琴常称做罗塔琴,形状不一,从直边至略带压腰形,在大多数情况下琴身与轭架由一块木头刻制而成。约12世纪时出现弓奏里尔琴,至今仍见于芬兰和爱沙尼亚,改称弓奏竖琴。威尔士的克劳特琴亦为弓奏里尔琴。现代东非的里尔琴可能是经由埃及传播而得。对非洲里尔琴的演奏技巧和调音法做一观察,便可了解古希腊里尔琴的大致调音法与演奏技巧。

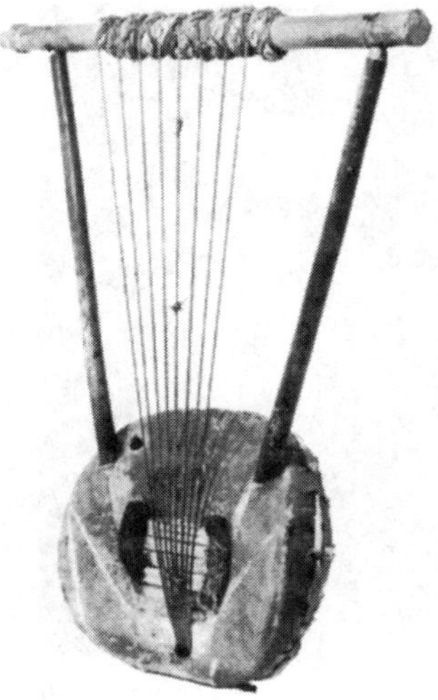

东非碗形里尔琴
美国不列颠百科全书公司供图

lyrebird 琴鸟 雀形目琴鸟科两种澳大利亚鸟,因求偶炫耀时展开的尾羽形似古希腊的七弦竖琴而得名。鸣声亦悦耳。琴鸟栖于澳大利亚东南部的林区,地栖。体褐色,色似鸡。华丽琴鸟(*Menura superba*)或新荷兰琴鸟(*M. novaehollandiae*)的雄鸟有8对绚丽的尾羽,竖立时似古希腊的七弦竖琴:其中6对微白色,羽枝稀疏;1对羽毛宽,长60～75厘米,末端卷曲,一侧银白色,另一侧有多数金褐色的新月形斑纹,构成"琴"的两臂;另1对羽毛等长,金属丝状,窄而硬,微弯曲,相当于琴弦,位于弯曲的两"臂"的中部。雄琴鸟全长约1米,是雀形类中身体最长的鸟。雄鸟炫耀时,在森林中几块小空地上把尾伸向前方,使两条白色长羽盖在头上方,而琴状羽向侧方竖起,一面有节奏地昂首阔步,一面鸣啭,间而惟妙惟肖地模仿其他生物(甚至机械的)声音。雌琴鸟除尾羽外,形似雄鸟。在昆虫丰富的多雨的冬季繁殖。巢是在地上的一堆枝条,内可容1卵。雌鸟负责营巢和孵卵。过去一直认为琴鸟与雉或天堂鸟(风鸟)近缘。现琴鸟与薮鸟(薮鸟科)合成琴鸟亚目,从而区别于其他雀形类。艾伯特亲王琴鸟(*M. alberti*)色彩不如华丽琴鸟鲜艳,但同样善于模仿,分布范围有限,仅偶见于雨林深处。

华丽琴鸟(*Menura superba*)
美国不列颠百科全书公司供图

lyretail 琴尾鳉 银汉鱼目鳉科旗鳉属(*Aphyosemion*)鱼类的统称。共数种。均为热带非洲的淡水种,长达5厘米。雌鱼黄褐带橄榄色或灰褐色,雄鱼则有鲜明的红、黄、蓝色斑纹。琴尾鳉尾鳍扇形,上下鳍条延长呈丝状,似里拉琴,故英文原意为里拉琴尾鳉。阿诺德氏旗鳉(*A. arnoldi*)是最早发现的种之一,与其他种一样,是受欢迎的水族馆观赏鱼。

lyric 抒情诗 可用或据称可用乐器(古代通常为里尔琴)伴奏歌唱的诗歌,或以唱歌方式表达个人强烈情感的诗歌。抒情诗表达诗人的思想情感,有时与以故事形式叙述事件的叙事诗和诗剧形成对比。哀歌、颂歌和十四行诗均系抒情诗的重要类型。在古希腊,合唱团歌唱的诗(合唱抒情诗)与表达一个诗人情感的歌的区别早已弄清。后者亦即严格意义上的歌,早在公元前7世纪就已在"热烈如火的萨福恋爱和歌唱的希腊群岛"上达到技巧完美无缺的高度。这位女诗人及其同时代人阿尔凯奥斯系创作希腊纯歌的主要多立斯方言诗人。后来,与他们齐名的大诗人阿尔克曼、阿里昂、斯特西科罗斯、西摩尼得斯和伊比科斯为合唱曲填词。其后,到公元前5世纪末,巴克基利得斯和品达罗斯将酒神颂歌的传统发展到极致。公元前1世纪,卡图卢斯和贺拉斯创作拉丁语抒情诗;在中世纪的欧洲,抒情诗形式可见于吟游诗人的歌中、基督教赞美诗中和各种谣曲中。文艺复兴时期,抒情诗最完美的形式十四行诗是由彼特拉克、莎士比亚、斯宾塞和弥尔顿出色地发展起来的。18世纪末和19世纪,包括彭斯、布莱克、华兹华斯、济慈、雪莱、拉马丁、雨果、歌德和海涅这些迥然不同的人物在内的浪漫主义诗人,尤其认同各种抒情诗形成。除了一些戏剧诗之外,19世纪末和20世纪西方大部分诗均可归类为抒情诗。

Lyrical Ballads 《抒情歌谣集》(1798) S. T.柯尔律治和W.华兹华斯的诗集。它的出现常被学者们称为标志着英国浪漫主义运动的开始。该诗集包括柯尔律治的《古舟子咏》,以及华兹华斯的《廷特恩寺》和许多有争议的口语诗,如《傻孩子》等。第二版(1800)的序言载有华兹华斯关于诗的定义(诗是"强烈感情的自发流露")和诗的理论(诗应采用"人们真正使用的语言")。

Lysander 来山得(?～公元前395,比奥蒂亚哈利阿尔图斯) 希腊的军事和政治领袖。在伯罗奔尼撒战争中为斯巴达夺得最后胜利。战争结束时,他在整个希腊握有极大的权力。早年事迹不详。公元前406年任海军司令,当年即在诺提翁海战中告捷,并得到波斯总督小居鲁士的支持。由于斯巴达的法律禁止连任,名义上任统帅副手,而实际上是斯巴达的领导者的来山得在公元前405年9月的*伊哥斯波塔米战役*(**Aegospotami, Battle of**)中击溃雅典舰队,封锁了通过赫勒斯滂的运粮道路,用饥饿迫使雅典投降(公元前404年4月)。他在雅典提议建立了三十僭主的寡头政治,派亲信"十人团"(往往有斯巴达司令官率领的卫戍部队作为后盾)去统治雅典以前的许多盟邦。公元前403年,斯巴达派他去雅典协助三十僭主镇压色拉西布洛斯的民主派起义。正当任务接近完成时,斯巴达的对外政策发生了变化,开始允许雅典恢复民主政治。这对来山得来说是个失败,他的"十人团"可能被取消并且很可能他在政治上也失势。他拥戴阿格西劳斯二世即斯巴达王位(公元前399),但这位君主后来把他一脚踢开。科林斯战争(公元前395～前387)爆发后,他率领斯巴达的北方联军进入比奥蒂亚,在攻打哈利阿尔图斯时被杀。

Lysenko, Trofim Denisovich 李森科(1898,俄罗斯帝国乌克兰卡尔洛夫卡～1976-11-20,乌克兰苏维埃社会主义共和国基辅) 苏联生物学家、农学家。斯大林统治时期有争议的共产主义生物学的"独裁者"。他拒绝接受正统的遗传学而赞同"米丘林主义"(以俄罗斯园艺家I.V.米丘林的名字命名),这种主张源自一位未受良好教育的植物育种家,他育成许多杂种,并对自己的工作作出种种解释。米丘林于1935年逝世后,李森科领导了这项运动,并将其改造,用以攻击正统的遗传学。李森科1921年毕业于乌曼园艺学校,同年被派往白采尔科维选种站。1925年毕业于

美国不列颠百科全书公司供图

基辅农学院，获农业科学博士学位，被派驻甘贾实验站直至1929年。1929～1934年担任位于敖德萨的乌克兰全联盟选种及遗传学研究所的高级专家。1935～1938年先任全苏选种及遗传学研究所科学主管，后任所长。20世纪30年代农业危机时期苏联的领导人开始支持李森科。他以相当粗糙的、未经证实的实验为依据，允诺将使农作物产量以较低的代价迅速大幅度增加，其他生物学家都认为这是不可能的。在斯大林的支持下李森科成为苏联科学院遗传学研究所的所长（1940～1965）和当时强大的全苏列宁农业科学院院长。到1948年，教授和研究公认的遗传学实际上被取缔，有些遗传学家被秘密逮捕并死亡，死因未明。李森科的学说和主张随他掌握的权力而异，1948～1953年他在苏联生物学界独断独行，他宣称在适当的环境下种植的小麦会产生黑麦种子，这无异是说在荒野生活的狗会生下狐狸。他不断声辩说：理论生物学必须与苏联的农业实践融为一体。斯大林逝世后，此原则给李森科带来一些难堪，因为要提高苏联的农业产量必须放弃一些以他的姓氏命名并与他的声誉相关的措施。他提倡的作物轮作"草原"系统被放弃，而代之以矿物肥料的使用，一个以美国农业实践为基础的杂交玉米计划得到执行（李森科于20世纪30年代中期终止了此计划，因为他反对该计划开始时必须进行的近交）。在N.赫鲁晓夫任部长会议主席期间人们可以发表反对李森科计划的意见，李森科又失去列宁农业科学院领导人的称号。1964年赫鲁晓夫在政治上失势后，李森科的学说名誉扫地，人们努力重建正统的遗传学。1965年初他被免去遗传学研究所所长之职，他似乎已走到他反复无常的生涯的尽头。但他及其追随者仍长期保存他们的地位、头衔和在科学院的职位，仍能够坚持其偏离常理的生物学主张。

Lysergic acid diethylamide (hallucinogenic drug)　参阅 **LSD 麦角酰二乙胺**。

Lysias　吕西阿斯（约公元前445～前380后）　希腊职业演说词作家。他文笔朴实无华，成为阿提卡希腊语朴素文体的典范。吕西阿斯是锡拉库萨地方富人刻法洛斯之子，柏拉图在《理想国》一书卷首对刻法洛斯和他的儿子吕西阿斯与波莱马科斯作了动人的描述。吕西阿斯在意大利学修辞后于公元前412年回到雅典，后来可能教修辞学。公元前404年"三十僭主"统治期间，他和他兄弟波莱马科斯被当作异己分子逮捕。波莱马科斯遇害，吕西阿斯逃到麦加拉援助逃亡在那里的雅典民主派的事业。公元前403年民主政治恢复，他回到雅典，开始为诉讼当事人写发言稿。他现存的法庭演说稿往往论述危害城邦罪——谋杀、恶意伤害、渎圣和受贿。其中一篇特别令人爱读的演说稿《为跛子辩护》，维护了跛子领取国家年金的权利。在诸如此类的作品里，吕西阿斯表现了他特有的才能，即能使他的作品适合发言者的性格；虽然他的作品的调子通常是平和的，但他也能写热情的演讲稿，《反埃拉托色尼》即是一例，这是他最长的、也是最有名的演说稿。这篇演说谴责三十僭主之一在公元前404年雅典崩溃后随即出现的恐怖统治期间的所作所为。

Lysicrates, Choragic Monument of　利西格拉泰纪念亭　又称列雪格拉特音乐会纪念亭。古希腊建筑中现存的唯一一座得奖纪念碑亭（**choragic monument**）。

Lysimachus　利西马科斯（约公元前360～前281）　马其顿将军、总督（行省长官）和国王。亚历山大大帝的继位者之一，统治分裂的马其顿帝国的具有战略意义的部分。他在亚历山大东征亚洲时为其警卫。公元前323年亚历山大死后，他负责统治帝国的战略要地色雷斯，多年来一直残酷地镇压当地人民，但并不大参加其他继承人之间在希腊和亚细亚的斗争。公元前301年，在伊普苏斯战役中，作为主力推翻了亚细亚王独眼龙安提柯之后，他才确实表现出自己是头等强人。通过这次胜利，他把小亚细亚很大一部分土地并入其领土，并开始在两个地区加强自己的力量以对抗安提柯之子德米特里一世。公元前285年，他把安提柯之子德米特里一世从马其顿赶了出去。利西马科斯晚年很不光彩。他的第3个妻子阿尔西诺伊第二（埃及国王托勒密一世的女儿）弄权，为了使自己的儿子继位，她唆使丈夫处死长子阿加索克利斯，罪名是勾结叙利亚国王塞琉古一世谋叛。阿加索克利斯被杀后，国内一片混乱。塞琉古趁机进犯小亚细亚，公元前281年在吕底亚的科拉皮丁决战中利西马科斯被杀。

lysine　赖氨酸　许多常见蛋白质水解后释出的一种氨基酸。但在某些植物蛋白质（如小麦的麦醇溶蛋白、玉米的玉米醇溶蛋白）中含量很少或根本就没有。1889年首次从酪蛋白分离。是热血动物的必需氨基酸，即热血动物不能合成赖氨酸，需从食物中获得。植物、藻类和真菌则可通过两个不同的生物合成途径合成赖氨酸。人类若以谷物为唯一的食物蛋白质来源就会导致赖氨酸缺乏。

Lysippus　利西波斯（活动时期公元前4世纪，希腊西锡安）　希腊雕刻家，马其顿王腓力时代阿尔戈斯及西锡安学派的首脑人物，亚历山大大帝在位时期（公元前336～前323）尤为活跃。作品以新而修长的人体比例及其自然逼真的造型著称。起初是金匠，通过研究自然和波利克里托斯的《持矛者》雕像学习雕刻艺术。改变了波利克里托斯男人体的标准比例，把头做得较小，躯干较为修长，从而增加了人体的视觉高度。据罗马作家老普林尼（公元1世纪）记述，利西波斯作过1 500多件青铜作品，但无一留存。仅有少数临摹品被认为和他有关，最可靠的一件是《刮汗污者》（梵蒂冈博物馆），表现一个年轻男运动员，用刮汗板刮身上的汗污。摹制品在人体比例上较高，身材修长，造型优美，头较小，头发和眼睛的细部制作尤为精确。作过许多亚历山大大帝肖像。其中最引人注目的是罗浮宫的亚历山大胸像（置于尖形底座上），刻有铭文，说明是利西波斯所作。罗浮宫的这件亚历山大雕像和不列颠博物馆的亚历山大头像，其风格皆与《刮汗污者》相似。其他主要作品有：法萨鲁斯的《阿格亚斯》（即一个男青年、竞技会优胜者的雕像）、《特洛伊罗斯》（奥林匹克的优胜者，公元前372）、《科里达斯》（竞技会优胜者，公元前342）、塔兰托的巨型宙斯铜像和赫拉克勒斯巨型青铜坐像。西锡安的赫拉克勒斯巨像，刻画细致，神情忧郁。刻有临摹者格里康名字的法尔内塞的赫拉克勒斯（现存那不勒斯）也是其雕刻的摹制品。格里康的摹制品又有许多摹仿作品，其中一件现存佛罗伦斯皮提宫。

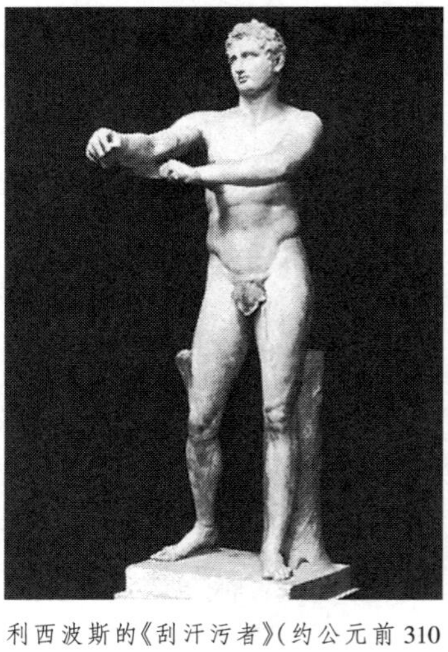

利西波斯的《刮汗污者》（约公元前310年的罗马大理石复制品）
美国不列颠百科全书公司供图

Lysis OF TARENTUM　吕西斯（塔兰托姆的）（活动时期约公元前400）　希腊哲学家。意大利南部毕达哥拉斯学派成员。在克罗顿曾发生过一次对毕达哥拉斯学派的大屠杀，吕西斯幸免于难，在公元前390年左右离开意大利，前往希腊。他定居在第比斯后，成为希腊军事统帅兼战略家伊巴密浓达（约公元前420～前362）的教师。其著作的性质不详。有一原始资料证实，某些归于毕达哥拉斯名下的作品实际上是吕西斯所著。

lysogeny　溶原现象　特指发生在感染某些细菌以后的噬菌体之生命周期现象。当噬菌体感染某些细菌时，其基因组（病毒核心核酸中的基因集合）就会稳定地整合入宿主细菌的染色体，并和它一起进行复制；也就是说，复制的结果是病毒基因组和细菌染色体的整合体，而非子代病毒的基因组。但当带有整合染色体的细菌再受到某种刺激（如紫外线）时，噬菌体基因组就会从整合体上重新分裂下来；这一过程名为"诱导作用"。因此，被噬菌体感染的某些细菌在受到诱导作用时，噬菌体基因组就会从宿主细菌的整合染色体上重新分裂下来，并在细菌体内大量复制，形成数量极大的子代病毒（噬菌体）。结果，宿主细菌就会被破坏（溶解），病毒颗粒就会被释放出来，并感染新的目标细菌。所谓"生命周期"或"溶原现象"，指的是在诱导作用下，噬菌体基因组从宿主整合染色体上分裂下来以后的生命过程及其生物效应。这一现象最早由法国生物学家A.利沃夫(参阅 **André Lwoff**)于20世纪50年代初发现。

lysosome 溶酶体 真核细胞的一种亚细胞器,有包膜,内环境呈酸性;主司细胞对大分子物质、死灭细胞成分和微生物等的消化功能。溶酶体内含有多种可分解核酸、蛋白质和多糖等大分子物质的酸依赖性水解酶,即这些水解酶只在溶酶体的酸性内环境中才能保持其活性。由于细胞内环境的酸碱度均呈中性或弱碱性,故其酸依赖性可以有效地防止水解自家细胞成分。20世纪50年代比利时细胞学家C.R.德迪韦首先发现了溶酶体。溶酶体芽生自高尔基氏器网体。被消化物质进入溶酶体的路径有内摄作用、内噬作用和吞噬作用。内摄作用为细胞外大分子物质被细胞摄入后,在细胞浆中形成一个被有包膜的颗粒(核内体),并通过(核内体和溶酶体)包膜融合的方式进入溶酶体。内噬作用为离位的死灭细胞器也会被内膜系统包裹,再通过包膜融合方式进入溶酶体。吞噬作用是一种特殊细胞(如巨噬细胞)的特定功能。这些细胞可将细胞外异物(如坏死细胞、细菌等)包卷入细胞内,然后再把它们送入溶酶体进行消化。据信,很多溶酶体消化产物都可作为原料(如氨基酸、核苷酸等)进入合成代谢,被机体利用。溶酶体贮积病是一种源于基因突变的遗传性疾病,这种病人的一种或多种酸依赖性水解酶的活性降低,故可因正常水解障碍而致使某些大分子物质在溶酶体内大量贮存。胡尔勒氏综合征就是一种溶酶体贮积症,主要表现为黏多糖代谢障碍(黏多糖病Ⅰ型)。

lysozyme 溶菌酶 存在于动物的泪液、鼻黏膜、其他组织、胃分泌物和卵清中的酶。为A.弗莱明于1921年所发现。能催化某些细菌(如球菌)荚膜中糖类分解的反应。在泪液中,其功能为保护角膜不受感染。

lyssa (disease) **瘈咬病** 参阅 **rabies** 狂犬病。

Lysva 雷西瓦 俄罗斯彼尔姆州城市。地处中乌拉尔地区,濒临雷西瓦河。17世纪中叶首见记载。1785年建有一座炼铁厂作为经济基础。1926年设镇。十月革命(1917)后钢铁工业实现现代化。现为冶金工业中心,生产马口铁和优质钢。人口约78 300(1993)。

Lyttelton 利特尔顿 新西兰南岛东部港口城镇。濒利特尔顿港湾。为克赖斯特彻奇的港口,有铁路、公路经隧道穿波特山通克赖斯特彻奇,并与坎特伯雷平原沟通。港内低潮时水深10米,可停泊大船。输入石油产品、化肥、钢铁;输出羊毛、乳品、小麦、冻肉、木材。镇内居住空间有限,大部平地用作码头、仓库、火车调车场、办公机构和石油转运站。有船舶修造、机械、服装等工业。附近小山建有住宅区。人口约3 180(1989)。

Lyttelton(of Frankley), George Lyttelton, 1st Baron 利特尔顿(弗兰克雷的)(1709-01-17,英国伍斯特郡哈格利～1773-08-22,哈格利) 英国辉格党政治家和作家。小说家H.菲尔丁和诗人J.汤姆逊的赞助人。辉格党名门之子,与姻兄威廉·皮特在所谓"少年爱国者"小组中很早就结成政治伙伴。1735年选入下议院,1744～1754年在H.佩勒姆内阁中和1755～1756年在纽卡斯尔公爵内阁中任财政大臣。他拒不反对纽卡斯尔,致使他与皮特决裂。1756年受封男爵,以后一直为上议院议员。他与当代文坛名流颇有交往,曾写一封诗体信给亚历山大·蒲柏,并对汤姆逊作出描述,被收入诗人的《怠惰的城堡》中。菲尔丁把自己的小说《弃婴托姆·琼斯的故事》献给他。

Lyttelton, Sir Thomas 参阅 **Littleton, Sir Thomas** 利特尔顿。

Lytton, BARONS AND EARLS **李顿男爵和伯爵** 英国封爵贵族,按年代顺序分列于后,并各以●为标记。

● Lytton (of Knebworth), Edward George Earle Bulwer-Lytton, 1st Baron 李顿(克内伯沃斯的)(1803-05-25,英国伦敦～1873-01-18,德文郡托基) 即E.G.E.布尔沃-李顿。英国政治家、诗人、评论家,主要以多产

美国不列颠百科全书公司供图

小说家闻名。他之所以广受欢迎,主要是他能预见到公众兴趣的变化并能予以满足。他的作品虽然过时,但仍具有极强的可读性,他的经验赋予他的作品以不同凡响的历史趣味。将军W.布尔沃和E.李顿的最小的儿子,在剑桥大学上学。1827年与爱尔兰女子罗西娜·多伊尔·惠勒结婚。描写一位花花公子冒险经历的《佩勒姆》(1828)开创了他作为一个通畅流利、受人们喜爱的小说家的生涯。这一对夫妇挥霍无度的生活方式使他不得不生产大量作品,而他的气质使他成为一个易怒而不顾妻子的丈夫。在经过多次剧烈的争吵后,两人于1836年合法分居。他的政治生涯始于1831年,这一年他成为自由党议员。1841年退出议会,以抗议取消谷物法。加之与B.迪斯累利结交,遂转变成为托利党党员,于1852年再度选入下院。同时积极开展文学活动。最初的长篇小说《佩勒姆》描写摩登社会哥德式的浪漫故事。随后写了一系列历史小说,文笔细腻,最著名的有《庞培的末日》(3卷,1834)和《撒克逊末代国王哈罗德》(1848)。他的《尤金·阿拉姆》(3卷,1832)写犯罪分子和下层社会,以及当时令人着迷的事物。他转向现实主义,描写英国社会,如《卡克斯顿一家》(3卷,1849)和《我的小说》(1853)。还出版过几部诗集(一部讽刺桂冠诗人丁尼生的韵文小说)以及不成功的长篇史诗《亚瑟王》(1848)。1866年受封男爵。

● Lytton, (Edward) Robert Bulwer-Lytton, 1st Earl of 李顿伯爵(第一)(1831-11-08,英国伦敦～1891-11-24,法国巴黎) 即(E.)R.布尔沃-李顿,笔名欧文·梅雷迪斯(Owen Meredith)。英国外交家,印度总督(1876～1880),一生享有诗人的盛名。李顿男爵(第一)之子。在其伯父、驻华盛顿公使H.布尔沃处任无薪随员,开始其外交生涯。1874年任驻里斯本公使。1873年继承其父的男爵爵位。1875年11月迪斯累利首相任命他为印度总督。任内主要关心印度与阿富汗的关系。就职时,俄国在阿富汗的影响日增,他受命对此加以抵制,或在边境加强武装力量。在企图通过谈判说服阿富汗人驱逐俄国人失败后,李顿诉诸武力,导致发生第二次阿富汗战争(1878～1880)。1880年辞职,同年受封李顿伯爵和克内布沃思子爵。他为印度政府做了很多工作;例如监督实施有效的救济饥荒的措施,废除内部关税壁垒,实行财政分权制,宣布维多利亚女王为印度女皇。晚年任英国驻法公使(1887～1891)。对他同时代的人来说,他作为诗人较之作为外交家或行政官员更为有名。他最初的诗集——叙事诗《克莉坦妮斯特拉……及其他诗篇》(1855)和自传体抒情诗《流浪者》(1858),以及妙趣横生、富有浪漫色彩的韵文小说《露西尔》(1860)备受欢迎。

● Lytton, Victor Alexander George Robert Bulwer-Lytton, 2nd Earl of 李顿伯爵(第二)(1876-08-09,印度西姆拉～1947-10-26,英国赫特福德郡克内伯沃思) 即V.G.R.布尔希-李顿。英国驻孟加拉总督(1922～1927)和国际联盟中国东北调查团团长(1932),发表过所谓《李顿报告书》,谴责日本在中国东北的侵略行为(参阅 **Lytton Commission**)。他生于印度,父亲李顿伯爵(第一)当时任印度总督。他在学童时代即继承了父亲的爵位。在伊顿公学和剑桥的三一学院求学。最初于第一次世界大战期间在海军部担任政府公职。1920年出任驻议会的印度事务次官,1922年成为孟加拉总督。此后数年中,当任命的印度总督请假时,由他任临时总督。1932年他所领导的国联中国东北调查团虽受到各方的赞誉,却无法对日本进行有效的制裁。此后,他在政府机关或非政府单位主持工作,但均非要职。1945年退休。

Lytton, Sir Henry Alfred 李顿(1865-01-03,英国伦敦～1936-08-15,伦敦) 英国喜剧演员,以主演吉尔伯特与沙利文的轻歌剧而著名。李顿在多伊利·卡特歌剧团中作为台柱演出近30年。他的演艺如此杰出,以致于当庆祝他舞台生涯50周年时,英国的首相及两位前任首相均到场参加。李顿在进入多伊利·卡特歌剧团之前只参加过业余戏剧演出,1884年加入该团合唱队以求与其

妻、女演员路易·亨利在一起。3年后，原任替角的李顿（当时艺名为H.A.Henri）在伦敦的萨伏依剧院演出《罗地葛》而崭露头角。在吉尔伯特的建议下改名为李顿，此后陆续扮演过吉尔伯特与沙利文作品中的30多个角色，其中有《日本天皇》中的可可（Ko-Ko）、《禁卫队》中的波因特和《埃欧兰斯》中的大法官等。由于李顿的嗓音悦耳、善于掌握喜剧效果及泰然自若，不论是在伦敦或是在英国各地、加拿大及美国旅行演出，都广受欢迎。李顿的回忆录分为《萨伏依人的秘密》（1922）与《流浪的音乐家》（1933）两部分。他作为"当代最著名的大法官"之一，1930年受封为爵士。

Lytton Commission　李顿调查团　又称国际联盟调查团。1932年1月21日国际联盟为调查"九一八"事变的真相而组成的调查团。由英、美、法、德、意五国代表组成，英国人李顿为团长。调查团自1932年4月21日在中国东北等地进行了45天的调查，于10月2日同时在南京、东京、日内瓦公布了《国联调查团报告书》（又称《李顿报告书》）。报告书承认"东三省为中国之一部"；指出"九一八"事变前日方"确有充分计划以应付中日间万一发生之战事。此计划于9月18日至19日夜见诸实行"；日军在事变中的军事行动，不能认为是"合法的自卫手段"；"满洲国"是

李顿调查团在中国东北调查"九一八"事变
中国大百科全书出版社供图

日本制造的傀儡政权。报告书把事变原因说成是"共产主义之滋长于中国"，主张对中国东北实行国际共管。1932年11月21日、12月6日国联召开理事会和全体大会讨论《李顿报告书》，12月12日组成19国委员会，于1933年2月28日通过对《李顿报告书》的建议。3月27日日本政府因报告书不承认满洲国而退出国联，报告书即成为废纸。

Lyubertsy　柳别尔齐　又拼L'ubercy或者Liubertsy。俄罗斯莫斯科州城市。柳别尔齐位于莫斯科市东南的绿化带。1917年十月革命前，当地曾为农业中心。由于该城市地处重要的铁路枢纽，工业获得发展。苏联时代初期，莫斯科铁路电气化使该市成为莫斯科市的居民区并且得以迅速发展。柳别尔齐有机械制造、石油加工和消费品工业。人口约163 700（1993）。

Lyubimov, Yury Petrovich　柳比莫夫（1917-09-30，俄罗斯雅罗斯拉夫尔～　　）　苏联戏剧导演和演员，以在莫斯科塔甘卡剧院进行约20年的实验性戏剧演出而闻名。1940～1946年柳比莫夫在苏军中服役，复员后加入瓦赫坦戈夫剧院。1953年开始在史楚金戏剧学校任教（他是该校1939年的毕业生）。1964年成为塔甘卡剧院的总导演。由于他的演出从不回避可能引起责难共产党路线的哲学或政治问题，塔甘卡剧院成为知识分子和持不同政见者的聚集地。1984年柳比莫夫出访伦敦时被剥夺苏联公民资格，此后他成为美国和西欧各地许多剧院和歌剧团的客座导演。

M

M　M星表　《梅西叶星表》(Messier catalog)的简称。

M1 rifle　M1型步枪　参阅 Garand rifle 哥兰德步枪。

M16 rifle　M16型步枪　又称AR-15。1967年被美国陆军采用作为标准武器的冲锋枪。M16型步枪取代了M14型步枪。该枪采用气体驱动,有半自动(即自动装弹)和全自动两种功能。该枪重量不到3.6千克,配备20发或30发子弹的弹匣,枪长99厘米,口径5.56毫米,射速为700～950发/分。在越南战争期间,美军和南越军队都使用这种步枪。

Ma, Yo-Yo　马友友(1955-10-07,法国巴黎～　)　华裔美籍大提琴家。经常与其他不同领域的艺术家合作,扩大了听众范围,复兴了古典音乐。他是一个神童,5岁时就公开独奏,9岁时在纽约卡内基音乐厅登台演出。曾就读纽约市朱利亚德音乐学院,后来毕业于哈佛大学,获得人文学科的学位。马友友因演奏技巧超群、音色丰富而受赞赏,以表演和录制标准大提琴曲目的唱片而出名,也因接受当代作曲家异常众多的委托而闻名。在1983～2003年间,他共录制了50多张唱片,获得15个格莱美奖。

Ma Duanlin　马端临(约1254～1323)　又拼Ma Tuan-Lin。中国古代著名史学家。字贵与。宋元之际饶州乐平(今属江西)人。父廷鸾,曾任宋朝国史院编修、实录院检讨,官至右相。端临颇得家学影响,并以荫补承事郎。宋亡,隐居几达20年,后出为慈湖、柯山两书院山长。晚年任元朝台州教授,在职仅3月即以病辞。竭20余年心力撰成的《文献通考》348卷,是记述中国宋嘉定五年(1212)以前历代典章制度的重要史著。书分24门,规模博大,取材审慎,立论谨严。著述目的是为有志于经邦稽古者提供参考,亦为统治者作借鉴。马氏反对断代为史,主张通史,强调会通以探求历史制度变革的原由。而《文献通考》是其典范,影响颇大。后人将《文献通考》与杜佑《通典》、郑樵《通志》称为"三通"。

Ma-fa-mu-ts'o (China)　**玛法木错**　参阅 Mapam lake 玛旁雍错。

Ma-ka-tai-me-she-kia-kiak (Sauk and Fox Indian leader)　**马-卡-泰-梅-谢-基亚-基亚克**　参阅 Black Hawk 黑鹰。

Ma Lianliang　马连良(1901-02-28,中国北京～1966-12-16,北京)　中国京剧演员。字温如,别署扶风馆主,回族。9岁入北京喜连成科班坐科,初向茹莱卿学武生,又学小生,后归行老生,师从叶春善、蔡荣桂、萧长华。以做工、念白戏见长,唱工、靠把戏亦能,以演诸葛亮戏最受称许。17岁出科。在艺术上追摹谭鑫培、余叔岩,同时向孙菊仙、贾洪林、刘景然请益,并问艺于王瑶卿、王长林、杨小楼诸前辈,广撷博采,锐意精进,在常年舞台

中国大百科全书出版社供图

实践中,勇于变革创新,中年时期即创立了在谭、余之后,独树一帜、影响深远的马派老生表演艺术。他被列入前四大须生之一,又居于后四大须生之首。他嗓音柔润甜净,唱腔俏丽灵巧,念白清明流畅,表做精细传神,身段典雅潇洒,妆扮新颖考究。他的表演风格于闲雅中含沉静,飘逸中显端庄,非常注重舞台艺术的整体美,讲求一团精神,着意于顺应时代需求。由他开创的《甘露寺》中"劝千岁"、《借东风》中"望江北"唱段,风靡南北,历久不衰。所演传统戏,如《四进士》、《清风亭》、《琼林宴》、《一捧雪》、《清官册》、《摘缨会》、《甘露寺》、《群英会》、《坐楼杀惜》、《断臂说书》、《打侄上坟》、《三娘教子》、《打渔杀家》、《游龙戏凤》等,均呈自家风格,更首演了众多新编、移植、增益首尾的剧目,如《苏武牧羊》、《胭脂宝褶》、《舍命全交》、《春秋笔》、《串龙珠》、《火牛阵》、《十老安刘》等。50年代初和60年代初,曾任北京京剧团团长、北京市戏曲学校校长等职。又排演了《青霞丹雪》、《官渡之战》、《赤壁之战》、《赵氏孤儿》、《海瑞罢官》和现代戏《南方来信》、《杜鹃山》、《年年有余》等。在培养新一代戏曲人才的工作中,也做出了重要贡献。

Ma-p'ing (China)　**马平**　参阅 Liuzhou 柳州。

Ma River　马江　越南语作Song Ma。越南北部河流,源于西北部,为该地区最长河流之一。向东南流经老挝约80千米,穿过高地和众多峡谷,到达越南北部开始变得狭窄的平原地区,流程400千米,在河内以南105千米处注入北部湾。马江像北部的红河一样,流量不定,夏末流量最大。但马江三角洲与红河三角洲不同,江道狭窄,且有沙质土壤。清化镇在河口以上约14千米处。舢板可上溯100千米至藩意。

Ma San-pao　马三保　参阅 Zheng He 郑和。

Ma Shizeng　马师曾(1900-04-02,中国广东顺德～1964-04-21,北京)　中国粤剧演员,擅演丑生。字伯鲁。1917年在广州太平春教戏馆学戏。不久受雇于新加坡庆维新粤剧团,后转普长春粤剧团编演新戏,拜著名小武靓元亨为师。此后,一直在香港、澳门、广州以及越南、马来亚(今马来西亚)等地演戏或拍电影。他领导的太平剧团同薛觉先领导的觉先声剧团艺术竞争达10年之久,人皆以"薛、马"并称。抗日战争期间,在广东、广西一带演出。抗日战争胜利后,重返香港。1955年底回广州参加广东粤剧团,被选为广东省人民代表大会代表和中国人民政治协商会议全国委员会委员,先后任中国戏剧家协会广东分会副主席、广东粤剧院院长。马师曾早年立志改革粤剧,吸取和运用电影及话剧的长处,丰富粤剧的舞台艺术。他戏路宽广,除工丑生外,还擅演小生、小武、花脸、须生等。表演富于生活气息,节奏鲜明。他独创的"乞儿喉",半唱半白,顿挫分明,邈远悠扬,有时糅入方言俗语,自然活泼,成为脍炙人口的"马腔"。晚年改演老生,唱做苍凉刚劲。代表剧目有《苦凤莺怜》、《贼王子》、《搜书院》、《关汉卿》等。

Ma Sicong　马思聪(1912-05-07,中国广东海丰～1987-05-20,美国费城)　中国音乐家。1923年赴法国在巴黎音乐学院专攻小提琴。1930年随保加利亚人毕能蓬(Binenbaum)学

中国大百科全书出版社供图

作曲。1931年回国创办广州音乐学院,翌年担任中央大学小提琴教授。29岁时又创办中华交响乐团。此后历任中山大学教授、中央音乐学院院长、音乐家协会副主席等职。1966年12月离开中国,后全家定居美国。30年代初期先后在广州、南京、上海从事教学、演奏及创作活动。抗日战争爆发后辗转于西南各地,接触中国的民歌并深受影响,从而确定其民族风格的创作方向。1937年他采用蒙古游牧民族流传的民歌写成《内蒙组曲》;1941～1942年谱《西藏音诗》;1943年写成《跳龙灯》。1946年指挥台湾交响乐团,并在台北、台中、台南等地举行独奏会。后陆续创作《民主大合唱》(1946)、《祖国大合唱》(1947)、《春天大合唱》(1948)三部歌颂祖国、

向往光明的合唱作品。他的钢琴作品有:《第一钢琴奏鸣曲》(1939)、《杯舞》、《鼓舞》、《中舞》(1950)和《钢琴五重奏》(1956),都具有浓厚的民间色彩。1954 年谱写的交响组曲《山林之歌》,灵活运用了新的作曲方式和西方记谱法来表达旋律的自由进行。在美定居之后,他根据聊斋故事创作大型的芭蕾舞剧《晚霞》,且开始尝试声乐作品。1973 年和其女儿马瑞雪合写《家乡》和《热碧亚之歌》;除了谱其女儿所作的诗之外,他依据宋代白石道人的曲谱格调谱成《李白诗六首》、《唐诗八首》。他曾三次到台湾,创作《亚美山歌》与《阿美组曲》。

Ma Tuan-lin (Chinese historian)　参阅 **Ma Duanlin** 马端临。

Ma-ubin　马乌宾　缅甸南部城镇。为伊洛瓦底江支流西岸的河港,有防洪堤保护。南部濒临安达曼海;东距仰光 65 千米,由端迪运河连接。建有柴油发电厂。水稻种植业和捕鱼为主要经济活动。人口约 42 000(1993)。

Ma-wang-tui　马王堆　参阅 **Mawangdui Hanmu** 马王堆汉墓。

Mā Warā' an-Nahr (region of Central Asia) 参阅 **Transoxania** 河间地带。

Ma-Xia school　马夏画派　师从南宋两位大师马远和夏圭之绘画风格的中国山水画派。马、夏两位大师活跃于 12 世纪末和 13 世纪初,其山水画的意旨在于以简单的笔法,描绘苍松岚峰等自然景物,予人以天地浩瀚、

马远绘扇页《早春图》
美国不列颠百科全书公司供图

苍茫虚渺之感,被誉为中国绘画里最能将这种意向表现得淋漓尽致的画家。马夏画派的绘画常被称为"边角之景",因为他们将绘画重心落在一边,不求对称,而在绢或纸的另一边留白或淡淡著墨。同时,将晕染的层次精简以显笔力之雄奇,即所谓的"斧劈皴"法。这种皴法之名起因于其笔刷的痕迹酷似斧凿在木头上劈砍的痕迹。一般而言,马夏画派偏好用断续的笔法来表现画中的棱角。

Ma Yinchu　马寅初(1882-06-24 ～ 1982-05-10)　中国经济学家。字元善。浙江嵊县人。1906 年毕业于天津北洋大学。先后在美国耶鲁大学、哥伦比亚大学攻读经济学,获博士学位。1915 年回国,应蔡元培之聘任北京大学教授,1919 年任教务长。1920 年赴上海等地考察经济,与友人创办东南大学商学院。1927 ～ 1937 年,任交通大学、中山大学、浙江大学、中央大学等校教授,并曾兼任浙江省政府委员、国民政府立法委员 、立法院财政经济委员会委员长等职。抗日战争期间,任重庆大学商学院院长。1949 年后,任中央人民政府委员、政务院财政经济委员会副主任、浙江大学校长。1951 年起任北京大学校长。20 世纪 20 年代,马寅初在北京、上海等地就农业、工商业、劳资、国际贸易等问题发表演讲,并撰著《中国国外汇兑》(1925)、《中华银行论》(1929),宣扬主观价值论。1927 ～ 1937 年,他在担任国民政府立法委员兼立法院财经委员会委员长期间,对经济立法及当时的经济政策多有建树,著有《中国经济的改造》一书。抗日战争期间,他主张各项经济政策均应有利抗战,提出改革财政制度、稳定币值等措施,发表论文 60 余篇,后辑为《战时经济论文集》。40 年代著有《通货膨胀新论》、《财政学与中国财政——理论与实践》、《中国经济之路》等。1949 年后,先后发表《我的经济理论哲学思想和政治立场》、《联系中国实际来谈谈综合平衡理论和按比例发展规律》等 40 多篇论文和专著。马寅初从 50 年代就注意到中国迅速增长的人口状况。1957 年提出著名的"新人口论",认为人口增长太快,如不实行节制生育,将会影响社会经济的发展。因此,要控制数量,提高质量。后来他的人口观点受到批判。1960 年被迫离开北京大学。1978 年恢复名誉,任北京大学名誉校长。主要著作还有《资本主义发展史》(1934)、《经济学概论》(1943)等。

Ma Yingjiu　马英九(1950,中国香港～　)　中国台湾台北市市长(1998 ～ 2006)、中国国民党主席。祖籍湖南衡山。幼年时随双亲定居台湾。先后获台湾大学法律学士(1972)、美国纽约市立大学法学硕士(1976)、哈佛大学法学博士(1981)学位。曾任马里兰大学法学院研究顾问、波士顿第一银行法律顾问等职。1981 年回到台湾,步入政界发展,先后任"总统府"第一局副局长兼蒋经国英文秘书、国民党中央委员会副秘书长、大陆委员会副主委兼发言人、国民党不分区国大代表、法务部长及行政院政务委员。1988 年 12 月当选为台北市市长,2002 年获连任。2003 年 3 月当选为中国国民党副主席。2005 年 7 月,在国民党首次党员直接投票的党主席选举中,当选为第六任主席。在两岸关系上,主张以"九二共识"为基础,促进两岸和平与交流。2007 年 2 月,马英九辞去国民党主席职务。

Ma Yuan　马援(公元前14～公元49)　中国东汉将领。字文渊。扶风茂陵(今陕西兴平东北)人。出身世家。新莽时为新城大尹(汉中太守)。新莽末依附割据陇西的隗嚣。继归汉光武帝刘秀,因攻灭隗嚣战功拜太中大夫。公元35年任陇西太守。率军击败先

中国大百科全书出版社供图

零羌。公元41年任伏波将军,平定交趾征侧、征贰起义,封新息侯。公元48年率部进击五溪蛮,次年病死军中。曾在西北养马,擅长相马,著有《铜马相法》。

Ma Yuan　马远　中国南宋(1127～1279)画家。字遥父,号钦山,生活于 12 世纪末 13 世纪初。原籍河中(今山西永济),移居钱塘(今浙江杭州)。为民间画师佛像马家的后代。

马远绘《踏歌图》
中国大百科全书出版社供图

曾祖马贲擅画百猿、百鹿、百牛等,是北宋哲宗时知名画家,徽宗时画院待诏。祖父马兴祖工山水、花鸟、人物,又精于鉴别。伯父马公显、父马世荣同为高宗时画院待诏。兄马逵亦以花鸟知名。马远则以长于山水人物为光宗(1190 ～ 1194)、宁宗(1195 ～ 1224)时待诏。其山水继承和发展了李唐画派。以大斧劈皴画方硬奇峭的山石,树木用笔简要多姿,善于剪裁景物。故形容其画"峭峰直上而不见其顶,或绝壁直下而不见其脚,或近山参天而远山则低,或孤舟泛月而一人独坐",而被称为"边角之景"。画中点景人物

自然生动，富有诗意。其《水图》用不同线描表现不同条件下的各种水势，可见其绘画写实能力之高超。从其作品常有杨皇后（宋宁宗皇后）的题字，可知深为皇室喜爱。子马麟亦善画。

Ma Yuehan　马约翰（1882-10-10～1966-10-31）　中国知名体育教育家。福建厦门人。1911年毕业于圣约翰大学。就读期间，为该校足球、网球、棒球、田径等代表队主力队员。

中国大百科全书出版社供图

1905年参加上海万国运动会，获1英里赛跑冠军。1910年参加中国第1届全国运动会，获880码赛跑冠军。1914年应聘到北京清华学校任教。在清华学校、清华大学工作长达52年，先后任体育助教、教授、体育部主任。1919～1920年及1925～1926年他两次到美国斯普林菲尔德学院进修体育。1936年以中国田径队总教练身份到德国柏林参加第11届奥林匹克运动会，并利用此机会到欧洲和苏联各国进行考察和讲学。他在长期的体育教学实践中，深入地研究了体育运动的规律，参考国外经验，摒弃其不合理部分，创造出活泼而有力的徒手操编组的程序和方法；又根据田径、球类等项运动的特点和训练的需要，编制出各种不同内容的徒手操。1950年他发表了《我们对体育应有的认识》一文，比较全面地阐述了体育的科学基础、运动对生理的影响、技能的训练方法以及体育和生物学、心理学、哲学之间的关系。对体育理论、体育教学和运动训练都做出了贡献。他的著作有《体育的迁移价值》（1926）和《我的体育经历十四年》（1920）等。1949年和1952年两次当选为中华全国体育总会副主席；1956～1966年任主席。1986年清华大学在校园内竖立马约翰塑像。

Ma Zhiyuan　马致远（约1250～1321或1324）　又拼Ma Chih-yüan。中国元代杂剧作家、散曲家，"元曲四大家"之一。字千里，号东篱。大都（今北京）人。曾任江浙行省官吏。在大都生活多年，从事杂剧和散曲创作。据《录鬼簿》，有杂剧13种，今存《汉宫秋》、《荐福碑》、《青衫泪》、《岳阳楼》、《任风子》、《陈抟高卧》和《黄粱梦》（与李时中合编）7种。其代表作《汉宫秋》写汉元帝妃王昭君出塞故事，是元杂剧优秀作品，以曲词优美、描写细腻见称。《荐福碑》和《青衫泪》写知识分子不幸遭遇。其余四种都是"神仙道化"戏，写道家的出世思想，反映了对现实社会的不满。还有散曲集《东篱乐府》辑本1卷，多写怀才不遇的感慨或对隐逸生活的歌颂。擅长描写自然景物，以小令《天净沙·秋思》最著名。

maa-alused　马-阿鲁塞　爱沙尼亚民间宗教传说中的精灵。他们身材矮小，居于地下，相当于芬兰人所说的马希塞和卢德人所说的穆阿希塞。这类精灵在地下同人间一样生活，只是一切事物颠倒，以上为下，以左为右，而且所用物品都十分渺小。芬兰人认为，马希塞所居地下境界是几种皮肤病的来源，这类疾病即以马希塞为名。人同马-阿鲁塞遭遇，可能是出于偶然，也可能是出于这些精灵的意愿。有的传说叙述，精灵无奈时向难产妇或患病之人求救。人可以同精灵婚配，但精灵一旦返回故土，夫妻就拆散。

Maʿadi　参阅 **Madi** 马迪人。

Maʿādī, al-　迈阿迪　埃及前王朝时代遗址，位于今开罗正南。年代大致与上埃及广泛分布的格尔津文化（约公元前3400～约前3100）相当。迈阿迪过去显然是个小村，有单独的墓地；聚落中建有长方形小屋，内置腿向外斜的瓶、有颈沿的圆形容器和贮藏东西的巨瓮。偶尔有红铜器，还发现上埃及风格的石瓶。该聚落除与上埃及文化有联系外，它地处叙利亚-埃及商道南段的位置还使它受到叙利亚和巴勒斯坦的文化影响。

maʿamadot　证礼班　犹太教用语，指耶路撒冷第二圣殿时期按周轮值代表百姓出席日祭的在俗信徒集体，共24班。证礼班后来逐渐出现于耶路撒冷以外地区，于是百姓除派代表到圣殿献祭外也可以在本村献祭。耶路撒冷城毁于公元70年，其后公共献祭停止，但许多虔诚的犹太人私自举行祈祷，也称为证礼班。

Maʿān　马安　约旦南部城镇。人烟稀少，主要居民为贝都因人。第一次世界大战后该地及整个约旦南部归属问题引起外约旦酋长国（后为约旦王国）与汉志王国间的争执。1925年伊本·沙特国王征服汉志后，由英国将马安地区全部置于外约旦当局管辖之下。1965年约旦与沙特签约后正式划入约旦。为贸易中心和交通枢纽，与亚喀巴港通公路，并经南北公路干线与首都安曼相连。西北30千米处有佩特拉遗址。人口约31 000（2002）。

Ma'anshan　马鞍山　又拼Ma-an-shan。中国安徽省辖地级市。重要的钢铁工业基地之一。位于省境东南部长江东岸、宁铜铁路线上，毗邻江苏省。原属当涂县，1954年建马鞍山镇，1956年设市，因境内马鞍山得名。辖花山、雨山、金家庄3区和当涂县。面积1 686平方千米，其中市区面积301平方千米。市区西为沿江的狭窄冲积平原，有马鞍山等组成的狭长丘陵，多属沉积岩。中部是开阔的冲积平原。东和东南部岗峦起伏，海拔200米左右，主要由岩浆岩构成，是铁矿石主要分布地区，已探明铁矿储量达16.7亿吨。矿体埋藏浅，大部可露天开采，以铁砂和硫化铁为大宗，并伴有稀有元素。凹山、向山、南山是最大的铁矿石产地。附近有石灰石、白云石、耐火黏土、锰矿等炼钢所需的辅助材料。因濒临长江，工业用水、船舶运输便利，对发展钢铁工业十分有利。20世纪30年代，淮南煤矿和淮南、宁芜两铁路兴建，采矿和冶金业开始发展。1938年被日本占领，大量矿石运往日本，仅建有小型钢厂、炼铁厂各一座。1945年后炼铁厂遭严重破坏，被迫停产。1949年后重建，逐渐扩大为全省最大的钢铁联合企业——马鞍山钢铁股份有限公司，拥有采矿、选矿、烧结、炼铁、炼钢、轧钢、焦化、耐火、铁合金等40多座厂矿企业，年产值占全市的1/2。所产钢材、火车车轮和轮箍，远销东南亚各国，还新建电子、机械、化工、纺织、建材、电力等工业部门。马鞍山市的特产有"采石茶干"和"太白酒"。马鞍山港是长江深水良港，可停靠万吨级船舶。铁路通过皖赣、宁铜线可衔接京沪线，205国道纵贯境内，宁马高速公路可直达南京。市区西南郊采石矶突出江岸，有三元洞、太白楼、燃犀亭、鹅眉亭、广济寺、联璧台等名胜古迹。人口：全市1 240 000（2005）；市区580 000（2004）。

maarib　暮祷　特指犹太教徒日落后所诵晚祷词。暮祷的主要内容是舍玛及所附颂词以及阿米达。其中，舍玛阐述犹太教的主要教义，即"以色列啊，你要听；主我们上帝是独一的主"（《申命记》6:4）。而阿米达的内容则包括一系列祝词。

Maʿarrī, al-　麦阿里（973-12，叙利亚阿勒颇附近迈阿赖努阿曼～1057-05，迈阿赖努阿曼）　阿拉伯诗人，以艺术精湛、见解独到和悲观闻名。他是迁徙到叙利亚北部的塔努赫部族的后裔。童年患病致使双目失明。先后在叙利亚的阿勒颇、安条克和的黎波里等城求学，旋即依靠一笔微小的私人收入开始文学生涯。早期诗歌收在《燧火》里，受到广大读者热爱。在巴格达居留两年后，由于母亲生病等原因，1010年返回叙利亚北方（他抵达时，母亲已去世）。在巴格达期间，起初受到有声望的文学沙龙的接待。但当他拒售所写颂诗时，他却找不到一个可信赖的扶掖者。他放弃优越的物质生活，退居与世隔绝之地过着清苦生活。在当地颇受人尊敬，各地学子登门求教；他与外界保持频繁通信联系。其第2部诗集《鲁祖米亚特》谈到无需复杂的诗韵主题。他的怀疑论人文主义思想在《宽恕书》中也有所表现：诗人探访天国乐园，遇见了得到宽恕的不信上帝的前辈诗人。这些晚期作品曾惹起某些穆斯林的猜疑。《章节与目的》是一部说教讲道的散文作品，甚至曾被称为是《古兰经》的拙劣摹仿。他倡导社会的正义行为，但他认定儿童不应降生人世，免得饱受人生的痛苦。

Maas, Nicolas　参阅 **Maes, Nicolaes** 马斯。

Maas River（Europe）　**马斯河**　参阅 **Meuse River** 默兹河。

Maasai 参阅 Masai 马赛人。

Maass, Clara 玛斯(1876-06-28,美国新泽西东奥兰治～1901-08-24,哈瓦那) 古巴裔美国护士。1900～1901 年间,在黄热病实验期间献身的唯一女性和唯一的美国人。1895 年毕业于新泽西州纽瓦克德国医院护士学校,其后不久即被任命为护士长。1898 年 4 月美西战争爆发以后,她便与美国陆军医学部签约志愿人伍当护士。入伍后,她先后前往佛罗里达州、佐治亚州和古巴服役。1900 年志愿去菲律宾,后又回到古巴。她在护理黄热病患者方面有多年经验,参加了由 W. 里德少校领导的一支黄热病考察团。在哈瓦那拉斯阿尼马斯医院工作期间,志愿参加了由 W. C. 戈加斯少校和 J. 吉特拉斯指导的黄热病免疫实验。当时,人们已经认识到黄热病是一种虫(蚊)媒传染病,戈加斯等人的目的是重复里德的经典实验:在严格可操控的条件下,复制"蚊子叮咬——轻度黄热病发病——强化治疗后痊愈——患者建立免疫力"的全过程,并印证里德的结论:黄热病确系由蚊子传播的传染病。1901 年 8 月 14 日,玛斯主动接受已被感染的埃及伊蚊的叮咬。但戈加斯等人完全没有能力控制事态的发展,玛斯最终病重不治,10 天后逝世。1952 年为纪念克拉拉·玛斯,一度更名为路德教会纪念医院的纽瓦克(新泽西)德国医院最后定名为克拉拉·玛斯纪念医院。

Maastricht 马斯特里赫特 荷兰东南部林堡省省会。位于朱丽安娜、列日-马斯特里赫特和南-威廉斯三条运河汇入马斯河处。历史上曾多次被西班牙和法国占领,遭比利时人的侵犯。保留下来的古城堡遗迹有海尔波尔特城门(1229)、帕特尔芬克碉楼和 16～17 世纪的棱堡。其他古建筑有圣塞尔法蒂于斯桥(约 1280)、旧法院(约 1475)和市政厅(1658～1664)。圣塞尔法蒂于斯大教堂初建于 6 世纪,是该国年代最久远的教堂。此外还有圣约翰新教教堂、圣母堂和其他许多中世纪教堂及文艺复兴时期和法国风格的华丽房屋。市内有林堡大学(1976)、音乐学院、交响乐团、美术学院和博物馆。市南圣彼得斯堡泥灰岩开采场,从古罗马时代至 19 世纪末期不断开采,形成一条长 322 千米的地道;第二次世界大战期间该地道曾用于隐藏艺术珍品和难民。该市虽地处采矿和工业城市中心附近,但在 1853 年通铁路以前,未能充分利用其优势。现生产陶器、玻璃、水晶、水泥、纸张、烟草制品、钢和化工产品等。旅游与印刷业在经济上重要。人口:市约 118 102;都会区约164 153(1994)。

Maʿat 玛亚特 又拼 Mayet。古埃及宗教中代表真理和正义的女神。太阳神瑞之女,智慧神透特之妻。人死后要受诸神的审判,那时要用玛亚特或她的表征鸵鸟羽当作砝码衡量他的心,检验他是否诚实。"玛亚特"一词的抽象意义指神的秩序,它奠定于创世之时,埃及每代新王登位时都要予以重申。国王代太阳神行事,保治除乱,而太阳神与玛亚特关系至为密切。太阳神乘船驶过天空和冥界,玛亚特站在船头。

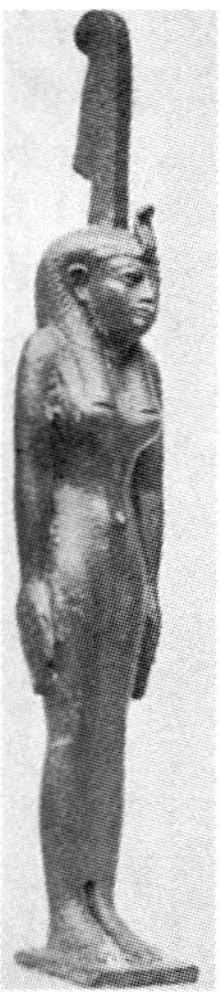

埃及第 26 王朝时期的玛亚特铜像
美国不列颠百科全书公司供图

Maathai, Wangari 马塔伊(1940-04-01,肯尼亚涅里～2011-09-25,内罗毕) 全名 Wangari Muta Maathai。肯尼亚政治人物和环境保护的积极活动家,2004 年诺贝尔和平奖获得者,为第一个获此殊荣的非洲女性。曾在美国受教育,就读于芒特圣斯科拉斯蒂卡学院(今本笃会学院,1964 年获生物学理学士)和匹兹堡大学(1966 年获理科硕士)。1971 年获内罗毕大学哲学博士学位,当时她在该校讲授兽医解剖学。在参加肯尼亚全国妇女委员会的工作时,提出农村妇女种植树木以改善环境和提供燃料、减缓森林砍伐和土地沙漠化进程的想法。1977 年创建的组织"绿带运动",到 21 世纪初已种植树木约3 000万株,并激励其他非洲国家也兴起类似的群众运动。2002 年以 98% 的得票率当选为肯尼亚议会议员,2003 年被任命为环境、自然资源和野生动物部副部长。诺贝尔奖评定委员会以她在"民主、人权、尤其妇女权利等方面持续发展所做的全面贡献"授予她诺贝尔和平奖。著作有《绿带运动:共享其方法和经验》(1988;2003 年再版)。

Maazel, Lorin 马泽尔(1930-03-06,法国纳伊～) 指挥家,小提琴家。1972～1982 年任克利夫兰管弦乐团音乐总监,为担任美国主要乐队首席指挥的第二位美国人。9 岁即开始指挥乐队。获富布赖特奖学金在意大利研究巴罗克音乐期间,于 1953 年在意大利举行成年首次演出。此后连续担任几个重要指挥职位,其中包括西柏林德意志歌剧院(1965～1971)、西柏林广播交响乐团(1965～1975)、伦敦新爱乐乐团(1970～1972;1976～1980)、克利夫兰管弦乐团(1972～1982)、法国国家管弦乐团(从 1977 年起)和匹兹堡交响乐团(从 1986 年起)指挥。1982～1984 年任维也纳国家歌剧院艺术指导,是获得这个职位的第一个美国人。对歌剧音乐和管弦乐都同样熟悉,其曲目包括从 18 世纪直到最近的作品。他的指挥动作含蓄,但把明晰和感情深度结合在一起。亦常作为小提琴家进行演出。

中国大百科全书出版社供图

Mab 玛柏 又称玛柏王后(Queen Mab)。英国民间传说中的仙后。mab 一词在威尔士语中为"婴儿"或"小孩"之意。玛柏王后的名字很可能与凯尔特民间传说有关,可能出自爱尔兰传说中好战的康诺特国女王梅德卜(Medb)的名字。玛柏虽然淘气,但本性仁慈。在莎士比亚《罗密欧与朱丽叶》一剧中,玛柏被说成是诸仙人的接生婆,可以使沉睡的男人的内心愿望成为梦境。在 M. 德雷顿仿史诗的童话诗《尼姆菲迪娅》(1627)中,玛柏是仙王奥伯龙之妻和一群小精灵之王后。在 B. 琼森、J. 弥尔顿及 R. 赫里克的作品中也有类似的描述,说玛柏是一个像小精灵的仙女;可是在英国民间传说中,泰坦妮亚最终取代了玛柏的仙后地位。

Maba man 马坝人 1958年在中国广东曲江马坝的一个石灰岩洞穴里出土的旧石器时代中期人类化石。标本包括:一块额骨,部分左右眼窝骨和颅骨右侧的一部。颅骨硕大,眼窝圆而深大,眉嵴粗隆。伴出 19 种脊椎动物化石,地质时代为中更新世之末或晚更新世之初,未发现文化遗物。

Mabillon, Jean 马比荣(1632-11-23,法国兰斯附近～1707-12-27,巴黎) 法兰西隐修院学者、文物研究家和史学家,他是古文书学研究的先驱。1653 年加入兰斯的圣雷米隐修院,次年加入本笃会,1660 年在科尔比受神职为司铎,1664 年迁到巴黎莫尔会总会所在地圣日耳曼隐修院。莫尔会是法兰西本笃会学者团体。在该隐修院工作 20 年,参与编订圣伯尔纳(明谷的)的著作和本笃会圣徒《传记》(9 卷,1668～1701)。1681 年在同事的帮助下著《论古代文献》。该书确立鉴定中世纪手抄本的可靠性和年代的原则,创立古文书学和拉丁古文书学。通称马比荣是莫尔会最伟大的代表人物。他在撰写浩瀚巨著《本笃会通史》期间死去。

Mabini, Apolinario 马比尼(1864-07-23,菲律宾塔拉加～1903-05-13,马尼拉) 菲律宾革命理论家。农民家庭出身。1894 年取得圣托马斯大学法律学位。1896 年参加阿奎纳多将军的部队,不久成为阿奎纳多的得力助手。1898 年美-西战争爆发时,他号召菲律宾人同美国合作,以便摆脱西班牙的统治。同年9～10 月在马洛洛斯镇召开国会,宣布成立独立的共和国,并推举阿奎纳多为总统。马比尼起草一部与美国宪法类似的共和国宪法。当美国宣布吞并菲律宾时,他参加阿奎纳多的队伍,再度展开争取独立的斗争。1899年12月被美军俘获。因拒绝宣誓效忠美国而被流放关岛,直到死前几个月才允许还乡。著有《菲律宾革命》(1931)。

Mabinogion 《马比诺吉昂》 11则中世纪威尔士的故事集,故事是以神话、民间传说和英雄传奇为基础的。这些故事提供了在早期传奇故事中凯尔特、诺曼和法国传说传播的有趣例子。其中最动人的是四则相互关联的故事,称为《马比诺吉的四个支系》(按其现在形式,年代最早为11世纪末),它们是出现马比诺吉一词(意为"关于马波诺斯家族〔?〕的事")的仅有的几个故事。威尔士研究者最感兴趣的是《四个独立的本地传说》。它们受欧洲大陆影响极小,包括《**库尔威奇和奥尔温**》(**Culhwch and Olwen**)、《卢德和勒费利斯》、《麦克森的梦》和《朗纳布怀的梦》。《欧温和伦德》(又名《喷泉夫人》)、《热兰特和伊妮德》和《埃弗罗格的儿子佩雷多》等故事与克雷蒂安·德·特罗亚的法国传奇故事《伊万》、《埃雷克》和《帕尔齐法尔》类似。《马比诺吉昂》的威尔士文本由艾弗·威廉斯编辑,1930年出版(1959年修订再版)。

Mabley, Moms 马布利(1894-03-19,美国北卡罗来纳布里瓦德～1975-05-23,纽约怀特普莱恩斯) Jackie Mabley的别名。原名Loretta Mary Aiken。美国喜剧演员,最成功的黑人杂耍艺人之一。她的舞台形象多以她的奴隶祖母为模型,经常穿着不得体的衣服,开一些下流玩笑,利用低沉的嗓音和生动的表情达到喜剧效果。11岁时父亲去世。15岁时已经生了两个孩子。为逃避继父,搬到俄亥俄州克利夫兰。参加黑人巡回剧团,为黑人观众表演,并取雅姬·马布利为艺名。据说由于她对其他演员富有同情心,于是被冠以"妈妈(Moms)"的绰号。后到纽约,在康尼客栈首演。继而在哈勒姆区棉花俱乐部演出。她是第一个在阿波罗剧院表演的女性喜剧演员,也是该剧院历史上表演最频繁的演员。在很多年里是美国唯一表演喜剧的黑人女性。由于她经常取笑老年人并讲性话题,所以有时被人蔑视。除了表演喜剧,还拍摄了许多影片,包括《旅馆布鲁斯》(1948)和《奶奶助选》(1974)。此外还主持电视节目"斯马瑟斯兄弟喜剧时间"。她的喜剧表演录音有20多个专辑,包括《马布利妈妈——世界上最滑稽的女人》(1960)。

Mabuse, Jan 马比斯(约1478,埃诺～约1532,布拉班特布雷达[今在荷兰]) 又称Jan Malbodius,原名J.霍萨尔特。佛兰德斯画家,最早把意大利文艺复兴风格引进低地国家。其姓源自祖籍地法国北部的莫伯日。现存最重要的早期作品是《诸王来拜》(伦敦国家画廊),是以安特卫普画派的装饰风格画成。1508年到意大利,深为文艺复兴盛期的艺术所感动。后来的作品表明他充分发展了意大利风格。晚期作品常常出现雕刻般的裸体人物。常用精制的建筑背景作为半裸人物的陪衬。一生始终保持类似宝石效果的技法和尼德兰艺术传统特有的细腻观察。他也是著名的肖像画家。其肖像画如《夏莱·德·博尔戈涅》(柏林国立普鲁士文化财富博物馆)、《奥地利的埃利诺》(约1525,H.A.韦茨拉收藏,阿姆斯特丹)和《让·卡朗德莱》(1517,巴黎罗浮宫)显示出他洞察人物心理的能力,尤善于通过对双手的描绘来表达心理状态。

马比斯绘《达纳埃》(1527)
美国不列颠百科全书公司供图

Mac FAMILY 莫氏 越南的一个氏族。曾于1527～1592年间建立王朝统治东京地区。原仕后黎朝(1428～1787),1527年莫氏族长莫登庸篡夺皇位。8年后阮氏拥戴黎朝君主,把莫氏赶出越南中部和南部。莫氏在越南北部建立王朝,并且得到中国的承认。由于内讧,这个王朝日渐衰微。1592年被郑氏夺走大部分领土。但在中国支持下,这一王朝在越中边境地区保有一小块土地,一直维持到1677年。

Mac Lane, Saunders 麦克莱恩(1909-08-04,美国康涅狄格塔夫脱维尔～2005-04-14,加利福尼亚旧金山) 美国数学家,范畴论的创始人之一,同调代数大师,数学的范畴基础的推动者。1930年毕业于耶鲁大学,之后在芝加哥大学开始读研究生。他很快便转学到德国,在那里完成了数理逻辑的论文,1933年获得哥廷根大学博士学位。在德国期间,他住在H.外尔和R.库朗家里,亲眼目睹了他的论文导师P.贝尔奈斯被纳粹禁止授课。麦克莱恩回国后在多所大学授课,直到1947年得到芝加哥大学的永久职位。大约1940年麦克莱恩在群论方面做了一些纯代数运算,并且波兰裔美国数学家S.艾伦伯格意识到它们可以应用于被称为"螺线管"的无限卷曲曲线的拓扑结构。为了理解并概括这种代数学和拓扑学之间的联系,两人创立了范畴论,一个群的普遍的上同调理论,也是拓扑空间同调的艾伦伯格-斯腾罗德公理的基础。麦克莱恩研究范畴的二元性并定义了范畴的普遍性质。他定义并命名的"阿贝尔范畴"被A.格罗腾迪克进一步发展为同调代数的核心内容。20世纪60年代起,麦克莱恩追踪范畴论的各个方向,包括美国数学家F.W.劳沃瑞关于数学的范畴基础的工作。麦克莱恩担任过美国数学协会(1951～1952)、美国哲学学会(1968～1971)及美国数学学会(1973～1974)主席,美国国家科学院副院长(1973～1981)。其著作有与G.伯克霍夫合著的《现代代数纵览》(1941)、《同调性》(1963)、《给工作中的数学家的范畴论》(1971)以及与L.默尔迪克合著的《几何和逻辑中的谷束:拓扑斯理论的首本导论》(1992)等书中。

Mac-Mahon, Marie-Edme-Patrice-Maurice, comte de 麦克马洪伯爵(1808-07-13,法国萨利～1893-10-17,卢瓦雷) 法国元帅、法兰西第三共和国第二任总统;在其任内,第三共和国有显著发展,1875年采用的新宪法开创了重要的先例,影响到行政权力和立法权力之间的关系。他是在斯图亚特王朝时逃到法国来的一个爱尔兰家族的后裔。1827年在阿尔及利亚开始他的军人生涯,在攻占君士坦丁和在克里米亚战争中均立有功勋。在1859年的意大利战役中,他在马振塔获胜,因此被封为马振塔公爵,这时他的军人生涯达到了顶峰。1864年,他任阿尔及利亚总督。普法战争中,他在阿尔萨斯指挥第一军,在沃尔特战役中负伤。在色当短期养伤后,被任命为凡尔赛军司令,这支军队于1871年5月挫败了巴黎公社起义。1873年5月25日,阿道夫·梯也尔辞去共和国总统职,法国右派人士请他来接替;同日,他当选为总统。1873年11月20日,国民议会通过七年法,赋予他为期7年的总统权力。在任职期内,1875年颁布了宪法。国民议会自行解散,1876年选举新的众议院,结果共和党人获得多数。1876年12月,共和党人控制的众议院强迫他邀请温和的共和党人朱尔·西蒙组阁,但保守党人控制的参议院没有批准。1877年5月16日,他给西蒙一信,等于是要西蒙辞职,于是发生了所谓5月16日危机。西蒙辞职后,他委托保守党人布罗伊组阁,并得到参议院同意,解散了众议院(1877-06-25),于是就出现了究竟是由总统还是由议会控制政府的问题。新选举的众议院,共和党人仍占多数,对布罗伊内阁投了"不信任"票。1877 年 12 月 13 日他作出让步,同意接受由保守共和党人朱尔·杜弗尔担任领导、由大多数共和党人构成的内阁。1879 年 1 月 5 日,共和党人在参议院中也拥有多数,他于 1 月 28 日辞职。从此以后,在第三共和国期间,总统在很大程度上成为一种荣誉职位。

macadam 碎石路 18世纪苏格兰人J.麦克亚当发明的一种路面。用压实的碎花岗岩或绿岩铺底以支承负载,上用轻质石料铺面以减小磨损和利于排水。现代碎石路结构是将碎石铺在压实的路基上,用沥青或热柏油黏结,然后再铺一层路面材料填塞空隙并压实。有时用水泥砂浆作黏结剂。

McAdam, John Loudon 麦克亚当(1756-09-21,苏格兰艾尔郡艾尔～1836-11-26,邓弗里斯郡莫法特) 苏格兰碎石路面的发明者。1770 年去纽约随叔父经商,1783 年带了一笔可观的财富回到苏格兰,在艾尔郡购置房地产,并负责所在地区的道路管理。他看到当地的公路很差,曾自费进行筑路试验。1798 年,他迁往法尔茅斯,政府委任他继续进行试验。他建议公路要高出附近的地面,以便于排水;还要铺路面,先铺一层大石块,再铺一层小石块,然后用细砾石或炉渣填平。1815 年被任命为布里斯托尔公路的总检查员后,将其理论应用于实践。他著有《论目前的筑路法》(1816)和《实用科学修路和养路法》(1819)。由于议会在 1823 年调查了整个筑路问题,政府当局采纳他的意见。1827 年被任命为负责英国城市公路检查的官员。用碎石筑路为旅行和交通提供了很大方便。很快被其他国家,特别是美国所采用。

macadamia(*Macadamia*) **澳洲坚果** 山龙眼科澳洲坚果属常绿观赏乔木,约 10 个种,坚果可食气味浓郁。原产澳大利亚东北部昆士兰沿海雨林和灌木林中。在夏威夷和澳大利亚作为商品生产的澳洲坚果主要有两个种,即光壳的 *M. integrifolia* 和粗壳的 *M. tetraphylla*,两者往往杂交,以至无法区别。由

澳洲坚果(*M. ternifolia*)
美国不列颠百科全书公司供图

于夏威夷生产这种坚果成功,所以其他亚热带地区也开始种植。南非、津巴布韦、马拉维及中、南美洲部分地区均有大面积种植。澳洲坚果要求肥沃、排水通畅的土壤和 130 厘米的年降雨量。植株一般可达 18.3 米高,15.2 米宽,四季结果。叶革质,有光泽,长 20～30 厘米。花簇粉红色或白色,有香气,每簇可结 1～20 个果。坚果有光泽、圆形、直径2.5厘米,具有厚的革质外壳,在成熟过程中沿一边裂开。因为难于确知坚果何时成熟,所以通常等它们落到地上才收获。用手捡拾,用机器去壳,然后晾干,贮藏以备加工。果实含有多量钙、磷、铁、维生素 B 和 73% 的脂肪。澳洲坚果不易繁殖,结果晚,适于栽培的地区有限。供不应求,价昂。

McAdoo, William G(ibbs) 麦卡杜(1863-10-31,美国佐治亚玛丽埃塔附近～1941-02-01,华盛顿[哥伦比亚特区]) 美国财政部长(1913～1918),创立联邦储备委员会并任主席(1914),曾发起 4 次筹款运动,为协约国提供 180 亿美元战争费用。早年在田纳西州当律师。1892 年迁往纽约,组建两家公司开凿哈得孙河河底隧道。在 1910 年新泽西州州长竞选和 1912 年总统竞选活动中,他都支持民主党的 W.威尔逊。任财政部长时,深得威尔逊总统的信任。1914 年与威尔逊的女儿埃莉诺结婚,在白宫举行婚礼。后来成为民主党领袖。3 次竞争总统候选人提名均告失败。1933～1938 年任美国参议员。

Macaire 麦克尔 常指法国中世纪史诗或武功歌中的一个主要角色和以他的名字为标题的作品。年迈体弱的查理曼大帝之妻白朗什芙勒拒绝了麦克尔的求爱,反被诬为不贞而被判永远放逐。最后她的清白得到证实,她原谅了丈夫并与之重归于好。同一则故事在另外一首名为《西比拉女王》的诗歌中得到发展;该诗是西班牙一篇流行的散文故事《西比拉女王史》的蓝本。不能肯定《麦克尔》或《西比拉女王》是否是更为古老的诗;但是可以肯定,这样的一则故事题材,即"一位王后被诬不忠,一只狗为其主人复仇"已被证明早在 13 世纪上半叶就在法国流行了。从查理曼一事分离出的同样故事,自 14 世纪起在法国已被多次研究和改编。

McAleese, Mary 麦卡利斯(1951-06-27,北爱尔兰贝尔法斯特～) 婚前名 Mary Patricia Leneghan。1997 年起任爱尔兰总统。生长在民族主义意识强烈的北爱尔兰贝尔法斯特阿代内区,她的家人是 20 世纪 70 年代初期,因准军事组织的暴力活动而被迫逃来的。曾就读于贝尔法斯特女王大学,1974 年在北爱尔兰律师学院获得出庭律师资格。1975～1979 年和 1981～1987 年间在都柏林三一学院任刑法学教授;1979～1981 年间在爱尔兰国家电视台做新闻记者和节目主持人。1987 年任女王大学法律研究所所长。1994 年任女王大学常务副校长。她是坚定的民族主义天主教徒,对堕胎和离婚持保守观点,是参加 1984 年新爱尔兰论坛的天主教会代表团成员,但是在一些问题上也对教会的等级制度持批评态度。在 1987 年的议会选举中,她作为共和党在都柏林一个选区的候选人,竞选失败;但是在新芬党选举 1997 年总统候选人时,出人意料地领先于 1992～1994 年任爱尔兰总理的 A.雷诺兹。在有时会很庸俗下流的竞选运动中,她被指责同情新芬党(爱尔兰共和军的政党),但她仍以微弱多数获胜,成为爱尔兰第一位出生于北爱尔兰的总统。2004 年在没有竞选对手的情况下再次当选。

McAlester 麦卡莱斯特 美国俄克拉何马州东南部城市、匹兹堡县县城(1907)。位于尤福拉水坝和加拿大人河南侧。1870 年建为得克萨斯和加利福尼亚商路交会处的贸易站。1872 年铁路修通后,刺激采煤业发展。现有航天、航空、船舶工业和美国陆军弹药库。另有石油、天然气、农业、成衣、食品加工等工业。设有州监狱、麦卡莱斯特教会议会会堂、彩虹姊妹会国际会堂等。人口 17 783(2000)。

McAllen 麦卡伦 美国得克萨斯州南部伊达尔戈县城市。位于下格兰德河谷地,距墨西哥雷诺萨 11 千米,东南距布朗斯维尔 80 千米。与爱丁堡和法尔形成综合都会区。1905 年建,1910 年设镇,1927 年设市。为冬季游览胜地。石油和天然气生产中心。柑橘、蔬菜和棉花加工中心。与墨西哥有贸易来往的进口港。20 世纪 80 年代外贸区经济繁荣。建有国际科学艺术博物馆和伊达尔戈县历史博物馆。人口:市106 414;麦卡伦-爱丁堡-米申都会统计区569 463(2000)。

McAllister, (Samuel) Ward 麦卡利斯特(1827-12,美国佐治亚萨凡纳～1895-01-31,纽约市) 美国律师和社会领袖。曾以短语"四百人"指称纽约城的社会"名流"。1892 年麦卡利斯特为威廉夫人缩短一份请帖名单,当时他夸口说:"纽约社会大约只有 400 个人。"于是,这句短语很快就成为家喻户晓的习惯语。1850 年他随父亲移居加利福尼亚,开办了一家法律事务所。1852 年麦卡利斯特发财致富,于是他退出律师界,献身于社会工作。他在欧洲居住了几年,返美后大部分时间在罗得岛的纽波特度过。19 世纪 70 年代初期,他建立了"元老们"集团,这是纽约一些古老的家族的首脑们。他们接受或拒绝希望加入纽约"上层社会"的人。他为报刊杂志撰写文章,成为有关社会风尚的著名权威。他的著作《我的理想社会》一书于 1890 年问世。

MacAlpin, Kenneth 麦卡尔平 参阅 **Kenneth I 肯尼思一世**。

Macao(South China) 参阅 **Macau 澳门**。

Macapá 马卡帕 巴西北部阿马帕州首府。位于亚马孙三角洲北河道海拔 15 米的一片小高地上。地处赤道上。1856 年建市。是该州工商业、运输业中心。输出高品位锰(包括硅锰和铁锰)、金、铁、锡等矿石及木材。从马卡帕的港口松塔纳港出口汽车、油类、橡胶、

兽皮和鱼。有航空线通贝伦与里约热内卢，有地方公路和一条铁路通塞拉-杜纳维乌锰矿区。人口约270 077(2000)。

Macapagal, Diosdado 马卡帕加尔(1910-09-28，菲律宾卢巴奥～1997-04-21，马卡蒂) 菲律宾共和国改革派总统(1961～1965)。在大学获得法律学位后，1936年取得律师资格。第二次世界大战期间在马尼拉当律师，参加抗日运动。战后在律师事务所工作。1948年任菲律宾驻美国大使馆二等秘书。1949～1956年为菲律宾众议员。曾3次出席联合国大会。1957～1961年加入自由党并任副总统。1961年当选总统后致力改革，极力打击贪污腐化和发展国民经济，使比索成为可自由兑换货币，鼓励出口，并设法扼制富有家族偷漏所得税。他的改革措施受到国民党占优势的众议院和参议院的掣肘，1965年大选中败于马科斯。1979年组成全国解放联盟，成为马科斯政府的反对党。

macaque 猕猴 猴科猕猴属(*Macaca*)约20种群居、昼行性动物的统称。主要分布于亚洲。体强健，臂和腿几乎等长。皮毛褐色或灰黑色，吻似狒狒，呈犬吻状，但侧面观为圆形，鼻孔生在上侧表面。尾长短不一，或缺

日本猕猴(*M. fuscata*)
美国不列颠百科全书公司供图

尾。猕猴体型在各种之间和雄雌之间均有差异。雄性头和体的长度约为体长41～70厘米；小型猕猴食蟹猕猴重约2.4～5.5千克，而西藏猕猴重约13～18千克。群居，每群数量不等。由雄体率领全群。猕猴比狒狒喜爱树栖，但也居于地面。能游泳。栖于森林、平原和悬崖绝壁之间和岩石地区。杂食，有很大的贮藏食物的颊囊。全年都能繁殖，妊娠期为约6个月，每胎产一仔，4年后性成熟。智力甚高，但成体的脾气可能甚坏。西里伯斯猕猴(摩尔猕猴，*M. maurus*)尾短，分布于低地，有时列入 *Cynomacaca* 属。食蟹猴(食蟹猕猴，*M. fascicularis* 或 *M. irus*)尾长，脸褐色，具颊须，捕食蟹类和其他甲壳动物，曾被广泛用于研制脊髓灰质炎疫苗。狮尾猴(狮尾猕猴，*M. silenus* 有时作 *Silenus silenus*)黑色，具灰色颈毛，尾具丛毛，为一濒危种，仅见于印度南部一个很小地区。豚尾猕猴(*M. nemestrina*)尾多毛，回弯至背上方，栖息在低地森林，马来人驯养以摘椰果。短尾猕猴(*M. speciosa*)强健、粗毛蓬松，栖于山地，脸粉红色或红色，尾短，有时与日本猕猴一同列入红面猴属(*Lyssodes*)。日本猕猴(暗棕色猕猴，*M. fuscata*)体大，强健，毛粗，脸粉红色，尾短多毛。在神话及民间故事中十分重要，佛家所说："勿妄观，勿妄闻，勿妄言"就是以日本猕猴为模特儿的。其他著名的种帽猴(**bonnet monkey**)、恒河猴(**rhesus monkey**)和叟猴(**Barbary ape**)虽不称猕猴，但均属于猕猴属。西里伯斯黑猴(**Celebes black ape**)有时称西里伯斯冠猕猴。

McArdle's disease 麦卡德尔氏病 又称V型糖原贮积症。一种以肌细胞内糖原磷酸化酶缺乏为特征的遗传性疾病。以隐性遗传特性的形式遗传。患者的肌糖原不能分解以满足肌肉活动时对能量的需要，因此肌肉活动时仅从葡萄糖及其他循环血液中的营养物质来获得能量。患者的肌肉不能耐受时间稍长的运动，肌力长期减弱，即在中等量的运动后肌肉也会痉挛并感剧痛。本病与糖原贮积症其他类型不同，不会危及生命，其他器官系统功能亦正常。

Macarius 马卡里乌斯(约1482～1564-01-12[旧历1563-12-31]，莫斯科) 俄罗斯正教莫斯科都主教。1542年升任莫斯科和全俄罗斯都主教，遂即召开神学家会议，着手推行由教会支持专制君主以实现政教合一的政策。第一部《俄罗斯圣徒生平日读》(12卷)是出自他的手笔。所著《帝族谱系》详述俄国统治家族的历史。

Macarius BULGAKOV **马卡里乌斯(布尔加科夫)** 参阅 **Bulgakov, Macarius** 布尔加科夫。

Macarius MAGNES **马卡里乌斯(马格尼西亚的)**(活动时期5世纪初) 东正教主教、教义论辩家。他可能就是曾任马格尼西亚(今土耳其境内)主教的马卡里乌斯。据说他曾在403年橡树会议上与另一主教争论，那位主教是4世纪锐意改革的君士坦丁堡牧首约翰·克里索斯托之友。马卡里乌斯之所以受人重视，是由于他所著标题含义难解的护教著作《独生子答希腊人》。此书主张的教理主要来自卡帕多西亚派的观点，其重要历史价值却在于它确切介绍异教观点。

Macarius THE EGYPTIAN **马卡里乌斯(埃及人)**(约300，上埃及地区～390，埃及谢特沙漠) 又称大马卡里乌斯。隐修士、奥秘神学家。约30岁时前往谢特旷野隐修，在稀疏分散的虔修社团之间生活60年。340年前后被任命为司铎。他坚决反对阿里乌派异端，因而被亚历山大主教鲁修斯在374年放逐到尼罗河中一小岛。他由该地返回后，在旷野居住至死。在奥秘神学方面，马卡里乌斯的中心论点是：上帝按照自己的形象创造人的灵魂，灵魂应当通过神秘修炼而提高。人劳心劳力，约束肉体，苦心冥想，就可以在灵魂中事奉上帝，感到上帝以灵光的形式存在于内心，从而求得宁静。

macaroni 通心粉 一种细管状空心面食(**pasta**)。

macaroni 马卡罗尼艺术 旧石器时代晚期人们用手指在泥土上划的画痕，是迄今所知人类最早的艺术形式。在法国和西班牙的一些人类居住过的石灰岩洞穴里，洞壁与洞

法国洛特省佩赫-梅尔勒的马卡罗尼艺术
美国不列颠百科全书公司供图

顶壁上有无数的这类痕迹，年代最早的大约为公元前3万年。这类痕迹包括在洞壁上简单的涂画和无目的的紊乱线条，也有经过仔细构思而绘出的波折纹、花叶纹和动物轮廓画。

macaronic 混合诗 原指滑稽的拉丁诗体，其中引进了一些本国语词，其拉丁文词尾虽符合规范，却荒唐可笑。后来的变体把同样的技巧用于现代语言之中。这种诗体是16世纪初期由一个放荡的本笃会教士福伦戈发明的。在滑稽骑士史诗《巴尔杜斯》(1517)里，他把拉丁文的词形和句法运用于意大利语。他把这种诗比作16世纪意大利的一种把面粉、黄油和干酪搅和在一起的菜。不久意大利和法国就有人模仿《巴尔杜斯》，有些混合诗甚至是用仿希腊语写的。最出名的英国混合诗是1684年发表的，它记述两个苏格兰村庄之间的一场战斗，作者德拉蒙德用拉丁文法来处理苏格兰方言。

macaroon 蛋白杏仁饼 用糖、蛋白及杏仁粉或椰子等制成的一种饼干或小糕饼。基本原料是精白面，和配料搅拌在一起，以香草精和盐调味。将调好的面团用面团袋挤到饼干薄板上。烤前，涂阿拉伯胶或以剁碎的杏仁、胡桃、葡萄干、樱桃等点缀。蛋白杏仁饼干的碎屑常加于冰淇淋、西式馅饼馅和布丁之中。奶油杏仁香精是一种用奶油和压碎的蛋白杏仁饼调制的奶油夹心，以柠檬汁、朗姆酒、雪利酒或白兰地酒调味。

MacArthur, Douglas 麦克阿瑟(1880-01-26，美国阿肯色小石城～1964-04-05，华盛顿[哥伦比亚特区]) 美国五星上将。出身于军人世家。1903年毕业于西点军校。任参谋及工兵军官10年，后在统帅部任职4年。第一次世界大战在法国作战以及占领莱茵区期间任美军第42师参谋长、旅长和师长。20年

代任西点军校校长,倡导进行改革;参加了审判W.米比尔的军事法庭;在菲律宾任2个军区的司令;并曾担任1928年美国奥林匹克委

美国不列颠百科全书公司供图

员会主席。1918年升为准将,7年后升少将。1930年任陆军参谋长时擢升上将。随后5年致力于在大萧条时期保留弱小的陆军。1932年年中他派遣现役部队从华盛顿驱赶退役老兵而招致批评。1935～1941年任菲律宾军事顾问。1937年退役。1941年再度应召服现役。12月战争爆发,他在菲律宾阻滞日军的进攻。1942年3月受命去澳大利亚任西南太平洋盟军总司令,不久在新几内亚发动进攻,于1943年1月将日军逐出巴布亚。在1943～1944年的一系列战斗中,他的部队占领了新几内亚的若干战略要地。在决定下一步进攻菲律宾后,1944年秋季攻击莫罗泰、莱特、民都洛。虽然人员、装备不足,太平洋舰队也很少支援,但他仍按原定计划执行。麦克阿瑟对于上级的欧洲战场先于太平洋地区、中太平洋先于西南太平洋的决定表示强烈的异议。1944年12月晋升五星上将。1945年七个月的吕宋战役中他遭到严重损失。1945年任太平洋美军司令。1945年9月2日在东京湾主持日本投降仪式。1945～1951年期间,以盟军最高司令官的身份执行占领日本的任务。他有效而又果断地解散日军,清除军国主义分子,重建经济和起草自由宪法。在重新分配土地、教育、劳工、公共卫生、妇女权利等方面,进行了重要的改革。他在驻日期间还兼任远东美军司令官。1950年朝鲜战争爆发后任联合国军总司令,在釜山附近阻遏北朝鲜军队进攻。同年9月指挥美军于仁川登陆并于10月进入北朝鲜。11月中国人民志愿军在三八线以北反击被分割的美军,迫使其退守汉城以南地区。两个月后他的部队恢复进攻,重入北朝鲜。由于他积极主张扩大战争,杜鲁门总统于1951年4月11日将其撤职。1944、1948和1952年保守的共和党人曾三度谋求提名他候选总统而未果。1952年任雷明顿兰德公司董事长。此后很少公开露面,隐居于纽约市。1964年卒于华盛顿(哥伦比亚特区),葬于诺福克。

Macarthur,John　麦克阿瑟(1767-09-03,英格兰德文郡斯托克丹默莱尔～1834-04-11,新南威尔士卡姆登)　澳大利亚农业经营者。英国出生,1789年去澳大利亚。1793年已拥有大片土地。1801年因反对总督菲利普·金垄断贸易和劳力,在决斗中打死金的代表。后被押送回国。他向英国制造商大力宣传在澳大利亚建立羊毛工业的好处。1805年返澳,得地约5 000英亩,受权发展羊毛生产。1824年创办澳大利亚农业公司。1830年他的牧场已扩大到约6万英亩,成为左右羊毛贸易的主要力量。

McArthur River　麦克阿瑟河　在澳大利亚北部地方东北部。源出巴克利台地北缘陡坡安东尼拉贡以南70千米处。流向西北,于麦克阿瑟港注入卡奔塔利亚湾。全长240千米。下游64千米河道可通航平底船。夏季常发洪水。

Macartney,George Macartney,Earl　马嘎尔尼(1737-05-03,北爱尔兰安特里姆郡利萨诺尔～1806-03-31,英格兰萨里奇西克)　英国派往中国清政府的第一个使节。出身于苏格兰-爱尔兰古老世家,曾在都伯林三一学院学习,1759年获文学硕士学位。1764年受

中国大百科全书出版社供图

封为爵士,任驻俄特使。回国后进入议会(1769～1772)。1775年任加勒比诸岛总督。1776年晋封为爱尔兰男爵。1780～1786年任印度马德拉斯总督。1792年晋封为子爵,后被派往中国谈判增加英国通商权问题。清政府以本国足可自给、准许少量通商系格外开恩为由予以驳回。清廷误以为马嘎尔尼所携礼物为“贡品”,这次出使为“臣服”。马嘎尔尼1794年晋封为伯爵,1796年被封为英国贵族。后被任命为南非好望角殖民地总督,1798年因病退休。

Macas　马卡斯　厄瓜多尔东南部城镇。临安第斯山东坡的乌帕诺河。海拔1 050米。在16世纪中叶由西班牙人建立。数十年来为一大居民点,因开采附近的冲积金矿藏而繁荣。1599年在一次希瓦罗印第安人的叛乱中被毁,后重建,称马卡斯,但一直未恢复昔日重要地位。现为当地木薯、香蕉、番木瓜、咖啡和可可的贸易中心。人口约3 433(1983)。

Macassar(Indonesia)　**望加锡**　参阅**Ujung Pandang**乌戎潘当。

Macassar Strait(Pacific Ocean)　参阅**Makassar Strait**望加锡海峡。

Macau　澳门　又拼Macao,又作Aomen。别名濠江、香山澳等。中华人民共和国特别行政区。简称“澳”。位于中国南海之滨,珠江口西侧,北接广东省珠海市,东侧与香港隔海相望。包括澳门半岛、氹仔岛和路环岛,面积27.3平方千米。澳门半岛是市区,为工商业和人口集中的地方,分丈堂、望德堂、圣安多尼堂、圣老楞佐堂、花地玛堂5个区。

沿革　澳门自古以来是中国的领土。原属广东省香山县(今中山市)。1553年葡萄牙人通过贿赂广东地方官吏得以在澳门码头停靠船舶进行贸易。1557年葡萄牙人侵入并开始聚居澳门。1840年鸦片战争后,葡萄牙人侵者趁清政府战败,宣布澳门为自由港,赶走清政府官员,占领澳门半岛,并相继占领氹仔岛和路环岛。1887年,葡萄牙政府迫使清政府先后签订了《中葡会议草约》和《中葡北京条约》,其中规定“葡国永驻管理澳门以及属澳之地,与葡国治理他处无异”。以后葡一直占领澳门并划为其领土。1979年中葡建交时,葡承认澳门是中国的领土。1987年4月13日中葡两国政府签署《中华人民共和国政府和葡萄牙共和国政府关于澳门问题的联合声明》,明确规定中国于1999年12月20日对澳门恢复行使主权,设立澳门特别行政区。澳门特别行政区是中华人民共和国的一级地方政权,直辖于中央人民政府,除国防事务和外交事务属中央人民政府管理外,享有高度的自治权。

自然条件　澳门属亚热带气候,全年受季风控制。年平均气温22.4°C,1月平均气温14.6°C,7月平均气温28.5°C。年均降水量1 970毫米,每年5～9月是雨季。多台风。澳门半岛是三面环海,北面与广东省珠海市的拱北区连接而成。半岛中部有小丘,最高为松山(海拔91.07米),1865年在山顶建成远东第一座东望洋灯塔。半岛东岸面对大海,风浪大,曲折多湾。西岸平直,临内河,受西江影响而沉积淤塞,对往来船只不利。南环海岸,海水较深,堤岸迂回,是澳门的幽美地区之一。土壤由花岗岩风化而成,土壤较薄,只有松树长成丛林。树木有马尾松、木麻黄、台湾相思树、凤凰木、榕树、桉树等。药用植物约有200科,600种。蝴蝶有8科,近100种。氹仔岛位于澳门半岛以南,岛上多山丘,最高为大潭山(海拔160米),岛北观音岩有澳门大学(前身为东亚大学),与澳门半岛有澳氹大桥和友谊大桥相连。路环岛在氹仔岛以南,西与珠海市的横琴岛相峙,自东北向西南斜卧于海中;岛内地势较高,多山丘,有澳门最高峰塔石塘山(海拔172米)。路环岛与氹仔岛间由于填海造地将连成一片。

经济　澳门领土狭小,港口水浅,交通不便,资源贫乏,经济长期以来依靠特殊行业,工业发展依靠香港。20世纪70年代以后,发展迅速,形成以工业为主多元化发展的经济结构。工业、旅游业、建筑业成为澳门经济的三大支柱。工业以轻工业为主,为外向型出口加工工业,主要有纺织、成衣、玩具、电子、人造花、彩瓷、手袋、皮革、光学仪器及家具等,产品几乎全部外销。澳门旅游业在经济中占30%以上,以博彩业(赌博)及游览业为主,辅以酒店业、饮食业、土产礼品业、珠宝金饰业、古玩业、旅运业以及夜总会、舞厅、电子游戏场所等。至2005年博彩业税额达130亿澳门元。1995年建成使用的国际机场使往来

澳门海事博物馆
中国大百科全书出版社供图

澳门更加方便。教育事业有澳门大学和约100多所中小学。

名胜古迹 澳门名胜古迹大三巴牌坊融汇了东西方建筑风格。古关闸则是中国人民反对外敌侵略的历史见证。西望洋山是澳门风景名胜区，山上山下，绿树翠竹掩映之中有葡萄牙建筑风格的教堂和别墅。奶阁山是澳门建筑年代最久远和最负盛名的古迹。此外，还有南湾花园、观音堂、莲峰山、澳门纪念塔等。人口482 000(2005)，为世界人口密度最高的地区之一。

Macaulay, Catharine 麦考利(1731-04-02，英格兰肯特郡瓦伊～1791-06-22，伯克郡温莎附近宾菲尔德) 母家姓 Sawbridge(索布里奇)。又名C.M.格雷厄姆(自1778年)。英国女历史学家和激进的政治作家。早年受私人教育，对希腊和罗马史的学习使她产生了追求自由和共和理想的热情。1760年与苏格兰医生G.麦考利结婚后，即开始编写《从詹姆斯一世继位到不伦瑞克支系即位的英格兰历史》(共8卷，1763～1783年刊行)。她在这部书中支持议会，谴责O.克伦威尔为暴君，认为议会派人士J.汉普登反映出她自己的共和思想。孀居后，于1774年移居巴斯，吸引了一些崇拜者。除了在她的著作中拥护人民主权和温和地分配土地而外，还在《致英格兰、苏格兰和爱尔兰人民书》(1775)中抨击魁北克法案和英国对殖民地居民的税收，以支持美洲殖民地居民的事业。1777年在她名声最盛时访问巴黎，曾结识J.杜尔哥和B.富兰克林。1778年与21岁的兄弟W.格雷厄姆结婚。1784～1785年在美洲旅行时，她和丈夫都受到G.华盛顿的款待。她最后的政治论文《试评爱德蒙·伯克阁下对法国大革命的看法》(1790)为法国大革命辩护，认为一院制的国民议会甚至比美国的政治体制优越。

Macaulay, Dame (Emilie) Rose 麦考莱(1881-08-01，英格兰沃里克郡拉格比～1958-10-30，伦敦) 英国小说家和游记作家。她的作品以才智、风趣和生动的学识为特色。父亲为大学讲师。最初引起注意的是一系列社会讽刺小说：《磨蹭主义》(1920)、《危险时代》(1921)、《白痴呓语》(1923)、《孤儿岛》(1924)、《克鲁列车》(1926)和《装点门面》(1928)。1930年以后写小说较少，但所写《出国》(1934)、《我的荒芜的世界》(1950)和《特拉布宗的塔群》(1956)等作品水平却很高。文学评论文集中的最优秀著作有《英国文学中的宗教因素》(1931)和《他们已被击败》(1932)，后者是对诗人R.赫里克的研究专著。游记有《他们去葡萄牙》(1946)和《传说中的海岸》(1949)。此外，还有3部诗集。1958年被封为英帝国勋章女爵士。

Macaulay (of Rothley), Thomas Babington Macaulay, Baron 麦考利(罗思利的)(1800-10-25，英格兰莱斯特郡罗思利坦普尔～1859-12-28，伦敦坎普登希尔) 英国辉格党政治

美国不列颠百科全书公司供图

家、散文家、诗人、历史学家。以所著《英国史》最为闻名，成为辉格党历史学派的创始人之一。其父曾任塞拉利昂总督，是热心的慈善家和虔诚的新教徒。麦考利于1818年进入剑桥三一学院攻读法律。1826年取得律师资格，但并未认真开业，而渴望跨入政界。1830年代表威尔特郡进入议会。1832年议会辩论“改革法案”时，他雄辩地支持议会改革，被认为是演说家时代的主要人物。不久任政府监督东印度公司对印度进行统治的“管理委员会”委员，后兼任该会秘书。在根据1832年法案选出的第一届议会里，他当选为议员，发言支持废除奴隶制，反对政府的修正案。1834年受聘在新成立的印度最高理事会任职，他支持出版自由以及欧洲人和印度人在法律面前平等，创立西方式的全印教育制度。作为法学委员会主席，他草拟一部刑事法典，后成为印度刑法的基础。1838年回到英国，在爱丁堡当选为议会议员。1839年担任梅尔本内阁的国防大臣。1841年梅尔本内阁倒台，他出版了《古罗马之歌》(1842)和《批评和历史文集》(1843)。他的政论影响了一代英国人的观点。他的文风清晰明确，重点突出，质朴无华，言简意赅，成为半个世纪里英国新闻和各种记叙文所特有的风格。1846年在罗素内阁中任主计长。1847年在爱丁堡落选。此时他对政治已失去兴趣，遂退出政界，埋头写作《英国史》。这部书从1688年革命写起，计划写至1820年乔治三世去世为止。1688年革命牢固地树立了议会至高无上的地位，确立了君主立宪政体。他叙述这场革命，强调这场革命对英国具有无比的重要性。他的这一观点直到第二次世界大战以前，一直影响着历史教学工作。他写作很慢，从内容到文字不断进行修改。为核定史实，他不辞劳苦，常至历史现场考察。1849年出版第1、2两卷，获得空前的成功。1852年辉格党重新上台，他拒绝入阁，但作为爱丁堡的代表重新进入议会。不久因心脏病加剧，不再过问政治。1855年《英国史》的第3、4两卷问世，立即成为畅销书。此书曾译成德、波兰、荷兰、丹麦、瑞典、匈牙利、俄、波希米亚、法和西班牙等文字。1857年受封为罗思利男爵。未写完威廉三世时代的历史而死。《英国史》第5卷由他妹妹汉娜编辑于1861年出版。

McAuley, Catherine Elizabeth 麦考利(1787-09-29，爱尔兰都柏林郡～1841-11-11，都柏林) 天主教慈恩姊妹会创立人。该修女会从事教育和社会服务工作。麦考利利用信奉新教的养父母的遗产购得都柏林一处房产，1827年在该地成立慈恩院，教育孤儿和穷人。1831年12月与另外两修女一起发愿，正式创建慈恩姊妹会，由她担任会长终生。

McAuley, James Phillip 麦考莱(1917-10-12，澳大利亚新南威尔士拉肯巴～1976-10-15，塔斯马尼亚霍巴特) 澳大利亚诗人。以他的古典手法、娴熟技巧和学术观点著称。曾就学于悉尼大学，一度任过教师，第二次世界大战时期在军队服役。后成为澳大利亚太平洋行政管理学院高级讲师、文艺杂志《四分仪》的编辑和塔斯马尼亚大学英语教授。继第一部诗集《在阿尔德巴伦下面》(1946)之后，出版了《参观典礼》(1956)和《奎若斯船长》(1964)，还出版了《太阳的神奇》(1969)和《诗集：1936～1970》(1971)、《深夜的乐声：1970～1973》(1976)和《它自己的世界》(1977)。散文作品有文学评论集《现代主义的终结》(1959)和评论一澳大利亚早期诗人的《克里斯托弗·布伦南》(1973)及《澳大利亚诗歌概要》(1975)。

McAuliffe, Anthony C(lement) 麦考利夫(1898-07-02，华盛顿[哥伦比亚特区]～1975-08-11，华盛顿) 美国陆军将领，第二次世界大战期间在突围之役(1944-12)中指挥保卫比利时巴斯托涅的部队。1919年毕业于美国西点军校。在1944年6月诺曼底登陆战中，他任第101空降师炮兵指挥官。1944年12月德军在阿登地区反攻时，他指挥全师作战，英勇顽强地坚守巴斯托涅，阻止了德军的进攻，为最终战胜德军作出直接的贡献。战后担任各种指挥和参谋职务。1956年5月退役，进入实业界。

McAuliffe, Christa Corrigan 麦考利夫(1948-09-02，美国马萨诸塞波士顿～1986-01-28，佛罗里达卡纳维拉尔角近海，飞行失事)

美国不列颠百科全书公司供图

原名 Sharon Christa Corrigan。美国教师，被选为进入太空的第一个平民。在1986年“挑战者”号航天飞机的灾难中，麦考利夫和机组成员的遇难深刻影响了整个美国以及美国的太空计划。1970年在弗雷明汉州立学院(马萨诸塞州)获得文学士学位，1978年在鲍伊州立学院(位于马里兰州，现为大学)获得教育学硕士学位。1970年便开始了教育生涯，她的活力和奉献精神给她的同事和学生留下了深刻印象。1984年被选中作为进入太空的第一个非科学工作者。从一开始故障便一直伴随着命运多舛的“挑战者”号航天飞机：发射被推迟了，并且发射前发射架开始结冰。航天飞机最终于1986年1月28日上午11时38分发射。起飞仅仅73秒，这架航天飞机便发生了爆炸，残骸像瀑布一样坠入大西洋，没有任何幸存者。这一令人震惊和悲壮的事件伴随着麦考利夫迷人的、充满活力的平民形象，中断美国航天飞机的飞行达两年半之久，严重打击了美国国家航天航空局的声誉，削弱了公众对太空计划的支持。

macaw　鸫鹎　鹦鹉科鹦鹉亚科(Psittacinae)18种热带美洲鸟类的统称。色彩最艳丽的大型鹦鹉。尾极长，本科其他种类无与匹敌，镰刀状的大喙只有凤头鹦鹉堪与比拟。

鸫鹎(*Ara ararauna*)
美国不列颠百科全书公司供图

以水果为食，食量大，有力的喙亦可将坚果捣开，用钝舌取出肉质为食。面部无羽毛，兴奋时可变为红色。两性外貌相似。可饲为玩赏动物，但需笼室宽大以便飞翔，又需要可供咀嚼的东西。易驯养，能与其他鹦鹉很好相处，但会鸽其他动物和陌生人。少数可寿至65岁。有些种类可学会用柔和的声音模仿说话，但多数如在野外时一样尖叫。绯红鸫鹎(琉璃金刚鹦鹉，*Ara macao*)是最著名的笼养种类，产自墨西哥到巴西南部；体长约90厘米，体羽鲜红色，翅蓝黄相间，尾蓝红相间，面白色。紫蓝鸫鹎(*Anodorhynchus hyacinthinus*)身长与红蓝鸫鹎相近但体较粗壮，深蓝色，眼圈和喙基黄色；分布于巴西亚马孙河以南地区；有时营巢于河岸的洞穴中。

Macbeth　麦克佩斯(?～1057-08-15，苏格兰阿伯丁伦法南附近)　苏格兰国王(1040起)。他的生平构成莎士比亚《麦克佩斯》(又译《麦克白》)一剧的基本情节(参阅 **William Shakespeare**)。他大概是国王肯尼思二世之孙，同肯尼思三世的后裔格鲁奥奇结婚。约在1031年继承其父芬莱奇(莎士比亚剧中的辛内尔)成为北苏格兰马里省酋长。1040年8月14日，他在埃尔金附近的战斗中杀死其堂兄弟国王邓肯一世(而不像莎士比亚剧中所述，邓肯是睡在床上时被谋杀的)，后自立为国王。1045年，麦克佩斯在邓凯尔德(在今泰赛德地区)附近战胜一支叛军。这就可以说明为什么后来在莎士比亚和其他人的剧本中提到伯纳姆伍德，因为该村庄在邓凯尔德附近。1046年诺森伯里亚伯爵西沃德企图废黜麦克佩斯，而让邓肯一世的长子马尔科姆(后为国王马尔科姆三世坎莫尔)为国王，但未成功。到1050年，麦克佩斯感到自己的地位十分巩固，便离开苏格兰到罗马朝拜。但在1054年，显然是在西沃德的逼迫下，他将南苏格兰部分地区让给马尔科姆。3年后，他在战争中被英格兰所支援的马尔科姆杀死。后葬在艾欧纳岛，该地被认为是合法的国王而不是篡位者的长眠之地。其随从立他的养子卢拉奇为国王，1058年3月17日卢拉奇被杀，马尔科姆三世成为苏格兰最高统治者。

McBride, Mary Margaret　麦克布赖德(1899-11-16，美国密苏里帕里斯～1976-04-07，纽约西肖坎)　美国新闻记者和播音员，可能因其极受欢迎的长期广播节目中所表现的热情、具有美国南方特质的个性而为人们所铭记。她常随家人在乡村迁徙，学业也因此间歇不定，直到1906年才进入威廉伍兹学院(当时实际上是一所预科学校)就读。1916年入密苏里大学，1919年毕业，获新闻学学士学位。作为记者曾为《克利夫兰(俄亥俄州)新闻报》工作一年，后到《纽约晚邮报》担任记者，1924年转为杂志自由撰稿人。曾出版几部著作，包括《爵士乐》(1926，与 P.怀特曼合著)，和《魅力》(1927，与 A.威廉姆斯合著)，另有几部与 H.约瑟夫合著，如《巴黎是女人的城》(1929)、《伦敦是男人的城》(1930)、《纽约是大家的城市》(1931)和《啤酒与撞柱游戏——现代德国游友情指南》(1932)。1934～1940年，在纽约市 WOR 电台每日以马萨·迪恩的名义播送妇女咨询节目，很受欢迎。另在报业联合会辛迪加编写妇女专版(1934～1935)，并开始以本人名义的播音节目，每周交替在哥伦比亚广播公司广播网(1937～1941)、全国广播公司(1941～1950)、美国广播公司(1950～1954)播出，后又在全国广播公司播出(1954～1960)。1960年起，她的声音出现在纽约先驱论坛辛迪加的广播节目中。麦克布赖德节目中总有政界、娱乐界和文艺界名人出现，她本人特有的坦诚、通俗、深入的评论也使她成为一位无与伦比的女推销员。虽然广告商们纷纷找上门来，但凡是未经她亲自试用并且喜欢的产品，她都断然拒绝为其推销。她也拒绝做烟草或酒类广告。1953～1956年，为美联社主持一个辛迪加报纸专栏。在其著作中，有两本为女孩子写的书，两本自传和一本烹饪书。

McBride, Patricia　麦克布赖德(1942-08-23，美国纽约蒂内克～　　)　美国芭蕾皇后。7岁习舞，13岁在纽约市美国芭蕾舞学校师承 S.杜勃罗温斯卡亚。1957年初次登台，随 A.埃格列夫斯基的小芭蕾舞团演出。后以学员身份在纽约市芭蕾舞团演出，1959年在该团任群舞演员，翌年任独舞演员，1961年任首席演员。她的高超技艺激励着编导们为她在许多芭蕾舞剧中创造了角色，如 G.巴兰钦的《塔兰台拉》(1964)、《宝石》(1967)和《因循守旧的贵族》(1978)。1989年退休。

McBride, Sir Richard　麦克布赖德(1870-12-15，加拿大不列颠哥伦比亚新威斯敏斯特～1917-08-06，英国伦敦)　加拿大政治家。1898年进入不列颠哥伦比亚省立法会议，1900年任省矿业部长，1903～1915年任省总理。他开始推行两党制，并成功地解决该省因人口和工业迅速增长而产生的问题。因致力于扩展太平洋大东方铁路而使该省债台高筑。1915年因病辞职，任省驻伦敦总代表。1912年受封为爵士。

MacBride, Seán　麦克布赖德(1904-01-26，法国巴黎～1988-01-15，爱尔兰都伯林)　爱尔兰政治家，因致力于维护人权而获得1974年诺贝尔和平奖。其母是爱国女演员 M.冈妮。其父 M.J.麦克布赖德因参与1916年复活节反英起义被处死。在巴黎和爱尔兰受教育，是一位争取爱尔兰自由的战士，24岁即任爱尔兰共和军参谋长。他当过记者，后任律师。1936年创立共和党。1947年进入爱尔兰众议院(直到1958年)。1948～1951年任外交部长。1950年任欧洲委员会外长理事会主席。1948～1951年任欧洲经济合作组织副主席。他积极参加许多保卫人权的国际组织的活动，曾任大赦国际主席。1973～1977年任联合国助理秘书长。1977年被任命为联合国教科文组织设立的国际通讯问题研究委员会主席。

Maccabaeus (surname)　参阅 **Maccabeus 马加比**姓下的两个条目。

Maccabees　马加比家族(活动时期公元前2世纪，巴勒斯坦)　犹太教世袭祭司长家族。曾于公元前2世纪领导武装起义，反对塞琉西王朝统治者安条克四世，使被亵渎的耶路撒冷圣殿重新圣化(神圣不可侵犯)。马加比原是授予公元前168～前164年犹太独立战争中的英雄、玛他提亚之子犹大的光荣称号，后泛指犹大所属家族特别是玛他提亚及犹大的四兄弟：约翰、西门、以利亚撒和约拿单，还包括西门之子海尔卡努斯。公元前

2世纪之中，耶路撒冷-犹大城邦处于埃及和叙利亚两强之间。托勒密家族统治埃及，塞琉西王朝统治叙利亚。他们都是亚力山大大帝死后20年帝国崩溃后分立的国家。安条克自公元前175～前164或前163年统治叙利亚，改名埃比法内斯。他遂即着手夺取当时是埃及一行省的犹太即犹大省。他计划创立统一的宗教以利于他统治幅员广大、远及里海而民族复杂的帝国。安条克查禁以色列人举行宗教活动，意在消灭他们的宗教信仰。他提倡称为学社的文化俱乐部，鼓励人们在其中学习和研究并进行交际。公元前168年安条克率军进入耶路撒冷，破坏圣殿中的至圣所。当年再次闯进耶路撒冷，劫掠纵火，在俯瞰圣殿的山上构筑城堡阿克拉；公元前167年底他强行将圣殿改为宙斯神庙，此时犹太人已忍无可忍。玛他提亚是耶路撒冷城西北27千米莫迪姆城的祭司，他的住宅不久即成为抗敌运动的中心。他的5个儿子随他一同起事，玛他提亚殴打向新立之神献祭的一名犹太人，杀死在场的安条克军官，首先发难。遂后率全家进入山区。人们纷纷参加抗敌，其中主要是主张严格遵守摩西律法的哈西德人。后来发生的游击战，一方面当然是抗敌的民族斗争，但也包括本民族内战。玛他提亚死于公元前166年前后，他的三子犹大成为抗敌运动领袖。公元前164年底，犹大收复除阿卡以外的耶路撒冷全城，犹大净化圣殿大堂，用未经斧凿的石头建立新祭坛，恢复其神圣性，希伯来语中的*再献圣殿节*(Ḥanukka)即纪念此事。此后犹大在加利利乃至外约旦作战。公元前164年安条克死，其子年幼，由大臣执政，实权握在叙利亚籍将领吕西阿斯手中。吕西阿斯因四方多事，乃与犹大达成某种和平协议；犹太人重获宗教信仰自由。不久战事再起，犹大派使者赴罗马求援。犹大领导抗敌运动5年后战死，其弟约拿单继续他的事业。当代国王亚力山大与约拿单言和，称他为“朋友”，并于公元前153或前152年任命约拿单为耶路撒冷祭司长，成为世袭祭司长一职的哈斯莫尼家族的始祖。主张恪守律法的人反对这种世袭制，因为律法规定，只有亚伦的后裔才能任祭司长。这一部分人后来成为强大的反对派，通称法利赛人(墨守传统教法与礼仪的犹太教派别)。战争仍在持续，阿卡仍在敌人手中，约拿单筑垒予以围困。约拿单被谋杀后西门继位。公元前135或前134年西门遭暗杀，其子约翰继任祭司长，称海尔卡努斯一世，卒于公元前104年。他巩固并扩展了犹太人的统治，征服撒马利亚，甚至迫使以土卖人皈依犹太教。约翰的统治是马加比家族历史的转折点。原先的虔诚信仰和深深的爱国热情已消失，约翰在精神上成为一个撒都该人。

Maccabees, The Books of the 《马加比传》 共4卷，皆不见于希伯来《圣经》，但俱收入《七十子希腊文本圣经》的某些手稿。第一、二卷收入《七十子希腊文本圣经》和《通俗拉丁文本圣经》正典，因而被天主教和东正教认为正典，基督教(新教)则列为外典。《马加比传》第一卷。此卷叙自犹太国与叙利亚国王安条克四世(公元前175～前164或前163在位)发生关系起至耶路撒冷祭司长西门·马加比死(公元前135或前134)为止的政治、军事和外交史实，包括：玛他提亚拒绝举行异教礼拜；犹太人反抗叙利亚霸权；叙利亚国王德米特里二世允许犹太独立的政治安排，西门·马加比当选祭司长兼管理犹太境内犹太人的世俗统治者。关于犹太国内战以及安条克四世之后犹太-叙利亚关系，写于同时代的史料者今仅存此书。此书根据官方书面材料、口传材料和目击者叙述写成，基本上未受希腊化史学修词风格的影响，后世犹太史学家约瑟夫斯放心引用，足见叙史可靠。《马加比传》第二卷。此书主要叙犹太人起事反抗叙利亚国王安条克四世，最后记公元前161年本书主人公犹大·马加比打败叙利亚将军尼卡诺尔之事。隐名编者自称“缩写人”，使用一位名叫耶逊(昔兰尼的)的史学家的札记。从此书的用词和体例看，它原是用希腊文写成。《马加比传》第三卷。此书与其他三卷毫无关系。它主要叙述埃及犹太人在托勒密四世在位期间(公元前221～前205)惨遭压迫而蒙上帝行神迹拯救之事。据载，托勒密四世到耶路撒冷，当地犹太人竟然不许他进入圣殿中的至圣所，托勒密四世一怒而扬言要剥夺一切犹太人的公民权。天使出现干涉，表示支持犹太人，托勒密四世遂悔悟。《马加比传》第四卷。此书包含史料甚少，它之所以与其他三卷并列，仅仅因为它讲到叙利亚国王安条克四世迫害犹太人之始。此书或许写成于罗马皇帝卡利古拉在位期间(公元37～41)。在公元初期，人们误以此书为犹太史学家约瑟夫斯所作。此书的宗教主题是：殉教士受难，抵偿了犹太人的罪。《马加比传》各卷仅为基督教会所保存。奥古斯丁在《上帝之城》中说，保存它们是因为其中记殉教士之事。由此可见，基本上专记殉教事迹的第四卷或许最受重视。

Maccabees, Feast of(Judaism) 参阅 **Ḥanukka** *再献圣殿节*。

Maccabeus, Jonathan 马加比(?～公元前143或前142) Maccabeus又拼Maccabaeus。又称Apphus。犹太大将，马加比起事中的领导人。长于外交，绝不向占优势的塞琉西军队作任何妥协。他利用对方的内部困难，使犹太再次从异族统治下解放出来。公元前143或前142年被诱杀。

Maccabeus, Judas 马加比(?～公元前161或前160) Maccabeus又拼Maccabaeus。犹太游击队领导人，他捍卫国家，抗击塞琉西国王的入侵，使犹太地区免于希腊化，因而保存了犹太人的宗教。其父为祭司，当塞琉西国王要使犹太人信奉希腊的宗教时，上山举事。父亲死后，他继任犹太军领袖。他以迅雷不及掩耳之势连续击败塞琉西的4支大军，显示出天生的将才。胜利后，他修复了耶路撒冷圣殿。犹太人的再献圣殿节即纪念这一英雄业绩。公元前164年塞琉西人允许犹太人信仰自由。但他继续作战，争取祖国在政治上和宗教上都获得解放。两年后战死。其弟继续战斗，终于使犹太获得独立。

Maccabiah Games 马加比运动会 自1932年起在巴勒斯坦(后来为以色列)举行的国际运动会，由1921年成立的国际犹太人体育组织“世界马加比联盟”主办。竞赛项目包括田径、游泳、水球、击剑、拳击、摔跤、足球、篮球、排球、网球、乒乓球、空手道等。该运动会欢迎全世界的犹太人运动员参加。头两届分别于1932和1935年举行，后者吸引了来自27国的1 700名选手参赛。30年代的排犹气候使得大批参赛的选手、教练和训练员永久留住在巴勒斯坦。该运动会于1950年恢复举行，自1953年起每4年举办一次；建有一座永久性的选手村，向与会的选手和职员提供住宿。到90年代末，参加该运动会的有来自50个国家的5 000名选手。

MacCaig, Norman (Alexander) 麦凯格 (1910-11-14，苏格兰爱丁堡～1996-01-23，爱丁堡) 苏格兰诗人。爱丁堡大学毕业后，成为教师。50年代末获得许多奖和奖学金，得以周游意大利、爱尔兰和美国。他的诗歌充满对故乡苏格兰——特别是苏格兰高原风光的热爱。早期著作有《遥远的呼声》(1943)和《慧眼》(1946)。从《锚灯》(1955)到《诗选》(1971)，其作品一直没有脱离17世纪玄学派诗人多恩的影响。与A.斯科特编有《当代苏格兰诗歌：1959～1969》(1970)。1978年出版《旧地图和新地图：诗选》，1980年出版《平静的天空》。

McCalla, Val 麦卡拉(1943-10-03，牙买加金斯敦～2002-08-22，英国东萨塞克斯锡福德) 全名Val Irvine McCalla。牙买加出生的英国出版商，创办有影响的报刊《喉舌》关注黑人问题和利益。15岁移居英国前，在金斯敦学院学习会计。曾在英国皇家空军服役，但未能成为飞行员，而是做簿记工作。退役后，志愿到非传统报纸《东区新闻》工作，任会计。1982年英国发生种族骚乱时，他创办半通俗小报《喉舌》报，专门针对各种形式的种族主义，并招致争论，有人批评该报只为追求轰动效应和不负责任。然而该报影响却不容置疑，成为重要新闻记者的培训练地。麦卡拉还拥有其他出版物，并于1991年创办《周刊》，用以在日益增长的英国富裕黑人市场争得一席之地。

McCardle, Ex Parte 麦卡德尔案(1869) 美国最高法院拒绝受理涉及重建南方法的案件，从而标志着激进派共和党人左右国家政策的权势已达登峰造极的地步。密西西比州的一位编辑W.麦卡德尔因批评国会和当地联邦军队司令，以煽动罪被捕入狱。他被剥夺了人身保护权，因而试图引用激进派共和党人不久前通过的为保护刚获自由的奴隶的《人身保护法》，以对付南部各州法院。《人身保护法》规定，任何人如果被剥夺宪法赋予的权利时可以向美国最高法院提出上诉。麦卡德尔在被一个联邦巡回法院拒绝发给人身保护状后向最高法院提出上诉，理由是密西西比的军事委员会是违宪的。最高法院同意审理麦卡德尔的上诉，激进派共和党人预见到会重复米利根案的判决，在该案中，最高法院限制了军事法庭的管辖权。为防止最高法院可能宣布重建南方法(这些立法授权对南部实行军事占领)为违宪,激进派共和党人通过了一项立法,剥夺最高法院在有关重建法问题上的司法复审权。A.约翰逊总统否决了这一法案。国会又推翻了他的否决。1869年最高法院以无权审理此类案件为由,驳回了麦卡德尔的上诉。国会从此确立凌驾于联邦政府的行政和司法部门之上的最高权威。

McCarey,(Thomas) Leo 麦卡莱(1898-10-03,美国加利福尼亚洛杉矶～1969-07-05,圣莫尼卡) 美国电影编剧、制片人和导演。1918年进入电影界,1923～1928年在H.罗奇手下学习喜剧艺术。导演过许多短片,包括若干部劳莱和哈代主演的早期影片。他最受人欢迎的影片有由马克斯3兄弟主演的《野鸭汤》(1933)、《春闺风月》(1937)、获得七项奥斯卡金像奖的《与我同行》(1944)和《圣玛丽的钟声》(1945)等。

MacCarthy, Sir Desmond (Charles Otto) 麦卡锡(1877-05-20,英国德文普利茅斯～1952-06-08,剑桥郡剑桥) 英国新闻工作者,以其在《新政治家》杂志长达9年的每周专栏赢得了学识渊博、判断敏锐和文笔优美的名声。初为自由撰稿记者,后在《新季刊》(1907～1910)、《目击者》(1911～1913)等杂志编辑部工作。1913年应C.夏普之邀任《新政治家》戏剧评论员。第一次世界大战期间,在法国军队附属的红十字会工作。后继续任《新政治家》戏剧评论员(1913～1944)、文学编辑(1920～1927)、每周专栏作者(1920～1929),1928年任《星期日泰晤士报》高级文学评论员。此外,还做过《生活与文学》编辑5年。他对文学领域中新事物持开放态度,帮助无名作家或新作家的成长(包括那时还未出名的易卜生和契诃夫),并且指导年轻一代的批评家。曾在英国广播公司举办文学讲座。他的7卷作品集包括《肖像》(1931)、《戏剧》(1940)和《萧伯纳》(1951)。1951年受封为爵士。

McCarthy,Eugene J(oseph) 麦卡锡(1916-03-29,美国明尼苏达沃特金斯～2005-12-10,华盛顿[哥伦比亚特区]) 美国参议员。1935年毕业于明尼苏达州科勒吉维尔的圣约翰大学,1940～1943年在该大学任教。后任职于陆军部军事情报局,直至第二次世界大战结束。战后继续任教,后任明尼苏达州圣托马斯学院社会学系主任。1948年以明尼苏达民主农工党候选人身份当选美国众议员,连任10年。1958年当选为参议员。1967年11月30日宣布将在各州民主党总统预选中向约翰逊总统挑战,因此一举成名。他虽支持过1964年的《东京湾决议案》(该决议案赋予总统进行战争的广泛权力),但到1967年已公开批评越南战争。他对约翰逊总统的挑战开始未被重视,但当他在新罕布什尔州预选中得到24名代表中的20人支持后,约翰逊作出了退出竞选的戏剧性决定。麦卡锡接着又在3个州的预选中获胜。但在随后5州中的4州预选中败于参议员R.肯尼迪。肯尼迪被刺后,麦卡锡在民主党芝加哥大会争取提名时败于副总统H.汉弗莱。1970年他决定不再竞选连任参议员,转而从事写作和讲课。1972和1976年两度竞选总统,均未成功。

McCarthy, Joseph R(aymond) 麦卡锡(1908-11-14,美国威斯康星阿普尔顿附近～1957-05-02,马里兰贝塞斯达) 美国参议员,50年代初因骇人听闻地而又未经证实地指

美国国家档案馆供图

控共产党在高级政府机构中进行颠覆活动而横行一时。1954年12月2日参议院通过决议,正式谴责他的不当行为,从而结束了麦卡锡主义时代。麦卡锡曾在威斯康星州当律师,1940～1942年任巡回法庭法官。第二次世界大战期间在海军陆战队服役。1946年当选为参议员。1950年2月公开指责有205名共产党人渗入国务院,但始终未能提供任何混进政府部门的"持党证的共产党人"的名字。但他利用当时国内对共产主义的疑惧煽起了全国性的、激烈的反共"十字军运动"。在其拥护者心目中,他成了忘我的爱国者;但在反对者看来,他是一个不负责任的、进行政治投机的迫害狂。1952年他连选连任参议员,并任参议院政府工作委员会主席兼常设调查小组委员会主席。其后两年间他调查了许多政府部门,传讯了大批被怀疑是共产党的人士。虽然他未能提出任何一项确有证据的指控,但他罗织的种种罪名致使一些人失去职业、一些人名誉受损。这一迫害无辜和强迫效忠的做法后来被称为麦卡锡主义。1954年在就他指控军队和政府官员从事颠覆活动而举行骇人听闻的36天听证会(向全国作了电视转播)后,他的影响下降。同年11月中期选举中,共和党失去对参议院的控制,麦卡锡被免去调查委员会主席的职务。不久,参议院以67票对22票通过对他"违反参议院传统"的行为进行正式谴责,他从此一蹶不振。

M'Carthy,Justin 麦卡锡(1830-11-22,爱尔兰科克郡科克～1912-04-24,英格兰肯特福克斯通) 爱尔兰政治家和历史学家。最初以写长篇小说《亲爱的傲慢太太》(1875)和《厌世小姐》(1878)成名。后来出版《我们时代的历史》(1879～1905),受到普遍重视。1879年进入政界,任自治党副主席,后成为反巴涅尔派主席。1892年大选中,他的党获压倒胜利,但他辞去领袖职务。

McCarthy,Mary(Therese) 麦卡锡(1912-06-21,美国华盛顿西雅图～1989-10-25,纽约州纽约) 美国女小说家、评论家。以对婚姻、两性关系、知识分子的软弱性和当代美国都市妇女的作用的辛辣讽刺性评论著称。她经常根据本人经历写小说,以风趣语言对进退维谷的知识分子的微妙心理作尖刻的剖析。1933年获瓦瑟学院文学士学位,开始为《党派评论》和其他刊物撰写书评。1937～1948任《党派评论》编辑部成员。曾4次结婚,1938第二次结婚嫁给美国著名评论家E.威尔逊。后者鼓励她写小说。第一部小说《她的伴侣》(1942)是一部联系松散的多少带自传性质的故事集,描述一个经历离婚和精神分析的摩登妇女。短篇小说《绿洲》(1949)描写想入非非的知识分子所幻想的一个乌托邦公社的失败。《阿卡德米的小树林》(1952)讽刺麦卡锡时期的美国高等教育。《那一群人》(1963)写瓦萨学院(她的母校)8名毕业生对20世纪30年代和40年代初知识界流行的风尚的态度,有的洁身自好,有的随波逐流。《美国鸟》(1971)写美国的天真与欧洲的世故。《食人者与传教士》(1979)写飞往伊朗调查伊朗国王暴行的自由委员会遭到绑架一事。还著有自传两卷:《一个天主教徒少女的回忆录》(1957)和《我的成长过程》(1987)。

MacCarthy Island 麦卡锡岛 又称姜姜布雷岛,最初称莱曼岛。冈比亚河岛屿。位于冈比亚中部,距班珠尔283千米。长10千米,宽2.5千米。因被指定为已获解放的奴隶的住地,所以以英国殖民地总督麦卡锡(1814～1824年任职)的姓氏命名。19世纪30年代卫斯理会于*乔治敦*(**Georgetown**)推广花生种植。岛屿主要为马林凯(曼丁哥)人居住。人口2 510(最新统计)。

McCarty,Maclyn 麦卡蒂(1911-06-09,美国印第安纳南本德～2005-01-02,纽约州纽约) 美国生物学家,与O.T.艾弗里和C.M.麦克劳德首次提出实验依据,证明活细胞的遗传物质由DNA组成。曾在斯坦福大学和约翰斯·霍普金斯医学院求学(1937年获医学博士学位),1940年入纽约大学与W.S.蒂利特合作。蒂利特不仅引导他作肺炎球菌研究,并安排他与艾弗里在纽约市洛克菲勒研究所(含洛克菲勒大学)他的实验室工作。1950年麦卡蒂调入该所,15年后任副所长和首席医师。后任纽约公共医疗研究院院长。他与艾弗里和麦克劳德合作的著名实验于1944年发表,说明肺炎球菌的某些类型能转化成完全不同的类型。若将具荚膜的肺炎球菌(光滑型)制成无细胞的物质,与活的无荚膜的粗糙型细菌混合,结果粗糙型细菌也具有与之混合的光滑型的荚膜。研究结果表明,引起这种变化的物质是DNA。三人的工作推动了分子生物学的发展。一生荣获多项荣誉。

McCay,Winsor 麦凯(1867-09-26?,加拿大安大略?～1934-07-26,美国纽约) 美国艺术家和动画影片的先驱。先为《纽约先驱报》等数家报纸作漫画,后以连环画的小尼莫为主角制作一部动画片,大获成功。紧接着为摄制《恐龙杰尔蒂》(1909)而精心绘制了1万

多张图画。1918年制出第一部动画长片《露西坦尼亚沉没记》,1920年又制出《飞翔的房子》。

Macchiaioli 色块画派 19世纪佛罗伦萨和那不勒斯的画家团体,反对墨守陈规的意大利学院派艺术,而向大自然请教。他们认为绘画最重要的方面是色块。一幅绘画作用于观众的效果应来自画面本身,而非来自任何意识形态的说教或讲述。色块派画家以一种速写的方法记录对大自然的最初印象,手段是色彩和光线。他们的理论与法国印象主义画家的理论相似,但更着重色彩的结构。在短短的20年间,该派画家令人惊异地创作出一批新鲜而生动的绘画。其代表人物有G.法托里(1825～1908)、T.西纽雷尼(1853～1901)、S.莱加(1826～1895)等人。

macchie(Mediterranean vegetation) **马基群落** 参阅 **maquis** *地中海夏旱灌木群落*。

McClellan, George B(rinton) 麦克莱伦(1826-12-03,美国宾夕法尼亚费城～1885-10-29,新泽西奥兰治) 美国将军,在南北战争(1861～1865)第一年整编联邦军队,成绩卓

美国陆军通讯兵供图

著,但由于屡屡不能取得对南部邦联军的优势而被众口交谪。1846年以名列全班第二的优异成绩毕业于西点军校。1846～1848年参加墨西哥战争。1848～1851年在西点军校教授军事工程,后受命指导铁路和军事设施的勘测工作。1855～1856年赴克里米亚考察欧洲的作战方法。1857年任伊利诺伊中央铁路工程主任,1860年任俄亥俄和密西西比铁路总经理。他是民主党人,极力维护州权,却又是坚定的联邦主义者。1861年4月南北战争爆发后,他入正规军统辖俄亥俄军区,守卫西弗吉尼亚。7月13日该区南部邦联军战败,使麦克莱伦荣获"西部小拿破仑"的称号。同月联邦军在第一次布尔溪战役中惨败后,受命保卫首都并击败敌人在弗吉尼亚北部和东部的军队。11月他继斯科特任联邦军总司令,麦克莱伦有非凡的组织能力,又通晓后勤,他使全军摆脱失败的阴影,整顿成为一支士气昂扬、指挥灵活、后勤完备的战斗部队。但是,他以未准备好为由,拒绝接受在秋季对敌采取攻势。林肯总统深为不满,于1862年1月27日发布著名的第一号全面作战命令,宣布全军挺进。麦克莱伦未能说服总统展期两个月和取道约克河与詹姆斯河间的半岛进攻里士满。在半岛战役中(1862-04-04～07-01),他虽然连连获胜,但是过分谨慎,不愿追击退敌。到兵临里士满城下的时候,他仍然过高估计对方的兵力,踌躇不决。当李将军在"七日战役"(06-25～07-01)中指挥南部邦联军全线出击时,他即率军退却。在第二次布尔溪战役(08-29～30)失利后,他负责保卫首都。在9月17日的安提塔姆战役中,他阻止了李将军的前进。但是,他又一次未采取歼灭李军的果敢行动。11月,林肯总统在盛怒之下,解除他的指挥权。1864年他被民主党提名为总统候选人。大选时辞去军职。后去欧洲,1868年回国,任纽约船坞部总工程师(1870～1872)。1872年任大西洋和大西部铁路总经理。曾任新泽西州州长(1877当选)。晚年旅游四方,并撰写回忆录。

Macclesfield 麦克尔斯菲尔德 英格兰行政、历史郡柴郡一个城镇、自治市(区)。东面为奔宁山脉的一块狭窄带状地,是皮克区国家公园的一部分。区面积525平方千米。主要城镇麦克尔斯菲尔德为丝织业中心。丝包钮扣始于16世纪,捻丝则于1756年引进,从而建立了第一家丝厂,至18世纪末丝织业繁荣。20世纪末丝织业下滑。该城现主要为行政和服务业中心。其他城镇如波因顿、威姆斯洛、奥尔德利埃奇和纳茨福德为曼彻斯特市的住宅区。纳茨福德是小说家盖斯凯尔(夫人)小说《克兰福德》(1853)中克兰福德的原型,有核能工程实验室。人口:镇50 270(1991);自治市约153 100(1998)。

McClintock, Barbara 麦克林托克(1902-06-16,美国康涅狄格哈特福德～1992-09-02,纽约亨廷顿) 美国遗传学家。在20世纪40～50年代发现了可移动的遗传成分,因而获得1983年诺贝尔生理学或医学奖。曾在康奈尔大学学习植物遗传学,1927年获博士学位。初任教,后在卡内基学会冷泉港实验室从事研究50多年。观察了玉米籽粒颜色的变异并进行实验之后,她发现遗传信息不是固定不动的。她在遗传物质中分离出两种控制因子,发现它们不但能移动,而且其位置变换后会影响邻近基因的行为。认为这些转位因子决定了机体发育过程中细胞的多样性。但她这项研究的重要性许多年后才被认识。

McClintock, Sir Francis Leopold 麦克林托克(1819-07-08,爱尔兰劳斯郡邓多克～1907-11-17,英格兰伦敦) 英国海军军官和探险家,他发现了英国探险家J.富兰克林爵士及其1845年赴美洲北极区探险队的悲惨结局。在他1857～1859年的探索成功之前,他参加过3次寻找富兰克林的工作。在第2次(1850～1851)和第3次(1852～1854)的工作中,他对长途雪橇旅程的计划和实施方面的改进,大大地提高了北极区探险的可能性。富兰克林探险队在现在的加拿大西北地区境内的威廉王岛附近遇难的消息,是1854年从爱斯基摩人那里得到的。当英国政府拒绝装备另一支探险队时,富兰克林的遗孀装备了"福克斯"号船,由麦克林托克指挥。他发现了富兰克林的一些船员的坟墓以及他的船的遗骸和他的一些遗物。他还听到了一位爱斯基摩老妪关于那些饥饿的船员们在探寻步行南去的路程时如何在途中倒毙的情形的叙述。他找回的最重要的证据是一本一直写到1848年4月25日的富兰克林探险队的记录。麦克林托克关于他的旅程的记述《"福克斯"号在北极海中的航程:关于富兰克林爵士及其伙伴们的命运的叙述》于1859年出版,他于1860年被授予爵士称号。

McCloskey, John 麦克洛茨基(1810-03-10,美国纽约布鲁克林～1885-10-10,纽约市) 第二任纽约大主教,美国第一位枢机主教。曾就学于马里兰州埃米茨堡圣马利亚山学院,1834年受神职为司铎。后赴罗马格列高利大学进修。1837年返回美国,任圣约瑟教堂正座司铎。1841年创立圣约翰学院(后改名福德姆大学),任第一任院长。1864年任纽约大主教。1875年由教皇庇护九世任命为枢机主教。1878年前往罗马襄助教皇利奥十三世的加冕事宜。

McCloy, John J(ay) 麦克洛伊(1895-03-31,美国宾夕法尼亚费城～1989-03-11,康涅狄格斯坦福) 美国外交家和律师。他是从F.D.罗斯福到R.里根的历届美国总统的顾问。1912年毕业于哈佛法学院。此后在华尔街执律师业。他在"黑汤姆"案件中进行的工作证明是德国间谍造成了一个军火工厂的爆炸。他的工作引起了国防部长H.L.史汀生的注意,史汀生在1941年促使罗斯福总统任命麦克洛伊为助理国防部长。在任该职期间,他协助使租借法案获得国会批准,并负责监督对大约12万名日裔美国人的拘禁。他始终为这一拘禁政策辩护,尽管美国政府在80年代对此予以否定。他后来还因为曾经反对一项轰炸通往奥斯威辛的铁路的计划而受到批评。麦克洛伊是知道关于使用原子弹袭击日本的决定的少数几个文职官员之一。他认为美国应当向日本发出一项警告从而给它一次投降机会的论点被否定了。1947～1949年,麦克洛伊任国际复兴开发银行(世界银行)行长。1949～1952年,他任驻德国高级专员,在任该职期间,他建立了一个文官政府并为重建西德的工业和商业奠定了基础。从1953年起,他担任过几个公司和基金会——包括大通曼哈顿银行(1953～1960)和福特基金会(1958～1965)——的主席,并开始了他同对外关系委员会的长期联系(1953～1989,其间于1953～1970任主席)。1961年,作为J.F.肯尼迪总统的首席军备顾问,他谈判达成了恢复东西方裁军谈判的条件,并起草了导致建立美国军备控制和裁军署的法案。他是1963年任命的负责调查肯尼迪被暗杀事件的沃伦委员会委员。到去世前不久为止,他一直担任外交事务顾问。

McClung, Clarence E(rwin) 麦克朗(1870-04-06,美国加利福尼亚克莱顿～1946-01-17,宾夕法尼亚斯沃斯莫尔) 美国动物学家。研究了遗传机制,1901年提出假说:决定性别

的是一个额外的即附加的染色体。这一发现为下列认识提供了最早的依据:某一特定的染色体携带有一套特定的遗传性状。他曾用特大的昆虫染色体作研究。他还用特殊的染色技术研究了不同生物性细胞中染色体的行为如何影响生物的遗传性。曾在堪萨斯大学求学(1902 年获哲学博士学位)及任该校教授,后任该校医学院院长。1912 年去宾夕法尼亚大学任动物学实验室主任,直至 1940 年退休。

McClure, Sir Robert John Le Mesurier 麦克卢尔(1807-01-28,爱尔兰韦克斯福德郡韦克斯福德～1873-10-17,英格兰伦敦) 爱尔兰海军军官。曾第一个沿连接大西洋和太平洋的北极水道,穿过西北航道。1850 年担任“调查者”号船长。该船是派去寻找 1845 年后在美洲北极地区失踪的英国探险家 J.富兰克林的两只船之一。他从太平洋进入白令海峡,然后从阿拉斯加以北向东航行,在现今加拿大西北地区的班克斯岛附近发现了进入西北航道的两个入口。由于在默西湾结冰受阻,被迫抛弃船只,他们在梅尔韦尔岛附近被两只船救出,但援救船也被迫弃船,继续步行到比奇岛,然后乘船返回。1854年被授予爵位。

M'Clure Strait 麦克卢尔海峡 北冰洋波弗特海东部的海峡。长约 270 千米,宽约 90 千米。从加拿大西北地区的富兰克林区西部延伸到梅尔维尔子爵海峡以西。位于梅尔维尔岛和埃格林顿岛(北侧)与班克斯岛(南侧)之间。该海峡是穿过加拿大北极群岛的西北航路一部分,以英国探险家 R.麦克卢尔的姓氏命名。

MacColl, Ewan 麦科尔(1915-01-25,苏格兰奥赫特拉德～1989-10-22,英格兰伦敦) 原名James Miller。英国歌唱家、歌曲作家和剧作家。麦科尔父母皆为歌手,曾教他唱很多民歌。14 岁辍学,从事多种蓝领工作,并担任歌手和演员。1945 年与 J.利特尔伍德一起创办“戏剧讲习会”,担任该会艺术指导直至 1953 年,并为之创作多部戏剧。在 20 世纪 50 和 60 年代英国民歌复兴运动中,麦科尔是一位主要人物。他和第 3 任妻子、美国音乐家 P.西格联袂开拓一种新的记实节目,即所谓“广播叙事歌”,融采访录音、歌曲与解说词于一体。夫妇二人出版民歌数册,其中包括《直到世界末日那个下午》(1986)。《我有生以来初次见到你的脸庞》是麦科尔最著名的歌曲之一。

McConnell, Francis John 麦康内尔(1871-08-18,美国俄亥俄特林韦～1953-08-18,俄亥俄卢卡斯维尔) 美国基督教美以美会主教、教育家、社会改革家。1912 年当选主教,先在墨西哥市任职,后到宾夕法尼亚州匹兹堡,在该地研究工业条件问题。作为普世教会运动调查委员会主席,他支持调查并提出《关于 1919 年钢铁业罢工的报告》。这一报告对美国钢铁工业废除每周工作 7 天、每天工作 12 小时的制度起了一定影响。

MacCool, Finn 麦库尔 参阅**Fenian cycle 芬尼亚故事**。

McCormack, John 麦科马克(1884-06-14,爱尔兰韦斯特米斯郡阿斯隆～1945-09-16,都柏林附近) 爱尔兰男高音歌唱家,被认为是 20世纪第一个25年中最优秀歌唱家之一。

美国不列颠百科全书公司供图

1903 年在爱尔兰全国音乐节得奖。后去意大利学习。1907 年在伦敦科文特加登剧院第一次演出歌剧。1909 年在纽约市曼哈顿歌剧院登台扮演 G.威尔地《茶花女》中的阿尔弗烈德。1911 年与 N.梅尔巴(夫人)联袂去澳大利亚巡回演出。后转向音乐会舞台,成为德国利德歌曲优秀演唱家。最受听众欢迎的是他每次演出必唱的爱尔兰民歌。以嗓音优美及音乐修养著称。1919 年入美国籍。

McCormack, John W(illiam) 麦科马克(1891-12-21,美国马萨诸塞波士顿～1980-11-22,马萨诸塞戴德姆) 美国政治家,1962～1970年任美国众议院议长。没有受过多少正

美国不列颠百科全书公司供图

式教育,靠半工半读学习法律,21 岁时通过律师资格考试。25 岁参加民主党,曾任州众议员和参议员。1928 年进入众议院,在以后的 42 年中一直任议员。1940 年成为众议院多数党领袖,1962 年任众议院议长。他支持公民权利法案、反贫困计划和小时工资法。他反对共产主义,并为美国卷入越南问题进行辩护。1970 年退休。

McCormick, Cyrus Hall 麦考密克(1809-02-15,美国弗吉尼亚罗克布里奇县～1884-05-13,伊利诺伊芝加哥) 美国工业家、发明家,发明了收割机。他出身于一个农民兼铁匠和发明家的家庭,未受多少教育,在其父铁匠作坊里专心工作。其父也发明过几种实用

美国不列颠百科全书公司供图

农具,但研制收割机没有成功。麦考密克在 1831 年造出第一台马拉收割机,形状像二轮马车,上有振动切割刀片、拨禾轮和集穗台,基本具备了后来一切收割机的重要部件。1834 年获得专利,1847 年在芝加哥建厂制造。过去农业生产常受到劳动力数量的制约,有了收割机就打破了这种限制,使美国中西部的大草原得以开发成为最大的产麦区。他建厂后在大草原流动推销,采用了一些新的经营方式,如大量生产、广告、公开演示、产品保单和货款信贷等,产品很快就销到整个美国;后来又通过各种博览会,推销到欧洲。收割机在各国获得各种奖,法国科学院赞扬麦考密克“对农业作出了超过一切人的最大贡献”。他因为生产收割机而成为富豪。后来他创建的公司兼并了其他公司,于 1902 年组成国际收割机公司,至今仍是世界农机制造业最大的公司。

McCormick, Robert R(utherford) 麦考密克(1880-07-30,美国伊利诺伊芝加哥～1955-04-01,伊利诺伊惠顿) 美国报纸编辑与发行人。所写社论具独特风格,使他成为美国保守新闻事业的典型。在他领导下使《芝加哥论坛报》成为全美标准对开新闻报纸中发行量最大、广告收入也最多的报纸。他是发明家 C.H.麦考密克的侄孙、《芝加哥论坛报》主编兼发行人 J.梅迪尔的外孙,曾任芝加哥市参议员和卫生局长。第一次世界大战中在远征法国的美军中任军官。麦考密克于 1911 年任芝加哥论坛报公司总裁,与其表兄 J.M.帕特森共任主编兼发行人。他还建立或购下林场、造纸厂、水力发电厂和运输公司(为了给《论坛报》提供新闻纸),并拥有电台和电视台以及另外两家报纸。作为个性独特的保守派,他反对《禁酒法》,反对罗斯福总统的“新政”,反对杜鲁门总统的“公正政策”,也反对第二次世界大战后的马歇尔欧洲复兴计划。

McCoy FAMILY 麦科伊家族 参阅 **Hatfield and McCoy families 哈特菲尔德家族和麦科伊家族**。

McCoy, (Charles) Kid 麦科伊(1873-10-13,美国印第安纳拉什县～1940-04-18,密歇根底特律) 原名诺曼·塞尔比(Norman Selby)。美国职业拳击运动员。原为次中量级

冠军瑞安的陪练拳击手。声称身体不好而需要钱,恳求瑞安与他进行冠军争夺赛。瑞安不知是计,1896 年 3 月 2 日未经充分训练即与他比赛,结果仅 15 个回合就被击倒,麦科伊赢得冠军。麦科伊嗜赌,有时自己同自己赌输赢。先后结婚 10 次,娶妻 8 人,为其中一人之死服徒刑 8 年。终于因贫困而自杀。

McCrae, Hugh (Raymond)　麦克雷(1876-10-04,澳大利亚维多利亚墨尔本～1958-02-17,悉尼)　澳大利亚诗人、演员、记者。以深奥微妙、富于浪漫色彩而又精雕细刻的抒情诗享有盛名。他曾攻读美术,做过建筑师的学徒,但不久即离开建筑行业而成为自由撰稿的新闻记者,在墨尔本和纽约以出卖文稿为生。1914 年他在美国写稿和演戏均未获成功,回澳大利亚后成为一位成功的作家并偶而登台演出。第一部诗集是《森林之神和阳光:森林志异》(1909),1928 年又出版了它的修订本,收入他的许多佳作。继《哥伦比娜》(1920)之后出版了《田园诗》(1922)。其他作品有《米姆希少女》(1938)、《诗集》(1939)、《潘神的森林》(1944)和《森林之声》(1945)。

McCrea, Jane　麦克雷(1752,贝德明斯特[今美国新泽西拉明顿]～1777-07-27,美国纽约爱德华堡)　美国殖民地时期人物。一个身材修长、妩媚动人的女人。D.琼斯曾向其求爱。琼斯是亲英分子,1776 年参加英军。1777 年夏 J.伯戈因将军率英军大队人马进犯尚普兰湖和哈得孙河谷,泰孔德罗加要塞和爱德华堡不战而弃。留下的定居者大为恐慌,于是迅速南撤。但麦克雷并未撤离,因为接到琼斯(当时在伯戈因军队中任中尉)来信,希望不久在爱德华堡相会。传说两人即将成婚。1777 年 7 月 27 日晨,麦克雷出门拜访朋友麦克内尔。正午时分,两个女人被伯戈因雇佣的印第安侦察兵抓获。麦克内尔被交给英军,但发现麦克雷身中数弹已死,且剥下头皮。据信是其中一名侦察兵所为。这一行径在所有殖民地乃至英国都引起震惊。在美洲,此事唤起爱国热情,那些犹豫不决者转而反对英国人,参军热潮高涨。三个月后阻止了伯戈因的进犯。麦克雷的故事为人喜闻乐道,流行版本更因作家描绘而越发浪漫。

McCrea, Joel (Albert)　麦克雷(1905-11-05,美国加利福尼亚南帕萨迪纳～1990-10-20,加利福尼亚伍德兰希尔斯)　美国 20 世纪 30 年代和 40 年代电影演员。1928 年毕业于波莫纳学院,在好莱坞做替身演员和扮演跑龙套的角色,后于 1930 年在《银色的游牧部落》中第一次扮演主角。30 年代期间,他演出了 38 部影片,其中有《最危险的游戏》(1932)、《秘密的行星》(1935)、《这三个》(1936)、《僵局》(1937)、《韦尔斯·法戈》(1937)和《太平洋俱乐部》(1939)等。他的最重要的角色见于喜剧片:《欢乐生涯》(1940)、《沙利文游记》(1941)、《棕榈滩的故事》(1942)和《越多越快乐》(1943)等。其他著名角色见于希契科克导演的《外国记者》(1940)和《水牛法案》(1944)。1946 年后,麦克雷几乎专演西部片,其中主要的有:《弗吉尼亚人》(1946)、《科罗拉多准州》(1949)、《骑马侍从》(1950)和《马背上的陌生人》(1955)。他的最后一部主要影片是经典西部片《驰骋在高原上》(1962)。麦克雷在银幕上扮演的典型角色,是用洪亮的美国鼻音说话的为人可靠的、性情平和的人物,他以这种姿态出现在从爱情喜剧到严肃正剧和惊险动作片等各种各样的影片中。

MacCready, Paul Beattie　麦克里迪(1925-09-29,美国康涅狄格纽黑文～　)　美国空气动力学家,领导一个小组设计并制造出世界第一架能持续飞行的人力飞机和太阳能飞机。1930 年获全国航空模型制作冠军,16 岁时取得飞行员执照。1947 年在耶鲁大学获物理学学士学位,1948 年在加利福尼亚理工学院获物理学硕士学位,1952 年又在该校获航空工程博士学位。曾获 1948、1949、1953 年美国滑翔冠军和 1956 年国际滑翔冠军。他在加利福尼亚州帕萨迪纳开办过公司,自任负责人,从事空气质量的改善、节能和风力、水力开发。1977 年 8 月 23 日自行车运动员、滑翔机爱好者、体重 62 千克的 B.艾伦驾驶麦克里迪领导制造的“戈萨默·康德尔”号脚踏式人力飞机在加利福尼亚沙夫特尔机场完成了克雷默奖金(5 万英镑)规定的课目:越过 3 米高度的起止线,绕相距 0.8 千米的两根标杆完成一次 8 字飞行。全程 1.85 千米,历时 6 分 27.05 秒,最大速度 18 千米/时。飞机重 32 千克,翼展 29 米。1979 年 6 月 12 日艾伦又驾驶新造的流线型“戈萨默·阿尔巴特洛斯”号,从英国肯特郡的福克斯通市附近飞到法国的灰鼻角,航程 37 千米,历时 2 小时 49 分。这次飞行获得了为第一个人力飞行横越英吉利海峡而设置的 10 万英镑的克雷默奖金。这架飞机翼展 28.6 米,重 32 千克,用聚苯乙烯、聚酯薄膜和碳纤维杆构成。1981 年 7 月 7 日麦克里迪制造的“太阳挑战者”号太阳能飞机从巴黎附近飞到英国肯特郡的曼斯通空军基地,航程 258 千米,历时 5 小时 23 分,平均速度约 48 千米/时,巡航高度3 350米。飞行员 S.普塔切克体重 55 千克。机上有16 128个太阳能电池,连接两台电动机。飞机重 95 千克,翼展 14.3 米。麦克里迪曾任国际人力车辆协会的国际主席,协会建于 1975 年,宗旨是最大限度地提高自行车车速。

McCullers, Carson　麦卡勒斯(1917-02-19,美国加利福尼亚哥伦布～1967-09-29,纽约奈阿克)　母家姓 Lula Carson Smith。美国小说家。长于描写孤寂者的内心生活。她 17 岁时,去纽约市学习音乐,入哥伦比亚大学。1937 年与作家麦克勒斯结婚,1940 年离婚,1945 年复婚。她的第一部长篇小说《心灵孤独的猎手》于 1940 年问世。在许多人看来,这处女作也是她的最优秀的作品。它写了佐治亚州一小城的 4 个居民:一个一心想学音乐的姑娘、一个不成功的社会主义鼓动家、一个勉力想维持个人尊严的黑人医生、一个开一家酒馆的鳏夫。《婚礼出席者》(1946)写一个死了母亲的 13 岁姑娘一心想和度蜜月的哥嫂同行。1950 年,她将小说改编成一个颇为成功的舞台剧。1952 年它又被搬上银幕。另一部小说《金色眸子里的映影》(1941)是一部很能迷惑人的心理恐怖小说,讲的是和平时期南部一个军营中性变态行为和家庭悲剧的故事,后来还拍成一部电影。中篇小说《伤心咖啡馆之歌》和一些短篇小说合成一集,于 1951 年出版。《伤心咖啡馆之歌》于 1963 年由阿尔比改编成戏剧。她从 29 岁起左半身不遂,晚年在轮椅中度过。

McCulloch, Hugh　麦卡洛克(1808-12-07,美国缅因肯纳邦克～1895-05-24,华盛顿[哥伦比亚特区]附近)　美国金融家、财政部长。初执律师业,不久转业银行。1857～1863 年任印第安纳州新设立的州银行行长。1837 和 1857 年金融恐慌时期,他以经营银行业务谨慎著名。1863～1865 年任货币审计员,贯彻 1863 年的《国家银行法》(授权国家银行发行国家钞票),卓有成效。他在林肯总统和 A.约翰逊总统的政府中任财政部长时(1865～1869),曾计划回收南北战争时期发行的纸币和恢复金本位,但由于群众反对未成。在 C.A.阿瑟总统的政府中,他短期担任财政部长(1884-10～1885-03)。

McCulloch, Sir James　麦卡洛克(1819,苏格兰格拉斯哥～1893-01-31,英格兰萨里尤厄尔)　澳大利亚维多利亚州总理。1853 年到澳大利亚,在墨尔本开设自己商行的分号。1856 年当选立法会议议员。1859 年任贸易和关税部长、财政部长。1863～1868 年任总理,要求实行保护性关税。后又数次出任总理(1868～1869,1870～1871,1875～1877)。1877 年竞选失败后返回英格兰。1870 年受封为爵士。

McCulloch, John R (amsay)　麦卡洛克(1789-03-01,苏格兰威格敦郡惠特霍恩～1864-11-11,英格兰伦敦)　出生在苏格兰的经济学家和统计学家。其著作对宣扬普及李嘉图经济学说有很大作用。学生时期就撰文(1816～1837)和编辑报纸(1818～1820)。1828～1832 年在伦敦大学学院讲授政治经济学。主要著作有《政治经济学的发生、发展、研究对象及重要性》(1824)、《英帝国统计集》(1837)等。

McCulloch v. Maryland　麦卡洛克诉马里兰州案　指美国最高法院于1819年判决的一个案例。在该案中,首席大法官 J.马歇尔确立了国会“拥有默示权力”的宪法学说。这一学说认定,国会不仅拥有宪法明确授予它的权力,而且还“相应地”拥有贯彻这类权力的全部职权。在该具体案件中,法院认为国会有权组织国家银行,尽管宪法对设立法人团体和准许成立银行并无明文规定。由此得出的结论是,由于国家银行有助于实现明确赋予联邦政府的任务,例如征税和维持武装部队,国会可以选择完成这些任务的手段。默示权力学说成了稳步扩大联邦权力中的一个强大的力量。

McCune-Albright syndrome　麦丘恩-奥尔布赖特二氏综合征　参阅 fibrous dysplasia 骨纤维性结构不良。

McCutcheon, John T(inney) 麦卡琴 (1870-05-06,美国印第安纳南劳布～1949-06-10,伊利诺伊莱克福里斯特) 美国报刊漫画家和作家,尤以含蓄而富于同情的幽默笔触

麦卡琴1931年描绘银行倒闭的时事漫画,获1932年普利策奖

美国不列颠百科全书公司供图

描绘美国中西部田园生活的漫画闻名。1889年在印第安纳州西拉斐特的珀杜大学获得学位后前往芝加哥,成为《芝加哥新闻晨报》漫画作者,为该报工作达14年。常为幽默作家G.艾德的小说作插图。最初的政治漫画发表于1896年总统竞选期间。曾以记者身份报道过西-美战争、菲律宾起义和南非布尔人战争。曾创作图文并茂的组画《鸟儿国》,描绘虚构的伊利诺伊州一小镇发生的社会事件,画集于1904年出版。1903年进入《芝加哥论坛报》。3年后被派往亚洲采访。1909年前往非洲与博物学家C.阿克利进行大动物狩猎并一度参加T.罗斯福总统的长途游说,为《芝加哥论坛报》对其作过报道。后来从德国和协约国前线报道过第一次世界大战。作为漫画家为《芝加哥论坛报》描绘美国情景达40余年。最为有名的画也许是1907年发表的《印第安人之夏》。画的上半部是一个小男孩和他的祖父,望着印第安纳一片玉米地;下半部是根据男孩的想象,一堆堆玉米杆变成了圆锥形的帐篷,玉米地变成了印第安人的营地。1932年因描绘银行倒闭的时事漫画获普利策奖。著有自传《凭记忆绘画》(1950)。

McDaniel, Hattie 麦克丹尼尔 (1895-06-10,美国堪萨斯威奇托～1952-10-26,加利福尼亚好莱坞) 美国女演员、歌手,第一位获得奥斯卡奖的美国黑人演员。很早就显现出音乐和戏剧才华。1910年离开学校,随巡回剧院四处表演,后来成为第一个在美国电台上播音的黑人妇女。经济大萧条期间在萨姆皮克俱乐部打扫盥洗室。尽管该俱乐部只雇用白人演员,其中一些顾客察觉到麦克丹尼尔的歌唱天赋,鼓励俱乐部老板让她演唱。麦克丹尼尔在俱乐部表演一年多后前往洛杉矶,在广播剧《乐观的多福饼》中担任小角色,但很快成为该剧主角。1932年进入影坛,两年后在《普雷斯特法官》中扮演重要角色。1935年在《小上校》中塑造快乐的南方仆人,遭到自由黑人团体的批评。20世纪30年代,在近40部影片中扮演女仆或厨师的角色,包括在《寂寞芳心》(1935)中扮演一个牢骚满腹、毫不顺从的女仆,使片中的一场宴会戏成为令人难忘的佳作。1939年在《乱世佳人》中塑造的女仆赢得奥斯卡最佳女配角奖。第二次世界大战末期,全国有色人种促进会和其他自由黑人团体在好莱坞游说,反对将黑人角色模式化,导致她在好莱坞的机会减少。不过在播音中仍有发展空间。1947年在《布拉秀》中扮演女仆,成为第一个在每周广播节目中担任主角的美国黑人演员。1951年在拍摄该剧的电视剧版中突发心脏病,1952年死于乳腺癌。

McDermott, Terry 麦克德莫特 (1940-09-20,美国密歇根埃塞克斯维尔～) Richard Terrance McDermott的别名。美国速度滑冰运动员。原是一名理发师,在1964年奥地利因斯布鲁克奥运会上出人意料地以领先半秒优势赢得500米速滑金牌。1960年获全国室内速滑冠军,1961年获北美室内速滑金牌。在1968年法国格勒诺布尔奥运会500米速滑比赛上,尽管冰已融化且滑在最后,但仍获银牌。在滑冰界很受尊敬,曾在1980年美国纽约普莱西德湖奥运会开幕式上代表全体工作人员宣誓。

MacDiarmid, Alan G. 麦克迪尔米德 (1927-04-14,新西兰马斯特逊～2007-02-07,美国宾夕法尼亚德雷克塞尔希尔) 出生于新西兰的美国化学家,与A.J.希格和白川英树一起发现某些塑料可以通过化学方法改变特性,使它们能像金属一样导电,三人因此共获2000年诺贝尔化学奖。在威斯康星大学麦迪逊分校(1953)和剑桥大学(1955)获得化学博士学位后,在宾夕法尼亚大学任教,1964年成为正教授,1988年成为布兰查德化学讲席教授。1977年他们三人在宾夕法尼亚大学合作,决定将杂质引入聚合物,就像用来调整半导体的导电性那样的掺杂过程。他们用碘掺杂后,将聚乙炔的导电能力提高了1 000万倍,使它能像某些金属那样导电。这一发现使科学家们又发现了其他导电聚合物。这些聚合物导致分子电子学这一新学科的出现,预计将来会应用到计算机上。

MacDiarmid, Hugh 麦克迪尔米德 (1892-08-11,苏格兰邓弗里斯郡兰厄姆～1978-09-09,爱丁堡) 克里斯托弗·默里·格里夫的笔名。20世纪上半叶杰出的苏格兰诗人、苏格兰文学复兴的领袖。邮递员之子。曾就读于兰厄姆学院和爱丁堡大学。第一次大战时当过兵,战后在安格斯区蒙特罗斯当新闻记者。编过3期战后第一部苏格兰诗选《北方诗歌》(1921～1923)。1922年创办《苏格兰小册子》月刊,鼓吹苏格兰文学复兴,并出版"休·麦克迪尔米德"的抒情诗。后这些诗被辑录于《诗歌节》(1925)和《淡啤酒》(1926)中。在抒情诗和《醉汉看蓟》(1926)中他都取得显著的成功;后者为长篇狂想诗,写对自己个性的研究,以及对空间和时间奥秘的探索。后来他越来越深入地进行哲学思辨并接受马克思主义哲学,用苏格兰英语和古苏格兰语写作。在《冷酷无情的限制》(1934)和《二颂列宁》(1935)中又回到标准英语。后期风格在《一箱哨子》(1947)和《悼念詹姆斯·乔伊斯》(1955)中表现得十分突出。自传有《幸运的诗人》(1943)和《我所交往的人》(1966)。《诗全集》出版于1974年。同年任皇家苏格兰学院文学教授。1976年任诗学会会长。

McDivitt, James A(lton) 麦克迪维特 (1929-06-10,芝加哥～) 美国航天员,1965年6月3日发射的"双子座"4号的驾驶员,这次飞行以E.H.怀特的太空行走(美国第一次航天器舱外活动)而闻名。1951年参加美国空军。朝鲜战争中执行过145次战斗飞行任务。1959年毕业于密歇根大学。曾任

美国不列颠百科全书公司供图

美国空军样机试飞员,1962年被选为航天员。他还是"阿波罗"9号(1969年3月3日发射)的指令长。后负责"阿波罗"航天计划,1972年以准将军衔从美国空军退役,后经商。

MacDonagh, Donagh 麦克多纳 (1912～1968-01-01,都柏林) 爱尔兰诗人、剧作家、民谣歌手,20世纪中叶充满生气的爱尔兰娱乐界的杰出代表人物。其父托马斯是诗人和复活节起义(1916)的领袖。都柏林爱尔兰国立大学毕业后,当过律师(1936～1946)和地方法院法官(1946～1968)。在他丰富多彩的文学生涯中所写作品有喜剧《像拉里一样快活》(1946)、《上帝的绅士们》(1951)和诗集《老兵及其他诗》(1941),这些诗也曾在爱尔兰和美国杂志上发表。他还是爱尔兰传统民谣的权威,20世纪40～50年代经常在电台里和舞台上演唱,受到欢迎。与E.S.L.鲁宾逊编有《牛津爱尔兰诗集》(1958)。

Macdonald, Flora 麦克唐纳 (1722,苏格兰外赫布里底群岛南尤伊斯特岛米尔顿～1790-03-05,内赫布里底群岛斯凯岛金斯伯豪

牛津阿什莫尔博物馆供图

斯） 苏格兰詹姆斯党女英雄，曾协助小王位觊觎者C.爱德华逃出苏格兰。南尤伊斯特岛农民的女儿。在1745～1746年詹姆斯党人叛乱中，1746年4月爱德华在卡洛登战败，藏身于赫布里底岛。她将他改扮成一个爱尔兰纺织姑娘，获准一同乘船去斯凯岛。不久，英格兰人获悉她协助爱德华逃跑，就将她逮捕，关入伦敦塔。1747年获赦。1774年与丈夫移居北美洲北卡罗来纳。1779年返回苏格兰。在詹姆斯党人的民歌和传奇中，她成为流芳百世的人物。

Macdonald, George 麦克唐纳（1824-12-10，苏格兰阿伯丁亨特利～1905-09-18，英格兰萨里阿什特德） 英国小说家、诗人和基督教寓言的作者，但以写童话寓言最为闻名。原为公理会牧师，后成为自由传教士和演说家。1855年出版诗体悲剧《里里外外》后，即以文学为业。为成年人所写的主要作品有《幻影》（1858）和《夜妖》（1895）。最著名的儿童读物是《在北风的背后》（1871），最佳和流传最久的是《公主和妖怪》（1872）及其续篇《公主和柯迪》（1873）。

Macdonald, Jacques(-Étienne-Joseph)-Alexandre, DUC (duke) DE TARENTE 麦克唐纳（1765-11-17，法国色当～1840-09-25，库尔塞勒） 法国将军、帝国元帅。父为苏格兰人。他本人原已加入法军，革命战争爆发时已是上校。1793年升为将官，1796年任师长。1798年5月奉派至意大利任罗马总督，翌年3月占领那不勒斯。但当他驰援在热那亚的莫罗将军时，所部在意大利特雷比亚被俄国将军苏沃洛夫击溃。雾月18日（1799-11-09）政变后，拿破仑任第一执政官，麦克唐纳指挥莱茵方面军右集团。1800年率部在冬季穿过连接瑞士和意大利伦巴第区的施普吕根山口，倍受拿破仑的赞赏。1804年因卷入反波拿巴派的阴谋而被革职，1809年由于拿破仑断定其军事天才不可或缺才被复职。同年7月，他因协助在瓦格拉姆击败奥军有功，封为帝国元帅和塔朗特公爵。后率军驻守奥地利和加泰罗尼亚。1813年在西里西亚的卡茨巴赫战役中，他被普鲁士元帅布吕歇尔击败。法军在莱比锡败北时（1813-10），他仅以身幸免。后对路易十八效忠，"百日"时期亦未重返拿破仑一边。波旁王朝第二次复辟后，他被任命为王家近卫军少将，名列荣誉军团。

Macdonald, Sir James Ronald Leslie 麦克唐纳（1862-02-08，苏格兰阿伯丁郡阿伯丁～1927-06-27，英格兰汉普郡伯恩茅斯） 英国军人、工程师、探险家。任铁路测量员时，对英属东非（今肯尼亚和乌干达）进行地理勘探，并绘出东非至苏丹的地图，包括很多人迹罕至的山脉。后在英国驻印陆军中任工程师。1891年在蒙巴萨（肯尼亚海岸）与维多利亚湖（西乌干达）间修建乌干达铁路工程中任总工程师。1893年任乌干达保护地代理专员。1894年又回印度服军役。1897年再次去非洲，勘测维多利亚湖与法绍达之间的地区，1899年完成此项任务。后在中国、印度和毛里求斯任职。1904年封爵。

Macdonald, Sir John (Alexander) 麦克唐纳（1815-01-11，苏格兰格拉斯哥～1891-06-06，渥太华） 加拿大自治领第一任总理（1867～1873，1878～1891）。1820年由苏格

美国不列颠百科全书公司供图

兰移民到金斯顿。1836年取得律师资格。上加拿大与下加拿大合并后，他作为保守党人，于1844年进入加拿大省立法会议。1848～1854年保守党在野，他主张成立英属美洲联盟，统一加拿大和加强它与英国的联系。1854年同G.É.卡蒂埃（**Cartier, Sir George Étienne**）组成联合政府，由此形成以他为领袖的自由-保守党。1857年麦克唐纳出任加拿大省总理。1864年6月与卡蒂埃以及政敌G.布朗携手，共同促进英属北美联邦计划的实现。1867年成立加拿大自治领后，由他任总理。由于对英帝国功勋卓著，受封为巴思高级爵士。在他领导下，加拿大自治领迅速扩大，包括马尼托巴（1870）、不列颠哥伦比亚（1871）和爱德华王子岛（1873）诸省，1873年因发生太平洋铁路丑闻辞职。5年后又任总理，直至逝世。在第二次上台后，他立即实行贸易保护政策，并协助建成太平洋铁路。晚年维护加拿大的统一，平定西北地区的叛乱。他始终不渝地忠于英联邦，对美国保持独立。

Macdonald, John Sandfield 麦克唐纳（1812-12-12，上加拿大圣拉斐尔～1872-06-01，加拿大安大略康沃尔） 加拿大省总理（1862～1864），安大略省总理（1867～1871）。1840年取得律师资格，次年当选加拿大议会议员，保持席位达16年之久。他主张成立立宪政府。1849～1851年任副检察长，1852～1854年任议会议长，1858年任检察长。1862年组阁，任加拿大总理两年。他反对成立联邦，但1867年加拿大自治领成立以后，出任安大略省总理。1871年辞职。

MacDonald, (James) Ramsay 麦克唐纳（1866-10-12，苏格兰马里洛西茅斯～1937-11-

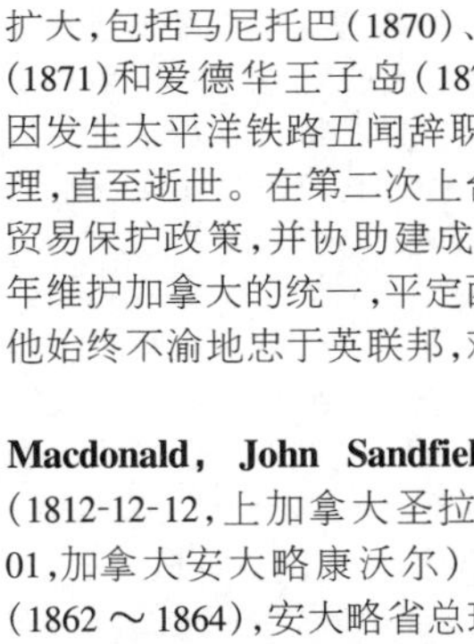

美国不列颠百科全书公司供图

09，赴南美的海上途中） 英国第一个工党首相，1924年和1929～1931年领导工党政府，1931～1935年领导联合政府。他是一个女仆的私生子，12岁小学毕业后留校当"小先生"6年。1885年去布里斯托尔做工；在那里，社会民主联盟的活动使他熟悉了左翼的思想。1886年他赴伦敦，参加费边社。1894年参加新成立的独立工党，次年竞选下院议员失败。1900年任工人代表委员会（工党的真正前身）书记。1906年有29名工人代表委员会成员选入下院，麦克唐纳是其中之一。工人代表委员会随即改为工党。5年后，他继哈迪任工党议会领袖。1914年因指责英国对德宣战而被迫辞职。1922年重新进入议会并被推为反对党领袖。1923年大选后，保守党虽仍为议会第一大党，但席位少于工党和自由党联合的席位。1924年1月22日麦克唐纳在自由党领袖H.H.阿斯奎斯的支持下，出任首相兼外交大臣。在他的领导下，英国正式承认俄国的苏维埃政权，发起日内瓦安全与裁军议定书，防止爱尔兰暴力冲突。由于轻率起诉共产党报纸主编J.R.坎贝尔，引起下院投票反对。这一失误以及其他因素导致保守党重新赢得多数，麦克唐纳于1924年11月4日辞职。但是1929年大选时，工党第一次获得最多议席，麦克唐纳重新担任首相。此时他对世界性经济大萧条的影响认识不足，渐渐失去控制政府的能力。1935年6月改任枢密院长。1937年5月辞职。同年晚些时候，死于去南美的航海途中。

Macdonald, Ross 麦克唐纳（1915-12-12，美国加利福尼亚洛斯加托斯～1983-07-11，加利福尼亚圣巴巴拉） 肯尼思·米勒的笔名，又称约翰·麦克唐纳或约翰·罗斯·麦克唐纳。美国推理小说作家，是他将文体简单、描写谋杀和绝望等故事的侦探小说提升到文学水平。青年时期几乎都在加拿大度过。1938年在西安大略大学获文学士学位，1944～1946年间在美国海军预备队服役和从事教学，1951年在密歇根大学获博士学位。他有许多笔名，但早期小说是用真名发表的。如《黑暗的隧道》（1944）、《麻烦总跟着我》（1946）和《三条道路》（1948）。用约翰·麦克唐纳的笔名写了《移动目标》（1949；1966年再版时改名为《哈珀》），书中首次引入了精明的私家侦探刘亚契这个人物。采用约翰·罗斯·麦克唐纳的笔名写了刘亚契系列小说，如《有些人是这样死的》（1951）、《露齿笑》（1952）、《寻找受害者》（1954）和《我就叫刘亚契》（1955）。用罗斯·麦克唐纳的笔名又写了《野蛮海岸》（1956）、《审判官》（1958）和《高尔顿案件》（1959），还是以刘亚契为主人公。后期的《地下人》（1971）和《睡美人》（1973）等小说以环保为主题，反映麦克唐纳对保护自然资源的持久兴趣。

McDonald Observatory 麦克唐纳天文台 1939年由得克萨斯大学用得克萨斯州金融家W.麦克唐纳的遗赠所兴建，位于得克萨斯州戴维斯堡附近的洛克山。该天文台拥有一架208厘米反射望远镜，许多年一直为世界第二大望远镜；还有一架1968年启用的272厘米反射望远镜和两架较小的反射望远镜。此

外尚有一座直径5米的抛物面天线,用于毫米波研究。姊妹台得克萨斯大学射电天文台位于其南60千米,作射电源定位工作和木星研究。根据一项协议,麦克唐纳天文台到1963年一直和芝加哥大学共同管理,先后在O.斯特鲁维、G.柯伊伯、B.斯特龙根、W.W.摩根和H.J.史密斯等人主持下,取得成功。该天文台的发现有:一颗海王星卫星——海卫二和一颗天王星卫星——天卫五。其主要研究重点是恒星的组成和演化,以及河外星系的本质。其他研究项目包括高速测光、激光测月和卫星测距。

Macdonald-Wright, Stanton 麦克唐纳-赖特(1890-07-08,美国弗吉尼亚夏洛茨维尔~1973-08-22,加利福尼亚帕西菲克帕利塞兹) 美国最早的抽象派画家、教师。1913~1914年

麦克唐纳-赖特《光谱抽象(构图5)》(1914)
美国不列颠百科全书公司供图

间和M.拉塞尔发起同步主义(Synchromism)运动,宣称色彩是绘画艺术表现的基础。1907年到巴黎学习。1920年把同步主义的抽象形式和传统的表现风格糅合在一起。后来转而从事电影制片、写作,并在加利福尼亚大学教美术史。大萧条期间,曾指导并承担公共事业振兴署的艺术项目,其中为圣莫尼卡市政厅和公共图书馆(1935)作的壁画最为著名。

MacDonnell, Randal 麦克唐奈尔 参阅 **Antrim, Randal MacDonnell, Marquess and 2nd Earl of 安特里姆侯爵和伯爵(第二)**。

MacDonnell, Sorley Boy 麦克唐奈尔(约1505,可能生于爱尔兰安特里姆郡巴利卡斯尔附近邓卢斯堡~1590,劳斯郡达纳尼尼堡) 爱尔兰阿尔斯特的苏格兰移民酋长,在阿尔斯特的苏格兰移民中间极有势力。1558年打败麦奎林部落,从而占有鲁特领地。他的强大引起伊丽莎白一世女王的重视,便在他与S.奥尼尔之间进行挑拨离间。1564年他被奥尼尔击溃。次年被俘,一直关押到1567年奥尼尔被暗杀为止。1575年英格兰人大批屠杀他的族人,他对英格兰人进行突然袭击,并在格林斯和鲁特重建他的势力。1585年伊丽莎白一世的代表J.佩罗特爵士不得不同他进行谈判。1586年他表示归顺,保有鲁特郡全部地区和另外一些土地,并被任命为邓卢斯堡长官。此后,他没有再给英格兰政府制造麻烦。

McDonnell Douglas Corporation 麦克唐纳-道格拉斯公司 原美国喷气式战斗机、商用飞机和航天器的主要制造公司。公司是在1967年由麦克唐纳飞机公司与道格拉斯公司合并而成。道格拉斯公司的创建人D.W.道格拉斯(1892~1981)在青年时期曾于1909年观看了莱特兄弟为陆军表演他们发明的双翼机,从此对飞机产生了兴趣。后来在担任麻省理工学院空气动力学系助理土木工程师期间,他帮助设计了试验飞机用的一个早期风洞。1920年他设计了Cloudster飞机——第一架流线型机翼的飞机,并为履行替海军制造三架此种飞机的合同建立了道格拉斯公司。1932年,道格拉斯公司开始成功地生产DC(道格拉斯公司)系列飞机,其原型机定名为DC-1。1935年第一架DC-3型有卧铺的运输机交付使用,以后长期内它是商业运输中的主要飞机。第二次世界大战中道格拉斯公司生产了2.9万架军用飞机,占美国空中运输机的1/6。战后仍以新DC-6型飞机垄断商业航线,1953年生产DC-7型飞机,可作跨洋不降落远航用。然而,随着商用喷气机的发展,与波音公司相比道格拉斯公司已开始落后。60年代由于财务状况恶化,遂与J.S.麦克唐纳(1899~1980)所创立的麦克唐纳公司合并。麦克唐纳公司在其创建人麦克唐纳的领导下在第二次世界大战期间迅速发展起来,此后一直是主要的防务供应厂商。该公司曾设计了第一架舰载喷气式战斗机。自合并以后,麦克唐纳-道格拉斯公司先后生产了大量广泛使用的喷气式战斗机,诸如F-4鬼怪式、A-4天鹰式、F-15鹰式以及F-18大黄蜂式。该公司还制造了运载火箭和巡航导弹,并于1984年从H.休斯的产业中购置了休斯直升机公司。该公司与波音公司于1996年12月宣布合并,于1997年8月1日生效。70年代该公司收购了几家从事数据处理、卫星通讯、信息服务、电子设备生产的公司。20世纪90年代初冷战的结束导致美国军事工业的缩减。随着商业的不断发展及随之而来的企业并购浪潮,该公司被波音公司合并。

MacDonnell Ranges 麦克唐奈山脉 澳大利亚北部地方中南部山系。为一系列光秃、平行的石英岩和砂岩山岭。在海拔2 000英尺(600米)的高原上升起,自艾丽斯斯普林斯向东西延伸,长达230英里。最高点齐尔山海拔4 954英尺。是芬克、托德等河的发源地,一些河流切割出壮丽的峡谷。岩石颜色随日照方位的转移而经常变化。该山脉是澳大利亚中部灌溉条件最好的地区,河谷中植物茂密。

Macdonough, Thomas 麦克多诺(1783-12-31,美国特拉华德拉布~1825-11-10,从地中海去约纽途中海上) 美国海军军官。1812年战争时期,曾在对英军的普拉茨堡战役中赢得重大胜利。1800年加入海军,为海军学院学员。曾参加1801~1805年的黎波里战争。美英战争爆发时,他的主要任务是巡航于加拿大与美国之间。1814年9月11日,他率14艘战舰与英舰遭遇;经过数小时激战,他迫使16艘敌舰投降,从而纽约和佛蒙特两州免遭英军的入侵。他受到美国国会的褒奖,并晋升为海军上校。尤为重要的是,英国因此失去了在和谈中提出领土要求的借口。此后,麦克多诺曾多次奉派去欧洲,因病在归国途中死去。

美国海军部供图

McDougall, William 麦克杜格尔(1822-01-25,上加拿大约克附近~1905-05-29,渥太华) 加拿大联邦创始人之一。1862年取得律师资格。他是改良党激进派领导人之一,于1850年创办《北美人报》,1857年该报并入多伦多《环球报》,麦克杜格尔成为该报发行人、自由党领袖G.布朗的副手。翌年选入加拿大联合省立法会议。1862年任王室领地专员,1864年任省秘书。曾出席夏洛特敦会议、魁北克会议和威斯敏斯特会议。在第一届自治领政府中任公共工程部长(1867~1869)。曾随G.É.卡蒂埃前往英格兰,具体解决由加拿大自治领收购哈得孙湾公司的土地问题。1869年任鲁珀特兰德与西北地方总督。1869年挂冠,随即失去政治影响。1873年重操律师业务。

McDougall, William 麦独孤(1871-06-22,英格兰兰开夏查德尔顿~1938-11-28,美国北卡罗来纳达勒姆) 曾译麦独高。生于英国的美国心理学家,对实验心理学和生理心理学的建立产生了影响。他是对社会心理学研究具有开拓性意义的《社会心理学导论》(1908)一书的作者,至1960年此书已再版30次。曾在剑桥圣约翰学院任职,即随剑桥人类学考察队到澳大利亚与新几内亚之间的托雷斯海峡,对土著人进行心理测验。后到格丁根大学研究色觉,并对心理学产生兴趣。1904年任牛津大学精神哲学高级讲师,1905年著《生理心理学》,论证应用完全生物学的方法取代传统的哲学方法。1908年发表著名的《社会心理学导论》,建立了达尔文主义的人类行为理论。这一理论的基础是:基于遗传本能,人能选择性地注意某些特殊的刺激;并能为了达到某种目的,以某种方式做出应答;如果不能及时做出应答,就会出现情绪反应。应答方式的多样性和稳定性的建立则有赖于学习过程。1911年,麦独孤发表了他的经典之作《身与心——万物有灵论的由来和发展》,此书所阐述的观点并不为当时的学术界所接受;为此,麦独孤和他的同事们的关系也日渐疏远。为反对机械唯物论对人类行为

的解释，1920年他发表了《集团心理》一书，试图从理论上对所谓民族性格作出解释并以此书作为他的《社会心理学》的续篇。同年，可能和缺少知音有关，他移居美国，任哈佛大学教授。但是他所坚持的观点——一切人类活动都是为着某种目的——和当时美国最为流行的行为主义也格格不入，行为主义者认为，只有看得见的行为才有心理学意义。为了说明人类的各种获得性性格特征都具有遗传性质，他先后出版了《心理学纲要》(1923)和《变态心理学纲要》(1926)。1927年，在哈佛怀才不遇的麦独孤又去了北卡罗来纳州达勒姆的杜克大学。在杜克大学，他组建了心理学系，开展包括心灵学在内的各种研究工作。

MacDowell, Edward (Alexander) 麦克道威尔（1860-12-18，纽约市～1908-01-23，纽约市） 美国作曲家，以小型钢琴乐曲著称。是最早在作品中融入本土素材的作曲家之一，

中国大百科全书出版社供图

对于建立独立的美国乐汇颇多贡献。1876～1878年就学于巴黎音乐学院。1878年去德国法兰克福音乐学院从J.拉夫学作曲，其后在达姆施塔特教授钢琴。1882年经拉夫介绍，结识李斯特，李斯特安排他在苏黎世演奏其《现代组曲第一号》。1884年回美国。1889年在纽约首次演出他最为成功的大型作品《D小调第二钢琴协奏曲》，这是一首在全世界一直享有盛名的作品。1896年受聘筹建纽约市哥伦比亚大学音乐系。1904年因与校方意见分歧而辞职；后患幼稚病，从此未能康复。麦克道威尔的作品从当代欧洲浪漫主义运动衍化而来。其抒情风格使人联想起格里格，和声使人回忆起舒曼和李斯特。几乎所有作品都与文学或绘画有联系。早期交响诗有《哈姆雷特和奥菲利娅》(1885)、《朗斯洛和伊莱恩》(1888)、《拉弥亚》(1889)和《萨拉森人》(1891)。更有特色的是根据印第安曲调为管弦乐队所写的《印第安组曲》(1892)。其钢琴曲被认为是最佳作品，特别是那些小型乐曲，表现出一位敏感的细密画家的才华。钢琴曲中最精彩的是组曲《海的乐曲》(1898)和《炉边的故事》(1902)，以及《林区素描》(1896)和《新英格兰田园诗》(1902)这两部再现美国景色的曲集。钢琴奏鸣曲有《悲剧》(1893)、《英雄》(1895)、《挪威》(1900)和《凯尔特》(1901)等。

mace 肉豆蔻干皮 热带常绿乔木肉豆蔻(*Myristica fragrans*)果实的假种皮制成的香料。味微辛，带有肉豆蔻的芳香，用于焙烤食品、鱼、肉类、酱汁、蔬菜的调味以及食物的保

肉豆蔻，其假种皮是制作肉豆蔻干皮的原料
美国不列颠百科全书公司供图

藏和腌制。加工方法是把紧包着种子的绯红色假种皮剥下，压平后干燥10～14天。干燥的假种皮变为淡黄、橙或棕黄色，形扁平(分支或分节)，平滑，角质且脆，长约4厘米。

Mace, James 梅斯（1831-04-08，英格兰诺福克比斯顿～1910-11-30，达勒姆贾罗） 英国职业拳击运动员，英国最重量级冠军，有些权威人士还认为他是世界冠军。在显要的拳击运动员中，他是第一个对昆斯伯里规则感兴趣的选手。体重只有73公斤，但以敏捷和有力的左手刺拳弥补这方面的不足。他是英国技巧拳击运动中的典范。1860年赢得英国次重量级冠军，1861年获英国最重量级冠军。1862年败于T.金，其后金拒绝再次同他比赛，于是梅斯又被承认为冠军。1870～1871年访问北美洲，在那里推广国际拳击运动。1870年5月10日在路易斯安那州肯纳维尔举行的号称为世界锦标赛的一次比赛中，以10个回合胜艾伦，从而被认为是在伦敦职业拳击规则下最后一个世界冠军。

Macedo, José Agostinho de 马塞多（1761-09-11，葡萄牙贝雅～1831-10-02，佩德罗索斯） 葡萄牙诗人、评论家和以文笔尖酸刻薄闻名的小册子作者。1778年成为奥古斯丁会修士，由于经常滋事，屡次坐牢，更换教区多次。1792年成为在俗教士。此后不久，他被认为是当时一流的讲道坛上的演说家。1802年被指定为王室讲经师。所写最好的说教诗是《沉思》和《牛顿》(1813)。他创办了许多报纸，写了大量文章，被人称为葡萄牙的"首要诽谤者"。他的恶意中伤在讽刺长诗《驴》(1812～1814)中表现得淋漓尽致，诗中指名嘲骂了各阶层人物，无论是在世的还是已故的。

Macedonia 马其顿 希腊半岛东北角平原上的古代王国，位于塞尔迈湾顶端。在公元前4世纪，它对希腊建立霸权，征服的土地东面远至印度河，成立了一个短暂的王国，开始了古希腊文明的希腊化时期。史前的马其顿同希腊和安纳托利亚建立了文化联系。公元前700年左右，自称马其顿人的一个种族来源不详的民族在国王佩尔狄卡斯一世及其继任人的领导下，从他们哈利阿克蒙(即阿利阿克蒙)河上的故乡向东推进，从此这一民族方为世人所知。至公元前5世纪，马其顿人采用了希腊语，并成立了一个统一的王国，由于雅典人控制了沿海地区，迫使马其顿统治者努力置马其顿高地和平原于其势力范围内——这一任务最终由他们的国王阿敏塔斯三世(约公元前393～370或369在位)完成。阿敏塔斯的两个儿子——亚历山大二世和佩尔狄卡斯三世——执政时间很短，阿敏塔斯第3个儿子腓力二世以佩尔狄卡斯的幼子继承人的名义进行统治；恢复秩序后他本人登上王位(公元前359～前336年在位)，使马其顿在希腊居霸主地位。腓力的儿子**亚历山大三世**(公元前336～前323年在位；**Alexander III the Great**)推翻了阿契美尼德(波斯)帝国，把马其顿的势力范围扩大到尼罗河和印度河，亚历山大在巴比伦去世后，他的部将瓜分了他的王国的管辖区(省)，用以作为根据地争夺全部地盘。从公元前321至前301年战火不断，马其顿仍是王国的中心，其属地(以及对希腊的控制权)处于激烈的争议中，安提帕特(亚历山大大帝在欧洲的摄政)及其子卡山得成功地控制了马其顿和希腊。卡山得于公元前297年去世后，马其顿陷入内战。德米特里一世在统治6年(公元前294～前288年)后，马其顿再度陷入内部混战，来自北方的加拉提亚掠夺者使局势恶化。公元前277年，德米特里有才干的儿子安提柯二世击退加拉提亚人，被马其顿军队拥为国王。在他的领导下成立了一个稳固的君主国家——安提柯王朝，该王朝从公元前277至前168年在马其顿进行统治。在腓力五世(公元前221～前179年在位)及其子佩尔修斯(公元前179～前168年在位)的统治下，马其顿同罗马发生冲突并战败(参阅**Macedonian Wars**)。在罗马的控制下，马其顿最初(公元前168～前146年)成立了4个独立共和国，没有共同的联系。在公元前146年成为罗马一个行省，有4个行政单位，马其顿仍是希腊的堡垒，在北部边界经常有发动反对邻近部族的战役。到公元400年，马其顿分为在莫西亚主教辖区内的马其顿省和第二马其顿省。

Macedonia 马其顿 保加利亚语作Makedoniya，现代希腊语作Makedhonía，塞尔维亚—克罗地亚语和马其顿语作Makedonija。巴尔干半岛中部偏南地区，包括希腊北部和东北部、保加利亚西南角和独立的马其顿共和国。

马其顿传统的边界，东边是奈斯托斯(在保加利亚是梅斯塔)河下游及罗多彼山脉的西坡。锡罗卡山、斯科普斯卡山、卡纳哥拉山以及萨尔山形成北部边界，与塞尔维亚南部接壤。科拉比山脉及奥赫里德湖和普雷斯帕湖形成西部边界。西南邻品都斯山，南界阿利阿克蒙河谷，此河谷延伸至奥林波斯山附近的萨洛尼卡湾。这块土地包括哈尔基季基半岛在内，面积为67 100平方千米左右。约50%位于希腊，以塞萨洛尼基港口为中心；10%在保加利亚，以布拉戈耶夫格勒为中心；其余地区为马其顿共和国，首都斯科普里。马其顿地区从保加利亚和马其顿共和国的高原和山峰延伸至希腊地势较低的瓦尔达尔河和斯特鲁马河(在希腊分别称为阿克西奥斯河和斯特里蒙河)的宽广、平坦、几乎无树的泛滥平原。马其顿自古代以来就是分别连接亚得里亚海岸和爱琴海岸与博斯普鲁斯和多瑙河的交叉路口而具有战

略重要性。以君士坦丁堡(现在是土耳其的伊斯坦布尔)为基地的拜占廷帝国和奥斯曼帝国认为控制马其顿是十分重要的。在19世纪,在奥地利向君士坦丁堡的"东进"中,在俄罗斯企图占领经过达达尼尔海峡穿过地中海的通道的努力中,马其顿地区都占重要地位。巴尔干半岛人民的民族意识开始觉醒,欧洲大国发现,沿战略和经济方针划定国际边界和人种学考虑很不协调,马其顿问题已成为一个国际问题。

马其顿的名称来自古老的马其顿王国。该王国位于马其顿地区南部,主要说希腊语,但也混杂色雷斯语和伊利里亚语。到公元前4世纪,该王国的统治向北延伸至巴尔干半岛和地中海各地。在公元前2世纪,马其顿成为罗马的一个省。罗马帝国在公元4世纪分为东西两部分,马其顿归属东部,东部后成为拜占廷帝国。此时马其顿人民基本上已经信奉基督教。斯拉夫人于6世纪和7世纪入侵巴尔干半岛,因而马其顿的希腊人的比重有所颠倒。该地区大部分于9世纪在第一保加利亚帝国的统治之下。在这一时期,圣西里尔与圣美多迪乌斯的门徒们使保加利亚人信奉基督教。此二人把希腊字母应用于马其顿南部说的一种斯拉夫方言,这种字母最后成为西里尔字母。在中世纪的以后时期,该地区的一些部分多次为拜占廷帝国、第二保加利亚帝国和塞尔维亚帝国所统治。这样就为现代一些国家对马其顿提出相互矛盾的权利要求准备了条件。在14世纪末,马其顿由奥斯曼帝国统治,随后人数众多的穆斯林土耳其人和阿尔巴尼亚人迁入这一地区,使其种族关系更为复杂化。15世纪末,大批被逐出西班牙的西班牙籍犹太人在马其顿的一些城镇(特别是塞萨洛尼基)定居,他们同希腊人在地方贸易中竞争。在1878年,俄罗斯在1877～1878年的俄土战争中获胜后,根据《圣斯特凡诺条约》,迫使奥斯曼人让保加利亚独立,使这个振兴的国家得到了整个马其顿地区,塞萨洛尼基和哈尔基季基半岛除外。一些欧洲大国很快推翻了这一解决方案,它们根据当年缔结的《柏林条约》,把马其顿还给土耳其,允许它继续基督教的管理。在此后30年中,希腊人、保加利亚人和塞尔维亚人都对马其顿垂涎三尺,他们都说他们同马其顿的种族和历史联系比别人密切。然而所有的非穆斯林马其顿人都希望马其顿能摆脱土耳其人获得解放;为此目的1893年成立了马其顿内部革命组织,其纲领是"马其顿是马其顿人的"。1912年,保加利亚、塞尔维亚和希腊把它们的分歧抛在一旁,成立了巴尔干同盟,企图把这一地区从土耳其人手中夺过来。它们在第一次巴尔干战争(1912～1913)中达到了这一目标,但是随后又在如何分割马其顿的问题上争执不休。塞尔维亚人、希腊人和黑山人在罗马尼亚人的帮助下发生战争,在同保加利亚进行的第二次巴尔干战争(1913年)中得胜。以后于1913年缔结的条约把南半部,或称"爱琴马其顿"分给希腊;把北半部("瓦尔达尔马其顿")的大部分地区分给塞尔维亚;一片很小的部分"皮林马其顿"分给保加利亚。保加利亚在第一次世界大战中和同盟国站在一边,因而占领了整个马其顿。但同盟国在第一次世界大战中战败,保加利亚占领的马其顿地区再一次削减,只保留皮林地区。瓦尔达尔马其顿同塞尔维亚其他地区一起并入塞尔维亚人、克罗地亚人和斯洛文尼亚人的新王国(1929年改名为南斯拉夫)。在1912～1923年,马其顿发生几次人口变动。最大一次是根据《洛桑条约》(1923年)发生的,37.5万土耳其人离开爱琴马其顿,而从土耳其移来64万希腊难民。轴心国在第二次世界大战中占领和分治巴尔干半岛,保加利亚再度几乎占领了全部马其顿,塞萨洛尼基除外;德国人占领了这一城市,屠杀了该城中4/5的犹太人。轴心国1945年战败,马其顿内部边界大体上恢复以前的界线,南斯拉夫的马其顿在共产党联邦内升为一个单独的共和国。1991年,马其顿共和国宣布脱离南斯拉夫而独立。

Macedonia　马其顿　现代希腊语作Makedhonía。传统的希腊地区,包括该国的北部和东北部。希腊马其顿面积34 200平方千米。西邻阿尔巴尼亚,北接独立的马其顿和保加利亚,东与希腊的色雷斯行政区接壤,东南濒临爱琴海,南与希腊的色萨利和伊庇鲁斯行政区为邻。主要城市为塞萨洛尼基(前萨洛尼卡)。现今的希腊马其顿是1371～1912年奥斯曼帝国所统治的大马其顿地区的一部分。希腊马其顿是1913年的第二次巴尔干战争形成的。这一地区在第一次世界大战的大部分时间里被保加利亚军队占领,在第二次世界大战中又被保加利亚和德国军队占领;但每次战争结束后,又归属希腊。此地也是希腊内战(1946～1949)时左派与保皇派激战之处。主要居民为希腊人,大量集中在希腊第二大城塞萨洛尼基城附近;该城也是仅次于比雷埃夫斯的第二大港,是希腊北部行政、工业和商业中心。有不到2万名穆斯林留居在该区,他们多为波马克人,即说保加利亚方言的土耳其化的人。弗拉其人集中在塞萨洛尼基和塞雷(说南部斯拉夫语的)马其顿人聚集在北部边境,也有小块吉普赛人和阿尔巴尼亚人的飞地。希腊马其顿内地大多为丘陵或山脉地带,海拔在2 000米以上。爱琴海沿岸地区和这一地区的河谷是整个马其顿中仅有的重要的低地。兹拉马平原及斯特里蒙河和阿克西奥斯河流域是希腊最富饶的农耕地,出产稻米、橄榄、棉花和烟草。人们广泛种植水果和葡萄,也生产葡萄酒和乌佐酒 。烟草与其他农产品加工及纺织业是主要的制造工业。塞萨洛尼基有国际机场,并有公路、铁路通往雅典、塞尔维亚及保加利亚等。观光中心在哈尔基季基半岛和萨索斯岛。奥林波斯山和圣山的修道院旧址也在这一地区。

Macedonia　马其顿　全称马其顿共和国。巴尔干半岛南部的国家(1918～1991年为南斯拉夫的一部分)。北邻塞尔维亚共和国,东连保加利亚,南接希腊,西与阿尔巴尼亚接壤。首都斯科普里。面积25 713平方千米。人口约2 035 000(2004)。

自然地理与人文地理　马其顿共和国大部分地区位于海拔600～900米的高原,其间散布的山脉高达2 500米。地势主要由片岩、火山岩组成,部分地区为构造盆地。多数水系南流,经瓦尔达尔河注入爱琴海。由于气候干燥以及过去森林砍伐和放牧过度,土地具有明显的干草原特征。在西南部,断层和下挠形成了奥赫里德湖和普雷斯帕湖,湖水向北流动,经黑德林河注入亚得里亚海。

气候接近大陆性,夏季偏热,雨量适中,冬季寒冷,有降雪。

2/3的人民是斯拉夫马其顿人。他们所讲的南部斯拉夫语,相比之下更接近保加利亚语,而不是塞尔维亚—克罗地亚语。1/5的人口是阿尔巴尼亚人,他们主要住在西北部。另外,还有少数土耳其人、弗拉其人、吉普赛人、塞尔维亚人和保加利亚人。

马其顿矿物资源匮乏,是欧洲最贫穷的国家之一。小麦、烟草、稻米、水果、蔬菜和制酒葡萄是主要作物;绵羊放牧和乳品业很重要。在社会主义的南斯拉夫时期,斯科普里建起了一些大型冶金工厂;其他制成品包括纺织品、药品和建材。

1991年的马其顿宪法规定,成立一个由120名议员组成的议会,议员由投票选举产生。总统由直接选举产生,他挑选的总理经议会批准后即可上任组阁。

历史　马其顿共和国是1371～1912年奥斯曼帝国所统治的大马其顿地区的一部分。这一地区的北部和中部在1913年被塞尔维亚吞并,1918年成为塞尔维亚-克罗地亚-斯洛文尼亚王国(后改称南斯拉夫)的一部分。第二次世界大战期间,当南斯拉夫于1941年被轴心国瓜分时,铁托组织了游击队(共产党领导的南斯拉夫抵抗运动)马其顿分队。游击队在1944～1945年间解放了南斯拉夫,南斯拉夫马其顿成为重组的南斯拉夫国家的一部分,1946年成为组成新的社会主义联邦的6个共和国之一。马其顿语被定为

美国不列颠百科全书公司供图

该共和国的通用语言，以取代塞尔维亚-克罗地亚语。

马其顿一直是南斯拉夫各共和国中最贫穷的一个。在克罗地亚和斯洛文尼亚相继退出南斯拉夫之后，马其顿出于对塞尔维亚统治的担心，于1991年宣布脱离南斯拉夫独立。希腊立即对这个新共和国的国名表示反对，坚持认为希腊人自古以来就一直使用"马其顿"这一名称，前南斯拉夫共和国盗用此名意在恢复对希腊马其顿的领土要求。马其顿共和国则争辩说，斯拉夫人在这一地区已经居住了14个世纪，并已使用马其顿这一名称达数百年之久。不管怎样，国际社会还是推迟了对马其顿的承认。

Macedonian language　马其顿语　马其顿语作 Makedonski Yazik。南(部)斯拉夫语支语言，与保加利亚语关系最密切，使用西里尔字母。为马其顿共和国的官方语言。马其顿语也通行于毗邻的保加利亚马其顿地区及希腊马其顿地区。接近口语的文献约在1790年以后才见之于世。马其顿语和保加利亚语一样，已没有名词格的词尾变化，3个主要方言群是：①北部诸方言，与相邻的塞尔维亚诸方言近似。②东部诸方言，近似保加利亚诸方言并逐渐融为一体。③西部诸方言，与保加利亚语和塞尔维亚-克罗地亚语相差甚远，因此1945年被南斯拉夫当局选做标准语的基础。

Macedonian literature　马其顿文学　用马其顿语写的文学作品的总称。中世纪马其顿最早的文学系宗教性的，属东正教。在奥斯曼土耳其统治下，马其顿文学几呈空白。及至19世纪，出现了K.米拉迪诺夫的自成一格的抒情诗；他与其弟季米特里耶一起编成一集民歌和传说，对初期的马其顿文学作出了贡献。1913年土耳其统治为塞尔维亚统治所代替，塞尔维亚人公然否认马其顿族的特性，把马其顿语看作塞尔维亚-克罗地亚语的一种方言。直至1946年，马其顿成为共产主义的南斯拉夫的制宪共和国之一，马其顿语才获得正式承认。尽管几经挫折，在奠定马其顿民族语言与文学的基础方面仍然取得了进展；特别值得一提的是K.P.米西尔科夫于1903年发表的《为马其顿作品辩护》，(1903)一文和1905年所创办的期刊。K.拉青在第一次世界大战以后继续在这方面努力用马其顿文创作，主要是诗歌；并在20世纪30年代通过文学杂志推广使用马其顿文。有些作家，如K.涅德尔科夫斯基由于政治压力，不得不在国外写作出版。第二次世界大战后，在新的马其顿共和国，B.科内斯基及其他学者被委以使马其顿文规范化并成为正式文学语言的重任。马其顿人运用这种新的自己的文字写作出版的自由，在战后培育出许多文人学士。诗歌以A.绍波夫、S.亚内夫斯基、B.科内斯基和G.托多罗夫斯基的作品为代表。第二次世界大战前的剧作家如V.伊利约斯基在战后继续写作，新起的剧作家如K.卡苏莱和T.阿尔索夫斯基使戏剧演出更为繁荣。Z.钦戈则成为马其顿的最优秀的散文作家之一。

Macedonian Revolutionary Organization, Internal　参阅 **Internal Macedonian Revolutionary Organization** 马其顿内部革命组织。

Macedonian Wars　马其顿战争（公元前3和前2世纪）　古罗马共和国和马其顿王国之间的4次冲突。这4次冲突使罗马越来越多地卷入希腊事务，最后称霸于整个东地中海地区。第一次马其顿战争(公元前215～前205)发生于第二次布匿战争期间，当时罗马人忙于与迦太基人作战。马其顿王腓力五世与迦太基的汉尼拔结盟(前215)，进攻伊利里亚的罗马藩属。罗马人失利《腓尼基和约》(前205)使腓力拥有在伊利里亚的战果。当腓力拒绝作出不劫掠罗得岛及其它爱琴海希腊城邦时，罗马元老院发动了第二次马其顿战争（公元前200～前196)，罗马及其希腊盟军在锡诺斯克法莱大败腓力，和约使腓力失去大部分海军，失去马其顿以外的领土。罗马对希腊建立了一种纳贡的保护关系。腓力之子、继承人佩尔修斯与一些希腊城邦结盟引起罗马的不快，导致第三次马其顿战争(公元前171～前168)。结果罗马人大胜于彼得那战役，佩尔修斯被俘，马其顿被肢解为4个向罗马缴纳年贡的自治共和国。公元前152年一个自称是佩尔修斯之子的安德里斯库斯企图重建马其顿王国导致第四次马其顿战争（公元前149～前148)，罗马大法官梅特卢斯轻而易举地镇压了安德里斯库斯发动的叛乱。此后，马其顿成为罗马的一个行省。它实际上是孕育中的罗马帝国创建的第一个行省。

Macedonianism　马其顿尼主义　又称"反圣灵派"。4世纪基督教异端。该派否认圣灵具有完全位格和神性，认为圣灵为圣子所造，因而从属于圣父和圣子。马其顿尼是半阿里乌主义者，曾两次任君士坦丁堡主教。他的著作都已散失。该派于381年受到第二次君士坦丁堡公会议的正式谴责，皇帝狄奥多西一世予以取缔。

Macedonicus, Lucius Aemilius Paullus　马其顿　参阅 **Paullus Macedonicus, Lucius Aemilius** 保罗斯(马其顿的)。

Macedonius　马其顿尼（活动时期4世纪）希腊教会君士坦丁堡主教，4世纪关于上帝三位一体论的争论中重要的温和派阿里乌主义神学家。关于圣子即"逻各斯"，马其顿尼的学说摇摆不定，时而谓圣子与上帝圣父之神性"本体同一"，时而谓两者"纯粹相似"。马其顿尼卒于约362年，其后基督教内出现一个异端派别，不承认圣灵具有神性；由于此派的学说与马其顿尼关于圣子的学说相近，遂称为马其顿尼派（参阅 **Macedonianism**）。在不承认圣子有绝对神性的异端集团阿里乌派的支持下，马其顿尼约在339年排斥正统派而僭任君士坦丁堡主教。他在职一直到360年，除中间有一段正统派占优势的时间(346～351)以外。马其顿尼虽在神学上模棱两可，却镇压君士坦丁堡的正统尼西亚派。由于他有半阿里乌主义倾向，也许由于政见不合，他失宠于罗马皇帝君士坦提乌斯二世(337～361在位)，遂在360年的当地教会会议上被免职并被逐出境。

Maceió　马塞约　巴西东北部阿拉戈斯州首府。在大西洋和一浅潟湖之间。1815年为居民点。1839年为阿拉戈斯省(当时为省)省会，设市。市东侧雅拉瓜港能停泊吃水浅的

马塞约市的政府大厦
美国不列颠百科全书公司供图

船只。远洋轮船在礁外停泊。经济以纺织、榨糖、钢铁、炼锌、酿酒、化工、植物纤维和卷烟工业为主。出口蔗糖、棉花和酒。附近有椰子和登德棕种植园。有铁路、公路通其他城市。雅拉瓜港有国内航线的班机。市中心小山上一座灯塔为该市明显标志。殖民时期建筑物有政府大厦和大教堂。市内有阿拉戈斯联邦大学(1961)、阿拉戈斯医学会(1917)和历史研究所(1869)。还有1979年建立的农业研究所。人口约794 894(2000)。

McEnroe, John　麦肯罗(1959-02-16，西德威斯巴登～　　)　全名 John Patrick McEnroe。美国网球运动员。他在20世纪70年代后期及80年代成为一名优秀选手。他也以场上举止不端而闻名，为此他曾几次受处罚和停赛，并于1990年1月21日的澳大利亚公开赛上因不出场而失去比赛资格。麦肯罗在纽约州道格拉斯顿长大，在附近的华盛顿港网球学校接受网球训练。1977年，他作为一名业余运动员开始受到国际网坛的注意；当时他只有18岁，是进入温布尔登锦标赛半决赛最年轻的选手。1977年他进入加州的斯坦福大学，但1978年获美国大学网球冠军后便退学而成为职业运动员。在其后6个月中，他创下了胜49场，仅负7场的记录。1978年在戴维斯杯赛中，他与B.戈特夫里德合作，在双打中击败智利选手，并在单打中连胜英国的J.劳埃德和B.莫特拉姆，从而使美国在5年中首次赢得了冠军。1979年，麦肯罗靠大力截击空中球第一次在美国公开赛上夺魁，当年年底，他被列为世界最佳选手之一。1980和1981年他在美国公开赛上再次获胜，成为继B.蒂尔登之后蝉联3届冠军的人，后来在1984年又夺得冠军。他还是1981、1983和1984年温布尔登单打冠军。他与P.弗莱明合作，在美国公开赛、温布尔登赛以及网球冠军赛上几次获得双打冠军。麦肯罗性情暴躁，好发脾气、谩骂和摔球拍都成了他场上表现的特点。他是近30年来从网球大满贯赛

中被逐出的第一个运动员。

Macenta 马森塔 几内亚东南部城镇，地处几内亚高地（海拔 620 米）。有公路通恩泽雷科雷和盖凯杜。是茶叶、咖啡、稻米、木薯、棕榈油及核仁贸易中心。有一个茶叶加工厂（1968）。有农业研究站和中等学校。周围地区有森林。居民为洛马人和穆斯林马林克人。人口约28 131（1983）。

maceral 显微组分 煤的微观有机组分，是各种化合物的不规则的混合物。显微组分类似无机岩石中的矿物，但又与矿物不同，它没有固定的化学组成，也没有固定的晶体结构。随着煤级的增高，显微组分在化学和物理两方面都逐渐发生变化。煤级规定了褐煤至无烟煤系列的等级，而且煤级主要根据增加的碳含量和增加的燃烧值而定。显微组分分为三个主要组：镜质组、惰性组和壳质组。镜质组来源于木质植物组织，包括无结构镜质体和结构镜质体两种显微组分。大部分煤所含镜质组的百分比很高。惰性组包括丝质体、微粒体、菌类体和半丝质体，这些都富含碳。壳质组显微组分包括藻类体、角质体、树脂体和孢子体，它们均以含氢量高为特征。

Macerata 马切拉塔 意大利中部马尔凯区马切拉塔省省会、城市。建于 10 ～ 11 世纪。约 1445 年并入教皇辖地。现存名胜古迹有梅坎蒂回廊（1485 ～ 1491）、新古典式运动场、大教堂（1771 ～ 1790）和圣马利亚教堂（1555 ～ 1573），教堂内有丁托列托绘画。有一所大学（1290）和其他一些学术机构。为重要的谷物集散地，也饲养猪羊，并有园艺和花卉栽培业。工业有酿酒、制砖和制造家具。人口：城市区约41 907（1999）。

McEwen, Sir John 麦克尤恩（1900-03-29，澳大利亚维多利亚奇尔特恩～ 1980-11-21，墨尔本） 农场主、政治人物、澳大利亚总理（1967-12-19 ～ 1968-01-10）。1934 ～ 1971 年为众议院议员，第二次世界大战期间任部长，1958 ～ 1971 年任副总理，1967 年霍尔特总理死后任代总理三周。1971 年受封爵士。

McFadden, Daniel L. 麦克法登（1937-07-29，美国北卡罗莱纳罗利～ ） 美国经济学家。他提出理论和方法用于分析个人或家庭的行为，如了解人们如何选择到何处去工作，何处去居住和何时结婚等，为此，他与 J.S.赫克曼共获 2000 年诺贝尔经济学奖。曾在明尼苏达大学学习物理学（1957 年获学士学位）和经济学（1962 年获博士学位），后在一些大学教经济学，包括加利福尼亚州立大学伯克利分校（1963 ～ 1979）、耶鲁大学（1977 ～ 1978）以及麻省理工学院（1978 ～ 1991）。1990 年回到伯克利，担任考克斯经济学讲座教授。他还担任该大学的计量经济学实验室主任（1991 ～ 1995，1996 ～ ）。曾多次获奖，1975 年获美国经济学协会颁发的克拉克奖章，1981 年人选国家科学院。麦克法登将经济理论、统计方法以及解决社会问题的经验应用结合起来。1974 年他提出条件式分对数分析法。这是一种确定个人在有限的选择中如何取舍以达到最大效用的方法。他的方法有助于预测公共交通的利用率，也应用于研究劳动力参与、保健、住房（尤其对老年人）及环境等问题。

Macfarquhar, Colin 麦克法夸尔（1745？～ 1793-04-02，苏格兰爱丁堡？） 苏格兰印刷商。1768 年与 A.贝尔创办《不列颠百科全书》。据说第 1 版是在他的印刷所出售。他曾编辑该书第 3 版（1788 ～ 1797）的头几卷。

McGee, Thomas D'Arcy 麦吉（1825-04-13，爱尔兰劳斯郡卡灵福德～ 1868-04-07，加拿大安大略渥太华） 爱尔兰裔加拿大作家和加拿大联邦运动的主要政治演说家。他是一位爱尔兰爱国者，与"青年爱尔兰"政治运动的文学刊物《民族报》（1846 ～ 1848）有联系。因与 1848 年未遂的爱尔兰叛乱有牵连，遂逃到美国。后逐渐主张和平改革爱尔兰，不再赞成激进派所鼓吹的那种革命。1857 年移居加拿大。1858 年被选入加拿大立法议会，19 世纪 60 年代，在几届政府中担任过部长，在导致 1870 年成立加拿大殖民地联邦的运动中起了积极的主导作用。按照他长久以来的观点，文学和文化的民族化必须与政治参与同步，他鼓励发展加拿大文化，并写民族主义诗歌。后在渥太华被刺，可能是由于发表过反对加拿大芬尼亚人的言论。他的两部文选是《托马斯·达西·麦吉的诗歌》（1869）和《达西·麦吉演说集》（1937）。

McGee, William John 麦吉（1853-04-17，美国艾奥瓦法利～ 1912-09-04，华盛顿［哥伦比亚特区］） 美国地质学家和考古学家。因对密西西比河流域上游更新世（160 万年前至 1 万年前）地质和大西洋海岸平原地层学的研究，以及对漫流在形成山麓平原中的作用的理论而知名。从 1883 年起主管美国地质调查局大西洋海岸平原分部 10 年。1893 年调任美国人种学局工作 10 年。1903 年任圣路易斯世界博览会人类学部主任。1905 年任圣路易斯艺术博物馆馆长。自 1907 年起在内河航运委员会和美国农业部土壤局工作。其研究范围包括运用地貌学解释地形演变、对水文学的研究和美国印第安人的人种学等。著有《切萨皮克湾湾顶地质》（1888）、《塞里印第安人》（1898）及《水文学纲要》（1908）。

McGhee, Brownie 麦吉（1915-11-30，美国田纳西诺克斯维尔～ 1996-02-16，加利福尼亚奥克兰） 瓦尔特·布朗·麦吉的别名。美国蓝调歌唱家、吉他演奏家、钢琴家和歌曲作家。自 1941 年起与歌唱家和口琴演奏家 S.特里搭挡演出。麦吉是一位歌手兼吉他演奏家的儿子，约 6 岁开始对吉他发生兴趣，8 岁跟姐姐学弹钢琴。巡回演出的蓝调音乐家给他留下深刻印象；于是他在 20 年代末从中学退学，在狂欢节中、黑脸歌唱团表演中、舞蹈中和非正式集会中演出而走遍田纳西州。30 年代中期率领他自己的"搓板"乐队演出。1939 年在北卡罗来纳州与特里相识，翌年同特里和歌唱家 P.罗伯逊一起在首都华盛顿献艺。40 年代初定居纽约，与特里和蓝调音乐家利德贝里同住，这三人同 W.格思里等人一起演出，都是当时红极一时的歌星。自 1942 到 1950 年麦吉在哈莱姆经营他自己的音乐学校"蓝调之家"。他最早的唱片是由 1940 年为 OK 唱片公司所录制；后又与特里等人大量录音，表现出正宗乡村风格。T.威廉斯的戏剧《热锡屋顶上的猫》（又译《朱门巧妇》）在百老汇上演时（1955 ～ 1957），他曾在其中扮演角色，并随该剧组巡回演出。曾为多部电影的配乐录音，包括《人群中的一张脸》（1957）等。

McGill, James 麦吉尔（1744-10-06，苏格兰斯特拉斯克莱德格拉斯哥～ 1813-12-19，加拿大魁北克蒙特利尔） 加拿大毛皮商、政治家。由苏格兰移民到加拿大后在蒙特利尔建立麦吉尔大学并以贩卖毛皮为业。约 1774 年在蒙特利尔设总店，不久成为毛皮业的重要人物。1792 ～ 1796 年和 1800 ～ 1804 年为下加拿大省立法会议议员。1793 年任省执行委员会委员。1812 年英美战争期间，他成为蒙特利尔志愿步兵团名誉团长。他的遗产大部分捐建麦吉尔大学。

McGill, Ralph (Emerson) 麦吉尔（1898-02-05，美国田纳西索迪附近～ 1969-02-03，佐治亚亚特兰大） 从事社会改革的记者。他在亚特兰大《宪法报》发表的社论对美国南部社会改革有深远影响。人们有时称他为"新南部的良知"。他出生于农家，在田纳西州东南部农村长大；后入范德比尔特大学，其间在第一次世界大战时曾在美国海军陆战队服役。1922 ～ 1923 年任《纳什维尔旗帜报》记者和体育新闻编辑。1931 年成为《宪法报》体育新闻编辑。1938 ～ 1942 年任《宪法报》执行主编，1942 ～ 1960 年为主编，1960 年直到逝世为该报发行人。这些年里他以无畏地反对政治腐败和种族歧视而闻名。他一贯反对三 K 党。1958 年因开明的社论而获普利策奖。20 世纪 50 和 60 年代，他以发表社论有力地支持美国黑人争取完全公民权利的运动。1964 年获总统自由勋章。所著《南方和南方人》（1963）广受推崇，赢得《大西洋杂志》非小说类文学作品奖。

McGill University 麦吉尔大学 蒙特利尔的一所私立公助大学。用英语授课，是加拿大最大的大学之一。因其在化学、医学和生物学方面的成就，而享有国际声誉。该校用蒙特利尔商人 J.麦吉尔捐赠的一笔遗产建立，1821 年得到皇家办校许可证。首先建立了医学院和文学院，1899 年又为妇女开办了维多利亚皇家学院；后来，维多利亚皇家学院逐渐与麦吉尔大学合并。现在，全部院系均为男女合校。该大学系统所属还有圣安·德·贝尔维尤的麦克唐纳学院；这所学院建于 1907 年，是一所专门研究农业科学的学院。附属于麦吉尔大学的还有 3 所神学院。

McGillicuddy, Cornelius Alexander (baseball manager) **麦吉利卡迪** 参阅**Mack, Connie 麦克**。

McGillivray, Alexander **麦吉利夫雷**（约1759～1793-02-17，佛罗里达彭萨科拉[美国]） 法国-印第安人，在美国革命之后的年代里成为克里克印第安人的主要领袖。他对保留克里克部族的个性和为下一代人保住家园的主要部分作出重大贡献。他是印第安人和欧洲人的混血儿，其父为苏格兰商人，其母兼有法兰西和克里克血统。麦吉利夫雷仅有1/4印第安人的血统，但克里克族强调母系血统，故他被认为是克里克人。他14岁到南卡罗来纳的查尔斯顿求学。美国革命发生后，其父由于亲英而被剥夺公权和没收财产。于是父亲返回苏格兰，而麦吉利夫雷返回克里克，成为印第安人的酋长。英国给予他上校军衔，任命他为印第安人的全权代表。在美国独立战争期间，克里克人采取左右逢源的政策。他们有一部分人与殖民地人民并肩战斗，而麦吉利夫雷则去协助那些亲英分子。1782年英军战败。由于克里克人对美国的土地投机商人和贪婪成性的移民毫不信任，麦吉利夫雷便企图获得西班牙的支持。他建议在西佛罗里达的彭萨科拉举行一次会谈。1784年6月1日，他与西班牙总督在彭萨科拉签订《贸易与和平协定》。在以后几年里，他坚决抵制了佐治亚州和美国政府要求给予土地和贸易特权的提议。1789年G.华盛顿总统派遣一个代表团去与克里克人谈判，要求承认美国对整个克里克地区的主权。由于有西班牙这一强硬后台，麦吉利夫雷表示拒绝，并中断谈判。不久，华盛顿派人请麦吉利夫雷前往纽约市，缔结一个"像高山一般稳固，像流水一般长久"的条约。麦吉利夫雷承认美国的主权，克里克人领地列入美国领土，确定奥尔塔马霍河附近一线为佐治亚与克里克领地的分界线，接受美国的准将衔，月薪100美元。1792年他前往路易斯安那的新奥尔良，与西班牙人达成进一步的谅解。西班牙人保证克里克人领土的完整，并提供充足的军火。麦吉利夫雷在返回家乡途中，突然患热症，数月后在彭萨科拉去世，终年34岁。

Macgillycuddy's Reeks **麦吉利卡迪山** 爱尔兰西南部凯里郡艾维拉夫半岛上的山脉。地质基础为泥盆纪砂岩构成的长背斜山脊。由于冰川作用，形成许多峡谷、锯齿状山冈和高峰；其中卡伦图厄尔山1 041米为爱尔兰最高山。

McGinley, Phyllis **麦金利**（1905-03-21，美国俄勒冈安大略～1978-02-22，纽约州纽约） 美国女诗人、青少年读物作者。以赞美城郊家庭生活的轻松诗作闻名。从20世纪20年代开始为《纽约人》和《大西洋月刊》等杂志撰写诗歌。她的诗因仅仅是轻松之作而经常被退稿，但她的作品既风趣又严肃。她在诗歌中维护她所珍视的价值观，描绘宜人的郊区风光。她熟练地运用传统诗歌形式，非凡的写作技巧使她的作品一扫雕琢痕迹。1961年因诗集《乘3：三十年诗选》（1960）而获普利策诗歌奖。晚年的诗歌更为自由和有独创性。她还写有一系列很受欢迎的自传性随笔，题为《她鞋里的六便士》（1964），描写一个住在城郊的妻子。她为青少年所著的书有《生活在楼上的马》（1944）、《假孪生子》（1953）。

McGinnes, James Anthony（circus impresario） **麦金尼斯** 参阅**Bailey, James A(nthony)** *贝利*。

McGovern, George S(tanley) **麦戈文**（1922-07-19，美国南达科他埃文～2012-10-21，南达科他苏福尔斯） 美国参议员，1972年民主党改良主义总统候选人，主张立即停止越南战争，在国内实行自由化社会经济改革的广泛计划，但竞选失败。第二次世界大战时在空军中服役，后获西北大学历史博士学位，在达科他卫斯里大学任教。1948年起积极参与民主党的政治活动。1957～1960年任众议员。1960年在南达科他州竞选参议员失败后，任肯尼迪总统的"粮食用于和平计划"负责人两年。1962年选入美国参议院，1968年再度当选。此时他已成为反对美国继续军事卷入印度支那的主要人物之一。1972年民主党全国代表大会召开前，作为党的组织与代表推选委员会主席，他致力于制定党的改革方案，使少数民族在代表大会上的代表名额增加。由于得到这些新的代表的支持，他赢得了总统候选人提名，但却疏远了民主党内的许多传统分子。他未能统一全党，从而被在职总统尼克松以压倒多数击败。1974年重新当选参议员，1980年落选。1984年再次竞争民主党总统候选人提名，因在马萨诸塞州预选中落后而退出。

McGraw, John(Joseph) **麦格劳**（1873-04-07，美国纽约州特拉克斯顿～1934-02-25，纽约州新罗谢尔） 绰号小拿破仑。美国职业棒球运动员和球队经理。在他的主持下，纽约巨人队各分队共获10次全国棒球联盟冠军。19世纪90年代为全国棒球联盟巴尔的摩俱乐部的优秀内场手。1899年击球率为0.391，这一纪录至今在三垒手中还是最高的。1901年任新成立的美国棒球联盟巴尔的摩俱乐部经理。1902年重返全国棒球联盟，任巨人队经理。1932年退休。在职期间，巨人队在联盟中一直是一支最令人生畏的劲旅。麦格劳是一个专制的球队经理。对他而言，胜利高于一切，为此他对裁判员苛刻、刁难甚至谩骂。然而从比赛结果看来，他的战略还是成功的，在他带队的33年中，球队共获得2 840场胜利。1937年入选棒球名人堂。

MacGregor, Robert **麦格雷戈** 参阅**Rob Roy** *罗布·罗伊*。

McGroarty, Sister Julia **麦格劳蒂**（1827-02-13，爱尔兰多尼革尔郡因弗～1901-11-12，美国马萨诸塞州皮博迪） 原名Susan McGroarty。爱尔兰出生的美国宗教领袖和教育家，纳穆尔圣母村女修道院第一任美国院长，她的努力提高了美国天主教教育的范围和质量。1831年随家人移民美国。就读于俄亥俄州辛辛那提纳穆尔圣母村女修道院学校。1846年加入隐修会，不久成为修女，1848年发终誓。主持修道院学校达六年之久。1854年被派往马萨诸塞州罗克斯伯里圣母村（今波士顿一部分）新学院，任女舍监。1860年主持费城学院时，成为比利时修女会第一任美国女修道院院长。除主持学生大部为富裕家庭女儿就读的日校外，她还开办面向贫苦儿童的夜校。1877～1882年主持一所美国黑人儿童学校。1885年被召回辛辛那提，作为史利克女修道院院长的助手，1886年院长故去后接任落基山脉以东该会各美国修道院院长。担任该职15年中，她创建了14所新修道院和马萨诸塞州沃尔瑟姆一所大的修女见习处，以及加利福尼亚州圣何塞的一所孤儿院。她十分关注30余所学校的教学质量，亲自撰写标准教材，并制订出统考制度。

McGuffey, William Holmes **麦加菲**（1800-09-23，美国宾夕法尼亚～1873-05-04，弗吉尼亚夏洛茨维尔） 美国教育家。主要以所编系列小学课本留名于世。13岁便开始在俄亥俄州各边区学校教书，一面仍断断续续地继续自己的教育——从请私人教师到进高等学校。在俄亥俄州牛津的迈阿密大学任教10年（1826起）。在此期间对公共教育深为关心，给当地小学教师以种种帮助，并在家中为邻里儿童办了一个样板学校。1835年和辛辛那提的出版商杜鲁门及史密斯签订合同，编写四册课本。第一、二册与三、四册分别于1836及1837年出版。1844年第五册问世。1857年又加出第六册。这套课本按难易分等，收集有教诲意义的故事及名著选段，反映麦加菲的观点：对年轻人的适当教育必须引导他们了解广泛的事物和实际的事务。这套课本在半个世纪内几乎成为所有州的标准教材，压倒一切竞争者，总销售据说超出1.25亿册。麦加菲曾任辛辛那提学院院长（1836～1839）及阿森斯俄亥俄大学校长（1839～1843）。是俄亥俄普通学校制度的创建人之一。1845年当选夏洛茨维尔弗吉尼亚大学心理及道德哲学教授，任职直至逝世。

McGuire, Al **麦圭尔**（1928-09-07，美国纽约市～2001-01-26，威斯康星密尔沃基） 美国大学篮球教练。原是全国篮球协会纽约人队（1951～1954）和巴尔的摩子弹队（1954～1955）队员。1965年任密尔沃基市马凯特大学篮球队教练，直到1977年退役。1971年兼任该校体育主任。他一生所训练的球队共胜404场，负114场。在马凯特大学，他训练的球队共胜295场，负80场。他善于在比赛最后几分钟内运用策略取胜。他挥动小旗迷惑裁判人员使之作出错误判断。有人说这是他的瑕疵，也有人说是心理策略。退役后任体育器材厂经理和专门报道大学生篮球赛的电视解说员。

McGwire, Mark **麦奎尔**（1963-10-01，美国加利福尼亚波莫纳～　　） 美国职业棒球选手，被认为是该项运动历史上最有力量的击球手之一。大学时代担任一垒手，之后加入奥克兰运动员队，很快就展现出日后成为其特征的长处。1989年就以49支本垒打创下新人的纪录，并成为当年美国棒球联盟的年度新人。1989年，他的343季后赛击球率带领奥克兰拿下世界系列赛冠军。1993～

1995年他饱受痛伤之苦。1997年转到圣路易红衣主教队。1997年他击出58支本垒打。1998年他力图打破R. 马里斯长达37年的季赛61支本垒打的纪录。他和S. 索沙的竞争让球迷疯狂不已,最后麦奎尔以70支创下新的本垒打纪录,此项纪录2001年被B. 邦兹打破(73支)。1999年麦奎尔击出65支本垒打。2001年赛季后,他宣布退休。

Mach, Ernst　马赫(1838-02-18,奥地利帝国摩拉维亚奇尔利茨-图拉斯～1916-02-19,德国哈尔)　奥地利物理学家和哲学家。他提出了光学、力学和波的动力学的许多重要原

美国不列颠百科全书公司供图

理;在哲学上,他支持这样一种观点:所有的知识乃是感官经验(或观察)材料的概念综合。马赫14岁之前在家里受教育;随后,上过一段短时期的大学预科;17岁进入维也纳大学。1860年,获物理学博士学位。并在维也纳教授力学和物理直到1863年。是年又成为格拉茨大学的数学教授。这时,马赫的兴趣已经开始转向心理学和感官生理学,虽然他仍然称自己是个物理学家并毕生从事物理学研究。19世纪60年代,他发现了一种后来称为马赫带的生理学现象:人的眼睛有一种倾向,能在照明显著不同的区域之间的边界附近看到亮或暗带。马赫在1867年离开格拉茨就任布拉格的查尔斯大学的实验物理学教授,一直工作了28年。在这里他进行动觉(即与运动和加速度有关的感觉)的研究。1873～1893年间,他发展了测量声波和波传播的光学技术和照相技术。1887年,他提出了超声学原理和马赫数(物体的运动速度与声速之比)。在《感觉的分析》中,马赫发展了这样一种概念:所有知识都是从感觉(经验)得来的。于是,当人类对一些现象进行科学探索时,所了解到的无非是通过观察有关现象获得的一些经验或"感觉"。这种观点所导致的一个立场是,除非是从经验上可以证明的,自然科学中的任何陈述都是不能采纳的。马赫对可证明性的异常严格的准则使他摈弃了形而上学的概念,为爱因斯坦的相对论理论铺平了道路。马赫还提出了一个物理学原理(称为马赫原理——一个物体的惯性[inertia]来源于该物体与宇宙中所有其他物质的相互关系。马赫指出,惯性仅仅是一个物体和宇宙中甚至与其相距极为遥远的其他物体之间的相互作用的函数。爱因斯坦把马赫的这一理论作为他建立相对论理论的一个启示。1895年,马赫作为归纳哲学的教授重返维也纳大学。但两年后他患中风病;1901年,他退休后不再进行研究活动。但他继续演讲和写作,出版了《知识与谬误》(1905)和一本自传(1910)。他退休的同年当选为奥地利议会议员。

Mach number　马赫数　流体力学中,流体速度与流体中声速之比。以奥地利物理学和哲学家E. 马赫(1838～1916)的姓氏命名。物体在流体中运动(如飞机飞行)时,马赫数等于物体相对于流体的速度除以声音在此流体中的速度。马赫数小于1称为亚声速,大于1称为超声速。此外,按马赫数可将流动分为可压缩和不可压缩的两类。例如,低于0.3马赫数的气流认为是不可压缩的,即气体密度恒定,这可极大地简化对流动的分析。在高马赫数下,例如飞机飞行,航天飞行器重返大气层,以及喷气和火箭推进系统,都必须考虑其压缩性。

Macha　玛查　凯尔特宗教中三位战争女神之一,三位战争女神也统称玛查。她们的另一个共同名称是摩利甘。作为单独的一位,玛查还有许多别名,如达娜和巴德卜,意为"乌鸦"或"渡鸦"。玛查是大地母、女性本元、男人的大杀手。作为三位中的另一位摩利甘亦即黑色安妮丝,后者出现在关于亚瑟王的传奇中,名仙女摩根。三位中的第三位女神是奈梅茵。

Mácha, Karel Hynek　马哈(1810-11-16,布拉格～1836-11-05,奥地利帝国波希米亚利托梅日采)　捷克最伟大的浪漫主义诗人。出身贫苦家庭。学生时代即受捷克民族复兴及英国和波兰浪漫主义文学影响。曾漫游波希米亚乡村和意大利北部(1834)。1836年在利托梅日采谋得法律工作职位,但不久死于肺炎,时年不到26岁。求学时曾试图用德文写作,1830年开始用捷克文写诗歌、小品文和小说。他所有的散文作品实际上都是未完成之作。代表作是抒情叙事诗《五月》(1836)。该诗当时受到冷遇,但在20世纪却对捷克诗人和评论家产生出神奇的魅力。

Machado (y Ruiz), Antonio　马查多(鲁伊斯)(1875-07-26,西班牙塞维利亚～1939-02-22,法国科利尤尔)　西班牙"九八年一代"的杰出诗人和剧作家。在马德里大学获文学博士学位,并在巴黎大学深造,后任中学法语教师。他摒弃同时代人的现代主义,采用他自称的"永恒诗歌",这种诗歌主要来自直觉,而并非思考。他的创作道路可分为3个阶段。第一阶段是诗集《孤寂》(1903)和《孤寂、长廊及其他》(1907),确立了他和纯粹浪漫主义的联系。第二阶段是诗集《卡斯蒂利亚的田野》(1912),企图以极为赤裸和阴沉的风格描绘卡斯蒂利亚严酷的景色和精神。后期作品《新歌》(1925)和《诗歌全集》(1928),显示出深邃的存在主义观点,反映出诗人的孤独。他还与其兄合作,写了一些剧本。他热烈支持西班牙共和国,1939年共和国崩溃时逃离西班牙。

Machado, Bernardino Luis　马查多(1851-03-28,里约热内卢～1944-04-29,葡萄牙波尔图)　巴西出生的政治领袖,1915～1917和1925～1926年两度任葡萄牙总统。1879年起任里斯本科英布拉大学教授,1890和1894年两次代表大学选入贵族院。1893年任公共工程部长,并建立葡萄牙第一个劳工法庭。1902年拥护共和制后,当选为共和党执行委员会主席。1910年推翻君主政体后,他任外交部长,1912年任驻巴西公使,后任大使,1914年任首相兼内政部长。在第一次世界大战期间,他使葡萄牙参加英国一边作战。1915年8月6日当选总统,1917年12月8日被右派推翻。1925年12月11日重新当选总统,但由于军事叛乱,1926年5月28日又一次被罢免。马查多流亡国外,1940年获准回国。

Machado (y Ruiz), Manuel　马查多(鲁伊斯)(1874-08-29,西班牙塞维利亚～1947-01-19,马德里)　西班牙诗人、剧作家。以其受传统民谣启发写成的通俗诗歌著称,如《深沉的民歌》(1921)。与其弟合写《幸运的不幸》(1926)、《洛拉去港口》(1930)等诗剧。青年时期在巴黎过着豪放不羁的生活,成为西班牙现代主义运动的领导人。这个时期的诗集《心灵》(1902),显示出象征主义者和帕尔纳斯派对他的影响。另一本诗集《坏诗》(1909),是西班牙诗歌中首先使用俗语和嘲讽表现污秽的城市生活的尝试之一。1909年结婚,后任图书馆馆员,并做新闻记者而获得成就。西班牙内战(1936～1939)中支持国家主义者。20年代中期～1944年,任马德里市立博物馆馆长。

Machado de Assis, Joaquim Maria　马查多·德·阿西斯(1839-06-21,里约热内卢～1908-09-29,里约热内卢)　巴西诗人,长、短篇小说家。巴西古典文学大师。他的艺术植根于欧洲文化传统,并超越巴西各文学流派的影响。其父是个房屋油漆工。他17岁时当印刷工学徒,利用业余时间写作,不久便陆续发表浪漫主义传统的诗歌和小说。1869年已成为典型的获得成功的巴西文人,在政府机关就职,生活优裕,与有教养的女人结为伉俪。但疾病迫使他隐退,写出一部具有创新风格、成为明显突破当时文学陈规的小说《布拉斯·库巴斯的死后回忆》(1881)。这部小说、他的一些短篇小说以及后来的两部长篇小说《金卡斯·博尔巴》(1891)和杰作《堂卡斯穆罗》(1899)成为他博得名声的基础。他无视巴西的社会问题,如独立和废奴,缺乏巴西人对地方色彩和自觉的民族主义的热忱。作品通常只描写里约热内卢,他把这么做视为理所当然,在他眼里,似乎没有其他地方。大自然在他的作品里根本不存在。他笔下充满深刻的悲观和失望,如果没有嘲讽和机智的掩饰,简直难以令人忍受。1896年起任巴西文学院第一任主席,直至去世。

Machado y Morales, Gerardo　马查多-莫拉莱斯(1871-09-29,古巴卡马华尼～1939-03-29,迈阿密滩)　古巴独立战争(1895～1898)中的英雄,总统,古巴最有实权的独裁者之一。独立战争结束后,他离开军队,务农经商,但仍活跃于政界。1920年成为自由党领

袖。1924 年以压倒多数当选总统，受到大部分古巴人特别是中产阶级的拥护。为了对付因糖价下跌造成的经济萧条，他制定一项庞大的公共工程计划，但是被人指责为损公肥

美国国会图书馆供图

私。1927 年，马查多控制了古巴各政党。虽然学生和专业人员激烈反对，1928 年再次当选总统，实行更为独裁的统治。因社会动乱日益扩大，1933 年美国大使 S. 韦尔斯奉 F. D. 罗斯福总统之命，试图在马查多与反对派之间进行调解，但引起了大罢工，军队也要求马查多下台。8 月 12 日马查多被迫流亡，后死于国外。

Machaire Fíolta（Northern Ireland） 参阅 **Magherafelt** 马拉费尔特。

Machala 马查拉 厄瓜多尔西南部埃尔奥罗省省会。地处太平洋沿岸低地，距瓜亚基尔湾 2 英里。是周围农业区的商业中心，经营香蕉、可可、咖啡和皮革贸易。秋季有一年一度的香蕉集市。工业发展很慢，1969 年成立了一所工业大学。西南 4 英里的波利瓦尔港为马查拉的输出港，经营厄瓜多尔香蕉出口的 1/4 左右。人口约109 162(1982)。

Machang site 马厂遗址 中国黄河上游新石器时代晚期的文化遗址，马家窑文化的一个类型(参阅 **Majiayao site**)。位于青海民和县马厂塬。1924年发掘。出土的陶器器类有双腹耳彩陶瓮、双耳彩陶罐、单耳彩陶罐、

马厂类型 80 纹壶
中国大百科全书出版社供图

彩陶盆、彩陶碗、彩陶豆、彩陶杯和夹砂陶罐等。彩陶花纹潦草，但种类繁多。早期常用紫红色镶黑边的条带构图，晚期多为单一的黑色，少数为红色。花纹多样。同类遗存广泛分布于甘肃和青海东北部，一般称为马厂期或马厂类型。墓中随葬品多寡悬殊，并有殉人现象。

Machanganaland（South Africa） **马尚加纳兰德** 参阅 **Gazankulu** 加赞库卢。

Machaut, Guillaume de 马肖(约1300，法国马绍～1377，兰斯) 法国诗人和音乐家。同时代人尊他为法国诗艺大师，并视他为 14 世纪"新艺派"音乐风格的主要法国作曲家。他的声誉主要在于他的短诗和音乐作品。他是想到将抒情诗和音乐融于一体的法国最后一

美国不列颠百科全书公司供图

位大诗人。曾加入教团，1323 年为波希米亚国王卢森堡的约翰效劳，他以御前经师和秘书身份随驾出征。1337 年，为奖励他的功绩，任命他为兰斯大教堂议事司铎。国王死后，国王之女、未来的法国国王约翰二世之妻、卢森堡的博娜成了他的保护人。在长诗方面，他没有超越当时业已广泛采用的主题和种类。它们大多属于按精细的高雅爱情传统写成的劝喻性和寓言性习作。较长篇作品中的一个例外是《真实故事》，叙述一个地位崇高的年轻女子如何钟情于诗人，因为他有声望和创作成就。然而，两人年纪相差悬殊，这一田园牧歌以失望告终。马肖的抒情诗还以高雅爱情主题为基础，但又加工为纤细灵巧的形式，文字具有音乐性，往往精雕细刻，极为完美。他的影响远远超越法国疆界，技巧上的创新意义尤其重大。英国的乔叟在他的《公爵夫人的书》中就大量引用马肖的诗作为其全书纲领。他的全部音乐保存在 32 部原稿之中，代表了他那个时期存留下来的音乐的一大部分。他在作曲家中首先单独创作弥撒仪式的复调配曲，一部在现代演出中已被录音的作品。在他的大部分四声部配乐中，他运用了独具特色的等同节奏的新艺派技巧。他的非宗教乐曲构成他音乐作品的绝大部分。他的 33 首双韵短诗中，有 25 首只有一个旋律，它们连同它大量的歌曲代表了行吟诗人所创造的这种无伴奏歌曲的传统。他的其他双韵短诗都增加一两部分供器乐伴奏，这些都是典型的有伴奏独唱曲，在 14 世纪十分风行。他的音乐广泛分布于当时的手抄本之中，说明他不仅在法国，而且在意大利、西班牙和欧洲大部分地区都受到推崇。

Machel, Samora 马谢尔(1933-09-29，莫桑比克奇伦贝内～1986-10-19，南非姆布齐尼) 莫桑比克政治人物，独立后的首位总统(1975～1986)。受教育于教会学校，但拒绝到神学院完成高等教育。曾在马普托从事护士工作 10 年，后加入莫桑比克解放阵线，并被派往阿尔及利亚接受军事训练。1969 年蒙德拉纳被暗杀，次年马谢尔担任莫桑比克解放阵线领袖。1975 年莫桑比克独立后出任总统。莫桑比克解放阵线奉行马克思主义，对许多机构实行国有化，并支持穆加贝为结束津巴布韦白人统治的斗争。但 1984 年与南非签署不支持其他国家敌对运动的恩科马蒂协定，因而与白人少数政府保持经济关系。20 世纪 80 年代虽有旱涝灾害且与莫桑比克全国抵抗运动内战不断，但其政府依然执掌政权。1986 年马谢尔从津巴布韦返回莫桑比克途中，飞机在南非失事。人们认为南非政府与此有关，但南非政府坚决否认。其遗孀格雷卡(1998 年与南非总统曼得拉结婚)向南非真理与和解委员会出示证据，表明南非白人政府插手此事。1999 年在飞机失事地点竖立起马谢尔纪念碑。

Machen, Arthur 梅琴(1863-03-03，英格兰蒙茅斯郡卡利恩～1947-12-15，白金汉郡比肯斯菲尔德) 亚瑟·卢埃林·琼斯的笔名。威尔士小说家、散文家，20 世纪科学幻想小说的先驱。他的作品深受他在威尔士的童年生活及所读神秘学和玄学著作的影响。1902 年成为本森的莎士比亚轮演剧目剧团演员。1912 年将近 50 寿辰时，到伦敦《新闻晚报》编辑部工作。第一次世界大战时，在报上发表了短篇小说《蒙斯的天使》，显示出他的作品的特色，被作为一个真实的故事广为传播，给成千上万作战的士兵带来希望。他写的幻想作品往往以中世纪的英国或威尔士为背景，例如传记体小说《多梦的山丘》(1907)。该书提到古罗马城堡和威尔士的神秘故事。甚至他的以伦敦为背景的短篇小说也很富有浪漫色彩，并表现出他对工业化时代以前的依恋之情。其他作品有《恐怖》(1917)、《大神锅和最深处的亮光》(1894)、《遥远的事物》(1922)和《远近的事物》(1923)。

Machen, John Gresham 梅琴(1881-07-28，巴尔的摩～1937-01-01，美国北达科他俾斯麦) 又译马琴。美国基督教长老会学者(普林斯顿神学院)。他因反对按照现代自由主义原则修正 17 世纪英格兰长老宗的《威斯敏斯特信纲》而被合众国长老会大会停职；随后他参与成立坚持保守教义的美国长老会(1936；后改名正统长老会)。他在所著《基督教与自由主义》(1923)中抨击长老宗自由主

义派背离《圣经》,违背历史;1929年脱离普林斯顿神学院,参与在费城成立威斯敏斯特神学院。

Macheng 麻城 中国湖北省县级市。位于大别山中段南麓,鄂、豫、皖三省交界处。境内西北、东北、东南三面为大别山及其余脉龟山所环绕,西南及中部是冲积平原。主要河流举水自东北向西南斜贯中部。市区沿举水两岸分布。面积3 599平方千米。南朝梁(503～557)置信安县。隋开皇十八年(598)改为麻城县。因城为后赵将麻秋所筑,故名。1986年撤县改置麻城市(县级)。1995年起由黄冈市代管。农业主产水稻、小麦、棉花、花生和芝麻。东北部山区以产龟山云雾茶、蚕茧、柿、板栗、桐油、乌桕、白果,以及茯苓、荆芥等中药材著名。工业有机械、纺织、化工、制茶、造纸等。当地的"东路花鼓戏"是湖北省具有特色的地方剧种。有公路干线通汉口、罗田、广水,并达河南商城、安徽金寨等地。举水河道经整治后,下游可通500吨级机船。全市建有大、中型水库10多座,有小水电站101处。九龙山有唐代建的柏子塔,龟峰胜景是湖北省旅游胜地。人口1 160 000(2005)。

McHenry, Robert 麦克亨利(1945-04-30,美国密苏里圣路易斯～) 全名Robert Dale McHenry。美国百科全书编纂者、编辑和作家,1992～1997年任不列颠百科全书公司副总裁和总编辑。毕业于西北大学(1966年获文学士;1987年获工商管理硕士)和密歇根大学(1967年获文学硕士)。1967年加入不列颠百科全书公司,两年后去旧金山制作公司为M.J.阿德勒工作。曾编辑《美国自然资源保护史文献汇编》(1972)和《韦氏美国人物传记》(1974),1975年到马萨诸塞州普林菲尔德的乔治和查理·梅里厄姆公司(后改名为梅里厄姆-韦伯斯特公司)任资深编辑,指导工具书的出版,如《韦氏美军人物传记》(1978)、《自由的女性》(1980)和《韦氏新传记词典》(1983)。1982年回不列颠百科全书公司,任《康普顿年鉴》编辑,加入不列颠百科全书编辑队伍,任《不列颠百科年鉴》编辑部主任。1986年任《不列颠百科全书》编辑业务主管,1990年成为主编,1992年任总编辑。除领导向CD-ROM工具书(包括1994年的《不列颠百科全书》光盘)转型的编辑过渡外,还是1994年在因特网发行的第一部百科全书——不列颠在线的主要策划者。出于他对信息论的兴趣和一丝不苟的思考,他在因特网上发表了他的著作《如何获取知识》(1998)。

Machias 马柴厄斯 美国缅因州东部城镇,华盛顿县县城(1790)。在马柴厄斯湾马柴厄斯河口附近,位于班戈东南135千米处。1633年为英国贸易点。1763年成为英国殖民地前曾有海盗活动。1770年设镇,1784年设建制。曾是独立运动的发源地,宣告美国独立的旗帜在此升起。殖民时期纪念物有伯纳姆小旅店(1770,现辟为陈列馆)和州奥布赖恩堡纪念地。早期为兴旺的造船和伐木业中心。目前经济项目有旅游、木材、蓝莓和海产品加工业。设有缅因州大学分校。以狩猎和垂钓活动著名。附近有州立科布斯库克湾公园和穆斯霍恩国家野生动物保护区。面积36平方千米。人口2 353(2000)。

Machiavelli, Niccolò 马基雅弗利(1469-05-03,佛罗伦萨～1527-06-21,佛罗伦萨) 意大利作家和政治家,佛罗伦萨共和国爱国者,有独创性的政治理论家。其主要著作《君主论》给他留下了不讲道义、不顾廉耻的恶名。马

美国不列颠百科全书公司供图

基雅弗利出生于权贵世家,但到其父一代,除四壁图书外已一无所有。因此他未能受到适当的教育,未从名师学习希腊文,攻读拉丁文也以自学为主。这样的教育反而使他得以避免饱学人文主义所带来的缺陷,保持独创的思想和文风。

1498年马基雅弗利被任命为第二国务厅长官。传统上关于此前他曾在该厅任低级官吏的说法无据可考。该厅原来只负责共和国内部事务,后与执政的10人秘书处合并,负责外交和国防,官员常衔命出使意大利各国和外国宫廷。马基雅弗利第一次重要使命是1500年出使法国,在法5个月,他亲身见闻了由一个君主治理的强大国家的实情。回国后他发现大有施展才能的余地。其时,C.博尔吉亚正野心勃勃试图在中部意大利建立自己的君主国,这使佛罗伦萨共和国危在旦夕。马基雅弗利除履行日常事务外,常出使四方,以积极行动面对危险和困难。他的短文《论对付基亚纳河谷叛乱的方法》(1503)即为此时所作。文中他第一次提出了其新学说的主要原理:"世界上总是住满具有同样感情的人群。"他曾两度被派遣谒见博尔吉亚,目睹了博尔吉亚血腥报复反叛军官的情景,就此他写了《瓦伦蒂诺公爵怎样杀死维泰洛佐……》。这个势力强大而手段凶险的君主大大激发了马基雅弗利惯于进行抽象和理论概括的想象力。他把博尔吉亚的品格和做法视为"新君主"的理想,在他看来,这个"新君主"应该用猛烈的手段救治意大利的痼疾。1503年博尔吉亚之父教皇亚历山大六世死去,继任的庇护三世也很快死去,与博尔吉亚家族有世仇的尤里乌斯二世当选为新教皇。正出使罗马的马基雅弗利在那里目睹了他心目中的英雄的垮台。此时,P.索德里尼当选为佛罗伦萨首席执政官,马基雅弗利很快赢得他的宠信,成为他的得力助手,并因而得以实践自己的军事思想。马基雅弗利看到历来意大利各国作战使用的雇佣兵纪律松弛、缺乏忠诚、蛮横跋扈。他根据古罗马军事体制和自己在法国的见闻(他于1504年再度出使法国)以及仿效博尔吉亚的做法,极力主张建立佛罗伦萨自己的国民军,在人民中间征召兵员。他说服首席执政官于1505年通过了建立国民军的立法,翌年成立指挥国民军的9人委员会,自己出任该会秘书。1507年12月,神圣罗马帝国皇帝马克西米连一世准备从德国入侵意大利。索德里尼派遣马基雅弗利经瑞士去德国。他对两国情况悉心观察,回国后写成《关于日耳曼国家状况的报告》,极其精辟地既指出日耳曼国力强盛的根由,又指出其政治上软弱的原因。他所写的所有官方报告都具有理论概括的倾向。1508年他从德国回国时,佛罗伦萨正准备重新征服一度脱离佛罗伦萨统治的比萨城,他得到机会考验他所建立的国民军。他亲临前线,坚决同士兵一起作战。这个一贯怀疑一切、审慎处事和玩世不恭的人此时表现出极大的爱国热情。1509年6月8日比萨投降,他和国民军对佛罗伦萨的胜利起了极大的作用。1510年7月,他再次前往法国,劝说路易十二与教皇尤里乌斯二世和解,至少不要把佛罗伦萨拖入战争。但"对治国策略一窍不通"的法国人对他的游说无动于衷。他就此行写成《法国状况概述》。同年10月回国后,他确信法国国王与教皇之间必有一场大战,佛罗伦萨势必卷入,于是全力对本国进行武装。1511年夏末他再赴法国,说服路易十二撤销他设在比萨的分裂派委员会,以避免开罪教皇。归国后他又立即前往比萨毫不客气地撤销了该委员会。然而为时已晚,此时教皇神圣联盟军队已经前来讨伐佛罗伦萨,废黜了首席执政官索德里尼。1512年梅迪契家族重新成为佛罗伦萨的主人,马基雅弗利被免除一切职务。1513年初佛罗伦萨发现一起反对梅迪契家族统治的密谋,马基雅弗利被控参与共谋,被捕入狱。几经拷问,他始终陈述自己无辜,最后终于获释,但行动自由受到限制。教皇尤里乌斯二世死去,梅迪契家族的乔万尼成为教皇利奥十世。马基雅弗利写成一篇虔诚的颂辞,希望借此获得梅迪契家族的宽恕,但毫无结果。此时他已一贫如洗,栖身于佛罗伦萨附近一个祖遗的小庄园中,利用闲暇时间进行写作。1513年从春到秋写成他的两部名著《君主论》和《论李维》。马基雅弗利始终热爱佛罗伦萨共和国,他的所有理论都是为了使它更臻完善。但当时社会的腐败、意大利各国的软弱以及外来征服的威胁使他渴望出现一个能够实现他拯救意大利的理想的"新君主"。他想象中的这个"救世主"必须克服巨大的困难,为了达到目的可以不择手段,甚至宗教也应服从国家的需要,成为权力的工具。他提出一些露骨的手段只是因为他认为人类过于丑恶。而他向往的是一个由善良纯洁的人们组成的社会。他把目光投向古代,并倾羡当代那些较少开化的民族,认为他们较少腐败。马基雅弗利本来指望把《君主论》献给1513年起统治佛罗伦萨的罗伦佐·梅迪契以后能换个一官半职,结果却完全落空。此时他还开始写作喜剧《曼陀罗花》(1518),对人们的丑恶和腐败进行苦涩的嘲讽。

罗伦佐死后，枢机主教朱利奥·梅迪契统治佛罗伦萨。斯特罗齐把他推荐给朱利奥。为感戴斯特罗齐的知遇之恩，他向他呈献了对话《论战争的艺术》(1521)。朱利奥先派遣他出使卢卡公国，不久又批准他为共和国史官，年俸57枚金币，后加到100枚金币。在此期间他为梅迪契家族出身的教皇利奥十世撰写一篇《论文》，论述罗伦佐死后如何组织佛罗伦萨政府的问题，直谏恢复佛罗伦萨的自由传统。1521年5月他被派往卡尔皮地方的方济各教士会。同年12月利奥十世死去，朱利奥成为佛罗伦萨的唯一主宰，立意改革政府，曾征询马基雅弗利的意见。马基雅弗利把为利奥十世所写的《论文》稍加修改呈献给他。1523年9月朱利奥当选为教皇，称克雷芒七世。此时马基雅弗利专心写作《佛罗伦萨史》。1525年6月他向新教皇呈上已完成的8卷，教皇对他慰勉有加，赐给他120枚金币，鼓励他继续写作。《佛罗伦萨史》像他早期著作一样具有强烈而独创的思想，独辟蹊径，打破人文主义修史的传统。他对真实的追求常与避免开罪他的庇护者的需要相抵触，所以他更多是以政治家的姿态，而不是以历史家的姿态撰写历史。这部史书的价值不在于叙事的精确，而在于有力的归纳和对事实的出色组织。1526年4月，他被选为5人城防委员会的秘书。随后教皇组织科尼亚克同盟反抗神圣罗马帝国皇帝查理五世，马基雅弗利参加教皇军队作战，直至查理五世攻陷罗马而于1527年5月结束战争。此时佛罗伦萨已摆脱了梅迪契家族的统治，马基雅弗利回国后企图恢复他在国务厅的职务。但是，尽管他只不过曾得到梅迪契家族赐予的一点残羹剩饭，然而自由共和国的卫士们却丝毫不念他对共和国的一片忠诚和对自由的一贯热爱，将他弃如敝屣。他忧郁成疾，快快死去。

马基雅弗利为了警醒世人常做出比他的实际更丑恶的姿态，加上他著作中一些直率主张，使他落得一个不顾道义的恶名。他是历史哲学的奠基人之一，深知自己是在开辟“一条前人从未走过的道路”。他是根据人性不变的观点提出历史循环论和在研究人的基础上建立政治科学的第一人。他是一位伟大的思想家和伟大的作家，在他尝试过的所有文体中，包括历史、政论、小说和喜剧，都表现了杰出的天才。

Machida　町田　日本本州东京都城市。邻神奈川县，在多摩丘陵南坡。1958年由原町田和附近3个村庄合并而成。明治时代(1868～1912)为横滨货源(主要为丝织品)市场。1908年通铁路，其商业、交通枢纽之地位日显重要。后来发展成东京-横滨都市区的居民卫星城。人口约308 031(1983)

Machilīpatnam(India)　**默吉利伯德讷姆**　参阅 **Masulipatam** 默苏利珀德姆。

machine　机器　用来节省或代替人力、畜力，以完成各种体力工作的具有独特用途的装置。包括诸如杠杆(**lever**)、劈(**wedge**)、轮轴(**wheel and axle**)、滑轮(**pulley**)和螺旋(**screw**)等5种所谓简单机械，以及如现代汽车那样的复杂机械系统。

机器的工作可包括把化学能、热能、电能或核能转换成机械能或反之，或者仅改变和传递力和运动。所有机器均有输入部分、输出部分以及变换和传动装置。

从诸如空气流、水流、煤、石油或铀等天然能源取得输入能量并将其转换为机械能的机器，称为原动机。风车、水轮、涡轮、蒸汽机和内燃机都是原动机。这些机器的输入部分有所不同，输出部分通常为一转轴，可用作其他机器如发电机、液压泵或空气压缩机的输入部分。以上三类机器的输出分别是电能、液力能和气力能，可用作电动机、液压发动机或压缩空气发动机的输入。这些发动机可用于驱动具有各种输出部分的机器，如材料加工机、包装机或输送机，或诸如缝纫机和洗衣机等用具。所有上述机器以及既不是原动机、发电机，又不是发动机的机器，可归入工作机械。这一类也包括人工操作的各种器械，如计算器和打字机等。

在某些情况下，各种机器可组装成为一个机组。例如，在内燃电力传动机车中，内燃机是原动机，它驱动发电机，而发电机又供给电动机电流以驱动叶轮。

汽车中的机械零件　用汽车提供的一些例子来介绍机械零件是有价值的。在汽车中，基本问题是利用汽油的爆炸作用，提供功率来转动后轮。汽油在气缸中爆炸将活塞推下，通过一些连杆的传动将一些活塞的平移(直线)运动变为曲轴的旋转运动。连杆将每一活塞与曲柄连接起来，而曲柄是曲轴的一部分。活塞、气缸、曲柄和连杆的组合，称为滑块-曲柄机构；它是将平移变为转动(如在发动机中)或转动变为平移(如在泵中)时常采用的方法。

利用阀门将汽油和空气的混合物导入气缸并排出废气；这些阀门由旋转凸轮轴上凸轮的楔入作用打开和关闭。凸轮轴通过齿轮或链条由曲轴驱动。

在8个气缸的四冲程循环发动机中，曲轴每转到1/4圈的位置就受到一个冲力。采用飞轮来消除这些断续冲力对曲轴速率的影响。飞轮是装在曲轴上的一个重型轮子，利用其惯性克服或缓和速率的任何波动。

因为提供的转矩(旋转力)与速率有关，所以内燃机在负载下不能起动。要使汽车发动机在无载状态起动，然后不失速地与轮子连接，就必须使用离合器和传动装置。前者将曲轴和传动装置接合和断开，后者通过有限的步骤改变传动装置输入输出的速率比和转矩比。在低速挡，输出速率低，输出转矩大于发动机转矩，所以汽车可以开动；在高速挡，汽车以相当大的速率行驶，输入输出转矩和速率都对应相等。

后轴箱装有连接轮子的轴，并固定在后面的弹簧上。后轴由驱动轴通过传动装置驱动。当汽车行驶中弹簧随车在道路上的颠簸而挠曲时，轴箱相对传动装置运动；为使这一运动不干扰转矩的传递在驱动轴的每端附连有万向节。

驱动轴垂直于后轴，通常用伞形齿轮连接。伞形齿轮有这样的配比，使得后轴的转动速率为驱动轴的1/3到1/4。后轴箱还有差动齿轮，能使两后轮由同一动力源驱动，而在拐弯时以不同速率转动。

像所有运动的机械装置一样，汽车也不能摆脱摩擦的影响。在发动机、传动装置、后轴箱和所有轴承中，摩擦都是有害的，因为它增大了从发动机获取的所需功率。润滑可以减小但不能消除这种摩擦。另一方面，轮胎与道路之间以及制动块中的摩擦，使牵引和制动成为可能。驱动风机、发电机和其他辅助设备的传动带是与摩擦有关的装置。摩擦在离合器运作中也是有用的。

以上列举的一些装置在各种机器中都出现，可以以多种方式装配来完成各种体力工作。大多数这些基本机械装置的功能，是传递和改变力和运动。其他部件，如弹簧、飞轮、旋转轴和紧固件，则完成辅助功能。

机械可进一步定义为由两个或两个以上相对约束的坚固部件组成用来传递和改变力和运动而做功的装置。机器部件要求坚固，意指它能承受所加负载而不致断裂或失效。尽管大多数机器零件是适当尺寸的实心金属体，但也采用非金属材料、弹簧、流体压力元件和传动带等拉力元件。

约束运动　机器最与众不同的特征是其部件相互连接并在运动中相互制约。例如，对气缸体来说，往复式发动机的活塞受气缸约束作直线运动，曲轴上的各点受主轴承约束作圆周运动。其他形式的相对运动是不可能的。

某些机器上的部件只是部分受到约束。若将部件用弹簧或摩擦元件相互连接，则各部件之间相对运动的路径可以确定下来，但部件的运动会受到弹簧刚度、摩擦和部件质量的影响。

若机器的所有部件都有相当大的刚度，且承受负载时产生的挠度可以忽略，则可认为约束是完整的，研究部件的相对运动可以不考虑产生相对运动的力。例如，根据往复式发动机曲轴的额定转速，就可以计算连杆和活塞上相应点的速率。对于规定的输入运动，确定机器部件的位移、速度和加速度，是机械运动学的学科内容。进行这种计算可以不考虑涉及的力，因为运动是受约束的。

机器的机构　按照定义，机器传递并改变力和运动。机器部件相互连接和导引，通过给定输入运动产生所需的输出运动。以这种方式组合的一些机器部件，称为机器的机构。在往复式发动机中的活塞、连杆和曲轴构成一个机构，用以把活塞的直线运动变成曲轴的转动。

尽管在机器运转中涉及力和运动，但机器的主要功能是增力或改变运动。杠杆本质上是一个增力器，而齿轮箱最常用作减速器。然而，机器中运动和力是不可分离的，常成反比关系。杠杆的输出力大于输入力，但输出位移小于输入位移。同样，齿轮减速器的输出速率小于输入速率，但是输出转矩大于输入转矩。在第一种情况下，增力伴随着位移的减小；而在第二种情况下，运动速率的减小伴随着转矩的增大。

尽管可以识别一些机器的主要功能，但是把所有机器分为改变力的装置或改变运动的装置是困难的；某些机器兼属于两类。然而，所有机器都必须完成改变运动的功能，因为若机械装置的部件不能运动，则此装置是一个结构而不是机器。

虽然所有机器都有一个机构，可完成改变运动的功能，但是有些机器没有改变力的目的；存在的力是由摩擦和运动物体的惯性引起的，而不是作为有用输出的作用力出现。这一类机器包括测量仪器和钟。

在力学科学中，“功”是力在力的作用方向移动时所完成的，等于平均力与移动距离的乘积。若一人手提重物在水平路径上走动，按照这一定义他不做功，因为力和运动互成直角，即力是垂直而运动是水平的。若他提重物上楼梯或梯子，则做功，因为他是在施力的方向运动。在数学上，若 F 表示力（以磅或千克为单位），S 表示距离（以英尺或米为单位），则功等于施加的力 F 乘以此力移动的距离 S；或功 $= F \times S$。

当力使物体绕定轴转动时，所做的功等于转矩（T）乘以转角。

效率的计算 根据力和运动确定机器的机械功函数时，这些与功有关的概念是十分重要的，说明机器中力和运动是不可分离的。由于摩擦，机器的输出功必小于输入功，而效率是两者之比，因而必小于 100%。

输出力跟输入力之比称力机械利益（MA），它确定改变力的能力；而输入和输出行程之比是速率之比（VR），它确定改变运动的能力。当效率高时，这些比值近似相等：若输出力为输入力的 10 倍，则输入运动速率必定是输出运动速率的 10 倍；也就是力的增加就是运动速率的降低。摩擦影响机械利益，但不影响速率比（除了在某些采用传动带和惰轮的机构中）。

根据输出功与输入功之比计算效率，必须知道输出力和输入力在一给定距离内所做的功。这需要确定此距离内的平均力，所以是不方便的。由负载瞬时值和负载运动速率更容易确定机器的效率。为此，计算功率的公式是最有用的。

功率是做功的速率。若一人提 10 磅（4.5千克）重物上楼梯或梯子，在半分钟内所上的垂直高度为 12 英尺（3.66 米），则他在半分钟内的功率消耗为 10 × 12 或 120 英尺·磅；而他的功率为 240 英尺·磅/分。

在英语系的国家中，功率的单位是马力（hp，1 马力 = 0.749 7 千瓦）。1 马力等于 33 000英尺·磅/分，所以 240 英尺·磅/分等于 240/33 000 = 0.007 27马力。

在处理诸如杠杆和轮轴等简单增力机械时，将输入力称为“作用力”并将输出力称为“荷重”是方便的。因而机械利益是荷重跟作用力之比，而速率比是作用力的运动（位移或速率）除以相应荷重的运动（位移或速率）。

machine gun 机枪 能迅速持续射击的小口径自动武器。机枪于 19 世纪末期研制成功，并使现代作战的特点发生了深刻的变化。

现代机枪分为三大类。轻机枪又称班用自动武器，装有双脚支架，由一名士兵操作，通常有一个盒型弹匣，使用本部队装备的冲锋枪小口径中等威力的弹药。中型机枪或通用机枪采用弹带进弹，装有双脚或三脚支架，发射大威力的步枪弹药。第二次世界大战期间，“重机枪”一词是指弹带进弹，由数名士兵组成的专门的班操作的安装在三脚支架上的水冷式机枪。1945 年以后，该词是指发射比普通步枪口径大的弹药的自动武器，虽然苏联重机枪发射 14.5 毫米的枪弹，但用得最多的是口径为 12.7 毫米的重机枪。

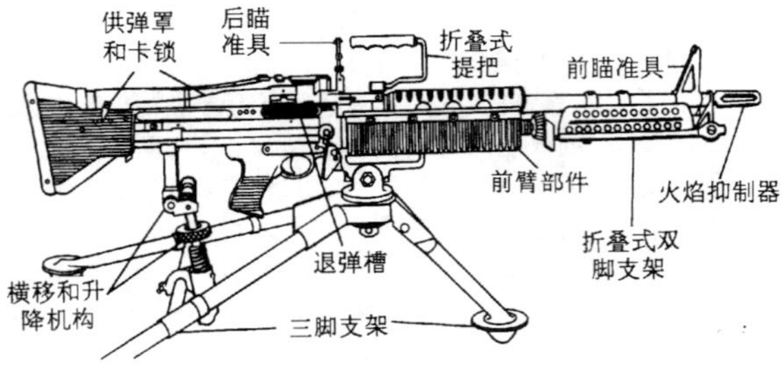

典型机枪（美国的 M60 机枪）组件

大多数机枪的射速是 500 ～1 000发/分。现代机枪采用弹带进弹，只要扣压扳机不放，在弹药没有消耗完之前，就能继续射击。

从欧洲中世纪后期使用火器以来，人们试图设计出不需再装弹即可再次射击的武器，有代表性的做法是用一束或一排枪管依次射击。1718 年，J.帕克尔在伦敦为一种实际投入生产的机枪申请专利，这种机枪的模型现在放在伦敦塔中。其主要特征是一个向枪膛装弹的旋转弹巢，这是走向自动武器基本的一步。但是由于笨重，而且燧发机点火不可靠，因此未能成功。19 世纪出现撞击火帽后，美国发明了多种机枪，有些机枪曾经在美国南北战争中使用过。在这些机枪中，不管是旋转弹巢的还是枪管束的机枪，都是手摇曲柄操纵。加特林机枪最为成功，其后出的型号已使用由子弹、发射药和点火机构组成的现代定装式枪弹。

19 世纪 80 年代由于采用无烟火药，机枪便能由手摇式发展成为真正的自动武器，主要原因是无烟火药燃烧均匀，便能利用后坐力使枪机工作，退出弹壳和重新装弹。美国的 H.S.马克沁在武器设计中首先利用这一效应。继马克沁机枪（约 1884）之后，很快出现了霍奇基斯、刘易斯、勃朗宁、麦德森和毛瑟等机枪。其中有一些机枪利用了无烟火药均匀燃烧的另一种性质：在射出每发子弹时，有少量燃气通过一个气门分流出去，带动活塞或杠杆打开后膛，以接纳下一发枪弹。结果，第一次世界大战一开始，机枪就统治了战场。当时的机枪一般是弹带装弹、水冷，口径与步枪相当。在整个第一次世界大战中到进入第二次世界大战，除与飞机螺旋桨的同步机构外无其他变化。此后，薄钢板枪体和气冷的可迅速更换的枪管的发明，使机枪重量更轻、更为可靠，射击更为迅速，但其原理依然与马克沁机枪相同。

大多数机枪利用弹药燃爆产生的气体带动装填机构向枪膛供新弹。所以机枪不需要外来能源，而是利用子弹发射药燃烧释放的能量供弹、装弹、闭锁和发射一发子弹，以及退弹和抛出空弹壳。自动工作可以通过以下三种方式之一完成：后冲、后座和气动式。

在简单的后冲工作中，发射药燃爆将空弹壳向后推，进而将枪机后推，枪机相应地挤压弹簧，靠弹簧的弹力把枪机恢复至发射位置。后冲工作的基本问题是控制枪机向后运动，以便机枪的工作（即装弹、射击和退弹壳）得以准确进行。在后座工作中，子弹一发射，枪机就立即闭锁在枪管上，枪机和枪管一起后坐，但是在弹簧的作用下，枪管随即向前复位，枪机则由锁定机构固定在后面，直到从开口槽中装入新子弹为止。

比这两种方法更常用的是气动式。用这种方法，子弹发射后枪管泄出的气体压力提供了机枪工作所需的能量。在典型的气动式机枪中，枪管一侧枪尾和枪口间一定位置上有一个开口或气门。当弹头通过这一开口时，弹头后面的某些高压气体从开口流出，使活塞或某些类似的装置工作，将火药燃气的压力变成推力。然后通过一个合适的装置将此推力用来提供持续射击所需的自动功能即装弹、射击和退弹壳必要的能量。

machine tool 机床 由动力驱动的固定式机器，用来把金属或其他材料加工成零件。加工通常有 4 种基本方法：①以碎屑的形式从零件上切削多余的材料；②剪切掉材料；③挤压金属零件，使之获得所需形状；④应用电、超声波或化学腐蚀作用。第 4 种方法包括最新发展起来的加工超硬（不能用旧方法加工的）金属的机床和加工方法。以碎屑形式从零件上切削掉多余材料的机床包括车床、牛头刨床、龙门刨床、钻床、铣床、磨床和锯床。金属的冷成形（如厨具、汽车外壳等）可采用冲床；而炽热毛坯的热成形可采用热模锻压机。用现代机床切削或成形的零件，其公差可达 ±0.002 5 毫米。

18 世纪工业革命前，诸如厨具、武器、船、家具等均采用手工工具制作，蒸汽机发明以后，材料加工则由电动机具制作完成。能大量生产尺寸精确零件的机床和夹具使 19 世纪批量生产和可互换性零件成为现实。早期的蒸汽机深受早期机床不精确之害。在第一台蒸汽机诞生后的 50 年中，加工金属零件所需的一些基础机床逐渐得到发展。1797 年英国人 H.莫兹利创制成的车床由丝杠传动刀架，能实现机动进给和车削螺纹，这是机床结构的一大变革。牛头刨床的发明者是 J.内史密斯，他在 1839 年还发明了汽锤。1818 年美国人 E.惠特尼制成铣床。1862 年美国人 J.R.布朗制成万能铣床。19 世纪中叶美国制成六角车床。1896 年美国人 F.W.费洛设计了一种刨齿机，能迅速加工出几乎任何类型的齿轮。19 世纪末金属加工及成形的彻底革命创造了大批量生产和工业化社会的基础。20 世纪出现大量精加工机床（如多面铣床、电子和液压自动操作系统）和现代技术（如电化学和超声波加工）。时至今日，19 世纪发展起来的基础机床依然可见。

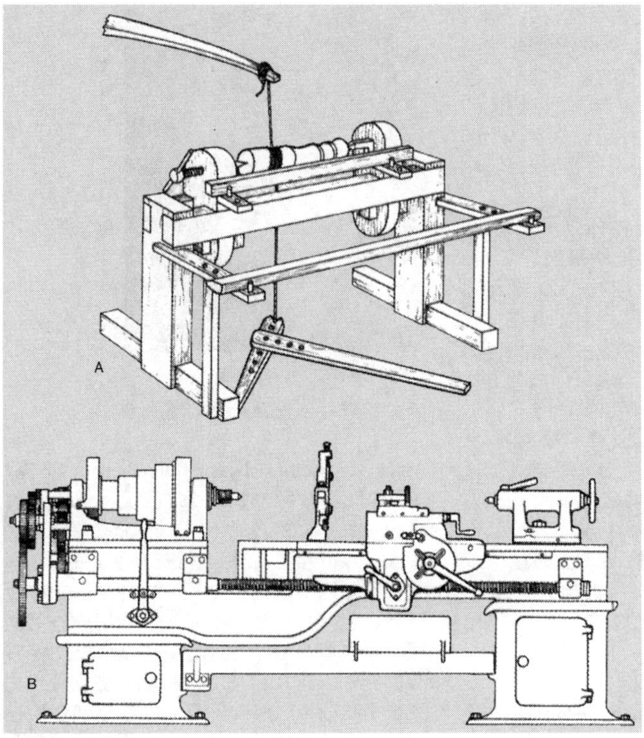

机床(A)17世纪的机床;(B)19世纪的半自动机床

机床必须具有夹紧工件和刀具以及精确控制切削深度的装置。机床还具有进给运动和改变工件和切削刃之间相对运动即切削速度的装置。最佳切削速度由被切削材料和刀具材料来决定。金属切削刀具分单刃或多刃。前者有车刀、刨刀等;后者有两个以上的切削刃,如铣刀、钻头和拉刀。为切削工件,刀具必须比工件硬,并在摩擦受热后仍能保持切削刃。用做刀具的材料有碳钢(含碳量为1%～1.2%)、高速钢、铸造合金、硬质合金、氧化铝、金钢石。机床有数百种,小的能放在台上,大的达数百吨。

在所有机床中,普通车床最重要,广泛用来车削外圆和端面,以及钻孔、镗孔、铰孔、扩孔、锪孔和攻螺纹等。刨削加工包括用单刃刀具加工平面、沟槽、凸台、T型槽和斜面。钻床除了用来钻孔外,还可用于铰孔、镗孔、扩孔、锪孔和攻螺纹。铣床有标准的升降台式铣床、无升降台式铣床和专用铣床。磨削加工是基本加工工序中最精确的。用现代磨床磨削硬零件或软零件时,公差可达±0.002 5毫米。磨床有外圆磨床、内圆磨床、无心磨床、平面磨床、自动磨床、专用磨床和带磨床。切削金属的电动锯床有弓锯床、带锯床和圆锯床之分。锻压机床通过剪切、冲裁、成形、拉伸、弯曲、锻造、压花、冷镦、胀形、挤压和锤锻来成形金属零件。锻模用于将赤热金属毛坯锻压成所希望的形状。将某些机床加以改进,能更迅速地实现复杂或重复操作的工序。这类机床有六角车床(包括螺丝车床)、多工位车床、枪孔钻床和专用铣床。六角车床可分为卡盘卡紧式和棒料式。前者用来加工较大的零件;后者用来加工带螺纹的零件、衬套和其他由棒料毛坯加工成形的零件。该六角车床既可手动也可自动。专用机床有切齿机、磨齿机、拉床、研磨机、珩磨机和镗床。滚齿机使用滚刀生产直齿圆柱齿轮、蜗轮、斜齿齿轮、花键和链轮。拉削加工分平面拉削和成形拉削。研磨用来产生高质量表面或加工尺寸精度很高的零件。用手工或机器研磨精密零件,其公差可达±0.000 05毫米。珩磨是一种低速表面精加工方法。珩磨头以摆动形式缓慢地旋转,在可控制的轻压力下,油石压向工件表面。

自动机床不需要操作者帮助就能装卸零件、开动机床和重复生产零件。仿形车床和数控车床是自动、半自动机床的典型实例。仿形车床上的刀具滑板用一个液压驱动的触头控制。触头随一块精密样板移动,可加工一般的圆柱形、台阶形、锥形凸台和不规则曲线。许多机床加工过程都可采用数控(简称NC)。数控是在某些点上通过直接插入数据来控制机器的动作或加工方法。NC机床加工的零件精度可达±0.002 5毫米。计算机数控(称CNC)机床是20世纪70年代微电子计算机发展的产物,能通过其程序和软件实现难度很大的加工,比NC机床更易操作。CNC系统广泛用于铣床和车床,有的还装有图像显示器。当若干CNC机床同时接受来自大的中央计算机的加工指令时,就称该系统在直接数字控制(称DNC)之下。此外,计算机的数控方式还有自适应控制、加工中心、计算机辅助设计(CAD)、计算机辅助制造(CAM)等。

由于机械加工方法的局限性,所以又产生出金属或其他材料的非机械加工方法。后者有电子束加工、电火花加工、电化学加工、离子束加工、激光加工、等离子弧加工、超声波加工、化学加工、光化学加工和水注加工等。电子束加工利用聚焦的高速电子束在任何材料上加工精细的孔和细缝,孔的直径小到0.025毫米,也可用于焊接很细的丝和很小的零件;电火花加工用来加工模具、铸型、孔、槽和任何形状的型腔;电化学加工用于加工硬金属的深孔和异形零件;激光加工是用激光器产生的强光束熔化并蒸发材料,来切削难熔材料和金属,等离子弧加工是用等离子弧来切削金属,切削炬产生高速、高温(11 000～28 000℃)的等离子体流而熔掉材料,以实现切削;超声波加工主要用于加工硬脆性材料。

machine-tractor station(MTS) **机器拖拉机站** 苏联的国营机构,任务是将重型农业机械(如拖拉机和联合收割机)租给一组邻近的集体农庄,并提供技术熟练的人员来操作及修理设备。在20世纪30年代早期的集体化运动时期,机器拖拉机站到处建立并取得卓越的成绩,在苏联农业机械化中发挥重要作用。机器拖拉机站为集体农庄提供服务,集体农庄以实物付酬,因此机器拖拉机站也是为国家获取粮食的重要机构。此外,机器拖拉机站是共产党控制农村的主要工具。机器拖拉机站的政治处被授以控制农庄的绝对权力,并继续对当地的政治产生强大的影响,直至1953年政治处被撤销。但在施加其影响的同时机器拖拉机站因与地区党组织的权威争高低而引起混乱;又常与控制劳动力的集体农庄管理部门发生矛盾。1958年,作为农业改革的一部分,机器拖拉机站被撤销,其设备卖给集体农庄。有些机器拖拉机站改为修理和技术服务站,其任务为修理机器,供应零件,并为某些特别任务(如修路)出租机器。1961年修理和技术服务站为全苏农业机械协会所取代。

Machkund(India) **默杰贡德河** 参阅 **Sileru River** 锡莱鲁河。

Machray, Robert **麦克雷**(1831-05-17,苏格兰阿伯丁郡阿伯丁～1904-03-09,加拿大马尼托巴温尼伯) 基督教圣公会加拿大西北部鲁珀特兰德大主教。曾就学于阿伯丁大学和剑桥大学希德尼·苏塞克斯学院。1856年任圣公会牧师。他当选为剑桥大学院士,在该校工作到1865年。1865年任加拿大地广人稀的鲁珀特兰德主教,驻在温尼伯。1893年加拿大圣公会实现统一,麦雷克任鲁珀特兰德大主教兼全加拿大首席主教。

Mach's principle **马赫原理** 宇宙学中的一个假说,即作非匀速运动的人感受的惯性力取决于宇宙间物质的数量和分布。18世纪英国哲学家G.伯克利曾经提出,物体的一切运动,不论是否均匀,都同远方的恒星有关。19世纪奥地利物理学家和哲学家马赫在这个问题上同伯克利的看法相近。爱因斯坦在提出广义相对论过程中,发现这一假说对他有用,当时他不知道伯克利已先提出这一假说,就把它称为马赫原理。后来,在知道惯性隐含于运动的最短程线方程中而不必依赖于宇宙各处物质的存在,马赫原理遂被爱因斯坦放弃。

Machu Picchu **马丘比丘** 古代印加要塞城市,在秘鲁中南部安第斯山中,位于库斯科西北80千米处,踞于两峭壁间一马鞍形悬崖上,西班牙人未能至此,1911年为耶鲁大学宾厄姆发现,是少数保存完好的前哥伦布时期城镇中心之一。遗址面积约13平方千米,内有神庙和堡垒,堡垒原有梯田式花园围绕,台

马丘比丘要塞城市

美国不列颠百科全书公司供图

阶共有3 000余级。其居住时期不详。

machzor（Judaism） 参阅 **mahzor**《玛赫佐尔》。

Macià, Francesc 马西亚（1859-10-21，西班牙比利亚努埃瓦-赫尔特鲁～1933-12-25，巴塞罗那） 西班牙加泰罗尼亚人领袖，民族主义的加泰罗尼亚国家党（1922）创始人，在争取加泰罗尼亚自治中起重要作用。在德里维拉独裁统治垮台后的混乱中，马西亚在加泰罗尼亚组成共和左派。1931年选举中西班牙君主制失败，马西亚随即宣布成立加泰罗尼亚共和国。一年后颁布加泰罗尼亚自治法。

Macías Nguema Biyogo（Equatorial Guinea）**马西埃·恩圭马·比约戈** 参阅 **Bioko** 比奥科。

Macina 马西纳 又拼Masina。马里塞古和廷巴克图之间的地区，在尼日尔河中游流域。当地水道密集，形成一个自西南至东北长达480千米的内陆三角洲。这块低洼地带湖泊、沼泽和水道密布，雨季洪水泛滥，为非洲最肥沃的地区之一。主要作物为粟。富拉尼人饲养牛和羊。

MacInnes, Tom 麦金尼斯（1867-10-29，加拿大安大略德累斯顿～1951-02-11，不列颠哥伦比亚温哥华） 加拿大作家。所写作品范围极广，从育空地区的淘金热的回忆录《孤独的酒吧》（1909）到老子哲学的翻译和评论《老家伙的教导》（1927）均有。诗集包括《诗歌全集》（1923）和《我的晚年》（1947）。《奇努克人时代》（1927）是他的一部小说体自传，还包含不列颠哥伦比亚的历史和民间传说。

McIntire, Samuel 麦金太尔（1757-01，马萨诸塞塞勒姆～1811-02-06，美国马萨诸塞塞勒姆） 美国建筑师、手工艺师，除擅长住宅设计外，还设计和制作家具和室内木装修。他的住宅设计深受建筑师C.布尔芬奇的影响，设计建造的J.皮尔斯的住宅被认为是美国独立后新英格兰地区最精美的住宅之一。塞勒姆市法院（1785年建，1839年拆毁）是他的另一优秀作品。他制作的家具，现尚存100余件，其中有美国最精美的谢拉顿式家具。

Macintosh, Charles 麦金托什（1766-12-29，格拉斯哥～1843-07-25，格拉斯哥附近） 苏格兰化学家。最著名的发明是1823年利用溶于煤焦油轻油的橡胶把两片布黏合在一起制成防水胶布的方法。这种防水胶布用他的姓氏命名。1823年他试图为煤气厂废料寻找用途时，注意到煤焦油轻油能溶解橡皮。后来，他把羊毛织物一面涂以这样的橡胶制剂，再把另一张羊毛织物贴在上面，便制成了一种防水布。不久之后，他又制作了雨衣和其他防水胶布，但发现在缝制时会留下针眼，因而雨水渗漏，毛料中的天然油还会使橡胶胶黏剂变质，而且这种早期防水胶布冬季变硬、天热变黏。当耐温的硫化橡胶于1839年出现后，这种雨衣才更为适用。

MacIver, David Randall-（archaeologist） **麦基弗** 参阅 **Randall-MacIver, David** 兰德尔-麦基弗。

MacIver, Robert Morrison 麦基弗（1882-04-17，苏格兰外赫布里底群岛斯托诺韦～1970-06-15，纽约市） 苏格兰出生的社会学家、政治学家、教育家。曾提出个人主义与社会组织一致性的信念。他创造性地区分国家与社会，提出新的民主学说、多集团共存学说及权威的界说。麦基弗曾就读于爱丁堡大学，在牛津大学攻读古典文学，1907年起在阿伯丁大学任教。1917年获爱丁堡大学博士学位。1915～1926年在多伦多大学任政治学教授和系主任，发表了他的早期著作《社区：一项社会学研究》（1917）及《社会科学原理》（1921）。1927～1929年任巴纳德学院经济社会学系主任，1929～1950年任哥伦比亚大学政治哲学及社会学教授，1963～1965年任纽约市社会研究新学院院长，1965～1966年任名誉院长。他著作甚丰，其中有：《社会之结构及其变革》（1931）、《权威与人民》（1939）、《政府之网》（1947）、《各国与联合国》（1959）及《政治与社会》（1969）等。麦基弗认为，社会的进化是由高度群体化的国家走向个人作用与集体关系极端专门化的国家。他还认为，社会学家切忌将自己的价值观念强加于社会事实之上；社会进化并不等同于社会进步，社会进步只能根据个人判断予以衡量。

Mack, Connie 麦克（1862-12-22或23，美国马萨诸塞东布鲁克菲尔德～1956-02-08，宾夕法尼亚费城） 原名C.A.麦吉利卡迪（Cornelius Alexander McGillicuddy）。美国职业棒球领队。1901～1950年任费城竞技队经理，并拥有该队的部分所有权。在任职期间该队9次获美国棒球联盟冠军，5次（1910～1911，1913，1929～1930）获世界系列赛冠军。在他管理棒球队的53年中，他手下的球队共胜3 776场，负4 025场，两者都是空前未有的纪

美国不列颠百科全书公司供图

录。1937年入选美国棒球名人堂。

Mack von Leiberich, Karl, Freiherr 马克·冯·莱贝里希（1752-08-25，巴伐利亚嫩斯林根～1828-10-22，奥地利圣珀尔滕） 奥地利军人。1770年参加奥地利骑兵团，后晋升军官。曾在巴伐利亚继承战争中作战。1778年晋升中尉。1785年封贵族，称马克·冯·莱贝里希。在革命战争中与法军作战，1797年晋升副元帅。1804年任陆军兵站总监。他极力主张军队改革，1805年成为在巴伐利亚抗击拿破仑军队的实际司令官。由于他的失算和指挥不力，10月15日奥军在乌尔姆被法军包围，5万人投降；12月2日在奥斯特利茨战役中奥军又惨败于拿破仑。1806年2月至1807年6月候审。后交军事法庭审判，被褫夺军衔、兵权和勋章，处2年徒刑。1808年获释，1819年盟军取得的最后胜利抹去了早期惨败的记忆，他被恢复军籍和副元帅军衔。

Mackay 麦凯 澳大利亚昆士兰州东海岸城市，其深水人工港口具有世界最大的散装设备之一。位于派厄尼河口。为该国制糖业中心。设有糖研究所。也出产乳品、木材和酒精。当地种植热带水果，旅游业重要。1918年设市。人口35 361（1981）。

Mackay, Clarence Hungerford 麦凯（1874-04-17，旧金山～1938-11-12，纽约市） 美国通讯企业家和慈善家。1904年在他主持下建成美国同远东之间的第一条横跨太平洋的电

美国国会图书馆供图

缆。1902年其父死后，他继任了邮政电报电缆公司总经理，并于1907年铺设了纽约和古巴之间的海底电缆。此后，又经过亚速尔群岛建立了与南欧的电缆通讯和经过爱尔兰建立了与北欧的电缆通讯。1928年他首创统一经营无线电、海底电报和有线电报业务。

McKay, Claude 麦凯(1890-09-15,英属西印度群岛牙买加～1948-05-22,芝加哥) 牙买加出生的诗人、小说家。他的小说《在哈勒姆安家》(1928)是到当时为止美国黑人作家写的最受欢迎的作品。1912年去美国之前用牙买加方言写过诗集《牙买加之歌》和《康斯托伯歌谣》(1912)。曾就学于塔斯基吉学院(1912)和堪萨斯州立师范学院(1912～1914)。1914年到纽约,为当时主要的先锋派政治文艺周刊《解放者》写稿。美国的种族主义冲突使他改变了年轻时的保守主义观点。《新罕布什尔之春》(1920)和《哈勒姆暗影》(1922)两部诗集出版后,麦凯成为**哈勒姆文艺复兴**(**Harlem Renaissance**)最主要和最富有战斗精神的代言人。1922年后,先后在苏联、法国、西班牙和摩洛哥居住。在《在哈勒姆安家》和《班卓琴》(1929)两书中,他试图表现被逐出家园的美国和欧洲城市黑人流浪者的活力和基本生命力。随后出版短篇小说集《金格镇》(1932)和小说《香蕉谷》(1933)。1934年回到美国,由于批评共产党人的教条而遭到美共的攻击;还因为批评主张取消种族隔离的人权团体遭到自由派白人和黑人的攻击。麦凯鼓吹充分的公民自由和种族团结。1940年成为美国公民。曾为《新领袖》和纽约《阿姆斯特丹新闻》等报刊撰稿。还写过自传《远离家乡》(1937)、论著《黑人大都会哈勒姆》(1940)。《诗选》(1953)在死后出版。

McKay, David O(man) 麦凯(1873-09-08,美国犹他亨茨维尔～1970-01-18,犹他盐湖城) 摩门教布道家、耶稣基督末世圣徒教会第9任会长(1951～1970年)。1906年当选为十二使徒会议成员,1950年当选会长。在任19年间摩门教徒与教外人士的关系有重大改善。

McKay, Donald 麦凯(1810-09-04,新斯科舍～1880-09-20,美国马萨诸塞哈密尔顿) 加拿大出生的造船工程师,建造了最大最快的帆船。1827年移居纽约市。1845年他在东波士顿建立造船厂,设计并制造大型快速帆船。第一艘帆船"猎犬"号于1850年下水后,他陆续建造了许多其他快速帆船,其中包括"闪电"号,该船创造了一日行驶436海里的长期保持的世界纪录,有时速度达到21节;"詹姆斯·贝恩斯"号创造了133天环球航行的纪录和12天6小时从波士顿到利物浦的横渡大西洋的纪录;"大共和"号排水量4 555吨,是世界最大的快速帆船。到1855年对快速帆船的需求量减少,造船厂关闭。1863年他建立制造铁壳船的工厂,为美国海军建造了几艘军舰,其中包括"瑙塞特"号军舰。麦凯的最后一艘帆船"海上光荣"号造于1869年,一直航行到1923年。

MacKaye, Percy 麦凯(1875-03-16,纽约市～1956-08-31,美国新罕布什尔科尼什) 美国诗人、剧作家。他对古今民间文学作品的采用促进了美国露天剧的发展。很小便由其父、演员斯蒂尔引进戏剧界,与其合作演出。1897年毕业于哈佛大学,在国外留学两年后回美国从事写作并讲课。1912年发表《公民戏剧》,倡导群众性业余演出。他力图使更多的人参与诗歌和戏剧的创作,力求通过假面剧和集体大合唱把舞台艺术、音乐和诗歌结合在一起。作品有:露天剧《坎特伯雷朝圣者》(1903);与他人合写的露天剧《圣路易斯:公民假面剧》。1914年此剧在密苏里州圣路易斯市演出时参加者达7 500人。1921年的肯塔基山区之行激起他对民间文学的兴趣。1929年任美国民俗学杂志《民间谚语》的咨询编辑;还在佛罗里达州温特帕克市的罗林斯学院讲授诗歌和民俗学。他对美国戏剧和露天剧最有价值的贡献是:历史剧《稻草人》(1908)、露天假面剧《凯列班》(1916)、地方剧《可爱的美丽世界》(1923),以及从一个现代美国诗人的角度研究古今悲剧的专著《丹麦国王哈姆雷特的秘密》(1945)。

MacKaye, (James Morrison) Steele 麦凯(1842-06-06,布法罗～1894-02-25,美国科罗拉多廷帕斯) 美国剧作家、演员、剧院经理和发明家。被称为美国19世纪文艺复兴式的人物。青年时代习过绘画。是在伦敦(1873)扮演哈姆雷特的第一个美国人。在哈佛、康奈尔和其他地方讲授过美学。在纽约市创建了圣詹姆斯剧院、麦迪逊广场剧院和兰心剧院。写过30个剧本,其中有上演成千次的《淡褐色的教会》、《保罗·考瓦》和《金钱狂》,他在这些剧中扮演过17个不同角色。创立了第一所表演学校,即后来的美国戏剧艺术学院。他1874年发明探照灯,1879年发明第一个活动的"重叠舞台"以及剧院的折叠式座位等等。总之,他获得100多项剧院发明专利权。他为1893年芝加哥世界博览会设计了世界上最大的剧院、观众台(25个活动舞台,12 000个座位)等,革新了舞台演示,预示着电影的出现。因财政困难,剧院未能建成,但后来成功地展出了比例模型。他的儿子珀西为他写的两卷集传记《新时代:斯蒂·麦凯的一生》(1927)于1968年重版。

Macke, August 马克(1887-01-03,德国梅舍德～1914-09-26,法国佩尔特-莱-于尔吕) 德国画家,青骑士社的领导人之一。其作品带有诗一般的抒情气质,富有法国绘画传统,取其动感的美及风景画的气氛,以与德国的艺术情调结合起来。1914年和P.克利结伴到突尼斯旅行,画了一组作品,用不同纯色组成的格条背景衬托主题。这些画显示出神秘派立体主义对他的影响。马克在第一次世界大战中阵亡。

McKeesport 麦基斯波特 美国宾夕法尼亚州西南部阿勒格尼县城市。西北距匹兹堡23千米,在莫农加希拉和扬克盖尼两河汇合处。约1769年始有居民,1795年规划,1842年设镇,1891年设市。为1794年威士忌酒反抗运动中心。1830年左右采煤业兴起。19世纪末建立煤、钢铁工业及铁路等。为匹兹堡工业联合体的一部分,以炼钢工业为基础,其他工业迅速发展。20世纪80年代匹兹堡钢铁工业的衰落,使麦基斯波特遭到严重的失业。一些轻工业继续发展,如钢管、压力罐等。服务业亦为重要经济组成部分。河岸新建码头。设有宾夕法尼亚州立大学麦基斯波特分校(1947)。人口24 040(2000)。

McKellen, Sir Ian (Murray) 麦凯伦(1939-05-25,英格兰兰开夏伯恩利～　　) 英国演员,以其在皇家莎士比亚剧团的出色工作而知名。在校读书时即登台演出。1961年毕业于剑桥圣凯瑟琳学院,获文学士学位。此后不久在R.博尔特《合时宜的人》中扮演罗帕而开始其专业演员生涯。整个60年代麦凯伦不断地扮演角色,他的表演赢得观众的欢迎和评论界的称赞。1969年爱丁堡戏剧节上他又在莎士比亚的《理查二世》和C.马洛的《爱德华二世》中扮演角色。1971年他与E.彼塞布里奇和D.威廉斯合作创建一家演出实体,被称作演员剧团,计划让其成员参与剧本演出的各个方面并扮演各类角色。1974年他离开这家剧团,加盟皇家莎士比亚剧团。作为一位多才多艺的演员,麦凯伦戏路宽广,扮演的角色众多,从莎士比亚戏剧角色到当代戏剧的许多角色,如A.契诃夫、F.魏德金德等剧作家的剧中人物。虽然他对人物的体现常引起争论,但人们对他的杰出表演才能交口称赞。他还导演过一些戏剧,编写并表演过一出单人剧,称之为"表演莎士比亚"。他在不少电影中扮演过角色,著名的有《繁荣》(1985),改编自D.黑尔的作品。另出演《众神与野兽》(1998)和《指环王》(2001,2002,2003)。1979年获大英帝国杰出人士勋章。1991年受封为爵士。

Macken, Walter 麦肯(1915,爱尔兰戈尔韦～1967-04-22,戈尔韦) 爱尔兰小说家、剧作家。他的作品真实而又往往无情地反映了爱尔兰生活的现实,也表现了他对爱尔兰的爱和对其人民的尊敬。在戈尔韦当过演员、舞台监督和导演。长篇小说《风雨交加》(1950)描写戈尔韦的生活,在欧美很受欢迎。历史小说三部曲《寻找美好的土地》(1959)以克伦威尔时代的爱尔兰为背景,《沉默的人民》(1962)描写爱尔兰马铃薯大饥馑时的情况,《灼热的风》(1964)写当前的社会状态。剧作主要有《芒戈府》,1946年在阿比剧院上演,1947年在伦敦上演。还写有《英雄归来》,由阿比剧院上演并于1953年出版。

McKenna, Joseph 麦克纳(1843-08-10,美国宾夕法尼亚费城～1926-11-21,华盛顿[哥伦比亚特区]) 美国最高法院法官(1898～1925)。1865年在加利福尼亚州取得律师资格。参加共和党。曾任索拉诺县地方法院检察官(1866～1870)和加利福尼亚州议会议员(1875～1876)。后为美国众议员(1885～1892)。1892年哈里逊总统提名他为美国第九巡回法院法官。1897年麦金利总统将他召回华盛顿参加其内阁任司法部长;同年晚些时候提名他任最高法院法官,尽管人们普遍指责他在巡回法院没有突出的政绩。他在最高法院任职27年内勤恳工作,但声名并不显著。

McKenna, Reginald 麦克纳(1863-07-06,英国伦敦～1943-09-06,伦敦) 英国政治家,1909年在海军大臣任内发起建造军舰的计划,从而使英国舰队实力在第一次世界大战开始时略胜于德国。曾担任下院议员10年。1905年任财政部秘书,1907年任教育委员会主席。1908年任海军大臣后,极力主张建造18艘无畏级战舰,以便与德国舰队抗衡。虽遭D.劳合·乔治和W.丘吉尔等人反对,但造船工作终于在1911年底开始。同年,因与陆军大臣霍尔丹子爵发生争执,他和内政大臣丘吉尔对调职务。第一次世界大战期间,1915年5月～1916年12月任财政大臣,实行40%附加个人所得税和50%超额利润税(均被称为麦克纳税),以维持战争需要。劳合·乔治出任首相时辞职。1919年起担任米德兰银行董事长直至去世。

McKenna, Siobhan　麦克纳(1923-05-24,北爱尔兰贝尔法斯特～1986-11-16,爱尔兰都柏林)　多才多艺的爱尔兰女演员。最擅长扮演富于激情的人物,如萧伯纳笔下的圣女贞

美国不列颠百科全书公司供图

德和J.M.辛格最著名的话剧《西方世界的花花公子》中剽悍的店主迈克。原为业余盖尔语剧团成员,1940年在爱尔兰戈尔韦的盖尔语轮演剧目剧场里首次登台,1951年将《圣女贞德》译成盖尔语,并任主角,1955和1956年分别在伦敦和美国用英语扮演同一角色。1943～1946年与都柏林阿比剧团演员一起用盖尔语和英语演出;1947年在伦敦首次登台,在P.卡罗尔的《白战马》中饰演角色。1951年因在爱丁堡戏剧节中扮演迈克一角而赢得国际声望。1961年在布莱希特《屠宰场里的圣约翰娜》中扮演约翰娜,1964年又再次扮演这个角色。她还在奥凯西《朱诺与孔雀》中扮演朱诺,在奥尼尔《私生子的月亮》中饰演乔西一角。她的个人朗诵会也很受欢迎,主要朗诵爱尔兰作家的作品。

Mackensen, August von　马肯森(1849-12-06,萨克森豪斯莱普尼茨[德国]～1945-11-08,德国策勒)　德国陆军元帅,第一次世界大战中的名将。1869年从军。曾参加多次战役,连续获得晋升。第一次世界大战期间任德奥联军第11军团司令,驻在西加利西亚(1915-04)。由于突破戈尔利采-塔尔努夫(波兰)防线取得重大胜利而晋升陆军元帅(1915-06-20)。这次突破是他以后一系列胜利的开端,他在布列斯特-立陶夫斯克战役和平斯克战役中击溃俄军(1915-08-09)。1915年10～11月侵入塞尔维亚,然后进占罗马尼亚(1916～1917)。停战后,马肯森被拘留一年。1920年退役,1933年当选州议员。

Mackenzie, Alexander　麦肯齐(1822-01-28,苏格兰珀斯洛吉赖特～1892-04-17,多伦多)　苏格兰出生的政治家,加拿大第一任自由党总理(1873～1878)。1842年从苏格兰移民到加拿大西区,先作石匠,后来承包建筑工程。1852年任自由党《拉姆顿盾牌报》编辑。他与多伦多《环球报》编辑、改良党领袖G.布朗结为知交,并拥护加拿大联邦运动。1867年加拿大成为自治领后任众议员,并任在野自由党的议会领袖。1873年麦克唐纳的保守党政府垮台后,他成为加拿大第一任自由党政府总理。但因自由党力量薄弱,未能解决当时紧迫的经济问题。麦克唐纳的保护主义政策胜过麦肯齐恢复与美国互惠关系的目标,1878年自由党政府垮台。1880年辞去在野党领袖,但继续任议员,直到逝世。

Mackenzie, Sir Alexander　麦肯齐(1755?,苏格兰外赫布里底群岛刘易斯哈里斯斯托诺韦～1820-03-11,珀斯皮特洛赫里附近)　加拿大毛皮商和探险家。由苏格兰移民到北美洲后,1779年进入蒙特利尔的一家贸易公司工作。1788年在阿萨巴斯卡湖边建立商站奇佩维安堡。次年麦肯齐从此地出发进行考察,沿马更些河前进,经大奴湖到达北冰洋岸的马更些河三角洲。1793年从奇佩维安堡跨过落基山脉,到达今不列颠哥伦比亚省的太平洋岸。著有《1789和1793年从圣劳伦斯河畔蒙特利尔横贯北美大陆到达北冰洋和太平洋纪行》(1801)。1802年受封为爵士,1808年后居苏格兰。

Mackenzie, Sir Alexander Campbell　麦肯齐(1847-08-22,爱丁堡～1935-04-28,伦敦)　苏格兰作曲家。与H.帕里爵士、C.斯坦福爵士一起从事19世纪末不列颠音乐的复兴活动。10岁去德国学习音乐,后在伦敦皇家音乐学院学习,1888～1924年成为该院院长。1922年受封为爵士。作品有康塔塔《新娘》(1881)和《伊阿宋》(1882)、歌剧《科仑巴》(1883)和《游吟诗人》(1886)、清唱剧《沙伦的玫瑰花》(1884)、一部《苏格兰钢琴协奏曲》(1897)、3首苏格兰狂想曲和一首序曲《大不列颠》(1894)。

Mackenzie, Charles Frederick　麦肯齐(1825-04-10,苏格兰皮布尔斯波特莫尔～1862-01-31,葡属东非马洛岛)　苏格兰出生的圣公会牧师,英属中非殖民地第一任主教。1854年赴非洲纳塔尔,在该地圣公会主教科伦索手下任总会吏。由于他在该地遵主教命穿白罩袍,并按主教愿望允许非洲基督徒与白种基督徒平等地参与教会事务,遭到英国定居者的反对。1859年因病返英。次年又奉各大学联合南非传教会差遣返回非洲,主持赞比西河流域的传教工作。1861年元旦受按立为主教,定居在马戈麦罗(今马拉维境内)。他在曼甘贾人部落中工作,尽管病痛缠身,通讯与供应情况恶劣,又被卷入当地部落战争,仍能坚持一年之久。

Mackenzie, (Sir Edward Montague) Compton　麦肯齐(1883-01-17,英格兰达勒姆西哈特尔浦～1972-11-30,爱丁堡)　英国多产作家。他对评论界的赞扬和冷遇均不关心,身后留下小说、戏剧、传记100多种。出身著名戏剧家家庭。受教育于牛津大学马格达伦学院,近30岁时从舞台转向文学。在《嘉年华会》(1912)和《不祥之街》(1913～1914)中,显示出他运用伦敦俏皮话的才能。《脑积水》(1933)是针对英国秘密警察的讽刺作品,因为秘密警察根据保密法对他写的自传性作品《希腊回忆录》(1932)提出过指控。《幽谷之王》(1941)和《威士忌满樽》(1947)是无伤大雅的嬉笑文章。其他小说有《穷亲戚》(1919)、《富亲戚》(1921)、《贞女之火》(1927)、《非凡的妇女们》(1928)。剧作有《穿灰衣服的绅士》(1906)、《哥伦拜恩》(1920)和《失败了的事业》(1931)。回忆录第一卷《我的生活和时代:第一个八度音程》(1963)、《第十个八度音程》(1971)。他还是强烈的苏格兰民族主义者。1928年后定居苏格兰,协助建立苏格兰民族党。1931～1934年任格拉斯哥大学校长。1923～1962年为《留声机》杂志的创始人和主编。1919年被封为英帝国四等勋爵,1952年受封为爵士。

Mackenzie (of Rosehaugh), Sir George　麦肯齐(罗斯霍的)(1636,苏格兰邓迪～1691-05-08,伦敦威斯特敏斯特)　苏格兰律师,因迫害誓约派教徒而被称为"血腥的麦肯齐";他是爱丁堡的律师图书馆的创建人。1677年8月以后,他作为国王的检察官,曾以查理二世的名义残酷迫害拒不信从圣公会的誓约派,因而与英格兰的臭名昭著的杰弗里斯法官齐名。作为律师联合会的会长,他倡议创立律师图书馆,即现在的苏格兰国家图书馆。在他拒绝同意废除反天主教法律的措施后于1686年被撤职,两年后又被起用。他撰写有关宗教问题和道德哲学的著作,但他主要的著作是论述法律。在《皇家法律》(1684)和其他著作中,他鼓吹王权学说和支持世袭帝制;但他也批评不容忍和不人道。他的《为查理二世统治时期的苏格兰政府辩白》(1691)一书是了解当时情况的一个有价值的重要资料。他于1668年以前某个时候受封为爵士。

Mackenzie, Henry　麦肯齐(1745-08-26,爱丁堡～1831-01-14,爱丁堡)　苏格兰小说家、剧作家、诗人和编辑。他的《多情的人》使他成为苏格兰文学的重要人物。他的作品对司各特有很大影响,1814年司各特曾把他的小说《威弗利》献给他。早期作品包括传统苏格兰民歌的仿作。1765年以后到伦敦学法律,开始模仿英格兰文体。在这种文体里,"伤感"表现是当时正在形成的一种有力的影响。他的伤感味很浓的小说《多情的人》(开始写于1767年,出版于1771年),是一本畅销书。1768年起,定居苏格兰,又写了两部小说:《老于世故的人》(1773),描写一个邪恶的男主角;《朱莉娅·德鲁比涅》(1777)是模仿理查森的《克拉丽莎》的作品。他还写过一部剧本,编过两个期刊,并协助建立学术团体。

Mackenzie, Sir James　麦肯齐(1853-04-12,苏格兰珀斯郡斯昆～1925-01-26,伦敦)　英国心脏病学家,心律失常研究的先驱。最先

同时将动脉及静脉的脉搏记录下来，以判断心脏的情况，这方法为进一步的研究奠定了基础。又研究了心脏作功的能力，为心肌能量学铺平道路。他于1882年获爱丁堡大学医学博士学位。后在兰开夏的伯恩利行医20多年，在没有实验室的条件下，靠自己的感官及一台简陋的多种波动描记器进行研究。1902年发表《脉搏研究》。54岁时移居伦敦，任会诊医师甚获成功。1908年著《心脏的疾病》，大大促进了心脏病学的研究。第一次世界大战期间任陆军心脏病医院顾问。1919年在苏格兰圣安德鲁斯建临床研究所，为研究人员提供他年轻时得不到的设备条件。

Mackenzie, John　麦肯齐(1835-08-30，苏格兰马里郡诺坎多～1899-03-23，开普殖民地金伯利)　基督教传教士。他于1858年前往南非，在贝专纳兰(今博茨瓦纳)开始传教活动。由于德兰士瓦共和国的布尔人从东面蚕食部落的领土，1867年起，他奔走呼号，要求英国宣布贝专纳兰为保护国。他极力主张英国应该保护非洲人的权益，使其不受布尔种族主义的威胁。1884年贝专纳兰保护国成立，他出任副专员。1885年罗得斯继任此职，但麦肯齐在政治上仍很有影响。1889年退出政坛，重新从事传教工作。

McKenzie, Sir John　麦肯齐(1838，苏格兰罗斯阿德罗斯～1901-08-06，新西兰沙格波因特)　新西兰政治家，1891～1900年任土地部长期间提出向小农场主提供土地和贷款的法案并促成大庄园的解体。少年时目睹地主剥夺小农地产的情况，故对土地垄断深恶痛绝。1860年移居新西兰，1881年选入议会，1891年任土地和农业部长。1892年提出移民居住土地法案，其中规定出租王室拥有的土地。1894年又提出修正案，迫使大土地所有者将土地分块出售。同年还提出移民贷款法案，扩大对小农场主的信贷额。他积极推广科学种田方法，到卸任时已为后来的农业部奠定了基础。1911年受封为爵士。

Mackenzie, Sir Morell　麦肯齐(1837-07-07，英格兰埃塞克斯莱顿斯通～1892-02-03，伦敦)　英国医师。在关于德皇腓特烈三世之死的激烈的国际辩论中，他是中心人物。他是当时首屈一指的喉科专家，1887年5月应召为德国王储腓特烈诊断疑难病症，许多德国医师已诊断王储患了喉癌，但他根据菲尔绍所作的活体检查而坚决否认并认为无需手术，受到王室奖励。但是，11月王储的病被确诊为喉癌。腓特烈于1888年3月9日登基，6月15日病逝。于是，在麦肯齐与德国医学界之间爆发了一场白热化的辩论。当一份带有批评性的报道在德国发行后，麦肯齐作《尊贵的腓特烈的死因》(1888)一文进行反击，遭到皇家外科医师学会的指责。

McKenzie, Robert (Trelford)　麦肯齐(1917-09-11，加拿大不列颠哥伦比亚温哥华～1981-10-12，伦敦)　加拿大出生的英国政治学家、有关选举政治的电视评论员。曾在不列颠哥伦比亚大学执教，并在哈佛大学、耶鲁大学授课。1964年在伦敦经济学院任政治社会学教授，不久成为报道政治、时事的自由广播员。由于他曾和特鲁多在学术界共过事，当后者出任加拿大总理后他能够首先进行海外采访。他曾为英国广播公司采访过许多政界要人，包括英国前首相麦克米伦。在任电视的选举分析员时向英国公众普及了研究选举投票的"选举学"(psephology)一词。

Mackenzie, Sir Thomas　麦肯齐(1854-03-10，爱丁堡～1930-02-14，新西兰达尼丁)　苏格兰出生的探险家、商人，曾短期任新西兰总理(1912)，后任驻伦敦高级专员。1858年随家移居新西兰。最初经营商业，后在地方政府任职，1887年选入议会。这段时期他特别热衷于研究新西兰的自然历史。他从瓦卡蒂普湖出发，翻过哈里斯鞍形山到达马丁斯湾，勘探陶图库森林，并率领考察团估测萨瑟兰瀑布的高度。后为皇家地理学会会员。1900年重新选入议会，1909年任工商部长和农业部长，后当选为自由党领袖，1912年3月28日～7月10日任总理。第一次世界大战期间任驻伦敦高级专员，直至1920年。1916年受封为爵士。曾代表新西兰出席巴黎和会和国际联盟会议。

Mackenzie, William Lyon　麦肯齐(1795-03-12，苏格兰安格斯斯普林菲尔德～1861-08-28，多伦多)　加拿大新闻记者和政治宣传家。1820年从苏格兰移民到加拿大经商。1824年在昆斯顿创办《殖民地鼓动报》，批判寡头统治集团，后来迁到约克出版，他的报社曾被政敌捣毁。他成为省内左派领袖。1828年当选为省议员，多次受到托利党多数派的排挤打击。1832年访问英格兰，受到殖民地事务官署的良好接待，他促使若干加拿大官员被免职。其间著《加拿大和美国概况》，陈述加拿大人的种种苦难，1835年重返经过改组的加拿大省议会。他的报告促使英国政府召回当时的总督，但新任总督更加专横独裁。1835年当选为多伦多市长。次年失去议会席位。于是他开始考虑采取起义的手段。他创办更加激进的《宪法报》，宣传美国总统杰克逊的民主思想。1837年12月，他纠集多伦多地区800名信徒，准备逮捕总督和成立临时政府。由于缺乏组织和领导，起义遭到失败，他逃往美国。后在尼亚加拉河的内维岛上重整旗鼓，未成。美国指控他破坏中立法，将他监禁11个月。他在狱中写《卡罗林纪事》，表示对美国政治的幻想已经破灭。1849年得到赦免，允许他回加拿大。1851年选入加拿大议会。他坚持自己的立场，几次拒绝担任政府职务。1858年因病辞职。死后成为加拿大激进主义的象征。

Mackenzie Island (Caroline Islands)　**马更些岛**　参阅 **Ulithi** 乌利西环礁。

Mackenzie Mountains　马更些山脉　落基山脉北段。在加拿大育空、伊努维克和史密斯堡地区，自不列颠哥伦比亚省边界向西北伸展至皮尔河台地及波丘派恩河流域，长约800千米，为马更些河和育空河的分水岭，也是佩利河的发源地。沿马更些河东岸延伸约480千米的富兰克林山，有时也被看做是马更些山脉的一部分。麦克布里恩爵士峰(2 762米)为最高峰，其他超过2 400米的山峰有基尔峰、多米峰、亨特山、悉尼多德桑山和艾达山。第二次世界大战时，此间发现诺曼韦尔斯油田，引起世人关注。有长645千米的石油管道通往育空地区的怀特霍斯，供应西北太平洋美国军事基地。战后，生产的石油供当地消费。1938年建马更些山动物保护区。1972年建纳汉尼国家公园。

Mackenzie River　马更些河　澳大利亚昆士兰州东部季节河。由科米特河和诺戈阿河汇成，源出东部高地，流向东北转东南，后与道森河汇成菲茨罗伊河。全长275千米。主要支流为艾萨克河。

Mackenzie River　马更些河　北美洲西北部水系，为大陆排水模式中主要系统之一。源出加拿大西北地区大奴湖，北流穿过史密斯堡和伊努维克两行政区注入北冰洋波弗特海。流域面积180.52万平方千米，是加拿大最大的也是北美大陆仅次于密西西比-密苏里的第二大水系。按传统自大奴湖起计算，河长1 650千米；如包括其最远的源头河，落基山脉西麓的芬利河，则长4 241千米。贯穿人烟稀少、湖泊星罗棋布的加拿大北部。河身大部宽1.5～3千米，有岛屿的河段宽5～6.5千米。上游水源是不列颠哥伦比亚省东北部和艾伯塔省北部森林茂密的平原上的几条大河，有利亚德河、皮斯河、阿萨巴斯卡河等，另有流经加拿大地盾低矮山地较短的河流自东面注入。此水系还包括大奴湖和大熊湖。马更些河流域人烟稀少，资源贫乏，交通不便，因此保存有大量野生生物和壮丽的景色。流域中的大湖泊产湖鳟和白鲑。有少量林、农产品，多在南部。矿产是一些大居民点的经济基础。1921年在诺曼韦尔斯发现第一个油田，20世纪70年代初在马更些河三角洲又有发现，最大的油藏在麦克默里堡北面沿阿萨巴斯卡河的阿萨巴斯卡塔尔沙地中。有输油管南通艾伯塔的埃德蒙顿，再转运加拿大南部和美国北部炼油厂。水系离大工业区和城市较远，因此无法利用其水力发电能力，直至20世纪60年代末在皮利河建造水坝，情况始有改变。

mackerel　鲭　分布在全世界温、热带海域的鲈形目鲭科食用鱼和游钓鱼的统称。游动迅速，体呈流线型。与金枪鱼类近缘，同属鲭科。体圆，似鱼雷；尾基部细长，有峭；尾鳍叉状，背鳍和臀鳍后方各具一行小鳍。肉食性，以浮游生物甲壳动物、软体动物、鱼卵、小鱼为食。成群活动，温暖的月份在海水上层25～30英寸深处，冬季降到100英寸深处。春季及初夏沿海岸产卵，卵直径1毫米，能漂浮于海水最上层5英寸处。鲭主要用网捕捞，较少用钓竿捕捉。普通鲭(*Scomber scombrus*)为大西洋的盛产种类，也是重要的经济鱼类。有时大群出现。平均体长约30厘米，上侧蓝绿色，下侧银白色，背侧上方有一行暗

普通鲭(*Scomber scombrus*)
美国不列颠百科全书公司供图

色波状垂直线纹。背鳍2个,分离,尾基两侧具2小嵴,无鳔。分布于沿北大西洋东西两岸的水域,从北卡罗来纳到拉布拉多,从西班牙到挪威。与之近缘的是凤尾鲭(*S. colias*,),一度分为大西洋凤尾鲭及太平洋凤尾鲭两个种。凤尾鲭花纹较普通鲭为细;产于太平洋者体呈鲜绿色,具垂直条纹;有鳔,其他与普通鲭相似。有时另立鲐属(*Pneumatophorus*)。太平洋凤尾鲭在加利福尼亚沿岸捕获量较大,大西洋凤尾鲭则广泛分布于北大西洋及南大西洋东西两岸。马鲛属(*Scomberomorus*)鱼类也是近缘的种类,分布于全世界的暖水区;体长,鳞小,口和牙均大,尾基每侧有3个嵴。有数种。条纹西班牙马鲛(*S. commerson*)分布于印度洋-太平洋中,重达45千克。王马鲛(*S. cavalla*,即大鳍马鲛)为西大西洋种,长约170厘米,重可逾36千克。斑马鲛(*S. regalis*)是数量多的大西洋种,具有斑点,体长约120厘米。马鲛属的种类为受欢迎的游钓鱼,肉质佳。在南大西洋及墨西哥湾有大量捕捞。另一些名为mackerel的鲭科鱼类有印度鲭(羽鳃鲐属[*Rastrelliger*]为印澳区有经济价值的粗壮种类,可长达38厘米);舰鲭(舵鲣属[*Auxis*])为世界性分布,体长,形小,特点是肩区有由大型鳞片组成的胸甲。英语中mackerel一名也用于某些种金枪鱼及狐鲣(horse mackerel 马鲭)为鲹科的鲭状鱼类;snake mackerel(蛇鲭)是蛇鲭科细长的鱼类。

mackerel shark　鲭鲨　又称鼠鲨。鲭鲨科鼠鲨属(*Lamna*)鱼类的统称,亦指鲭鲨科鱼类,包括白鲨及马科鲨。鼠鲨属包括大西洋鲭鲨(*L. nasus*)和太平洋鲭鲨(太平洋鼠鲨、鲑鲨,

大西洋鲭鲨(*L. nasus*)
美国不列颠百科全书公司供图

L. ditropis)以及其他两个分类地位尚未确定的惠特利氏鼠鲨(*L. whitleyi*)和菲利普氏鼠鲨(*L. phillipi*).鲭鲨行动迅速,活跃。尾呈新月形。牙细长,侧面多具锐利的小齿尖。体背侧灰色或蓝灰色,腹侧灰白色。可长达约3米。生活于温带水域,捕食鲱鱼、鲭鱼、鲑鱼等鱼类,有时破坏渔网猎取入网之鱼。可捕捞出售以供食用。

McKim, Charles Follen　麦金(1847-08-24,美国宾夕法尼亚切斯特县～1909-09-14,纽约州长岛圣詹姆斯)　美国新古典复兴式主要建筑师。先后在哈佛大学和巴黎美术学院求学。在H.H.理查森建造波士顿三一教堂期间,他是理查森的绘图员。1879年与R.米德、S.怀特合作,组成当时美国最有影响的建筑师事务所。该事务所以擅长正统的意大利文艺复兴传统和古典风格著称。麦金的著名设计有:波士顿公共图书馆(1887)、纽约哥伦比亚大学图书馆(1893)和大学俱乐部(1899)以及宾夕法尼亚火车站(1904～1910)。他与D.H.伯纳姆及R.M.亨特合作拟订了以古典建筑为主题的芝加哥1893年世界哥伦布博览会建筑规划纲要,麦金设计了其中的农业馆。他还协助伯纳姆修订P.朗方的华盛顿首都规划,并且是罗马美国学院的创始人。

McKim, Ruby　麦金(1891-07-25,美国伊利诺伊米勒斯堡～1976-07-26,密苏里独立城)婚前名Ruby Short。20世纪最有创意的美国被褥图案设计师之一。曾在纽约市纽约应用艺术学校(今帕森斯设计学校)就读。后在堪萨斯市学校系统教书。与丈夫阿瑟一起创立了麦金工作室。出售8本《值得动手一试的被褥花样设计》小册子。麦金以她的艺术花纹补缀面设计和有图画的系列被面著称。这些被面常将刺绣和贴花相结合。这些设计图案中包括各州州花、花卉园林、圣经历史和童谣等。她唯一的一部著作《101种补缀面花样》于1931年出版,成为经典。2002年入选被褥图案设计师名人堂。

Mackinac, Straits of　麦基诺水道　美国密歇根湖(西)和休伦湖(东)之间,密歇根州上、下两半岛之间的重要水路。长48千米,宽6千米。有麦基诺桥(1957)和水下输油管穿越。也包括休伦湖西北部若干岛屿间的水道。该水道1634年被尼科莱发现后在毛皮交易和防备上大湖区及加拿大方面曾发挥重要作用。

Mackinac Bridge　麦基诺桥　世界最长与最坚固的吊桥之一,跨美国密歇根州上、下半岛间的麦基诺水道。1940年由D.B.斯坦曼设计,由于第二次世界大战爆发,直到50年代才施工。主跨1 158米,用13米高的桁架加强刚度,路面两侧都留有空隙,桥面用格式结构,以减小迎风面。塔墩基础坚固,最深为64米,以防每年冬天积聚在水面上的冰块。1955年11月,桥尚未完工,就经受了时速122千米的大风。主要锚碇间长2 543米。1957年开放交通车辆。

Mackinac Island　麦基诺岛　美国密歇根州北部麦基诺县避暑胜地。位于休伦湖内、麦基诺水道旁。与圣伊格纳斯和麦基诺城有渡轮往来。17世纪初叶法国探险家首先来此。原为古印第安人墓地。因地处战略要冲,1780年英国人在此建要塞。1783年归属美国。曾为美国毛皮公司所在地。在1812年战争中被英军占领。1815年重归美国。周长14千米,为茂密的树林覆盖。1895年以来为州立公园。该岛保持着18和19世纪的风貌,马、马车和自行车为交通工具,禁止汽车通行。该岛四周为石灰岩,东部高103米。有斯卡尔洞、拱门、塔糖状岩。古老的麦基诺要塞、博蒙特纪念馆和美国毛皮公司贸易站

麦基诺岛上的麦基诺要塞
美国不列颠百科全书公司供图

均辟为博物馆。

Mackinaw City　麦基诺城　美国密歇根州北部希博伊根县及埃米特县村庄。位于下密歇根半岛最北端。与圣伊格纳斯隔麦基诺水道相望,两地有著名的麦基诺桥(长8千米)相连。1673年建欧洲人居民点,1715年发展为米奇利马基纳克城堡(1763年法国-印第安人战争中被焚毁),重建后辟为国家古迹,现位于州立米奇利马基纳克公园内。公园内还有麦基诺海洋博物馆。1881年通大急流城—印第安纳铁路后,该村成为控制水道的要地。1882年设为村。现为夏季度假者的服务点。有轮渡通麦基诺岛。人口859(2000)。

Mackinaw trout　麦基诺鳟　参阅 **lake trout** 湖鳟。

Mackinder, Sir Halford John　麦金德(1861-02-15,英格兰林肯郡盖恩斯伯勒～1947-03-06,多西特帕克斯顿)　英国政治地理学家、教育家。以地球的地缘政治学概念而闻名,他把地球分为两个阵营,一为占优势地位的欧亚大陆的"心脏地带",一为从属的"海上地带",包括其他洲。他于1920年被授予爵位。1880年进入牛津基督教堂学院学习生物学。1883、1884年分别获生物学和现代历史优等生奖。后在伦敦学习律师业务,1886年获律师资格。作为牛津大学附校讲师,广泛游历全国,尤其在劳动者中宣讲他的"新地理学"。"新地理学"成为联系自然科学和人文科学的桥梁,引人注目。所著《不列颠和不列颠海》一书于1902年出版,被公认为是英国地理学文献中具有里程碑性质的著作。1887年任牛津大学地理学讲师,这是英国大学第一次有这种任命。1899年皇家地理学会和牛津大学成立牛津地理学院时任第一任院长,同年组织并领导了东非考察队,首次攀登肯尼亚山。麦金德说:地理学家必须又是"考察家和探险家。"1904年任伦敦大学附属的伦敦经济政治学院院长。1910年他作为保守党党员进入议会。1904年撰写一篇名为《历史的地理枢纽》的论文,认为亚洲内陆和欧洲东部(大陆心脏)已成为"世界之岛"的战略中心。1919年出版的《民主理想与现实》这本小册子中进一步阐述了这种观点。认为英国和美国的作用是在争夺大陆心脏控制权的各强国之间保持平衡。他的"大陆心脏"说曾被德国地缘政治学家豪斯霍弗尔用以支持他的控制"地球之岛"的计划。因此,在第二次

世界大战期间曾有一种看法,认为麦金德通过豪斯霍弗尔曾对希特勒起到鼓舞作用。1924年他在总结第一次世界大战教训的基础上曾预言将来可能出现大西洋共同体。第二次世界大战后,北大西洋公约组织成立,他的预言成为现实。1946年获得英国皇家地理学会的荣誉奖章,1944年获得美国地理学会授予的荣誉奖章。

McKinley, Ida 麦金利(1847-06-08,美国俄亥俄坎顿～1907-05-26,坎顿) 婚前名艾达·萨克斯顿。美国第一夫人(1897～1901),美国第25任总统麦金利之妻。富有的银行家、

美国国会图书馆供图

商人J.A.萨克斯顿之女。宾夕法尼亚州布鲁克·霍尔神学院毕业。后在其父的银行中任出纳,并与威廉·麦金利相识,1971年1月25日两人结婚。1873年她的母亲和尚在襁褓中的女儿数月内相继死去,两年后仅存的三岁女儿也因患伤寒而亡,致使艾达郁闷、虚弱,身患癫痫。1876年威廉当选众议院议员后她陪同丈夫前往华盛顿。1892年威廉出任俄亥俄州州长,艾达健康状况稍有好转,进行了出色的社交活动。1896年威廉获共和党提名竞选总统,1897年入主白宫。此时,艾达健康状况恶化,癫痫病时常发作。虽极为虚弱,无法履行第一夫人通常要承担的诸多日常工作,但仍关注当前时事,识人断事,甚是准确,并帮助丈夫作出决定。1901年威廉在纽约布法罗遭枪击身亡。艾达虽深感悲痛,但余生癫痫病未再复发。1907年去世,葬于坎顿的麦金利纪念墓地。

McKinley, John 麦金利(1780-05-01,美国弗吉尼亚库尔佩珀县～1852-07-19,肯塔基路易斯维尔) 美国政治家和美国最高法院法官(1837～1852)。在肯塔基州短期执行律师业务以后,1818年到亚拉巴马州定居。1820年被选入州议会。两年以后,尽管有佐治亚州政治团体的支持,在竞选美国参议员时仍以一票之差被击败。由于他成为杰克逊的民主党的支持者,4年以后获得参议员的席位,一届任满后,竞选连任失败又回到州议会。在以后的总统竞选活动中,麦金利始终忠于杰克逊一派。1837年他被M.范布伦总统任命为最高法院法官。

McKinley, Mount 麦金利山 北美洲最高峰(20 320英尺),在美国阿拉斯加州南部的阿拉斯加山脉中段附近。位于迪纳利国家公园(Denali National Park)中安克雷奇西北130英里处。该山有南、北二峰,南峰较高,

麦金利山
美国不列颠百科全书公司供图

山势陡立,相对高度17 000英尺。2/3山峰终年积雪,形成多条冰川,有些长达30英里。1794年由英国航海家G.范库弗发现。1903年J.威克沙姆试登未果。1910年W.泰勒和P.安德森登上北峰。1913年6月13日H.斯塔克和H.卡斯顿斯率队登上南峰。

McKinley, William 麦金利(1843-01-29,美国俄亥俄奈尔斯～1901-09-14,纽约布法罗) 美国第25任总统(1897～1901),共和党人,因倡导关税保护主义和反对自由铸造银币而闻名全国,并因在西-美战争(1898)后坚持领土要求而被视为帝国主义。南北战争期间,

美国国会图书馆供图

任R.B.海斯上校(后为总统)的副官。1867年在俄亥俄州当律师,两年后任县检查官。1877年选入国会,曾任众议院筹款委员会主席,提出《麦金利税法》(1890),把许多进口货物的税率提高到当时最高水平。1890年连选议员失败,1892～1896年任俄亥俄州州长。1896年提出保护关税和维持金本位制的政治口号,获共和党总统候选人提名。上台后立即召开国会特别会议修订关税,提高税率。1898年4月挑起美-西战争,打败西班牙在古巴和海上的武装力量,7月底停战。在和谈中,他坚持把波多黎各、菲律宾以及其他具有战略意义的岛屿归属美国。1900年再度当选总统,提出节制托拉斯,并改变原先立场,主张实行商业互惠政策以促进对外贸易。1901年9月在布法罗被无政府主义分子L.乔尔戈什刺死,副总统T.罗斯福接替其职务。

MacKinnon, Catharine A. 麦金农(1946-10-07,美国明尼苏达明尼阿波利斯～) 全名Catharine Alice MacKinnon。美国女权主义者和法学教授,是一位有争议但很有影响的法学理论家,其著作主要涉及性骚扰和色情作品问题。与母亲、祖母一样,她也就读于马萨诸塞州北安普敦的史密斯学院,1969年获政治学学士。另外,还获得耶鲁大学法学院法学博士学位(1977)和耶鲁大学政治学博士学位(1987)。在大学本科时就组织了一项在耶鲁大学妇女研究项目中讲授的课程。当时,她反对越南战争,研究武术,与黑豹党一起活动,并参与发动妇女解放运动。1974年,还在法学院学习的时候就对早期的一桩性骚扰案十分关注,收集论据,以支持该案中妇女的合法要求。她认为在工作场所发生的性骚扰也就是性歧视、因而违反联邦法律的论点,后来发展成为她的第一本书《对劳动妇女的性骚扰》(1978)。1986年美国最高法院在审理其第一桩性骚扰案件时采纳了她的观点,一致同意裁定性骚扰即为性歧视。80年代,曾在芝加哥、哈佛、斯坦福和耶鲁等一些著名大学的法学院作访问教授,后来在密歇根大学任终身教授。她的注意力转到有关色情作品的法律和社会问题上。她谴责那些色情作品是性歧视的一种形式,助长了对妇女的压榨与凌辱,并在一定程度上使之合法化。她的一些著作《色情与公民权》(1988,与A.德沃金合著)、《不修饰的女权主义》(1987)和《言词而已》(1993)等,明确表明了她的立场,传播了她反对性骚扰、反对法律上的男性偏见和色情著作的论点论据。虽然她的立场遭到异议和反对,但她仍然是很有影响的女权主义法学理论家,通过在法学院的课程中增加女权主义的法学理论,促进了美国法律教育的改革。

Mackinnon, Roderick 麦金农(1956-02-19,美国马萨诸塞伯灵顿～) 美国医生,因细胞膜离子通道的开创性研究,与P.阿格雷共获2003年诺贝尔化学奖。1982年获塔夫茨大学医学院硕士学位。行医数年后,转向基础研究,1986年在布兰代斯大学开始他的博士后研究课题——离子通道。1986年到哈佛大学工作。1996年转到洛克菲勒大学任教授和实验室主任,一年后任洛克菲勒休斯医学研究所研究员。他的开创性研究主要是有关细胞膜通道的“过滤器”,只让一种离子通过,而挡住其他离子。他利用X射线衍射法取得通道的清晰图像,以了解这些通道如何工作。1998年他测定了一种离子通道的三维分子结构。他发现,这种通道的构造可让缔合水中的钾离子通过,而不是钠离子。他的开创性研究使得科学家能够研制治疗涉及离子通道的疾病的药物。

mackintosh 麦金托什雨衣 防水外套或雨衣,得名于发明防水材料的苏格兰化学家C.麦金托什(1766～1843)。雨衣面料用煤焦油轻油与橡胶溶液黏合两层橡胶而不透水。1823年,他的防水织物获得专利。麦金托什一词便变成泛指雨衣的名词。

Mackintosh, Charles Rennie 麦金托什(1868-06-07,格拉斯哥～1928-12-10,伦敦) 苏格兰建筑师、工艺美术运动的杰出人物。青年时在建筑师J.哈钦森处当练习生,同时在格拉斯哥艺术学院夜校学习。他与同学一起设计招贴画、手工艺品和家具等,在19世纪90年代获得国际声誉。他的作品轻快优美、富于创新,如格拉斯哥四家出众的茶室

(1896～1904)和20世纪初的住宅室内设计等。他的主要设计有英国第一座新艺术派建筑格拉斯哥艺术学院(1896～1909),具有创造性的美感。1914年之后停止设计工作,而致力于水彩画。虽然他被人遗忘了近几十年,但20世纪后期人们对他以前的作品重新感到兴趣。他设计的简洁的家具特别受到后人的欢迎。于是人们开始生产麦金托什的椅子、长靠椅等家具。他的格拉斯哥住宅经过重建,现作为博物馆向公众开放。

Mackintosh, Elizabeth 麦金托什 参阅 **Tey, Josephine** *泰伊*。

Macklin, Charles 麦克林(1690或1699,爱尔兰～1797-07-11) 原名查尔斯·麦克劳林。爱尔兰演员和剧作家。第一次演出是在布里斯托尔。1725年前往伦敦林肯律师学院菲尔兹剧院。性情凶暴。是第一个反对当时夸张的台词朗诵方法的人。1733年到特鲁里街剧院供职,后参加剧院管理工作。1735年在演员休息室为一顶假发而将另一名演员杀死,虽然受到法律起诉,但最后没有被判刑。1741年2月14日在特鲁里街剧院饰夏洛克,使这个角色摆脱了长期以来的不适当的喜剧气氛,确立了他在舞台上的地位。他曾出色地扮演过许多角色,但总是不断地纠缠在各种纠纷和法律起诉之中。曾写过两部出色的话剧《时髦的爱情》(1759)和《老于世故的人》(1781)。由于长期从事舞台工作,因此他无可争议地确立了在英国戏剧界的中坚地位。

Mackmurdo, Arthur Heygate 麦克默多(1851-12-12,英国伦敦～1942-03-15,埃塞克斯威克姆毕晓普斯) 英国建筑师、工艺美术运动的先驱。在牛津罗斯金艺术学院学习,并随J.罗斯金赴意大利旅行,后在伦敦开业。设计作品以萨伏依旅馆最为著名。对社会问题很关注,设计了一些为社会生活所需要的建筑。其设计虽受意大利的影响,但富于创造性,成为现代化运动的先驱。他根据W.莫里斯的学说,建立艺术家世纪协会,生产市场上见不到的优良家具和装饰物品,设计质量很高,为"新艺术运动"的先声。他还是古建筑保护学会的创建人之一。

McLachlan, Alexander 麦克拉克伦(1818-08-12,苏格兰伦弗鲁郡约翰斯通～1896-03-20,加拿大安大略奥兰治维尔) 苏格兰出生的加拿大诗人。由于他的苏格兰方言诗大多描写苏格兰移民的思乡之情,因而有些人称他为"加拿大的彭斯"。童年时曾在格拉斯哥学裁缝。1840年到加拿大中西部(安大略)务农。他的作品出过一个集子,题为《亚历山大·麦克拉克伦诗作》(1900)。

McLaren, Bruce(Leslie) 麦克拉伦(1937-08-30,新西兰奥克兰～1970-06-02,英格兰苏塞克斯奇切斯特附近) 新西兰出生的赛车手。1959年获国际一级方程式赛车大奖赛冠军时,年仅22岁,是获此项冠军的最年轻运动员。曾在奥克兰大学学习工程学。1964年开始设计赛车。后在赛场试车时死于事故。

MacLaine, Shirley 麦克莱恩(1934-04-24,美国弗吉尼亚里士满～　　) 原名Shirley MaLean Beaty。美国电影演员、舞蹈演员。3岁始学芭蕾,高中毕业后移居纽约,当过舞蹈演员和模特。1954年受雇为歌舞队女演员和百老汇音乐剧《睡衣仙舞》(1954)第2主角C.黑尼的替角。黑尼受伤后,麦克莱恩出演她的角色,被电影制片人H.沃利斯"发现",与她签订演出合同。她以电影《怪尸案》(1955)步入影坛,然后继续饰演喜剧和剧情类型的角色,如电影《魂断晴天》(1959)、《公寓春光》(1960)、《爱玛姑娘》(1963)、《生命的旋律》(1969)、《转折点》(1977)、《母女情深》(1983,获奥斯卡奖)和《琴韵动我心》(1988)。她经常出现在电视节目上,多次荣获埃米奖。曾写过几本畅销书,大多叙述她的神秘经历,包括《面临困境》(1983)和《走入内心深处》(1989)。

Maclaren, Charles 麦克拉伦(1782-10-07,苏格兰哈丁顿奥米斯顿～1866-09-10,爱丁堡附近) 苏格兰新闻工作者、《不列颠百科全书》第6版(1820～1823)主编、《苏格兰人报》(1817)创办人之一。他还参加过《不列颠百科全书》第4、第5和第7版的编辑工作。当选为爱丁堡皇家学会会员(1839),伦敦地质学会与法国地质学会会员(1846)。1864年任爱丁堡地质学会主席。

McLaren, Daniel(circus clown) **麦克拉伦** 参阅 **Rice, Dan** *赖斯*。

McLaughlin, Charles 麦克劳林 参阅 **Macklin, Charles** *麦克林*。

McLaughlin, John 麦克劳克林(1942-01-04,英格兰约克郡～　　) 英国吉他艺术家和乐队领队,以其高亢音调和不拘一格的独奏成为最受欢迎最有影响的爵士-摇滚音乐家之一。20世纪60年代初开始在伦敦演奏布鲁斯和摇滚乐,与著名艺人同台演奏自由爵士。1969年移居美国,在M.戴维斯最早的融合型专辑《一种沉默的方式》和《佳酿》中演奏布鲁斯和摇滚乐的吉他部分,还在威廉姆斯的"生之岁月"爵士-摇滚三重奏乐队中演奏。1970年成为印度教古鲁斯里清摩的弟子,法名"我佛慈悲",1971年组建"我佛慈悲"管弦乐队。起初是一个五重奏小组,以其根音的高亢音量,复杂的和谐统一和快速的音根调式而闻名,尤其是麦克劳克林16分音符急骤琶音的长段演奏。他的吉他有两个对称的琴颈,一边6根弦,另一边12根弦。乐队更多的是演奏摇滚,而不是演奏爵士,他们录制了广受欢迎的专辑《内心中腾升的火焰》(1971)。70年代中期他离开了斯里清摩,放弃了法名,开始与印度小提琴手尚卡尔和鼓手侯赛因成立沙克蒂三重奏小组演奏原声吉他。他的新吉他有两种品码,按在高品码上的弦越过低品码。他的即兴演奏使用布鲁斯、摇滚、弗拉门科、爵士和印度音乐的乐句。80年代一直和吉他名家、打击乐手演出二重奏和三重奏,在复兴的"我佛慈悲"乐团中演奏电吉他,并且和交响乐团一起举办吉他音乐会。

Maclaurin, Colin 马克劳林(1698-02,苏格兰阿盖尔郡基尔莫丹～1746-06-14,爱丁堡) 英格兰数学家。扩展了牛顿在微积分、几何和引力方面的研究。是一个天才儿童,11岁进格拉斯哥大学,19岁被选为马歇尔学院数学教授,两年后被选为英国皇家学会会员,并和牛顿相识。他最重要的著作《有机的几何学》(1720),发展了几种与牛顿的《数学原理》中一些定理相似的定理,介绍了产生圆锥曲线的马克劳林方法。并证明了某些类型的三次、四次曲线可用两个可移动的角的交点描绘出来。由于牛顿的推荐,1725年任爱丁堡大学数学教授。1740年他和数学家L.欧拉和D.伯努利共得法国科学院关于潮汐的论文的奖金。他的《流数论》(1742)是为回击G.贝克莱指责牛顿的微积分是根据错误的推理而得出的言论。在此文中,他证明了等速旋转均匀流体的平衡形状是旋转椭球面,后来叫做马克劳林椭球面。文章中还第一次给出区别一般极大极小的正确理论,并指出这种区别在曲线多重点理论中的重要性。马克劳林级数是泰勒级数的一种特殊形式,为纪念他而命名。1745年,当詹姆斯二世党人向爱丁堡进军时,他积极参加了修筑城防工事,爱丁堡被占后,逃往英格兰,安定后才回来。逃难损坏了他的健康,次年就逝世了。他的著作《论牛顿的哲学发现》和《论代数》都发表于死后。

McLean, Alice Throckmorton 麦克莱恩(1886-03-08,美国纽约州纽约～1968-10-25,马里兰巴尔的摩) 社会服务组织者。童年时周游各地,熟练掌握多国语言。很早就与律师E.L.廷克结婚,后又离婚,恢复婚前姓。1938年之前一直过着富有的上流社会生活。1938年访英,得知英国妇女志愿服务组织在后方做与战争有关的工作。1939年回国后召集朋友参加一系列早期的非正式志愿社会服务活动。1940年组建美国妇女志愿服务队。日本轰炸珍珠港时该组织已有成员18 000人。美国参战后志愿人员迅猛增加,该组织增加了汽车修理、密码破译和电话接线等技能训练,为部队驻军、救灾人员和伤兵提供援助和食品,并承担火情了望、农作物收割,机动车驾驶及摄影等任务。妇女志愿服务队的工场为部队、医院等生产、修补服装100多万件,出版小册子,并为家庭主妇开办衣物保存及修补学习班。战争期间美国妇女志愿服务队员售出战时公债10多亿美元。1945年成员总数已达325 000人,200多个下属团体招募青年32 000余人。去世前她一直是美国妇女志愿服务队负责人。

Maclean, Donald(Duart) 麦克莱恩 参阅 **Burgess, Guy; and Maclean, Donald (Duart)** *伯吉斯和麦克莱恩*。

Maclean, George 麦克莱恩(1801-02-24,苏格兰班夫郡基斯～1847-05-22,黄金海岸海岸角) 苏格兰出生的西非海岸角的行政会议主席,为英国在黄金海岸的统治奠定了基础。原为皇家非洲殖民军团军官,1830～1844年任黄金海岸殖民地行政长官。他同内地的阿散蒂王国缔和,使沿海芳蒂人的一些国家成为非正式保护领地,因而大振英国的威势。

他曾被指控投机倒把和未能禁止贩奴活动。1838年与诗人兼小说家L.兰登结婚，数月后兰登神秘死去，这使他的声誉进一步受损。1844年被解除行政会议主席职务，但仍负责领导同芳蒂人各国的往来事务。

McLean, John 麦克莱恩（1785-03-11，美国新泽西莫里斯县～1861-04-04，俄亥俄辛辛那提） 美国内阁成员，最高法院法官（1829～1861），以在1857年德雷德·斯科特裁决中坚持异议而闻名。是美国历史上最强烈追求总统职位的人，在1832～1860年的8届总统选举中，他都表示"愿接受提名"，然而始终未达到目的。1812～1816年曾任两届众议员，后被任命为俄亥俄州最高法院法官，1822年辞职，任J.门罗总统政府的土地总局局长，1823

美国国会图书馆供图

年任邮政部长，以高效率和部内无党派性著称。后因反对杰克逊总统公开提倡政党分肥制而辞职。随后任美国最高法院法官。在德雷德·斯科特诉桑福德一案中，他坚持少数派意见，认为奴隶被奴隶主带进禁奴州后即成为自由人，自由的黑人是公民。1868年的美国宪法第十四条修正案反映了他的观点。

Maclean's 《麦克莱恩杂志》 多伦多出版的半月刊新闻杂志，以全面报道全国性事务并从加拿大角度报道北美和世界新闻而成为加拿大主要杂志。1905年创刊时为大型杂志，登载带有保守观点的反映加拿大社会的文章和小说，并以出色的图片而闻名。辟有介绍加拿大新闻人物的专栏。20世纪70年代，同其他杂志一样遇到印制与发行费用上涨而销量和广告收入萎缩的困难，但该杂志以减少篇幅、改小规格而渡过难关。

MacLeary, Donald (Whyte) 麦克利里（1937-08-22，格拉斯哥～　　） 以刚健有力的技巧和自然的浪漫主义风格著称的苏格兰首席男舞蹈演员。曾在皇家芭蕾舞学校接受训练，1954年入皇家芭蕾舞团，翌年被提升为独舞者，1959年成为皇家芭蕾舞团中最年轻的首席男演员。主要是与S.别廖索娃伴舞，在包括《天鹅湖》、《关不住的女儿》和《罗密欧与朱丽叶》在内的古典芭蕾舞剧中扮演主角，也在许多现代芭蕾舞剧中创造过一些主要角色。1975年为皇家芭蕾舞团舞剧编导。

MacLeish, Archibald 麦克利什（1892-05-07，美国伊利诺伊格伦科～1982-04-20，波士顿） 美国诗人、剧作家、教师、政府官员。他对自由的民主政治的关心表现在他的许多作品中，但他最著名的抒情诗则偏重于抒发自己的感情。他曾在耶鲁大学求学，并在波士顿当过3年律师。1923年去法国完善诗歌技巧。在侨居国外期间所写的作品——《幸福

美国不列颠百科全书公司供图

的婚姻》（1924）、《泥壶》（1925）、《月亮上的街道》（1926）和《A.麦克利什的哈姆雷特》（1928）表现出当时流行的庞德和T.S.艾略特诗风的影响。1928年返美后出版诗集《新发现的大陆》（1930），表现出朴实的抒情天才，后来这成为他的一贯风格。集子中还收入他的最优秀诗篇《你，安德鲁·马维尔》。20世纪30年代他对法西斯的威胁日益担心。《征服者》（1932）是他的第一首"社会"诗，描绘了对墨西哥的征服和剥削。其他诗分别收入《洛克菲勒城壁画》（1933）、《演说》（1936）和《美国曾经是希望》（1939）。广播诗剧有《城市的陷落》（1937）、《空袭》（1938）和《美国7月4日大游行》（1975）。曾任国会图书馆馆长（1939～1944）、助理国务卿（1944～1945）；1949～1962年任哈佛大学教授。1952年出版《诗集：1917～1952》，1976年出版《新诗集：1917～1976》。根据《圣经》中约伯故事写的诗剧《J.B.》，1958年在百老汇演出。此外，还出版了杂文集《大地的骑手》（1978）。

MacLennan, Hugh 麦克伦南（1907-03-20，加拿大新斯科舍布雷顿角格莱斯贝～1990-11-07，魁北克蒙特利尔） 加拿大小说家和散文家。其作品对当代加拿大生活从社会和心理角度作出了极有见地的批判。他曾获罗得斯奖学金在牛津大学求学，1935年获美国普林斯顿大学哲学博士学位。1935～1945年间在蒙特利尔的下加拿大学院讲授拉丁文和历史。1951～1963年间任麦吉尔大学英文系教授。其第一部小说《晴雨表在上升》（1941）为一道德寓言，以1917年的一艘军火船的爆炸使哈利法克斯城部分被毁的事实为背景。后来的小说有：《两地孤栖》（1945）探究英法关系在加拿大的表现；《悬崖》（1948）考察加拿大公民与美国公民之间的差异；《守夜结束》（1959）从存在主义角度考察了一个面临着道德和心理危机的人；《斯芬克斯的归来》（1967）是一部分析法国-加拿大民族主义的政治小说。他的第7部小说《时间中的声音》（1980）写一个人企图重建被（假想的）核灾难毁灭了的加拿大的历史。

McLennan, John Ferguson 麦克伦南（1827-10-14，苏格兰因弗内斯区因弗内斯～1881-06-16，英格兰肯特海斯康芒） 苏格兰律师和人种学家，其有关文化进化、亲属关系和宗教起源的观点，曾促进人类学的研究工作。1857年取得律师资格；1871年代表苏格兰任国会法案起草人。由于对早期文化所遗留的习俗和行为很感兴趣，便提出社会进化的理论，见于所著《原始婚姻：婚姻仪式中掠夺形式源流考》（1865）一书中。麦克伦南曾提出族外婚（与本集团以外的人结婚，例如在交战的部落间掳掠新娘）与族内婚（与本集团内部的人结婚，导致一夫一妻制和根据男性而不是根据女性来决定亲属关系）这两个术语。他对美国人类学家L.H.摩根关于亲属关系名称所持的观点有不同看法，认为摩根在确定这种名称所表示的尊敬程度时，只考虑地位和年龄，而不考虑血统关系。他把图腾看做是早期崇拜物神、植物、动物以及后来崇拜人形神祇所留下的残余影响。这种看法引起不少名家的兴趣，其中有S.弗洛伊德和社会科学家E.涂尔干、J.G.弗雷泽、R.史密斯。麦克伦南还著有《父权论》（1885）。

Macleod (town, Alberta, Canada) **麦克劳德** 参阅 **Fort Macleod** 麦克劳德堡。

Macleod, J(ohn) J(ames) R(ickard) 麦克劳德（1876-09-06，苏格兰珀斯邓凯尔德附近克吕尼～1935-03-16，阿伯丁） 苏格兰生理学家，以从事医学教育及糖代谢研究而著名。

美国不列颠百科全书公司供图

与F.班廷及C.贝斯特均被誉为胰岛素的发现者。又与F.班廷共获1923年诺贝尔生理学或医学奖。1899～1902年在伦敦医院从事生理学及生物化学研究，1903～1918年任俄亥俄州克利夫兰西部保留地大学生理学教授。后任多伦多大学生理学教授、生理实验室主任（班廷与贝斯特曾在此从事胰岛素的研究工作）、该大学医学院院长等。著有《实用生理学》（1902）及《现代医学中的生理学和生物化学》（1918）。

MacLeod, Margaretha Geertruida 麦克劳德 参阅 **Mata Hari** 玛塔·哈里。

Macleod, Mary 麦克劳德（1569，苏格兰因弗内斯哈里斯罗迪尔～1674，斯凯岛邓韦根） 苏格兰盖尔语女诗人，17世纪崭露头角的诗派的主要代表人物，该诗派逐渐取代了古典盖尔语吟游诗人。她的诗歌韵律简洁、自然，并汲取了吟游诗人创作的大量意象，主要写麦克劳德家族的英雄业绩，表达她本人对本家族深切的感情依恋。现存诗篇甚少，其中她亲切怀念麦克劳德家族死者的哀

歌因风格清新、感情真挚而著名。

Macleod, Norman 麦克劳德(1812-06-03,苏格兰阿盖尔郡坎贝尔敦～1872-06-16,格拉斯哥) 苏格兰基督教长老会有影响的自由派牧师。他利用1833～1843年间关于教会

美国不列颠百科全书公司供图

改革的争论推行苏格兰自由长老会(1843年脱离苏格兰长老会而成立)的政策,但仍留在苏格兰长老会内。1838年任艾尔郡劳杜恩牧区牧师。关心劳动阶级,1843年发表《谈农民教会》一书。1849年起主编《爱丁堡基督教杂志》。1860年任《良言》月刊主编。1864～1872年任苏格兰长老会国外传教部主席。1857年任维多利亚女王随身牧师。1869年当选苏格兰长老会总会主席。1851年任格拉斯哥男爵领地教堂牧师终生。在职期间努力接近不上教堂的工人,欢迎他们穿工装参加礼拜;成立格拉斯哥第一所信徒储蓄银行并创立工人俱乐部。

MacLiammóir, Micheál 麦克利亚莫瓦(1899-10-25,爱尔兰科克郡科克～1978-03-06,都柏林) 爱尔兰演员、舞台设计师和剧作家。曾在都柏林大门剧院演出300场盖尔语和英语剧目,使狭隘的爱尔兰戏剧趋于国际化,从而促进了爱尔兰文艺复兴。1911年在伦敦首次登台,舞台艺名为阿尔弗烈德·威尔莫,扮演奥利佛·特维斯特。曾在欧洲各地旅行并学习艺术。1928年与英国戏剧演出人爱德华兹合伙建立了大门剧院。其方针是以演国际轮演剧目为主,同时也鼓励爱尔兰剧作家编写地方色彩较阿比剧院所演剧目要少的剧本。其结果不但使爱尔兰观众熟悉了埃斯库罗斯、莎士比亚、莫里哀、易卜生、契诃夫、奥尼尔和米勒等人的剧作,还使新涌现的爱尔兰剧作家,如D.约翰斯顿和T.C.默里等受到重视。他还和爱德华兹于1928年共同筹建了戈尔韦剧院,1928～1931年任该剧院导演。他根据凯尔特族一对有名恋人的神话故事改编的盖尔语的诗歌剧就是在这个剧院首次演出的。20世纪30年代至50年代,他定期到开罗、雅典以及加拿大各大城市巡回演出。1955年他还在电影《奥瑟罗》中扮演伊阿古。1960～1970年间,根据O.王尔德和W.B.叶芝的作品,发展了独角戏的演出。

Maclise, Daniel 麦克利斯(1806-01-25,爱尔兰科克郡科克～1870-04-25,伦敦) 爱尔兰历史画家。16岁入科克艺术学校学习,以画肖像速写维持生活。1827年到伦敦入皇家学院美术学校,定时在皇家学院展出主题画和肖像画,1835年被选为非正式院士,1840年为院士。其著名的72位文人和其他当代名人石版肖像画,最初以阿尔弗雷德·克罗基斯的笔名在《弗莱塞杂志》(1830～1836)上发表(后来以《麦克利斯肖像画廊》之名出版,1871)。另外的两幅湿壁画:《威灵顿与布鲁歇尔会师》和《纳尔逊之死》,色彩跳跃刺眼,且构图气势宏伟。

MacInnes, Helen Clark 麦金尼斯(1907-10-07,苏格兰格拉斯哥～1985-09-20,美国纽约州纽约) 苏格兰出生的美国小说家,其惊险小说以现实主义手法描写间谍活动著称。1928年获格拉斯哥大学硕士学位。1930年入伦敦大学学院图书馆管理研究生院,次年毕业。1932年与G.海厄特结婚。1938年海厄特被哥伦比亚大学聘为终身教授,全家迁往纽约市,1951年加入美国国籍。迁居纽约市不久,开始写第一本小说《避嫌》,1941年出版,获得巨大成功,1943年拍成电影。1942年出版《在布列塔尼的任务》,也于第二年拍成电影。《只要我们还活着》(1944)和《地平线》(1945)都是描写第二次世界大战期间充满悬念的故事。1947年出版一部爱情小说《朋友与情人》。之后出版一系列惊险小说,内容涉及国际阴谋和冷战紧张局势,如《祈求一颗勇敢的心》(1955)和《恐怖前奏曲》(1978)等。最后一部著作《骑一匹浅色马》于1984年出版。她写的小说几乎都是畅销书,常被译成外语出版和再版。

McLuhan, (Herbert) Marshall 麦克卢汉(1911-07-21,加拿大艾伯塔埃德蒙顿～1980-12-31,多伦多) 加拿大通信理论家和教育家。他的格言是"媒介即信息",他认为电视、计算机、电子信息传播装置等对社会学、艺术、科学、宗教等在形成其思想的风格方面会产生强烈影响;书籍注定是要消灭的。他从1946年直到逝世在多伦多大学任职,1952年成为英国文学教授,1963年起任该大学文化和技术中心主任。著作有:《机器新娘:工业人的民间传说》(1951)、《了解媒体:人的延伸》(1964)、《媒介即信息》(与Q.菲奥里合著,1967)和《像教室的城市》(与K.哈羌和E.麦克卢汉合著,1977)等。

Maclure, William 麦克卢尔(1763-10-27,苏格兰艾尔郡艾尔～1840-03-23,墨西哥圣安赫尔) 苏格兰出生的美国地质学家。他出名是因为编绘了第一幅北美洲各部分都是精确的地质图,并且是最早这样编绘的地质图之一。他于1782年旅行到纽约,后又作为一家进出口商行的合股人回到伦敦。在积蓄了大笔财产后,又于1796年回到美国,并落户入籍。1803年到欧洲大陆各处旅行,收集地质标本和图书,后怀着对地质学的满腔热情返回美国,并着手考察阿巴拉契亚山脉地区。所著《对美国地质的观察》一书于1809年发表。作为科学事业的慷慨赞助者,他协助建立了费城自然科学院,并捐赠了大约3 300卷珍贵图书。

Maclurites 麦氏卢尔氏螺属 旧译马氏螺属。奥陶纪(始于5亿年前,持续7 000万年)腹足纲的绝灭属。化石适用于地层对比。壳

麦氏卢尔氏螺属的侧面(上)和顶部(下)

蜷曲独特,容易辨认。具厣(第二壳),覆盖着大壳的壳口。该属代表最早出现于晚寒武世,绝灭于奥陶纪末的早期腹足类。

McMahon, Sir William 麦克马洪(1908-02-23,悉尼～1988-03-31,悉尼) 澳大利亚政治家和律师,曾任总理(1971-03～1972-12)。悉尼大学毕业,获法学学位,后在悉尼当律师。1939年加入陆军,升至少校。1949～1982年任众议员。50～60年代在历届自由党政府中任部长,1966年任自由党副主席,1971年任自由党主席。后出任总理,但未能挽救他的党在1972年大选中的失败。1977年受封为爵士。

McMahon Line 麦克马洪线 西姆拉会议(1913-10～1914-07)结束时,由英国及西藏谈判的中国西藏与英属印度的阿萨姆之间的边界线,并以英国主谈者H.麦克马洪的名字命名。该线从不丹东部边界沿喜马拉雅山脊直至布拉马普特拉河大弯转段。河道从西藏进入阿萨姆山谷。中国政府代表也参加了西姆拉会议,但拒绝在有关西藏地位和边界的主协议上签字,理由是西藏隶属于中国,西藏无权签订条约。中国人坚持这一立场,直至与独立后的印度发生边界争端,导致1962年10月至11月的中印敌对行动。在那次冲突中,中国军队占领了麦克马洪线以南的印度领土,但在达成停火后立即撤出。

McManus, Rachel Louise 麦克马纳斯(1896-03-04,美国罗得岛北史密斯菲尔德～1993-05-29,马萨诸塞内蒂克) 美国护士、教育家,是推动护理学专业教育在美国和全世界迅速发展的早期领导人。早年毕业于普拉特学院(位于纽约布鲁克林),后又在马萨诸塞州总医院护理学校获得护理学学位。曾在纽约哥伦比亚大学师范学院学习,先后取得学士、硕士和博士学位,从1925年起在该校执教36年。在此期间,她在师范学院成立了

护理学教育及实践研究所，并从1947年开始出任该研究所护理学教育部主任，直到1961年退休。作为护理学教育的先驱，为使护理学院毕业生能取得执业许可证和资质证明，麦克马纳斯建立了一套标准化考试程序，以保证毕业生的专业质量和学术公平。她还启动了一项护理专业的少年大学生教育课程。1964年，该师范学院授予麦克马纳斯护理学教育校友会奖章，以表彰她对护理学教育作出的杰出贡献。麦克马纳斯在护理学教育方面的影响超越了美国国界。作为安卡拉的哈斯特帕大学学院以及伊斯坦布尔大学的佛罗伦斯·南丁格尔护理学院的顾问，她全力协助土耳其对护理学院学生进行专业化培训。她还担任过在英国伦敦注册的佛罗伦斯·南丁格尔国际护理基金会主席。

McMaster, John Bach　麦克马斯特（1852-06-29，美国纽约布鲁克林～1932-05-24，康涅狄格达里恩）　美国历史学家，他论述美国人民的8卷本著作为社会历史的写作带来新意。种植园主家庭出身，在纽约市长大。1873年在纽约市立大学获土木工程学位，在弗吉尼亚和芝加哥任土木工程师。1877年任普林斯顿大学土木工程系助理教授。此后一生专心研究美国历史，编著《从革命到南北战争的美国人民史》（8卷，1883～1913）。第一卷出版，极受欢迎，他即应聘于宾夕法尼亚大学华顿财经学院执教，一直到1919年退休。其间他还积极参加该校美国史学院的建立（1891）。1913年赴欧洲旅行。1927年补写《美国人民史》，增加讲述A.林肯当政时期的一卷。所编《学校用美国史》（1897）是通用的教科书。尽管人们批评他夸大了美国人民的进步，有夸张推论的倾向，但也认为他的优点在于重视历史演变中的社会和经济因素，大胆使用当代文件和报纸作为史学研究的合法资料。他是强调西部在美国发展中作用的最初一些学者之一。

McMein, Neysa　麦克梅因（1888-01-24，美国伊利诺伊昆西～1949-05-12，纽约州纽约）原名Margery Edna McMein。美国艺术家，其商业性画风在20世纪20和30年代的杂志和广告业中非常流行。1913年到纽约市，在艺术学生联合会学习数月。1914年将第一张素描画卖给《波士顿星报》。第二年将一幅素描卖给《星期六晚邮报》当封面。第一次世界大战期间为美国政府和法国政府画海报。1923～1937年间为《麦考尔》杂志封面提供图画。还为《自由》、《妇女家庭伴侣》、《柯里尔》、《电影故事》及其他杂志提供画作。受通用面粉公司的M. C. 赫斯特委托，她创造了一个虚构的家庭妇女B. 克劳克的艺术形象。麦可梅因的社交生活也极其突出。她性格活泼，美丽大方，1923年与矿业工程师和作家J. C. 巴拉格万纳斯结婚。30年代后期，麦克梅因转向肖像画。起初用彩色粉笔画，后来画油画。曾为W.哈定总统、H.胡佛总统、女诗人D.帕克和电影艺术大师C.卓别麟等名人画过肖像画。

Macmillan, Daniel; and Macmillan Alexander　麦克米伦兄弟（丹尼尔1813-09-13，苏格兰比特郡阿伦岛～1857-06-27，英格兰剑桥郡剑桥；亚历山大1818-10-03，苏格兰艾尔郡欧文～1896-01-26，伦敦？）　苏格兰书商和出版商。1843年创办麦克米伦公司，以后它发展成为世界最大的出版公司之一。1844年公司开始出版教科书，颇为成功。1855年出版第一部长篇小说——C.金斯利的《向西方》。他们的第一部畅销书是T.休斯的长篇小说《汤姆布朗的学生时代》（1857）。1857年丹尼尔死后，亚历山大积极扩大经营，每年出书150种。他创办文学刊物《麦克米伦杂志》（1859～1907）和科学刊物《自然界》周刊（1869迄今）。1867年去美国开设分店，并把业务扩展到加拿大、澳大利亚和印度。亚历山大在世时出版了若干维多利亚女王时代作家的作品，其中最主要的作家有A.L.丁尼森、T.H.赫胥黎、L.卡罗尔、R.基普林和W.B.叶芝。

McMillan, Edwin Mattison　麦克米伦（1907-09-18，美国加利福尼亚雷东多比奇～1991-09-07，加利福尼亚埃尔塞里托）　美国核物理学家，因发现93号元素镎，与G.T.西博格共获1951年诺贝尔化学奖。镎是第一个铀后元素，因而被称为超铀元素。麦克米伦曾在加利福尼亚理工学院和普林斯顿大学攻读，1932年获博士学位。后任教于伯克利加利福尼亚大学，1946年成为正教授，1958年任劳伦斯辐射实验室主任。1973年退休。在研究核裂变时，麦克米伦发现铀239的衰变产物镎。1940年与P.H.艾贝尔森合作，分离出这种新元素，证实了他的发现。镎是众多超铀元素的第一个，这些超铀元素是重要的核燃料，它的发现，对化学和核理论有很大贡献。第二次世界大战期间他也研究雷达和声呐，并参加第一颗原子弹的工作。1954～1958年，任美国原子能委员会总咨询委员会委员。麦克米伦在研制劳伦斯回旋加速器方面也获得重大进展。回旋加速器在20世纪40年代初遇到了理论极限：其中的原子粒子由同步电脉冲在不断展宽的螺线管中加速，由于相对论性的质量增加使它们与脉冲不同步，从而不能超过某一确定的速率。1945年，麦克米伦独立于苏联物理学家V.I.韦克斯列尔找到了对各种速率维持同步的途径。他为利用这一原理的加速器起名为同步加速器。1968～1971年，麦克米伦任美国科学院主席。

Macmillan, Harold　麦克米伦（1894-02-10，英国伦敦～1986-12-29，苏塞克斯伯奇格罗夫）　英国政治家，1957年1月～1963年10月任首相。母亲出生在美国。祖父为伦敦麦克米伦出版公司的创始人之一。曾在牛津大学巴利奥尔学院受教育，参加过第一次世界大战。1924～1929年和1931～1964年为下院议员。30年代后期，谴责英国对纳粹德国的"绥靖"政策。1940年任军需供应部的政务次官。1942年任殖民地部副部长，后被派往西北非担任英国驻地中海战区盟军总部公使，极力维护与艾森豪威尔、戴高乐及其他盟军高级将领的良好关系。1945年5～7月任空军大臣，1951年10月任住房和地方政府事务大臣，1954年10月任国防大臣，1955年4月任外交大臣，1955年12月任财政大臣。艾登因苏伊士危机辞职后他被任命为首相并当选保守党领袖。就任后立即着手解决国家资

美国不列颠百科全书公司供图

金不足的困难。他极力改善因苏伊士危机而紧张起来的英美关系，多次与艾森豪威尔总统和肯尼迪总统会谈。1959年2月去莫斯科会晤赫鲁晓夫。在国内，他坚决支持英国战后的一系列社会改革方案，领导保守党取得1959年大选的胜利。1962年12月他与肯尼迪总统达成拿骚协议，由美国向英国潜艇提供核导弹。此事触怒了力主摆脱美国对欧洲控制的戴高乐，1963年1月29日法国否决接纳英国加入欧洲经济共同体，对他是一个沉重的打击。英国的收支逆差迫使政府从1961年起实行冻结工资和其他紧缩措施，这使他的政府大失民心。1963年6月国防大臣J.普罗富莫因涉嫌被苏联间谍收买而辞职是他的又一挫折。后来虽因英、美、苏3国间禁止核试验条约的谈判使他的声誉稍有好转，但党内继续要求选出较为年轻的新领袖。麦克米伦于1963年10月18日辞去首相职务。他拒绝了晋封贵族并于1964年从下院退休，开始撰写回忆录。后来他又接受封爵，于1984年受封为伯爵。

McMillin, Bo　麦克米林（1895-01-12，美国得克萨斯普雷里希尔～1952-03-31，印第安纳布卢明顿）　美国大学和职业橄榄球运动员、教练。1919年被评为全美优秀运动员。1922～1923年为全国橄榄球联盟密尔沃基威斯康星人队队员。1922～1925年任什里夫波特市路易斯安那百年纪念学院球队教练。1934年任印第安纳大学队教练。1947年从大学教练职务退下来。1948～1951年任底特律狮子队教练。1951年短期任费城鹰队教练。

McMullen, Curtis　麦克马伦（1958-05-21，美国加利福尼亚伯克利～　）　美国数学家，1998年因其在动力学方面的工作获得菲尔兹奖。曾在威廉姆斯学院学习数学，1985年获得哈佛大学博士学位。之后在麻省理工学院、普林斯顿大学、加利福尼亚大学伯克利分校和哈佛大学任教。最早用动力系统理论指出解多项式方程的收敛算法仅存在于三次或三次以下的多项式中。他还研究了一维复杂动力系统，并把类似的思想应用在菲尔兹奖获得者W.瑟斯顿的三维流形几何程序上，指出如程序预期的那样，有一大类流形满足双曲结构。著有《复杂动力系统和重整化》

(1995)和《重整化和在圆上方的纤维的三维流形》(1996)。

McMurdo Sound　麦克默多湾　在南极洲岸外,为罗斯海向西延伸部分。位于罗斯岛以西,维多利亚地以东,罗斯冰棚的边缘。长148千米,宽74千米。曾是南极探险的主要中心。1841年首次为苏格兰探险家J. C. 罗斯发现,后成为进入南极大陆的主要路线之一。英国探险家R. F. 斯科特在罗斯岛岸建立总部,后成为英国另一个探险家E. H. 沙克尔顿1908年探险的主要基地。20世纪50年代起该地和维多利亚地的几处地点是美国和新西兰共同主持的研究站。

McMurray(town, Alberta, Canada)　**麦克默里**　参阅 **Fort McMurray** *麦克默里堡*。

MacMurrough, Dermot(Irish king)　**麦克默罗**　参阅 **Dermot MacMurrough** *德莫特*。

Macnaghten, Sir William Hay, Baronet　麦克纳坦(1793-08～1841-12-23,阿富汗喀布尔)　第一次英阿战争期间(1839～1842)英国干涉阿富汗的政治代理人,1840年封准男爵。他于1809年去印度,在马德拉斯和孟加拉当行政官员和外交官,获得印度教和穆斯林的法律知识,并成为东方语言专家。1837年任印度总督奥克兰勋爵的顾问,力主出兵阿富汗,以抵制俄国在阿富汗的影响,结果引起了第一次英阿战争。他随英国入侵部队进驻喀布尔,作为政治代理人,企图以亲英的沙阿·苏查替代阿富汗统治者多斯特·穆罕默德汗,未能得逞。1841年企图撤退时被阿富汗人俘获杀死。

McNamara, Robert S(trange)　麦克纳马拉(1916-06-09,美国加利福尼亚旧金山～2009-07-06,华盛顿)　美国国防部部长(1961～1968)。他改进了五角大楼的工作,并对美国军事卷入越南起重要作用。1937年毕业于伯克利加利福尼亚大学,1939年获哈佛商学院研究生学位,后在哈佛任教。第二次世界大战期间因视力不佳被取消现役后,转而为轰炸机袭击发展后勤系统,并为稽查部队和军需品设立统计系统。战后,麦克纳马拉成为福特汽车公司雇来振兴其业务的"年轻有为的经理人员"之一。他的计划,包括制定严格的成本会计法和生产小型和豪华型汽车,获得成功,从而使他青云直上。1960年成为福特家族以外担任该公司总经理的第一人。但麦克纳马拉在担任福特汽车公司总经理一个月后即行辞职,出任肯尼迪政府国防部长。在这一新的岗位上,他成功地控制了五角大楼的活动和这一军事官僚机构,促进了武装力量的现代化,调整预算程序,拒绝在他认为是不需要和过时的武器上花钱,从而削减了开支。他力主将艾森豪威尔时期的"大规模报复"战略改变为"灵活反应",强调反游击战术与核导弹的第二次打击能力,成为这场运动的中心人物。麦克纳马拉起初支持美国在越南越来越深的军事卷入。1962、1964和1966年3次访问南越,公开表示乐观,认为民族解放阵线及其北越伙伴将很快放弃其推翻美国支持的西贡政权的企图。他成为日常作战活动的政府首席发言人,并成为约翰逊总统进行战争的主要代理人。但到1966年,麦克纳马拉开始怀疑美国军事卷入越南是否明智。到1967年时公开寻求进行和平谈判的途径。他发起关于美国对南越承担义务的全面调查(后以《五角大楼文件》发表),出面反对对北越的持续轰炸(他为此而在约翰逊政府中失势),1968年2月离开五角大楼,成为世界银行行长。在担任世界银行行长13年间,麦克纳马拉显示了被公认为对第三世界国家的需要有着巨大的敏感性。1981年他从世界银行退休后,在其他许多组织里仍很活跃。他就世界饥饿、东西方关系和其他政策问题发表意见。他的政策性论文以两卷本的形式发表,他的书《误陷灾难:在核时代的第一个世纪中求生》(1986)论述了核战争。

MacNeice, Louis　麦克尼斯(1907-09-12,爱尔兰贝尔法斯特～1963-09-03,英国伦敦)　英国诗人、剧作家,30年代"新诗"派成员。曾就读于牛津大学(1926～1930)。1930～1936年任伯明翰大学古典文学讲师,1936～1940年任伦敦贝德福德女子学院希腊语讲师。1941年开始为英国广播公司写作并演出广播剧。他的广播诗剧佳作中最杰出的是幻想剧《黑塔》(1947,由B. 布里顿作曲)。第一部诗集《盲目的烟火》于1929年出版。此后又出版十几部诗集,其中有《诗》(1935)、《秋天日记》(1939)、《1925～1948年诗集》(1949)和死后出版的《燃烧的栖木》(1963)。他的诗歌以理性的诚实、凯尔特人的勃勃生气和讥讽幽默为特色,用口头语言的平凡结构抒发了对自然美景的热爱。散文作品有《冰岛书简》(1937,与W. H. 奥登合著)和《叶芝的诗》(1941)。他还擅长翻译,译过贺拉斯的作品和埃斯库罗斯的《阿伽门农》(1936)。

McNeill, William H(ardy)　麦克尼尔(1917-10-31,加拿大不列颠哥伦比亚温哥华～　)　杰出的历史学家,所著《西方的兴起》涵盖人类有文字记载的全部历史,对史学理论产生了重大的影响。曾获芝加哥大学文学硕士(1939)和康奈尔大学哲学博士学位(1947)。第二次世界大战期间在美国陆军中服役,1944～1946年任驻希腊助理武官。1947年起在芝加哥大学讲授历史,1957年成为教授,后任历史系主任。其名著《西方的兴起》(1963)叙述人类有史以来上下5 000年的各种文明的兴起、发展和相互关系,兼述西方和东方的各种文明,探讨非洲、大洋洲以及哥伦布以前美洲的文明发展情况。他认为一切文化都影响其他的文化,也都受其他文化的影响;文明的历史就是不断变化和文化扩散的历史;欧洲文明自从公元1500年以来所以在世界上占有优势,是由于它具有很大的不稳定性,这种特征赋予欧洲文明以不断更新、力量充沛的特质,从而打破和推翻各东方文明的古老文化平衡。他的论点和A. 汤因比的著作截然不同,后者认为文化的兴起和衰落全凭自身内在的规律,不受任何外界的影响。其他著作有:《希腊进退两难:战争和后果》(1947)、《欧洲的草原边疆,1500～1800》(1964)、《瘟疫和人民》(1976)、《人类的状态:从生态学和历史学的观点考察》(1980)和《1750年以来的人口与政治》(1990)。

Macocha Gorge　马佐哈峡　又作Macocha Abyss。在捷克共和国南摩拉维亚洲,是摩拉维亚喀斯特地区最著名的旅游胜地。有岩洞迷宫、石廊以及许多壮观的石笋、钟乳石。该峡最深达128米。可由地下通道及岩洞入峡。峡长约275米,最宽处约120米。地下岩洞崩塌可能是该峡成因。从自然地理角度上看,该系统中有该区最大的卡特琳溶洞和可乘船抵达的一连串的湖——蓬克瓦水洞系列。

Macomb　马科姆　美国伊利诺伊州西部城市,麦克多诺县县城(1830)。临拉莫因河东汊。1829年始建,原名华盛顿。1830年改现名。1841年设镇,1857年设市。经济以轻工业(陶瓷产品和滚柱轴承)和农业为主。设有西伊利诺伊大学(1899)。城西有州立阿盖尔湖公园。人口约18 558(2000)。

Macomber, Mary Lizzie　麦康伯(1861-08-21,美国马萨诸塞福尔里福～1916-02-04,波士顿)　美国画家,她高度象征主义的梦幻般画作至今仍被人铭记。1880～1883年师从一位当地画家,并去波士顿的美术博物馆的训练班学习一年。后在波士顿开设画室。1889年作品《露丝》在纽约市国家设计学院画展上展出。其后13年中她在国家艺术设计学院先后共展出25幅作品。所作的象征主义的、寓言式的和装饰性地画在画板上的画表明她受过前拉斐尔派画家的影响,她的画受到当时画家的赞扬。更为著名的画包括《爱唤醒了记忆》(1892)、《爱的悲伤》(1893)、《圣凯瑟琳》(1897)、《沙漏》(1900)、《花边饰带》(1900;自画像)、《夜晚,她女儿睡了》(1903)和《记忆安抚悲伤》(1905)等。

Mâcon　马孔　法国中东部勃艮第大区索恩-卢瓦尔省省会、城镇。位于索恩河右岸,里昂的北面;是交通中心,有法国主要高速公路南方公路绕过,并有从卢瓦尔地区到日内瓦干线公路穿过。536～1790年为一主教区。古建筑有圣文森特大教堂(大部毁于1799年)和现为博物馆的住宅(19世纪诗人、政治家A. de 拉马丁的出生地)。附近马科奈和博若莱葡萄园生产名葡萄酒。为葡萄酒贸易中心,每年举办国际葡萄酒交易会。也是沙罗莱牛市场,有现代工业区(制造机械设备和摩托车)和可航行的索恩河河港。人口36 517(1982)。

Macon　梅肯　美国佐治亚州中部城市、比布县县城(1823)。临奥克马尔吉河。围绕霍金斯要塞(1806)形成了最初的居民点纽敦;1822年规划为一跨河城镇,名梅肯;1829年纽敦并入梅肯。19世纪40年代初开通铁路后,经济迅猛发展,成为重要的棉纺中心。南北战争中,梅肯为南部邦联的储存黄金之地。

第一次世界大战期间经济复苏。市南罗宾斯空军基地在第二次世界大战期间为重要军事设施。制造业产品有纺织品、砖瓦等。一直是周围农产品的加工和贸易中心。有默瑟大学(1833)、卫斯理学院(1836)、梅肯初级学院(1968)以及佐治亚盲人学校(1851)等。诗人S.拉尼尔(1842～1881)诞生于此。附近的奥克马尔吉国家保护区内有印第安人墓丘。人口:市97 255;梅肯-沃纳罗宾斯都会统计区322 549(2000)。

Macon,Nathaniel 梅肯(1758-12-17,美国北卡罗来纳埃奇库姆～1837-06-29,北卡罗来纳沃伦县) 任职长达37年的美国国会领袖。他对当时几乎每件提案,尤其是涉及建立中央政府问题的提案均持否定观点,并因此著名,但为人正直无私,故深受爱戴和尊敬。1781～1785年为北卡罗来纳州参议员,1791～1815年为美国国会众议员,1815～1828年为国会参议员。1801～1807年任众议院议长,为杰斐逊反联邦党集团的重要领袖之一。1812年一反惯投反对票的做法,赞成向英国宣战,但反对征兵和增税。战后,他维护各州权利和地方主义的观点更为明显。退休后曾极力为奴隶制辩护。

Maçon,Robert Le 参阅 **Le Maçon,Robert 勒马松**。

Maconde 参阅 **Makonde 马孔德人**。

McPhatter,Clyde 麦克法特(1932-11-15,美国北卡罗来纳达勒姆～1972-06-13,纽约州纽约) 全名Clyde Lensey McPhatter。美国节奏与布鲁斯歌手,其富于感情的灵乐风格在20世纪50年代甚为流行。生长在虔诚的基督教家庭,20世纪40年代移居新泽西。高中时和几个同学组建"芒特莱巴嫩歌手"乐队,很快在福音音乐圈子里获得成功。1950年在一次比赛中被声乐指导B.沃德发现,因而加入了他的合唱团。麦克法特的领唱使沃德-多米诺合唱团成为当时最著名的声乐团体。1953年严厉的沃德开除了麦克法特。不久大西洋唱片公司成立了以他为中心的声乐团,以《金钱宝贝》一炮走红。这首歌曲完美地体现了他从福音音乐引过来的装饰音。1954年,单曲《白色圣诞》因被说成是淫荡音乐,禁止在电台播放,然而却一直畅销不衰。秋天应征入伍,驻扎在新泽西,但仍继续录制唱片,并在影片《摇滚先生》(1957)中演出。退役后成为一名独唱演员,继续与流浪者乐队和其他著名歌手合作,推出更多的流行乐曲,其中《没有爱》(1956)、《恋人问题》(1958)和轰动一时的节奏与布鲁斯《亲爱的宝贝儿》进入流行音乐排行榜前20名。1960年改换唱片公司,先与米高梅,后与水星合作。他的新唱片已完全是流行歌曲,成功之作《爱人,求求你》(1962)甚至已经不在节奏与布鲁斯之列。1965年的《哭泣现在帮不了你》还算不错。之后,尽管他的声音很适合新兴的灵乐,但却再也没有出现好作品。他开始酗酒,在一些老的乐队里巡回演唱,去世时不满40岁。1987年入选摇滚乐名人堂。

McPherson 麦克弗森 美国堪萨斯州中部城市、麦克弗森县县城(1873)。1872年规划,1874年设建制,因南北战争中北军阵亡将领麦克弗森而得名。现在是附近油田和综合性农业区的加工和转运中心。有炼油、磨面和铝品、塑料管道、活动房屋制造等工业。设有麦克弗森学院(1887,学院博物馆中陈列世界上第一块人造金刚石)和中央(初级)学院(1914)。附近有麦克弗森州立渔场。人口13 770(2000)。

McPherson,Aimee Semple 麦克弗森(1890-10-09,加拿大安大略英格索尔附近～1944-09-27,美国加利福尼亚奥克兰) 引起争论的美国五旬节宗福音布道家和早期广播布道

洛杉矶县自然史博物馆供图

家。她利用她所成立的万国四方福音会成名致富,吸引徒众数十万。她生于农庄,继承其母(救世军教友)的宗教热情,17岁开始宣讲她自己的基督福音。1908年,她随第一个丈夫、五旬节派布道家R.森普尔到中国传教。森普尔死后,她携带女儿返回美国,改嫁哈罗德·麦克弗森。后来因她专门从事巡回布道治病,两人离异。她的事业大获成功,最后定居洛杉矶。她的追随者花费150万美元为她建天使堂,她在该教堂讲道,听众甚多。她获得母亲肯尼迪夫人暗中援助,以舞台演出形式主持进行奋兴会仪式,有时化装,烘托讲道的内容。有一次穿警服,讲"神的律法"。麦克弗森除了创立和管理万国四方福音会(1927)外,还成立广播电台,创建并领导一所圣经学校,主编杂志,著书,撰写小册子,广泛推行社会服务工作,通过约200所教堂传播她的福音。她精力充沛,风韵动人,尽管第三次结婚后又离婚。1926年突然失踪五周,哄动一时,还有许多查无实据的严重指控,但她仍能笼络徒众,他们称她为"艾梅大姐"。然而,她的名声、钱财、势力和婚姻关系凑在一起,不仅使她成为众目之的,也使她经常陷于诉讼纠纷之中。有一次她同时涉入45件诉讼。她的生涯在20世纪30年代末达到顶峰,到了1940年她的天使堂成为旅游胜地。她因服用巴比土酸盐过量而死,她的儿子罗尔夫·麦克弗森继承她的事业。

Macpherson,Sir David(Lewis) 麦克弗森(1818-09-12,苏格兰因弗内斯郡卡斯尔莱瑟斯～1896-08-16,海上) 苏格兰出生的政治家和铁路建设者,1883～1885年曾任加拿大内政部长。1835年从苏格兰移民到蒙特利尔,经营航运发财。1853年移居多伦多,承包多伦多一萨尼亚铁路工程。1864年选入省立法会议。1867年成立加拿大自治领时,被提名为参议院议员。1871年与于格·阿伦爵士争夺加拿大太平洋铁路的建筑权。失败后拒绝参加阿伦的公司。1880年任参议院议长和保守党内阁的不管部长。1883年任内政部长,1885年因被指控对西北部叛乱处理不力而辞职。1884年封爵士。

Macpherson,James 麦克弗森(1736-10-27,苏格兰因弗内斯拉斯文～1796-02-17,因弗内斯贝尔维尔) 苏格兰诗人。由于他引发了莪相争论,他研究盖尔语的真正贡献反而不为人所知。第一本诗集《苏格兰高地人》(1758)平庸无奇。后来在诗人J.霍姆的鼓励和修辞学家H.布莱尔的资助下,他收集了盖尔语的手稿并记录下口头传播的盖尔语诗歌,出版了《古诗片断……译自盖尔语或埃尔斯语》(1760)、《芬歌儿》(1762)、《帖莫拉》(1763),并声称其中大部分内容取材于3世纪盖尔语诗人莪相。任何盖尔语手稿的年代,是没有晚于10世纪的。莪相的真实可靠性得到布莱尔的证实,苏格兰哲学家休谟则持怀疑态度,英格兰诗人托马斯·格雷对之既存疑,又赞赏,而英国文学权威塞缪尔·约翰逊博士则予以否定。这些评论家中无一人懂盖尔语。麦克弗森常将大量浪漫主义情调注入原著,文字时而紧扣原文,时而离开原文。他的语言深受钦定本《圣经》的影响。这些著作的原文在他去世之后方出版。

McPherson,James B(irdseye) 麦克弗森(1828-11-14,美国俄亥俄桑达斯基县～1864-07-22,佐治亚亚特兰大附近) 美国南北战争中联邦军的将领。对他的死U.S.格兰特说:"国家失去了一个最优秀的军人,我也失

美国国会图书馆供图

去了最好的朋友。"1849年以名列全班第一毕业于西点军校后,在工兵部队服役,曾在陆军多种下级岗位上任职。1861年南北战争爆发后,他在格兰特将军麾下任工兵司令,曾参加田纳西战役,在田纳西州夏洛战役和密西西比州科林斯战役中,以显赫的军功晋升志愿兵少将。1863年参加第二次攻打维克斯堡战役,夺城后晋级正规军准将。1864年3月任田纳西军司令,在W.谢尔曼将军指挥下进军亚特兰大。不久,被一南部邦联军散兵杀害。

Macpherson,(Jean)Jay 麦克弗森(1931-06-13,英国伦敦～) 加拿大抒情诗人,

"神话诗歌派"成员。常通过往往是抒情或喜剧性的象征诗作来表达严肃的宗教和哲学主题。1940年，她和部分家人移居加拿大。1954年在多伦多大学的维多利亚大学任教。她的早期诗作有《诗歌十九首》(1952)和《回来吧，土地！》(1954)。随后有《船夫及其他诗篇》(1957，1968年增补若干首后重新出版)，这是分置于6个副题之下的一批短诗，它们为她赢得了诗人的声誉。她的抒情诗语多嘲讽讥刺，常以反复出现的神话和传说的象征衔接起来，显示出她受到多种现代诗歌理论的影响，其中有N.弗赖伊和R.格雷夫斯体、伊丽莎白时代诗歌体、威廉·布莱克诗体、盎格鲁-萨克逊诗谜体和传统的谣曲体。她的诗大多采用传统诗歌形式，同时反复强调想象的重要性。《人类四个时代》(1962)是为儿童设计写作的较大的古典神话集成，并附有插图。《欢迎灾祸》(1974)是她在1970～1974年间写成的诗集。《独处的精神：晚期传奇故事中的常规和连续性》是她研究田园传奇故事的成果，出版于1982年。

McPherson Range　麦克弗森岭　澳大利亚东部大分水岭的东部山嘴。其山脊自丹杰角至沃伦加拉(225千米)构成昆士兰州与新南威尔士州的边界。山谷较深，雨量充足，森林茂密。最高峰巴尼山海拔1 356米。悉尼—布里斯班铁路线经里士满山口下面的隧道穿过该岭。部分地区已辟为国家公园。

Macquarie, Lachlan　麦夸里(1761-01-31，苏格兰阿盖尔郡阿尔瓦～1824-07-01，英格兰伦敦)　澳大利亚新南威尔士总督(1809～1821)，为争取公民权者(刑满释放的罪犯)扩大从业机会，并同排斥论者、大土地所有者和牧羊农场主建立权力平衡。曾参加英军，1776～1784年转战北美、欧洲、西印度群岛，1788～1803、1805～1807年驻在印度。1809年任新南威尔士总督，大力推行公共工程和城镇建设计划，迄1822年已动工200多个项目。1813年发行殖民区的货币，1817年建立第一家银行。他还鼓励扩大居住地区和进行探险，最著名的一次是1813年跨越蓝山。对土著居民采取极自由的政策。他确信依靠争取公民权者的农业可以求得发展，这激怒了殖民区的大土地所有者，导致英国政府1819年进行调查。1821年他被召回，随即退休。

Macquarie, Lake　麦夸里湖　澳大利亚新南威尔士州一处潟湖。在悉尼东北97千米处。24千米长，8千米宽。面积117平方千米。因沙坝阻塞亨特河三条支流的河口湾而形成。是娱乐、商业和住宅区发展的中心。东西两岸有煤矿。北部有科克尔河注入，河畔有生产过磷酸钙和硫酸的工厂。普尔巴岛上有野生动物保护区。

Macquarie Harbour　麦夸里港湾　凹入澳大利亚塔斯马尼亚岛西部的印度洋小海湾。为冰川形成的断层谷。从西北向东南延伸32千米，宽约8千米。接纳金河和戈登河。狭窄湾口有沙坝，严重限制了湾内斯特拉恩港的使用。金河河谷有金矿开采业。戈登河谷有伐木业。湾内塞特尔门特岛和囚犯岛为历史纪念地。

Macquarie Island　麦夸里岛　在澳大利亚塔斯马尼亚岛东南1 450千米处。连同其他相关小岛构成塔斯马尼亚的亚南极部分。为火山岛，总面积123平方千米，岸外有几个岩石小岛。其圆形山丘高365～425米，海岸陡峭。岛上无树，但山坡和沿海平地植被茂密，并有几处小冰川湖。1948年起设有气象和地质考察站。1933年建为自然保护区，为唯一王企鹅繁殖地。岛上有海豹栖息地。

macquarie pine　麦夸里氏松　参阅 **Huon pine** 休恩松。

McRae, Carmen　麦克雷(1920-04-08，美国纽约州纽约～1994-11-10，加利福尼亚贝弗利希尔斯)　美国爵士乐女歌唱家和钢琴家。早期模仿歌唱家B.霍利戴，后摆脱其影响而自成一格，以其烟雾般的嗓音和抒情的、旋律优美的变奏(大多根据爵士乐流行乐曲)而闻名。她的即兴演唱富有新意、复杂而雅致。麦克雷自幼学习古典钢琴，曾随乐队领队B.卡特和C.贝锡一起工作(1944)。与爵士乐鼓手K.克拉克结婚后，于1946～1947年用卡门·克拉克之名与M.埃林顿管弦乐队合作首次录制唱片。后曾在几家小型夜总会担任舞间休息时的钢琴手，并从事非音乐性工作多年，直到1953和1954年录制唱片获得成功才返回歌坛。50年代中期起大量巡回演出(在日本特别受欢迎)，频繁录制唱片，并参加许多音乐比赛。

macramé　流苏花边　用绳或粗线结出具有几何图案的流苏或粗花边。流苏花边是热那亚的特产，19世纪时当地流行饰有绳子结的毛巾，起源于16世纪的编结花边工艺。20世纪60年代以来，在美洲和欧洲流苏花边成为一种流行的手艺和工艺美术制品，大多用于灯罩、吊床、窗帘、墙上垂饰和盆栽植物的吊篮等。

Macready, William Charles　麦克里迪(1793-03-03，英国伦敦～1873-04-27，格罗斯特郡切尔滕纳姆)　英国演员、剧场经理和日记作家，19世纪英国舞台上发展表演技巧和戏剧演出技巧的主要人物之一。原在拉格比学习法律，经济困难和一种个人的责任感促使他步人戏剧界。1810年在伯明翰其父的剧团中扮演罗密欧，首次登上舞台。此后，在各省级剧院扮演其他角色，很快成名。1816年在伦敦科文特加登剧院演出。以后由于戏剧界的竞争，被迫扮演各种情节剧中的恶棍，以认真的表演牢牢确立了他在舞台上的地位。到1820年他已成为当时最优秀的演员之一，可以和E.基恩一争高低。麦克里迪以扮演莎剧角色哈姆雷特、伊阿古、李尔、奥瑟罗和理查二世而获得极高声望。1837～1839年任科文特加登剧院经理，1841～1843年任特鲁里街剧院经理。尽管在两家剧院任经理期间经济上均不成功，但仍允许他将其表演理论推行于戏剧演出的各个领域。他是第一个给19世纪戏剧舞台带来统一原则的人，要求演员和所有与演出有关的人员都应受剧本中心思想的指导和支配。在那个时代，主要演员都例行公事般背熟台词，上台后则随心所欲进行表演；麦克里迪则坚持要充分排练，以便使所有角色表演完美并在艺术上能相互配合。他还在历史剧中设计使用准确的服装，并努力使布景与剧本相协调。最后，他还拒绝使用当时流行的讹误的莎剧文本，恢复使用莎剧的原本。所有这些革新使许多重要的莎士比亚戏剧非常成功地重现于舞台，其中有《皆大欢喜》、《麦克白》、《李尔王》、《亨利五世》和《暴风雨》，为这几次演出而进行的历史研究对英国的舞台艺术产生了强烈影响，并为20世纪戏剧方面的统一原则奠定了基础。麦克里迪还坚持不懈地说服当代文学界的大人物转向戏剧创作。他曾几度出国旅行，1828年在巴黎参加演出。1826、1843和1848～1849年他先后到美国访问。在他最后一次访问期间，他的竞争对手、美国演员E.福雷斯特与他挑起一场纠纷，这种情况在纽约市的阿斯特·普莱斯歌剧院达到高峰，导致了歌剧院外的一场暴力冲突。其中有20余人在与警卫队员的冲突中死亡，他自己也险些丧命。重返英国后，1851年他以自己最喜爱的角色麦克白的演出告别了舞台。麦克里迪是一位理智型的演员，擅长扮演哈姆雷特和黎塞留这样的富有哲学意味的角色；可是他也能表现出强烈的激情。作为一个演员，他虽然不如D.加里克，也许只达到基恩的水平，但他对表演风格和演出技巧的影响，则远远超过上述两人，正是他这种影响，使现代舞台艺术成为现实。

美国不列颠百科全书公司供图

McReynolds, James (Clark)　麦克雷诺兹(1862-02-03，美国肯塔基埃尔克顿～1946-08-24，华盛顿[哥伦比亚特区])　美国最高法院法官(1914～1941)。他是对F.罗斯福总统早期的新政计划进行抨击的主要人物之一。1884年获律师资格，后在田纳西州纳什维尔市开业。曾任范德比尔特大学法律学教授。1903～1907年任助理司法部长。1907～1912年任司法部长特别顾问。1913～1914年任司法部长，以大力推行反托拉斯法闻名。因此，当1914年W.威尔逊总统任命他为最高法院法官时，人们普遍认为他是一个自由主义者。但在此后的27年中，他越来越趋向于保守，而且是在1937年以前成功地驳倒了新政的许多社会改革计划的最高法院的大多数法官中的直言不讳的成员。

Macrinus 马克里努斯(约164,毛里塔尼亚凯撒里亚[今阿尔及利亚舍尔沙勒]～218-06,比提尼亚[今在土耳其]) 第一位未获得元老院承认而治理帝国的罗马皇帝(217～

美国不列颠百科全书公司供图

218)。精通法律有助于他在骑士团生涯中迅速晋升,后在卡拉卡拉皇帝治下当禁卫军司令。217年4月卡拉卡拉在与安息人作战时,被自己的一名军官刺死。据说,这次行刺是由马克里努斯主使的。卡拉卡拉遇刺3天后,马克里努斯被部下拥立为皇帝。他与安息人的战斗未分胜负,随后就同意签订一项不利于罗马的和约。他手下的叙利亚军团倒戈到卡拉卡拉的侄孙埃拉加巴卢斯一边。马克里努斯率残部想逃往意大利,中途被追兵击败。他被擒后处死。

Macro-Algonquian languages 大阿尔冈昆诸语言 又拼Macro-Algonkian。北美印第安语主要语群。由9个语系以及24种语言或方言分支组成。大阿尔冈昆语包括的各语系是:阿尔冈昆语系,有语言13种;尤罗克语系,1种;维约特语系,1种;穆斯科吉语系,4种;此外,纳切斯语系、阿塔卡帕语系、奇蒂马恰语系、图尼卡语系以及通卡瓦语系各有1种与语系同名的语言。大阿尔冈昆诸语言在欧洲人拓居前主要曾通行于北美洲东部,其范围是:从拉布拉多地区和魁北克省东部沿大西洋海岸直到北卡罗来纳州;沿大湖区而西到萨斯喀彻温省、艾伯塔省、蒙大拿州、怀俄明州以及科罗拉多州;从得克萨斯州东部到佛罗里达州和佐治亚州而北至田纳西州的美国东南部;加利福尼亚州北部一个孤立地区(维约特语和尤罗克语)。这个语群的主要语言有加拿大东部的克里、蒙塔格奈和纳斯卡皮方言;安大略南部的奥奇布瓦、阿尔冈昆、渥太华、萨尔托方言;加拿大东部的米克马克语和蒙大拿州及艾伯塔省的布莱克富特语,它们均属阿尔冈昆诸语言。密西西比州通行乔克托-奇克索方言,穆斯科吉或克里克方言及塞米诺尔方言通行于俄克拉何马、亚拉巴马、佛罗里达州。这些语言均属穆斯科吉语系。大阿尔冈昆诸语言像许多其他美洲印第安语一样,是多式综合结构的语言,即用许多黏附成分(除了与其他此类成分组合外不能单用)以构成单词,而这些黏附成分可用做名词、动词、形容词或副词。因此,阿尔冈昆语的一个词就能包括英语整句话的意思。这些语言使用大量后缀,若干前缀;也用曲折变化作为语法手段,而使“格”的变化有所发展;此外,还用重叠词根及其音节的办法,使词根发生变化。

Macro-Siouan languages 大苏语诸语言 北美印第安语的主要语群。由26种语言组成5个语系:苏语语系,有语言12种;卡陶巴语系,1种(已消亡);易洛魁语系,8种;卡多语系,4种;尤奇语系,1种。大苏语诸语言通行于欧洲移民到此以前的美国东部和加拿大,其范围从安大略省南部经纽约州到阿巴拉契亚山脉南部;另外通行于大平原地区,其范围从蒙大拿州到威斯康星州,再南到得克萨斯州和阿肯色州。主要的语言是达科他语(苏语),通用于大平原北部地区的印第安人中,克劳语通行于蒙大拿州东部;它们均属苏语系。塞内卡语、卡尤加语、莫霍克语、奥内达语、奥农达加语等方言(均属同名的易洛魁部族)通行于纽约州。切罗基语通行于阿巴拉契亚山脉南部及俄克拉荷马州,均属易洛魁诸语言。这些语言的特点是经常使用前缀以及某些后缀和中缀。中缀是语音或音丛,它们被插入词内,而不是附加于词首或词尾。例如:达科他语的mani是动词,意为“走路”,-wa-是中缀,意思是“我”,因之,“我走路”这句话就是ma-wa-ni。也使用复合词,而单词则常由若干半独立单位组成。通常用前缀表示代词,有时也用中缀,如前例所示。

Macro-Sudanic languages (Africa) 大苏丹诸语言 参阅Chari-Nile languages *沙里-尼罗诸语言*。

Macrobius, Ambrosius Theodosius 马克罗比乌斯(活动时期约公元400年前后) 拉丁语法家和哲学家。其最重要的著作为《农神节说》,是已知古代宴饮论辩之作中的最后一篇,最早者当属柏拉图的《会饮篇》。马克罗比乌斯的生平不详,可能曾任西班牙地方长官(399)、非洲总督(410)、御前大臣(422)等罗马帝国公职。《农神节说》旨在诫谕其子尤斯塔修斯,叙述农神节前一天和该节日3天内在私宅中所进行的讨论。马克罗比乌斯还著有对西塞罗的《论共和国》一书中的《西庇阿之梦》的评注。这是一部新柏拉图派著作,共2卷。他写的第3部著作为《论希腊文和拉丁文动词之异同》,现仅存片断。

Macrocheir 长手 参阅Artaxerxes I *阿尔塔薛西斯一世*。

Macrocystis 巨藻属 大型褐藻(kelp)的一属。

macroeconomics 宏观经济学 对商品和劳务的生产总量、总收入、生产资源的配置水平和价格总水平所进行的全国或地区经济研究。在20世纪30年代以前,经济分析大多集中于个别公司和行业;随着30年代经济大萧条以及国民收入和生产统计概念的发展,宏观经济学的领域开始扩大。它的政策目标有:经济增长、价格稳定和充分就业。参阅microeconomics。

macrofauna 大型土壤动物 又称大型动物区系。无须放大即能看到的动物,尤指体长1厘米或1厘米以上但较蚯蚓为小的土壤动物。锅虫、多足动物、蛞蝓、蜗牛、蛆、甲虫及蜘蛛等都是典型的大型土壤动物。其中许多在土壤中掘洞穴,有利于土壤排水和通气;有些有机物质还能通过洞穴进入土壤。许多大型土壤动物消费腐解中的植物性物质和有机碎屑,但蜈蚣、某些昆虫和蜘蛛却捕食其他土壤动物。

macroglossia 巨舌症 一种消化系统疾病,因肌肉发育过度或其他物质积聚所致的舌巨大。肌性肥大性巨舌症可为先天性,见于蒙古样痴呆;也可为后天性,见于肢端肥大症。感染、肿瘤等造成的淋巴引流受阻及糖原贮积症、淀粉样变性症造成的糖原、淀粉积聚,亦可致巨舌症。巨舌症会引起言语障碍,呼吸及吞咽困难等多种问题。

macromolecule 大分子 很大的分子,其直径一般为100～10 000埃(10^{-5}～10^{-3}毫米)。分子是保持物质特性的最小单位,大分子也是这样一种单位,但比普通分子(其直径通常不到10埃)大得多。塑料、树脂、许多合成纤维和天然纤维(如尼龙和棉花)、橡胶,以及生物学上很重要的蛋白质和核酸都是由大分子构成的物质。构成大分子的原子数目比普通分子大得多。例如,聚乙烯塑料分子可能由多达2 500个各含2个氢原子和1个碳原子的亚甲基组成,这样一个分子的分子量约为35 000。胰岛素是一种存在于动物胰腺中的激素蛋白质,起调节血糖浓度的作用,它的1个分子是由51个氨基酸(氨基酸分子含碳、氢、氧、氮,有时还含硫)组成的。已经测得,牛胰岛素的精确分子量为5 734。

macronucleus 大细胞核 即滋养核。据认为可影响许多细胞活动的一种大型的细胞核,见于如草履虫等原生动物。大细胞核与一个或多个小细胞核相联。小细胞核为细胞接合和自体受精所必需。当这些生殖过程出现时,大细胞核退化,随后又在合子中由核物质重新组成。

macrophage system 巨噬细胞系统 参阅reticuloendothelial system *网状内皮系统*。

Macrozamia 大泽米属 苏铁科的一属。12或12种以上,原产澳大利亚,其他地区作为观赏植物或温室植物栽培。该属植物形似蕨类,茎隆凸状;或似棕榈,茎为柱状,高达18米。茎髓含有淀粉,种子对家畜有毒。球果长约0.6米,重达36千克以上。

Mactan Island 麦克坦岛 菲律宾中部的珊瑚岛。位于保和海峡中,邻近宿务岛东岸。岛呈长方形,岛上地势低平,有长满红树的大片沼泽地。为宿务省的一部分,面积62平方千米,防护着港口宿务市。居民主要从事捕鱼和种植椰子。有美国军用机场和国内第二大机场。与宿务岛之间有大桥相连,大桥长860米,完成于1973年。宿务市对面的拉普拉普市(原名奥蓬)有石油运输码头和造船厂等港口设施。人口247 083(2000)。

macula lutea 黄斑 视网膜后极的黄色小区域。当注视物体时,黄斑区中心、晶状体中心与物体在一直线上。黄斑中心的小凹陷称为中心凹。黄斑区含有大量对光敏感的神经细胞。中心凹处的神经细胞均为圆锥细胞,而且没有血管妨碍视觉,因此中心凹的明视觉及色觉最为敏锐。老年人的黄斑有时因脉络膜血管硬化而产生变性,中央视觉受损,但周边视觉不受影响。参阅 **visual-field defect**。

Macumba 马库姆巴教 融合非洲传统宗教、欧洲文化、巴西唯灵论和天主教义而成的非洲-巴西宗教。该教有许多派别,其中最主要的是康东布莱派和翁班达派。马库姆巴教在户外举行礼拜,以动物(如公鸡)为祭献,以物品(如蜡烛、雪茄和鲜花)供奉神灵,并表演礼仪性舞蹈,这都是源于非洲的要素。马库姆巴教的礼仪由巫师主持,巫师以昏迷状态俯卧在地,与神圣的精灵交通。来自天主教的成分有使用十字架和崇敬圣人,而圣人都有其非洲名称,如圣乔治称为奥贡,圣哲罗姆称为桑戈,而圣母马利亚则称为耶曼哈。康东布莱派流行于巴伊亚州,人们认为该派在马库姆教各派中非洲成分最多。翁班达派流行于里约热内卢和圣保罗等城市地区,内容比较繁复,反映印度教和佛教的影响,其势力及于白人中产阶级。基督教会试图同马库姆巴教各派进行斗争,但它们仍然盛行于巴西全境。

Macy, Anne Sullivan 梅西(夫人)(1866-04-14,美国马萨诸塞斯普林菲尔德附近费丁希尔~1936-10-20,纽约福里斯特希尔) 即A. 沙利文。母家姓 Joanna Sullivan(乔安娜·沙利文)。美国女教师。因将一个失去视力、听力和正常语言能力的人海伦·凯勒教育到很高水平这一成就而获得广泛承认。安妮·沙利文几乎完全失明。1886 年毕业于波士顿珀金斯盲人学校,次年应聘任因幼时患病而丧失视力与听力的 6 岁幼女海伦·凯勒的家庭教师。沙利文发挥自己的忍耐精神和创造力,在一个月内靠手指动作表示字母使凯勒有了名称观念。几年后,凯勒掌握了充分的词汇,并表现出不同凡响的智力。沙利文陪同凯勒入拉德克利夫学院(马萨诸塞州剑桥),给她阅读书籍教材,用手指动作向她转达教师授课内容,直到 1904 年凯勒毕业。1905 年沙利文同曾帮助凯勒撰写自传的文学评论家梅西结婚,1913 年两人离异。其后凯勒在梅西夫人的陪同下多次到世界各地演讲,并曾进行一次演出旅行。关于描写梅西夫人的著作有 N. 布拉迪的《安妮·沙利文·梅西》(1933)、凯勒的《我的老师安妮·沙利文·梅西》(1955)以及 W. 吉布森的《创造奇迹的人》——后来被拍成电影的百老汇戏剧。J. P. 拉希所著《海伦与老师:海伦·凯勒和梅西夫人的故事》问世于 1980 年。

Macy and Company, Inc. 梅西公司 全称 R. H. Macy and Company。美国的大型百货连锁商店,公司旗舰店是位于纽约市先驱广场 11 层楼的大百货商店,该店多年来一直是美国最大的单一商店。总部设在纽约市。梅西公司是 R. H. 梅西(1822 ~ 1877)1858 年在下曼哈顿创建的一个合伙企业发展起来的。他以前多次从事零售业的努力均告失败。在梅西的表妹 M. 格彻尔这位开创性女企业家的精心管理下,这家商店由于大登广告和价格公道,在南北战争后日趋兴旺。公司的红星商标就是来自创办人梅西身上的刺花。1888 年内森和伊西多·斯特劳斯购买了公司的部分股权,1896 年控制全部股权。斯特劳斯兄弟将商店迁至现址并开始在全国各地收购或设立分店。到 20 世纪后期,梅西百货连锁商店由 6 个在几个州开设的名称各异的地区商店的经理来管理。除了纽约的梅西公司以外,它们分别是新泽西州纽瓦克的班伯格公司、佐治亚州亚特兰大的戴维森公司、俄亥俄州托莱多的拉萨尔公司、加利福尼亚州的梅西公司(以前为旧金山的奥康纳·莫法特公司)和密苏里-堪萨斯州的梅西公司(以前为堪萨斯市的 J. 泰勒绸布庄)。梅西公司是最早在市郊商业区设店的零售商之一,现今在好几个这样的商业区中拥有权益。1986 年有人以举债方式购入梅西公司的全部产权,然后又进行了几次成问题的收购,并遇上美国经济衰退,迫使公司于 1992 年宣告破产,但它的各个商店仍继续营业。

Mad Caliph 疯人哈里发 参阅 **Ḥākim, al-** *哈基姆*。

mad itch(animal disease) 参阅 **pseudorabies** *假狂犬病*。

Ma'dabā 马代巴 又拼 Medeba。约旦中西部城镇。地处海拔逾 760 米的高原,北距安曼 32 千米,在安曼至约旦南部的公路干线上,为国内古城之一。据《圣经》记载,该城(中文《圣经》作米底巴)曾被摩西率领的以色列人夷为平地。约书亚将其分配给流便支派。犹太王国分裂(公元前 9 世纪)后,被摩押国王占领作为堡垒。在拉比文献中亦提及当时城内有犹太居民。基督教势力扩展后该城遂为拜占廷的重要中心。1880 年遭毁后,由来自卡拉克的阿拉伯基督徒重建。周围肥沃的平原地带出产小麦和大麦。镇内最令人瞩目的古迹是马代巴拼嵌地图,为已知最古老的圣地地图。该图制于 6 世纪,展示出古时比布鲁斯至底比斯的地域。因包括耶路撒冷详图及含有大量其他资料未曾提到的内盖夫地区地名,而尤显重要。1896 年该图开始引起学者注意时,大部已被损坏。1965 ~ 1966 年经德国考古学家修复并拍成彩色照片。人口约55 749(1994)。

Madách, Imre 毛达奇(1823-01-21,匈牙利奥尔索斯特赖戈瓦~1864-10-05,奥尔索斯特赖戈瓦) 匈牙利诗人。因其造诣很深的诗剧《人的悲剧》(1861)而享有盛誉,被认为是匈牙利最伟大的哲理诗人。先后做过律师、公务员和匈牙利国会议员(1861)。杰作《人的悲剧》属于《浮士德》一类的剧本,全剧共分 15 幕,描写人类的过去与未来。剧中主角亚当和夏娃假借已知历史名人的形象登场,在他们与魔鬼的不断斗争中表现了人类的悲剧命运。该剧原是供阅读的作品,但从 1883 年在布达佩斯国家剧院演出后,在许多成功的演出剧目中名列前茅。

Madagascar 马达加斯加 全称马达加斯加共和国。印度洋西南部,非洲东南海岸外的岛国。该岛为世界第 4 大岛,自西南向东北延伸约1 570千米,东西最宽处约571千

美国不列颠百科全书公司供图

米。整个岛屿几乎全部在热带。马达加斯加岛和非洲海岸之间为 400 千米宽的莫桑比克海峡。该岛的海岸线长约3 990千米。面积587 041平方千米,包括附近几个小岛。人口约15 506 000(2000)。首都安塔那那利佛。

土地 全境可分为 3 个南北走向的平行地区:中央高原、东部狭长海岸带、西部低高原和平原区。中央高原海拔 800 ~1 400米,约占国土总面积的 60%,地势自东部狭长海岸带急剧升起,但向西部宽阔的平原倾斜则比较缓慢。中央高原的 3 个主要的断块(由北至南)分别为察拉塔纳纳(其中火山峰海拔2 876米,为全岛最高峰)、安卡拉特拉和安德林吉特拉。高原的东坡很陡,河流短而急;西坡较缓,较长较大的河(如贝齐布卡河和曼古基河)流经该地,将大量冲积物带到下游谷地和河口湾,使这些地带土壤肥沃,成为该岛集约化程度最高的耕作区。东部海岸几乎成一直线,在其珊瑚滩后面为一连串□湖,由潘加兰运河连通,形成一条长约 650 千米的内陆水道。西部地区向莫桑比克海峡缓降,其沉积基岩经侵蚀形成一系列低丘陵。

该岛的气候有很大差异,包括湿润热带气候(东部沿海地区)、温带气候(中央高原地区)、干湿两季气候(西部沿海大部分地区)、荒漠型气候(西南部地区)。7 月最为凉爽,中央高原月平均气温最低(10 °C),西北沿海月平均气温最高(26 °C)。12 月最为炎热,月平均气温介于16～29°C之间。迎风的东部

沿海地区降雨量最大,马鲁安采特拉的年降雨量几乎达3 800毫米。西北地区年降雨量为2 100毫米,西部地区为940毫米,西南地区则仅为360毫米。来自印度洋的热带旋风定期给该岛带来骤雨和破坏性洪水,1994年的杰拉尔达旋风就造成了巨大的破坏。

虽然马达加斯加岛原先长有大片常绿林和落叶林,但大多已遭砍伐用做燃料、建材或供出口。该岛大部分地区现有热带大草原的高草植被和一片片落叶林与常绿林,以及沿岸地区的若干红树属植物沼泽。该岛的孤立环境使当地约40种狐猴和其他珍稀动物得以保存下来;然而到20世纪最后期,有多种动物因生态环境遭受破坏而濒临灭绝。

人民 马达加斯加的人口几乎完全由居住在该岛的18～20个马来亚-印度尼西亚部族群组成。梅里纳人、贝齐米萨拉卡人和贝齐寮人共计约占人口总数的一半。1960年马达加斯加独立后法国人便撤离该国,从此该国主要的外籍少数人口一直为科摩罗人、印度人、巴基斯坦人和中国人。几乎有一半人口信奉万物有灵的传统宗教,半数为基督教徒(天主教徒和新教徒各占一半),穆斯林只占极小比例。所有的部族均使用马达加斯加语,但形成数种方言。普通官话为梅里纳语,法语亦为官方语言。

该国人口的增长速度与大多数非洲国家基本持平。其出生率略高于整个非洲的水平,而死亡率则约为非洲大陆的平均数。全国有4/5的人口居住在农村地区。尽管农村地区的总人口密度较低,但各地区差异很大,在该岛有限的可耕地上人口密度往往高出平均数很多,而这些可耕地仅约占土地总面积的5%。马达加斯加境内的人口流动通常是从一些农村地区转到另一些农村地区,特别是从人口稠密的高原地区到人口稀少的西部沿海地区。

经济 马达加斯加属发展中的混合型经济。经济以农业为主,主要农产品包括水稻、木薯和若干供出口的经济作物,尤其是咖啡、丁香和香草。该国的农业产量不能满足人口增长的需求,许多主要商品均须依赖进口。马达加斯加国民生产总值的增加不及人口增长迅速;人均国民生产总值属世界最低之列。主要经济部门(农业、林业、狩猎和渔业)约占国内生产总值的2/5。水稻是最主要的作物,其播种面积占全国耕地的一半。农民种植水稻主要用做口粮而非商品粮。农业占用了3/4以上的劳动力。

咖啡是马达加斯加的主要出口商品。该国还是世界最大的香草生产国和主要的丁香生产国,但年产量极不稳定。牛是最重要的牲畜,猪、山羊和绵羊也有一定数量的饲养。牲畜一直被用于宗教祭祀,政府始终无法使畜牧业现代化。

森林覆盖地几乎占土地总面积的1/4。政府已定期出资支持造林计划,以控制历史上形成的林带减少的现象。1973年,马达加斯加将其领海扩至370千米,但该国渔业仍不发达。

矿业在国内生产总值中所占比例很小,但却是外汇的重要来源。铬铁矿和石墨是主要的矿产。马达加斯加是世界唯一的金云母生产国。制造业一直欠发达,仅约占国内生产总值的1/10。制成品以加工食品、纸张、肥皂和纺织品为主。生产的木材、化肥和皮革制品主要供应国内市场。全国2/3的电力由水电站供应,其余由热电站供应。

征收所得税和利润税并未能减少政府每年的巨额赤字,马达加斯加一直力求向法国和欧盟其他国家借贷巨额外债以弥补赤字。1982年,为使马达加斯加所欠的大量债务得以减免,政府不得不接受国际货币基金组织的条件,在国内实施经济结构调整计划。之后,该国经济便大规模实行私有化,这是该计划的主要内容。马达加斯加的主要贸易伙伴有法国、美国、日本、德国和意大利。

政体与社会状况 马达加斯加为一个多党制共和国。该国宪法于1992年经全民公决通过,进一步确定该国为中央集权制国家,尽管有人试图建立一个联邦制政体。行政权由总统和总理分掌。总统由直接选举产生,任期5年,可连任一届,并有权任命总理。两院制议会由全国人民议会和参议院组成,拥有立法权。全国人民议会议员由直接选举产生,任期5年。2/3的参议员由选举团选出,其余则由总统任命。司法系统的最高机构为最高宪法法院和最高法院。

马达加斯加的医疗卫生条件很差,由该国较高的婴儿死亡率和很多的地方病可见一斑。医疗卫生设施均集中在城市地区,但有地方诊所网和流动医疗队为农村地区服务。疟疾仍在该岛许多地区流行,麻风病和肺结核亦为主要疾病,使人体虚弱的寄生虫病及性病也很普遍。平均预期寿命仅为56岁。该国住房过去并不紧张,但拥挤情况在农村和城市地区均开始出现。

成年人口的识字率为4/5。政府实行5年制小学义务教育;小学学龄儿童的入学率为65%,但中学入学率则低得多。马达加斯加大学创办于1955年。

政府对传播媒体普遍实行审查,报纸用马达加斯加文和法文出版。

该国文化基本上源于印度尼西亚,兼有班图、阿拉伯和伊斯兰文化的色彩。民间艺术(包括多种传统技艺和马达加斯加独特的音乐与舞蹈)在马达加斯加极为盛行。马达加斯加语含有丰富的谚语,目前已有大量用该语言写成的文学作品,包括诗歌、传说、历史和学术著作,以及一些现代题材作品。

历史 马尔加什人属于马来人-印度尼西亚人和非洲人-阿拉伯人混血种人的后裔。印度尼西亚人可能是在约公元700年时取道非洲沿海地区而迁入马达加斯加的。最先抵达该岛的欧洲人被认为是葡萄牙航海家D.迪亚斯(1500)。17世纪后期和18世纪初期,该岛曾有许多海盗出没。

贩卖武器和奴隶的活动使马达加斯加王国得以发展。17世纪初,一些最主要的王国,如安泰穆鲁、安泰萨卡、安塔诺西、马鲁塞拉纳、贝齐寮和梅里纳人的王国,仍局限在不大的区域。梅里纳人被国王安德里亚南普伊奈(1787～1810)统一,并在其统治时期成为一强大的王国。其子拉达马一世(1810～1828)获得了来自毛里求斯的英国人的援助,使他得以控制马达加斯加的大部分地区。

19世纪60年代初,梅里纳的统治者拉达马二世将王国对欧洲人开放,并签署了一项特许权,为一家法国贸易公司提供了很多权益。1868年,梅里纳王国与法国人签订一项条约,将西北部沿海地区交由法国人控制。1890年,英国承认马达加斯加为法国保护地,但直到1895年法国军队才击败梅里纳王国的军队。马达加斯加的第一任总督J.S.加列尼将军废除了奴隶制,并在1897年将梅里纳王后放逐海外。

第二次世界大战之后,马达加斯加成为法兰西共和国的一个海外领地,在议会拥有代表权。1958年法国同意让该领地决定自己的命运,同年10月14日马达加斯加自治共和国宣布成立。P.齐腊纳纳当选为第一任总统,1960年马达加斯加共和国获得独立。

20世纪70年代,马达加斯加政府断绝了与法国的关系,并将许多经济部门收归国有。高原地区的梅里纳人资产阶级对这些政策持敌对态度,然而1977年左翼的保卫革命全国阵线仍然取得了对政府的控制权。1986年,由于政府的债务压力日益沉重,法律有所改动,自由市场经济有所发展;1990年各反对党的地位合法化。然而,马达加斯加的社会仍存在严重经济问题和不安定因素,1991年宪法(该宪法于1975年通过)被暂时取消。国家由一过渡政府领导,直至1992年新宪法通过,1993年举行总统和立法机构选举。20世纪最后十年政局依然不稳。2001年总统选举引发了该国历史上最严重的政治危机。两位候选人均未获得所需票数,但反对派候选人拉瓦卢马纳纳宣布自己获胜,其支持者连续数周举行游行示威及罢工活动。2002年2月拉瓦卢马纳纳宣布自己任职总统并组建政府,但未得到国际社会认可。同时拉齐拉卡仍宣称自己为总统。双方的支持者发生冲突,最终各自占领部分区域,形成对峙局面。2002年4月底最高宪法法院宣布拉瓦卢马纳纳赢得选举,但两派间的武装冲突并未停止,直到拉瓦卢马纳纳的军队夺回了之前由拉齐拉卡占领的领土,拉齐拉卡逃亡国外。

政治动乱削弱了国家经济和稳定。拉瓦卢马纳纳采取措施,进行经济改革,大力引进外资。他所进行的一系列改革赢得了国外投资者和国际社会的赞誉。

Madang 马当 巴布亚新几内亚新几内亚岛东北海岸港口。濒临阿斯特罗莱布湾。现为木材工业中心,以及北海岸和中部山脉两地区的集散中心。也是附近岛屿的通讯站。经济以出口椰干、椰子、咖啡和可可为主。设有机场。原为德国殖民地行政中心。因流行疟疾,1899年被德国人放弃。1914年后由澳大利亚管理。1942～1945年被日本人占领。有沿岸公路通博吉亚。人口约27 394(2000)。

Madanīyīn 梅德宁 又拼Médenine。突尼斯南部城镇。曾是3个柏柏尔人部族的韦格马联盟的首府,在法国保护地(1881～1955)时期为南方军事领地主要城镇。属于韦格马的地上蜂窝式粮仓为当地特点。是椰枣、橄榄、谷物和北非茅草的贸易中心以及连接西北的加比斯镇的公路枢纽。居民为半游牧的

梅德宁镇的蜂窝式粮仓
美国不列颠百科全书公司供图

牧羊人以及身居窑洞和种植谷物、橄榄、无花果及椰枣的农民。南面的泰塔温是横跨撒哈拉沙漠的商路起点。油田有输油管通加贝斯湾的苏海拉。天然气田分布在与阿尔及利亚交界的博尔马。人口约54 500(2000)。

Madariaga y Rojo, Salvador de　马达里亚加-罗霍(1886-07-23,西班牙拉科鲁尼亚～1978-12-14,瑞士洛迦诺)　西班牙作家、外交家、历史学家。军官家庭出生。原学工程,后来当新闻记者。1921年作为新闻官员参加国际联盟秘书处,次年任国际联盟裁军组长。1928～1931年任牛津大学教授。1931年任西班牙驻美国大使,1932～1934年任驻法国大使,1931～1936年任西班牙驻国际联盟常任代表。1936年7月内战爆发后,他辞去职务,前往英格兰。他公开反对佛朗哥政权,直到佛朗哥死后,才于1976年回国。他最有名的论著有:《英国人、法国人、西班牙人》(1928)、《堂吉诃德导读》(1926)、《西班牙》(1942)。他还发表了一些有关拉丁美洲历史的著作,如《西印度的历史画卷》(2卷,1945),以及三部曲《克里斯托弗·哥伦布》(1939)、《科尔特斯传》(1941)和《西蒙·玻利瓦尔》(1949)。他还致力于写诗歌、戏剧和叙事散文。他根据拉丁美洲的历史写成的小说有:《玉石的心》(1942)、《血染的战争》(1957)。

Maddalena Island　马达莱纳岛　意大利萨萨里省的岛。在意大利撒丁岛东北岸外第勒尼安海中。面积20平方千米。为马达莱纳群岛的主要岛屿。拉马达莱娜港是一个包括所有岛屿的社区行政中心。拉马达莱娜港在第二次世界大战中被盟军轰炸摧毁之前一直是意大利重要海军基地。该港建有美国第六舰队核潜艇的补给设施。渔业是主要经济活动。马达莱纳与卡普雷拉岛有桥和堤连接。人口:城市区约11 826(1987)。

Maddalena Pass　马达莱纳山口　意大利语拼作Colle della Maddalena或Colle dell'Argentera(阿真泰拉山口)。法语拼作Col de Larche(拉尔什山口)或Col de L'Argentière(阿让蒂耶尔山口)。法意边界上的山口,高1 996米。在科蒂安山脉和滨海山脉之间、法国巴斯洛内特东北偏东19千米处。穿越山口,有公路连接意大利的库内奥和法国的巴斯洛内特。

madder　茜草　又称dyer's madder(染匠茜草)。茜草科茜草属(*Rubia*)植物的统称。普通茜草(染料茜草,*R. tinctorum*)与广生茜草(*R. peregrina*)原产欧洲,心叶茜草(*R. cordifolia*)原产印度与爪哇的丘陵地区。茜草属约含40种,叶矛形,轮生;花小,黄色,聚生成簇。普通茜草与心叶茜草过去栽作染料植物,根部磨碎可提取茜素(一种红色染料)。茜素可将布染成粉红、红与紫各种颜色。茜草根可制染料,很早即见于历史记载。用茜草染的布见于古埃及的木乃伊,希罗多德时代(公元前5世纪)利比亚妇女的斗篷亦以茜草染色。古代与中古时期还用茜草治疗闭经。动物以茜草为食后骨被染红。19世纪的生理学家利用此性质追踪骨的发育,并研究生长中的骨内各类细胞的功能。19世纪60年代发现茜素的人工合成方法,现在几乎已不用茜草作茜素来源。

Madderakka　马德拉卡　北欧拉普人所信奉的送子女神。她的3个女儿——劈柴女萨拉卡、守门女乌克萨卡和司弓女朱克萨卡——作她的助手。据说马德拉卡从统治世界之神拉底恩手中领取胎儿灵魂,将它置于妇人子宫中。

Madeira　马德拉葡萄酒　大西洋上葡属马德拉群岛出产的一种加度葡萄酒。由于该岛是欧-美通商航线上的中途停靠港口,这种酒在美洲殖民地很受欢迎。在发酵过程中加白兰地酒以提高酒精含量至18～20度。这种酒介于干酒和甜酒之间,由于采用当地土质为火山灰的葡萄园产的葡萄为原料,再加上在烘房中进行陈酿的独特方法(即在发酵后经数个月醇化的工艺)而具有浓郁的味道。这种酒可以长期储存,有些品种储存上百年仍然甘醇可口。

Madeira Islands　马德拉群岛　又称丰沙尔群岛(Funchal Islands)。葡萄牙语作Arquipélago da Madeira。葡属北大西洋群岛,由火山形成;由两个有居民岛屿(即马德拉和圣港岛)及两个无人定居的岛群(即德赛塔和塞尔瓦任斯)组成。群岛实为基于深不可测的洋底的诸山之颠。行政上为马德拉自治区。群岛陆地面积794平方千米。马德拉岛最大,长55千米,最宽处22千米,海岸线约144千米。中部的鲁伊武德桑塔纳峰高1 861米。海拔900米以上的内陆部分荒无人烟。分散的居民村舍通常位于谷口和面向海洋的山坡上。圣港岛在马德拉岛东北42千米处。最大市镇——圣港镇,亦称维拉。岛两端为小山,法科峰最高,达515米。作物为小麦、葡萄和大麦。德赛塔岛群在马德拉岛东南18千米处,由排列成串的贾奥、布吉奥和大德赛塔等3个小岛组成。大德赛塔岛的野兔和野山羊吸引猎人前往。塞尔瓦任斯岛群在马德拉岛南251千米处,位于后者与加那利群岛之间,由3个无人的石山组成。最大的一个周长5千米。

传说,腓尼基人访问过马德拉岛。然而,无疑14世纪中叶以前热那亚冒险家就发现了马德拉群岛。1351年出版的意大利地图(劳伦斯·波尔多拉诺)上马德拉群岛绘制得相当清楚。葡萄牙航海家若昂·贡萨尔维斯·萨尔科1418年探险西非海岸时因风暴迷航可能瞥见过圣港岛。1420年萨尔科访问马德拉群岛时,岛上没有人类和哺乳动物。他的赞助人航海家亨利立即开拓群岛,砍伐烧毁密林(传说大火烧了7年),开垦大片土地。15世纪,葡萄牙人从塞浦路斯或克里特岛引进了葡萄。甘蔗可能是1452年从西西里引进的。传说,世界上第一个甘蔗种植园就诞生在马德拉岛。糖贸易很快就占有重要地位。颜色深褐、余味浓烈、从干涩到甜味的马德拉系列葡萄酒,在17世纪已成为重要的出口产品(现代葡萄酒生产者人工地摇动酒桶以再生出在多风暴的大西洋上航行过的船载葡萄酒的效果)。1775年葡萄牙国务活动家、改革者蓬巴尔侯爵废除奴隶制时,马德拉群岛的制糖、酿酒业一度受到冲击。迄今,制糖、酿酒和香蕉生产仍是群岛的经济基础。居民广泛种植甘薯、葫芦以及从太平洋岛屿引种的芋头等,还有大多数的欧洲食用植物。除一般温带水果外,还有柑橘、柠檬、番石榴、芒果、枇杷、番荔枝、无花果、菠萝、香蕉等。香蕉也是主要的出口产品。尽管农业在经济中占主导地位,手工业、旅游业、渔业也不可忽视。手工业包括木制品和柳条编制品。1850年英国妇女费尔普斯夫人引进的刺绣,如今成为许多妇女从事的职业。人口:马德拉岛约264 800;圣港岛约4 700(1987)。

马德拉群岛的洛博斯渔港
中国大百科全书出版社供图

Madeira River　马代拉河　亚马孙河主要支流。由马莫雷河和贝尼河在玻利维亚贝亚镇汇成,后北流,成为玻利维亚和巴西的界河(约100千米)。与阿布南河汇合后,于巴西境内曲折东北流,在马瑙斯以东与亚马孙河汇合。该河的一条汊河在合流处下游约160

流经巴西波多韦柳附近的马代拉河
美国不列颠百科全书公司供图

千米处注入亚马孙河，形成沼泽岛图皮南巴拉马岛。自马莫雷河上游起，全长3 352千米，宽度约为805米。自河口上溯1 300千米至波多韦柳（又译韦柳港）附近圣安东尼奥瀑布，每年大部分时间可通海船。该瀑布以上共有19处瀑布、湍流。马代拉—马莫雷铁路自波多韦柳至瓜雅拉米林，与马代拉河上游相接。沿河热带雨林居民寥寥无几，沿岸偶有印第安人和印欧混血人居民点，居民采集巴西果和橡胶等林产品。马代拉河流域虽自16世纪便开始探测，但某些地区仅在20世纪70年代末才第一次通过卫星绘制地图。

Madeleine　马德莱娜教堂　巴黎的教堂，1806年由P.-A.维农设计，采用古罗马神庙形式，围以科林斯式柱廊，反映了在新古典主义运动的帝国式阶段中流行于法国的对古代艺术和建筑的爱好。根据拿破仑的旨意设计和建造的这座建筑，原是作为庆祝法军胜利的纪念堂，后来这一任务由凯旋门（1806～1808）代替。1816年由复辟的波旁王朝改为教堂。

madeleine　奶油茶糕　精致的法式扇贝形茶点。常与水果或果汁露共食。在面粉里调入蛋、糖和大量奶油，在搅打时，尽可能多地搅入些空气，然后加点碎柠檬皮、香草精，有时放些朗姆酒，放在传统的12格马口铁制扇贝形烤模内烤，烤好即装盘食用，有时在糕上面还撒一层糖粉。

Madeleine, Îles de la（Canada）　参阅**Magdalen Islands** 马格达伦群岛。

mademoiselle　小姐　法语，缩写形式为Mlle，相当于英语的Miss，指未婚女性。词源学的意义为“我的（年轻的）淑女”（ma demoiselle）。作为法国宫廷中的一种荣誉称号，mademoiselle一词用于称呼国王大弟的女儿（不加名姓单独使用），约相当于中国礼制之“郡主”；国王的大弟则被称为monsieur，约可对应于汉官仪之“亲王”或“殿下”。最初使用mademoiselle这一称号的是奥尔良“郡主”安妮-玛丽-路易丝；由于她也是蒙庞谢尔女公爵，故人们称她为“大郡主”（La Grande Mademoiselle）；安妮-玛丽-路易丝的父亲奥尔良公爵加斯东则是路易十三的大弟。后来的一名“郡主”为玛丽-路易丝，她是奥尔良公爵菲利普一世之女，菲利普一世则是路易十四的大弟。玛丽-路易丝后为西班牙查理二世的王后。

Maderna, Bruno　马代尔纳（1920-04-21，威尼斯～1973-11-13，联邦德国达姆施塔特）　意大利出生的德国先锋派与电子音乐作曲家、著名指挥。受教于意大利作曲家G.F.马利皮埃罗和德国指挥家H.谢尔欣。1941年在罗马圣塞西利亚音乐学院获作曲学位。第二次世界大战后，通过达姆施塔特国际暑期新音乐讲座活动逐渐出名。同L.贝利奥一起于1954年在米兰广播电台设立音乐音响工作馆，该馆在欧洲成为电子音乐主要实验室。还创办了致力于电子和先锋派音乐的杂志《音乐涉猎》。后在米兰、英格兰德语的达廷顿暑期音乐学校和其他地方教授作曲。所作音乐表明他不但是一位实验家，也是一位富有表现力的抒情作曲家。他的《小夜曲》（1954）是一首色彩绚丽的管弦乐曲，以其微妙音响和复节奏著称。为录音带而作的《夜曲》（1956）和采用4种不具体指明的电子音色的《音响排列》显示出他对新的音响的兴趣。《双簧管协奏曲》（1962）表现出比较传统的观点，虽然其中还是用到了小规模的随机和即兴的音乐手法。曾在各地指挥乐队，并录制大量曲目。

Maderno, Carlo　马代尔诺（1556，米兰比索内～1629-01-30，罗马）　17世纪初罗马名建筑师，早期巴罗克建筑风格的奠基人。马代尔诺曾在罗马协助舅父D.丰塔纳工作。他

马代尔诺设计的罗马圣彼得教堂立面，1607年
美国不列颠百科全书公司供图

所担任的第一项重大工程为设计圣苏珊娜教堂的立面（1597～1603）。1603年任圣彼得教堂的总建筑师，1607年他设计了圣彼得教堂的中堂和教堂新的立面，随即任教皇保罗五世的建筑师。维多利亚圣母教堂（1608～1620）全部由他设计完成，还参加过瓦莱圣安德烈教堂和巴尔贝里尼府邸等建筑的设计建造工作。

Madero, Francisco (Indalécio)　马德罗（1873-10-30，墨西哥帕拉斯～1913-02-22，墨西哥城）　墨西哥革命家、总统（1911～1913）。他成功地驱除了独裁者P.迪亚斯，但未能控制因他的温和改革而激起的保守派和革命派两方面的不满。马德罗出身富有的地主家庭，曾在美国和法国求学，后成为温和民主主义信徒。1905年在科阿韦拉州协助组织

美国不列颠百科全书公司供图

B.胡亚雷斯民主俱乐部，并建立政党。1908年迪亚斯宣称墨西哥将实行民主制度，他将于1910年离任，1909年却改变主意，声明将参加1910年竞选。马德罗协助组织反连选连任党，并成为该党的总统候选人。大选前夕因被指控煽动起义和侮辱当局被捕，交保获释后越境逃至美国得克萨斯州圣安东尼奥，于1910年10月宣布自己为合法总统。其追随者帕斯夸尔·奥罗斯科和潘乔·比利亚在奇瓦瓦州领导起义，后攻占华雷斯城，迪亚斯投降并宣布辞职。1911年10月举行总统选举，马德罗获全胜。11月6日就职。由于缺乏政治经验和过分乐观，未能认清许多追随者另有企图。不久，墨西哥又出现一个腐败政府。马德罗受到两方面夹击：一方面是反对任何变革的旧政府支持者，另一方面是主张广泛的社会经济改革的革命派。此外他还要对付敌对的保守派报纸、美国大使亨利·莱恩·威尔逊的干扰以及一系列武装暴乱。1913年2月墨西哥城发生军事叛乱，他依靠维克托里亚诺·韦尔塔将军指挥政府军戡乱，但韦尔塔与雷耶斯、迪亚斯谋反，马德罗被逮捕，在押往监狱的途中被杀害。马德罗的名字成为反对军事专制政府的持续斗争中革命团结的象征。他的牺牲鼓舞了墨西哥革命的民主力量。

Madgaon　默德冈　又称马尔冈。印度西部果阿中西部第三大城市。位于莫尔穆冈港至卡纳塔克邦罗克堡的铁路线上。随莫尔穆冈港（孟买与科钦间最佳港口）的发展而重要起

默德冈市的市政厅
中国大百科全书出版社供图

来。有城郊工业区、鱼冷藏库和农产品市场。是印度最美丽的海滩之一。人口：城镇53 076；都会区64 858（1981）。

Mādhavācārya　摩陀伐迦利耶（1296？～1386？，印度克什米尔斯灵盖里）　又名维迪雅拉尼亚。印度教政治家、哲学家。原在印度南部地区维查耶那加尔国的王宫中活动，1377 年开始苦修。他的弟弟沙衍那也是政治家，先后任维查耶那加尔四代国王的大臣，曾注释吠陀。

Madhu - keri（India）　**马图-盖里**　参阅 **Mercāra** 梅尔卡拉。

Madhubani　默图伯尼　印度比哈尔邦中北部城镇。位于达尔彭加镇东北 26 千米。经营布匹、甘蔗、芒果、油籽、稻米和渔产贸易。家庭小工业生产篮筐、陶器、土布和木器。是古代弥湿罗文化的中心。周围地区地处恒河中游平原的肥沃地带，北与尼泊尔交界。主要河流有巴兰河、卡尼拉河与苏加尔韦河。农业为主要行业，生产稻米、玉米、小麦、豆类、甘蔗和油籽。工业有碾米和榨糖。有公路网和铁路通过。人口45 145（1981）。

Madhumati River　莫图莫迪河　博多河（恒河）支流，流经孟加拉国西南部。它在库什蒂亚以北离开博多河向东南流 306 千米后，转而向南穿过孙德尔本斯三角洲注入孟加拉湾。莫图莫迪河是恒河平原南部博多河最大支流之一，为孟加拉湾头各河之中航行条件最好的河流。

Madhva　摩陀伐（约1199，印度卡纳塔克乌迪比附近戈利扬布尔～约 1278，乌迪比）　又名阿南达蒂尔塔或普尔纳普拉吉纳。印度教哲学家。倡神人异质论，创立摩陀伐派。出身于婆罗门家庭，生平在许多方面与耶稣基督相似。《新约》载基督行神迹，据说摩陀伐也行奇事。摩陀伐驳斥商羯罗的不二论（**Advaita**）。商羯罗认为人的自我只是现象，绝对精神梵才是唯一的真实。摩陀伐否定印度教关于灵性永恒而物质虚幻的幻论；他认为，不能仅以事物飘忽不定和永远变化为理由而说它不真实。他用梵文撰写 37 部著作，大多是以自己的神学理论和哲学诠释印度教经籍。他认为知识不是绝对的而是相对的。

Madhya Bhārat Plateau　印度中央高原　印度中部中央高地的北部高原。面积约 57 000 平方千米。包括中央邦西北大部和拉贾斯坦邦中部。地处东拉贾斯坦高地（西）、恒河上游平原（北）、本德尔汗德高地（东）与马尔瓦高原（南）之间。由玄武岩构成，平均海拔 500 米。地势由南部（602 米）向北部（301 米）倾斜，地表经侵蚀几乎已变平坦，但也仍残留一些砂岩山崖。昌巴尔河自西南向东北蜿蜒流经境内一宽阔的碗状盆地，形成狭长峡谷。其他重要河流有邦根加河、贡瓦里河、信德河、巴尔伯蒂河和加利信德河。经济以农业为主，生产谷物、豆类、油籽、棉花、甘蔗和烟叶。工业有锯木、榨油、机床、工具、纺织、制陶、制砖和水泥等部门。开采铁、铜、铅、绿柱石、块滑石和石灰石。境内交通有公路和窄轨铁路将瓜廖尔（主要工业中心）与其他重要城镇科塔、莫雷纳、平德、希沃布里和本迪连接起来。瓜廖尔和科塔有简易机场。

Madhya Pradesh　中央邦　印度的邦，人口占印度第 6 位。2000 年 11 月在中央邦东部地区新设切蒂斯格尔邦，占地 146 361 平方千米，首府为赖布尔。中央邦位于印度中部，西北连拉贾斯坦邦，北枕北方邦，东靠切蒂斯格尔邦，南邻马哈拉斯特拉邦，西依古吉拉特邦。首府博帕尔。石壁画、石器和金属器具的发现是该地史前时期有人居住的见证。公元前 4 ～前 3 世纪为孔雀王朝的一部分，公元头几个世纪经历许多朝代统治。中央邦在 11 世纪为伊斯兰所控制，16 世纪并入莫卧儿王朝。1760 年为马拉塔王国统治，19 世纪初被英国统治。1947 年印度独立，英属印度中央省和贝拉尔组成中央邦，邦界随之变化。现在的邦界是 1956 年确定的。

森林覆盖的陡峭群山、广阔的高原和深邃的河流峡谷构成中央邦的地貌特征。地处德干高原，西部与北部为温迪亚山脉和盖穆尔山脉，海拔 460 米。只有很少的地方在海拔 350 米以下。南部的索德布尔-默赫代奥-迈格拉在海拔 900 米以上。印度的一些最重要的河流讷尔默达河、达布蒂河、默哈讷迪河和韦恩根格河，均发源于中央邦境内。1/5 的土地为森林覆盖。最重要的林业资源有柚木、婆罗双树、竹和萨莱树。野生动物资源丰富，有虎、豹、野牛、熊、野水牛和各种鹿。

气候属季风型，雨量集中在 6 ～ 10 月。3 ～ 5 月干燥炎热，气温普遍高于 20 °C；雨季气温有所下降。冬季晴朗宜人。雨量自东向西、自南向北递减。东部和东南部雨量平均超过1 500毫米，西部减到1 000毫米以下，昌巴尔河谷以北年降雨量不到 750 毫米。居民大多为印度教徒，但也有不少穆斯林以及耆那教徒、基督教徒和佛教徒，此外还有少量锡克教徒。印地语为官方语言，使用最广泛。部族语言有比利语、贡德语以及东部和西部的土印地语。第二重要语言为马拉塔语。中央邦有许多部族，如比尔族、拜加族、贡德族、科尔库族、卡马尔族、科尔族、马里亚族。部族人口约占邦人口的 1/5。

经济以农业为主。农村劳动者大多为自耕农或农业劳工。耕地面积占邦面积不到一半，但灌溉面积占 15%。传统的耕作方法导致单产很低。最重要的农作物为水稻、小麦、高粱、豆类、甘蔗、棉花、大豆和花生。水稻主要分布在东部，而小麦和高粱则主要产在西部。矿藏丰富，有煤、铁矿、锰、石灰石、铝矾土、白云石、耐火黏土和瓷土。虽然有许多大中型工业，但只有比莱钢铁厂和博帕尔重型电机厂为仅有的两大重工业工厂。还有一家造纸厂（生产新闻纸）和一家电气设备厂。其他有兵工、电子、水泥、锯木、制糖、纺织、磨粉和榨油工厂。家庭手工业，尤其是手工纺织业和其他传统手工艺发达。

交通运输不便阻碍了该邦丰富资源的开发。中央邦有宽轨和窄轨铁路。航空经博帕尔、瓜廖尔、卡杰拉霍、印多尔和赖布尔等机场可抵德里、加尔各达和孟买等大城市。然而邦内许多县之间仅有有限的公路连接。中央邦水力资源很丰富，与其他邦共同建设了许多水电站。

中央邦的部族虽然受到外来文化不同程度的影响，但许多部族传统依旧富有生命力。大量部族神话和民俗保存至今，例如，贡德族的吟游诗人仍在继续吟唱贡德部族神话式创始人林高班（Lingo-pen）的传奇功绩。所有的部族都保留了有关各自部族起源的神话与传说，还有庆祝生日和婚礼的喜歌以及民间故事、谜语和格言，以宏扬他们的文化传统。许多寺庙、堡垒和石窟反映出悠久的历史。最早的古迹之一、建在帕鲁德的一座佛塔在公元前约 175 年就有了。邦内有许多大学和学院。面积308 252平方千米。人口约60 385 118（2001）。

Mādhyamika　中观学派　大乘佛教传统的重要学派。该学派在说一切有部（**Sarvāstivāda**）的唯实论与瑜珈行派（**Yogācāra**）的唯识论之间持中间观点，故名。最著名的中观学派思想家是倡导一切皆空的教义的龙树。此派的 3 部权威典籍是龙树所著的《中观论》和《十二门论》以及据说是他的弟子提婆（即圣天）所著的《百论》。佛教一般认为，在宇宙中，互相交织着瞬息即逝的无数事件（法），但是，这些事件的真实性还是可以观察的。龙树力图表明，不能认为宇宙万物是真实的，对于它们的认识也不能认为是真实的，因为它也在万物之中。既然无常的世界是不真实的，那么，转世也不会是真实的，其反面涅槃也不会是真实的。说到底，只有与已知之事物完全不同的事物才能说是真实的，这种事物因而不可名状，只能谓之空。因此，中观学派的思想家强调人转变认识以领悟超乎一切两重性以外的终极真实。对于两重性世界，用务实的方法认识，可以认为有一定的真实性，这叫做俗谛；但是，获得了真谛，明白了空的道理，真实性就不存在了。这种思想影响了许多印度教思想家，特别是瞿达波多（7 世纪）和商羯罗（488 ～ 820）；后者被反对他的人称为隐中观派。中观学派的基本典籍由鸠摩罗什于 5 世纪译为汉文。此派教义在 6、7 世纪由吉藏进一步系统化形成三论宗。三论宗传至朝鲜，后由朝鲜僧人慧灌于 625 年传入日本。

Madi　马迪人　又拼Ma‘adi。住在乌干达西北部和苏丹的尼罗河两岸、操苏丹语的诸民族。约有 15 万人口。其语言为中部苏丹语，属尼罗-撒哈拉语族沙里-尼罗语支。他们与其西部邻族卢格巴拉人族源最近。马迪人以锄耕农作种植黍稷为主，亦捕鱼、狩猎、养牛。锻铁是其主要手艺。居住模式一般为同堂家庭。马迪人约有 25 个酋长领地。酋长为首先定居在领地并占统治地位的父系氏族的首领。后来进入领地的氏族则是从属的家系。酋长有实力和许多特权。崇拜祖先。

Madikizela-Mandela Winnie　马迪基泽拉-曼德拉（约 1934 或 1936?，南非特兰斯凯蓬多兰～　　）　原名诺姆查莫·温妮弗雷德。南非社会工作者及黑人运动活动家，纳尔逊·曼德拉的第 2 任妻子。温妮弗雷德为历史教师之女，受过高中教育。1953 年至约翰内斯堡学习儿童社会工作。1956 年认识曼德拉，此后成为他的忠实同志，并于1958年与他结婚。她的丈夫被长期监禁（1962～1990）后，温妮·曼德拉也长期遭受南非政府和公安部队的骚扰和迫害。1969～1970年，她入狱17个月；1977～1985年在国内被流放。在此期间，她继续做社会和教育工作，成为反种族隔离运动的女英雄。1988～1989年间，她的声誉有所下降，原因是她和她的警卫与一起殴打和绑架4名黑人青年的事件（死一人）有牵连。1990年她丈夫出狱后，起先她和他共同参加各项政治活动，并多次出国。1991年5月，温妮因绑架罪被判6年监禁，但判决后来改为罚金了事。由于她行为不端和好战成性，使包括纳尔逊在内的反种族隔离斗争的战友不和，曼德拉夫妇于1992年分手。1994年被任命为南非第一个多种族政府的艺术、文化、科学和技术部副部长。她不断对政府进行非难，对激进的年轻黑人追随者鼓惑，挑起了争议，1995年纳尔逊·曼德拉解除了她的职务。1999年再次入选议会，2003年受到欺诈偷盗指控辞职，起因是她多次骗取银行贷款救助穷人。1年后宣布由于她的行为并非以谋取私利为目的，罪名不成立。

Madina do Boé（Guinea-Bissau） **博埃城** 参阅 **Boé** 博埃。

Madīnah, Al- **最光耀之城**（Saudi Arabia） 参阅 **Medina** 麦地那。

Madīnah ʿĪsā **马迪纳伊萨** 英国人称伊萨镇。巴林首长国按计划兴建的社区。位于波斯湾中的巴林岛中北部。原无人居住，20世纪60年代初，由巴林政府资助在此建居住

马迪纳伊萨新建的清真寺
美国不列颠百科全书公司供图

区。马迪纳伊萨现有新式学校、图书馆、商业中心、体育场和游泳池。为吸引不同收入的巴林居民，所建房屋大小不一，居民可在入住后15～20年分期偿还建房费用。人口约34 509（1991）。

Madīnat al-Fayyūm（Egypt） **法尤姆城** 参阅 **Fayyūm, al-** 法尤姆。

Madīnat ash-Shaʻb **沙卜城** 也门南部城镇。前行政首府。与现首都亚丁市隔亚丁港遥遥相望。建于1959年。原名伊提海德。为英国统治下南阿拉伯保护地首府。1967年也门（亚丁）建立后改今名。

Madīnat Habu **马迪纳特哈布** 上埃及西底比斯古坟地区的最南部分。也专指拉美西斯三世（公元前1187～前1156）在那里建造的陵庙（参阅 **Thebes**）。这个庙奉祀阿蒙

马迪纳特哈布的古代陵庙遗址
芝加哥大学东方学院供图

神，其中有宗教题材和反映拉美西斯对利比亚和海上民族作战情况的雕刻。这个庙有围墙，东面有壮丽的门楼。

Madīnat Rasūl Allāh（Saudi Arabia） **真主使者之城** 参阅 **Medina** 麦地那。

Madioen（Indonesia） 参阅 **Madiun** 茉莉芬。

Madison **麦迪逊** 美国印第安纳州东南部城市，杰斐逊县县城（1811）。濒临俄亥俄河，与米尔顿隔河相望。约1808年始有人定居。原为一繁荣河港，后被其上游的辛辛那提及下游的路易斯维尔取代。1838年设市。现为一重要的烟草市场和农贸中心。生产筑路机、小型电动机、电子琴和化工品。市西有汉诺威学院（1827）。附近有杰斐逊军械器材试验场和州立克利夫蒂瀑布公园。每年7月举行船赛和“州长杯”水上飞机赛。保存有内战前的建筑：拉尼尔州立纪念馆及什鲁斯伯里大厦。人口12 004（2000）。

Madison **麦迪逊** 美国新泽西州东北部莫里斯县自治镇（城镇）。东距纽瓦克29千米。是温室栽培业中心，素有“玫瑰城”之称。珠宝制造和纺织业占重要经济地位。1685年始有人定居，1889年设市。设有德鲁大学（1866）和费尔利-迪克森大学的弗洛哈姆-麦迪逊分校。附近有圣伊丽莎白学院（1899）。人口16 530（2000）。

Madison **麦迪逊** 美国南达科他州东南部城市，莱克县县城。1837年始为淘金者贸易点，因与威斯康星州麦迪逊环境相似而得名。1881年创建达科他州立学院。现为农贸中心，西邻达科他普雷里庄市（拓荒纪念地及一年一度的打谷赛和古玩展览场地）。附近有赫曼湖州立公园及麦迪逊湖和密尔沃基湖。1885年设市。人口6 540（2000）。

Madison **麦迪逊** 美国威斯康星州中南部城市，州首府，戴恩县县城，部分位于门多塔湖及莫诺纳湖间的地峡上。1836年始建，同年通过法案，确定建设麦迪逊为威斯康星州

麦迪逊市的州议会大厦
美国不列颠百科全书公司供图

永久性首府及县城。1850年开始发展工业。1854年通铁路。1856年建市。该城的繁荣与稳定保证了政府机构工作及威斯康星大学（1849）的设立。专业人员、管理人员和技术人员在居民中占有很大比例。有美国林产实验所（1910）等联邦机构。在经济方面，主要有批发和零售商业，以及制造业。位于威斯康星州南部湖区的中心，有植满花木的湖滨和大公园，其中亨利·维拉斯公园附有市动物园。设有麦迪逊地区理工学院（1912）和埃奇伍德学院（1927）。人口：市208 054；都会统计区426 526（2000）。

Madison, James **麦迪逊**（1751-03-16，弗吉尼亚康韦港［美国］～1836-06-28，美国弗吉尼亚蒙彼利埃） 美国第4任总统（1809～1817）。美国弗吉尼亚大土地所有者家庭出身。1769年就学于新泽西学院（普林斯顿大学）。1776年选入弗吉尼亚革命代表会议，起草关于保障宗教信仰自由的文件。1780年出席大陆会议，在会上发言反对各州拥有主权。1784年再度进入弗吉尼亚立法会议，促成了1786年安纳波利斯会议，这次会议倡议召开1787年制宪会议。他在制宪会议上提出的“弗吉尼亚方案”成为制订宪法的基本框架和指导原则。为推动宪法的通过，他联合A.汉密尔顿和J.杰伊在报上发表《联邦党人论文》（共85篇，他撰写其中29篇），对宪法作了权威性的阐述。他当选为众议院议员后，在国会中提出宪法第1～10号修正案，强调宗教信仰、言论、出版自由的重要性。后因与财政部长A.汉密尔顿发生分歧，他在众议院的领袖地位有所动摇，1797年离开国会。1798年颁布的《客籍法和镇压叛乱法》，促使他起草了弗吉尼亚决议案，谴责两个法令违反宪法第1号修正案，声言各州有“干预阻止罪恶发展”的权利和义务。1801～1809年在杰斐逊总统手下任国务卿，其时，向法国购下路易斯安那土地。1808年当选为总统。在就任总统后，他要求正与法国交战的英国取消

纽约州历史学会供图

限制中立国与法国进行贸易的命令。但是英国继续进行破坏活动,截捕与法国进行贸易的美国船只。1810年11月2日,麦迪逊正式宣布与英国断交。与此同时,他派兵攫取西属佛罗里达,声称这是路易斯安那购地的一部分。1812年他再次当选为总统。在1812年战争(1812～1815)中,他任总司令,因过分依赖独立战争时期的老年将领,战争初期美国陆军连连失利。1814年麦迪逊起用青年将领,得以挽回败局,使战争终于结束。这时,他作为总统的声望达到顶峰。离开华盛顿后,在弗吉尼亚居住19年。他经营2 000公顷土地,从事改良农业和解放奴隶的工作。1819年参与创立弗吉尼亚大学,后来任该校校长。晚年卧病在床,仍不断著文反对各州违抗联邦法令和脱离联邦。

Madison River 麦迪逊河 美国蒙大拿州西南部、怀俄明州西北部河流。源出美国黄石国家公园西北角吉本河与法尔霍勒河交汇处。西流经赫布根湖进入蒙大拿州西南部,北折穿恩尼斯湖,在斯里福克斯东北与加勒廷河和杰斐逊河汇合形成密苏里河上游部分。全长294千米。

Madison Square Garden 麦迪逊广场公园 纽约市室内运动场。原来的麦迪逊广场公园在1874年为火车站改建而成,1890年在麦迪逊广场修建起主要用于拳击的体育场。现在

麦迪逊广场公园
美国不列颠百科全书公司供图

的运动场是1968年在宾夕法尼亚车站原址上建成的。场内有一个2万座席的综合性竞技场,除体育比赛外还可供马戏、冰上表演和公众集会使用。还有5 000座位的讲演厅及圆形展览厅、地滚球游艺中心、体育名人堂和体育艺术陈列馆。

Madiun 茉莉芬 又拼Madioen。印度尼西亚东爪哇省一个县和城市。茉莉芬县面积824平方千米,北部和中部是肥沃平原,东部和西部是高耸的火山群(其中利曼山海拔2 563米,拉武山3 265米),南部是石灰岩山脉。主要作物有水稻和甘蔗,其次为玉米、木薯、咖啡、可可、金鸡纳、椰子和花生。林产有柚木。茉莉芬市位于茉莉芬河东岸,居民大部分是印尼人和华人。1948年发生殖民地当局大规模捕杀共产党人的"茉莉芬事件"。市内还保留着在印度尼西亚革命中牺牲的数百名士兵的墓地。有铁路干线、公路和空中航线通其他城市。人口:城市约171 532(1995)。

Madiun Affair 茉莉芬事件 1948年9月在爪哇东部城市茉莉芬发生的共产党人反对哈达-苏加诺的印度尼西亚政府的反叛。印度尼西亚共产党在1926～1927年起义之后,被荷兰人宣布为非法。第二次世界大战后,印度尼西亚宣布独立,该党于1945年10月21日正式重建。共产党人恢复政治活动,有几位领袖在新成立的共和国政府中充当高官。1948年1月由以哈达为首的政府代替了左翼政府。哈达政府打算遣散由共产党人控制的那些游击队。共产党人反对这一计划,他们号召成立共产主义全国阵线,并建议武装部队抵制遣散。1948年9月18日当共产党领导人在进行巡回宣传时,有一个在茉莉芬的共产党军官率兵起义,并夺取了在茉莉芬的政权。哈达-苏加诺政府采取断然的措施,历时3个月才加以扑灭。印度尼西亚共产党的领袖们多遭杀害或被投入狱中。

Mädler, Johann Heinrich von 马德勒 (1794-05-29 柏林[德国]～1874-03-14,汉诺威) 德国天文学家。1834～1836年和W.比尔共同编绘出版当时最详尽的月球表面图——《月面图》,共4卷。图上首次采用分象限画法,其详尽程度无与伦比,直到1878年J.F.J.施密特的《月面图》问世才被超过。1837年,《月面图》又增补一卷载有月面148个环形山直径和830个山峰高度的测微图。比尔还同马德勒合作,绘制了第一张有关描述火星表面特征的分类图并发表于1830年。马德勒1817年修完大学预科后,在柏林一所高等中学任教。在该处他结识了比尔——一位拥有私人天文台的银行家和业余天文爱好者。从1840年起,他中断与比尔合作而出任多尔帕特天文台台长。在任职期间,他除研究双星外,还致力于用讲演和为报刊撰文等形式以及出版《大众天文学》(1841)一书(曾再版数次)向公众普及天文知识。

Madoera (Indonesia) 参阅 **Madura 马都拉**。

Madog AB OWAIN GWYNEDD **马多(欧文·格威内德的)** 传说中航行至美洲的人。北威尔士圭内斯邦主欧文·格威内德(1170卒)之子(如确有其人的话)。因争夺父亲的遗产而兄弟阋于墙,导致马多出航爱尔兰,再向西续航。过了一年左右他回到威尔士,召集一群人去开拓他所发现的土地。他们分乘10艘船只西航,不知所终。现存最早的有关马多的描写是在R.哈克卢特的《航行》(1582)和D.鲍威尔的《坎布里亚史》(1584)两书中。哈克卢特相信马多曾在佛罗里达登陆。在《有关北美印第安人的风俗、习惯、情况的信札与笔记》(1841)中,G.卡特林推测马多的远征队曾达密苏里上游河谷,远征队的成员也就是曼丹印第安人的祖先。传说有一支"白种印第安人"移民于肯塔基州的路易斯维尔,并有几份17和18世纪的报道记载了有关边疆居民与讲威尔士语的印第安人发生冲突的故事。大多数人类学者否认在哥伦布之前曾有欧洲人与美洲印第安人接触的说法,但尚无定论。英国诗人R.骚塞曾据此写有史诗《马多》(1805)。

Madonie, Le 马多涅 又称Monti Madonie(马多涅山)。西西里岛中西北部山脉,位于巴勒莫省,绵亘48千米。最高峰安滕纳峰(1 975米)和卡尔博纳拉峰(1 979米)。以供应巴勒莫城饮水的地下水源闻名。

Madonna 圣母像 基督教艺术中圣母马利亚的画像。通常专指用于祈祷的画像,不带叙事情节而着力于教义或情感上的表现深度,一般伴有圣婴耶稣,但也有仅表现马利亚

拉斐尔绘《大公的圣母像》(1505)
美国不列颠百科全书公司供图

一人的。在早期基督教艺术(约3世纪～约6世纪)中,圣母与圣婴像不多见。431年,马利亚作为"上帝生母"的地位获得确认,耶稣的完备神性受到明确肯定,为着重表现这个观念,圣母怀抱圣婴坐在宝座上的形象乃在教堂的永久性装饰中占有突出地位。拜占廷艺术中有多种类型的圣母像,且有一两种类型一般画在拜占廷教堂东墙基督像下的显著位置,体现马利亚作为基督与会众之间的中保的作用。在西方,特别是在中世纪末期圣像画普及以后,演化出一些新的类型,一方面

比东方灵活多样，另一方面又往往以拜占廷的各种类型为范本。西方的圣母像主要是通过圣母的美和慈悲鼓舞宗教热情，不着重于主题的神学意义。在只有马利亚一人的圣母像中，有三种主要类型具有神学意义。一种盛行于15世纪，描绘马利亚张开斗篷保护一群信徒，是为慈悲圣母像。另一种类型是把马利亚画成少女从天而降，下由蛾眉月承托，上有群星高照，是为纯洁圣母像，盛行于17世纪，着重表现她没有原罪。第三种是玫瑰经圣母像，16世纪以前只有马利亚而没有圣婴耶稣，描绘马利亚把念珠授与圣多明我会创始人圣多明我，圣多明我会曾推广使用念珠。参阅 **Pietà**。

Madox, Thomas　马多克斯（1666，英格兰～1726或1727-01-13）　英格兰法律文献学家和历史学家，对中世纪英格兰文献的批判性研究使他成为英国行政史的实际奠基人和近代英格兰史学的先驱。早年攻读习惯法。曾在财政部任职，工作所在的管增收的部门是主要存放档案的地方。他在大法官萨默斯男爵支持下撰写第一部著作《英格兰法规汇编》（1702），包括1066～1547年不列颠的各种特许状和法律文件。被选入文物收藏者学会后1711年出版他的名著《从诺曼征服到爱德华二世统治结束英格兰历代国王财务部门的历史和古代法规》，对财政部的历史和古代法规进行了认真注释和批判性研究。1714年任乔治一世的史官。

Madras（India）　**马德拉斯**　参阅 **Tamil Nādu** 泰米尔纳德。

Madras　马德拉斯　泰米尔语作Cennai（森奈）。印度泰米尔纳德邦首府，位于孟加拉湾科罗曼德尔海岸。马德拉斯是马德拉斯伯特纳姆渔村的简称。1639～1640年英国东印度公司在此建造城堡，设立商站。当时该地盛行棉纺业，英国人邀请织工和当地商人到城堡附近定居。到1652年，圣乔治堡已成为总督辖区。1668～1749年间东印度公司扩展其控制。约1801年，英国人剥夺了最后一批地方统治者的权力，成为南印度的主人，马德拉斯也就成为他们的行政和商业中心。马德拉斯是在17世纪古城堡和印度居民区基础上发展起来的，没有规划布局。其北部、西北部为工业区，主要居民区在西部和南部，市中心是古老的村落。市内最有特色的建筑是7座达罗毗荼风格的寺庙，它们坐落在乔治敦、姆拉波尔和德里普利卡内。英国统治时期的建筑物中以德干穆斯林风格的切帕库宫、大学评议会楼和印度-撒拉逊风格的维多利亚工学院和最高法院最引人注目。此外，也有许多现代化高层建筑。工业有车辆、电机、橡胶、化肥和炼油等工厂。主要出口皮革、铁矿石和纺织品；进口小麦、机械、铁、钢和原棉。马德拉斯有许多教育机构，如邦立医学院、工程技术学院、卡纳蒂克音乐学院、工艺学院和教师进修学院。建于1857年的马德拉斯大学有几个先进的研究中心。印度工艺研究所、中央皮革研究所、科学和工业研究委员会的地区实验室是其他著名的科研单位。文化机构有旨在繁荣卡纳蒂克音乐的马德拉斯音乐学院。卡纳蒂克音乐盛行于孟加拉湾科罗曼德尔海岸和德干高原之间的地区。卡拉克谢特拉是音乐舞蹈中心；姆拉波尔的拉锡加拉吉尼萨帕促进戏剧艺术。戈达姆巴卡姆城郊有许多电影制片厂，被誉为南印度的好莱坞。儿童剧院、阿纳马莱曼拉姆剧院和博物馆剧院深受观众欢迎。马德拉斯政府博物馆展览泰米尔纳德的历史和地理面貌。此外，还有收藏东印度公司文物的城堡博物馆和收藏绘画的国家艺术画廊。人口：城市4 216 268；都会区约6 424 624（2001）。

Madras, University of　马德拉斯大学　印度国立高等学府。位于马德拉斯市，是1857年由英国人建立的三所设有附属院校的大学之一。自20世纪20年代以来，这个大学已发展成为一个教学和研究机构。到70年代中期，已有11个研究生院，22个学院，而且是对泰米尔纳德邦的149所学院负责考试和授予学位的权力机构。它是全国植物病理、数学物理、生物物理及印度哲学的高级研究中心。用英语和泰米尔语授课。

madrasah　马德拉沙　阿拉伯语，意为学校。穆斯林国家的一种高等教育机构。20世纪以前，马德拉沙一直起着神学院和法学院的作用，课程以《古兰经》为主。除伊斯兰教神学和法律外，还教授阿拉伯语语法和文学、数学、逻辑，在某些情况下，也教授自然科学。学校免收学费，并提供膳、宿和医疗保健。教学通常在院子里进行，基本上是背诵教课书和教师的讲义。教师向他的学生颁发准许重复他的言词的证书。王公和富裕的家族为校舍建设和师生津贴捐赠资金。到12世纪末时，马德拉沙兴盛于大马士革、巴格达、摩苏尔及其他许多穆斯林城市。

Madre, Laguna　马德雷湖　美国得克萨斯州南部和墨西哥东北部沿岸狭长的浅潟湖。与墨西哥湾之间隔有许多岛屿（包括辟为国家海滨区的帕德里岛）。潟湖被格兰德河广阔的三角洲一分为二。美国部分从科珀斯克里斯蒂湾向南延伸190千米；墨西哥部分从索托拉马里纳河口上游向北延伸160千米。有墨西哥湾沿岸水道穿湖而过。美国境内部分因无大河注入和不通海湾，湖水含盐度高，不利于鱼类存活。湖区水鸟众多。

Madre de Dios　马德雷德迪奥斯　秘鲁东南部省份（1912年成立）。北邻巴西，东界玻利维亚。在马德雷德迪奥斯河流域。面积78 403平方千米。为热带雨林地区。出产热带粮食作物、巴西果、橡胶和木材。居民多为印第安人，沿河两岸散居。首府马尔多纳多港与安第斯山区的库斯科和普诺通公路。有船运和航空运输。人口约44 500（1987）。

Madre de Dios River　马德雷德迪奥斯河　亚马孙河河源支流，在秘鲁东南部和玻利维亚西北部。源出秘鲁马德雷德迪奥斯省内的安第斯山脉东端卡拉瓦亚山，曲折东流至玻利维亚边境，转向东北，经过玻利维亚西北部的热带雨林，在里韦拉尔塔与贝尼河合流。全长1 100千米。有马努河、科罗拉多阿拉纳河等许多支流。上游可通小船，自秘鲁-玻利维亚边境希思港险滩以下复为航运重要通道。沿河热带雨林茂密，产橡胶。该河流域人口稀少，上游流域部分地区无人居住。

Madrid　马德里　西班牙中部自治区。与同名省份并存。1833年设省。面积7 995平方千米。大部分处在瓜达拉马山脉南坡的哈拉马、埃纳雷斯和曼萨内雷斯河流域。地处中央高原，到处是一片黄土和开阔的谷物农田。山坡保留有片片松林，为省会马德里（也是国家首都）居民消夏地，冬季可滑雪。仅埃纳雷斯和哈拉马两河沿岸有园艺区。大马德里市郊有养禽场和养猪场。盛产建筑用土石料。西班牙铁路干线均在该省汇集。人口约5 205 408（2000）。

Madrid　马德里　西班牙首都，全国最大城市，艺术和工业中心。它与所在的省份（亦称马德里）一起，构成佛朗哥以后时代新建立的自治区之一。作为首都反映了16世纪西班牙国王腓力二世及其继任者所奉行的中央集权政策。但选择马德里为首都并非出于战略、地理或经济上的考虑，而是由于马德里以前立场暧昧，保持中立，与已有的非皇家势力没有瓜葛。的确，马德里并无其他特点足以使人们认为它可起领导作用。它并不像欧洲许多城市那样濒临大河。剧作家L.德·维加曾提到在曼萨纳雷斯这条非常不引人注目的河上一座壮观的桥，他建议或者卖掉此桥，或者购买另一条河。马德里既无矿藏也无其他自然财富，而且尽管其主保圣人圣伊西德罗因与另一圣徒结婚而享有独一无二的名声，但马德里从未成为朝圣地。即使就该城市的起源而言，似亦不足以作为一国之都，因其在最早的历史上的作用仅为摩尔人设在一个露出地面的岩头上的小要塞——是西南65千米处在当时更重要得多的城市托莱多的北部防御工事的一部分。

只是到了1607年，即1561年腓力二世将宫廷迁至马德里后多年，腓力三世方正式将该地定为国都，迄今未再改变。在腓力及其继承人的支持下马德里发展成一个对比鲜明的奇特城市，保留了人口拥挤的老市中心，四周则兴建起宫殿、府邸、修道院，教堂和公共建筑。新旧结合，使之成为典型的西班牙城市，一个独具特色的生机勃勃的真正都城。

自然地理和人文地理

景观　*位置和气候*　马德里差不多正处于伊比利亚半岛的地理中心。位于起伏不平的梅塞塔沙土高原，海拔646米，为欧洲地势最高的首都之一。这一地理位置，加上靠近卡尔佩托维托尼卡山脉，在一定程度上造成冬季严寒的烈风。气温虽急剧变化，但夏季持久燥热，7、8月间气温有时高达37.8 °C，特别闷热。平均气温在5～24 °C之间，平均降雨量7月不足11毫米，而一年中降雨最多的10月则约14.6毫米。春秋两季气候温和，为旅游最宜季节。

城市布局　马德里是一座各种迥异的风

格并存的城市,明显反映出不同时代的发展变化。在旧市中心,宏伟的市长广场附近有几处广场,四周小街纵横交错。与此形成对比的是各个时期最杰出的建筑师设计的庄严雄伟的新古典主义风格的建筑和宽广的林荫大道。市中心的现代办公大楼和四郊一排排公寓住宅楼群表明当今发展的各种风格和经济现实。马德里大部分地区给人以狭窄的印象。马德里初建国都时,国王规定市民必须将他们的房屋的一层出租给外国使节和来访的达官贵人,结果许多人建造只有一层的房屋或往往建造一种所谓"不怀好意的房屋",即有两层楼但外面看起来只有一层。结果城市的发展需要大量土地,尤其是建设大面积的公共建筑和修道院。马德里的4道城墙中的最后一道建于1625年,到1860年方才拆除(这时城市人口是原来的4倍)。拿破仑之兄约瑟夫在短期取代波旁王朝时曾拆毁修道院以拓宽空间,但即使如此也未缓和上述局面。约瑟夫的绰号称"小广场国王"(这是人们称赞他的称谓之一),就来源于他开辟的一些广场。这毫无助于平息教会当局的不满,而教会当局对他的疏远促成了他的垮台。广场之一的东方广场(面对同名宫殿)就是拆除56所房屋、一座图书馆、一座教堂和数处修道院而开辟成的。"马德里人"这一传统用语意味着承认每一个区均有其本身的风格。贵族区、中心区和平民区在地理和社会方面均各不相同。后者从市长广场沿托莱多街而下到达河边,虽风景如画,但仍然贫穷。后来填平河两岸沼泽地扩充发展用地为马德里较贫困市民建房,至今仍有廉价房屋存在。翻越小山山顶是旧货市场,即廉价的跳蚤市场。尽管实施过多次市区发展计划,但马德里仍未扩展到城周围的空旷地带,1948年以前甚至尚未越过曼萨纳雷斯河。而与此相反,就整个城市来说,却有一些广阔的公园,其整个空间比巴黎还大。如埃尔帕多或田园之家均为狩猎场遗址;而雷蒂罗则为过去的王宫遗址。马德里也存在许多现代城市遇到的共同问题。污染严重,交通拥挤。人身安全不如从前有人守夜时有保证。但马德里仍保持了它及其居民所特有的魅力和活力——这也是现代西班牙的重要特点,每个地区都设法显示自己的特色。

人民 主要受马德里日益发展的工业地带的吸引,移民大量涌入,形成了作为整个西班牙民族的代表的现代居民。马德里人传统上被谑称为"猫",源于中世纪时当地军队擅长于攀登城堡围墙。这同样适合于说明当地人的生活方式和该城市现代居民晚起晚睡的习惯,不过晚起晚睡也是西班牙其他地区人们的普遍习惯,在盛夏酷暑时尤甚。人们吃饭很晚,剧院和影院当然也开场甚晚;午睡习惯仍在保持,不过现代商业方法的引进和外国利益的涌入,已趋向于实行英国式工作日制,废除长时间的午休。马德里有丰富多彩的文化和娱乐活动。它并非是一个完全世界化的城市,有教养的人喜好广泛地读书,而青年人则追求时尚,醉心于最新的通俗音乐。马德里没有大量外国居民,也没有明显的种族集团之分,但有许多迎合全国各地来首都工作的人的地区俱乐部,反映出马德里急速发展的各工业和商业区吸引了各方面的劳动力。从20世纪70年代初起,来自拉美的居民数量大增,因为为逃避经济苦难和政治冲突而移民美洲的历史潮流已经倒转。马德里是一个以其风格和气氛吸引并留住那些在此生活和了解它的人们的城市。这里的居民以依恋该城市而著称,当地有一句谚语"马德里通天堂,天堂有一小窗可看到马德里。"人口约3 092 759(2003)。

马德里市的王宫广场及花园
美国不列颠百科全书公司供图

经济 *工业、商业和金融* 马德里是政治、金融和保险业中心,这长期以来为首都的繁荣做出贡献,而旅游等活动和作为全国交通中枢所发挥的作用更勿庸论及。在战后时期(当然对西班牙人来说,战后意味着1939年以后——因为这年西班牙内战结束,而在第二次世界大战中西班牙保持中立),马德里成为制造汽车和飞机、电力和电子设备以及光学仪器,生产塑料和橡胶以及消费品的重要中心。马德里和巴塞罗那控制着西班牙的出版业。尽管工业基础雄厚,全市4/5的就业机会来自于服务业。欧洲最繁忙的股市之一的西班牙股票市场设在该市。

运输 公路和铁路系统均从全国四面八方汇集首都。地铁有多条线路通向马德里各处。巴拉哈斯国际机场位于市东约13千米。环马德里的高速公路系统略呈五边形,其总汇点在市南。另外一些主要的高速公路以环线为中枢辐射向四面八方。有许多条市营或私营公共汽车线路运行,亦可乘坐小型公共汽车。60年代的公路建设计划,在很大程度上为汽车拥有者的方便而作出牺牲,以后发现并非在各方面均有利。为加速车流而修建的立交桥,有些后来已被拆除。

行政与社会状况 70年代末西班牙恢复民主并发展地区政府自治以来,更加强调地方协商并着重解决诸如未来的环境等问题。1982年市政当局曾举行大规模民意调查,以了解在街区生活中人们的实际需要,结果制订的总体规划方案旨在确定未来发展的长期而全面的计划,不仅要使主要公用事业的基础设施现代化,而且要改善城市生活的质量。尽管实行了区域自治,马德里仍为西班牙的政治中心。它还是主教区、三军总部和第一军区司令驻地。最高法院和政府各部以及西班牙议会均设在马德里,后者设在一座19世纪的新古典主义建筑中,大门两侧各有一青铜狮子(系熔化摩尔人的大炮铸成),是欧洲最小的议会建筑之一。地方行政由市长和市议会领导。

文化生活 马德里人以喜爱街头户外活动而闻名,现代生活的压力也许使广泛的街头生活受到限制,但人们依然乐此不疲,尤其当盛夏酷暑时街心公园咖啡馆人群熙熙攘攘,人们徜徉于暮色之中。电影、戏剧、音乐等形式的现代文化广为演出,不愧是一个拥有数所第一流大学和研究院的城市。但一度使马德里闻名的聚谈会,即非正式的谈话聚会和非正式的社团,则连同举行这些活动的高雅咖啡厅几乎已经绝迹。马德里的文学传统与L.德·维加、卡尔德隆、塞万提斯、克维多、P.加尔多斯、拉腊、巴罗哈和阿索林的名字联系在一起,至今仍反映于各种各样的文化生活中,它是西班牙语世界主要出版中心之一,即可说明这一点。

现代马德里对一切阶层的人均富有吸引力。可容纳2.5万名观众的斗牛场拉斯本塔斯是西班牙最大的斗牛场。在这里初次登场的斗牛士必须在授予剑手称号的仪式(即斗牛士杀死第一头牛的场合)上显示自己的本领以确立其地位。斗牛季节从3月到10月。马德里有两支第一流的足球队,每年与巴塞罗那足球队的比赛成为当年盛事之一。重要赛事在圣地亚哥·贝纳维乌和比森特·卡尔德龙两个体育场举行。每个区为纪念主保圣人而专门举行的宗教节日晚会,为公众例行盛举,尤以5月中旬天气温暖时纪念圣·伊西多尔为头等大事。届时通常在露天演出说唱剧(亦译萨苏埃拉,一种略带讽刺意味的轻歌剧,专门针砭时弊,以马德里的传说为背景而编成)。马德里有公园和公共花园达40多处，主要有雷蒂罗、坎波德尔莫罗、田园之家和西部公园，当然还有在罗萨莱斯附近的奇妙的德波德神殿（古埃及神殿，在修建阿斯旺高水坝时为西班牙所获得），在此可饱览城市全景。

博物馆甚多。独具特色的有剧院、铁路、西班牙斗牛等方面的博物馆。马德里拥有丰富的艺术杰作：西斯内罗府邸（市长官邸）和王宫里的壁毯；德斯卡尔萨斯·雷亚莱斯修道院收藏的勃鲁盖尔和提香的绘画；阿尔巴公爵的住宅利里亚府邸则收藏着西班牙和外国大师们的绘画。普拉多美术馆陈列着西班牙王室历年收集的艺术品，可反映出西班牙与外国结盟的格局。卡洛斯五世和腓力二世是威尼斯艺术的保护人；腓力四世是17世纪的伟大收藏家；波旁王室继承王权后则大量收藏法国艺术品。西班牙统治尼德兰后使佛兰德斯艺术品的收藏大大充实。附近的布恩·雷蒂罗大厅收藏着19和20世纪的艺术品，其中最著名的要数毕加索的《格尔尼卡》。此画于1981年从纽约市送回西班牙，因毕加索曾表示，只有在西班牙恢复民主后才能将此画归还该国。

著名的图书馆有颇具声誉的国家图书馆和王宫图书馆，后者以收藏历史文献而著称。马德里还以其旧书店多而闻名，春季举行的图书展览享有盛誉。马德里是高等教育首要中心，拥有数所西班牙第一流大学，其中有开放大学、康普鲁顿大学和综合技术大学，均位于大学城，往北则为自治大学。另有多所公立和私立大学。

历史

早期历史 在一个可俯瞰曼萨纳雷斯河的山丘上的城堡周围，发展起一座阿拉伯城镇，其名称马赫里特最早出现于公元932年，当时莱昂的基督教国王拉米罗二世将该城的城墙夷平，但现仍有早期（甚至是史前）人居住的遗迹存在。1083年，卡斯蒂利亚和莱昂的基督教国王阿方索六世从穆斯林手中夺得该城，以后有许多代卡斯蒂利亚国王居住在此。早在1309年即在此召开议会。该城堡于1466年毁于地震，以后中世纪历代国王，特别是查理一世和腓力二世将王宫扩建。这一时期城区向东发展到今市长街和塞哥维亚街两侧，摩尔人（1492年基督教完成重新征服西班牙以前一直居住在该城）则麇集于西南一隅，该处今仍称摩雷里亚。此时整个城市面积只不过长宽分别为500码和900码。16世纪以前街道格局仍有某些保留下来，但建筑物已几乎不复存在；仍保存下来的有经多次修葺的洛斯·卢加内斯宅邸，据认为法国国王弗兰西斯一世曾一度被囚于此。查理一世喜欢在马德里附近打猎。据说为了能让他的马车通过，将城门加宽，遂使狭窄的街道得以适应繁重的交通，宫廷正式设在该城后，加快了这一进程。到1598年马德里的人口已达6万人，而到现存的第一张马德里平面图（1656年佩德罗·特谢拉绘制）产生的时期，马德里已成为拥有10万人和1.1万座建筑的宏伟城市。

在哈布斯堡王朝统治时期，奥属马德里更加迅速扩展。外交部（1634）、西斯内罗府邸、塞哥维亚桥和真诚的圣伊西德罗教堂均建于这一时期。（顺便提一下，后者至今仍为马德里的临时主教座堂——因1883年始建而施工缓慢的拉阿尔穆德纳天主堂至今仍在建设中。）胡安·德·埃雷拉（1597年卒）和弗朗西斯科·德·莫拉对将马德里建成不朽的城市做出了贡献。但一般认为这一时期最引人注目的成就当推由胡安·戈麦斯·德·莫拉设计、1617～1619年建设的市长广场；1790年大火后曾加以改建。它立意高雅，周围是一些带阳台的5层尖顶楼。9条呈斜角分布的大道使广场与周围的街道相通，街道连续相接的拱廊下是商店和饭店。在马背上的贵族们当权时期举行的斗牛，放焰火，戏剧演出均在此举行，过去异端裁判所残酷的仪式亦在此举行。市长广场上的最后一次斗牛是1846年为庆祝伊莎贝拉二世结婚而举行的。

波旁王朝历代国王统治时期的发展 在1701～1714年的西班牙王位继承战争中，马德里虽曾短时间被亲哈布斯堡的军队占领，但该城市支持波旁王室反对哈布斯堡。在波旁王朝统治时期，该城市开始了同样具有划时代意义的另一个伟大发展阶段。1734年圣诞夜大火烧毁马德里城堡后，腓力五世开始兴建王宫。他的宏伟计划要建23座内宫，但始终未能实现，不过已完成的工程已有500个房间。在他的支持下，城市面貌改观，而除其他一些主要城市建设外，更应提到的是西班牙皇家科学院、国立图书馆和皇家历史学院。王宫的墙壁用优美的花岗石和石灰石建成，国王宝座所在的宫室有提埃坡罗所绘天顶画；兵器博物馆是世界上收藏兵器最多的场馆之一，藏品中有征服者H.科尔特斯和F.皮萨罗的佩剑。最后一位实际上在此居住的西班牙国王是阿方索十三世，他的居室仍保持着他1931年退位离开时的原貌。现在的王室居住在比较幽静和不很豪华的萨苏埃拉宫，位于马德里的西北。波旁家族国王们喜爱的次要的王宫是布恩·雷蒂罗宫，其花园以具有法国风格而为人们所称道，至今仍是人们经常留连的露天场所。

波旁王朝最伟大的建设者是查理三世（1759～1788），因其关注马德里的发展成长并在改变城市空中轮廓线方面做出很大贡献，被称为"市长国王"。其时正值启蒙运动时代，查理试图在闲暇生活与科学、文化与工业之间建立一种和谐关系。他的风格是世界主义的，反映出当时欧洲的审美情趣。他注重城市的外貌，它的门、街道和树木，开现代城市规划设计之先河。他的计划主要是依靠3位新古典主义建筑师F.萨瓦蒂尼、V.罗德里格斯和J.de比利亚努埃瓦的创作。这一时期马德里继续向东扩展至今独立广场，广场上雄伟的拱门即市长门建于1778年，至今仍是具有历史和艺术价值的建筑。另一历史性建筑，位于太阳门的邮政总局，亦建于这一时期。至今全国各地均从该建筑墙下的基石为起点计算其距离。此广场为人们所钟爱，特别在除夕，人们前往聆听午夜钟声并吃12颗葡萄，据说可保证今后12个月一切幸运。早年此广场具有重要作用，因为驿站马车从此出发前往半岛各地。由于它具有如此吸引力，各种改善城市环境的新设施便在此开始兴建，从1830年的第一批煤气灯到第一批骡拉有轨车、第一个公共小便池到第一批街道电灯和电车。查理三世无疑对所有这些新鲜事物加以赞赏。当时他建立了植物园（今仍在），其中有"药物"园，任何人均可在此采撷草药（至今仍如此）。他计划再兴建一所自然史和科学博物馆，但完成前即逝世。

拿破仑战争期间法军曾占领马德里，并立其兄约瑟夫为国王。1808年5月2日，群众起义反对约瑟夫，引起西班牙人所称的"独立战争"。1814年，被拿破仑囚禁的费迪南德七世恢复王位，授予马德里"英雄"城市称号。1819年，查理三世计划创建自然史和科学博物馆的建筑完工。费迪南德将以前分散各处的皇家收藏的艺术品移入，此即为后来成为世界主要美术馆之一的普拉多美术馆之起始。1830年，L.G.帕拉西奥斯制作的卓越模型，使人们得以对这一时期的马德里作详尽的研究。这一时期，马德里在J.比斯凯诺的领导下向北扩展（比斯凯诺是一个贵族，按当时的惯例也是市长）。他还因实行房屋的门牌号数、街道照明和城市垃圾收集等新措施而闻名。普拉多路由一条新的林荫大道加以延长，名为教士路。这一地区多年几乎是乡村情景，与城市的带有大花园的漂亮房屋毗邻，而如今已建起高层办公楼群、公寓楼、豪华饭店、大使馆以及国立图书馆、国立考古博物馆和西班牙现代艺术博物馆。这个地区宅第之一，现已改为一所银行，它原属萨拉曼卡侯爵所有。侯爵于1872年建造了方格式排列的28条街，从市长街平行排列直到教士路，对向北发展做出了贡献。这一地区仍标有他的名字，依然是马德里最优美的地区之一。

稍前，1860年的卡斯特罗规划，亦称扩建计划，使马德里进一步扩展和现代化，增加了便利设施，满足了当时经济和商业上的需要。它是马德里另一个全面而有预见的现代规划。但由于人口的增加、土地投机的干扰以及在规划区之外贫民区的出现，该规划后来遭到了挫折。

现代马德里 继卡斯特罗规划之后又制订过其他一些规划：1892年A.索里亚的线形城市规划，计划从城区起修建一条31英里长的中轴路，辅之以一条郊区铁路；1910年N.格拉内斯则提出了卫星城的设想。这些规划均未得到支持。直到以后几年才出现了划时代的新变化。从市长街顺坡而下到西班牙广场修了一条宽阔大道，将圣贝尔纳多区一分为二，马德里第一批高大的商业大楼在这条大道上拔地而起。这条大道被设计为马德里的主要大街，有影院、咖啡厅、商店和银行，一片欣欣向荣的景象。内战结束后，大道改称何塞·安东尼奥林荫大道，以这位西班牙法西斯政党长枪党的创始人的名字命名。这个时期许多街道和广场都起了新名称，但佛朗哥死后又都恢复了旧名。

1931年共和国成立，出现了辐状和环形道路，卡斯蒂利亚路进一步延伸。内战中，马德里曾遭严重破坏，空袭和炮轰达两年之久，战线甚至逼近大学城。战火破坏的公共建筑已经修复，并制订了雄心勃勃的重建计划，但大体上说，这些计划又一次未能完全实现。

马德里向外扩展,吞没了郊区,从 1948 ～ 1951 年,总面积迅速膨胀,达到 205 平方英里,增加了将近 9 倍。土地投机、城区无计划的延伸和工业的发展导致了 60 年代的各种变化。同许多欧洲城市的经验一样,对城市的文化遗产造成往往是无法挽回的破坏。1963 年制订规划,改变了无控制的发展。现已通过立法,保护该城市许多最有价值的建筑物,着重保留一些古老建筑,即使只有某些部分可以挽救。

20 世纪 80 ～ 90 年代启动城市改建工程,新建数以万计的居所。1990 年建成国家音乐厅。十年间建成新火车站及许多文化场所。2004 年 3 月 11 日马德里遭到一系列恐怖主义袭击。伊斯兰武装分子在人流高峰期在三个火车站及附近地区引爆 10 枚炸弹,造成 191 人死亡,1800 多人受伤。尽管如此,该市仍是旅游中心,也是西班牙的政治和文化中心。

Madrid, Complutensian University of　马德里康普鲁顿大学　原称 University of Alcalá de Henares。高等教育机构。1499 年建于马德里省埃纳雷斯堡的西班牙高等学府。1836 年迁往马德里市。由枢机主教吉麦内兹·德·西斯内罗斯创立,旨在使之成为教会学术改革的工具,1508 年获教皇诏书承认。大学讲授托马斯、斯科图斯和唯名论几派神学及东方语言,吸引了许多杰出的学者,合作出版了著名的康普鲁顿合参本圣经(完成于 1517 年,出版于 1522 年左右)。阿拉贡玛丽亚学院于 1590 年并入。1836 年迁往马德里后更名为马德里康普鲁顿大学(康普鲁顿为埃纳雷斯堡的罗马人居留地)。现有其他数所学院,如圣卡洛斯医学院、圣伊西德罗皇家学院、1966 年并入的一所工学院以及一所耶稣会哲学学院。

Madrid (Hurtado), Miguel de la　德拉马德里(1934-12-12,墨西哥科利马～2012-04-01,墨西哥城)　墨西哥总统(1982 ～ 1988)。1957 年在墨西哥国立自治大学获法学学位,1965 年在哈佛大学获公共管理硕士学位。曾在国家外贸银行和墨西哥银行工作,同时在国立自治大学教授法学直到 1968 年。1963 年起为墨西哥执政党——革命制度党党员。1965 年进入财政部工作,此后历任各种经济官员,在波蒂略总统的政府(1976 ～ 1982)中任计划和预算部长。他是以墨西哥新发现的大量石油的收入为动力的经济发展计划的主要起草人。政治上保守,与商界来往密切。任总统期间曾努力克服政府中、国营企业中和工会中的腐败现象。在外交上他继续贯彻争取使墨西哥更加独立和广泛交往的基本精神。

Madrid, Treaty of　《马德里条约》(1526-01-14)　哈布斯堡皇帝查理五世(西班牙查理一世)与法国国王弗兰西斯一世(1525 年 2 月在帕维亚战役中被俘)签订的条约。条约规定:法国国王把他在意大利的领地佛兰德斯、阿图瓦、图尔奈以及法国的部分领土割给查理五世,并将王妹许配对方。弗兰西斯获释回国。他刚一进入国境就宣布这一条约无效,并参加了科尼亚克联盟,意在推翻查理五世。

Madrid Codex　马德里刻本　与巴黎和德累斯顿刻本一起,为马雅人被征服前时期的 3 本插图丰富的刻本之一,虽经 16 世纪西班牙教士的多次焚书,仍幸存。此刻本又称特洛-科特西恩纳刻本,据信是马雅后期(约 1400)的产物。它有大量关于占星术和占卜法的记载,对于有志识别各种马雅神和弄清迎接新年仪式的历史学家和人类学家特别有价值。对于马雅的陶器和编织物等手工艺品,以及狩猎等活动,均有绘图。该刻本现藏于马德里美洲博物馆。

madrigal　牧歌　室内声乐体裁,14世纪源于意大利北方,至 15 世纪几乎消失,16 世纪重新繁荣,16 世纪末和 17 世纪初在国际上流行。14 世纪的牧歌以一种相对稳定的诗歌形式为基础,即 2 或 3 个诗节,每节 3 行,每行有 7 或 11 个音节。大多属于二声部复调音乐。音乐曲式反映出诗体的结构。典型的 2 个诗节牧歌是 AAB 曲式,其中 AA 诗节的音乐相同,下接的 B 是为 1 或 2 行诗写的尾声或结束乐句,其唱词总结全诗的含意。佛罗伦萨产生了 14 世纪最伟大的牧歌作曲家 F. 兰迪尼。在 15 世纪的大部分时间中,意大利音乐受外国大师(主要来自法国北部和荷兰)的控制。但至 15 世纪晚期,佛罗伦萨和曼图亚的贵族赞助人又恢复了音乐和诗歌的民族传统。佛罗伦萨的狂欢节歌曲和 15 世纪末曼图亚的**弗罗托拉**(**frottola**,一种世俗歌曲)是 16 世纪牧歌的重要先驱。16 世纪的牧歌使用与前辈不同的诗体,并具有较高的文学水平。牧歌本身的诗体一般比较自由,但与单诗节的坎佐纳诗体十分相像:一个 5 ～ 14 行的诗节,每行 7 或 11 音节,最后两行形成押韵的对句。牧歌作曲家爱戴的诗人有彼特拉克、G. 薄伽丘、J. 桑纳扎罗、P. 本博、L. 阿里奥斯托、T. 塔索和 B. 瓜里尼等人。这种新牧歌的音乐风格与 14 世纪的牧歌不同,它越来越多地受唱词的支配。在法兰西-佛兰德斯作曲家的复调风格影响下,它变得更加对位化,采用交织的旋律。通过 A. 魏拉尔特和他的学生 C. 德罗雷(卒于 1565)对歌词谐唱和绘意法的敏感处理,把牧歌的表情提高到新的水平。情感词汇诸如“高兴”、“忿怒”、“大笑”和“叫喊”都予以特殊的音乐处理,但无损于音乐的连贯性。魏拉尔特的另一学生 A. 加布里埃利是威尼斯风格的创造者之一,这种风格的特征是采用多合唱组效果和音乐织体上的鲜明对比。16 世纪最杰出的牧歌作曲家可能是 L. 马伦齐奥,在歌词与音乐之间取得平衡,从而完善了牧歌体裁。虽然牧歌在意大利之外也盛行,但只有英国发展了强大的民族传统。在女王伊丽莎白时代,最受欢迎也是最意大利化的作曲家是 T. 莫利,他吸收意大利风格,并使之适应英国人偏爱轻松诗歌与音乐的趣味。

madrigal comedy　牧剧　16世纪末意大利音乐体裁。它是牧歌风格的声乐套曲,有较轻松的意大利世俗形式。各曲由不明确的情节或共同的主题加以连接。它在音乐会上和社交集会时演唱,不在舞台上演出。这种套曲轻松、幽默,往往对生活中平凡的事件作栩栩如生的描绘,例如 A. 斯特里焦的《洗衣房的饶舌妇》(1567)。

madtom　石鮰　几种北美鮰科石鮰属(*Noturus*)鲇类鱼(猫鱼)的统称。有时分为两个属:石鮰属和 *Schilbeodes* 属。体长一般约 5 ～ 7.5厘米。石鮰是鮰类中最小的种类。其特征

石猫鱼(*N. flavus*)
美国不列颠百科全书公司供图

是脂鳍长,有些种类的脂鳍与圆形的尾鳍相连。胸鳍具有粗壮的硬刺,硬刺通常有锯齿缘,刺的基部有毒腺,触之可致疼痛而参差不齐的伤口。石鮰喜栖于溪流、江河及湖泊近岸的底上。石猫鱼(黄石鮰,*N. flavus*)常见,黄褐色,日间常隐于石下。蝌蚪石鮰(*N.* [或 *Schilbeodes*] *gyrinus*)形似蝌蚪,于美国东部和中部常见。

Madura　马都拉　又拼Madoera。印度尼西亚东爪哇省岛屿。位于爪哇岛东北岸外,被一条窄而浅的海峡与泗水隔开。面积5 290平方千米。该岛地势起伏,西部海拔210米,东

马都拉岛上的赛牛
美国不列颠百科全书公司供图

部超过 430 米。木棉、椰干和椰油是岛上的重要物产。东北部森林生产柚木。主要行业是养牛和晒盐,后者由政府垄断。有以马都拉为基地的渔船队。小规模开采石油。马都拉人从前到外岛种植园做工,也去爪哇岛当季节工和经商。马都拉人都是穆斯林。9 月份举行赛牛大会。首府巴米加三位于岛的中南部。岛上其他的城镇还有东部的苏民纳,附近有苏民纳亲王们的陵墓;西海岸的邦卡兰,有苏丹旧王宫和清真寺。该岛南、北部沿海和贯穿本岛中部有公路。马都拉于 1949 年成为印度尼西亚的一部分。人口2 877 194(1992)。

Madura foot　马都拉足　又称足分支菌病。通常局限于足部的真菌感染,偶亦发生于身体其他部位。由青霉属、曲菌属、马杜拉分支菌属或放线菌(如诺卡氏菌属)的真菌通过抓

伤或擦伤的皮肤侵入而致病。本病在印度南部的马都拉地区首次报告;在人们习惯于赤足走路的热带及亚热带地区最为常见。感染后可有一段潜伏期,然后形成小面积的皮下肿胀;肿胀增大、变软、化脓、向皮肤表面破溃,同时侵犯深层组织。磺胺、碘化物及抗生素一直用于治疗放线菌感染,但霉菌形真菌对之有较强的耐药性。组织损害极重时常需截除患足。

Madurai 马杜赖 印度东南部泰米尔纳德邦中南部城市,西邻喀拉拉邦。为本邦第二大城市,也可能是最古老的城市。临韦盖河,四周有阿奈丘陵、那加丘陵和伯苏丘陵。郊

马杜赖市一神庙门楼上的浮雕
美国不列颠百科全书公司供图

区有大工业,主要有棉纺织、运输工具制造、烟草加工和制糖等部门。历史上闻名的手工棉织、丝织与纺织业仍居重要地位。设有马杜赖-卡马拉季大学(1966)。周围地区处在东高止山之东南,为南印度平原的一部分。四周高山环绕,西部根伯姆谷地较高,东部平原降至海拔 90 米。主要河流为韦盖河。基本上为农业区,虽建有佩里亚尔(1895)和韦加伊(1960)灌溉工程,稻米一向不能自给。主要经济作物有花生、棉花、甘蔗、咖啡、豆蔻、马铃薯和梨。人口:市 922 913;都会区 1 194 665(2001)。

Madurese 马都拉人 印度尼西亚干旱而贫瘠的马都拉岛上的土著居民,现在多数生活在马都拉岛、康厄安群岛和毗邻的爪哇东北海岸。属德太罗·马来人种,说两种主要方言(西马都拉语中心在巴米加三,东马都拉语流行于苏民纳)和另一种小型变体语(流行于康厄安群岛)。马都拉岛上的马都拉人养牛以供出口并用做役畜耕作水稻。居住社区由 10 ~ 20 个核心家庭组成,有头人和主管宗教祭祀的人们负责管理。社会关系不以亲属为基础而以区域为准则。夫妻之间平分财产。爪哇的马都拉人是该岛很多土著民族中的主要种群。传统宗教信仰已在不同程度上受了基督教和伊斯兰教的影响。

Madurese language 马都拉语 属澳斯特罗尼西亚语系的印度尼西亚语族,通行于印度尼西亚马都拉岛以及附近一些小岛和爪哇岛北部海岸。马都拉语分为东西两种方言,该语言的东部方言或称苏民纳语,该语言的西部方言则包括邦卡兰语和帕梅卡桑语。苏民纳语为用于教育的标准语。马都拉语与马来苏门答腊语有较多的语言学上的相同点,而与地理位置上更接近的爪哇语或巽他语相同点则较少。操马都拉语者 20 世纪末估计超过 800 万人。

Madvig, Johan Nicolai 马德维格(1804-08-07,丹麦博恩霍尔姆~ 1886-12-12,哥本哈根) 丹麦古典语文学者兼政府官员,曾出版许多关于拉丁语语法和希腊语句法的论文,并对奠定现代版本校勘学的基础有所贡献,其模范版本为西塞罗所著《论至善》一书,于 1839 年问世。1829 ~ 1880 年陆续任哥本哈根大学拉丁语言文学教授,其间于 1848 年当选为议员,1848 ~ 1852 年任教育大臣,1856 ~ 1863 年任议长。重要著作是 1841 年出版的拉丁语语法,另有《罗马宪法及行政》(1881 ~ 1882)和一部自传(1887)。

Mae Hong Son 夜丰颂 泰国西北端城镇,位于登劳岭。夜丰颂有一机场,有飞往曼谷、清迈、南邦和帕府的定期航班。夜丰颂周围地区多山和茂密的森林。地势使该地区与泰国的其他地方隔离。夜丰颂与缅甸有密切的经济和文化联系。从该镇到缅甸边境约 10 千米。当地主要出产柚木和其他木材。人口约6 609(2000)。

Mae Nam Khong (Southeast Asia) 参阅 **Mekong River** 湄公河。

Maeander River (Turkey) **迈安德河** 参阅 **Menderes River** 门德雷斯河。

Maebara Issei 前原一诚(1834-04-28,日本旧长门国荻~ 1876-12-03,荻) 又名彦太郎、八十郎。日本军人政治家,帮助实行明治维新,1876 年叛乱前一直是新政府的主要人物。出身低级武士家庭,早年入吉田松阴的松下村塾。1860 年开始参加倒幕运动。1864 年参加长州藩的起义。明治维新后任越后藩(今新潟县)知事,后任内阁参议和兵部大辅。1874 年帮助平定由其前同事江藤新平领导的佐贺之乱。1876 年因对政府的许多政策不满,提出"清君侧",领导长州武士起事,兵败被诛。

Maebashi 前桥 日本本州群马县县城。室町时代(1338 ~ 1573)原为驿镇,称厩桥。德川时代(1603 ~ 1867)为松平家族驻地。第二次世界大战后迅速发展成为工业交通中心。传统生产丝纱。人口约284 156(2000)。

Maecenas, Gaius(Cilnius) 梅塞纳斯(约公元前 70 ~前 8) 罗马皇帝奥古斯都杰出的外交官和顾问,古代著名的文学赞助人,十分富有。祖先系埃特鲁斯坎王族。他是奥古斯都最亲密的伙伴。虽是骑士,但其门第和权势却高过任何一个元老。可能曾参加公元前 42 年的菲利皮战役,在这一战役中,起初与屋大维结盟的安东尼打败了刺杀凯撒的卡修斯和布鲁图。两年后,他说成屋大维和斯克里博妮娅的短命的婚事,以取悦于强大的塞

美国不列颠百科全书公司供图

克斯都·庞培。同年底为屋大维获得更大的好处:签定条约,结束与安东尼在布伦迪休姆的危险的军事对抗。公元前 38 ~前 37 年说服安东尼去他林敦并借给屋大维为完全控制西方所需的战舰。屋大维于公元前 36 年与庞培交战和于公元前 31 年与安东尼交战时,由他管理罗马和意大利。当屋大维从东方凯旋时,他迅速地在暗中扑灭了一起谋杀屋大维的阴谋。此后,当屋大维不在罗马时,他与阿格里帕实际上处于摄政地位。在屋大维于公元前 27 年建立元首制后,他继续处理外交和内政事务;是最受信任的顾问,与阿格里帕争宠。梅塞纳斯与诗人维吉尔和贺拉斯结下了经久不渝的友谊,维吉尔的《农事诗》和贺拉斯的前三部《颂歌》都是呈献给他的。他希望诗人歌颂罗马和奥古斯都的伟大业绩,但诗人却选择了自己的道路,他尊重诗人的独立性和艺术的完整性。他本人既写散文,也写诗,但仅有片断存世。公元前 23 年,他妻子的义兄弟穆雷纳因与屋大维发生争吵而被免职,穆雷纳阴谋杀害屋大维,他将阴谋被查获的消息透露给妻子,使穆雷纳在被处决前得以逃走。奥古斯都虽原谅了他,但他的势力却从此被削弱。死后无嗣,把全部财产遗留给奥古斯都,他与奥古斯都一直保持着友谊。

Maeda FAMILY **前田家族** 日本中部旧加贺国大名,藩主。在战国时代末期前田家族首领前田利家(1538 ~ 1599)支持织田信长统一日本,因而扩大了自己的领地。信长死后利家又同丰臣秀吉结盟。秀吉死前任命他为辅佐幼子秀赖的五大老之一。当五大老之间的纷争发展时,前田利家之子利长(1562 ~1614)支持企图夺取中央权力的德川家康。在关原战役(1600-10-20)以后德川氏成为日本的统治力量。论功行赏,前田家族得到更多的领地,就全部税收而言,他们的领地仅次于德川家族。在整个德川幕府时代,前田、德川两家一直保持友好关系,而且经常联姻。前田家族因未参加倒幕运动,在 1868 年明治维新后的新政府中不再有什么影响。

Maekawa Kunio 前川国男（1905-05-14，日本新潟市～1986-06-27，东京） Maekawa又拼Mayekawa。日本建筑师，以设计社区中心和混凝土建筑著称。1928年毕业于东京大学，后到巴黎随法国建筑师L.科比西埃学习了两年。回国后他在日南市市政厅（1936）和大连市市政厅（1938）的设计中摒弃了帝国政体采用的豪华建筑风格。20世纪50年代他基本上仍继续保持科比西埃的风格。福岛教育中心（1955）、东京晴海公寓（1959）和东京世田谷社区中心（1959）等作品反映了他合理使用混凝土所做的努力。从东京大都会节日堂（1961）开始，他的作品又展示了一种更为热情和豪放的风格。在埼玉文化中心（1966）设计中，采用了全新的布局方式。1958年布鲁塞尔世界博览会和1964～1965年纽约世界博览会的日本馆也是他的作品。

Maelius, Spurius 梅利乌斯（？～公元前439） 罗马平民，有资财。公元前440～前439年大饥馑时，曾收购大量谷物，以低价卖给罗马居民。贵族身份的市场监察官米努西乌斯指控他用金钱收买群众，企图夺取政权。不久之后他便被人杀害，住宅也被夷为平地。

Maelor, Wrexham（Wales） 参阅**Wrexham Maelor** 雷克瑟姆马埃勒。

Maelstrøm 迈尔海峡 挪威语作Moskenstraumen。挪威北部挪威海中莫斯克内斯岛（北）和莫斯肯岛（南）之间的水道和强大潮汐海流。宽约8千米。水流变化莫测。潮汐涨落时的流速可达每小时11千米。当地的强风使航行更加危险。

Maenam（river, Thailand） **湄南河** 参阅**Chao Phraya River** 昭披耶河。

Maerlant, Jacob van 马尔兰特（1225，布吕赫[达默?]～1291，达默） 14世纪荷兰盛行的说教诗的先驱。生平事迹不详。只知他精通拉丁文和法文。早年翻译过中世纪传奇故事，其中最重要的是根据传为伯努瓦·德·圣莫尔所作的《特洛伊传奇》改写的《特洛伊史》。在开始写说教作品时，他完全以拉丁文著作为蓝本。《自然之花》（1266～1269）是根据托马斯的原著改编的；《韵文圣经》（1271）是根据科梅斯托的《经院哲学史》改编的；他的最重要作品《历史之镜》是从德·博韦的同名著作改编，并加上自己的作品。他的诗才充分表现在《哎呀！马丁》等诗中。

Maes（river, Europe） 参阅**Meuse River** 默兹河。

Maes, Nicolaes 马斯（1634，尼德兰多德雷赫特～1693-11-24，阿姆斯特丹） 荷兰巴罗克风俗画和肖像画家，伦勃朗的追随者。1655～1660年间专作小幅家庭风俗画，所表现的题材大多是纺纱、读《圣经》或做饭的妇女。1660～1670年间访问安特卫普，此后专

马斯绘《窗边的姑娘》（约1655）
美国不列颠百科全书公司供图

画肖像，受凡·戴克的影响，继而追求风格的优雅。

Maesa, Julia 梅萨 参阅**Julia Maesa** 尤莉娅·梅萨。

Maeshowe barrow 梅肖韦古墓 史前坟墓，内有墓室，位于苏格兰奥克尼群岛梅恩兰岛上的斯特罗姆内斯东北。该墓可能为某首领家族的坟墓，呈圆锥形，圆周91米，周围挖有一条壕沟，深约27米。梅肖韦古墓又被认为是10世纪北欧人所造，但较为可信的是，一群北欧人曾有一个时候把该墓作为隐蔽处，在石头上用如尼文刻上他们曾经到此的字样，同时把墓内的财物盗走。

Maestà 《圣母子荣登圣座》 意大利画家杜乔为锡耶纳教堂所作双面祭坛画。第一幅（1302）原存锡耶纳共和宫，今已失传。第二幅（1308-10-09～1311-06-09）系为锡耶纳大

杜乔绘《圣母子荣登圣座》（1308～1311）
美国不列颠百科全书公司供图

教堂所作，是当时最大的祭坛画之一。正面宽大的镶板上画着受锡耶纳守护神朝拜的圣母和圣子，周围是众圣徒和天使，下面是祭坛台的直立面，描绘基督童年的七个场面；上面是画有圣母生活场面的三角额；背面画基督生平的场面。主要画面和大部分叙事画面现存锡耶纳大教堂博物馆。

Maestra, Sierra 马埃斯特腊山 在古巴东南部，跨格拉玛和圣地亚哥两省。西起瓜卡纳亚沃湾南岸的克鲁斯角，东至关塔那摩河谷。从加勒比海沿岸耸起，山上树木丛密。最高峰图尔基诺峰（也是全国最高峰）海拔1 972米。出产桃花心木、雪松等硬木材。也有咖啡种植业。山区有铜、铁、锰、银、铬、沥青和大理石矿。曾为卡斯特罗开展革命于1959年推翻巴蒂斯塔的根据地，因而具有重要政治地位。主要城市有圣地亚哥和帕尔马索里亚诺。

maestrale（wind） 参阅**mistral** 密史脱拉风。

Maestrichtian Stage 马斯特里赫特阶 晚白垩世的世界性标准年代地层单元（白垩纪开始于约1.36亿年前，延续约7 100万年）。是白垩系最高的阶，位于坎潘阶之上。该阶以美国西部内陆、欧洲北部的重要地层层序为代表。该阶地层对比基于特有的化石种类，包括独特的菊石类头足动物、多种白垩纪蛤类和牡蛎类（全都是软体动物），以及像食草恐龙——三角龙属那样的陆地脊椎动物类。

Maeterlinck, Maurice 梅特林克(1862-08-29,比利时根特～1949-05-06,法国尼斯) 比利时象征主义诗人、剧作家和散文作家。他的剧是象征主义戏剧的杰出作品。他以法文写作,并主要从法国文学思潮汲取灵感。

美国不列颠百科全书公司供图

1911年获诺贝尔文学奖。他在根特大学学习法律,1886年在该市当律师。1885～1886年在巴黎结识维利耶·德·利尔-阿达姆及其他象征主义运动领袖,此后不久即弃法从文。第一部诗集《暖房》和第一部戏剧《玛兰纳公主》发表于1899年。但他最大影响还是在戏剧方面。他的《普莱雅斯和梅丽桑德》(1892)是象征主义戏剧的无可争议的杰作。虽用散文写成,但是该剧可以视为19世纪对诗剧进行各种尝试的最高成就。梅特林克由于对英国戏剧,特别是对莎士比亚和詹姆斯一世朝代的剧作发生兴趣,因而象征主义的影响逐渐减弱。在受观众欢迎方面堪与《普莱雅斯和梅丽桑德》媲美的,只有儿童剧《青鸟》一剧。这出略有感伤的寓言剧首演于莫斯科艺术剧院(1908),一度评价很高,但现在魅力已失,剧中的乐观主义现在看来也显得不够有力。爱国主义的《斯蒂尔蒙德市长》(1918)一剧曾经风靡一时。他的剧作在各国广为翻译,比利时没有一个戏剧家能像他那样对全世界的观众产生过如此大的影响。他又是个出色的散文作家,他的作品明显地掺杂着神秘主义和对自然界的兴趣。在《卑微者的财宝》(1896)和《明智和命运》(1898)中展示了他的神秘思辨。然而,他广为人们阅读的散文作品却是《蜜蜂的生活》(1901)和《花的智慧》(1907)。这些作品并非严格的科学或自然史方面的著作,但在这些扩大了的随笔中,梅特林克陈述了自己关于人类处境的哲学。1932年,比利时国王封他为伯爵。

Maetsuyker, Joan 马策伊克(1606-10-14,阿姆斯特丹～1678-01-04,荷兰东印度群岛巴达维亚[今印度尼西亚雅加达]) 荷属东印度群岛总督(1653～1678)。在他的领导下,把处于权力顶峰时期的荷兰东印度公司从商业机构转变为地方权力机构。早年在阿姆斯特丹当律师。1636年受荷兰东印度公司聘请,作为法律专家前去巴达维亚。1642年起草《巴达维亚法典》。1648年任锡兰总督。1653年升任东印度群岛总督。在任期间,他把西班牙人和葡萄牙人赶出东印度群岛。后来他还占领马加锡港,监管苏门答腊大部地区。1674年通过干预爪哇帝国王位的继承,把荷属领土扩展到爪哇。

Maéwo 迈沃岛 又称奥罗拉岛。瓦努阿图的岛屿,在太平洋西南部,圣埃斯皮里图岛以东105千米。为火山岛,47千米长,6千米宽,面积269平方千米。土地肥沃,林木茂密,是全国降雨量最高(年雨量逾2 500毫米)的岛屿。西北岸的拉卡莱莱是船只淡水供应港。人口2 362(1989)。

Maeztu (y Whitney), Ramiro de 马埃斯图(1875-05-04,西班牙维多利亚～1936-10-29,马德里) 西班牙新闻工作者、社会政治学理论家。其母是英格兰人,其父是巴斯克人。马埃斯图在古巴居住一段时间后回到西班牙,成为"1898年一代"的领导成员。1899年发表第一部著作《走向另一个西班牙》,号召脱离西班牙的过去,进入欧洲的主流。曾任西班牙报纸驻伦敦记者(1905～1919),第一次世界大战期间到法国和德国进行采访。战争使他失望,他确信人类理性无法解决社会问题。他用英文写了《从战争看权威、自由和功能》,号召依靠权威、传统和罗马天主教会。该书西班牙文版名为《人类的危机》(1919)。回到西班牙后,与激进派朋友分手,成为M.P.德里维拉独裁政治的护卫者。他发起"西班牙行动"的运动,并于1928年任驻阿根廷大使。1926年发表《堂吉诃德、唐璜和塞莱斯蒂娜》。他激烈反对西班牙共和国,在他的最后一部著作《保卫西班牙精神》(1934)中主张西班牙应恢复其16世纪天主教的使命感。后在内战中被杀。

Mafa Mucuo (China) **玛法木错** 参阅 **Mapam Lake 玛旁雍错**。

Mafeking (South Africa) 参阅 **Mafikeng 马弗京**。

Maffei, Francesco Scipione, marchese di 马费伊侯爵(1675-06-01,威尼斯共和国维罗纳[今在意大利]～1755-02-11,维罗纳) 即F.希皮奥内。意大利戏剧家、考古学家、学者。曾在帕尔马和罗马的耶稣会学校读书,嗣后参加西班牙王位继承战争。1710年他和一些人创办《文学报》,与后来他独自创办的《文学观察报》(1737～1740)一样,都是他发表对意大利戏剧改革观点的刊物。他的韵文悲剧《梅罗珀》(1713年上演并出版,1911年出版现代版本)曾轰动一时。该剧是根据希腊神话、欧里庇得斯的剧本和法国新古典戏剧创作的,为以后意大利悲剧改革指出了道路。他还写了不少学术作品、歌剧剧本、即兴诗,翻译过《伊利亚特》和《埃涅亚斯纪》,许多剧本收入《意大利舞台》(1723)。他还写有一部有价值的记载家乡历史和古迹的著作《维罗纳图证》(共4卷,1731～1732)。

Maffei I and II 马菲星系Ⅰ和Ⅱ 两个距离银河系较近但长期未被发现的星系,直到20世纪60年代末,意大利天文学家P·马菲根据它们的红外辐射才发现了它们。美国发表的研究,确认它们为河外星系。它们位于飞马座和仙女座的交界处,靠近银道面,该处的星际尘埃云几乎完全吸收了河外星系发出的可见光,使之不能达到地球。马菲星系Ⅰ是巨型椭圆星系,距地球约300万光年,按距离算属于银河系也是其成员的本星系群。马菲星系Ⅱ是旋涡星系,距离约为马菲星系Ⅰ的3倍。

Mafia 黑手党 一个等级森严的罪犯组织。成员大部分是意大利或西西里人,或具有意大利或西西里血统的人。黑手党一词,既可用于西西里的传统犯罪集团,也可用于美国的一个犯罪团伙。黑手党于中世纪晚期在西西里岛兴起。在其后几百年的外族统治时期,黑手党一直存在于该岛。外族统治者往往专横跋扈,受到岛民仇视。在这种条件下,岛民们宁肯忍受黑手党私设的公堂。黑手党复杂的司法制度的基本准则是"缄默帮规",要求其成员既顺从,又刚强,在任何情况下都不求助于政府当局,也不准与政府进行任何合作。受害者及其家属有权复仇,但违反"缄默帮规"的人则会招致黑手党的惩罚。19世纪末20世纪初从西西里和意大利去外国的移民中有黑手党残余分子。他们来到新的国土(特别是南美一些地区和美国)就立即着手重建他们在欧洲的那种模式。到20世纪30年代初,黑手党已经成了美国黑社会网中一个完整的组织。据某些资料透露,黑手党发展成了最庞大、势力最雄厚的一个罪犯辛迪加组织。50年代到60年代,控制黑手党的是遍布美国的24个独立集团,叫做"家族"。在黑手党进行大规模犯罪活动的城市中,多数都只有一个"家族";纽约市中有5个黑手党家族。势力最大的几个家族的首脑组成了一个委员会,它主要起最高裁决机构的作用。每个家族的上层都有一个统管一切的"头领",只有委员会能对他进行干预。每个头领之下有一名副头领,是家族的第二负责人;还有一名顾问,充当家族统治者的参谋,他拥有相当大的权势。副头领之下还有若干副官,是下层人员与头领之间的缓冲人物。他们保护头领,使他无须直接插手犯罪活动。副官统领各队兵丁,这些兵丁有的往往掌管着家族的某个合法经营部门,如自动售货店、食品公司或饭馆;有的则从事非法经营,如卖淫、赌博或贩毒。到20世纪晚期,有些人认为黑手党在美国罪犯社会组织中的势力正在衰落下去,部分原因是一些大头目被判罪,许多成员向政府投案自首,内部倾轧谋杀连续发生,削弱了其整个组织。另一个原因是,与外部隔绝的意大利、西西里移民群体正在逐步解体。这些人正在被美国社会所同化。这就有效地限制了黑手党历来依凭的土壤,使它无法继续顺利发展下去。参阅 **organized crime**。

Mafia Island 马菲亚岛 坦桑尼亚以东印度洋中的岛屿。位于达累斯萨拉姆东南130千米处,与鲁菲吉河口相对。面积440平方千米。产椰干、石灰石和鱼。现为坦桑尼亚领土。人口约33 054(1988)。

mafic rock 镁铁质岩 在地质学上,以硅酸盐矿物辉石、闪石、橄榄石和云母为主要成分的火成岩。这些矿物中的氧化镁和氧化铁的含量高,故使镁铁质岩具有独特的暗色。

镁铁质岩一般与长英质岩不同，后者以浅色矿物为主。常见的镁铁质岩是玄武岩及与其成分相当的粗粒侵入岩，即辉长岩。

Mafikeng 马弗京 1980年以前称Mafeking。南非西北省城镇和省会。以前是国际上未承认的博普塔茨瓦纳共和国的一部分。靠近博茨瓦纳边界，在约翰内斯堡以西约240千米。1980年前，马弗京在行政上归属南非开普省。1885年建为英国军事前哨据点。马弗京一词来自茨瓦纳语，意为"石头之地"，1965年前为英属贝专纳兰（今博茨瓦纳）保护国的治外法权总部。现为一贸易中心，四周为富饶的养牛地区，有乳品工业。由于有多家工场，是开普敦至津巴布韦铁路上的一个重要车站，支线通约翰内斯堡。人口6 775(1980)。

Mafra 马夫拉 葡萄牙中西部里斯本区城镇和行政区。靠近大西洋，位于里斯本西北29千米处。以1717～1735年建立的国家宫闻名。该宫东西长213米，南北长244米，有房860间和教堂、图书馆等。为农产品贸易中心。附近地区开采石灰石、玄武石、花岗石和石膏。人口约5 464(1991)。

MAG machine gun 马格机枪 一种通用机枪，主要用做坦克或车载武器，也有一种带枪托和两脚架的供步兵使用。这种机枪由比利时国营军火工厂（FN）制造，故也称FN MAG。它是一种空气冷却的气动机枪，马格一词即法文气动式机枪的缩写词MAG译音。这种枪被北大西洋公约组织所采用，发射7.62毫米的制式枪弹，以每分钟600～1 000发的速度自动发射，由一可装50发枪弹的金属弹链供弹。这种机枪加上重10.5千克的三脚架，就可当中型机枪使用。附加枪托和两脚架时全重10.8千克。54厘米长的枪管可很快拆换，以便持续射击，最大有效射程达1 200米。许多国家都使用这种机枪。

Magadan 马加丹 俄罗斯的一个州。面积461 400平方千米。位于西伯利亚东北部。东和东南濒鄂霍茨克海，北界楚科奇自治区，西南邻哈巴罗夫斯克边疆区，西为雅库特-萨哈共和国。除鄂霍茨克海沿岸有小片低地外，多是崎岖不平的山地。有劣质沼泽林或泰加林。大部分地区为冻原。属严寒的北极气候。当地人有埃文人（拉穆特人）、尤卡吉尔人、雅库特人等，主要从事养鹿、捕鱼和狩猎，另有大量俄罗斯人。有采金业。矿藏有银、锡和煤。采伐少量木材。鄂霍茨克海有渔业。人口约326 500(1993)。

Magadan 马加丹 俄罗斯东北端马加丹州港口和首府。位于鄂霍茨克海北岸陶伊斯克湾的纳加耶夫湾顶端。1933年建为科雷马金矿的港口和供给站。工业包括船舶、运输和采矿设备修理以及轻工业。设有师范学院和若干研究所。人口约121 800(1999)。

Magadha 摩揭陀 印度古王国，位于今印度东北部比哈尔邦的中西部。公元前6世纪到公元8世纪期间，这里曾是几个大帝国的中心地区。摩揭陀地处恒河河谷战略要冲，能控制河上的交通与贸易。在国王频毗娑罗（约公元前543～前491在位）时代，鸯伽王国和科萨拉先后并入摩揭陀。在难陀王朝（公元前4世纪）与孔雀王朝（公元前4～前2世纪）时代，摩揭陀继续保持霸权。在孔雀王朝时代，这个国家几乎包括整个印度次大陆。公元后最初几个世纪，摩揭陀逐渐衰落。但在4世纪时，笈多王朝使摩揭陀再度居于优越地位。麦加斯梯尼的《印度志》以及中国求法僧法显（4～5世纪）和玄奘（7世纪）的旅行记，对摩揭陀国有生动的记述。摩揭陀的许多地方均为佛教圣地。12世纪末，摩揭陀被穆斯林征服。

Magadi, Lake 马加迪湖 在肯尼亚南部的大裂谷内，维多利亚湖以东约240千米。长32千米，宽3千米。位于一广阔沉降地的最低处，湖床几乎全由固体碱或半固体碱构成。有若干冷水溪流和含碱成分高的热水溪流注入。板结的湖底有苏打矿泉水涌出，将湖水染成鲜艳的粉红色。有铁路通蒙巴萨，以便在湖区开采盐和石膏。

Magallanes y La Antarctica Chilena 麦哲伦-智利南极区 智利最大和最南端的区。以葡萄牙航海家F.麦哲伦的姓氏命名。1853年为殖民地，1929年建省，1961年划定现在边界。1974年设为区。面积132 034平方千米，包括阿根廷边界以西的大陆，临太平洋的众多岛屿，火地群岛，火地岛西半部。智利提出权利要求的南极地区面积1 269 723平方千米。麦哲伦区安第斯山西侧是世界上最不适于居住的地区之一。终年寒冷多雨，全年温度约为2～13 ℃，许多岛屿寸草不生，而有树林的地区，也因地形险恶，无法进行商业性开发。这一地区的海峡、海湾、山峦、冰川风景十分瑰丽。安第斯山脉以东为广阔干燥的冰川平原牧场，智利的羊毛大部分产于此，也产羊肉。1945年以来在火地岛及附近开发油田。主要居民点为区首府**蓬塔阿雷纳斯（Punta Arenas）**、纳塔莱斯港和波韦尼尔。人口143 486（不包括智利南极区）(1992)。

麦哲伦-智利南极区的布尔内斯要塞
美国不列颠百科全书公司供图

Magangué 马甘格 哥伦比亚北部玻利瓦尔省城市。濒临布拉索-德洛瓦河（马格达莱纳河支流）。原为印第安人村庄。1532年为西班牙人发现，1610年建市。现有谷物加工厂、冷冻机厂。从事捕鱼业。也生产乳品，种植热带水果、玉米、咖啡。人口52 154(1985)。

Magar 马嘉人 又拼Mangar。尼泊尔和印度锡金的民族，主要住在道拉吉里山岳的西侧和南侧，人口约39万，操藏-缅语系语言。北部马嘉人是喇嘛教徒。南部马嘉人深受印度教影响。马嘉人大都以务农为生，另外则以放牧、手工艺或做短工为业。他们与古隆人、拉伊人和其他尼泊尔种族集团一起，在英国和印度军队中享有廓尔喀士兵的称誉。

magatama 勾玉 朝鲜语拉丁字母转写作kogok。朝鲜和日本的玉制装饰品，形似逗号，粗端有小孔，用做垂饰；其形状可能是模仿史前用动物牙齿制作的垂饰。有的还有金银制作的帽状物。早在新石器时代，日本就开始制造勾玉，但盛行于古坟时代（3～6世纪）。勾玉、剑、镜三者为日本皇室的皇位标记。勾玉偶而也在朝鲜的一些史前遗址发现，但其广泛风行是在古代新罗王朝，这个时代与日本的古坟时代相当。勾玉用做王冠上的垂饰，也用做耳环、项圈以及其他饰物。

magazine 杂志 又称期刊（periodical）。一种印刷品形式的各种作品之集合本。有散文、专论、小说、诗歌，内容较为广泛，通常附有插图。杂志系定期出版的刊物，但日报则不包括在内。

现代杂志滥觞于早期的一些如宣传小册子、传单、廉价读物和历书之类的印刷品。这些印刷品中后来有少数逐渐在固定的时间出版，于是形成"期刊"，也就是杂志。最早的杂志，按其中所载种种资料来看，多为迎合某些特定的读者群的需要而不是普及性读物。其中有一种是德国出版的，题名《修身月谭》，1663～1668年间刊行。很快便有另外一些学术性刊物出现于法国、英国和意大利。到17世纪70年代之初，比较轻松的文娱性杂志开始与读者见面，这类刊物要以法国出版的《豪侠信使》为先导。该刊物于1672年创刊，后更名为《法兰西信使》。18世纪初，艾迪生和斯梯尔出版了《闲谈者》，1709～1711年刊行，每周3期；又于1711～1712年和1714年出版《旁观者》，作为日刊发行。这些有影响的期刊载有政治论文和时事论文，迄今仍不失为英国散文的典范之作。18世纪中叶，整个西欧都已创办了针对文学问题和政治问题的评论刊物。到该世纪末，有些专业性的期刊开始问世，以某一学术研究领域为其主要内容，如考古学、植物学和哲学刊物。

到19世纪早期，另一类学术兴趣不那么浓的读者群引起人们的注意，于是有关娱乐和家庭消遣这些主题的新型杂志就应运而生。其中有大众周刊、妇女周刊、宗教事务评论、插图杂志、儿童周刊。这些刊物的大量增加，一是由于公众对社会与政治问题的广泛兴趣而激发起来的，再则是因中下层人民对读物日益增长的需要造成的。1842年，《插图版伦敦新闻》首次大量采用木刻画和铜版画，到19世纪末，许多杂志便都附有插图了。

期刊发行工作到19世纪末及20世纪时很得印制技术改进之益，如纸张生产成本降低，轮转印刷机和网版图印模之发明，尤其是广告量的增加所带来的经费和资金方面的有效补充。此后，期刊印制发行事业的发展则包括主题的范围越来越大;插图增多,尤以彩色照片之复制品为多;政论性刊物的影响力降低,读者减少,而大众市场型杂志则深受读者欢迎;妇女杂志数量增加,等等。参阅 **little magazine**。

Magburaka 马布拉卡 塞拉利昂中部城镇。地处铁路线上,是滕内人传统的贸易中心(稻米、棕榈油、棕榈仁、番茄和可乐果)。有学校、职业培训中心和公立医院。人口约11 006(1985)。

Magdalen Islands 马格达伦群岛 法语作Îles de la Madeleine。加拿大魁北克省东部群岛,属下圣洛朗-加斯佩西行政区,在圣劳伦斯湾内爱德华王子岛和纽芬兰之间。共有9个较大岛屿及众多小岛,总面积228平方千米。较大者有阿默斯特岛、格赖恩斯通岛、沃尔夫岛和奥尔赖特岛。居民主要为法裔魁北克人,以捕鱼、捕海豹和鱼类加工为业。该群岛是法国探险家J.卡蒂埃于1534年发现。人口约13 991(1991)。

Magdalena 马格达莱纳 哥伦比亚北部省份,位于加勒比海沿海低地。面积23 188平方千米,大部分为沼泽、涝原或高山。有许多小工业,但主要经济活动仍是种植香蕉,特别是在省会圣玛尔塔附近。那里有一个极好的天然港。也有养牛业。人口约994 838(1993)。

Magdalena 马格达莱纳 又称孔特雷拉斯。墨西哥联邦区中西部属区,濒临马格达莱纳河。从前仅是附近地区生产的谷物、豆类、水果和牲畜的商业中心。在墨西哥战争(1846～1848)中,是使美国斯科特将军得以向墨西哥城推进的一场战斗(1847-08-19～20)的所在地,因而著名。现是联邦首都住宅区和工业区,墨西哥城都市区一部分。人口约195 000(1990)。

Magdalena del Mar 海滨马格达莱纳 秘鲁利马-卡亚俄都市区的城市和区。南临太平洋,20世纪初,该城发展成为著名旅游区,现大部分为住宅,有综合性医院、利马板球俱乐部和马球场。人口:区约63 875(1990)。

Magdalena River 马格达莱纳河 哥伦比亚中北部河流。源出安第斯山脉的中科迪勒拉山和东科迪勒拉山的分岔点,北流注入加勒比海。全长1 497千米。该河口必须疏浚,远洋船只才能驶入大西洋省的巴兰基亚港。吃水浅的船只可以从河口上行至乌伊拉省的内瓦市,仅在翁达因有湍流而断开。为全国河运贸易的主要水道。全国的淡水渔业主要集中在该河。自从西班牙征服以来一直是商业大动脉。从殖民时期至19世纪,用内河运货船运货。1850年后烟草贸易繁荣,才有大量货物,始行驶汽船。20世纪汽船日益受到航空、公路和铁路的竞争。

马格达莱纳河
美国不列颠百科全书公司供图

Magdalenian culture 马格德林文化 欧洲旧石器时代晚期石器工艺及艺术传统,继梭鲁特文化期之后,而先于阿齐利文化期,为欧洲旧石器时代晚期文化发展的顶点。马格德林人生活在大约1.1万～1.7万年前,当时有大群的驯鹿、野马和野牛。马格德林人似乎过着半定居式生活,觅食极易。他们用梭镖、罗网和陷阱捕杀动物,冬居洞穴、岩棚或者其他坚固的住处,夏季则住帐篷。艺术和装饰形式大增,说明马格德林人有闲暇时间。河畔村庄人口已经多达400～600人,使他们也感受到人口激增。据估计,法国的人口从梭鲁特期的1.5万人左右增至马格德林期的5万人以上。马格德林文化期石器包括大

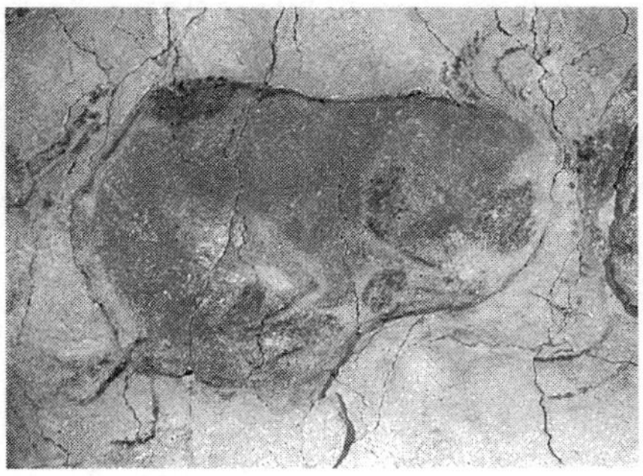

西班牙阿尔塔米拉洞窟中的马格德林洞穴画
美国不列颠百科全书公司供图

概嵌入骨柄或角柄中的小巧几何形工具(例如三角形石器,月牙形石叶)、雕刻器(一种凿)、刮削器、砧孔器、单刃小石叶以及有肩的和叶形的投掷尖状器。骨制品也普遍使用,有楔子、锛子、锤子、脱柄矛头、倒钩尖状器和鱼叉、有孔骨针、饰物以及带钩骨棒(可能用做标枪投掷器)。骨器上常镌刻动物图像。马格德林文化期早期艺术创作,大都是一些粗糙的黑白线条画,画法粗犷。小型艺术在马格德林期达到高峰,线刻和圆雕均手法细腻,常以几只动物的线刻组成醒目的画面。但最杰出的成就还是晚期的洞穴雕刻和彩色绘画。艺术家们的情趣很少侧重外形构造或形象的相互关系,但形象本身,尤其是在绘画上表现出惊人的优美,形象维妙维肖,体态匀称,姿态生动,构思精湛。西班牙北部**阿尔塔米拉洞窟(Altamira)**中保存有这种晚期绘画的部分珍品。

在第四冰期(武木冰期)之末(约公元前1万年),随着凉爽的近冰川气候逐渐转变为温暖的气候,原来成群的野兽也变得稀少,马格德林文化也随之消失。继其后的阿齐利文化要简单得多,艺术也显得贫乏。马格德林文化的繁荣,显然在很大程度上归功于食物丰盛,使人们有闲暇时间保证宗教和艺术的发展。

Magdeburg 马格德堡 德国中东部萨克森-安哈尔特州首府。濒临易北河,在柏林的西南面。805年首见记载。962年为大主教驻地,968年确定其边界。1188年被焚毁,13

马格德堡市的大教堂
美国不列颠百科全书公司供图

世纪又成为繁荣的商业中心,并且是汉萨同盟的主要成员。同一世纪建立城市自治体制,称为"马格德堡法",后来风行欧洲东部。三十年战争期间,1629年胜利地抵御了帝国军队的围攻,但1631年为蒂利所破,全城3万居民中被屠杀者达2万。根据《威斯特伐利亚和约》,成为世俗公国;1680年成为勃兰登堡选侯领地。1813年属威斯特伐利亚王国。1815年成为普鲁士新建的萨克森州的首府。1945年的猛烈轰炸将该城摧毁大半,包括文艺复兴时期的市政厅(1691)。罗马式和哥特式的圣莫里斯-凯瑟琳大教堂(1209～1520)幸存下来。本城最古老的圣母教堂(约始建于1070)已经修复。"马格德堡骑手",德国最早的骑马人像(约1210),和两个伴随的女人像,现陈列在市博物馆。市内有许多学校、几所工科学院和一所医学院。物理学家居里克和作曲家泰勒曼出生于马格德堡。第二次世界大战后,本市的重要工商业都已恢复和扩大。1990年两德统一后,制造业衰落,但服务业发展迅速。现为食品加工(尤其是制糖和磨粉工业)金属加工和重型机械工业中心,并有化学工业和纺织工业。该市是6条铁路干线和7条公路干线的枢纽,有中部运河通莱茵河,另一运河系统与柏林和奥得河下游相通。在德国分裂时期,马格德堡是东德最重要的内河港口。人口约227 535(2003)。

Magelang 马格朗 印度尼西亚中爪哇省的县和城市。马格朗县面积1 130平方千米,为爪哇岛人口最稠密县之一。土地肥沃,产稻米、烟草和糖供应日惹。马格朗市位于日惹西北偏北40千米处,濒临注入印度洋的普罗戈河。为游览婆罗浮屠、巴宛、门突等寺庙的旅游中心,该镇有一大型的罗马天主教中学和军事学院。风景优美的松宾活火山(3 371米)有古墓地。金字塔形的佛教"庙山"婆罗浮屠在马格朗镇正南,建于公元800年。人口:县1 015 809;市167 842(1990)。

Magellan, Ferdinand 麦哲伦(约1480,葡萄牙萨布罗萨或波尔图～1521-04-27,菲律宾麦克坦) 葡萄牙著名航海家和探险家,先后为葡萄牙(1505～1512)和西班牙(1519～1521)作航海探险。从西班牙出发,绕过南美洲,发现麦哲伦海峡,然后横渡太平洋。虽在

菲律宾被杀，他的船只继续西航回到西班牙，完成第一次环球航行。后续的航行是由巴斯克的航海家埃尔卡诺完成的。被认为是第一个环球航行的人。出身于贵族家庭。1505年

美国不列颠百科全书公司供图

参加葡萄牙海军去印度作战。虽然葡萄牙在非洲东海岸及印度西海岸作战胜利，从而打破了印度洋上的穆斯林势力，也从阿拉伯人手中夺取了海上贸易控制点，但没能控制马六甲，其成就还欠完美。为此，1511年参加攻占马六甲之役。东方的财富经过马六甲流入西方世界的港埠，葡萄牙因控制了马六甲海峡，掌握了通往马来西亚海域与港口的钥匙。但还需要向香料群岛、产生财富的摩鹿加群岛探险。因此于1511年12月作一次侦察航行，到达班达岛后，带了一批香料于1512年回里斯本，次年随军攻打摩洛哥要塞阿萨莫尔，因受伤成终身跛脚。1514年回国后两次上奏国王要求晋级和增加年金，均被拒绝。1517年麦哲伦偕同宇宙学者法莱罗去西班牙，放弃葡萄牙国籍，转为西班牙国王查理一世服务。1518年出任远征船队队长，前往为西班牙开辟新的通往摩鹿加的路线。麦哲伦自信能发现一条从大西洋通往南面的海的海峡。1519年9月20日船队启航，270名水手来自9个国家。9月26日到达特内里费岛，10月3日继续向巴西远航；曾在几内亚岸外停泊。11月29日航行到圣奥古斯丁角西南方27里格处（1里格约为5千米）。绕过卡布弗里乌之后，12月13日，船队到达里约热内卢湾。次年3月到达南纬49°20′圣朱利安港。在镇压了西班牙船长们发起的叛乱后，1520年8月24日离开圣朱利安港，船队继续南下。10月21日绕过维尔京角时，在南纬52°50′处进入他们要找的海峡（后以麦哲伦的名字命名）。到达海峡西端，船队只剩下3条船。10月28日进入“南面的海”。因海域风平浪静，被称为“太平洋”。船员们忍受着饥饿的折磨，借助于秘鲁洋流的推动，在麦哲伦无情的决定下，进行横渡太平洋的伟大航行。12月18日船队从智利海岸向西北航行，1521年1月24日才看见陆地，可能是土阿莫图群岛的普卡普卡。2月13日在西经158°处穿过赤道，3月6日在马里亚纳群岛中的关岛首次登陆，获得99天以来第一次弄到的新鲜食品。3月9日起航，向西南西方向进发。后在今菲律宾群岛的马萨瓦登陆，为西班牙在太平洋找到第一个同盟者。在宿务岛，使地方统治者及其官员们皈依天主教。不到两个月之后，4月27日麦哲伦在麦克坦岛上与当地人作战时被杀。麦哲伦死后，只有两条船到达摩鹿加，而只有“维多利亚”号于1522年9月由埃尔卡诺指挥回到西班牙。生还者还有另外17名欧洲人和4名印第安人。埃尔卡诺从太平洋绕好望角回到大西洋，证明地球是圆的。麦哲伦的突出贡献不在于环球航行本身，而在其大胆的信念和对这一事业的出色指挥。他是第一个从东向西跨太平洋航行的人。他以3个多月的航行，改变了当时流行的观念：从新大陆乘船向西只消几天便可到达东印度。许多人谴责他为西班牙效劳，但全体葡萄牙人始终认为他属于葡萄牙。

Magellan, Strait of　麦哲伦海峡　南美洲大陆南端和火地岛之间沟通大西洋和太平洋的海峡。长560千米，宽3～32千米，东端与阿根廷相接，余部全在智利领海内。东起大西洋畔的维尔赫纳斯角与圣埃斯皮里图角，西至德索拉西翁岛皮勒角抵太平洋。海峡主要港口蓬塔阿雷纳斯在不伦瑞克半岛，为智利羊肉集运港。葡萄牙人麦哲伦于1520年10月21日至11月28日在该海峡航行，并终于完成第一次环球航行。海峡虽水道曲折迂回，且寒冷多雾，但在1914年建成巴拿马运河前为重要海上航线，能缩短大西洋—太平洋航线数千英里。

Magellanic Cloud　麦哲伦云　银河系的两个伴星系中的任一个。银河系为一庞大的恒星系统，地球仅是其中的一个微不足道的小天体。这两个伴星系以葡萄牙航海家F.麦哲伦的姓氏命名，它们是当麦哲伦首次环绕世界航行时被水手们发现的。麦哲伦云都是不规则星系，被以一层气体包层，二者位于南天极附近的星空中，彼此相距约22°。其中之一是大麦哲伦云（LMC），其发光的通体直径约5°；另一个是小麦哲伦云（SMC），从一边到另一边的长度不到2°。虽然在南半球，麦哲伦云用肉眼即可得见，但在北纬处观察不到它们。大麦哲伦云距地球超过15万光年，小麦哲伦云的距离约为20万光年。麦哲伦云可能形成于银河系之后约几十亿年，由大爆炸之后遗留下的残余物质集聚而成。现确信，宇宙起源于大爆炸。它是受到强力压缩的单一物质质量的一次猛烈膨胀。麦哲伦云中拥有众多的、由原初气体组成的星云中形成的年轻恒星和星团，也有不少年龄较老的恒星。麦哲伦云为我们提供了研究在略微受阻但仍十分激活的条件下的恒星形成和演化的极佳实验室。

Magen David (Jewish symbol)　参阅 **David, Star of** 大卫之盾。

Magendie, François　马让迪（1783-10-06，法国波尔多～1855-10-07，萨努瓦）　法国实验生理学家。最先证明脊神经的功能差异；最先研究药物在身体各部位所产生的效应，使士的宁与吗啡等化合物有科学根据地用于临床。1822年确认并详述了苏格兰解剖学家C.贝尔于1811年所作的观察：脊神经的前根具运动神经功能，后根则能传递感觉神经冲动。1831年任巴黎法兰西学院教授，1839年

美国不列颠百科全书公司供图

发现兔能忍受一针卵白蛋白注射，但注射第二针即丧命，成为最早观察到过敏反应者之一。1821年创办《实验生理学杂志》。他对其学生法国著名生理学家C.贝尔纳的发展影响极大。马让迪于1821年人选法兰西科学院院士，1831年任法兰西科学院院长。

Magenta　马真塔　意大利北部伦巴第区城镇，位于米兰正西方。其名称来源于曾驻扎此地的罗马将军和皇帝马克森提（306～312）。1859年6月4日的马真塔战役在此进行，这次战役是意大利走向民族独立的重要一步，战斗中法军击败了奥地利军。有9 000具遗骨的万人冢为战役纪念地。现今的马真塔是米兰与都灵间的交通中心。主要工业是生产火柴、棉纺品、人造丝和机械等。人口：城市区约23 658（1988）。

maggid　马吉德　犹太教用语。指17和18世纪活动于波兰和俄国的犹太教巡回传教士。当时拉比只在逾越节和赎罪日前的安息日讲道，其他时间则完全依靠马吉德教导、勉励或劝诫会众。马吉德的讲道促进了18世纪哈西德派虔修运动的传播。18世纪继美名大师领导哈西德运动的麦兹里奇的拉比贝尔通称“伟大的马吉德”。向犹太教奥秘主义者启示奥秘意义的天使或天声也称马吉德。

Maggiore, Lake　马焦雷湖　拉丁语作Lacus Verbanus（韦尔巴努斯湖）。意大利第二大湖。在伦巴第区和皮埃蒙特区之间，北端处在瑞士提契诺州境内。长54千米，最宽处11千米，面积212平方千米，最深370米。提契诺河自北向南穿湖而过。其他主要支流有马贾、托切等河。西岸附近有著名的博罗梅安群岛。15世纪以来湖四周的最大地主是博罗梅奥家族，至今仍拥有该群岛和捕鱼权。湖内有鳟鱼、狗鱼、河鲈和鲱鱼。湖滨多游览城镇，如韦尔巴尼亚、阿罗纳和瑞士的洛迦诺。有小轮船往来其间。

Magh (people)　参阅 **Marma** 马尔马人。

maghemite　磁赤铁矿　又称γ-Fe_2O_3，为铁的一种氧化物矿物，成分接近三氧化二铁（Fe_2O_3），并表现出磁力强、剩余磁性高。其结构属等轴粒状，具有不完全的尖晶石形状，并稍微缺铁。磁赤铁矿相对于赤铁矿是准稳定性的，并与磁铁矿形成一种连续的准稳定固溶体；钛可替代铁，得出钛磁赤铁矿。天然

磁赤铁矿由磁铁矿氧化而成。人工合成的磁赤铁矿可通过使纤铁矿脱水或使磁铁矿在低温下氧化而得出，被用作磁性录音介质。

Magherafelt 马拉费尔特 爱尔兰语作Machaire Fíolta。北爱尔兰一城镇和区，原属伦敦德里郡。马拉费尔特镇为区行政中心和市场中心。镇西北的马赫拉镇是美国第一、二届大陆会议秘书和《独立宣言》起草人C.汤姆森(1730～1824)的出生地。附近托伯莫尔制造汽车零件，德雷珀斯敦有重要的金属加工业。区设立于1973年。面积635平方千米。东部为起伏平缓的低地，向西地势渐升高，至斯佩林山海拔逾550米。经济以农业为主，主要生产马铃薯、大麦、亚麻和燕麦等。班恩河沿岸有鲑鱼捕捞业。斯佩林山有花岗石开采业。人口：城镇5 044(1981)；区约37 900(1998)。

Maghiāna 马吉亚纳 巴基斯坦旁遮普省城市。参阅**Jhang Maghiāna**。

Maghnia 马格尼耶 原称玛尼亚。阿尔及利亚西北部城镇。在上高原北缘。距摩洛哥边境东13千米。以当地的穆斯林圣人马格尼耶命名，并有她的陵墓，或许建于18世纪。为繁忙的农业贸易中心，经销阿尔及利亚和摩洛哥的谷物和羊毛。附近有铅矿和矿泉。人口：城市区73 274(1998)。

Maghreb 马格里布 又拼Maghrib(阿拉伯语"西方")。北非濒临地中海的地区。古人称之为"小非洲"，一度包括摩尔人的西班牙；现在基本由阿特拉斯山脉和摩洛哥、阿尔及利亚、突尼斯、利比亚的沿海平原组成。气候特征是西风给北坡和沿岸平原带来雨水，而南坡雨量稀少，越往南越干旱直至真正的撒哈拉沙漠。马格里布土著居民曾不得不在辽阔山区一再地抵抗布匿人、罗马人和基督教徒的入侵，直到7～8世纪马格里布才被阿拉伯人征服，他们把伊斯兰教和阿拉伯语(可兰经用语)强加给土著居民，把马格里布纳入穆斯林文明。尽管如此，北非社会仍保存其文化特性长达数世纪之久。就种族而言，马格里布居民为柏柏尔人和阿拉伯人。马格里布的古代居民——柏柏尔人可能是旧石器时代和新石器时代各种族的混血后裔。尽管柏柏尔人体形特征多样化，且社会、文化特点也形形色色，但他们具有共同的种族基础。从腓尼基人到阿拉伯人以至最后法国人的长期入侵也未导致大量的族间通婚。约1/6的马格里布居民(主要住在阿尔及利亚和摩洛哥)迄今仍说一种柏柏尔语，但大多数人操某种阿拉伯语。

maghrebi script 马格里布字体 maghrebi又拼maghribi。伊斯兰国家手写体字母的草书，是从马格里布地区穆斯林诸民族使用的早期库法手写体直接发展来的。这些民族倾向西方文化而与东方伊斯兰教相对疏远。马格里布字体圆形，横笔显著加长，末笔呈半弧状，延伸于字行之下，至今还流行于从摩洛哥到的黎波里的北非地区。

Magi 博士 单数形式为Magus。又称哲人。基督教传说中的人物。他们靠导星引路，从"东方"到伯利恒，敬拜婴儿耶稣，称他为犹太人之王(《马太福音》，2∶1～12)。基督教的神学传统一向强调当时前往朝拜耶稣的不仅有犹太人也有外邦人。东派教会纪念

丢勒绘《博士来朝》(1504)
美国不列颠百科全书公司供图

这一事件是在圣诞节，西派教会是在显现节(1月6日)。东派教会认为博士数为12人；西派教会则断定为3人，其根据或许是他们所献礼物有3件：黄金、乳香、没药。据《马太福音》载，这些博士一到耶路撒冷就问："那生下来作犹太人之王的在哪里？我们在东方看见他的星，特来拜他。"这引起了犹太国王希律一世的注意。希律向他们追问耶稣的诞生地，要求他们在归途中向他透露具体地点。博士在梦中得天使告知希律的恶意，于是在朝拜耶稣之后"就从别的路回本地去了"。后世的传说加枝添叶。到了3世纪，这些博士就被说成了国王，可能是说这应验了《诗篇》第72篇11节"诸王都要叩拜他"的预言。根据最通常的说法，他们是巴尔塔萨尔、梅尔齐奥尔和加斯帕尔。据西派教会传说，三人分别是阿拉伯、波斯和印度的国王。对这些博士的崇敬在中世纪欧洲最盛。他们被尊为旅人的主保圣人，瞻礼日是7月23日。"博士来朝"(博士拜圣婴耶稣)很早就已成为基督教艺术的热门题材。2世纪罗马普里齐拉地下墓穴壁画是现存描绘这一主题最古老的艺术作品。在中世纪，"博士来朝"往往与耶稣生平中另外两大事件并提即"耶稣受洗"(上帝发言宣告耶稣是他的儿子)和"迦拿婚礼"(耶稣把水变为酒，彰显自己的神性)。"博士来朝"、"耶稣受洗"、"迦拿婚礼"这三件事共有一个瞻礼日，当时的教堂多装饰有描绘这三件事的雕刻品。

magic 法术 据说可以动员非人力所能及的神秘外力以影响人间事务或自然事务的仪式或活动。它是许多宗教的核心，在许多无文字的文化形态中发挥社会作用。过去人们认为，法术完全不同于宗教，它所包含的是外力的操纵而不是祈求和发自内而及于外的恩宠，目前一些宗教思想家仍持这种观点。但是，当代人类学家和宗教史学家大多认为，既然法术和宗教都着眼于外来神秘力量对人类生存的作用，因此两者总的说来是相似而相关的，具体的区别在于，法术较为非人格化，有较多机械性，强调技巧。一般认为，法术有3大要素：咒语、仪式和术士的礼仪状态。在远古，特别是1～4世纪的希腊-埃及纸莎草文献中不乏咒语的良好实例。有的咒语是作用于动物或动物性材料的，也有的是为了保证法术效验而指挥仪式进行的。咒语所用的语词或古气沉沉，或奥妙难解。从象征意义方面讲，它们可能表明精神力量的神秘性质；从实践方面讲，它们表明人的作用的极限。术士往往使用人名对某一个人发挥良好作用或伤害。在有些社会，术士这种能力十分强大，因而每人各有两名："真"名慎重保密，日常用名不怕法术。大家相信，神和精灵都有特殊的法号，只有少数蒙特选的人才知。在许多社会里，法术除了使用咒语之外，还利用物件或"药物"。法术所用的技巧一般认为是适合某种具体目的的手段，例如败敌和致雨。也有人认为，这类活动也有象征和表意的性质。这就是说，法术可以表现并维持一个社会的正式文化和体制；例如，致雨礼有另外一种作用：使人们认识到雨和与雨有关的农事的重要性。在流行法术的一些社会中，人们认为它是日常的"自然"现象，法术却又与具有神圣性，宗教性的任何事物或活动一样，被人们认为具有潜在危险和污染性。围绕着术士和法术都有许多禁戒、净化手续等一类习俗。人们假如不遵守这些习俗，法术就不灵。法术习演之前先对参与者和见证者提出注意这些习俗，这也是表明法术及其目的的重要性。在西方文化中，自古即有法术，持续不断，过去与邪教异端、点金术、巫术和魔术有关，现代则有撒旦崇拜等派别的活动。

magic number 幻数 物理学中原子和原子核结构的壳层模型里表明稳定结构的数字系列，标志满充（或闭合）壳层的原子的电子总数，或原子核的质子或中子总数。原子的幻数是2、10、18、36、54和86，相当于满充电子壳层的电子总数。例如，在原子序数17到19的化学元素中，氯离子（Cl^-）、氩原子（Ar）和钾离子（K^+）在闭合壳层中有18个电子，在化学上十分稳定。构成惰性气体的中性原子的电子数，准确地对应于原子幻数。原子核的幻数是2、8、20、28、50、82和126，对应于满充核壳层中的质子或中子总数。例如，核内有50个质子的锡（原子序数50），有10种稳定同位素，而铟（原子序数49）和锑（原子序数51）只各有两种稳定同位素。幻数为2的α粒子即氦4核，有两个质子和两个中子，极为稳定。

magic realism 魔幻现实主义 主要在拉丁美洲使用的一种叙事手法。其特征是，将一些幻想或神秘的元素自然地加到似乎是现实的虚构中去。虽然这种手法很久以来在许多文化的文学中都已存在，但"魔幻现实主义"的出现还是最近的事。1940年由古巴小说家A.卡彭铁尔首先使用，他认为在许多拉丁美洲的文学作品中有这种特征。某些学者认为魔幻现实主义是后殖民地时期写作的自然结果，因为它必须懂得至少两种分立的现实——征服者的现实与被征服者的现实。拉丁美洲的著名魔幻现实主义作家有哥伦比亚的G.G.马尔克斯、巴西的J.亚马多、阿根廷的J.L.博尔赫斯和J.科塔萨尔，以及智利的I.阿连德。

magic square 魔方 又称幻方、纵横图。一个方阵，通常分成许多格，根据特定的安排填入数字或字母，使它看起来具有不寻常的、魔术般的性质。起初，魔方被用做宗教符号；以后，又变成护身符或算命的工具；最后，失去了原来的意义，仅仅被看做玩具与智力游戏了。但是，一些西方数学家是例外，他们把它作为数论问题继续研究。

字母魔方中，在西方最为人们熟悉的是有名的SATOR方，它由SATOR、AREPO、TENET、OPERA、ROTAS五个词组成，排列成如下的方形：

S A T O R
A R E P O
T E N E T
O P E R A
R O T A S

魔方

其中心TENET组成了一个隐蔽十字的两臂。这种公元前1世纪的魔方的样品曾在庞贝城的废墟上被发现过，直到19世纪在欧洲和美国，人们仍把它看作想象中的免除火灾、疾病等灾害的保护神。数字魔方中，大多有深得多的意义，特别是在中国（也许就是发源地）、阿拉伯国家和印度。算术魔方中，通常是把数字放在各个格子中，使得每行、每列以及两条主对角线具有相同的和，这个和就称为魔方的常数。任何一个数的标准魔方是由1到那个数的平方的自然数组成，如3的魔方包含了自然数1～9。假如简单地把这9个数字排在三行三列上，就构成一个自然方。它没有"魔"的性质，但这是建立一个真正魔方的第一步。重排这3×3个格子中的9个数字，使得组成一个常数为15的魔方，如：

8	1	6
3	5	7
4	9	2

magician 术士 指行法术的人，有时视同男巫或女巫。魔术家亦有称为术士者。虽则法术在理论上无所谓善恶，许多自称术士的人也这样讲，但古来欧洲人都恐怖术士兴灾致祸之力。欧洲传统以炼金术士为好人，因为他们所行的是有益的法术。在有些社会，术士有合法的身份，人们可赖其助力祈福禳灾。参阅magic。

Magill, Helen 参阅White, Helen Magill怀特。

Magindanao 马京达瑙人 菲律宾位居第二的穆斯林文化-语言集团。21世纪初约有70万人，居住在棉兰老岛南部的哥打巴托河河岸及河泛地区，以种植稻谷为主。土地属于氏族及称做"达图"的地方领袖。婚姻和家庭都遵奉伊斯兰教规。全部穆斯林集团的语言都和菲律宾中部的语言关系密切，后者属澳斯特罗尼西亚（马来-波利尼西亚）语系。

Maginot, André(-Louis-René) 马其诺（1877-02-17，巴黎～1932-01-07，巴黎） 法国政治家。法国抵御德国的防线即以他的姓氏命名。面对1933年希特勒上台后德国军事

美国不列颠百科全书公司供图

力量的重振，马其诺防线在很大程度上使法国人自鸣得意。原为文官，1910年被选入法国众议院，3年后任陆军部副部长。在整个20世纪20年代历任殖民、抚恤、陆军等部长。他屡次要求法国沿东部边境修筑一条阻止德国重新发动进攻的防线，1929年终于付诸实行。他死于1932年初，但他的计划继续执行，1938年完成。参阅Maginot Line。

Maginot Line 马其诺防线 20世纪30年代法国在其东北部精心构筑的防线，以其主要设计者、1929～1931年陆军部部长马其诺的姓氏命名。第一次世界大战的实践表明现代化的筑垒能抵御德国炮兵的打击，同时为了节省人力，法国决定修建马其诺防线作为抵抗德国进攻的永久性防御体系。这一现代化的防御工事采用了老式的环形筑垒系统，但其主要特点却是线式体系。在军队看来，马其诺防线比过去的防御工事优越得多。它的钢筋混凝土比迄今为止已知的任何构筑物都厚，并且它的枪炮都是重型的。此外，它还具有许多供军队使用的空调区，因此通常被认为比一座现代城市还舒服。防线上具有将娱乐区、住宿区、供应仓库以及将防线上各个部分连接起来的地下铁路。在防线纵深内修建了许多坚固支撑点，这些支撑点能够用通过地下铁路运送的军队来互相支援。遗憾的是，马其诺防线只覆盖了法德边境，而没有覆盖法比边境，因此德国人于1940年5月间迂回过这条防线，5月10日侵入比利时，渡过索姆河，绕到防线后方，5月12日利用坦克和飞机攻下防线北端的色当，使整个防线成为废物。

Maginulfo（antipope） **马基努尔夫** 参阅Sylvester（IV）西尔维斯特（四世）。

magistrates' court 治安法院 在英格兰和威尔士，指任何主要拥有刑事管辖权的低级法院。其管辖范围很广，从轻微的违反交通和妨害公共卫生到一些严重的犯罪，如小偷窃、轻伤害等。在美国的某些大城市中，也可见到拥有类似管辖权的治安法院。在英格兰和威尔士，大约有数百个这样的法院，由二位或更多非专业的、不领薪的治安法官主持开庭。他们研究案件事实，并在法律问题上接受一名负责法院行政事务的书记官的意见。诉讼经常在公开的法庭上进行，除非治安法官是以"讯问法官"的身份就可能需要将被告人起诉到上级法院的重大案件作预审。所有刑事案件都先在治安法院提起诉讼，而较严重的刑事起诉案件则提交刑事法院审理。治安法院判刑的限度为6个月监禁或400英镑以下的罚金。对治安法院审决的刑事案件，可向高等法院或刑事法院提出上诉。治安法院还可以作为少年法院开庭，审理涉及14岁以下儿童有关教养的案件和审理14～17岁少年所犯的除杀人罪以外的案件。在美国，治安法官是选举或任命的，在他们仍然属法院系统的组成部分的那些地区里，可能并不要求他们经过法律训练，尽管在大城市，他们当中很多人都是律师。在美国，治安法院有时被称为警察法院，审理轻微的刑事案件以及违反交通和小额民事索赔案件。

Maglemosian industry 马格尔莫斯文化期工艺 北欧冰后期石器文化，年代约为公元前9000～前5000年。马格尔莫斯（丹麦语，意为"大沼泽"）文化期工艺一名源于丹麦穆勒鲁普沼泽地带，该工艺的遗存首先在这里发现。该工艺为中石器时代的林中居民所创造，他们在最后一次冰期的冰川退后所遗留的河畔与湖滨定居。常见各种细石器（小石叶、石刃和尖状器），通常用做箭头，或镶嵌在鹤嘴斧、斧和锛的刃部。还有许多骨器和木器，如弓箭、角制和骨制矛头、骨制鱼钩、木桨，甚至还有一条独木舟，用树皮捻绳编制的鱼网和树皮筏子也都保存下来。在马格尔莫斯文化盛期，艺术也得到了高度发展。在各

种工具上，以及诸如骨制、角制、琥珀制的垂饰、护符等装饰品上，都施有纹饰。

magma 岩浆 形成火成岩的熔融或部分熔融的岩石，通常由硅酸盐液体组成，虽然也有碳酸盐和硫化物的熔体。岩浆或在深处运移，或到达地表喷出，成为熔岩。悬浮的晶体和未熔融的岩石碎片可以在岩浆中搬运，溶解于其中的挥发分可以析出成为气泡，有些液体在运移过程中可以结晶。有几种相互关联的物理性质决定了岩浆的特性，其中包括：化学成分、黏度、溶解的气体、温度。岩浆冷却时，有顺序地形成晶体，可以最简单地用鲍温反应系列的形式表示出来。早期的高温晶体在低温时往往可以与液体反应形成另一些矿物。通常认识到的反应系列有两种：①不连续反应系列，从高温到低温由橄榄石、斜方辉石、单斜辉石、角闪石和黑云母组成；②连续反应系列，以从高温的富钙斜长石到低温的富钠斜长石为代表。结晶过程中可以发生各种各样的变化而影响最终形成的岩石。这些变化包括：早期晶体从液体中析出，而阻止了一种反应；岩浆冷却太快，来不及发生反应；挥发分的散失，可能从岩浆中带走某些组分。岩浆的运移及其侵位强烈地受其黏度及其所通过的岩石的裂隙特性的影响。水分和较低的二氧化硅含量都使黏度降低。

Magna Carta 《大宪章》 又作Great Charter。又称《英国大宪章》、《英国人民自由大宪章》。1215年英王约翰因惧怕内战而给予臣民自由的宪章。自颁布日起就成为英国人民反抗压迫的战斗号角，在其自由受到威胁时都把《大宪章》作为他们的护身之宝。英国的《权利请愿书》(1628)和《人身保护法》(1679)直接来源于大宪章第39条；美国的联邦宪法和各州宪法都包含有《大宪章》的思想，甚至直接袭用《大宪章》的词句。在《大宪章》出现之前，英王亨利一世和二世也都颁布过宪章，对贵族作出许诺或让步。不过那些宪章都不是强迫国王授予的。到了约翰时代(1199～1216在位)，他在法国攻占诺曼底之后对人民大肆掠夺，而在与罗马教皇英诺森三世吵翻后又向英国教会征收重税。为此坎特伯雷大主教兰顿发动贵族闹事，要求国王对自由权作出庄严保证。《大宪章》在泰晤士河畔兰尼米德(现属萨里)草成。1215年6月15日约翰加盖国玺。它包括绪言和63个条款，内容大致可分为9类：①承认教会“自由”；②保障贵族和骑士的封土继承权；③保障封土的租用权；④关于城镇、贸易和商人的条款；⑤关于法律和司法改革的大量条款；⑥关于限制皇家官吏行动的条款；⑦关于皇家森林的条款；⑧要求解决诸如解散外国雇佣军之类的问题；⑨规定国王必须遵守宪章。如有严重违反情况，贵族会议有权对他宣布战争。1215年《大宪章》的原本现存4部：一部存林肯大教堂，一部存索尔兹伯里大教堂，两部在不列颠博物馆。达勒姆大教堂存有1216、1217和1225年的修订版。

《大宪章》

奉天承运英格兰国皇兼领爱尔兰君主诺曼底与阿基坦公爵及安茹伯爵约翰致意于诸大主教、主教、长老、伯爵、男爵、法官、虞人、郡长、村长、差人、执行吏及忠顺之人民而诏告之曰：

朕受天明命。续承尊位。朝乾夕惕。唯恐失坠。我心孔忧。孰从安之。先帝威灵。孰从瞻之。凭何阴骘。福祐后嗣。以何嘉谟。归荣上帝。巍巍教会。必有以崇。泱泱大国。必有以隆。用是殚精竭虑。获求建树立功。乃有坎特伯雷大主教司蒂芬、全英首席主教和神圣罗马教会枢机主教、都柏林亨利大主教、伦敦之威廉、温切斯特之彼得、巴思和格拉斯顿伯里之乔斯林、林肯之休、伍斯特之沃尔特、考文垂之威廉与罗切斯特之本尼迪克特，主教们有潘达尔夫长老、副执事和教皇家族之成员、艾梅里克修士、英格兰圣殿骑士团教会长老，贵族们有彭布罗克之W.马歇尔伯爵、索尔兹伯里的威廉伯爵、沃伦之威廉伯爵、阿伦德尔之威廉伯爵、苏格兰治安官加罗威之阿兰、杰拉尔德之子韦林、赫伯特之子彼得、波伊图之执事休伯特·德·伯格、休·德·内维尔、赫伯特之子马修、T.巴西特、A.巴西特、菲利普·德·奥布尼、罗普斯莱的罗伯特、J.马歇尔、休之子约翰及其他人等，先获朕心。首上奏议。众谋佥同。宪章是制。咨尔臣民。其宜悉知朕旨。

第1条 开宗明义第一，根据本宪章，英国教会应予自由，其权利仍旧不动，其自由权不得侵犯。英国教会所认为最重要及最必需之选举自由权，在朕与诸男爵发生不睦前，已由朕自动颁赐，凡此昭彰事实，本宪章及经请得教皇英诺森三世之同意者，兹一并认可之。朕与嗣君当以诚意永久遂守本宪章，并颁赐一切增加之自由权于全国自由民，俾世世保守之。

第2条 任何伯爵、男爵或武士身故时，其继承人已达成年且欠有采地继承税者，应以缴纳旧有之采地继承税而享受其遗产。伯爵之继承人应缴100镑，男爵之继承人亦缴100镑，武士之继承人则缴100先令。依照采地之旧习惯，所欠者少所纳亦少。

第3条 伯爵、男爵或武士之继承人系未成年且受监护者，则当其成年时，无须缴纳采地继承税及不动产移转税而得享受其遗产。

第4条 未成年继承人之土地管理人只应收取土地之相当获益及相当之税饷与报效，但不得损伤并消耗人役或物品。如朕将该项土地委托执行吏或其他应负责为朕收取土地获益之人保管，而其人使所保管之物受损伤和消耗，朕得处以罚金，并将该项土地交与该采地之端正人士2人，为朕或朕所指定之人收取获益。如朕将该项土地之保管权授予或售予任何人，而其人使土地受损坏或消耗，其人即丧失该项保管权。该项保管权应即授予该采地之端正人士2人，为朕收取获益。

第5条 复次，土地保管人于其保管期内，得取费于土地获益内，将房屋园地、鱼塘、池沼、磨坊及其他属于土地之物，加以修葺与整顿。继承人达成年时，该保管人应按耕耘时所需并就土地获益所许可之范围，将备有犁锄及其他农具之全部田地归还之。

第6条 继承人得于不贬抑其身份之条件下结婚，唯订婚前应通知其亲族。

第7条 寡妇于本夫亡故后，应即取得其嫁资及遗产不受留难，并无须以任何物报偿之，寡妇于本夫亡故后，得留居夫宅40日。在40日内，寡妇所有财产应交与之。

第8条 寡妇自愿孀居时，不得强其改嫁。唯该寡妇享有朕地或其他采地者，应以未得朕或其贵族之许可前决不改嫁为担保。

第9条 债务人之动产足以偿债时，朕与朕之执行吏均不得强取其人之任何收入以抵偿债务，亦不得使该债务人之保人受扣押财产之处分。如该债务人未能偿付债项且无偿清之款，其保人应负偿债之责。保人愿意时，得扣押该债务人之土地与收入，至该债务人偿还保人前所代偿之债务时为止。唯该债务人对于保人在债务上已无所负时，不在此限。

第10条 如任何人曾从犹太人处借得巨额或少数款项，而于偿还该项借款前亡故，则当其继承人未达成年时，该项债务不得负有利息。如该项债务归朕所有，朕仅得收取契据上所载动产。

第11条 凡对犹太人欠有债务者亡故时，其妻应享有其寡妇财产，无须偿还该项债务。但如该亡故者遗有未达成年之子女，应按该亡故者所有遗产之性质，为其子女留备教养所必需之费，所余之款除应纳与贵族之报效外，应以之偿还债务。关于所欠非犹太人之债务，亦应依照同样规定办理。

第12条 朕除下列3项税金外，不得征收代役税或贡金，唯全国公意所许可者，不在此限。

①赎回朕之身体时所需者。

②朕之长子受封武士时所需者。

③朕之长女出嫁时所需者。

为以上3项目的所征贡金之定额，务求适当。关于伦敦市之贡金，应依同样规定。

第13条 伦敦市应保有其原有之一切自由权及自由风俗习惯，水陆皆然。朕并承认其他各城邑、市镇、口岸保有其自由权及自由风俗习惯。

第14条 为征求关于赋课上述者外之贡金或代役税之全国公意起见，朕应以诏书于规定日期(至少40日内)及规定地点召集各大主教、主教、长者、伯爵及男爵。朕并应饬由各郡长及执行吏召集其他各长官，召集之缘由，应于诏书内述明之。召集后，前项事件应依出席人之同意，于指定之日进行讨论之，不以缺席人数阻延之。

第15条 朕不得准许任何贵族嗣后征收自由民任何贡金，唯下列情形不在此限。

①赎回该贵族之身体时所需者；

②该贵族长子受封武士时所需者；

③该贵族长女出嫁时所需者。

为以上目的所征贡金之定额，务求适当。

第16条 对于凡服务于武士采地或其他自由保有地之人，不得强其服额外之役务。

第17条 民事诉讼不得向皇座法院提起，但应于指定地点受理之。

第18条 关于“收回土地”、“收回遗产”及“最后举荐”等诉讼之陪审裁判，除在土地所在地之郡法院外，不得举行之。每郡应由朕遣派法官2人，每年4次，如朕不在国内，则由大法官代派，會同每郡所推举之武士4人，于郡法院指定之日及地点举行前项审判。

第19条 如上述之陪审裁判不能于郡法院指定之日举行，则该日出席于郡法院之人中，应有适当人数之武士及自由佃民留下，以便按事之大小给与相当裁判。

第20条 自由民犯轻罪者，应视其犯罪之程度科以罚金。犯重罪者，应视其罪之大小，没收其财产，酌留给养必需之部分。对于商人，应依同样手续办理，唯免除其货物。自由农人犯罪者，应同样科以罚金，唯免除其农具。上述之罚金，除有邻居正直之人宣誓证明外，不得科处之。

第21条 伯爵与男爵犯罪者，只应由其贵族并视其犯罪之程度科以罚金。

第22条 牧师犯罪者，除依照上述诸人之处罚方法外，不得没收其在俗之保有物。科罚金时，不得视其牧师采禄之数额而定。

第23条 对于任何市镇或任何人，不得强其修筑河上桥梁，唯历来负有筑桥之责者，不在此限。

第24条 郡长、监军保安官、检验吏或执行吏不得受理刑事诉讼。

第25条 全国各郡、百家村、小邑及小区——皇家汤沐邑除外——应依照旧有田地继续存在，无所增加。

第26条 凡受朕采地者亡故时，如郡长或执行吏持有朕对于该亡故者索欠之特许证书，该郡长或执行吏即得依公正人士之意见，按债务之价值，扣押并登记该亡故者之动产。但在清偿该项债务前该项动产不得移动之。偿债后所余之产，应交与受托执行遗嘱之人，依照该亡故者之遗嘱处置之。如该亡故者未欠有债务，其遗产应以充该亡故者所指定之用途，酌留相当部分给与其妻室与子女。

第27条 任何自由民未立遗嘱而亡故时，其遗产应由其亲近之戚友依教会之意见分配之，核留一部分以偿还该亡故者之债务。

第28条 凡监军保安官或其他执行吏，不得强取任何人之五谷或其他动产，唯各该官吏即刻出资购买或依出售者之意准其延期付款时，不在此限。

第29条 凡监军保安官，如自愿亲自守卫或因正当理由不能亲自守卫而由他人守卫城堡，不得向任何武士强索守卫之酬劳。该监军保安官奉命出征时，则在从军期内，得免除守卫之责。

第30条 凡郡长、执行吏或其他任何人，均不得强取任何自由民之马匹或车乘以供运输，唯经该自由民同意者，不在此限。

第31条 朕或朕之执行吏均不得强取他人之木材以供城堡或其他私用，唯经城堡所有人同意时，不在此限。

第32条 朕扣留重罪既决犯之土地之时间，不得超过一年零一日。逾期后，应将土地交还诸侯陪臣。

第33条 嗣后，泰晤士河与梅德韦河及英国全境之堰坝或鱼梁，除海岸上者外，概应撤除之。

第34条 嗣后，凡强制被告归还系争土地否则应到皇庭申辩之敕令(Praecipe)不得施于任何人，致使自由民遭受普通诉讼之不直。

第35条 全国之度量衡概应一律。酒类、强麦酒及谷类之量器，应以“伦敦夸脱”为标准。染色布、手织布及锁子铠之尺度，应以织边下之两码标准。

第36条 嗣后验尸状应免费发给，不得索取或给予陋规。请求发给时，不得拒绝。

第37条 任何人以“永代借地法”、“服役借地法”或“特许享有地产法”取得朕之土地并以服军役取得他人之土地时，朕不得因各该项永代之借地，服役之借地或特许享有之地产对于其继承人或其取得他人之土地而有监督权。除该项永代之借地负有军役外，朕亦不得监督各该项永代之借地，服役之借地或许享有之地产。朕并不得因任何人以献纳弓箭刀枪等军器而取得朕之土地，监督其继承人或其以服军役所得自他人之土地。

第38条 凡执行吏嗣后如未经提出可靠之证据，不得单凭本人之主张将任何人置之于法。

第39条 凡自由民除经其贵族依法判决或遵照内国法律之规定外，不得加以扣留、监禁、没收其财产、褫夺其法律保护权，或加以放逐、伤害、搜索或逮捕。

第40条 朕不得对任何人滥用，拒绝或延搁权利或赏罚。

第41条 一切商人，除在战时并为敌国之人外，均得遵陆道或水道安全出入，逗留或经过英国以经营商业，并得免缴一切苛捐杂税，唯须遵从旧时正当之习惯。开战时，如有敌国商人在英国寻获，在朕或朕之大法官得知在敌国被寻获之本国商人之待遇状况前，应加以扣留，但不得伤害其身体与货物。如本国之商人在敌国安全无恙，敌国之商人在英国亦得安全无恙。

第42条 嗣后，凡矢忠于朕者，除在战时为国家公众幸福计不得不加以羁束外，均得遵陆道或水道安全出国或回国。但囚犯、被褫夺法律保护权者、敌国之侨民及商人，均依照内国法律不得享受此项利益。

第43条 凡享有对于任何归属土地之领得权者亡故时，其继承人得不另缴采地继承税，除对采地所有主之男爵服役外，得不服额外之役务。

第44条 对于居住于森林之外之人，嗣后不得以普通传票至森林法官前，唯其人为森林事件之被控告者或为因森林事件被控告者之保人时，不在此限。

第45条 除具有法律智识并愿遵守法律者外，朕不得以任何人为法官、监军保安官、郡长或执行吏。

第46条 凡已建立寺院并领得历朝英皇之寺院执照或享有昔时之寺产保有权之男爵，得于无人保管时保管各该寺院。

第47条 朕御极以来所造御林及改为防御地之河岸，应即撤除之。

第48条 凡关于御林、苑囿及虞人、囿人、郡长与其仆役，及关于河岸及其监守者之一切恶习与陋规，应由各郡所派宣誓之武士12人立即驰往各该郡调查之，并于调查后40日内完全革除之，务使不得再有此种弊端。调查并革除时，应先奏知于朕，朕不在国内时，应禀知大法官。

第49条 朕应立即退还英国人民所交信物与文契，以作保全治安或忠实服务之保证者。

第50条 朕应完全解除杰勒德之亲属与戚族(人名从略)执行吏之职，务使彼等此后不复掌守此职。

第51条 君臣复归于好后，朕应立将诸凡挟战马与军器俱来以骚扰英国之外国兵士、弩手仆役、佣兵徙出英国。

第52条 任何人，未经其贵族依法判决而被强夺或取去土地、城堡、自由权或合法权利者，朕应立将原物归还之。如有关于此项事件之争执发生，应依下列确保和平之男爵25人之意见解决之。但关于原为任何人所有，未经其贵族依法判决而被朕父亨利皇或朕兄查理皇夺去，现归朕所有，或归他人所有，或应由朕予以担保之物，朕当展缓至公定之十字军东征时期归还之。唯于朕誓师东征前已以诉讼解决或以敕命审理者，不在此限。但当朕参谒圣地后归来时或因故中止东征时，朕应即公平处置之。

第53条 复次，关于下列事件，朕应依照上条之规定处理或展缓处理之。

①对于朕父亨利皇或朕兄查理皇所造御林之当撤除者与当保留者之公平处置。

②关于属于他人采地之土地之监督权(此种监督权朕已因某人以服军役从朕所取得之采地而享有之)者。

③关于建立于其他贵族采地上之寺院(对于此种寺院该项采地之贵族得声明有管辖权)。

当朕参谒圣地后归来时或因故中止东征时，朕应即对有关各该项事件之申诉者作公平之判决。

第54条 凡被妇人以本夫以外任何人之死亡控告者，不得因此故受逮捕或监禁。

第55条 凡朕所科一切违法及不正当之罚金，概应免除之，或依照下列确保和平之男爵25人之意见或大多数男爵连同坎特伯雷大主教司蒂芬及其所愿与共同商议此事者之意见处置之。该大主教不能出席时，此事亦应照常进行。如上述男爵25人中有一人或数人与同一事件有关，则应撤换之，代以其余男爵所选任之人，单议此事。

第56条 凡威尔士人，未经其在英格兰或在威尔士之贵族依法判决而被朕夺去之土地、自由权或他物者，朕应立将原物归还之。如有关于此事之争执发生，关于英格兰与威尔士间之边境以其贵族之判决处置之——关于英格兰人之产业，应依照英格兰之法律。关于威尔士人之产业，应依照威尔士之法律。关于在英格兰与威尔士间之边境之产业，应依照边境之法律。威尔士人对朕及朕之人民，亦应同样办理。

第57条 但关于原为威尔士任何人所有，未经其贵族依法判决而被朕父亨利皇或朕兄查理皇夺去，现归朕所有，或归他人所有，或应由朕予以担保之物，朕应展缓至公定之十字军东征时期归还之。唯于朕誓师东征前已以诉讼解决或以敕令审理者，不在此限。但当朕参谒圣地后归来时或因故中止东征时，朕应立即依照威尔士及上述诸区域之法律公平处理之。

第58条 朕应即归还刘惠霖之子及威尔士人所交留以为质，作为和平担保之一切信物与文契。

第59条 朕对苏格兰王亚力山大，应归还其姊妹、信物、自由权及合法权利，其办法与朕所以对待英国其他诸男爵者同，唯依照朕所得自亚力山大之父，苏格兰先王威廉之敕书应另法办理者，不在此限，关于此层应以在英国宫廷之苏格兰贵族之意见处理之。

第60条 复次，英国人民，无论其为僧侣或俗人，应依照朕谕告全国应就朕所属范围对朕直隶之臣加以遵守者，就其所属范围对其家臣或奴仆一样遵守前述之习惯与自由权。

第61条 朕为归荣上帝，郅隆邦家，并为泯除朕与诸男爵间之意见起见，既作以上之让步，深愿彼等永享太平之福，兹再赐与彼等下述之保证。诸男爵得任意从国中推举男爵25人，此25人应尽力遵守维护朕所颁赐彼等并以本宪章认可之和平与特权。如朕、朕之法官、执行吏或任何臣仆，在任何方面，对任何人有所违犯或破坏任何条讲和条件而被上述25男爵中4人发觉时，该4人应至朕前(如朕不在国内则至朕之大法官前)面折朕之错误，并奏请立即改正之。如朕，或朕不在国内时朕之大法官，不于自面折日起40日内改正该项错误，该4人应将此事取决于其余男爵，该25男爵得与全国人民以其权力对朕施抑制与压迫(即夺取朕之城堡土地与财产或以其他法)，至该项错误已依照彼等之意见改正时为止。对朕施抑制与压迫时，朕之身体及皇后皇子与公主之身体不得侵犯。错误改正后，彼等应与朕复为君臣如初。英国任何人民愿与诸男爵取一致行动时，应宣誓服从上述25男爵之命令，并尽其权力与彼等共同施压制。朕对任何人之宣誓，应公然允许之，并不得阻止之。再者，国中所有人民不愿对该25男爵宣誓作压制之行动者，朕应以命令使其宣誓。上述25男爵中任何人亡故，离国或因他故不能作上述之行动时，其余男爵应依己意选举其他男爵以代之，其宣誓方法与上述诸人同。复次，上述之25男爵于进行受托执行之事件中出席讨论，并对于某事发生争论时，其中若干男爵被召集后不愿或不能出席时，则出席男爵之过半数所决定或宣布之方案，应认为与全体所同意者同为有效并有拘束力。上述之25男爵应宣誓竭诚遵守以上之规定，并尽其权力使全国遵守。朕不得由本人或由他人从任何人取得任何物，使上述之任何物权与自由权有所消灭。如有此项取得之物，应作为无效，朕并不得利用之。

第62条 朕已完全赦免并宽恕自争斗以来朕与臣民(僧侣与俗人)间所发生之忾愤与仇恨。及自本朝十六年复活节至媾和日之期间臣民于争斗之际所犯一切罪过。朕并已命坎特伯雷大主教司蒂芬爵士、杜白林大主教亨利爵士及上述诸男爵与潘特尔夫君草定关于前项诺言与上述之让步条件之铁券、颁赐臣民以取信。

第63条 朕是以敕定并断然谕告，英国教会应予自由，英国人民应安然、泰然，全然享受钦赐之上述一切自由权、权利与特权，近及其身，远及后嗣。凡事凡地，永保有之。朕与诸男爵誓以善意遵守上述之规定，皇天后土，实鉴临之。

作证者首列及下列诸人。

本朝十七年六月十五日御颁于兰尼米德之野。

Magna Graecia 大希腊 古意大利南部沿海的一些希腊城市。这一地区的居民，希腊人称为意大利奥塔伊人，罗马人称为希腊人。这是一个进行广泛的贸易与商业活动的地区，又是毕达哥拉斯和爱利亚哲学学派的所在地。

约公元前750年，埃维亚人建立了最初的移民地皮特库萨伊和库迈。后来，斯巴达人移居他林敦，亚该亚人移居梅塔蓬图姆、锡巴里斯和克罗顿，洛克里人移居洛克里-伊皮兹斐利，哈尔基季基人移居雷吉乌姆(雷焦卡拉布里亚)。后来意大利的希腊城市都是从这些殖民地派生出来的。公元前5世纪之后相邻各意大利民族的进攻，城市之间的纠纷和疟疾使得大多数城市的重要性降低了。大希腊是希腊文化的一个重要中心。它的一个城市克罗顿因拥有希腊世界最优秀的医生而知名，它是公元前6世纪运动员弥罗的故乡，弥罗分别在奥林匹克运动会和波锡奥斯运动会上6次取得摔跤胜利。

Magnani, Anna 玛尼亚尼(1908-03-07，意大利罗马～1973-09-26，罗马) 意大利女演员，以逼真地表演富有乡土气息的下层妇女著称。早年先后被父母遗弃，随祖父母在

美国不列颠百科全书公司供图

罗马的贫民窟里长大。曾在罗马戏剧艺术学院学习过一个短时期，后参加一个巡回轮演剧目剧团。当过罗马夜总会的歌女，最擅长下流歌曲演唱和歌舞杂耍表演。在影片《索伦托的盲女》(1934)中初露头角，后于1945年在罗塞里尼执导的影片《罗马，不设防的城市》中扮演角色，该片是意大利电影艺术中新现实主义运动的先驱，她也因此在国际上一举成名。她扮演的各种角色，感情起伏较大，较著名的有《可尊敬的安琪琳》(1947)中精明能干的主妇，在战后意大利领导了反对黑市活动的斗争；《奇迹》(1948)中的牧羊女；《贝里西玛》(1951)中厉害的母亲；《玫瑰色文身》(1955)中卡车司机粗野的寡妇和《圣维多丽亚的秘密》(1969)中一个意大利市长的妻子。《玫瑰色文身》是她的第一部好莱坞影片，该角色为她赢得奥斯卡最佳女演员奖。

Magnasco, Alessandro 马尼亚斯科(1667，意大利热那亚～1749-03-12，热那亚) 意大利巴罗克晚期画家，以风景画和风俗画著称。马尼亚斯科晚年的作品多描绘吉普赛人、盗

马尼亚斯科绘《犹太教堂》(1725～1730)
美国不列颠百科全书公司供图

匪或宗教情节，笔致粗疏，并将画面主体置于浪漫色彩的风景之中，是位异常多产的画家和素描家。他有时同别人(例如M.里奇)合作，在风景中插些人物。马尼亚斯科的艺术中隐约的人物和不自然的闪闪亮光越发使人感到离奇古怪。

Magnentius 马格嫩提乌斯(？～353-08-11，高卢) 西罗马僭位皇帝(350-01-18～353-08-11)。原为日耳曼血统的异教徒。立过战功。350年由部下拥立为皇帝，随即策划暗杀了君士坦斯皇帝(340～350在位)，统治帝国的西半部。350年6月击败在罗马自称皇帝的内波提亚努斯，351年击退东罗马皇帝君士坦提乌斯二世在阿特兰斯的进攻，率兵进入下潘诺尼亚行省。同年9月，君士坦提乌斯二世在穆尔萨战役大破马格嫩提乌斯。后者逃往高卢，自杀身亡。

Magnes, Judah Leon 马格内斯(1877-07-05，旧金山～1948-10-27，纽约市) 犹太教拉比、宗教领袖、耶路撒冷希伯来大学校长、犹太复国主义者。1905～1908年任美国犹太复国运动联盟书记。1906年任纽约市改革派埃曼努-埃尔大会堂拉比，在讲演中宣传犹太复国主义。由于他不满改革派轻忽仪礼和习俗，乃于1910年离埃曼努-埃尔大会堂而就任正统派伯奈·耶舒龙大会堂之职。第一次世界大战期间是一位反战主义者，因而与支持协约国作战的犹太复国主义领导人关系疏远。他参加联合救济委员会，该会不同于犹太复国主义，强调对巴勒斯坦境内的犹太人提供救济，反对进行政治鼓动。战后到巴勒斯坦，参加犹太复国运动的一个委员会，创办耶路撒冷的希伯来大学，为之筹集资金，拟订教育计划。1925年大学建成由他担任负责人，1935年任首任校长直至赴纽约访问时死亡为止。马格内斯曾创立团结会，意在促进阿拉伯人与犹太人和解，提倡建立阿拉伯-犹太两族联合的国家，作为阿拉伯邦联的一部分。

magnesia 氧镁 白色、难熔的镁(**magnesium**)的氧化物。

Magnesia ad Maeandrum　马格内西亚(迈安德河流域)　古代爱奥尼亚的内陆城市,滨迈安德河(大门德雷斯河)的一小支流,在以弗所东南约12英里。据斯特拉博记载,该城系一个名叫马格内特斯的色萨利人所创建,他来自克里特,沿途有许多人跟着他移民至此。马格内西亚尽管早已十分繁荣,但一向被当做埃奥里斯的城市,因此从未被吸收参加爱奥尼亚同盟。该城在约公元前650年辛梅里安人入侵时被毁,后又渐渐恢复,成为波斯总督奥里特斯的驻地;公元前522年左右奥里特斯在该地谋害过萨摩斯的波利克拉特斯。被流放的地米斯托克利后来也曾在此居住,他从阿尔塔薛西斯那里接受了这个城市以及其他几个城市,并在公元前460年左右发行一些马格内西亚的钱币。该城地处内陆,过于偏僻,不能加入雅典帝国,不久迁往卓拉克斯山东麓防御地形较佳的地方。新城在公元前200年左右十分宏伟壮丽。在帕加马诸王和罗马共和国统治下,该城继续繁荣昌盛,产生过"亚细亚"修辞学派的奠基人赫格西亚斯,该城在公元前87年抗击过本都的米特拉达梯六世,因而苏拉给它政治自由。罗马帝国时期该城似见衰落,但在一枚稀有的戈尔迪安三世时期(238～244)的青铜钱币上仍自称为亚洲第7大城。

Magnesia ad Sipylum　马格内西亚(锡皮卢斯山地区)　古代吕底亚城市,在赫尔墨斯河(现盖迪兹河)以南。该城虽处在富庶地区,接近尼俄柏和坦塔罗斯有联系的史前区域,而该城本身也可溯源到公元前5世纪,但除了公元前190～前189年冬季的战争以外,别无重要性可言。这次战争在李维著作第37卷中曾有描述:罗马军队在西庇阿指挥下大败安条克三世,把他永远赶到托罗斯山后。该城连遭地震严重破坏(特别是在公元17年),因而留下的遗迹少得可怜。现代的城市是*马尼萨*(**Manisa**)。

magnesioferrite　镁铁矿　镁铁氧化物矿物,为尖晶石族*磁铁矿*(**magnetite**)系列的一种矿物。

magnesioriebeckite　镁钠闪石　硅酸盐矿物*钠闪石*(**riebeckite**)的富镁变种。

magnesite　菱镁矿　碳酸镁($MgCO_3$)矿物,属碳酸盐矿物中的方解石族,镁的主要来源。

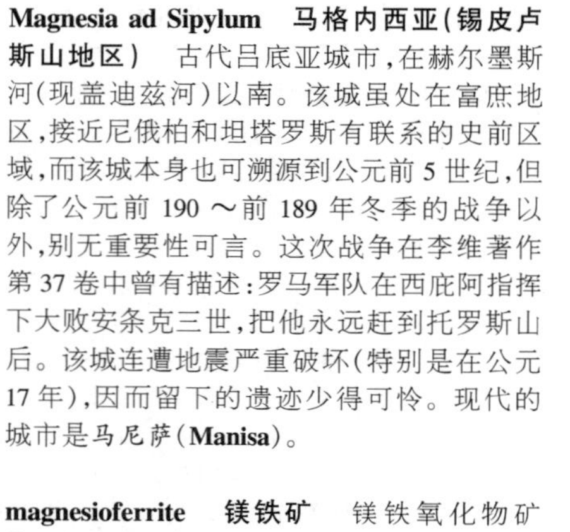

产自美国华盛顿州奥卡诺根的菱镁矿
美国不列颠百科全书公司供图

是富镁岩石蚀变产物,或通过含镁溶液作用于方解石而形成。著名的矿床有奥地利的拉登泰因、中国的辽东半岛和美国内华达州克拉克县。此种矿物常常含有铁,而且在菱镁矿同菱铁矿之间存在着一整套化学置换系列,在菱铁矿中铁替代了镁。菱镁矿可用作耐火材料,在合成橡胶的生产中作催化剂和填充剂,并用于配制镁的化学药品和肥料。

magnesium　镁(Mg)　化学元素,周期表ⅡA主族的碱土金属,最轻的结构金属。最初人们通过泻盐(硫酸镁)、菱苦土(氧化镁)、白镁氧(碳酸镁)等化合物认识镁。镁为银白色金属,在自然界无游离态存在。1808年,H.戴维电解湿氧化镁和氧化汞混合物得到镁汞齐,再从其中蒸出汞后首次制得金属镁。在地壳中镁的丰度占第八位(约2.5%),分布于菱镁矿、白云石、水石、蛇纹石、贵橄榄石、海泡石、滑石和大多数石棉矿中。海水含镁约0.13%,大部分为溶解的氯化物。氯化镁具有特殊的苦味。镁在人体细胞中的含量约为钾的1/6。在糖类的新陈代谢中,镁是多种酶反应所需要的催化剂。镁的工业生产方法是电解熔融氯化镁$MgCl_2$(氯化镁主要取自海水)和用适当还原剂直接还原镁化合物(如用硅铁还原煅烧的白云石)。细碎的镁在空气中燃烧能发出极强的白光,因而在一段时间里主要用于照相闪光带、火药、燃烧弹和信号弹。镁比重小(仅为铝的2/3),因而广泛地用于航天工业。例如某部件用钢制造时,重约70磅,而用镁仅重约15磅。纯镁结构强度低,而研制成功的镁铝、镁锌、镁锰等合金,硬度、抗张强度、耐盐水腐蚀性均有提高,并改善了铸造、焊接和机械加工性能。镁合金有各种用途,用于制造飞机、宇宙飞船、机械设备、汽车、轻便工具和家用器具的部件。自然界中镁是3种同位素的混合物,其中镁24占78.70%、镁26占11.17%、镁25占10.13%。镁是很强的还原剂,可与大多数酸与沸水反应而释放出氢,但耐大多数碱。镁在化合物中,因只能失掉或共用两个3s电子,故总是呈+2氧化态。在自然界以菱镁矿形式存在的碳酸镁$MgCO_3$是单质镁的一种重要来源。它也可以通过二氧化碳跟各种镁化合物反应人工制得。这种没有气味的白色粉末具有许多工业应用,如用作锅炉和水管的绝热材料,食品、药物、化妆品、橡胶、墨水和玻璃的添加剂。氢氧化镁$Mg(OH)_2$是一种白色粉末,可由海水加石灰乳大量制取。它是生产金属镁的最基本的原料。在水中它可形成一种叫做镁乳的悬浮液,这种悬浮液很久以来用作抗酸剂和缓泻剂。盐酸与氢氧化镁作用产生氯化镁$MgCl_2$,它是一种无色易潮解(吸收水)的物质,可用于生产金属镁,生产重负载地面用的水泥,以及在纺织业中用作添加剂。焙烧碳酸镁或氢氧化镁均可制得氧化镁MgO(通常称为镁氧),它是一种白色固体,广泛地用于生产高温耐火砖、电和热的绝缘材料、水泥、肥料、橡胶和塑料。另外,它在医疗上还用作温和的轻泻剂。硫酸镁$MgSO_4$是一种无色晶态物质,可由氢氧化镁与二氧化硫和空气反应制备。水合硫酸镁(也叫水镁矾)$MgSO_4 \cdot H_2O$以矿物形式存在于自然界。市售人工合成的硫酸镁即泻盐$MgSO_4 \cdot 7H_2O$。硫酸镁在工业上有很多应用,例如它可用于生产水泥、肥料、皮革和染色工艺,在医学上用作泻药。格利雅试剂是镁的一类重要的有机金属化合物。它是由一种有机基团(如烷基和芳基)、除氟以外的一个卤素原子以及镁组成。利用格利雅试剂可以制备出许多其他类型的有机金属化合物。镁也是叶绿素的一种组分,很明显,它的作用如同血红蛋白中的铁一样。镁原子序数12;原子量24.312;熔点651℃;沸点1107℃;比重1.74;化合价2;电子组态2,8,2或$1s^2 2s^2 2p^6 3s^2$。

magnesium deficiency　镁缺乏　机体对镁元素摄入不足的一种病理生理现象。镁是糖代谢酶反应中不可缺少的一种元素,有时还能替代身体中一部分钙。体内大约3/4的镁同钙一起参加骨骼和牙本质的组成,其余的存在于软组织和体液中。镁的特异性功能还不清楚,但研究表明:在其他一些生理活动中,镁可能起催化剂的作用。镁在溶液中为阳离子,为细胞内营养物质和其他物质分解所必需;对肌肉和神经的正常生理活动亦有重要作用。镁缺乏见于慢性肾脏疾病及其他伴有酸中毒的疾病(如糖尿病昏迷)。其症状有无力、眩晕及惊厥。治疗方法须补充镁元素。镁的最佳食物来源有谷物、豆类、坚果、肉、乳及其他乳类制品。

magnet　磁体　能在其体外产生磁场并吸引铁的任何物质。到19世纪末,人们对所有已知元素和许多化合物做了磁性试验,发现它们都有某种磁性。最常见的是抗磁性,因磁体两极呈现弱斥力,故名。诸如铬等物质显示顺磁性,这些物质移近磁体时有感生弱磁化的能力,当磁体移去后,这种磁化随即消失。只有铁、镍和钴这三种元素显示铁磁性(即保持永久磁化的能力)。

磁化过程　W.汤姆孙(即开尔文勋爵)于1850年规定和命名了现在采用的表征磁化的量。符号$\boldsymbol{B}$表示磁化体内磁通量密度的量值,符号$\boldsymbol{H}$表示产生$\boldsymbol{B}$的磁化力(或磁场强度)的量值。这两个量通过方程$\boldsymbol{B}=\mu\boldsymbol{H}$描述,式中希腊字母$\mu$表示物质的磁导率,是磁场在物质内产生的磁化强度的度量。在现代国际单位制中,$\boldsymbol{B}$的单位是特斯拉(T)或韦伯/米^2(Wb/m^2),$\boldsymbol{H}$的单位是安培/米(A/m)。这些单位过去曾分别称为高斯和奥斯特。μ的单位是亨利/米。

所有铁磁材料均呈现磁滞现象,即由内摩擦造成的能量损耗引起磁通量密度$\boldsymbol{B}$对变化磁力$\boldsymbol{H}$的响应滞后。若测量对应于不同$\boldsymbol{H}$值的$\boldsymbol{B}$,画出其曲线,则得到如附图所示的回线(称为磁滞回线)。磁滞回线表明$\boldsymbol{H}$减小时$\boldsymbol{B}$值所描绘的曲线不同于$\boldsymbol{H}$增加时的情况。利用此图,即可确定描述磁体材料性能的特性曲线。$\boldsymbol{B}_s$为饱和通量密度,是物质能磁化到多强的量度。$\boldsymbol{B}_r$为剩余通量密度,是起磁场移去后剩余的永久磁化强度,后者显然就是永磁体性质的度量。常以韦伯/米^{2}为单位。为了除去样品中剩余磁性,必须施加反向起磁场(与样品磁化方向相反)。将磁化强度降至零时所需磁场的量值为矫顽力 H_c，其单位为安培/米。永磁体要长期保持其磁化，H_c 应尽可能大。在需强磁场磁化的材料内，有高饱和通量密度，其中一般可以找到大的 B_r 和大的 H_c 的组合。因此，常用永磁体材料能达到 B 和 H 乘积的最大值 $(BH)_{max}$ 表示其特性。乘积 $(BH)_{max}$ 是在给定间隙内产生所需磁通密度所需永磁体材料最小体积的量度，有时称为能量积。

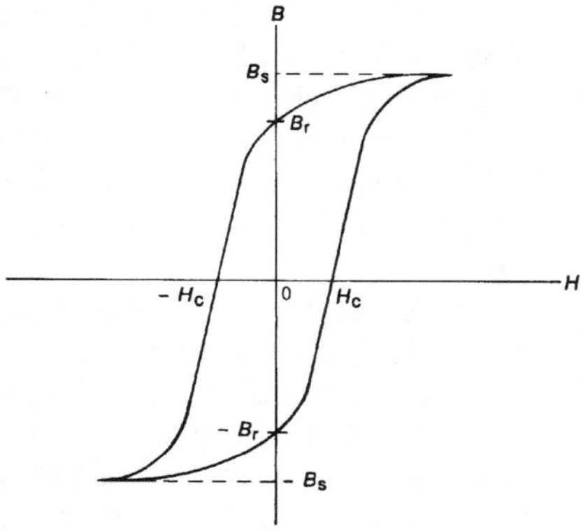

典型的磁滞回线

1907年有人设想铁磁材料由大量小体积的磁畴组成，每个磁畴都饱和磁化。1931年首次由实验直接证实了磁畴的存在。当铁磁体中各个磁畴的磁化方向呈无规排列时，铁磁体作为整体来说不显磁化。每个磁畴通过畴壁与相邻的磁畴隔开。在畴壁区，磁化方向从一磁畴中的方向转向相邻磁畴中的方向。从完全未磁化状态开始的磁化过程分三个阶段：①低起磁场。畴壁的可逆位移使不沿起磁场取向的磁畴体积减小，沿起磁场方向取向的磁畴体积增大。移去起磁场时，畴壁回到初始位置，因而无剩余磁化强度。②中起磁场。畴壁发生较大的不可逆位移，使沿起磁场取向的磁畴体积增大很多。移去起磁场时，所有畴壁并不回到其初始位置，因而有剩余磁化强度。③高起磁场。畴壁在整个样品内发生大的位移，其中有许多畴壁被从样品中完全排除。当磁场增加时，余下磁畴中的磁化方向逐渐转动，直到它们处处平行于磁场，这时物质磁化达到饱和。移去磁场时畴壁重新出现，磁畴的磁化方向可能转离原磁场方向。剩余磁化强度有其最大值。

B_r、H_c 和 $(BH)_{max}$ 的数值取决于畴壁在材料中移动和磁畴磁化方向转动的难易程度。材料内的不连续性或不完整性，给畴壁位移造成障碍。因此，一旦起磁场使畴壁通过这一障碍，则畴壁就不能返回初始位置，除非施加一反磁场使其返回。因此，这些障碍的作用使顽磁增强。相反，在纯净、均匀的材料内缺陷很少，用相当低的磁场就易于使材料磁化达到饱和，因而剩余磁化强度很小。

退磁和磁各向异性 就磁畴转动而论，需考虑退磁和磁各向异性(沿着不同方向测量有不同磁性)这两个重要因素。退磁与磁化样品的形状有关。任何磁体在其周围空间产生磁场。磁力线的方向由磁场作用于一(假想的)单个磁北极上力的方向来确定，此方向与最初用来使样品磁化的磁场方向相反。因此，每一磁体存在于自发磁场之中，该自发磁场的方向可使样品退磁。这一现象可用退磁因数来描述。若磁力线能被限制在磁体内，且不容许逸入周围介质，则不存在退磁效应。因此，环绕圆周磁化的环形磁体，其所有磁力线在材料内构成封闭回线，不能使其自身退磁。对于条形磁体，若将它们成对平行地放置，北极靠着南极，并在两端横置软铁制的衔铁，则可使退磁达到最小。

退磁与磁畴转动有关的原因是可把退磁场看做磁能的储存。同所有自然系统一样，无约束的磁体会在储存能最小的方向保持其磁化，即让退磁场尽可能小。将磁化方向转离最小能量位置需做功，以提高在增强的退磁场中储存的能量。因此，若要使磁畴的磁化方向转离其自然最小能量位置，则转动会受到阻力，必须施加外磁场反抗退磁力做功才能引起转动。这一现象常称为形状各向异性，这是由于磁畴几何形状引起的，而磁畴的几何形状又由样品外形所决定。

阻碍磁畴转动的第二个机制所涉及的类似最小能量考虑就是磁晶各向异性。1847年有人首先观察到在磁性材料晶体中似乎存在磁化的择优方向。只有晶体中原子排列有对称性的场合才能出现这种现象。例如，铁是立方晶体，沿立方形边的方向较其他方向易于磁化。因此，六个立方形边的方向是易磁化方向，而人们称晶体的磁化为各向异性的。

材料中的应变也能感生磁各向异性。磁化方向可与体内应变方向一致或垂直。某些磁性合金也呈现感生磁各向异性现象。若外磁场施加于经高温退火的材料，则发现感生磁化强度方向与外磁场方向一致。

以上的描述阐明了为什么用钢制作永磁体较软铁为好。钢中的碳使铁中一碳化三铁微晶析出，形成第二相。析出的粒子和基质铁之间的相界，形成畴壁移动的障碍，因而与纯铁比较，矫顽力和顽磁都增加了。

然而，对最优质的永磁体来说，其中畴壁应能永久全部锁定在适当位置，而且所有磁畴的磁化方向相互平行。这一情况可看做是具有高饱和磁化强度值的大量粒子组合而成磁体的结果，其中每一个是单畴，在所期方向具有单轴各向异性，而且其磁化方向与所有其他单畴都是平行取向的。

粉末磁体 由密集粉末组成磁体的制作问题，主要是控制粒子的尺寸，使它们足够小到只包含一个单畴，但还不至完全失去其铁磁性。这种磁体的优点是它们很易模制和机械加工成所需形状。粉末磁体的缺点是当单畴粒子压在一起时，受到强磁相互作用，使矫顽力和剩余磁化强度降低。这种相互作用的性质，主要是由于邻近粒子存在而引起的给定粒子退磁场的减弱，且相互作用限制了 H_c 和 $(BH)_{max}$ 可达到的最大值。磁性合金的发展已取得了更多的成就。

高度各向异性合金 以上描述的大的单轴各向异性材料取决于其形状。对大的单轴磁晶各向异性材料，也作了许多研究。其中，最成功的是钴铂(CoPt)合金和锰铋(MnBi)合金。

铝镍钴合金 如能阻碍畴壁移动，则可以获得高矫磁力。在两相共存的合金中，特别是若一相是在另一相基体中的细碎沉积物，则可以出现这种情况。包含铁、镍和铝这三种元素的合金表明恰好具有这种性状。以这一体系为基质，并加入诸如钴、铜或钛等附加物的永磁体材料，一般称之为铝镍钴合金。

稀土钴合金 许多元素的孤立原子有一定磁矩(即原子本身是一微小磁体)。然而，当原子在固态元素中聚集在一起时，其大多数经相互作用磁性抵消，固体不再是铁磁性的。在普通元素中，只有铁、镍和钴不发生相消过程，在室温附近或高于室温时单个原子仍有净磁矩；然而，当温度在16 ℃以上时它就失去铁磁性，因而没有实用意义。一些稀土元素在极低温度下显示铁磁性状，而其中多数的原子磁矩较大。然而，它们的实用价值不大。

钡铁氧体 钡铁氧体主要是 $BaO:6Fe_2O_3$，是四氧化三铁磁铁矿的变种，但具有六角晶形。这种构形使它具有极高的单轴磁各向异性，能产生高 H_c 值。其粉末材料可进行磁校直，然后压实和烧结。烧结过程的温度和持续时间决定微晶的尺寸并提供满足所需磁体性质的手段。对于极小的微晶，其矫顽力很高，顽磁约为饱和磁通密度的一半。微晶较大时 B_r 较高，但 H_c 较低。这种材料已广泛用于电视工业制作电视管的聚焦磁铁。

由于这种材料在商业上的重要性，进一步的发展是用合成树脂或橡胶将粉末铁氧体黏合，制成模制件或挤压条(或片)，它们是半柔性的，可用刀割。这种材料可用做组合密封垫(气密)和冰箱门的磁闭合条。

导磁性材料 诸如电动机、发电机、变压器和电磁铁等大量利用磁场的磁性设备所需的磁性材料，与优质永磁材料的性质完全相反。这种材料必须能在相当低的磁场下磁化到高通量密度，并要在移去磁场后完全失去其磁化状态。

由于在三种铁磁性金属中铁的每个原子的磁矩值最高，因此它仍然是用于需高饱和通量密度处的最佳材料。为了达到使畴壁最易移动，已对如何产生尽可能无缺陷的铁做了广泛的研究。诸如碳、硫、氧和氮等元素的存在(即使少量)是特别有害的；因而对电气设备中所用的薄片材料，其总杂质含量应小于0.4%。

将铁中掺入少量(约4%)硅制成合金，是十分有益的，加入硅能降低铁的磁晶各向异性，因而降低了矫顽力和磁滞损失。尽管饱和通量密度有了降低，但是其他包括增加电阻率带来的利益超过这一损失。当磁通量交替变化时，在磁性材料中能感生涡电流，因此在应用中若能增加电阻率是十分重要的。电阻率越低和交变频率越高，则涡电流越大。这种能量损耗是由涡电流加热材料引起的，在给定频率下增加材料的电阻率，可使其降至最小。

经适当的制作过程，能使硅铁片材料的微晶具有高度择优取向。因而，这种材料在此方向具有磁化择优方向，能获得高磁导率和低损耗。商业上制造的材料中，硅的含量约为3.2%，称为冷缩晶粒取向硅钢。

镍和铁不同比例的合金一般称为坡莫合金。镍的比例下降时，饱和磁化强度增高，镍的比例约在 50%时饱和磁化强度达到最大值,27%时下降到零,然后再增高至纯铁的数值。磁晶各向异性也从纯镍的数值下降至含镍 80%时的极低值,此后仅有缓慢上升。镍的含量为 78.5%时磁导率最高,这种合金称为坡莫合金 A。在精心制作的坡莫合金 A 中,其最大相对磁导率的数值能达到 100 万左右,从而使这种合金十分有用,且超过低通量密度的铁和硅铁。

除了具有六角晶形的钡铁氧体以外,普遍化学式为$MeO:Fe_2O_3$(其中Me为金属)的多数铁氧体,对材料的磁性起作用。它们具有不同的晶形,称为尖晶石型,其名来自按立方晶系结晶的尖晶石矿物($MgAl_2O_4$)。所有尖晶石型铁氧体都是软磁材料,即呈现低矫顽力和窄磁滞回线。而且,它们具有高电阻率和高相对磁导率,因此适用于高频电子设备。然而,它们的饱和磁化强度较合金为低,这种性质限制了它们在强电磁场和大功率变压器中的应用。尖晶石型铁氧体是像陶瓷那样的硬、脆材料,难于机械加工。尽管如此,它们仍广泛用在计算机存储器中。

magnetic bubble memory　磁泡存储器　计算机的一种存储设备,它把数据存储在用合成石榴石晶片制作的很小的圆柱形磁畴内(参阅 **computer memory**)。

magnetic circuit　磁路　把用磁通量线表示的磁场限制在其中的闭路。与电荷流动的电路不同,在磁路中并没有什么东西真在流动。在带有小空气隙的环形电磁铁中,磁场或磁

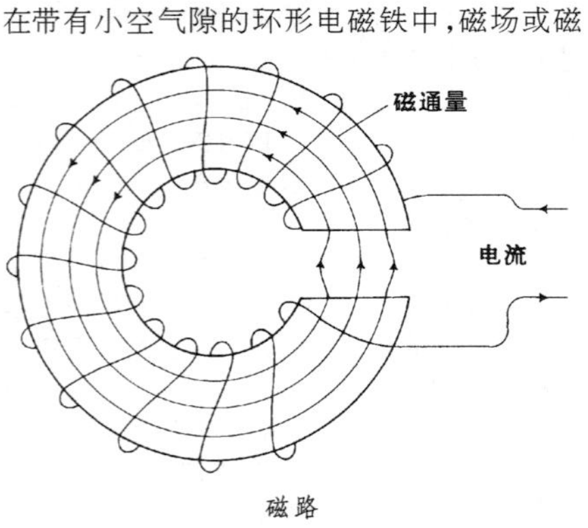

磁路

通量差不多完全限制在金属磁心和空气隙中,磁心和空气隙一起形成磁路。在电动机中,磁场大部分限制在磁极部、转子、转子与磁极部之间的空气隙以及金属框架中。每一条磁场线都形成一完整的不间断的回线。所有的磁场线一起构成总磁通量。如果磁通量被分开,使得一部分磁通量限制在器件的一个部分,另一部分磁通量限制在该器件的另一部分,则称这磁路为并联磁路。如果所有的磁通量都限制在单一的闭合回路中,例如一环形电磁铁中,则称这磁路为串联磁路。在电路中用欧姆定律把电流、电动势(电压)和电阻联系起来,同样在磁路中也采用了类似关系来描述。磁通量类似于电流;磁通势(mmf)类似于电动势,可以看作是建立磁通量的因素;磁通势等于载电流线圈的匝数与电流的乘积,单位为安培·匝。如果增加线圈中的电流(例如在电磁铁中)或增加线圈匝数,则磁通势也增大;如果磁路的其余部分保持不变,则磁通量会成比例地增加。磁路中的磁阻类似于电路中的电阻。磁阻依赖于磁路的几何形状和材料性质,它阻碍磁通量的出现。磁路中给定部分的磁阻与其长度成正比,而与其横截面积及这材料的磁导率成反比。例如,铁与空气相比具有非常高的磁导率,所以铁便具有相当小的磁阻,或者说铁对磁通量显示相当小的阻力。在串联磁路中,总磁阻等于环绕封闭磁通量路径所遇到的各个磁阻之和。总之,一磁路中的磁通量在数量上等于磁通势除以磁阻。

magnetic-core storage　磁心存储器　用于高速电子计算机的一种存储装置。这种存储器包含许多由硬磁性材料制成的小环,这些小环能够从正反两个方向磁化(参阅 **computer memory**)。

magnetic dipole　磁偶极子　通常指微小到亚原子尺度的小磁体,它等效于环绕回路流动的电荷。绕原子核运动的电子、绕自身轴旋转的电子和旋转的带正电的原子核都是磁偶极子。这些效应累加起来可以互相抵消,使某些类型的原子可以不是磁偶极子。如果它们没有完全抵消,则这种原子便是永磁偶极子,例如铁原子。千百万铁原子自发地组成相同的排列而形成的铁磁畴也构成磁偶极子。磁针和条形磁铁是一种宏观磁偶极子。磁偶极子的强度称为磁偶极矩,可以把它看做偶极子转动到沿外加磁场方向排列的能力的量度。在均匀磁场中,偶极矩的大小同偶极子与磁场成直角时产生的最大转矩成比例。磁偶极矩(简称磁矩)的定义是真空中每单位外加磁场作用在磁偶极子上的磁力所产生的最大转矩值。

当把磁偶极子看做是电流回路时,则偶极矩的大小与电流及回路所包围的面积的乘积成比例。数学上可以把偶极矩的方向表示

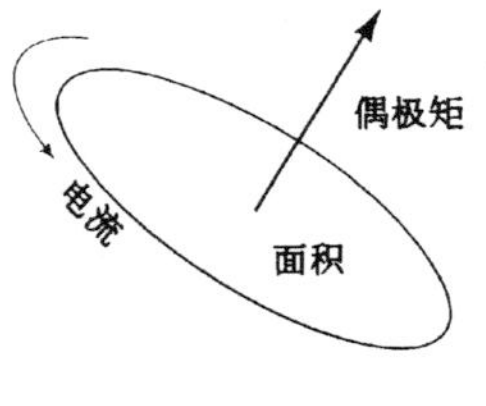

与电流回路相关的磁偶极矩(与电流和面积成正比)

为矢量,其方向是从正电荷反时针流动路线所包围的表面引出的垂直线方向。把电流回路看作一小磁体时,这一矢量相当于从南极到北极的方向。让磁偶极子自由转动时,这偶极子便会使其磁矩主要指向外磁场的方向。核磁矩和电子磁矩是量子化的,即这些磁矩在空间只能以一定的离散角度相对于外磁场取向。磁偶极矩具有电流乘面积的量纲或能量除以磁通量密度的量纲。在米千克秒安培单位制(MKSA)和国际单位制(SI)中,磁偶极矩的单位是安培·米²。在 CGS 电磁单位制中,磁偶极矩的单位是尔格/高斯。电子磁偶极矩的通用单位是玻尔磁子(相当于 9.274×10^{-24} 焦耳/特斯拉)。原子核、质子和中子磁矩的类似单位是核磁子(相当于 5.051×10^{-27} 安培·米²)。

magnetic field　磁场　在磁体、电流或变化电场附近可以观测到磁力的区域。磁场如地磁场一样能使指南针及其他永磁体按场的方向排列起来。磁场的作用力迫使运动的带电粒子作圆周运动或按螺旋形轨道行进;这种力对放置在磁场内的载流导线也有作用,这便是电动机工作的原理。在永磁体或其中有稳恒电流流过的导线周围,磁场是恒定的,称为静磁场;在空间的任何定点,这种磁场的大小和方向都保持不变。在交变电流或强度随时间变化的直流电流周围,磁场的大小和方向都不断变化。磁场可以用连续又闭合的磁力线或磁通量线表示,这些线从指北的磁极出来,并从指南的磁极进去。力线的密度表示磁场的强弱。在国际单位制中,磁通量的单位是韦伯。

韦伯数是通过某一面积磁力线的总数。在数学上,磁场可以用矢量来表示,我们采用两个不同的矢量来描述磁场:一个称为磁通量密度即磁感应强度,通常用 $\boldsymbol{B}$ 表示;另一个称为磁场强度,用 $\boldsymbol{H}$ 表示。磁场强度 $\boldsymbol{H}$ 可以看做由导线中电流产生,而磁感应强度 $\boldsymbol{B}$ 是包括该磁场中各物质的磁性所提供的总磁场。当电流流过缠在小圆柱软铁心上的导线时,在铁心中磁场强度 $\boldsymbol{H}$ 远小于磁感应强度 $\boldsymbol{B}$,因为铁心中无数个微小的固有原子磁体沿该磁场方向整齐排列,$\boldsymbol{B}$ 就极大地增强了。参阅 **magnetic permeability**。

magnetic force　磁力　带电粒子的运动所引起的粒子间的吸引或排斥力。电机运转、磁体吸铁都是依据这种力。在静止电荷之间存在着电力,而在运动电荷之间存在着电和

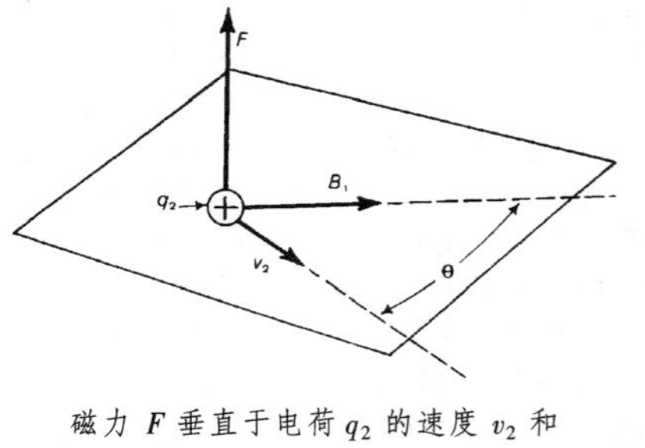

磁力 F 垂直于电荷 q_2 的速度 v_2 和磁场 B_1 的平面

磁两种作用力。两个运动电荷之间的磁力以非常复杂的方式依赖于电荷的符号和大小以及它们的速度和运动方向,这个力还与运动电荷之间距离的平方成反比。两运动电荷之间的磁力可以看作是由其中一个电荷周围的空间磁场引起的。在这个磁场中运动的第二个电荷受到一个磁力的作用。从这种观点看来,作用于第二个带电粒子上的磁力 F 正比于它的电荷 q_2、它的速度 v_2、第一个运动电荷所产生的磁场 B_1 和第二个粒子运动方向与磁场方向的夹角 θ 的正弦即 $F=q_2B_1v_2\sin\theta$。如果第二个电荷沿磁场方向运动,则磁力为零;如果它的运动方向与磁场方向相垂直,则磁力最大。施加在运动电荷的磁力的方向垂直于其速度方向和周围磁场方向所形成的平面。

magnetic iron ore (mineral)　**磁铁矿石**　参阅 **magnetite** *磁铁矿*。

Magnetic Island 马格内蒂克岛 在澳大利亚昆士兰州东北部哈利法克斯湾内。属坎伯兰群岛。是大堡礁中最容易登临的岛，面积49平方千米。环有珊瑚。岛上林木茂密，地势起伏。该岛是海岸山脉沉入水中的一段，其上的库克山海拔497米。马格内蒂克岛为国家公园和旅游地以及汤斯维尔市的居民区。主要社区有阿卡迪亚、内利等。人口3 814(1981)。

magnetic mirror 磁镜 局限于一定区域的一个静磁场，其特定形状能使靠近它的带电粒子沿来路折回。磁场通常被看成是一些近乎平行的不相交磁力线的分布。磁力线的方向决定磁场方向，磁力线的密度决定磁场强度。带电粒子穿过磁场时，要沿着围绕磁力线的螺旋路径运动。如果沿着带电粒子径迹的磁力线逐渐密集，粒子便逐渐进入较强的磁场区域。粒子继续围绕磁力线回旋，但前进速度减慢，直至停止，随后被迫沿原路折回。带电粒子开始折回的准确位置取决于其所走螺旋路径的起始螺距角。两个磁镜可以配置成能捕集大量带电粒子的磁瓶。

magnetic monopole 磁单极子 具磁荷的粒子，磁荷的性质与电荷类似。顾名思义，磁单极与由两个磁极构成的偶极相反，只含有单个磁极。至今还没有证据表明存在着磁单极子，这一概念只有理论上的意义。1931年英国物理学家P.A.M.狄拉克提出：宇宙中存在单个的磁单极子将可以解释电荷为什么都是电子电荷的倍数。既然电荷的量子化至今仍是巨大的理论之谜，每当粒子加速器达到新的能量水平或发现了新的物质源时，物理学家总要重复他们对磁单极子的研究。比如，当1969年美国航天员把月球岩石样品带回地球时就对它进行了广泛的研究；因为月球的表面物质中，被认为是可能有磁单极子的，结果却并非如此。

magnetic permeability 磁导率 材料中的合磁场相对于这一材料所在的起磁场的增加或减小；或者说材料的一种性质，它等于起磁场在物质中建立的磁通量密度 $\boldsymbol{B}$ 除以起磁场的强度 $\boldsymbol{H}$。因此，把磁导率 μ 定义为 $\mu = \boldsymbol{B}/\boldsymbol{H}$。磁通量密度 $\boldsymbol{B}$ 是材料中实际磁场的量度，把它看作是每单位横截面积中磁力线或磁通量的密集程度。磁场强度 $\boldsymbol{H}$ 则是由线圈中电流产生的起磁场的量度。在真空(或自由空间)中，因为没有物质来改变磁场，所以磁通量密度与磁场强度是相同的。在CGS单位制中，自由空间的磁导率 $\boldsymbol{B}/\boldsymbol{H}$ 是没有量纲的，并且其数值为1。在MKS制和国际单位制(SI)中，$\boldsymbol{B}$ 和 $\boldsymbol{H}$ 具有不同的量纲，自由空间的磁导率(符号为μ_0)定为$4\pi\times10^{-7}$韦伯/(安培·米)，因此电流的MKS单位可以与实用单位安培相同。在这些单位制中，磁导率 $\boldsymbol{B}/\boldsymbol{H}$ 称为介质的绝对磁导率 μ。而相对磁导率 μ_r 定义为比率 μ/μ_0，μ_r 是没有量纲的，并且与CGS单位制中的磁导率具有相同的数值。这样，自由空间或真空的相对磁导率为1。材料的磁性可以按照其磁导率分类。抗磁材料具有恒定的略小于1的相对磁导率。当把抗磁材料(如铋)放置在磁场中时，外磁场部分地受到排斥，材料中的磁通量密度略为减小。顺磁材料具有恒定的略大于1的相对磁导率。当把顺磁材料(如铂)放置在磁场中时，它在外磁场的方向稍被磁化。铁磁材料(如铁)具有不恒定的相对磁导率。当起磁场增加时，相对磁导率增大，达到一最大值，然后减小。纯铁和许多磁性合金的最大相对磁导率达10万以上。

magnetic pole 磁极 磁铁每一端具有最强外磁场的区域。悬挂在地磁场中的条形磁铁自动沿南北取向。磁铁的指北磁极或任何相似的磁极称为磁北极；指南的称为磁南极。不同磁铁的异名极互相吸引；同名极互相排斥。一长条形磁铁的磁极与另一长条形磁铁的磁极之间的磁力早在1750年就用平方反比律来描述。例如，如果两磁极之间的距离加倍，则磁力减小到它原来数值的1/4。把一磁铁折成两段并不能把这磁铁的北极同其南极分离开，而磁铁的每一半都有自己的北极和南极。事实上，不能把磁力追踪到亚微观大小的单元磁极；相反，电力却是由真正离散的电荷(例如电子和质子)产生的。磁力从根本上说发生在运动电荷之间。

magnetic recording 磁记录 把声、图像和数据变成电信号使磁性材料发生选择性磁化以保存声、图像和数据的方法。磁记录的原理最早于1900年由丹麦工程师V.浦耳生阐明。他在一架录声电话机上用电磁方法把讲话记录在钢丝上。此后，德、英、美国先后研制了各种磁记录设备，主要有磁带式和磁盘式两种。它们不仅用来再现声频或视频信号，而且也用来存储电子计算机数据以及科学和医学研究仪器的测量结果。其他重要的磁记录设备包括磁鼓、磁心和专用于计算机系统辅助数据储存的磁泡设备。

磁带设备 磁带为保存和再现各种信息提供了最简便、经济的方法。记录在磁带上的信号可以立即重放。磁带易于消磁，能反复使用多次而不影响其记录质量，因此，是一种使用最广泛的磁记录材料。磁带由表面涂有氧化铁粉末或其他磁性材料的塑料带制成。在记录时，磁带经过磁头，磁头把电信号印在磁带上。重放时，磁带经过还原磁头，产生与记录在磁带上的信号相同的电信号，然后经过放大和处理，送给相应的输出装置。磁带录声的速度可以低于每秒5厘米到每秒37.5厘米。视频信号频带宽度比声频信号的宽得多，录像时磁带通过磁头的速度也快得多，记录数据时磁带的速度则更快，有的达到每秒500厘米。第二次世界大战中，德国工程师研制成磁带录音机。40年代后期，英国人制成高质量磁带录音机。60年代后期在家庭和汽车中广泛采用盒式录音磁带。美国C.P.金斯伯格和R.多尔贝于1956年研制出第一台实用的磁带录像机，在电视广播中引起了一场革命。现在，录像基本上代替了现场转播。几乎所有电视节目在首次演播时都进行录像，供各电视台在适当时间里播出。家庭也越来越多地使用录像机收录电视节目。录像机还可与摄像机配合用。参阅 **video tape recorder**。用磁带存储数据始于1951年。当时第一台供商业用的数字电子计算机UNIVACI的辅助存储器中使用了磁带。在以后约10年中几乎所有的电子计算机都采用了磁带存储装置。到了20世纪60年代，在大型的供科研和商业用的数据处理系统中，由于要求以极高的速度检索存储的信息和程序，磁带设备开始被磁盘和磁鼓辅助存储器所代替。但磁带存储装置，特别是盒式磁带，成本低廉、存储量大(每2.5厘米的磁带可储存约4.8万个信息单位)，仍是小型和微型通用计算器的主要辅助存储部件。磁带记录机还广泛用于直接记录实验室仪器的测量结果和航天探测结果。仪器上的读数被转换成电信号记录在磁带上，可以还原供研究人员作详细分析和比较用。

磁盘设备 磁盘为扁平状的金属或塑料圆盘，两面有氧化铁涂层。随着磁盘被驱动装置转动，磁头将声频、视频或数据等输入信号沿磁盘表面的螺旋槽纹，呈磁纹状或磁点状记录在磁盘上。重现输入信号时，磁头可自动精确地放在磁盘的任何位置上，以选择重放所需的某段录声、录像或某组数据，而不必按先后顺序先重放其他内容。在磁带上找到所需的内容可能要好几分钟，但在磁盘上则可按指令程序直接找到所需要的槽纹，检索时间可缩短到几分之一秒。1962年，磁盘技术被用于数据储存。由于磁盘记录机具有随机存取的能力，适于用作高速计算机的辅助存储器。20世纪70年代研制的软塑料磁盘，体积小、成本低、使用方便，可用于小型或微型计算机中。磁盘录像还改进了"快速重放"技术。这种技术目前已在电视现场转播(如体育比赛中重播某一精彩场面)时广泛使用。1967年，阿默派克斯公司研制出一种特别的磁盘录像机。用这种机器可以在4秒钟内找出并重放需要的镜头。

其他磁记录设备 自从50年代初期以来，已将诸如磁鼓和铁氧体磁心等记录材料用于数据存储。近年来的发展是贝尔电话实验室于70年代后期所发明的磁心存储器。

使用磁鼓的计算机辅助存储器的工作原理大致与磁带或磁盘的相似。数据呈磁点状存储在金属圆柱体的相邻圆形槽纹中。磁鼓上有1～200道槽纹。磁鼓以3 000转/分的转速旋转，磁头将数据记录在磁鼓上，或从磁鼓上"读出"记录的数据。磁鼓存储的数据可以快速随机取出。其检索速度高于磁带存储器，但存储容量较小。

大容量磁心存储器由数十万个可磁化的环形铁氧体磁心组成，横穿每一个铁氧体磁心都有两条以上的导线。通过导线的电流按顺时针或逆时针方向使磁心磁化。以按同一方向磁化的磁心代表0，按相反方向磁化的磁心代表1，则它们相当于作为计算机运算基础二进制的两个数字。数据的存储就是通过使磁心矩阵按0和1的一定组合磁化而实现的，使以极快的速度随机存取信息成为可能。它只需向存储所需数据的磁心矩阵输入电脉冲，改变磁心磁化的方向，使其产生与存储数据相应的输出信号，即可获得检索的资料。

磁泡辅助存储器比磁带、磁盘或磁鼓存

储器的效率更高、更经济。它有一块火柴盒大小的合成石榴石晶片。数据存储在称为磁泡的微小的圆柱形磁畴中。通过对电磁场的控制,可以使磁泡出现或者消失。工作时以“有泡”或“无泡”代表二进制中的“0”或“1”两个数字。因为每一块微小的石榴石晶片可容纳数十万个二进制数字,所以巨大数量的数据可以存入由这些晶片堆叠而成的存储器中。

magnetic resonance　磁共振　对电子或原子核施加一定磁场引起的吸收或发射特定频率的电磁辐射的现象。磁共振原理在实验室中用于分析物质的原子和原子核的性质。

磁共振的概述　电子绕其本身轴线自转以及原子核的自旋都具有磁偶极矩(磁矩)。按照量子力学规律,具有磁矩的原子和原子核在外加磁场中的能态是量子化的,即具有一系列的能级。在磁共振实验中,把样品放在强磁场中,样品内原子的电子和核就处于不同的能级。如果在垂直于磁场的平面内再叠加一适当频率的交变弱磁场,以使其静磁场产生一些变化直至共振出现时,许多原子和核就会从叠加磁场吸收能量而从低能级跃迁到高能级,在记录器上显示出共振吸收峰。原子的电子自旋共振(ESR)一般发生在微波频段,而原子核的核磁共振(NMR)一般发生在约 10 ～ 100 兆赫的射频频段。1944 年苏联物理学家 Y.K.扎沃伊斯基首先从几种铁族元素盐类的实验中观测到电子自旋共振(亦称顺磁共振),1946 年 F.布洛赫和 E.M.珀塞耳等分别独立地首先观测到石蜡中质子(氢核)的核磁共振。

大块物质的磁共振　物质中的电子和原子核具有磁矩 μ 和动量矩,在受到(恒定)磁场 $\boldsymbol{H}$ 作用时,这些磁矩将绕磁场方向作旋进(如图所示),称为拉莫尔旋进。若在垂直于

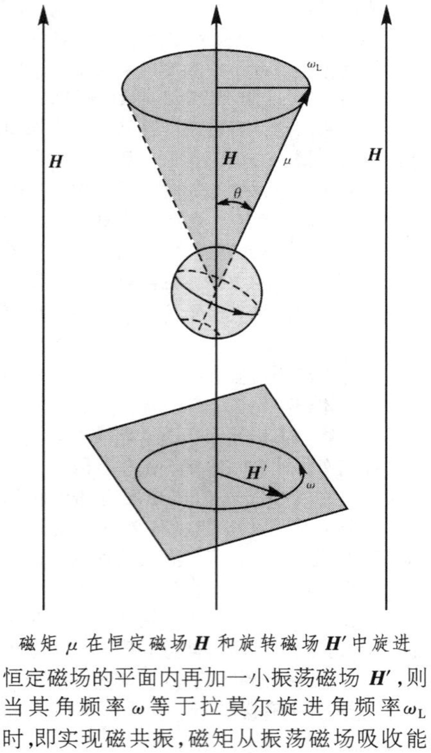

磁矩 μ 在恒定磁场 $\boldsymbol{H}$ 和旋转磁场 $\boldsymbol{H'}$ 中旋进

恒定磁场的平面内再加一小振荡磁场 $\boldsymbol{H'}$,则当其角频率 ω 等于拉莫尔旋进角频率 ω_L 时,即实现磁共振,磁矩从振荡磁场吸收能量。在大块物质中有大量的原子和核的磁矩参与作用,这些磁矩(自旋)与固体点阵运动的声子若存在相互作用,便可在自旋和声子间交换能量达到热平衡。这种现象称为自旋-点阵弛豫。若在自旋间交换能量使自旋系统达到热平衡,则称为自旋-自旋弛豫。大块物质的磁共振曲线有一定的宽度,一般固体中的这种共振线宽主要是由自旋-自旋弛豫引起的。

核磁共振　可以用来测定固体的分子结构、原子扩散和原子团的转动,提供金属中传导电子的态密度等信息,了解超导体内的磁场穿透和分布,以及测定铁磁体的内磁场和反铁磁体各磁亚点阵的内磁场(超精细场)和相关的磁化强度。对于核量子自旋大于 1/2 的原子核,其核电四极矩还可能使核磁共振谱线分裂,由此获得核周围电荷微观分布的信息。液体中由于运动(使共振谱线)致窄的效应,提高了谱的分辨率,因而可得到更多共振核周围化学环境的信息,有助于测定分子结构。还可测出质子(氢核)在磁场中自旋的旋进频率,来精确测量地磁场、空间磁场或其他弱磁场,可应用于探测潜艇、文物考古和探矿等。

电子自旋共振　只能在某些物质中观测到电子自旋共振,这些物质包括过渡元素(内电子壳层未满充的元素)、自由基(含有未配对电子的原子或原子团)、金属及各种顺磁性缺陷和杂质中心。这种磁共振具有下列一些特点:实验结果的解释需要采用配位场理论。磁性中心的总能量包含:①电子磁矩与外磁场的耦合能;②电子壳层与配位场的静电能。因此共振谱显示许多不同的共振频率(精细结构);磁性中心的电子磁化强度与其核间的相互作用可使每一精细结构谱线分裂成多重超精细结构谱线;如果磁性中心的电子磁化强度还与周围核相互作用,则每一主超精细谱线还会进一步分裂,称为特超精细结构;通过对共振谱的分析,可获得这类物质的微观结构信息。可进行电子自旋共振研究的过渡元素有铁族、镧族(稀土族)、钯族、铂族和锕族元素;可进行电子自旋共振研究的缺陷如晶体的空位和色心等,杂质如半导体硅和锗中掺的磷、砷、锑等;研究有机分子的激发三重态是用电子自旋共振研究自由基的一项重要发展。

电子自旋和核磁组合共振　当自旋系统有多个共振时,同时研究它们可获得更多的有用信息。例如,电子-核双共振(ENDOR)是利用核磁共振来探测它对电子自旋共振的效应;动态核极化(DNP)是利用电子自旋共振来增强用核磁共振观测的核磁化强度。电子-核双共振方法主要用来精确测量超精细和特超精细分裂。动态核极化方法广泛地用于核物理和高能物理研究中制作极化的质子靶。

magnetic resonance imaging　磁共振成像
参阅 **nuclear magnetic resonance** *核磁共振*。

magnetic Reynolds number　磁雷诺数　表明等离子体动力学性状的一些量的组合,与普通流体力学中的雷诺数相似,后者用来确定某流体的流动是趋于层流,还是变成湍流。如果自由空间的磁导率为μ_0,等离子体的电导率为 σ,速度为 V,等离子体结构的特征长度为 L,则磁雷诺数 R_m 就等于这四者的乘积,即 $R_m = \mu_0 \sigma VL$。根据磁流体动力学对等离子体的描述,由 R_m 所决定的磁场性状有两大类型:如果 R_m 远小于1,磁场将扩散开,场中的不均匀性趋于平滑,好像是流体的流动趋于层流那样;如果 R_m 很大,磁力线就趋于“冻结”在等离子体内,随着等离子体一起流动。

magnetic storm　磁暴　由太阳耀斑引起的地球高层大气的扰动。与耀斑有关的物质主要由能量为几千电子伏的质子和电子组成。这些物质称作等离子体,以1 000 ～ 2 000千米/秒的速度通过行星际介质,因此喷出的物质,经过约 21 小时就会到达地球。流入的等离子体的压力传给地球磁层的外缘,可能由于磁流体波使地面地磁场加强。在磁暴开始阶段的几分钟内,地球磁场的水平分量突然加强,这种增强能持续 2 ～ 6 小时,称为磁暴的初期阶段。有一种理论认为,在初期阶段,对地球磁层的附加压力会使磁尾伸长。由于有这种不稳定的条件,磁尾内部新形成的磁力线迅速收缩,这使得从磁层的中性片向地球背阳一侧传送等离子体。等离子体的喷射使极区产生强烈极光。而等离子体的收缩,在地球上便测得严重的磁扰,称为极地亚暴。此后,出现磁暴主要阶段持续时间为 12 ～ 48 小时,磁场水平分量减弱,这可能是由于等离子的进入使得磁层膨胀或加压所致。在磁暴的最后阶段(即恢复阶段),新射入的等离子体经过几天在行星际介质或大气中的运动,能量慢慢耗尽,而地磁场恢复到磁暴前的情况。

magnetic survey　磁测　勘探地球物理学家寻找含矿矿体及含石油沉积构造时应用的手段之一。基本特点是在若干台站测定磁场的强度,有时还要测出磁倾角或磁偏角(偏离地理北极的程度)。如果测定的目的是快速勘察某一地区,则只需绘出靶区的磁场强度剖面图。如果目的是勾绘已发现的构造,地球物理学家就要制定本地区的格网,并在格网上的每一台站进行测定。所记录的修正数据按比例列入格网,画出连接相等强度点的等值线,填成靶区的地磁图。有判读经验的地球物理工作者即可清楚指出磁力异常矿体的大小和范围。

magnetic susceptibility　磁化率　材料对给定外磁场磁化程度的定量量度。材料的磁化率通常用符号 χ_m 表示,它等于材料中的磁化强度 M 与外加磁场强度 H 之比,即 $\chi_m = M/H$。严格地说,这一比率是体积磁化率。因为磁化强度实质上是单位体积的磁性(磁偶极矩)的量度。磁性材料按其磁化率可分为抗磁材料、顺磁材料或铁磁材料。当把抗磁材料(如铋)放在外磁场中时,会把外磁场从材料中部分地排斥出来,如果抗磁材料为棒形,它会与不均匀磁场成直角。抗磁材料的特点是具有恒定的小的负磁化率,温度变化时仅略受影响。顺磁材料(如铂)置于磁场中

会使磁场增加。这是因为顺磁材料的原子所具有的小磁偶极矩部分地沿外磁场排列起来的缘故。顺磁材料具有恒定的小的正磁化率,在室温下小于 1/1 000,这就是说,比起外磁场来,由磁偶极矩排齐引起的磁场增强是相当小的。顺磁磁化率与绝对温度值成反比,温度升高会使原子的振动加剧,影响其磁偶极子的排列。铁磁材料(如铁和钴)无恒定的磁化率;磁化强度通常并不与外磁场强度成比例。测得的铁磁磁化率具有相当大的正值,有时超过1 000。因此,在铁磁材料内的磁化强度可以比外加磁场高1 000倍以上。这是因为这类材料是由高度自发磁化的原子磁体团(铁磁畴)组成的,而铁磁畴又容易随外加磁场排齐。

magnetism 磁学 研究与电荷运动相联系的现象,涉及磁场(对载电流的介质或磁体施力的区域)及其效应。物质的磁性主要由环绕原子核运行的带负电荷的电子的性状所决定。单轨道电子的磁偶极矩有两个分量,一个是由绕其自身轴的电子自旋所引起,另一个是由电子绕原子核的轨道运动所引起。两种运动都可看做微小的环形电流——运动的电荷,这样就在基本层次上将电和磁效应联系起来。对大多数原子和分子,所有轨道电子的磁矩总和为零。把这些材料放在磁场中,通过磁场与原子中的电子相互作用,感生一个与外磁场方向相反的小磁矩;呈现这一效应的物质称为抗磁体。在一些材料中,其原子有一个未被填满的电子壳层,每一个原子有净磁矩,这些磁矩一般随机取向,在外磁场作用下会平行外场排列起来而呈现整体净磁性;这种材料称为顺磁体。在某些高度有序的结晶材料中,如铁、镍和钴,相邻原子的一些轨道电子的自旋耦合起来,形成许多局域磁畴,其中磁化强度的方向是单向的。相邻磁畴的磁化方向不同,所以没有合成的整体磁化强度。然而,施加外磁场时,沿外磁场方向排列的磁畴增多,其余方向的磁畴则减少,从而形成极强的永久磁化强度;具有这种性质的材料,称为铁磁体。相关的现象是**反铁磁性(antiferromagnetism)**和**亚铁磁性(ferrimagnetism)**。磁场施力于运动电荷。这方面的一些例子包括阴极射线管中电子束的弯曲、半导体或导体中的霍耳效应以及作用于载流导体的电动机力。导体在磁场中移动时出现逆过程;导体中出现电动势,从而有电流流过。

古代希腊人已知道黑色金属矿物磁铁矿(火成岩中出现的铁的氧化物)的磁学性质。这些性质在磁罗盘中的实际应用可能是早在公元前 26 世纪由中国人完成的。13 世纪 60 年代晚期,佩雷格里吕·德·马里库尔首次认真地研究了磁学。他确定磁极的存在,并指出同名磁极相斥和异名磁极相吸;他还详细说明了航海罗盘的构造。伊丽莎白女王一世的医生 W.吉尔伯特注意到地球是一个大磁体,因而阐明了为什么在北半球磁针的指北端下倾。1785 年,法国物理学家 C.-A.de 库仑首次通过实验研究了磁极之间的作用力,并确定其遵从平方反比律。(库仑的发现确证了英国物理学家 J.普里斯特利几年前所作的观测。)1824 年法国数学家 S.-D.泊松提出了磁的数学模型,现在它仍是计算永磁体之间作用力的可靠基础。长期以来人们推测电和磁之间有联系。1820 年丹麦物理学家 H.C.奥斯特指出,通过导线的电流产生其自身的磁场。法国物理学家 A.-M.安培立即重做了奥斯特的实验,几周内就以简单和优美的数学形式表示载流导体之间的磁力。他也证明流经线圈的电流产生磁偶极子,在一定距离外,它同小永磁体产生的磁效应是难以区别的;这就导致安培提出分子尺度的环行电流产生磁的想法,它十分接近现代的认识。1821 年,英国化学家兼物理学家 M.法拉第证明磁场中的载流导体的"电动机"作用,并于 1831 年证明在磁场中的运动导体感生电流(发电机效应);1845 年提出磁场这一术语。19 世纪 20 年代中期,W.斯特金在英格兰发明了电磁体。电磁体中的铁心增强流经线圈的电流产生的磁场。以后电磁体成为电动机和发电机的重要部件。苏格兰物理学家 J.C.麦克斯韦 1864 年发表的麦克斯韦场方程组以完满的数学理论将电和磁现象统一起来,预言了电磁波的存在,其后为德国物理学家 H.赫兹所证实,并指出光也是电磁波。迄今,磁学有许多技术应用,如从低级的磁门扣到医学成像设备,以及高能粒子加速器中用的超导磁体。

magnetite 磁铁矿 又称磁石或磁铁矿石。铁的氧化物矿物($FeFe_2O_4$ 或 Fe_3O_4)。**尖晶石(spinel)**族系列中的一种主要矿物。在此系列中的矿物呈黑色至浅褐色、中等硬度的金属八面体和团块,产于岩浆岩及变质岩中,也产于花岗伟晶岩、石陨石和高温硫化物矿脉中。磁铁矿系列还包括镁铁矿(镁铁氧化物 $MgFe_2O_4$)、锌铁尖晶石(锌铁氧化物 $ZnFe_2O_4$)、黑镁铁锰矿(锰铁氧化物 $MnFe_2O_4$)以及磁镍铁矿(镍铁氧化物 $NiFe_2O_4$)。所有这些矿物都有磁性,但锌铁尖晶石和黑镁铁锰矿只具有弱磁性。磁铁矿经常具有明显的南北磁极,人们在公元前 500 年就知道它的这种性质。关于详细的物理特性,参阅 **oxide mineral**(表)。

magneto 永磁电机 在所需输出能量非常小的地方所使用的一种永磁交流发电机。主要为飞机、船舶、拖拉机及摩托车所用的各种型号的内燃机产生点燃压缩气体的电流。高电压永磁电机的主要部件是一个永磁转子;一个由很少几匝粗金属线绕制的原绕组和用细金属线绕制的匝数很多的副绕组组成的电枢;一个凸轮型断流器和一个电容器。磁性转子旋转时,就在原绕组中感生电流,给电容器充电。当感生电流达到其峰值时,凸轮切断原绕组的电路,在原绕组周围的磁场消失了,电容器把它所储存的电流释放给原绕组,感生一个反向磁场。磁场的消失和反向在副绕组中感生高压电流,这一电流送往火花塞用于点火。

magnetohydrodynamic power generator 磁流体动力发电机 利用导电流体与磁场的相互作用而产生电流的一类设备。不同于普通发电机,磁流体动力发电机能实现能量的直接转换。在普通发电厂内,将储存在矿物燃料中的能量转变成热,再用热产生蒸汽,蒸汽又推动涡轮使发电机运转。而磁流体动力发电机是将导电流体的热能和动能直接转换成电能。导电流体一般由矿物燃料(主要是煤)产生的电离气体组成。电离气体(或等离子体)通过一段管道,此管道由两块相对的导电壁板(电极)和两块相对的绝缘壁板构成。由电磁铁绕组施加的强磁场(***B***)与管道垂直。当等离子体以一定速度(*V*)流过管道和磁场时,便在两电极之间产生电压。尽管在 19 世纪已建立了磁流体动力学的基本原理,但是直到 1938 年在美国才建成第一个较大的实验性磁流体动力发电机。由于当时未充

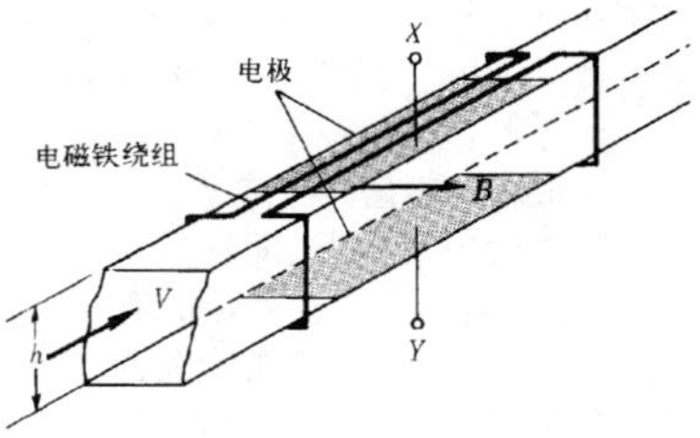

磁流体动力发电机原理图

分了解所涉及的因素,这一装置未能正常运转。到 20 世纪 50 年代后期,由于知识和技术的进展,可以制造电功率为 10 千瓦的磁流体动力发电机。1973 年,美国和苏联的研究人员在莫斯科附近的试验工厂联合研制强磁场磁流体动力发电机。该装置配有 40 吨超导磁体,在 1977 年 12 月成功地运转了 10 小时。以后苏联的计划涉及利用磁流体动力发电机和普通涡轮发电机联合系统进行电力的工业生产。其他一些国家,包括法国、英国和日本,已从事磁流体动力学研究和发展计划。用煤作燃料的磁流体动力发电厂的效率有指望高于普通发电厂。后者只能将其约35%～40%的燃料潜能转换成电能,而装有磁流体动力发电机的工厂则能达到 60%～65%左右。磁流体动力发电机工厂的另一个优点是所产生的污染比普通发电厂低。

magnetohydrodynamics(MHD) 磁流体力学 又作hydromagnetics。描述等离子体或任何导电流体在电场与磁场中的性状的学科。等离子体可以用它的组分予以详细说明,用一些方程式分别描述电子、离子、中性粒子等的性状。尽管等离子体与未电离的流体不同,它受电场和磁场的强烈影响,同时也能产生或影响电场和磁场,但是,把它当成是某种单一流体往往更方便。因此,描述等离子体性状的方程必须涉及它和相联系的电磁场之间的密切关系。同一般流体力学相对应,磁效应也涉及一系列的量,如磁黏度、压强、雷诺数和扩散系数等。

magnetometer 磁强计 测量磁场(包括空间、地面或地面附近的磁场)的强度和方向的仪器。磁强计也用于标定电磁体和永久磁体,并用于测定材料的磁化强度。专门用于测量地磁的磁强计有两种:绝对性磁强计和相对性磁强计。绝对性磁强计以其已知的内部常量为基准进行测定。相对性磁强计须参

考已知准确测量的磁场进行测定。C.F.高斯在1832年发明的最简单的绝对性磁强计由金丝水平悬挂的条形永久磁体组成;用其测量地磁场中磁体的振荡周期,就可以确定磁场强度。一种广为采用的现代绝对性测量仪器是质子旋进磁强计。它测量由普通水中磁极化的质子的重新取向(旋进)而在线圈中感生的电压。施密特垂直场天平是一种相对性磁强计,用于地球物理勘探,它采用装有镜和刀刃的水平平衡条形磁体。

magneton 磁子 研究亚原子粒子用的磁矩单位。以20世纪丹麦物理学家N.玻尔命名的玻尔磁子约等于9.274×10^{-24}焦耳/特斯拉。计算核磁子用的是质子质量,而计算玻尔磁子用的是电子质量,故核磁子等于1/1 836玻尔磁子。参阅 **magnetic dipole**。

magnetosphere 磁层 大气中的一个区域,其中电离作用所引起的磁现象和高层大气导电率对确定带电粒子的性状是重要的。地球与火星和金星不同,具有强的表面磁场(约0.5高斯),像重力场一样,离地球中心愈远磁场愈弱。在朝太阳的方向上,约10个地球半径(约6.5万千米)处的距离上,磁场已经非常弱,从地球重力挣脱出来的粒子的压强大小,同太阳风(太阳风主要是从太阳重力场逃逸出来的质子和电子的流动)对粒子的相反方向的压强大小相接近。这个平衡区域,厚度约100千米,称为磁层顶,是磁层外边界。磁层的下边界位处地表上空几百千米的高度。在背太阳一侧,磁场力和太阳风平行,因此,磁层延伸很长的距离,甚至达到几个天文单位(一个天文单位等于地球和太阳间的平均距离,约为1.5×10^8千米)。在垂直于太阳风的方向,太阳风粒子的不规则运动,对磁场施加一个小压力,使磁层略有收缩,造成磁层的形状类似于彗星。地球位于"彗星"核(即头部)附近,而磁"尾"远远地拖曳在背离太阳方向。在向太阳10～13个地球半径之间,有一磁鞘,即磁扰区。这一区域地球磁场的数值和方向变化无常。磁扰区是由磁流体动力激波的产生引起的,而后者又由高速太阳风粒子引起。在朝向太阳的这一头激波边界的前面是未扰动的太阳风。

magnetostriction 磁致伸缩 铁磁材料(如铁、镍等)在其磁化程度和方向发生变化时所产生的尺寸变化。放在磁场(沿铁棒轴)中的铁棒,磁场弱时沿轴向稍稍伸长;磁场强时稍稍缩短。反之,机械地拉伸和压缩磁化铁棒,会使其磁化程度发生变化。在镍的磁致伸缩换能器中就利用这一效应来传送和接收高频声振动。一根弯的铁棒在纵向磁场里将稍被矫直;而载电流的直棒在磁场里将稍微扭转。

magnetron 磁控管 由一圆柱状阴极和同轴阳极组成的二极真空管(阴极与阳极间的直流电势产生一电场。用外磁体加上一轴向磁场),将它与谐振线相连,可用作振荡器。磁控管能产生频率极高和功率非常大的短脉冲群,是雷达系统和微波炉的重要功率源。

Magnificat 《尊主颂》 基督之母马利亚所吟唱的一首颂歌,见《新约·路加福音》第1章第46～55节,收入西派教会的晚课与东正教会的晨课。有些学者认为,此歌原是撒迦利亚之妻、施洗约翰之母、马利亚的表姐妹以利沙伯所唱,但希腊文与拉丁文早期抄本多称之为《马利亚之歌》。此歌首行为:"我心尊主为大"。

magnification 放大率 物像的大小对物体的大小之比。线性放大率(有时称横向放大率)系指在垂直于光轴的平面内量得的像长对物长之比。线性放大率的负值表示像是倒的。纵向放大率表示沿光轴测量时,像的尺寸增大的系数。角放大率等于从仪器中的已知点测量时,物体张角的正切与物像张角的正切之比,放大镜和双目望远镜即属这种情况。光学系统中放大率的范围在理论上没有限制,但实际的放大率受到系统的分辨本领(即系统能使相隔很小角距的物体清晰成像的本领)的限制。显微镜和望远镜常用的一种放大率单位是倍,以倍计的放大率,等于物体的线性尺度增大的倍数。

Magnitogorsk 马格尼托哥尔斯克 俄罗斯西部车里雅宾斯克州城市。位于乌拉尔河两岸。1929年因开发该城正东面的马格尼托山富磁铁矿而设居民点。大型钢铁联合企业几经扩建,1975年产钢1 500万吨,为世界上最大的钢铁联合企业之一。当地铁矿已近枯竭,现在要从哈萨克斯坦的鲁德内、库尔斯克和别尔哥罗德州调运铁矿石。炼焦煤取自卡拉干达。其他工业包括机械制造、水泥、玻璃和轻工业。乌拉尔河建有拦河坝,在城内形成两座水库。钢厂和旧城区位于左岸。后来的发展多在右岸,污染较轻。设有师范学院和采矿冶金学院。人口约444 500(1991)。

magnitude 星等 天文学名词,指恒星或其他天体的亮度。天体的亮度越大,星等数越低。在古代,恒星的亮度分为6等。1等星包含一些最亮的恒星。1850年,英国天文学家N.R.普森提出一种今天仍在沿用的星等系统。一个星等现规定为亮度比的2.512倍,例如,5.0等星比6.0等星亮2.512倍。因此,星等差5等相当于亮度差100倍。在标准化并确定了零点以后对发现最亮星来说,星等范围过小,因而引入负星等。视星等是地球上的观测者所见的天体的亮度。太阳的视星等为-26.7等,满月约为-11等,明亮的天狼星为-1.5等。最大的望远镜可看到最暗的恒星(约)为20等。绝对星等是在距天体10秒差距(32.6光年)处所看到的亮度。太阳的绝对星等为4.8等。热星等是测量恒星整个辐射,而不是只测量一部分可见光所得到的星等。单色星等是只测量电磁波谱中某些范围很窄的辐射而得的星等。窄带星等是测量略宽一点的谱带所得的星等,宽带星等的测量范围则更宽。由于照相底片对蓝光一般比人眼更敏感,所以照相星等有时也称蓝星等。目视星等则可称黄星等,因为人眼对这一颜色最敏感。参阅 **colour index**。

Magnolia 马格诺利亚 美国阿肯色州西南部城市,哥伦比亚县县城。建于1853年,1855年设镇,1949年设市。早期为产棉城镇,农产品销售和加工中心。1938年发现巴克纳油田,石油、天然气和轻工业兴起。现生产钢铝制品、化学药品及木材等。设有公园和野生物保护区。设有南阿肯色大学(1909)。人口10 858(2000)。

magnolia 木兰 木兰科木兰属(*Magnolia*)植物。约有80种乔木或灌木,原产于北美、中美、东亚及喜马拉雅山地区。花大而芳香,通常杯状,着生枝顶,萼片3枚,花瓣6～12枚,排成2～4轮,白色、黄色、粉红色或紫色,雄蕊多数,螺旋排列,单室复子房;叶美观,常绿或脱落,互生,全缘;果实球果状;叶、花、果均可观赏。种子淡红色,常悬挂于细线状的珠柄上。某些种是重要的园艺观赏植物;另一些在产地供材用。原产北美的较为耐寒的落叶乔木种有:月桂木兰(南方木兰、甜月桂树、荷花玉兰、大花木兰(*M. grandiflora*),高达31米,常绿,叶厚而光亮;弗吉尼亚玉兰(*M. virginiana*),高19米,叶革质;大叶木兰(*M. macrophylla*),高15米,花基部紫色;伞树(三瓣木兰,*M. tripetala*)高12米,叶长达60厘米,有时作雨具用;黄瓜树(渐尖木兰,*M. acuminata*)高30米,果黄瓜状,玫瑰色;汤姆森木兰(*M. tripetala × virginiana*)是伞树和月桂木兰的一个杂交种,花芳香。木兰属的亚洲种包括百合木兰(紫玉兰、辛夷、木笔,*M. liliflora* 或 *M. quinquipeta*),高4米,灌木状乔木,花紫色,里面白色,果褐色;玉兰(*M. denudata* 或 *M. heptapeta*),高60米;碟状木兰(二乔玉兰,*M. soulangeana*)是紫玉兰和玉兰的杂交种,树皮灰色,花白色、粉红色、绯红色或淡紫色;大山木兰(天女花,*M. sieboldii*)高9米,果绯红色;星花木兰(日本毛玉兰,*M. stellata*)高亦9米,花细长。

木兰(*M. fraseri*)
美国不列颠百科全书公司供图

Magnoliaceae 木兰科 木兰目的一个科,含12属,210种。多为单叶。花轴多细长呈球果状,花多两性,花被片6枚(萼片和花瓣无明显区分),雄蕊多数,螺旋排列,心皮1～2个或多数。许多种的种子以细线悬挂在球果状果实上。多数种花轴长,花部螺旋排列,导管简单,这都表明本科是一个原始科。本科过去广泛分布于欧亚大陆和北美,现在集中分布于美国东南部、墨西哥、中美洲、加勒比海地区，以及东亚和东南亚，只有少数种类分布于南半球。本科多观赏种类，如美国鹅掌楸（*Liriodendron tulipifera*）和木兰属的大多数种。某些种产香料，如金香木（*Michelia champaca*），另一些种是重要的材用树或在民间供药用。

Magnoliales 木兰目 有花植物中最原始的一目，属双子叶植物纲，共8科，166属，约1 800种。多分布于潮湿的热带地区，尤其是东南亚及非洲。均为木本，灌木或乔木，多为中、小乔木；木兰科及番荔枝科有高大乔木。单叶，互生，可为常绿；下位花，两性，稀因退化而成为单性；非轮生到轮生；花被显著，花被片可无花萼和花瓣之分；胚乳丰富；各器官存在香精油细胞；花粉绝大多数为单槽，几个科借甲虫传粉。8个科是：木兰科（Magnoliaceae），12属210种；单室木兰科（Degeneriaceae），1属1种；扁蕊花科（Himantandraceae），1属，4种；瓣蕊花科（Eupomatiaceae），1属，2种；番荔枝科（Annonaceae），122属，约1 100种；白桂皮科（Canellaceae），5属，9种；肉豆蔻科（Myristicaceae），16属，约380种；温特氏木科（Winteraceae），8属，88种。本目约80%的属和60%的种属于泛热带分布的番荔枝科。肉豆蔻科和木兰科共占32%的种，其余5个科占8%的种。这几个小科常被认为一群孑遗科。一些人又将上述8个科与樟目和八角目的11个科一并归入木兰目。

木兰科许多种产于温带，尤其是木兰属（*Magnolia*）。南方木兰（大花木兰，*M. grandiflora*）是极为优美的常绿树；花大，奶油白色；原产于美国东南部，现世界大部分暖温带地区栽作观赏植物。木兰科不少种供材用及纸浆原料，如郁金香树（北美鹅掌楸，*Liriodendron tulipifera*）是美国最贵重的木材。许多种花朵艳丽或芳香，是著名的观赏植物。番荔枝科包括该目大多数有经济价值的种，很多种是很有价值的材用树，如黄木；该科很多热带种尤其是番荔枝属（*Annona*）的果实可食，其中最重要的是牛心果（网脉番荔枝，*A. reticulata*）、番荔枝（*A. squamosa*）、刺果番荔枝（*A. muricata*）、圆滑番荔枝（*A. glabra*）等；*伊兰伊兰*（**ylang-ylang**, *Cananga odorata*）和*枪木*（**lancewood**）的木材、花、种子有商业价值。*Cymbopetalum penduliflorum* 的花压碎后可得油质，气味似肉豆蔻，可用于烹调及调味巧克力。牙买加肉豆蔻（*Monodora myristica*）的叶大，花美，可供观赏，种子气味似肉豆蔻。番荔枝树的根泡茶，可用为峻泻药，其叶泡茶可为缓泻药，叶可制泥罨剂，用以敷感染的创口。长叶暗罗（*Polyalthia longifolia*）为高大、宏伟的乔木，在斯里兰卡及印度有宗教意义，种于道旁及庙宇周围。肉豆蔻科为常绿乔木，多高大，遍布热带，有许多分布于雨林中较低处。材用价值不大。肉豆蔻（*Myristica fragrans*）原产于印度尼西亚群岛，种子加工得到的肉豆蔻和肉豆蔻干皮可作调料；从种子中可提炼挥发油（可为驱风药及香料）及固定油（用制软膏及蜡烛）。其他各科的一些种可作调味品或供药用。

木兰目与有花植物其他各目相比，具有更为原始的结构特征，如温特氏木科木质部无导管，输导水分的组织全部由管胞组成。花的各部多数，离生，通常螺旋排列于长花轴上；雄蕊离生或合生，常较宽，花粉囊嵌入其表面；心皮常为特化较少的叶状结构；花粉粒通常具单一萌发槽；叶片和各营养器官内有大量含香精油的细胞；种子有1小胚，深埋在丰富的胚乳内。木兰目中有4个科已找到化石，包括木兰科的叶片化石，番荔枝科叶片和种子化石，肉豆蔻科的木材化石以及温特氏木科的叶片化石。有人认为温特氏木科及木兰科是现存最原始的显花植物。虽然可以肯定木兰科的化石已发现于第三纪初，但同时结构上更为进化的显花植物，如杨柳科、胡桃科、山毛榉科及桑科亦已出现，因此这些化石记录不能确定木兰目为最原始的有花植物类群。

Magnoliidae 木兰亚纲 双子叶显花植物的一个亚纲，木本或草本。整齐花，通常单生（不形成花序）。含8目：木兰目、樟目、胡椒目、马兜铃目、八角目、睡莲目、毛茛目及罂粟目。某些木兰亚纲植物的花的各部分呈螺旋状排列，这在显花植物为原始的特征。花被通常未分化为明显的花瓣和萼片。雄蕊通常多数，在某些原始的种类呈叶状，但另一些种类有明显的花丝和花药。木兰亚纲的大部分种类分布于木兰目、樟目及毛茛目。

Magnoliophyta 木兰植物门 又作Anthophyta或Angiospermae。又称被子植物门或有花植物门。种类最多的植物门，生境范围分布最广，植株大小差别很大，小至浮萍，大至红杉。本门含2纲：木兰纲（Magnoliopsida，双子叶植物）和百合纲（Liliopsida，单子叶植物）。参阅 **angiosperm**。

magnon 磁振子 在磁性物质中传播的一份小能量单元，相应于磁性强度的一种特定减弱。在磁性物质中（例如铁）每个原子都相当于一个单独的小磁体，这些原子磁体趋于指向同一方向，因而它们的磁场互相增强。当一个原子磁体的方向反转时，该原子团的总磁性强度就会减弱。要使这样的磁体反转，就需要一定的能量。该原子团磁性强度减弱所需的能量就构成一个磁振子。根据量子力学定律，单个原子磁体的反转相当于原子团中所有原子磁体的部分反转。这部分反转作为一种离散能量的波在固体中传播。这种波称为自旋波，因为每个原子的磁性都是由其结构中的不成对电子的自旋产生的。因此磁振子是量子化的自旋波。磁性物质的温度升高时，磁性强度就会减弱，这相当于出现了大量的磁振子。

Magnus 马格努斯 统治者之名，按国别分列于后，并各以●为标记。

挪　威

● **Magnus I Olafsson 马格努斯一世·奥拉夫松**（1024，挪威～1047-10-25，丹麦斯基比） 挪威统治者、挪威国王（1035～1047）和丹麦国王（1042～1047）。挪威国王奥拉夫二世的私生子，4岁时父王被克努特二世放逐，携他去俄国。1035年挪威的首长们叛离克努特之子斯韦恩的统治，推马格努斯为国王。克努特之另一子哈迪克努特在其父死（1035）后为丹麦国王，提出继承挪威王位的要求，但以后又承认马格努斯对挪威的统治权。两人商定，寿命长者为挪威和丹麦两国国王，并设法使两国与英格兰合并。哈迪克努特卒于1042年，马格努斯遂成为丹麦国王，并任命克努特之侄斯韦恩·埃斯特里德森（后来的斯韦恩二世）为其副王，但斯韦恩不久即反对马格努斯在丹麦的统治。马格努斯在战争中屡次打败斯韦恩。马格努斯与其叔父哈拉尔三世商定共享王位，1047年发动对丹麦的战争。马格努斯在打仗时死去，他要求英格兰王位的计划亦告破产。

● **Magnus II Haraldsson 马格努斯二世·哈拉尔逊**（约1048～1069） 1066～1069年与其兄弟奥拉夫三世为挪威联合执政的国王。他是哈拉尔三世的儿子。

● **Magnus III 马格努斯三世**（约1073，挪威～1103-08，爱尔兰阿尔斯特） 挪威国王（1093～1103）。因常着苏格兰短裙，被称为“赤脚王”。继承其父奥拉夫三世哈拉尔松的王位。最初与其表兄弟哈康共同统治挪威，次年哈康死，他成为唯一的统治者。1098年发动对赫布里底群岛和马恩岛的远征，并协助威尔士人抵御诺曼人，攻打安格尔西岛，击败诺曼伯爵切斯特和施鲁斯伯里。马格努斯即位不久即进攻瑞典，1101年与瑞典国王英格议和。1102年第二次远征西方诸岛，巡视赫布里底群岛、奥克尼群岛和马恩岛。1103年8月在爱尔兰搜索粮秣时被杀。挪威对马恩岛的控制旋即告终，但直至1468年统治奥克尼的伯爵还承认挪威国王的宗主权，而奥克尼与赫布里底群岛的教区则归挪威教会统治。

● **Magnus IV 马格努斯四世**（约1115，挪威～1139，挪威） 挪威国王（1130～1135）。国王西居尔一世之子。1130年与哈拉尔四世共同继承挪威王位。1134年，两个统治者之间爆发战争。翌年，哈拉尔将马格努斯擒获，断其手足，伤其双目，送进了隐修院。1137年马格努斯被西居尔·斯伦比释放。前一年西居尔·斯伦比杀死哈拉尔，但他对王位的要求未能得到人们的支持，于是企图重立马格努斯为国王。许多酋长尊重马格努斯的父亲，所以对他也表示效忠。马格努斯的军队两次被英格和西居尔二世打败。1139年他再次进击英格和西居尔二世的军队，在战斗中被杀。从而结束了挪威内战（1130～1240）的第一阶段。

● **Magnus V Erlingsson 马格努斯五世·埃林松**（1156，挪威～1184-06-15，挪威菲姆赖特） 挪威国王（1162～1184）。利用教会支持取得王位（1162），成为挪威第一位加冕君主。埃林之子。1162年其父埃林击败在位的宽肩王哈康二世的军队以后，由他即王位。他即位后，埃林迄1164年为摄政，此后一直在幕后掌握实权至1179年死去。1163年挪威大主教为马格努斯加冕，以换取国王对天主教会的支持。1179年他的军队被王位觊觎者斯韦雷击溃，他逃亡丹麦，斯韦雷成为大部挪威的统治者。1184年，马格努斯在丹麦国王克努特四世的帮助下，再次试图取得对挪威的统治权，但被斯韦雷的军队击败，他本人也在战斗中被杀。

● **Magnus Ⅵ 马格努斯六世** （1238，挪威～1280-05-09，挪威卑尔根） 挪威国王（1263～1280）。他努力改革国家的法律制度，他所制定的法典沿用400余年。马格努斯于1263年继承其父哈康四世·哈康松的王位后，与苏格兰国王亚历山大三世言和，将赫布里底群岛和马恩岛让予苏格兰，以换取一笔现款和按年支付的租金。1274年马格努斯制定新的国家法典，以全国通行的法律代替各省的法律。新法典承认犯罪是公众的事务，因此应由公众的裁判取代个人的报复。马格努斯于1277年制定一部新的城市法典，为挪威的各城镇创立了市议会形式的政府。在他统治时期，挪威海上贸易达到了一直到19世纪都再也没有达到的高峰。马格努斯于1277年与大主教乔恩签订《滕斯贝格政教协定》，使教会获得独立以及提高收入和威信。该协定在以后的200年中成为挪威基督教会法律的重要基础。

Magnus Ⅶ Eriksson 马格努斯七世·埃里克松 参阅 **Magnus Ⅱ Eriksson**(Sweden)马格努斯二世·埃里克松(瑞典)。

瑞 典

● **Magnus Ⅰ 马格努斯一世** （？～1290） 别名谷仓锁·马格努斯。瑞典国王（1275～1290）。他帮助把封建阶级社会引进瑞典。他是伯吉尔王公(**Birger Jarl**)的次子，娶一位日耳曼公主为妻，从而接触到大陆的封建主义。1279年他发布一项法令，创立一个世俗贵族阶级。这个阶级的成员以随时整装从军为条件，取得免税的特权和社会地位。马格努斯通过免除捐税的办法取得教会的拥护，他增加了德意志和瑞典商人的特权，成立皇家咨询会，编纂法典，并进行其他一些改革，以巩固王权和统治。他逝世后，由他10岁的儿子伯吉尔继承王位。

● **Magnus Ⅱ Eriksson 马格努斯二世·埃里克松** （1316，挪威～1374-12-01，瑞典） 瑞典国王（1319～1363）和挪威国王（1319～1355，称马格努斯七世·埃里克松）。其母是挪威国王哈康五世的女儿英格堡，其父是瑞典国王伯吉尔·马格努松的弟兄埃里克公爵。哈康五世逝世(1319)后，马格努斯成为挪威和瑞典两国国王。1332年成年前，由摄政团治理两国政务。马格努斯于1355年逊挪威王位，由其子继挪威王位称哈康六世。当马格努斯为购买原丹麦斯科讷省(在今瑞典最南端)而增加赋税时，立即引起瑞典贵族的反对。1350年他颁布全国新法典，统一各省的法律，限制教会和土地贵族的经济权，因而进一步触怒了权贵。这些权贵取得丹麦国王瓦尔德马四世的支持，1356年又得到教皇英诺森六世的支持。于是，其子埃里克开始支持反对派。马格努斯被迫将瑞典近一半的国土割给其子，对贵族也做出了让步。此后，他与丹麦国王瓦尔德马四世和解，1359年让其子哈康六世与瓦尔德马的女儿联姻，为1397年挪威、瑞典、丹麦3国的联合(即卡尔马联合)铺平道路。马格努斯企图限制瑞典主要贵族的权力，而这些贵族则将梅克伦堡的阿尔贝特扶上瑞典王位，并以发动武装进攻来对付。马格努斯在作战时被俘，1371年获释后去挪威。

Magnus, Johannes 马格努斯（1488-03-19，瑞典林雪平～1544-03-22，罗马） 天主教大主教、史学家。他由教皇阿德里安六世任命为教廷驻斯堪的纳维亚使节。瑞典境内乌普萨拉大主教特罗勒被控支持丹麦国王克里斯蒂安二世谋取瑞典王位，于是瑞典新国王古斯塔夫一世与特罗勒发生争执。1523年马格努斯就此进行调查。1524年教皇克雷芒七世任命他管理乌普萨拉大主教区。但因瑞典转向新教信义宗，古斯塔夫一世与罗马教廷发生冲突，马格努斯被捕并被驱逐出境。1533年被任命为乌普萨拉大主教，始终未能到任。

Magnus, Olaus 马格努斯（1490-10，瑞典林雪平～1557-08-01，罗马） 瑞典语作Olaf Mansson。瑞典历史学家，瑞典天主教大主教。1523年作为神父前往罗马，瑞典改革期间随其兄、瑞典大主教约翰内斯流亡但泽，后转至意大利。其兄去世后，他被任命为瑞典大主教。1549年后任罗马圣布丽吉塔修道院院长。他的《海图》是第一部详细准确的斯堪的纳维亚地图。主要著作是《北方民族史》(1555)，描绘瑞典的乡村和人民在一个新世纪开始时的状况，其中充满爱国的热情。17世纪多次再版，并有其他文字的许多译本，长期影响斯堪的纳维亚人民的欧洲观念。

Magnus effect 马格纳斯效应 流体(液体或气体)中的旋转圆柱体或球体相对于流体运动时，会在旋转体上产生一个侧向力。该效应以首先(1853)对此效应进行实验研究的德国物理学家和化学家H.G.马格纳斯的姓氏命名。马格纳斯效应使一个发出去的网球或高尔夫球的路线弯曲或对旋转炮弹的弹道产生影响。在流体中运动的旋转体，偏离其直线路径是因为旋转体引起流体速度变化，因而产生压力差的缘故。马格纳斯效应是关于在流体速度增加处流体压强降低的伯努利定理的特殊表现形式。空气中的旋转球体，总是拖带着一些它周围的空气。从球体方面来看，空气是从各个方向拥向球体的。在球体旋进方向一侧拖带的空气阻滞气流的流动。但球体在另一侧拖带的空气却加速气流流动。在气流流动减慢一侧的较大的压力，将球体逼向另一侧低压区方向运动，而低压区气流速度相对加快。

Magnus Maximus 马格努斯·马克西穆斯 参阅 **Maximus, Magnus** 马克西穆斯。

Magnússon, Árni 马格努松（1663-11-13，冰岛克文那布里卡～1730-01-07，哥本哈根） 斯堪的纳维亚文物收藏家及语言学家，曾收集冰岛早期重要文学手稿。1685年毕业于哥本哈根大学神学系，但他感兴趣的主要是斯堪的纳维亚早期历史和文学。曾在挪威、瑞典和冰岛各地旅行，收集书籍和文稿。1697年马格努松被任命为秘密档案的管理人。1701年任哲学和丹麦文物教授。1702～1710年，借工作之便，大量收集冰岛手稿。1720年他把收集品送往丹麦。其中大部毁于1728年哥本哈根大火，其余部分转藏到哥本哈根大学，保存至今。马格努松发表作品不多，而且都不甚重要。

Magnússon, Jón 马格努松（约1610～1696） 冰岛牧师，所著《苦难实情》是所有文学中文化幻想和心理幻想内容最离奇的文献之一。1655年任埃利教区牧师，身患疾病，他认为是本教区内父子二人行巫术所致。这父子二人于1656年作为“巫师”被处以火刑而死，但马格努松仍然不痊愈，于是又控告那一家族中的一个女儿；经过审讯，该女被判无罪，遂即控告马格努松。马格努松写出《苦难实情》作为抗辩，此文捕风捉影地描述他自己所受的苦难，旁征博引关于巫术的文献(17世纪许多社会中普遍相信巫术使他人患病)，颇为动人。此文慷慨陈词，反对宽大处理巫婆。在自我暴露思想激荡和颠狂方面，《苦难实情》与A.斯特林堡的《地狱》相似。此书直到1914年才出版。

Mago 马戈（？～约公元前203） 迦太基将军，第二次布匿战争(公元前218～前201)中最主要的指挥官之一。他是迦太基政治家、将军哈米尔卡尔·巴尔卡最小的儿子。在第二次布匿战争中，他协同兄长汉尼拔入侵意大利。在战争的头3年，他担任重要职务，指挥军队取得几次重大的胜利。坎尼战役(公元前216)胜利后被派往西班牙，同另一个哥哥哈斯德鲁巴并肩作战。在西班牙的伊利帕战役(公元前206)中，他败于罗马将军普布利乌斯·科尔纳尼乌斯·西庇阿。他在加的斯休整数月后率部攻入意大利利古里亚。公元前203年，他在山南高卢遭受惨重的失败。从海上返回迦太基途中伤重而亡。

Magog 梅戈格 加拿大魁北克省南部城市，属门弗雷梅戈格行政区，濒临梅戈格河，邻近门弗雷梅戈格湖。约1776年美国亲英分子逃亡至此建居民点。1855年以门弗雷梅戈格湖的缩写命名。是以钓鱼、划船和滑雪出名的旅游胜地。出产纺织品、服装、乳品、金属铸件。其他经济活动有综合性农业、伐木、石棉开采。1855年建镇；1888年建市。人口14 034(1991)。

Magog 玛各 《圣经》和启示文学作品中提到的一种与上帝为敌的势力，往往与“歌革”(**Gog**)并提。

Magosian industry 马戈斯文化期工艺 一种石器工艺，使用先进的勒瓦娄哇技术打制石片，用以制作其他工具，并使用敲击技术制造细石器。投掷尖状器则以压剥法制成。马戈斯文化遗址分布在乌干达北部，但在非洲中、南部发现的更新世(160 万年前至 1 万年前)遗址,也常常被视为代表这种物质文化及其狩猎-采集生活方式。

magot (primate)　参阅 **Barbary ape** 叟猴。

magpie　喜鹊　雀形目鸦科数种长尾鸟类。最熟悉的种类是黑嘴喜鹊(普通喜鹊,*Pica pica*),长 45 厘米,黑、白两色,尾有蓝绿色的虹彩光泽。生活于西北非、整个欧亚大陆和

黑嘴喜鹊(*Pica pica*)
美国不列颠百科全书公司供图

北美洲的西部。见于农田和树木散布的原野,食昆虫、谷物、小型脊椎动物、其他鸟的卵和幼雏以及新鲜动物尸体;其巢大而圆,用泥黏合细枝筑成。亚洲的灰喜鹊属(*Cyanopica*)、绿鹊属(*Cissa*)和蓝鹊属(*Urocissa*)呈鲜艳的蓝色或绿色。关于澳大拉西亚喜鹊,参阅 **bell-magpie**。

magpie goose(*Anseranas semipalmata*)　**鹊雁**　又称 pied goose(花斑雁)或 semipalmated goose(半蹼雁)。雁形目鸭科鹊雁亚科(Anseranatinae)的唯一种,澳大利亚和巴布亚新几内亚产的一种大型水禽。与其亲缘种类差异极大。两性相似,体羽黑白相间,如鹊,故名。颈和腿长,趾上无蹼。喙长而有钩,面裸露,似秃鹫。与其他水禽不同之处在于逐渐更换飞羽,因此没有不能飞行的时期。高栖树上,但营巢于地面。终生配偶。双亲合作筑巢、抱卵和育雏。

magpie-robin　鹊鸲　雀形目鸫科的 8 种鸟,见于南亚。长 18～28 厘米。羽衣杂色,

摇鹊鸲(*Copsychus saularis*)
美国不列颠百科全书公司供图

尾渐窄,形似缩小的喜鹊。尾翘起,常将尾部放低并展开成扇状。在地上寻食昆虫。鸣声极为悦耳。有几种为人们喜爱的笼鸟或饲于鸟舍,如摇鹊鸲(*Copsychus saularis*),体蓝黑和白色相间,长 20 厘米,鸣声圆润颇受赞赏。其他鹊鸲属(*Copsychus*)种类常俗称印度鹊鸲。白腰印度鹊鸲(马拉巴尔鹊鸲,*C. malabaricus*)尾长,原产于中国和东南亚一带,现已引进夏威夷。

Magritte, René(-François-Ghislain)　马格里特(1898-11-21,比利时莱西讷～1967-08-15,布鲁塞尔)　比利时艺术家,最杰出的超现实主义画家之一,他的怪诞遐想把恐怖、凶险、喜剧和神秘混在一起。作品以独特的象征为特点——女性的躯干、资产阶级的"小人"、圆顶硬礼帽、城堡、岩石、窗户和其他。曾在布鲁塞尔美术学院(1916～1918)学习,后任墙纸厂的设计师,还为广告画过草稿。1922 年他见到 G.德·希里科所画《爱之歌》(1914)的复制品,画面是在一个梦幻般的建筑空间里,令人难以忘怀地并置着一些古怪的物件(其中有一个古典的胸像和一只橡胶手套),这幅画对马格里特的成熟风格有很大影响。以后几年他积极参与比利时超现实主义运动。1926 年,当他得到布鲁塞尔画廊的资助后,成为一名专业画家。1927 年首次举行个人展,未获当时美术评论家的好评。同年他们夫妇迁居巴黎郊区。在那里他与几位巴黎超现实主义者结交为友,其中包括诗人 A.勃勒东和 P.艾吕雅,并熟悉了 M.恩斯特的拼贴画。1930 年马格里特返回布鲁塞尔,(除偶尔出门旅行外)在此度过余生。在 20 世纪 40 年代他尝试用各种风格作画,但多不成功,终于放弃了这种尝试。在以后的日子里他继续创作独具个人风格的谜一般的不合逻辑的形象。在他生命的最后一年,他监制了由他的绘画形象衍生出来的 8 个青铜雕像。他童年时所热爱的大海和天空在他的画中得到充分体现,如在《风云将变》(1928)中,乌云形似人体躯干、大号甚至椅子;在《比利牛斯山上的城堡》(1959)中,海面浮出坐落在一块巨岩顶上的小城堡。

马格里特(右)
美国不列颠百科全书公司供图

Magsaysay, Ramon　麦格赛赛(1907-08-31,菲律宾伊巴～1957-03-17,宿务附近)　菲律宾总统(1953～1957),因击败共产党领导的胡克运动而闻名。与大多数菲律宾政治领导

美国不列颠百科全书公司供图

人的西班牙血统不同,麦格赛赛属马来人。手工艺者家庭出身。早年在吕宋当教师。后入黎刹学院,1933 年获商业学位,在马尼拉任运输公司总经理。第二次世界大战期间为吕宋游击队队长。美国占领菲律宾后,任三描礼士省督军。1946～1950 年为自由党国会议员。季里诺总统为对付胡克的威胁,任命他为国防部长。他进行了近代史上最成功的反游击战。由于看到胡克离开群众支持就不能生存,他竭力争取农民的信任,一方面向靠拢政府的农民发放土地和农具,一方面命令他的部下不得骚扰黎民百姓。同时又改组军队,撤换腐败无能的军官,并强调对游击队灵活作战。到 1953 年,胡克已不再成为严重威胁。然而,他的激进政策却造成许多政敌,迫使他于 1953 年 2 月辞职。同年冬竞选总统成功,提出改革该国一切生活部门的政治纲领。但因代表富豪利益的保守国会的阻挠,至 1955 年还未能通过土地改革法案。他在镇压胡克时期为赢得人民支持而实行的许多措施都已付诸东流。不过,他依然深孚众望,并以廉洁著称。在外交方面,他是美国的亲密朋友和支持者,冷战时期公开反对共产主义。他使菲律宾加入 1954 年 9 月 8 日在马尼拉成立的东南亚条约组织。1957 年因飞机失事丧生。

maguey　马圭纤维　从原产于墨西哥的石蒜科植物灰黄龙舌兰(*Agave lurida*)叶片中获

得的纤维。物理性质同坎塔拉剑麻(**cantala**)纤维相似,比赫纳昆剑麻(**henequen**)短而硬,用于制造绳索。一种称为马拉卡特(*malacate*)的硬纤维纺锭可将马圭纤维和类似的硬纤维纺成相当细的纱线。

Magus(wise man) 参阅 **Magi 博士**。

magus 麻葛 古代波斯国内专门负责祭祀活动的氏族。据用三种文字撰写的比希顿铭文载,波斯国王大流士一世说,公元前 522 年他曾迅速粉碎麻葛叛乱。从这段记载看,麻葛并不是琐罗亚斯德教徒,也并未宣传该教。他们反而像是几种宗教的共同祭司。在塞琉古、帕提亚和萨珊王朝统治时期,麻葛是专司宗教活动的种姓;《波斯古经》(即《阿维斯陀》)后半部分大概是出于他们之手。从公元 1 世纪起这个词的古叙利亚语形式专指来自巴比伦王国的术士和占卜者。汉文《圣经》译为"博士"。

Mağusa(Cyprus) **马古萨** 参阅 **Famagusta 法马古斯塔**。

Magwe 马圭 缅甸中西部一城镇。濒临伊洛瓦底江,隔河与敏巫相望。设有附属于曼德勒文理科大学的马圭学院,并有一机场。周围地区为缅甸中央盆地干旱地带的一部分,西有伊洛瓦底江,东为勃固山脉。沿江地势起伏,江边梯田甚多。布满间歇性河流,仅有东吁河长年河水不断。马圭位于地壳不稳定地区,时有地震发生。因为这一地区容易遭受季风和旱灾,故建有灌溉工程,得以种植水稻、芝麻、花生(供油料加工)和烟草。也产小米。勃固山脉有宝贵的森林资源。人口约 13 970(最新统计)。

Magyar(people) **马扎尔人** 参阅 **Hungarian 匈牙利人**。

Magyar language 参阅 **Hungarian language 匈牙利语**。

Magyarország 参阅 **Hungary 匈牙利**。

Magyarországi Református Egyház(Hungarian Reformed church) 参阅 **Reformed Church of Hungary 匈牙利归正会**。

mah-jongg 麻将 源于中国的一种牌戏。所用的牌形似多米诺骨牌,上面刻有中文符号和字样。20 世纪 20 年代曾在英格兰、美国和澳大利亚风行一时,1935 年以后在美国再度兴起,但从未恢复往昔的景气。美国的管理机构是 1937 年成立的全国麻将联盟。麻将可能起源于 19 世纪。麻将是麻雀的意思。有一张牌上面就刻有神话中的"百灵鸟"的形象。据信住在上海的美国人巴布科克在第一次世界大战后把麻将介绍到西方,mah-jongg 这一名称就是他起的,并为此取得了版权。为了在西方传播麻将,他写了一套经过修改的规则,给每张牌起了英文名字,并加上玩纸牌的人所熟悉的字母和号码。现代麻将牌通常用塑料而不是骨头或象牙制成。一套牌有 136 或 144 张,视是否使用"花"牌或"四季"牌而定。这 136 张牌包括:①"条子",1 条到 9 条,各 4 张,计 36 张;②"筒子",1 筒到 9 筒,各 4 张,计 36 张;③"万子",1 万到 9 万,各 4 张,计 36 张;④"字","红中"4 张,"发财"4 张,"白板"4 张,计 12 张;⑤"风",东南西北各 4 张,计 16 张。以上 136 张,如加上"花"和"四季"各 4 张,则总数为 144 张。一般由 4 人同玩。和拉米纸牌戏一样,目的是把牌组合成副。有 3 种组牌:"凑",即按顺序排列的 3 张同花色牌凑成一副;"碰",即把 3 张同花色和同点数的牌碰成一副;"杠",即碰成的一副牌再加上同样的第四张牌。手中先组满一把牌(即 4 副加两张同花色同点数的牌共 14 张)者胜。每人抓 13 张牌,庄家抓 14 张,并先出牌,然后按逆时针方向轮流抓牌出牌。

Maha Bodhi Society 摩诃菩提会 在印度国内国外促进佛教研究的团体。本会由僧人达摩波罗在 1891 年创立于锡兰(今斯里兰卡)。总会设在加尔各答,在印度其他几个城市和斯里兰卡的阿努拉德普勒设有分会。

Mahā Māyā 摩诃摩耶 又称摩耶夫人。佛教创始人释迦牟尼的生母、古印度迦毗罗卫国净饭王的王后。据佛教传说,她梦见六牙白象进入右肋,表明她已怀胎,而此子或为统治世界之主,或为佛陀。10 月临产,她到迦毗罗卫城外兰毗尼园,立在沙罗树下,手攀树枝,从右臀分娩。摩耶夫人死于产后 7 日,死后转生于忉梨天。

2 世纪的犍陀罗浮雕——摩诃摩耶梦见白象
美国不列颠百科全书公司供图

Maha Sarakham 马哈沙拉堪 泰国东北部城镇。位于栖河弯处公路枢纽上。周围地区特别是低浅的河谷盛产稻米,淡水渔业也很发达。人口约 41 812(1993)。

Mahā-śivarātrī 湿婆夜 印度教湿婆派最重要的节日,专门祭祀湿婆神。按照印度教礼仪,阴历每月黑分第 14 日都是祭此神的日子;而磨祛月(公历 1～2 月)黑分第 14 日庆祝最为隆重,其次是颇勒窭拿月(公历 2～3 月)的此日。在此日的前夕,信徒禁食守更,拜林伽(男性生殖器像)。

Mahābād 马哈巴德 又拼 Mehābād,旧称萨乌季布拉格。伊朗西北部阿塞拜疆省城市。位于乌尔米耶湖南面一肥沃狭窄谷地。海拔 1 302 米。当地有一些未经考古发掘的土墩。居民以库尔德人居多。为库尔德民族主义策源地。第二次世界大战后不久库尔德人一度建立俄国人支持的马哈巴德共和国。1946 年伊朗军队派往该处,共和国即被推翻。该地区是伊朗经济最不发达地区之一。有公路通大不里士、乌尔米耶(雷扎耶)和摩苏尔(伊拉克)。人口 75 238(1986)。

Mahābaleshwar 默哈伯莱什沃尔 印度西部马哈拉施特拉邦萨达拉镇西北的山区名胜城镇。位于西高止山的萨希亚德里丘陵,海拔 1 438 米。从城镇可俯瞰贡根平原。古时被认为是克里希纳河及其 4 条主要支流的发源地,现被印度人看作是圣潭。旧城镇居民多为婆罗门僧侣,其生计多为向朝香客提供伙食。丘陵以种植欧洲型水果和蔬菜而闻名。养蜂业为重要行业。人口约 10 564(1991)。

Mahābalipuram 默哈巴利布勒姆 又称马默勒布勒姆,或称七寺城。印度东南部泰米尔纳德邦东北部的历史名城。临孟加拉湾。当地曾发现中国、波斯和罗马的古币,可见它曾是一海港。7 世纪建立印度教中心。有许多 7 和 8 世纪古庙宇和古迹。早年当地有七座巨石塔庙,现尚存五座。为旅游中心。城内设有艺术学院,讲授庙宇雕塑。

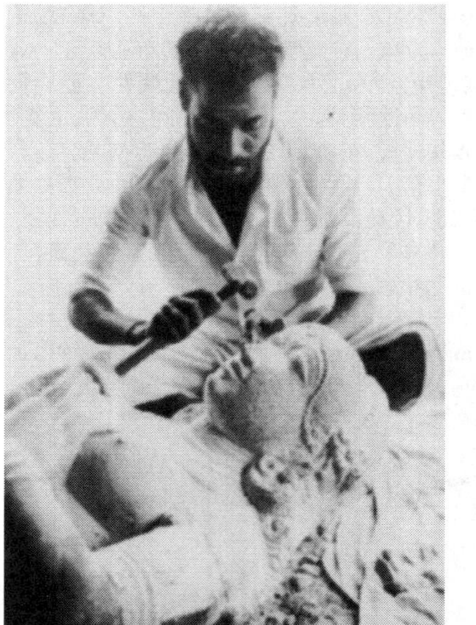

默哈巴利布勒姆的石工在雕凿佛像
印度国家旅游局供图

Mahabandula(Burmese general) 参阅**Bandula, Maha** 班都拉。

Mahābhārata 《摩诃婆罗多》 印度两大叙事诗之一。既有很高的文学价值,又有深刻的宗教寓意。其内容以俱卢和般度两大亲缘家族争雄为中心,衍生出许多传说和具有训诲性的故事。它与第二部大叙事诗《罗摩衍那》都是了解公元前400～公元200年期间印度教情况的重要资料。印度教重要经典《薄伽梵歌》(**Bhagavadgītā**)就收在《摩诃婆罗多》中。这部史诗包含将近10万对对句,分成18篇。传说作者是毗耶娑(即广博仙人),但其中素材可能在公元400年已定形,而后由广博仙人编集成书。据说这部叙事诗是以约公元前1400～前1000年的史实为根据,描述持国王子虽为长子但双目失明,因此在父亲死后未能即位,次子般度为王。后来般度弃位出家隐修,持国登位。般度的众子即般度族五兄弟坚战、毗摩、阿周那、偕天和无神与持国的众子(即俱卢族后裔)一起在宫中长大。般度族五兄弟在般度死后被迫出国流亡。五兄弟合娶黑公主,遇见他们的堂兄黑天,得他为朋友和伙伴。若干年内他们在分裂的王国里重新享受富贵荣华。长兄坚战与俱卢族长子难敌掷骰子,不料输掉一切,兄弟又被迫退居森林12年,两家族终于在俱卢之野(今哈里亚纳邦德里以北)大战。俱卢族举族覆灭,般度族也仅存五兄弟和黑天。后来,猎人误认黑天为鹿而射杀。其后,般度族五兄弟连同黑公主和正义之神达磨化身而成的狗前往因陀罗天堂。在途中他们次第倒下,只有坚战一人到达天门。他的忠贞经过考验,终于与诸弟和黑公主团圆,永享幸福。

Mahādeo Hills 默赫代奥丘陵 印度中部中央邦南部索德布尔岭北缘的砂岩丘陵。有形成于石炭纪的小高原和陡崖。当地经济落后,伐木、烧炭为主要经济项目。讷尔默达河谷介于索德布尔岭和默赫代奥丘陵陡崖之间,谷底宽32～64千米。地形不利于发展灌溉。

Mahajanga 马任加 原称Majunga。马达加斯加西北部城镇。曾是18世纪的博依那王国的首都。濒临贝齐布卡河口。城镇内有19世纪阿拉伯房屋、天主教堂、基督教徒会所、清真寺及马任加大学(原为马达加斯加大学地区分校,1988年单独建校)。有公路连接安齐拉纳纳及首都塔那那利佛,并有机场。

马任加镇码头区的猴面包树
美国不列颠百科全书公司供图

加工农产品,制造肉类罐头,生产肥皂、食糖、水泥。渔业、伐木业发达。主要种植咖啡、水稻、甘蔗、木薯和纤维植物。人口:城镇约100 807(1993)。

Mahakam River 马哈坎河 又称库泰河。印度尼西亚河流。发源于婆罗洲中部山区,流向东南偏东,在广阔三角洲注入望加锡海峡,全长约650千米。沿河最大城市三马林达为东加里曼丹省(东婆罗洲)省会,位于河口上游约48千米。

mahakavya 大诗 梵语文体的一种特有形式,是一种短叙事诗,类似小型史诗,其特征是详细复杂的描写。古典的大诗由相对比较短的若干篇章构成,篇章数不固定。每一篇章都有与其特定内容相称的韵律。大诗的内容取自史诗。大部分大诗都有对城市、海洋、山脉、四季、日出和月升、游戏、节日、婚礼、使节、长老会、战争和胜利等固定场景的描写。这种文体的特征是:各诗节尽管都只是叙事顺序中的一部分,但却都能独立成章。传统的大诗有若干模式,两种由迦梨陀娑首创,帕拉维、马卡和斯里哈尔萨各创一种。巴蒂(约公元6～7世纪)写的巴蒂诗有时也列为一种大诗模式,它用一个又一个诗节来为梵文语法和诗学理论的主要法则提供例证。现代诗人用大诗这种形式来纪念甘地和尼赫鲁等伟人。

Mahal, Taj 马哈尔(1942-05-17,美国纽约州纽约～　) 原名Henry Saint Clair Fredericks。美国歌手、吉他手、词曲作家,世界音乐的先驱者之一。他结合布鲁斯、其他美国黑人音乐、加勒比以及西非音乐等多种音乐类型,自成一派。祖籍牙买加,父亲为爵士乐音乐家和曲作家,母亲是小学教师,演唱福音音乐。20世纪60年代初就读于马萨诸塞大学时开始探索美国黑人音乐的渊源,尤其着重原声布鲁斯。毕业后,在民谣酒吧里演奏,1965年移居加利福利亚州,组建"升腾之子"乐队。1968年推出第一张独唱专辑《塔杰·马哈尔》,后又录制了《老乡亲》(1969)、《循环布鲁斯及其他》(1972)等专辑。马哈尔典型的伴奏乐器是一把钢吉他,但也使用其他乐器,通常是电子乐器、大号、架子鼓和外国情调的克林巴琴,这些组合常常出人意外。直到90年代仍活跃于乐坛,录制了15张以上的专辑,也为电影和戏剧配乐。1998年发行作品集《进步和行动》。

Mahalapye 马哈拉佩 博茨瓦纳东部村庄。位于马弗京一布拉瓦约铁路的中段,距首都哈博罗内东北150千米。坐落在长有优质牧草的高原上,经济以养牛和综合性农业为主。设有该国的数个气象站之一、国家图书馆分馆及国家保健中心。有纺织和工具制造业。人口约28 078(1991)。

Maḥallah al-Kubrā, Al- 大迈哈莱 下埃及西部省东部城市。位于尼罗河三角洲中部,尼罗河支流达米埃塔河以西。10世纪后即为重要的商业中心。1927年以来,一直为埃及纺织业的重要中心。除了棉织品以外,也生产毛织品、人造纤维、针织品、毯子和袜子。此外,还有碾米和面粉加工等工厂。工业燃料使用从代盖赫利耶省阿布马迪气田通过管道输入的天然气。从开罗到达米埃塔的铁路干线将大迈哈莱和坦塔连接起来。人口约408 000(1992)。

maḥalwārī system 马哈瓦里制 英属印度三种主要田赋制度之一。其他两种是柴明达尔(地主)制和莱特瓦尔(个人耕种者)制。马哈瓦里一词源于印地语maḥal,意为"家宅";更广义言之,意为"地区"。此制适用于包括一个或一个以上村庄的任何密集地区。有两种征收方式:如果地主(柴明达尔)占有地区全部,则以他为征收对象;否则,就向个体农民征收。

mahāmudrā 大手印 佛教密宗用语。指修炼的最终目的,即一切显露为二元的事物的融合。在密宗用语中,"印"除指印信外,还隐喻女性伴侣,而女性伴侣通常又喻般若(智慧)。谓密宗信徒受戒后与他的女性伴侣结合,是说方便和般若结合,即生死(现象世界)与涅槃结合。

Mahan, Alfred Thayer 马汉(1840-09-27,美国纽约西点～1914-12-01,纽约夸格) 美国海军军官、历史学家。海上力量的早期倡导者,曾在美国海军服役40年。其父为美国

美国国会图书馆供图

西点军校教授。毕业于安纳波利斯美国海军军官学校,曾参加南北战争。1884年接受新建的海军军事学院院长S.卢斯的聘请,在该校讲授海军史和海军战术课程。1886～1889年以其对古代和17及18世纪海上力量的研究,在海军军事学院授课。其主要著作有《海上力量对1660～1783年历史的影响》(1890)及其续编《海上力量对1793～1812法国革命和帝国的影响》(1892),在书中他指出军事及商业海上力量对历史上一个国家的霸权地位至关重要。这些著作和《美国现在和未来对海上力量的关心》(1897)等,是在海军技术有重大发展和美国尚未成为世界大国之际问世的,对美国及世界范围的海军发展都产生了深刻的影响。1902年任美国历史协会主席,曾预言在第一次世界大战中,中欧强国和德国海军必败。

Mahan, Larry E.　马汉（1943-11-21，美国俄勒冈布鲁克斯～　　）美国职业竞技表演骑马牧者。1966～1970 年连续 5 次获骑马牧者竞技协会（后改名为职业骑马牧者竞技协会）全能锦标赛冠军。1965 年在骑牛赛中获奖金数超过他人。1966 年首次获全能冠军。他领导巡回演出团，自购飞机巡回参加竞技会。1967 年得奖 5 万多美元，是一年中获此巨额收入的第一名牧者。由于传播媒介和广告大事宣传，他成为家喻户晓的人物，至 1970 年底累积收入 28 万美元。1973 年再获全能冠军。他开办几所骑马牧者竞技学校，设计西部服装。退出竞技界后在亚利桑纳州菲尼克斯市附近经营牧场。

Mahānadi River　默哈纳迪河　印度中部河流。发源于中央邦伯斯特尔县丘陵区。其上游向北流经切蒂斯格尔平原。接纳塞奥纳特河后转向东进入奥里萨邦。水量由于接纳两侧丘陵排水而增加。在森伯尔布尔受希拉库德坝拦截，形成长 55 千米的人工湖。该坝为世界最大土坝，建有数座水电站。默哈纳迪河从大坝下面向南曲折穿过森林覆盖的东高止山峡谷，在克塔克附近进入奥里萨平原，最后在福尔斯角分为数支注入孟加拉湾。全长约 960 千米，流域面积约132 100平方千米。为印度次大陆泥沙沉积最严重河流之一。该河向主要在克塔克附近的几个灌渠供水。位于其河口之一的布里是著名朝圣地。

Mahānanda River　默哈嫩达河　印度北部和孟加拉国的河流。源自格尔西扬西北，西孟加拉邦大吉岭县的群山之中向南流，形成大吉岭县与杰尔拜古里县的一段分界线，蜿蜒流经布尔尼亚一个富庶的农业区，在孟加拉国汇入恒河。全长 360 千米。过去为较大河流，其上游为孟加拉语地区与印地语地区的重要语言分界线。

mahāpuruṣa　大士　印度教、耆那教和佛教名词，指得非常天命之人，具有某些特殊的“相”。大士天生要作众人的统治者（转轮王），或为伟大的精神领袖（如佛或耆那教的渡津者）。如乔答摩·佛陀，相者可以在他诞生时认出这种标记，而这些“相”须待到他修成大彻大悟时才显露——“乌瑟腻沙”即肉髻，在他成佛之后才为人所见。这种标记通常出现在佛像和耆那教渡津者像上。各教所列“相”的类别大同小异。佛教列出“三十二相”和 80 种小标记。主要的“相”有：①乌瑟腻沙，又称顶髻相；②毛上向相，即体毛成小卷，自左向右曲；③白毛相，又称眉间白毫相、光豪或玉毫，即两眉之间生有小团毛发；④四十齿相，即生有 40 颗皓齿，大小如一；⑤大舌相；⑥金色相，即皮肤金色；⑦正立手摩膝相；⑧手足指缦网相，即手足指间如蹼；⑨千辐轮相，即两足脚心有千辐车轮之纹。耆那教尊奉 54 位“大灵魂”，又称舍罗加布路沙；其中有 24 位渡津者、12 位转轮王、9 位婆薮提婆（各相当于印度教的黑天）以及 9 位婆罗提婆（各相当于印度教的大力罗摩）。大灵魂诞生之前其母必有大吉之梦。有些名单上还列有 9 位钵喇底婆薮提婆（即婆薮提婆之敌），于是大灵魂总共就有 63 位。耆那教叙事诗和《往世书》中许多篇章主要叙述诸大灵魂的生平。

Mahar　马哈尔　印度马哈拉施特拉邦50多个族内婚种姓集团。在 20 世纪 70 年代，马哈尔种姓占马哈拉施特拉邦总人口 6% 弱，是这一地区所有贱民种姓（以前称为“不可接触者”）中最大、分布最广、最重要的种姓。按照惯例，马哈尔种姓担任马哈拉施特拉邦独特的乡村组织中 12 个世袭公职之一。其职务是村社看守人、边界纠纷仲裁人、扫街人和死物清除者。他们的报酬有现金、村中生产的谷物和产品以及拾取废物的权利。现代马哈尔种姓大量流入城市（孟买、那格浦尔、浦那和绍拉普尔），充当产业工人、铁路工人、技工和公共汽车与卡车司机。20 世纪中，马哈尔种姓成员阿姆倍伽尔唤起其种姓的军事和政治觉醒和参加大规模的识字运动。1956 年他死时已经有 50 万名马哈尔种姓成员宗奉佛教，以抵消低级种姓所带来的不利地位。

maharaja　大王　又译摩诃罗阇。印度的一种行政管理等级。一般说来，指一个地位高于“王”（又译罗阇）的印度教王公。作为历史名词，它特别用来指某一主要的印度土邦的统治者。其阴性形式是 maharani（maharanee）。这一称号可能是在公元前 1 世纪左右由贵霜人引入的。他们曾经受到西北印度的塞迦人（西徐亚人）和波斯-蒙古族统治者的影响。比起“王”来，他们更喜欢有尊重意味的“大王”。笈多时代（约公元 320～540）的第 3 代帝王旃陀罗·笈多一世曾采用“伟大的王中之王”这一称号，它是波斯语的梵语译名。随之出现的还有别的更为夸张的尊称。在某些时期，即使是土地有限的藩王也常被冠以大王之名。

Mahārāshtra　马哈拉施特拉　印度第三大邦。位于印度中西部德干高原，与古吉拉特、中央邦、安得拉、卡纳塔克（迈索尔）和果阿等邦及达德拉-纳加尔阿维利中央直辖区相邻，西濒阿拉伯海。首府孟买，为岛屿城市，通过公路和铁路与内地相连，在全国社会和政治生活中起重要作用。马哈拉施特拉名称首次出现于 7 世纪的碑文和一名中国旅游者的见闻录中。其名称来源于拉特，意思是“驾驭战车的人”，他们组成马哈拉塔，即“作战部队”。8～13 世纪，这一地区为印度各王朝统治，此后为穆斯林王朝统治。16 世纪中叶，马哈拉施特拉分裂为数个独立的穆斯林王国，相互间的战争连绵不断。1674 年马拉塔王国成立，18 世纪建立马拉塔帝国，19 世纪初被英国征服。1947 年印度独立后易名孟买邦。1956 年许多小土邦合并进来。1960 年按语言分成两个邦，北部为古吉拉特邦，南部为马哈拉施特拉邦。马哈拉施特拉地形多样化。西部为狭长的贡根沿海低地，孟买附近最宽。为数众多的小丘星罗棋布，许多小溪穿流其间。东部为西高止山，由北向南延伸 640 千米，北段有 1 340 米高的山峰。西高止山以东为德干高原，克里希纳河、皮马河和哥达瓦里河发源于此。东部环绕那格浦尔为起伏不平的高原和瓦尔达韦恩甘加河谷（哥达瓦里河盆地的一部分）。属具有当地变化特点的季风气候。分 4 个季节：3～5 月干燥炎热，6～9 月潮湿闷热，10～11 月温暖干燥，12～2 月干燥凉爽。贡根海岸雨量充沛，局部地区年降水量达 6 350 毫米，西高止山以东雨量减少到只有此数的 1/10，再向东雨量逐渐增加到 1 020～2 030 毫米。沿海地区日夜温差很小，平均 27 ℃左右；内地日间气温夏季为 43 ℃，冬季为 21 ℃。马哈拉施特拉邦的居民大多为外来移民与当地人的混血种，其中有比尔人、瓦尔利人、贡德人、科尔库人和戈瓦里斯人等澳大利亚土著人群体。昆比马拉塔人据推测是在基督教时代初期从北部来的移民的后裔，人数最多。半数以上的人讲当地的方言马拉塔语，其他重要语言有古吉拉特语、印地语、泰卢固语、坎纳达语和信德语。印度教徒占全部人口的 80% 以上，城市人口约占 2/5。经济以农业为主。农民占人口的近2/3。高粱、黍和豆类为主要农作物。水稻种植在年降水量 1 020 毫米以上的地区，小麦为越冬作物。有些地区以种植棉花、甘蔗、烟草和花生为主。产芒果、香蕉和橘子。渔业也很重要。林产有柚木和滕杜树（叶子用于加工当地的雪茄）。矿藏丰富，有锰、煤、铁矿、石灰石、铜和铝矾土。有水电站和火电站，在孟买北部的塔拉普尔有一座核电站。该邦是印度工业最发达的邦。棉纺织起步最早也是最大的工业部门。孟买有炼油厂、石化工厂和各种工厂。铁路网四通八达，有 5 条国家公路与其他邦连接。孟买与国内外许多城市通航。该邦是著名的文化区。阿旃陀和爱劳拉的石窟画，中世纪的建筑、古典音乐、祈祷音乐和剧院反映出悠久的艺术传统。该地区最重要的娱乐是塔马舍戏，包括音乐、戏剧和舞蹈。耿乃希节是最主要的民族节日。邦内有许多大学、医学院、牙科学院、农业大学和工学院。面积307 690平方千米。人口 96 752 247（2001）。

Mahāsaṅghika　大众部　印度早期佛教部派，后世大乘佛教的先驱。佛陀死后约 100 年，佛教初次发生分裂，大众部于彼时产生。大众部相信有许多超越现世的佛陀，认为现世中存在的乔答摩佛陀只是幻化之身。大众部初起于吠舍离，后传到印度南部。其经籍用巴利文写成。此部派后又分为若干支派，其中最著名的是说出世部。

mahāsiddha　大悉达　梵语，意为“大成就者”。藏语称“珠托钦”，印度和西藏密宗对通过禅定修行获得“悉达”（不可思议的力量）者的称谓。在湿婆教徒和修习密宗的中国西藏佛教徒中都流传八十四大悉达的传说。八十四大悉达反映了这两种宗教传统的结合，并融“哈他”瑜伽、巫术及炼金术于一体。八十四大悉达在西藏一直受到崇敬。他们开创的精神传统体系现在依然受到尊重。8 世纪密教大师莲花生就是西藏最著名的大悉达。

Mahathir bin Mohamad　马哈蒂尔·宾·穆罕默德（1925-12-20，马来邦吉打亚罗士打[今在马来西亚]～　　）全名 Datuk Seri Mahathir bin Mohamad, Mohamad 又作 Mohamed 或 Muhammed。马来西亚政治人物,1981～2003年期间任总理,领导该国转变成工业化国家。教师之子,曾在苏丹阿布杜勒-哈米德学院及新加坡的马来亚大学学习医学。1953年毕业后担任政府医务官员,1957年私人开业。1964年以马来民族统一机构(UMNO)成员的身份选入国会,该机构是联合政府的主导政党。由于马哈蒂尔强力鼓吹马来民族主义,与总理阿卜杜勒·拉赫曼发生冲突,遂于1969年被逐出马来民族统一机构。政府于1971年实行的改善马来人经济状况的"新经济政策"体现了马哈蒂尔先前提倡的许多主张。1970年阿卜杜勒·拉扎克出任总理后,马哈蒂尔重新加入马来民族统一机构,并于1972年再度选入其最高委员会。1974年再度当选国会议员,后被任命为教育部长。1976年侯赛因·宾·奥恩成为总理,他任命马哈蒂尔为副总理。1981年6月侯赛因宣布辞职后不久,马哈蒂尔当选马来民族统一机构主席,同年7月顺理成章地继任总理,是第一位出任该职的平民。马哈蒂尔经历了马来民族统一机构内部对其领导权威的数次挑战。他长期担任总理给马来西亚带来政治稳定,这种稳定正是该国实行促进经济持续增长政策所必需的。政府欢迎外资、改革税基、降低贸易关税,并将许多国有企业私有化。他寻求以逐渐达成均富的方式来弥合尚存的种族分歧,为此先前已使马来西亚取得经济成就的"新经济政策"于1991年为"新发展政策"所取代,后者强调普遍的经济增长和消灭贫穷。在马哈蒂尔领导下,马来西亚以其新兴的制造业部门、增长中的中产阶级、逐渐提高的识字率和平均寿命等,获得东南亚最繁荣和最有活力的经济成就之一。20世纪90年代以来的经济衰退导致了马哈蒂尔与其接班人副总理兼财政部长安瓦尔分道扬镳。1998年安瓦尔被撤职拘捕,全国掀起反政府示威。许多反对派打着改革旗号要求马哈蒂尔下台。马哈蒂尔则镇压反对派势力,巩固自身权力。2001年"9·11"事件后,表示支持美国在全球范围内开展反恐行动,但2003年反对美国发动对伊拉克的战争。2003年10月31日辞去总理一职。

Mahāvairocana-sūtra 《大毗卢遮那成佛神变加持经》 又称《大日经》,佛教后期密宗作品,是日本佛教真言宗的主要经典。该经约于725年自梵文译为汉文,100年后空海在日本宣传其中教义,以最高宇宙佛大日如来为崇拜中心。

Mahāvaṃsa 《大史》 锡兰编年史,5～6世纪编写,编者可能是佛僧摩诃那摩。内容多为佛教史事和王朝世系,叙述从公元前6世纪～公元4世纪锡兰岛的发展情况,用巴利文写成。其依据为4世纪的《岛史》和佛僧的口传。16世纪有《小史》为其续篇。

Mahāvastu 《大事》 佛经名。记有关佛陀生平的传说,是大众部较晚近的经典,也是律藏的楔子。全书共3篇,分别记述释迦牟尼投生摩耶夫人胎中、成佛、乃至第一次说法和成立寺院等事迹。其叙事过程中常杂以"本生故事"、"出曜经"和教义解说。菩萨这一概念的形成,在此经中有所反映。《大事》的主要部分写成于公元前2世纪,许多材料是在4世纪时增添。参阅 **Lalitavistara**。

Mahāvihāra 大寺 锡兰(今斯里兰卡)古都阿努拉德普勒的佛教寺院,公元前3世纪后期由僧伽罗国王提婆南毗耶·帝沙建造。迄10世纪左右,它一直是伟大的文化和宗教中心、上座部的主要根据地。

Mahāvīra 大雄(约公元前599,印度吠舍离城郊[今比哈尔邦巴萨尔赫]～前527,巴沃普里) 原名筏驮摩那。耆那教创始人、24代渡津者的最后一代,耆那教僧团的改革者。

15世纪印度西部画派绘《劫波经》插图"大雄坐像"
美国不列颠百科全书公司供图

出生于刹帝利种姓家庭。公元前6世纪印度哲学、宗教和社会都处在大动荡之中。婆罗门种姓向各低级种姓榨取财物,征牛作吠陀祭,引起刹帝利种姓反抗,大雄和佛教创始人乔答摩都兴起于此时。大雄从30岁起终生在外苦修,裸体募化,不伤生,12年后得大圆镜智。他接过耆那教第23代渡津者巴湿伐那陀的学说,加以系统整理,成为早期耆那教理论,并制订耆那教的组织和教规。他主张极端的苦行和不伤生。他将巴湿伐那陀的4戒增为5戒,即不杀生、不欺诳、不贪婪、不奸淫和无所得。

Mahaweli Ganga 马哈韦利河 斯里兰卡中部和东部河流,长335千米,为全国最长河流。源出哈顿高原,向北流经一茶叶和橡胶产区,然后在康提附近转向东,再向北跨过低地,接纳其主要支流安班河,最后注入亭可马里以南11千米的科迪亚尔湾。由于源头位于斯里兰卡的湿润地区,该河终年有水,向东部干燥的农业区供水。在世界银行赞助下,20世纪70年代初开始执行大规模的发展计划来提高该河的灌溉和发电作用,约在1990年完成。

Mahāyāna 大乘 佛教两个主要派别之一。主要流行于中国内地和西藏以及朝鲜、日本。大乘佛教于1世纪从古代部派中产生,对佛陀的教义有比较开明和创新的解释。小乘佛教上座部以历史人物佛陀乔答摩为传授真理的导师,大乘佛教则认为佛陀具有超世的品质,历史人物佛陀是天界佛陀临凡。上座部认为,佛教徒应以修成罗汉为理想目标。大乘则认为,这不够,而且自私;应当以修成菩萨(**bodhisattva**)为目标。因此,古代各部派都以智为功德,大乘则以菩萨的慈悲与智同等重要。大乘佛教谓菩萨所修成的功德可以转让给他人;因这种观念产生了许多派别,例如中国和日本的净土宗。现代大乘佛教的其他主要派别有禅宗、日莲宗和天台宗。大乘佛教的经典多用梵文写成,但是有些原本已经失传,只存藏文和汉文译本。

Mahāyāna-śraddhotpāda-śāstra 《大乘起信论》 佛经名。简略介绍大乘佛教哲学和信仰原则。据说是梵文诗人马鸣(约1～2世纪)所著,但是现存除日本人铃木大拙的现代译本外,并无梵文原本,而且其他任何梵文经典或论著也都未提及此书。汉文译本出现于550年(南朝梁大宝元年)前后,此书对于如来三身的教义有明确阐述,三身即无常的肉体之身(化身)、极乐世界中的光荣之身(报身)和如来的绝对无限本质(法身)。

Mahbūbnagar 马赫布卜讷格尔 印度南部安得拉邦中西部马赫布卜讷格尔县城镇,县府。位于海德拉巴西南的中央铁路线附近,同时也是公路中心。主要有轧棉、榨油、碾米等工业。城镇里还有一所学院。该县位于德干高原,以克里希纳河为南界。面积18 419平方千米,东南部山林出产柚木、乌木和阿拉伯树胶。土壤大部为沙性,生产小米、油籽和稻米。据说著名的戈尔康达钻石产自该县。工业中心有纳拉扬贝德(生产丝绸和莎丽服)、代沃尔贡达和纳格尔格努尔。人口:镇87 503;县2 444 619(1981)。

mahdī 马赫迪 伊斯兰教末世学中的救世主。他将在地上伸张正义与公道,光复正道,并在世界末日来临之前开创7、8年乃至9年的短暂黄金时代。《古兰经》和圣训中都没有提到马赫迪。许多正统逊尼派教义学家对这一学说持怀疑态度,而这一学说则是什叶派教义的一个重要组成部分。7和8世纪伊斯兰教初期宗教和政治局势都动荡不安,关于马赫迪的教义似乎流行于此时,伊拉克非阿拉伯穆斯林反抗运动的领导人、阿里之子伊本·哈乃斐的忠实追随者穆赫塔尔·阿布·乌巴德似乎是这一理论的最早使用者。他认为,伊本·哈乃斐未死,而是处于一种隐循状态,并将复临人世,战胜所有敌人。以后每逢动乱,这一教义即再次为人所重视。人们认为马赫迪重振政权并恢复伊斯兰教的纯洁,因此,伊斯兰世界的社会革命者常用以自称。北非曾多次出现自封的马赫迪,其中最重要的有:909年创建法蒂玛王朝的欧拜杜拉;12世纪摩洛哥阿尔摩哈德派的创始人穆罕默德·伊本·图迈尔特以及1881年起兵反抗埃及的苏丹马赫迪穆罕默德·阿赫默德·伊本·阿卜杜拉。

Mahdī, al-　马赫迪（1844-08-12～1885-06-22，苏丹恩图曼）　伊斯兰教国家苏丹的缔造者。原名穆罕默德·阿赫默德·伊本·阿卜杜拉，以“马赫迪”的名字著称。努比亚栋古拉地区一个造船工的儿子。出生后不久，全家南迁，到喀土穆附近一个河边小村格拉里落户。从童年时代起，他就喜欢学习宗教教义。通过研究《古兰经》，他愈来愈倾向于以苏非派的教义对伊斯兰教作比较神秘的解释。他参加了萨马尼亚兄弟会。从那时起便开始吸引自己的信徒，1870年率领这些信徒到白尼罗河上的阿巴岛过隐士生活。当时苏丹是埃及的属地，而埃及本身是奥斯曼帝国的一个行省，操突厥语的官员统治着埃及。统治者的教育和生活方式与苏丹臣民形成鲜明的对照，由于各阶层各行业的普遍不满，当时苏丹的政治形势动荡不安。马赫迪将这些不满转化成一种统一运动，并使之一度超出部族意识，把虔诚徒众组成一个不可战胜的军事机器。1881年3月，他向自己最忠诚的追随者宣布：真主已经选择他执行纯洁伊斯兰教和推翻所有玷污教义的政权的使命。同年6月29日，他公开使用“马赫迪”的称号。随后，在尼罗河谷发生了历史上最为戏剧性的事件。马赫迪从阿巴岛出发时，仅有为数不多用棍棒和长矛武装起来的信徒，但不到4年时间，他就成为过去被埃及占领的苏丹的大部分土地的主人翁。同时，他还缴获了大量战利品，从钱币、金条、珠宝到包括克虏伯大炮和雷明顿步枪的军事装备。到1883年底，马赫迪的“辅士”们已经歼灭3支派来镇压他们的埃及军队。由威廉·希克斯将军指挥的最后一支讨伐军拥有8 000名士兵和庞大的骆驼运输队，但照样被杀得片甲无存。科尔多凡省的首府欧拜伊德和重镇巴拉经过围攻后，先后被马赫迪占领。北至阿拉伯半岛，西至博尔努地区，他的威名已是妇孺皆知。他使敌人永远失算的技巧，已经达到了炉火纯青的地步。1885年1月26日，马赫迪粉碎了英国戈登少将所指挥的部队的顽强抵抗，占领了喀土穆。戈登在战斗中被击毙，这是马赫迪最辉煌的胜利。马赫迪举行了隆重的入城式。然后，他放弃尸臭难闻的喀土穆，在尼罗河对岸的村庄恩图曼建立起自己的行政中心。新首都比喀土穆地势较高，排水方便，有利于人们的健康。他利用公告、讲道、训示和书信的形式，对社会和个人生活的每一个领域进行指导。马赫迪仿效先知穆罕默德的先例，任命4个哈里发，作为伊斯兰教历史上最早的4位哈里发的活的继承人。马赫迪任命的哈里发有3个是苏丹人，包括马赫迪最信赖的顾问和参谋长阿卜杜拉·伊本·穆罕默德。第4个哈里发穆罕默德·马赫迪·伊本·赛努西为西部沙漠赛努西教团的领袖，但他没有接受马赫迪的邀请。马赫迪的统治时期非常短暂，由于身患重病（可能是斑疹伤寒），不久逝世，年仅41岁。

Mahdist　马赫迪派　又称安萨尔（辅士）。信奉马赫迪及其后代的人。马赫迪系苏丹人，19世纪末，自称是奉真主之命前来恢复伊斯兰教的新先知。在苏丹战争中和1881～1885年由马赫迪统治的神权国家中，马赫迪派占有显著地位。马赫迪之子阿卜杜勒·拉赫曼（？～1959）极力使他们成为一支宗教的和政治的力量。1959年拉赫曼之子西迪克（？～1961）继任伊玛目。此后由家族中的另一支接替。1970年，这一伊玛目因反对革命政府被杀，马赫迪家族大部逃亡国外。

Mahdīyah, al-　马赫迪耶　突尼斯东部城镇。为萨赫勒沿岸地区小渔港。因法蒂玛王朝创始人马赫迪而命名。他于912年建立该镇并于921年在该镇建都。11世纪末该镇为齐里王朝避难的首都。16世纪末并入奥斯曼帝国。有橄榄种植、橄榄油加工、渔业、鱼罐头制造（沙丁鱼和鲭鱼）和手工业。城内有10世纪清真寺、16世纪土耳其要塞和古城墙残垣。有公路和铁路通苏萨。人口26 602（1984）。

马赫迪耶镇的街头摊点
美国不列颠百科全书公司供图

Mahe　马埃　印度西南部本地治理中央直辖区城镇。是位于喀拉拉邦北部的飞地，在科泽科德西北，纳卢塔拉河左岸。曾被法国和英国占领，1954年归还印度。为钓鱼和海滨胜地。人口：城镇9 588（1981）。

Mahé Island　马埃岛　塞舌尔共和国塞舌尔群岛中最大岛屿。位于印度洋西部。宽6千米，长26千米，面积148平方千米。属花岗岩岛，多山，最高峰塞舌尔山海拔905米，为同名的国家公园的一部分。岛上有洛奈港国家海洋公园和圣安妮国家海洋公园。耕地集中在沿海狭窄平原上。全国约90%的居民住在岛上，首都和全国唯一港口维多利亚也在该岛。出口椰仁干、锡兰肉桂皮和油、广藿香和香子兰，种植茶叶。维多利亚港及国际机场的建成促进了对外交流和旅游事业的发展。20世纪60年代初在岛中央山区建立了一个美国空军的卫星跟踪站。人口：本岛及属地约57 400（1984）。

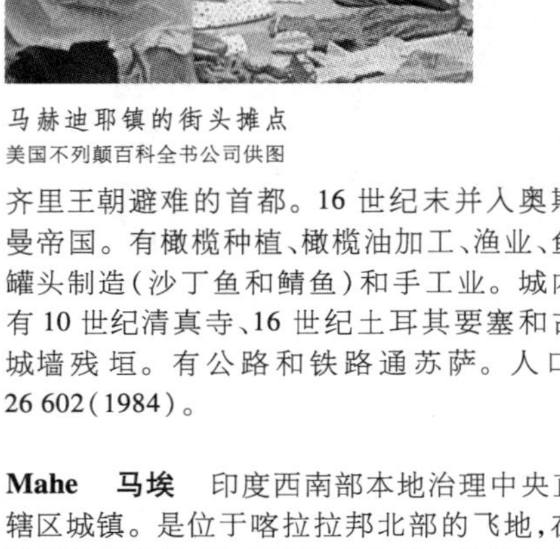

马埃岛海滨
美国不列颠百科全书公司供图

Mahendra　摩哂陀（约公元前270，印度华氏城～约前204，锡兰［今斯里兰卡］阿努拉德普勒）　巴利文拼作Mahinda。在锡兰传播佛教的人。一般被认为是印度阿育王之子。公元前251年前往锡兰弘传佛教。在阿育王的任何铭文中都不见他的名字，但是锡兰的《大史》和《小史》似乎证实了他的存在与贡献。

Mahendra　马亨德拉（1920-06-11，尼泊尔加德满都～1972-01-31，珀勒德布尔）　尼泊尔国王（1955～1972）。即位后，新国王与内阁发生了冲突。为了维护他的统治，他于1960年发动了一场政变，解散国民大会、废除宪法并监禁政治领袖。1962年颁布一部新宪法，实行尼泊尔王室的直接统治。1972年逝世后，由其子比兰德拉即位。

Mahendravarman（king of Chenla）　**马亨德拉瓦尔曼**　参阅**Chitrasena 集达塞纳**。

Mahesh Yogi, Maharishi　马赫什瑜伽师（1917?，印度～2008-02-05，荷兰弗洛德罗普）　印度教名流，他把*超在禅定派*（**Transcendental Meditation**）的做法传到西方。曾在安拉阿巴德大学攻读物理学，后往喜马拉雅山区，从超在禅定法的创始人德夫大师研习13年。德夫死于1952年，其后，马赫什组织教团，向全世界传播超在禅定法。1959年他开始第一次环球旅行，曾到过美国。他所鼓吹的超在禅定应一日举行两次，习演者背诵咒语。该派发展缓慢，20世纪60年代后期英国摇摆乐甲虫乐队及其他知名人士纷纷参加，其后，许多人又脱离该派。但超在禅定法在美国等地仍十分流行，许多人习演以修养身心。

Maheshwar　默赫什沃尔　旧称莎丽-默赫什沃尔。印度中部中央邦西部城镇。位于讷尔默达河北岸。1767年成为一位王后的都城。建于16世纪的清真寺为历史名胜，在讷尔默达河的对岸有早年纳夫达托利的遗址，曾出土过彩陶和其他手工艺品。现为农产品市场，并以生产手织莎丽服著称。人口15 345（1991）。

Mahfouz, Naguib　马哈福兹（1911-12-11，开罗～2006-08-30，开罗）　埃及小说家、电影剧作家，1988年获诺贝尔文学奖。他是第一位获此殊荣的阿拉伯作家。出身于文职家庭。就读于开罗大学。1934年起供职于埃及文化部门，1971年退休。早期作品取材于古代埃及，如《死巷》（1943），后转而描写埃及当代社会。《三部曲》（1956～1957）是他的代表作，被称为《开罗三部曲》。这 3 部小说分别描述从第一次世界大战至 1952 年推翻法鲁克国王的军事政变为止开罗不同家庭 3 代人的生活。《三部曲》对 20 世纪埃及人的思想、生活态度和社会变革进行了深刻的剖析。在其后的作品中，对埃及过去的君主政体、英国殖民主义和当代的埃及进行了批判。他有许多著名的小说均涉及妇女和政治犯问题。小说《我们街区的孩子们》(1959)因论述宗教和穆罕默德、摩西等宗教人物引起争论，在埃及被查禁一段时间。其他较著名的小说还有《小偷和狗》(1961)、《乞丐》(1965)、《米拉玛尔公寓》(1967)等。作为短篇小说家，他的成就主要表现在《上帝的世界》(1963)这部短篇小说集里。一生共写有 40 部长篇小说和多部短篇小说集，还写有 30 多部电影剧本和戏剧。

Mahi River 默希河 印度西部河流。发源于瑟尔达尔布尔南面的温迪亚山脉西部，向北流经中央邦，转向西北流入拉贾斯坦邦，然后转向西南流经古吉拉特邦入海。长约 580 千米。默希河的沉积物使坎贝湾变浅，并使曾经繁荣的港口废弃。河床大大低于陆面，几无灌溉之利。

Mahican 马希坎人 又拼 Mohican，操阿尔冈昆语的印第安人，居住在今哈得孙河上游卡茨基尔山(纽约州)以北地区。其名字的含义是"狼"，但荷兰人和英国人也称他们为河边印第安人。马希坎人有 5 个重要分支，各由世袭首领统治，选出的顾问予以辅佐。所居的堡垒建在山上，围以栅栏，内有住房 20 ～ 30 所；也有住在田地及林地之间的村落里，村落亦有栅栏。荷兰人最初发现他们时，他们正同莫霍克人作战。1664 年他们被迫从奥尔巴尼附近的斯科达克迁往今马萨诸塞州斯托克布里奇。以后他们逐渐卖掉土地，1736 年有些人聚居于斯托克布里奇的一个布道区，被称为斯托克布里奇印第安人；这些人是保留其原有特点的仅有的马希坎人。其他马希坎人分散各地后，与别的部落混合。后来斯托克布里奇人移居威斯康星州。

Mahillon, Victor-Charles 马永 (1841-03-10，布鲁塞尔～ 1924-06-17，比利时卡普费拉特附近圣让) 比利时音乐学者。从事收藏、描绘及复制乐器的工作，并撰写声学和其他题材的文章。1865 年进入其父 C.马永所创建的乐器工厂。1869 ～ 1886 年创办音乐期刊《音乐回声》。任布鲁塞尔音乐学院博物馆馆长(自 1879 起)时，收藏了 1 500 多件古代、近代和非西方的乐器，并为这批收藏品作了分类目录(1880 ～ 1922 共 5 卷，1978 年重版时为 2 卷)，其中包括关于乐器结构理论的论证，及根据发声材料而作的乐器分类(例如，鼓被划归膜鸣乐器)。这种分类法后来为 E.冯·霍恩博斯特尔及 C.萨克斯采用并加以发展，成为最普遍应用的乐器分类法。他还复制稀有乐器，如巴赫式小号，又组织专用古老乐器演奏的音乐会。出版有《音乐及乐器声学基础》一书(1874)和大量专题论著，并为第 9 版《不列颠百科全书》撰稿。

Mahinda (Buddhist missionary) 参阅 Mahendra 摩哂陀。

Māhir, Aḥmad 马希尔(1888 ～ 1945-02-24，埃及开罗) 埃及法学家、首相(1944 ～ 1945)。曾在开罗法学院及法国蒙彼利埃大学接受教育。20 世纪 20 年代初担任若干政府要职。早期为强烈的民族主义者，后政治态度趋缓。因其主张温和激怒了他所在的华夫脱党，1938 年被开除出党。其后成为埃及华夫脱党中持不同政见者组成的新政治集团萨阿迪的领导人，并在埃及政府中出任财政大臣(1938 ～ 1940)。第二次世界大战爆发后，主张站在英国一边加入战争，因而受到华夫脱党强烈反对。1944 年 10 月 4 日出任首相，力主恢复自由选举、推动阿拉伯联盟计划并与英国合作。1945 年 2 月 24 日向下议院宣读对德日宣战敕令几分钟后被一名埃及青年激进分子枪杀。

Māhir Pasha, ʿAlī 马希尔帕夏 (1882，开罗～ 1960-08-25，日内瓦) 埃及 3 任总理。贵族家庭出身。曾获法学学位，后任地方法院法官。第一次世界大战前拥护保守的政治集团，那些集团指望与英国占领者合作以求得埃及社会经济的发展。他全心全意效忠于国王，1923 年任皇家法学院院长。同年，他在起草维护王权的埃及新宪法中发挥了重要作用。此后历任教育部长和财政部长。1935 年埃及国王福阿德任命他为皇家内阁会议首席大臣。同年底在看守政府中任总理。此后两年内，他先后任首相和皇家内阁首席大臣。1939 年再次出任总理。第二次世界大战爆发时，他按英埃条约规定采取了反德措施，但 1940 年意大利参战时他拒绝与意断绝外交关系，遂被英国人免职。1942 年 4 月英国人将他拘禁，直到战争结束。1952 年纳赛尔革命成功后，革命派认为他可以安抚保守的政治势力，故将他提名为总理。然而，不到一年即因反对革命派的土地改革政策而引退。

Mahler, Alma 马勒(1879-08-31，奥匈帝国维也纳～ 1964-12-11，美国纽约州纽约) 原名 Alma Maria Schindler，又名 Alma Gropius 和 Alma Werfel。古斯塔夫·马勒之妻。因与一些名人交往而闻名。她是画家 E.申德勒之女，成长于艺术与艺术家的环境中，曾学绘画，与画家 G.克里木特结交，克里木特为她作有画像数帧。但她的主要兴趣在于音乐；她是一位得天独厚的钢琴家，并师从 A.冯·泽姆林斯基学习作曲。1902 年她与古斯塔夫·马勒结婚；其夫起初曾试图劝阻她从事作曲，据说他在听到她的歌曲后改变了主意。古斯塔夫在《第六交响曲》第一乐章中留有她的一幅音乐画像，并将《第八交响曲》题献给她。1911 年古斯塔夫去世后，阿尔马与 O.考考斯卡有过一段风流韵事，后者多次为她作画，最著名的是《暴风雨》(1914)。1915 年，她与建筑师 W.格罗皮厄斯结婚，第一次世界大战后离异；1929 年下嫁作家 F.魏菲尔。30 年代后期，魏菲尔一家离开纳粹德国，最终在美国定居。她一生中曾与许多知名艺术家交往，其中包括作曲家 A.勋伯格、作家 G.霍普特曼和歌唱家 E.卡鲁索。作曲家阿尔班·贝尔格将歌剧《沃采克》(1921)题献给她。阿尔马将古斯塔夫的两本书信集付印出版，并出版了她的回忆录《爱是桥梁》(1958)和许多歌曲。

Mahler, Gustav 马勒(1860-07-07，奥地利帝国波希米亚卡利什捷～ 1911-05-18，奥地利维也纳) 奥地利籍犹太作曲家、指挥家，以所作10首交响曲和乐队伴奏的各类歌曲著称，这些作品融合浪漫主义的许多不同因素于一体。虽然他的音乐在他去世后的 50 年中大多受到冷落，但是后来他却被视作 20 世纪作曲技巧的重要先驱，并且公认为对 A.勋伯格、D.肖斯塔科维奇和 B.布里顿等作曲家具有影响。

美国不列颠百科全书公司供图

早期生活 马勒之父为小客栈业主，住在现属捷克共和国西南角的波希米亚村庄卡利什捷。后全家移居附近的伊赫拉瓦镇，马勒即在此度过他的童年和青年时代。这些简单的事实为解开他的扭曲个性之谜提供了最早的线索：他从生命之始即受到种族紧张关系的折磨。作为一个讲德语的奥地利少数民族中的一分子，他在当地的捷克人中是个局外人；作为一个犹太人，他是奥地利少数民族中的局外人；后来，在德国，作为来自波希米亚的奥地利人和犹太人，他还是一个局外人。此外，他的生活又因父母之间关系紧张而更加复杂化。这种不安定的背景也许可以解释他的生活和音乐中普遍存在的那种神经质的紧张，那种冷嘲热讽和怀疑主义，那种对于死亡的臆想以及孜孜不倦寻求生命意义的探索。但是这些并不能解释他何以会有那种过人的精力和智力以及坚定不移的意志，从而得以登上指挥和作曲的巅峰。他的气质中的积极因素无疑来自他父亲一脉。马勒的音乐才华很早就显现出来。约 4 岁时常被附近兵营中的军乐和捷克劳动人民的民间音乐所吸引，能在手风琴和钢琴上弹奏这些曲调，并开始自己作曲。军乐和民乐风格，加上自然界的音响，成为他成熟期灵感的主要源泉。10 岁首次公开演奏钢琴，15 岁以熟练的音乐技巧被维也纳音乐学院录取。先后获钢琴演奏和作曲奖并获得文凭，然后便断断续续从事教学以谋生，同时努力在作曲方面得到赏识。

第一首重要作品康塔塔《怨歌》(1880年完成)未能获得音乐学院贝多芬作曲奖,他便转而以指挥来谋取更加稳定的生计,而把作曲留待漫长的暑期休假中进行。

指挥生涯 以后的17年中马勒逐渐攀登他所选职业的顶峰。从在奥地利指挥音乐闹剧开始,通过在不同的省级歌剧院包括布达佩斯和汉堡的重要任命,而于1897年37岁时提升为维也纳宫廷歌剧院艺术总监。作为指挥他获得普遍的赞誉,但作为作曲家,他一开始创作就面临他一生中经常遭遇的群众不理解的困境。他的指挥生涯按传统方式以歌剧为主,但他的整个成熟期的创作却完全是交响曲(40首歌曲并非真正的德国艺术歌曲,而是胚芽状态的交响乐乐章),乍一看来这似乎令人感到意外。但是马勒的唯一目标(在一定程度上受R.瓦格纳和F.李斯特乐派的影响)是自传式的,即以音乐来表达个人对世界的看法。为达此目的,歌曲和交响曲要比歌剧的戏剧手法更加适合。

音乐作品 ①第一时期。马勒的3个创作时期中,每一时期都有一套交响三部曲。第一时期3部交响曲的构思都具有标题性(即建立在非音乐的故事或概念的基础上),具体标题后来被弃而不用,都涉及到为生存在一个充满痛苦、死亡、疑虑和失望的世界中确立某种最终的依据。他以贝多芬《第六交响曲》和柏辽兹《幻想交响曲》为榜样,在构思交响曲时所用的乐章多于当时传统的4个;又以瓦格纳的乐剧为榜样,扩展时间跨度,增加管弦乐的力量和尽情沉迷于感情表达;更以贝多芬《第九交响曲》为榜样,采用独唱和合唱的歌词。这些手法,再加上马勒本人的紧张而辞藻华丽的风格、极其生动的配器和流行风格音乐的讽刺性应用,造就了3部反差无比之大的交响曲,但它们却又因他的独特的创作个性和他对交响乐结构的牢牢掌握而统一起来。这些作品中的宗教意义非常深远。马勒早年的令人困惑的处境,以及他的未能继承犹太教信仰(父为自由思想者)使他陷入哲学上的困扰,后来他皈依基督教而暂时解决了这个问题。1897年初的受洗给他带来一定的好处,因为这推动了维也纳歌剧院的任命。在那里的10年代表了他最平衡的中期。新的信仰和新的高位带来充满信心的成熟期,而1902年与A.M.申德勒的结婚更使他进一步稳定下来;他们生了两个女儿。

②中期。作为维也纳歌剧院的指挥(一度兼任维也纳爱乐音乐会指挥),马勒在诠释和演出方面达到了空前的水平,为后继者望尘莫及。与此同时他又频繁巡回演出,作为指挥家声誉传遍大半个欧洲。他继续按习惯在暑期休假时,到奥地利阿尔卑斯山区悉心作曲。精神和精力的不间断的消耗给他羸弱的身体增加了难以承担的双重压力。创作中期的大部分作品反映出马勒成熟期的狂热活力,只有《第四交响曲》(1900,俗称《天堂欢乐颂》)是例外,它更多的是第一时期的补充。中期的三部曲《第五》、《第六》和《第七》都是纯管弦乐,在配器上表现出新的轮廓分明的对位手法,而且完全没有标题,但各自清楚体现一种精神冲突,并得到彻底解决。在这一时期末,他创作了人称《千人交响曲》的不朽巨作《降E大调第八交响曲》(1907,8名独唱、双合唱队和管弦乐队)。此曲标志着马勒成熟期的巅峰状态,接着便是灾难不断。他认为《第六(悲剧)交响曲》的创作就是这些灾难的预兆;这部作品最早暴露出马勒个性中的迷信因素。它的末乐章原来有3下高潮性的捶击,代表"命运对一位英雄的3次打击";后来他把它们理解为他在1907年受到的3次打击的不祥之兆:维也纳歌剧院要求他辞职;3岁女儿夭折;医生诊断他患了致命的心脏病。

③最后时期。从此开始了马勒的最后一个阶段:47岁的他又成了流浪者。作为一位指挥,他必须重振雄风,在美国大都会歌剧院指挥演出,并担任纽约爱乐乐团指挥;但他每年夏天都要回到奥地利乡下去创作他的最后几部作品,1911年回维也纳后在那里去世。构成后期三部曲的3首作品是《大地之歌》(1908)、《第九交响曲》(1910)和《升F大调第十交响曲》(仅写成全部草稿,他去世后由别人完成)。《大地之歌》又一次暴露了马勒的迷信:它原先是写成一部歌曲套曲(歌词为中国古诗的德文译本),后发展成"一部由男高音、男中音(或女低音)与管弦乐队演出的交响曲"。但是他不愿称它为《第九交响曲》,因为他从贝多芬和布鲁克纳的作品目次类推,相信第九交响曲必定是它的作曲者的最后一部交响曲。后来当他开始真正的《第九交响曲》时,他曾开玩笑地说,危险已经过去,"因为它实际上是第十";不过,实际上那部交响曲成了他的最后一部,而《第十交响曲》则在他去世时还只是草稿。后期的这三部曲标志着对于过去的更为果断的决裂。代表着与现代人的基本问题——死亡的现实——作出妥协的努力。

评价 现代评论界承认马勒在音乐过渡时期中的强大影响。在他的作品中普遍存在着能够预示20世纪激进手法的因素,包括"进行性调性"(作品结束在不同于原始调的另一个调性上)、"调性的瓦解"(通过不断采用变化音或不属于该调的和弦而模糊调的概念)、不断变化主题而不只是重复陈述主题的原则,以及讽刺性地引用流行风格和取自日常生活的声音。另一方面,他运用了一种新的方式,通过采用巧妙地衍生于李斯特的"套曲手法"的技巧(把主题从一个乐章转到其余乐章)而在曲式上使交响曲统一起来。

Mahmoud 马穆德 (1933年生) 赛马名。属纯血马品种,是德比马赛中跑得最快的马,曾创造2:33⅘的记录。生于法国,其母为马·马哈尔,其父为布伦海姆。初为阿迦汗所有,被阿迦汗送到英格兰于纽马基特由F.巴特斯训练。两岁时在3次比赛中获全胜;3岁时在二千畿尼赛中以一个短头的距离之差失利,但不久由C.斯默克任骑师,赢得德比马赛并创新记录。1940年退出马赛,用作种马,售到美国。

Mahmud 马哈茂德 又作Mahmūd。统治者之名,按国别分列于后,并各以●为标记。

伽色尼

● **Maḥmūd 马哈茂德**(971～1030-04-30?,伽色尼) 10～11世纪伽色尼王国苏丹(998～1030)。赛布克特勤之子。赛布克特勤本是突厥族奴隶,977年成为伽色尼的君主。998年马哈茂德承嗣大统,年27岁。他显示出卓越的行政管理才能。在他即位时,伽色尼不过是一个小小的王国,领土仅包括今阿富汗和伊朗的东北部地区。但年轻有为的马哈茂德渴望成为一位伟大的君主。在前后20余次征战中,奠定了一个最终包括克什米尔、旁遮普和伊朗大部分地区的庞大帝国的基础。在即位的最初两年,马哈茂德巩固了自己的地位。虽然自己是一个独立的君主,但是出于政治目的,他向巴格达的阿拔斯王朝哈里发表示接受名义上的藩属关系。哈里发则承认他为所占领土的合法统治者并鼓励他征战。1001～1026年间,马哈茂德进攻印度达17次之多,最后一次出征,已经兵抵古吉拉特南部的沿海城市索姆纳特。马哈茂德在印度北方的主要对手是旁遮普统治者贾伊帕尔。1001年,马哈茂德率领1.5万名骑兵进攻印度,贾伊帕尔出动1.2万名骑兵、3万名步兵和300头战象迎击。在白沙瓦附近的战斗中,尽管印度人数量和装备都占有优势,但仍然在穆斯林骑兵的猛攻下节节败退,贾伊帕尔也被生擒。1008年再次取得重大胜利,马哈茂德一直推进到印度中部。马哈茂德吞并旁遮普之后,开始将伽色尼城改造成一个伟大的艺术和文化中心。他资助学者创办学校,营造园林,修筑清真寺、宫殿和商队馆舍。1024年发兵对卡提阿瓦南部海岸作最后一次著名的远征。他攻陷索姆纳特城,洗劫了举世闻名的印度教寺院。1026年班师回国。晚年仍然对威胁帝国安全的中亚部族进行征战。马哈茂德是一个虔诚的穆斯林,但从不苛待印度臣民,也不强迫他们改信伊斯兰教。他保护文化艺术,在他的慷慨鼓励下许多优秀学者聚集伽色尼。他对印度北方的征服促进了印度次大陆与穆斯林世界的交流与贸易。

马六甲

● **Mahmud Shah 马哈茂德·沙阿**(?～1528,苏门答腊金宝) 马六甲苏丹(1488～1511),后建立柔佛王国。他即位时,马六甲城邦极为强盛,成为东南亚的贸易中心。1511年8月葡萄牙军队占领马六甲城,他逃往彭亨,乞求中国援助未成。于是,他奔向南方,在那里建立柔佛王国。都城设在今新加坡东南的宾唐岛上,他成为一个马来人和穆斯林人联盟的领袖,曾数次发动对马六甲的进攻,但均未成功。1526年都城被葡萄牙人摧毁。他逃往苏门答腊。

奥斯曼帝国

● **Mahmud I 马哈茂德一世**(1696-08-02,奥斯曼帝国埃迪尔内～1754-12-13,君士坦丁堡)奥斯曼苏丹,1730年即位。即位之初忙于平息叛乱,1731年又镇压禁卫军反叛。在位期间,奥斯曼的军队打败奥地利和俄国,最后缔结《贝尔格莱德条约》(1739)。但同伊朗

美国不列颠百科全书公司供图

的战争直到1746年仍无结果。他参与政治与军事事务，试图对军队进行部分改革。他提倡音乐和文学，也用阿拉伯文写诗。

● **Mahmud Ⅱ 马哈茂德二世**（1785-07-20，君士坦丁堡～1839-07-01，君士坦丁堡） 奥斯曼苏丹（1808～1839）。尽管奥斯曼帝国屡遭战败并且丧失领土，他的西方化改革却有助于加强帝国的力量。他是在鲁斯楚克地方贵族贝伊赖克达尔·穆斯塔法帕夏所发动的政变中登上皇位的。他即位之初，正值奥斯曼帝国在巴尔干半岛遭到侵蚀。因与俄国作战失败，1812年签订《布加勒斯特条约》，割让了比萨拉比亚。到1815年，塞尔维亚实际上已经实行自治，希腊人的独立运动澎湃高涨。1821年摩里亚的希腊人揭竿而起，反抗奥斯曼帝国的统治。1827年，英法俄三国联合舰队在希腊南部的纳瓦里诺湾摧毁奥斯曼-埃及舰队。在1828～1829年的俄土战争中，奥斯曼帝国败北。1830年，马哈茂德二世承认希腊独立。1832年，埃及总督穆罕默德·阿里的军队侵入叙利亚，占领大马士革和阿勒颇，在科尼亚击溃奥斯曼的军队，并向君士坦丁堡进军。马哈茂德二世派兵出击，1839年在尼济普一役又遭到惨败，不久死去。由于军事上一连串的失败和早些时候分裂派的反叛，他生前认识到必须进行一些改革。1826年解散禁卫军团。1831年废除分封给

美国不列颠百科全书公司供图

骑兵的采邑。然后，他建立起一支由德国教官训练的新军队。在内政方面，他采用内阁制度，实行人口普查和土地测量，创办邮政事业。在教育方面，实行小学义务教育制，开办一所医科学校，并派遣学生去欧洲留学。

Mahmud Abdülbâkî 马哈茂德·阿卜杜勒巴基 参阅 **Bâkî** 巴基。

Mahmud Muzaffar Shah 马哈茂德·穆扎法尔·沙阿（1823，丁加奴廖内～1864-07，彭亨） 廖内群岛和林加群岛的最后一位苏丹。1834年即苏丹位，由父摄政。1841年亲政。他决心恢复祖先的势力范围，曾得到马来诸邦，特别是丁加奴苏丹奥马尔的支持。当他要求践马来半岛彭亨邦的王位时，荷兰人认为这危害他们的利益，于1857年10月将他废黜。但在马来东部沿海诸邦中，他仍享有崇高的声望。

Mahmud Nedim Paşa 马哈茂德·奈迪姆帕夏（约1818～1883-05-14，君士坦丁堡） 奥斯曼帝国的外交官和首席大臣（1871～1872，1875～1876）。一贯采取保守政策，反对进行任何改革。结果使苏丹成为专制君主而一切西方化的改革化为泡影。他第一次任首席大臣时，因君士坦丁堡神学院学生举行大示威而下台。1875年再度出任首席大臣时，他的一切重大决策都是依照俄国驻奥斯曼宫廷大使尼古拉·伊格纳季耶夫伯爵的意见来确定的。当伊格纳季耶夫挑起保加利亚叛乱之后，群情激昂，苏丹只好将其免职，以安抚公众舆论。

mahogany 桃花心木 热带地区几种木质坚硬的乔木，尤指楝科的几个种。如热带美洲的西印度桃花心木（*Swietenia mahagoni*）为高大常绿乔木，木质坚硬，成熟树木材呈红棕

西印度桃花心木（*Swietenia mahagoni*）
美国不列颠百科全书公司供图

色；偶数羽状复叶；花小，白色，簇生；蒴果木质，5裂；种子近方形，有翅。目前绝大多数商售桃花心木来自同科和其他科的一些属种，如楝科的 *Khaya* 属、*Entandophragma* 属及龙脑香科的菲律宾桃花心木（娑罗双属 *Shorea*），用制家具和镶板等。

Mahón 马翁 全称马翁港（Puerto de Mahón）。西班牙巴利阿里省和自治区梅诺卡岛主要城市。初为迦太基人的地中海港口。罗马时期为自治镇。1535年被阿拉伯海盗攻占。1708年被英军占领，1718年辟为自由港。1756年归属法国。1763年复被英军夺回。1802年正式归属西班牙。现主要生产鞋、人造珠宝和杜松子酒。亦有手工业。周围地区有农牧业。所产马翁乳酪享有盛名。公路通该岛西边的休达德拉，飞机和轮船通巴塞罗那和其他岛屿。人口22 926（1981）。

Mahon, Charles Stanhope, Lord 马洪勋爵 参阅 **Stanhope, Charles Stanhope, 3rd Earl** 斯坦厄普伯爵（第三）。

Mahon, Philip Henry Stanhope, Viscount 马洪子爵 参阅 **Stanhope, Philip Henry Stanhope, 5th Earl** 斯坦厄普伯爵（第五）。

Mahone, William 马洪（1826-12-01，美国弗吉尼亚南桑普顿～1895-10-08，华盛顿［哥伦比亚特区］） 美国南北战争时期南方邦联的将军和铁路巨头。曾领导从1879年到1882年弗吉尼亚州的"重新调整者"改革运动。1847年从弗吉尼亚军事学院毕业后，边教书边学习工程知识。1851年加入诺福克-彼得斯堡铁路公司当工程师，10年后任总经理。南北战争爆发后受命为南方邦联兵站总监，最后晋级少将，战争结束时被南方人视为真正的英雄。战后仍执旧业，任大西洋、密西西比和俄亥俄铁路总经理，通过铁路广结人缘，使之成为强大的政治基地。但该路在19世纪70年代破产。他因未获弗吉尼亚州有财势家族的支持，1877年争取充当民主党州长候选人失败。1879年建立"重新调整者"组织，联合黑人和贫困白人经过努力赢得州政权，掌权到1882年。任内减少了该州的债务，并实行一些改革措施。1880年以共和党人当选为联邦参议员。1889年竞选州长失败，但他在州内仍有潜在的政治力量。

Mahoney, Mary 马奥尼（1845-05-07，美国马萨诸塞多切斯特～1926-01-04，波士顿） 美国护士，第一位完成护理课程的非洲裔美国人。原是波士顿新英格兰妇幼医院的一名卫生员，1878年获准进入该院护校学习，次年毕业，成为第一位接受过正规培训的黑人护士。当时，重病患者按常规是在家中接受治疗，而不是住院。因此，她也就以私人护士的身份受雇多年。作为美加女校友护士联合会（即美国护士协会）之前身最早的黑人会员，马奥尼后来参加了全国有色人种资格护士协会，该协会于1909年在波士顿召开了第一届学术年会，马奥尼在会上发表了讲演。1911年，协会授予她为终身会员，后被选举为国家级牧师。1911～1912年间，马奥尼在纽约长岛的霍华德黑人孤儿院任职监督。在美国，赋予妇女投票权的宪法第19修正案于1920年8月26日生效，受此鼓舞，她一回到波士顿便注册参加投票。因为她是波士顿第一个参选女性，故名声大噪。1926年过世，10年后，为了纪念她，全美有色人种资格护士协会设立了一项玛丽·马奥尼奖章，以表彰那些职业精神卓著的会员。1951年，全美有色人种资格护士协会和美国护士协会合并以后，该奖项每两年颁发一次，以表彰那些为少数民族护理事业做出杰出贡献的人士。1976年入

选护士名人堂，1993 年入选全美女性名人堂。

Mahoré 马奥雷 参阅 **Mayotte** 马约特。

Mahpiua Luta（Sioux Indian chief） **马皮瓦·卢塔** 参阅 **Red Cloud** 红云。

Mahra Sultanate 马赫里苏丹国 阿拉伯半岛南部过去的一个半独立国家，包括印度洋上的索科特拉岛，现在也门东部。该国本土在阿拉伯海沿岸，首都为基什恩。该国苏丹于 1886 年和 1888 年签约接受英国的保护。1967 年英国人撤出该地区时，末代苏丹被废黜。该国出产鱼和乳香。

Mahrattā（Indian people） 参阅 **Marāṭhā** 马拉塔人。

mahseer 印度鲃 鲤科鲃属（*Barbus*）几种产于印度和东南亚清澈河湖中的大型食用游钓鱼的统称。鳞大而厚，颌有力，唇能伸缩，

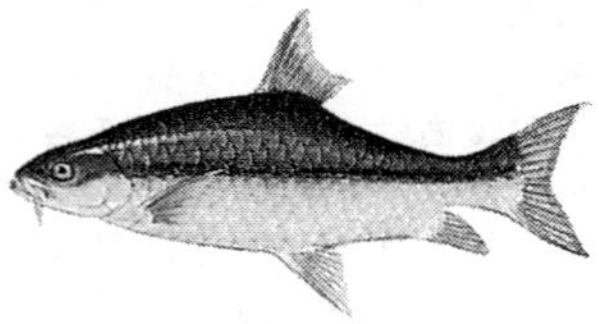

印度鲃（*Barbus tor*）
美国不列颠百科全书公司供图

有时多肉，适于从水底摄取食物。为印度江河鱼中最大的鱼种类之一，最长达 2 米左右，重约 90 千克。

mahzor 《玛赫佐尔》 又拼 machzor。原是犹太教祈祷书，根据教历编排并供全年使用。现在虽然领诵人仍用此书，但《玛赫佐尔》已成为节日祈祷书，有别于专在平时和安息日所用的祈祷书《西都尔》。

Mai-Ndombe, Lake 马伊恩东贝湖 1972 年前称利奥波德二世湖。刚果（金）西部的湖泊，在刚果河以东。面积 2 300 平方千米，长 130 千米，最宽处 40 千米。向南流入菲米河后注入开赛河。水浅，形状不规则。雨季时，面积可增大到二或三倍。东岸的伊农戈为主要湖港。

Maiano, Benedetto da 马亚诺 参阅 **Benedetto da Majano** 贝内德托。

Maiasaura 蟹龙属 鸭嘴龙类的一属，化石见于北美的晚白垩世（9 900万年前至6 500万年前）岩石中。双足行走，行动缓慢，草食性。体长约 8 米。据信有迁徙习性。1978 年在美国蒙大拿州肖托附近的图·梅迪辛组（Two Medicine Formation）地层中发现蟹龙的营巢地点。发现一只成年蟹龙的遗骨与一窝体长约 1 米的幼恐龙有密切关系。在其附近又发现多个巢穴，内有刚孵出的体长约0.5米的幼恐龙，或有许多破碎的卵壳和一窝窝完整的卵。从这些化石间的关系可以认为，这些巢穴和幼恐龙都属于蟹龙，由此又得出一种理论：鸭嘴龙类有育幼习性。该地点又表明蟹龙是社群性动物，成群地营巢；而且可能每年回到同一地点。研究表明幼龙须经过 7～8 年进入成熟期。

Maidanek（German Nazi extermination camp） 参阅 **Majdanek** 马伊达内克。

maidenhair tree 参阅 **ginkgo** 银杏。

Maidenhead 梅登黑德 英格兰伯克历史郡温莎和梅登黑德一城镇。临泰晤士河。伦敦—巴斯公路经由一座石桥（1772～1777）通过此河；布鲁纳尔铁路桥（1837～1838）有世界上跨度最大的两座砖墩桥。有属于国家土地管理委员会的梅登黑德灌木丛和平克尼斯绿地，共占地 217 公顷。现为住宅区和避暑胜地。有划船设施。人口 59 605（1991）。

Maidstone 梅德斯通 英格兰东南部肯特行政、历史郡一城镇和自治市。跨梅德韦河，在伦敦东南 61 千米处。面积 393 平方千米。诺曼时期为坎特伯雷大主教住地。后发展成为商业城镇。曾多次获特许状，最后一次为 1747 年。现仍为主要农业市场中心，地处英格兰水果产区和最大蛇麻草产区。主要工业有酿酒、麦芽糖生产和农具制造业。但主要的现代制造业为造纸。罗马时代起就已经开采的肯特硬石岩运往伦敦建造主要建筑物。用梅德斯通这种石头建造的著名建筑物有汉普顿科特、伊顿公学和伦敦塔等。自从 13 世纪起巡回法庭就在梅德斯通开庭，现在该市为郡府所在地和重要的购物中心。古迹有中世纪大主教宫和乔治王朝时期建筑。人口：区约141 100（1998）。

Maidu 迈杜人 加利福尼亚印第安人群体，操佩纽蒂语，原来的生活区域自萨克拉门托河向东延伸到内华达山脊，主要集中在费瑟河及亚美利加河流域。文化有 3 种主要形式，即河谷文化、山麓文化及山地文化，各由其生境所决定。这 3 部分人的物质条件也各异：河谷居民生活富裕；而山地纬度越高，居民生活就越贫困。迈杜人以种籽、橡实为食，猎捕诸如麋、鹿、熊、兔、野鸭、野鹅等禽兽，也捕捞鲑鱼、鳗鱼及其他水生动物。河谷居民建造大型、覆土的公共住房，山地居民则构筑柴草或树皮坡屋。迈杜人以自治群体的形式居住，各有其公共土地，活动时结成一体，但其成员可以散居于不同的居民点。迈杜人也有领袖，南部诸部落领袖为世袭，北部领袖则根据财富和名望获得地位，如果不孚众望，也可废黜。迈杜人和其他中部加利福尼亚印第安人一样，也信奉库克苏教，有些仪式的目的是祈求好收成、多捕猎，或是避免洪灾或祓除疫病等，带有浓厚的自然主义色彩。20 世纪末，只有不足 200 名迈杜人生活在山地社区中。

Maiduguri 迈杜古里 又称耶尔瓦，或耶尔瓦-迈杜古里。尼日利亚博尔诺州最大城市和州首府。临季节河恩加达河北岸。范围包括耶尔瓦和迈杜古里两座姊妹镇。耶尔瓦镇于 1907 年为卡努里人所建。同年迈杜古里村成为英军司令部驻地，1908年设为英属博尔努的首府。当地人称这两个镇为耶尔瓦，1957 年耶尔瓦镇成为该市的市区，而迈杜古里镇则为郊区，但在该州以外，两地通称为迈杜古里。1964 年通铁路后，该市成为尼日利亚东北部主要商业中心。现主要出口牲畜、皮革、革制品、花生、阿拉伯树胶、鱼干和

迈杜古里市堆积如山的袋装花生
美国不列颠百科全书公司供图

鳄鱼皮。亦为高粱、小米、玉米、稻米、棉花和靛青的销售中心。耶尔瓦镇的星期一集市是全州最大的集市。居民以穆斯林卡努里和舒瓦人为主，亦有南方来的基督教尼日利亚人。20 世纪 60 年代中期以来该市成为全州重要的工业和教育中心。有屠宰、肉类冷冻、花生油、胶姆糖等食品加工厂，生产皮革制品、家具、铁钉、型铝、型钢和石棉瓦等。城市周围有林业。市内设迈杜古里大学（1975）、拉马特工学院、博尔诺法律和伊斯兰教研究学院、州立博尔诺高等师范学院、伊斯兰教师范学院。迈杜古里大学设有教学医院。市内还有一家综合医院。有乍得湖研究所、王宫和博尔努清真寺。该市在塞内加尔至麦加的朝圣路线上，是连接哈科特港和尼日利亚东北部铁路干线的终点站及公路枢纽。城西 9 千米处有一机场。人口约 281 900（1991）。

Maigh Eo（Ireland） 参阅 **Mayo** 梅奥。

Maijing 《脉经》 英语作 Classic on Pulse。中国现存最早的脉学专著。魏晋（220～420）

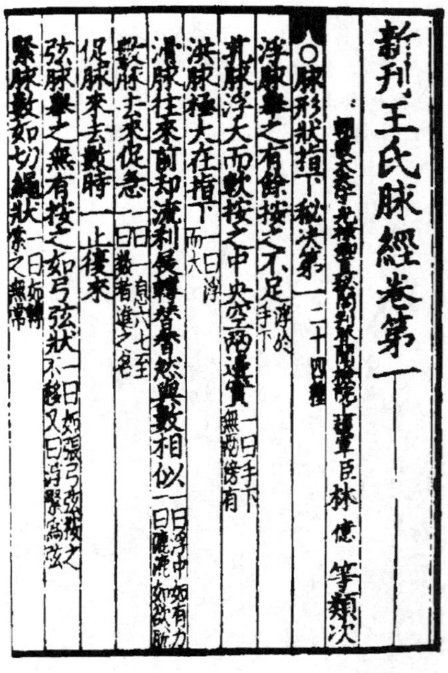
新刊王氏脈經卷第一
臣林億等類次
脈形狀指下秘訣第一 二十四種
浮脈舉之有餘按之不足 浮於手下
芤脈浮大而軟按之中央空兩邊實 一曰手下無旁有
洪脈極大在指下 一曰浮而大
滑脈往來前卻流利展轉替替然與數相似 一曰浮中如有力 一曰漉漉如欲脫
數脈去來促急 一曰一息六七至 一曰數者進之名
促脈來去數時一止復來
弦脈舉之無有按之如弓弦狀 一曰如張弓弦按之不移 又曰浮緊為弦
緊脈數如切繩狀 一曰如轉索之無常

四部丛刊本《脉经》书影
中国大百科全书出版社供图

间王叔和撰。10卷。本书总结汉以前医家脉诊论说和西晋以前的脉学经验,分述阴阳表里、三部九候、二十四脉以及伤寒、热病、杂病、妇儿病等各种脉证,给脉的生理、病理变化和疾病关系归纳为24种脉象,根据脉搏跳动规律判断各种疾病的种类。对后世医学诊断学发展有重要影响。

Maijishan caves　麦积山石窟　中国古代北方地区佛教石窟。位于甘肃天水东南麦积山南麓。现为国家重点文物保护单位。石窟始建于十六国晚期的后秦。5世纪初著名高僧

麦积山石窟
中国大百科全书出版社供图

昙弘、玄高等人都曾在此隐居。现存洞窟194个,集中分布在东崖和西崖两区,两区之间的山崖因地震有较大的崩塌,部分洞窟已崩毁,石窟壁画大部已脱落,保存下来的甚少,仅存1 000多平方米。麦积山石窟精华是现存的7 000余尊塑像。洞窟开凿年代当在4世纪末5世纪初,现存纪年题记最早的是北魏景明三年(502);在西魏、北周时期都有大规模的兴建,隋、唐、五代、宋至明都续有建造。麦积山石窟的塑像多为敷彩泥塑,形象秀美,清新流畅,人物传神而富有生活气息。

Maikala Range　迈格拉岭　印度中部中央邦的山脉。南北走向,构成三角形分布的萨特普拉山脉的东麓。迈格拉岭为砖红壤覆盖的平顶高原,海拔600～900米。萨特普拉岭–迈格拉岭为印度第二大分水岭。讷尔默达河、索恩河、班杜河、根赫尔河、里亨德河、比久尔河、戈帕德河和伯纳斯河均南北走向,在高原上切出开阔河谷。植被为草、荆棘与落叶树诸如柚树和婆罗双树。农业为主要经济活动,大部限于冲积谷地,生产稻米、小麦、鹰嘴豆、高粱、大麦、玉米、豆类、芝麻和芥籽。工业生产水泥、陶瓷、砖瓦、玻璃、石料、木材、虫胶等,另有面粉、木豆、油料加工等。开采煤、石灰石、铝土、刚玉、白云石、大理石、板岩和砂岩。居民主要为贡德族、哈尔巴族、巴莱族、拜加族和科尔库族。主要城镇有巴拉卡德、门德拉、奈恩布尔和丁多里。名胜古迹有门德拉(贡德诸王的首府)的要塞,拉姆纳格尔的宫殿和根哈国家公园。

Maiko National Park　马伊科国家公园　刚果(金)东部自然保护区。位于布卡武和基桑加尼之间。从奥索河向北伸展至林迪河。面积10 830平方千米。以茂密的赤道森林著称。为猩猩、大象、豹和獾加狓的栖息地。至今尚未开放。

Maikop (Russia)　参阅 **Maykop 迈科普**。

mail (armour)　参阅 **chain mail 锁子甲**。

mail　邮件　经由政府管理机构互相传送的个人或邮局的邮政物件。参阅 **postal system**。

mail-cheeked fish　参阅 **scorpaeniform 鲉形类**。

mail-order business　邮购业　又作direct-mail marketing。商品买卖的一种形式,卖主大批邮寄通函或商品目录,或在报纸、杂志刊登广告,买主邮寄订货单;货物按照货到付款的价格条件,通过陆运、快邮、包裹邮递进行交货。邮购零售业务原是为满足乡村顾主需要而创设的,目前已扩展到千百万城市顾主。办理邮购业务者大多为按传统经营方式销售特产的小商店;现在百货公司也设邮购部,销售业务量也很可观。然而大部分邮购业务是由不多几家销售百货的公司所经营的。20世纪后期,世界上最大的两家邮购商店是美国的西尔斯–娄巴克公司和蒙哥马利–沃德公司。随着约在1960年后电脑操作的邮寄名单和技术的发展,许多大零售商已将邮购通函征询与开帐单结合了起来。读者俱乐部和录音欣赏俱乐部销售书籍、留声机唱片和录音带时,主要也是利用直接邮寄。在美国,自殖民地时代以来就有这样或那样的邮购业务方式,但到19世纪后半期邮购才在国内贸易中发挥重要作用。大陆铁路网的完成促进了一般商品邮购店的发展。有能力按较低价格向农民销售各式各样商品,一种鼓励邮购单据和目录传送的邮费结构,以及在1913年建立起包裹邮递制度,这些都有利于邮购业务的扩展。在欧洲,19世纪末才出现邮购业;1945年以后邮购发展最为迅速。70年代中期,英国、西德、瑞典和瑞士的邮购业最强,法国和荷兰的邮购业正日渐发展。现在德、法两国邮购业的发展趋势是专门销售有限的数种系列商品,如纺织品、雪茄烟、珠宝首饰等,但英国的邮购商店出售各种名牌耐用消费品。消费者的爱好正日趋相同,这促进了欧洲商店向国际扩张,例如英国的大百货公司已在瑞士和南非设有分公司。

Mailáth, János, Gróf (Count)　**毛伊拉特**(1786-10-05,匈牙利佩斯～1855-01-03,慕尼黑附近施塔恩贝格湖[德国])　匈牙利作家和历史学家。他用德文写出许多重要著作,其中有《马扎尔人的传说、寓言和轶事》(1825)、《马扎尔人的历史》(5卷,1828～1831)和《奥地利帝国史》(5卷,1834～1850)。其父亲是一位伯爵。在1848年革命的政治骚乱中,他既不站在革命派一边,也不站在保守派一边。1848年离开维也纳去慕尼黑,数年后由于贫穷潦倒,与女儿一道投湖而死。

Mailer, Norman　梅勒(1923-01-31,美国新泽西朗布兰奇～2007-11-10,纽约市)　美国小说家。他成功地把小说创作的强烈主观性和丰富想象力运用于描写真人真事的报刊文

美国不列颠百科全书公司供图

章中。他的小说和非小说类作品都猛烈抨击极权主义,认为极权主义是20世纪美国中央集权机构的必然产物。在布鲁克林长大,1943年毕业于哈佛大学航空工程系。1944年应征入伍,在太平洋服役至1946年。他刚进巴黎大学时写的《裸者和死者》(1948)使他一举成名,被人们认为是第二次世界大战后美国最优秀的小说。此后致力于写作不受一般读者欢迎的探索性作品。第二部长篇小说《巴巴里海滨》(1951)以及《鹿苑》(1955)分别受到评论界的攻击或各种各样的评价。继而发表的重要作品是写颓废派人物的长篇论文《白种黑人》(1957)。1959年当他快被人们遗忘时,文集《为我自己做广告》又引起读者的注意。这本集子收有他的未完成的短篇小说、小说片断、论文、评论、笔记或称小说构思。这种杂录式的自我剖析赢得追求改变生活和艺术时尚的青年一代的赞扬。此后他的小说虽没有获得评论界的赞赏,但却被当作生活指南而拥有广大读者。《美国梦》(1965)写一个谋杀妻子的男人;《我们为什么在越南?》(1967)写一个青年人到阿拉斯加作狩猎旅行。梅勒是个有争议的人物。他的自我主义和好战性常常引起评论界和读者的反感。他的报刊文章比他的小说更受人重视。他根据1967年10月华盛顿和平示威写的《黑夜的军队》(1968)就是一例。类似的作品有写共和党和民主党总统竞选全国代表大会的《迈阿密和芝加哥之围》(1968)和写月球探险的《月亮上的火》(1970)。1969年竞选纽约市长失败。其他作品还有随笔集《总统文件》(1963)和《食人者与基督徒》(1966)、根据杀人犯吉尔摩生平写的长篇小说《刽子手之歌》(1979),以及他计划写作的关于埃及的三部曲的第一部《古代的夜晚》(1983),一部现代神秘惊险小说《硬汉子不跳舞》(1984)和《妓女的幽灵》(1991)。

Maillart, Robert　马亚尔(1872-02-06,瑞士伯尔尼～1940-04-05,日内瓦)　瑞士桥梁工程师,由于大量使用钢筋混凝土,革新了石工拱桥的设计。就学于苏黎世瑞士联邦理工学院,1894年获结构工程学位后,曾一度与法国

工程师F.埃纳比克合作。1901年在瑞士楚奥茨建造了第一座因河桥，这座平直细长的拱桥使公众和其他工程师惊讶不已。其建桥法的基础是把桥拱、路面和加固梁结合为一个整体式结构，外观优美，造价低廉。在以后的40年间，他继续在瑞士的阿尔卑斯山建筑各种优美的拱桥，其中最著名的是施瓦岑堡的施万德巴赫弧形桥，曾被誉为"现代工程中的艺术珍品"。马亚尔还建造了许多其他建筑，包括1912～1919年在俄国建成的数座工厂和仓库。俄国革命使他破产，但回瑞士后又重整他的事业。

Maillebois, Nicolas Desmarets, Marquis de 马耶布瓦侯爵 参阅 **Desmarets, Nicolas 德马雷**。

Maillol, Aristide 马约尔（1861-12-08，法国滨海巴纽尔～1944-09-27，滨海巴纽尔附近） 法国画家、版画家、20世纪最重要的雕刻家之一。其女裸雕像使20世纪初期的雕刻重

美国不列颠百科全书公司供图

新重视体积及严格的形体分析。其作品为现代抽象雕刻各流派的根本性实验铺平了道路。起初是画家兼挂毯设计师，其作品表明他十分赞赏纳比派。40岁时，因眼疾而决心致力于雕刻。成熟的雕刻风格与同时代人罗丹的富于情感的雕刻风格格格不入。他力图保持和净化发端于古典希腊和罗马的雕刻传统。《地中海》（约1901）和《夜》（1902）两作品

马约尔的铝雕《河》（约1939～1943）
中国大百科全书出版社供图

说明，他在后期雕刻中表现出一种感情的抑制，运用了清楚的构图和平静的表面。尽管其大部分作品描述成熟的女性形体，但有一个明显的例外，即体形清瘦的《骑自行车的人》（1907～1908），这件作品对表现主义人物雕刻的发展有深刻影响。1910年后已在国际上闻名，经常接受大量订件。其艺术手法极为简练，曾成功地重复制作同一题材的雕刻，有时只是更动一下标题而已。仅在《囚禁中的生活》（1906）及《河》（约1939～1943）中，一反初衷，表现了处于激烈活动中的人物形象。20世纪20和30年代曾为拉丁诗人的精美诗集创制木刻插图多幅，为恢复书籍艺术做了大量工作。

Mailly-Nesle, Marie-Anne de 马伊-内勒 参阅 **Châteauroux, Marie-Anne de Mailly-Nesle, Duchess de 沙托鲁公爵夫人**。

Maiman, Theodore H. 梅曼（1927-07-11，美国加利福尼亚洛杉矶～ ） 美国物理学家，制造了第一台激光器——产生单色相干光（即同波长、同相位的光线）的器件。它的用途极广，从精密外科手术到测量地球和月球之间的距离都要用它。1955年获斯坦福大学博士学位后，在迈阿密的休斯研究实验室任职，对C.H.汤斯和其同事们发展的微波激射器的设计作了很多改进，从而提高了固态微波激射器的实用性。并发展光微波激射器或激光器，以微波激射器原理为根据，但产生的是可见光而不是微波。1960年操作了第一台成功的激光器，两年后创立了科拉德公司，从事激光器的研究、发展和制造。

Maimāna (town, Afghanistan) 参阅 **Meymaneh 梅马内**。

Maimbourg, Louis 曼布尔（1610-01-10，法国南锡～1686-08-13，巴黎） 法兰西耶稣会修士、史学家。1626年加入耶稣会，奉派前往罗马学习神学，返回法兰西在鲁昂耶稣会学院讲授人文科学。晚年开始发表史学著作，最著名的是《从历史上评述罗马教会及其历任主教的建立和权力》（1685）。书中为法国教会自主权辩护，引起教皇英诺森十一世的强烈不满，将其开除出耶稣会。曼布尔在国王路易十四的资助下退隐于巴黎圣维克托隐修院终生。

Maimon, Salomon 迈蒙（约1745，波兰所属立陶宛尼斯威兹～1800-11-22，西里西亚下锡格斯多夫） 原名Salomon ben Joshua。犹太哲学家。很早就熟悉律法并精通希伯来文，后来钦佩12世纪西班牙犹太教学者迈蒙尼德，故自称迈蒙。他原是康德的门生，后来叛离康德学派，批评康德理论，康德反而称赞迈蒙，认为迈蒙对他的《纯粹理性批判》理解甚深，超过其他人。在确立康德哲学的评判标准方面，迈蒙的怀疑主义未尝不有所助益。他强调纯思维是受许多限制的，这种见解对于有关思维与经验、知识与信仰之间的关系的讨论也有所促进。他认为，追求真理虽然未必完全能达到目的，但这种追求有其宗教价值和伦理价值。主要著作有《寻找先验哲学》（1790）、《哲学辞典》（1791）、《人类精神批判研究》（1797）等。

Maimonides, Moses 迈蒙尼德（1135-03-30，科尔多瓦～1204-12-13，埃及） 原名摩西·本·迈蒙。犹太哲学家、法学家和医生，中世纪犹太教最杰出的文化名人。他的第一部重要著作是对密西拿的评注，23岁时开始撰写，历时10年完成。之后，又以希伯来文编纂了一部划时代的犹太教法典，以阿拉伯文撰写了一部《迷途指津》，还撰写了大量其他著作，其中很多具有重大价值。他在宗教、哲学和医药方面所做的贡献，对犹太学者和非犹太学者都有影响。

生平 迈蒙尼德出生于西班牙科尔多瓦的一个名门望族。年轻时从其博学的父亲和其他名师学习，以悟性甚深和多才多艺而令教师们惊叹不已。将满13岁时，他所处的和平环境突然遭到战争的破坏。约在1159年，他的家庭迁往摩洛哥的非斯定居，他继续学习他所喜爱的课程、犹太律法学、希腊哲学以及医学。1165年，他的一位犹太教师被捕处死后，他家又迁往巴勒斯坦，在那里停留数月后因无法谋生又迁往埃及，在开罗附近的弗斯塔特定居。虽然埃及是一个可以不受骚扰和迫害的避难所，但他不久就受到一些个人问题的打击。他的父亲在抵达埃及后不久便去世了。他的兄弟、一个富有的珠宝商携带着全家的财产死于一次沉船事故。这就使他成为全家的唯一供养者。他利用所学的医药知识成为一名开业医生。他的声誉很快传扬开来，不久便成了著名的穆斯林军事领袖萨拉丁苏丹及其子艾弗德勒的宫廷医生。他仍然继续私人开业，并在国立医院给医生们讲课。同时他还是犹太人社团的领导成员，公开教导和帮助他的人民如何处理个人的和社会的问题。

著作 迈蒙尼德的著述甚丰而且种类繁多。他在23岁时开始撰写的第一部重要著作是以阿拉伯文写的对密西拿的评注。密西拿是从远古时期至3世纪的犹太法律的一些判决的概述。迈蒙尼德的评注阐明了一些字词和短语，常常引用考古学、神学或科学上的有关资料。这部著作最突出的特点也许是一系列介绍性的论文，论述密西拿接触到的一般哲学问题。其中一篇论文把犹太教的教义综合为《信仰十三条》。他33岁时完成了对密西拿的评注，以后便着手他的巨著犹太法典，也花费了10年的功夫。这部法典取名《密西拿律法书》，以流畅易懂的希伯来文体写成，是对所有犹太法律和教义的系统化。他的另一部重要著作开始于1176年，是耗费了他15年精力的宗教哲学的经典著作《迷途指津》，这部著作是对他所说的更理性的犹太教哲学的辩解，对协调科学、哲学和宗教做出了重大贡献。该书用阿拉伯文写成，并作为给他的得意门生约瑟夫·伊本·阿克林的私人通信寄出。这部著作在他有生之年被翻译成希伯来文，并在以后翻译成拉丁文和大多数欧洲文字。它对宗教思想史有显著的影响。他还写了一些次要的著作和论文，论述当时犹太人社会面临的种种问题，以及一些医学著作。

影响 迈蒙尼德的先进观点在他生前和死后都遭到了反对。1233年，一个宗教狂、法国南部蒙彼利埃的拉比·所罗门鼓动教会当

局焚烧《迷途指津》,把它视为异端邪说。但过了一些时候争论便平息了,迈蒙尼德被承认为传统信仰的支柱——他的教义成了正统的礼拜式的一部分——和最伟大的犹太哲学家。他对犹太教的划时代的影响扩大到更广的范围。他的被译成拉丁文的哲学著作影响了中世纪伟大的经院哲学著作家,甚至后来的一些思想家,例如斯宾诺莎和莱布尼兹。这些人发现迈蒙尼德的著作正是他们的某些思想的源泉。他的医学著作构成了医药科学史的重要一章。

Maʿīn 迈因 南阿拉伯古代王国,公元前4～前2世纪在今也门北部繁荣一时。居民为密尼安人。他们爱好和平,经营商业。政府采取类似城邦的民主制。公元前2世纪后期为赛伯伊人所灭。

Main Botanical Garden of the Academy of Sciences 科学院总植物园 世界上最大的植物园之一,位于莫斯科,占地360公顷。创建于1945年,约有21 000种植物,其中许多种原产俄罗斯。特色之一是有很大的展区,展出的该国本土植物按其在俄罗斯境内的原产地的地理区域归类。该园受科学院领导,进行植物引进和驯化的基础研究,并进行有价值的新种和新亚种的田间试验。为此,园内种有数百种其他洲(包括北美、南美)的植物。园内还设有收藏约267 000号参考标本的标本室。

Main-Danube Canal 美因-多瑙运河 又称欧洲运河。德语作 Main-Donau-Kanal 或 Europa-Kanal。德国南部巴伐利亚州商业水道,于1992年完工。从莱茵河支流美因河畔的班贝格到多瑙河畔的凯尔海姆,全长171千米,它沟通北海和黑海间的水上货物运输线,形成一条流经15国、长达3 500千米的航道,可供载重量达2 425吨的货轮航行。最大民用工程项目之一的美因-多瑙运河有16个各长190米、宽12米、深30米的船闸。在纽伦堡南的施瓦本阿尔卑斯山的河段,海拔高达406米。开凿运河的想法可追溯到793年。当时查理大帝要为舰队打开一条穿越中欧的航道,在巴伐利亚的多瑙河支流阿尔特米尔河和美因河支流施瓦本雷扎特河之间开挖一条水道,但暴雨引起河堤坍塌迫使工程停工。1837年巴伐利亚路德维希一世开始了班贝格和克尔海姆间的工程,其路线和今天的运河极为相似。路德维希运河一直使用到第二次世界大战,但它无力和铁路竞争。1921年德国政府和巴伐利亚州组建公司建设更宽的美因-多瑙运河,其主要工程完成于1960～1992年。

Main Range 中央山脉 又称布法罗山脉、吉保山脉。马来半岛最著名的山群。在西马来西亚境内。属花岗岩结构,夹杂着变形沉积岩。自泰国边境往南延伸达480千米。大都在海拔900米以上,有些山峰高逾2 100米,其中吉保山,即布法罗山高2 183米。密林覆盖的山脉为霹雳和彭亨两河系发源地。从森美兰州到马六甲沿海平原高度逐渐降低。西侧有丰富的锡矿。在马来亚半岛中部,山脉向东延伸,最高点大汉山(2 187米)是该半岛的最高峰。

Main River 美因河 德国莱茵河右(东)岸重要支流。由魏瑟美因河和罗特美因河在库尔姆巴赫附近汇合而成。西南流向,在班贝格接纳雷格尼茨河后,向南转东再折向北,至格明登附近纳弗兰克萨勒河,之后,急转向南,纳陶伯河后向西,过美因河畔法兰克福城,在美因茨汇入莱茵河。全长524千米。河口至班贝格河段已运河化,成为美因-多瑙运河(1992完工)之一部,将莱茵河和多瑙河连起来,形成通北海和黑海的一条长达3 500千米的水路。

Maina 马伊纳 又拼Mani。希腊伯罗奔尼撒半岛南部半岛。在拉科尼亚州境内,长45千米。现被政府设为历史保护区。该半岛是古老的马尼奥特族人(据信为罗马帝国初期拉科尼亚难民后裔)的故乡。历史遗迹有波塞冬神庙和神殿、寺院和法兰克要塞(1248～1250)。1821年当地一次自发性起义引发了希腊独立战争。岛上中世纪特色保存完好,有11和12世纪拜占廷教堂多所。

Mainard, François 参阅 **Maynard, François 梅纳尔**。

Maïnassara, Ibrahim Baré 迈纳萨拉(1949-05-09,法属西非尼日尔马拉迪～1999-04-09,尼亚美) 尼日尔军人、外交家、政治人物。1996年发动政变推翻了尼日尔第一个民主选举政府,随后担任总统(1996～1999)。豪萨族,1970年应征入伍,三年后担任总统孔切的侍从武官。1976年任总统卫队司令,1978年指挥空降团。1986～1987年任尼日尔驻巴黎大使馆武官,1988～1990年任驻法大使,1990年～1992年任驻阿尔及利亚大使,1992年回国任国防顾问。1993年尼日尔首次成立民主政府后任总参谋长,1995年任军队首脑。1996年1月27日发动军事政变,软禁总统奥斯曼,宣布自己为全国拯救委员会主席,同时中止宪法并取缔政党。因面临美法两国终止财政援助,遂于7月安排新选举,在采取不当行为的情况下当选。1999年4月在尼亚美机场被总统卫队用机枪射死。

Maine 曼恩 法国历史大区,包括法国西部的马耶讷与萨尔特两省,幅员相当于前曼恩省。12世纪初曼恩归属安茹,13世纪初,连同安茹和诺曼底由法王腓力二世统治。后为那不勒斯所有。1481年复归法国君主。1789年法国大革命前的若干世纪,曼恩是军事长官管辖下的省份,首府勒芒,但它实际上和安茹及图赖讷一样都由图尔财政区的区长管理。曼恩区属于阿摩里卡高地的一部分,境内有马耶讷河及其支流。高地多饲养猪、牛。靠近巴黎盆地的低地则种植小麦、玉米和饲料。居民大多信奉天主教。多数现代教区起源于13世纪。

Maine 缅因 新英格兰地区6州中最大的一州,位于美国东北端,面积几达该地区一半,共有33 265平方英里(86 156平方千米),其中内陆水域为2 270平方英里。缅因州的西北及东北分别与加拿大魁北克及不伦瑞克两省交界,西部与新罕布什尔州接壤。该州海岸线以多岩石而闻名,沿大西洋自西南向东北呈弯曲走向。自1820年3月15日被接纳为美国第23州之日起,该州首府即为奥古斯塔。有关缅因州名的来源一向有两种解释:一说此名系仿照法国前省名Maine而定;另说则谓该州地处"大陆"而非沿海岛屿。

缅因州是密西西比河以东地区人口最少的一州。州内近90%的土地为森林所覆盖。根据多种统计方法测算,缅因也是美国经济上落后的地区,然而当地峰岩秀美,气候宜人,民风质朴,使缅因的重要性超过其经济与政治力量。事实上,经济增长有限却为保存自然景观创造了条件。自1970年始,该州西南沿海诸县发展速度加快,住房及商用建筑不断增加,税收日益丰足。缅因的经济仍然依靠与木材有关的制造业,主要是造纸业和纸制品业。耗取自然资源的渔业、矿业和农业已被贸易、旅游和服务业超过,后者的产值在该州收益中的比例亦与日俱增。缅因现已成为美国环境保护与经济发展之间困难选择的一个缩影。

自然地理和人文地理

土地 地形 阿巴拉契亚山脉自新罕布什尔州延伸至缅因境内的卡塔丁山,山高1 606米,为州内最高峰。缅因州与新罕布什尔州及魁北克省毗邻的西部及西北部边界,地势最为崎岖不平,有很多冰蚀峰、湖泊和峡谷。山区以南和以东,丘陵起伏,小山重叠,索科河、安德罗斯科金河、肯纳贝克河、佩诺布斯科特河等流贯其间,河谷宽广。

自州南端的基特里到州内最大城市波特兰西南的伊丽莎白角,有一条长沙滩,其间有多处岩石岬角。伊丽莎白角以北及以东的缅因州海岸线上则是一系列半岛、狭窄的三角湾、海湾、峡湾和小湾,而那些一度为冰川覆盖的高山和溪,在后冰河时代已部分沉入海中,现在则升出海面。沿海山地有卡姆登丘陵和芒特迪瑟特岛。在这条以怪石嶙峋著称的海岸边,潮汐高达3.7～7.3米,是世界最大潮区之一。海岸外有岛屿约1 200个,其中有些只不过是石礁,另有一些则树木丛蔚,筑有房舍,供渔人、龙虾捕捞者及夏日度假者享用。如果把全部海湾、岛屿以及潮水冲蚀所形成的海口计算在内,缅因的海岸线总长度约5 630千米。

水系和土壤 缅因州河系自北向南流动。但圣约翰河及其支流以及阿拉加什河则向北而东沿该州北界流动,然后折向南流,经加拿大新不伦瑞克省注入海洋,是主要例外。州内满布湖泊及池塘达2 500处,其中最大的是穆斯黑德湖,面积120平方英里。州西南部的土壤结构主要是花岗岩质;沿海、中部及东部土壤为页岩砂石及石灰石质;而东北部阿鲁斯图克县的土壤大致为卡里布沃土,是州内最富饶的地区之一。

气候 缅因有3个界限相对分明的气候区:南部内陆区、沿海区、北方区。南部及沿海地区受来自南部和西部的大气气团的影响。在介于圣约翰及佩诺布斯科特河流域之间的那片土地以北，往往出现移向圣劳伦斯河流域的大气气团。北部年平均气温在 3～4 °C，南部内陆及沿海地区则在 6～7 °C。夏季全州平均气温约 17 °C，冬季约为 -7 °C。南方每年晴天约 100 日，北方仅有 70 日，年平均降水量为910～1 220毫米（36～48 英寸）。在北方及高纬度地带降雪量平均为 100 英寸以上。

缅因州波特兰港口的灯塔

美国不列颠百科全书公司供图

动植物 植物区系和动物区系表现为亚寒带和阿巴拉契亚山脉种属。森林有松柏科中的松林、针枞林和枞林，大都葱郁繁茂，枝叶浓重。阔叶树中则以糖枫、黄桦、白杨、造纸用桦木为主，大都枝繁叶茂，遍布山野。动物区系包括鹿、麋、黑熊、狐、山猫、兔、浣熊、豪猪、臭鼬、土拨鼠等。鸣禽、水禽、海鸟以及许多猎禽类飞鸟，在全州到处可见。水族动物有海豹、鲸鱼、海豚、龙虾、小虾、蛤、黑丝鲎、鳕、鲭以及大西洋鲑和内河鲑，同样也有许多可捕捞的淡水鱼。

住区模式 该州人口分布总体情况，反映其早期沿海及沿河流群集而居的模式，州的内陆大部为森林所覆盖，除偶见伐木者宿营地之外，实际上罕有人迹。大约有一半人口集中在西南4个县内，即安德罗斯科金县、坎伯兰县、肯纳贝克县、约克县。缅因州居民几乎有一半生活在被列为城市的地区，但只有少数城市拥有 25 000 或更多的人口。

根据一些轶闻及方言故事，缅因沿海地区因为曾是“东部沿海地区新英格兰人”的老家而最为著名。在这一地区的许多居民点，相对来说，大都远离交通干线，然而却一度曾是远洋与内河熙熙攘攘的商贸中心。州内人口的流动曾使该地区的某些特点不太显著了，但在沿海一带仍然存在 3 个不同区域。西南沿海主要为度假区，起自基特里，一直延伸到卡斯科湾的波特兰大都市区。中部沿海地区兼有渔民及海上活动者的住所或驻地，也有度假及退休者的别墅，还有文娱中心，起自造船中心的巴斯和肯纳贝克河口，止于佩诺布斯科特湾西岸的贝尔法斯特。东部沿海地区起自佩诺布斯科特湾东岸，止于卡利斯，卡利斯位于与新不伦瑞克省接壤处，濒临圣克罗伊河。

缅因的中部和南部连成一片，从该州与新罕布什尔州接壤地带，到佩诺布斯科特河，构成州的南半部。该地区居住着缅因州大部分人口，而且是工商业最发达的地带。州西部边界地区的约克、坎伯兰、牛津及富兰克林等县构成州内的一个分区，但不断的人口流动趋势，会使这些地方独具特色的居民及其语言模式受到持续的冲击。

阿鲁斯图克县自成一格。该县中部及南部地区是英国和爱尔兰移民定居点，他们的语言模式一直同边境那边新不伦瑞克省居民的语言模式更为相似，而与缅因其他地区言语中使用形成开音节的“a”音并省略“r”音的模式颇有不同。沿阿鲁斯图克县北界的圣约翰河流域，则是具有法国血统的阿卡迪亚人的聚居区，他们来自新斯科舍省和新不伦瑞克省，而在圣约翰河流域的聚居区内，仍然保持着其原有的那种法国人的特征和语言。

缅因多岩石的土地，使州内许多地方的农业生产规模受到限制。除了阿鲁斯图克县及中部少数广阔的流域外，田地多为小块，田垅之间经常还保留着昔日的石围墙或有林地相隔。

缅因内地的农村社区，依其土地情况及经济发展过程而互有差别。一些村仅有一条十字路，设有一个商店、一个加油站、一个邮局以及三四家住户。另一些村设有一所教堂，一所学校，几家商店，而在一座磨房周围拥挤着很多小型住所。更有一些村则建有传统的农村新英格兰教堂，教堂为单一尖顶结构，饰以绿色，往往带有典型的白框；另外还建有一些社交活动中心，如农业保护者协会之类的场所。该州内凡是在伐木业鼎盛时期繁荣起来的社区，只要是土地条件许可，都辟有宽阔的街道，两旁栽种着树木，并建起巨型木屋，以示其特点。沿海各社区彼此相似，商业区位于港口附近，社交、文化及居住区则在较高地带。

缅因最大都市区是波特兰、刘易斯顿-奥本、班戈、奥古斯塔、比迪福德、沃特维尔。波特兰是一个大都会区的中心，都会区以位于卡斯科湾的港口城市波特兰为基地，向其周围发展并延伸至内地。大都会区是该州商业及交通枢纽，经济上拥有一个不断发展并日益多样化的工业基地，拥有造纸、钢材制造、轻工业制造、汽车装配等行业。班戈位于佩诺布斯科特河的航道之端，原系一伐木城镇，现已是缅因东部和北部的商业中心。首府奥古斯塔位于肯纳贝克河的航路之首，州政府部门为该市提供了大量的就业机会，但这里也有纺织、制鞋、造纸等行业。

刘易斯顿和奥本双城构成州内第 2 大都会中心。长期以来，这两个城市都以纺织和制鞋为主要行业，现已推行更富于进取性的工业发展计划，并开发电子工业和轻工业制造，以使产业多样化，两市还是安德罗斯科金河流域及牛津县东部地区的商业贸易中心，比迪福德位于索科瀑布附近，地处波特兰以南，现在是伐木业和纺织业的中心。沃特维尔在奥古斯塔以北，濒临肯纳贝克河。这里与毗邻的温斯洛及费尔菲尔德两城镇同是纸浆与纸张制造业以及纺织业的中心，也是肯纳贝克河流域中部及北部的商业贸易中心。

人民 原来的那些“东部沿海地区新英格兰人”都是英格兰以及苏格兰-爱尔兰的新教徒。他们移居缅因之后，形成最重要的和最坚定的早期欧洲移民团体。这些人的立身处世冷峻顽强、沉默寡言、勤俭机敏，恰如缅因轶闻或故事所描述的那样。他们的后裔在这个州的发展过程中，成为当地政治和经济生活中的主宰人物。这些后裔构成州内最大的居民群体，特别是在那些较小的社区和农村地区，这种现象更为显著。

然而，与人们一般的印象相反，这些新英格兰人并非缅因唯一的居民。另有两群法裔居民组成该州第 2 大的种族群体。第 1 种人是阿卡迪亚人，最初来自布列塔尼和诺曼底，后于 1763 年被英国人自新斯科舍逐出；许多阿卡迪亚人定居于圣约翰河流域，该河现已成为缅因州北界，另一部分阿卡迪亚人便长途跋涉，迁徙到今路易斯安那州。第 2 种人是加拿大法语居民，他们来自魁北克省，迁徙时间是在美国南北战争之后伐木业与纺织业不断发展的那个阶段。法语成为圣约翰河流域大部分地区的主要语言，也是缅因各工业城市中的第 2 语言。爱尔兰移民于 18 世纪开始迁来该州，他们同法国人构成缅因州天主教人口的绝大部分。在沿海附近地区，法国胡格诺派教徒移民区以及德国移民区都是早期建起的。19 世纪 70 年代中，缅因州政府曾鼓励人们在阿鲁斯图克县组建一个瑞典移民区，以作为农业发展和增加人口计划的一部分。剩下的数千名当地美洲印第安人大多数生活在州内保留地。缅因的非白人居民不足该州全部人口的2%。人口1 274 923(2000)。

经济 在工业革命的早期,缅因地区的森林资源与水力资源吸引了许多人来此进行开发;在很长时期内,有技术的廉价劳动力为纺织业和制鞋业提供了有利的条件,直到这些行业迁往南方和海外的低工资地区去设厂经营时,上述情况方有改变。

阿鲁斯图克县以马铃薯为主要农作物,是州内少数土壤肥沃的地区之一。缅因大部土地及土壤条件不适于大规模种植。除盛产龙虾之外,渔业收益不大。基于这些因素,缅因相对来说是一个穷州,当地人民的平均收入在新英格兰地区属最低水平。

自1955年起,缅因州政府已经设置经济社区开发部促进一项积极的经济发展计划。各个公私团体已联合起来,共同组成缅因州财政金融理事会,并筹建缅因城市债券银行,以鼓励投资并提供贷款保证。该州还利用联邦政府经济开发署和小型企业管理署所提供的服务和财政支援,来发展自己的经济。

经济资源和成分 缅因的主要自然资源有木材、砂、砾石、石灰石及建筑石材、鱼、贝类等,也有少量的铜、锌、长石和半宝石等矿藏。泥炭是专为园艺种植之用而开采的。土壤和气候都有利于生产出优质的马铃薯和苹果、越橘及其他水果。乳品业也是一项重要的经济活动。

服务部门是该州商品与服务市场价值中的最大组成部分,其次为制造业部门和商业贸易部门。纸浆和纸张是该州制成品中的主要产品,马铃薯及禽类是农牧业收入中的最主要来源,龙虾则是渔业生产中首屈一指的产品。旅游业因该州湖泊、河流和海岸风景优美,吸引了大批游人前来游泳、划船、垂钓、打猎、漫步以及进行各项冬季体育活动,从而为零售业及服务业带来可观的收入。

电力 该州生产的电力有3/4以上来自蒸汽发电设施;很大一部分蒸汽是由核动力提供的,各水力发电站以及柴油机组和煤气涡轮机组则补充其余一小部分。州内很多水电设施都已重建,而生物量发电设施已在缅因东部建成。缅因州已与加拿大磋商,购买该国水力发电站的剩余电力。自1972年起,新英格兰地区各公用事业公司已组成一个集团,共同经营设在威斯卡西特的缅因扬基原子能发电厂。

运输 缅因的陆路运输绝大部分依靠公路。铁路经营货运,不再经营客运。公共汽车提供州际、州内以及一些郊区和市区的客运业务。波特兰与锡斯波特是该州主要港口。州政府及私营的客货渡轮公司,运营于沿海诸岛之间,波特兰及巴港均与加拿大新斯科舍省雅茅斯有渡轮相联。几家航空公司经营自普雷斯克艾尔、班戈、波特兰至州外各地的业务;短程航班则提供州际、州内与缅因各社区之间的服务。有些不定期的国际航空客货运输是取道班戈国际航空港飞行的。

行政与社会状况 *政府* 州宪法于1819年通过。宪法以马萨诸塞州宪法为蓝本,反映出殖民时期政府机构之间相互制约的传统。州长为缅因州首席行政官,由州参众两院及其联合常务委员会成员予以制约。立法机构选出主要官员若干名,其中包括司法部长、州务卿、审计长、州财政部长。各行政部门领导由州参议院核准并由州长任命。1957年,州议会通过一项宪法修正案,决定将州长任期延长为4年,可连任两届。

议会由151席的众议院和35席的参议院组成,每两年改选一次。参议院议长为州长的宪法规定继任者。缅因州实施三级司法制,包括地区法院、高级法院及最高法院。遗嘱检验庭为县级司法机构。

缅因州共辖16县,传统上能为各职能部门提供管理框架,例如:高级法院系统,法律之实施,土地登记,遗嘱认证,还有道路维修及建筑等。镇政府每年召开镇务会议,选出管理委员会,这种做法通行于大多数社区。20多个社区在获得市级特许证后进行运作。专业经理人员在大多数城市及许多城镇中参与管理。

地方社区财政收入主要依靠财产税、汽车消费税、狩猎税、驾驶税及其他执照收费,州政府对教育、道路及福利事业的补贴费用,以及联邦政府的补助金。州政府财政收入来源于公司及个人所得税、遗产税、商品销售及使用税、汽车燃料税、烟草及酒精饮料税,各种执照收费及杂税,联邦政府补助金和州内发行彩票。

1954年的选举结束了传统上由共和党人独占缅因州政府与议会席位的局面。之后,民主党人一直成功地同共和党人争夺州长一职及联邦议席与州议席。两党的官员则在地方预备会议及州会议上选出。县级和州级官员通过初级选举予以提名,但缅因州没有提名总统候选人的初选。

教育 地方政府在州教育委员会的督导下负责当地公立中小学教育。大多数农村地区的学校由多社区学校管理区进行管理。州政府负责管理中等以上各种职业培训的技术院校。缅因大学建于1865年,校园位于奥罗诺,原系一农业机械学院,现已改为拥有7个院部的综合性大学,开设多门本科及研究生课程。私立文科院校有鲍登学院,1794年建于不伦瑞克;贝茨学院,1864年建于刘易斯顿;科尔比学院,1813年建于沃特维尔。

福利 缅因州长期以来的经济问题反映在贫困的高发生率上。贫困大部出现于农业区县,特别是东部沿海各县及阿鲁斯图克县。公众深感缅因州的贫困状况以及少数印第安人和黑人居民所面对的特殊困难,社区、人权组织及保健住房协会等曾多方努力,以期改进经济机遇并解决与此有关的住房、教育及保健等问题。大部分济贫措施由州保健福利部门统筹安排。

文化生活 缅因的文化发展过程,一如它的社会和经济发展过程那样,表现出两种属性,一是奋斗中的边疆开拓精神,另一是商业同其他文化相融合的折衷型的社会风尚。民间故事、歌谣、地方性幽默作品以及当地作家的小说和诗作,风格淳朴自然,充满一种人定胜天的执着精神。

无论是伐木工人的工具,还是农民的农具或渔民的捕捞器具,都简单、整洁,正如村舍、会所、渔船排列成行那样。旧海港矗立着美洲开拓初期的纪念丰碑,一些宏伟的大厦错落其间,房屋中摆设着椅、桌、棋、书籍、版画、挂毡、屏幕、陶器、小古玩,这些都是缅因的水手们在多次欧、亚航行中搜集的。屋内还陈列着造船工人和水手们的一些木刻和贝雕等艺术作品。此外,缅因州还有其独特的风物和人群,如:震颤派教徒以及当地式样的美国各个时期的建筑物,有联邦式的、希腊复兴式的、哥德式的和维多利亚式的。

缅因州的手工艺品生产再度兴盛,其中包括制陶、金属加工、木版及丝网印刷的印花工艺、编织、家具制造、雕刻等。各州属机构、历史学会、博物馆和地方团体,都致力于保护历史遗址,并对有关缅因遗产的各种文物进行收藏、保管、展出,不遗余力。缅因海洋博物馆坐落于巴斯。

缅因过去是,现在仍然是美国文艺界知名人士的诞生地、久居或暂居之所。这些著名人物中包括作家H.W.朗费罗、H.B.斯托、S.O.朱厄特、E.A.罗宾逊、E.米莱;画家W.霍默、J.马林、E.霍珀、A.韦思;作曲家W.皮斯顿。州内最大最好的博物馆有波特兰艺术博物馆;科尔比(学院)艺术博物馆,该馆收藏大批霍默的画作;鲍登学院校园的艺术博物馆。各种活跃的文化活动项目,都由州内各学院、大学、博物馆、社区交响乐团、研习会与露营会以及许多夏令剧场主办。

阿卡迪亚国家公园,覆盖范围包括芒特迪瑟特岛以及欧岛的大部分,是密西西比河以东地区第一处国家公园。其他旅游胜地有巴克斯特州立公园,为卡塔丁山周围20万英亩的荒原;阿拉加什荒原水道,长92英里;其余州立公园及历史遗址尚有100多处。

历史

缅因地区的已知最早居民是阿尔贡金印第安人。他们生活在河谷及沿海地区,以捕鱼、狩猎和种植为生。欧洲移民到此以后,阿尔贡金人几乎无人幸存下来。然而这个早期部落的名字却保留在许多地名当中,在他们的栖息地和墓葬场中,在昔日的小径和水道中,在使用独木舟、雪鞋和雪橇的场合,在玉米、豆类和南瓜这些作物中,在人们对于自然环境的重新关心中。

探险和领土争端 欧洲人最早对缅因地区的探险活动,颇具神秘色彩。一说古代斯堪的纳维亚人曾在该地沿海登陆,但证据不足以致众说纷纭;另外,英国人根据15世纪90年代末J.卡伯特的航海探险活动而宣称对该地拥有主权的说法,也引起严重争议。的确,葡萄牙人、西班牙人、法国人、英国人均曾来此探险,在整个16世纪,他们对这片"大陆"上的港湾、河流及其近海岛屿都进行过探查;17世纪的最初10年里,沿海岛屿上已有夏季捕鱼活动并已同印第安人开始进行毛皮交易。

英法两国均对这块土地提出过领土要求。自1615～1675年,该地成为英国人、印第安人、法国人之间的战场,争端时起;而1675～1763年间,战争频繁。1763年英国人在加拿大东部征服法国人之后,局面才有所改变。

根据查理一世颁赠的皇家特许状，缅因曾在新英格兰地区单独建制为行省。后来由于缅因土地的所有主费迪南多·高杰斯爵士在英国内战中支持了失败的皇室一方，马萨诸塞地区的清教徒移民便将缅因予以占领。缅因的边地移民在马萨诸塞统治下不堪忍受，而沿海城镇的商人们却反对分离运动。1812年，缅因居民因马萨诸塞州当局未能保护缅因区免受英军袭扰而群情愤慨，由是加深分裂倾向，最后酿成战争。1820年，根据《密苏里妥协案》，缅因划为美国的一个自由州。

缅因州的东北边界，是美国同英国之间的严重争议之所在。1783年的《巴黎条约》确认其边界为部分沿圣克罗伊河中游以溯其源，由此北进以达自西北至“康涅狄格河源”之间的那一片高地。确定这些高地事实上十分困难。1831年，仲裁无效，因而这片争议地区遂成为1838～1839年所谓阿鲁斯图克之战的战场。1839年3月，斯科特将军提出停战，共管该地，结束冲突。到1842年，双方达成平分这片土地的协议。

建州时期 缅因对企业主们具有诱惑力，这些人想在毛皮、水产、木材及土地开发等行业中发财致富。前3种行业证明对少数人有利可图，但是气候条件、边境纠纷以及西部新开发地区有更加肥沃的土地可以利用等因素，使该地在建州之前及以后移民人数有所减少。经济增长最快时期是1830～1860年之间，当时木材、水稻、花岗石、石灰等产品和渔业、造船业，都在该地经济中占支配地位。由于缅因商人参与了世界贸易，沿海地区经济得以繁荣，铁路建设也不断发展。

美国南北战争及产业革命，使缅因的工人和资本在19世纪最后数十年中，转向了州外。纺织品和纸制品的生产为制造业工人提供了大量就业机会，而渔业和农业仍然是当地人口重要但不太稳定的收入来源。在20世纪前半叶，经济活动的细微之处已有所改变，然而整体经济的繁荣发展仍无保证且极易受全国经济动荡的制约。

政治发展 缅因州的社会及政治主要是为消除边疆生活的贫困以及改变经济发展落后的局面而进行斗争的过程，以及州内强有力的各种社会改革运动，包括世界和平、废除奴隶制、禁酒以及妇女选举权等。自建州之日起，缅因州就由杰斐逊和杰克逊的民主党人进行管理，直到辉格党势力增强和共和党成立后，情况才有所改变。废奴运动使共和党人于1854年在缅因州选举中取得优势，之后这个老大党几乎统治该州达一个世纪之久。民主党人曾在1910和1912年的选举中暂时获胜，在经济大萧条年代中的1932和1934年再度获胜。但是，主要党派之间的竞争在1954年才开始展开，并一直持续未断。

自20世纪50年代以后，缅因州曾由共和党、民主党和无党派人士先后担任州长，各届州长任内经济一直保持缓慢但是平稳的增长。经济增长主要是由于该州西南沿海服务业不断发展而带动的。该行业由于大量新居民的迁入而变得更加兴旺，很多人来自东北走廊地带诸州。对沿海地区原有居民形成的种种压力，已使地方当局及州政府制定出各项规章，旨在规划并控制缅因州南部各县每年10%以上的经济增长速度。

Maine, destruction of the “缅因”号战舰炸毁事件 指美西战争前，停泊在哈瓦那港口的美国战舰“缅因”号被神秘地炸沉一事。这是一系列事件中的一次，促使美国插手干

1900年哈瓦那港口中半沉没的“缅因”号战舰
美国不列颠百科全书公司供图

涉从1895年开始的古巴为摆脱西班牙统治而进行的斗争。1898年1月，部分为了向哈瓦那的西班牙当局作出和解姿态，部分为了保护据称在最近的暴乱中受到损害的美国公民及其财产，美国派“缅因”号进驻哈瓦那港口。2月15日，一次爆炸把这只战舰炸沉，使260名海员丧生。造成灾难的确切原因始终未能查明。尽管西班牙提出愿把造成事件的责任问题提交仲裁，但美国的某些报纸却抓住这一机会，制造一个广为流传的口号：“牢记缅因号事件，打倒西班牙！”美国终于在同年4月进行武装干涉。

Maine, Sir Henry (James Sumner) 梅恩（1822-08-15，苏格兰罗克斯堡凯尔索～1888-02-03，法国戛纳） 英国法学家和法律历史学家，是研究比较法，特别是原始法和人类学法学的先驱。梅恩在剑桥大学任民法教授期间（1847～1854），同时开始在伦敦律师学院讲授罗马法。这些讲稿成为他的《古代法，它与早期社会历史的联系以及与现代思想的关系》（1861）的基础。这一著作对政治理论和人类学都有影响，对人类学的影响主要是由于他对原始法的观点引起了争论所致。为了探索和确定他的概念，他引用了罗马法、西欧和东欧的法律制度、印度的法律以及原始法律。虽然他的某些论述被后来的研究工作改正或否定，但是他的研究工作却有助于将比较法学置于一个坚实的历史基础上。梅恩作为印度总督委员会的一个成员（1863～1869），主要负责编纂印度法律。1869年成为牛津大学第一位比较法学教授，1887年成为剑桥大学的国际法教授。1871年受封为爵士。他的其他著作包括《早期制度史》（1875），是他的《古代法》的续篇。

Maine, Louis-Auguste de Bourbon, duc du 曼恩公爵（1670-03-31，可能在法国圣日耳曼～1736-05-14，索镇） 法国国王路易十四的私生子。1673年取得合法地位，封曼恩公爵。在大同盟战争（1689～1697）中战功卓著。1714年路易十四承认他为王族，享有王位继承权。路易十四在遗嘱中指定他为拟议中的摄政会议成员、年幼的路易十五的监护人和王家卫队指挥官，其目的在于限制法定摄政王奥尔良公爵的权力。但路易十四死后不久，奥尔良公爵就通过巴黎高等法院宣布国王的遗嘱无效，解除他的王家卫队指挥官职务，并剥夺他的王族地位。1718年，他的妻子将他卷入策划立西班牙国王腓力五世为法国摄政王以取代奥尔良的阴谋。奥尔良公爵获悉后，将他及其妻等人逮捕，监禁一年多。此后曼恩从政界隐退。

Maine de Biran, Marie-François-Pierre 曼恩·德·比朗（1766-11-29，法国贝尔热拉克～1824-07-20，巴黎） 法国政治家、经验主义哲学家和多产作家。强调内心生活，以此作为人们了解自己的先决条件，不赞成当时流行的强调外部感性经验的看法。1789年10月法国革命初期，任法国国王的侍卫，曾在凡尔赛保卫过国王路易十六。随后退隐到他在贝尔热拉克附近格拉特鲁的庄园，研究哲学和数学。1794年罗伯斯比尔下台后，返回政界，任多尔多涅地区的行政长官。1813年公开反对拿破仑。1814年波旁王朝复辟后，在国王路易十八政府中任众议院司库。在哲学方面，他最初是观念派的一员，该派哲学家认为一切经验均限于感性的范畴。1802年他的一篇持有当时占优势的观念学观点的文章引起法兰西研究院重视。1805年一篇类似的文章使他被选入研究院。但其重要作用却在于他逐步深入地和详细地阐述了观念学家看法的不当之处。其日记（3卷，发表于1954～1957）记述了他的政治活动与哲学活动，并且揭示了一位哲学家被迫在政治中起决定作用的困境。他在其日记及其他著作中，对内心生活十分重视，而这种生活对于经验的重要性正是观念学派所忽略的。早在1802年的那篇文章里，他即认为意志和感觉一样，是对自己进行分析的一个要素。1805年以后，日益重视意志的作用，认为人通过意志才能使自己的身体活动。由于他对人类自由的看法（来自有意志的活动这个概念），有些人认为他是法国存在主义哲学的鼻祖。其文集由P.蒂斯朗主编，共14卷（1920～1949）。

Maine-et-Loire 曼恩-卢瓦尔 法国西部卢瓦尔大区省份。由前安茹省主要部分和图赖讷地区小部分组成，面积7 131平方千米，被卢瓦尔河分为东、西两部分。卢瓦尔河在其首府昂热（Angers）西南8千米处与曼恩河汇合。12条主要河流中有9条可航行。四季雨量适度，冬季温和，经济以农业为主。宽广、肥沃的卢瓦尔河谷平原上有菜圃、果园和葡萄园。西南部的莫热为养牛区。西部瑟格雷地区开采优质铁矿石并种植苹果和谷物。东北部古城博热四周养牛业占优势。从西部到

昂热地区之间，尤其在特雷拉泽，有采石场，石板产量占法国很大比重。安茹玫瑰和索米尔汽泡葡萄酒为本省名酒。卢瓦尔河畔的昂热和索米尔为旅游中心。名胜有索米尔附近的12世纪丰特夫罗隐修院，葬有英王亨利二世及其妻子和儿子理查一世（狮心王）的遗体并立有他们的雕塑卧像。省下设昂热、绍莱、索米尔和瑟格雷4个专区。人口675 321（1982）。

Maine River　曼恩河　法国西部曼恩-卢瓦尔省河流。长12千米。由马耶讷、萨尔特和卢瓦尔河汇合而成。卢瓦尔河从东蜿蜒6英里与南流的萨特河汇合。萨特河与马耶讷河又在下游约3英里处的圣欧班岛汇合，形成曼恩河。

Mainichi shimbun　《每日新闻》　日本三大日报之一，在东京、大阪及另外3个地区首府出版早晚两版。其前身是1882年创刊的《日本立宪政党新闻》，1888年改名为《大阪每日新闻》，1903年由实业家本山彦一购下，1911年改名为《每日新闻》。它以全面的新闻报道和进步的观点，吸引以中产阶级为主的读者。自20世纪70年代以来发行量一直保持在500万份以上。它在国内和国际上的声誉仅次于《朝日新闻》。

Mainit, Lake　迈尼特湖　在菲律宾棉兰老东北部，跨北苏里高和南阿古桑两省。为该国第4大湖，面积150平方千米。泄水口为图拜河。沿湖建有菲日友谊公路连接苏里高和达沃。湖畔产稻米、玉米、香蕉，有再生林。

Mainland　梅恩兰岛　又称波莫纳（Pomona）。苏格兰北端近海奥克尼群岛最大岛屿，在群岛中部。海岸线曲折。该岛最窄处不足3千米，地势低洼，最高点沃德山海拔仅269米。多盛产鲑鱼的湖泊。农业发达。有许多早期居住的遗迹，如新石器时代的斯卡拉布雷村、苏格兰重要考古遗迹之一的梅肖韦古墓葬、斯滕内斯立石等。群岛行政中心柯克沃尔和斯特罗姆内斯在西岸，是该岛仅有的两个城镇。岛南著名的前英国海军基地斯卡帕湾是第一次世界大战德国海军投降地。人口15 128（1991）。

Mainpurī　迈恩布里　印度北部北方邦迈恩布里县县府、城镇。为农产品贸易中心。主要工业有轧棉、榨油及灯具、玻璃制造等。以生产木雕和香烟著称。最著名的建筑是一座邦主的宫殿。迈恩布里县地处恒河与亚穆纳河之间的冲积平原，面积4 254平方千米，得到上、下恒河灌渠网灌溉。该县主要作物为小麦、鹰嘴豆、水稻和大麦。人口：城镇58 928；县1 726 202（1981）。

Maintenon, Françoise d'Aubigné, marquise de　曼特农侯爵夫人（1635-11-28受洗，法国普瓦图尼奥尔～1719-04-15，圣西尔）　又称F.斯卡伦。母家姓奥比涅。法国国王路易十四的第2个妻子。16岁丧母。1652年同《可笑的罗马人》的作者P.斯卡伦结婚。1660年夫死。这时她25岁，十分美貌，自由自在，但是一文不名。由于朋友的出力，王太后奥地利的安娜赐给她一大笔津贴。1674年她购下曼特农城堡。翌年，路易十四赐给她

美国不列颠百科全书公司供图

曼特农侯爵夫人的称号。1679年这位夫人成为宫廷女官。1683年王后去世，路易十四同她结婚。1686年她在巴黎附近的圣西尔创办圣路易王室教养院，教育贫苦的贵族出身少女。1715年路易十四死后，她即患病不起。曼特农侯爵夫人既遭人嫉恨，又受人尊敬，始终激起人们的强烈感情。直至今日，在课本中，她仍被描写成一个贪婪邪恶、心胸狭窄的顽固人物。但实际上她是一个野心勃勃的女子，有一种异乎寻常的命运而能比较妥善地予以处理。她的书信至今很有阅读价值。

Mainz　美因茨　法语作Mayence。德国中西部莱茵兰-普法尔茨州首府，莱茵河左岸和美因河口港口，与威斯巴登隔河相望。原为凯尔特居民点。曾为德意志帝国首都。后衰落。6世纪复兴，747年成为主教管区，775～780年为德意志基督教教会中心。1254年为莱茵城市同盟的活动中心。发明活字印刷术的J.谷登堡1440年左右在此出生。后经济衰退，工匠外流，印刷术随之传开。三十年战争中被瑞典和法国占领，仍是繁荣的商业和文化中心，直至1792再度被法国占领。后几经易手，至1816年结束法国的统治，城市归属黑森-达姆施达特，成为新成立的莱茵黑森省的首府。至1918年，一直作为德意志邦联和德意志帝国的要塞。大部分市区毁于第二次世界大战。战后进行了重建。右岸郊区于1946年划归黑森州。现保存有罗马时代遗迹。中央罗马-日耳曼博物馆藏有罗马时代文物。975～1009年所建圣马丁大教堂是亨利二世等皇帝的加冕地，原为罗马式建筑，经多次重建成为风格多样的建筑物。其他古迹有圣依纳爵教堂等。1477～1816年曾为大学城。1946年建成约翰内斯·谷登堡大学，再度成为大学城。其他文化设施有马克斯·普朗克化学研究所和科学与文学研究院。纪念谷登堡的还有谷登堡纪念碑（1837）、谷登堡博物馆、国际谷登堡学会总部。此外还有美术馆、历史博物馆、自然史博物馆以及主教博物馆。美因茨每年举行酒节和四旬斋节前庆祝会。工业有药品、化学品、机械、玻璃、乐器等制造业。拥有多家出版社、电台和电视台，是重要传媒中心。人口约185 532（2003）。

Maio Island　马尤岛　佛得角共和国岛屿，位于大西洋，距西非海岸约640千米。面积269平方千米。海拔436米。经济活动以农业（玉米、豆类、马铃薯）和制盐为主。西南岸英吉利港为主要城镇和行政首府。人口约4 964（1990）。

maiolica　参阅**majolica马约利卡陶器**。

Maipú, Battle of　迈普战役（1818-04-05）南美独立战争期间，南美起义军由南美洲南部地区抵抗西班牙的领袖J.de圣马丁指挥，在智利圣地亚哥附近战胜亲西班牙派的一次战役。战斗进行了6小时，西军2 000人阵亡，3 000人被俘；爱国主义者损失约1 000人。此役使智利争取独立的斗争取得最后胜利。

Maiquetía　迈克蒂亚　委内瑞拉北部联邦区北部城市。是主要港口和有名的海滨疗养地。工业有玻璃厂、酿酒厂和氢氧化钠厂。与南面30千米的加拉加斯通公路和高速公路。有国际机场，供首都使用。人口约83 367（1990）。

Mair, Simon（astronomer）　参阅**Marius, Simon马里乌斯**。

Mairet, Jean　迈雷（1604-05-10，法国贝桑松～1686-01-31，贝桑松）　法国古典主义戏剧家，高乃依的前辈和竞争者。其剧作中的人物、其诗歌及其情境常被他的同代人自由地加以引用。早在高乃依之前，他已在舞台上创造出了后来高乃依剧作中的人物索福尼什和普尔舍里；而他剧中的两个重要的人洛克珊和法尔纳斯则预示拉辛剧作即将出现。他主要在巴黎工作，在那里他获得了一些要人的庇护，其中有蒙莫朗西公爵和伯兰伯爵，使他得以创作出一系列迎合人们对古典主义戏剧（即"正规"戏剧）日益增长的嗜好和热情的剧作。他在早期田园剧中仿效于尔菲的《阿斯特雷》，剧目有《克丽塞德和阿利芒》（1625）、《西尔维》（1626）和《森林之神或活死人》（1630）。这些剧作以及喜剧《奥索涅公爵的侠事》（1632），通过戏剧技巧和风趣的对白使传统题材面目一新。他在把"正规"戏剧的技巧应用到悲剧方面时甚至获得了更大的成功，这方面的剧作有《维吉尼》（1633）、《索福尼斯贝》（1634）、《勒马克·安东尼，或克娄巴特拉》（1635）和《最后的伟大的聪明人》（1637）。在其几部悲喜剧问世后，似乎退出了剧坛。有迹象表明他参加过政治活动，最终则参加投石党运动，但其晚年无史料可查。

Maironis　迈罗尼斯（1862-11-02，俄罗斯帝国立陶宛帕桑德拉维斯～1932-06-28，考纳斯）　被称为立陶宛民族复兴的诗人。曾在考纳斯和圣彼得堡学神学，做过考纳斯神学院院长及立陶宛大学道德神学教授。他在诗

篇中描写立陶宛人民为独立而斗争的希望和志向,写出对祖国的热爱、它的历史、农村、语言和传说。当他在世时,他的铿锵有力和韵律优美的诗歌就已受到广泛欢迎。他的抒情诗全都发表在诗集《春之声》中。3 篇叙事诗中的第 1 篇《青年立陶宛》(1907),有着非常优美的抒情章节。他还著有描述立陶宛大公维陶塔斯(伟大的)生平(1350 ～ 1430)的 3 部历史剧。

Maisí, Cape 迈西角 在古巴关塔那摩省。为普里亚尔山脉的突出部分,该岛的最东端。东南隔向风海峡 35 英里处为海地的舍瓦勒布朗角。东北 30 英里处为巴哈马的大伊纳瓜岛上的马修镇。

Maison-Carrée 卡雷神庙 位于法国尼姆的古罗马神庙,修缮保存得极为完好。据铭文记载,系公元初为奉献给奥古斯都的养子 G.凯撒及 L.凯撒而建造的。神庙长 25 米,宽 12 米,是古罗马人在高卢地区所建最美丽的建筑之一。庙内存有古罗马雕刻及古物残片。

Maison de Molière, La (theatre) **莫里哀之家** 参阅 **Comédie-Française** 法兰西喜剧院。

Maistre, Casimir-Léon 迈斯特尔(1867-09-24,法国维勒诺维特～ 1957-09-20,巴黎) 法国军人和探险家。曾参加欧洲人首次对马达加斯加的全面考查,率领探险队进入未曾考查过的中非并使法国势力扩大到此。1889 ～ 1890 年任穿越马达加斯加的法国探险队副队长。1891 年被任命指挥一探险队,调查刚果盆地的河流能否航行,并获极大成功。他沿刚果河和乌班吉河上行,进入现中非共和国,然后从东面的苏丹附近出发,沿沙里河向北进入今天的乍得,穿过西南方进入尼日利亚,循贝努埃河到达尼日尔,1893 年到达非洲西海岸。

Maistre, Joseph de 迈斯特尔(1753-04-01,法国尚贝里～ 1821-02-26,撒丁王国[意大利]都灵) 法国论辩作家、伦理学家和外交家。被法国革命当局驱逐后,成为保守传统的重要倡导者。同耶稣会教士一起学习,并且继承他父亲(前议会议长)的文官事业,于 1787 年成为萨伏依议会的议员。1792 年拿破仑的革命军队进攻萨伏依以后,在瑞士开始了终身的流亡生活。在瑞士,他经常去科培镇斯塔尔夫人的文学沙龙。1803 年被撒丁国王任命为驻彼得堡的公使,在俄国宫廷住了 14 年,写了《政治组织和人类其他制度的基本原则论》(1814)和他的主要著作(未完)《圣彼得堡之夜》(1821),把公众的刽子手赞扬为社会秩序的保卫者。他被召回后,定居都灵,成为撒丁王国的文官长和国务大臣。他坚持基督教的优先地位,坚持君主和教皇的专制统治,反对科学的进步,反对自由主义信仰,反对 F.培根、伏尔泰、J.-J.卢梭和 J.洛克等哲学家的经验主义的方法。诗人 C.波德莱尔承认是迈斯特尔教会他如何思考的。

Maitani, Lorenzo 马伊塔尼(约1275,锡耶纳共和国锡耶纳附近[意大利]～ 1330-06,教皇国奥尔维耶托[意大利]) 意大利建筑师和雕刻家,奥尔维耶托大教堂正面的建造和装饰的主要负责人。他被任命监督建造此教堂(1308)时,在前所未有的大跨度及高度的穹顶和拱结构建造中克服了许多难以想象的困难。1310 年,他接受教堂授予的首席匠师头衔,并担任桥梁和民用建筑总监。其著名作品还有青铜雕刻《圣约翰的鹰》和《圣马太的天使》。

Maithil Brahman 弥湿罗婆罗门 印度比哈尔邦(古代为弥湿罗王国)婆罗门种姓,以其正统观念和好学著称。这些婆罗门的名字后面常加以"弥奢罗"(Miśra)这一称号。许多著名学者都曾是弥湿罗婆罗门种姓的成员,其中有 9 世纪的瓦查斯巴迪·弥奢罗,就是附有"弥奢罗"这个称号的。这个种姓的成员不再进一步划分为族内婚氏族,而奉行一种复杂的婚姻制度,在 5 个等级分明的群体中实行婚配,每一个群体可向列在其下一级的群体娶妻。

Maitland 梅特兰 澳大利亚新南威尔士州东部城市。在亨特河流域。1944 年由 8 个城镇合并为市。面积 396 平方千米。地处新英格兰公路线,位于纽卡斯尔西北 32 千米处,也是重要铁路交轨点。为乳品、猪、蔬菜、水果和谷物产区。工业有屠宰、乳品加工、轻型机械、纺织、陶瓷、家具等。人口 43 247 (1986)。

Maitland, Frederic William 梅特兰(1850-05-28,英国伦敦～ 1906-12-19,西班牙加那利群岛拉斯帕尔马斯) 英国法学家和英国法律史学家。他的特殊贡献是运用历史的和比较的方法来研究英国的制度。他在伊顿公学和剑桥的三一学院受过教育(1873,文科学士;1876,文科硕士),又在伦敦林肯律师学院研习法律并且取得了律师资格(1876)。在伦敦开业之后,又成为剑桥大学英国法的高级讲师(1884)和教授(1888)。他的最有名的著作《爱德华一世时代以前的英国法历史》两卷本(1895)是和弗雷德里克·波洛克合写的一部经典著作,简称《波洛克和梅特兰》,被广泛地引用。其他著作有:《布雷克顿笔记》(1887),是 13 世纪著名的英国法学家亨利·布雷克顿的案例汇集;《英国圣公会中的罗马教会法》(1898);以及《英国法律和文艺复兴》(1901)。他还编辑了由塞尔登学会出版的几卷著作。该学会是他和其他一些人为研究英国法律而创立的(1887)。

Maitland, James (Scottish economist) **梅特兰** 参阅 **Lauderdale, James Maitland, 8th earl of** 劳德代尔伯爵(第八)。

Maitland, John 梅特兰 参阅 **Lauderdale, John Maitland, duke of** 劳德代尔公爵。

Maitland (of Thirlestane), John Maitland, 1st Lord 梅特兰(1545 ～ 1595-10-03,苏格兰贝里克塞莱斯坦) 苏格兰大法官(1587 ～ 1595),国王詹姆斯六世(后为大不列颠的詹姆斯一世)的主要顾问。1567 年任掌玺官,翌年任不定期法庭法官。他支持玛丽·斯图亚特女王的军队对年幼的国王詹姆斯六世的支持者进行的战争,并在女王于 1573 年最终失败后被短期监禁。1583 年任枢密官,1586 年成为詹姆斯六世的主要顾问。1587 年任苏格兰大法官,他是 16 世纪中第一个不是贵族或高僧而担任该职的人。3 年后被封为塞莱斯坦的梅特兰勋爵。他主张苏格兰同英格兰结盟,并主张与苏格兰长老派和解。后来失宠。

Maitland, Sir Richard, LORD LETHINGTON **梅特兰**(1496～1586-03-20) 即莱辛顿勋爵。苏格兰诗人、律师、政治家、苏格兰诗歌最早和最重要的选集编纂者。曾在圣安德鲁斯大学和巴黎学法律。曾在詹姆斯五世手下任职,1562 ～ 1567 年任苏格兰玛丽女王的掌玺大臣。虽于 1561 年双目失明,但直至 1584 年仍任法官,并致力于写作和收集苏格兰诗歌。他的诗歌反映了苏格兰 16 世纪时的混乱状况,通常以社会和政治内容为主题。其作品或属讽刺性质,或表达一位热爱祖国,但对狂热而偏狭的同时代人不能信任的老盲人的严肃沉思。这些作品简洁精练和富于节奏的表现形式,使人回想起同时代英语作者托马斯·怀亚特爵士。梅特兰把自己的诗作收入他的苏格兰诗歌选集,世称梅特兰对开本手稿(约 1570 年开始)。他的女儿在编纂名为梅特兰四开本手稿(1586)的较小规模选集时又进行了补充。在对开本的 183 页和四开本的 138 页中还选收了 R.亨利森、W.邓巴、G.道格拉斯和当时其他重要诗人的诗作。1828 年成立了梅特兰俱乐部,以纪念他对苏格兰历史和文学的贡献,并继续这些领域的研究。

Maitland (of Lethington), William 梅特兰(莱辛顿的)(约1528,约在苏格兰东洛锡安莱辛顿～ 1573-06-09?,利斯) 苏格兰政治家。苏格兰女王玛丽·斯图亚特的坚定拥护者。1560 年任国务大臣。1568 年玛丽逃往英格兰后,他留在苏格兰设法恢复她的权力。1570 年因与苏格兰国王詹姆斯六世的摄政王莫里伯爵发生冲突被逮捕,莫里伯爵死后获释。在此后发生的内战中,他领导支持玛丽的人反对国王的党羽。他固守爱丁堡城堡,直到 1573 年 5 月被迫投降。后死于狱中。

Maitraka DYNASTY **梅特腊卡王朝** 5～8 世纪统治古吉拉特和卡提阿瓦的印度人王朝。创建者巴答尔伽利用笈多帝国的衰落,使自己成为古吉拉特和卡提阿瓦的统治者,以伐拉彼为都城。早期诸王名义上是笈多帝国的封臣,实际上是独立的。西拉迪太一世在位时期(约 6 世纪后半叶),这个王朝强大起来,国土扩大到马尔瓦与拉贾斯坦。以后遭受德干的遮娄其和曲女城的戒日王的侵犯。780 年左右最后一代国王西拉迪太四世被阿拉伯人杀死。巴答尔伽及其继承人都保护宗教事业。他们的国土是佛教的重要中心。

Maitreya 弥勒 佛教传说中的未来佛。现在是菩萨,住在兜率天,待释迦牟尼的教法消灭后,弥勒将下降人间重新宣讲教法。弥勒是最早受崇奉的诸菩萨之一。为佛教各宗所

7世纪的日本弥勒铜像
美国不列颠百科全书公司供图

承认,是上座部佛教崇奉的唯一菩萨。在绘画和雕塑中,他或为菩萨之像,或为佛之像,垂腿或两腿自由交盘而坐。

maitrī 慈无量心 梵文,巴利语作mettā,佛教所列的四种圆满功德"四无量心"之一,即无限的仁慈。参阅 **brahmavihāra**。

Maíz, Islas del(Nicaragua) **马伊斯群岛** 参阅 **Corn Islands** 科恩群岛。

maize(agriculture) 参阅 **corn** 玉米。

Maizières, Philippe de 参阅 **Mézières, Philippe de** 梅齐埃尔。

Maizuru 舞鹤 日本本州京都府城市。北临若狭湾。围绕室町时代(1338～1573)所建城堡兴起,当时称田边。有天然良港。第二次世界大战前作为重要海军港口发展起来。战后军用设施转为民用工业,生产船只、纺织品、化工品和陶器。设有日本海上自卫队基地。1961年与符拉迪沃斯托克(海参崴)之东一民用海港纳霍德卡结为姊妹城市。两市间有定期航班往返。人口96 329(1990)。

Máj circle 五月派诗人 19世纪中叶一批年轻的捷克作家,其目的在于创立一种能够反映他们的自由主义和实际上是民族主义的捷克新文学。他们在《五月》年鉴(1858)上发表作品,该刊得名于K.H.马哈的抒情叙事诗《五月》。该派诗人视马哈为他们的文学革命先驱。

Majapahit empire 麻喏巴歇帝国 印度尼西亚最后一个印度化的王国;以东爪哇为基地,存在于13～16世纪。帝国创建者韦查耶原是新柯沙里(Singhasāri)的王公,当谏义里统治者查耶卡旺占领王宫时,他逃走了。1292年中国军队因新柯沙里国王格尔达纳卡拉侮辱中国皇帝忽必烈汗前来爪哇问罪。这时,格尔达纳卡拉已为查耶卡旺所取代。韦查耶与中国军队合作,打败查耶卡旺。然后,他又掉过头来反对中国人,把他们赶出爪哇。在他统治下,新的麻喏巴歇王国成功地控制了巴厘、马都拉、马来由和丹戎浮拉。到14世纪中叶,在国王哈扬·武鲁克及其首相加查·玛达的领导下,麻喏巴歇的权力达到顶峰。有些学者认为,其领土包括今印度尼西亚和马来西亚的一部分,另外一些人则认为只包括东爪哇和巴厘。但麻喏巴歇肯定为该地区的一大强国,同中国、占婆、柬埔寨、安南和暹罗等国保持正式关系。麻喏巴歇的黄金时代只是昙花一现,1364年加查·玛达死后,帝国便开始衰落。1389年哈扬·武鲁克死后一蹶不振。由于伊斯兰教的传播以及沿爪哇北部海岸的一些伊斯兰国家的兴起,麻喏巴歇时代于15世纪末或16世纪初结束。

Majardah, Wadi 迈杰尔达河 又作Oued Medjerda,拉丁语作Bagradas。突尼斯主要河流。源出阿尔及利亚东北部的迈杰尔达山。向东北流入地中海的突尼斯湾。全长460千米。流域面积23 000平方千米。该河和支流上的水坝为周围小麦种植区提供灌溉用水。夏季流量不足4米^3/秒,冬季为1 500～2 500米^3/秒。主要沿河居住区有阿尔及利亚的苏格艾赫拉斯和突尼斯的坚杜拜。

Majdanek 马伊达内克 又拼Maidanek。德国纳粹集中营和灭绝营,位于波兰卢布林的东南郊。1940年11月建立,最早用于关押苏联战俘,后因冻馁战俘全部死去。1942年秋,该营改为犹太人灭绝营,先后关押来自波希米亚、摩拉维亚、波兰、荷兰、希腊的犹太人。起初几个月是将被害者在附近森林中集体枪杀,后来改用专门为集体屠杀建造的毒气室,并使用齐克隆-B(可产生快速致命的氰化氢气)毒品,然后将尸体焚毁。附近还设有支营,如特拉夫尼基等。在索比堡灭绝营暴动后,1943年11月,马伊达内克内绝大多数犯人被消灭,党卫军还力图消除集体屠杀的痕迹。1944年7月24日苏军解放该营时,幸存者仅数百人。估计死于该营的总人数为20万～150万。

Majdanpek 马伊丹佩克 塞尔维亚东北部城镇。濒临佩克河。该地自罗马时代采金以来一直是一个重要矿业中心,进入20世纪后以开采铁矿和铜矿为主。当地居民大多从事采矿业。人口9 489(1981)。

Majiayao site 马家窑遗址 中国黄河上游地区新石器时代晚期的文化遗址。位于甘肃临洮县马家窑村。1924年发掘。遗址包括许多不同时期的文化,但以马家窑期为主,其陶器分泥质橙黄陶和夹砂灰褐陶两大类。前者多有彩纹,后者则饰绳纹和附加堆纹。彩陶全用黑色纹饰,花纹繁缛。器物主要是碗、钵、盆、细颈瓶、罐和敛口瓮。器形或花纹都同仰韶文化的庙底沟期类似。同类遗存广泛分布于甘肃和青海东北部,一般称马家窑期

马家窑舞蹈纹陶钵
中国大百科全书出版社供图

或马家窑类型。其年代约为公元前3300～前2900年。

majolica 马约利卡陶器 又作maiolica。自15世纪起在意大利制陶中心,诸如法恩扎、代鲁塔、乌尔比诺、奥尔维耶托、古比奥、佛罗伦萨和萨沃纳等地生产的锡釉陶器。锡

(上)15世纪上半叶后期的佛罗伦萨马约利卡陶罐;(下)1510年的法恩扎马约利卡陶盘
美国不列颠百科全书公司供图

釉陶器是从摩尔人占领下的西班牙经由马约利卡岛引进意大利的,故在意大利即以此为名。马约利卡陶器画家所用的色料一般只限于以下5种:钴蓝、锑黄、铁红、铜绿和锰紫;在各个不同时期,紫色和蓝色都主要用以描画轮廓。有一种白色锡珐琅彩,也是用于勾画纹样的主要轮廓,但有时也可用白色锡珐琅彩在白色锡釉上进行描绘,这即是所谓的白色堆饰。最常用的器型为起源于中东的细腰瓶或药罐。有一种水罐则显然源于希腊的酒坛,而最重要的是一种伊斯托里亚多风格的观赏盘,这是一种起于16世纪早期的意大利叙事风格,陶器本体只是起着支承绘画效果的作用。尽管马约利卡陶器违背了外形服从装饰的美学法则,但仍不失为一种技艺精湛、格调优雅的珍品。

Major, John **梅杰**(1943-03-29,伦敦～) 英国政治人物、政府官员,英国首相(1990-11～1997-05)。前马戏团演员和杂耍表演管理员之子,16岁离开学校以帮助维持家庭生活。曾担任银行会计数年,后尝试进入政界,1974年两次竞选议员失败。在保守党1979年的压倒性胜利中,他当选为下院议员,受到玛格丽特·撒切尔首相及其以下党的高级官员的青睐。1986年任政务次官,1987年任财政部首席大臣,1989年7月撒切尔任命他担任外交大臣这一内阁要职。他任这一职务还不到3个月,便逢内阁又一次改组,他出任财政大臣。1990年11月撒切尔出人意外地宣布她将辞职,梅杰的职位使他在夺取保守党领袖(以及首相职位)的竞争中处于有利地位。在撒切尔的私下支持下,梅杰在夺取保守党领袖的3轮选举中获胜,终于在1990年11月28日成为英国首相。梅杰继承了撒切尔的大部分保守观点,但作为首相,他表现出更为务实并具有力求协商一致的工作作风。1992年4月,在他任党的领袖后的第一次大选中,保守党获胜,从而确定了他的领袖地

美国不列颠百科全书公司供图

位。他的最初任期伴随着第二次世界大战以来英国最长的经济衰退(1990～1993)。尽管后来经济复苏(1994～1995)及英国-爱尔兰联合倡议使北爱尔兰的长期冲突得到暂时的停火,但梅杰政府仍然愈来愈不得人心。1997年4月议会选举中保守党为工党击败,梅杰随即辞去首相之职。

major scale **大调音阶** 在音乐中,按照古希腊爱奥尼亚调式排列的乐音顺序。大调音阶中相继各音的音程距离,从第一音开始,为:全音、全音、半音、全音、全音、全音、半音。因而D大调音阶上行时,应为D-E-F#-G-A-B-c#-d;下行时不变。

Majorca **马霍卡** 西班牙语称Mallorca(马略卡)。西班牙巴利阿里群岛最大岛,属巴利阿里省和自治区。在地中海西部。面积3 640平方千米。东、西部各有一片长约80千米的山区;西部山脉较高,最高点马约尔峰海拔1 445米。中部隔有低地。北岸多高耸的峭壁。全岛景观多种多样,有松林、橄榄园、陡谷、梯田和肥沃的山冲。东南部丘陵多石灰石窟和地下湖。中部低地是富庶的农业区,出产水果和农作物。岛上举办的博览会和丰富多彩的节日活动,以及山间秀丽的风光、宜人的气候乃至丰富的历史遗产,每年引来数

马霍卡岛西北岸的度假胜地——埃尔波特海湾
美国不列颠百科全书公司供图

以千计的游客。经济以农业和旅游业为主,也开采石料,生产过磷酸钙、轻工业品及纪念品。首府帕尔马市与巴塞罗那和巴黎通定期航班飞机。岛上多史前遗迹,如石塔、寺庙和墓穴等。波兰作曲家肖邦和法国作家乔治·桑曾在岛上巴尔德摩萨的隐修院(现已被废弃)居住;肖邦在那里写下其最优秀的玛祖卡舞曲和序曲中的几首。人口约736 865(1994)。

Majorelle, Louis **马若雷尔**(1859,法国图勒～1926,南锡) 法国艺术家、居室家具设计师和工匠、铁匠,新艺术风格的主要代表之一。父亲奥古斯特是家具工匠。1860年移居南锡,开设工场,仿制18世纪的家具和陶瓷器皿。1877年马若雷尔进入巴黎美术学院随巴比松派大师米勒学画。1879年父亲病逝后继承产业,经营家庭工场,从简单地复制18世纪的产品转为生产新艺术派风格的家具。马若雷尔的家具作品深受玻璃工匠加莱的影响。在法国装饰艺术史上,南锡派占有重要的位置,他和加莱为该派的主要代表。马若雷尔一方面注重手工工艺;另一方面在木、铜、镶嵌、雕刻等工序中采用机器和手工相结合的新工艺,使产量增加价格降低。他是一位态度严肃的设计家,其作品线条流畅,点缀以新艺术风格的黄铜脚座,带有18世纪传统的风格。南锡学院博物馆中的一件书桌(1899～1902)是他的代表作。

Majorian **马约里安**(?～461-08-07,利古里亚德顿纳[今意大利托尔多纳]) 拉丁语全名Julius Valerius Majorianus。西罗马皇帝(457～461在位)。著名军人家庭出身。最初在埃提乌斯麾下服役,帮助推翻阿维图斯皇帝。457年任司令官,很快在贝林佐纳(在今瑞士)击败入侵的阿勒曼尼人。同年4月1日称帝。即位后励精图治。458年开始建立舰队。460年5月率300只舰艇侵入西班牙。但是汪达尔人的舰队突然袭击西班牙海岸,使他的舰队大部在阿利坎特海湾被俘。结果,这位皇帝不得不缔结屈辱性的和约。他返回意大利后被处死。

Mājūj(Islāmic myth) **马朱哲** 参阅**Yājūj and Mājūj** 耶朱哲和马朱哲。

Majunga(Madagascar) 参阅**Mahajanga** 马任加。

Majuro **马朱罗** 西太平洋马绍尔群岛拉塔克群岛一环礁。为马绍尔群岛共和国首都。包括64个小岛,陆地总面积10平方千米。在马绍尔群岛各岛屿和环礁中属人口最多的环礁,环礁的主要居住区为三个岛屿。有港口设施和国际机场。人口23 676(1999)。

majuscule **大写字母** 书法中使用的大写字母、大写字型或大字母,与小写字母、小写字型或小字母形成对照。以大写字体形式书写的所有字母都夹在两条平行的横线之间,横线可为实在的,亦可为假设的。拉丁(或罗马)字母既使用大写字母,也使用小写字母。已知最早的罗马大写字母是方体大写字母,见于罗马帝国遗存下来的许多纪念性石雕之上。方体大写字母的特点是下行笔划稍为粗重,上行笔划稍呈轻细,且带有衬线,也就是自字母笔划的上端和下端衍出的短线,短线与笔划呈直角相交。方体大写字母为罗马字母提供了一种优美而明快的标准字体,迄今仍为字母之最。方体大写字母主要用于石刻,而整个罗马帝国时期用来抄录书籍和书写文件的字体,则是与之相对应的俗体大写字母。俗体大写字母因执笔书写时形成既不垂直亦不平行的角度,所以运笔较为容易,字形较方体更为随意、更为流畅而有弯曲度。这种字母结构紧凑,字形略呈椭圆。俗体大写字母已失去方体字母某些外形上的特征。到7世纪末,方体与俗体两种大写字母均已逐渐淘汰。草体大写字母是一种快速书写字体,在罗马帝国时期常用于简牍、商业记录、书信以及其他非正式的或日常的文书、记事方面。这种字体适于振笔疾书,因此往往难以辨识。不过,草体大写字母却是以后出现的小写字母的几种先驱字体之一。另一种小写字母的先驱字体是安色尔体,一种受草体影响而产生的字形更圆而且不太紧凑的大写字母。安色尔体大写字母是4～8世纪时最

常用的抄写书籍的字体。在同一时期,又发展起了一种半安色尔体字母,最后这种字体进而发展成一种近乎成熟的小写字母。现代字母表中的小写字型可以直接溯源于安色尔体字母。参阅 **Latin alphabet; uncial**。

Makālu 马卡鲁峰 世界最高峰之一(8 463 米),属喜马拉雅山脉,位于尼泊尔和中国西藏边界,在珠穆朗玛峰东南偏东 23 千米处。曾受到攀登珠穆朗玛峰登山家的注意,但直到 1954 年才开始有人尝试攀登这座覆盖着冰川的陡峭山峰。1955 年 5 月 15 日,一个法国登山队的两名队员 J. 库日和 L. 泰雷率先登上顶峰,两日内又有 7 人到达。

Makanalua (Hawaii, U. S.) **马卡纳卢阿** 参阅 **Kalaupapa** 卡劳帕帕。

Makapansgat 马卡潘斯盖 山谷名称,曾出土人科化石。位于南非波特希特斯勒斯东南约 21 千米处,南距著名的南方古猿化石遗址斯泰克方丹约 240 千米。这一地区的白云石峭壁上有洞穴穿凿,俯瞰长谷。R. 达特在 1947 ～ 1962 年间,从莱姆沃克斯洞穴里发掘出非洲南猿化石遗存约 40 个个体,这种纤细型人科化石的年代距今 250 万～ 300 万年,或更早。附近另一洞穴遗址即哈斯洞里,发现一个罗得西亚人类型的智人儿童下颌骨右侧,距今约 5 万年。还发现非洲人类使用火的极早遗迹以及由阿舍利文化期向法乌司密斯文化期过渡的石器类型。马卡潘斯盖可能是迄今所知最早的南非洞穴遗址。

makar 马卡尔 又作 maker,又称苏格兰乔叟派。苏格兰方言,即诗人之意,泛指活跃于 1425 ～ 1550 年间的一批宫廷诗人,其中最著名的有 R. 亨利森、W. 邓巴、G. 道格拉斯和 D. 林赛,有时还包括苏格兰的詹姆斯一世和吟游诗人哈里(即盲哈里)。乔叟是他们公认的大师,他们经常采用他的诗体和主题,因此通常被人称为"苏格兰乔叟派",但实际上,他们并非仅仅是一种传统的产物。乔叟对他们的影响,明显表现在他们的宫廷传奇故事和梦的讽喻中,然而,即使这些特点也显示出一种独特的"金光灿烂"的风格,一种以源出拉丁文的多音节词精心雕琢的语言。此外,这些诗人用不同的风格写不同类型的诗。因为题材涉及道德寓言、日常现实、对骂或滑稽可笑的凯尔特人的幻想,他们在诗中所用的语言或为宫廷习用的华丽的英语,或为英语与苏格兰语的混合体,或为最粗俗的苏格兰方言。

Makarenko, Anton Semyonovich 马卡连科 (1888-03-13,[俄历 03-01],俄罗斯帝国乌克兰别洛波利耶～ 1939-04-01,苏联俄罗斯莫斯科) 苏联教师、社会工作者、教育理论家。1917 年以优异成绩毕业于波尔塔瓦师范学院。20 世纪 20 年代组织高尔基工学团,收容改造俄罗斯革命所造成的无家可归并结成犯罪帮派在农村游荡的儿童。此项工作颇有成效。1931 年任收容青年罪犯的服刑机构捷尔仁斯基公社社长。著有教育书籍多种,其中包括记载他在高尔基工学团工作的《教育诗》(1933 ～ 1935)和《父母必读》(1937)。他把劳动当作发展心智和道德的基本手段;所有儿童都应负担劳动任务,并明确其责任,从而让他们了解个人权益的界限。因此,他的社会主义教育的首要原则是:"尽可能多提要求,尽可能多予尊重。"

Makarikari (Botswana) 参阅 **Makgadikgadi** 马卡迪卡迪。

Makarios III 马卡里奥斯三世 (1913-08-13,塞浦路斯帕福斯帕诺帕奈亚～1977-08-03,尼科西亚) 塞浦路斯东正教主教、总统。早年在雅典大学求学,后进入波士顿大学神

美国不列颠百科全书公司供图

学院。1946 年受神职。1950 年 10 月 18 日担任主教。参加与希腊合并运动。1959 年塞浦路斯获得独立,他当选为新共和国总统。由于希腊族和土耳其族的斗争以及希腊和土耳其的干涉,他的政权受到很大损害。1967 年被迫同意成立土耳其族临时政府。1968 年再次当选为总统。1973 年第 3 次当选为国家元首。1974 年 7 月希腊族塞浦路斯国民警卫队发动政变。他逃往马耳他和英国。同年 12 月政变军政府垮台后,他又回到塞浦路斯。

Makarov, Stepan Osipovich 马卡罗夫 (1849-01-08,俄国乌克兰尼古拉耶夫～1904-04-13,中国旅顺港外海) 1904 年日俄战争开始时任太平洋海军总司令的俄国海军统帅。出身于海军军官家庭。1865 年毕业于海军军官学校。1869 年任海军少尉。后成为杰出的海洋学家、发明家、海军战术家和舰船设计家。1877 ～ 1878 年俄土战争中他设计的鱼雷艇及战术在黑海作战中取得重大胜利。他的穿甲弹头(所谓"马卡罗夫弹头"),大大增强了炮弹的侵彻力。他设计了第一艘布雷艇,曾设计和制造破冰船"叶尔马克"号,进入北极圈探险。1890 年成为俄国最年轻的海军少将,年仅 41 岁。1896 年晋升海军中将。日俄战争时期任俄国太平洋舰队司令,后因旗舰"彼得罗巴甫洛夫斯克"号被敌军鱼雷击沉阵亡。

Makarova, Nataliya (Romanovna) 马卡罗娃 (1940-10-21,列宁格勒[圣彼得堡]～) 芭蕾舞女演员,生于苏联。被认为是最伟大的古典舞舞蹈家之一。12 岁起在列宁格勒舞蹈学校学习,1959 年毕业后入基洛夫芭蕾舞团,不久成为该团的主要演员。1965 年在瓦尔纳国际芭蕾舞比赛中获金质奖章。1970 年随基洛夫芭蕾舞团到伦敦演出时决定留在西方,不久加入纽约市美国芭蕾舞剧院,并成为其他一些舞团(尤其是英国皇家芭蕾舞团)的客座演员。她技艺高超,出神入化,所演的许多不同角色都十分出色,尤以在基洛夫芭蕾舞团时演出的《吉赛尔》最为著名。1980 年她成立了自己的舞团。但该团只存在了一个演出季。她虽然膝部受伤,但仍一直随美国芭蕾舞剧院演出。

Makasar (Indonesia) **望加锡** 参阅 **Ujung Pandang** 乌戎潘当。

Makassar Strait 望加锡海峡 Makassar 又拼 Macassar。太平洋中西部连接西里伯斯海与爪哇海的狭窄水道。位于印度尼西亚西里伯斯岛(东)与婆罗州(西)之间。东北—西南走向,长 800 千米,宽 130 ～ 370 千米。为深水航道,多岛屿,其中最大岛屿有劳特和塞布库。海峡婆罗洲一边主要居住地为巴厘巴板,西里伯斯一边最大居民点为乌戎潘当(望加锡)。第二次世界大战中,美荷联军于 1942 年 1 月在此与日本海军交战。

Makatea 马卡泰阿岛 南太平洋中部法属波利尼西亚的岛屿。位于塔希提东北 210 千米。行政上属社会群岛的向风群岛。面积 29 平方千米。原有大量磷酸盐矿,1908 年英、法开始开采,1966 年开采殆尽。沿岸水深,在西海岸蒂毛建有装卸设备。人口 58(1988)。

Makati 马卡蒂 菲律宾吕宋岛中部南部城市。为马尼拉南郊的住宅区、金融区和工业区。沿公路有大型现代化工业综合企业,其中有许多家本国和外国公司。外国侨民聚集的福布斯园区被称为百万富翁区。人口:城市区 453 000 (1990)。

Makeba, Miriam 马凯巴 (1932-03-04,约翰内斯堡附近普罗斯佩克汤西普～ 2008-11-10,沃尔图诺堡,靠近意大利那不勒斯) 全名 Zensi Miriam Makeba。出生于南非的女歌唱家,20 世纪世界最杰出的黑非洲演唱家之一。母为史瓦济人,父为科萨人;她在约翰内斯堡郊外一个种族隔离的黑人小镇成长,幼年即在学校唱诗班唱歌。1954 年成为职业歌唱家,在南非、罗得西亚和非洲其他地区演出。在 50 年代晚期,她的演唱和录音已使她在南非遐迩闻名。在记录片《回来吧,非洲》(1959)中的演出引起 H. 贝拉方特和其他美国演员的兴趣。在他们协助下,马凯巴于 1959 年赴美定居,开始了成功的演唱和录音生涯。她演唱各种不同的通俗歌曲,特别擅长于科萨与祖鲁的歌谣,并将其介绍给西方的听众。在 3 次结婚之后,马凯巴于 1968 年与美国黑人激进分子 S. 卡迈克尔结婚,这一行动使她在美国的事业一蹶不振。她遂与卡迈克尔重返非洲,定居几内亚,后又到比利时,继续在非洲和欧洲录音并巡回演出。与 J. 霍尔合作的自传《马凯巴:我的故事》于 1988 年出版。她被禁止返回南非达数年之久,1990 年获准回国。

Makeda 玛凯达 参阅 **Sheba, Queen of** 示巴女王。

Makeevka（Ukraine） 参阅 **Makeyevka** 马克耶夫卡。

Makemie, Francis 马克米（约1658，爱尔兰多尼戈尔郡～1707或1708，纽约市附近？）英属北美洲殖民地基督教长老会领导人。1706年弗吉尼亚、马里兰、宾夕法尼亚和新泽西的教会合并，成立长老会在美洲的第一个区会，马克米曾参与其事。圣公会企图排斥其他教派，马克米得波士顿公理会梅瑟等人的支持，对之进行反抗。

Makeni 马克尼 塞拉利昂中部城镇。地处铁路支线终点，为贸易中心和物资集中地。棕榈油、棕榈仁和稻米现在主要通过公路运到西南偏西135千米的弗里敦。该城镇以加拉人的染色带子著称，这是马克尼妇女的一种重要行业。有一个师范学院和一个公立医院。人口约49 038（1985）。

maker（Scottish poet） 参阅 **makar** 马卡尔。

makeup 化装 表演艺术、电影或电视中演员为了适合所扮演角色的形象而修饰容貌（参阅 **cosmetic**）。在希腊和罗马戏剧中，演员戴面具出场，所以没有必要化装。在欧洲中世纪的宗教剧中，扮成上帝或基督的演员把脸涂成白色或金色，而天使的脸则涂成亮红色。文艺复兴时期，法国滑稽剧中的民间角色戴羊毛做成的假胡须，脸上用面粉涂成白色。英国伊丽莎白时期，演员在白天露天演出，所以很少化装，但扮演鬼魂或杀人者的演员却要用白垩涂脸，演黑人和摩尔人的则用煤烟或炭黑涂脸。19世纪初期以前，人们很少注意化装或服装的历史精确性。

早期的舞台照明先是使用蜡烛后来使用油灯，光线暗淡，效果很差，化装的粗糙不易被人们察觉。随着煤气灯、灰光灯以及最后是电灯在剧场的使用，产生了对新的化装材料和更高超的化装技巧的需要。在电灯光的照耀下，粗糙的缺乏艺术性的效果再也难以隐藏。19世纪60年代，德国瓦格纳歌剧的演唱家L.莱希纳发明了棒状油彩，初步解决了这个问题。到1890年，舞台化装的需要已经使化装材料的生产达到商品化的规模。半个世纪后，棒状油彩让位于更易于使用的膏状油彩。在现代舞台上，化装更为必要，因为强大的舞台灯光系统使人看不出演员脸上的本色、阴影和线条。化装可以恢复演员的面色并且突出面部五官，使容貌显得自然。化装还有助于演员把握角色，这一点对人物的性格刻画尤其重要。一套标准的戏剧化装材料包括化装底色、胭脂、画出阴影和突出某些效果的彩笔、眼的化装材料和假睫毛、各种清洗剂、粉和粉扑、修补五官的油灰、黏合剂、假发和面须或用以制作面须的马海毛。舞台化装艺术已变得十分复杂，所以大多数戏剧团体均聘用专业化装艺术家负责创造适合演员各种不同角色的化装。

把舞台化装简单搬用于电影是完全无法令人满意的。舞台所必需的浓重化装在电影特写镜头中不可能显得自然。为舞台研制的化装油彩的颜色等级也不能适应电影照明和胶片感光乳剂的不同的需要。1910年M.法克特最早研制了专为拍摄电影用的化装材料。这是一种淡色的半液状油彩，按肤色深浅等级分装于大口瓶里，非常适合于当时的灯光照明和正色胶片的感光乳剂。在电影器材方面，全色胶片和白炽灯的开始使用，终于有可能对最适宜的胶片、灯光和化装色调进行标准化。1928年电影工程师学会为此做过一系列专门试验。根据试验结果，法克特创造出了一套新的化装油彩，称为全色化装材料，他为此而荣获奥斯卡"特别奖"。电影化装具有修饰和塑造两方面的功能。化装必须精细巧妙，使面部表情显得自如。在银幕上，尤其是在特写镜头中，面部会比实际大小放大许多倍，因此面部的每个缺陷或化装上的粗糙之处都会清晰可辨。

作为修饰技巧，化装可用于：①掩盖缺陷；②使面部柔和光滑，色调匀称，以取得最佳拍摄效果；③清晰勾画五官，使面部表情更为清晰；④使表演者面貌更美丽动人；⑤保证演员在镜头前的外貌前后一致。作为塑造的手段，化装能使演员具有几乎所有人物类型的外貌。能够令人信服地把年轻人化装成老人，把老人化装成年轻人。特殊化装手段可以使演员具有任何所需要的面貌特征，从科幻片和恐怖片的怪异效果到西部片和战争片中所特有的打伤、枪伤和伤疤。彩色电影的出现给化装提出了新问题。因各种彩色胶片性能不同，使用原有的油彩时，演员的脸在银幕上会显得偏黄、偏红或偏蓝。经过一些实验之后，用固体化装材料成功地解决了这个难题，这是一种用湿海绵来涂擦的粉饼。根据化装材料彩色等级图可以查出每种彩色胶片应该使用何种色彩。

电视的出现又引起了化装上的新课题。浅的脸部肤色看上去像鬼魂，深的脸部肤色又显得肮脏。妇女在日常生活中的化妆在电视中或者会显不出来，或者看上去发黑或显得很邋遢。有些为电影化装研制的彩色化装材料可以在电视上使用，有一些则需要改变。彩色电视投入使用后又产生了新的问题。一件绿色女装在彩色电视屏幕上可能呈现为蓝色，这倒影响不大；但是在灯光照明下肉眼看起来色调很自然的脸，在电视屏幕上可能变成绿色的。后来终于研究出电视化装的色调等级，使拍出的电视节目无论传送到黑白或彩色电视机上，都能显得完全自然。

Makeyevka 马克耶夫卡 又拼Makeevka。乌克兰顿涅茨克州城市。濒临小格鲁兹斯卡亚河源头。建于1899年，原称德米特里耶夫斯克，有一家冶金厂；邻近有一小村庄马克耶夫卡，后并入该城。以后发展成为顿涅茨煤田最大的煤矿和工业中心之一。1931年改用今名。有乌克兰最大的钢铁联合企业之一。还有其他金属加工厂、焦化厂、气动机械、制鞋和食品加工厂。工厂分布分散，居民区集中在工厂四周，该市正逐渐与其东面的顿涅茨克市形成一个都会区。设有庞大的矿山安全研究院。人口约423 900（1991）。

马克耶夫卡市的矿工住宅区
美国不列颠百科全书公司供图

Makgadikgadi 马卡迪卡迪 原称作Makarikari。博茨瓦纳东北盐碱滩。为一宽阔的内陆盆地，从西面960米高度逐渐下降到900米，然后向东陡然升至1 050～1 200米。构成卡拉哈里大沙漠的最低部分。是世界上最大的盐碱滩之一。在一般气候条件下，是一系列浅水滩、沙碱地、草场，栖息着成千上万的火烈鸟。由于缺乏水和电，至今未对当地纯碱存储进行商业性开采，但对当地盐储量的经济价值已作出充分的估价。

Makhachkala 马哈奇卡拉 俄罗斯西南部达吉斯坦港口和首府。濒临里海西岸，狭长的沿岸平原北端。1844年建为要塞，1857年成为彼得罗夫斯克港。1921年更用现名，以纪念达吉斯坦革命家马哈奇。哈萨克斯坦西部的物产经该港运到北高加索、外高加索、乌克兰南部。有石油管道与格罗兹尼相通。工业有机械制造、化工和纺织。设有科学院分院、综合大学以及医学、农业和师范学院。人口约328 000（1993）。

maki-e 莳绘 日本艺术技巧，意为"播撒画"，在漆器上喷洒带有金、银等金属粉末的湿漆以构成图案，金属粉末是从粉尘管、喷漆罐或一种毛刷中喷洒而出的。此法流行于平安时代（794～1185），用于装饰屏风、画册、印器、信匣和砚台。现存最古老的制品作于919年。

Maki Fumihiko 槙文彦（1928-09-16，日本东京～ ） 日本战后建筑师，将现代主义与日本建筑传统相结合。1952年在东京大学获得建筑学学士学位，后在美国密歇根州克兰布鲁克艺术专科学院和马萨诸塞州哈佛设计研究院学习（1954年获硕士学位）。1965年返回日本成立了自己的建筑师事务所。早期是代谢学派的支持者。但他反对很多代谢派人主张的巨型结构，而是坚持人性化的规模。最好的例子就是从1967～1992年分期建立起来的东京都涩谷区代官山集合住宅群。该住宅商务群使用了水泥、玻璃、金属等典型的现代材料，但在规模上却与现代主义不同。这个巨大的住宅区被分为很多层空间，创造出日本传统建筑的私人庭院感和花园空间感。槙文彦强调局部和整体的相互依赖性，提出将小型的隐私空间组合起来创造和谐社区的整体感。在80～90年代，进一步探索了现代主义与日本传统的结合，并坚持了人性化规模的观点，设计了规模巨大却让人倍感亲切的东京日本会议中心(1990)。一直从事教育工作，曾在哈佛大学、东京大学、华盛顿大学任教。曾获普里兹克奖(1993)和日本艺术协会帝赏奖(1999)。

makimono　书画卷轴　在日本艺术中，特为设计成适于手持的画卷，即手卷。参阅 **scroll painting**。

Makin Atoll（Kiribati）　**马金环礁**　参阅 **Butaritari Atoll** 布塔里塔里岛。

Makira（Solomon Islands）　**马基拉岛**　参阅 **San Cristóbal** 圣克里斯托瓦尔。

Maklakov, Vasily Alekseyevich　马克拉柯夫（1869-05-22～1957-07-15，苏黎士）　俄国自由派政治家，主张俄国实行君主立宪。出生于莫斯科一个教授之家。1889年访问巴黎，法国的政治生活给他留下深刻印象。1895年任律师。1903年加入温和改良派集团，两年后积极参加建立立宪民主党，任该党中央委员。1907年当选为第二届国家杜马代表。此后参加历届杜马，直至1917年革命。他思想保守，不愿同革命派合作，但后来日益敌视沙俄，积极支持在第四届杜马中号召进行彻底改革的自由主义党派的联合组织"进步同盟"。十月革命前夕，临时政府派他任驻法国大使，十月革命后，他在流亡巴黎的白俄中间很有名声。写过几部关于社会思想史和俄国自由主义运动的著作。

Makó　毛科　匈牙利东南部琼格拉德州毛科区城市。靠近罗马尼亚边境和毛罗什河北岸。为传统贸易中心。周围是盛产洋葱、谷物和牲畜的富庶农区。市内有古老的磨坊及现代化纺织工厂和农机厂，大多数建筑为新古典主义式样，市中心有温泉浴场。该市为著名新闻记者J.普利策的出生地。人口约25 622（1999）。

mako shark　马科鲨　又称尖鼻鲭鲨，在澳大利亚称蓝色尖吻鲨。鲭鲨科鲭鲨属（*Isurus*）若干种快速、机敏、可能为害人类的鱼类的统称。一般认为有两种，即大西洋的尖吻鲭鲨（*I. oxyrinchus*）和近缘的印度洋-太平洋的灰鲭鲨（*I. glaucus*）。广布于热带及温带海域。体流线形，较细长，吻尖，尾新月形，牙细长。体蓝灰色，在水中呈深蓝色，腹部呈白色，与背部对比明显。长达约4米，重450千克。掠食鲱、鲭、剑鱼等鱼类。以其性情好斗和能反复跳出水面而被誉称为杰出的游钓鱼类。

灰鲭鲨（*I. glaucus*）
美国不列颠百科全书公司供图

Makokou　马科库　加蓬东北部奥果韦-伊温多省省会和城镇。濒临伊温多河。俾格米人住在周围的森林中。位于主要木材产区的中心。交通不便的状况日益得到改善。新建跨伊温多河大桥。建有机场。地处贯全国铁路东北支线设计线路上。人口9 849(1993)。

Makonde　马孔德人　又拼 Maconde。居住在莫桑比克东北部和坦桑尼亚东南部，操班图语。经济以刀耕火种农业为主，狩猎为辅；种植玉米、高粱和木薯。为了寻求工作，许多马孔德人已移居东非海岸其他地区；以木雕手工艺著称。马孔德人按母系传代，实行一夫多妻制；初婚时要交聘礼。每个马孔德人居住地都有一名世袭的头人和长老议事会。

Makonnen, Tafari（Ethiopian emperor）　**塔法里·马康南**　参阅 **Haile Selassie** 海尔·塞拉西。

Makran　莫克兰　又拼 Mekran，波斯语作 Mokrān。伊朗东南部和巴基斯坦西南部俾路支沿海地区，沿阿曼湾从伊朗库赫角到巴基斯坦拉斯贝拉区，绵延1 000千米。巴基斯坦部分的莫克兰亦称盖杰莫克兰，以别于伊朗部分。巴基斯坦莫克兰(72 944平方千米)现属俾路支省，东邻胡兹达尔和拉斯贝拉地区。南濒阿拉伯海，西与伊朗接壤，北接锡亚汉山脉；图尔伯德为县首府，本杰古尔为内地主要城镇。除沿海地区外，境内多东西平行山脉（高约2 100米），谷地狭窄肥沃。春季作物为小麦、大麦，秋季为高粱。盛产椰枣。因有灌溉之利种植面积不断扩大。居民也养羊。沿岸322千米多锤头状半岛，间有沸腾泥浆火山。主要港口为瓜德尔、奥尔马拉和伯斯尼。沿岸多沙洲，不利航运。沿海居民主要以捕鱼为生。莫克兰在伊朗和印度历史上为战略要地。居民绝大部分为阿拉伯人。其他有达尔札迪斯人、梅德斯人（渔民）、科拉斯人（海员）和黑人（外来奴隶后裔）。

Makrān　莫克兰　巴基斯坦俾路支省一专区。面积60 761平方千米。北以锡亚汉山脉为界，南濒阿拉伯海，西与伊朗接壤。有320千米长海岸线。腹地多山，海岸有莫克兰山脉最南端部分。诸山脉形成的连绵山岭被激流穿切。最大河流为西部的达什特河。气温各地不同，中部地区温差最大。北部夏季凉爽，冬季寒冷。1872年英国人到此。1947年以前政治上受英国控制。1949年，莫克兰成为俾路支联邦的一部分。大麦、小麦、稻米、海枣是主要农产品和收入来源。渔业和制革业也重要。下设图尔伯德、本杰古尔、瓜德尔县。本杰古尔城是同名县的县城，夏季大部分专区机构迁此。图尔伯德县县城图尔伯德有简易机场，通公路。吉沃尼是距卡拉奇300英里的一个海港。瓜德尔是一个重要的渔业和贸易中心。人口约652 000（1981）。

Makri rug　马克里地毯　土耳其西南部海岸费特希耶村或其附近手工织制的铺地用品。这种地毯稀少，尺寸较小，图案简单而粗犷，色彩浓艳，充满活力。马克里地毯通常有1～3个竖格子，格子中大地颜色各不相同，每个格子中有一组大花，或有长出成对的翅膀式叶子的枝条。

19世纪的马克里地毯
美国不列颠百科全书公司供图

maktab　阿拉伯语学校　又作 kuttāb。穆斯林小学。20世纪以前，男孩们在这种学校所学习的课程是背、读、写古兰经及其语法，这在当时是进行大众教育的唯一办法。学校的教师并不总是非常合格并有其他宗教职责，而学校的设备往往简陋。到20世纪，在穆斯林国家，由政府资助的小学逐渐代替了阿拉伯语学校。

Makú　马库人　南美印第安人社群，传统上以采集野生食物和渔猎为生，居住在哥伦比亚内格罗河流域及沃佩斯河流域。土著马库人曾遭到阿拉瓦克、加勒比、图卡诺诸部落杀戮和同化，现代马库人都是幸存者。马库语同其他语言无关，几个居民集团使用的方言差别很大。马库人估计有2 000人，目前正处于消亡的边缘。对于马库人的文化，人们知之甚少。他们以渔猎采集为生，生活游动；有些近来已定居务农。居住在巴西乌拉里奎拉河流域的马库人，操一种独特语言。

Makua language　马夸语　亦拼为 Macua 或 Makhuwa。一种班图语言，通行于莫桑比克北部，与洛木埃语相近。班图诸语言构成尼日尔-刚果语系贝努埃-刚果语族的一个亚族。20世纪末，操马夸语的人数约为600万，操洛木埃语的人数约为200万。

Makura no sōshi（Japanese literature） 参阅 **Pillow Book**《枕草子》。

Makurdi 马库尔迪 尼日利亚中东部贝努埃州首府和城镇。濒临贝努埃河南岸。1927年前后起自哈科特港的铁路延伸至乔斯和卡杜纳时创建，迅速发展为运输和商业中心。1976年贝努埃-高原州分为两个州，马库尔迪被定为贝努埃州首府。1932年建成0.8千米长的贝努埃河公路铁路桥后，更成为北方各州牲畜的主要转运站。每年6～11月尼日尔河高水位期间，芝麻、棉花等当地物产由此运往洛科贾和尼日尔河三角洲诸港。该镇为当地蒂夫人所产薯蓣、高粱、粟、稻米、木薯、牛油果、芝麻油、花生、大豆和棉花的销售中心。镇内有造船厂，附近有大型石灰石、大理石采石场和水泥厂。20世纪70年代末铺输油管道。该镇有穆尔塔拉·穆罕默德艺术与科技学院（1976）、联邦技术大学、公立工艺学校和该州广播电台。为公路枢纽。设有机场。人口约108 600（1991）。

Mala（Solomon Islands） **马拉** 参阅 **Malaita** 马莱塔。

Malabar Christians 马拉巴派 参阅 **Christians of Saint Thomas** 圣多马派。

Malabar Coast 马拉巴尔海岸 印度西海岸南部地段。大致在果阿以南，东侧为西高止山。有时指印度半岛整个西岸。现范围包括喀拉拉邦的大部分以及卡纳塔克邦的沿海地区。马拉巴尔海岸为一条连续不断的沙丘带。沙丘带后面有许多与海岸平行的潟湖。由运河联成的内陆水道通行小船。内陆为冲积平地得到源出西高止山的小溪的灌溉。稻米与香料为主要农作物，沿海沙丘带有椰树。渔业也重要。科钦为主要港口。葡萄牙人曾在此建立了数个贸易站。17世纪和18世纪分别有荷兰人及法国人在此建立贸易站。18世纪末，英国人获得了对该地区的控制权。

马拉巴尔海岸地区的水稻种植
美国不列颠百科全书公司供图

Malabarese Catholic Church 马拉巴公教会 印度南部喀拉拉邦境内的迦勒底派天主教会。该教会自15世纪末果阿沦为葡萄牙殖民地以后一直与罗马教廷联合。该会信徒自称圣多马派，从6世纪就与罗马保有关系，但葡萄牙人认为他们是聂斯脱利异端派。在1599年迪安颇会议上，马拉巴公教会正式承认教皇，但葡萄牙人仍积极对之实行拉丁化。该教会信徒由此产生反感，1653年忿而脱离罗马。1661年叙利亚籍主教塞巴斯蒂亚尼就任，大多数分裂的马拉巴信徒才重归天主教，其余信徒接受叙利亚正教会（雅各派）安提阿牧首区管辖。马拉巴公教会礼拜时使用东派古叙利亚语。

Malabo 马拉博 1973年前称圣伊莎贝尔。赤道几内亚首都。在比奥科岛北端。平均气温25 °C，年降水量1 900毫米。是全国的商业和金融中心。其港口可同时停船数艘，主

马拉博市一角
中国大百科全书出版社供图

要出口可可、木材和咖啡。有国际机场，有航空线通往大陆上的巴塔和西非各共和国。1969年发生暴乱以及70年代中期尼日利亚合同工回国之后，该市的欧洲居民人数减少。人口约47 500（1995）。

Malacca（West Malaysia） 参阅 **Melaka** 马六甲。

Malacca, Strait of 马六甲海峡 连接安达曼海（印度洋）和南海（太平洋）的水道，西岸是印度尼西亚的苏门答腊岛，东岸是西马来西亚和泰国南部，面积为65 000平方千米。海峡长度为800千米，状似漏斗，其南口宽只有65千米，向北渐宽，到印度尼西亚的沙璜和泰国的克拉地峡之间的北口已宽达249千米。马六甲海峡因在马来亚海岸上的贸易港口马六甲而得名，该城在16和17世纪时是重要的港埠。马六甲海峡的南部水深很少超过37米，一般约为27米，越向西北海底越深，到与安达曼海盆汇合处水深约达200米。海峡南口有许多小岛，有些小岛的边缘上有岩礁和沙脊，因此阻碍了马六甲海峡南入口的航行。已确定沙脊是由来自苏门答腊的河水中夹带的物质淤积而成。从地质上看，马六甲海峡是巽他陆架的组成部分，在第四纪开始阶段（大约160万年前）是一片延绵的低地，自第三纪后期（大约700万年前）至今似未曾受到过地壳运动的影响，目前的轮廓是因后冰期高纬地区的陆冰融化而上涨的海水浸泡而成。马六甲海峡的两岸常可看见海岸沼泽，沿苏门答腊东部的海岸便有一处面积很大、地势低洼的沼泽林。海峡两岸均有泥沙淤积，大河口附近泥沙淤积的外展程度不等，在马来亚沿海，每年泥沙淤积的外展幅度约为9米，而到苏门答腊东部沿海则约为200米。马六甲海峡地区气候湿热，冬季盛行东北季风，夏季盛行西南季风，年平均降雨量1 941～2 565毫米，海流终年向西北流，海峡东部海水表面温度为30.5～31 °C（87～88°F）；西部海水表面温度则可比东部水温低4°F。由于紧接陆地又有几条大河注入海峡，造成马六甲海峡水含盐度低。作为连接印度洋和南海的水道，马六甲海峡是印度和中国之间最短的海上航道，因此也是世界上水上运输最繁忙的水道之一。早年它曾帮助大批的亚洲移民确定穿过马来群岛的方向。马六甲海峡曾先后被阿拉伯人、葡萄牙人、荷兰人和英国人所控制。在20世纪，苏门答腊东部沿海离巽他陆架不远地区的油井已使一些石油公司开始在马六甲海峡勘探石油。除其他船只外，马六甲海峡还可供来往于中东油田和日本及其他东亚国家海港之间的大型油船航行。

Malacca, sultanate of 马六甲苏丹国（1403？～1511） 统治马六甲大埠及其属地的马来人王朝。第1代苏丹是拜里迷苏剌（1424卒），原为苏门答腊王子，当爪哇人进攻时，他逃离家乡巨港，曾在图马西（今新加坡）短期居住，14世纪末或15世纪初定居马六甲。后成为穆斯林，1414年冠以苏丹伊斯坎达尔沙称号。他很早就向中国明朝纳贡。到15世纪30年代，这个城邦已经成为东南亚地区重要的商业中心。他死以后，不知由何人继承。第3代苏丹为穆扎法尔·沙阿（1445～1459？在位），曾使马六甲这个城邦变成商业的重镇和向印尼群岛传播伊斯兰教的基地。即位不久便拒绝再向泰人的大城王国纳贡。1445～1446年，他的武装部队两次击退暹罗的进攻。他在西北获得雪兰莪作为粮食基地；又越过海峡控制苏门答腊海岸的战略要地。当时出现一位名叫敦·霹雳（1498卒）的军事领袖，1456年由穆扎法尔·沙阿任命为宰相。此后，敦·霹雳在这个王国的历史上扮演一个重要角色，他保住了3个苏丹——曼殊尔·沙（1459～1477在位）、阿拉乌丁（1477～1488在位）和马哈茂德·沙阿（1488～1511在位）的王位。敦·霹雳推行扩张主义的外交政策，把马六甲建成一个接受整个马来半岛和苏门答腊东部许多地方的贡品的大帝国。

Malachi, The Book of《玛拉基书》《圣经旧约》十二小先知书的末卷。著者不详。玛拉基是希伯来语“我的使者”的音译。此书

有6大段,各为问答体。当时犹太人由于自己的末世论期望迟迟未能实现而开始怀疑上帝的正义,先知遂用这种独出心裁的体裁捍卫上帝的正义。作者呼吁人们忠于雅赫维之约。他强调必须依礼崇拜上帝,谴责休妻,宣告审判之日即将到来,忠诚敬神而持身的人必受奖赏,不忠者必受咒诅。此书预言重建圣殿,而圣殿是在公元前516年才重建竣工,但又未提公元前450年前后尼希米与以斯拉率领犹太人重振犹太教之事,由此可见,此书成书时间当在公元前5世纪上半叶。

malachite　孔雀石　铜的一种次要矿石,但却是一种分布广泛的铜矿物。是一种碱性的碳酸铜[$Cu_2CO_3(OH)_2$]。具有独特的鲜绿色,存在于几乎所有铜矿床的风化带中,所以

产自美国亚利桑那州的比斯比孔雀石和蓝铜矿
美国不列颠百科全书公司供图

可作为铜的找矿标志。著名产地有西伯利亚的下塔吉尔斯克、法国的谢西、纳米比亚的楚梅布以及美国亚利桑那州的比斯比。孔雀石被用作饰面石料和宝石。它比蓝铜矿产量更多,分布更广,常与蓝铜矿一同出现。详细物理性质,参阅 **carbonate mineral**(表)。

malachite green　孔雀绿　又称苯胺绿、苯醛绿或中国绿。三苯基甲烷类染料。闪光的绿色结晶,可溶于水及乙醇。其稀溶液用作局部防腐药,对霉菌及格兰氏阳性细菌有效。鱼类饲养业中用以控制寄生于鱼卵和鱼苗的水霉属真菌的繁殖。也用作丝绸、毛料、黄麻、皮革的直接染料,并用于染经鞣酸处理过的棉花。本品从苯甲醛及二甲基苯胺制得。关于孔雀绿G(翡翠绿),参阅 **brilliant green**。

Małachowski, Stanisław　马瓦霍夫斯基　(1736-08-24,波兰孔斯凯～1809-12-29,华沙)　波兰政治家,1788～1792年的波兰"四年议会"议长。皇室大臣扬·马瓦霍夫斯基之子。1788年马瓦霍夫斯基被提名为波兰议会议长。他是支持1791年宪法的主要力量,这部宪法体现了近代西欧的一些改革,如:议会中的多数派执政,三权分立,给予中产阶级选举权。该宪法于1792年波兰第2次被瓜分时废除。1807～1809年任华沙公国上议院(政府)议长。

Malachy, Saint　马拉奇,圣(1094,爱尔兰阿马郡阿马～1148-11-02或03,法兰西克莱尔沃)　大主教、教皇使节,是12世纪爱尔兰教会改革的重要人物。1119年受神职。阿马大主教西阿拉克离职前往治理都柏林教区,任命他为代理主教。马拉奇敦促爱尔兰教会接受由教皇格列高利七世发动的当时席卷欧洲大陆的改革运动,因此号称改革家。据说他首先将罗马教会礼仪引进爱尔兰。马拉奇于1123年任当郡主教。次年任安特里姆郡康纳主教,但这项任命引起激烈争论,1127年被迫去职,任凯里郡艾弗拉大隐修院院长。西阿拉克于1129年临终指定他继承隐修院院长兼阿马大主教职务。马拉奇经过再三考虑于1132年就任,1137年辞职。1139年赴罗马,要求教廷向继位的阿马大主教颁发象征统辖权的披肩。教皇英诺森二世任命他为教皇驻爱尔兰使节,但拒绝颁发披肩。他死于为请求披肩而第二次赴罗马途中。

malacostracan　软甲类　软甲纲(Malacostraca)甲壳动物。广泛分布于海洋、淡水及陆地。软甲类多营自由生活,但有的与其他无脊椎动物及海洋脊椎动物形成共生、共栖或寄生关系。现存甲壳动物种类的2/3属于软甲类。软甲类已描述的有约22 000种。本纲包括一些高度进化的无脊椎动物,包括龙虾、蟹、虾(十足目[Decapoda]),沙蚤(端足目[Amphipoda]),球潮虫(等足目[Isopoda]),虾蛄(口足目[Stomatopoda])以及其他种类。有些种类具商业重要性。软甲类包括最大的节肢动物巨蟹(*Macrocheira kaempferi*)。该种产于日本,伸展的附肢可达3.6米甚至更长,本纲亦包括许多小于1毫米的种类。软甲类多具复眼、一片头胸甲(覆盖着头胸部的背面)。胸部8节,具附肢8对。腹部6节,附肢6对。

Málaga　马拉加　西班牙南部安达卢西亚自治区地中海沿岸省份。面积7 276平方千米。北半部为安达卢西亚平原;南半部多山,沿海低地有陡峭的山峦。有瓜达洛塞河和瓜迪亚罗河流经。经济以农业为主。沿海低地和富饶的内陆山谷种植水果、蔬菜、橄榄和葡萄。山区有大量矿产资源(主要为铁、铅)。北部产盐。沿海气候温暖,阳光充足,颇受游客喜爱,尤其是马拉加市(**Málaga**,省会)和托雷莫利诺斯一带。其他重要城市有龙达和安特克拉。马拉加大学(1972)设于埃尔埃希多。人口约1 258 084(1999)。

Málaga　马拉加　西班牙南部安达卢西亚自治区马拉加省省会,地中海港口。位于瓜达尔梅迪纳河口,濒临开阔的海湾。公元前12世纪由腓尼基人创建。后相继被罗马人和西哥特人征服。711年被摩尔人占领,发展成为安达卢西亚地区最大城市。科尔多瓦哈里发王国解体后成立马拉加王国。1487年被基督教徒收回。现为仅次于巴塞罗那的西班牙地中海第二大港口。输出铁矿石、干鲜水果、橄榄油和著名的马拉加甜葡萄酒等,输入石油、玉米、化工品和钢铁。该市的工业项目有建材、食品、酿酒、化肥、纺织等。毕加索在此出生。马拉加有输油管从港口将原油送至普埃托利亚诺炼油厂。该市四周有群山作为屏障,气候温和,为游览胜地。人口约530 553(1999)。

Málaga　马拉加葡萄酒　一种甜的加度红葡萄酒。原产西班牙南部地中海沿岸的省份,因此得名。也泛指烈性的甜红葡萄酒,包括犹太人在庆典上饮用的合乎教规要求的葡萄酒。最好的马拉加葡萄酒用麝香葡萄和Pedro-Ximénez葡萄为原料酿造,后者常晒干以富集甜度。

Malagasy languages　马达加斯加诸语言　澳斯特罗尼西亚语言,通行于马达加斯加及其附近岛屿,马达加斯加诸语言彼此关系密切,仅因过去2000年间印度尼西亚一民族定居于该岛后,才发生分化。这些语言杂有一些源于班图语、斯瓦希里语、阿拉伯语、英语和法语的单词。1820年以后,用拉丁字母书写的梅里纳方言成为官方语言。

Malagasy Republic　马达加斯加共和国　参阅 **Madagascar** 马达加斯加。

Malaita　马莱塔　又名马拉。太平洋西南部所罗门群岛火山岛。隔因迪斯彭瑟布海峡西南距瓜达尔卡纳尔岛50千米。长约185千米,最宽约35千米。多山,最高点科劳拉特山海拔1 438米。有茂密的森林。东南端隔一窄海峡有马拉马西凯岛。出产椰干、稻米和可可。有造船业。居民为美拉尼西亚人。19世纪时曾反抗外国统治。第二次世界大战后爆发反欧运动。20世纪50年代成立首届地方议会。西海岸的奥基有简易机场。人口:马莱塔、马拉马西凯及其他附近岛屿总共约77 900(1986)。

Malakāl　马拉卡尔　苏丹中东部城镇。位于白尼罗河右岸,喀土穆以南690千米处,白尼罗河与索巴特河汇合处下游。公路通纳绥尔和阿尔朗科。索巴河轮渡以此地为总站。建有国内航空机场。人口73 000(1993)。

Malakbel　马拉克贝勒　西闪米特人所崇奉的太阳神和传信之神。崇拜他的习俗主要流行于古叙利亚境内帕尔米拉城。希腊人有时认为他就是宙斯,有时又认为他是赫耳默斯。罗马人认为他就是索尔。从名称看他可能原是巴比伦人的神灵,相当于太阳神沙玛什。

Malakoff　马拉科夫　法国中北部巴黎大区上塞纳省城镇,巴黎西南郊工业区。有电气工程学校,生产电气设备、化工品、医药和精密仪器。建于1883年,得名于法国在克里米亚战争中于1855年9月8日在塞瓦斯托波尔占领的马拉科夫要塞。人口31 135(1990)。

Malakoff, Aimable-Jean-Jacques Pélissier, duc de(duke of)　**马拉科夫公爵**　参阅 **Pélissier, Aimable-Jean-Jacques** 佩利西耶。

Malakula 马拉库拉 又拼 Malekula，法文作 Mallicolo。瓦努阿图第二大岛。在太平洋西南部。面积 2 023 平方千米。长 90 千米，宽 37 千米。在圣埃斯皮里图岛以南 32 千米，中隔马洛海峡。为火山岛，中部山脉有海拔 879 米的佩诺特峰。东部沿岸土壤肥沃，多良港，设有一座医院及若干简易机场。出口椰干和咖啡。人口：马拉库拉及附近若干小岛约18 850（1987）。

Malalas, John 马拉拉斯（约491，拜占廷帝国叙利亚安条克？［今在土耳其］）～约 578）拜占廷编年史家。著《编年史》18 卷。起自创世，终于 565 或 574 年，但现存唯一手稿则记载止于 563 年各项大事。全书大部分史实均强调安条克之重要性，且有基督一性论派的色彩。第 18 卷后半部似出自后来君士坦丁堡一正教作者之手。此书用通俗希腊语写成，虽不无失实之处，但作为 6 世纪上半期之史料，仍有价值。有些学者认为，马拉拉斯就是565 ～577 年的君士坦丁堡牧首经院学者约翰三世。

Malāmatīyah 麦拉玛提教团 伊斯兰教神秘主义苏非派教团，盛行于 8 世纪伊朗萨曼王朝统治地区。此教团强调否定自我肉欲并时刻警惕世俗的诱惑。《古兰经》有安拉"以责备的灵魂发誓"之句，此派哲学则以此句为基础，赞扬经常自责而谨防偏离安拉之道的人。此派所谓自责就是完善的同义词。麦拉玛提教团重视他人的责备，认为它有助于自身摆脱世俗而无私地事奉真主；他们惧怕他人的赞扬与尊敬。

Malamud, Bernard 马拉默德（1914-04-26，美国纽约州布鲁克林～ 1986-03-18，纽约州纽约市） 美国小说家。作品大都为以犹太移民生活为题材的寓言。俄罗斯犹太人之子，1936 年获纽约市立学院文学士学位，1942 年获哥伦比亚大学硕士学位。1940 年起开始教书，1961 年以来在本宁顿学院任教。第一部长篇小说《呆头呆脑的人》（1952）写一位天生力量非凡的棒球明星的生涯。《店员》（1957）是关于一个年轻的非犹太教徒恶棍和一个老犹太杂货商人的故事。《维修工》（1966）故事发生在沙皇俄国，讲一个犹太杂工因一基督徒男孩被谋杀而蒙冤入狱。马拉默德因此而获普利策奖。其他长篇小说有《新生活》（1961）、《房客》（1971）、《杜宾的传记》（1979）和《上帝的恩惠》（1982）。他的天才最明显地表现在他的短篇小说里。短篇小说集有《魔桶》（1958）、《白痴在先》（1963）、《费德尔曼的写照》（1969）和《伦布兰特的帽子》（1973）。《伯纳德·马拉默德小说集》出版于 1983 年。

Malamute（dog） 参阅 **Alaskan Malamute 阿拉斯加马拉缪特狗**。

Malan, Daniel F(rançois) 马兰（1874-05-22，开普殖民地西里比克［今南非好望角］～ 1959-02-07，南非斯泰伦博斯） 南非政治家，因组成南非第一个完全阿非利堪人的政府和实行种族隔离（非白人与白人强制隔离）而驰名。马兰曾就读于荷兰斯泰伦博斯的维多利亚学院及乌得勒支大学，并于 1905 年获乌得勒支大学神学博士学位。后返开普，任荷兰归正会牧师。他积极倡导树立阿非利堪民族

南非新闻处供图

雄心和使用阿非利堪斯语。1915 年放弃布道工作，主编开普敦报纸《公民报》，支持赫尔佐格领导的国民党。1918 年进入议会，不久即显示出相当才华，尤其是一位有力的演说家。翌年作为代表团成员出席凡尔赛和会，要求南非在自决基础上独立。1924 年加入赫尔佐格内阁，任内政部长。任职期间，他制定法律以确定南非国籍的定义和国旗式样，并使阿非利堪斯语被承认为联邦的一种官方语言，用以取代其所源出的荷兰语。（此前仅有英语和荷兰语为官方语言）。赫尔佐格领导的国民党和斯穆茨领导的南非党于 1934 年合并时，他退出政府，另建纯正国民党，成为正式的反对党。由于赫尔佐格认为第二次世界大战与南非无关而失势，不久即与也赞成中立的马兰和解。他们于 1939 年共同组成重新统一的国民党。1940 年 12 月赫尔佐格脱党后，由马兰出任党魁。马兰凭借耐心和相当的技巧，团结了重新统一的国民党，在 1943 年大选中赢得众议院的 43 个席位。国民党人利用阿非利堪人的种族情绪，与较小的阿非利堪人党联合，在 1948 年的大选中赢得众议院的微弱多数。这使马兰得以组成南非第一个完全阿非利堪人的政府。马兰的新政府把主要精力放在推行种族隔离政策。该政府 1951 年欲将有色人种（混合种族的人民）自开普省普通选民名单中除掉的企图，被最高法院于 1952 年宣布无效，但该党于 1953 年大选中在议会的多数还在增加，而当马兰于 1954 年退休时，危机仍未得解决。他的继任者推行了在他任内开始的种族隔离政策。

Malan, François Stephanus 马兰（1871-03-12，开普殖民地惠灵顿［今南非好望角］～ 1941-12-31，南非开普敦） 南非政治家，荷兰人温和政党的领袖，一贯支持非洲人的政治权利。他是阿非利堪人联盟（荷裔南非人的政党）的领导人和该党机关报的编辑（1895）。最初他对英国殖民势力抱敌对态度，在南非战争（1899 ～ 1902）中声援布尔人的两个共和国。但是在战争结束时，他支持成立第一个联邦政府，恢复南非的和平。他曾任教育部长（1910 ～ 1921）并代理总理（1918 ～ 1919）。他维护非洲人的投票权，反对严重削弱非洲人参政权的联邦法草案（1909）和实质上取消非洲人参政权的特别立法（1936）。

Malang 玛琅 印度尼西亚东爪哇省一个县和城市的名称。玛琅县面积 8 782 平方千米；经济以农业为主，以生产蔬菜、水果、花卉闻名。玛琅市坐落在卡威山（2 651 米）和滕格尔山脉之间的高原上，气候宜人。争取独立时期，印度尼西亚议会曾在该市召开临时会议。该市工业有肥皂、陶器和卷烟生产。与省会泗水之间通公路、铁路，交通方便。该市附近旅游胜地有古代国王宫殿的遗迹等。现为该国一军区司令部驻地，城东有空军基地。人口：县 2 045 939（1980）；城市约 560 000（1984）。

malanggan style 马朗根风格 南太平洋诸岛至为复杂的雕刻风格之一，工艺技巧精湛，主题奇异丰富，色彩领域宽阔，在大洋洲艺术中独具特色。马朗根雕刻虽在美拉尼西亚以外地区有发现，但实际上源于新爱尔兰西北部。马朗根风格的形式有柱上刻绘、面具、雕刻等，描绘连续的叙事题材。叙事雕刻的确切用途还无法认定，但它多出现在宗教仪式和青年男子的成人典礼上。叙事雕刻由一块软木片构成，上面有镂空的雕刻，涂以红、白、黑、黄等颜色，包括有死者生前活动中有关人物，以及借喻的动物和历史事件。中央通常是一个代表"大火"的圆形，被喻为太阳或死者的家庭炉火。"大火"四周是神话人物和表示星辰、自然力量、武器、工具以及神话战争象征符号。和叙事雕刻不同，马朗根面具只限于象征神话人物。面具如同叙事雕刻一样，直接与超脱灵魂的仪式有关。

新爱尔兰西北部地区的马朗根风格彩绘木雕

美国不列颠百科全书公司供图

Malanje 马兰热 安哥拉中北部城镇。19 世纪中期发展成该国主要高原地区一露天市场。海拔 1 333 米，为高海拔热带气候。周围是 1975 年独立前的安哥拉主要产棉区。葡萄牙人撤走及以后的数次内战，使棉花以及

咖啡和玉米的生产受到严重破坏。名胜有卢卡拉河布拉千萨公爵大瀑布(落差107米)、卢安多禁猎区、米兰多动物保护区等。居民大部为姆本杜人。经济活动主要为饲养牲畜,

马兰热省境内卢卡拉河上的布拉千萨公爵瀑布
美国不列颠百科全书公司供图

种植棉花、玉米、水果和坚果、木薯、剑麻和烟草。有锰和金矿藏。是罗安达铁路的终点站。人口:城镇约35 000(1984)。

Malankarese Catholic Church　马兰卡公教会　采用安提阿式礼仪的印度东派天主教会。1653年由于葡萄牙传教士强行拉丁化,印度马拉巴公教会(圣多马派)与罗马教廷脱离关系,成立叙利亚正教会。1661年大部分信徒返回天主教会,少数人留在叙利亚正教会(雅各派)。18世纪该派数次要与罗马重新联合未果,由于伊凡尼奥斯主教的努力,1930年该教会重新与罗马联合,取今名。该教会采用安提阿式礼仪,但将古叙利亚语译为马拉雅拉姆语。

Malaparte, Curzio　马拉帕尔泰(1898-06-09,意大利普拉托～1957-07-19,罗马)　库尔特·埃里希·苏克尔特的笔名。意大利记者、剧作家、小说家。在法西斯统治和第二次世界大战结束后的时期里是意大利最有影响的、最有才华的,同时也是最有争议的作家之一。曾作为志愿兵参加第一次世界大战,后又积极从事新闻工作。1924年在罗马创办杂志《国家的征服》。1926年与邦滕佩利合作创办具有世界影响的文艺季刊《900》,后来在都灵又与人合办《文汇》周刊,在《印刷品》杂志任编辑。早年信奉法西斯主义,并在一些法西斯刊物上发表自己的政见。他用法语发表了一篇以《政变术》(1931)为题的文章,论证暴力和革命的手段,引起广泛影响和激烈争论。他早期所写的小说《乖命船长历险记》(1927)、《所多玛和戈莫拉》(1931)、《血统》(1937)均表现出他的法西斯主义倾向。40年代由于谴责法西斯主义被开除出党。第二次世界大战期间与同盟国军队发生联系,在盟军占领那不勒斯期间先后当过通讯记者、联络官。他把在苏联前线所发的报道汇编成册,题为《伏尔加在欧洲崛起》(1943)。不久,又因写了两部战争小说《毁灭》(1944)、《皮肤》(1949)获得国际声誉。这两部小说用一连串的故事,叙述战争的恐怖及给那不勒斯人民带来的痛苦和堕落。在撰写文章和小说的同时,他还根据普鲁斯特和马克思的生平以及苏联占领维也纳时期该地的生活,写了三部现实主义剧本,最后一部名为《妇女们也打了败仗》(1954首演)。他的全集于1957～1971年出版。

malapropism　近音词误用　词语错误,一个词为另一个发音相似而意义不同的词所代替。虽然莎士比亚为了喜剧的效果已使用过这种手法,但这个术语却来源于R.B.谢里丹的剧本《情敌》(1775)中的一个人物马拉普洛普(Malaprop)太太,她的名字来自一个法语词malapropos"不适当"。这是谢里丹运用编造出来的名字表示人物本质的一种习惯手法。马拉普洛普太太想的是邻近各国的地理(the geography of contiguous countries),说的却是"传染病国家"的"几何学"(the geometry of contagious countries)。她希望女儿能充分了解(comprehend)她所说的真正含义,却把"充分了解"说成了"指摘"(reprehend)。她以对侄女的影响很小为憾,可是把"影响"(influence)一词却说成了"财富"(affluence),因而变成了"她对侄女过分吝啬而引以为憾"。

Malar, Lake　梅拉伦湖　瑞典语作Mälaren。在瑞典东部,斯德哥尔摩西侧。斯德哥尔摩在波罗的海海湾延伸出的咸水湾与梅拉伦湖的汇合处。梅拉伦湖曾为波罗的海海湾,海湾上的远洋船舶可直达瑞典内地。约1200年,由于地壳运动造成湾口的礁障处水浅,船只不得不在湾口处卸货。后来,海湾变成湖泊。梅拉伦湖面积1 140平方千米,长约120千米,是瑞典第3大湖。它与耶尔马伦湖一起,排水面积为21 130平方千米。平常湖水仅高出海平面0.3米,有时湖水倒流。可通航的运河将其与西南的耶尔马伦湖连结;南泰利耶运河和斯德哥尔摩的两条水道向东将其与波罗的海沟通。湖中有1 200多个岛屿,总面积489平方千米,加之湖岸线曲折,森林茂密,是著名的住宅和旅游区。除斯德哥尔摩外,沿湖还有很多城镇,其中若干有历史意义。玛丽弗雷德附近有古斯塔夫一世(瓦萨)于1537年始建的格里普斯霍尔姆城堡,如今以收藏肖像闻名。古斯塔夫一世(瓦萨)于1523年在斯特兰奈斯的主教宫被推选为瑞典国王。德罗特宁霍尔摩岛(王后岛)上有一座17世纪宫殿。这是一座夏宫,内有漂亮的园林和布置整齐的花园。乌普萨拉之南、梅拉伦湖北岸的斯库克洛斯特庄园收藏有许多不平常的军事战利品,包括三十年战争(1618～1648)中得到的整套武器。

malar bone　参阅 **zygomatic bone 颧骨**。

malaria　疟疾　人类中一类急性或慢性复发性的严重感染病,其特征是周期性寒热发作,伴有贫血、脾肿大以及时常致死的并发症。疟疾亦见于猿、猴、鼠、鸟及爬行类。是由孢子动物亚纲(Sporozoa)疟原虫属(*Plasmodium*)的多种原生动物造成。这些寄生虫又由按蚊属(*Anopheles*)的多种蚊虫叮咬传播给人。疟疾是已知最古老的感染病之一。公元前5世纪西方最早的一些医学文献中就记载了本病,当时希波克拉底根据发病时程将疟疾分为三型。现不知疟疾是何时第一次出现在美洲,但疟疾很可能是在哥伦布发现新大陆之后才传入的。1493年才首次记载了几次相当严重的流行。

人们很早就注意到沼泽环境与本病的联系,但直到20世纪初人们才知道蚊虫和疟原虫所起的作用。1880年法国军医A.拉韦朗第一次描述了疟原虫并确认它是疟疾的病因。1897～1898年,英国医生R.罗斯爵士证明鸟疟是由库蚊属(*Culex*)的蚊虫传播,他还描述了该鸟疟原虫在蚊体内的全部生活史。1898年意大利研究人员A.比尼亚米、G.B.格拉西和G.巴斯蒂亚内利等人首次用蚊虫叮咬使人类感染疟疾,并描述了疟原虫在人体内的全部发育过程;他们发现人疟疾只由按蚊属蚊虫传播。在人为情况下,本病还可通过共用针头传播,如见于用毒品者,偶还可通过输血传播。

疟疾见于世界上一切热带和亚热带地区,是一切严重传染病中最常见的。在20世纪晚期,年度发病例估计在2.5亿,其中200万人死亡。但非洲的报道不全或有错报使这些粗略估计也不可靠。虽然疟疾也可在温带发生,但最常见于热带和亚热带,因为这些地区的温度最适于蚊虫全年传播本病。在撒哈拉沙漠以南的许多地区,整个人口都多少受到感染。疟疾亦常见于中美、南美的北半部分,以及南亚和东南亚。本病亦见于地中海四周,以及中东和东亚的国家。

按蚊是人疟疾的已知唯一媒介生物,而在全世界约有60种按蚊在传播疟疾。这些蚊虫要经历一个水生幼虫阶段,化蛹,再破出形成飞行的成虫。雌蚊要生出可育的虫卵就需要吸血,而某些种的雌蚊更喜食人血。叮咬受染人体时,雌蚊就吸入疟原虫。疟原虫有一个复杂的双重生活史:在蚊体内经历一段有性繁殖周期,而在人体内经历一段无性繁殖周期。蚊虫将疟原虫连同自身唾液穿过皮肤注入人类血流中时,原虫正处于无性的独立泳动阶段,称子孢子。子孢子最后进入一个人类红细胞,在其中经历环形和变形虫样的阶段最后分裂成小型个体称裂殖子。含有裂殖子的红细胞破裂,将裂殖子释入血中(这引起本病的典型寒热症状)。裂殖子可再侵入其他血细胞,再重复上述循环。但有一小部分裂殖子变成配子,即生殖细胞,又可返回蚊体完成有性繁殖周期。它们从受染人体被蚊虫摄入后,雌雄配子在蚊胃结合形成一个单细胞的合子,合子再增长变成一个卵囊。卵囊最后又分裂,放出许多(无性的可独立游泳的)子孢子,子孢子进入蚊虫头部和唾液腺,准备在蚊虫下一次叮咬时进入人血流。整个的(无性)循环又再重复下去。无性周期的一个显著特征是,寄生虫都同步生长和分裂,而最后的集体分裂(形成裂殖子)就造成疟疾特有的规律寒热发作。一次疟疾发作通常持续4至10小时,包括三个连续阶段:寒战期;发热期,体温可达41 ℃并伴有头痛;和发汗期,此期中体温降至正常。在发作间期,体温可正常也可低于正常。在患病初期,可每天发作,但很快就转为规律发作,或48小时一次(间日疟)或72小时一次(三日疟)。通常在被疟蚊咬后8至25天时首次发作。

已知有4种疟原虫可造成人类疟疾:恶性疟原虫(*P. falciparum*),间日疟原虫(*P.*

vivax)，三日疟原虫(*P. malariae*)和卵形疟原虫(*P. ovale*)。这些疟疾型中最常见的、占50%病例的是恶性疟，其症状最严重也是最常致死的；疟疾死亡病例中有95%是恶性疟。恶性疟要求较高的温度才适于发生，因此仅限于热带地区。在西非几乎只有恶性疟而无其他类型。但人患恶性疟一旦痊愈后罕有复发者。间日疟占一切疟疾病例的40%，它广布各地是因为它常对治疗有抗性，而且尽管初次发作常只持续两三周但却可在数年之久反复发作。另外两型较少见：由三日疟原虫引起的三日疟只限于地中海地区；由卵形疟原虫引起的卵形疟原虫疟基本上只见于东非的一块局限地区。但同时可出现多种感染。再者，两批间日疟原虫可隔日分别侵袭红细胞，造成每日发热。除寒热发作外，疟疾患者通常有贫血(因疟原虫破坏红细胞)，脾肿大(脾脏要处理体内变质的红细胞)，以及全身乏力等症状。在恶性疟，受染的红细胞易于黏聚，可阻塞较小血管。恶性疟还可引起其他并发症，例如*黑尿热*(**blackwater fever**)。在显微镜下观察血涂片寻找寄生虫可诊断疟疾。

远在了解本病病因之前就已有一个有效的疗法：即使用金鸡纳树树皮消退疟疾发热，由1700年直至二次大战更有效的合成药研制成为止；金鸡纳中最有效的成分是奎宁。新药中主要有氯喹、巴马喹、乙胺嘧啶和阿莫地喹；这些药都能杀死在红细胞中生活的寄生虫。在开始使用的年代，氯喹和相关药物可缓解已出现的症状，预防发作，甚至可清除体内感染。但至20世纪晚期，一部分间日疟和大部分恶性疟原虫株都产生了抗药性，药物变得无效了。因此，原已稳定下降的疟疾发病率又开始回升。人的天然免疫力，例如因携带一个镰形细胞特性基因的人不易得恶性疟，以及因过去感染而形成的获得性免疫力，都可减少患疟疾的易感性。基本预防方法是消灭按蚊的孳生地，即排干或充填沼泽、池塘以及其他大小静水水体。滴滴涕、氧桥氯甲桥萘以及其他毒性较小的杀虫剂在受染地区控制蚊虫方面曾取得很大成功。窗纱和蚊帐广泛用于在室内防蚊，因蚊虫主要在夜间活动。

malarial hemoglobinuria　疟疾性血红蛋白尿症　参阅 **blackwater fever** *黑尿热*。

Malaspina FAMILY　**马拉斯皮纳家族**　中世纪意大利北部极有权势的封建家族。是神圣罗马皇帝奥托一安册封的侯爵奥贝托第一的后代。最初控制托斯卡纳、利古里亚东部和伦巴第边境。这个家族原来势力雄厚，11世纪初起由于不断分家，逐渐削弱了抵抗大城邦侵凌的力量。14世纪还扩大一些领地。但到15和16世纪，其领地大部分落入热那亚和佛罗伦萨手中。

Malatesta FAMILY　**马拉泰斯塔家族**　意大利的一个家族，在中世纪统治拉韦纳以南的里米尼，并领导当地的归尔甫派(教皇派)。祖先是亚平宁山区的封建领主，1295年韦鲁基奥(1312卒)逐出吉柏林派而主宰里米尼城。14世纪50年代该家族一度向南扩张势力并任教皇代表。14～15世纪与米兰的维斯孔蒂家族作战。卡尔洛(1429卒)一度统治米兰市。其侄西吉斯蒙多·潘多尔福(1417～1468)常被视为意大利文艺复兴时代王公的原型，他是军人又是作家、艺术家的保护人。其后这个家族的权势日益衰落。1461年教皇庇护二世征讨西吉斯蒙多，并剥夺了他的大部分领地。但其子罗伯托于1469年夺回里米尼，但依附于威尼斯。因失去教皇支持，该家族终于1500年被逐出里米尼。

Malatesta, Enrico　马拉泰斯塔(1853-12-14，那不勒斯王国圣玛丽亚卡普阿韦泰莱[意大利]～1932-07-22，罗马)　意大利无政府主义者和鼓动家，"行动宣传"的主要拥护者。"行动宣传"认为武装起义是革命思想的最好传播方法。少年时代就积极参加政治活动，1871年加入第一国际。作为一个活跃的演说家和宣传家，不久成为无政府主义运动的领袖。先后在罗马尼亚、意大利、埃及、西班牙以及欧洲和南北美洲各地协助建立无政府主义的革命组织。在一生中有3次被判处死刑，被囚禁约12年，流亡35年。他虽多次与俄国无政府主义者克鲁泡特金合作，但他更强调把革命者和工人组织起来是达到无政府主义政治目的的手段。1899年曾到美国，发表演讲并主编一份无政府主义杂志。1900年以后在伦敦隐居多年，1913～1914年又出面鼓吹意大利革命。1919年大赦后返回意大利，积极从事政治活动，直到1922年法西斯上台为止。

Malatesta, Sigismondo Pandolfo　马拉泰斯塔(1417～1468-10-09，里米尼[意大利])　封建统治者和雇佣军首领，他经常被看做是意大利文艺复兴时期诸侯的典型。他是约1404～1421年统治布雷西亚和贝加莫的潘多尔福·马拉泰斯塔(1427卒)的3个私生子之一。教皇马丁五世判定他为合法婚生，但他对罗马教廷并不感恩戴德而忠心耿耿。1430年，罗马教廷剥夺了他家的许多领地。1433～1463年间，意大利战祸频仍，马拉泰斯塔充当雇佣兵队长，向作战的各个方面出售他的军事才能。作为里米尼的封建领主，他是一位慷慨大方而温文尔雅的资助作家和艺术家的人物。他委托建筑师L.B.阿尔贝蒂修筑里米尼最著名的纪念物圣方济各教堂(又称马拉泰斯塔礼拜堂)。马拉泰斯塔作为统治者深得人心，作为雇佣兵队长功勋卓著，但也以对神不敬、道德败坏和粗暴残忍而闻名于世。他所以有此恶名，部分是由于他的头号敌人教皇庇护二世对他经常不断地造谣中伤。他生性最易急躁，由于急躁冲动，便不耐烦与比自己更强大的诸侯们信守盟约。正因为如此，在与死对头F.di蒙太费尔特罗相互争斗多年以后，当庇护二世于1461年处他绝罚并极力推翻他的时候，他实际上已成为孤家寡人。根据1463年缔结的一项和平协议，他失去大部分领地，仅容许保有里米尼和切塞纳，直至去世。

Malathion　马拉硫磷　一种有机磷化合物的商品名。多用途的杀虫剂，对人的毒性比对硫磷小得多，因此适于控制家庭和园林中昆虫的繁殖。对蚊、蝇、虱子的繁殖有显著抑制作用。马拉硫磷是黄棕色液体，有恶臭，溶于多数有机溶剂，不溶于烷烃和水。通常由*O*，*O*′-二甲基二硫磷酸酯与顺丁烯二酸二乙酯化合而制备。遇碱易分解。

Malatya　马拉蒂亚　土耳其中东部城市。位于由托赫马河灌溉的肥沃平原上。四周被东托罗斯山脉高峰围绕。现代城市建于1838年两个早期居民点(古代赫梯城市米利德，古罗马和中世纪城市梅利泰内)附近。梅利泰内为罗马帝国东部边境的重要驻军城镇和道路枢纽。后相继被波斯人、阿拉伯人和亚美尼亚人占领。12世纪归塞尔柱土耳其人统治。1515年该城被并入谢里姆一世苏丹统治下的奥斯曼帝国。现为繁忙的工业(主要是纺织、制糖和水泥)中心，地区农产品市场(水果、蔬菜、棉花、烟草、稻米和甜菜)，铁路和公路枢纽。1975年创办伊诺努大学。有铬、铅与铜矿床。人口381 081(2000)。

Mālava (India)　参阅 **Mālwa** *马尔瓦*。

Malaŵi　马拉维　全称马拉维共和国，旧称尼亚萨兰。非洲东南部内陆国家。国土呈狭长形，南北长约837千米，东西宽8～160千米。北与坦桑尼亚接壤，东和南与莫桑比克

美国不列颠百科全书公司供图

交界，西与赞比亚为邻。首都利隆圭。面积118 484平方千米。人口约11 651 000(2003)，不包括在邻近各国的大约95万难民。

土地　境内地形以引人注目的高地和广阔的湖泊为特征。全境可分为4个自然地理区。东非大裂谷为境内最突出的自然地理特征，由北向南纵贯全境，包括尼亚萨湖(该国

称马拉维湖，面积29 604平方千米）和南部的希雷河谷地。中部宽阔的高原，海拔760～1 370米，约占国土总面积的3/4。高地区主要包括北部的尼卡高原和维皮亚高原（海拔均在2 400米以上）和南部实行精耕细作的希雷高地区。第4个自然地理区包括南部的两座孤立山丘，松巴和姆兰杰（其中萨皮图瓦峰海拔约3 000米，为全国最高峰）。

马拉维湖唯一的出口希雷河是境内主要河流。马拉维湖构成该国东部与坦桑尼亚和莫桑比克之间的边界，为非洲第3大湖，也是世界上最大、最深的湖泊之一；该湖还提供丰富的渔获量。奇尔瓦湖的面积则小得多，位于东南部。

马拉维属赤道季风气候，一年有两季，干季5～10月，湿季11～4月。10月平均气温高地地区为21 °C，低地地区为29 °C；7月的相应气温分别为14 °C和21 °C。年降雨量北部高地为2 300毫米，高原为1 300毫米，低地为800毫米。

耕地面积约占国土总面积的1/4。希雷高地有茶园；中部高原则种有烟草。森林和林地约占土地总面积的2/5；主要有贫瘠高原上的热带稀树草原型草地和灌丛以及高地上的竹、合欢和罗汉松。北部高地种有软木林（桉树、松树和雪松），用于木材和纸浆生产。野生动物种类繁多，有羚羊、水牛、大象、豹、狮子、长颈鹿和斑马等，在几个禁猎区和国家公园中受到保护，其中尼卡国家公园和卡松古国家公园面积最大。

人民　全国人口几乎全是讲班图语的非洲黑人，只有少数欧洲人和亚洲人。全国一半以上人口讲奇切瓦语。英语为官方语言；奇洛姆韦语、奇尧语和奇图姆布卡语也可通行。宗教信仰以基督教为主；约1/3人口为新教徒，1/4以上为天主教徒，其余则为穆斯林或信奉万物有灵传统宗教的信徒。

马拉维的年人口增长率较高。全国近1/2人口不满15岁。南部人口最为稠密。尽管境内一直存在农村人口向城市流入的趋势，但城市地区的居民仅约占总人口的1/10。

经济　马拉维属发展中的混合型经济，公有和私有经济成分并存，主要以农业、商业与行政服务业以及轻工业为基础。国民生产总值的增长与人口增长大致持平。然而，人均国民生产总值仍居世界最低之列。

农业约占国内生产总值的1/4，但占用了约4/5的劳动力。小农占绝大多数，是交付封建地租的佃农。粮食作物以玉米为主，花生、大豆和豌豆也有一定数量的种植。烟草、茶叶、甘蔗和棉花为主要经济作物。

矿业仅限于煤和石灰石的开采。开采量大的铝矾土矿藏，则需要增加水力发电量。制造业约占国内生产总值的1/7。然而该行业已是一个发展迅速的经济部门，以糖、啤酒、香烟、肥皂、化学品、纺织品和毛毯为主。马拉维的电力除小部分外基本上均由水电站供应。

马拉维的对外贸易主要出口烟草（占出口总额的3/4）、茶叶、糖和棉花；进口资本货物、消费品和建材。主要贸易伙伴有南非、英国和德国。

政体与社会状况　1994年制定临时宪法取代1966年宪法，1995年正式公布该宪法。根据该宪法，总统为国家元首和政府首脑，由全民选举产生，任期不得超过两届，每届任期5年。由总统任命内阁成员。一元制国民议会为立法机关，议员由全民选举产生，任期5年。国家分为27个行政区，下设多级地方政府。司法体系包括最高上诉法院、高级法院和地方法院。1966年宪法规定马拉维大会党是唯一的政党。1993年举行全民投票之后，经过修改的宪法允许实行多党制民主。此后联合民主阵线迅速发展为第一大党。

马拉维的医务人员严重短缺，特别是在农村地区。公共医疗设施普遍不足，疟疾、胃肠疾病、营养不良、血吸虫病和沙眼为主要健康问题。平均预期寿命仅约49岁；婴儿死亡率很高。

教育体制包括8年制小学教育（约有一半学龄儿童注册入学）、4年制中学教育、技术和师资培训学院以及马拉维大学（1964年创办）。政府严格控制包括无线电广播在内的传播媒体。

历史　马拉维早期居民特瓦人和富拉人的史前远祖，可追溯到公元前8000～前2000年。公元1～4世纪，讲班图语的各部族进入该地区；后来建立了早期的政治国家，大约在1480年又建立了马拉维邦联。该邦联包括马拉维中部和南部的大部分地区，并在17世纪对许多毗邻部族产生了影响。1600年左右，恩贡德人在马拉维北部建立了一个王国；18世纪，来自尼亚萨湖（即马拉维湖）东岸的移民建立了奇库拉马耶姆贝国。18世纪和19世纪，马拉维盛行贩奴活动。1830～1860年间，讲斯瓦希里语的各部族进入该地区，并与尧人共同确立了势力范围。这两个民族均卷入了贩奴活动。19世纪60年代，伊斯兰教随着贩奴活动传入马拉维。大约在此时期，基督教亦由利文斯敦等传教士传入该地区。19世纪80和90年代来自南非的荷兰改革教会和天主教会的传教士均在此地区设立了传教机构。1891年，英国在此地区建立起殖民统治，设立了尼亚萨兰区保护地。1893年该地区成为英属中非保护地，1907年改称尼亚萨兰。英国殖民地政权引进了欧洲人种植的经济作物，并修筑道路和铁路。当地殖民政府在增加马拉维人民的福利方面很少有所作为。由于当地的非洲农业并不发达，许多人前往邻近国家谋求工作。1951～1953年间，北罗得西亚、南罗得西亚和尼亚萨兰组成联邦。1963年该联邦解体；次年马拉维获得独立，但仍留在英联邦内；马拉维大会党的H. K.班达任总理。1966年，马拉维成为一个共和国，班达任总统。1971年班达任终身总统，几乎完全控制住局势，政治地位得以巩固。20世纪70年代，班达总统采取对南非持宽容态度的对外政策，而对周边黑非洲国家则常常苛求。

20世纪70年代的大部分时间，马拉维的经济欣欣向荣；这在很大程度上是由于该国的外国援助和资本投入。70年代初，马拉维成为莫桑比克反政府武装分子的避难所。1978年6月29日，马拉维举行了自独立以来的首次议会选举。20世纪90年代初，班达仍然执政，马拉维与南非的密切关系依然继续，有数千名马拉维工人受南非雇用。然而，1993年6月举行的全民投票顺利通过允许建立多党制国家的议案之后，班达所保持的总统职位成了问题。1994年5月，班达在多党总统选举中被B.穆卢齐击败，其长达30年之久的统治终告结束。在第一届任期中，穆卢齐提倡民主自由，同时致力于根除政府腐败，解决贫困和饥饿问题，但收效甚微。1999年连任，第二届任期国内外舆论皆批评其逐渐走向独裁统治。2004年穆卢齐任期结束。其精心培养的接班人穆塔里卡获得选举胜利，继任总统职位。穆塔里卡政府上台后立刻实行政府改革。为了整治腐败和削减开支，大幅减少了内阁成员人数，并对联合民主阵线的多名受到举报的高官展开调查。近年来艾滋病的威胁、不完善的教育体系和匮乏的基础设施影响着该国经济和社会的发展。但穆塔里卡政府依然显示出领导马拉维人进行政治改革的信心，这也将有助于该国吸引更多的国外援助。

Malaŵi, Lake (East Africa)　**马拉维湖**
参阅 **Nyasa, Lake** *尼亚萨湖*。

Malay　马来人　马来半岛及与之毗邻的东南亚某些岛屿上生活的种族集团；毗邻地区包括苏门答腊东海岸、婆罗洲海岸以及位于其间的一些小岛。马来人使用澳斯特罗尼西亚（马来-波利尼西亚）语系各种方言。马来人过去大概是婆罗洲海岸的某一民族，后因贸易及航海生活扩展到苏门答腊和马来半岛。马来人这种扩展不过是近1 500年左右发生的事，此事可由其语言加以证明。马来人诸部族所使用的语言仍然非常相近，但与苏门答腊、婆罗洲以及邻近各地的其他民族所用的语言则差别很大。20世纪末，马来人构成马来西亚的马来半岛部分（西马来西亚）的人口之半，在东马来西亚（沙捞越和沙巴）的居民人数中则占1/8强。马来人的文化深受其他民族文化之影响，主要是暹罗人、爪哇人和苏门答腊人的影响。马来人在历史上所受印度教文化影响至巨，他们在15世纪改宗伊斯兰教之前，大部分都是印度教徒。现今马来半岛的居民中有很多印度人和华人。马来人以农为主，住在乡村；而华人、印度人和其他群体则以城市生活为主。马来半岛大部地带为丛林，村庄建于沿河、沿海及公路两旁，各村人口50至1 000不等。房屋建筑在木桩之上，高出地面4～8英尺，屋脊呈人字形，上覆茅草；小康之家的住房则以瓦覆顶，以木板铺地。主要粮食作物是稻谷，主要经济作物是橡胶。20世纪70年代末，马来半岛的天然橡胶产量占世界总产量的2/5强。传统上马来人的社会组织带有封建制的色彩，贵族平民之间界限分明。村长由平民担任，区长便是贵族，村长受区长管辖。现在贵族已由议会及其他民选机构指派的官员所替代，但阶级区别仍很显著。婚姻传统上由父母包办。典型的家庭包括夫妻及其子女。婚姻及继承制度均受伊斯兰律法的约束。马来人的宗教信仰是伊斯兰沙斐仪教派，他们过穆斯林宗教节日。某些印度教礼仪依然存在，如在婚礼的第二部分和国家各种庆典活动之中，犹有其遗风。农村地区的马来人也保持了土地、丛林有灵的古旧信仰，部分可溯源于印度教；他们常靠巫医或萨满教僧治病。

Malay Annals (15th or 16th century) 参阅 **Sejarah Melayu**《马来由史话》。

Malay Archipelago 马来群岛 世界上最大的岛群，由印度尼西亚 13 000 多个岛屿和菲律宾约 7 000 个岛屿组成。"东印度群岛"有时用作该群岛的同义词。通常包括新几内亚岛，而不包括西北面的安达曼、尼科巴岛及东面俾斯麦群岛。印度尼西亚主要岛屿及岛群有大巽他群岛、小巽他群岛、摩鹿加、伊里安查亚。菲律宾主要岛屿有吕宋、棉兰老、米沙鄢群岛。该群岛的其他政治单位有东马来西亚（沙巴和沙捞越）、文莱、巴布亚新几内亚。沿赤道延伸 6 100 千米，南—北最大宽度 3 500千米。群岛位于太平洋和印度洋之间，环抱苏卢、西里伯斯、班达、摩鹿加、巽他、爪哇、弗洛勒斯和萨武诸海。西与亚洲大陆隔有马六甲海峡和南海，北与台湾之间有巴士海峡，南与澳大利亚之间有托雷斯海峡。从结构上说，群岛分为三个部分：巽他陆架（**Sunda Shelf**）、莎湖陆架（**Sahul Shelf**）和处于该两陆架之间而由地壳运动产生的地区。除菲律宾北部以外，各岛都在赤道 10 度以内，平均气温 21 °C。年降雨量自8 100毫米以上（苏门答腊坡地及爪哇）至不足 500 毫米（西西里伯斯和小巽他群岛雨影地区），大部地区平均年降雨量超过 2 000 毫米。每年 7 ～ 11 月西南太平洋生成台风达 20 余次，向西、向北移动，常使菲律宾遭受强风暴雨侵袭。马来群岛的植物群和动物群非常丰富而且种类各异，反映了该群岛作为连接亚洲和澳大利亚的桥梁的特点。马来亚人操各种属于南亚语系的语言。位于群岛中的马尼拉和雅加达居于世界最大城市之列。农村和农业经济占压倒优势，农村居民绝大多数为定居耕种者，种植的主要作物为水稻，也有玉米、甘薯和木薯，以及商品作物，如橡胶、烟叶、糖、椰干、胡椒、肉豆蔻、木棉、西谷米、马尼拉大麻等。森林资源重要，提供贵重的木材、树脂、藤条及其他产品。石油为主要矿产，在苏门答腊、印度尼西亚婆罗洲、文莱、伊里安查亚等地开采。印度尼西亚新及岛、邦加岛、勿里洞岛的锡产量约为世界产量 10%。婆罗洲和廖内有铝土矿，菲律宾中部有铁矿，西里伯斯发现镍矿，菲律宾还有金、铬、锰和铜。煤储量有限，然而水力资源丰富，但未充分开发。制造业不发达，最重要的有手工业和供出口的农产品和矿产品的初级加工。轻工业有所发展，主要有纺织、造纸、玻璃、肥皂、卷烟等工厂。有一些重工业。

Malay language 马来语 澳斯特罗尼西亚（马来-波利尼西亚）语系西部语族或印度尼西亚语族的语言，为 3 300 万余人的本族语，通行于马来半岛、苏门答腊、婆罗洲以及这个地区的许多小岛，作为第二语言也广泛通行于马来西亚和印度尼西亚。与马来语关系最密切的有苏门答腊诸语言（米南加保语、凯林吉语、勒姜语），显然与之有关而不甚密切的有婆罗洲、爪哇、越南的占语诸语言。马来语有多种方言，最重要的是马来半岛南部方言，它是标准马来语和印度尼西亚官方语言印度尼西亚语的基础。有一种巴扎马来语（集市马来语）的皮钦语曾作为通用语通行于东印度群岛，成为荷兰统治印度尼西亚的殖民语言的基础。华商社团曾使用的巴扎马来语的变体叫做巴巴马来语。通行于婆罗洲而与马来语关系密切的语言和方言有：伊班语、文莱马来语、桑巴斯马来语、库泰马来语和班查尔语。用增加词缀法（在词首、词尾或词中插入词缀）和重叠法以标志意义或语法变化是马来语法的典型现象。词缀展示于结构中，如 di-běli（卖），mem-běli（买）都用词根 beli；ke-mauan（愿望）来自 mau（意欲）；重叠可用以表示复数，如 rumah（屋子），rumah-rumah（几间房屋），如此等等。现代马来语有两种稍有区别的拉丁字母文字。一种用于印度尼西亚，另一种用于马来西亚，还采用一种叫作"查维"字母的阿拉伯字母，通行于马来亚和苏门答腊部分地区。马来语最早文献记载是 7 世纪末用拔罗婆字母（源自印度南部）刻写的苏门答腊碑铭。马来文学始于 15 世纪伊斯兰教传入之时，此前 4 ～ 15 世纪的文学作品均已散佚。马来文学作品可分为古典马来语作品及现代马来语作品两大类。

Malay Peninsula 马来半岛 又称克拉半岛。东南亚一狭长半岛。南北长约 1 127 千米，最宽处 322 千米。半岛上的巴来海角是亚洲大陆最南端。位于印度洋的安达曼海和马六甲海峡之间。北接亚洲大陆，南为新加坡海峡，东濒泰国湾和南海。中央山脉纵贯半岛，最高点大汉山海拔 2 187 米。西海岸受西南季风影响，东海岸受东北季风影响。西部大部分河流短，近海处大面积淤泥沉积，通航受阻。东部河流较长，上游坡降平缓。从政治上说，马来半岛包括泰国的西南部、马来西亚的西部和新加坡。古代有"金色半岛"之称，历来为大陆与马来群岛间经济和文化联系的纽带。

Malayalam language 马拉雅拉姆语 又译"马拉亚兰语"。属达罗毗荼语系，通行于印度西南部，是喀拉拉邦的官方语言。有 3 种重要地域方言并有许多小方言。方言因社会等级不同而各异，也有文学语言与口语之分，使用大量梵语借词。马拉雅拉姆语与泰米尔语关系密切，与之相异之处是无动词人称词尾，同一般达罗毗荼诸语言一样，有一套卷舌辅音（如 ṭ，ḍ，ṇ，发音时舌尖向后靠近上腭）；以后缀表示时态、人称、数和格等语法范畴。9 世纪起即有文字，最早的文学作品产生于 13 世纪。采用源于泰米尔文字的科勒卢固字母（棒形字母），也使用泰米尔语所用的格兰塔字母。马拉雅拉姆文学史溯至 13 世纪，本地歌谣和民歌时间最早。后来长期受学术语言梵语及行政语言泰米尔语的影响。西方所了解的全部马拉雅拉姆语文学题材，都是现代人加工之后的作品。

Malayan Emergency 马来亚危机 1948 年成立马来联邦（马来西亚的前身）之后为时 12 年的动荡时期。马来亚共产党（大部分是华裔）警觉到马来人获得特别保障的权利，包括苏丹的职位等，因而展开只有一小部分华裔支持的游击暴动。英国尝试以军事手段来镇压暴动，特别是将乡村的华人重新安置在严密控制的"新村"，但却不受欢迎。20 世纪 50 年代中期英国妥善处理了政治与经济上的不满后，反叛者也日渐孤立，但这场危机直到 1960 年才正式宣告结束。

Malayan lar 马来亚白手长臂猿 长臂猿（**gibbon**）的一种。

Malayan People's Anti-Japanese Army (MPAJA) 马来亚人民抗日军 原为第二次世界大战期间成立的反对日军占领马来亚的游击队。1941 年 12 月，日军发动快速入侵，不出 10 周即已征服马来亚。英国军队曾为这种可能性作准备工作，训练了一小批马来亚游击队。当战争成为现实时，游击队立即组成马来亚人民抗日军。这支军队的主要成员是中国共产党员，也有人数较少的中国国民党人和一些马来人。因为中国人在军队中占有多数，马来亚共产党就能够打入游击队灌输思想，强调通过他们的努力，战后马来亚会成为共产主义的国家。丛林中的战士人数在 1942 年约为 3 000 人，而到 1945 年则增至 7 000人。英军返回马来亚后，马来亚人民抗日军正式解散。大多数士兵向英军交出了武器。但其领导人员、组织和许多武器则转入地下，而在 1948 年参加马来亚共产党领导的起义。

Malayan sun bear 马来太阳熊 参阅 **sun bear** 太阳熊。

Malaysia 马来西亚 东南亚国家，由两个不相接的地区——半岛（或西）马来西亚和东马来西亚——组成，中间隔有南海，相距约 650 千米。半岛马来西亚（面积 131 598 平方千米），位于马来半岛的南半部，长约 800 千米，宽约 325 千米；北与泰国接壤，南与新加坡交界，西临马六甲海峡，东濒南海。东马来西亚（面积 198 160 平方千米）位于婆罗洲岛西北部，长约 1 075 千米，宽约 385 千米，由沙捞越和沙巴两部分组成；北和西濒南海，东临苏禄海和西里伯斯海，南与印度尼西亚婆罗洲的加里曼丹省接壤。独立的沿海小国文莱苏丹国与沙捞越相连。首都吉隆坡。面积（包括内陆水面）330 442 平方千米。人口约 24 370 000（2002）。

土地　马来西亚的独特之处在于它是东南亚唯一一个国土由大陆区和岛屿区两部分构成的国家。半岛马来西亚以山地为主（总面积的 1/2 在海拔 150 米以上），包括数条南北走向的山脉，其中最主要的中央山脉长达 500 千米，海拔在 2 000 米以上。山脉两侧为沿岸低地，西面人口稠密；东面狭窄，多沼泽，且森林茂密。东马来西亚的沿岸平原（东部宽 16 ～ 32 千米，西部宽 32 ～ 64 千米）由西向东逐渐升高，成为丘陵与河谷地区，然后是内陆山区，海拔在 1 200 ～ 2 000 米之间，其中位于最东北端的基纳巴卢山（海拔4 101米）为全国最高峰。长 435 千米的彭亨河是半岛马来西亚的主要河流。东马来西亚的拉让河和基那巴唐岸河分别是沙捞越和沙巴境内的主要河流。

马来西亚的赤道气候受东北季风（11或12月到翌年3月）和西南季风（6至9月或10月上旬）的强烈影响。低地区年平均温度在25～30 ℃之间；内陆山区的年平均温度在22～28 ℃之间。年均降雨量非常高，半岛马来西亚为2 500毫米，沙捞越地区为2 300毫米，沙巴地区为3 300毫米。相对湿度亦很高，平均为80%～85%。

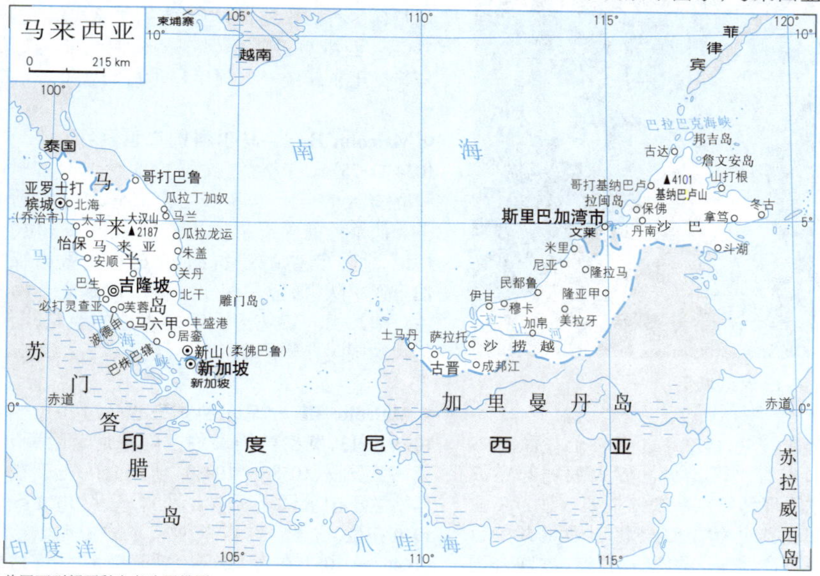

美国不列颠百科全书公司供图

马来西亚湿热的气候适宜茂密的热带植物生长，全境有3/5的土地为森林所覆盖，其中多数为常绿雨林。植物包括竹、樟树、黑檀、檀香、柚树、棕榈和红树等。马来西亚的动物种类繁多，有大象、老虎、豹、野牛、蜜熊、野猪、猩猩、长臂猿和犀牛。东马来西亚是世界上鸟类数量最大，种类最多的地区之一，包括犀鸟、鹦鹉、阔嘴鸟、雨燕、鸽子、啄木鸟等。马来西亚最主要的经济树种有橡胶树和棕榈树。

马来西亚的锡矿储藏量居世界第3位，仅次于巴西和中国，该国已探明的石油及天然气储量亦很大。

人民 由于濒临世界主要海上交通线之一的马六甲海峡，马来半岛一直是来自亚洲其他地区人们的聚集地。马来西亚人口的多样化即反映了这一点。土著马来人约占马来西亚居民的2/3，一般为穆斯林，讲马来语，也是马来西亚的官方语言。从中国东南部迁移到该国的华人占人口总数的3/10。其余人口多为印度人、巴基斯坦人和泰米尔人（来自斯里兰卡）。多数华人信奉佛教、道教和儒家学说，亦有部分基督教徒。印度人和斯里兰卡人大多信奉印度教；巴基斯坦人则多为穆斯林。泰米尔人讲达罗毗荼语或印欧语。半岛马来西亚的奥朗阿斯利人，包括贾昆人、塞芒人和塞诺伊人，信奉传统的宗教，有一部分是穆斯林。

东马来西亚的人口构成比半岛马来西亚更为复杂，主要成分为华人（约占1/3）和大约25个种族集团及更小的部落群体，后者讲澳斯特罗尼西亚语。伊班人（海上达雅克人）居住在东马来西亚的沙捞越，从前有割取敌人的头作为战利品的习俗，至今仍住在公有的长屋中；陆上达雅克人居住在沙捞越西部的山区。卡达桑人是沙巴地区最大的土著民族。

马来西亚人口的年增长率在亚洲曾经是最高的，但自1960年以来已逐渐下降。半岛马来西亚的人口约占全国人口的4/5。当地华人和印度人的出生率现已显著下降。人口平均年龄很低，有37%的人口年龄不足15岁。作为一个发展中国家，马来西亚人的健康水平已相当不错，男性预期寿命为69岁；女性73岁。约有2/5人口居住在城市，而人口向城市迁移的趋势仍在继续。

经济 马来西亚的经济以市场经济为主，并已从单纯依赖生产和出口原材料向更加多样化方向发展。1970年发生针对少数富有的种族群体（通常为华人和印度商人）的种族暴乱后，政府拟定了旨在改善马来人和其他土著居民贫困状况的新经济政策和其他相关政策。该国国民生产总值的增长快于人口的增长，人均国民生产总值居东南亚国家第3位，仅次于新加坡和文莱。

农业约占国内生产总值的1/5，雇用了1/4的劳动力。1955年后开始实行土地改革，但只有极少数农民从中获益，许多马来人至今仍依赖生存农业，小自耕农也大多生活在贫困之中。

稻米是马来西亚的主要粮食作物，产量可基本满足国内需求。橡胶是主要的经济作物，大多由小型农场种植，产量占世界总产量的1/4。小自耕农生产的棕榈油约占总产量的1/2，联邦土地开发署生产的棕榈油则占总产量的1/3。原木是外汇的主要来源，出口到日本、韩国、中国和中国台湾。1981年全国开始实施大规模造林计划。

马来西亚的采矿业主要为石油及锡的生产和出口。政府控制石油生产并参与开采锡矿。新加坡、日本和韩国是马来西亚原油的主要市场。由于储藏量锐减和价格波动，锡的生产受到威胁。马来西亚还大量开采和出口铜矿和铝矾土。

制造业约占国内生产总值的1/4，雇用了约1/5的劳动力。华人及其他移民控制了当地大部分工业；政府鼓励外国人对本国工业进行投资。橡胶产品、水泥、钢铁产品、收音机和电视机均为制造业的重要产品。

马来西亚约有2/3道路铺有路面。半岛马来西亚建有数条高速公路，但沙巴和沙捞越地区的路况很差。半岛马来西亚的铁路网很发达，但沙捞越地区还根本没有铁路，沙巴地区仅有一条很短的客货铁路。水上运输在东马来西亚仍起着主要作用。吉隆坡的国际机场有多家国际航空公司的航班在此起降，其中包括国家控制的马来西亚航空公司。除此之外，半岛马来西亚和东马来西亚还建有5个区域性机场和许多小型机场。

马来西亚工会大会成立于1949年，包括了国内大多数的工会组织。

近年来，马来西亚的贸易一直为顺差，主要贸易伙伴有日本、新加坡、美国、英国和德国。

政体与社会状况 马来西亚是一个君主立宪制的联邦国家。联邦政府负责外交、国防、国内安全、司法（通行伊斯兰及地方性法律的地区除外）、联邦公民权、财政、工业、商业、通讯及运输等方面的事务。州政府负责移民、地方行政及海关事务。全国有9个州由世袭统治者根据州执行委员会的建议治理；其他4个州由联邦政府任命的州长治理。

联邦政府名义上的首脑是最高统治者，由9个州的世袭统治者组成的统治者协商会议选出，任期5年。但根据1957年的宪法规定，真正的政治权力属于参、众两院组成的联邦立法机构。参议院有席位69个，其中43席由最高统治者任命，26席由各州立法议会选出。权力很大的众议院共有席位180个，每隔5年由成人普选产生。总理由国会中席位最多的政党领袖出任，并负责组阁，内阁成员由最高统治者任命。国民阵线是一个代表全国各主要种族集团的政党联盟，为该国主要的政治组织。

马来西亚的社会福利制度为就业者提供工伤、老年及残疾津贴。该国人民的总体健康状况要好于其他发展中国家。现今，马来西亚已消除了许多热带疾病，但由动物携带原体所引发的疾病如疟疾，在乡村地区仍未彻底解决。城镇的医疗设施还比较完善，居住在政府开设的医院和诊所附近的居民可获得免费医疗服务，但在乡村仍然缺少医院和医生。

马来西亚6～15岁的未成年人可享有免费、但是非义务性的教育。据估计，全国有90%的小学学龄儿童进入了6年制小学就读。学生毕业后可继续上初中和高中。高中毕业获得文凭者可再进入国内大学就读。

马来西亚的出版业由私人经营，但受到法律的严格限制，凡被认为对国家安全、秩序和道德有害的内容一律不准发表。广播媒体属政府所有。

文化生活 马来西亚由于具有复杂多样的民族和文化，是一个汇集马来群岛、中国、印度和西方各种传统的熔炉。马来文化和婆罗文化是马来西亚的本土文化。最重要的马来语文学作品被认为是写于1535年前后的《马来史话》，该作品详细地描述了中世纪时期的马六甲城邦(今马六甲市)。"潘图尼斯"是一种在节庆或婚礼上吟诵的四行诗。马来西亚的多元文化可在吉隆坡的国家博物馆里略见一斑;该馆藏有中国传统戏剧的布景;马六甲博物馆主要陈列中国的瓷器、家具和服饰;沙捞越博物馆则藏有与婆罗洲人种史有关的各种文物。

历史 至少在6000～8000年前马来亚即已有人居住。到公元前2500～前1500年,新石器文化已趋完善。公元2或3世纪已有一些小的马来王国存在。此时印度探险者来到马来亚,随即开始了印度文化对马来亚长达1 000多年的影响。苏门答腊的流亡者建立了马六甲(约1400年),并获得中国对该城邦的保护。马六甲成为一个商业和伊斯兰宗教的中心,并因此进入历史上的黄金时期,但于1511年被葡萄牙人所占。当荷兰人于1641年占领马六甲时,这个港口已不再是一个重要的贸易中心。

17世纪末,苏门答腊的米南卡保人迁徙到马来亚,带来了母系社会文化。18世纪,西里伯斯岛的布吉人侵入马来亚,并在雪兰莪和柔佛两地建立了苏丹国。

1819年,英国人在新加坡岛上建立殖民地,至1867年建成海峡殖民地(包括马六甲、新加坡和槟榔屿)。19世纪末,中国人开始移民马来亚。1896年,马来各邦均接受了英国顾问,霹雳、雪兰莪、森美兰和彭亨等州组成了联邦。

自19世纪90年代始,英国人大量投资发展马来亚的运输业和橡胶种植园。1941年日本人入侵马来亚,并在1942年初占领新加坡。第二次世界大战后,英国人企图把马来亚组成一个统一国家,但未获成功。这一举措反而促成反对英国殖民统治的马来亚民族主义的诞生。1946年,马来亚民族统一组织成立;1948年,马来半岛和槟榔屿结成联邦。同年,马来亚共产党成立。1955年,马华公会加入马来亚民族统一组织的反共反殖民联盟,该联盟得到国会52个席位中的51席。1957年英国人放弃殖民统治权,马来亚获得独立。

进入20世纪60年代后,马来亚联邦的成员几度改变,最后在1963年形成马来西亚目前的格局。政治上的混乱一直持续到70年代初,随后社会秩序重新恢复稳定,马来西亚经济开始繁荣。尽管区域分散、种族繁多,但马来西亚在维护国家统一方面已取得很大成果。

Malbodius, Jan (Flemish painter) 参阅 **Mabuse, Jan** 马比斯。

Malbone, Edward Greene **莫尔博恩**(1777-08,美国罗得岛纽波特～1807-05-07,美国佐治亚萨凡纳) 美国细密画家。17岁在罗得岛普罗维登斯开始作画,其短暂的一生中在普罗维登斯、纽波特、波士顿、纽约市、费城和萨凡纳等地创作了许多细密画,并以其精巧的素描、丰富的色彩和令人信服的性格描绘受到高度赞扬。他没有正式的学生,却辅导过一些知名画家,如C.弗雷泽、W.邓拉普和J.W.贾维斯等人。

Malbork **马尔堡** 德语称马林堡(Marienburg)。波兰北部滨海省城市。1236年条顿骑士团在此筑城堡。1276年设市。13～15世纪,马尔堡是欧洲最强大的城堡之一。

马尔堡市的13世纪城堡
美国不列颠百科全书公司供图

1457年归属波兰,1772年为普鲁士并吞,1920年为德国占有。第二次世界大战后归还波兰。马尔堡现为铁路和公路枢纽。地方工业以制糖和乳品业为主。条顿骑士团修建的哥特式城堡是该地著名的旅游景点,被联合国教科文组织列为世界遗产。人口约38 545(2002)。

Malchus (Neoplatonist philosopher) **马尔库斯** 参阅 **Porphyry** 波菲利。

malcoha **绿嘴地鹃** 又拼 malkoha。亚洲南部的几种杜鹃,尤指 *Rhopodytes* 属(常归入地鹃属[*Phaenicophaeus*])的种类。尾长,嘴粗壮,基部有须。眼周皮肤裸露。林栖,像松鼠般在密林的树枝上活动。

红脸绿嘴鹃(*Phaenicophaeus pyrrhocephalus*)
美国不列颠百科全书公司供图

Malcolm **马尔科姆** 苏格兰国王名,按年代顺序分列于后,并各以●为标记。

● **Malcolm I** **马尔科姆一世** (?～954) 皮克特人与苏格兰人(阿尔巴)的国王。943年堂兄康斯坦丁二世入隐修院,他继承王位。他第一次把莫里并入他的王国。英格兰国王埃德蒙从约克赶走丹麦人以后,将坎布里亚划归马尔科姆管辖,作为结盟的赠品或保证。954年,西撒克逊国王伊德雷德使北部各郡与其领土重新统一。同年马尔科姆被杀。

● **Malcolm II** **马尔科姆二世** (约954～1034-11-25) 苏格兰国王(1005～1034),第一位统治相当于今苏格兰大部分地区的国王。他杀死前国王肯尼思三世后继承王位。据说,他在卡雷姆战役(约1016)中击败诺森伯里亚军队,保卫了国土。他不但确立苏格兰对福思河与特威河之间的土地的控制,而且大约同时获得了斯特拉斯克莱德。

● **Malcolm III** **马尔科姆三世** (约1031～1093-11-13,英格兰诺森伯兰阿尔尼克附近) 苏格兰国王(1058～1093),他创立的王朝在苏格兰王国巩固了王权。邓肯一世(1034～1040在位)之子。在谋杀他父亲的麦克佩斯(1040～1057在位)统治时期,曾流亡英格兰。1057年杀死麦克佩斯后即位。1072年,他承认英王征服者威廉的宗主地位,但很快就不履行他的封建义务。曾5次侵袭英格兰,最后一次入侵时被红脸威廉二世(1087～1100在位)的军队杀死。

● **Malcolm IV** **马尔科姆四世** (1141?～1165-12-09) 苏格兰国王(1153～1165)。亨廷登和诺森伯兰伯爵亨利(1152卒)的长子,11岁继承祖父戴维一世的王位。在祖辈的统治下,苏格兰王国的版图包括现今的诺森伯兰和坎布里亚两郡。1157年英格兰国王亨利二世强迫他交出两郡,而确认他享有亨廷登伯爵领地的权利。马尔科姆英年早逝,未婚,因而有"处男"的绰号。

Malcolm X **马尔科姆·艾克斯** (1925-05-19,美国内布拉斯加奥马哈～1965-02-21,纽约州纽约) 原名马尔科姆·利特尔,穆斯林名是哈吉·马立克·沙巴兹。美国黑人领袖,20世纪60年代初提出种族自豪和黑人民族主义观念。他被杀害后由于《马尔科姆·艾克斯自传》的广泛传播,成为黑人青年心目中的思想领袖。在密歇根州 的兰辛长大,亲眼看到他的房子被白人至上主义者三K党人烧掉,后来父亲被杀害,母亲被送进精神病院。十几岁时移居波士顿,住在姐姐家。1946年因盗窃罪入狱,转而宗奉黑穆斯林运动。1952年出狱后,到芝加哥黑穆斯林总部,进见教长伊莱贾·穆罕默德,接受其严峻的禁欲主义,被委派在国内巡回传教,最后主持纽约市第七清真寺。他长于辩才,痛斥白人对黑人剥削,其演说风格明快,赢得大批信徒。他嘲笑民权运动，不赞成取消种族隔离和实行种族平等，相反，他鼓吹黑人分立、黑人自豪和黑人依靠自己。由于他主张使用暴力自卫，为许多主张非暴力反抗的民权运动领导人所

美国不列颠百科全书公司供图

不取。他形容肯尼迪总统被暗杀（1963-11-22）是“咒人反害己”，穆罕默德借此将其逐出黑穆斯林运动。1964年他宣布成立自己的宗教组织。麦加朝觐之后，修改其有关黑人分立主义的观点，宣布他不再相信白人天生邪恶，而承认四海之内皆兄弟的信念。同年10月重申皈依正统的伊斯兰教。马尔科姆·艾克斯的信徒和黑人穆斯林派别之间的敌意发展到使用暴力，且威胁其生命，在哈莱姆区一舞厅其信徒举行的集会上被枪杀。

Malczewski, Antoni　马尔切夫斯基（1793-06-03，华沙［波兰］或俄国斯帝国乌克兰杜布纳附近克尼亚吉尼诺～1826-05-02，华沙）波兰浪漫主义诗人。出身于富裕地主家庭。曾在公立中学受教育。在拿破仑时代的华沙公国的波兰军队中服兵役。1815年，公国大部分国土变为波兰王国，俄国沙皇兼波兰国王时，他被遣散复员。后游历西欧，1821年重返在俄国乌克兰的家园。1825年出版长诗《玛丽亚》，这是他对波兰诗歌的唯一贡献，但其声望与诗人密茨凯维奇相伯仲。该诗描述年轻的沃茨瓦夫出发与鞑靼人作战，击溃入侵者后赶回家中看望妻子玛丽亚，但只发现一具冰冷的僵尸。多变的韵律、仔细推敲的韵脚、具有拜伦风格的主人公以及对乌克兰的描绘使他深获好评，并在波兰文学中占有重要地位。

Mālda　马尔达　原称旧马尔达。印度东北部西孟加拉邦中北部城镇。位于默哈嫩达河与卡林德利河汇流处东岸。为英吉利巴扎尔城镇联合体的一部分。18世纪期间，棉纺和丝绸工业比较发达。现仍是稻米、黄麻和小麦的重要集散地。历史遗迹有贾米马斯吉德清真寺（1566）和河对岸的尼默萨里塔。有几所隶属于北孟加拉大学的学院。周围地区主要农作物为水稻、黄麻、豆类和油籽。桑园与芒果园占去大片土地。芒果贸易与丝织品为重要经济活动。人口：城镇8 579（1981）。

Malden　莫尔登　美国马萨诸塞州东部米德尔塞克斯县城市。临莫尔登河。位于波士顿正北。周围有几座城镇及米德尔塞克斯丘陵公园（国家保护区）。1640年创建，1649年设镇，1882年设市。19世纪发展为工业中心。现经济主要以服务业为主，包括医疗保健、政府服务、电子通信和金融服务。马萨诸塞教育部设在该市。市内有多个公园供休闲娱乐。人口56 340（2000）。

Malden, Arthur Capel, Viscount　莫尔登子爵　参阅 **Essex, Arthur Capel, 1st earl of 埃塞克斯伯爵（第一）**。

Malden Island　莫尔登岛　旧称独立岛。太平洋西南部中-南莱恩群岛的珊瑚环礁，在火奴鲁鲁檀香山以南2 700千米。陆地面积28平方千米。1856年美国宣布对该岛拥有主权。20世纪50年代英国在附近圣诞岛试验核武器曾利用该岛作观察基地。1979年属基里巴斯。现无人居住。

Maldives　马尔代夫　又称马尔代夫群岛，全称马尔代夫共和国。印度洋上的独立岛国，包括约1 200个聚成簇礁或环礁的小珊瑚岛和沙洲（其中约有200个岛屿有人居住）。这些岛屿分布在南北长820千米，东西宽130千米的海域。最北的环礁在印度大陆南西南约600千米；中部区，包括首都马累岛，在斯里兰卡西南约645千米。人口约289 000（2004）。

土地　马尔代夫群岛的陆地总面积为298平方千米；群岛均系被淹没的古火山山脉诸顶峰上的珊瑚构成。群岛地势低洼，海拔均在1.8米以下。堡礁可保护群岛免受季风的破坏。岛上5～8月盛行西南季风，为雨季；12～3月盛行东北季风，为干暖季。年平均气温24～30 °C不等。年平均降雨量约2 130毫米。诸环礁均有砂质海滩、潟湖，生长着繁茂的椰树、面包果和热带灌丛。群岛附近的礁区、潟湖和海域，鱼类丰富；捕捞海龟可供食用和制海龟油（一种土药）。

人民　马尔代夫人为混合民族，讲印欧语系的迪维希语（官方语言）。阿拉伯语、印地语和英语也通用。伊斯兰教为国教。一般认为当地最早居民是来自印度南部和斯里兰卡的达罗毗荼人和僧伽罗人。数百年来，阿拉伯各国、马来亚、马达加斯加、印度尼西亚和中国的商人常到该群岛作短期停留。马尔代夫除唯一的较大居民点马累岛外，全国居民均住在分散的环礁小岛上的村庄。人口1 000以上的岛屿仅约20个；南部诸岛的人口密度高于北部诸岛。马尔代夫的人口出生率较高，但死亡率则相当低。全国有2/5的人口不满15岁。

经济　马尔代夫是世界上最贫穷的国家之一，属发展中经济，以渔业、旅游业、造船业和修船业为基础。人均国民生产总值属世界最低之列。大多数居民依靠从事捕鱼、采集椰果和种植瓜菜、块根和块茎作物（木薯、白薯和薯蓣）以及热带水果的商品经济来维持生活。散布在许多小岛上的庄稼地数量极少；主要粮食几乎全部依赖进口。渔业作为该国传统的经济基础，一直是最重要的部门，雇用了1/4的劳动力，在出口总收入中占有较大比重。渔产品以金枪鱼为主，大多采用垂钓法，但已有相当多的捕鱼船队实现了机械化。渔产品大部售给外国公司加工出口。

马尔代夫国家海运公司是该国商业的基础。旅游业为迅速发展的经济部门。冬季，各度假岛屿和马累的现代化旅馆吸引着日益增多的旅客。工业大多属于手工业或作坊的形式，包括椰壳纤维及其制品、造船和建筑。进口商品包括消费品如粮食（以大米为主）、纺织品、药品和石油产品。鱼产品大多为晒干、冷冻和制成罐头的小鲔鲣，为出口大宗。美国、斯里兰卡、英国和日本为该国主要贸易伙伴。

船是环礁之间主要的运输工具；该国与斯里兰卡、新加坡和印度之间均有船舶定期往来。该国有一家国营航空公司；马累岛上的机场提供飞往世界各地的航空业务。

政体与社会状况　国家首脑为总统，他由国民议会提名，通过全民投票选举产生，任期5年，可以连任。一院制国民议会中有议员40名，均由选举产生，任期5年，其中马累岛占2席，19个环礁群（全国划分为19个行政区）各占2席；另有8席由总统任命。法官均由总统任命，他们根据伊斯兰教义进行审判。

大多数马尔代夫人患病时均求助于土法医治；马累有一所小型医院。主要疾病有胃肠炎、伤寒、霍乱和疟疾等。平均预期寿命男性68岁，女性67岁。

马尔代夫提供3种正规教育：专门讲授古兰经的阅读和吟诵的传统学校；迪维希语学校；英语小学和中学。英语学校是唯一讲授标准课程并提供中学教育的学校。学生须出国接受高等教育。仅约2/3学龄儿童注册入学。

历史　早在公元前5世纪该群岛即有佛教徒居住，他们可能来自斯里兰卡和印度南部。据传当地于1153年接受了伊斯兰教。14世纪40年代中期，著名北非旅行家巴图塔驻留该群岛；他在描述当时的状况时不以为然地谈到了妇女自由问题；这是马尔代夫整个历史的一个显著特点。1558年，葡萄牙人侵入并定居马累岛，1573年被逐出该岛。17世纪该岛成为锡兰的荷兰统治者保护下的一个苏丹国；1796年英国占领锡兰后，该群岛成为英国保护国，1887年这一地位被正式确定。1932年以前管理权大多归苏丹和苏丹王后；1932年颁布第一部民主宪法，但仍为苏丹统治的王国。1953年共和国宣布成立，但同年稍后又恢复为苏丹国。1965年，马尔代夫群岛脱离英国获得政治上的完全独立；1968年废除苏丹统治，成立新的共和国。1976年3月29日，最后一批英国军队撤离；该日因此被定为马尔代夫举国欢庆的独立日。1982年，马尔代夫成为英联邦成员国。2004年12月印度洋海啸席卷了马尔代夫，海啸由地震引起，造成几十人死亡，大量财产被毁。

Maldon　莫尔登　英格兰埃塞克斯行政、历史郡的城镇和区。镇址在布莱克沃特河口湾南侧区则环绕着布莱克河口湾，并向南延伸至克劳奇河口湾。面积358平方千米。为史前时期人类居地。由撒克逊人建镇。一直是皇家城镇，1171年亨利二世首次授予特许状。尚存有几座中世纪建筑。人口：城镇15 841（1991）；区约59 433（2001）。

Maldonado 马尔多纳多 乌拉圭东南部城镇。建于1757年。1806年曾被英国军队劫掠,但仍保存有许多殖民时期建筑物和西班牙防御工事等。著名的有瞭望塔(比希亚)、戈里蒂岛上的要塞、教堂和马佐尼博物馆。谷物和羊毛是主要贸易商品。主要行业为海豹捕猎。大西洋中可捕捞金枪鱼、黑海鲈鱼、鲭鱼和鳀鱼。有铁路、公路通蒙得维的亚。建有机场。人口48 936(1996)。

Male 马累 印度洋中岛屿、环礁、马尔代夫首都。该岛位于斯里兰卡西南约645千米。设有:中央法院,政府医院,用英语教学的公立、私立学校和一所职业技校。为贸易与旅游中心,有海运和航空线与斯里兰卡、印度相通。主要产品为椰子、面包果、鱼和棕榈纤维编席。2004年12月马尔代夫遭遇印度洋海啸,该市大部分地区被洪水淹没。海堤减少了城市损失。人口74 069(2000)。

Malebo Pool 马莱博湖 旧称斯坦利湖(Stanley Pool)。非洲刚果河下游湖泊状扩大部分,在利文斯顿瀑布上游,刚果(布)和刚果(金)之间。面积450平方千米,湖中心181平方千米的巴穆岛将其分为两条深水航道。最深处16米。布拉柴维尔和金沙萨分别位于其西北岸和西南岸。

Malebranche, Nicolas 马勒伯朗士(1638-08-06,法兰西巴黎~1715-10-13,巴黎) 法兰西天主教司铎、神学家和笛卡儿主义的主要哲学家。他试图将笛卡儿主义同圣奥古斯丁的思想以及新柏拉图主义综合在一起。他是国王路易十三秘书的幼子,毕生受脊椎畸形之苦。曾在马尔什学院和索邦神学院学习哲学和神学,1664年入奥拉托利会,祝圣为司铎。他偶然阅读了笛卡儿的《论人》,感到必须对数学、物理学和笛卡儿的作品进行系统研究。主要著作是《追求真理》(三卷,1674～1675)。其他著作包括对于光和色的性质、微积分学和幻想心理的研究。他在1699年被选入科学院。其形而上学研究中最重要的是提出:"我们在上帝身上看到一切事物。"如果人与上帝之间没有联系的话,则人类既不可能认识内心世界,也不可能认识外部世界。无论是物体位置的改变,还是人思想的变化并不是直接由物体或个人本身造成的,而是直接由上帝造成的。人们通常称为"因"的东西只不过是上帝为了造成"果"而制造的"偶然"。笛卡儿对于偶因论的运用显得犹豫而且前后矛盾,而马勒伯朗士则把它发展得更加完备。他还使笛卡儿的肉体和精神之间的二元论同正统的天主教义可以和谐共存。他认为精神和肉体之间之不能相互作用不过是一般的被创造事物之间不可能相互作用的一个具体例子。至于感觉,他认为感性经验只有实用价值。作为取得知识的辅助手段,感性经验是靠不住的,因为它们并不提供真正的证据来证明所觉察的事物的实际性质。只有观念才是人类思想过程的对象。上帝的精神或理性包含人们所能发现的全部真理观念。上帝在思索了人们只能部分地认识而上帝能完全认识的同样观念之后便创造了世界。笛卡儿声明人的存在无需论证就能知道,但上帝的存在则需要论证。而马勒伯朗士则认为人自己的本质是完全无法认识的,而上帝的本质却是无需任何证据的千真万确的事物。

Malecite 马莱西特人 操阿尔冈昆语的印第安人,曾占据相当于现在新不伦瑞克省的圣约翰河谷,并扩展至缅因州东北角一带。其语言同帕萨马科迪人的语言极为相近;他们都是阿布纳基部落联盟的成员。马莱西特人种植谷物,兼营渔、猎。桦皮及桦木是主要制造原料,可用以制造器皿、工具及武器。有一部落议事会,由军事领袖、文职领袖及各家庭代表组成,它决定大多数部落事务;另有一全部落大会则决定战争问题。虽然早在16世纪中叶英法探险队就可能遇到过马莱西特人,但有关双方接触的记录,则始于1604年德·尚普兰之游记。1856年前,马莱西特人的土地已减缩至托比克河流域及其他小块地带。他们的后裔住在加拿大新不伦瑞克省、魁北克省及美国缅因州。

Mālegaon 马莱冈 印度西部马哈拉施特拉邦西北部城镇。临吉尔纳河,为纳西克城镇联合体的一部分,位于孟买—阿格拉公路线上。为重要农产品市场。古时为手工织布中心。20世纪40年代开始迅速工业化。生产的棉、丝织品出口至孟买、浦那和萨达拉。设有浦那大学几个学院。人口245 883(1981)。

maleic acid 马来酸($HO_2CCH{=}CHCO_2H$) 又称顺丁烯二酸。一种不饱和有机二元酸。用于制造纤维增强的层压聚酯和油漆展色剂,还用于制造富马酸和许多其他化工产品。工业上是通过苯的催化氧化制得马来酸和马来酸酐。马来酸具有烯烃和羧酸两种物质的典型反应。与乙二醇酯化生成聚酯及脱水生成马来酸酐是其工业上重要的羧基反应。其双键反应,包括马来酸转变成富马酸、磺基丁二酸(用于润湿剂)及马拉硫磷(杀虫剂)。马来酸熔点139～140 °C,超过此温度形成马来酸酐。马来酸酐和马来酸都有毒性并刺激皮肤。在许多实际应用中,马来酸和马来酸酐可互相代替。富马酸又称反丁烯二酸,是马来酸的几何异构体,存在于球果紫堇(药用植物)、各种真菌和冰岛苔藓中。富马酸也能生成聚酯,又因无毒(和马来酸不同)而用作食物酸味剂。通过马来酸的异构化或利用糖蜜发酵制取富马酸。富马酸的反应一般与马来酸相似但不能生成分子内酸酐,富马酸在水中和其他大多数溶剂中的可溶性比马来酸小得多。

Malekula(Vanuatu) 参阅 **Malakula** 马拉库拉。

Malenkov, Georgy Maksimilianovich 马林科夫(1902-01-13,俄国奥伦堡～1988-01-14,莫斯科附近) 苏联党政官员,斯大林的亲密合作者,斯大林死后曾任部长会议主席(1953-03～1955-02)。1919年参加红军,1920年加入共产党。后成为斯大林的亲信,参加20世纪30年代后期的党内大清洗。1941年当选为政治局候补委员,第二次世界大战期间任国防委员会委员。1946年成为政治局委员、党中央委员会第二书记和部长会议副主席。他同日丹诺夫激烈争权,由于日丹诺夫的指控,曾被解除党内职务。但不到两年,他又成为斯大林的主要助手之一。1953年3月斯大林死后,他担任苏共中央第一书记兼部长会议主席,但数周后被迫将党内最高职位让与赫鲁晓夫。他大力减少军备开支,压缩重工业投资,增加消费品生产,给集体农庄工人以更多的物质刺激。他的政治主张遭到党的其他领导人的反对。1955年2月被迫辞职。1957年由于参加罢免赫鲁晓夫未遂的"反党集团"而被解除苏共中央主席团和中央委员会的职务,1961年透露他还被开除出党。他被遣往偏远的哈萨克共和国主管一座水电站约30年。从未被恢复名誉。

美国不列颠百科全书公司供图

Maler Müller 画家米勒 参阅 **Müller, Friedrich** 米勒。

Malesherbes, Chrétien Guillaume de Lamoignon de 马尔塞布(1721-12-06,巴黎～1794-04-22,巴黎) 法国律师和行政官。他试图在国王路易十五(1715～1774在位)和路易十六(1774～1792在位)统治期间对法国的专制政治进行改革,但成效不大。1744年任巴黎高等法院顾问。1750年任巴黎间接税法院院长和新闻出版总监,负责审查出版物。他有权批准启蒙运动哲学家出版他们的许多著作。如狄德罗的《百科全书》的大部分都是在这一时期刊印的。他同高等法院一起,阻挠国王的财政改革计划。因此,他反对大法官莫普停止某些法院的职权(1771),结

巴黎国家图书馆供图

果遭到放逐。1774年路易十六即位后，法院恢复职权，他再次出任间接税法院院长。1775年7月任宫廷大臣，从而控制了巴黎和各省的大部分行政工作。他改革监狱，停止滥用"密札"（专横逮捕臣民的国王命令），并支持财政总监杜尔哥的经济改革。由于得不到国王的支持，他于1776年5月辞职。在以后的13年中，他从事为法国新教徒争取公民权利的运动。1789年大革命爆发，路易十六以叛国罪在国民公会受审，他出来为之辩护。他于1793年12月被捕，以反革命罪与女儿和孙子们一起被送上断头台。

Malet, Claude-François de 马莱（1754-06-28，法国多勒～1812-10-29，巴黎） 法国将军。阴谋反叛拿破仑并企图发动1812年10月22日到23日的未遂政变。出身贵族。大革命爆发时，他热烈拥护革命。1791年加入革命军，给黑森的夏尔将军当副官。1799年8月奉派守卫小圣伯纳德山口，战功卓著，晋升准将。他是一个热情的共和派，对1804年拿破仑称帝耿耿于怀。1809年由于被怀疑参加反对拿破仑的秘密团体而入狱。从1810年7月起被软禁在巴黎，1812年10月22日夜脱逃。他冒充"拉莫特将军"，跑到巴黎第二市卫队兵营，宣布拿破仑死在俄国，他已被"临时政府"任命为巴黎卫戍司令。市卫队相信了他。他从狱中释放两位拥护共和的将军，且在被捕前枪杀了巴黎行政长官。几天后，他受到军法审判，被枪决。

Malevich, Kazimir (Severinovich) 马列维奇（1878-02-23，基辅附近～1935-05-15，列宁格勒） 俄国画家，抽象画派的至上主义流派创始人。曾在基辅艺术学校和莫斯科美术学院学画。参加过**方块杰克**（**Jack of Diamonds**）团体，并领导过俄国立体派运动。1913年马列维奇用至上主义风格来创造抽象几何纹样。1919～1921年间在莫斯科和列宁格勒教美术。1926年后马列维奇用康定斯基的理论写了一本书，名为《抽象世界》。后因苏维埃政权反对现代艺术，在贫困和默默无闻中死去。马列维奇是第一位用抽象几何图形构成画面的画家。他力求在艺术上创造纯理性的构图，摒弃感情和艺术上的象征手法。其名画《白上之白》（1918，纽约市现代艺术博物馆藏）完全体现了他的至上主义绘画理论。

Malherbe, Daniel François 马莱尔布（1881-05-28，南非开普殖民地帕尔～1969-04-12，奥兰治自由邦布隆方丹） 南非小说家、诗人及剧作家。他的作品有助于使阿非利堪斯语成为南非的文化语言。出版过很多诗集和剧本，但主要以小说家著称。他的小说有极为流行的描写布尔战争的《勿忘》（1913）、《磨坊主》（1936）、圣经三部曲《扫罗》（1933～1937）及描写大迁徙的《车轮滚滚》（1945）。1922～1942年间任布隆方丹大学文学教授。

Malherbe, François de 马莱伯（1555，法国卡昂或卡昂附近～1628-10-16，巴黎） 自诩为"出色的音节排列者"的法国诗人，坚持格律严谨、用词审慎和纯正而为法国古典主义开辟了道路的理论家。先在卡昂、巴黎，后在巴塞尔大学（1571）和海德堡大学（1573）受新教教育，但不久改信天主教，但并不热心。

美国国会图书馆供图

1577年抵普罗旺斯，任总督昂古莱姆的秘书，最早发表的诗《圣彼得的眼泪》（1587）是唐西洛同名作品的仿作。与艾克斯的两位律师，即斯多葛哲学家韦尔和学识渊博的佩雷斯克的交往，促使其个性获得发展，使他的天才得以成熟。1600年，献给新王后玛丽·德·梅迪契的颂诗使他更为知名。1605年在友人佩雷斯克、韦尔和枢机主教迪佩龙资助下来到巴黎。亨利四世对诗歌既无兴趣，为人也不慷慨，但马莱伯还是当了一名宫廷诗人，在宫廷庇护下过着有节制的日子。在他的门徒中，以拉康及梅纳尔最为知名。马莱伯的许多文论著作语多讥讽，其中有些保留在拉冈为他所撰的传记中，塔尔芒·德雷奥的《名人轶事》中论述他的篇幅对此亦有提及。马莱伯的散文作品有翻译李维和塞内加的作品，有致佩雷斯克的200封信，有对诗人P.德波尔特作品的评论。马莱伯的诗作却缺乏想象力，作品既少，下笔又慢，不断重复他的思想、形象和韵律。但其最佳诗作雍容华贵，甚至宏伟堂皇，以其和谐与力量给人以满足。法国诗歌在浪漫主义运动前后基本上保留了马莱伯所赋予的一些特色。

Malheur River 马卢尔河 源出美国俄勒冈州的马卢尔国家森林和布卢山脉南坡，流向东南转北，又转向东北，流经266千米后在爱达荷州边界的安达略与斯内克河会合。上游的沃姆斯普林斯水坝（1919）形成沃姆斯普林斯水库。

Mali（people） 参阅 **Mande** 曼德人。

Mali 马里 13～16世纪西非昌盛的商业帝国，由坎加巴国发展而来。坎加巴在富塔贾隆以东，濒上尼日尔河，据说建于公元1000年以前。坎加巴国的马林克人在古加纳后期充当黄金贸易的中人，他们反对苏苏族酋长苏芒古鲁的残暴而无能统治，起来进行暴动，1230年坎加巴逃亡的统治者的兄弟孙迪亚塔打败苏苏族酋长，取得决定性胜利。约在此时，"马里"一词代替了"坎加巴"的名称。曼萨·穆萨在位时期（1307～1332?），这一帝国达到鼎盛。他统治尼日尔河中游地区，把廷巴克图和加奥等商城并入其帝国，其疆域南达撒哈拉城市瓦拉塔，北至塔加扎盐矿区，东邻豪萨帝国，西毗富拉尼人和图库洛尔人地区。曾向摩洛哥、埃及和其他地方派遣大使和王室代表。到14世纪，迪尤拉人（或称万加拉人即马里的穆斯林商人）在整个西非活跃起来，使马里走向衰落。加奥的反叛（约1400），图阿雷格人夺取瓦拉塔和廷巴克图（1431），莫西族的骚扰，削弱了马里的政治和军事实力。1550年左右，马里帝国已不再是一个重要的政治实体。

Mali 马里 几内亚北部城镇，位于富塔贾隆高原。海拔1 400米。是牲畜、稻米、粟、柑橘和花生贸易中心。在孔巴河支流建有水力发电站。周围地区多山，主要居民为穆斯林富拉尼人和迪亚隆克人。人口约33 078（1983）。

Mali 马里 全称马里共和国。非洲西部内陆国家。西与塞内加尔接壤，西北与毛里塔尼亚交界，东北与阿尔及利亚为邻，东南与尼日尔和布基纳法索相连，南与科特迪瓦毗邻，西南与几内亚相接。首都巴马科。面积1 248 574平方千米。人口约8 646 000（1993）。

土地 全境大部分地区地势平坦，高原和平原是唯一的地形特色。南部和西南部的高原，在萨塔杜古海拔超过640米，有深切河谷。东南部和东部的高原为一系列断裂丘陵，海拔300～600米。北部塔奈兹鲁夫特和陶代尼的广大平原是撒哈拉（沙漠）的一部分。西南部和中南部的平原属上尼日尔河流域；尼日尔河约有1/3河段流经马里中部，在境内形成一个内陆三角洲。三角洲内的周期性洪水和肥沃的冲积土壤使尼日尔河谷地成为重要的农业区。塞内加尔河发源于马里的最西部。

马里可分为3个气候带：苏丹带、萨赫勒带和撒哈拉带。南部属苏丹带，年降雨量500～1 400毫米，平均气温24～30 °C。北部与撒哈拉相接的半干旱地区属萨赫勒带，年降雨量200～500毫米，平均气温23～36°C。北部属撒哈拉带，几乎无雨，空气极其干燥，白天气温超过47 °C，夜间则降至4 °C。

苏丹带以草本植被为主，乔木有硬质桃花心木、木棉和猢狲面包树；苏丹带北部与萨赫勒带的交叉地区乔木变稀。萨赫勒带以干草原植被为主，有耐旱乔木，如猢狲面包树、埃及棕榈和扇叶树头榈。进入撒哈拉地区后，植被逐渐消失。野生动物有狮子、豹、鬣狗、瞪羚与羚羊、长颈鹿、大象、鳄鱼以及猴子、蛇和鸟类。

可耕地占全国土地总面积的2%左右，牧场和草地约占土地总面积的1/4。马里的矿产资源有铁矿砂、铝矾土、石油、黄金、镍、铜和锰，大部分尚未开采。

人民 马里人口中有所谓的黑人和"白人"。白人指柏柏尔部族，如图阿雷格部族和阿拉伯-柏柏尔部族，即摩尔人。这些部族大多居住在中部萨赫勒地带。黑人包括各种从事农业的民族，如人数众多的班巴拉人，占总人口的1/3左右。萨赫勒和马西纳的富拉尼人（颇尔人）以游牧为主，是第2大部族。索宁克人（萨拉利尔人）居住在萨赫勒带的西部，为加纳帝国缔造者的后裔。马林克人（曼丁哥人）居住在西南部，是马里帝国的继承者。桑海人居住在杰内和昂松戈间的尼日尔河谷地。多贡人居住在邦贾加拉附近的高原区。沃尔特族群居住在中部和东南部，包括布瓦人（博博人）、塞努福人和米尼扬卡人。

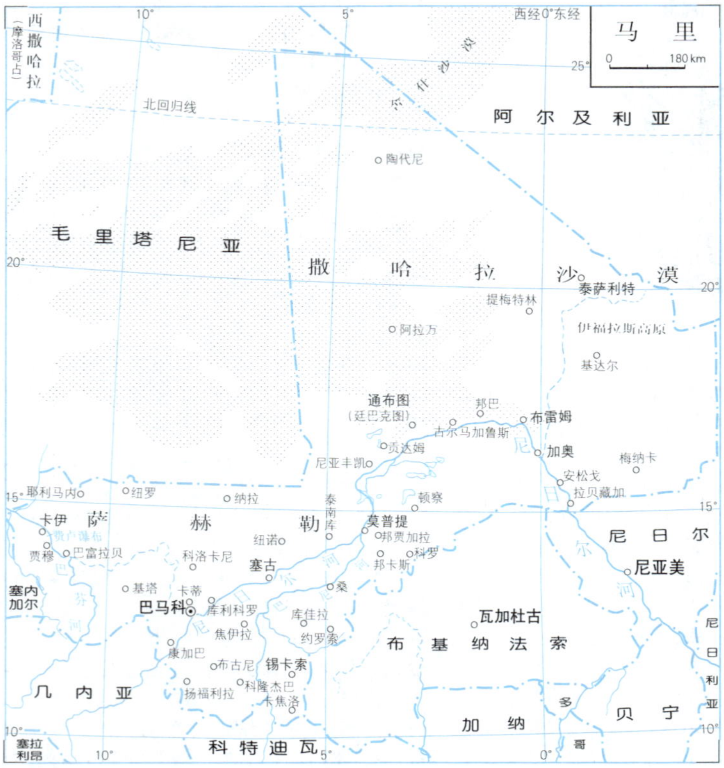

美国不列颠百科全书公司供图

法语为官方语言。有数种土语和方言分别在各部族和地区广为流行。摩尔人讲阿拉伯语。约40%的人口为穆斯林；约9%信奉万物有灵，其余为基督教徒。

马里人口稀少，3/4的人口居住在农村地区，约1/10的人口以游牧为生。人口出生率和死亡率均较高，大致与西非其他国家相当。全国约有1/2的人口年龄不足15岁。

经济 马里属发展中的混合型经济，主要以农业为基础。20世纪70和80年代初，本来就不景气的经济由于干旱、通货膨胀和油价上涨，情况更为严重。80年代后期，经济重获重大发展。国民生产总值的增长快于人口增长；但人均国民生产总值仍属世界最低之列。

农业约占国内生产总值的1/2，占用4/5以上的劳动力。尽管生产以自给农业为主，并经常受到周期性干旱的影响，马里基本上能实现粮食自给。主要作物有粟、高粱、玉米和水稻。主要经济作物有棉花和花生。牲畜（包括山羊、绵羊和牛）的数量很大。河鱼的生产可供国内需求和出口，政府利用外援制定了渔业发展计划。矿业生产仅限于黄金、大理石、石灰石、高岭土和盐的开采。

工业约占国内生产总值的7%，占用了不到2%的劳动力。制造业大多规模不大，以食品加工和简单的消费品生产为主。马里的工业大多为国营。外国政府对马里工业的发展颇有贡献；能源工程几乎全从国外筹资。电力由热电站和水电站供应。服务业主要为公有部门，占国内生产总值的1/3，雇用了1/7的劳动力。

经济发展的主要障碍一直是长期存在的外贸逆差。马里十分依赖外援资金和在国外工作的侨民的汇款。法国是大量外援的提供国，也是马里的主要贸易伙伴。出口商品包括原棉、棉制品和活牲畜。进口商品以机械、器具、运输设备、食品、化工产品、石油产品和建材为主。

政体与社会状况 1991年军人政府被推翻之后，于1992年举行的全民投票通过了一部新宪法。宪法规定实行多党民主政治制度。总统行使行政权力，由直接选举产生，任期5年，只可连任两届。总理由总统任命。国民议会拥有立法权；议员由直接选举产生，任期5年。最高法院拥有最高司法权；另设有宪法法院。

政府对7～16岁的未成年人实行免费义务教育。但小学学龄儿童的入学率实际上仅约为1/5。高等教育由国立学院提供；另外，该国有许多学生出国留学，特别是前往法国和塞内加尔接受高等教育。虽然该国的医院和医疗中心已形成网络，并有妇产科诊所和各种保健中心为补充，但因训练有素的医务人员短缺而无法提供足够的医疗保健服务。平均预期寿命相对较短，仅为45岁。

文化生活 马里由于地处北部阿拉伯世界和南部黑非洲国家之间，数百年来一直为西非文化的交叉点，并形成一种源于苏丹的文化。马林克人和桑海人的音乐和舞蹈，班巴拉人和沃尔特部族群的木刻，尼日尔河谷地上的建筑和曼丁哥人的珠宝均特别引人注目。

历史 旧石器时代和新石器时代的遗迹（包括1927年在廷巴克图发现的阿塞拉尔人的骨骸）、岩画和雕刻，均证明马里的撒哈拉地区在史前时代即有人类居住。在马里其他地区也发现了许多史前时代晚期文明的踪迹。大约自公元300年以来，穿越撒哈拉的各条贸易通道将尼日尔河的转弯地区与摩洛哥和阿尔及利亚的南部连接起来，并运送象牙、树胶、鸵鸟毛、黄金和奴隶。在各商道起点处建立了索宁克人的加纳帝国（4～11世纪，位于尼日尔河和塞内加尔河之间）和曼丁哥人的马里帝国（12～16世纪，位于尼日尔河上、中游，该国即由此而得名）。15世纪，廷巴克图-加奥地区的桑海帝国统治了马里的大部分地区，并向东扩张至豪萨人诸王国。1591年，艾哈迈德·曼苏尔（萨阿迪王朝第六代统治者）率领摩洛哥军队侵入此地区；廷巴克图受摩尔人统治达两个世纪之久。此后，尼日尔河谷分成3个区：图阿雷格人的加奥区、富拉尼人的马西纳区和班巴拉人的塞古王国。19世纪中叶，该地区被法国人占领，并成为法属西部非洲的一部分。1946年该地区称法属苏丹，成为法兰西联邦的一个海外领地。

1958年，今马里地区宣布成立苏丹共和国；一年后该国与塞内加尔结成马里联邦。塞内加尔因政治分歧退出后，联邦于1960年9月22日宣布为独立的马里共和国。凯塔成为第一任总统。1968年，一个军人集团推翻了凯塔政权。虽然1974年通过一部新宪法，但军人政府却宣布再统治5年。1968年随军人集团上台执政的特拉奥雷在国内实行独裁统治，直至1991年被一场军事政变推翻。

Mali Federation　马里联邦　西非法属苏丹和塞内加尔两个自治领地之间的短暂联盟（1959-04-04～1960-08-20），因塞内加尔退盟而解体。后来两个国家都成为独立共和国，塞内加尔仍留在法兰西共同体内，法属苏丹成为马里共和国。

Mali River　迈立开江　源出缅甸北部边界山地的河流，向南流约320千米，与恩梅开江汇成*伊洛瓦底江*（**Irrawaddy River**）。部分河段通航。

Malibran, Maria　马利布兰（1808-03-24，法国巴黎～1836-09-23，英国曼彻斯特）　西班牙次女高音歌唱家，音域异常宽阔，音色洪亮灵活。先由唱男高音的父亲M.加西亚施教，5岁即在那不勒斯登台演唱。1825年在伦敦国王剧院首次演唱G.罗西尼《塞维利亚的理发师》中的罗西娜一角。后两年中在父亲的伴随下演出于纽约市的帕克剧院。1828年在巴黎的意大利剧院演出罗西尼的《塞米拉米德》，引起轰动。随后往返演出于巴黎与伦敦之间，直至1832年到意大利演唱为止。1836年，在与小提琴家C.德·贝里奥结婚一个月后从马背上摔下，不久便去世，这时她刚过完28岁生日。1935年R.R.贝内特根据她的生涯创作歌剧《玛丽亚·马利布兰》。

Malibú（people）　参阅 **Mompox** *蒙波斯人*。

Malibu　马利布　美国加利福尼亚州南部洛杉矶县海滨社区。在圣莫尼卡西北，通太平洋海岸公路。以众多美国影视明星的海滨别墅著名。有罗马别墅式博物馆和佩珀代因大学分院。当地海岸线长34千米,是冲浪胜地。1991年设市。人口12 575(2000)。

malignant pustule　恶性脓疱　参阅 **anthrax** *炭疽*。

Malik, Adam　马利克(1917-07-22,荷属东印度群岛北苏门答腊先达[今印度尼西亚]～1984-09-05,印度尼西亚雅加达)　印度尼西亚政治家、民族主义政治领袖、第26届联合国大会(1971～1972)主席。20世纪30年代因参加独立运动被荷兰人监禁。1937年创办印度尼西亚安塔拉通讯社。第二次世界大战期间积极参加青年运动。1945年参与劫持苏加诺和哈达,强迫他们宣布独立。1946年参加绑架沙里尔,反对同荷兰人进行谈判。1949年印度尼西亚独立后,他在苏加诺政府中担任过各种职务,包括驻苏联大使和兼驻波兰大使。1962年在华盛顿进行关于西伊里安问题的谈判时,他任印度尼西亚代表团团长。1966～1977年在苏哈托政府中任外交部长,确立了新的外交政策,同马来西亚、菲律宾和中国恢复外交关系,使印度尼西亚重新获得在联合国的席位,并使苏加诺时期累积的30亿美元外债延期30年。马利克在任联合国大会主席期间恢复了中华人民共和国在联合国的席位。后来他曾任印度尼西亚副总统(1978～1983)。

Malik an-Nāṣir Ṣalāḥ ad-Dīn Yūsuf I, al- (Muslim sultan)　**马利克·纳西尔·萨拉哈丁·优素福一世**　参阅 **Saladin** *萨拉丁*。

Malik aẓ-Ẓāhir Rukn ad-Dīn Baybars al-Bunduqdārī, al-　马立克·札希尔·鲁克尼·艾丁·拜巴尔斯　参阅 **Baybars I** *拜巴尔斯一世*。

Mālik ibn Anas　马立克(伊本·艾奈斯)(约715～795,阿拉伯麦地那[今沙特阿拉伯])　穆斯林教法学家。他在创立早期的伊斯兰法学理论方面起了重要作用。一生大部分时间在麦地那度过。精通伊斯兰教法律,吸引了众多的学生,其门人号称马立克教法学派。他的威信使他被卷入政治,在某次叛乱中,他贸然宣布教义并未规定人效忠于哈里发。结果,哈里发取得胜利后,他以参与阴谋罪被判处鞭笞之刑。后来马立克重获中央政权的信任。著有《穆瓦塔圣训集》,是现存历史最悠久的伊斯兰教教法汇编。

Malik-Shāh　马里克沙(1055-08-06或16～1092-11,巴格达[伊拉克])　塞尔柱王朝第三代,也是最著名的苏丹。1072年继父位,由首相尼札姆·穆尔克辅佐。穆尔克鞠躬尽瘁,充当帝国的实际总管。马里克沙首先平定卡乌德的叛乱、打退喀喇汗人对呼罗珊的进攻,然后采取外交手段,或利用敌人相争,来巩固帝国的统治和扩大版图。他征服上美索不达米亚和阿塞拜疆的藩主,吞并叙利亚和巴勒斯坦的土地,控制麦加和麦地那、也门和波斯湾地区。他对文学、科学和艺术表现出很大兴趣。他的统治时期,以首都伊斯法罕金光灿烂的清真寺、欧玛尔·海亚姆的诗篇和对历法的改革闻名于世。当时人民安居乐业。然而好景不长。不久,他的兄弟呼罗珊总督塔卡什就发动叛乱;以哈桑·本萨巴为首的阿萨辛派恐怖分子又谋杀了穆尔克(1092)。后马里克沙突然去世,从此帝国分崩离析。

Mālikīyah　马立克学派　伊斯兰教逊尼派四大教法学派之一。其前身是古代的麦地那学派。该派以伊马目马立克·伊本·艾奈斯的学说为核心,强调麦地那地方教团的传统习惯,断案时并不是完全依据圣训,而是更强调传统意见和类比推理。然而,虽然有点随意性,但圣训还是经常被援用。马立克学派现流行于西非、北非、苏丹以及波斯湾地区若干国家。

Malines (Belgium)　**马林**　参阅 **Mechelen** *梅赫伦*。

Malinke　马林克人　又称马宁卡人(Maninka)、曼丁哥人(Mandingo)或曼丁人(Manding),是住在几内亚、象牙海岸(科特迪瓦)、马里、塞内加尔、冈比亚、几内亚比绍部分地区的西非民族。操尼日尔-刚果语系曼德语支的曼德卡语。马林克人分成许多由世袭贵族统治的独立部落,这是它区别于大多数内部较为平等的邻族之点。马林克人的部落之一坎加巴人古代曾建王朝,持续统治达1 300年之久。自7世纪起,坎加巴以一个小国的中心发展成为马林克人所建的*马里*(**Mali**)帝国的首都。马里帝国是西苏丹地区最强大和最有声望的国家,现代马里共和国的名字即由它沿袭而来。当代马林克人是农业民族,种植黍稷和高粱作主要粮食;他们还饲养少数牛只,主要用作交易、纳聘礼和提高名望之物。按父系血统传代、继位和遗产继承。

Malinovsky, Rodion Yakovlevich　马利诺夫斯基(1898-11-23,俄罗斯帝国乌克兰敖德萨～1967-03-31,莫斯科)　第二次世界大战中的苏联著名元帅。第一次世界大战初期参加帝俄军队,随俄国远征军去法国。1919年回国加入红军,逐步晋升营长。1926年加入共产党。1930年毕业于伏龙芝军事学院。西班牙内战期间作为军事顾问帮助共和军作战,第二次世界大战爆发时任第48步兵军军长,不久晋升第6集团军司令,并在南线任方面军司令。在斯大林格勒战役(1942-12)中任第2近卫集团军司令,战功卓著。战后历任国防部第一副部长、地面部队总司令(1956)、国防部长(1957～1967)。1956年当选为苏共中央委员会委员。

Malinowski, Bronisław (Kasper)　马林诺夫斯基(1884-04-07,奥匈帝国波兰克拉科夫～1942-05-16,美国康涅狄格纽黑文)　20世纪最重要的人类学家之一,社会人类学的奠基人,并以对大洋洲诸民族所作实地考察的成果为世所重。

早年生活及学习　马林诺夫斯基之父鲁茨杨·马林诺夫斯基曾任克拉科夫亚盖沃大学斯拉夫语文学教授。马林诺夫斯基之母约瑟法·瓦卡是一名语言学家。马林诺夫斯基幼年因体弱而在家中接受启蒙教育,十几岁时随寡母漫游地中海地区。后来考进亚盖沃

美国不列颠百科全书公司供图

大学,1908年获得博士学位。他偶尔阅读J.弗雷泽的《金枝》一书,深受其激发,此后热衷于人类学。他在莱比锡又接触到新兴的心理学和经济学,便于1910年到伦敦经济政治学院进修,当时这所学院刚刚开设人类学课程。

在此后25年中,马林诺夫斯基的事业是以伦敦为基地的。他是一位多产作家,他的文章对当时人类学界流行的有关澳大利亚土著民族的文献资料提出新的解释,因而获得声誉,也促使他去作实地调查。1914年他到达新几内亚,在南海岸的迈卢人中工作半年,写成一篇专论。这篇论文1916年与他对澳大利亚家庭制度的研究论文一起,使他获得伦敦大学理学博士学位。1915～1916年及1917～1918年,他在新几内亚附近的特罗布里恩群岛两度进行考察,使自己的才华得到充分发挥。他生活在当地人民中间,能够流利地讲当地土语,可以得心应手地记录各种内容,并以敏锐而客观的眼光观察各种反应。他能够提供一幅当地社会风习的生动画面,而清楚地区别理想的规范与现实的行为。在以后发表的多篇研究报告中,他曾大量引用特罗布里恩资料,提出在社会人类学发展过程中具有基本意义与动力的各种理论性见解,其中包括性与婚姻及家庭生活;原始法规与习俗;巫术与神话等等。

1919年马林诺夫斯基与爱丽丝·罗莎琳·马森结婚,她父亲是墨尔本大学化学教授。马林诺夫斯基夫妇婚后生有3个女儿。

事业鼎盛期　马林诺夫斯基在加那利群岛和法国南部生活一段时间之后,于1924年重返伦敦大学,担任人类学讲师,1927年升任教授。他是当时学术界最有活力的社会科学家之一,激励群伦,影响深远。他主持的讲习班很有名望,吸引了不少其他学科的著名科学家参加讨论或协助工作。马林诺夫斯基熟悉欧洲大陆的社会学理论,尤其受益于法兰西社会学派的É.涂尔干、M.莫斯等学者更多,但他扬弃了那些大师们关于社会的种种抽象概念,转向侧重个人作用的研究方法,他认为此法更具现实主义精神。按照他的功能论的观点,也就是把文化看作人类成果的全部表现的观点,他对文化现象及风俗习惯进

行了广泛的观察研究，从而对当时有关亲属关系和婚姻、交易活动以及宗教礼仪等方面的学说提出了不同见解。

1938年马林诺夫斯基赴美度休假年——前此他曾在1926年获L.S.洛克菲勒纪念奖学金赴美进修，1933年赴美任康奈尔大学讲师，1936年赴美参加哈佛大学300周年校庆并接受名誉理学博士学位。第二次世界大战爆发时，因年龄及体质不适直接参加战争工作，受聘在耶鲁大学担任毕晓普博物馆人类学访问教授，后改为定期聘任。马林诺夫斯基热爱自由，二战时期曾积极参与波兰游击队的反法西斯斗争事业。1940年马林诺夫斯基与安娜·瓦莱塔·海曼-乔伊斯结婚。她是一名艺术家，当时用笔名瓦莱塔·斯旺作画并协助马林诺夫斯基到墨西哥考察，后来还负责编辑出版他的晚年作品《科学的文化理论》(1944)及其他身后出版的著作。

Malipiero, Gian Francesco　马利皮埃罗 (1882-03-18，威尼斯～1973-08-01，意大利特雷维索)　意大利作曲家，其作品体现了近代作曲技巧与早期意大利音乐风格特点的结

中国大百科全书出版社供图

合。曾在维也纳音乐学院和威尼斯以及博洛尼亚学习，随后到巴黎旅行，接受当代法国音乐影响。1921年任帕尔马音乐学院作曲教授，其后任帕多瓦的波利尼音乐学院院长。1939年任威尼斯马尔切罗学校校长。和A.卡塞拉在20世纪20年代的意大利音乐中起重要作用。反对真实主义的写实派美学观，重新发现了意大利的前浪漫派音乐。他的创作反映出17～18世纪威尼斯音乐的神韵。作品有歌剧《奥尔菲德》(1918～1922)和《囚犯维纳斯》(1957)；康塔塔(或称"神秘剧")《阿西西的圣方济各》(1922)；清唱剧《受难曲》(1935)和一些钢琴协奏曲。管弦乐有《静默的中断》(1917)、《每日的幻想》(1954)、《歌舞夜曲》和9首交响曲。室内乐有7首弦乐四重奏。对音乐学术有重大贡献：编辑了蒙特威尔第全部作品共16集(1926～1942)；参与维瓦尔第作品集的编辑工作。另编辑了科莱利、弗雷斯科巴尔第和其他一些人的作品，并为学术性杂志撰写许多文章。

malka (berry)　参阅 **cloudberry** 芸莓。

Malkhed (India)　**默尔克海德**　参阅 **Mānyakheṭa** 曼尼亚吉塔。

malkoha (bird)　参阅 **malcoha** 绿嘴地鹃。

Mall, The　毛尔草坪　美国首都华盛顿(哥伦比亚特区)东起国会、西至林肯纪念堂和波托马克河之间绿草如茵的开阔地区。草坪南北宽与国会相同；北为宪法大道，南为独立大道。自东向西有麦迪逊、华盛顿、亚当斯及杰斐逊街穿过。其中和附近有国立美术馆、自然史博物馆、美国历史博物馆、弗里尔东方美术馆、国家航空航天博物馆、史密森学会及其所属赫绍陈列馆以及雕塑公园。第14街西部有华盛顿纪念碑、席尔凡剧院通潮闸坞的一部分和林肯纪念堂等建筑。

mallard (*Anas platyrhyncos*)　**绿头鸭**　北半球数量丰富的"野鸭"，是大多数家鸭的祖先，属雁形目鸭科。有几个亚种。指名亚种普通绿头鸭(*A. p. platyrhynchos*)繁殖于整个欧洲、亚洲大部分地区和北美北部；越冬地点最南到北非、印度和墨西哥南部。雄鸟头部有绿色金属光泽(在某些光线下呈紫色)，胸淡红色，体羽淡灰色。雌鸟体羽呈斑驳的黄褐色。两性均有黄色的嘴和紫蓝色的翅斑，斑的前后缘白色。格陵兰亚种(格陵兰绿头鸭，*A. p. conboschas*)两性羽色很不相同，而其他亚种两性羽色类似指名亚种的雌鸟。有两个亚种体形小而罕见：夏威夷亚种(夏威夷鸭，*A. p. wyvilliana*)和莱桑亚种(莱桑水鸭，*A. p. laysanensis*)；后者仅有很小种群存在于夏威夷以西的莱桑岛。其他各亚种有时列为黑鸭的亚种，但黑鸭本身可能是绿头鸭的另一个亚种。绿头鸭的习性和求偶表演表明它是典型的钻水鸭(**dabbling duck**)。

Mallarmé, François-René-Auguste　马拉梅 (1755-02-25，法国南锡～1835-07-25，里什蒙)　法国革命家，1793年曾短期担任国民公会主席。马拉梅按照其父的职业被培养成律师。大革命期间，由默尔特省选为立法议会和国民公会议员。在国民公会中，他加入激进的山岳派，投票赞成处死路易十六。1793年5月30日当选国民公会主席。他的懦弱导致吉伦特派的垮台。6月2日，他被迫辞去主席职位。11月奉派去默兹和摩泽尔两省建立革命政府。罗伯斯比尔垮台后，他加入热月派(反雅各宾派)，被派往法国南部执行任务，关闭图卢兹的雅各宾俱乐部，但却释放一批被囚禁的"嫌疑犯"。他因此事于1795年6月1日被逮捕，但不久即获释。在督政府和拿破仑帝国时期，他都担任过公职。在百日期间，他被任命为阿韦讷的区长。由于他曾在1793年下令处死一些在普鲁士人进入凡尔登时向他们献花的少女，后普鲁士人为了报复，将他逮捕下狱。王政复辟时期，他流亡国外，1830年革命后返回法国。

Mallarmé, Stéphane　马拉梅 (1842-03-18，巴黎～1898-09-09，法国枫丹白露附近瓦尔万)　法国诗人、诗歌象征派运动的倡导者(连同魏尔兰)和领袖。他只享受了5年平稳的家庭生活，母卒于1847年8月，妹妹于1857年8月去世，1863年其父逝世。这些不幸似乎颇能说明为什么在他开始创作诗歌之时就表现出渴望摆脱冷酷的世界而探求另一个世界。他成人之后的生活继续坎坷不平，故这一题材在他的诗作中继续占据中心位置。1862年末至1863年初他在伦敦生活以便获取英语知识。此后他开始了毕生的教师事业，初任教于省立学校(图尔农、贝桑松和阿维尼翁)，后在巴黎任教。与此同时开始了诗人的生涯。

美国不列颠百科全书公司供图

马拉梅的早期诗作受波德莱尔的《恶之华》影响颇深，这是一个逃避现实的题材，而马拉梅早已醉心于这种题材。不过马拉梅表现得更为理智些，他分析理想世界的本质及其与现实世界的关系的决心反映在他1864年和1865年开始写的两部诗剧里：《埃罗提亚德》和《牧神的午后》。后者在25年后启发了作曲家德彪西创作其著名的《前奏曲》。至1868年，马拉梅得出的结论是，虽然现实之外一无所有，但在这虚无之中却孕育着完美形式的精髓。诗人的任务就是要去领悟这些精髓并使之具体化。在这样做的时候，诗人就不仅仅是将现实中已存在的东西赋予诗的形式，而是要变成真正的上帝为读者从虚无缥缈中创造出一些东西，正如他自己说的，"要创造出真实花束中所没有的那种理想之花。"但要这样使精髓具体化，这样创造花的概念，而不是去真正描绘花朵，那就需要极其精细和综合地运用所有的语言资源。马拉梅尽其毕生精力要将他的理论付诸实施，将它写入他的《大作品》中去，可他未能完成这部《大作品》。但他确是完成了一些与《大作品》有关的诗歌。在这些诗作中，他写了几首挽歌，主要的对象有波德莱尔、埃德加、爱伦·坡、瓦格纳、戈蒂埃和魏尔兰。人们委托他写挽歌，他也很乐意接受，因为挽歌的传统主题是"人死了，但他活在自己的作品中"，这与诗人自己的想法吻合，虽然现实之外一无所有，但是诗就有力量超越这种虚无。在他的第二类诗歌中，他就写诗本身，反映了他的目的和成就。

除了与《大作品》有关的这两类诗歌外，他还写与他执意的理想世界相反的诗，虽然他同样使用了他所专长的离奇地使用语言的技巧。这些诗或十四行诗就是他写给他的情妇洛郎的，写作时间在1884～1890年，在这些诗中他表达了对现实世界的极大满意。因为在这个时期，他的生活较为愉快幸福，他的一系列评论文章由魏尔兰以《不幸的诗人》为题于1883年出版，并赢得了好评，他被公认

为是当时最出色的法国诗人。在他的巴黎小寓所里，每星期二下午总有许多著名的作家、画家、音乐家在此聚会。所有这些愉快的事件也许减少了他想寻找一个世外桃源来避难的需要。1897年他发表的《骰子一掷绝不会破坏偶然性，诗》是他死前一年写的，这首诗给他以莫大安慰，因为他认为在赋予诗以真正创造性作用方面他已取得了一定的成就。马拉梅于1898年在塞纳河畔枫丹白露附近瓦尔万的寓所里去世，这是他退休以后的常住地。

Mallas　末罗人　佛陀时代（公元前6～前5世纪）在今印度比哈尔邦北部居住的部落民。两个最重要城镇是拘尸那揭罗（佛陀逝世地）和白婆（在今戈勒克布尔以东）。末罗人采用共和政体。有最高会议。大约在佛陀时代，末罗人部落失去了独立，被摩揭陀帝国兼并。约1320～1769年有个统治尼泊尔的末罗人王朝。

Malle, Louis　马勒（1932-10-30，法国蒂姆里～1995-11-23，美国加利福尼亚贝弗利希尔斯）　兼收并蓄的法国电影导演，以其动情的现实主义与手法简洁著称。大学毕业后从事电影工作，曾为制片人R.布雷松当助手。后与水下探险家J.-Y.库斯托合作拍摄纪录片《寂静的世界》（1956）。马勒的第一部故事片《通往绞刑架的电梯》（1957）是一部注重心理描写的惊险片，获得德吕克奖。他的第二部故事片《情人们》（1958）在商业上大获成功，他和女主角扮演者J.莫罗得以成名。他的《鬼火》（1963）被影评界称许为最成熟、最优美的作品。在印度旅行后，他拍摄了长纪录片《加尔各答》（1969）以及七集系列片《幽灵的印度》。70年代初他拍摄的《心灵的低语》（1971）、《卢西安·拉孔布》（1973）均以质朴动人而闻名。1978年他导演了他的第一部美国影片《可爱的小孩》，描写新奥尔良市一个在妓院长大的12岁的孩子。他后来的影片有《大西洋城》（1980）、《与安德烈共进晚餐》（1981）和《再见吧，孩子们》（1987），后者是对法国被占领期间一所天主教学校生活的自传性回忆。他导演的最后一部电影是《第42街的万尼亚》（1994）。

Mallea, Eduardo　马列亚（1903-08-14，阿根廷布兰卡港～1982-11-12，布宜诺斯艾利斯）　阿根廷长、短篇小说家、散文作家，他的心理小说获得评论界的赞扬。以短篇小说集《为一个绝望的英国女人讲的故事》（1926）首次获得名声。他感到小说为他提供了合适的写作框架，使他能对人物进行心理分析，并发表哲理性的题外话。他的小说往往以阿根廷为背景，但也涉及全国和地区性问题，例如：《寂静的海湾》（1940）、《鹰》（1943）、《凡绿皆尽》（1941）。后者被许多人认为是他的杰作，通过使用内心独白和倒叙等技巧和手法，探究了一个外省妇女的痛苦。他还写过几部游记和散文。

Mallee　马利　澳大利亚维多利亚州西北部地区。该州小麦多产于此。位于威默拉河与墨累河之间，面积约4.1万平方千米土地。年降雨量仅250～300毫米，但有两条河可供灌溉用水。种植小麦、葡萄、水果，有养羊业。但大量灌溉已提高了土地盐度和使土地下沉。马利州主要居民区为米尔迪拉（**Mildura**）。

mallee　桉树矮林　又拼mellee。沿澳大利亚南岸分布的一种灌木植被，主要由桉属（*Eucalyptus*）的灌木和乔木组成。为常绿植物，有革质厚叶，以防止在干热季节水分丢失。生长期主要在雨季。澳大利亚西南部大面积的灌丛林具有丰富而多种多样的植物，但只能归入少数几个科。灌木约有1 000种。许多灌木的枝或叶有刺，多在湿季开出美丽的花朵。

Mallet-Joris, Françoise　马莱-约里斯（1930-07-06，安特卫普～　　）　比利时女作家。法国传统的爱情心理分析小说在当代的代表人物之一。其父为政治家，母S.利拉尔为作家兼评论家。她19岁便以小说《修女的堡垒》（1951）赢得文学评论界一致赞赏。小说以朴素的古典散文体和冷静超然的态度描写发生在一个姑娘及其父亲的情妇之间的故事。她以同一格调创作了另一部小说《红屋》（1953），以及短篇小说集《科德利亚》（1956）。后在《谎言》（1956，获法国出版界推选奖）中改变其风格。《谎言》描写一个垂死的商人和他那一直忠于其母亲的私生女之间的斗争。在《天国》（1958）、《征兆与奇迹》（1966）中，她探求隐藏在人类各种活动背后的实况。后转而写历史小说，其中有描写枢机主教黎塞留围绕路易十三爱情生活所施展的阴谋的《人物》（1960）和描写路易十四恋爱的《玛丽·曼西尼，路易十四的初恋》（1964）。在其自传性作品《写给我自己的信》（1963）和《纸房子》（1970）中，作者毫无顾忌地描写了她个人的生活、内心冲突、宗教探索以及她改奉天主教的过程。晚期作品有《地下的游戏》（1973）、《阿莱格尔》（1976）和《迪基-鲁瓦》（1979）、《爱的悲伤及其他》（1981）。此外，还写了一部17世纪法国神秘主义者让娜·居荣的传记（1978）。她的作品描写细腻、色彩斑斓，让人联想到巴尔扎克。

Mallet-Stevens, Robert　马莱-斯蒂文（1886-03-24，巴黎～1945-02-10，巴黎）　法国建筑师，主要以20世纪20及30年代在法国的现代派作品闻名。就学于巴黎建筑专科学校，1912～1914年在秋季沙龙展览会中悉心揣摩其他青年建筑师的作品，并在大战后成为一个时髦而相当先进的设计者。他的观点被称为"时髦的现代派"。早期作品有诺阿耶子爵在耶尔的别墅，曾被用作电影布景。后又与画家F.莱热等人合作为电影布景设计了一所住宅。两者都表现了立体派绘画、"装饰艺术"和当时其他艺术风格的结合。他常与画家、音乐家合作，例如在1925年巴黎装饰艺术及现代工业博览会中的旅游馆和所谓"法国大使馆"，就是与音乐家F.普朗克、A.奥涅格和画家莱热、R.德洛内合作设计的。这次展览产生了"装饰派艺术"这个名词。他擅长于使用金属框架和钢筋混凝土结构，曾在巴黎建造了一幢采用这种结构的公寓楼房（1926～1927），该楼前的道路即以他的姓氏命名。

Malleus maleficarum　《锄恶利器》　一部内容详尽的法律和神学文献。此书出版于1486年前后，直到18世纪前作为了解巫术情况的标准手册，供侦察并肃清巫术之用。此书的出版推动和支持了大约200年的欧洲搜捕女巫狂热。作者是两名多明我会会士：德国科隆大学教务长斯潘格和奥地利萨尔茨堡大学神学教授兼蒂罗尔地区异端裁判所法官克赖默尔。1484年教皇英诺森八世发布诏书，谴责巫术在德意志境内传播，命令上述二人取缔巫术。天主教和基督教都以此书为了解撒旦崇拜的重要资料来源和捍卫基督教教义的指南。

Mallicolo（Vanuatu）　参阅 **Malakula** 马拉库拉。

Mallorca（island, Spain）　**马略卡**　参阅 **Majorca** 马霍卡。

Mallory, George　马洛里（1886-06-18，英国柴郡莫伯利～1924-06-08，中国西藏珠穆朗玛峰北麓）　全称George Herbert Leigh Mallory。英国探险家、登山家。珠穆朗玛峰早期探险队的一名最主要成员。1924年他的失踪是20世纪最著名的谜团之一。对登山有强烈爱好。剑桥大学毕业后曾任一个学校的校长，但继续在阿尔卑斯山和威尔士锻炼登山技能。第一次世界大战期间在法国服役。1919年返回英国继续执教。为英国著名登山俱乐部资深会员；参加俱乐部组织的首次珠峰探险。1921年珠峰探险的主要目的是勘测，登山队必须首先确定珠穆朗玛峰的位置。马洛里与其老校友G.布洛克制订出从北麓（西藏一边）登顶的可能路线。9月登山队开始攀登，但遭遇强风，被迫返回北隘口。1922年第二次探险。马洛里及其队员在不用补充氧气的情况下攀登至8 230米高度。几天后遭遇雪崩，7名脚夫身亡，第二次登山行动夭折。1924年第三次探险。临行前当被问及为何一定要测量珠穆朗玛峰时，马洛里讲了一句名言"因为山就在那里"。6月6日与A.欧文一道出发，准备登顶。6月8日晨从8 170米的最后营地动身后便失去踪影。此后，其失踪之谜一直争论不休，尤其是他们是否已登上顶峰。20世纪30年代在8 440米处发现欧文的冰镐。1975年中国登山者发现貌似英国人的尸体。1991年发现20年代制造的氧气瓶。以此为线索，1999年一支探险队前去搜寻，并在珠峰8 155米处发现马洛里的尸体。其遗体被安葬在发现处。

Mallory, Molla　马洛里（1892，奥斯陆～1959-11-22，美国）　挪威出生的美国女子网球运动员、唯一8次获美国单打冠军的女选手。1921年马洛里击败法国女选手朗格朗而获美国锦标赛冠军，这次比赛是朗格朗业余运动员经历中仅有的一次失败。马洛里耐力强，善于运用底线球，依靠强有力的正手进攻和防守拖垮对手。1958年入选国际网球名人堂。

mallow 锦葵 锦葵科植物的统称，尤指木槿属（*Hibiscus*）和锦葵属（*Malva*）植物。木槿属中称为锦葵的包括原产于澳大拉西亚的沙漠玫瑰锦葵（*H. farragei*）；开白色到紫色大型花的大玫瑰锦葵（大花木槿，*H. grandiflorus*）；高达2米的灌木军人玫瑰锦葵（*H. militaria*）及普通玫瑰锦葵（沼泽玫瑰锦葵，*H. moscheutos*）。数种锦葵属植物可供庭园栽培，尤其是高可达1米、初夏开紫红或白色花的麝香锦葵（*M. moschata*）和花叶可入药的高锦葵（欧锦葵，*M. sylvestris*）。黄葵（*Abelmoschus moschatus* 或 *Hibiscus abelmoschus*）亦俗称麝香锦葵，因种子含芳香油而在热带亚洲广泛栽培。沼泽锦葵（*Althea officinalis*）即药蜀葵、草芙蓉，原产东欧与北非，多年生，现已归化北美，近海沼泽地区尤为多见；其根从前用制蜜饯。其他称锦葵的包括球葵属（*Sphaeralcea*）植物，又称假锦葵，如北新大陆草原锦葵（红色假锦葵，*S. coccinea*）与蔓生锦葵（菲律宾球葵，*S. philippiana*）；原产热带亚洲，为黄麻纤维次要来源的犹太锦葵（长蒴黄麻，*Corchorus olitorius*）；株高3米，原产欧洲，但已沿加利福尼亚海岸归化的树锦葵（树花葵，*Lavatera arborea*）；原产南美洲，开红色花的观赏灌木蜡锦葵（小悬铃花粘葵，*Malvaviscus arboreus*）；开罂粟状浅红花、低矮多毛、多年生的罂粟锦葵（*Callirhoe involucrata*）及杂草印度锦葵（绒叶苘麻、绒叶锦葵，*Abutilon theophrasti*）。另外，*Malacothamnus* 属植物俗称灌丛锦葵，为灌木与小乔木，原产加利福尼亚与下加利福尼亚；卡罗来纳锦葵（*Modiola caroliniana*）产自美国南方，是匍匐生长的野花。

Mallowan, Sir Max (Edgar Lucien) 马洛温（1904-05-06，伦敦～1978-08-19，英国牛津郡沃灵福德） 英国考古学家。长期从事田野考古，曾先后作为L.伍莱和R.C.汤普森的助手参加吾珥（1925～1930）和尼尼微（1931～1932）的发掘；后在伊拉克和叙利亚主持几个遗址的发掘（1933～1938），以及尼姆鲁德遗址的发掘（1949～1958）。马洛温曾任巴格达英国考古学院院长、教授（1947～1978）、牛津大学万灵学院研究员（1962～1971）、英国波斯研究所所长（1961～1978）等职。1968年受封为爵士。他的主要著作有《早期美索不达米亚和伊朗》（1965）、《尼姆鲁德及其遗迹》（共3卷，1966）、《埃拉米特人问题》（1969）等。

Malmaison（France） **马迈松** 参阅 **Rueil-Malmaison** 吕埃-马迈松。

Malmédy 马尔梅迪 比利时东部列日省城市。位于阿登高原北部，濒临瓦尔什河，在列日东南。建于7世纪。其后1000多年间与斯塔沃洛为从属于神圣罗马帝国的基督教公国的都城。1794～1814年在法国统治下。1815年被普鲁士吞并。1920年由《凡尔赛和约》划归比利时（1920）。1944年12月17日在此发生马尔梅迪大屠杀，德国军队杀害了向他们投降的100多名美国士兵。经济依靠旅游和生产纸张、啤酒、鞣皮液。人口：城市区约11 392（2001）。

Malmesbury 马姆斯伯里 英格兰威尔特行政、历史郡北威尔特区城镇（教区）。位于埃文河和其支流之间的分水岭上。是英格兰最早的城镇之一。最初在一隐修院（约635）

马姆斯伯里镇一隐修院中堂遗迹，约1115～1140年

美国不列颠百科全书公司供图

周围发展起来。中世纪到1750年间经济以服装业为主。19世纪生产丝绸。现有工业多与农业有关，也有一些电机制造业。哲学家T.霍布斯出生在该教区。人口4 439（1991）。

Malmö 马尔默 瑞典南部斯科耐省省会和港口城市。隔松德海峡（厄勒海峡）与丹麦哥本哈根遥遥相对。曾为马尔默胡斯省省会，1997年该省划入斯科耐省。13世纪末设

马尔默市的市政厅，后为圣彼得教堂的尖顶

美国不列颠百科全书公司供图

市。欧洲中世纪末期，当地鲱鱼贸易引来德国吕贝克商人到此定居。1658年并入瑞典后，该市经济一蹶不振。至1730年，该市人口减至282人。1775年建港后，情况稍有好转。但在1880年铁路通此之前，该市经济无大发展。20世纪后一直是工业和交通中心。现为瑞典第三大城市。工业门类繁多，有造船、食品加工等。港口繁忙，吞吐量大。通过填海造地建起大片工厂和货栈。铁路通斯德哥尔摩和哥德堡，轮船和火车轮渡通欧洲大陆。城东约31千米处有国际机场。2000年开通缆索桥，连接马尔默和哥本哈根。古建筑有16世纪的城堡要塞马尔默胡斯和14世纪圣彼得教堂等。人口约259 579（2000）。

Malmöhus 马尔默胡斯 原瑞典最南部省份。濒临波罗的海、松德海峡和卡特加特海峡。1719年设省。1997年与克里斯蒂安斯塔德省合并，设立斯科耐省。

malnutrition 营养不良 因膳食不当或不足（即不能提供正常量的各种营养素），或因为疾病而身体不能吸收或代谢营养素时所造成的躯体状况。营养不良起因于几种情况。首先，可因农业歉收、食物分配不当或某些社会问题如贫穷或酗酒而造成食物不足或不当。在这些情况下，营养不良常是由于膳食中热能或蛋白质摄取不足。营养不良还可能起因于膳食中缺乏含有某种或某几种必要维生素或矿物质的食物。这常造成特种营养素缺乏症。不良食物习惯或偏好因只吃某些食物而不吃另一些食物或进食大量无营养食品也可引起营养不良。例如在非洲某些地区，习惯上在儿童断奶后只食用一种淀粉性食物如木薯，于是就造成蛋白质缺乏。在东亚一些地区，主食偏好精白米曾造成维生素B(硫胺)缺乏症的流行，这是因为维生素B主要存在于米糠中。多种营养素缺乏症比单一缺乏症更易发生，但一种缺乏症的表现常更为突出。营养不良还可起因于后天获得的或先天遗传的代谢障碍，特别是那些涉及消化道、肝脏、肾脏及红细胞的障碍。这些障碍因妨碍了器官组织对食物的正常消化、吸收及代谢而造成营养不良。参阅 **nutrition** 和 **nutritional disease**。

Malo 马洛岛 旧名St. Bartholomew（圣巴托罗缪）。瓦努阿图的火山岛，在太平洋西南部，圣埃斯皮里图以南5千米。面积约180平方千米，最高点马洛峰海拔326米。出产椰干和可可。

Malolos 马洛洛斯 菲律宾吕宋岛中南部城镇。位于邦板牙河三角洲的源头，邻近马尼拉湾北岸。1899年1月23日，反抗美国统治的起义军曾在此拟定《马洛洛斯宪法》，宣布成立共和国。现为大米和蔬菜产区的贸易中心，南、西两面有养鱼场。地处公路干线上，有铁路通往林加延湾。建有布拉干艺术和贸易学院（1904）。人口：城市约175 291（2000）。

Malombe, Lake 马隆贝湖 位于马拉维南部。希雷河从尼亚萨湖流出注入该湖，并从南端流出。湖面积420平方千米，深2～2.5米。旱季湖畔种植水稻和玉米。商业性渔业为重要经济命脉。

Malone, Dumas 马隆（1892-01-10，美国密西西比科尔德沃特～1986-12-27，弗吉尼亚夏洛茨维尔） 美国历史学家、编辑，T.杰斐逊多卷本权威传记的作者。在埃默里大学和耶鲁大学受教育，曾先后在耶鲁、哥伦比亚和弗吉尼亚三所大学任教，为弗吉尼亚大学杰斐逊基金会历史学教授。1929～1936年编辑《美国传记辞典》，1953～1958年主编《政治科学季刊》。1936～1943年任哈佛大学出版社社长。他的杰作是T.杰斐逊的详尽传记，6卷本的《杰斐逊和他的时代》。其他作品有《托马斯·库柏的社会活动生涯》（1926）、《圣

徒在行动》(1939)和《自由帝国》(1960;2卷,与B.劳赫合著)。

Malone, Edmond 马隆(1741-10-04,都柏林～1812,伦敦) 爱尔兰出生的英国学者、编辑。最先考订莎士比亚作品真伪及年代。曾在爱尔兰当律师和记者,1777年定居伦敦。他的文艺界朋友有S.约翰逊、H.沃波尔和民歌收集者珀西主教等。与政治家E.伯克和G.坎宁及英国画界泰斗J.雷诺兹均有交往,后者为他画肖像而他整理、出版了后者的文学作品(1797)。马隆的《莎士比亚剧写作次序考》(1778)、为约翰逊-斯蒂芬斯编辑的莎士比亚著作所出的3卷补遗(1780～1783)以及十四行诗的第一个异文校勘版,都是莎士比亚研究的里程碑,他关于伊丽莎白时代戏剧史的论文,是首篇根据原始资料论述英国戏剧的文章。他自己编的莎士比亚11卷集,在1790年出版。一部新的8开版本,生前未能完成,后由约翰逊传记作者的儿子J.鲍斯韦尔续编完成,于1821年出版,共21卷集,内附有马隆的回忆录。一百多年以来,它一直是标准版本。

Malone, Karl 马龙(1963-07-24,美国路易斯安那萨默菲尔德～) 全称Karl Anthony Malone。美国篮球运动员,美国全国篮球协会(NBA)50名最佳球员之一,创NBA罚球13 528次,命中9 787分的记录。总得分36 928分,居NBA第二;投球命中13 528分,出场时间54 852分钟。人称"邮差",因为总是把球"传出"。身高2.06米,体重117.5千克,是NBA主要的力量型前锋。与控球后卫J.斯托克顿采用掩护切入战术屡屡得分。马龙善于投球和篮板球,也是坚定的后卫。1998和1999年两次带领犹他爵士队打入总决赛。11次入选美国全明星一队;1992和1996年两夺奥运会男篮金牌。1997和1999年两次荣膺最有价值球员。2003年离开爵士队,在洛杉矶湖人队打他的最后一个赛季。

malonic acid 丙二酸($HO_2CCH_2CO_2H$) 又作propanedioic acid。有机二元酸。丙二酸的二乙基酯用于合成维生素B_1和B_6、巴比土酸盐类及其他许多重要化合物。丙二酸本身相当不稳定,几乎无用。它的钙盐存在于甜菜根中,通常由丙二酸二乙基酯水解制取丙二酸。丙二酸除了易于分裂成乙酸和二氧化碳之外,其反应与普通羧酸相同。丙二酸二乙酯$CH_2(CO_2C_2H_5)_2$,又称丙二酸酯,由乙醇与氰乙酸反应制得。它在合成中的功用在于所含次甲基(CH_2)的反应性,次甲基的一个氢原子易被乙醇钠或其他强碱除掉,所得到的衍生物与烷基卤迅速反应生成烷基丙二酸二乙酯。用类似办法还可导入第二个烷基。二烷基丙二酸二乙酯与尿素反应生成巴比土酸盐类。丙二酸二乙酯是无色芳香液体,沸点181.4°C。

Malory, Sir Thomas 马洛礼(创作时期约1470) 英国作家。他的身份不明,但以所著《亚瑟王之死》(**Morte Darthur, Le**)一书而闻名。此书是英国第一部叙述亚瑟王成败兴衰及其圆桌骑士们的伙伴关系的散文作品。马洛礼的身份到16世纪仍属不明,据传,他是威尔士人。在《亚瑟王之死》的末页作者署名为"托马斯·马洛礼爵士",提到他在英王爱德华四世在位第九年(1469-03-04～1470-03-03)完成此书,并附祈祷文一篇,期望"早日获释"出狱。后人以此为根据推定他为本书作者。根据威廉·达格代尔爵士所著《沃里克郡的古迹》(1655)一书记载,托马斯·马洛礼爵士在加来之围期间(据测为1436年,但可能为1414年),曾在沃里克伯爵理查·比彻姆的扈从队伍中服役,1445年被授予本郡爵士,1471年3月14日去世,葬于纽盖特附近方济各会教堂墓地(他曾于1460年被监禁在纽盖特监狱)。

Małopolskie 小波兰 波兰南部省份。北邻圣十字省,东连波德拉斯省,西接西里西亚省,南与斯洛伐克接壤。为1999年波兰行政区划改革后设立的16个省份之一,主要包括原克拉科夫省、塔尔努夫省和新松奇省。省会为克拉科夫。小波兰主要为丘陵和山区,有波兰最高峰莱塞峰(2 499米)。该省1/3的面积是森林。北部气候温和,南部山区气候恶劣。有一半人口生活在城市区。最大城市包括克拉科夫、塔尔努夫和新松奇。近2/3的土地为农田。主要作物包括谷物、马铃薯、草料、烟草、水果、蔬菜。牛、马、羊和鸡禽饲养也很重要。工业多样化,包括钢铁生产、锌铅冶炼、电子产品制造、炼油厂、化工品和纺织品制造以及食品加工。铁路公路系统发达。自然风光优美,建有6个国家公园,吸引了大批游客。在文化方面,克拉科夫的重要性甚至超过华沙,拥有6 000多处文化历史纪念场所。最著名的建筑包括克拉科夫城堡和哥特式大教堂。该城的旧城区被联合国教科文组织列为世界遗产。旧城中有被认为是波兰最伟大建筑物的圣母教堂。该城也有很多著名博物馆,包括国家博物馆、贾基洛尼亚大学博物馆和札托里斯基博物馆。19世纪60和70年代克拉科夫成为波兰科学文化活动中心,但到19世纪末,该地区经济衰退,迫于饥荒和贫困,很多农民移民到北美和南美。1918年独立的波兰国家建立后,该地区经济复苏。第二次世界大战时大部分地区被并入纳粹德国。战后在克拉科夫地区建设了很多大型工厂。面积15 144平方千米。人口3 232 408(2002)。

Maloti Mountains 马洛蒂山 又拼Maluti。莱索托北部山脉。境外认为该山只是马洛蒂山脉的前岭,也有时称为蓝山。是从该国北端的德拉肯斯山脉向西南伸展的宽阔支脉,距离最高点苏尔斯山只有数千米。前岭的普佐河山几乎延伸到西南国境线;其中央山脉几乎延伸到东南边界。所有这些山在地质上都属于卡鲁系斯托姆贝赫统(三叠系上部),由砂岩和页岩构成,上面覆盖着玄武岩。地形崎岖,游客称之为"非洲的瑞士"。崎岖的地形也不利大规模开发矿藏。5～9月为冬季,一年中通常很干旱。马洛蒂山降雪量很大,因此成为南非大多数河流的发源地。前岭是向西流的奥兰治河和向东流的卡利登河的分水岭。

Malotutu' Atasi O Samoa I Sisifo 参阅 **Samoa** 萨摩亚。

Malozi(people) **马洛齐人** 参阅 **Lozi** 洛齐人。

Malpeque Bay 莫尔佩克湾 加拿大圣劳伦斯湾内的小海湾。伸入爱德华王子岛西北面海岸。长12英里,宽10英里,有霍格岛将该湾与大西洋隔开。沿海水浅,适合牡蛎生息。设有牡蛎养殖场。湾名是印第安语的法语译音,意为"大湾"。

Malpighi, Marcello 马尔皮基(1628-03-10,教皇国博洛尼亚附近克雷瓦尔科雷～1694-11-30,罗马) 意大利医师、生物学家、最早的组织学家。曾于博洛尼亚大学学习,后于

美国不列颠百科全书公司供图

博洛尼亚、比萨、墨西拿等地行医及任教。提倡用显微镜研究人体及动、植物的微细结构,为生理学奠定了解剖学基础,从此显微镜成为生理学、胚胎学及应用医学研究必不可少的工具。他在40年中用显微镜研究过肝、脾、肺、肾、骨、脑、味蕾、视神经等。发现了肾小球、肾小管、真皮乳头、红细胞、毛细血管网等。认为大部分器官由腺体构成。观察到血液通过毛细血管网,从而支持了哈维的学说。又研究过昆虫幼虫,特别是蚕的构造及发育,观察过鸡胚的发育,发现了主动脉弓、神经褶及体节,主张先成说。比较研究了不同植物的显微解剖,发现动、植物结构有相似之处。1669年为英国皇家学会名誉会员,以后他的著作均在伦敦出版。逝世后其遗体遵遗嘱作了尸检。

malpighian body(anatomy) **马尔皮吉氏体** 参阅 **renal corpuscle** 肾小体。

malpighian tubule 马尔皮吉氏小管 昆虫的排泄器官,位于腹部体腔内,开口于中肠与后肠的连接处。有些昆虫小管数量少,长而卷曲;有些昆虫小管数量多(接近150条)而短小。小管细胞主动地将初尿成分(钾离子、水、尿酸根离子、糖、氨基酸)排入管腔。有些昆虫的尿在小管远端酸化,形成尿酸结晶的水悬液,输入直肠,在该处水和营养物质再被重吸收。另一些昆虫的尿则在直肠中酸化。某些小管细胞有特殊功能,如分泌黏性物质裹于卵外(某些叶甲)或分泌丝(某些甲虫幼虫)。

Malplaquet, Battle of 马尔普拉凯战役 (1709-09-11) 马尔伯勒公爵在西班牙王位继承战争中(1701～1714)发动的最后一次大战役。战斗在法比边境、蒙斯以南16千米的马尔普拉凯村(在今法国—比利时边界的法国一侧)附近进行。一方是马尔伯勒公爵和萨伏依的尤金亲王统率的10万英荷奥联军,另一方是维拉尔公爵和布夫莱公爵指挥的9万法军。联军于1709年9月4日起包围蒙斯,法国人则在蒙斯附近的马尔普拉凯集中兵力,筑壕沟,以解蒙斯之围。马尔伯勒和尤金计划用步兵进攻法军两侧,逼其削弱中路,然后用3万骑兵突破中路。这个计划最后取得成功,但损失极其惨重。步兵之间的逐树拼搏、法国的猛烈炮火、法国骑兵的一再反攻,使联军伤亡达2.2万人,法国人则损失1.2万人。法国人秩序井然地撤退。联军继续包围蒙斯,10月26日攻克。

Malraux, André(-Georges) 马尔罗(1901-11-03,巴黎～1976-11-23,巴黎) 法国小说家、艺术史学家和政治家,是戴高乐的积极支持者,戴高乐将军在1958年当选总统后,他

美国不列颠百科全书公司供图

任法国文化部长达10年之久。他的主要作品有小说《人类的命运》(1933)、关于世界艺术的历史和哲学的《沉默的声音》(1951)和《想象中的世界雕塑博物馆》(1952～1954)。

生平 马尔罗出身于一富裕家庭。21岁时离开巴黎去寻找一座高棉寺庙,他一头扎进柬埔寨的森林并找到了它,从上面弄了一些浅浮雕带回柬埔寨首都金边。他立即被捕并被监禁起来,他向巴黎上诉后才予以释放。他在监狱里受到法国殖民地当局的虐待使他成为狂热的反殖民主义者和社会变革的鼓吹者。他在东南亚时组织了青年安南联盟并创办了报纸《枷锁下的印度支那》。他到中国后,曾参加了几次中国革命运动,并可能与孙中山和后来的蒋介石的俄共顾问鲍罗廷见了面。马尔罗后来又数次返回远东。1929年,他在阿富汗和伊朗发现了希腊—佛教艺术。1934年他飞越阿拉伯的鲁卜哈利沙漠发现可能是传说中的示巴女王城市遗址。1926年他第二次从印度支那返回法国后出版了他的第一部小说《西方的诱惑》。1928、1930和1933年先后又出版了小说《征服者》、《王家大道》和《人类的命运》(获龚古尔奖),这些小说奠定了他作为法国主要小说家的地位。20世纪30年代,法西斯主义以国家社会主义的形式崛起,马尔罗洞穿它的威胁性,曾组织委员会要求释放囚禁在纳粹监狱里的台尔曼和季米特洛夫,同时他又回避僵硬的马克思主义,而参加了全国反排犹主义联盟,1935年,在全世界知道有集中营存在之前,他出版了《愤怒的日子》,这是一部短篇小说,描写被法西斯囚禁的一位共产党人所受到的野蛮待遇。与此同时,他开始写他的《艺术心理学》(3卷,1947～1950),马尔罗的美学观点如同他的行动哲学一样都在他的小说中表达出来。1936年西班牙内战爆发,他来到西班牙,加入了共和派军队,并组织了一支国际飞行中队,自任队长,在多次参加飞行之后,他访问了美国,为支援西班牙的医疗事业集资。1937年出版的小说《希望》就是根据他在西班牙的亲身经历写成的。第二次世界大战爆发后,他入伍为坦克兵。一度被俘,后脱逃至法国自由区,在此加入了抵抗运动。1944年他又被德国人击伤捕获,并经历了一次假处决。在被法国内地军队营救出来后,组织并指挥了一支自由法国旅。在这个困难时期,他放弃了早先对革命行动和马克思主义的热情,又回到西方文化的信念中来。他在阿尔萨斯前线遇到戴高乐,从此结下不解之缘。在戴高乐第一届政府内被任命为临时情报部长(1945-11～1946-01),后随戴高乐退休,在法国北部布洛涅自己的别墅里精心研究艺术,《沉默的声音》就在这个时期(1951)出版。1958年戴高乐重新掌权,任命马尔罗为文化部长。

文学作品 马尔罗在他戏剧性而又有趣的生涯中写了一些关于政治理想主义和革命斗争的悲剧性的情况含糊不清的精彩小说。1928年的《征服者》是一本描写中国广东的革命罢工。1930年的《王家大道》是他在柬埔寨对高棉寺庙探险的描述。其力作是《人类的命运》(1933),这部小说使他在全世界读者中出了名。小说背景是1927年的上海,写蒋介石及国民党镇压共产党的事件。在《愤怒的日子》里,马尔罗报道了在希特勒德国地下抵抗纳粹运动的情况。尽管马尔罗是明显的马克思主义的同情者和对法西斯主义进行了严厉批评,他的作品中也只有这一部准予在苏联境内发行。从他在西班牙内战中的经历,他写下了一部最为悲观的政治小说:《希望》(1937)。这部小说戏剧性地再现了西班牙内战最初9个月的情景。1945年马尔罗实际上已放弃小说的创作,转而向历史和艺术评论方面进军。《沉默的声音》是他的《艺术心理学》的再版,一部光辉的艺术史报道,包括所有国家和所有时代的综合艺术史的报告,也是他对艺术作哲理探讨的作品。他在《诸神变异》(3卷,1957～1976)中继续作如此的探讨。1967年他发表了自己的自传《反回忆录》。

malt 麦芽 一种谷物产品,在饮料和食品中用作发酵基质或用于增加香味和营养价值。麦芽由谷物经部分发芽制成以改良谷物所含天然食用物质。虽然任何谷物都可发芽,但常用者为大麦,很少用黑麦、小麦、大米或玉米。用于酿造啤酒的麦芽数量最大,啤酒的香味主要来自所用的麦芽。制造一桶啤酒要用11～22千克麦芽。麦芽的第二个最重要的用途是制造威士忌和其他饮料所用的蒸馏酒精。麦芽浸膏也用于面粉、麦芽醋、早餐谷类食物、婴儿食品、糖果和烘焙食品中,以增加香味,提高酶活力或淀粉含量。谷物制麦芽的受控发芽过程,靠加入水分来引发,并在幼芽顶破种皮以前靠除去水分来抑制。制麦芽过程本身份为3个阶段:浸渍、发芽和焙燥。在浸渍过程中,将谷物置于盛有水的大缸内,使它吸收水分,使谷粒内的胚芽苏醒。然后让潮湿的谷粒发芽,并由谷粒底部生出极细的幼根。在发芽期间,酶被活化,使谷粒中的淀粉分解,靠它形成根和茎的结构。在发芽过程中,这些分解淀粉的酶还渗入种子的硬而脆的外壁,使它变得软一些并且容易溶解,还赋予它独特的麦芽香味。发芽过程要求有凉爽而湿润的空气流过发芽中的谷粒团,使之缓慢地移动,以免幼根缠结。在现代的制麦芽过程中,发芽通常在转鼓或装有搅拌器的箱中进行。这种方法已大量取代了过去将浸湿的谷粒摊在水泥地上用铲翻拌的制麦芽方法。当发生了所要求的生物学变化后,即进行加热烘焙,以停止发芽。此阶段的发芽谷粒称为绿麦芽,将它送入烘房,用通过地板上许多小孔送入的热空气流进行焙燥。在烘房中加热的时间和温度影响麦芽的色香味。用于制造苏格兰威士忌的麦芽,须在加有泥炭的火上进行焙燥,泥炭的烟即被麦芽吸收。发芽过程中大麦种子内产生的酶,使贮存在种仁内的淀粉分解,生成较简单的碳水化合物,主要是麦芽糖。谷粒内还产生其他的酶,可将蛋白质分解为较简单的含氮化合物。酿造啤酒过程中,将麦芽加入谷物糖化醪中,麦芽中的酶即将糖化醪中的淀粉转化为麦芽糖。然后麦芽糖被酵母发酵,生成酒精和二氧化碳,可赋予啤酒独特的风味。

Malta 马耳他 地中海中部一小群岛。马耳他为一独立的共和国,由3个有人居住的岛屿(马耳他岛、戈佐岛和科米诺岛)与2个无人居住的岛屿(科米诺托岛和菲尔夫拉岛)

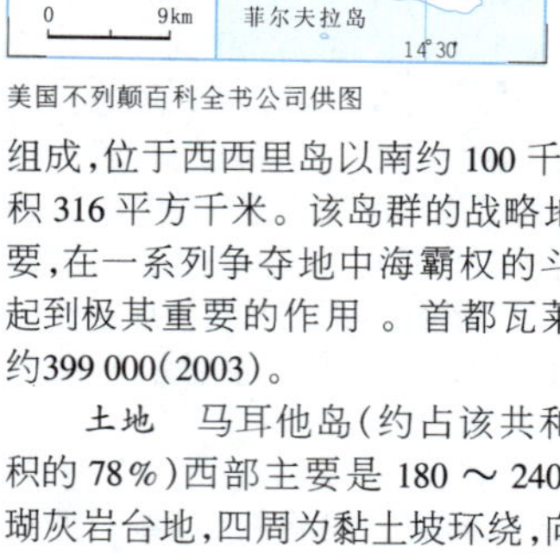

美国不列颠百科全书公司供图

组成,位于西西里岛以南约100千米处,总面积316平方千米。该岛群的战略地位极为重要,在一系列争夺地中海霸权的斗争中曾经起到极其重要的作用 。首都瓦莱塔。人口约399 000(2003)。

土地 马耳他岛(约占该共和国陆地面积的78%)西部主要是180～240米高的珊瑚灰岩台地,四周为黏土坡环绕,向南逐渐降为125米高的球房虫(海洋原生动物)石灰岩区。这种地质构造有利于水的渗透与地下储水。马耳他及另外2个有人居住的岛屿海岸

线均呈锯齿状，有港口、海湾、沙滩及多岩石的小湾。马耳他岛上无长年河流或湖泊。

群岛属地中海气候，夏季炎热、干燥，冬季凉爽、多雨，全年无霜、雪和雾。年平均降雨量约500毫米。由于高温及缺乏常流河，土壤形成缓慢，天然植被稀少。岛上因缺乏淡水，建有数座海水淡化厂。

人民 马耳他的种族构成十分复杂，包括意大利人、阿拉伯人、英国人和腓尼基人的后裔。人口几乎全在本地出生，并几乎全部为天主教徒。官方语言为英语和马耳他语，后者为一种阿拉伯方言，用拉丁字母拼写。

马耳他的人口有所增长，尽管总的自然增长率相对较低，但更近乎较老的发达国家类型。由于人口自然增长率低，马耳他人口呈现老化。医疗保健条件的改善已使婴儿死亡率降低至发达国家水平。平均预期寿命达到76岁也反映出这一点。马耳他以前的许多外出移民于1975年后又纷纷返回家园，因而也构成该国社会及经济服务上的负担。人口中有4/5以上住在城市。

经济 马耳他属市场经济，主要以旅游业、轻工业、造船业及农业为基础。马尔萨什洛克湾的港口以其地中海转运中心的地位使该国贸易有很大发展。国民生产总值增长迅速，而人口的增加则十分缓慢。人均国民生产总值居世界发展中国家的最高之列。

土地总面积中约有2/5为可耕地，大部分耕作（包括蔬菜、谷物、马铃薯和柑橘类水果）均在小片带状梯田上进行。农业在国内生产总值中仅占3%，马耳他的大部分食品需要进口。

国内矿产资源匮乏，仅限于建材的生产，主要为球房虫石灰岩。但已探明近海有石油贮藏。

制造业占国内生产总值的1/4以上，出口产品有纺织品、服装、鞋、电气设备和塑料制品。政府通过马耳他开发公司促进工业发展。旅游业是马耳他的主要行业及外汇来源，游客大多来自英国。

该国基础设施十分完善，几乎所有道路均已铺设路面。干船坞已于1973年收归国有，而船舶的建造和修理已成为重要产业。马耳他的主要港口在瓦莱塔，国际机场位于附近的卢加。

20世纪70～90年代，国际收支一直呈现逆差。意大利、德国、英国和美国是马耳他的主要贸易伙伴。

政体与社会状况 根据1974年修订的1964年宪法，马耳他为英联邦内的一个共和国。立法权由一院制议会行使。根据宪法，总统为国家元首，由议会选举产生，任期5年。总统任命多数党领袖为总理。主要政党有马耳他工党（“社会民主党”）和国民党（“基督教民主党”）。马耳他的法律是在1854～1873年间编集成典，基本上依据拿破仑法典和拿破仑法律。

马耳他人民享有很高的生活水准。一系列的社会保险法保证了对疾病、工伤、失业和残疾的救助，对家庭和儿童的津贴以及对老年和残疾的补助。在国家机构工作的人员，住院治疗和某些个人保健服务均为免费。住房短缺现象在70年代以前十分严重，后因原先为英国军队及其家属使用的办公用房和住宅移交民用，现在情况已大为缓解。

该国对6～16岁未成年人实行义务教育，公立学校可免费入学。原来的旧大学与新大学于1988年合并为马耳他大学。

马耳他人口虽少，但新闻出版业极为发达，所有书刊同时以英文和马耳他文出版。期刊种类繁多，其中许多带有政治倾向。电视以双语播出，许多节目是在当地制作的。

文化生活 马耳他的民俗传统主要是以节日庆典为中心逐渐发展起来，届时为纪念某一村庄的守护圣徒经常举行游行和燃放焰火。除特有的新石器时代废墟外，马耳他尚存17和18世纪盛行的建筑学派代表作。意大利艺术家卡拉瓦乔和普雷蒂都在马耳他住过数年，后者最重要的绘画曾为该国多座教堂进行装饰。民族吟游诗人卡姆的诗作亦为马耳他文学增色不少。

历史 马耳他的考古遗迹最远可追溯至公元前3800年左右。马耳他的巨石纪念碑曾一度被视为腓尼基人在此定居的证据，但现代考古学界已确认这些石碑为史前人类所建，并确实是地中海地区最古老的人类遗迹。有证据表明迦太基人于公元前8或公元前7世纪初在此登陆；他们显然曾在当地进行过残酷统治，并向居民索取高额贡赋。马耳他于公元前218年被罗马人统治之后，曾享有自治市的特权。

公元60年，使徒保罗在以他的名字命名的海湾遭受海难，根据传说，他曾使岛民皈依了基督教。

395年罗马帝国分裂时，马耳他被划归君士坦丁堡统治的东罗马帝国。后来，阿拉伯人于870年自称为马耳他岛的主人。1091年，当时的西西里岛统治者、诺曼贵族罗杰一世率领一小队随从人员来到马耳他，打败了阿拉伯人。天主教会的领地重新建立，并任命了主教。此后封建习俗在此地逐渐形成，马耳他相继为一些封建领主统治，直至16世纪初。

1530年，马耳他被割让给一个名为医院骑士团或马耳他骑士团的宗教军事组织。16～18世纪，马耳他骑士团不断阻挠土耳其的商业活动。这些骑士与马耳他土著之间，由于缺少社交与经济上的往来而关系日趋疏远。1798年拿破仑占领群岛，这些骑士的统治遂告结束。

1802年的《亚眠条约》将群岛交还马耳他骑士团。马耳他人抗议不从，承认英国国王为马耳他君主，条件是保留天主教会并尊重马耳他的《人权宣言》。英国人接受这些条件，并在1814年的《巴黎条约》中使这些条件得到认可。

在英国统治下，马耳他的政治地位屡经变迁，其数部宪法也随之历经了批准、中止和废除的过程。马耳他的经济主要以满足英国在马耳他的军事设施的需求为主，当地著名的造船厂已发展成为该群岛的经济中心。

第一次世界大战期间，马耳他人组成当地的卫戍部队，许多人还参加了海军。1921年马耳他成立自治政府，但英国仍与马耳他的部长们共同分享权力。1936年，马耳他重又回复殖民地状态。

意大利参加第二次世界大战后，马耳他数次受到德国和意大利空军的狂轰滥炸。1942年4月15日，英王乔治六世将英国最高文职勋章，乔治十字勋章授予马耳他群岛，这是英国向英联邦成员首次颁发的奖章。

1964年9月21日，马耳他获得英联邦内的独立，1974年成为共和国。

1979年，马耳他与英国的联盟结束后，即谋求与其他国家签订协定以确保中立地位。1981年10月，苏联签署了一项协议，保证支持该国的中立地位。马耳他亦谋求与美国签订协定。1987年国民党掌握政权，谋求加入欧洲共同体，进行经济结构调整，建立科技型现代经济结构。工党与国民党就此展开争论。最终2003年以公民投票表决的形式通过加入欧盟的提案。2004年5月1日成为欧盟成员国。

Malta, Knights of 参阅 **Knights of Malta** 马耳他骑士团。

Malta fever **马耳他热** 参阅 **brucellosis** 布鲁斯氏杆菌病。

maltase **麦芽糖酶** 催化麦芽糖水解成葡萄糖的酶。植物、细菌及酵母中含之。人及其他脊椎动物体内的麦芽糖酶被认为是由小肠壁的黏膜细胞合成。在消化时，胰或唾液的淀粉酶将淀粉部分地转变成麦芽糖，然后小肠分泌的麦芽糖酶将麦芽糖转变成葡萄糖。如此产生的葡萄糖可被人体所用或作为糖原（动物淀粉）被肝脏所储存。

Malte-Brun, Conrad **马尔特-布戎**（1775-08-12，丹麦齐斯泰兹～1826-12-14，法国巴黎） 原名Malte Conrad Bruun，若干地理学著作的作者和合著者，第一个现代地理学会的创建者。因发表诗歌和小册子支持法国革命而在1800年被驱逐出丹麦之后，在巴黎当新闻记者和地理作家。其著作包括《世界地理概论》前六卷（1810～1829）。他是巴黎地理学会的创建人和第一任理事长（1822）。其子维克多·阿道尔夫也是地理学家，关注非洲和北极的考察事业。

Maltese **马耳他狗** 由马耳他岛得名的玩赏狗品种。可能在2 800年前已育成。外形美观纤巧，体壮，温顺，活泼。被毛长，厚，柔滑，纯白色。耳悬垂，尾羽状，卷于背上。体高约13厘米，体重3千克。一度是富人和贵族爱养的玩赏狗。

Maltese lace **马耳他花边** 1833年由热那亚的花边编织工人引进马耳他的一种嵌带花边（图案以线束或系带而不是用网连在一起）。它和早期的热那亚线轴编织花边（棒槌花边）相仿，并有马耳他式十字图形和尖头麦穗组成的几何图案。当1851年在博览会上展出后，马耳他花边为包括英国贝德福德郡在内的其他花边生产中心所模仿。

Maltese language **马耳他语** 马耳他语作Malti。属闪米特语南支，通行于马耳他岛,源于阿拉伯语的一种方言,和阿尔及利亚及突尼斯的西阿拉伯诸方言关系极密切。马耳他语因受西西里岛的意大利语方言强烈影响,成为唯一用拉丁字母书写的阿拉伯语。

Malthus, Thomas Robert　马尔萨斯(1766-02-14或17英国萨里多金附近鲁克里～1834-12-23,萨默塞特巴斯附近圣凯瑟琳)英国经济学家、近代人口问题研究的先驱。

美国不列颠百科全书公司供图

出身于英国富裕家庭,其父具有自由思想,对马尔萨斯影响很大。1784～1788年在剑桥大学耶稣学院学习,1791年获文科硕士学位,1793年被选为该学院研究员,1797年受圣职为牧师。1796年写了小册子《危机》(未发表),表示赞同新提出的济贫法,主张为贫民设立习艺所。这与两年后他发表的关于贫困与人口的一些论点大相径庭。1798年,他匿名发表《人口原理》(又译《人口论》),引起了广泛的注意。他认为:人口增长的趋势永远快于生产的增长。如果不加限制,人口总是按几何级数增长而生活资料只能按算术级数增长。人口扩张到生活资料仅能维持生存的极限时,就会出现饥馑、战争和疾病。唯有"堕落"(包括避孕)、"灾难"和"自我抑制"才能遏制过度的人口增长。马尔萨斯是经济悲观论者,认为贫困是人类不可避免的命运,因此社会福利终归无用。他在1820年《政治经济学原理的实际应用》(又译《政治经济学原理》)一书中,反对过分的节约,主张国家要达到高度富强,必须做到"生产能力和消费愿望的平衡"。1804年结婚。1805年起一直担任东印度公司创办的黑利伯里学院的历史和政治经济学教授直到去世。1811年与D.李嘉图相识,结为好友。1819年被选为英国皇家学会会员。1821年成为政治经济学俱乐部成员。1834年他是伦敦统计学会发起人之一。1833年被选为法国伦理与政治科学院和柏林皇家学院的院士。

Malton　莫尔顿　英格兰北约克郡拉伊代尔区一个教区(城镇)。属约克历史郡。为早期不列颠居民点。后成为罗马人要塞和城镇。曾建有德拉王国的皇宫。安妮女王统治时期曾一度为繁忙的河港。现已不是一个港口,而是大型牲畜市场和重要的服务中心,有与农业有关的工业和其他轻工业。人口约4 294(1991)。

Maluku (Indonesian islands)　**马鲁古**　参阅 **Moluccas** *摩鹿加*。

Maluku　马鲁古　英语作Moluccas(摩鹿加)。印度尼西亚东部的岛屿省份,由约1 000个岛屿组成。1999年北马鲁古省设立,系马鲁古省北部哈马黑拉等岛分立。北马鲁古省北临太平洋,西临摩鹿加海,东邻巴布亚省。马鲁古省环班达海,东滨斯兰海,南临阿拉弗拉海、东帝汶和帝汶海。马鲁古省省会为安汶;北马鲁古省省会为德尔纳特。被早期印度、中国和阿拉伯商人称为香料群岛。15世纪伊斯兰教引入之前,摩鹿加群岛形成爪哇麻喏巴歇帝国和室利佛逝帝国(苏门答腊)的一部分。16世纪初葡萄牙进入该地区,1599年开始,荷兰人在某些岛屿上建立居民点。荷兰的征服于1667年完成,蒂多雷岛的苏丹承认了荷兰的统治权。1796～1802年和1810～1817年,该群岛由英国统治,第二次世界大战中又被日本人占领。1945年群岛成为荷兰授意的临时的东印度尼西亚自治国。1950年,摩鹿加南部反叛印度尼西亚政府,成立了短命的南摩鹿加共和国。群岛被珊瑚礁和深海包围。有极小的环状珊瑚岛到巨大的多山岛屿如哈马黑拉岛(约17 780平方千米)和塞兰岛(约17 148平方千米)。特尔纳特岛有活火山,海拔1 651米。塞兰岛附近的安汶岛常发生地震,但无活火山。很多较小岛无人居住。多山岛的山坡上覆盖着茂密的松树、杜鹃花树、木麻黄和桉树等常绿林;沿海长满红树和淡水沼泽森林。群岛低地土质肥沃。禽鸟种类繁多。动物有有袋动物、负鼠、香猫、野猪和鹿猪(野生的东印度猪)等。经济以农业为主。主要出产大米、西米、椰子、香料(包括丁香和肉豆蔻)、烟草、松香、铁木、藤条、木材和咖啡。出口鱼、乌木、藤条、椰子干、香料和鸟皮。手工艺生产木雕、金银丝饰物、手镯、戒指以及手织和机织物。塞兰岛开采镍矿和石油。岛际交通主要靠轮船。较大岛屿的内地有与海岸平行的公路。哈马黑拉岛的贾伊洛洛建有机场。其他重要城镇有特尔纳特、楠勒阿、玛索希、图阿尔、索阿休、莫罗泰和拉布哈。居民主要为沿海的马来人和内地的阿富人。其他少数民族有南部岛屿上的塔尼姆巴尔人、中部岛屿上的安汶人和北部岛屿上的特纳坦人、蒂多尔人、马基安人、托贝洛人、巴占人和萨瓦伊人。伊斯兰教为本地区的主要宗教。摩鹿加中部有许多基督教徒。20世纪末穆斯林与基督教徒间矛盾冲突升级为暴力事件,至21世纪初已有几百人死于种族冲突事件,上万人移居他所。这也是设立北马鲁古省的主要原因。面积:马鲁古省46 975平方千米;北马鲁古省30 895平方千米。人口:马鲁古省1 205 539;北马鲁古省785 059(2000)。

Maluku, Laut (Pacific Ocean)　**马鲁古海**　参阅 **Molucca Sea** *摩鹿加海*。

Maʿlula　马卢拉　叙利亚南部一村庄。在大马士革以北约50千米。房舍为石建平顶,外涂蓝色灰泥。村民多为希腊东仪天主教徒,讲古叙利亚方言。该村的马尔萨尔基斯隐修院有拜占廷时代的教堂和墓窟。还有一东正教圣塔克拉隐修院,其中建有现代教堂。

Malus, Étienne-Louis　马吕(1775-06-23,巴黎～1812-02-23,巴黎)　法国物理学家,发现光受到反射时发生部分平面偏振。由于他的观察,对光的传播有了更好的理解。他是工兵部队的成员,1798年随拿破仑一世入侵埃及,在近东停留到1801年。回国后在安特卫普、斯特拉斯堡和巴黎担任官职,并研究光学。1809年发表了他发现光因反射而偏振的论文,1810年作了关于光在晶体中双折射理论的报告。

Maluti (Lesotho)　参阅 **Maloti Mountains** *马洛蒂山*。

Malvaceae　锦葵科　有花植物的一个大类群。属锦葵目,约95属,一年或多年生草本、灌木和乔木。世界上除最冷地区外均有分布,但主要产于热带。最富经济价值的是棉花(**cotton**,棉属[*Gossypium*])。木槿属(*Hibiscus*)有些种可制取重要性稍次的纤维。*秋葵*(**okra**, *H. esculentus*)的幼果可烹食。有些种组织中的黏液可用制糖果等。有30个属的若干种具观赏价值,如*蜀葵*(**hollyhock**)及其他锦葵属种类、木槿属、黄花稔属(*Sida*)、花稔属(*Sidalcea*)、罂粟葵属(*Callirhoë*)、苘麻属(*Abutilon*)、赛葵属(*Malvastrum*)、花葵属(*Lavatera*)、悬铃花属(*Malvaviscus*)和*Kitaibelia*属、*Malope*属等。麝香锦葵(*Malva moschata*)及皱叶锦葵(*M. crispa*)亦为庭园花卉。该科植物

木槿(*Hibiscus moscheutos*)
美国不列颠百科全书公司供图

叶互生,全缘,具齿,掌状浅裂或深裂,多数具早落的托叶。植株的营养器官通常部分地或大部分地被星状毛,在少数种亦见于露出芽外的花瓣部分。花常鲜艳,整齐,两性(有时在功能上为单性),5基数;花瓣芽期扭曲,基部与管状的雄蕊柱联合,花凋谢时与雌蕊柱一同脱落。该科的特征是:雄蕊的花丝连合成管状,花药肾形,单室,顶裂;花粉粒大,圆球形,具刺;昆虫传粉或自花受粉(柱头臂弯向花药)。心皮2至多数;5心皮的属中,心皮与花瓣对生(苘麻属)或与萼片对生(木槿属);多心皮的属(锦葵属、花葵属、球葵属[*Sphaeralcea*])心皮绕花轴顶端排成一轮,柱头分枝或与心皮同数或为其2倍,位于雄蕊柱的上方。一心皮内着生一胚珠(锦葵属、赛葵属)或多数胚珠(棉属、木槿属、球葵属、隔蒴苘属[*Wissadula*])。果实一般为分果,仅悬铃花属为浆果,木槿属和棉花属为蒴果。分

果边缘的钩刺或弹丝及种子上的黏液或毛均有助于种子传播。该科各属所含种数不一，从 10 种以下（*Anoda* 属、*Iliamna* 属）至 200 多种（球葵属、木槿属）。少数属（花稔属、罂粟葵属）仅限于美洲分布，多数属（锦葵属、木槿属、茼麻属）世界性分布。美国有 27 属，其余各属分布自墨西哥至南美。仅锦葵属、花葵属、蜀葵属（*Althaea*）3 属原产英国。本科植物在地中海地区、亚洲、非洲均种类甚多。该科也有些种是讨厌的杂草，如圆叶锦葵（*Malva rotundifolia*）极为难除，其果形似干酪，故又名干酪锦葵。

Malvales　锦葵目　显花植物的一目，属木兰纲。包括 5 个核心的科，共 250 多属，约 3 000～3 500 种。这 5 个科是：杜英科（Elaeocarpaceae，10 属）、田麻科（椴树科，50 属）、梧桐科（66属）、木棉科（25属）、及锦葵科（100 属以上）。有些权威又将另外 5 个科（Sphaerosepalaceae 科、Sarcolaenaceae 科、龙脑香科、Scytopetalaceae 科及 Huaceae 科）列入本目。本目的代表种类分布于世界上几乎所有地区许多不同的生境中。锦葵目的种类多为木本，分布于热带，其中许多有商业的重要性。锦葵科的种类包括一些观花植物，如温带的蜀葵（*Alcea rosea* 或 *Althaea rosea*）及栽培于大部分热带地区的灌木朱槿（*Hibiscus rosa-chinensis*）。重要的经济植物包括棉属（*Gossypium*）的种类——棉花（**cotton**）及秋葵（*Hibiscus esculentus*）。木棉科包括几个重要的乔木属。猴面包树（*Adansonia digitata*）产于热带非洲，与众不同之处为株高仅中等，但形成层细胞增生活跃，故树干围长增加较快。许多植株的树围达 9 米。其嫩叶可食，果肉可制清凉饮料，树皮可制纤维。一些原产于南北美洲的有重要商业意义的木棉科植物已在世界各地的热带地区栽培。轻木（*Ochroma pyramidale*）的木材是木材中最轻者。木棉是附着于木棉树（五雄蕊木棉树，*Ceiba pentandra*）种子外的纤维。其他重要的锦葵目种类包括椴树科椴树属（*Tilia*）的椴树及梧桐科的一些种类，其种子可用作原料，以制造出世界商业上有重要性的饮料及糖果。可可树（*Theobroma cacao*）原产于巴西至墨西哥，种子称为可可豆或可可仁，可制可可酱、可可粉和巧克力。可乐果系光泽可乐果树（*Cola nitida*）及近缘种的“坚果”，其提取物富含咖啡因及可乐果苷（一种葡萄糖苷，广泛用作饮料的调味品）。锦葵目植物几乎仅借种子繁殖。许多科的花分为花萼和花冠两部分，萼片及花瓣为 5 数。雄蕊多数。雌蕊常由 2 至多枚心皮组成，子房内含数枚胚珠。某些草本代表性种类借风力传粉。梧桐科植物的花散发臭气，借以吸引蝇类传粉。悬铃花为热带美洲的灌木，其花特化，适于借蜂鸟传粉。猴面包树及其他木棉科种类则靠蝙蝠传粉。锦葵目种类的果实多为蒴果，但蜀葵的子房由 15 片乃至更多的心皮连合而成，在花的中心发育如环状，成熟时每个单位分开成钱币状的部分，各含一枚种子。少数锦葵目植物具肉质的果实。

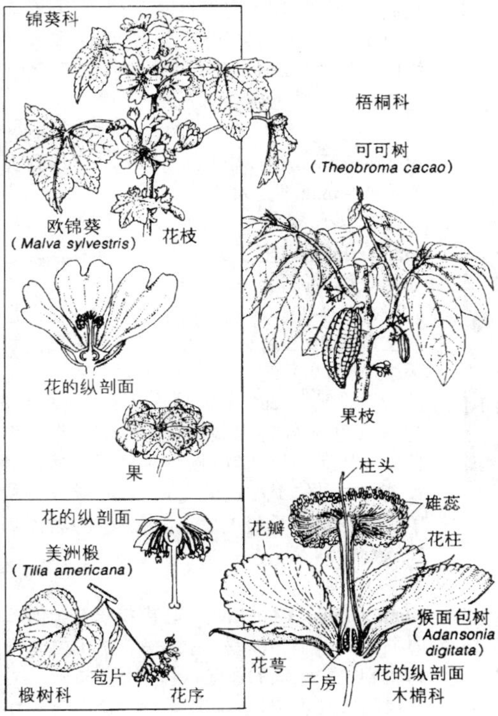

锦葵目植物花的纵剖面

Malvana，Convention of　《马耳伐纳协定》（1597）　葡萄牙人与锡兰（今斯里兰卡）土著酋长间订立的协定。土著酋长宣誓效忠葡萄牙国王，葡萄牙人则保证维持他们原有的法律和习俗不变。该协定规定锡兰人民把全部传统劳务与赋税转给新君主。其目的是使葡萄牙人在侵占锡兰岛之后披上合法的外衣。

Malvern　莫尔文　英格兰赫里福德-伍斯特郡莫尔文希尔斯区的一个地点。统指莫尔文丘陵东坡一带的旧村庄和小村子。大莫尔文是主要中心。莫尔文蔡斯是爱德华一世赐予格洛斯特伯爵的封地。小莫尔文保存有本笃会隐修院（现为教区礼拜堂）和铁器时代要塞。现为教育和文化中心，有莫尔文男童学校（1862），还有一所艺术学校，一所女童学校，一座剧场。矿泉和宜人的环境使此处成为休假胜地。人口约 30 187（1981）。

Malvern（of Rhodesia and of Bexley），Godfrey（Martin）Huggins，1st Viscount　莫尔文子爵（第一）（1883-07-06，英国肯特贝克斯利～1971-05-08，罗得西亚索尔兹伯里）　即 G.（M.）哈金斯。南罗得西亚总理（1933～1953），罗得西亚和尼亚萨兰联邦的缔造者，曾任联邦首任总理（1953～1956）。早年在伦敦行医，后因健康原因，1911 年徙居南罗得西亚的索尔兹伯里，不久即以外科医生闻名。1923 年南罗得西亚成为自治殖民地时，他被选入立法议会。1933 年他的改良党约获议会半数席位，他出任总理兼土著事务部长，直到 1949 年。他统一南北罗得西亚和尼亚萨兰的计划终于在 1953 年实现。联邦党在选举中取得的决定性胜利确定了他的总理地位。1955 年封子爵。

Malvern Hills　莫尔文丘陵　英格兰西部伍斯特行政郡一区。该区大部分地区属伍斯特历史郡，仅有利辛顿和阿克顿格林间的小片土地属赫里福德历史郡。面积 577 平方千米。区中部莫尔文丘陵为其主要地形，该丘陵南北长 14 千米，最高海拔 425 米，地质构造为花岗岩，地表为石南丛生的荒地。该区以农业为主，另有一些轻工业。大莫尔文镇为该区主要城镇和行政中心，同时也是商业和文化中心。每年的莫尔文节（在大莫尔文镇）是为纪念作曲家埃尔加和戏剧家萧伯纳而举行。人口约74 100（1998）。

Malvy，Louis-Jean　马尔维（1875-12-01，法国菲雅克～1949-06-09，巴黎）　法国政治家。1906 年以激进党党员资格进入众议院，此后他在莫尼（1911）和卡约（1911～1912）政府中任副部长，在杜梅格政府（1913～1914）中任商业部长，后在勒内·维维亚尼政府中任内政部长。第一次世界大战爆发时，他继续在白里安政府和里博政府（1915～1917）中任部长。1917 年 7 月 22 日，乔治·克列孟梭总理指责他对付失败主义者和和平主义者不力，他乃于 8 月 31 日辞职，于是里博内阁倒台。10 月间保皇派莱昂·都德又指控他叛国。根据他的请求，参议院作为最高法院就上述两项控告对他进行审判，1918 年 8 月 6 日他被指控的叛国罪被否定，但被认为犯有渎职罪，判处 5 年流放。他在西班牙度过流放期。1924 年被赦免后回到众议院，在 1940 年他退休之前，他在政治上一直很活跃。

Mālwa　马尔瓦　梵语作 Mālava。印度中西部一历史省份。包括今中央邦东部的一大部分地区和拉贾斯坦邦东南部地区。1401～1531 年为强大的独立邦，首府为曼杜。后被莫卧儿帝国吞并，是马拉塔人征服的第一批省份之一，并且成为平达里（或谓非正规劫掠者）的总部。1817 年英国人恢复了秩序。为富庶的黑壤地区，有昌巴尔河、锡布拉河、加利信德河和巴尔伯蒂河流经。棉花为当地主要农产品。

Mālwa painting 马尔瓦绘画 17世纪集中于印度马尔瓦和本德尔汗德(现中央邦)的拉贾斯坦细密画画派，亦被认为是中印度绘画。此画派非常保守，这从最早的例证如拉

17世纪后半叶的马尔瓦绘画
美国不列颠百科全书公司供图

西卡拍尼耶(1636，一首分析恋情的诗)和阿玛鲁·沙脱卡(17世纪晚期的一首梵文诗)连续画中可以看出。马尔瓦绘画构图平面化，黑和棕色的背景，大色块以衬托人物，建筑物施以生动的颜色。此画派的最大魅力是朴素自然、趣味天真。

Mālwa Plains 马尔瓦平原 印度北部旁遮普邦中部冲积平原。在克格尔河与苏特莱杰河之间，北缘为西瓦利克山脉。地势稍有起伏。南部近塔尔沙漠，偶有沙丘与沙脊。有少数常年河流和零散热带干旱落叶林。经济以农业为主，作物有谷物、豆类、棉花、甘蔗和油籽。谷物产量有余，特别是小麦。小规模工业生产机床、靴鞋、缝纫机及零件、塑料制品和水管。大规模工业生产拖拉机、干电池、聚酯薄膜、尼龙和汽车轮胎。有公路网和铁路网连接卢迪亚纳、昌迪加尔、阿博赫尔、珀丁达和马莱尔戈德拉等重要城镇。

Mālwa Plateau 马尔瓦高原 印度中北部高原。在古吉拉特平原(西)、温迪亚山脉(南)、中央印度高原和本德尔汗德高地(北)及温迪亚山脉(东)之间。范围包括中央邦南部和拉贾斯坦邦东南部。该高原曾相继被孔雀、笈多和帕拉马拉王朝所统治，建有许多佛教寺庙，以其建筑和雕塑闻名。1390年，高原被穆斯林占领，成为马拉塔帝国的一部分，1817年落入英国人手中。为熔岩高原，海拔500～600米，被切割成许多方山，偶有砂岩丘陵。西部有默希河与昌巴尔河中游，东部有贝德瓦河以及特森河、根河的源流，此外还有巴尔伯蒂河等等。植被属热带草原类型。经济基本为农业，主要出产谷物、豆类、油籽和棉花。工业有棉纺织、轧棉、制糖、榨油、伐木和造纸等。昌巴尔河谷工程提供灌溉和电力。勒德拉姆有陶瓷厂。波帕尔和乌贾因有机械厂。印多尔有铸造厂。该地区有许多公路干线穿过；印多尔和波帕尔都建有机场。

Maly Kavkaz (mountains, Georgia) 参阅**Little Caucasus** 小高加索山脉。

Mamaea, Julia 马梅亚 参阅**Julia Mamaea** 尤莉娅·马梅亚。

Māmallapuram (India) **马默勒布勒姆** 参阅 **Mahābalipuram** 默哈巴利布勒姆。

Mamaroneck 马马罗内克 美国纽约州韦斯特切斯特县一村庄。濒临长岛湾，位于新罗谢尔东北。此地1661年由印第安人售予J.里奇贝尔，1698年又转售给纽约市长C.希思科特，后发展为一农业社区，1895年设村。马马罗内克现为纽约郊区的一块飞地，有轻工业。1811年J.F.库柏在该地结婚，后一直居住到1814年。该地盛行游艇运动。人口18 833(2002)。

mamba 树眼镜蛇 眼镜蛇科树眼镜蛇属(*Dendroaspis* 或 *Dendraspis*)爬行动物，有4种。体型较大，剧毒。分布在非洲撒哈拉以南地区，在树上猎食小动物。体细长，敏捷，鳞片较大，前牙颇长。黑色树眼镜蛇(*D. polylepis*)

绿色树眼镜蛇(*D. angusticeps*)
美国不列颠百科全书公司供图

体长达4.3米，灰色或浅绿褐色或黑色，随年龄而异；穴居于多岩石的旷野；常主动进攻人，能立起身体咬人的头或躯干，被咬伤后若不用抗蛇毒素治疗，则死亡率几近100%。绿色树眼镜蛇，如狭头树眼镜蛇(*D. angusticeps*)略小(长2.7米)，更喜树栖，较少攻击人。

Mamberamo River 曼伯拉莫河 又称塔里凯克阿河。印度尼西亚伊里安查亚境内河流。位于新几内亚岛西北部。由塔里塔图和塔里库两河汇合而成，大致向西北流，在迪维尔角附近注入太平洋。流经范雷斯山脉时形成一系列峡谷和急流。连同上游的塔里塔图河，全长约500英里，是伊里安查亚最大水系。河口上游100英里段可通航，但是居民点只是一些小村落。

mambo 曼波舞 起源于古巴的舞厅舞。20世纪40年代后期风行全球。这是一种不按拍子表演的伦巴舞，在4/4拍音乐的最后一拍起步，至下一小节第一拍完成。曼波舞的步法、停顿和伦巴舞大致相同，基本动作为向后退一步、向前进一步、并拢、停一拍(或向前一步、向后一步、并拢)。跳曼波舞时，男女大多不成舞厅舞的标准搂抱姿势，而只是握住一手，或根本不接触。20世纪50年代后期，改为在小节最后两拍迅速换步，产生了恰恰舞。

Mameli, Goffredo 马梅利(1827-09-05，热那亚～1849-07-06，罗马) 意大利复兴运动的爱国志士、诗人、国歌作者。学生时代就开始写爱国诗歌。1847年写成《意大利弟兄们》(国歌)。曾受马志尼爱国理想的影响。1848年志愿参军，对奥地利作战。1849年罗马共和国成立时，他向马志尼赠献著名的战斗诗篇《罗马！共和国！来吧!》。他参加加里波第的爱国部队，先后两次负伤。

mameluco 马梅卢科 特指在殖民地时代的巴西，特别是在圣保罗地区的印第安人和白人的混血后裔。马梅卢科一名源出印第安语马马卢卡(意为"混血")。也许是由于他们以残酷对待印第安人而闻名，使人联想起中世纪和近代初期西南亚和埃及的穆斯林军事特权阶级"马木路克"而得名。他们一般在种植园工作，或从事手工业和商业。巴西的其他穆拉托人是黑白混血人和黑印混血人。

Mameluke (Asian political class) **马穆鲁克** 参阅 **Mamlūk** 马木路克。

Mamertini 马麦丁人 来自意大利坎帕尼亚的一帮雇佣兵。马麦丁一名出自萨贝利人的战神马麦斯。最初马麦丁人受西西里岛上叙拉古雇佣，后背离雇主，占领希腊殖民地梅萨纳(墨西拿)(约公元前288)，劫掠其周围地区。约公元前265年叙拉古人封锁梅萨纳时，马麦丁人向迦太基求得军队的援助。但他们突然又一反前言，接受了罗马军援。迦太基与罗马的干涉武装力量相遇，遂爆发战争。至少到公元前1世纪，梅萨纳的居民仍然被称为马麦丁人。

Mamertinus, Claudius 马梅提努斯(创作时期约360) 古罗马官员，一首赞美罗马皇帝尤利安的颂词的作者。该诗于362年在君士坦丁堡发表，对演说家晋升为执政官表示感激。在尤利安的扶掖下，他身居高位，后又出任意大利、阿非利加和伊利里亚的总督，但他的官宦生涯在368年因被指控犯有贪污罪而告终。

mamey 参阅 **mammee apple** 曼密苹果。

Mamlūk 马木路克 又称马穆鲁克(源于阿拉伯语的"奴隶"一词)。奴隶出身的军人。指中世纪时取得对一些穆斯林国家政治控制权的奴隶军队的成员。马木路克的将领们利用他们的权力建立起统治埃及和叙利亚的王朝(1250～1517)。它最早出现于9世纪，由阿拔斯王朝的哈里发穆塔西姆在巴格达发起组织，不久就传播到整个伊斯兰世界。中世纪的穆斯林王朝都使用这种掠夺或购买来的奴隶组成军队。这些军人利用他们的军权逐步控制了政权。哈里发的拥立废黜往往由马木路克的将军们所左右。哈里发仅是名义的统治者，实权由马木路克的将军所操纵。到了13世纪，他们在埃及和印度都建立过自己

的王朝。1169年库尔德人的将军萨拉丁控制了埃及以后,即在他的军队中增加一个由奴隶组成的军,其后为其继任者阿尤布王朝所仿效,大量购买土耳其的奴隶组成军队,以保障苏丹的王位。1249年马木路克的将军们杀害了阿尤布王朝的继承者,建立了长达两个半世纪的马木路克王朝(1250～1517),使埃及和叙利亚一直处在马木路克及其后裔的统治之下。史学家把马木路克王朝分为两个阶段:第一阶段从1250～1382年,是王朝的盛世;第二阶段从1382～1517年是长期衰落的时期。马木路克国家的主要功绩在于扫清了地中海东岸十字军的残余力量,并击溃了在巴勒斯坦和叙利亚的蒙古人势力,从而拯救了阿拉伯伊斯兰文化免于毁灭。他们还力图重建埃及帝国,控制去叙利亚的商路,打进阿拉伯半岛、小亚细亚和小亚美尼亚。并在南方插足于努比亚。他们也致力于发展埃及经济,恢复埃及在东方和地中海商路贸易中的枢纽作用。14世纪末由于马木路克继承者的无能和内讧,同时也由于经济衰落,农业收入、税收和工业生产大减,再加上当时埃及流行鼠疫,人丁锐减,马木路克国势渐衰,直到14世纪末都未能恢复元气。此后又遭到贝都因人的骚扰,帖木儿的进袭以及葡萄牙人对红海商路的攻击,最后是奥斯曼帝国对叙利亚和埃及的征服。在奥斯曼帝国占领期间(1517～1798),马木路克虽不能再成为埃及的苏丹,仍构成军队的核心,并被任命为政府官员。他们是埃及政治结构的一个阶层,对埃及社会仍有相当大的影响。直到1811年埃及的新统治者穆罕默德阿里帕夏对马木路克进行一次大屠杀,他们的权力才被取消。马木路克王朝有文武两个阶层,前者构成官僚阶层,后者大都是马木路克,除掌管军队外,苏丹、总督、大法官等高官均由其出任。马木路克的军队由3部分组成:苏丹的马木路克、酋长的马木路克以及由马木路克的子弟和穆斯林自由民组成的骑兵,构成了以苏丹为首的封建等级制。培训马木路克有一套严密复杂的制度,以保证其忠于苏丹或雇用他们的官吏。此外,马木路克时期主要以历史著述,建筑以及终于夭折的社会-宗教改革著称。它的历史学家都是著作丰富的编年史学家、传记家、百科全书专家。马木路克建造了大量宗教建筑——清真寺、学校、寺院,特别是陵墓——使开罗至今仍拥有一些世界上最壮丽的建筑物。

mammal 哺乳类 哺乳纲(Mammalia)脊椎动物的统称,幼体靠母体乳腺分泌的乳汁哺育。哺乳类另一个独有的特征是体表有毛被覆;所有哺乳动物在生活的某一时期体表被毛,某些鲸类仅于胎儿时期被毛。哺乳类亦为温血动物,除某些水生种类外均有4条肢体;但这些特征非哺乳纲所独有。哺乳类各种之间差异极大,在体型方面包括世界上出现过的最大的动物——150吨重的蓝鲸,以及仅重数克的鼩鼱。哺乳类在发育方面有一大进步:幼体能学会年长个体的经验。哺乳类的幼仔依靠母体分泌的乳汁为食,于是便可能从亲体接受一段时期的训练,这又带来一定程度的行为适应,这在任何其他生物类群中都不曾见到过。

哺乳类最早出现于三叠纪(2.2亿年前至1.8亿年前)。其直系祖先是兽孔目(Therapsida)爬行动物。兽孔类体型小,活跃,肉食性;具特化的牙齿,四肢位于身体腹侧,即位于躯干下面,而不像其他爬行类那样位于身体两侧。这两个特征都是哺乳类突出的特点。在过去的7 000万年间,哺乳类一直是陆地生态系统中占优势的动物类群。哺乳类与其爬行类祖先相比,有一个决定性的优点:它们是温血动物,这就是说,借助一些生理机制维持相对恒定的体温而不受环境温度的影响。与冷血动物相比,温血动物能持续进行更长时间的活动,能利用不适于冷血动物栖息的环境条件。要保持体温恒定就需要较高的代谢率,哺乳动物的许多特征就与维持高代谢水平有关。例如,哺乳类的心脏分为4室;具双循环系统;红细胞无核;具次生腭,故在咀嚼或吮吸时仍能进行呼吸。这些均有助于将大量氧气输送到身体组织,在那里将养料进行代谢。哺乳类的标志——体毛也直接与恒温有关,因为其功能之一就是隔热,但体毛还有保护功能和触觉功能。

现存的哺乳动物分为两个亚纲:原兽亚纲(Prototheria,单孔类)和兽亚纲(Theria,有袋类和有胎盘动物)。另一个亚纲——异兽亚纲(Allotheria,多结节齿类)仅有化石纪录保存。虽然还有一些原始的特征,多结节齿类很早就进化出具咬啮用切牙及研磨用敖牙的草食动物。多结节齿类可能因其小生境被早期的啮齿类所占据而绝灭。

仅存的单孔目动物是针鼹(澳大利亚针鼹[*Tachyglossus aculeatus*]及长吻针鼹[原针鼹,*Zaglossus bruijni*])和鸭嘴兽(*Ornithorhyncus anatinus*)。单孔类与多结节齿类一样很早就从原始的哺乳类祖先演化出来。单孔目的许多特征不像哺乳类:产带卵壳的卵,由母体孵卵;无乳头,乳腺开口于腹壁,乳汁流到毛上由幼仔舐吮;口内无牙,口缘有角质的扁喙。因澳大利亚和新几内亚在地理上自古就与其他大陆隔离,这保护了单孔类,使之免与后来出现的哺乳动物种类竞争而得以生存下来。

兽亚纲的种类是占优势的哺乳动物类群,事实上已侵入地球上每种生境,包括海洋、淡水河湖、空中、树上,甚至地下。共约4 000种。按生殖过程分为有袋类及有胎盘类两大类。有袋类具一育儿袋,覆于乳头上,幼仔在其中哺育至断奶。胎儿未发育完全即娩出,然后附在乳头上完成其发育。有袋类一度分布广泛,但现在仅分布于美洲和澳大利亚及附近岛屿。在澳大利亚,有袋类一度分布范围极广,占据了在别处为猫类、狼类、鼹鼠类、食蚁兽、鼠类等有胎盘哺乳动物占据的许多小生境。最著名的有袋类包括袋鼠、树袋熊、沙袋鼠及负鼠。有胎盘哺乳动物的生殖方式各异,但雌体的子宫壁均在孕激素的作用下为接受受精卵作好准备。受精卵植入子宫壁后儿体与母体组织共同组成一个结合体——胎盘,胎儿通过胎盘与母体联系,在母体子宫内发育。妊娠期长短不一,从家仓鼠的2周至非洲象的22个月。有胎盘哺乳动物可分为18个目,如①偶蹄目(Artiodactyla,猪、牛、长颈鹿、绵羊、骆驼、河马),②食肉目(Carnivora,狗、猫类、狐、熊、鼬、海狮、海豹),③皮翼目(Dermoptera,鼯猴),④翼手目(Chiroptera,蝙蝠),⑤贫齿目(Edentata,犰狳、食蚁兽、树懒),⑥蹄兔目(Hyracoidea),⑦食虫目(Insectivora,鼩鼱、鼹鼠、刺猬),⑧兔形目(Lagomorpha,家兔、野兔),⑨象鼩目(Macroscelidea),⑩奇蹄目(Perissodactyla,马、斑马、犀牛),⑪鳞甲目(Pholidota,穿山甲),⑫灵长目(Primates,猴、类人猿、人),⑬长鼻目(Proboscida,象)。⑭啮齿目(Rodenta,小鼠、大鼠、松鼠、仓鼠、河狸、豪猪),⑮海牛目(Sirenia,海牛),⑯齿鲸目(Odontoceti,齿鲸)。⑰管齿目(Tubulidentata,)⑱须鲸目(Mysticeti,须鲸)等。

人类在整个文化演进的过程中,衣食来源的很大部分要依仗其他哺乳动物。家畜在运输和重劳动方面给了人类很大的助力,有的能与人作伴。许多直接与人类竞争食物或空间的大型哺乳动物因竞争不过人类而绝灭或仅存在于豢养状态中。其他一些类型因被人类猎杀或因自然生境被破坏而濒临绝灭。

mammalogy 哺乳动物学 研究哺乳动物的科学。人类对人类以外的哺乳类的兴趣可以追溯到史前期,原始民族掌握了有关哺乳动物的许多知识,从而为现代的哺乳动物学奠定了基础。古希腊人是最早系统地著文论述哺乳动物自然史的民族之一,他们也了解很多并非原产于希腊的兽类。亚里士多德已认识到鲸和海豚虽然外形似鱼,但与陆栖的被毛动物一样,都是哺乳类。直到18世纪后期,对哺乳动物的研究多为分类研究或分析得自畜牧业的资料。19世纪进行了多次科学考察,几乎从世界所有部分搜集了大量标本。据信科学界已知道世界上大多数哺乳动物(许多蝙蝠种可能例外),但对许多物种还缺乏生物学研究。现代哺乳动物学是一个多学科的领域,包括解剖学、古生物学、生态学、行为学等等学科。哺乳动物分类学传统上主要依靠博物馆收藏的附有头骨的兽皮,但到20世纪后半期,也从其他学科,如行为学、细胞遗传学和生物化学中得到更多的资料。在20世纪中期,一些新的技术和仪器为哺乳动物学家开辟了新的研究途径,而这在过去是很困难或不可能的。如遥感技术(利用微型无线电发射机将资料从自由活动的动物传递给研究者)已成为一种特别有效的手段,可用以追踪自然状态中的动物和监测其生理活动。又如自持水下呼吸器对海洋哺乳动物学研究的很多方面都十分重要。视频技术也应用于哺乳动物学的研究。

mammary gland 乳腺 哺乳动物产生乳汁的腺体,为所有雌体的特征,雄体的乳腺退化,一般无功能。乳腺受内分泌系统调节,分娩后体内激素变化,乳腺方出现泌乳功能。在原始的单孔类哺乳动物(如鸭嘴兽),乳腺分泌的乳汁从输乳管直接流到皮毛上,供幼仔舔吸,单孔类的乳房构造极为独特,无乳头,且雌雄两性的乳腺均有功能。有袋哺乳动物(如袋鼠)的乳房位于身体的腹部表面,乳头开口于育儿袋内。发育不完全的新生幼仔吸吮乳头,乳头在幼仔口中膨胀,从而使幼仔紧附于母体上。幼仔保持这种姿势在此继续发育到相当程度,以后才像更为先进的哺乳动物一样随意吮乳(参阅 **suckling**)。牛、马、鲸类的乳腺位于腹股沟;灵长目的乳腺位于胸部。大部分小型哺乳动物有数对乳腺,沿腹部表面排列。乳腺由汗腺变化衍生而成,在胚胎时期,外胚层上沿着从下肢芽到上肢芽的所谓乳线有一纵脊,在此增生出几团细胞(乳房始基),最后发育为乳房;哺乳动物的种类不同,细胞团的数量亦各异,这决定于每窝产仔的数量。人类的胸前通常左右两侧各有一个乳房。如果除胸部的一对乳房外,沿乳线任何部位尚有发育较差的乳房或乳头存在,则称为多乳房症或多乳头症。

人类乳房 人类女性的乳房内,腺组织(乳房腺体)形成圆锥形的盘,由数量不等的脂肪组织所包绕,从而具有特征性的外形。乳房腺体被脂肪和结缔组织分割成15～20

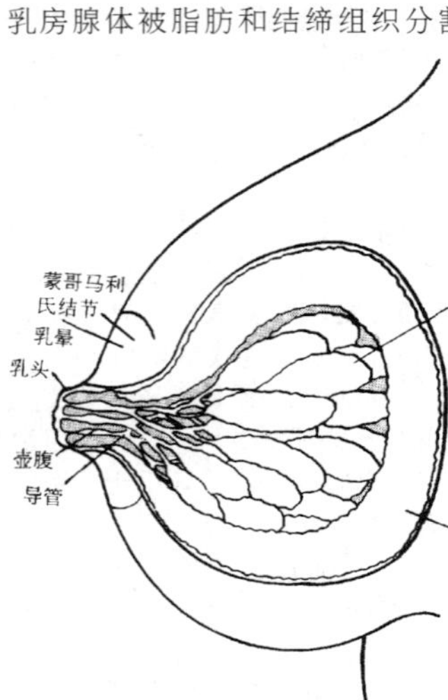

泌乳期的女性乳房

个叶,每叶又被粗大的纤维性悬韧带(库珀氏韧带)细分为许多小叶,该悬韧带连结皮肤与覆盖着位于乳房下方的胸肌的结缔组织片(筋膜)。每个腺叶有一条输乳管,用以将分泌的乳汁排出,输乳管向乳头汇聚,在接近乳头处管径扩大成为输乳囊,然后管径再变窄以针尖般的小孔开口于乳头顶端。乳头周围有一圈质地较粗颜色较深的皮肤,呈盘状,称为乳晕。乳晕内有环行及辐射状排列的肌肉,乳房受到触觉刺激时肌肉收缩,使乳头变得坚硬而直立,便于吸吮。乳晕亦含皮脂腺,其分泌物于哺乳时可以润滑乳头。乳房的血液供应来自腋动脉,肋间动脉和胸廓内动脉。神经支配来自第四、第五、第六肋间神经的分支。

激素关系 到发身期,卵巢发育成熟,产生雌激素,乳腺的导管增长分支。卵巢排卵之后,卵巢内产生黄体,可促使子宫准备接受发育中的胚胎。黄体又分泌孕酮,可使乳腺导管末端的细胞分化形成腺泡,此处的细胞可分泌乳汁。这些细胞之间有平滑肌细胞,收缩时帮助排出乳汁。在妊娠的刺激使乳腺增生前腺泡塌陷或充满脱落的上皮细胞。妊娠期乳房增大,坚实,敏感;乳晕增宽,色素加深。乳汁的分泌为激素引致,这些激素是垂体分泌的催乳素和胎盘分泌的生长催乳激素。授乳停止后乳腺和乳晕几乎恢复到妊娠前的状态,但不能完全恢复原样。闭经之后乳腺萎缩,大部分被结缔组织和脂肪所取代。

乳房疾病和异常 上文已提及多乳房症和多乳头症。一侧或两侧乳房缺如也有报道,但极罕见。两侧乳房大小不等常见,左侧乳房常大于右侧者。乳房大小和形状的变异常与种族或遗传有关,但也可能因衣服紧身或操作所致(如将乳房拉长便于哺喂背在背上的婴儿)。乳房疼痛见于雌激素大量存在时(如发身期,妊娠期,行经前或投用雌激素后)。纤维囊性乳房病亦称慢性囊性乳腺炎,可出现于生育年龄的妇女,原因可能是每次月经周期内分泌刺激消长效果积累的结果。临床表现为大小不一的结节性纤维变形(纤维组织团块)和囊肿;可有间歇性的疼痛,月经周期后往往可以消退,借此通常可与乳腺癌相鉴别;但也有癌变的可能,若乳房内出现长期不消退的结节则应进行活体组织检查。内分泌障碍可引起乳房过早发育或男子女性型乳房,男子女性型乳房也可能是一种性染色体异常——克来因费尔特氏综合征的一个征象。乳房独有的唯一一种感染性疾病就是急性乳腺炎,常见于哺乳期化脓性细菌通过乳头侵入乳房时。局部炎症严重时表现为高热、虚弱,投用抗生素后迅速见效,通常可避免化脓。注意卫生即可预防乳腺炎的发生。乳房的良性肿瘤包括纤维腺瘤(多见于 30 岁以下的妇女)和导管内乳头状瘤(可致乳头出血)。这些肿瘤均应切除。恶性肿瘤可起源于乳房内的任何细胞类型,但肉瘤仅占所有乳房肿瘤的 3%。妇女的乳腺癌是西方世界最常见的恶性肿瘤,所有成年妇女中约 4% 患乳腺癌。乳腺癌很少发生于 25 岁以下的妇女,25 岁以后发病率上升,到绝经期后发病率达到平稳。遗传因素在发病中起作用,但其确切的重要性尚未弄清楚。

mammee apple(*Mammea americana*) **曼密苹果** 又作 mamey 或 Saint Domingo apricot。藤黄科高大乔木,主要产于西印度群岛。叶对生,革质,具腺点。花白色,有甜香气,单

曼密苹果(*Mammea americana*)
美国不列颠百科全书公司供图

生或成簇腋生,具短花梗。果黄色或黄褐色,直径 7～15 厘米;果皮带苦味,果肉味甜,芳香,供鲜食或做蜜饯。种子大,1～4 粒;种皮粗糙;种仁味苦,含树脂,用作驱虫药。用曼密苹果花酿造的利口酒,味芳香,称为克里奥耳水。辛辣的树脂被当地人用来灭潜蚤。

Mammeri, Mouloud **马默里**(1917-12-28,阿尔及利亚陶里尔特·米穆～1989-02-26,阿尔及尔附近) 阿尔及利亚卡比尔人小说家、剧作家、翻译家。作品主要反映当代阿尔及利亚的现实变化。马默里生长在卡比尔山区,在摩洛哥、巴黎和阿尔及尔受教育,之后应征参加法军在第二次世界大战中作战。后任阿尔及尔大学教授。他的第一部小说《被遗忘的山丘》(1952)记录了他的卡比尔同胞中一群农村青年的遭遇,他们被当地传统习俗压得喘不过气来。《公证人睡着了》(1955)的故事已不是发生在卡比尔人社会,而是在山区以外的更大的世界,其主人公面对柏柏尔人的文化与法国文化的对峙,为之惊愕不已,他在海外发现到处对他敌视与冷漠,最终经受了第二次世界大战的痛苦。在《鸦片和大棒》(1965)中,他构造了以阿尔及利亚独立战争为主线的故事情节,企图用争自由这一实质问题来说明这场斗争。他的后期作品有剧本《宴会》(1973),写的是阿兹特克人的灭亡;小说《跨越》(1982)集中写了一个脱离了本民族的新闻记者到柏柏尔家乡去寻根的故事。

mammillaria **银毛球** 银毛球属(*Mammillaria*)生长缓慢的仙人掌,200 多种,原产西半球,唯多集中墨西哥。包括针垫掌、鱼钩掌、雪球掌、鸟巢掌、金星掌、顶针掌、奶奶掌、珊瑚掌、皇家十字掌、羽毛掌与柠檬球掌等球状仙人掌。形小,于寒地可盆栽,在暖地则种于室外,茎圆柱形至圆球形,上有螺旋形排列的小结节;多数种类具直刺或钩刺。花小,颜色各异,环绕茎尖下方生长。有些种类高仅 5 厘米,少数种高达 60 厘米,但多数种类则不超过 30 厘米。若干种类如奶奶掌(*M. hahniana*)与羽毛掌(*M. plumosa*)茎上有毛。

mammoth(genus *Mammuthus*) **猛犸象** 象类的一个绝灭属。化石见于除澳大利亚和南非外世界各大陆的更新世沉积层。在各种猛犸象中,最著名的是北方的即西伯利亚的披毛猛犸象。数量较多而有时又保存极好的北方猛犸象遗骸发现于西伯利亚常年封冻的地下,提供了很多有关其构造和习性的资料。化石猛犸象牙过去发现很多,从中古时代开始,即从西伯利亚输往中国和欧洲。猛犸象在原始人类艺术中有突出的地位,欧洲的穴居者逼真地描画了该动物群。猛犸象有时陷进冰隙中,全部被覆盖,成为冰冻状态,躯体异常完整地保存下来。猛犸象属包括若干不同的种。大多数猛犸象类同现代象类一样大,许多猛犸象长着 50 厘米长的黑褐色粗毛和 2.5 厘米厚的黄褐色下层绒毛。皮极厚,

猛犸象(模型)
美国不列颠百科全书公司供图

下面的保温脂肪层可达8厘米厚。头骨呈高穹状，耳朵比象类小，但可能在寒冷气候中很适应，暴露的表面较小可减少热量损失。在背部有像驼峰一样的脂肪堆，该部位在化石遗体上没有，其存在的证据来自洞穴壁画。突出的象牙向下生长，很长，较老雄象的2个象牙有时弯曲到彼此重叠。显然，猛犸象是北美早期猎人的猎捕对象。

Mammoth Cave National Park　马默斯洞穴国家公园　美国肯塔基州中西部巨大的石灰岩洞系列。1941年辟为公园，面积212平方千米。1972年发现此洞与弗林特·里奇洞系相连。已探明地下通道总长度为530千米。洞穴由石灰岩水溶而成，天然温度为12°C。该洞系包括很多独特的地理现象及地下湖、地下河。有天然洞口一处，现增辟3个人工洞口，分5条路线供游人通行。洞中栖息各种动物，包括洞中蟋蟀、鱼、小龙虾。还发现真菌类。其地上部分多覆盖硬木林。洞中还发现印第安人干尸。

mamo（species *Drepanis pacifica*）　**太平管舌鸟**　夏威夷的一种鸣禽，属于雀形目管舌鸟科。约于1898年绝灭。长约20厘米，黑色并带有黄色色调，嘴长而下弯，适于取食

太平管舌鸟（*Drepanis pacifica*）
美国不列颠百科全书公司供图

花蜜。在过去，当地贵族为猎取羽毛而残杀这种鸟，但直至美国人破坏它们栖息的山林之前仍大量存在。

Mamoré River　马莫雷河　玻利维亚中北部河流。由以格兰德河为主的源出安第斯山的几条河流汇成，大致向北流，达巴西边界处接纳伊特内斯河（瓜波雷河）并成为两国分界线，至贝亚镇与贝尼河汇合，形成马代拉河，全长约1 900千米。因有湍滩，仅部分河段可行船。

Mamou　马木　几内亚中西部城镇。在科纳克里—康康铁路线上，是公路交叉点。建立于1908年。现为稻米、牲畜、柑橘属水果、香蕉、番茄和杧果贸易中心。输出香蕉、果汁和柑橘香精；工业有食物加工厂和锯木厂。市内有医院、中等学校、气象站、清真寺和天主教会（1948）。周围地区属富塔贾隆高原，多为热带干旱草原。东北42千米的廷博曾是18～19世纪富塔贾隆国富拉尼人穆斯林政治、宗教和军事领袖驻地。居民为富拉尼人、迪亚隆克人和林巴人。人口约35 748（1983）。

Mamoulian, Rouben　马穆利安（1897-10-08，俄罗斯帝国格鲁吉亚梯弗里斯［今第比利斯］～1987-12-04，美国加利福尼亚洛杉矶）戏剧与电影导演。由于把音乐和音响效果融合在想象丰富的视觉韵律中，在有声片初期对电影艺术的发展做出重大贡献。生于一个亚美尼亚人家庭，获莫斯科大学法律学位。在攻读法律的同时，在莫斯科艺术剧院从事表演、导演和编剧。1918年移居伦敦，在那里导演大歌剧、小歌剧和音乐喜剧。1923年移居美国，为纽约州罗切斯特的伊斯曼剧院导演剧目。20年代末他为戏剧公会工作，1927年上演的民俗剧《褒姬》在美国戏剧中产生深远影响。在进入好莱坞之前导演过几出舞台剧和一部有声片《喝彩》（1929）。在有声片的早期，为了避免噪音干扰，必须把摄影机封在一个小隔间里，因此摄影机是无法挪动的；而他在拍《喝彩》时，在摄影机上装上轮子，这样一来，银幕上的画面就灵活多变起来。这项发明使他迅速得到承认。值得注意的影片还有强盗片《十字街头》（1931）以及《化身博士》（1932）、《歌中之歌》（1933）、《克里斯蒂娜皇后》（1933）、《我们重新生活》（1934）、《贝基·夏普》（1935）以及第一批彩色影片《金色的孩子》（1939）和《碧血黄沙》（1941）等。由M.薛瓦里埃和J.麦克唐纳主演的小歌剧《片刻良宵》（1932）引出他一系列轻松愉快、富于想象力的音乐喜剧，如《快活的德斯佩拉多》（1936）、《身高体宽并且英俊》（1937）、《夏季假日》（1948）和《丝袜》（1957）等。他的舞台创作主要也是色彩富丽的音乐喜剧，如《褒姬与蓓斯》（1935）以及《俄克拉何马州！》（纽约，1943；欧洲，1955）等。

Mamprusi　曼普鲁西人　又称曼普鲁里人，居住在加纳北部白沃尔特河和纳西亚河之间的民族，和塔伦西人、达贡巴人及其他一些民族一样，操古尔（沃尔特）语系莫勒-古尔马语的一些不同的方言。还有一些曼普鲁西人住在多哥北部。曼普鲁西人村落通常是一群环形的宅院建筑，宅院四周是农田。经济以锄耕农业为主，主要作物有黍稷、玉米、薯蓣、秋葵、木槿、稻谷和烟草。男子拓荒，种薯蓣，女子则负责播种以及收割和运送谷物。打猎与捕鱼是辅助性的经济活动。曼普鲁西人在传统上有中央集权制的国家和国王，分成4个政区。他们信仰一个最高神明，礼拜大地，供奉祖先。许多曼普西人现在已信奉伊斯兰教，但仍保留传统宗教活动。20世纪末人口约有9万。

Ma'mūn, al-　马蒙（786，巴格达～833-08，西利西亚）　全名艾布·阿拔斯·阿卜杜拉·马蒙·伊本·拉希德。阿拔斯王朝的第七代哈里发，也是第一个将希腊哲学介绍到伊斯兰世界的人。由于他努力在什叶派和逊尼派之间造成和解并试图以更加唯理主义的穆斯林教义来影响他的臣民从而给后人留下深刻的印象。809年3月他父亲去世，他和他的兄弟为争夺王位而爆发了伊斯兰世界东部的内战。这场内战以马蒙的最后胜利而结束。这一内战也是不同政治和宗教倾向之间的冲突。马蒙做了哈里发后，决心要结束伊斯兰世界中什叶派和逊尼派的这一分裂。他采取了一系列措施，这又再一次导致内乱而使他几乎失去王位。巩固王位以后，他并没有放弃以更曲折的方式达到同一个目的的企图。他支持穆尔太齐赖派，这一派的学者采取了一种唯理主义的方法，并从古希腊哲学家的著作中借鉴了推理的方式，用以对抗摩尼教（伊朗的一种二元宗教）的影响。马蒙鼓励人们翻译希腊的哲学和科学著作，创建一所学院，称为"智慧之家"。为了进一步促进对科学的研究和兴趣，他还建立了一些天文台。马蒙具有卓越的智慧，在政治上显示了独具特点的思想。但他未能消除使伊斯兰社会分裂的矛盾。在他统治后期，不惜使用暴力把他认为有益的思想强加于伊斯兰社会，这又使他作为开明君主的形象黯然失色。

man　人　狭义上指成年男子，广义上指已绝灭的及现存的人科动物，男性或女性。参阅 **hominid**；**human being**。

Man　马恩　科特迪瓦（象牙海岸）西部城镇。濒临科河。附近开采铁矿。是丹人和格雷奥尔沃贝人居住的山区的主要贸易中心（稻米、木薯、牲畜、棕榈油和棕榈仁）。是咖啡、木材的集散地。咖啡和木材运大西洋海岸后输出。有农业科研站、技术学校。是旅游胜地。当地迪尤拉手工艺人使该城镇成为象牙雕刻中心。丹人以木制面具和舞蹈闻名。人口约88 294（1988）。

Man　满族　中国少数民族。分布于全国各地，辽宁省最多。人口10 682 262（2000）。语言属阿尔泰语系满-通古斯语族满语支。满文是16世纪参照蒙古文字母创制的。清代以来习用汉语文。现均已通用汉语文。族源可追溯到公元前一千多年前东北地区的肃慎和挹娄。4～7世纪时称勿吉和靺鞨，10世纪改称女真，明代因属建州卫又名建州女

满族姑娘
中国大百科全书出版社供图

真。1616年努尔哈赤统一女真各部建立"后金"政权，1635年皇太极改女真为满洲。翌年改后金为清。1644年清定都北京后，大批满人入关与汉人杂居，在长期相处中，满汉两族日益融合。但仍保有自己特有的民族

意识。1911年辛亥革命后称满族。主要从事农业，部分地区兼事养蚕，采集人参、蘑菇、木耳等副业。辛亥革命后散居城市的多从事手工业和小商贩。知识分子较多。1949年后，从事钢铁、煤炭、纺织等工业的人数迅速增加。传统的玉雕、面人、绢花、风筝等手工艺也在政府扶持下逐渐恢复和发展。传统形式的住房多砌土炕，以西为上方。喜食小米、黄米。妇女着宽大、直统、开叉长袍，改进成的旗袍已成为中国妇女的传统服装。部分人信仰萨满教，祭祀祖先。985～1989年在辽宁、河北、吉林先后建立了11个满族自治县，并在全国一些省市建立了230多个民族乡。

Man, Isle of　马恩岛　又作Mann。曼克斯-盖尔语作Ellan Vannin或Mannin；拉丁语作Mona或Monapia。英国不列颠群岛岛屿。位于英格兰西北海岸附近的爱尔兰海上。该岛至英格兰、爱尔兰、苏格兰和威尔士的距离几乎相等。行政上不属联合王国，但从1828年起为英国领地，现由英国内政部管理，并享有很大的自治权。

该岛为西南—东北走向，长约48千米，宽约16千米，面积572平方千米。中部为山地，最高处为斯内山（620米）。南、北为低平的农田。海岸多岩石和悬崖，景色优美。中央山岳绿草如茵，经过各个不同时期的冰河作用，板岩峰顶呈柔和的圆球形。岛上除保护区外没有树木。西南方有小马恩岛，多险峻的悬崖峭壁，为鸟类保护区，由曼克斯国家托管协会管理。

该岛属温和的海洋性气候，夏季凉爽，冬季温暖。2月平均气温4.9°C，8月14.3°C。年平均降雨量1 140毫米。当地没有很吸引人的动植物，但家养的曼克斯无尾猫独具特色，一般认为是源于该岛。

自中石器时代起马恩岛就一直有人居住，圣巴特里克（公元5世纪）在此布道之后的数世纪，该岛成为爱尔兰传教士的活动中心。早期居民中有凯尔特人，使用与盖尔语关系密切的曼克斯语。至19世纪上半叶，曼克斯语为当地人日常用语。然而，现在操曼克斯语的人数已极少。公元800年左右挪威人（北欧海盗）开始入侵，1266年之前一直为挪威属地。在此期间，马恩岛开始实行斯堪的纳维亚政体，这种政体至今实际上没有什么改变。

1266年挪威国王将马恩岛的宗主权卖给苏格兰。1341年马恩岛被英格兰控制。从此以后，该岛所有的封建领主均为英国人，他们自命为“马恩岛王”。1406年英国王室将马恩岛授予约翰·斯坦利爵士，1736年之前该岛几乎一直为斯坦利家族所统治。（斯坦利家族不愿被称作“王”，而采用“马恩岛领主”的称号，并一直沿用至今）。1736年马恩岛领地转归阿索尔公爵所有。但在此后的几十年中，该岛成为主要的非法贸易中心，使英国政府丧失了宝贵的关税收入。为对付这种局面，1765年英国议会购买了马恩岛主权，1828年又获得阿索尔家族在该岛的其他特权。

现政府仍然由一名代理总督（由英王委任为马恩岛领主）、立法院（或称上议院）和民选的下议院组成。两院为各自独立行使职权的立法机构，但都是处理立法事务的马恩岛议会的组成部分。马恩岛议会及其下议院为世界上最古老的立法议会之一。

渔业、农业和走私在过去很重要，但现在该岛的经济以英国人来此旅游为基础。每年6月举行的“旅游杯”摩托车赛吸引众多游客。农产品有燕麦、小麦、大麦、萝卜和马铃薯，中部山地放牧牛羊。主要城镇有**道格拉斯（Douglas，首府）**、**皮尔（Peel）**、**卡斯尔敦（Castletown）**和拉姆西。卡斯尔敦附近有机场，并有定期轮船与英国大陆来往。人口约69 600（1995）。

Man character　满文　中国满族使用过的一种拼音文字。1599年清太祖努尔哈赤命额尔德尼和噶盖二人参照蒙古文字母创制而成，俗称“无圈点满文”或“老满文”。字母数目和形体与蒙古文字母大致相同。使用了30余年。留下来的文献有《满文老档》等。1632年清太宗皇太极令达海对这种文字加以改进。达海利用在字母旁加圈加点、改变某些字母的形体、增加新字母等方法，表达原来不能区分的语音，规范了词形，并改进了拼写方法，创制了专门拼写外来语的字母。改进后的满文有了比较完善的字母体系和拼写法，具有区别于蒙古文字母的明显特征，俗称“有圈点满文”。目前保留下来的满文文献绝大部分是用改进后的文字写的，例如《异域录》、《尼山萨满》以及一系列以清文鉴命名的辞书等。还有一种满文篆字，是参照汉文篆书于清乾隆十三年（1748）创制的，共有32种字体，依笔画的特征命名，如缨络篆、龙书等。用这种篆字刊印过乾隆皇帝的《御制盛京赋》，主要用于玉玺和朝廷的印章。此外，乾隆朝时，为翻译佛经中的咒语，还仿照蒙古文的“嘎体”字例，创制出满文中没有的字母及符号多种。

满文自左而右直写。有6个元音字母，24个辅音字母，10个专门拼写外来语的字母。基本笔画有：字头、字牙、字圈、字点、字尾、字撇和连接字母的竖线等。有标明句读的符号。字母有单用（即不和其他字母相拼）、词首、词中音节首、词中音节末、词末音节首、词末音节末等几种形体。满文在清代作为“国书”在文牍中与汉文并用，并编写过历史、文学和语言文字等方面的著述，翻译了《孟子》、《资治通鉴纲目》、《三国志》、《聊斋志异》等大量汉籍。辛亥革命后，满文基本上不再使用。现在保存下来的满文档案数以百万件计，是研究清初社会性质、清代历史、中国对外关系以及满语满文演变情况的珍贵资料。

Man-chou-li（China）　参阅**Manzhouli 满洲里**。

man-eater　食人鲨　鲭鲨科的白鲨（**white shark**）或真鲨科的尼加拉瓜湖鲨等两种危险的鲨鱼的通称。参阅**carcharhinid**。

man in the iron mask, the　参阅**iron mask, the man in the 铁面人**。

Man language　满语　中国满族语言。属阿尔泰语系满-通古斯语族满语支。中国满族绝大部分已使用汉语，只有极小一部分用满语，主要分布在中国黑龙江省爱辉县、富裕县等地。分南部和北部两个方言。满语（爱辉）语音特点：有25个辅音音位：包括双唇、舌尖中、舌根、小舌塞音各分清、清送气共8个；舌尖前，卷舌塞擦各分清、清送气共4个；唇齿、卷舌擦音分清浊，还有舌尖前、舌根、小舌清擦音各1共7个；双唇、舌尖中、舌根鼻音及边音、颤音、舌面半元音各1共6个。有6个元音音位和7个复元音。重音落在词的最后一个音节。元音和谐比较松懈，只限于一部分元音和构词或构形的附加成分，分唇状和谐与性属和谐两类。词素有名词、代词、数词、形容词、动词、副词、感叹词、摹拟词、连词、后置词、语气词11类。有较丰富的形态变化。如名词有数（单数、复数）、格（主格、属格、与格、对格、位格、造格、从格、经格）；动词有态（使动-被动态、互动态）、式（陈述式、祈使式）、时（现在时、将来时、过去时）；形容词词干加一定附加成分表示程度的加强或减弱；句子主语在前，谓语在后；宾语和补语在动词前；修饰语在中心词之前。

man-made fibre　人造纤维　用于生产纱线和织物的毛状原料，包括由改性天然材料制得的纤维素纤维和由化学合成方法制得的合成纤维。非人造纤维称为天然纤维。纤维素纤维通过将棉纤维或棉籽绒和木浆进行化学加工而制得，它们包括人造丝、醋酸纤维素和三醋酸纤维素。改性后可用于生产纤维的其他材料包括蛋白质、玻璃、金属和橡胶。经由化合生成聚合物大分子而生产的合成纤维，包括丙烯酸纤维、改良丙烯酸纤维、聚酰胺纤维、烯烃纤维、聚酯纤维、氯乙烯-偏二氯乙烯共聚物纤维、聚氨酯纤维和氯乙烯-醋酸乙烯共聚物纤维等。个别的制造商对于自己的这类纤维采用商品名称，例如安特纶、库穆洛夫特纤维、奎阿纳、奥纶、涤纶和莱克拉等。人造纤维的生产，一般通过将成纤物质用熔融法或溶剂转化为流体状态，以形成纺丝液。在纺丝或挤压操作中，将该液通过喷丝头上的小孔，喷丝头是一种与蚕的吐丝器功能很相似的装置。在人造纤维的形成过程中，纺丝一词指驱使该液体通过喷丝头各小孔的过程；该词也指将天然或人造纤维或二者的混合物合捻制成纱线。喷出的液体被固化，形成很长的纤维（长丝），有待进行拉伸，即一种增强其分子排成一线的操作。在制造过程中可以引入各种各样的和特殊的性能。长丝可用于制成纱线，也可切成长度均匀的短纤维，然后再合捻制成纱线。由于新的人造纤维品种增多，各种各样的纤维被混纺在一起，并且采用了特殊的整理方法，在纺织品的维护方面对消费者提出了新的问题；有一种趋势是采用说明服装维护要点的永久性标签。参阅**natural fibre**。

man-of-war fish（species *Nomeus gronovii*）**僧帽水母鱼**　即赫罗诺维厄斯氏双鳍鲳。鲈形目双鳍鲳科（有时置于鲳科）小型海鱼，以能生活于僧帽水母属（*Physalia*）种类布满刺

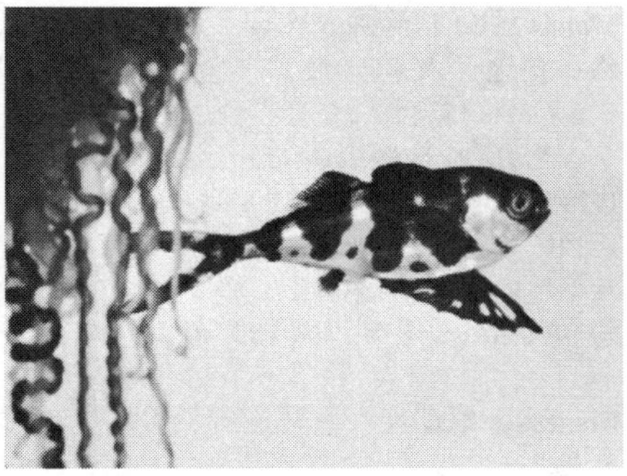

僧帽水母鱼(*Nomeus gronovii*)
美国不列颠百科全书公司供图

细胞的触手之间而不受伤害而闻名。通常见于外海,与其庇护者僧帽水母相随。体具条纹或杂色斑驳,腹鳍大且呈黑色,体长约7.5厘米。

man orchid (species *Aceras anthropophorum*) **人兰** 兰科Aceras属唯一的种。原产于英国、欧亚大陆和北非的草原。因其花形似带头盔的人而得名。花穗高10～45厘米,每个花序上的花朵数可达90;花浅绿色或浅黄色,气味难闻。叶有光泽。根短而粗。有两块卵形的地下块茎。

人兰(*Aceras anthropophorum*)
美国不列颠百科全书公司供图

Man o' War **军舰**(1917年出生) 绰号"大老红",美国良种赛马。在仅仅两个赛季的短暂竞赛经历中(1919～1920),21次比赛胜20次。前后创5项不同赛程的速度记录。1920年夺得三王冠赛中的两项(普利克内斯有奖赛和贝尔蒙特大奖赛)冠军(未参加肯塔基大赛)。1920年末退役,成为种马。

man-o'-war bird 参阅 **frigate bird** 军舰鸟。

Mana **马纳** 法属圭亚那西北部城镇。濒临马纳河南岸。1830年围绕法国修女建立的一个孤儿院建镇。1848年后为逃犯及新解放的奴隶的避难地。现有大型麻风病院。经济以农业为主,出产甘蔗和牛羊。人口:城市区5 445(1999)。

Mana (ancient country) 参阅 **Mannai** 马纳。

mana **马那** 源自美拉尼西亚和波利尼西亚语"力量"一词,表示一种超自然的力量,它可以为人、神灵或无生命的物体所拥有。马那既可以是好的、有益的,也可以是坏的、有害的。这个词最初是19世纪西方对宗教起源问题展开辩论时使用的。最初用它来形容一种显然是非人的、非道德性的,以非凡的现象和能力显示其自身的超自然力。任何一种不同寻常的东西(如一块形状特别的石头)之所以如此,都是由于它拥有特殊的马那。19世纪和20世纪初的学者们将对马那的这种描述与他们认为与之平行的其他宗教现象进行比较,尤其是与达科他印第安人(苏人)和易洛魁印第安人语言中的"瓦坎"和"奥伦达"进行比较。20世纪初的这些人类学者提出一种学说,认为马那是一种世界范围内的现象,曾存在于所有宗教背后,但在后来被人格化的力量和神祇所取代。后来的学术成就对最初有关马那的描述及从中得出的结论提出挑战。马那绝不是普遍的;它甚至不是全体美拉尼西亚人所共同接受的;许多被引证的相似物似是而非。马那不是在比较单纯的部落中发现的,而是在比较高度组织化的美拉尼西亚社会中发现的。它似乎是一种象征性的说法,用以表述在社会上拥有地位和权威的人的特殊品质,为他们的行动表示支持,也为他们的失败提供解释。

Manado **万鸦老** 又拼Menado。印度尼西亚西里伯斯岛北苏拉威西省省会、城市。位于克拉巴特山脚下,巴东角东北约970千米处,濒临西里伯斯海一海湾。是周围农业和林业区的贸易中心,出口咖啡、甘蔗、肉豆蔻和乌木。在19世纪下半叶是自由港。当地手工业有藤竹制品、木雕和编织篮筐。居民中有很多华人,很多居民为基督教徒。有一个机场,有公路与亚巫兰、博朗、比通和哥伦打洛相连。市区有荷兰人在1658年所建堡垒的遗迹和桑拉图朗义大学(1961建)。人口332 228(1995)。

managerial economics **管理经济学** 指将经济学原理运用于公司、企业或其他经营单位的决策之中的研究。基本概念主要来自研究个别消费者、公司和行业的经济行为的微观经济学,但加上使用新的分析工具。例如:各种统计方法在估计产品的今后需求中已日渐重要;运筹学和程序编制的方法,为最大利润、最小成本和选择产品最有利的组合提供了科学准则。决策和运筹理论给不确定及不清楚条件下经营的经理们提供了估定投资的系统方法。

Managua **马那瓜** 尼加拉瓜首都和城市。在马那瓜湖南岸小火山口湖之间。中美洲最热的首都之一。海拔仅50米。在西班牙殖民时期,马那瓜仅是一个印第安人城镇,地位低于邻近的莱昂和格拉纳达。1857年这两个城市陷于自相残杀而两败俱伤后,马那瓜遂被选定为首都。1931年毁于地震和大火。1972年又发生毁灭性地震。1978～1979年因反对索摩查政府,曾发生大罢工和激烈战斗。有达里奥公园(建有该国著名诗人达里奥的纪念碑)、国家宫和20世纪的大教堂等名胜。1952年马那瓜大学并入尼加拉瓜国立大学。还设有中美洲大学(1961)和工业大学(1968,1978年升格为大学)等院校。为全国最大城市和商业、文化中心。有肉类加工业和纺织业,生产家具、金属制品。亦有炼油

马那瓜市的诗人达里奥纪念碑
美国不列颠百科全书公司供图

厂。有铁路、公路通科林托等城市。泛美公路和国际机场使之同中美洲及北美洲的城市相连。周围富饶的农业地区种植咖啡、棉花和玉米。甘蔗、稻米、高粱、牛、马的重要性下降。人口:城市约864 201(1995)。

Managua, Lake **马那瓜湖** 尼加拉瓜西部湖泊,海拔39米。水深20米,东西长58千米,南北宽25千米,面积1 035平方千米。有多条小河流入该湖,蒂皮塔帕河从该湖流出,注入尼加拉瓜湖。有重要经济价值,产鱼和鳄鱼,可行驶吃水浅的船只。湖西北有莫莫通博火山,海拔1 280米。首都马那瓜位于该湖南岸。

Manahem (king of Israel) 参阅 **Menahem** 米拿现。

Manakara **马纳卡拉** 马达加斯加东南部城镇。濒临印度洋和潘加兰运河。通铁路后成为印度洋畔繁荣的贸易港口。有咖啡和丁香的沿岸贸易。人口约24 970(1998)。

manakin **侏儒鸟** 美洲热带地区雀形目侏儒鸟科(Pipridae)59种鸟类的统称,嘴小短粗。体长8.5～16厘米。林栖,食浆果和昆虫。雄侏儒鸟的羽衣主要为黑色间有鲜明的色斑;雌侏儒鸟淡绿色。许多种类的翼羽能

金颈侏儒鸟(*Manacus vitellinus*)
美国不列颠百科全书公司供图

在振动时发出锉磨声、吧嗒声和劈啪声。其求偶表演引人注目。*Manacus* 属的雄鸟在林中彼此相距不远处进行求偶表演，各据一块空地并用一两棵小树作为表演的栖木。雌鸟在交配前也可能参与舞蹈。*Pipra* 属的雄鸟在较低的树枝上摆出一定的姿势。蓝背侏儒鸟（*Chiroxiphia pareola*），长 9 厘米；二只或更多的雄鸟表演一种复杂的圆圈舞，忽而落地舞蹈，忽而飞入空中，像一只旋转的烟火轮。白喉侏儒鸟（*Corapipo gutturalis*）的雄鸟一边上下跳动一边悄悄接近雌鸟。雄鸟在整个繁殖季节都不断地炫耀，而此期间雌鸟在接近地面的树杈上筑起一个杯状的窝，孵育两只幼雏。

Manala 马纳拉 芬兰神话中死者所居境界。根据最流行的说法，人死后或走窄桥或乘阴间小舟渡过一条火热的死河流到达马纳拉。该处黑暗阴惨，但并不似基督教所讲地狱，人在其中并非永久受苦。女神罗希在马纳拉掌权，她凶恶丑陋，有子女奴仆侍奉，但这些神灵性格形状如何并不明确。按照更加具体的说法，死者所居境界（即马纳拉）就是葬地，有关阴间的描写往往提到棺木和搭在葬地的丧棚。

Manama 麦纳麦 巴林酋长国首都和最大城市。位于波斯湾中巴林岛东北端。全国人口有 1/3 左右住在该市。1345 年在伊斯兰教编年史中首见记载。先后被葡萄牙人（1521）、波斯人（1602）夺取，1783 年后由哈利法王朝占有。1861 年后归英国保护。1971 年成为独立的巴林国首都。为波斯湾北部历史悠久的重要商业中心。采集珍珠、捕鱼、造船为传统经济活动。港口设施简陋，远洋轮必须停泊在离岸 3 ～ 6 千米外的开阔锚地。1932 年发现石油后，城市经济迅速发展，市容面貌焕然一新，现代化建筑甚多。也是贸易、金融和商业中心，市内银行林立。1958 年宣布为自由港，1962 年在市东南古莱阿湾内的米纳塞勒曼建成深水港。新港有仓库和冷藏设备，有船坞和远洋轮维修设施，现为波斯湾最重要的港口之一。与穆哈拉格岛的穆哈拉格城（巴林第二大城市）有 2.5 千米的堤道相连。人口约 162 000（1999）。

麦纳麦市的巴林钱币局
美国不列颠百科全书公司供图

Mananjary 马南扎里 马达加斯加东部城镇。濒临马南扎里河口。为印度洋和潘加兰运河的港口。输出咖啡、香草、可可、橄榄和稻米。有公路通西北 137 千米的菲亚纳兰楚阿。人口约 19 474（1998）。

Manannán mac Lir 马南南·麦克里尔 爱尔兰人所崇奉的海神。据说马恩岛即得名于此神。马南南管理其岛上的乐园，保佑海员，保障丰稔。他有一猪，屠后能复生；诸神如食此猪之肉即长生不死。他身披坚甲，执无敌剑，乘光彩之车破浪前进。

Manapouri, Lake 马纳普里湖 新西兰最深的湖泊。在南岛西南部。为峡湾国家公园高地南部湖泊之一。面积 142 平方千米。原为河谷，因冰川作用而大为加深，加上冰碛拦截，形成湖泊。湖岸长 137 千米，有南、西、北和霍普等几个湖湾。湖面海拔 185 米，湖深 444 米。集水面积 4 623 平方千米。湖水在马纳普里镇泄入怀奥河。该镇为旅游中心和该地区居民点之一。1975 年建造马纳普里湖控制闸，可调节水位和发电。

Manas 《玛纳斯》 柯尔克孜民族口承的英雄史诗。主要流传于中国新疆南部的克孜勒苏柯尔克孜自治州及新疆北部特克斯草原及塔城等山区。史诗描写了英雄玛纳斯及其七代子孙前仆后继、率领柯尔克孜人民与外来侵略者和各种邪恶势力进行斗争的事迹。它吸收了古老的柯尔克孜神话、传说、习俗、歌谣，以及大量的民间叙事诗与谚语，在柯尔克孜文学史上起着承前启后的重要作用。史诗共有 8 部，第一部为核心，描写了玛纳斯一生非凡的英雄业绩。它的叙事结构为谱系式，语言具有很强的节奏感和韵律性。玛纳斯奇（民间歌手）在史诗的传承中起着重要的作用。他们既是史诗的传承者，也是史诗的创作者，20 世纪 60 年代，中国最著名的玛纳斯奇是新疆阿合奇县的居素甫·玛玛依和乌恰县的艾什玛特（1894 ～1963）。

Manās Wild Life Sanctuary 马纳斯野生动物保护地 又称格姆鲁布保护地。在印度东部阿萨姆邦西部，喜马拉雅山山脚，马纳斯河东岸，高哈蒂城以西 153 千米处。始建于 1928 年，面积 391 平方千米，地处潮湿的落叶林地区，半常绿植物和常绿植物混生。南部为草地。野生动物有印度大犀牛、象、野牛、鹿、虎、金色长尾猴、黑熊和野猪。

Manasā 摩那娑 主要流行于孟加拉和印度东北部其他地区的民间女蛇神。据说她能保佑人不受蛇咬之伤，并能保证丰产和繁荣。她护卫儿童，常与大女神舍支融为一体，家中有婴儿出生 6 天后即应礼拜此女神。成书于 16 ～17 世纪的《摩那娑歌》或许是据更早的口传材料写成。

Mānasarowar（China） 参阅 **Mapam Lake** 玛旁雍错。

Manāslu I 马纳斯卢 I 峰 又称库汤格Ⅰ峰。世界最高峰之一，海拔 8 163 米。位于尼泊尔北部的喜马拉雅山区，在廓尔喀城以北 61 千米处。1956 年 5 月 9 日与 11 日日本两个登山队首先抵达峰顶。

Manassas 马纳萨斯 美国弗吉尼亚州东北部城市，威廉王子县县城（1892）。东北距华盛顿（哥伦比亚特区）48 千米。1853 年初建，1873 年建镇，1975 年设市。南北战争时期为战略要地，直接通往谢南多厄河谷和华盛顿一里士满铁路。1950 年后为农业区贸易中心。由于交通情况改善，大批居民都在华盛顿、匡蒂科海军陆战队专用区以及其他政府机构工作。人口 35 135（2000）。

马纳萨斯国家战地公园内的杰克逊纪念碑
美国不列颠百科全书公司供图

Manassas, battles of（American Civil War） **马纳萨斯战役** 参阅 **Bull Run, battles of** 布尔溪战役。

Manasseh 玛拿西支派 犹太人的祖先、圣经时代的以色列人 12 支派之一。以色列人既出埃及，经过多年迁徙，其领袖摩西死，其后约书亚率领他们进入上帝应许之地迦南，并为 12 支派划定领地。玛拿西支派之地在巴勒斯坦中部，跨约旦河两岸。公元前10

世纪国王所罗门死后，北方 10 支派（包括玛拿西）建立以色列王国，此国于公元前 8 世纪亡于亚述。许多以色列人被掳为奴，玛拿西支派遂为异族所同化，成为所谓失踪的以色列 10 支派之一。该支派出身的无畏勇士基甸曾作士师 40 年。

Manasseh, Prayer of 《玛拿西祷言》 外典之一，是诗歌集。在七十子希腊文本《旧约》的几种抄本中附于《诗篇》之后，犹太教和基督教新教都未列为正典。这篇忏悔祷词是对《历代志下》第 33 章第 11～13 节内容的进一步阐述，叙述公元前 7 世纪继希西家作犹太国王的玛拿西如何忏悔承认背弃雅赫维而拜其他神祇之罪。

Manasseh ben Israel 玛拿西·本·以色列（1604，里斯本？［葡萄牙］～1657-11-20，荷兰米德尔堡） Manasseh 又拼 Menasseh。阿姆斯特丹犹太人希伯来学者、现代英格兰犹太人社区的奠基者。玛拿西精通神学，1622 年任阿姆斯特丹市葡萄牙籍犹太人的拉比。他认为犹太人首先必须分散到全世界各地，然后弥赛亚才降临而引导犹太人返回圣地。1640 年曾有迁居巴西之念，并发表《以色列的希望》一书，报道失踪的以色列 10 支派在南美洲发现之说。信奉新教的英格兰自 1290 年起排斥犹太人，1650 年玛拿西将此书的拉丁文译本赠与英国议会，意在使犹太人得以迁入英格兰，并于 1655 年到伦敦面见克伦威尔，请求他准许犹太人入境而不果，1657 年怏怏返回荷兰。但由于他的努力，犹太人开始获得非正式的居留权，在他死后，1664 年英格兰的犹太人正式获得保护。

Manasses, Constantine 马纳塞斯（？～1187） 拜占廷诗歌体编年史作家、瑙帕克特斯都主教。所著《历史概要》叙事从创世起到 1081 年为止。该诗采取所谓政务体，每行 15 音节，是奉皇帝曼努埃尔一世的妻妹伊林娜之命而作。他的另一篇政务体诗叙述阿里斯坦德与卡莉蒂娅的爱情故事，现仅存片断。

manatee 热带海牛 海牛目海牛属（*Trichechus*）3 种水生哺乳动物的统称。体肥胖，后端小，尾部为一圆形的阔鳍；前肢是鳍形肢，紧靠头部；无后肢。头小，吻方形，满生硬毛。成体长 2.5～4.5 米，体重达 700 千克。行动缓慢，在海边浅水域、港湾和水流缓慢的河流中以水草为食。单独或以小家族群活动，一群可达 15～20 只。群内成员嘴对嘴接触以行联络，遇警即用短促刺耳的吱吱尖叫声互相通知。视力很弱。所有 3 个种的数量都在减少。美洲热带海牛（加勒比海牛，*T. manatus*）栖息在佛罗里达，散见于美国东南部大西洋沿岸及墨西哥湾和加勒比海沿岸到南美洲北部。亚马孙热带海牛（*T. inunguis*）栖息在亚马孙河和奥里诺科河流域内的河流中，《红皮书》中已列为濒于绝灭的种。西非热带海牛（塞内加尔海牛，*T. senegalensis*）栖息在热带西非的河流里。成年的热带海牛无天敌，但在有些地区遭到大量捕杀。以取其肉、皮及油。在船舶运输繁忙的地方，常被船的螺

美洲热带海牛（*T. manatus*）成年雌体（右）和幼体（左）

美国不列颠百科全书公司供图

旋桨击伤或击死。热带海牛有益于清除水道上的水生植物，所以受法律保护。民间传说中的美人鱼即来自热带海牛及其亲缘动物儒艮。

Manatí 马纳蒂 波多黎各中北部城镇。位于潮湿的沿岸低地。建于 1738 年。有铁路通圣胡安。生产鞋靴、贝壳钮扣等，并有菠萝罐头厂。为水果、甘蔗和咖啡种植区中心。人口：城镇 17 347（1980）。

Manaus 马瑙斯 巴西西北部亚马孙州首府、城市和河港。在内格罗河北岸。位于亚马孙雨林中心，距大西洋海岸 1 450 千米。该地的第一个欧洲人居民点是1669年建立

马瑙斯市的亚马孙歌剧院

美国不列颠百科全书公司供图

的。1809 年为内格罗河都督辖区首府，1850 年为亚马孙省（后改为州）省会。1939 年改现名。1890～1920 年随着橡胶业勃兴而繁荣。1892 年原为一主教区中心。建有大教堂、豪华歌剧院等宏伟建筑和宅邸。同期建成商港。现为主要的内陆港，可接纳海轮。也是亚马孙河上游各地区的集散中心。主要输出橡胶、巴西果、玫瑰木油、黄麻等林产品。有用黄麻制造绳索和咖啡袋的工业。20 世纪 70 年代末，政府和私营公司开始大量采伐树木以开发矿产和农业资源。政府在该市建有渔港。输出用作指甲锉的巨骨舌鱼鱼鳞。布兰科河上游的热带稀树草原饲养菜牛，向该市供应牛肉，也提供皮张和牛角供出口。工业有啤酒、造船、肥皂、化工、电子设备和炼油业。旅游业日益发展。1967 年该城成为免税区后，尤为发达。市内有植物园和动物园、国立亚马孙河研究所（1954）、亚马孙大学（1965）、麻风病院和孤儿学校。有一国际机场，1975 年建成一卫星电话联络天线。人口约 1 150 193（1996）。

Manawatu River 马纳瓦图河 新西兰北岛中南部河流。源出鲁阿希尼岭东麓，流向西转西南至伍德维尔后突转西北，进入鲁阿希尼岭与塔拉鲁阿岭之间的马纳瓦图峡，在阿什赫斯特出峡后流向西南，经北帕默斯顿，注入塔斯曼海南塔拉纳基湾。全长 182 千米。流域面积 5 947 平方千米。河上有治洪工程。沿河流域有乳品和养羊业。

Manawatu-Wanganui 马纳瓦图-旺阿努伊 新西兰北岛南部地方行政区，面积 6 669 平方千米，包括岛上最大平原的主要部分，从朗伊蒂基河（以峡谷陡峭而闻名）沿着塔斯曼海，南达马纳瓦图河；从内陆的鲁阿希尼岭的南部山区到特纳盖恩角以南的太平洋沿岸的广阔地带。行政区的西部平原从事奶酪业，东北部草场饲养绵羊。俯瞰马纳瓦图河的北帕默斯顿 1866 年开始有人定居，是一个内地大城市，有梅西大学，该校是农业科研与培训中心。人口约231 700（1998）。

Mance, Sir Henry Christopher 曼斯（1840，英国伦敦～1926-04-21，牛津郡牛津） 英国科学家和工程师。发明日光信号反射器，他用两个镜面收集阳光，把它送到预定的点上，使它发出一连串长短闪光，作为代码来传递信号。1863 年他参加印度政府所属波斯湾电报部工作，帮助在波斯湾敷设第一条海底电缆。他发明了曼斯方法，即海底电缆故障检测和定位法。日光信号反射器在 1878～1880 年，英国-阿富汗第二次战争中使用成功后，广泛用于英军和印度，也被英国陆军用来在美国西南方同印第安人作战。曼斯退休后于 1885 年受封为爵士。

Manche 芒什 法国西北部下诺曼底大区省份。有 320 千米长英吉利海峡（法国人称作芒什海峡）海岸线环绕着科唐坦半岛。由前诺曼底（Normandy）省的部分地区组成。面积 5 938 平方千米。芒什省西海岸从阿格角伸展到阿夫朗什地区附近和蒙特圣米歇尔，然后折向西。从阿格角到巴夫勒之间 64 千米海岸，有该省最大的城镇瑟堡及其港口。东海岸延伸至犹他滩，这是第二次世界大战中美军在诺曼底登陆的地点，然后延伸到半岛底边的维斯湾。东北部的圣梅尔-埃格里斯是诺曼底名种马、名种牛的产地。科唐坦半岛与该省其他地区之间为低沼地。东南部莫尔坦四周地区是风景如画的林区。阿格角周围海景壮观。圣瓦斯特拉乌格以牡砺养殖场闻名。省会圣洛（Saint-Lô）西面的库唐斯有修复的精美哥特式大教堂。库唐斯的北面有莱赛隐修院教堂，是罗马式建筑的典范。格朗维尔在西海岸岩石海角上的筑防城镇的脚下，为海滨胜地。瑟堡西面靠近阿格角，有法国第一个铀废料再处理工厂。该省气候属海洋性，潮湿温和，变化有规律。每年有 150～175 天降雨期。全省几乎全部为农业

区，主要经营养牛、乳品业和苹果种植。工业（纺织、金属加工和造船）主要集中在瑟堡地区。人口约481 471(1999)。

Manchester 曼彻斯特 英国西北大曼彻斯特都会郡一城市和都会自治市，城市大部分地区属兰开夏历史郡，仅有默西河以南地区属柴郡历史郡。是英格兰北部最大的都会区中心，但已不复具有产业革命时期所特有的强大活力及独一无二的影响。该市曾是都市的原型，在许多方面，堪称为过去250年间西方世界所建新一代巨型工业城市中的第一座。1717年仅为人口1万、定期举行集市的小镇，至1851年，以棉纺为主的纺织业已十分发达；向市郊发展、合并其周围工业社区后，成为人口超过30万的工商业城市。20世纪初，城市向外扩展的部分将曼彻斯特与环城的棉织品制造城镇如博尔顿、罗奇代尔和奥尔德姆等相连接，演化为新的城市形式，即所谓集合城市或大都会区。1911年，该市人口达235万，但以后数年人口增长速度骤降。19世纪中，曼彻斯特是英国无可争议的第二大城市，如果说当时是该城的黄金时代，到20世纪，则由于外国商品竞争及技术陈旧，该市工业问题成堆，纺织业日趋衰落。面积：市116平方千米；都会区1 287平方千米。人口：市429 800；都会区2 577 400(1998)。

自然地理和人文地理

景观 城市位置 地处地势无特色的平原，由河床砾石和冰碛即冰川冲积成的岩屑构成。海拔40米。东、北两面分别以奔宁山的斜坡和罗塞恩达尔高地山嘴为屏障。大部分平原地下有煤矿层，过去曾广泛开展采矿，但目前仅在埃奇克罗夫特仍有一大矿场。该自然地理区称为曼彻斯特海湾状地区；城市在此地区内逐渐形成。中心城市曼彻斯特位于欧韦尔河东岸，由于19世纪末与20世纪初的地区发展，呈南北狭长形。1930年，城市向南发展，越过默西河，将柴郡北部23平方千米并入该市。西和西南侧有索尔福德和特拉福德两个大都会自治市。连同曼彻斯特，3个地区形成主要商业区。以此为核心，郊区向西、南面（主要在柴郡内）伸延甚远。曼彻斯特的东、北面有较小的工业市镇和村落，与城郊地区连成一片，成为市区的延伸，直到外围山地的山脚。在山地边沿附近有一圈城市，是传统的棉纺业主要中心。这些城市有：北面的博尔顿、贝里、罗奇代尔和东面的奥尔德姆、阿什顿安德莱恩和斯托克波特。

曼彻斯特都会区的城市结构大部分由其工业区决定。其中以将都市从西至东一分为二的工业区最为重要。多数重工业均在此区内，有厄拉姆附近通海运河河畔的石油化工工业、特拉福德帕克和索尔福德的电机工程工业和曼彻斯特东部的机床及金属加工工业。南部工业只有几个密集地点，主要是有计划修建的厂房区，多在奥尔特灵厄姆和威塞肖。曼彻斯特的东、北部是沿各条铁路、河谷和运河废道形成的传统工业区，主要有欧韦尔河谷的电化工厂、厄克的染料厂和在各处的旧纺织厂。这些纺织厂已经转营新的行业。

气候 曼彻斯特气候温和、湿润与多雾。温差不大，冬暖夏凉，1月份平均温度为4 °C，7月平均为15 °C。偶而有高压气流在冬季形成寒冷而晴朗、在夏季形成炎热而干旱的气候，但很少延续长时间。常年有西、南风，不断吹来大西洋气流，使城市经常沐浴在细雨之中。年降雨量按英国西部降雨标准（818毫米）不算高，但平均每年一半以上的天数有雨。无固定季节变化，较长的干旱时期多在3～5月。

大西洋的湿空气积聚在城东的奔宁山山坡旁，使空中云层极厚。全年有70%天数下午的天空至少半为密云所蔽。阳光本不充足，近数十年因工业发达，空气污染，日照更少。至1960年前后，市中心全年日照低至970小时的不正常数值。浊雾是人为工业气候的另一问题。以前典型的年份平均55天有浓雾，浓雾时期后由呼吸道疾病引起的死亡率急剧上升。但后来城市日照少及浓雾弥漫的冬季气候的特殊现象因有效控制空气污染而有所改变。全年晴朗的日照时间增加至1 300小时，每年浓雾减少至20日。这是造成高死亡率的原有地方病支气管炎和肺结核得以减少的主要因素。

建筑与城市面貌 曼彻斯特19世纪所积聚的巨大财富给城市留下从希腊古典主义到早期高大的钢筋结构等多种风格精美建筑物的永久性记录，使市中心成为一个露天博物馆。各家商行竞相委托最优秀的建筑师设计装饰豪华的办公楼和大栈房，公用建筑物的设计使伦敦的相形失色。银行筑有希腊式神庙或有塔楼的哥特式城堡，而货栈的门面则具有威尼斯宫殿的气派。轮船运河公司的希腊式柱廊耸立门前，高于街面；由沃特豪斯设计的市政厅被认为是维多利亚时代哥特式风格最奇妙的建筑物。

保存无价之宝的建筑传统产生了许多问题。许多建筑物是受到保护的文物，虽然绞尽脑汁进行改装，但仍不能适应现代商业的需要。一度是纺织品贸易中心的皇家交易所，内有欧洲最大容量的旧贸易场所，现在有一独立的圆形剧场。旧中央车站是一座巨大的玻璃结构火车站棚，现改装为展览中心。位于卡斯尔费尔德的一个建筑群，包括世界最古老的火车站，现已装修为地区性的科学与工业博物馆。

20世纪60和70年代有一股再度修建办公楼的浪潮，曼彻斯特市上空增加了许多钢筋玻璃建筑。最早兴建的有一座高122米合作保险社塔楼，是市内最高建筑。

一些边缘地区的购物中心开始兴建后，市中心的商品零售量下降。因此又围起一个购物区安代尔中心，集中了市中心很大部分商品零售活动。这个中心的业务越来越发展，旧商店街道贸易转移过去，市中心的这些街道日趋萧条，处于半弃置状况。但这也正是维多利亚中心商业区重新改造以适应现代化需要的过程。

人民 大曼彻斯特是世界人口最密集拥挤的都会区之一。人口过于拥挤引起了近年的主要人口动向：人口外迁引起的流失。1961～1981年，因外迁该市人口减少1/3，是英国因外迁而人口减少比率最高的城市之一。人口自然增长率低于全国平均水平，因外迁的主要是育龄青年夫妇，老龄人口日益增多且仍留在几个中心城市。人口全面下降情况严重。集合城市中其他旧工业城镇此种趋势亦很普遍。

外迁的人口多数是到郊区，也有迁往英国其他更繁华地区的。边缘的远郊住宅区尤其是南面的柴郡人口大量增加。因此都会区人口迅速分散，总人口趋向优于其主要城市。自1961年以来，都会区总人口基本稳定，低的自然增长率全部被净迁出人口抵销。

居住在不合标准的破败房屋中的人家逐步迁到新的住处。曼彻斯特将人口遣散到米德尔顿和海德“过剩”的房屋中，索尔福德的家户则迁入沃斯利。所有这些搬迁，规模巨大，影响至少有1万人，都在集合城市内。也有迁往沃灵顿的纽敦的，这是轮船运河沿岸的主要开发点，在曼彻斯特以西29千米。市内进行大量的发展、修建。20世纪70年代初期的休姆计划重新安排住房的人口几乎达6万人。

从曼彻斯特大学科学技术研究院数学楼看到的曼彻斯特市
美国不列颠百科全书公司供图

和英国其他城市一样，曼彻斯特在20世纪60年代也修建高层建筑安置贫民区迁出的家户。过去，内城低收入家庭住宅区传统上是一排排房屋的格式，新建高层楼房方案的社会实践证明是一种失策，有些楼房在10年内便拆毁了。于是都市规划的着重点起了变化，从完全拆去旧房以新楼房替代的方案转变为通过住宅安置活动分区管理的方法，保存和修缮旧房屋。这样，旧的住宅翻新，原有社区居民仍住在一起。新建住宅是现代化了的传统成排房屋。

居民的外迁，部分因有人从英联邦各国迁入而得到平衡，其中尤以从西印度群岛和印度次大陆的人居多。曼彻斯特本身有一多民族外来移民社区，主要集中在莫斯赛德。有些纺织业城镇，也吸引英联邦的移民，大都是印度和巴基斯坦的纺织工人。整个都会区一向是英联邦各国移民迁入英国的一个主要定居点。

经济 *工业*。曼彻斯特和索尔福德及斯特雷特福德两个工业区构成核心城市，核心城市和城东、北部边缘地带纺织业城镇间的经济，长期以来有很大差异。直至20世纪60年代，后者的经济基础仍局限在纺织业上，雇用就业女工的半数以上。核心城市的经济则多样化：制造业有印刷、机械与电气产品、化工产品和服装；同时，广泛的服务业活动使经济稳定。但这种差别明显的旧格局到20世纪后期已完全改变，因核心城市工厂雇用人员迅速减少，经济日益依靠服务业，而外围城镇的工业多样化增大，使制造业的扩展有了可靠的基础。

大曼彻斯特整个都会区发生重大经济变化。一度作为该市经济支柱的纺织业已减缩成为巨大的制造业的残迹。而且虽然有棉纱、人造纤维以及与化学工业关系密切的产品，纺织业仍然继续衰落。尚存的纺织厂改装设备以提高生产能力，但因而减少对劳动力的需要。服装制造业随纺织业而衰落，但仍然是雇用女工的重要行业，尤其在内城许多小工厂中。更为严重的是，较现代化的工业也急剧收缩。这些工业直到20世纪70年代前都在取代旧的工业。曾经是男子就业主要部门的工程行业衰退尤为严重。化学工业的增长主要在精纯的化工产品和药品生产上，这些工业在南部边缘地区奥尔德利公共用地上设有一些科研实验室。造纸工业和印刷业稳定，反映了曼彻斯特在报纸发行上是全英国仅次于伦敦的第二大中心的地位。

曼彻斯特的经济已从工业经济转变为工业化后经济的性质，服务行业已成为主要雇主，“脑力”服务而非体力服务不断扩大。有些服务业，如运输和销售业在衰退，但金融与银行、行政管理和一般性的个人服务等行业迅猛发展。这些发展点多数需要素质好的工作人员：熟练体力劳动需求减少，转变为对脑力劳动的需求，造成淘汰性的失业，这明显地是一个持续存在的社会问题。

曼彻斯特转变为服务业城市不完全是新的潮流，因为该市作为英国西北部地区性首府已有200年。只不过转变进程因内城工业迅速衰退更为加快而已。拆除、清理贫民区地段及随后的重建，原有千百家小商号从城区搬出，使内城地区制造业的就业机会减少将近半数。这些各民族杂处的地区，条件不利，失业率至少为该市平均值的2倍。

内城工厂就业机会减少，部分原因是商行迁往市区的边缘，不仅迁往在计划中的工业区，而且还迁入由于纺织业衰落而空出的棉纺厂中。数百棉纺厂改作他用，为新成立、努力求得生存的商行提供廉价的厂房空地，因此原纺织业城镇在某种程度代替内城成为工业的保育园地，有可能在此设立新的商行。

贸易和运输 曼彻斯特除去有大量零售与批发贸易之外，作为地区的服务中心还有许多优越条件。该地有英格兰银行一家分行、北方证券交易所、合作批发社的总部以及一所主要的皇家地方法庭。城南16千米的灵韦有机场，其国际交通流量以及通往欧洲和大西洋间地区航线数量，都是英国仅次于伦敦的最大终点站。

1894～1986年，曼彻斯特是一海港，在长59.2千米的通海运河末端有一批码头。由于船运规模增大，加以海上贸易格局有变化，水道利用率下降，至20世纪80年代中期，水道上游各段不再通行船只。但下游运输仍然繁忙，服务于两岸的工业，特别是在埃尔斯米尔港的巨型炼油和化工联合企业。弃置的码头被开发用于新建的工商业。

大曼彻斯特的公共交通由一乘客交通实施部门协调管理，公共交通主要依靠统一的公共汽车路网。但公共汽车系统面临来自私人的竞争，主要是灵活的小公共汽车。有使用长期车票通行的密集铁路网，火车多数已电气化，与英国铁路局合伙经营。

行政与社会状况 *政府* 虽然大曼彻斯特都会区是一个单一的、有凝聚力的社会经济单位，但地方政府在1974年前是分散的。最高机构是曼彻斯特都会自治市，负担全地区中心设施（大博物馆、大图书馆及机场）的财政费用。另有9个都会自治市，各自制订独立的社会、教育和规划等政策。

1972年地方政府法案（1974年起实行）规定成立大曼彻斯特都会郡，划定比集合城市更大的范围，把西面的采矿城镇威根包括在内。此新建都市实体分为包括曼彻斯特在内的多个都会自治市。都会郡管理一批总体的服务业，如重要的规划、交通运输和娱乐；而各地区则管理大部分服务业，如教育、住房和多数个人和家户的服务。1986年取消大曼彻斯特都会郡，它所提供的一些总体服务由专门机构接管。

教育与社会服务。 曼彻斯特所有早期文化建树中，以曼彻斯特维多利亚大学最有成就。该校1851年创办于奎伊街，1872年注册，1873年开始在目前校址上发展。至1880年该校已将里兹和利物浦一批院校合并而成一联合大学。自1903年成为一独立机构以来，已发展成英国最大的大学之一。技术学系成为自主的科学技术研究院；1967年索尔福德大学成立并发展成多科性科技大学后，城内和城市附近已有4所高等学府。

该市全面提供在英国制度范围内的各项社会和福利服务，但特别致力于保健和医药教育。曼彻斯特维多利亚大学有西欧最大的医学院，与提供专门性治疗的3个大教学实习医院相衔接。其中最著名的克里斯蒂医院是一所重要的癌症研究中心。

文化生活 现代曼彻斯特文化生活的某些方面不如以前丰富。例如原享有盛誉的《卫报》，在曼彻斯特人心目中已归伦敦所有，报纸名称中删去曼彻斯特字样。2000年洛里艺术中心开馆，标志着21世纪城市文化生活的复兴。音乐仍保持其活力。阿莱演奏会至1958年已演出100周年，其管弦乐团继续享有国际声誉。

市内有大量私人的、公共的和专门性的图书馆。市立图书馆的分馆超过25所，总馆在圣彼得广场。该市还有著名的约翰·赖兰大学图书馆（现为曼彻斯特维多利亚大学图书馆一部分）和切塔姆图书馆，后者为欧洲第一批免费公共图书馆。

在画廊和博物馆中，以惠特沃思艺廊和曼彻斯特市艺廊最为著名。后者收藏有一批油画、雕塑、银器和陶器的精品，还有几个分馆。曼彻斯特博物馆有专门展出埃及和日本文物的展厅，还有关于自然史的收藏品和一个水族馆。科学工业博物馆展示了曼彻斯特的工业财富。

有两个大的英式足球联合俱乐部。在旧特拉福德板球俱乐部的球场上，常与来英访问的外国板球客队举行国际对抗赛。流行音乐充满活力，拥有多支有影响力的摇滚乐队，如快乐小分队、史密斯一家和绿洲等乐队。

历史

早期居民点和中世纪的发展 罗马征服不列颠的初期，于公元78～86年在梅德洛克河和欧韦尔河汇流处一块低矮的砂石台地上筑起一座要塞。最初只是一座简单的野外工事，有浅壕沟、土堤埂和木栅栏。至3世纪初，重建为石质结构，内有一些建筑物。发掘出的文物证明当时该地已有相当多活动，城墙之外，沿通往约克的、铺砌甚好的道路有一商人和工匠居住区。但罗马人的占领，除去城市今用名是从曼木西乌姆，意为“乳状山之地”一名而来之外，未留下永久性的痕迹。公元4世纪之后，似无人居住，该地荒弃500年。919年，西撒克逊国王、年长的爱德华派兵修复此罗马旧址，作为抗御古斯堪的纳维亚人之用。这个时期有人居住的迹象有所发现。到此时为止，曼彻斯特重新使用的范围不过在要塞1.6千米之内，即在目前大教堂附近厄克河和欧韦尔河的汇合处。

曼彻斯特诺曼男爵领地是兰开夏最大的占用土地中之一，土地的领主在教堂边筑一座设防的府第。13世纪中，曼彻斯特开始从乡村转变为城镇，1301年前不久设建制。当时曼彻斯特虽然在该地区颇为重要，但地位次于邻近的索尔福德。索尔福德是百邑户（区）的领地首府且较早得到自治市建制。1421年建立教士团，管理教会事务，中世纪自治市得到全面发展。教士团的一部分保留成为切塔姆医院，1506年创建的自由教会学校于1515年由埃克塞特主教H.奥尔德姆改为曼彻斯特文法学校。

现代城市的演变 至16世纪，曼彻斯特已成为一繁荣的商业自治市，是羊毛贸易（即将毛织物经伦敦出口至欧洲）的重要地点。

1620年开始了一个新的工业发展时期：织造一种以亚麻为经线以棉纱为纬线的混纺织物。这是棉纺工业的开端，此种工业在1770年之后改变了兰开夏南部的面貌。随着这种行业的发展，曼彻斯特进一步扩大、改观，包括建造了美丽的圣安教堂和广场(1712)。

从18世纪60年代起，产业革命开始，城市发展加快。1762年，第一条运河开通至城镇，从沃斯利运来廉价的煤；后运河加长，1776年将曼彻斯特与默西河和利物浦相连接以满足棉纺工业进、出口的需要。该市第一座棉纺厂建于18世纪80年代初期。至1800年，人称曼彻斯特为“蒸汽工场狂”，1830年，已有棉纺厂99家。同年开通世界最早的现代铁路，由利物浦通往曼彻斯特；19世纪50年代，该市铁路系统的大部分已建成。至1801年，该城人口虽已增至7万多人，但无政府体制，仍然以管理村庄的方式，由一封建采邑法庭管理，每年由领主或其管家开庭两次，处理地方行政事务。1792年成立一支警察部队，但直到1838年才由一份特许文件规定设立由选举产生的议会和地方政府组织。

曼彻斯特的经济在19世纪下半叶经历了增长和多样化的发展阶段。城市作为棉纺业中心的重要性下降，作为该行业的商业与金融中心的重要性增加。皇家交易所是全行业棉纱和布匹的买、卖场所。从早期的纺织机械工业，衍生出许多专门类型的机械工程。产品有蒸汽机和火车机车、各种军械、机床，后来又有各种电机工程产品。1894年59.2千米的曼彻斯特通海运河开通，经默西河河口湾的伊斯特姆将曼彻斯特与爱尔兰海相联并通往世界各市场。至1910年，曼彻斯特已成为英国第四大港口，在码头旁特拉福德帕克建成英国第一个(目前仍为最大的)工业区。新的工业亦在此选址，其中最重要的如美国威斯汀豪斯公司和福特公司等，福特公司1929年迁往埃塞克斯。最兴盛时期，有5万多工人在该工业区的工厂内工作，后来此数字有所下降。

19世纪中，该市不仅经济迅速发展，而且在政治、文化和学术生活上有极大活力。《曼彻斯特卫报》成为英国最重要的地方报，有国际影响；阿莱管弦乐团在音乐界有同样声誉。欧文斯学院(今曼彻斯特维多利亚大学)成为第一批和最大的英国市立大学的核心；曼彻斯特文法学校的学术成就使它在一定程度上成为英国筛选性中学教育发展的典范。在政治上，维多利亚时期的曼彻斯特在国内经常处于率先地位：鼓动议会改革和自由贸易都起决定性影响。1819年的彼得卢大屠杀发生在一次和平的政治集会上。会议于曼彻斯特附近举行，目的是要求议会改革。德国社会哲学家F.恩格斯1842～1844年居住在曼彻斯特，他所著很有影响的《英国工人阶级状况》(1845)一书便是以在该地的经历为基础写成的。该城其他学术成就还有道耳顿创立的、成为现代化学基础的原子论和将经济原则应用到解决商业、工业和行政问题上的“曼彻斯特学派”。

为该市的过早发展付出的代价是城市的结构问题：曼彻斯特内城依然故我，基本上是19世纪的城市。至20世纪后期，该市面临巨大的改造上的种种难题。由废弃工厂形成的一条带状工业区围住城市中心；直到20世纪60年代，几个大面积的旧贫民区仍然存在，得不到更新。因此，曼彻斯特正处于过渡时期：其面貌因重建而改观，对基础不稳固的各种纺织行业的依赖性在减少，而更为广泛的经济结构得以发展。

Manchester　曼彻斯特　美国康涅狄格州中部哈特福德县城镇。位于哈特福德市正东，临霍卡纳姆河。1672年购自印第安人，始建居民点，1772年组建教会社团，称奥福德教区。1823年设镇改称现名。美国独立战争前有锯木厂和造纸厂，后经济以玻璃、棉和丝织业为主，也制造落地座钟、农具、肥皂和车厢。现工业多样化。该地还设有曼彻斯特社区学院(1963)。面积：71平方千米。人口约54 740(2000)。

Manchester　曼彻斯特　美国新罕布什尔州南部希尔斯伯勒县城市。濒梅里马克河的阿莫斯克亚格瀑布，是该州最大城市和戈夫斯敦、德里、贝德福德及胡克西特都会区的中心。约1722年始建，1751年设镇，1846年设市。1805年建全国最早的纺织厂后得以发展。1794～1807年建第一条运河后与波士顿通水运。原以棉纺业为经济支柱。20世纪30年代后期纺织业萧条后发展多种工业。经济以金融服务为主。现有纺织、飞机部件、汽车零件和电子仪器。设有圣安塞姆学院(1889)、圣母学院(1950)、新罕布什尔学院(1932)、曼彻斯特艺术和科学学院、柯里尔美术馆和曼彻斯特历史学会博物馆及图书馆。人口：市107 006；曼彻斯特主要都会统计区198 378(2000)。

Manchester　曼彻斯特　美国佛蒙特州西南部城镇，包括曼彻斯特村、曼彻斯特中心及曼彻斯特车站。在塔科尼克山与格林山之间的巴滕基尔河附近。曼彻斯特村为本宁顿县县城之一(另一处为本宁顿)。约1764年始有居民，1784年规划。1829年创立伯尔-伯登神学院。现为常年旅游区，经济几乎全靠与旅游有关的行业。钓鱼竿制造业十分重要。附近的几座山是滑雪胜地。夏季电影和艺术节在该镇南佛蒙特艺术中心举行。人口4 180(2000)。

Manchester, Edward Montagu, 2nd earl of　曼彻斯特伯爵(第二)(1602～1671-05-07，伦敦怀特霍尔)　英国内战时期议会军将领。蒙塔古之子，曾就学于剑桥大学西德尼·苏塞克斯学院。1624～1626年为下院议员。后封金博尔顿男爵，但以其尊称曼德维尔子爵知名。在长期议会初期，他是反对查理一世的议员们的领袖。1642年11月继承其父的伯爵爵位。内战开始后，他在埃塞克斯伯爵的军队中当团长。1643年8月任东部各郡议会军少将。1644年成为“两王国委员会”委员。在马斯顿荒原战役(1644)中任最高指挥官。次年初因与克伦威尔失和并且反对继续进行战争而辞去指挥官职务。后来反对审判和处决国王并在整个共和政体期间自公众生活中隐退，1667年获得将军衔。

Manchester, Greater(England)　参阅**Greater Manchester 大曼彻斯特**。

Manchester Ship Canal　曼彻斯特通海运河　1894年通航的连接英国柴郡的东哈姆与曼彻斯特的水道。此运河使大型远洋轮可以进入曼彻斯特，运河长58千米，宽14～24米，深约9米，有5道船闸。

Manchester terrier　曼彻斯特㹴狗　在英格兰从小灵狗(赛狗)和捕鼠的黑色与黄褐色相间的㹴狗培育而成的一个狗品种。具备双方的优点。1860年以培育中心曼彻斯特之名

曼彻斯特㹴狗
美国不列颠百科全书公司供图

命名此品种。但在20世纪20年代以前一直被称为黑色-黄褐色㹴狗。此品种头长而狭窄，眼小而明亮。被毛短，黑色发亮，头、胸和腿带棕褐色。有普通型和玩赏型两个品系。标准型高35.5～40.5厘米，重5～10千克；耳直立或折叠。玩赏型高15～18厘米，重量不足5千克，耳直立。

manchineel(*Hippomane mancinella*)　**毒苹果**　又称毒番石榴(poison guava)。大戟科乔木，因果子有毒而闻名。主要原产于加勒比海地区及墨西哥湾的沙滩。果似苹果，单生或成

毒苹果(*Hippomane mancinella*)
美国不列颠百科全书公司供图

对着生，黄色到淡红色，美观，气味芬芳，但有毒。西班牙征服者，失事船员及现代的旅游者都曾误食中毒。株高12米，直径0.6米，树形美观，树冠圆形。叶革质，椭圆形，黄绿色，有光泽，具长柄。茎叶都有毒，甚至焚烧茎叶的烟雾也会刺激眼睛，接触叶及树皮中的乳汁可致皮炎。加勒比印第安人用其树液

浸制毒箭。核果，核坚硬，内有种子 6 ～ 9 粒。木材光滑，可制家具。

Manchuguo 满洲国 1931年日本侵占中国东北后制造的傀儡政权（1932～1945）。1931 年 9 月～ 1932 年 2 月日本侵占中国黑龙江、吉林、辽宁三省后，成立“东北最高行政委

“满洲国”的“执政”溥仪（前左）
中国大百科全书出版社供图

员会”，于 1932 年 2 月 18 日宣告“独立”。3 月 1 日成立“满洲国”，首都长春，国号“大同”，元首称“执政”。3 月 9 日清朝末代皇帝溥仪被扶持在长春任“执政”，但实权操纵于驻东北的日本军部和特务机关手中。1933 年 1 月热河省又被日本侵占，并入“满洲国”版图。1934 年 3 月 1 日日本扶植溥仪登基，改元“康德”，长春改为“新京”，称为“满洲帝国”。第二次世界大战结束时“满洲帝国”瓦解，划回原有省区。1955 年热河省撤销，并入内蒙古自治区、辽宁和河北省。

Manchurian Incident 满洲事变（1931） 参阅 **September Eighteenth Incident** “九一八”事变。

Mancini, Pasquale Stanislao 曼奇尼（1817-03-17，两西西里王国巴罗尼亚堡～ 1888-12-26，罗马） 意大利两西西里王国的复兴运动领袖。1848 ～ 1849 年为那不勒斯议会议员，不断为民主和立宪事业奔走呼号。在都灵大学任教时，他继续号召民族的统一。1860 年当选为撒丁-皮埃蒙特议会议员。回都灵后一度参加内阁，1876 ～ 1878 年任司法大臣。1881 年任外交大臣。他推行与奥地利重新接近的政策，导致 1882 年与奥匈帝国、德国缔结三国同盟。1885 年辞职。

Mandaeanism 曼达派 古代中东宗教之一，现仍存在于伊拉克和伊朗西南部胡齐斯坦地区。曼达原意为诺斯替教徒。像诺斯替教其他派别一样，曼达派强调灵魂通过诺斯即真知以彻悟本身来源于神而获得解脱。从该派根本教义发展出来的宇宙论认为：邪恶的阿尔康（统治者）阻止灵魂穿越各天界与至高神重新结合。曼达派与其他派别不同的是它主张结婚，禁戒淫乱。曼达派有繁复的礼拜仪式，施行洗礼，而诺斯替教其他各派都无此礼。曼达派认为耶稣是假弥赛亚，但崇奉施洗约翰，认为他以洗礼行神迹医病治伤，曼达派认为这种洗礼可以使人获得永生、心灵圣洁和肉体健康。他们谴责基督教修士的独身制。

mandala 曼荼罗 印度教密宗与佛教密宗使用的象征性图形。供举行宗教仪式和修习禅定时使用。曼荼罗基本上是宇宙的表象，是诸神聚会的圣地和宇宙力量的聚集点。作为宇宙缩影的人在精神上“进入”曼荼罗并向其中心“前进”，象征经历宇宙的分解与复合。在日本以及中国内地和西藏地区，曼荼罗基本上分为两类，分别代表宇宙的胎藏界和金刚界，前者的运动是从一到多，后者则是从多到一。西藏的唐喀绘有外圈，其内侧有一个或几个同心圆，围绕一方框，有线条从中心延伸到四角，将方框内部隔成 4 个三角形，每一三角形的中央和中部绘有 5 个圆圈，内有神的象征物或神像，最常见的是 5 尊自生佛。在围绕曼荼罗的边缘中，最外圈是火圈，既表示不许未经灌顶的人进入曼荼罗，又表示无明之火。第二圈为金刚带，表示光照。第三圈为 8 座坟，象征个体化认识的 8 个方面。最内圈为莲叶带，表示精神再生。再向内就是曼荼罗本身，像即位于其中。

Mandalay 曼德勒 缅甸中北部城市，濒临伊洛瓦底江，位于国土的中部，为全国第 2 大城市（仅次于仰光），也是国内水陆空交通与贸易的枢纽。曼德勒于 1857 ～ 1859 年间由曼桐王创建，以替代阿马拉布拉为他的国都。它是缅甸王国最后的都城，1885 年 11 月落入英国军队之手。第二次世界大战期间，曼德勒被日本军队占领。1945 年 3 月被围攻的 12 天期间，蒙受沉重的损失，几乎完全被毁，终于由英国威兼·斯利姆将军率领的第 14 军夺回。曼德勒的大多数居民是佛教徒，该城被称为“缅甸永远虔诚的心”，是一个重要的佛教中心，住有众多僧侣。城市的核心包括有护城河围绕的达费林城堡、皇宫的遗址、许许多多神殿和寺院以及原英国政府大厦。伊洛瓦底江附近军营的东北部，是曼德勒山，是比较新的寺院、宝塔和纪念碑的所在地。山脚下有 730 座宝塔，又称古佐道（功德之举），刻在 729 块白色大理石碑上的佛经被缅甸佛教徒看作经典。由曼桐王批准，根据第 5 次佛教结集大会的决议，石碑竖立在广场上，每块石碑都由一个小型塔状建筑保护着。第 730 个塔是个普通的庙宇，立于广场中央。曼德勒市南部的马哈牟尼塔或若开塔，公认是最负盛名的，其铜佛（高 3.7 米）为古物，是孟云王 1784 年从若开海岸带回的无数战利品之一。曼德勒城的市区在宫殿的西边，设计成格状。著名的泽久集市是最大的一个，它吸引了来自全国各地的工匠和农夫。瑞基敏宝塔由信苏王建于 1167 年，是该城市众多优秀宝塔之一。工业生产包括茶叶包装、丝绸织造、酿酒、玉器加工、铜器铸造和金叶工艺，还有火柴、木雕及金银器制造。曼德勒通过铁路和航空线南与仰光、北与密支那和腊戌相连。腊戌是缅甸公路的起始处。阿瓦、阿马拉布拉和实皆城均位于曼德勒市郊。文理科大学（前隶属仰光大学）于 1958 年独立，其他教育机构有师范学院、农业学院、医学院和技术学院，一所中等技术学校以及一所专攻美术、音乐和戏剧的学校。曼德勒还有一所博物馆和一所现代化的医院。出版国内除仰光之外唯一的日报。曼德勒周围地区是竹林，密埃河和马基河养育着这块土地。马德亚附近的塞金丘陵产雪花石膏，曼德勒的佛像就是用这种石膏雕成的。平原区是缅甸干旱区的一部分，有重要的灌溉渠。曼德勒渠浇灌着 36 400 公顷土地。曼德勒北部的敏贡有一座重达 70 吨的大钟，为世界最大鸣钟之一。人口约 1 176 900（2004）。

Mandalgovĭ 曼达尔戈壁 蒙古人民共和国中部城镇，在大戈壁沙漠变迁区，首都乌兰巴托以南 300 千米处。当地地理和气候条件对农业极为不利。经济以畜牧业为主。20 世纪 60 年代实行建设和改善城镇设施的计划，开始有轻工业。镇内有文化宫和农学院。

曼德勒市的古佐道（功德之举），其后为曼德勒山
美国不列颠百科全书公司供图

人口 10 400(最新统计)。

mandamus 履行职责令 最初是指英王为命令其官员实施其职责范围内的某一特定行为所发布的敕令(拉丁文 mandamus,意为“我命令”),后来变成王座法院以女王的名义发布的一种司法令状。如果官员未按其职责要求实施某一行为因而影响到申请人的利益,申请人即可请求发布履行职责令。履行职责令不是因申请人权利应得而发布的,而是由法院自行斟酌决定,因此主要是受衡平法原则的约束。凡是有其他救济方法可以解决的,一般就不发布这种令状;凡是接受指示的官员对实施或者不实施某一特定行为在法律上可自行斟酌决定的,也从不发布这种履行职责令。在英美法系中,上级法院用履行职责令来强制拒绝实施某一特定行为的下级法院实施该项行为,例如审理归它管辖的某一案件。

Mandan 曼丹人 北美大平原印第安民族,操苏语,居住在密苏里河沿岸,其范围在哈特河及小密苏里河之间。曼丹人在语言上同温内巴戈人相近,有一种传说认为他们一度曾住在更东面的地区。曼丹文化是大平原文化中最丰富的文化之一。19 世纪时,曼丹人住圆顶土房,聚成村落,围以栅栏。种植玉米、豆类、南瓜及向日葵,从事季节性的水牛猎捕活动,另外还制陶器、编筐。宗教仪式颇为繁缛,其中太阳舞及奥基帕节最为重要,奥基帕节历时 4 日,往往需经长期准备。曼丹人村庄由 12 ～ 100 个住房组成;有 3 个首领:一个负责指挥战争,一个负责平时事务,另有一名是村长。他们的社会组织有按年龄分类的各种武士会,其成员资格由购买获得。另有社交性的、巫医性的及妇女性的各种团体。曼丹艺术家们在水牛皮长袍上绘画,表达全部落的或个人的英雄业绩。1750 年时,有 9 个曼丹村庄,由于天花和霍乱反复流行,人口

G.卡特林绘《曼丹人村落鸟瞰》(1832)
美国不列颠百科全书公司供图

锐减,1837 年仅留有 100 ～ 150 个幸存者。到 20 世纪末,据北达科他州贝托尔德堡保留地的报告称,全部曼丹人口约有 350。

Mandan 曼丹 美国北达科他州中、西南部城市,莫顿县县城,与州首府俾斯麦市隔密苏里河相对。1873 年随北太平洋铁路的勘测而建立居民点,1883 年设市。1883 年建成铁路桥梁,连通俾斯麦和曼丹,逐渐发展为农业和铁路中心。现主要生产油类、天然气和煤炭产品。医疗保健、政府和商业等服务业亦占重要经济地位。肉类加工、乳制品生产和铁路行业也推动地方经济的发展。市南有美国最大的农业研究机构之一北方大平原研究中心,还有州立林肯要塞公园。人口 16 718 (2000)。

Mandara Mountains 曼达拉山脉 非洲火山山脉,在尼日利亚和喀麦隆的交界上,南起贝努埃河,北至喀麦隆的莫拉,长约193千

曼达拉山区的村庄
美国不列颠百科全书公司供图

米,海拔在1 100米以上。在殖民时期,该山脉是英属喀麦隆和法属喀麦隆的边界。这一地带人口稠密,大多讲乍得语,分居各处或聚居在圆形茅舍小村。主要作物是高粱。主要城镇有喀麦隆的莫科洛、马鲁阿和尼日利亚的穆比。

Mandarin language 官话 威妥玛拼音作 Kuan-hua。亦称北方中国话,汉语称之为官话,即“官吏所用的(中国)语言”,是使用范围最广的汉语形式。官话通行于长江以北各地和中国其他地区的大部分城乡,是全国 2/3 人口的本族语。官话经常划分为 4 个支系:北方官话,以北京地区为中心,通行于华北和东北各省;西北官话,其使用范围是自宝鸡市以北的西北大部地区;西南官话,以重庆周围地带为中心,通行于四川省及与之毗邻的西南各地区;南方官话又称长江下游官话,其通行地区以南京为中心,向其四周放射。官话以北京城市和郊区所使用的口语形式为主,构成现代标准汉语亦即“国语”或“普通话”的基础。现代标准汉语亦在台湾正式使用。官话有 4 种声调——平声调(阴平)、升调(上声)、降调(去声)以及全升调(阳平)——用以区别同音词。不论官话还是标准汉语几乎都不以辅音为词尾。官话也同其他汉语变体一样,几乎全是单音节词和构词成分;同时既无词形变化的标记,也无表示词类的标记,因之词序是固定的。

Mandarin porcelain 中国瓷器 18世纪末期中国制造供外销的瓷器。名称起源于画面上的人物都穿着中国服饰。它的特征是:主要以金色、红色、玫瑰红彩绘人物,而以蓝色釉下彩饰边。1800年后,这种瓷器常被英国

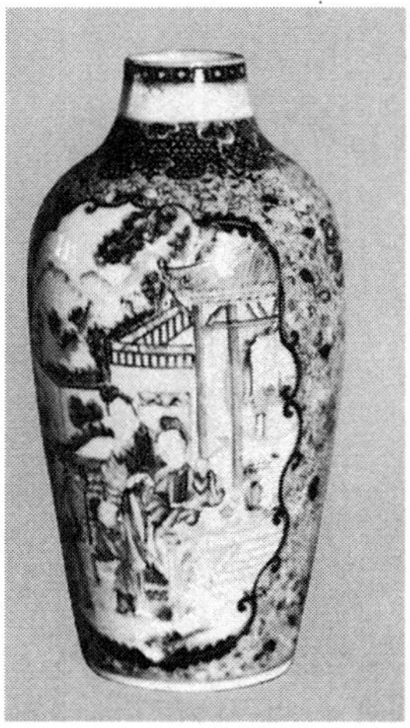

18 世纪末期的中国瓷器花瓶
伦敦维多利亚和阿尔贝特博物馆供图

制陶者仿造。参阅 **Chinese pottery and porcelain**。

Mandasor 门德索尔 又拼作 Mandsaur。印度中西部中央邦西北部城市。临昌巴尔河支流索河。原是一瓜廖尔土邦,现为公路铁路交叉点和谷物、棉花、布匹的贸易中心。轧棉、榨糖、食品加工和手工织布为主要行业。设有维克拉姆大学好几所分校、一所音乐学院和一所技术学院。人口约 95 758(1991)。

mandate 委任统治权 由国际联盟授予其某个成员国统治前德国或土耳其殖民地的权利。此种领土被称为委任统治地。德国与奥斯曼土耳其在第一次世界大战中战败后,其在亚洲与非洲的领地被判定不适合实行自治,而由国际联盟按盟约第 22 条授权,分配

给战胜的各协约国(国际联盟本身即为协约国所创立)。委任统治制是各协约国间的妥协产物。委任统治地按其地理位置和政治经济发展水平分为3级。A级可承认其临时独立,但仍需盟国监督直到能完全自行管理。土耳其的伊拉克、叙利亚、黎巴嫩和巴勒斯坦属于这一类。伊拉克、巴勒斯坦(包括今约旦和以色列)委任给英国统治;叙利亚和黎巴嫩委任给法国统治。A级委任统治地到1949年已完全独立。前德属非洲殖民地坦噶尼喀和多哥兰、喀麦隆的一部分以及卢旺达-乌隆迪属B级,它们由协约国直接管理,但对土著人民权利的保护实行监督。坦噶尼喀(今坦桑尼亚的一部分)委任给英国统治;大部喀麦隆和多哥兰委任给法国统治;卢旺达-乌隆迪则委任给比利时统治。属于C级的其他前德国属地则由受委任的统治国像自己不可分割的领土一样的进行管理:西南非洲(今纳米比亚)委任给南非管理,新几内亚委任给澳大利亚管理,西萨摩亚(今萨摩亚)委任给新西兰管理,西太平洋赤道以北的岛屿委任给日本管理,瑙鲁则由澳大利亚和英国、新西兰共同管理。委任统治权的行使系由国际联盟的常设委任统治委员会负责监督,但该委员会无法实际向受委任的统治国贯彻其意志。委任统治制于1946年由联合国的托管制所取代。

Mandaue 曼达韦 菲律宾宿务岛中东部城市。位于宿务市以东,临卡莫特斯海。扼宿务港湾北部出海口。17世纪创建。工业园区内有一酿酒厂和多种制造及加工工业,有制糖、食品加工和小型造船业。渔业也重要。人口约180 000(1990)。

Mande 曼德人 又称马里人(Mali)或曼丁哥人(Mandingo)。西非民族,所操曼德诸语言是尼日尔-刚果语系的一支。主要住在苏丹西部的热带草原高地。在塞拉里昂、利比利亚和科特迪瓦的热带雨林,还有若干原为曼德人现已失掉曼德文化特点的小部落。最重要的曼德部落是**班巴拉人(Bambara)**、**马林克人(Malinke)**和**索宁克人(Soninke)**。据说曼德人早在公元前4000～前3000年已独立发展起农业,在此基础上,产生了西非文明,其中马里帝国在公元14世纪初达到鼎盛时期。现代曼德人的农业以轮作锄耘制为基础,种植黍稷、高粱和稻谷。牛是声望的重要标志,也是结婚的主要聘礼。本地贸易与远方阿拉伯和其他部族的贸易一向有重大经济意义。以父系血统传代、继位和遗产继承,实行一夫多妻制。其社会结构(尤其在穆斯林部落中)常有明显的等级制度,从皇家、贵族到平民、受轻视的手艺人和从前的奴隶。

Mande languages 曼德诸语言 尼日尔-刚果语系的语支,通行于几内亚、马里、塞拉利昂、利比里亚、科特迪瓦、布基纳法索、加纳和尼日利亚等国的部分地区。最广泛通用的曼德语是马林克语(或曼丁戈语)。语言学家经常把曼德语支划为东部分支和西部分支。几种重要曼德语言(马林克语、门德语、克佩勒语和瓦伊语)都属西部分支。曼德诸语言是声调语言(即以各种声调来区分发音相同的词)。

Mandeb, Strait of 曼德海峡 阿拉伯半岛和非洲之间的海峡。连接红海和亚丁湾、印度洋。宽32千米。丕林岛将海峡分为两部分。西水道宽26千米,东水道宽3千米。苏伊士运河建成后,该海峡成为地中海和东方之间的重要通道,战略和经济重要性大增。海峡的阿拉伯名称意为"眼泪之门",因为以前穿过该海峡航行十分危险。

Mandel, Georges 芒代尔(1885-06-05,法国沙图～1944-07-07,枫丹白露) 原名路易-乔治·罗思柴尔德。法国政治领袖,以仇视纳粹德国著称。出身于一个富裕的犹太家庭,

美国不列颠百科全书公司供图

1906～1909年和1917～1920年担任总理克列孟梭的私人工作人员。1919～1924年和1928～1940年任国民议会议员。芒代尔属保守派,强烈反对左派的政策,但在第一次和第二次世界大战之间,他也强烈反对许多保守派的亲德政策。1934～1936年在连续4届政府中任邮政部长,1938～1940年任殖民地部长、内政部长。1940年5月和6月支持雷诺总理从法属非洲殖民地继续抗击德军的主张。他在摩洛哥被捕,解往法国监禁。1942年11月被移交给德国人。在奥拉宁堡和布痕瓦尔德集中营度过一段时期以后,于1944年7月4日被送回巴黎。3天后,根据维希政府的警察头子约瑟夫·达尔南的命令被枪决。

Mandela, Nelson 曼德拉(1918-07-18,南非好望角乌姆塔塔～) 南非黑人民族主义者、政治家,曾长期遭监禁(1962～1990),后来就任总统(1994～1999),是南非黑人多数抱负的象征。他是滕布族酋长亨利·曼德拉之子。曾在赫尔堡大学学院和威特沃特斯兰德大学学习,1942年取得律师资格。1944年加入非洲人国民大会,1949年成为这个黑人解放组织的领导人之一,帮助该组织复兴并参与不断扩大的对执政的国民党推行的种族隔离政策的武装抗抵。1956～1961年以叛国罪受审,但宣判无罪。在漫长的受审期间,与发妻离婚并与温妮弗雷德(温妮·曼德拉)结婚(两人后于1992年分手)。1960年警方在沙佩维尔滥杀毫无武装的非洲人后,非洲人国民大会被取缔,从此曼德拉放弃非暴力立场,开始主张对南非政府采取破坏行动。1962年他再度被捕入狱,被判徒刑5年。1963年在狱中的曼德拉和另几个人被控以破坏、叛国、暴力阴谋等罪,此即著名的"里沃尼亚审判"。此名得自这一事件:警方在约翰内斯堡高级郊区里沃尼亚的突袭行动中发现地下

美国不列颠百科全书公司供图

组织"民族之矛"(非洲人国民大会的军事组织)总部藏有大批武器装备。曼德拉是该组织的一个创建者,承认某些指控,因而被判处终身监禁(1964-06-12)。1964～1982年,他被监禁在开普敦外海的罗本岛监狱,后移至戒备最严的波尔斯穆尔监狱,直至1988年因患肺结核住院治疗。曼德拉在南非黑人中仍得到广泛的支持,他的入狱成为国际社会反对种族隔离的轰动一时的案件。1990年2月11日,德克勒克领导的南非政府释放了曼德拉。3月2日曼德拉当选为非洲人国民大会的副主席(主席坦博当时正在生病)。1991年7月,他接替坦博为主席,1993年曼德拉和德克勒克被授予诺贝尔和平奖,以表彰他们为在南非结束种族隔离制度和向非种族民主的和平过渡的努力。1994年4月在首次各民族选举中,曼德拉当选为南非总统。他提出建造住房、教育和经济发展的计划,以图改善国内黑人大众的生活标准。1996年督导了新民主宪法的颁布。1997年辞去非洲人大会的领袖职务。1999年未参加总统选举谋求连任。7月后离职退出政坛。曼德拉的作品和演讲词汇印成集,收入《自由之路》(1965)和《我已准备赴死》(1979)。自传《通向自由的漫长之路》于1994年出版。

Mandelstam, Osip (Emilyevich) 曼杰利什塔姆(1891-01-03,俄罗斯帝国波兰华沙[今在波兰]～1938-12-27,苏联俄罗斯符拉迪沃斯托克附近的第二列奇卡) 苏联重要诗人、文学评论家。在斯大林时代(1929～1953),他的大部分著作未能在苏联出版。60年代中期以前,外国读者几乎不知道他。出身于圣彼得堡一个有教养的犹太人家庭。曾就读于杰尼谢夫学校,1907年毕业后到圣彼得堡大学和法国巴黎大学以及德国海德堡大学学习。他同古米廖夫、阿赫马托娃共同创立"阿克梅"诗派,该派抵制俄国象征主义中的神秘和抽象,主张明晰、简洁和形式完美。1913年发表第一本薄薄的诗集《石头》。在俄国革命后发生的内战期间,曼杰利什塔姆住在克里米亚和格鲁吉亚。1922年到莫斯科,在那里发表了第二本诗集《哀

歌》，同年与N.Y.卡津娜结婚。他的诗因不问政治且深奥难懂，使得他同苏联官方的文学界疏远。由于他的诗不能出版，便开始写儿童故事。他因写诗讽刺斯大林并在朋友小圈子中间朗诵，1934年5月13日被逮捕。经过残酷的审讯以后，曼杰利什塔姆夫妇被流放到切尔登城。曾自杀未遂，经医院救治后，获准携妻前赴沃罗涅日。他虽患有间歇性精神错乱，但仍写完长诗《沃罗涅日札记》，此书收集了他最好的抒情诗。1937年5月服刑期满，他和妻子回到莫斯科，次年在一所疗养所休养期间再次被捕。那年秋天，他在致妻子的信中说，他病倒在符拉迪沃斯托克（海参崴）附近一个转运营里，以后再也没有关于他的消息。后当局宣布他已于1938年12月27日去世。斯大林死后，苏联重新出版了他的作品。

Mander, Carel van　范曼德（1548-05，西班牙属尼德兰佛兰德默勒贝克［今比利时］～1606-09-02，阿姆斯特丹［尼德兰］）　荷兰风格主义画家和诗人，主要以写画家传记而闻名。出身贵族，曾从名师学习。在长期漫游以后，于1583年定居哈勒姆，在那里创办一所画院。在《画家》（1604）一书中，他囊括了15～16世纪荷兰、佛兰德斯和德国175位画家的传记，提供了那一时代有关北欧艺术家的独特资料。

Mandeville, Bernand de　曼德维尔（1670-11，荷兰鹿特丹～1733-01-21，英格兰伦敦哈克尼）　荷兰散文作家、哲学家。因所著《蜜蜂寓言》而誉满欧洲。在荷兰国立莱顿大学学医，1691年3月毕业并开始行医，不久到英国学习语言，发觉英国及其习俗都很宜人，因此定居伦敦。他在伦敦的职业声誉很快就确立起来。还得到重要人物的友谊和提携，1714年出版他的最重要著作《蜜蜂寓言》，副标题为《私人的罪过，公众的利益》，由序言、《怨声喧腾的蜂房》、《对道德起源的探究》和对该诗的《说明》组成。1723年版收入研究文章《社会的性质》，引起长期争论。1729年版修订了全部内容，以使其与曼德维尔的哲学信仰一致，但保留了原来旨在使读者开心的一些内容。他在《蜜蜂寓言》里的论据，对罪过有用论作了似是而非的俏皮辩护。根据他的定义，一切行为，就它们从自我利益出发这一点而论，都同样是罪过的。然而，虽然动机是坏的，但行为的结果常常对社会有利，因为它们创造了财富并促进了文明。

Mandeville, Edward Montagu, Viscount　曼德维尔子爵　参阅 **Manchester, Edward Montagu, 2nd Earl of 曼彻斯特伯爵（第二）**。

Mandeville, Geoffrey de　曼德维尔　参阅 **Essex, Geoffrey de Mandeville, 1st Earl of 埃塞克斯伯爵（第一）**。

Mandeville, Sir John　曼德维尔（活动时期14世纪）　英国作家。著有《约翰·曼德维尔爵士航海及旅行记》，搜集世界各地旅行者的游记，加以润色、补充，作为自己从1322～1356年在世界各地旅行的经历发表。此书的真正作者和约翰·曼德维尔爵士是否真有其人都无从确证。14世纪一位列日的编年史家让·德乌特雷穆曾宣称他知道该书的真正作者是列日的一位医生，名叫让·德布戈涅；后来的学者又推测德乌特雷穆本人是此书的作者。近代历史研究又驳斥了德乌特雷穆的传说。因此，此书的真正作者至今不明确，其真正作者是否曾游历过也不肯定，因作者的材料几乎全部取自百科全书和游记。在当时，曼德维尔曾被誉为中世纪最伟大的旅行家，后来到了探险的年代，则又被斥为谎言大师。尽管如此，他的这部著作饶有趣味，始终流行不衰。

Mandhata（India）　**门特赫德**　参阅 **Godarpura 戈德尔布尔**。

Mandi　门迪　印度西北部喜马偕尔邦中部城市。位于邦首府西姆拉西北偏北，临贝阿斯河。为农产品和木材贸易中心，有手工织布等行业。与中国西藏进行边境贸易。有公

门迪市的印度教神庙穹窿顶
美国不列颠百科全书公司供图

路通西姆拉和西、北各城镇。地处山区，有贝阿斯河与苏特莱杰河流经。其肥沃谷地出产稻米、玉米和其他农产品。大量开采岩盐。人口：城市18 706（1981）。

mandibulofacial dysostosis　下颌面骨发育不全　又作Treacher-Collins syndrome，Franschetti-Klein syndrome。一种罕见的遗传性疾病。特征为：颧骨、颌骨发育不良；眼距宽，下眼睑畸形及睫毛缺如；耳廓畸形，无外耳道并呈传导性聋；偶伴其他畸形。智能正常。治疗包括使用助听器或手术重建外耳道以提高听力，有时行矫形手术增大颌骨。

Mandingo（people）　**曼丁哥人**　参阅 **Malinke 马林克人；Mande 曼德人**。

Mandla　门德拉　印度中部中央邦中东部城市。位于讷尔默达河北岸。为公路交会点和铁路支线终端站。经营农产品贸易。锯木业、大麻制品和钟铜器皿生产重要。有绍格尔的哈里辛格·古尔大学附属的几所学院。人口：城市约38 390；都会区约47 601（1991）。

Mandogarh（India）　**曼多加尔赫**　参阅 **Māndu 曼杜**。

mandolin　曼多林琴　诗琴类的小型弦乐器，18世纪逐渐形成，在意大利有几种不同的变种，那不勒斯式曼多林琴最具有代表性。那不勒斯制造者P.维纳恰（1806～1882）对琴的式样和比例有很大影响。用4对钢弦，定弦用机械琴头，按小提琴音高定音（g-d′-a′-

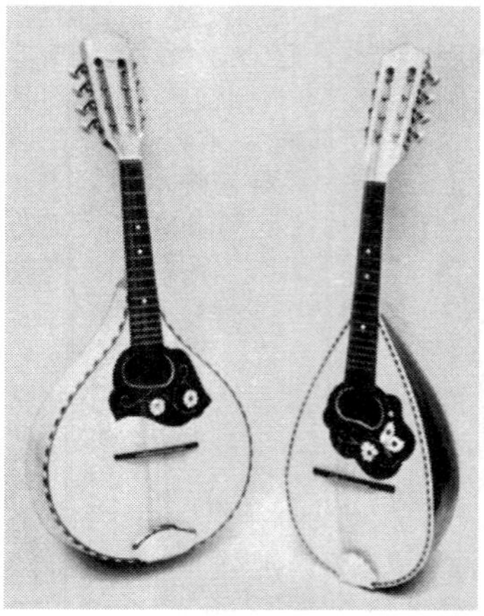

那不勒斯式曼多林琴
布西和霍克斯有限公司供图

e″）。梨形的琴身穹形背很厚，指板有17个品，稍翘起，弦系在琴的底端。面板在其装置琴马的最宽处向下弯曲从而增加弦线对琴马的压力以产生极有传送力的灿烂音色。拨子在每对同音的弦上迅速来回拨奏，可产生富于特色的震音。在20世纪，曼多林琴已制有从高音到倍低音大小的一套。为曼多林琴创作的乐曲中有A.维瓦尔第的一首协奏曲和莫扎特的歌剧《唐·乔凡尼》中的小夜曲。

mandora　曼多拉琴　诗琴类的小型梨形弦乐器，流行于12～18世纪。大概产生于波斯，中世纪称摩尔吉他拉琴。最初，琴体和琴颈用一块木料刻制而成，有一个装着横向轸的后仰的镰形轸斗。4根或5根弦拴在琴的底端，用拨子弹奏。有多种定音法，但常是从中央C或它下方的C音向上调弦。受诗琴影响，到17世纪用手指拨奏，并加了品，用诗琴琴马。18世纪的米兰式曼多林琴是其变种，与现代的那不勒斯式曼多林琴不同。Mandora一词也用于指次中音或中音那不勒斯式曼多林琴。

mandorla　全身肖像光轮　意大利文，意为“杏仁”。宗教艺术中圣者全身像周围的杏仁状光轮；在基督教艺术一般用于基督像，佛教艺术中也使用。其起源不明。西方的全身肖像光轮始见于罗马圣母大堂的5世纪镶嵌画，画中一些《旧约》人物像都饰有这种光轮。到了6世纪，全身光轮已成为基督的标准装饰，出现在以下的几种题材的艺术作品中：“主显圣容”（基督向他的使徒显出他在天上的形象）；“耶稣升天”（基督复活之后升上天堂）。后来，又推广到有关复活了的基督和在天堂的基督的其他题材：“圣母逝世”（基督自天堂降临，立在弥留之际的母亲床边）；“基督降临地狱的边境”；“末日审判”；以及非叙事的“大能基督”。在中世纪后期，在“末日审判”和“圣母升天”的艺术作品中，圣母也带有全身光轮，表明圣母已更受信徒崇敬。然而到了15世纪，艺术界自然主义兴盛，全身光轮已逐渐少用，因为它与自然

13 世纪初的镶嵌圣像《主显圣容》
美国不列颠百科全书公司供图

主义手法格格不入。文艺复兴时代的画家完全摒弃了它。

mandrake　茄参　又称毒参茄。茄科茄参属（*Mandragora*）6种植物的统称。原产于地中海地区及喜马拉雅山脉地区。最著名的种是药铺茄参（*M. officinarum*）；茎短，上生一丛卵圆形的花；根肥厚，肉质，常分叉；花单生，

15 世纪插图画中想象的茄参形象
美国不列颠百科全书公司供图

花冠钟形，紫色；浆果多肉，橘色。人们很早就知道茄参有毒。古代，茄参用作麻醉品及春药，人们也认为它具某些魔力。其分叉的根外形似人，故被认为受地下精灵所控制。从前认为仅在有月光的夜晚，按规定进行祷告，举行仪式，并用绳子将一条黑狗拴在植株上之后，才能将茄参安全地连根挖出，人手不能接触植株。在中世纪，人们认为茄参被挖出来时会发出尖叫声，不将耳朵堵上的人会死去或发疯。茄参一旦离开土壤，就对人无害，却能治病，引起性欲，使妊娠过程顺利，并使睡眠安稳。在北美的英语中，mandrake 一词亦指毛茛目植物鬼臼（**mayapple**）。

mandrel　心轴　通常为钢制的圆柱体，用于支承已经过粗加工要作精加工的工件。在机械加工中作为支承时，心轴一般稍带锥度，以便在压入预制孔中时，使心轴与孔壁间有强的摩擦黏着力。心轴可装在死顶尖之间，顶尖顶入心轴两端的锥孔中。当加工工件的圆柱面时，由电源驱动附属装置，使心轴连续转动；而当加工纵向槽时，则手动使其间歇转动。为适应较大范围孔的尺寸，可使用空心胀轴，该心轴有纵向槽，能用锥形塞胀开。绕制螺旋弹簧时，用心轴支承在其上缠绕的弹簧钢丝；而当模压无缝钢管时，一根长心轴可形成其内径。装有刀具的轴常常被看做是刀杆，刀杆与心轴两个词常互换使用。

mandrill（*Mandrillus* [or *Papio*] *sphinx*）**山魈**　猴科动物，一种旧大陆猴，通常与近缘动物黑脸山魈（**drill**）同列入山魈属（*Mandrillus*），但有时与狒狒一起列入狒狒属（*Papio*）。山魈主要地栖，栖息于赤道非洲森林。体强

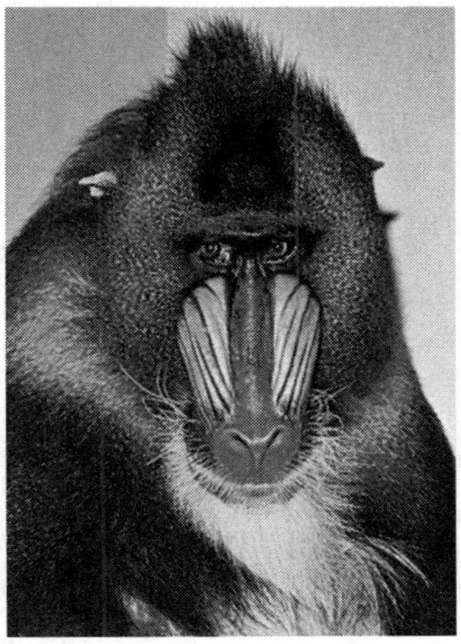

山魈（*Mandrillus sphinx*）
美国不列颠百科全书公司供图

壮，尾短，眉脊突出，眼小而凹陷，两眼距离近。成年雄性山魈的面和臀部有裸露区，两颊的裸区有棱纹，呈鲜蓝色到紫罗兰色，鼻梁和鼻端鲜红；臀胝粉红到深红色，到两侧渐渐变成浅蓝。体毛长，橄榄色到褐色，髯毛和颈毛短，为黄色，眼周绕以黑色毛。成年雄性的全长（包括短尾）约 90 厘米，体重约 35 千克。雌性的脸和臀部亦有裸区，体色较暗淡，体型较小，平均体重 13 千克。食果实、根、昆虫、小型爬行类及两栖类。白天在地面活动，夜间回到树上。群居，由一只居统治地位的雄性警卫。因人类伐林经营农业或取用木材，山魈的生境受到破坏，其生存受到威胁。

Mandsaur（India）　参阅**Mandasor**门德索尔。

Māndu　曼杜　又名曼多加尔赫。印度中部中央邦西南的一处城市废墟，位于印多尔城西南 60 千米。据说始建于 6 世纪。14 ～ 15 世纪为穆斯林的马尔瓦王国都城。该城在胡桑沙统治下（1405 ～ 1434）达于鼎盛，由于蒙古人的到来而衰落。海拔 634 米。废墟沿温迪亚山脊伸展达 13 千米。雉堞历历的围墙绵延37千米，将许多宫殿、清真寺等建筑圈

曼杜废墟胡桑沙时期的大清真寺
美国不列颠百科全书公司供图

在其内。胡桑沙的大理石圆顶墓和 1454 年建成的大清真寺是帕坦建筑风格的著名实例。

Mandurah　曼杜拉　澳大利亚西澳大利亚州西南部游览城镇。位于珀斯以南 65 千米，在皮尔湾的入口。始建于 1895 年。现主要是珀斯都市区的游览地。通公路。也是周围地区（有乳品、养禽和渔业）的服务中心。人口约 26 841（1991）。

Manduria　曼杜里亚　意大利东南部普利亚区塔兰托省城镇。起源于罗马时代之前。是一座古井的遗址，古井可能是当时异教徒的避难所。古迹有帝王宫和大教堂等。现经济以畜牧业和农业为主。人口：城市区约 32 737（1990）。

Mandya　门迪亚　印度西南部卡纳塔克邦南部城市。位于迈索尔东北约 41 千米，在贾姆拉杰讷格尔—班加罗尔铁路线上。为甘蔗产区中心。有榨糖和造纸业。其他行业有酒精、烟草和植物油加工等。该地设有迈索尔大学几所学院和一所管理学院。周围地区是德干高原的一部分。高韦里河为主要灌溉水源。小米、稻米、烟草、棉花为主要农产品。也生产蚕丝。编织为主要家庭工业。人口约119 970（1991）。

mandyas　曼迪雅　东正教的主教和其他高级神职人员在列队行进的仪式中穿着的紫色或蓝色肥大长斗篷。自领部以下两襟用扣子扣合。主教曼迪雅在扣合外饰以“波玛塔”，为锦绣方形饰物，自其中垂下红白色带，象征《旧约》与《新约》。

maned rat（*Lophiomys imhausi*）　**鬃鼠**　又作 crested rat。又称帚尾仓鼠、冠鼠。啮齿目仓鼠科大型动物，栖于非洲东部的高地森林。毛长，尾蓬松，体长 25 ～ 35 厘米（不计长尾）。毛软而厚，大体上呈浅灰色。耳小，腿短。从头到尾长着很长的鬃毛，受惊时鬃毛竖立。鬃毛两旁各有一条宽阔的白色短毛带，短毛带底下为皮肤腺区。夜间活动，善攀缘，居于岩石间或树根下的地洞中。以

鬃鼠(*Lophiomys imhausi*)
美国不列颠百科全书公司供图

树叶和树枝为食,进食时坐在地上,用两只前爪摆弄食物。

maned wolf(*Chrysocyon brachyurus*) **鬃狼** 罕见的大耳犬科动物,栖于南美洲中部偏远的平原地区。头似狐。毛长,微红褐色。腿长,黑灰色。具能竖立的鬃毛。体长125～130厘米,尾长30～40厘米,肩高约75厘

鬃狼(*Chrysocyon brachyurus*)
美国不列颠百科全书公司供图

米,体重约23千克。独栖,主要在夜间活动,以小动物、昆虫和植物为食。会袭击绵羊,但避免与人接触。

Manes(Middle Eastern prophet) 参阅 **Mani** 摩尼。

Manet, Édouard **马奈**(1832-01-23,法国巴黎～1883-04-30,巴黎) 法国画家、版画家,在创作题材上开创了从现实生活和风光中取材的先河,并强调绘画的色块安排要超出或高于描绘作用。马奈是司法部官员之子。1839年起先后在卡农·普瓦卢小学、罗兰中学学习。1850年师从古典派画家库图尔,为其素描和绘画技巧打下基础。1856年建立画室,并创作《拿樱桃的男孩》和《喝艾酒的人》(1859)。1856年到荷兰、德国和意大利作短期旅行,同时在罗浮宫临摹委拉斯开兹的《女孩玛丽-玛格丽特像》和提香的《圣母和兔子》。在诗人波德莱尔的建议下,马奈画了《土依勒里宫的音乐会》。1861年在沙龙中展出《西班牙歌唱家》,受到戈蒂埃的赞扬。1863年法国皇家学院拒绝其《草地上的午餐》,他和一些落选者组织"落选沙龙",展出作品,受到人们的非难。1864年马奈经常出

H.方丹-拉图尔绘《巴蒂尼奥莱斯家中的画室》中的马奈坐像(中)
美国不列颠百科全书公司供图

入于赛马场,《巴黎隆香的赛马》就是这时期的主要作品。1865年其作品《奥林匹亚》展出后,同样受到非难。第二年《吹笛少年》又被拒绝。19世纪60年代后期,马奈的作品更加注意色调的关系以及光度和气氛的复杂关系,这时期的代表作有《马克西米伦的枪杀》、《福克斯顿号的启航》(1869)等。左拉在《十九世纪评论》上著文称颂马奈是敢于对抗公众舆论的代表,于是马奈画《左拉像》表示感激。1868年展出《阳台》。1870年参加普法战争,翌年迪朗-吕埃尔以5万法郎买下了其全部作品。1872年访问荷兰,受哈尔斯的启示画了《一杯啤酒》。马奈和莫奈有着深厚的友谊。曾一起在塞纳河岸画外景。马奈与印象派画家过从甚密,但不参加他们的展览。他也画过一大批粉画,如描绘英国诗人的《乔治·穆尔像》等。1883年死于坏疽,安葬在帕西公墓。1884年马奈遗作在美术学院展出,左拉写了前言。主要作品有:《喝艾酒的人》(1859,尼·卡尔斯堡·格里波塞克,哥本哈根)、《西班牙歌唱家》(1860,纽约大都会艺术博物馆藏)、《土依勒里宫的音乐会》(1862,伦敦国家美术馆藏)、《奥林匹亚》(1863,巴黎罗浮宫博物馆藏)、《草地上的午餐》(1863,罗浮宫博物馆藏)、《马克西米伦的枪杀》(1867,曼海姆市立艺术馆藏)、《左拉像》(1868,罗浮宫博物馆藏)、《阳台》(1869,罗浮宫博物馆藏)、《划船》(1874,纽约大都会艺术博物馆藏)、《娜娜》(1877,汉堡艺术馆藏)、《福里-白热尔的酒吧间》(1882,伦敦考陶尔德艺术馆藏)等。

Manetho **曼内托**(活动时期约公元前300) 埃及祭司,他曾用希腊文写过一本埃及史,很可能是为托勒密一世(公元前305～前282)编撰的。这部史书只剩下断简残篇以及王朝和国王的年表。这些残篇对学者们考证国王继承的顺序大有用处,曼内托把埃及统治者划分为30个王朝,这个划分法至今仍在通用。

Manfalūṭī, Muṣṭafā Luṭfī al- **曼法鲁蒂**(1876-12-30,埃及曼费卢特～1924-07-25,开罗) 散文家、短篇小说作家、现代阿拉伯散文的先驱。生于一个土耳其人和阿拉伯人混血的家族,该家族自称为先知穆罕默德之孙侯赛因的后裔。曾在爱资哈尔大学接受传统的穆斯林神学教育,但深受泛伊斯兰主义、埃及民族主义和叙利亚派作家的影响,后者使他接触西方的、特别是法国的学术。至今未能断定他是否学过法语,但杂文集《观点集》(1902～1910,3卷)和短篇小说集《泪珠集》(1946)均改写或译自法国或欧洲其他国家的文学。他流畅自如的阿拉伯文体,不受当时风靡一时和着意修饰的押韵散文的影响,具有一种为报刊粗俗语言所没有的光彩,为现

马奈绘《福里-白热尔的酒吧间》(1882)
美国不列颠百科全书公司供图

代更有造诣的阿拉伯记叙文的基础,历数代作家而不衰。

Manfred 曼弗雷迪(约1232～1266-02-26,那不勒斯王国贝内文托附近) 1258年起真正成为西西里国王。在位期间,内战频仍,王位继承人与安茹家族之间的争执不断。神圣罗马帝国皇帝腓特烈二世之子,1254年被推选为西西里国王。教皇亚历山大四世把他两次逐出教门,另立英格兰的亨利三世之子埃德蒙为西西里国王(1255)。曼弗雷迪把教皇的军队击退。1258年8月在巴勒莫加冕。他作为吉伯林派的保护人坚持在伦巴第和托斯卡纳的权利。他把女儿许配给阿拉贡的彼得以加强自己的地位。但新教皇乌尔班四世却把西西里王国的王位给予安茹的查理。曼弗雷迪在与查理的交战中兵败身亡。

Manfredonia 曼弗雷多尼亚 意大利中东部普利亚区福贾省城镇和大主教区。位于曼弗雷多尼亚湾头的加尔尼亚诺岬南坡,福贾的东北面。城西南3千米处的圣玛丽亚教堂(1117)一带是古代锡朋通旧址。13世纪被废弃。锡朋通的居民迁到建于1260年左右的曼弗雷多尼亚。保存有古城堡和圣多明我教堂。经济以农业、渔业和商业为主,旅游业日益发展。水力工程亦已见规模。人口:城市区约57 978(1999)。

mangabey 白眉猴 猴科白眉猴属(*Cercocebus*)几种身材纤细、四肢较长的动物的统称。栖息于非洲雨林。体型较大。用四肢行走。具大颊囊。尾长,常置于背部,尾尖渐细。头和体共长40～90厘米,体重约6千克。尾和身体等长。白眉猴有4～5种(各家意见不一),其中大部分的眼睑或眼周为鲜明的白色。可根据发冠、白色斑点以及头上的簇毛或尖形顶毛区分各个种。白领白眉猴(*C. torquatus*)、乌黑的眉猴(*C. atys* 或 *C. torquatus atys*)和敏捷的眉猴(帽白眉猴,*C. galeritus*)主要地栖,毛短,浅灰褐色到深灰色,身上有斑点。灰颊白眉猴(*C. albigena*)和 *C. aterrimus* 喜树栖,毛长,黑色,无斑纹。白眉猴群居,以种子、果实和树叶为食。常遭到豹和冕鹰雕的捕杀。

maṅgal-kāvya 吉祥诗 孟加拉和印度流行的颂神诗。其中有的歌颂湿婆等全印度神灵,但以歌颂女蛇神摩那娑、天花女神希塔拉、民间神达磨多鸠等孟加拉地方神灵者居多。这种诗从200行到16世纪吉格罗沃尔迪所著孟加拉语杰作《钱迪吉祥》的数千行,长短悬殊。吉祥诗往往在所颂之神的节日歌诵。吉祥诗不像吠陀著作,它们不是正典,因而不仅在许多世纪内经受重大变化,而且各歌手所唱也互不相同,他们可以自由加进自己喜爱的传说和对周围事物的见解。因此,吉祥诗不仅是有价值的宗教资料,也是珍贵的历史资料。

Mangalore 门格洛尔 印度南部卡纳塔克邦西南部南根讷德县县府、城镇。阿拉伯海港口。位于由内特拉瓦蒂河和古尔普尔河形成的逆流中。久为马拉巴海岸的一个锚地。14世纪参与波斯湾贸易。16世纪中叶被葡萄牙占领。1763年在迈索尔苏丹统治下成为一战略上的造船基地,1799年割让与英国。城区多椰园,有乡村风貌。为繁忙的货运中心。由于沙洲阻挡,船只需停在岸外5千米处。但因其为深水港得以输出矿石、腰果、咖啡以及来自迈索尔和古尔格的檀香。稻米、槟榔、椰壳纤维、鱼和豆蔻为当地产品。有重要的制瓦业。其他工业有造船、咖啡加工、制陶和制砖窑等。郊区乌拉尔生产针织品和椰壳纤维。建有柴油发电站、飞机场和国家级公路,并且是南方铁路西海岸支线的终点。为天主教主教和信义会教会的所在地。是教育中心,设有公立的培训和教育学院,并有门格洛尔大学的三所分校。该地的主要语言为康坎语;基督教徒占人口很大部分。人口:城镇273 304;都会区426 341(1991)。

Mangan (India) 参阅 **Mangang** 曼冈。

Mangan, James Clarence 曼根(1803-05-01,都柏林～1849-06-20,都柏林) 诗人。他是一个多产的诗人,几乎写过各种类型的诗,但质量参差不齐。他的最佳诗作充满了对爱尔兰的爱,在爱尔兰诗歌中占有很高地位。出生于一个不成功的杂货商家庭。15岁到公证人办事处当文书,一直干了10年。此后为《都柏林大学杂志》等刊物撰稿。他天性忧郁,由于多年收入微薄的单调工作和失恋的打击,更加意气消沉。他吸鸦片,酗酒,最后几年潦倒不堪。当他死于霍乱时,只有两个人参加葬礼。他的许多作品都是译自爱尔兰语、德语和各种东方语言(这些语言他可能并不懂)的诗。他的翻译不紧扣原文,实际上只是将其用作抒发自己感情的手段。他还经常把自己的创作当作翻译作品发表。许多诗篇均以爱尔兰的历史和传说为主题,但《无名的人》和《黝黑的罗莎琳》带有极为现代化的个人写实主义特征和悲剧性的真挚情调,常被收入诗选。

manganese 锰(Mn) 化学元素,周期表Ⅶb族的灰白色质硬而脆的金属。1774年,瑞典化学家C.W.舍勒在研究软锰矿时确认锰是一种元素;同年,他的同事J.G.甘恩制得了锰。虽然很少使用纯锰,但是锰却是炼钢必不可少的元素。锰与其他金属结合在一起,广泛分布于地壳中。锰的最重要矿石软锰矿、硬锰矿和锰土等,主要由二氧化锰MnO_2组成。锰是植物生长必不可少的元素,并参与绿色植物和海藻中硝酸根的还原过程。锰是高等动物必需的痕量元素,在动物体中,锰参与许多酶的作用。缺少锰会引起睾丸萎缩症。植物和动物中锰过量则有毒害作用。95%以上的锰,以铁锰合金和硅锰合金的形式用于炼铁和炼钢。首先将含氧化铁的锰矿石在高炉或电炉中用碳还原,得到铁锰合金,然后这种合金用作炼钢的添加剂。金属中加入锰时,由于锰对硫的亲合力比铁大,故可将钢中低熔点的硫化铁转化成高熔点的硫化锰。未加锰的钢,热轧或锻造时会断裂。钢一般含锰不到1%。锰钢也称哈德菲尔德钢,用于制造承受摩擦和碰撞的部件,由于它含锰12%～14%,能为坚韧不易破碎的心板提供硬而耐磨并且可自行更新的表面。用电解法制取的纯锰大部分用于铜、铝、镁和镍的有色合金的制备和高纯化学试剂的生产。实际上,所有的工业用铝、镁合金都含锰,以改善其耐腐蚀和机械性能。所有的天然锰都是稳定同位素锰55。它有4种同素异形体,立方结构(称为α相)是常温下稳定的形式。在一般化学性质上,锰与铁有些相似。锰在空气中能发生表面氧化,在潮湿空气中则生锈。像铁一样,高温时锰在空气或氧气中能燃烧;锰并能缓慢分解冷水,加热时则能迅速分解水。锰易溶于稀的无机酸,放出氢气并生成相应的2价锰盐。在锰所形成的各种各样的化合物中,最稳定的是+2、+6和+7氧化态的化合物。锰(Ⅱ)(亚锰)盐、锰酸根和高锰酸根分别是上述氧化态的例子。主要的有工业价值的锰化合物包括若干种氧化物。氧化锰(Ⅱ)或称一氧化锰MnO,可用作生产锰(Ⅱ)盐的起始物质、肥料的添加剂和纺织品印染的试剂。在自然界它以绿色的方锰矿形式存在,但工业上也可以在隔绝空气条件下将碳酸锰加热,或使氢气或一氧化碳通过二氧化锰制得一氧化锰。锰的最重要的化合物是氧化锰(Ⅳ)或称二氧化锰MnO_2(软锰矿的主要成分),黑色的软锰矿是锰及其所有化合物的主要来源。二氧化锰在有机合成中广泛地用作氧化剂;它还用作干电池的阴极材料。二氧化锰直接由软锰矿制得,但也有相当数量的二氧化锰用合成方法制备。合成二氧化锰的方法有:硝酸锰(Ⅱ)分解;使硫酸锰(Ⅱ)、氧和氢氧化钠一起反应;或电解硫酸锰的水溶液。各种锰盐也同样具有工业重要性。硫酸亚锰$MnSO_4$加入土壤中,可促进植物特别是橘属的生长。此外,它还是很好的还原剂,在油漆和清漆干料的生产中尤其有用。氯化亚锰$MnCl_2$广泛用作有机化合物氯化过程的催化剂和饲料的添加剂。高锰酸钾$KMnO_4$用作消毒剂、除臭剂和漂白剂,以及分析试剂。锰原子序数25。原子量54.938。熔点1 246°C(2 275°F)。沸点2 062°C。比重7.21～7.44(20°C)。化合价2、3、4、6和7。电子组态2,8,13,2或$(Ar)3d^5 4s^2$。

manganese deficiency 锰缺乏 机体对锰元素摄入不足的一种病理生理现象。锰是在骨灰中发现的一种痕量元素。一些证据表明锰是一种抗不育因子,因为当锰的血液化学水平维持到一定程度时,婴儿的死亡率就较低。已知锰在钙、磷的生理活动中起催化剂作用,为维持正常骨骼结构所必需。锰的主要食物来源为豆类、坚果、保壳谷物及绿叶蔬菜。

Mangang 曼冈 又拼作Mangan。印度东北部锡金邦村庄,在北锡金公路上。位于蒂斯塔河东岸,为贸易中心。曼冈有一所医院、一家疗养院和一座小水电站。附近还有一处

曼冈的一座典型村居
美国不列颠百科全书公司供图

寺院和一所中学。人口 780(1981)。

manganite 水锰矿 一种锰的矿石矿物,是碱性的锰氧化物[MnO(OH)]。呈暗灰色到黑色的晶束或纤维状块体。重要的矿床发现于德国的伊尔默瑙、伊尔费尔德、锡根和霍尔豪森,法国的洛龙和欧尔山谷,英国康沃尔郡圣贾斯特,美国的密歇根州和加利福尼亚州。水锰矿是次于软锰矿和硬锰矿的锰矿石,它易于变成软锰矿和硬锰矿。详细物理性质,参阅 **oxide mineral**(表)。

Mangar(people) 参阅 **Magar** 马嘉人。

Mangareva Islands(French Polynesia) **芒阿雷瓦群岛** 参阅 **Gambier Islands** 甘比尔群岛。

Mangas Coloradas 曼加斯·科洛拉达斯 (约 1795,[可能在今美国新墨西哥州南部]~1863-01,新墨西哥麦克莱恩堡) 北美明布雷诺阿帕切人首领,以团结阿帕切人部落闻名。他身材高大、引人注目,1837 年成为明布雷诺人的首领。当时前首领和一群明布雷诺男女、儿童已被设陷阱捕兽者为得到他们的头皮领取墨西哥人赏金所出卖和杀害。曼加斯·科洛拉达斯和他的战士为了报复这种背信弃义行为,屠杀这些捕兽集团,袭击供应物品的车辆,使圣丽塔的居民挨饿,并且当幸存者企图逃离时将他们杀死。该地区有一时期已没有白人和墨西哥人居民。当墨美战争爆发时,曼加斯向美国军队提出愿提供阿帕切人援助,但他的提议遭到拒绝。1848 年加利福尼亚发现黄金,阿帕切人受到入侵的白人淘金者的威胁。有一次在淘金者营地发生一事件,曼加斯·科洛拉达斯被鞭打,导致他对白人怀着持久的敌意。他的女婿科奇斯虽然一直反对和美国人打仗,但在 1861 年也被白人出卖,转而反对白人。后来曼加斯和科奇斯联合起来灭绝了新墨西哥南部和亚利桑那的居民。1862 年曼加斯在战斗中受伤,后伤愈。他于 1863 年被俘,据称因企图逃跑而被杀。

Mangbetu 芒贝图人 又拼作 Monbuttu。居住在刚果(金)东北部赞德地区以南的中非诸民族。讲尼罗-撒哈拉语系沙里尼罗语族的中苏丹语。芒贝图人是若干民族的聚合体,他们侵占了原俾格米人的地盘,后来又吸收了大批东苏丹人和班图人,因此,成了若干不同文化和不同语言的民族集团。以锄耕农业为生,亦捕鱼、狩猎、采集和养牛。普遍实行一夫多妻制,家畜是实物聘礼的一部分。按父系传世。多数居民区由历经 12 代的大家庭组成。现今政治组织单纯,仅有当地头人和长老议事会。早先,他们的政治机构和艺术,特别是建筑、制陶和雕刻的惊人技巧,给旅游者以深刻的印象。现代芒贝图人仍以精心雕制的小刀、木制盛蜜容器、雕像、乐器和罐瓶引起艺术家的注意。芒贝图人还有食人和使婴儿头颅变形的习俗。

mange 兽疥癣 兽类的皮肤病。病原为6种螨类,特征为炎症、痒感、皮肤增厚及脱毛。最严重的一种兽疥癣由疥螨(*Sarcoptes scabiei*)所造成,疥螨亦可致人类的疥疮。有些兽疥癣可侵犯各种家畜,但多数兽疥螨只寄生于一种动物身上;螨在动物间通过直接接触或间接接触而传播。

Manggarai 芒加赖人 住在印度尼西亚小巽他群岛弗洛勒斯岛西部的印度尼西亚民族。20 世纪 80 年代中期人口超过 40 万,属原始马来人种,讲一种印度尼西亚语系比马-松巴语支语言。政治制度以氏族为基础,受托多氏族酋长领导。芒加赖人实行父系传宗;住区聚为村落,各村至少有两个氏族。传统上各个氏族都与另外两个氏族保持联系,一个氏族专为嫁女,一个氏族专为娶妻。不过现在婚嫁规则已十分灵活。他们从事刀耕火种农业,种植水稻、玉米,从 1960 年起,梯田种稻逐渐普及。为了出口也种植咖啡、葱头及绿豆。饲养马和水牛。芒加赖人大多是天主教徒。

Mangla Dam 曼格拉水坝 巴基斯坦杰卢姆河上的土石坝,1967 年建成。与**塔贝拉水坝**(**Tarbela Dam**)同为印度盆地两个主要工程。坝高 138 米,顶长 3 140 米,体积 6 540 万立方米。加上 3 个小型辅助坝,发电量至少为 600 兆瓦,蓄水量为 72.5 亿立方米。

Mango 芒戈 前称桑桑内芒戈。多哥北部城镇。位于奥蒂河畔,邻近克兰国家公园。原为草原区首府。现仍为本区牛和花生的贸易中心。人口稀少。阿努弗人居住在芒戈及周围地区。地处北通布基纳法索(上沃尔特)、南达首都洛美的公路干线上。人口约 17 000(1988)。

mango(*Mangifera indica*) **杧果** 又译芒果。漆树科常绿乔木。热带最重要、栽培最广泛的水果之一。可能原产于东亚、缅甸和印度阿萨姆邦。其名称源出泰米尔语 man-kay 或 man-gay。植株通常高达 15～18 米,树龄长。叶披针形,长达 30 厘米。花小,粉红色,芳香,集成为顶生圆锥花序,杂性同株(花序中有两性花及雄花)。果实小者大如李子,大者重达 1.8～2.3 千克,卵形、圆球形、心形、肾形或细长形;多呈暗淡的绿色,也有的品种呈鲜艳的红色或黄色;果肉黄色至橘红色,多汁,有独特的香味、富含维生素 A、C 和 D;内有一大而扁平的种子。在印度,杧果与民间传说和宗教仪式结下不解之缘。人们曾献给佛陀一片杧果林,他在林荫中得到宁静。可能因为其种子的发芽力仅能保持很短一段时间,杧果直到约1700年在巴西栽培后才传

杧果(*Mangifera indica*)
美国不列颠百科全书公司供图

入西半球,1740 年引入西印度群岛。杧果适应土壤的能力强,但优良品种种植于干季明显的地区才能丰产。在多雨的地区,炭疽病(一种真菌病)会毁坏杧果的花和嫩果,而且难以控制。杧果以嫁接或芽接繁殖,热带亚洲多用靠接,但这种方法既麻烦又不经济;在佛罗里达,已研究成较好的繁殖方法:镶接和嵌木芽接,并将其用于商业化生产。

Mangoaela, Z(akea) D(olphin) 曼戈阿拉 (1883-02,南非开普殖民地霍霍本[今好望角]～1963-10-25) 南索托作家和民俗学家。早期作品为许多南非乡土作品准备了条件。在巴苏陀兰(今莱索托)长大,在巴苏陀兰教师训练学院学习后于 1902 年获教师证书,在科南教会学校传教和教书。从 1910 年起,他在莫里亚布道站任教并任簿记员、翻译,后成为《微光》期刊的编辑(1954～1958)。很早就开始写作,最初写了一套索托语学生读本,后在莫里亚研究了欧洲人统治下的莱索托,写了《莱索托的进步》(1911)和收有 54 篇狩猎故事的《在野兽和动物群中》(1912)。他和他人合编了一部《塞索托语语法》(1917)。他将 82 首颂歌收在一部《索托酋长颂歌》中(1921),对非洲口头文学的一个重要体裁及早给予重视。

Mangochi 曼戈切 前称约翰斯顿堡。马拉维中南部城镇。濒临希雷河,在该河流出尼亚萨(马拉维)湖,流入马隆贝湖前 8 千米处。原为 19 世纪 90 年代建立的英国殖民地驻防点,后发展成农业中心并有造船厂。当地经济作物有烟草、棉花和花生。湖滨广种稻谷和玉米。商业性渔业也重要。周围地区居民主要是尧人。人口约 26 570(1998)。

mangosteen(*Garcinia mangostana*) **莽吉柿** 又称倒捻子。藤黄科一种树姿优美的热带果树。原产于东南亚。果实味甜,亦称莽吉柿。在缅甸称为 men-gu。莽吉柿树生长缓慢,在适当条件下成年树可高达 9.5 米。单

株一季产量有高达 1 000 个果以上者。叶片厚,深绿色,有光泽,长 15 ～ 25 厘米。花大,粉红色。果实大小如小甜橙,两端圆或扁,果皮厚而硬,深红色,果肉雪白色,分数瓤,似橘子,肉质细腻,柔软多汁,微涩。莽吉柿自古以来栽培于爪哇、苏门答腊、印度支那和菲律宾南部。在印尼是一种普通的庭园果树。1855 年植于英格兰温室的莽吉柿结果,后莽吉柿引入西半球,种植于西印度群岛,尤其是

莽吉柿(*Garcinia mangostana*)
美国不列颠百科全书公司供图

牙买加。后在美洲大陆(危地马拉、洪都拉斯、巴拿马、厄瓜多尔等国)栽种。莽吉柿在热带以外地区一般生长不好。因其果实必须在树上成熟,熟后不能长期保存,所以仅见于当地市场。植株生长 8 ～ 15 年方结果,通常每隔一年为大丰收年。

Mangrai 孟莱(1239-10-23,泰国清盛～1317,清迈) 清迈城及兰那王国(1296 ～1317)的创建者,兰那国王(1296 ～ 1317)。兰那王国在今泰国北部,16 世纪被缅甸人侵占之前一直是独立国家。孟莱于 1259 年继承父业,统治清盛侯国。1262 年迁至清莱。他用十几年时间准备征服清迈地区,终于在1281 年占据诃梨朋阇耶(今南奔)。1296 年建清迈城,使之成为兰那王国(百万稻田国)的首都。

mangrove 红树林植物 红树科(Rhizophoraceae)、马鞭草科、海桑科(Sonneratiaceae)和槟榔科(Arecaceae)或棕榈科一些灌木和乔木的统称。沿感潮河口、盐沼、泥岸形成稠密的树林或灌丛,特征是具有暴露在空气中的支柱根,不少种具呼吸根或膝根(出水通气根);这些根突出于泥上,有微小的开口(皮孔),空气通过皮孔经根部的柔软、海绵状组织到泥下的根部。热带美洲的大西洋海岸及墨西哥湾至佛罗里达州一带,红树林植物主要是红树科的美国红树(普通红树,*Rhizophora mangle*)、马鞭草科的黑红树(海榄雌,*Avicennia nitida*,有时作 *A. marina*)。东南亚的红树林植物包括海桑科海桑属(*Sonneratia*)植物和槟榔科的聂帕榈灌木状水椰(尼帕棕榈,*Nypa fruticans*)。美国红树是典型的红树林植物;其树干不断向下生出弧形的不定根,定植后又向上生出新的树干。果未脱落时种子就发出胚根迅速向下生长,种子脱落时幼根即位于穿入土壤的准确位置;于是植株扎根,幼株形成。幼根可极长,在果实脱离母株前即已定植于土中。植株高约 9 米;叶长 5 ～ 15 厘米,对生,卵形或椭圆形,叶缘光滑,叶厚,表面革质,生有短柄;花淡黄色。海榄雌高度

美国红树(*Rhizophora mangle*)
美国不列颠百科全书公司供图

多在 18 ～ 21 米以下;叶对生,长 5 ～ 7.5 厘米,长圆形或披针形,上表面绿色,有光泽,下表面发白色或淡灰色;花小,白色,不显著,芳香,蜜腺丰富,常招引蜜蜂。美国红树果味甜,有益于健康。有些种的木材坚硬而耐久;树皮能提取一种水溶性物质,可用于鞣皮。

mangrove snake 林蛇 游蛇科林蛇属(*Boiga*)爬行动物,约 30 种。分布于热带非洲至澳大利亚和波利尼西亚群岛一带,既能地栖亦能树栖。许多种类夜间捕食鸟类。毒

黄环林蛇(*B. dendraphila*)
美国不列颠百科全书公司供图

性弱,毒牙生在口的后部。因瞳孔呈椭圆形,眼可能为绿色而有时被称为猫蛇或猫眼蛇。头短而宽,身体粗壮。马来半岛至菲律宾一带的黄环林蛇(*B. dendrophila*)体表黑色,有黄色条纹,唇与喉部黄色;体长可达 1.8 米。印度和亚洲中部的伽马林蛇(*B. trigonata*)体长 1.2 米,褐色;主要营树栖生活;自卫方法同于其他林蛇,将身体挺立呈 S 形,前半身膨胀,反复进攻。褐树蛇(不规则林蛇,*B. irregularis*)产于澳大利亚北部和东部地区,身体固定在树枝时,能跨过很远距离攻击猎物。

Mangu(Mongol ruler) 参阅 **Möngke 蒙哥**。

Mangunkusumo, Tjipto 芒温库苏莫(1884 ～ 1942-03-08,荷属东印度群岛爪哇雅加达[今印度尼西亚]) 20 世纪初期印度尼西亚民族主义领袖。他抛弃大多数早期民族主义团体所采用的文化手段,1911 年同道沃斯·代克尔和苏瓦迪·苏里亚宁拉特一起创建社会主义东印度党,以政治行动争取印度尼西亚的独立。两年后,荷兰人勒令 3 位领袖离开东印度群岛。芒温库苏莫于 1914 年获准回国,继续从事政治活动,支持梭罗农民抗税等激进行动。1918 年任民会议员。1927 年参加建立印度尼西亚民族党。此后不久,因煽动荷军中的印度尼西亚士兵叛变而被流放于荒岛 11 年。

Mangya 茫崖 中国青海省海西蒙古族藏族自治州直辖镇,为新兴的工矿城镇。位于柴达木盆地西北隅,阿尔金山与祁漫塔格山交会处,海拔 3 130 米。1956 年设工作委员会(县级行政区),驻茫崖,1959 年迁驻油砂山。1964 年改设镇。面积 2 090 平方千米。石棉储量大,品位高,矿石质量与选矿能力均居全国第一位。尕斯库勒油田为柴达木盆地的大油田。建有炼油厂、石棉厂等。公路由此可通冷湖、茶卡、敦煌、格尔木等地。人口29 000(2003)。

Mangyshlak 曼格什拉克 哈萨克斯坦西南部的州。西濒里海。面积 166 600 平方千米,有大片平地和一些凹地(巴特尔凹地在海平面下 130 米)。盛产石油和天然气,特别是在曼格什拉克半岛的曼格什拉克石油和天然气地区。曼格什拉克半岛还有磷和贝壳石灰石的蕴藏。沙漠气候为大陆性,特别干燥,几乎无法耕种作物,只能有限度地饲养绵羊、骆驼和马。该州住有哈萨克人、俄罗斯人、乌克兰人、鞑靼人和其他民族。唯一的主要城市是濒临里海的首都舍甫琴柯,许多小社区有 20 世纪 60 年代以来建造的铁路网。人口约327 000(1987)。

Manhattan 曼哈顿 美国堪萨斯州东北部城市,赖利县县城。位于大布卢河和堪萨斯河汇合处。这里筑坝拦水,形成塔特尔格里克湖。1855 年建村,1857 年设市。现主要是教育中心,设有堪萨斯州立大学(1858,原为布卢芒特学院)和曼哈顿基督教学院(1927)。也是周围农产地区贸易和加工中心。市西南有赖利堡(1852)为第一步兵师司令部驻地。人口 44 831(2000)。

Manhattan 曼哈顿 美国纽约州东南部纽约市的一个区,范围同纽约县。该区主要在曼哈顿岛,亦包括大陆上马布尔希尔一段以及伊斯特河中一些小岛屿。范围西起哈得孙河,东至伊斯特河;南临上纽约湾,东北界哈勒姆河。曼哈顿常被误认为是纽约市之别称。据传 1626 年新荷兰省第一任总督向当地印第安人购得此岛。1653 年设为新阿姆斯特丹市。1664 年归属英国,称纽约市,在美国早期军事、政治中曾起重要作用。1785 ～1790 年国会在此开会。1789 年华盛顿在此就任美国第一任总统。19 世纪,尤其是 1825 年伊利运河开凿后,曼哈顿发展为日益扩大的繁华都市区的核心。1898 年曼哈顿与新建

的布鲁克林、昆斯、里士满和布朗克斯组成大纽约市。为世界首要的商业、文化、金融业中心之一。因有众多名胜而著名，其中有*百老汇*（**Broadway**）大街、*华尔街*（**Wall Street**）金融区、*帝国大厦*（**Empire State Building**）、*格林尼治村*（**Greenwich Village**）、*哈勒姆*（**Harlem**）、*中央公园*（**Central Park**）、联合国总部，文化教育机构有大都会艺术博物馆、大都会歌剧院、现代艺术博物馆、哥伦比亚大学、纽约市立大学两所学院及纽约大学。人口 1 537 195（2000）。

Manhattan Project 曼哈顿工程 美国政府在 1942 年 6 月开始实施的一项旨在利用核裂变过程来制造原子弹的工程。美国科学家于 1939 年开始研究核裂变的军事用途。同年夏天，以 A.爱因斯坦为首的一批科学家上书罗斯福总统，阐述了核裂变的军事潜力。1940 年 2 月，政府拨款 6 000 美元由国家标准局负责开始此项研究。1941 年 12 月该工程改由 V.布什领导的科学研究与发展署负责。由于初期的大部分研究工作是在曼哈顿的哥伦比亚大学进行，所以最初是以曼哈顿工程特区的代号来执行此项计划，后来整个研究计划正式定名为曼哈顿工程。为实现这一研究计划，在田纳西州的橡树岭、华盛顿州的汉福德、新墨西哥州的洛斯阿拉莫斯等地建立起了庞大的研究和开发设施。这些研究和开发设施先后成功地提炼出了制造原子弹的裂变物质铀 235 和钚 239。1942 年 10 月 2 日在 A.H.康普顿领导的芝加哥大学的冶金实验室里成功地实现了核裂变连锁反应。到 1945 年夏天，参加曼哈顿工程的科学家和工程师就研制出了一枚实验用原子弹。到这时，政府给曼哈顿工程的拨款已从最初的6 000美元增加到了 20 亿美元。

第一枚原子弹于 1945 年 7 月 16 日上午 5 时 30 分在新墨西哥州阿尔伯克基以南 193 千米处的阿拉莫戈多空军基地的场地上爆炸。这枚原子弹的爆炸力相当于 1.5 万～2 万吨 TNT 炸药的爆炸力。在随后的一个月内，又根据曼哈顿工程生产了两枚原子弹，第一枚使用铀 235，第二枚使用钚 239，这两枚原子弹就是美国投到广岛和长崎的原子弹。

Mani（Greece） 参阅 **Maina** *马伊纳*。

Mani 摩尼（216-04-14，巴比伦南部～274?，贡德沙普尔） 又作 Manes。摩尼教创始人。该教鼓吹二元论教义，谓精神为善，物质为恶，两者混合而成世界。摩尼在童年和青年时两次在异象中见到号称孪生子的天使，天使在第二次会见他时召唤他宣传新宗教。他曾到印度（大概是信德和图兰等地）传教收徒。返乡受到波斯国王沙普尔一世欢迎，获准在波斯帝国境内传教。可能曾到过波斯帝国西部许多地方，但关于他曾到波斯东北部的较晚近的传说不尽可信。在波斯国王巴赫拉姆一世统治时期，摩尼受到琐罗亚斯德教教士的攻击，国王下令将他监禁在贡德沙普尔（即贝拉佩特），26 天后摩尼死于牢中。

mania 躁狂症 精神病学术语。任何不正常的兴奋状态，如*躁狂抑郁性精神病*（**manic-depressive psychosis**）的躁狂相。

manic-depressive psychosis 躁狂抑郁性精神病 又作 bipolar disorder。一种以严重的反复发作的抑郁或躁狂状态为特征的精神障碍。发病及缓解均可急可缓。躁狂和抑郁状态可呈周期性交替出现，也可能以其中一种心境为主，或二者并存呈混合表现。抑郁相患者可表现为悲伤沮丧、无精打采、情绪低落，对周围的一切都不感兴趣。抑郁状态可表现为不同的两种情况：一是表现激越，这种病人情绪紧张、多动、悲观厌世并伴有妄想；二是表现迟缓，此类患者动作少而缓慢、情绪沮丧悲伤、自卑自责。躁狂相患者的特点是情绪异常兴奋，洋洋得意；言语极多，口若悬河，说话声大而快，话题不断转换；为人过于热心，处事过于乐观自信；喜爱社交，爱交际，说话爱连比带画，整日忙个不停；易被激怒，又易于分散其注意力；具有夸大观念且又极度自尊。躁狂相的极端形式表现为暴力伤人；极端抑郁则表现为自杀。本病具有某些精神病的症状，如妄想和幻觉。较之躁狂，抑郁更为常见，很多患者根本就没有出现过真正的躁狂症状，虽然有些患者从抑郁相进入间歇期恢复阶段时，可以表现为短暂的情绪过度乐观和中度欣快感。各种类型的躁狂抑郁性精神病的发病率约为 1%，再次入院的病人约为 10%～15%。统计学研究表明本病有遗传倾向，主要和第 11 对染色体上的显性基因缺陷有关。从生理学角度来看，躁狂抑郁性精神病的病因是大脑中的一种或几种神经介质调控失常所至，这些神经介质——几种胺——的主要生理功能是传导神经冲动；当胺的含量不足时，病人表现为抑郁，反之则为躁狂。一般认为，和本病关系最为密切的胺有三种：去甲肾上腺素、多巴胺和 5-羟色胺。

实践表明，长期服用碳酸锂可以有效地减轻或消除躁狂抑郁性精神病人的症状。公元 2 世纪希腊医生卡帕多西亚的阿雷提乌斯就对本病有过详细的描述；躁狂抑郁性精神病的现代概念源于德国精神病学家 E.克雷佩林。

Manica（people） 参阅 **Manyika** *马尼卡人*。

Manichaeism 摩尼教 公元3世纪由摩尼在波斯创立的二元宗教。*摩尼*（**Mani**）号称“光明使徒”和至尊“光明使者”。他所创立的体系在很长时间内被人认为是基督教的一个异端派别，但是，它教义完整，组织严密，戒律严格，始终统一，不失本色，确乎是一个独立的宗教。

摩尼生于巴比伦地区南部（今伊拉克）。他 24 岁自称得上帝启示，开始在波斯帝国各地传教。起先尚顺利，后来遭到国王反对，判罪入监。经过 26 天的审判（他的徒众称之为“光明使者受难”），摩尼向门徒最后一次讲道之后而死（274～277 年间）。摩尼自命为一连串先知中的最后一位，这些先知自亚当始，包括佛陀、琐罗亚斯德和耶稣。他认为，真道的启示过去效果有限，因为只在一地，用一种语言传给一个民族，加之后世信徒看不到原本的真理。摩尼自命所传为普世真道，它必将取代其他一切宗教。为了避免以讹传讹以保证教义一贯，他把自己的学说写成经书，并在他生前即把它们定为正典。

摩尼教从一开始就大力展开传教活动，意在使全世界信奉该教。摩尼鼓励人们把他的著作译成别国语言，安排大规模海外传教事业。摩尼教迅速向西传入罗马帝国。它从埃及传遍北非（青年时代的奥古斯丁一度信奉该教），于 4 世纪初传到罗马城。4 世纪是摩尼教在西方扩张的鼎盛时期，高卢南部和西班牙都建起了摩尼寺。摩尼教遭到基督教会和罗马帝国政府大力打击，到了 5 世纪末已完全消声敛迹于西欧，经过 6 世纪，罗马帝国东部也不再有摩尼教。

在摩尼生前，摩尼教传遍萨珊王朝波斯帝国的东部各省。在波斯本土，摩尼教在迫害之下维持生存，到了 10 世纪，穆斯林阿拔斯王朝迫害该教，迫使该教把全教中心迁到撒马尔罕（在今乌兹别克斯坦）。

7 世纪，中国唐朝征服了东土耳其斯坦，商道再次开通，摩尼教即开始传入东方。摩尼教的一位传教士于 694 年到达长安，732 年，皇帝敕准该教教徒自由礼拜。8 世纪，回鹘攻占东土耳其斯坦，回鹘的一位统治者信奉摩尼教，于是该教成为回鹘国定宗教，一直到 840 年回鹘覆灭为止。摩尼教或许在东土耳其斯坦延续到 13 世纪蒙古入侵该地时为止。在中国，摩尼教于 843 年被禁，但该教仍然存在到 14 世纪。

在中世纪欧洲，类似摩尼教的学说重新泛起，成为所谓新摩尼派别。保罗派（亚美尼亚，7 世纪）、鲍格米勒派（保加利亚，10 世纪）、清洁派即阿尔比派（法兰西南部，12 世纪）等派别都酷似摩尼教，很可能是受到了它的影响。但是，这些派别的直接历史渊源是否在于摩尼教，难以确证。

摩尼想要创立真正普世的宗教，熔前人（主要是琐罗亚斯德、佛陀和耶稣）所传的各种片面的启示于一炉。但是，摩尼教不仅仅吸收其他宗教，它还要宣布一条放诸四海而皆准的真理，结合它所突入的不同文化形态，转化成不同的形式。于是，摩尼教根据具体情况，与伊朗宗教、印度宗教、基督教、佛教和道教都有相似之处。

摩尼教的核心是诺斯替教的一种形态。和诺斯替教各派一样，摩尼教认为，现世生活痛苦难忍，邪恶至极。人通过内心的光照即诺斯即可觉悟：灵魂本来具有神性，后来堕落到邪恶的物质世界中，只有通过灵即诺斯（智慧）才能得救。真我既然与肉体和物质相混，就因无知和缺乏自觉而受蒙蔽，认识自我正是恢复真我。摩尼教所说的认识自我就是要觉悟到：自己的灵魂与上帝共有一种性质，是来自超然世界的。智慧使人认识到：虽然人在物质世界中处境卑贱尴尬，但是人仍然通过永恒的内在纽带与超然世界连为一气。因此，智慧是得救的唯一途径。

摩尼教有复杂的神话体系，它说明人类、上帝和宇宙的真正性质，对于这种真正性质的认识正是得救的途径。姑不论神话的详细情节，其基本主题总是：灵魂堕落而陷入邪恶物质的羁绊，然后由精神即诺斯解救出来。神话叙事分三个阶段：往昔阶段——精神与物质、善与恶、光明与黑暗两相隔绝；中期（即现世）——上述两质相混；未来阶段——原始的二元格局恢复。义人死后灵魂返回乐园。沉缅于肉身事物——淫乱、生殖、财物、种植、收获、肉食、饮酒——的人要轮回再生。

只有一部分信徒严守摩尼教戒律。全体教徒分为“选民”和“听众”两个层次，后者以劳动和施舍养活前者。

摩尼教的主要圣事有祈祷、施舍和斋戒。忏悔和唱诗也是主要活动。摩尼教圣书有据说是摩尼本人用古叙利亚文写的7部著作。自摩尼教绝迹于欧洲以后，这些圣书即失传，直到20世纪才重新发现一部分，主要在中国新疆和埃及。

manichord（musical instrument） 参阅**monochord 独弦琴**。

Manicouagan River 马尼夸根河 又拼Manikuagan River。加拿大魁北克省东部河流，在北岸行政区。源出拉布拉多边界附近，流经穆斯卡拉根湖和马尼夸根湖，向南流至拜科莫和欧特里沃附近注入圣劳伦斯河河口。全长550余千米。流域面积4.1万平方千米，为森林茂密地区。河名是印第安语，意为“林地”。多年来为拜科莫大型纸浆、造纸厂的木材运输要道，水力资源丰富。1954年在圣劳伦斯河底铺设电缆将电力输往加斯佩半岛的铜矿区。马尼夸根河谷上游地区有铁矿石开采业。

maniera 风格 文艺批评用语。指一定的风格特征，主要见于*风格主义*（**Mannerism**）绘画。在14和15世纪，法语 manière 和意大利语 maniera 都表示优美高贵的风度和精于世故的举止。1442年在乌尔比诺，文艺批评家A.加利或O.乌巴迪尼首先把此词用于艺术。佛罗伦萨画家兼艺术史家G.瓦萨里曾称赞意大利人的作品创造了“美的风格”，技艺令人有赏心悦目之感。可是在17世纪，批评家们却指责这些受到瓦萨里赞扬的画家们抛弃了对自然的研究，使艺术掺杂了风格主义。

Manifest Destiny 上帝所命 美国历史上，认为美国的疆界必将向西持续扩展到太平洋乃至太平洋彼岸的臆想。“上帝所命”思想往往被用于为美国兼并得克萨斯、俄勒冈、新墨西哥和加利福尼亚，以及后来干涉古巴、阿拉斯加、夏威夷和菲律宾辩护。J.L.奥沙利文最先在《美国杂志和民主评论》（1845）中提出这一臆想，但很快为国会议员们在1845～1846年辩论领土问题时所采用。它最先为民主党的信条，到19世纪90年代也成为共和党的政策。

manifold 流形 数学中，装配了一族局部坐标系的*拓扑空间*（**topological spaces**），这些局部坐标系之间由属于指定类的坐标变换相互联系。流形出现在*代数几何*（**algebraic geometry**）、微分方程和经典的动力学中。它们的整体性质用分析和*代数拓扑*（**topology, algebraic**）的方法进行研究，并且形成微分方程［特别是*变分法*（**calculus of variations**）中所提出的方程］的大范围分析的一个自然的领域。

Manikuagan River（Canada） 参阅 **Manicouagan River 马尼夸根河**。

Manila 马尼拉 菲律宾共和国首都和主要城市，全国经济、政治、社会和文化活动的中心。位于吕宋岛帕西格河口，沿马尼拉湾东岸伸展。原名梅尼拉德（Maynilad），最初

马尼拉市的圣奥古斯丁教堂，1599～1614年建
美国不列颠百科全书公司供图

简化为梅尼拉（Maynila），后来又简作现在的形式。梅尼拉德一名源出植物尼拉德（nilad），一种适于沼泽条件的开花灌木，曾经在帕西格河两岸繁茂滋长。市区面积约38平方千米（15平方英里）。1975年，根据总统令，马尼拉及其邻近城市和自治市结合起来，构成一个行政地区，称大马尼拉都会区，又叫国家首都区，面积246平方英里。

马尼拉作为菲律宾的首要城市已有400年之久。它是该国工业发展的中心，也是国际性的进口港。所临港口为远东屏障最佳的海港之一，在香港东南约1 100千米（700英里）处。该市在第二次世界大战中被毁，随后重建，经济迅速发展起来。现在患都市的通病，有污染、交通拥挤和人口过多等问题。但是，已经采取改善这些不良情况的措施。

自然地理和人文地理

景观 *城市位置* 马尼拉位于马尼拉湾东岸，此湾很大，西南向经一条12英里宽水道通海。地处帕西格河低狭三角洲平原，河源为市东南方的大湖——内湖，向西北流，注入马尼拉湾。市西临马尼拉湾，北连向南流的邦板牙河的沼泽三角洲，再西为巴丹半岛的群山，东南为内湖。虽然城市面积受到制约，但是它是一个绝佳港市所在地，因为海港屏障良好，有河直通内陆农业地区，比较接近亚洲大陆。

气候 由于东有东科迪勒拉山脉的连绵不断的丘陵，马尼拉湾西岸又有巴丹半岛的高山峻岭，屏障良好，本市无极端气象情况。具热带性气候特征：6～11月为雨季，12～5月为旱季。7月、8月和9月通常湿度高，多雷雨。年平均雨量约2 080毫米（82英寸）。年平均气温27 °C（81°F），各月无大差异。

动植物 市内点缀着各种热带树木，有棕榈、榕树和金合欢属植物；各公园中常见竹。一般动物有水牛、马、狗、猪和羊。鸟类有伯劳、野鸽和家鸽。马尼拉湾盛产沙丁鱼、鳀、鲭、金枪鱼、笛鲷鱼和鲟。但因扩展工业和机动车辆日增而造成的空气和水污染，使城市的天然美受到损害。

城市布局 帕西格河将城市分成两半。设4个行政区，下分14个区。这些区是由原来的墙内要塞城市和墙外13个村庄发展起来的。通多、圣梅萨、比农多、圣克鲁斯、基波、圣米格尔和桑帕洛克等区在河北岸；新加隆、墙内、埃尔米塔、马拉特、帕科、潘达坎和圣安娜等区在河南岸。城市的两部分由几座大桥连接。

虽然到处都有商业网点，而通多、比农多、圣克鲁斯和基波4区则为贸易和商业的主要中心。圣米格尔区是总统府马拉卡南宫的所在地。桑帕洛克区有几所大学。在河北岸的通多区人口稠密，有国内港马尼拉北港。国际港马尼拉南港在河南岸。墙内区以16世纪建造的圣奥古斯丁教堂以及旧城墙和圣地亚哥堡的遗迹驰名。埃尔米塔和马拉特是高级住宅区，并为大旅馆和大使馆的所在地。帕科、潘达坎和圣安娜是中等收入者住宅区。

大马尼拉都会区包括马尼拉市、北面的卡洛奥坎市、东北面的奎松市、南面的帕赛市（靠近马尼拉湾海岸）以及13个自治市。自治市为：马卡蒂、曼达卢永、圣胡安、拉斯皮尼亚斯、马拉邦、纳沃塔斯、帕西格、帕特罗斯、帕拉尼亚克、马里基纳、蒙廷卢帕、塔吉和巴伦苏埃拉。创设大马尼拉都会区是为了提供全面性服务，诸如给水、警察与防火以及交通运输等，能够为同步和统一发展作集中规划。

住房 该市长期住房不足，政府制订了安置穷人的公共住宅计划。其中之一是由大马尼拉都会区总督倡议的巴公李普南建筑工地与公用事业改进方案（BLISS）。为了向拆迁户提供住所，政府又实施了在马尼拉四郊地面车辆十分便利出入的地方重新落户的计划。

住宅建筑物有独门独院住宅；两户一所各走单门住宅；居室单元从外面各有一门的集体住宅；共走一门的公寓楼房；以及在通多区贫民窟常见的“巴笼-巴笼”，即用废物（弄平的马口铁罐、废木料、纸板箱或广告招贴板）搭成的临时窝棚。

建筑 建筑式样反映出美国、西班牙、中国和马来的影响。黎刹公园和一些政府大楼是由美国建筑师和城市规划专家D.H.伯纳姆设计的。现代建筑物，包括多层的商业大厦和公私建筑物在内，通常是用钢筋混凝土和空心水泥块建造的。在埃尔米塔和马拉特两区，一般是现代化设计的住宅，特别是带大面积草坪的匍匐式低平房。第二次世界大战前常见的西班牙式房屋，瓦顶厚墙，带栅的窗，现在依然流行。市内教堂分别有美国、西班牙或欧洲的特征。马尼拉大教堂系20世纪50年代重建，为一重要陆标。在它之前曾有过5座大教堂，最早的一座建于16世纪中叶，均遭地震或战祸摧毁。

人民 大马尼拉都会区人口稠密，在全国总人口中占有很大比例。这一人口集中现

象是农民不断流入城市造成的。公用事业的紧张给城区生活的质量带来不利影响。政府极力改善此种情况,曾采取“返回农田”政策,并制订了迁居中心城区以外的疏散计划。

马尼拉居民几乎全部为菲律宾人。唯一最大的外国社团由中国人组成,不到总人口的1/10。全市居民大多为天主教徒,但也有若干基督教徒、穆斯林和佛教徒。两个土著基督教会,即基督会和菲律宾独立教会(又称阿格里巴扬教会),会众很少。人口:市1 581 082;都会区9 932 560(2000)。

经济 *工业* 马尼拉有多种多样的制造业,包括纺织业,出版和印刷,食品加工,以及生产油漆、药品、铝制品、绳索、靴鞋、雪茄和纸烟、椰子油、肥皂和木材。工厂一般是小型的,大多位于人口稠密的通多区(这里又有铁路和货车终点站)、比农多区和圣克鲁斯区。重工业在帕科、潘达坎和圣安娜等区。

商业和金融 马尼拉是菲律宾的商业和金融中心。大都会区内部,以及本市与各地区和其他国家间的贸易都很兴盛。菲律宾的进口和出口,大部分经由马尼拉港。总行设在马尼拉的金融机构有菲律宾开发银行、菲律宾国家银行、菲律宾退伍军人银行、国家公务员保险体系、社会生活保障体系以及许多私立商业和开发银行等。私立保险公司和马尼拉证券交易所对动用储蓄进行投资也有贡献。

运输 在大马尼拉都会区的领域内,公共运输主要依靠公共汽车、大型吉普(使用吉普底盘制造的小公共汽车)和出租汽车。1984年完成一条从卡洛奥坎市通往帕赛市以南的巴克拉兰市的高架轨道线。这是一个称为“大都轨道”的公共交通系统的第一期工程,整个系统将贯穿大都会区全境。公共汽车运营路线直通吕宋岛南北两部;铁路由菲律宾国家铁路局经营,也把马尼拉与吕宋岛北部和东南部连接起来。岛际和国际运输由本国和外国航空公司的班机以及船舶承担。

交通拥挤现象严重,早晚高峰时间车辆常会堵在桥上。邻近城镇充当市郊住宅区,许多人要到市内上班,从而加重了交通问题。

主要的国际港口是马尼拉南港,有低防波堤围护。内有海关、几座仓库和一些货棚。港区内无铁路线,货物由卡车或驳船从码头运出。有几项依赖进口原料的重工业设在港区内。

国内港马尼拉北港各码头挤满了来自菲律宾所有港口的重荷船只。有几座存放货物和设备的仓库。在两港之间的地面,部分是在填海开拓的土地上,已经增建一些用于国际航运的港口设施。

行政与社会状况 *政府* 1975年成立大马尼拉都会区,政府由市长-参议会型改为经理-委员会型。大马尼拉都会区被授予一个公司的权利和性质(包括签订合同的权力,控诉和被控诉,持有、转让和处置财产,以及类似的一些权力),由大马尼拉都会区委员会管理。首脑是诸如总经理的总督,他执行委员会通过的政策和措施,并负责完成经营管理工作。其他成员是副总督即副总经理和3名专门委员即董事,分别负责规划、财务和经营。所有这些成员均由菲律宾总统任命。

每个市或自治市均在行政和立法方面协助大都会区政府的市议会,以代替以前的市或自治市的市政会议或参议会。市议会由市长、副市长、顾问、街区区长以及其他各部门的代表组成,由总统根据地方单位的提名任命。市长是各该管辖区投票选举的监察员。

公用事业 饮用水由大都会自来水和下水道公司管理的给水网络供应。经常监督市场、饭店、电影院、娱乐厅和屠宰场,以保持令人满意的公共卫生状况。对明阴沟、未运走的垃圾以及死水经常不断地喷射杀虫剂;有一大队卡车日夜出动收集垃圾。另外,有大批工人维护大都会区的清洁,并负责依照大马尼拉都会区总督的指示美化城市。

保健与安全 马尼拉的保健设施在远东属于上乘。市政府开办多所保健中心和圣拉萨罗医院,对患者免费医疗。政府还资助一些公立医院。另外,市内还有许多教会医院和私立医院。

警察和消防工作组织良好,使用先进装备和技术,在职人员薪俸较高。为了加强打击犯罪,曾增设警勤区,并创立警察共同关系地区。在大马尼拉都会区的所有市和自治市的每个街区也都设置了街区大队和街区警卫。这些人是志愿者和选拔的领导人,他们负责维持本社区的和平与秩序。

教育 在10岁以上的人口中,96%以上识字。除100多所免费公立学校外,还有夜间职业学校和中等学校,以及由市资助的马尼拉大学。对于残疾儿童、学龄孤儿以及成人,也提供受教育的机会。作为全国教育的中心,大马尼拉都会区拥有国内许多主要的高等教育机构,有菲律宾大学(主要校园在奎松市)、菲律宾师范学院和菲律宾理工大学。有几所宗教团体主办的大学,如圣多马大学(1611年成立),也有不属于任何宗派的教育机构,如东方大学和远东大学。

文化生活 菲律宾文化中心是全国表演艺术的中心。另外有面对马尼拉湾的民间艺术剧院、历史悠久而经过整修的大都会剧院,以及黎刹公园中的一座露天剧场。有许多图书馆和博物馆,包括国家图书馆和以人类学与考古学展品闻名的国家博物馆;国立科技研究所,内有一科学参考图书馆,有关于植物和动物的大量藏书;矿产地质局的地质博物馆;天文馆;藏有菲律宾爱国志士黎刹原著的圣地亚哥堡;以及藏有珍贵雕刻品、绘画和档案的马尼拉市图书馆和博物馆。

首要的户外休憩场所是黎刹公园,内有日本庭园、中国庭园、露天剧场、游乐场、大看台、滨马尼拉湾的一条很长的滨海大道。其他场地有马尼拉动物园和植物园、梅罕公园和帕科公园。体育运动场地有黎刹纪念运动场、回力球场(两者均在马尼拉)和阿拉奈塔大体育场(在奎松市)。在马尼拉市府对面的低于地面的花园中,每年举行各种喜庆节和狂欢节。

历史

16世纪末,马尼拉是一个有围墙的穆斯林居民点,其统治者向一切上溯帕西格河的商业征收关卡税。1571年,由莱加斯皮率领的西班牙征服者进入河口。莱加斯皮后为西班牙第一任菲律宾总督。他们摧毁了原居民点,就地建立称为墙内的堡垒城市。马尼拉成为新殖民地的首府。城墙外有几个零星村庄,每个村庄均由地方酋长治理,而且各以市集为核心。西班牙殖民统治成立后,在人口最密集的集市附近修造了教堂。马尼拉伸出墙外,向北、东、南扩展,从而将集市-教堂综合群都联结起来。

奥古斯丁会修士乌尔达内塔于1571年随军远征,他开始宣传天主教。继之而来的有方济各会、多明我会、耶稣会的教士以及奥古斯丁会的其他祭司,他们创立教堂、女修道院和学校。1574年,由西班牙和梵蒂冈批准,马尼拉定圣名为永忠英雄城,它既成为菲律宾的中心,也成为了天主教的聚集点。在不同时期,马尼拉曾受到外国强权的严重威胁,有时横遭占领。1574年中国人入侵,17世纪中叶荷兰人来袭。1762年,在七年战争期间,英国人夺取并盘据该城,但巴黎条约(1763)使其复归西班牙。1832年开放对外贸易,1869年苏伊士运河开通后进一步推动商业的发展。

19世纪90年代,马尼拉地区成为反西班牙思想浪潮的中心,1896年12月在该市处决菲律宾爱国志士黎刹引起起义的烈火,一年后才告平息。西美战争期间,西班牙舰队于1898年5月1日在马尼拉湾败北,8月13日城降美军。此后,马尼拉成为美国统治菲律宾的行政中心。

美国统治时期,该市在社会和经济方面普遍有进步。美国的政策是鼓励菲律宾人在政治上逐步自治,为了协助达到这一目标,在马尼拉和列岛各地开办了公立学校。1908年成立的菲律宾大学成为教育体系的顶峰。马尼拉发展为一个重要的贸易和旅游中心。

第二次世界大战爆发后,马尼拉被宣布为不设防城市,1942年1月遭日军占领。日军侵占期间,市区破坏不大,但在1945年美军为收复它而激战使其夷为平地。

马尼拉于1946年成为新独立的菲律宾共和国的首都时,满目疮痍,是一片废墟。但是,在美国援助下,该市迅速重建起来。工业化使市容发生重大变化。1948年,郊区的奎松市被选定为新国家首都的所在地,但在1976年,马尼拉再度成为首都,并为全国政府的永久驻地。

Manila Bay 马尼拉湾 南海的海湾,几乎完全为陆地封闭,伸入至吕宋岛西南部。为世界大港之一,面积2 000平方千米,周边长190千米。最宽处57千米。科雷希多岛在马尼拉以西48千米处,将18千米宽的海湾入口分为南、北两个海峡,北海峡宽3.2千米,通航比较安全,南海峡则较少使用。海湾的北岸和东北岸与吕宋中部平原相接,沿岸海水较浅,是菲律宾面积最大的商业渔场。马尼拉港在马尼拉湾最东部,包括岛际通航用的北港及国际通航用的南港。巴丹半岛和中科迪勒拉的山脉形成天然屏障,使马尼拉湾成为优良锚地。该湾地近东南亚,早在1571年西班牙殖民时期就具有商业重要性。1898年5月1日美军在美西战争决定性海战(马尼拉湾战役)中摧毁了西班牙舰队。第二次

马尼拉湾处的渔场
美国不列颠百科全书公司供图

世界大战期间,许多菲律宾、美国和日本的船只在马尼拉、甲米地和科雷希多岛附近被飞机轰炸所击沉。1945年2月至3月间,马尼拉湾被美军夺回。

Manila Bay, Battle of　马尼拉湾战役(1898-05-01)　美国海军击败西班牙太平洋舰队的战役。是役使西班牙丧失了菲律宾群岛,对美国在美西战争中获得最后胜利起了重大作用。在美国于1898年4月25日对西班牙宣战以后,美国驻亚洲海军中队奉命从香港出发俘获或摧毁当时游弋在菲律宾水域上的西班牙舰队。美国海军训练有素,供应充足,这大体上由于年轻的助理海军部长T.罗斯福做出的不懈努力。他选派海军准将G.杜威担任亚洲中队司令。在5月1日上午的战斗中,杜威中队的大炮彻底摧毁了停泊在马尼拉湾的西班牙舰只。西班牙伤亡381人,而美国伤亡则不到10人。炮轰以后,马尼拉投降了,并于8月13日被美国陆军占领。马尼拉湾战役使海军准将杜威成了全国英雄,并有助于树立美国为主要海军大国的威望。

Manila galleon　马尼拉大帆船　西班牙的航海船只。在1565～1815年这一时期,每年一度在菲律宾群岛的马尼拉和今墨西哥的阿卡普尔科之间作横渡太平洋的往返航行。它是西班牙与其菲律宾殖民地之间的唯一交通手段,为在马尼拉的西班牙人的经济命脉。在大帆船贸易的全盛时期,马尼拉成为世界大港口之一,为中国和欧洲贸易的中心。虽然中国丝绸是最重要的船货,但是诸如香料、瓷器、棉织品(来自印度)和宝石等,也以大帆船运输。在阿卡普尔科卸货后,这些船货通常得到1～3倍的利润。返航时,大帆船带回大量墨西哥银和教会人员有关的信息。在马尼拉的西班牙人非常依赖一年一度的航船,每当一只船在海上沉没或者被英国海盗劫获,殖民地就陷入经济萧条状态。大帆船贸易对菲律宾的经济发展有不利影响,因为实际上西班牙人的全部资本都用作中国货物的投机生意。18世纪后期,由于其他强国开始同中国直接通商,大帆船贸易的重要性下降。

Manilius, Marcus　马尼利乌斯(活动时期1世纪初)　最后一位罗马劝世诗人。生平不详。著有《天文学》这首论天文学和占星术的未完成的长诗,可能写于公元14～27年间。他崇拜卢克莱修、维吉尔和奥维德的文风和哲学,强调天意统治世界及神道在起作用。该诗主要引人入胜之处在于每卷均有诱人的开场白,以及神话和说教性的题外话。现存5卷书由4 000句六音步诗组成,甚至拉丁文学者都很少能全部通读。

Manin, Daniele　马宁(1804-05-13,威尼斯[意大利]～1857-09-22,法国巴黎)　意大利威尼斯的复兴运动领导人。死后11年(1868),他的遗体被送回威尼斯举行国葬。

Maning, Frederick　曼宁(1811-07-05,爱尔兰都柏林～1883-07-25,英国伦敦)　新西兰著作家和法官。以他所著英国在新西兰的殖民史闻名,也以他作为法官(1865～1876)在解决土地纷争上所做的工作闻名。土地争端是殖民者与土著毛利人之间存在的主要问题。1824年随家族移居澳大利亚。1833年移居新西兰北岛霍基昂阿,贩卖木材和亚麻。后与土著酋长的妹妹结婚。由于对毛利族文化具有广博的知识,1865年任土著居民土地法庭的法官。著有《旧新西兰》(1863),记述他在殖民地最初几年的情况。他的大量通信仍然是对殖民地早期历史的宝贵的记录。

Manini　马尼尼　参阅**Marín, Francisco de Paula** 马林。

Maninka(people)　**马宁卡人**　参阅**Malinke** 马林克人。

manioc(plant)　参阅**cassava** 木薯。

maniple　饰带　早期基督教会神职人员在主持弥撒或辅佐主持弥撒时左臂下部佩戴的狭长绸带。绸带两端自手臂两侧下垂,宽约2～4英寸,长约3～5英尺,有时绣有花纹,颜色与所穿礼服一致。12世纪普遍采用。

Manipur　曼尼普尔　印度共和国东北部一邦。北接那加兰邦,西邻阿萨姆邦,西南界米佐拉姆,东、南两面与缅甸接壤。首府因帕尔。1762年以前的曼尼普尔历史鲜为人知。1762年当地一位王公请求英国帮助抵抗缅甸人的入侵。1824年又重提这一请求。此后,当地统治者对继承权的争夺导致了旷日持久的政治动乱。19世纪90年代,英国管理该地区时,废除了奴隶制和强迫劳动,并修筑公路。1907年此地由一王公和地方议会接管,但1917年的部落起义促成了由阿萨姆人执政的新型政治制度。1947年曼尼普尔加入印度联邦,1949年其行政由印度政府接管,属中央直辖区,直至1972年成为邦。该邦的两大自然区为曼尼普尔河河谷和周围广阔的山地。河谷自北而南穿过该邦,面积约1 800平方千米。主要部分为芦苇丛生的洛格德格湖,面积约100平方千米,乃曼尼普尔河源头,向南流贯河谷进入缅甸。山岳海拔从1 500～1 800米不等,最高峰泰尼普高2 995米,位于北部。西部山地被苏尔马河(在曼尼普尔称为巴拉克河)河谷分割。河谷地区气候温和,山地气候寒冷,降雨丰富,巴拉克河谷年降雨量约2 590毫米,中部地区约970毫米。居民约1/2为梅泰族,住在曼尼普尔河河谷,大部分为印度教教徒。其余1/2由土著山地部落居民构成,氏族和宗族为数甚多。其中那加族在北部,库基族在南部。约2/3居民使用曼尼普尔语,与英语同为该邦的官方语言。山地居民所用语言属藏缅语系。农业和林业是曼尼普尔主要经济来源。水稻为重要作物,肥沃的土地亦适于种植玉米、甘蔗、棉花、芥菜、烟草、茶叶、水果和豆科植物。山地农民普遍修筑梯田,用手锄耕地,部分山地居民饲养家畜,仅作肉食而不挤奶,或用作挽畜。林产品以柚木和竹为主,其他树木包括橡树、松树、栗树、木兰属植物和栗属植物等。

曼尼普尔的制造业仅限于若干根基稳固的家庭手工业。此地出产的带图案的手织布在印度全境颇受欢迎。这类工业还有筐篮编织、金银珠宝制作及木雕等。曼尼普尔与印度其他地区没有铁路联系,多少有些隔绝。首府因帕尔有航空线通往阿萨姆邦的锡尔杰尔和古瓦哈蒂,以及西孟加拉邦的加尔各答;并有公路与缅甸的德穆相连接。以曼尼普里著称的古典舞蹈便诞生于此。与其他印度舞蹈不同,在这种舞蹈中手臂动作仅仅是装饰性的,而不用于表意,亦不着意强调踝铃,而且男女共舞。全邦人口中有2/5以上识字。在因帕尔有一所大学,还有众多的学院。面积22 327平方千米。人口约1 826 714(1991)。

Manipuri(people)　**曼尼普尔人**　参阅**Meithei** 梅泰人。

manipuri　曼尼普里　印度6种古典舞蹈中的一种。其余5种为婆罗多舞、卡塔克舞、卡塔卡利舞、库奇普迪舞和奥蒂西舞。曼尼普里舞起源于曼尼普尔地区,通常以牧神克里希纳的生平事迹为题材。曼尼普里舞平静优美,虽然双足系有踝铃,但舞蹈动作并不与铃声一致,舞步轻盈贴地滑行。柔和的手臂动作和流畅的舞姿显示出女性的风格特征;刚健朴实的动作则用于男子的舞蹈。曼尼普里舞在印度全国流行。1917年诗人R.泰戈尔观后聘请了几位教师去森蒂尼盖登他创办的维斯瓦-巴拉蒂大学里传艺。

Manisa　马尼萨　土耳其西部城市。位于盖迪兹河谷地,在锡皮卢斯山麓,伊兹密尔东北32千米处。古称马格内西亚(锡皮卢斯山地区)(**Magnesia ad Sipylum**)。1世纪即为商业中心,1390年为奥斯曼帝国所占,一度易手,1410年再归奥斯曼,18世纪为地方官员统治。中世纪是奥斯曼王公和苏丹喜爱的住地,现仍有几座当时的建筑,特别著名的是用石雕、琉璃瓦、镏金装饰的穆拉迪耶清真寺(1583～1586),寺院的经学校现为地方考古博物馆。该市为重要的地区农业和商业中心。有铁路与阿菲永和伊兹密尔连接。周围地区包括马尼萨市以北辽阔的盖迪兹平原。宜于栽培葡萄。其他农作物有橄榄、烟草、芝麻及棉花。开采少量镁、锌和汞矿。人口127 012(1985)。

Manises ware　马尼塞斯陶器　14世纪和15世纪在西班牙马尼塞斯逐渐形成其风格

约 1430 年的马尼塞斯陶器
美国不列颠百科全书公司供图

的陶器。它把阿拉伯和基督教哥特式的文化影响结合起来。前者的影响可从富有韵律感的绘画中看出,后者的影响则在纹章中的动物和叶饰里反映出来。圣约翰的鹰和西班牙及意大利家族的纹章是绘画时最喜爱采用的主题。

Manistee　马尼斯蒂　美国密歇根州西北部城市,马尼斯蒂县县城(1855)。位于密歇根湖和马尼斯蒂湖之间,临马尼斯蒂河口,南距马斯基根 137 千米。19 世纪中期为伐木营地。1869 年设建制。1871 年曾毁于大火。现为疗养胜地和主要产盐地。附近地区(包括马尼斯蒂国家森林)以捕鱼和猎鹿活动闻名。有服装、化工、机械、木材和木浆等工业。是农产品转运中心。著名建筑有拉姆斯德尔歌剧院、县历史博物馆。州立奥查德海滩公园亦在附近。人口 6 734(1990)。

Manitoba　马尼托巴　加拿大中部草原三省中最东边一省。1870 年并入加拿大联邦成为第五个省。北部与西北地区毗连,东北部临哈得孙湾,东部接安大略省,西部邻萨斯喀彻温省,南部与美国的明尼苏达州和北达科他州接壤,总面积 649 950 平方千米。省会温尼伯。

马尼托巴最初是克里族、阿西尼本族及奥吉布瓦族印地安人的居住地,沿哈得孙湾一带则为因纽特人(爱斯基摩人)的居住地。17 世纪欧洲人到达此地,1612 年英国的 T.巴顿爵士来此,之后又有一个丹麦探险队于 1619 年到达。1670 年建于伦敦的哈得孙海湾公司打开了马尼托巴大门,使之受到欧洲影响。该公司的主要贸易商埠是纳尔逊河口的约克法克特里。1691 年凯尔西由此向南勘察至帕斯地区和草原。18 世纪时英法商人常有冲突。从 1783 年起,在英属加拿大,以蒙特利尔为基地的西北公司同哈德孙海湾公司间展开了一场毛皮贸易战,直至 1821 年以两公司合并而告终。对于 1812 年欧洲人的首次定居,法国-印地安混血人曾以经济为由加以反对。在里尔领导下,混血人实行抵制,拒绝让政府官员进入该地,直至政府 1870 年通过马尼托巴法做出让步,同意马尼托巴成为一个省为止。19 世纪中后期,轮船和铁路交通使欧洲和美国移民源源到此定居。1881 年该省向西扩展,1884 年向东扩展,1912 年又向北扩展,至此形成最后疆界。向西部扩展使其拥有大草原谷物种植地,向北部扩展又使其得以开发矿产和电力。

全省面积 3/5 被古加拿大地盾所覆盖,广布岩石、森林及河流。境内水系通纳尔逊河和丘吉尔河注入哈得孙湾。南部地区是一度为冰川盆地与湖底的马尼托巴低地。最南部是肥沃的萨斯喀彻温平原一部分。境内最高点鲍尔迪山海拔 832 米。气候温和干燥,季节温差显著。降雨大多在 5 ～ 9 月间。全省约有 1/2 被森林覆盖,有 1/7 布满河流和湖泊,温尼伯湖最大,是世界第 13 大湖。境内北部多有猛兽,其他地区富有高原野禽和动物。政府与私人机构合作共同进行野生动物考察和自然资源管理工作。

该省种族成分复杂。大种族有苏格兰-爱尔兰人、德国人、斯堪的纳维亚人、乌克兰人及波兰人后裔。在加拿大除魁北克外,圣博尼法斯为法裔加拿大人最大社团所在地。亦有各类美洲印第安人和因纽特人的社团成员存在。

混杂人口成分和不同的传统艺术形式反映在马尼托巴的文化生活中。省会是著名皇家温尼伯芭蕾舞团、温尼伯交响乐团和马尼托巴戏剧中心所在地,繁华区亦有一包括音乐厅和博物馆在内的世纪娱乐场。

温尼伯是制造业(食品和饮料、服装、金属加工产品、化学制品、计算机和电子设备)迅速发展的中心,但马尼托巴主要收入仍靠开发和加工初级产业产品取得,如农耕、伐木、采矿和捕捞。南部农田是主要农业产区。小麦为主要作物,亦种植大麦、油菜子、亚麻籽、燕麦及蔬菜。地盾区集中了全省矿产的大约 4/5,重要的有镍、铜、金、铅、银、镉和锌。境内 1/4 以上陆地盛产名贵木材,虽然森林火灾造成一些破坏。省政府现在开始涉足一些私营领域。20 世纪 70 年代初,实施政府经营的汽车强制保险计划。政府的马尼托巴开发公司已获得几家企业的股权,其中包括帕斯森林联合企业。

省的权力来自两项英国法律及一项加拿大法律:前者为 1867 年和 1871 年通过的《不列颠北美法》,后者为 1870 年通过的《马尼托巴法》。省政府由一院制立法会议和行政部门组成,立法会议由全民成人普选产生,任期五年。行政部门由总理(由议会多数党领袖担任,有权从议会中选任行政会议)和代理总督(由加拿大总督任命,代表英王)组成。法院系统为两个最高法院,即上诉法院及王座法院,以及较低一级的县法庭、代理法庭、省法庭、微债法庭、民事法庭和少年法庭。省监督实施医疗保险计划,并为全省人民免费提供医疗保险,此外亦为老人提供福利、卫生与照顾措施以及为生活贫困者提供其他服务项目。治安则由加拿大皇家骑警和地方警力共同维护。

小学与中学为强制义务教育,学生需学完 12 年级,连同幼儿教育,均由政府免费提供。私立学校(主要是教会学校)占小学入学率的比例很小,由政府给予补贴。关于教育语言问题一向颇有争议。讲法语的马尼托巴人力争获得自己的语言权利,法语作为教育语言现已得到恢复。联邦政府亦为美洲印地安人提供教育机会。职业学校设在温尼伯、布兰登和帕斯。接受大学和研究生教育可去马尼托巴大学(在温尼伯)、温尼伯大学和布兰登大学。人口约 1 091 942(1991)。

Manitoba, Lake　马尼托巴湖　加拿大马尼托巴省中部偏南湖泊。在温尼伯西北 72 千米处。形状狭长而不规则。接纳许多小河,湖水经圣马丁湖和多芬河注入温尼伯湖。1738 年由法国探险家拉韦朗德里发现。传闻湖名为阿尔冈昆语,意为"精灵的海峡",指湖水狭窄处。面积 4 624 平方千米,长逾 200 千米,宽 45 千米,水深 248 米。是重要的商业性渔场,但只在冬季捕鱼。

Manitoulin Islands　马尼图林群岛　休伦湖北部群岛。跨美国、加拿大边界。为尼亚加拉陡崖的显露部位之一。安大略的马尼图林岛长 160 千米,面积 2 766 平方千米,是世界最大淡水湖岛。群岛的许多其他岛屿中,密歇根的德拉蒙德岛及安大略的圣约瑟夫岛和科克本岛最为重要 。马尼图林源于阿尔贡金印地安语,意为"精神"。约在 1650 年,耶稣会传教士首先到达马尼图林群岛。现以水产、伐木、乳品和农业著称。该地深受度假者和体育爱好者的喜爱。一条公路及加拿大太平洋铁路将马尼图林群岛主要中心马尼图林岛上的小柯伦特城同安大略大陆连接起来。该地区印地安人向省政府提出土地要求,1990 年在马尼图林岛上作出了具有历史意义的解决。

Manitowoc　马尼托沃克　美国威斯康星州东部城市,马尼托沃克县县城(1851)。在密歇根湖西岸,马尼托沃克河口。北与图里弗斯市毗连,南距密尔沃基 130 千米。1795 年西北公司在此建贸易站。1836 年成为永久定居点,发展成工业和水运中心。现为圣劳伦斯航道进口港,通过密歇根湖与密歇根州拉丁顿有轮渡往来。工业有造船、铝器、蔬果罐头和麦芽制品。设有威斯康星大学的一个研究中心(1962)和银湖学院(1869)。另有拉尔-韦斯特博物馆和海洋博物馆。国家冰河时代遗址位于该城西部。人口 34 053(2000)。

Maniu, Iuliu　马纽(1873-01-08,罗马尼亚特兰西瓦尼亚希姆莱乌锡尔瓦涅伊～ 1953-06,加拉茨)　罗马尼亚政治家,民族农民党领袖,三次出任首相。1906 年进入匈牙利议会。第一次世界大战期间,在奥匈帝国军队中服役。1918 年 5 月组织罗马尼亚士兵暴动。同年 12 月当选为特兰西瓦尼亚指导委员会主席,宣布与罗马尼亚合并。1926 年他的特兰西瓦尼亚民族党同米哈拉凯的农民党联合,成立民族农民党,由他当领袖。1928 ～ 1930 年任首相。1930 年 6 月同意在外流亡的卡罗尔亲王回国即王位,但因反对国王继续与卢佩斯库私通,于 10 月辞职。1932 年 10 月再次出任首相。1937 年与铁卫团结成竞选联盟。第二次世界大战期间,他最初支持罗马尼亚进攻苏联,而在 1944 年 8 月又参加发动政变,使罗马尼亚参加对德战争。1945 年共产党政权确立后,他的处境越来越不妙。1947 年 11 月因间谍和叛国罪被捕,1953 年死于狱中。

Manizales　马尼萨莱斯　哥伦比亚中部卡尔达斯省省会。位于中科迪勒拉山脉一条主岭上,海拔 2 126 米。其灰色大教堂周围数英里外都能看到。建于 1848 年为全国最重要的咖啡产区的中心。生产水泥、农业机械、纺织品、冰箱、干电池、家具和皮革制品等。设有卡尔达斯大学(1934)。位于波哥大和麦德林之间的公路干线上,地处两城的中间。亦有公路、铁路通金迪奥省和卡利。有一条架空索道越过中科迪勒拉山脊将该城与马里基塔和马格达莱纳河连接起来。人口 275 067(1985)。

Mañjuśrī 文殊师利 略称文殊。大乘佛教崇奉的菩萨,是至高智慧的化身。他的名称梵文原意为妙吉祥,又名妙音或辩才主。其像肤色黄,王子服饰,右手举智慧宝剑以祛

1343 年的玄武岩文殊师利浮雕像
美国不列颠百科全书公司供图

除愚昧无明乌云,左手执贝叶《般若波罗蜜多经》。另有骑狮或叠坐青莲花之像。对文殊师利的崇拜,在公元 8 世纪流行于中国,山西省五台山是崇奉此菩萨的圣地。据说将佛教传入和阗的僧人大日、西藏佛教革新者阿底峡、中国皇帝都是他的化身。

Mankato 曼凯托 美国明尼苏达州南部城市,布卢厄斯县县城。近布卢厄斯河口,隔明尼苏达河与北曼凯托相望。地处明尼阿波利斯西南120 千米的综合性农业区和湖区。1852 年始建,1865 年设村,1868 年设市。在1862 年印第安人起义者蒙难地建有纪念碑。设有州立曼凯托大学(1867)和信义会伯大尼学院(1911)。经济以生猪贸易和农产品加工为主。附近出产石灰石。建有多家剧院。西部有明尼苏达州立公园。人口 32 427(2000)。

Mankiewicz, Herman (Jacob) 曼凯维奇(1897-11-07,美国纽约州纽约～1953-03-05,加利福尼亚洛杉矶) 美国电影剧作家、记者、剧作家和幽默作家,以“阿尔贡金圆桌会”的成员而知名,并以电影剧本《公民凯恩》(1941)的合作编剧而著称。他是德国移民之子,在宾夕法尼亚长大,1913 年随家人移居纽约市。1917 年毕业于哥伦比亚大学。短期在海军陆战队服役后,从事过各种工作,包括在巴黎红十字会出版部工作。后短期返回美国,结婚,然后又以几家报纸记者的身份继续在德国工作。1922 年再次返回纽约,从事其他活动之余与人合写两部剧本,均不成功。他还参加了美国一些批评家和作家组成的著名团体,以在阿尔贡金饭店聚会而得名的“阿尔贡金圆桌会”。曼凯维奇在《纽约人》杂志工作一段时间后被派拉蒙影片公司聘往好莱坞。起初为无声影片撰写字幕,使字幕的格调发生明显变化。后独立或与人合作编写有声电影剧本,其中包括《百老汇世家》(1931)、《八时餐会》(1933)、《这是个美妙的世界》(1939,与本・赫克特合作)、《美国佬的骄傲》(1942)和《公民凯恩》(1941,与奥逊・韦尔斯合作)。《公民凯恩》故事情节中有许多取自他个人与威廉・伦道夫・赫斯特的接触。这部电影剧本获得奥斯卡奖。曼凯维奇还制作、编写或修改过不少剧本,其中有些没有署名。例如,他曾参与马克斯三兄弟的《狡猾的恶作剧》(1931)和《糊涂话》(1932)的创作。1952 年写了他最后一部电影剧本《圣路易斯的骄傲》。他的弟弟约瑟夫也是一位电影剧作家和导演。

Mankiewicz,Joseph(Leo) 曼凯维奇(1909-02-11,美国宾夕法尼亚威尔克斯-巴里～1993-02-05,纽约芒特基斯科) 美国电影大导演、制片人和编剧,以妙趣横生,书卷气和温文尔雅的对话及令人难忘的性格而闻名。曾与许多好莱坞大牌明星合作,有天才演员的导演之称。1929 年开始为派拉蒙公司撰写剧本,之后曾制作《愤怒》(1936)、《费城故事》(1940)、《女强人》(1942)等电影。他编导《德拉根威克》(1946)、《三妻艳史》(1949,获奥斯卡最佳导演和最佳剧本奖)、《彗星美人》(1950,获奥斯卡最佳导演、最佳影片和最佳剧本奖)、《赤足天使》(1954)、《红男绿女》(1955)、《沉默的美国人》(1958)等电影,另外曾执导《恺撒大帝》(1953)、《夏日痴魂》(1959)和费用惊人的《埃及艳后》(1963)。他的哥哥赫尔曼(1897 ～ 1953)也是电影剧作家和有名的才子,以担任《公民凯恩》(1941,获奥斯卡奖)的主笔而闻名。

Mankiller,Wilma Pearl 曼基勒(1945-11-18,美国俄克拉何马塔勒阔～2010-04-06,俄克拉何马阿代尔县) 印第安人领袖、活动家,一个主要部落的第一位女酋长。切罗基人、荷兰人和爱尔兰人后裔。在政府给予其祖父的居留地农场长大。农场破产后举家迁往加利福尼亚。20 世纪 60 年代学习社会学并从事社会工作。1969 年积极投身于印第安人权利运动。70 年代中期返回俄克拉何马州,要求收回原有的农场,1977 年担任切罗基族促进经济协调人。取得社会学学位并在阿肯色大学修完社区规划课程后,开始实施若干旨在发展切罗基人社区的计划。1983 年当选切罗基副酋长,1985 年正酋长出任印第安人事务局局长后,继任酋长一职。两年后,凭借自身能力当选酋长。创立切罗基扫盲学校,强调保留某些切罗基人传统的必要性。1991 年再度当选,但 1995 年未参加竞选。1993 年入选美国全国妇女名人堂。1993 年出版自传《曼基勒:酋长和她的人民》。

Manley,Mary de la Riviere 曼利(1663-04-07,海峡群岛泽西～1724-07-11,伦敦) 英国女作家。由于以传奇故事形式表现政治丑闻而闻名。她的《几个贵人的……秘密回忆录》(1709),是一本揭露辉格党大臣恶行的记事体小说。该书出版后,她以诽谤罪被逮捕,后得以逃脱惩罚。约于 1688 年与已婚的表兄约翰・曼利结婚。1711 年继斯威夫特之后任《考察家》的编辑。并在 1714 年写了她的“虚构的自传”《里维拉历险记……》。

Manley, Michael 曼利(1924-12-10,牙买加安德鲁～1997-03-06,金斯敦) 全称 Michael Norman Manley。牙买加政治人物,曾当过 3 任牙买加总理(1972 ～ 1980,1989 ～ 1992),是第三世界问题的一个有力的捍卫者。著名雕塑家之子。第二次世界大战期间曾在加拿大皇家空军服役,后在伦敦经济学院学习,师从社会主义者 H. 拉斯基。1951 年返回牙买加为一份左派周刊《舆论》当记者,不久积极参与工会运动,成为工会领导人并被承认是一名老练的谈判家。1972 年出任牙买加总理,此前曾任人民民族党及全国劳工联盟领导人。他领导的左翼政府在改善住宅问题、教育问题及卫生保健问题方面都有显著成就,但油价猛涨造成经济危机,很多中产阶级移民出走,国内失业率攀升到 30%。1980 年大选的竞选阶段出现许多暴力事件,曼利在此次大选中败给牙买加工党。后来他采取了更加温和的观点,赞成与美国建立更紧密的关系。1989 年重新当选总理后改走中间路线,将许多国有企业私有化,1992 年因健康原因被迫退休。

Mann , Heinrich 曼(1871-03-27,德国吕贝克～1950-03-12,美国加利福尼亚圣莫尼卡) 德国小说家。他最著名的作品猛烈抨击了在威廉二世统治下德国专制的社会结构。他是托马斯・曼的哥哥。曾在出版社工作,但在父亲(殷实的谷物商)死后,他经济上自立,迁居柏林,长期侨居国外,尤其是法国。早期中长篇小说描写上流社会的腐朽,其中有《在懒人乐园里》(1900)。在后期作品里,他严肃批评了在威廉德国一味追求富贵荣华的贪婪者。《垃圾教授》(1905)是对一个残暴的地方学校教师的无情刻画,1928 年拍成电影,更名《蓝天使》,在欧洲轰动一时。他的《帝国》三部曲包括《穷人》(1917)、《臣仆》(1918)和《首脑》(1925)。它们进一步谴责了独裁国家产生出来的几种社会人物典型。这个时期,他有一本比较欢快的作品《小城》(1909),写一个戏班子来到一个意大利小城演出而引起的纠纷。1918 年以后,曼成为一些作家团体和激进民主派的发言人,出版了一些政论集,其中包括《权力与人》(1919)和《精神与事业》(1931)等。1933 年纳粹上台,他被迫逃亡,在法国和美国度过余生。他的历史小说《亨利四世》(两部,1935、1938)是他最成熟的作品,表现了他的行使权力应当仁慈的理想。

Mann , Horace 曼(1796-05-04,美国马萨诸塞富兰克林～1859-08-02,俄亥俄耶洛斯普林斯) 美国教育家,美国最伟大的公共教育倡导者。他认为,在一个民主社会中,教育应该是免费的、普及的、平等的、方法上民主的和

美国不列颠百科全书公司供图

以训练有素的专业教师为依托的。幼年家贫，主要通过在富兰克林镇图书馆自修和一位巡回学校校长的辅导，20岁进入布朗大学二年级学习，成绩优秀，并对政治、教育和社会改革很感兴趣。1819年毕业时，他作为毕业生代表所作的告别演说词畅论了人类尊严和幸福的逐渐提高，表现了他的人道主义乐观立场。出校后即从事法律工作。后又就读于康涅狄格州的利奇菲尔德法学院。1823年取得律师资格。1827年当选为马萨诸塞州众议院议员，在任期间（1827～1833）曾发起在伍斯特建立美国第一座州立精神病院。1833年迁入波士顿城，1835年被选为马萨诸塞州参议院参议员，1836年当选为议长。曼最热心的事业是民众教育和推动教育改革，于1837年设立州教育委员会，领导该委员会工作达11年；并为教师创办双周刊《公立学校杂志》。他的教育主张集中表现于以下6点：①共和政体不能长期处于无知与散漫状态，因此普及民众教育是当务之急；②这种民众教育须由有关公众提供经费并进行管理；③这种教育最好在学校进行，招收一切儿童，而不问其宗教、社会与种族背景；④这种教育的性质虽偏重于德育，却必须避免任何宗教影响；⑤这种教育必须贯串自由社会的精神、方法与纪律，防止教室内的粗暴教学法；⑥这种教育只应由训练有素的专业教师来实行。他虽遭到思想保守的牧师、教育家和政治家的反对，但他的这些观点终于得到公认。1848年进入美国国会，积极反对蓄奴制度。1852年竞选马萨诸塞州州长未果，次年就任俄亥俄州耶洛斯普林斯的安蒂奥克学院院长，奉行男女合校、反对宗教派别和黑人享有机会平等的政策。逝世前两个月，在一次毕业典礼大会上致告别词时说："只有为人类做出了贡献才能死而无愧。"

Mann, Thomas　曼（1875-06-06，德国吕贝克～1955-08-12，苏黎世附近）　德国小说家，其早期三部长篇小说《布登勃洛克一家》（1900）、《在威尼斯之死》（1912）和《魔山》（1924）使他获得1929年诺贝尔文学奖。

1891年在父亲死后迁居艺术和文化中心慕尼黑。曾参与讽刺周刊《西木卜利齐西木斯》的编辑工作，后致力于写作。早期的故事集《矮个弗里德曼先生》（1898）反映了19世纪90年代的唯美主义，但显示出受到叔本华和尼采以及瓦格纳的深刻影响。早期小说多以富有创造性的艺术家的问题为中心，他们崇尚形式以对抗生存的无意义。作者把这一对立扩大为精神与生活的对立。他的第一部长篇小说《布登勃洛克一家》原拟写成中篇小说。其中，一个资产阶级家庭的儿子因体验了瓦格纳音乐的异常的真实感而丧失了生存意志。小说以此为发端构建了一家三代人及其商号的兴衰史，描述艺术气质不仅不利该家族后裔的经商实务，而且销蚀了他们的生命活力。几乎和作者的初衷相反，小说成了古老的中产阶级美德的一曲哀怨的挽歌。也许是美满婚姻的缘故，曼在小说《王爷殿下》中编造了一个"形式"与"生活"、即没落的封建势力与美国现代资本主义的活力互相调和的童话。但到1912年，又回头写艺术家的悲剧困境，创作了《在威尼斯之死》，一部笔调阴郁的杰作。主要人物是一个有"颓废"感情的作家，来到瘟疫蔓延的威尼斯，最后因迷恋和求死愿望丧生。这部中篇小说结束了曼的一个创作阶段。

第一次世界大战的爆发激起了曼的爱国主义热情。1918年发表长篇论文《一个不问政治者的看法》，竭力为独裁国家和创造性的

美国不列颠百科全书公司供图

非理性主义辩护，反对民主和"平庸"的唯理主义。但后来抛弃了这些思想。1919年魏玛共和国成立，他慢慢地修正了自己的世界观。《歌德与托尔斯泰》和《论德意志共和国》等文章开始表示对民主原则的拥护。长篇小说《魔山》清楚地反映出他的新的思想立场。故事中，年轻工程师汉斯·卡斯托普放弃实际生活而甘愿在一所疗养院内受疾病、精神本质和死亡的诱惑。疗养院在精神上反映着实际生活的种种希望和危险。最后卡斯托普选择了生活和为自己的人民服务的道路。此后托玛斯·曼主要写长篇小说。中篇小说《马里奥和魔术师》为个别例外之一。小说中，瘦小猥琐的魔术师象征法西斯主义的特征。面对着政治危机，曼警觉到了人性、宽容和理性的脆弱。他的论文学和文化的论文对阐述和传达上述意识起了日益重要的作用。1930年在柏林发表题为《对理想的呼吁》的演说，号召有文化的资产阶级同社会主义的工人阶级结成统一战线反对纳粹的反人性的法西斯主义。在30年代，通过论文和国内外的演讲旅行，曼无情地抨击纳粹政策，同时经常对社会主义和共产主义原则表示同情，认为它们是人道主义和自由的保证。

1933年希特勒上台，曼氏夫妇正在瑞士度假，受到儿子和女儿的告诫不再回国，几年中以瑞士为家，但曾去美国作讲演旅行，最后于1938年定居美国。1936年被褫夺德国国籍和波恩大学荣誉博士学位。1944年成为美国公民。战后曾数度访问东德和西德，但拒绝返德定居。1952年在苏黎世附近定居。最后的主要论文《论歌德》（1949）、《论契诃夫》（1954）和《论席勒》（1955）都在召唤作家尽自己的道德责任和社会责任。这一时期的长篇小说都不同地反映当时的文化危机。1933年发表《雅各的故事》，次年发表《约瑟的青年时代》，两年后发表《约瑟在埃及》，1943年发表《赡养者约瑟》，完成了这部题名为《约瑟和他的兄弟》的四部曲长篇小说。作者把圣经故事作了新的诠释：从部落集体中产生了灵活机变、能负责任的个人，神话变成历史，不可知的上帝变成具有人性的上帝。小说依据对历史所作的广博的学术研究，但并非历史小说。"历史"又充满机智、讽喻和幽默，还有现代化意识。作者意在为自己的时代提供一个神话，借以支撑并引导他那一代人，恢复对人类理智力量的信心。本着这一精神，他同时抽出时间写出《洛蒂在魏玛》。小说写歌德的半自传性小说《少年维特之烦恼》中女主人公洛蒂·凯斯特纳在老年时去魏玛和昔日的情人歌德重逢。但歌德态度疏远，不愿回到往昔，使洛蒂认识到，对人的尊重同时意味着对变化的接受和尊重。在约瑟和洛蒂的故事中，作者力图说明人类文明的基本原则，反对纳粹的反人道的非理性主义。在最阴暗的战争阶段的1943年，他开始写《浮士德博士》，他小说中政治性最直露的一部。小说中，作曲家莱弗金在精神错乱10年后于1940年死去。他的故事是1930年前的20年中德国文化的故事，尤其是传统人道主义的崩溃和虚无主义同野蛮的原始主义的混合物取得胜利的故事。莱弗金的悲剧和德国的毁灭巧妙地联系在一起。没有别的作品能如此表现德国的悲剧。他的最后一部长篇小说是1954年发表的《骗子菲利克斯·克鲁尔的自白》。这部轻松、不时流于滑稽的小说描写一个骗子之所以能赢得他人的好感和爱情，是因为人们要他扮演他们所期望于他的角色。

托玛斯·曼的风格细腻，充满机智，语多幽默和讽喻。作品的结构细致，层次多。在色彩斑斓的现实主义层面下有更深的象征主义层面。他以讽喻的眼光把人物保持在一定距离外，使人感到他的无情。但他警觉到质朴和情感易受意识形态和政治势力的操纵。有时刻意求工地表现出来的世故使细心的读者看到他深藏不露的对人类的热烈和温柔的关怀。托玛斯·曼是20世纪德国最伟大的小说家。他的作品在他暮年就已在国内外获得经典著作的地位。

Mann, Tom　曼（1856-04-15，英国沃里克郡福尔斯希尔～1941-03-13，约克郡格拉辛顿）　英国劳工领袖。曾创建许多工会和劳工组织。1885年投身于社会主义运动。1889年协助约翰·伯恩斯领导伦敦码头工人大罢工。19世纪90年代担任新组成的独立工党书记。20世纪头10年中作为工会组织者，在澳大利亚积极活动。回英国后协助本·蒂利特于1910年创建全国运输工人联合会。20年代，他是英国共产党的重要人物。

manna 吗哪 《圣经》中以色列人离开埃及而尚未到达上帝应许之地40年期间靠以养生的一种或几种食物。希伯来人在所居荒地上发现此物长在地上或被风吹积，互问"*man hu*?"(这是什么?)，这或许是此词的来源。人们采集吗哪，用为做饼的原料之一，因此称之为"天粮"。据有些《旧约》学者解释，吗哪是一种神迹，它叫人们相信，荒漠中也有食物，而且每星期五可采到双份，希伯来人不必为采食而违犯有关安息日的律法。在《新约》中，耶稣称自己为"来自天上的真粮"(《约翰福音》6:32)，因此后来基督教认为吗哪象征圣餐。

manna 甘露衣 原产于小亚细亚的茶渍属(*Lecanora*)地衣(尤指 *L. esculenta*)及其产物。中东的地衣面包和甘露冻即由甘露衣制成。英语中manna一词也指骆驼刺(波斯骆驼刺[*Alhagi maurorum*]及 *A. pseudalhagi*)产生的树脂。这两种植物是分枝多刺的灌木，株高不到1米，原产于小亚细亚。此外manna一词又指木蜜，是在吗哪柽柳(*Tamarix mannifera*)树干上形成的一种蜂蜜状的可食的白色物质，是树干为介壳虫刺伤后所渗出，或即系介壳虫所分泌。甘露白蜡树(吗哪白蜡树)即花白蜡树(*Fraxinus ornus*)，树枝经砍击后分泌出液体，干硬后收集加工可制作甘露醇，曾供药用。味略甜。以薄片(甘露片)、碎块(碎甘露)或黏稠的小滴状(大滴甘露)的形式出售。

Manna-heim (Norse mythology) **人类的家园** 参阅 **Midgard** 米德加尔德。

Mannai 马纳 又拼Manna或Mana。古国名，在伊朗西北部、乌尔米亚湖以南。公元前1千纪初存在，当时它夹在亚述、乌拉尔图和米底3大强国之间。马纳人在亚述国王撒缦以色三世(公元前858～前824在位)的编年史中初见记载。公元前7世纪随西徐亚人的入侵及米底人的兴起而丧失独立，臣属米底王朝。

Mannar, Gulf of 马纳尔湾 印度洋海湾，位于印度东南部和斯里兰卡西部之间，东北以拉梅什沃勒姆岛、亚当桥(链状沙洲)和马纳尔岛为界，宽130～275千米，长160千米，印度海岸一侧有杜蒂戈林港。以斯里兰卡附近珍珠养殖场闻名。

Mannar Island 马纳尔岛 位于斯里兰卡西北海岸以外的一连串沙洲(称亚当桥)的东端。面积2 013平方千米。椰树种植在经济上占重要地位。马纳尔小港位于东南岸。人口约132 000(1990)。

Manner, Eeva Liisa 曼纳(1921-12-05，芬兰赫尔辛基～1995-07-07，坦佩雷) 20世纪50年代芬兰现代派重要女抒情诗人和剧作家。40年代开始试作抒情诗，先后发表了《黑与红》(1944)等诗作。1956年创作的《这次旅行》使她一举成名，成为芬兰50年代现代派最有影响的作品。她的作品写作技巧相当高超，联想极为丰富，形象性极强。她的诗歌具有少有的乐感与和谐。她在作品中猛烈抨击当今过分知识化的现代文明，主张以原始社会的纯真作为复兴的源泉。她在随感集《献给小河马的散步曲》(1957)中，将中国道教作为在严格的组织性和混乱状态之间保持平衡的一个例子。《在通往天堂之桥上的少女》(1951)是她的自传体小说，反映她的童年生活。此外，她还写过诗体剧《厄洛斯和普绪喀》(1959)和传统现实剧《烧糊了的橙子》(1968)。

Mannerheim, Carl Gustaf (Emil) 曼纳林(1867-06-04，芬兰菲尔纳斯～1951-01-27，瑞士洛桑) 芬兰军事领袖，第二次世界大战期间成功地抵御了强大的苏联军队的保守派政治家，后任该国总统(1944～1946)。曼纳林祖籍瑞典，1889年参加俄国陆军(当时芬兰是俄罗斯帝国的一部分)，任骑兵中尉。在日俄战争(1904～1905)和第一次世界大战中屡建功勋，晋升中将，任军团司令。1917年俄国十月革命爆发后，他回到芬兰，那时芬兰已脱离俄国宣布独立。曼纳林为保守派贵族，拥护帝制，1918年1月任白军指挥，在德国的援助下击败芬兰的布尔什维克党人，又经过4个月的浴血苦战，迫使苏军退出芬兰。1918年12月任芬兰摄政。1919年芬兰宣布成立共和国，他即退休。曼纳林1931年重任公职，为国防委员会主席。在任职的8年间，芬兰在列宁格勒对面横越卡雷利亚地峡处，建曼纳林防线，以阻挡苏联的入侵。1939年12月苏联军队发起攻势时，曼纳林任芬兰军总司令。他指挥出色，在强敌之下屡获胜利，但最后终于败北。1940年与苏联签订停战协定，条件相当苛刻。1941年6月为赢回历史上被认为属于芬兰的国土，芬兰与纳粹德国协同入侵苏联成功，但德军失败，曼纳林的部队也被迫退却。1942年6月晋升为芬兰唯一的元帅。1944年7月31日任共和国总统，希望能与苏联人单独媾和。9月与苏联签署停战协定，然后又签订和约，被迫让出比开战前被占的更多的土地。曼纳林任总统至1946年，因健康不佳退休。著有《曼纳林元帅回忆录》(1952)。

Mannerism 风格主义 从16世纪20年代文艺复兴盛期到1590年巴罗克风格始兴间在意大利盛行的一种艺术风格。最初出现在佛罗伦萨和罗马，很快蔓延到意大利北部，以至最后普及到中、北欧大部分地区。强调描绘精细、紧凑，突出主观色彩，追求奇巧技法。风格主义要求形式和构思持续不断地精益求精，使夸张和冲突达到最大限度。风格主义者建立了自己的学术团体，并且创立了理论教条。阿尔布雷希特·阿尔特多费尔以及丢勒等人的后期哥特式表现主义在北欧形成了独特的风格主义。意大利风格在法国的迅速传播，扩大了风格主义的影响，当时切利尼和罗索·菲奥伦蒂诺都曾在枫丹白露宫为弗兰西斯一世工作。在尼德兰，安特卫普风格主义的产生和意大利拉斐尔艺术的输出相联系，当时花毯底图曾送到布鲁塞尔纺织，此外它也得力于版画艺术在16世纪欧洲的广泛传播。许多画家，特别是一些荷兰画家，为研究古代艺术而到罗马游学，他们带回了意大利新风格的影响。这些罗马派的画家发展了风格主义的各种新的题材，如风俗画、风景画、奇特的建筑装饰、历史画、讽刺画和肖像画等，并在北欧蓬勃兴起。它们无论在再现现实或纯然幻想的作品中，都在风格主义中起着主要作用。风格主义还表现在所有的艺术形式之中。在北欧风格主义作品中，以尼德兰画家和建筑家汉斯·威尔得曼、德·弗里斯等人的精巧的作品最为著名。除法国和意大利之外，奥地利玛格莱特宫廷和布拉格的鲁道夫二世宫廷也都是风格主义的重要中心。北欧风格主义运动中其他的著名艺术家有P.老勃鲁盖尔、T.施蒂默、B.范·奥里、小霍尔拜因、B.施普朗格和J.贝拉杰等。

manners, comedy of 风尚喜剧 一种诙谐而富于理性的喜剧形式。描写并常常讽刺当时社会的世态和时尚。它涉及社会习俗和人物能否与某些社会标准相适应的问题。它的情节通常是非法的爱情事件或类似的丑闻，并从属于戏剧易变的气氛、机智的对话和对人类怪癖性格的辛辣评论。开创新喜剧的古希腊剧作家米南德(约公元前342～约前292)是风尚喜剧的先驱。莫里哀是风尚喜剧最伟大的代表作家之一。他在《太太学堂》(1662)和《愤世嫉俗》(1666)等剧本中，讽刺了17世纪法国社会的虚伪和矫饰。英国风尚喜剧于王政复辟时期达到全盛，尽管受到B.琼森气质喜剧的影响，王政复辟时期的风尚喜剧调子却更轻松、更熟练，也更富有生气。剧作家们宣布自己反对装腔作势的才智和习以为常的愚昧，并以漫画式的人物讽刺这些特性。这种喜剧样式的杰作有W.威彻利的《乡村妻子》(1775)和W.康格里夫的《如此世道》(1700)。18世纪晚期O.哥尔德斯密斯的《委屈求全》(1773)和R.谢里丹的《情敌》(1775)及《造谣学校》(1777)又复活了这种喜剧形式。风尚喜剧精心设计的情节和警句式对话的传统，由英国爱尔兰剧作家王尔德在《少奶奶的扇子》(1892)和《认真的重要》(1895)等剧中加以继承。20世纪风尚喜剧重新出现，即英国剧作家N.科沃德、S.毛姆和美国剧作家P.巴里、S.N.贝尔曼等人所写的机智而奥妙的客厅戏剧。

Manners, John 曼纳 参阅 **Granby, John Manners, marquess of** 格兰比侯爵。

Manners, John James Robert 曼纳斯 参阅 **Rutland, John James Robert Manners, 7th Duke of** 拉特兰公爵(第七)。

manners, novel of 社会风俗小说 一种再现世俗社会的小说。通过细微的观察，表述在一个高度发展和复杂的社会里的种种风俗、价值观念及道德观念。整个故事受社会习俗的支配，按当时的行为准则衡量人物，有高下之分。社会风俗小说的范围可能有限，如在J.奥斯汀的作品里，只写19世纪英国乡村中上阶层家庭事务，对人类的基本感情和较重要的社会变动和政治事件则很少描述。它也可以是囊括无遗的，如在巴尔扎克的小说里,就以描写巴黎生活、外省生活、私人生活、政治生活、军队生活的种种故事反映了19世纪社会的所有的复杂面。从19世纪末到20世纪,写社会风俗小说的著名作家有H.詹姆斯、E.沃、E.华顿和J.马昆德。

Mannes, Leopold (Damrosch) **曼内斯** (1899-12-26,美国纽约州纽约～1964-08-11,马萨诸塞温亚德港) 美国音乐家和摄影技术人员,1935年以"柯达彩色反转片"的发明人之一而著名。曾就读于纽约市里弗代尔学校,在那里结识了后来的合作者L.戈多斯基。两人都爱好音乐和摄影,并建立一个小的实验室,从事彩色胶卷的试验。1917年他在哈佛大学攻读物理和音乐学。获得音乐学士学位后,在他父母创办的曼内斯音乐学校任教,但仍继续摄影方面的研究,并以通信方式与戈多斯基合作。1919年两人研制出一种质量低劣的彩色胶片,从中他们认识到,加色法不能得到他们所探求的真实色彩。于是,两人改为研究多层式减色法彩色胶片,从而产生柯达彩色反转片。1922年他们在纽约市开设了第一间真正的实验室。在伊斯曼·柯达公司的K.米斯博士的赞助下,两人于1930年迁居纽约州罗切斯特市,与助手们一起在设备齐全的柯达研究室里工作。1935年4月15日宣布柯达彩色反转片(最初是电影片)研制成功。这是最早的减色法彩色片,并且成为彩色摄影的有力工具。柯达彩色反转片经改进,迄今仍是畅销的彩色胶片。1953年曼内斯将曼内斯音乐学校改名为曼内斯音乐学院,并任院长直到去世。

Mannes, Marya **曼内斯**(1904-11-14,美国纽约州纽约～1990-09-13,加利福尼亚旧金山) 全名Maria von Heimburg Mannes。美国作家和评论家,以对美国生活刻薄而见识的观察著称。幼时曾接受私人教育。她家庭的文化氛围以及赴法国旅游都使她获益匪浅。20世纪20年代和30年代初期,她为《戏剧艺术》、《创造性艺术》和《哈珀》等杂志写了若干短篇小说和评论文章。还写了一个剧本《咖啡馆》,虽然不成功,但仍能在百老汇上演。1926～1930年与舞台设计师J.米尔齐纳结为夫妇。1933～1936年出任《时尚》杂志的专题编辑。之后一段时间与第二任丈夫R.布洛住在佛罗伦萨。第二次世界大战期间在美国政府部门工作。战后又开始为各家杂志写文章。1946～1947年任《魅力》杂志的专题编辑。第一部长篇小说《来自陌生人的信息》于1948年出版。1952～1963年参加《记者》杂志编辑部工作。她批评和讥讽美国传统习俗、性格弱点和成见的散文结集于1958年出版,书名《传统习俗在发怒》,该书引起广泛评论。1959年出版的《颠覆》是一部讥讽诗集,其中许多首诗选自她在《记者》杂志上发表过的作品。1961年出版《我了解的纽约》。1965～1967年撰写每月专栏文章,1968年为《麦考尔》杂志写电影评论。后期作品有《他们》(1968)、《离异》(1972;与N.谢里斯基合著)和《最后的仪式》(1974)。

Mannheim **曼海姆** 德国西南部巴登-符腾堡州城市。在莱茵河右岸,运河化的内卡河河口,与路德维希港隔河相望。764年首见记载。1607年设市。1622年毁于三十年战争。1720年为巴拉丁选帝侯驻地;这个时

曼海姆市的圆筒形水塔
美国不列颠百科全书公司供图

期的著名建筑有巴罗克式的耶稣会教堂、老市政厅、朝圣教堂和军械库等。圆筒形水塔(约1888)为曼海姆市的标记,坐落在1907年建的腓特烈广场。该市曾为一文化中心。当地有培养乐队指挥、提琴手、作曲家的学校和美术馆、科学院等。1778年建成全国第一座国家剧院,1782年席勒的剧本《强盗》在此首演。1795年该市再次被毁,行政机构遂于1802年迁至巴登州。城市重建。1848～1849年成为革命运动的中心。莱茵河港1834年建成促进了经济的发展,到1900年已成为工业化城市。1879年汽车工程师C.本茨在此研制成第一台两冲程汽车发动机。现为欧洲最大内陆港之一,运销煤和铁。生产医疗器械、电子设备(包括微电子部件和系统)、除污设备、化学品、肥料和食品等。出版和旅游业也重要。仍为文化中心。1907年建的曼海姆大学于1946年重开,1967年恢复为综合大学。人口约310 475 (1998)。

Mannheim, Karl **曼海姆**(1893-03-27,布达佩斯[匈牙利]～1947-01-09,英国伦敦) 德国社会学家。希特勒上台后去英国,以创立知识社会学闻名。他把社会学作为一个社会组织来研究,认为社会学在本身之外亦具对外界的社会学影响,还对领袖能力问题及舆论问题作过研究。曼海姆原在海德堡大学(1926～1930)和美因河畔法兰克福大学(1930～1933)任教,后去伦敦大学伦敦经济学院讲授社会学(1933～1945)。1945～1947年任伦敦大学教育学院哲学和教育社会学教授。曼海姆认为,社会冲突是由个人思想方法的不同和个人真理标准的不同而引起的。他认为这两方面的不同要比马克思主义哲学家所强调的经济情况不同和阶级意识更为重要。他在《意识形态和乌托邦》(1929)中阐明了这些思想。在遗著《自由、权力和民主设计》(1950)中,他极力克服对极权主义的厌恶,逐渐相信社会计划的必要性。

Mannheim school **曼海姆乐派** 18世纪在K.狄奥多尔公爵(1743～1799年在位)的资助下聚集在德国曼海姆城的一群作曲家,擅长谱写器乐作品,对古典风格(如J.海顿及W.A.莫扎特的作品)的发展成熟有重大影响。当时许多访问过曼海姆宫廷的人,例如18世纪著名英国音乐史学家C.勃尔尼,都曾热情洋溢地记述过当地的音乐情况。给这些旅游者留下特别深刻印象的是那个杰出的管弦乐队,它以其训练有素的精湛技巧和奏出新颖而使人激奋的效果的能力而誉满全欧。这些效果,诸如长时间的渐强、突然的力度变化和迅速上行的旋律音型(著名的"曼海姆火箭")尤其在曼海姆作曲家的交响乐曲中得到发展。从历史的角度来看,比这些作曲手法更重要的是这些作曲家善于把交响乐曲式的各个组成部分更明确地表达出来,因此他们在古典交响曲的发展中具有重大的作用。曼海姆乐派主要包括两代作曲家。第一代有J.斯塔米茨(他是乐队奠基人和指挥)、I.霍尔茨鲍尔、F.X.里希特和C.G.托埃斯基。这些音乐家为曼海姆乐派树立了极大的威望。第二代作曲家有A.菲尔茨、J.C.坎纳比希(他使管弦乐队趋于完善)、A.和K.斯塔米茨以及F.贝克。

mannikin **侏形雀** 雀形目梅花雀科环喉雀族(Amadini)多种鸣禽的通名,尤指文鸟属(*Lonchura*)的某些种。多为淡褐色,喉常为黑色并有细条纹。大群生活于非洲到澳大利亚的原野。许多种是大众喜爱的笼鸟。长9厘米的古铜色侏形雀(古铜文鸟,*Lonchura cucullata*)在非洲有大片群栖地;曾被引入到波多黎各,在该处俗称头兜织布鸟。在南亚数量多的有斑纹侏形雀(斑文鸟,肉豆蔻文鸟,*L. punctulata*)和条纹文鸟(白背文鸟,条纹侏形雀,十姐妹,*L. striata*)。前一种定居在夏威夷,当地称之为禾雀。后一种有一家养品系,称为孟加拉雀。关于栗腹侏形雀(栗腹文鸟),参阅 **munia**。关于南美的侏儒鸟类,参阅 **manakin**。

Manning, Henry Edward **曼宁**(1808-07-15,英国赫特福德郡托特里奇～1892-01-14,伦敦) 改信天主教而任天主教威斯敏斯特大主教的英国基督教圣公会牛津运动派人士。1833年受按立为圣公会牧师,1840年任奇切斯特总会吏。曼宁趋向于天主教是由于他反对国家干预教会事务。当时有个主教认为圣公会牧师戈勒姆的观点非正统而拒绝正式任命他,枢密院批驳了这位主教。此事使曼宁大为不满。1851年4月曼宁被天主教会接纳,1851年6月受司铎之职(他的妻子已于1837年死去)。在天主教会内声誉迅速提高,1865年任威斯敏斯特大主教(天主教在英格兰的首席大主教),1875年任枢机主教。他积极兴办天主教学校和其他机构,关心社会问题,1889年调解伦敦码头工人罢工事件成功。

Manning, James **曼宁**(1738-10-22,新泽西皮斯卡塔韦～1791-07-29,美国罗得岛普罗维登斯) 美国基督教浸礼会教士,创建布朗大学并任第一任校长。1762年毕业于普林斯顿大学,次年受按立,奉命筹建学院。1765年学院在罗得岛沃伦开学,曼宁任院长(1765～1791)。1770年学院迁至普罗维登斯,曼宁在此兼任第一浸礼会教堂牧师。美国独立战争

布朗大学供图

爆发，教学暂时中断，但在曼宁任期终了时学院已基础牢固。1786年他代表罗得岛参加联邦议会。1791年曾起草报告，呼吁建立免费公立学校。

Manning, Marie　曼宁（1873-01-22?，美国华盛顿[哥伦比亚特区]～1945-11-28，华盛顿[哥伦比亚特区]）　美国新闻记者，以甚受欢迎的探讨礼节和私人事务问题的劝说专栏著称。受教育于纽约市和伦敦。在一次华盛顿晚宴上偶遇纽约《世界报》编辑A.布里斯班，使她长期向往成为新闻记者的愿望得以实现。她应邀去纽约《世界报》工作，按版面支薪。此后不久，与G.克利夫兰总统的一次独家专访为她赢得正式工作岗位。1897年，她随同布里斯班及《世界报》其余大部分人员跳槽到W.R.赫斯特的《纽约晚报》。先是编写妇女版和追求轰动效应的犯罪故事，一年左右以后，布里斯班要她刊出劝说专栏。专栏于1898年7月20日署名贝雅特丽齐·费尔法克斯见报，一举成名，很快就有读者纷纷来函，每日超过1 000封。有关爱情的礼节问题——如何赢得一个男人，如何把握住一个女人，不同场合允许有那些亲昵动作——显然令成千上万的读者感到困惑，或至少是感到兴趣。她的回答一般是基于严谨的行为准则，和那句格言"擦干眼睛，挽起袖子，找出实际可行的解决办法"。撰写专栏的同时，曼宁继续担任记者，继续为《哈珀》杂志编写短篇故事，并写出了两部小说，《阿林厄姆，破产了》(1902)和《大平原上的朱迪丝》(1903)。1905年结婚后则专心持家。1929年股票市场崩溃，她损失不惨重，遂又走出家庭，重新撰写专栏，通过赫斯特的辛迪加为全国200家报纸供稿，以其习惯的方式应对新一代的问题。她也写过一本为军人和他们的家属提供意见的书《一管之见》(1943)和一本自传。晚年她还为国际新闻社从华盛顿报道妇女方面的新闻。

Manning, Olivia　曼宁（1911-03-02，英国汉普郡朴次茅斯～1980-07-23，怀特岛赖德）英国女新闻记者、小说家，因其力图以小说形式描绘当代历史全景的宏伟构想而闻名。生于海军军官家庭。1937年完成第一部长篇小说《换了风向》。两年后同剧作家R.D.史密斯结婚。1951年出版《爱情的教训》，描写耶路撒冷城一个16岁少年的故事。主要著作是《巴尔干三部曲》，其中包括《一大笔财产》(1960)、《劫余之城》(1962)和《朋友和英雄》(1965)。随后是《黎凡特三部曲》：《危险的树》(1978)、《战役的胜负》(1979)和《劫后余生》(1980)。

Mannix, Daniel　曼尼克斯（1864-03-04，爱尔兰科克郡查尔维尔～1963-11-06，墨尔本）天主教高级神职人员，20世纪前半叶澳大利亚引起争论最多的政界人物。曾就学于爱尔兰基尔代尔郡梅努斯市圣帕特里克学院，1890年在该处受神职。1917年任墨尔本大主教。他坚决主张，既然政府向天主教徒征税，就应当资助天主教教育事业；反对征召士兵参加第一次世界大战，为此引起争论。他热情拥护爱尔兰独立，因此英国政府禁止他在爱尔兰登陆，直到1925年他才有机会访问故国。第二次世界大战以后，曼尼克斯抵制共产党渗入澳大利亚工会。在澳大利亚工党的内部斗争中，他的活动引起争议。他支持从工党分裂出去的右派天主教民主工党；赞助公教进行会和天主教社会运动；建立了181所学校，包括墨尔本大学的纽曼学院和圣马利亚学院。

Mannlicher, Ferdinand, Ritter von　曼利谢尔（1848-01-30，雷恩尼希黑森美因茨～1904-01-20，维也纳）　奥地利轻武器设计师。他发明的弹夹，可使弹仓的装弹动作一次完成。曾任奥地利北方铁路公司总工程师，1866年加入奥地利兵器公司。他第一次设计的步枪上转动枪机的装置不很成功，但以后的设计采用了许多先进的革新，在欧洲得到广泛使用。他最初的枪机直拉式步枪(1884)后来成为有名的1885型11毫米口径奥地利军用步枪。1885年他研制出的弹夹仅用于1885型步枪，后来在自动装弹的手枪和步枪上普遍采用。曼利谢尔设计了约150种连发枪，其中有许多是自动的。他的设计有许多是失败的，因为当时的弹药和金属还不能适应他的先进设计。

Mannyng (of Brunne), Robert　曼宁（活动时期约1330）　早期英国诗人和作家。所作《赎罪篇》是一首脍炙人口的劝谕诗，另著有编年史《英格兰轶事》。这些作品分别保存在几种手稿中，出处均不可考。1300年前后，曾在剑桥大学受教育。此后15年间(约1302～约1317)在林肯郡森普林汉隐修院任修道士，属吉尔伯特教团，1303年始创作《赎罪篇》，至1307年尚未完篇。曾花费多年时间写作《英格兰轶事》，据他称，该书完成于1338年5月15日，星期五的3～4点钟。《赎罪篇》约13 000行，诗格为短对句，手笔拙劣，系根据沃丁顿的威廉(可能为一约克郡英国人)于1250～1270年间用盎格鲁诺曼语所著《涤罪必读》一书改写。曼宁的意图同威廉一样，想提供一本指南式的读物，以激发认真的自我反省，作为忏悔前之准备。曼宁在书中依次论述十诫、七大重罪及渎神罪、七圣事、告解须知十二条和告解恩典十二条。书中有很多率直的教诲、劝诫和教义解释，每一主题都用一个或几个故事加以说明。曼宁的晚期作品《英格兰轶事》具有类似的文学性质，不过主要成分是虚构的。作为历史，它几乎毫无价值可言。《英格兰轶事》共分为两部分：第一部分从《圣经》上的诺亚叙述至689年不列颠国王凯德瓦拉之死；第二部分叙述至爱德华一世去世(1307)。特别有趣的是，曼宁把一些流行的传奇故事情节纳入其作品之中，如：有关沃里克的盖埃与巨人科尔布兰德遭遇的传说被插进他关于阿特尔斯坦的故事中。他在叙述中加进了几首主题诗歌，主要为关于爱德华一世对苏格兰发动战争的歌曲。

Mano River　马诺河　又作Bewa(贝瓦)或Gbeyar(贝亚)。源出利比里亚沃因贾马东北的几内亚高原的河流，向西南流320千米，穿过利比里亚戈拉国家森林，在塞拉利昂的马诺萨里注入大西洋。利比里亚-塞拉利昂的边界有145千米以上是由马诺河及其支流莫罗河形成。流域面积为8 250平方千米。间断性急流给航行造成困难。1976年在利比里亚的博城建成的马诺河大桥缩短了利比里亚和塞拉利昂两国首都之间的距离。

Manoello Giudeo　马诺埃罗·朱迪欧　参阅 **Immanuel ben Solomon** 伊曼纽尔·本·所罗门。

Manohar　马诺哈尔（活动时期1580～1620，印度）　印度莫卧儿画派主要细密画画家，曾为手抄本书籍作过插图，绘过肖像及少量动物习作，均属优异作品，因此闻名。其父巴萨万是著名画家。他的作品主要描写贾汉季皇帝驻跸阿杰梅尔城时在朝觐厅中仪态一瞥；这是一幅绚丽的作品(伦敦维多利亚-艾伯特博物馆藏)。

Manolete　马诺来特（1917-07-05，西班牙科尔多瓦～1947-08-29，利纳雷斯）　西班牙斗牛士。为继何塞利托和贝尔蒙特之后最优秀的斗牛士。在斗牛场上以极其简练的动作和冷静的风度著称。从事斗牛13年，在斗牛场上死于牛角下。

Manolo (bullfighter)　**马诺洛**　参阅 **Cordobés, El** 科尔多贝斯。

manor house　庄园宅邸　欧洲中世纪庄园主或其管家的住所和封建领地的行政中心。中世纪的庄园一般设防，防卫程度依照所在国家或地区的治安情况而定。庄园宅邸是世俗乡村生活的中心，其大厅是庄园法院开庭的地点和佃户集会的场所。庄园宅邸的特殊性质在英法两国表现得最为明显，但在所有实行庄园制的国家中都存在类似的封建领主住所，只是名称不同而已。英国11世纪时，庄园宅邸是由防御用围墙和沟渠环绕的一组不规矩的、相互关联的木构或石构建筑，包括大厅、小礼拜堂、厨房和农舍。在整个中世纪时期，大厅是住宅建筑的主要部分。12世纪，大厅放在设防的二楼，周围有壕沟保护。后来改在底层，周围加强防御，如拉特兰的奥克姆城堡。到14世纪，庄园宅邸的平面布置有了一定的形制，把私人起居用房和公用房分别设在大厅的两端，并有雉堞、门楼和壕沟，如在肯特郡的伊坦摩特。伯克郡的奥克韦尔斯庄园是15世纪营造的没有防护设备的一座典型的木构架庄园宅邸。法国在

英国肯特郡伊坦摩特的庄园宅邸门楼
美国不列颠百科全书公司供图

1453年百年战争结束以前，庄园建筑以防御为主。早期的庄园宅邸如14世纪吉伦特的卡马尔萨克庄园，主要包括一个矩形的设防塔楼，外有围墙和壕沟。在诺曼底，迪耶普附近的昂戈庄园表现出15世纪住宅设计的一些进步，宅邸立在庭院的一端，两旁有农舍，还有设防的门楼。随着经济繁荣和人们渴望更舒适的住所，16世纪的庄园宅邸演变为文艺复兴式乡间宅邸。在英国建造了一些更为精致的宅邸，新形式迭出。宅邸平面常为规整的四边形，减低了大厅的规模和重要性。后来，大厅降至入口的地位，如在威尔特郡的拉姆斯培利庄园（约1680）。整个16世纪中，设防塔楼式宅邸的传统在法国继续存在，一般保持角楼和其他古旧防御设施，如在特鲁瓦附近的图来尔庄园。此后，庄园宅邸的名称在英国已失去特殊的意义，采用这一名称的乃是一些并无庄园基础的大型乡间府邸。

manorial court　领主法院　在封建法律中，指庄园主借以对其佃户行使管辖权的法院。领主法院是由庄园主的总管或管家主持的。庄园的各种官员就在这个法院里接受任命，如作为总监工的庄园管理员和看护庄稼和逮捕犯人归案的守卫员。佃户因违法行为由该法院判刑，而且常常被迫交付罚金。因此领主法院就为庄园主提供一个方便的收入来源。佃户彼此间进行的获得允许的土地交易都要通过领主法院进行登记；在庄园主管辖范围内，佃户放弃或取得土地占有物时也都需要通过该法院。17世纪领主法院开始衰落，18世纪逐渐被废止。参阅**court baron**。

manorialism　庄园制度　又作seignorialism或seignorial system。一种政治、经济和社会制度，在这种制度下，中世纪欧洲的农民被置于依附土地和领主的地位。它的基本单位是庄园或领地。庄园是一种自给自足的地产；领地受领主的控制，领主对庄园享有各种权利，并通过**农奴制**（**serfdom**）控制依附于庄园的农民。庄园制度是中世纪欧洲创立贵族阶级和教士地产的最便利方法，它使**封建主义**（**feudalism**）得以实行。庄园制度以不同的名称不仅存在于法国、英格兰、德意志、意大利和西班牙，而且在不同程度上存在于拜占廷帝国、俄国、日本和其他地方。庄园制度的重要性，在欧洲的不同地区和不同的时期有所不同。在西欧，到8世纪时已十分昌盛，到13世纪开始衰落；在东欧，15世纪以后它的势力最为强大。

庄园制度渊源于罗马帝国晚期，当时大地主需要加强对土地和耕种土地的劳动者的控制。这在5～6世纪内战频仍、各国政府软弱、蛮族不断入侵因而遭到破坏的欧洲，是十分必要的。在这种情况下，小农和无地劳动者用土地或自由来换取有势力地主对自己的保护，并保证为其提供劳务，这些地主有武装力量可以捍卫他们。这样，可以保证穷人、无力自卫的人和没有土地的人得到一块土地，永远有权耕种，算是对他们为拥有土地的领主提供经济劳务的报偿。这种安排发展成为庄园制度，而庄园制度又支持了国王、领主和封臣这一封建贵族阶级。

13世纪典型的西欧庄园有一部分是农民的小屋、茅舍、棚舍和花园，聚集在一起形成一个小村庄。村中还可能有教堂、磨坊、酿酒厂或榨油厂。附近是领主的堡垒或庄园宅邸，有领主住在里面，或只住着他的管家，如果领主拥有不止一处庄园的话。围绕村庄的是耕地，分为3大块，轮流耕作，每年有一块休耕。通常还有草地可以供应干草，有牧场可以饲养牲畜，有池塘和溪流可作渔场，有森林和荒地可以采伐木材和搜集柴草。森林和荒地的大部分和耕地的一部分由领主作为自留地产，即这部分没有给予自由承租人，而是由领主留作自己使用和占有，或是由他的隶农（农奴）或有租赁权的佃农占有。

领主将一部分领地租给自由承租人，条件是交纳租金，或服兵役及其他劳务。领主和自由承租人下面是隶农、农奴或奴隶，每人享有一个茅舍或小屋，亩数固定的小块土地、一份草地和一份荒地的收益。通常，农民是不自由的，不经允许不能离开庄园，如他离开可以通过法律程序予以追回。法律的严格解释剥夺了他拥有财产的一切权利；在许多情况下他要受到某些屈辱，例如自己的女儿结婚时须向领主缴纳一笔婚嫁费，这被认为是不自由状况的特别标志。但是也有一定的限度。第一，所有在租佃中发生的事件，即使是女儿结婚时的婚嫁费，并不影响佃户个人的地位；他仍然可以是自由的，虽然受不自由租佃的约束；第二，即使是不自由的，他也不受领主专横意志的支配，而是受到由庄园法庭解释的庄园习惯的保护。而且，他并不是奴隶，因为不能把他和土地分开来买卖。他的处境的艰苦，在于他所应提供的劳务。一般说来，一个隶农要为他所拥有的东西交钱、付出劳动和缴纳实物。在交钱方面，他首先要交纳小额固定的法定租金，其次要交纳各种名义的费用，一部分代替已经折算为货币的劳务，一部分抵偿他在庄园荒地享有的特权和收益。在劳动方面，他的付出更为繁重。每星期他都要带着自己的犁和牛去耕领主的自留地；耕完之后，他还要耙地、收获、打谷和运送，或做任何要求他做的事情，直到一年之中分配给他的劳动天数满额为止。

庄园制度中最复杂的结构是庄园法庭，它的业务分为刑事、庄园事务和民事3部分。在第1部分，其权力须视领主在某一个庄园中所享有的特权范围而定；大部分只限于对轻微的犯罪进行审判，如小偷、破坏面包和啤酒的规定价格以及斗殴之类；除了在特殊情况下，重大犯罪的审判权仍然属于国王或其他享有领地主权的君主。但违犯庄园习惯的罪行，如犁地不合格、窃取领主森林的木材之类，自然是法庭的主要刑事案件管辖范围。在庄园事务部分，法庭处理庄园官员的遴选，有权制定庄园管理法规；但它最重要的职能是记录隶农佃户的投靠和接纳。最后，法庭处理庄园以内有关土地的一切诉讼、遗孀产和继承问题以及与土地无关的少数民事案件。

11世纪欧洲的商业开始得到恢复，这标志着庄园制度的衰落。庄园制度只能在分散的和地方化的经济中存在，其中仅是自给的农民耕作起主导作用。11、12世纪欧洲重新采用货币经济，以及城市和乡镇的发展，为领主的农产品建立了市场，也为他们提供了可由他们购买的奢侈品。结果，领主越来越允许农民将其劳务折成货币，最后也允许用货币来赎取他们的自由。此时，剩余农产品已可在城市和乡镇出售，也发现支付租金或领取工资的自由劳动者比农奴化的劳工更有效率（能生产更多的利润）。由于这些以及其他经济方面的原因，无效率的和强制性的庄园制度在西欧解体了，逐渐发展成为在地主和支付地租的佃农之间比较简单的和不那么麻烦的经济安排。

在中欧和东欧，庄园制度经历了稍微不同的进展。12、13世纪，当大片森林和荒地由自由的德意志和斯拉夫农民殖民时，这些地区的庄园制度衰落了。15、16世纪在俄罗斯人、波兰人、普鲁士人和立陶宛人之间进行的多次战争，重新造成政治不稳定和社会不安定，这些在几世纪前曾导致西欧农民的农奴化。此外，西欧对波罗的海地区谷物需求的增长，也为那里的贵族和其他地主使农民农奴化增添了动力，因为这是为生产谷物的领地保证劳力供给的最好办法。因此，到16世纪，庄园制度又在东欧、特别是在东德、波兰和俄罗斯大规模地重新建立起来。在大多数情况下，直到19世纪，这类反动的庄园发展在东欧才得以逆转。

Manresa　曼雷萨　西班牙东北部加泰罗尼亚（地区）巴塞罗那省城镇。临卡多内尔河。最初可能即罗马统治时期哈塞塔尼地区首府米诺里萨。欧洲中世纪时为重要城镇。现有冶金、纺织、轮胎和玻璃工业。人口约63 688（1999）。

Manrique, Gómez　曼里克（约1412，卡斯蒂利亚阿穆斯科［今在西班牙］～约1490，托莱多）　西班牙军人、政治家、外交官、诗人，主要以西班牙早期的剧作家之一而闻名。作为诗人，以写颂诗、挽诗、讽刺诗和其他政治诗而知名。讽刺诗有《马对侍童的忠告》和《王侯们的军团》（1495）。在15世纪卡斯蒂利亚宗教剧作家中，唯有他的作品流传下来。其作品有《我主诞生记》，描写基督诞生的故事；《为受难周致哀》，描写耶稣被钉死于十字架的故事，以其哀婉动人的抒情诗句而享盛名。

Manrique, Jorge 曼里克(1440，可能在卡斯蒂利亚帕雷德斯-德拉瓦[今在西班牙]～1479-03-27，西班牙卡拉特拉瓦附近加西-穆尼奥斯堡前) 西班牙军人，作家，以其抒情诗闻名。他的《为父亲去世而作的对偶体诗》(1492第一次印刷)，是哀悼他的父亲圣地亚哥骑士团统领帕雷德斯伯爵堂罗德里戈·曼里克的去世而作，具有永存的、难以忘怀的魅力。他的部分诗作被选入埃尔南多·德·卡斯蒂略所编选的著名卡斯蒂利亚诗歌选集《诗歌全集》(1511)。在内战的战斗中死去。

Mans, Le(France) 参阅 **Le Mans** *勒芒*。

Mansa 曼萨 旧称罗斯伯里堡。赞比亚北部城镇。在班韦乌卢湖与刚果(金)边界之间。位于农牧业区，有一电池厂。并为天主教主教的驻地。人口约37 900(1990)。

Mansa Mūsā(emperor of Mali) **曼萨·穆萨** 参阅 **Mūsā** *穆萨*。

manṣabdār 曼沙达尔 印度莫卧儿帝国高级官员，掌握帝国的行政和军队。一般为贵族，但官职和财产均非世袭。"达尔"指拥有的职位，"曼沙"是按统率人员数目决定的官阶，共分33级。这些官员依靠薪俸生活，工作经常调动，因此他们无法发展个人势力或积攒资财、招兵买马。莫卧儿帝国末期，曼沙达尔有70%是异族血统，在其余30%中，穆斯林和印度人大致各半。

Mansart, François 芒萨尔(1598-01，法国巴黎～1666-09) 在17世纪中叶法国巴罗克建筑风格时期建立古典主义风格的主要建筑师，其作品以精致、优美、和谐见称，细部遒劲有力而仍协调从属于整体。他在设计中精益求精，但不惜造价，甚至将已建部分拆除重建，耗费惊人。

早期作品仅存有卡尔瓦多斯省巴约附近的巴勒鲁瓦府邸(约1626年始建)。外墙用棕黄色粗砖，很少装饰，仅在墙角及窗框四周用白色石块镶边，代表了亨利四世时期的风格特征。1635年在布卢瓦的加斯东府邸部分重建工程中，主楼采用重叠的不同的古典柱式(底层为多立斯柱式，二层为爱奥尼亚柱式，三层为科林斯柱式)，入口两侧有曲线形的柱廊，屋顶为陡峭的折线屋顶，后被称为芒萨尔式屋顶(实际上法国其他建筑师早已用过，但习惯上用他的姓氏命名)，细部精练，比例和谐。1642年在伊夫林省建造的拉菲特别墅，和以前设计的其他府邸一样，采用对称的形式，但更强调建筑物轮廓的变化。主楼中央部分凸出一片长方形的立面，左右两翼以连续的长方形衬托主楼，两翼的尽端又凸出一部分底层。整个构图以变化细腻的各种长方形组成，优雅和谐。在他的作品中，内部装饰保存得完整的仅此一例。

Mansart, Jules Hardouin- 芒萨尔(约1646-04-16，法国巴黎～1708-05-11，马尔利勒鲁瓦) 法兰西国王路易十四的建筑师和城市规划师，完成凡尔赛宫的设计。1674年为路易十四的情妇蒙蒂斯庞夫人重建克拉尼别墅时，已崭露头角，早期作品多为私人住宅。1675年任法王的公职建筑师，1678年开始承担凡尔赛宫的重建和扩建工程。根据L.勒沃的设计，建造了镜厅、橘园、大特里阿农宫以及凡尔赛宫的南北翼。直到他逝世前还在设计宫内的礼拜堂。整个凡尔赛宫，包括A.勒诺特尔设计的广阔、优美、精致的花园，和谐地表现出法国巴罗克古典主义的风格，为欧洲其他宫廷竞相仿效。芒萨尔的一生除致力于这一巨大的建筑群外，还设计过不少其他的公共建筑、教堂和豪华的住宅。巴黎荣军院的礼拜堂最能反映出他将古典建筑和巴罗克风格融为一体的独创能力。巴黎旺多姆广场和胜利广场是他在城市规划方面的杰出成就。

Mansbridge, Albert 曼斯布里奇(1876-01-10，英国格洛斯特郡格洛斯特～1952-08-22，德文托基) 英国教育家和英国成人教育运动创始人及其主要组织者。主要靠自学成才。其父为木匠，14岁时因家贫辍学。以誊抄文件为业，同时上伦敦国王学院附设的大学夜校班学习，以满足强烈的读书欲望。终能讲授工业史、经济学和打字等夜校班课程，同时白天任文书谋生。对1873年创建的大学夜校班制度几乎完全是投上等和中等阶级出身的学生之所好而深感苦恼。1903年创立工人教育协会(原称工人高等教育促进协会)。该协会很快得到绝大多数英国大学的承认。1905年他放弃文书工作，任该协会专职秘书长。在他的管理下，工人教育协会为未被学术机构接纳为学员的劳动人民创立了一种导师制和一种博学图书馆(国家中央图书馆)。他在澳大利亚、新西兰和加拿大组织了工人教育协会分会，并在脊膜炎康复后进而建立其他成人教育团体：世界成人教育协会(1918)、海员教育服务社(1919)和英国成人教育学院(1921)。其著作包括：《工人阶级教育的创举》(1920)、《一个教育工作者成功的原因》(1929)、《砖上加砖》(1934)以及他的自传《走过之路》(1940)和1944年出版的杂文和演讲选集《思想的王国》。

Mānsehra 曼塞赫拉 巴基斯坦西北边境省东北部县城。在帕克赫利平原南端，布胡特河畔，海拔1 122米。四周是松树覆盖的丘陵。商业城镇，有磨面厂、粗纺毛纱厂和农业研究中心。城镇在阿伯塔巴德以北19千米处。周围的地区从锡伦河峡谷一直向西北延伸至加甘山谷，是日益兴旺的旅游区。种植玉米、马铃薯、高粱、小麦、大麦、稻谷、水果和烟草等。有畜牧业。附近贾巴有国家养羊场。人口：城镇27 843(1981)。

Mansel, Henry Longueville 曼塞尔(1820-10-06，英国北安普敦郡科斯格鲁夫～1871-07-30，科斯格鲁夫) 哲学家、英国基督教圣公会神学家和牧师。因阐述苏格兰思想家威廉·汉密尔顿爵士的哲学而知名。曾在牛津大学学习，1859年当选为牛津大学威恩费利特讲座道德和形而上学哲学教授。1866年又被任命为教会史和基督教教会法的钦定教授。两年后任圣保罗学校校长。大部分哲学著作都集中论述人的思想和人的经验之间的关系。在《宗教思想的限度》(1858)中，曼塞尔阐述了汉密尔顿学说，即人的知识严格地限制在有限的事物内，并且是"受到制约的"。为了回答J.S.穆勒和其他评论家对此种看法的指责，他在《受制约事物的哲学》(1866)中捍卫了汉密尔顿的思想。他争辩说，人的思想并不能对上帝的性质或上帝的善取得任何实证的概念，这种说法引起很大争论。他的本意是反对自然神论，而不是反对有神论，但却被指责为不可知论。在谈到语言和逻辑问题时，他讨论了对于不同命题的意义的证实问题，并着重指出了真正认识特殊真理的基本困难。他的有关形而上学的文章指出，人是能够得到一般知识的，但特定的真理则是不可理解的，因此人就需要信仰，来克服存在的恶和上帝的善之间的矛盾。曼塞尔的其他著作包括：《逻辑引论：逻辑过程心理性质的探讨》(1851)、《1、2世纪的诺斯替教异端》(1875)；曼塞尔和维奇共同编辑了汉密尔顿的《形而上学与逻辑学演说集》(4卷，1859～1860)。

Mansfeld, (Peter) Ernst, Graf von(count of) **曼斯菲尔德**(1580，卢森堡～1626-11-29，波斯尼亚萨拉热窝附近拉科维察) 信奉天主教的雇佣军人，但在三十年战争时期曾为新教奋战。他是西班牙驻卢森堡军事长官曼斯菲尔德侯爵恩斯特的私生子。曾参加哈布斯堡王朝的军队，转战欧洲。17世纪初，他逐渐成为奥地利王朝的敌人。三十年战争爆发时(1618)，他投身新教联盟的军队。在波斯尼亚战役中，他抗击哈布斯堡王朝的军队，攻下比尔森。以后两年，他成功地捍卫了波斯尼亚国王巴拉丁选侯腓特烈五世管辖下的莱茵地区各州。1623年前后，曼斯菲尔德及其盟军经由洛林和佛兰德，为尼德兰联邦作战，攻下东弗里西亚，据守到1624年。丹麦参战以后，曼斯菲尔德协同丹麦国王克里斯蒂安作战，在德绍阻击神圣罗马帝国将军华伦斯坦。其后，曼斯菲尔德率领一支新军进入匈牙利，与特兰西瓦尼亚的拜特伦亲王共同对占据巴尔干山地的奥地利军队作战。当时流行瘟疫，双方都受到很大损失。拜特伦亲王与奥地利单独谈判议和后，曼斯菲尔德决定投效威尼斯，但在进军途中身亡。

Mansfield 曼斯菲尔德 英格兰诺丁汉行政、历史郡城镇和区。临马温河。是舍伍德森林地带的重镇。据传说，这里就是侠盗罗宾汉活动的基地。人口随19世纪煤矿和针织工业的发展而增长。现经济仍以煤矿和针织业为主。曼斯菲尔德北3千米处的曼斯菲尔德伍德豪斯镇开采出来的硬质红色和白色砂岩曾用来建造威斯敏斯特的议会大厦。区面积77平方千米。人口：城镇71 858(1991)；区约99 300(1998)。

Mansfield 曼斯菲尔德 美国康涅狄格州东北部托兰县城镇。位于威利曼蒂克正北，临威利曼蒂克河。范围包括格利维尔、梅罗、伊格尔维尔和斯托斯（康涅狄格大学校址）4个村庄。1702年设建制。19世纪上半期为制造业中心，以生产丝绸著称。现为住宅、农业和教育社区。人口20 720（2000）。

Mansfield 曼斯菲尔德 美国俄亥俄州中北部城市，里奇兰县县城（1808）。临莫希肯河一支流。1808年始建，1828年设镇，1857年设市。曼斯菲尔德—森达斯基铁路（1846）、匹兹堡—韦恩堡—芝加哥铁路（1849），以及大西洋—大西部铁路（1863）到达此地，促使该市经济繁荣。工业制品有电子器械、汽车零件、钢板、抽水机等。设有俄亥俄州立大学一所分校。有金伍德中心和花园，以及一座1812年战争时代的木碉堡等名胜。该市也是著名的冬季运动中心，一年一度的俄亥俄州滑雪狂欢节在此举行。附近亦有赛车道。人口：市50 627；曼斯菲尔德都会统计区126 137（1990）。

Mansfield, Arabella 曼斯菲尔德（夫人）（1846-05-23，美国艾奥瓦伯灵顿附近～1911-08-02，伊利诺伊奥罗拉） 婚前名Belle Aurelia Babb。教育家，美国获准从事律师职业的第一位女性。1866年在艾奥瓦卫斯理大学毕业后，先后在艾奥瓦辛普森学院及芒特普莱森特的艾奥瓦卫斯理大学教授政治学、英语和历史。后来她与丈夫J. M.曼斯菲尔德（一位博物学教授）一起学习法律，并于1869年申请在艾奥瓦州执行律师业。几位审查人均同情她，表示她的考试成绩"对那些认为妇女不能执行律师业务的人的非难是最好的驳斥"，并颁发执照使她成为美国的第一位女律师。不过她实际上从未担任律师，而继续在艾奥瓦卫斯理大学教书，并于1870年获得该校文学硕士学位，1872年获得法学士学位。1886年她开始在印第安纳州格林卡斯尔市德波大学执教，1894年任该校艺术与音乐两所学院的院长。

Mansfield, Katherine 曼斯菲尔德（1888-10-14，新西兰惠灵顿～1923-01-09，法国枫丹白露附近的古尔捷耶夫学院） 原名凯瑟琳·曼斯菲尔德·博尚。新西兰出生的英国女作家、短篇小说大师，她发展了一种具有诗的许多特色的独特的散文风格。善于描写内心冲突，行文扑朔迷离，观察烛幽洞微，显示出契诃夫影响。她对短篇小说这一文学形式的发展也产生了很大影响。在惠灵顿和伦敦完成学业后，19岁离开新西兰到英国，从事文学创作。1911年出版短篇小说集《在德国公寓里》，表现了她最初幻想的破灭。1914年以前，她在评论家、散文家J. M默里主编的《韵律》和《蓝色评论》上发表短篇小说，1918年与G.鲍登离婚后同默里结婚。短篇小说集《序曲》（1918）道出她对新西兰的思乡之情。这些小说又加上另外一些故事，合编为《幸福》，1920年出版。《幸福》一书既是她的成名之作，又是她的艺术手法的典型。此后两年，她写下了她最优秀的作品，她的天才达到顶峰。《园会》（1922）包括以新西兰为背景的《在海湾》、《航程》和《陌生人》，以及抒发困顿心情的《已故上校的两个女儿》。死后发表的晚期著作（除未完成的手稿外）有《鸽巢》（1923）和《幼稚》（1924）。

Mansfield, Michael J(oseph) 曼斯菲尔德（1903-03-16，纽约市～ ） 美国参议院多数党领袖（1961～1977），驻日本大使（1977～1988）。未读完中学，14岁参加海军，后又参加陆军和海军陆战队。20世纪20年代在蒙大拿铜矿做工。1933年同时获得中学和大学文凭。1934年获硕士学位，到蒙大拿大学当教师，后成为远东和拉美历史教授。1942年当选众议员，成为众议院外交委员会的活跃人物。1952年进入参议院，1961年成为参议院多数党领袖。60年代越来越公开地批评美国卷入越南战争，并于1971年提出要求停战和分阶段撤军的议案。1973年支持战争权力法案，限制总统使国家参与国外未宣战的军事冲突的权力。1977年任美国驻日本大使，1988年退休。

Mansfield, Mount 曼斯菲尔德山 美国佛蒙特州最高峰（1 339米）。位于格林山脉中，伯灵顿东北30千米处，为阿巴拉契亚山脉一部分。该山脉的一系列山巅连在一起，看起来像人脸侧面，西面山势陡降1 200余米至尚普兰湖。该峰是一个州有森林的中心、著名冬季运动胜地。

Mansfield, Sir Peter 曼斯菲尔德（1933-10-09，英国伦敦～ ） 英国物理学家。1962年获伦敦大学博士学位，在美国做过两年研究助理之后任教于诺丁汉大学，1979年成为教授。1993年被授予爵士称号。由于发明磁共振成像（MRI）技术，与P.劳特布尔共获2003年诺贝尔生理学或医学奖。这是一项计算机扫描技术，能使人体体内结构组织成像，尤其是包括软组织的结构。曼斯菲尔德的工作拓展了核磁共振（NMR）技术的应用。核磁共振是置于强静磁场中的特定原子核对高频辐射波的选择性吸收现象，其吸收谱可以提供各种固体和液体分子结构的信息，是化学分析的有力工具。20世纪70年代早期，劳特布尔意识到如果人为地使用非均匀磁场，那么失真的信号中将包含有可以用来构建样品内部结构的二维图像的信息。这为磁共振成像奠定了基础。曼斯菲尔德通过在磁场中引入非均匀成分（磁场梯度）来精确地识别共振信号的差异，从而把劳特布尔的发现转化为医疗领域的一种实用技术。他还用新的数学方法来迅速地分析信号中的信息并且获取图像。由于磁共振成像没有X射线和计算机断层扫描（CT）那样的副作用并且是非植入性的，该项技术成为医疗领域一个极为重要的检查手段。

Mansfield, Richard 曼斯菲尔德（1854或1857-05-24，普鲁士柏林[德国]～1907-08-30，美国康涅狄格新伦敦） 美国浪漫派最后的伟大演员之一，出生时其母还在音乐会的巡回演出中。1872年第一次到纽约，先后进行过演唱、绘画和演戏的尝试，1877年重返英国。在以后的6年中在英国各省演唱轻松歌剧，主要演吉尔伯特和沙利文的歌剧，取得相当的成功。1882年再到美国，转向话剧，引起相当注意。在以后的20年中，在观众心目中确立了激动人心而又变幻莫测的明星形象。主要角色有理查三世（1889）、布鲁梅尔（1890）、夏洛克（1893）和西哈诺（1898）。1894年在纽约上演了萧伯纳的《武器与人》，这是萧伯纳戏剧第一次在美国演出。1906年他在芝加哥演出易卜生的《彼尔·英特》，获得成功。

Mansfield, William Cavendish, Viscount 曼斯菲尔德子爵 参阅 **Newcastle, William Cavendish, 1st Duke of 纽卡斯尔公爵（第一）**。

Mansfield, William Murray, 1st Earl of 曼斯菲尔德伯爵（1705-03-02，苏格兰珀斯郡斯昆～1793-03-20，英国伦敦） 即W.默里。1756～1788年英国王座法院的首席法官，是促成英国法律适应国家新开展的工业化、新兴的国际商业和殖民关系需要的第一个法学家。他最大的贡献是在商法领域内。1705年出生在苏格兰的一个贵族家庭，1730年由林肯律师学院授予律师资格。他在苏格兰出名是因为他曾代表爱丁堡市说话，当时该市因暴民绞死了市警卫队的英格兰队长而面临被剥夺选举权的危险。但他在英格兰的律师业务不甚发达，直到1737年他在众议院为商人们请求制止西班牙攻击其商船而发表有说服力的辩护演说，才使他在律师行业中取得了名列前茅的地位。1742年被任命为副总检察长，1754年为总检察长。1756年被任命为王座法院的首席法官，受男爵称号，1776年晋升伯爵。有三个案件表现他在判案时的公正超然的态度。1780年英国发生反天主教暴乱，他的房屋及图书馆被烧毁，议会也遭到冲击，但在审讯这次叛乱的领导人乔治·戈登爵士时，他却宣告戈登无罪。另一次是新闻记者约翰·威尔克斯发表了被下院认为是煽动性、诽谤性的作品，但曼斯菲尔德不顾公众的喧嚷和王室的压力，却根据正当程序的要求释放他。一个广为传播的传奇说法是，曼斯菲尔德用一个司法判决就废除了英国的奴隶制，而在美国却花了一次内战的代价，这种说法是没有根据的。即使他在所谓萨默塞特案件（1772）中所作的判决也只不过是判决一个从美洲殖民地逃到英国的黑奴不应被强迫送回殖民地去受报复性惩罚。

曼斯菲尔德对英美法的永久的贡献在商法上。当他担任法官时，英国正加紧掌握美洲、印度和国际贸易，但英国的法律是以土地为中心和受土地束缚的，而且固守职业的传统。改革是急需的。曼斯菲尔德的看法和雄心超出了欧洲大陆的给商业和银行业规定一套特殊的规则的模式，他力图使国际商法并入英国的一般法律（普通法与衡平法），使之成为其中的一个组成部分。在汇票、期票和银行支票的领域内，他的贡献更大。他还建立了一个新的法学领域。海上保险，当时是一种新的事业，集中在伦敦，而且是竞争和冷战的武器。在这个领域内，他不按照已有的模式行事，而是建立起一门完整的学科。但在他的经历中也不是一帆风顺，他的判决遭到否决的先后有六次之多。曼斯菲尔德曾三次入阁，但仍保留法官职务。1783年他谢绝了内阁职务，担任上议院议长。1788年辞去首席法官职务。

mansfieldite 砷铝石 类似臭葱石(scorodite)的砷酸盐矿物。

Manship, Paul 曼希普(1885-12-25，美国明尼苏达圣保罗～1966-01-31，纽约市) 美国雕刻家，其作品的题材和现代风格主要受古典雕刻的启发，也在一定程度上受东方特别

美国不列颠百科全书公司供图

是印度的影响。在美国受教育后，于1909年获奖学金去罗马美国学院学习。3年后回纽约，发展了造型简单、式样匀称的风格。大型装饰作品多系铜雕，如《跳舞者和瞪羚》(1916)，纽约市洛克菲勒中心广场的普罗米修斯喷泉(1934)。作有许多大理石肖像，最著名的是《出生三个星期后的波琳·弗朗西丝》(1914)及《约翰·D.洛克菲勒》(1918)。所作动物形象老少喜爱，特别有名的是纽约市布朗克斯动物园的雷尼纪念门(1934)。

Mansi (people) **曼西人** 参阅 **Khant and Mansi** 汉特人和曼西人。

mansion 殿堂 又作house。中世纪剧场用的布景装置。各个殿堂表示在教堂演出的《圣经》故事中的不同场所和基督生平的各种场景。殿堂包括由角柱支撑、带篷顶的小棚子所构成的舞台、装饰幕布以及该场戏中演员常用的椅子和道具。通常在教堂的中殿把它们布置成椭圆形。教堂中，在建筑上有相应特征的地方也用作殿堂，如教堂地下室作为基督的坟墓或地狱，唱诗班的楼厢则常作为天堂。随着户外演出的出现，这些小棚子在高出的舞台后面排成一横列。用作天堂和地狱的殿堂位于相对的两端，在它们之间则是尘世上的场所。

manslaughter 非预谋杀人 在英美刑法中，指通常处刑比谋杀罪较轻的一种杀人罪。不同的法律制度使用不同的标准来区别没有正当理由的杀人的种类和等级。参阅 **homicide**。

Manson, Sir Patrick 曼森(1844-10-03，苏格兰阿伯丁旧梅尔德拉姆～1922-04-09，英格兰伦敦) 英国寄生虫学家，热带病学的奠基人。1877～1879年他第一个发现昆虫(蚊)可能是班氏丝虫(*Filaria bancrofti*)——一种可通过蚊虫叮咬而导致人类丝虫病的寄生虫——的中间宿主。他的研究以及A.拉韦朗关于疟原虫的发现，有助于R.罗斯爵士阐明疟疾是由蚊子传播的理论。1866～1889年P.曼森爵士在香港和中国其他沿海城市行医，在那里他是第一批把接种牛痘技术引入远东的学者之一。他创立了香港医学院，后来发展为香港大学。1890年他定居伦敦，并建立了伦敦热带病学院(1899)，1903年受爵士位，后继续行医。他主编的教科书《热带病学》(1898)已成为标准范本。

Mansson, Olaf 参阅 **Magnus, Olaus** 马格努斯。

Manstein, Erich von 曼施泰因(1887-11-24，德国柏林～1973-06-11，西德慕尼黑附近伊尔申豪森) 原名埃里希·冯·莱温斯基。德国陆军元帅，或许是第二次世界大战中最有才能的德国陆军指挥官。他系一位炮兵将领之子，父母过早去世后由曼施泰因将军收养。他于1906年开始现役军官生涯，第一次世界大战中在西线和俄罗斯战线服役。他逐级擢升，1936年为少将，1938年为中将。第二次世界大战开始后，入侵波兰时(1939)任伦德斯泰特将军的参谋长。与此同时，他制订了用集中的装甲部队突破阿登森林入侵法国的大胆计划。这项计划虽遭德军最高统帅部拒绝，他设法使它受到希特勒本人的注意，为希特勒热情地采纳。1940年6月，曼施泰因率领一个步兵军团进攻法国后，同月被提升为陆军上将。1941年7月晋升为元帅。他指挥第56装甲军团入侵苏联(1941)，几乎攻陷列宁格勒。他升任南线的第11军团司令(1941年9月)，俘虏苏军43万人，其后他顶住苏军在那年冬天的反攻，接着在1942年7月攻陷塞瓦斯托波尔。1942年12月至1943年1月，他几乎解除了第6军团被困在斯大林格勒之围。1943年2月，其部队重占哈尔科夫，这是德军在这次战争中最成功的反攻。此后，他被迫隐退，1944年3月被希特勒免职。曼施泰因在自己的家园里度过了余下的战争岁月，1945年被英军所俘。他因战争罪行受审，虽然被宣告不曾犯下所控最严重的罪行，仍遭监禁，直到1953年因身体不好获释。他后来为西德政府组建军队充当顾问，著有回忆录《失去的胜利》(1955)。

Manṣūr 曼苏尔(活动时期17世纪，印度) 又称曼苏尔大师。印度贾汗季的莫卧儿画院的主要成员，以鸟兽习作见称。贾汉季皇帝授予他"一代奇才"的荣誉称号。贾汉季皇帝对进贡的珍禽、异兽、植物标本极喜绘画留念，在其直接命令下，曼苏尔作了许多自然生态习作。约绘于1612年的《雄火鸡图》(伦敦维多利亚-艾伯特博物馆藏)，据说即出自曼苏尔之手。该画标志火鸡在印度的第一次出现。贾汉季皇帝巡幸克什米尔谷地时，曾命曼苏尔画当地各种花卉，其《回忆录》称此次所画品种逾100种。

Manṣūr, Abū ʿĀmir al- 曼苏尔(约938～1002-08-10，西班牙) 全名穆罕默德·伊本·艾布·阿米尔·曼苏尔。西班牙科尔多瓦的伍麦叶王朝哈里发的首相和实际统治者，在职24年(978～1002)。出生于征服西班牙的阿拉伯军人家庭。最初当文书。978年在岳父加里卜将军的协助下当上首相。他用柏柏尔人和基督徒雇佣军来代替科尔多瓦军队中的斯拉夫人，并成功地进行了一系列对西班牙北部各基督教国家的战争。981年，他接受"曼苏尔·安拉"(真主使他战无不胜)这一荣誉称号，在科尔多瓦行使最高权力。994年，他又加上"马利克·卡里姆"(高贵的国王)的称号，而哈里发则继续担任国家的名义上的元首。曼苏尔在他的第50次远征(对卡斯蒂利亚的一次战役)后，于回国途中死去，由其子继承首相职位，但其家族此后保持权位不过数年；仅以阿米里家族为世所知。

Manṣūr, Abū Yūsuf Yaʿqūb al- 曼苏尔(约1160～1199-01-23，摩洛哥马拉喀什) 全名阿布·优素福·耶古卜·伊本·阿卜杜勒·慕敏·曼苏尔。西班牙和北非的穆明王朝的第三代统治者。他在位期间(1184～1199)使王朝的力量达到顶峰。1184年即位后，就发生部落叛乱，阿尔及尔失陷，但到1188年他已平定非洲领土，然后返回西班牙属地，抵抗葡萄牙人和卡斯蒂利亚人的入侵。经过7年努力，他打败了阿方索八世的卡斯蒂利亚军队，并接受"曼苏尔"(战胜者)的称号。次年推进到马德里，但未能攻克该城。在打败所有敌人之后，他回到马拉喀什即部分引退而立其子穆罕默德为继承人。曼苏尔是一个伟大的公共工程的建造者，其中许多工程至今犹存。

Manṣūr, al- 曼苏尔(709至714之间，叙利亚侯迈麦[约旦]～775-10-07，阿拉伯麦加附近[今在沙特阿拉伯]) 阿拔斯王朝第二代哈里发(754～775)，一般认为他是阿拔斯哈里发帝国的真正开创者。他建巴格达为首都。原名阿布·加法尔·阿卜杜拉·曼苏尔·伊本·穆罕默德。"曼苏尔"是他的帝王头衔，意为"战胜者"。父亲是阿拔斯的曾孙，母亲是柏柏尔族的女奴。在第一个哈里发王朝——伍麦叶王朝被呼罗珊起义军推翻之前不久，伍麦叶哈里发迈尔万二世逮捕了阿拔斯家族的领袖，曼苏尔的哥哥易卜拉欣·曼苏尔随家人逃亡伊拉克的库费。在那里，他的另一个哥哥艾布·阿拔斯(又称萨法赫)受到呼罗珊起义军领袖的拥戴。由于易卜拉欣瘐死狱中，萨法赫遂成为阿拔斯王朝的第一代哈里发。他在位5年死去，因此，建立阿拔斯哈里发帝国的大任就落到曼苏尔的肩上。曼苏尔在肃清伍麦叶人的残余势力方面起过重要作用。在萨法赫任哈里发期间，曼苏尔曾率兵进占美索不达米亚，当地总督向他无条件投

降。在伊拉克,他曾粉碎伍麦叶王朝总督的顽抗,将其处死。他继任哈里发之后,一些手握兵权的野心家纷纷起来反抗,其中最严重的一次是754年曼苏尔的叔父阿卜杜拉发动的叛乱,阿卜杜拉认为他比侄子更有权利担任哈里发。曼苏尔在阿布·穆斯里姆的帮助下,才得以转危为安。但是,他登上哈里发的宝座之后,立即将阿布·穆斯里姆处死。可能是由于这种消灭潜在政敌的行动,各地纷纷发生叛乱。755年孙巴德在呼罗珊造反,要求为被害的阿布·穆斯里姆复仇。曼苏尔的成就不仅基于其军事力量。他最持久的功业就是762年下令兴建伟大的城市巴格达。在建成新都以后,曼苏尔大力发展官僚体制,为阿拔斯王朝的统治奠定更为稳固的基础。通过这些政治与军事措施,曼苏尔家族终于建立了阿拔斯哈里发帝国。775年曼苏尔死于前往麦加朝觐的路上,葬在圣城附近。

Manṣūrah, al-　曼苏拉　埃及代盖赫利耶省省会。位于下埃及尼罗河三角洲达米埃塔河东岸。现代城市是三角洲东北部棉花、稻米、亚麻产区的商业中心。工业包括轧棉、棉花和稻米加工、磨粉及纺织等。1957年建立曼苏拉工业学院。1972年创建曼苏拉大学;曼苏拉学院是开罗爱资哈尔大学的分部。历史建筑包括一个以路易九世国王命名的堡垒和桑加清真寺。铁路桥梁使曼苏拉与达米埃塔河西岸的泰勒哈相通。人口约310 900(1983)。

Manta　曼塔　厄瓜多尔西部马纳维省港口城市。公元前3000年就已有人定居,到公元1200年为曼塔印第安人的首府。1965年正式改名曼塔。现为商业中心,主要以输出巴拿马草帽著名,亦输出咖啡、可可、油籽和象牙椰子。加工食品、木材、皮革和棉织品很重要。该港市也是深海商业性捕鱼的基地,有金枪鱼罐头厂。自从建立海滨休养地和钓鱼设施后,旅游业有所发展。人口约103 670(1983)。

manta ray　毯魟　参阅 **devil ray 蝠鲼**。

Mantegna, Andrea　曼特尼亚(1431?,威尼斯共和国维琴察附近～1506-09-13,曼图亚的马奇曼图亚)　15世纪意大利北部第一个典型的文艺复兴艺术家,有多方面的才能。他的作品以及对古典文化的态度,为其他艺术家树立了榜样。他在壁画领域发明了用透视法控制总体的空间幻境,开创了延续300多年的天顶画装饰画风。他原是维琴察附近城镇木工之子,10岁左右为绘画教师兼古董收藏者斯夸尔乔内收养。他的才赋显露得很早,17岁就脱离保护人,在帕多瓦建立了作坊(1448)。早年的壁画创作表现出对纪念碑式造型的关注,既有精到的透视学知识,又有考古学般的罗马建筑细节的描绘。帕多瓦是意大利北部的第一个人文主义中心,对他的兴趣、理想和画风产生了深刻的影响。从14世纪的诗人彼特拉克开始,这里对复兴古代文物的兴趣与日俱增。他与人文主义者、考古学家和大学教授密切交往,深知必须十分熟悉古代的历史、神话和文学,才能从这些宝贵的源泉中汲取养料。他热衷于描绘古罗马的建筑和雕像,着意领悟它们威武外表下的内在含义和力量,并力图与当时的政治现实

曼特尼亚绘《临刑前的圣雅各》(1453～1455)
美国不列颠百科全书公司供图

相吻合。因此,他的艺术语汇比其他意大利北部艺术家更有复兴古典的成分。1453年与威尼斯画家J.贝利尼之女结婚。1459年到曼图亚为曼图亚侯爵L.贡扎加服务。他存世最著名的装饰壁画,即为杜卡莱宫画的《婚礼厅》或称《画之屋》(1474),突破了一般的矩形构图,将四周墙面到天花板都画上逼真的建筑物,使观众在室内中心点上,视线由下而上地随着透视升向屋顶的环形天空,上面的天使也按透视比例渐次缩小,创造了总体的空间幻境。如今,在他工作过的城市曼图亚的主教堂里,有专门为他而设的葬仪礼拜堂。帕多瓦城里矗立着他的高大雕像。

mantel　壁炉台　围着壁炉口把烟导入烟道的罩子或其他类似的突出体,常带有装饰。参阅 **chimneypiece**。

Mantell, Gideon Algernon　曼特尔(1790-02-03,英国萨塞克斯刘易斯～1852-11-10,伦敦)　英国医生、地质学家和古生物学家。当时所知5个属的恐龙中,4个是他发现的。他研究中生代的古生物学,特别是苏塞克斯郡中生代的古生物,使这一地区在地质发现史上出了名。他证明白垩纪的魏尔敦地层是淡水沉积成的,从中发现和描述了著名的恐龙类爬行动物,如 *Iguanodon*(禽龙)、*Hylaeosaurus*、*Pelorosaurus* 和 *Regnosaurus*。还记述了三叠纪的爬行动物 *Telerpeton elginense*。主要著作有《南当斯的化石,或苏塞克斯地质的说明》(1822)和《创世的勋章》(1844)。

Manteuffel, Edwin (Hans Karl), Freiherr von　曼陀菲尔(1809-02-24,萨克森德累斯登[德国]～1885-06-17,奥匈帝国波希米亚卡尔斯巴德)　普鲁士陆军元帅,俾斯麦时代的常胜将军和干练的外交官。1827年加入骑兵,1848年革命时期为腓特烈·威廉四世的副官。克里米亚战争期间,他负外交使命两次去维也纳,一次去圣彼得堡劝说俄皇尼古拉一世从多瑙河诸公国撤军。然后回维也纳,劝阻奥地利参加对俄国的战争。1857年主持普鲁士军事内阁,1861年晋升中将。1864年参加对丹麦的战争后,任石勒苏益格长官。在七星期战争(1866)中,他占领了荷尔斯泰因,率一个师与汉诺威人作战,7月任美因河军司令。最后,他奉命去向俄国人解释普鲁士的德意志政策。在1870～1871年的普法战争中,他指挥第一军团,屡建战功。1870年10月起为第一军军长,在亚眠战役(11-27)中获胜,并且占领了鲁昂(12-06)。1871年1月指挥新成立的南方军,很快粉碎了法国南方的抵抗。南方军解散后,他任第二军军长。1871年6月至1873年9月指挥驻法国的普鲁士占领军。后晋升元帅,任柏林军事长官。1878年再度出使俄国,1879年起为德意志帝国驻阿尔萨斯-洛林总督。

Manteuffel, Hasso, Freiherr von　曼陀菲尔(1897-01-14,德国波茨坦～1978-09-24,奥地利蒂罗尔)　德国军事战略家,他对坦克部队的出色部署,在第二次世界大战中一再阻止了盟军的攻势。出身军政世家。第二次世界大战爆发时为少校,在北非作战时任师长。1943年11月率第7装甲师在乌克兰遏止了苏军的攻势。1945年5月组织机动防御阻止苏军攻入罗马尼亚。在阿登战役(1944-12)中任第5装甲集团军司令,该部几乎攻破盟军防线。战后作为自由民主党人入选国会。1959年曾因战时下令枪决一名19岁的逃兵而被判处18个月监禁。

Manti　曼泰　美国犹他州中部城市,桑佩特县县城(1850年),位于海拔1 685千米的农业区。1849年一群摩门教徒受教派领袖B.扬之命由盐湖城来此定居。以摩门教圣经传说中的城市命名。定居者大多为英国和丹麦移民,后发展为繁荣的粮食、禽类生产中心。1877年摩门教教堂落成。1854年建成帕顿馆,收藏有关当地历史的文件和手工艺品。1851年设市。人口3 040(2000)。

manticore　人头狮身蝎尾兽　又拼 manti-chora, manticora 或 mantiger。传说中的动物,人面(多有角)、狮身、龙尾或蝎尾。关于此种动物的最早传说来自希腊,可能是对里海虎的歪曲描述。manticore 源自古伊朗语,意为"吃人者"。中世纪作家将其作为魔鬼的象征。

mantid　螳螂　又作 mantis、praying mantid 或 praying mantis。螳螂目螳螂科昆虫。约有2 000种。体型大,长约5厘米,行动缓慢。前胸长,前足股节腹面有沟,沟两侧有刺列,后足的胫节可嵌入沟内。以前足胫节钳食活虫。受惊时,振翅沙沙作响(如果是有翅的种类),同时显露鲜明的警戒色。常见于植丛中,体形可像绿叶或褐色枯叶、细枝、地衣、鲜

花或蚂蚁。依靠拟态不但可躲过天敌，而且在接近或等候猎物时不易被发觉。雌虫交尾后常吃掉雄虫，卵产在卵鞘内可保护其渡过不良天气或天敌袭击。卵数约200个。若虫

薄翅螳螂（*Mantis religiosa*）
美国不列颠百科全书公司供图

无翅，形似成虫，常互相残食。多分布于热带和亚热带。欧洲的代表种类为螳螂属（*Mantis*），分布最广的种为薄翅螳螂（*Mantis religiosa*）、*Ameles* 属、*Iris* 属及椎体螳螂属（*Empusa*）。北美种类有卡罗来纳螳螂属（*Stagmomantis*，*S. carolina* 分布甚广）、*Litaneutria* 属（*L. minor*，形小，是唯一原产加拿大的螳螂）、*Thesprotia* 属（形细长）及 *Oligonicella* 属（形细长）。薄翅螳螂、窄翅螳螂（*Tenodera angustipennis*）、中华螳螂（中华干叶螳螂，*T. aridifolia sinensis*）及 *Iris oratoria* 已传入北美。中华螳螂在中国常见，原产于东亚许多地方，也是北美最大的螳螂，体长7～10厘米。螳螂的英文名 mantis 或 mantid 源出希腊语，意为“占卜者”，因古希腊人相信螳螂具超自然的力量。螳螂能静立不动或身体文雅地前后摆动，头上举，两前足外伸似在祈求，故引出许多神话和传说。迷信的说法认为，螳螂的棕色的唾液可使人眼盲，马或骡食螳螂后可致死。螳螂的英语俗名 praying mantid、学名 *M. religiosa*，意为“宗教螳螂”；德语名 Gottesanbeterin、法语名 prie-Dieu、普罗旺斯名 prega-Diou，都是祈祷上帝之意。螳螂在西印度群岛名“上帝之马”也与宗教虔诚有关。其他俗名有“魔鬼之马”或“杀骡虫”。

mantidfly（insect） 参阅 **mantispid** 螳蛉。

Mantineia 曼提尼亚 古代希腊阿卡迪亚的城市，位于现特里波利斯北约13千米处，在迈纳隆山和阿尔泰米松山之间。荷马史诗《伊利亚特》第2卷中提到该城是个兵力的来源地。曼提尼亚曾3次成为古战场。公元前5世纪初以前，是5个相邻的村庄，后来在阿尔戈斯建议下合并成一个城市。曼提尼亚一向支持斯巴达，特别在美塞尼亚希洛人起义的时候（前464）。但在公元前420年，它与伊利斯、阿尔戈斯和雅典结盟反对斯巴达。公元前418年在第一次曼提尼亚战役中，为斯巴达军击败。公元前362年，第比斯军队以谋略战胜斯巴达军，在曼提尼亚平原的遭遇战中消灭了斯巴达军。从此，曼提尼亚城又繁荣起来。公元前207年，统率亚该亚同盟大军的菲洛皮门在曼提尼亚击溃了斯巴达僭主马卡尼达斯。到罗马帝国后期，曼提尼亚降为一个村庄。从6世纪起到它在奥斯曼帝国统治下消失为止，曼提尼亚一直沿用戈里茨这个斯拉夫名称。

Mantiqueira Mountains 曼蒂凯拉山脉 位于巴西东部。从南帕拉伊巴河西北岸陡然隆起，向东北延伸近320千米。最高点为阿古利亚斯-内格拉斯峰（2 821米）。有茂密的原始森林，出产木炭，另有牧牛场。低山坡上有几处休养胜地。

mantis（insect） 参阅 **mantid** 螳螂。

mantis shrimp 螳螂蛄 又称虾蛄、皮皮虾。口足目海产甲壳动物，尤其是虾蛄属（*Squilla*）的种类。第2对附肢很大，形似螳螂的前足，故名。250多种，长1～30厘米。分

一种螳螂蛄（*Squilla*）
美国不列颠百科全书公司供图

布广，生活于近岸水域中，但也可见于1 300米深处。多数种生活在洞穴中。幼体和成体都善游泳。螳螂虾蛄（*S. mantis*）常见于地中海和邻近的大西洋水域，长20厘米，在底泥和有机碎屑中生活。鬼虾蛄（*S. empusa*）是北美洲大西洋沿岸最常见的种类，长为20厘米。日本沿岸的 *Oratosquilla oratoria* 可供食用，长亦达20厘米。

mantispid 螳蛉 又作 mantisfly 或 mantidfly。脉翅目螳蛉科昆虫。分布热带和亚热带区。成虫外表似螳螂（直翅目）。欧洲螳蛉（*Mantispa styriaca*）长12～20毫米，翅展约

螳蛉
美国不列颠百科全书公司供图

25毫米。螳蛉的卵玫瑰色，产于细柄上。幼虫有两型：一型足发达，行动活泼，头方形；一型足短，白胖，形似蛴螬；两型均寄生在狼蛛属（*Lycosa*）种类的卵或幼体体内。幼虫长大后（7～10毫米长）织一丝茧化蛹而进入第一蛹期；第二蛹期能活动，无茧。巴西螳蛉（*Symphasis varia*）寄生在黄蜂体内，在黄蜂巢中化蛹。

mantle 外套膜 又作 pallium。腕足动物和软体动物体内由体壁形成的软膜；亦指藤壶的肉质外罩（有时罩内出现钙化板而变硬）和被囊动物的韧性体壁。壳（如果存在）由外套膜所分泌，在外套膜和身体之间形成一个外套腔。腕足动物的外套膜有背、腹两叶，其上的许多小乳突穿入壳内。软体动物的外套膜则有左、右两叶，而在双壳类中两叶边缘部融合形成水管，以促进外套腔中的水分循环。

mantle 披风 长方形肥大斗篷。通常无袖，宽度和长度不一，是古代地中海地区的通行外衣，后来式样、颜色和用料都有所演变。基督教的某些礼服，如斗篷式长袍和大披肩，可能是从披风演变而成。

mantle 地幔 地球（**Earth**）的一部分，它位于地壳之下、地核之上。

Mantle, Mickey (Charles) 曼特尔（1931-10-20，美国俄克拉何马斯帕维诺～1995-08-13，得克萨斯达拉斯） 美国职业棒球运动员。左、右手均能击球。1951年加入美国棒球联盟纽约扬基队，主要担任外场手，1967年起担任一垒手。由于早年骨病，他打球时往往缠着绷带。80年代共击出536个本垒打。曾参加1951～1953、1955～1958和1960～1964年12届世界系列赛。1956、1957和1962年被选为美国棒球联盟最有价值运动员。退出比赛后任扬基队教练。1983年，美国棒球联盟主任裁决不许曼特尔参与棒球活动，因为他已就任新泽西州大西洋城一赌场的公共关系干事。

mantra 曼怛罗 印度教和佛教的咒语。或一字，或数字，也有成句者。曼怛罗一方面用来达到生活或宗教修养上的目的，另一方面也有更深刻的意义。例如，据说发“唵”就可以获得吠陀或梵天、毗湿奴、湿婆三大神的护佑。曼怛罗今日仍是印度教崇拜礼仪中的重要内容。许多教派吸收新信徒时都由导师秘授曼怛罗。念诵“嗡嘛呢叭咪吽”这一曼怛罗，是藏传佛教修持的特色。

Mantua 曼图亚 意大利北部伦巴第区曼托瓦省省会、城市。三面环明乔河形成的湖泊。位于维罗纳西南面。原为埃特鲁斯坎人居民点。公元前220年开始有罗马人拓居。伟大的拉丁诗人维吉尔就出生在附近的安德斯（公元前70年）。11世纪属于托斯卡纳侯爵。后加入伦巴第同盟。1328～1707年在贡扎加家族统治下，政治经济地位重要。此后先后属奥地利和法国。1866年加入意大利王国。现为大主教区。著名建筑有大教堂、圣安德里亚教堂、圣乔治城堡（内有A.曼特尼亚的壁画）和公爵宫等。文化设施有维尔吉利亚纳科学院、1780年建藏书丰富的图书馆和国家档案馆等。艺术家A.曼特尼亚和G.罗马诺的故居保存至今。经济以农产品加工和转运为主。为铁路、公路和水运交通枢纽。第二次世界大战后工业发展很快，人口迅速增长。人口：城市区约52 205（1993）。

Mantua, Siege of 曼图亚之围（1796-06-04～1797-02-02） 拿破仑第一次意大利战役中的一个具有决定意义的插曲。由于在曼图亚的胜利，把奥地利人赶出了意大利北部。曼图亚易于围攻；它的唯一入口是通过明乔河上的5个堤道。奥军两个司令官维尔姆塞伯爵和阿尔文齐男爵连续4次都犯了优先解除曼图亚之围的错误，而不是把击溃拿破仑的4万意大利军置于首位。他们的两个军队布置得距离太远，无法有效地共同进攻。1796年6月4日起，拿破仑利用他所占的中心位置和“分割征服”的较大机动性，经过一系列战斗，迫使曼图亚于1797年2月2日投降，实际上完成了法国人对北意大利的征服。

Mäntyranta, Eero 门蒂兰塔（1937-11-20，芬兰佩洛～ ） 全称Eero Antero Mäntyranta。芬兰北欧两项滑雪运动员。参加过4次奥运会，共获7枚奖牌。20世纪60年代杰出滑雪运动员之一，1962年和1966年两次赢得30公里世界冠军。曾在本国当边防巡逻军官以保持滑雪训练。1960年首次参加奥运会，获4×10公里接力金牌。1964年奥地利因斯布鲁克奥运会获15公里和30公里金牌，并获4×10公里接力银牌。1968年奥运会获15公里银牌，30公里铜牌，4×10公里接力铜牌。1972年在日本札幌奥运会中未获奖牌，后退出越野滑雪。

Manu 摩奴 印度神话所传现在人类的始祖。据说重要梵文法典《摩奴法典》是出自他的手笔。据《百道梵书》载，摩奴有恩于一条鱼，于是此鱼向他预告：将要发生洪水以毁灭全人类。摩奴乃造船。洪水到来时，摩奴把船系在鱼的角上航行，平安到达山巅休息，洪水退去后，人类中唯一幸存者摩奴献祭，将酥油和酸奶洒入水中。一年后水中涌出一女子，自称摩奴之女。摩奴与此女遂成为日后再次布满大地的人类的始祖。据《摩诃婆罗多》载，此鱼即是大神梵天，但《往世书》则以此鱼为大神毗湿奴的化身。

Manu-smṛti 《摩奴法典》 传统上被认为最具有权威性的印度教法典。据传此法典出自人类始祖立法者摩奴手笔。今本成书于公元前1世纪，内容涉及宇宙起源、法的定义、圣礼、入法礼、《吠陀》研究、婚配、待客、丧礼、食物禁忌、玷污和净化、妇道和妻道以及历代国王之法。在论历代国王之法时，分18个题目评述世俗司法，然后，又回到布施、赎罪礼、业论、灵魂和地狱等宗教问题上。

Manua Islands 马努阿群岛 在太平洋西南部，属美属萨摩亚。由3个岛组成。主岛塔乌岛面积39平方千米，其拉塔山海拔969米。主要居民点为西岸的卢马。奥富岛和奥洛塞加岛在塔乌岛西北13千米。人口1 714(1990)。

Manual of Discipline 《会规手册》 又作Rule of the Community。犹太教艾赛尼派教团的重要文件。本书主要部分于1947年在库姆兰1号洞穴出土，同年又在库姆兰4号和5号洞穴发现本书另外11种文本的残篇。本书包括阐明该派宗教和道德理想的序言；关于人会仪式的规定；论该派关于创世之先的真理之灵和邪恶之灵的神秘教义的长篇教理问答；组织条例和规章等。本书结尾部分是赞美诗，歌颂顺服美德并规定宗教节日。此外有两篇附录，一为《教团戒规》又称《弥赛亚戒规》，其内容除戒规外，另有关于弥赛亚节的指示；二是祝福词汇编。参阅 **Dead Sea Scrolls**。

manucode 辉风鸟 数种澳大利亚产极乐鸟的通称。参阅 **bird-of-paradise**。

Manuel 曼努埃尔 希腊语作Manouel。统治者之名，按国别分列于后，并各以●为标记。

拜占廷帝国

● **Manuel I Comnenus 曼努埃尔一世·康尼努斯**（1118-11-28～1180-09-24） 军事领袖、政治家和拜占廷皇帝（1143～1180）。其政策未能实现恢复罗马帝国的梦想，在塞尔柱突

美国不列颠百科全书公司供图

厥人威胁帝国生存之际，使拜占廷民穷财尽。约翰二世（1118～1143在位）之子。即位之初，致力于处理同西方的关系，忽视了突厥人对安纳托利亚平原日益增大的威胁。他与西方重建联盟，以对付西西里和安条克的敌手诺曼人。在第二次十字军东征期间，他全力保卫希腊领土，使之免受西西里的罗杰二世侵犯。1148年他与德意志皇帝康拉德三世缔结盟约。1152年康拉德去世后，尽管曼努埃尔努力再三，仍未能同康拉德的继承人红胡子腓特烈一世达成协议。1154年罗杰二世去世，次年曼努埃尔派遣舰队进攻安科纳，占领了阿普利亚的大部地区。1156年，他在布林迪西被德意志人、威尼斯人和诺曼人的联军击败，从而结束了拜占廷在意大利的影响。此后曼努埃尔向第一次十字军东征后建立的十字军国家发起进攻。1158年西利西亚（在今土耳其）一战，夺回失地，迫使安条克大公夏蒂荣的拉努德和耶路撒冷国王鲍德温三世承认拜占廷的宗主权（1159）。1167年，拜占廷人将塞尔维亚人居住的达尔马提亚、克罗地亚和波斯尼亚地区并入了帝国版图。1173年由曼努埃尔扶持的候选人贝拉当选为匈牙利人的国王。但是自1171年起，威尼斯与君士坦丁堡的关系中断了10年。1176年他对突厥人发动大规模的进攻，但在密列奥塞法隆战败，预示了拜占廷帝国的崩溃。

● **Manuel II Palaeologus 曼努埃尔二世·帕里奥洛古斯**（1350-07-27～1425-07-21） 军人、政治家和拜占廷皇帝（1391～1425）。其外交策略能与奥斯曼土耳其人和平相处，使土耳其人征服拜占廷的时间推迟半个世纪之久。约翰五世（1341～1391在位，中有间

美国不列颠百科全书公司供图

断）之子。在兄长安德罗尼卡的叛乱失败之后，他被父皇指定为继承人。1373年9月加冕为同朝皇帝。1376年安德罗尼卡占领君士坦丁堡称帝，1379年曼努埃尔襄助父皇收复该城，推翻兄长的统治。由于在复位时曾经借助土耳其人的力量，因而被迫向土耳其苏丹纳贡并提供军事援助。1390年安德罗尼卡四世之子约翰七世占领君士坦丁堡称帝，土耳其人再度帮助曼努埃尔和约翰夺回帝位。曼努埃尔被迫前往巴耶塞特一世的宫廷居住，降格为其廷臣，直至1391年2月获悉父皇去世才逃回君士坦丁堡。1396年土耳其人侵入色萨利和伯罗奔尼撒，曼努埃尔前往西方，吁请各国援助抗击土耳其人。他在罗马、米兰、伦敦和巴黎受到款待，但未能获得军事援助。1403年曼努埃尔同巴耶塞特的继承人穆罕默德一世缔结和平条约，收回帖撒罗尼卡，并停止了纳贡。两国的和平关系一直维持到1421年。这一年穆罕默德去世，穆拉德二世继承苏丹位。1422年穆拉德围攻君士坦丁堡，翌年侵占伯罗奔尼撒。曼努埃尔被迫签订丧权辱国的条约，之后退居隐修院。

葡萄牙

● **Manuel I 曼努埃尔一世**（1469-05-31，葡萄牙阿尔科谢蒂～1521-12，里斯本） 葡萄牙国王。他在位时期（1495～1521），宗教问题严重，将拒绝接受基督教的摩尔人和犹太人全部驱逐出境，但在法国与西班牙之争中采取中立政策，并继续向海外扩张，尤其向印度和巴西。曼努埃尔于1491年成为约翰二世的继承人，1495年继承王位。1500年3月，他派遣佩德罗·阿尔瓦雷斯·卡布拉尔率13艘舰船前往印度，与当地王公建立贸易关系。卡布拉尔在西大西洋航行时，望见了巴西，立即派一条船回国报告情况。卡布拉尔绕过好望角到达印度，在印度西南马拉巴尔沿海地区的卡利卡特、科钦和坎纳诺尔建立贸易站。1502年达·伽马的舰队从东非带回朝贡的黄金，这时曼努埃尔已经富甲天下了。此前，1499年J.F.拉夫拉多到达大概就是拉布拉多的地方，1500年G.科尔特-雷阿尔发现了纽芬兰。曼努埃尔对这些新发现的土地的主权要求都得到教皇的批准和西班牙的承认。他的3个王后都是西班牙人，第一个王后伊莎贝拉是西班牙同朝国王费迪南德和伊莎贝拉的长女。在伊莎贝拉的兄弟死去以后，曼

努埃尔和伊莎贝拉成为西班牙王位的共同继承人。1498年他们巡幸托莱多和萨拉戈萨，接受效忠宣誓。但是就在这一年伊莎贝拉去世，葡西两王室统一的可能性破灭了。1498年10月，他又娶了伊莎贝拉之妹玛丽娅为妻。1505年曼努埃尔任命阿尔梅达为驻印度首任总督。1510年第2任驻印度总督德阿尔布克尔克占领果阿，次年又征服马来半岛的马六甲，从此葡萄牙垄断了东方的香料贸易。1513年葡萄牙人到达中国。1514年阿比西尼亚特使访问曼努埃尔，建议他与该国的基督教国王结盟。曼努埃尔任命加尔旺为驻阿比西尼亚大使。1515年曼努埃尔诏令修订法典，增加法官人数，对1506年屠杀犹太人的责任者给予严惩。印度贸易大大增加了曼努埃尔宫廷的豪华程度。他在里斯本建造了一座流水环绕的宫殿。曼努埃尔勤劳而温和，喜音乐及艺术藏品，生活奢侈。其宫廷成为小小诗画中心。1518年他与查理五世皇帝的妹妹、奥地利的埃莉诺结婚。

Manuel Ⅱ　曼努埃尔二世（1889-11-15，葡萄牙里斯本～1932-07-02，英国伦敦特威克纳姆）　从1908～1910年共和国成立时止，为葡萄牙国王。他是国王查理和王后玛丽亚·阿玛莉亚的幼子。查理支持佛朗哥的独裁统治，因此被大多数政界领袖唾弃。1908年2月1日，查理及其长子费利佩在里斯本街上被无政府主义者暗杀。曼努埃尔出乎意外地在18岁成为国王。他请海军上将多阿马拉尔负责组阁，复兴党和进步党参加了政府。1910年夏，曼努埃尔前往布萨库，但在返回时爆发了革命。王宫遭到炮击，他逃亡国外。共和国成立后，他定居伦敦近郊。1913年与霍亨索伦王朝威廉亲王的女儿维多利亚结婚。他热心收藏图书，并刊印《早期葡萄牙作品汇辑，1489～1600》(3卷，1929～1935)，是一部治葡萄牙学之学者必备的丛书。

Manuel, Niklaus　马努埃尔（约1484，伯尔尼［瑞士］～1530-04-28，伯尔尼）　误称Deutsch。瑞士画家、军人、作家、政治家、意大利

马努埃尔绘《帕里斯的审判》
美国不列颠百科全书公司供图

与德国文艺复兴以及宗教改革思想在瑞士的代表人物。在1515～1520年间画的素描、肖像画、神话画、宗教画中，借鉴了丢勒、巴尔东格-格林及意大利北方艺术，以新的表现形式，代替了当时流行的中世纪晚期风格。晚年致力于政治活动。作品有在伯尔尼多明我会隐修院的《死亡舞蹈》（1516～1519，毁于1660）和《施洗约翰被砍头》等。文字作品有《推销赎罪券的人》（1526）、《夜间演出》（1540）。其《诗歌全集》（J.贝赫托尔德编）于1878年问世。

Manueline　曼努埃尔式　又称曼纽林式。16世纪早期葡萄牙的豪华铺张的建筑装饰风格。这一风格所代表的是曼努埃尔一世统治时期（1495～1521）的繁荣昌盛，虽然在曼

葡萄牙托马尔市基督隐修院牧师会礼堂上的曼努埃尔式窗户，16世纪初期
美国不列颠百科全书公司供图

努埃尔一世去世之后，它仍持续了一个时期。葡萄牙依靠海上贸易致富，曼努埃尔式的装饰明显地带有海洋的风味。建筑物上的线脚饰有贝壳状和海藻状的雕刻，房屋束带层上饰有石雕的绳索，门窗上方则以盾形纹章、十字架、航海用具和浮标为装饰，船只上的装备已变为建筑装饰。人们认为，曼努埃尔风格建筑物的稠密的装饰物，除受到同时代西班牙建筑的影响外，还可能反映了装饰繁多的北欧哥特式建筑及摩尔式建筑的影响。

Manuelito　曼纽利托（？～1893，美国新墨西哥准州纳瓦霍人保留地）　原名"子弹"。纳瓦霍印第安人酋长，以强烈反对美国政府强迫其族人移居他处闻名。早年情况不详。1864年已经成为一位公认的领袖。当时，美军K.卡森上校在一场消耗战中摧毁纳瓦霍族的庄稼、房屋、牲畜和装备之后，将8 000名纳瓦霍人拘禁到雷东多小树丛——在新墨西哥准州圣菲以南的一小块盐碱不毛之地。但是，曼纽利托和约4 000名族人从来没有降服，他们撤进山区，进行游击战争。卡森继续实行他的杀光政策，不但打死野生动物以及马匹，而且毁掉了庄稼。到1866年秋天，曼纽利托和他的族人饥饿难忍，终于投降。他们被押送到雷东多小树丛。这里生活条件极坏，到1868年春天，曼纽利托和其他几名领袖终于被允许前往华盛顿（哥伦比亚特区）请愿，要求政府给与一个新的保留地。曼纽利托的申诉奏效，同年秋，政府批准纳瓦霍人回到位于他们故土的一个新保留地。

Manufacturers Hanover Corporation　制造商汉诺威公司　以前美国拥有多家银行的持股公司，其主要的子公司为制造商汉诺威信托公司（又译汉华实业银行）。二者的总部曾设在纽约市。制造商汉诺威信托公司银行是由19世纪在纽约市创建的许多银行合并而成的，其中主要的有查塔姆银行、菲尼克斯银行和制造商信托公司。前二者1911年合并，1931年第三者又与前二者合并。在制造商信托公司与汉诺威银行（1851年建立）合并后，最终取名为制造商汉诺威信托公司。1969年成立制造商汉诺威公司作为这些合并后的银行的持股公司。1980年该公司兼并第一宾夕法尼亚公司。1991年制造商汉诺威公司与化学银行公司合并，合并后采用后者的名称。制造商汉诺威信托公司通过其分支机构在全世界建立了包括有美国的办事处、外国的代表处、附属银行、联营金融机构和代理行在内的业务网络。它曾是美国最大的金融中心之一。

manufacturer's liability　制造商的责任　指要求制造商或销售商对其在市场上出售的有缺陷的产品造成的危害承担责任的法律概念或理论。制造商的责任通常根据以下三点中的任何一点决定：①过失。指未能合理地注意防止产品在制造过程中出现的缺陷，或未能适当地提醒消费者在使用制成品时可能发生的危险。②违反保证。指未能满足对某项特定的产品的质量或性能所作的说明或许诺的条件。③严格责任。指即使在没有上述过失或违反保证的情况下仍然能够要求销售商或制造商对有缺陷的产品承担责任的情况。法院越来越倾向接受根据制造商的责任提出的论点，这要归功于积极开展的保护消费者权益的运动。

manufacturing　制造业　利用手工或机器将原料制成产品的产业，通常采用有系统的分工生产方式（参阅**industry**）。按更狭义的意义而言，制造业是以较大的规模加工和装配零部件为最终产品的产业。在最为重要的制造业中，有生产飞机、汽车、化学品、服装、计算机、家用电子器件、电气设备、家具、重型机器、精炼石油产品、船舶、钢材和工具、模具等产业。

Manukau　马纳考　新西兰北岛北部奥克兰都市区内城市。位于奥克兰东南19千米，怀特马塔港（东）和马努考港（西）之间的地峡上。1965年由马纳考郡、马努雷瓦市合并而成。有乳品、冷冻、羊毛贮藏、铝加工、塑料、混凝土件、合成纤维、机器等工厂。通北岛铁路干线，建有国际机场。该市面积565平方千米，大部分仍然是农田，其余为工业区和住宅区。人口约254 577（1996）。

manul(mammal) **蒙古野猫** 参阅**Pallas's cat**兔狲。

manure 粪肥 用以肥田的有机物质,通常包括家畜的粪尿,伴有或不伴有蒿秆、干草和褥草之类。家畜将饲料中所含的大部分氮、磷和钾排泄出来,这些排泄物就成为重要的肥力来源。在有些国家,人的粪尿也用作肥料。家畜粪肥中的氮、磷和钾含量不及合成肥料,因此施肥量要大于合成肥料。1吨牛、马和猪的粪肥仅含氮10磅、五氧化磷5磅和钾10磅。但粪肥富含有机物质或腐殖质,因此能改善土壤吸收和储藏水分的能力,因此能减少水土流失。粪肥中的钾和氮在施用到田地之前遇雨会被淋失大半。若将粪肥堆放在有遮蔽处或坑中以防淋失,或可能时尽快施用于田地里,或将畜厩中施用防腐剂,便可避免营养成分的丢失。绿粪肥是指某些覆盖作物(如黑麦),在其仍为绿色时即将其犁人土中以增加肥力和改善土壤状况。自从出现农业以来人们就使用粪肥肥田。在现代的农场,粪肥通常用撒肥机撒放。撒肥机有四轮自走式拖车和二轮拖拉机牵引拖车两个类型。撒肥机移动时箱底的刮链式输送机将粪肥推向后部,粪肥在此由一对捣碎轮捣碎,然后再由旋转的螺旋鳍板撒布。在家里种菜园的人喜欢使用充分腐熟的粪肥,因为这样的肥料臭味不大,更易施用,更不容易"烧坏"植物。参阅 **fertilizer**。

manus 夫权 在罗马法中,指丈夫对妻子的专制权力,与父亲对子女的父权相当。如果一个女人处于其丈夫的夫权之下时,就不再处于其父亲的父权之下。然而除了最早的一段时期以外,在罗马历史上的所有时期,最普遍的还是没有夫权的婚姻。到十二铜表法时期(公元前451～前450),结婚后可以不受夫权控制,如果妻子的父亲仍然健在的话,她仍然处于父权的控制之下。在没有夫权的婚姻中,配偶双方的财产界线分明。在有夫权的婚姻中,离婚只能由丈夫提出,在没有夫权的婚姻中,双方都可以主动提出结束婚姻关系。参阅 **patria potestas**。

Manus Island 马努斯岛 又称大阿德默勒尔蒂岛,属巴布亚新几内亚。位于太平洋西南部,南距新几内亚岛320千米,为阿德默勒尔蒂群岛最大岛屿,长80千米,宽32千米,陆地面积1 639平方千米。是俾斯麦群岛的延伸部分。沿岸有红树沼泽围绕的海湾和陡崖。内地多沟谷。最高点718米。森林茂密,水量充沛,多急流短河。经东北部的希亚德勒港湾出口椰干、可可和咖啡。通航空班机。主要居民点在该岛的洛伦高。马努斯岛在1944年是美国海军大型基地。人口(包括毗邻岛屿)约29 700(1989)。

马努斯岛洛伦高附近的教堂
美国不列颠百科全书公司供图

Manutius, Aldus, THE ELDER **马努蒂乌斯(老)**(1449,教皇国巴西阿诺[意大利]～1515-02-06,威尼斯) 意大利印刷、出版方面的重要人物,创立了一个名副其实的印刷和出版的伟大家族。曾创办阿尔迪内出版社,刊印许多希腊和罗马古典著作。他于1490年到威尼斯,结识了一批专攻希腊古典著作的学者和排字工人。1495～1498年他印制了亚里士多德的5卷著作。他印刷所中的刻字模工人于1500年首创斜体字,这种字体于1501年正式用于维吉尔的著作中。1502年8月他出版了但丁的《神曲》。1502年出版的索福克勒斯的作品中首次提到阿尔迪内学院,这是马努蒂乌斯创建的编辑古典书籍的学者组织。1503～1514年,他出版了色诺芬、欧里庇得斯、荷马、伊索、维吉尔、伊拉斯谟、贺拉斯、品达罗斯和柏拉图等人的著作。他的家族在一个世纪(1495～1595)中曾印制了约1 000种书籍。

Manutius, Aldus, THE YOUNGER **马努蒂乌斯(小)**(1547-02-13,威尼斯[意大利]～1597-10-28,罗马) 意大利马努蒂乌斯家族经营阿尔迪内出版社的最后一员。14岁时写过一本关于拉丁文拼法的著作《表音法比例》。其父保罗迁往罗马后,他即在威尼斯掌管阿尔迪内出版社。著有《正字法概要》(1575)及对贺拉斯的《诗的艺术》之评注(1576)。约在同时,他被任命为教廷秘书监(the Cancelleria)的文学教习。1585年移居波伦亚,次年发表他的《科西莫·德·梅迪契传》,1587年去比萨,1588年被教皇西克斯图斯五世召至罗马。马努蒂乌斯娶出版家B.季翁塔之女为妻,但他的子女未继承他所经营的出版社事业。

Manutius, Paulus 马努蒂乌斯(1512-06-12,威尼斯[意大利]～1574-04-06,罗马) 意大利文艺复兴时期印刷商。1533年继承他父亲A.马努蒂乌斯在威尼斯创办的阿尔迪内出版社。他是一位杰出的拉丁语学者,对于西塞罗尤其有研究;他出版了西塞罗书信和演说集的校订本,翻译并出版了狄摩西尼作品的拉丁文本(1554),撰写并出版了西塞罗体书简(1560)和4篇有关罗马古迹的论文。自1558年起,他主持威尼斯学院的印刷厂,1561年该厂因缺少资金而停业,于是他应教皇庇护四世召请到罗马,由教廷给予年金500金币。截至1571年,他在罗马已印出50种图书,与教廷财政部分享利润。

Manuza(African emperor) **马努萨** 参阅 **Mavura** 马武拉。

Manuzio FAMILY **马努齐奥家族** 拉丁语作Manutius。威尼斯的印刷商家族。参阅**Manutius, Aldus, THE ELDER; Manutius, Aldus, THE YOUNGER**及 **Manutius, Paulus**。

Manx 马恩岛猫 一种小型或中型无尾家猫品种。原产地不明,据说出自马恩岛。对主人亲切,忠诚,勇敢。以无尾及特有的跳跃式步态著称。身躯结实,头圆,眼大而圆。后肢比前肢长得多,臀圆,较肩为高。初生时可能有尾,但理想的马恩岛猫应完全无尾,脊骨末端相当于尾根处有一凹陷。毛软,可为单色、杂色或虎斑色。

红虎斑色马恩岛猫
美国不列颠百科全书公司供图

Manx language 曼克斯语 属凯尔特语族戈伊迪利语支,曾通行于马恩岛,现已消亡。同苏格兰盖尔语一样,是由爱尔兰盖尔语衍生出来的,和爱尔兰语最东部诸方言及苏格兰语关系密切。最早的文献记载是基督教圣公会的《公祷书》译本,于1610年由一威尔士主教按照英语正字法译成曼克斯语。19世纪前,曼克斯语一直是马恩岛大多数居民的语言,后被英语所取代,现在当地居民无任何人操曼克斯语。

Mānyakheṭa 曼尼亚吉塔 印度古城遗址,位于卡纳塔克邦境内,今为默尔克海德村。9世纪拉喜特拉库塔的统治者阿默伽瓦尔沙一世所建的首府。972年遭巴拉马拉统治者西亚伽的洗劫。次年这个王朝没落,该城为遮娄其占领,一度成为他们的首府。此后再未重现昔日光彩,地位沦为村落。

Manyara, Lake 马尼亚拉湖 坦桑尼亚北部湖泊。长50千米,宽16千米。有盐矿和磷灰盐岩矿藏。马尼亚拉湖国家公园设于

1960 年。面积 320 平方千米。分 5 个植被区。当地野生动物有水牛、象、狮子、豹、犀牛和许多水鸟,尤以红鹳最多。

Manych Depression(Russia) **马内奇洼地** 参阅 **Kuma-Manych Depression** 库马-马内奇洼地。

Manyika 马尼卡人 又拼 Manica,又称瓦尼卡人(Wanyika),操绍纳语的一个族群,居住在津巴布韦东部边缘和其毗邻的莫桑比克内陆蓬圭河以南的地区。马尼卡人从绍纳诸族中分离出来,作为单独的民族集团而存在,只是 20 世纪 30 年代以来的事。历史上,马尼卡人承认一个世袭的首领,他在各家族族长的协助下,仲裁争端,主持祭祀祖先的仪式。据说马尼卡人曾在 17 世纪初建立穆塔萨和马科尼两个王国。到殖民地时期,由于对抗欧洲教团和统治当局,两国人民才产生同是马卡尼人的一种认同感。圣公会、卫理公会和天主教的传教士制定了一种字母书写马尼卡方言,用以办学、布道。马尼卡人热情地参加为争取津巴布韦独立而进行的斗争。津巴布韦的马尼卡兰省金矿,从 17 世纪或更早时候起,就一直在开采。过去黄金是当地各民族的重要贸易项目,他们带了黄金到莫桑比克沿海城镇,同印度、阿拉伯和葡萄牙商人做买卖。马尼卡人现在在津巴布韦和非洲南部其他地区的矿山(金矿、铬矿、钨矿)和地方工业(木材、酿造、食品加工等工业)中就业。但他们仍以务农为主,大量种植玉米,饲养牛、羊和鸡,也捕鱼、打猎并采集野生食物。在乡下,马尼卡人住在分散的小村落里,家家有庭院,这些圆形的房屋将公用畜栏围在中央。

Man'yō-shū 《万叶集》 最古老(约759)、数量最多的钦定日本诗选集。共 4 500 首,有些是 7 世纪或许是更早的作品。多少世纪以来,以其"万叶"精神著称。这种简明清新和真挚感人的力量在后世比较精致和定型化的日本诗歌中已不再见。但诗歌远非是朴素自然;虽然书写文字在技术上仍有某些粗糙之处,且可看到汉语风格的某种影响,但一种精致雕琢的诗歌传统在《万叶集》中已经很明显了。对学者来说,几乎从开始编纂的时候起,《万叶集》的语言就存在许多技术上的困难。万叶假名这一独特的记录方式,既按照日文句法又按照中文句法,把汉字的语音和语义结合使用,因此造成许多问题,有些至今仍未解决。杰出的代表诗人有大伴家持、柿本人麿和山上忆良,他们都活跃于 8 世纪。最好的英译本出版于 1967 年,译者是 H.H.方达。

Manzanar Relocation Center 曼萨纳尔安置中心 第二次世界大战期间拘禁日裔美国人的营地。1942 年 3 月美国战时安置局成立。该局为日裔美国人设立了 10 个安置中心,分别位于加利福尼亚、亚利桑那、爱达荷、犹他、怀俄明与阿肯色州。其中,最出名并且最早设立的是位于加利福尼亚州隆派恩附近的曼萨纳尔安置中心。该中心(1942-03 ~ 1945-11)有 1.1 万多人被拘禁。1991 年被列为国家历史保护区。

Manzanillo 曼萨尼约 古巴东部城市。位于瓜卡纳亚沃湾顶端。为其东面和北面富庶农区的商业和制造业中心。生产甘蔗、水果、稻米、牛等。有榨糖、锯木、雪茄烟加工等工厂。附近有锌矿和铜矿。港口主要装运甘蔗产品、烟草和硬木材。也有渔业。铁路和公路可通圣地亚哥。建有机场。人口约109 471(1991)。

Manzanillo 曼萨尼约 墨西哥中西部科利马州西部城市和港口。濒临太平洋,在曼萨尼约湾与库尤特兰潟湖之间。市内有商业和制造业。为科利马州及哈利斯科州部分地区农田、森林和水域产品集散地。主要出口物品有椰肉干、玉米、香蕉、柠檬、鱼、矿物、木材、酒和罐头食品。有良好沙滩及深海捕鱼活动,为游览胜地。铁路和公路通州首府科利马。有国内航线。人口 124 014(2000)。

manzanita 熊果类 杜鹃花科熊果属(*Arctostaphylos*)常绿灌木或乔木,约 50 种,原产北美西部;只有熊果(*A. uva-ursi*)一种亦见于欧洲和亚洲。叶互生,全缘。花小,坛状,粉红色或白色,花穗顶生。果光滑,褐色或红色。普通熊果(*A. manzanita*)、斯坦福熊果(*A. stanfordiana*)等花多而美观,常栽培观赏。

Manzhouli 满洲里 又拼 Man-chou-li。中国内蒙古自治区呼伦贝尔市辖县级市,中国北方重要的陆路边境口岸。位于自治区北部,滨洲铁路终点。西北仅隔 9 千米与俄罗斯赤塔州的外贝加尔斯克毗邻。面积 696 平方千米。原是蒙古族游牧地。19 世纪末形成数百人居住的小屯,名布努金宝拉奇(蒙古语意为"泉水旺盛之地")。1897 年俄国修筑东清铁路(今滨洲线),把中国境内第一站定名满洲里。1903 年铁路竣工,俄国商人纷纷来此侨居、经商,并兴建房屋。当时居民达 6 000余人,俄国人占 2/3。清光绪三十四年(1908)置满珠府。同年,俄国成立"自治政府"攫取了满洲里的行政权。后改为胪滨府,1913 年降为县。1914 年第一次世界大战爆发后,中俄贸易十分活跃,这里已成为边境商业城市。1917 年十月革命,大批白俄人境,人口骤增至 4 万人以上。1932 年日本占领该地,成立满洲里街。1942 年伪满洲国将该街改为满洲里市,成为日本侵略军的禁区,人口不到 1 万。1949 年扎赉诺尔市撤销合并于满洲里市。市区多西式木屋,楼房格调各异,富有童话色彩。其周围是著名的呼伦贝尔草原。全市工业以煤炭工业为主,其他工业产品有地毯、皮鞋、乳制品、无水芒硝、建筑材料、食品等。人口160 000(2005)。

满洲里市

中国大百科全书出版社供图

Manzikert, Battle of 曼齐刻尔特战役(1071) 拜占廷人与塞尔柱突厥人之间的战争,结果塞尔柱人占领安纳托利亚大部地区。由于塞尔柱人对拜占廷所属安纳托利亚经常侵扰和劫掠,拜占廷皇帝罗曼努斯征集大军前往征讨,以重建帝国东部边界的安全。1071 年春他率军进入突厥人占据的亚美尼亚,沿幼发拉底河支流进军,在曼齐刻尔特(今土耳其境内马拉吉特)附近,他兵分两路:一路是雇佣军,其中包括由突厥人组成的分队,向凡湖附近进发,攻取埃赫拉特堡;另一路自己统率,直取曼齐刻尔特。突厥苏丹艾勒卜-艾尔斯兰闻讯,率军相拒。罗曼努斯原拟放弃曼齐刻尔克,与其先遣部队合攻埃赫拉特。但未摸清敌情,陷入谷地,突厥人乘机猛攻。罗曼努斯虽奋勇作战,但因突厥雇佣兵叛变和将领安德罗尼库斯·杜卡斯率部逃脱,结果全军覆没,他本人被俘。

Manzil Bū Ruqaybah 布尔吉巴营 又拼 Menzel-Bourguiba,原称费里维尔。突尼斯中北部城镇。在比塞大镇和地中海西南 16 千米处。因附近有海军基地和造船厂而得以发展。以突尼斯第一位总统布尔吉巴的名字命名。1963 年法国撤除海军设施后,经济一度衰落。兴办钢铁、汽车装配、金属和化工工业后,经济很快恢复。有公路和铁路通比塞大镇。人口约 47 340(1989)。

Manzini 曼齐尼 1960年以前称布雷默斯多普。斯威士兰城镇。地处斯威士兰中部。城南有大乌苏图河流贯,城北有马尔肯斯灌溉工程。1895 ~ 1899 年为斯威士兰第一个行政中心,现为一重要商业、农业和工业中心。当地种植玉米、棉花、烟草和水果,也饲养奶牛和肉用牛。设有全国主要的肉类加工厂、乳脂厂、谷物加工厂、轧棉厂和水果罐头厂。曼齐尼城外 8 千米有国际机场。人口 18 084(1986)。

Manzoni, Alessandro 曼佐尼(1785-03-07,米兰～ 1873-05-22,米兰) 意大利诗人、小说家,他的小说《约婚夫妇》在意大利民族复兴运动时期对国人产生了巨大的号召力,被认为是世界文学的一部杰作。童年时代大部分在教会学校度过。1805 年随母亲去巴黎,常与激进派人士交往,并成为伏尔泰的怀疑主义信徒。他写的反教权主义诗《自由的胜利》表明他思想的独立性。1808 年和布隆代尔结婚,两年后皈依天主教。隐居米兰时写了一系列宗教诗《圣歌》(1812 ～ 1815),最后一首可能也是最佳之作是《圣灵降临节》(1822)。这期间还写了一篇论文《对天主教伦理的看法》(1819)、一篇颂扬 1821 年皮埃蒙特革命的颂歌《1821 年 3 月》以及受莎士比亚影响写的两部历史悲剧《卡马尼奥拉伯爵》(1820)、《阿德尔齐》(1822 首演)。1821 年拿破仑逝世时他写了一篇抒情诗《五月五日》(1822),歌德认为该诗是纪念这一事件的许多作品中最杰出的一篇，并亲自把它译成德文。曼佐尼成名之后，出版了小说《约婚夫妇》(3卷，1825～1827)，获得来自意大利各方面的赞

美国不列颠百科全书公司供图

扬。它以17世纪早期米兰暴动、三十年战争和大瘟疫为背景写一对农民恋人争取自主婚姻的斗争，他们得到一位勇敢的男修士的帮助，历经磨难，终成眷属的故事。小说行文幽默，令人读来兴味盎然。由于他受到人们崇敬，1860年被选为参议员。1873年因中风去世后，受到国葬待遇。

Manzù, Giacomo　曼祖(1908-12-22，意大利贝加莫～1991-01-17，阿尔代亚)　意大利雕刻家，在20世纪中期恢复了为教会建筑物制做青铜雕刻大门的古老传统。其严肃的现实主义和极其精致的造型，使作品在形式和外观上或端庄稳重，或给人以丰富的美感，为青铜雕刻人像注入了新的活力。曼祖很早辍学习艺，随当地工匠学习木雕、金属雕和石雕。在意大利军队中服役(1927～1928)后，去巴黎想成为一名雕刻家，但3个星期后由于饥饿而病倒，被送回意大利。在那些艰难岁月里，他开始致力于各种主题，包括罗马天主教枢机主教各种姿势的雕像。曼祖的每件作品通常只做一件，但是对于自己喜爱的主题则制做多种不同的样式——经常在尺寸上有很大差异。最后他制作了50多尊枢机主教的坐像和立像。他还雕刻了许多温柔的女性裸体像。虽然在第二次世界大战前不久曼祖的

曼祖的铜雕《贵妇肖像》(1946)
美国不列颠百科全书公司供图

一些作品具有反法西斯的内含，但是到1940年他已经有着很高的声望，被聘为米兰美术学院雕刻教授，并且一直任教至1954年。他在战争年代最有名的作品是一尊裸体坐像《弗兰切斯卡》，于1942年赢得四年一度的罗马大奖。1948年获得第一次给意大利雕刻家颁发的两年一度的威尼斯奖。两年后接受委托为罗马圣彼得大教堂创作一套纪念性青铜门。其正门于1964年教皇约翰二十三世逝世后举行了奉献仪式。他曾为教皇约翰望二十三世雕刻标准肖像。其他作品包括萨尔茨堡大教堂大门(1958)，鹿特丹的圣劳伦茨教堂大门(1969)，纽约市洛克菲勒中心的《母与子》浮雕(1965)。

Mao　马奥　多米尼加共和国西北部城市。地处富庶的锡瓦奥谷地。主要为水稻种植和碾米中心。附近地区也出产各种其他农作物。该市附近有伐木业和砂金开采业。有二级公路通圣多明各。人口33 527(1981)。

Mao Dun　茅盾(1896-07-04，中国浙江桐乡～1981-03-27，北京)　又拼Mao Tun。中国现代作家。原名沈德鸿，字雁冰。1913年入北京大学预科，1916年毕业后到上海商务印

中国大百科全书出版社供图

书馆任编译。五四时期致力于新文化的倡导和译介工作。1920年参加上海马克思主义小组的活动。1921年加入中国共产党。同年和郑振铎、叶圣陶等组织文学研究会，提倡为人生的艺术。接编并革新《小说月报》，使它成为提倡新文学的重要阵地。1923年在中国共产党创办的上海大学任教。1925年积极参加五卅爱国运动，开始提倡无产阶级文学。1925年底离沪赴广州参加国民党第二次全国代表大会。会后留广州工作。1926年底赴武汉，任中央军事学校教官。1927年任《民国日报》主编。1927年汪精卫公开反共后，被迫潜回上海。1928年写成《蚀》三部曲(即《幻灭》、《动摇》、《追求》)，开始用茅盾为笔名。三部曲在广阔历史背景上展示知识青年在革命浪潮中的精神状态及其弱点，充分反映革命生活中的矛盾。出版后轰动一时。不久东渡日本，创作长篇小说《虹》。1930年春回上海，参加左翼作家联盟。1932年后陆续写成短篇小说《林家铺子》(1932)、《春蚕》(1933)等和长篇小说《子夜》(1933)。《子夜》是中国现代小说中革命现实主义的优秀巨著。它描写民族资产阶级的典型吴荪甫和买办金融家赵伯韬的明争暗斗，真实地反映了30年代中国民族资本家的生活历程，显示作者驾驭纷繁题材的杰出才能。1936年积极参加文艺界抗日民族统一战线的工作。抗日战争初期辗转于香港、长沙、武汉、广州等地，从事文化活动。1938年主编《文艺阵地》，又为香港《立报》主编副刊《言林》，并发表长篇《第一阶段的故事》。1939年应邀任新疆学院文学院院长。次年经西安到延安讲学、著述和考察。1941年"皖南事变"后到香港，以国民党特务统治为题材，写成长篇小说《腐蚀》。香港陷落后又辗转到桂林、重庆，著有小说《霜叶红似二月花》、《锻炼》，剧本《清明前后》等。1949年，任中华全国文学艺术界联合会副主席、中国作家协会主席。同年任中央人民政府文化部部长，主编《人民文学》杂志。后改任全国政协副主席。著有《夜读偶记》(1958)、《鼓吹集》(1959)等文艺论著和回忆录。作品编为《茅盾文集》40卷。

Mao Yisheng　茅以升(1896-01-09，中国江苏镇江～1989-11-20，北京)　中国桥梁工程学家、教育家。原名以昇，字唐臣。江苏镇江人。1916年毕业于唐山工业专门学校(今西南交通大学前身)。随即赴美留学。1917年获康奈尔大学土木工程学硕士。1919年获美国卡内基理工学院博士学位(论文为"桥梁结构次应力研究")。回国后长期从事桥梁工程、结构力学以及土力学的教育、科研和工程实践。他在中国现代桥梁工程方面的最大贡献是主持建造了钱塘江大桥(公路铁路两用桥)。该桥由茅以升和罗英主持，1935年4月全面开工，1937年9月建成通车。桥全长1 453米，正桥长1 072米，共16孔，每孔跨度为65.84米。桥为两层，上层为6.1米宽的公路，两侧人行道各宽1.5米；下层为标准轨距的单线铁路。在修桥中因该处江底全为泥沙(深达40米始至岩层)且受著名的钱塘江潮影响，茅以升等采用桥梁基础、桥墩、钢桁架梁三项工程上下并进的方法施工，并且在"射水打桩法"、"气压沉箱法"和"钢桁架梁浮运法"中实现全部工程半机械施工，结果仅以两年半时间和低廉的造价完成了这一艰巨工

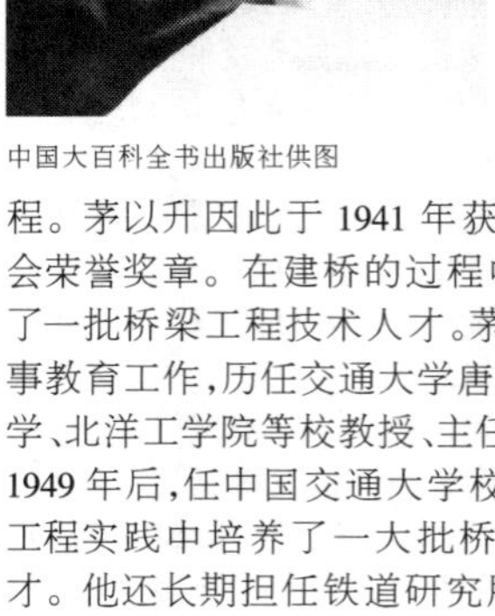

中国大百科全书出版社供图

程。茅以升因此于1941年获中国工程师学会荣誉奖章。在建桥的过程中，培养和造就了一批桥梁工程技术人才。茅以升还长年从事教育工作，历任交通大学唐山学校、东南大学、北洋工学院等校教授、主任、校长和院长。1949年后，任中国交通大学校长。在教学与工程实践中培养了一大批桥梁工程技术人才。他还长期担任铁道研究所所长、铁道科学研究院院长。1955年当选为中国科学院技

术科学部副主任。1955年修建武汉长江大桥时任技术顾问委员会主任委员。多次当选中国工程师学会、中国土木工程学会的董事、会长。1948年发起成立中国土力学及基础工程学会。50年代起担任中国土木工程学会理事长、中国科学技术协会副主席。1982年当选为美国国家工程学院外籍院士,1984年为加拿大土木工程协会荣誉会员。

Mao Zedong 毛泽东(1893-12-26,中国湖南湘潭～1976-09-09,北京) 又拼 Mao Tse-tung。中国最主要的马克思主义革命家、战略家和理论家,中国共产党、中国人民解放军

美国不列颠百科全书公司供图

和中华人民共和国的主要缔造者和领导人。出生于湘潭县韶山冲(今韶山市)的一个农民家庭。辛亥革命爆发后在起义的新军中当了半年兵。1914～1918年在湖南第一师范求学。毕业前夕和蔡和森等组织革命团体新民学会。五四运动前后接触和接受马克思主义,1920年在湖南创建共产主义组织。1921年7月出席中国共产党建党的第一次全国代表大会。后任中共湘区委员会书记,领导长沙、安源等地工人运动。1923年出席中共第三次全国代表大会,被选为中央执行委员,参加中央领导工作。1924年国共合作后,在国民党第一、第二次全国代表大会上都当选为候补中央执行委员,曾在广州任国民党中央宣传部代理部长,主编《政治周报》,主办第六届农民运动讲习所。1926年11月任中共中央农民运动委员会书记。1925年冬至1927年春,先后发表《中国社会各阶级的分析》、《湖南农民运动考察报告》等著作,指出农民问题在中国革命中的重要地位和无产阶级领导农民斗争的极端重要性,批评了陈独秀的右倾思想。国共合作全面破裂后,中共中央于1927年8月7日在汉口召开紧急会议,他在会上提出"政权是由枪杆子中取得的",即以革命武力夺取政权的思想,并被选为中央政治局候补委员。会后,到湖南、江西边界领导秋收起义。接着率起义部队上井冈山,发动土地革命,创立第一个农村革命根据地。1928年同朱德领导的起义部队会师,成立工农革命军(不久改称红军)第四军(所以称为第四军,并不是因为另有第一军至第三军,而是因为在北伐战争中国民革命军第四军中共产党的力量较强,战功卓著,受到人民爱戴,所以沿用第四军的番号),他任党代表、前敌委员会书记,朱德任军长。以他为主要代表的中国共产党人,从中国的实际出发,在国民党政权统治比较薄弱的农村发展武装斗争,开创了以农村包围城市、最后夺取城市和全国政权的道路。他在《中国的红色政权为什么能够存在?》、《星星之火,可以燎原》等著作中对这个问题从理论上作了阐述。1930年红军第一方面军成立,任总政治委员。1931年中华苏维埃共和国临时中央政府在江西省东南部的瑞金成立,被选为主席。1933年被补选为中共中央政治局委员。从1930年底起,同朱德领导红一方面军战胜了国民党军队的多次"围剿"。以王明为代表的小集团反对毛泽东关于中国革命和中国革命战争的指导方针,在他们进入中央革命根据地以后,就把毛泽东排斥于党和红军的领导之外,执行不同的战略和政策,从而导致第五次反"围剿"战争的失败。1934年10月红一方面军开始长征。长征途中,1935年1月中共中央政治局在贵州省遵义县城召开扩大会议,确立了以毛泽东为代表的新的中央领导。10月,中共中央和红一方面军到达陕北,结束长征。12月,毛泽东作《论反对日本帝国主义的策略》的报告,阐明了抗日民族统一战线政策。1936年10月,由张国焘(1938年脱党逃到国民党方面去)、徐向前率领的红四方面军和贺龙、任弼时率领的红二方面军也经过长征到达甘肃境内,先后同红一方面军会师。同年12月,毛泽东同周恩来等促使西安事变和平解决,这成为由内战到第二次国共合作、共同抗日的时局转换的枢纽。1937年夏,他写了著名哲学著作《实践论》和《矛盾论》。

抗日战争开始后,以他为首的中共中央坚持统一战线中的独立自主原则,努力发动群众,开展敌后游击战争,建立了许多大块地区的抗日根据地。这些抗日根据地大部分在华北山区,但也有的是在河北平原和苏北平原。在抗日时期,他写了《论持久战》、《新民主主义论》等许多重要著作。1942年领导全党开展整风运动,着重提倡从实际出发和依靠群众,纠正与此相反的主观主义和宗派主义,为全党夺取抗日战争和全国革命的胜利奠定了思想基础。1943年3月被选为中共中央政治局主席。1945年主持召开中共第七次全国代表大会,作《论联合政府》的报告。在这次大会上,毛泽东思想(马克思列宁主义的理论与中国革命的实践之统一的思想)被确定为中共的指导思想。从七届一中全会起至1976年他逝世为止,一直担任中共中央主席。

抗战胜利后,针对蒋介石企图消灭共产党及其武装力量的现实,提出"针锋相对"的斗争方针。1945年8月赴重庆同蒋介石谈判。1946年夏蒋介石发动全面内战后,他和朱德、周恩来等领导中国人民解放军从战略防御转入战略进攻。经过辽沈、淮海、平津三大战役和1949年4月渡长江以后的作战,推翻了国民党政府。1949年3月,主持召开中共七届二中全会,并作重要报告,决定把党的工作重心从农村转到城市,规定了党在全中国胜利以后的各项基本政策。

1949年9月30日在中国人民政治协商会议上,他当选为中华人民共和国中央人民政府主席。头三年,以他为首的中共中央和中央人民政府领导全国人民一面在国内完成了繁重的土地制度改革和其他民主改革任务,一面迫于美国军队攻入北朝鲜、威胁中国东北部的形势,进行了抗美援朝战争,同时迅速恢复了国民经济。1953年,按照他的建议,中共中央宣布了党在过渡时期的总路线,开始有系统地实行社会主义工业化和对生产资料私有制的社会主义改造。1954年,第一届全国人民代表大会第一次会议通过了由他主持起草的《中华人民共和国宪法》,他在这次会议上当选为中华人民共和国第一任主席,任职到1959年。1956年4月作《论十大关系》的讲话,这个讲话对适合中国国情的建设社会主义的道路进行了一些初步的探索。1956年生产资料私有制的社会主义改造基本完成。同年9月,中共召开第八次全国代表大会,指出全国人民的主要任务已经转变为集中力量发展社会生产力。但是这个方针后来没有得到认真的执行,因而导致了以后的一系列指导工作上的错误和挫折。1957年2月,他作《关于正确处理人民内部矛盾的问题》的讲话,提出正确区分和处理社会主义社会中人民内部和敌我两类不同性质矛盾的学说,这个学说在他以后的活动中也没有得到真正的实行。1958年,他发动"大跃进"和农村人民公社化运动。从1960年冬到1965年,在中共中央的领导下,对国民经济实行"调整、巩固、充实、提高"的方针,初步纠正"大跃进"和人民公社化运动中的错误,使国民经济得到比较迅速的恢复和发展。在这期间,他提出了一系列措施,初步纠正了农村工作中和其他方面的"左"的错误。但不久,他又把主要的注意力转向了他所认为已经再次成为国内主要矛盾的新的阶级斗争。

从50年代末开始,他领导中共同苏共领导人奉行的大国主义和干涉、控制中国的企图进行了坚决斗争。70年代,提出三个世界划分的战略思想,并且开始打开了对外工作的新局面,为中国进行现代化建设创造了有利的国际条件。1966年由于对国内国外形势作出了极端的估计,他发动了被称为"文化大革命"的运动,这个运动因受林彪、江青两个反革命集团操纵而变得特别狂暴,大大超出了他的预计和他的控制,以至延续十年之久,使中国的许多方面受到严重的破坏和损失。

毛泽东在他的晚年虽然犯了严重的错误,但是就他的一生来看,他对中国革命的不可争论的功绩远远大于他的过失,因此仍然受到中国人民的崇高尊敬。中国共产党在他逝世五年以后对他的全部革命活动和革命思想以中央委员会决议的形式作出了全面的评价。毛泽东思想作为马克思主义在中国的发展(他所犯的错误被认为是对这一思想本身的违反)仍然是中国共产党的指导思想。他的主要著作收入《毛泽东选集》。毛泽东有3子2女。长子在朝鲜战争中牺牲。

Mao Zedong Thought 毛泽东思想 又作 Maoism。指以毛泽东为代表的中国共产党人根据马克思列宁主义基本原理,将中国长期革命实践的独创性经验概括形成的思想体系。是马克思列宁主义普遍原理与中国革命实践相结合的产物。这个概念是在1945年5

月举行的中国共产党第七次全国代表大会上刘少奇提出的，即在新的党章中规定为中国共产党一切工作的指针。中共十一届六中全会(1982-06)决议指出，尽管毛泽东在晚年犯了严重的政治错误，毛泽东思想作为中国共产党领导者集体智慧的结晶，仍然是指导中国社会主义革命和建设的基本方针。毛泽东思想包括多方面内容，它的基本观点是实事求是、从实际出发、理论联系实际。毛泽东哲学思想主要体现在《实践论》、《矛盾论》和《关于正确处理人民内部矛盾的问题》等著作中。

Maogong Tripod　毛公鼎　中国西周晚期青铜器。因作器者为毛公而得名。据传清道光末年在陕西省岐山县出土。考察其年代应是厉王、宣王时器。现藏台北故宫博物院。鼎通高53.8厘米、腹围145厘米，重34.7千克。半球状腹，立耳，兽蹄形足。口沿下有两周弦纹，中填重环纹。内底铸铭文499字，是现存铭文最长的一件西周青铜器。鼎铭所记是一篇完整的训诰和册命文字，对研究西周晚期的政治历史有重要的参考价值。

Maoke Mountains　毛克山脉　原名雪山山脉，新几内亚岛中央高地的最西段。位于印度尼西亚的伊里安查亚境内。山脉绵亘692千米，大部分在海拔3 660米以上，一些高峰超过4 420米雪线。由苏迪曼(西部)和查亚维查亚(东部)山系组成，前者拥有该岛最高峰查亚峰(5 000米)。

Maoming　茂名　中国广东省辖地级市。位于省西南部，雷州半岛东北侧。辖茂南、茂港2区和电白县，并代管高州、信宜、化州3县级市。面积11 445平方千米，其中市区面积879平方千米。汉属高凉县地，隋置茂名县。五代梁开平元年(907)改为越裳县。南汉乾亨七年(923)复名茂名县。1959年由茂名县公馆、鳌头两乡设茂名市。1975年升为地级市。处鉴江流域，北部多山。农作物有稻谷、薯类、花生、大豆、黄红麻、黄红烟、甘蔗、蚕桑等。化州、高州盛产柑橙、香蕉、荔枝、龙眼。北纬22°以南地区建有热带作物垦殖场，主种胡椒、橡胶。沿海有渔、盐、海运之利，博贺港是广东主要渔港之一，水东港可建5 000～10 000吨级码头。有油页岩、煤、高岭土等矿藏。油页岩储量居中国第一，瓷土储量广东省第二。工业以石油加工、电力、化学、建材为主。玉雕、角雕、艺术陶瓷、藤器、竹器著名。古迹有冼太庙、冼夫人墓、大路陈家古祠、白沙云门公祠、公馆龙古桥和铜古岭古浅海沉积遗迹。供水和灌溉主要引自高州水库，水利设施完善。梅江河上游段小东江纵贯市区。广茂铁路终点，西通廉江市河唇镇接黎湛线，东接京广、京九线。207、325国道以及广湛高速公路过境。茂名港是国家一类对外开放口岸和全国四大原油接卸港口之一；其他港有水东、博贺等天然良港。人口：全市6 710 000(2005)；市区1 210 000(2004)。

Maonan　毛南族　中国少数民族。曾称毛难族。主要分布于广西的部分地区。人口107 166(2000)。语言属汉藏语系壮侗语族侗水语支。多数人能讲壮语和汉语。无文字，通用汉文。族源可追溯到古代的越和僚。据史籍记载先世是南宋时南丹州的土著居民“茆滩”。清乾隆时写作“毛难”。光绪年间设

毛南族姑娘
中国大百科全书出版社供图

置“毛难甲”与其固有原始社会组织“隆款”结合起来，形成严密的“团甲制度”。主要从事农业。种植水稻、玉米、薯类杂粮。擅长编织图案精美的竹笠帽和雕刻龙凤造型的石器、石柱和石碑。大多同姓聚为村落。1949年以前残留浓厚的舅权、姑表婚、不落夫家和妻兄弟婚(转房)的习俗，行土葬，信仰多神，祭祀祖先。分龙节(五月庙节)是毛南族特有的节日。1987年成立环江毛南族自治县。

Maonan language　毛南语　中国毛南族语言。属汉藏语系壮侗语族侗水语支。分布在中国广西壮族自治区环江县的上南、中南、下南一带。使用人口约2.8万。内部无方言差别。毛南语与同语支的水语特别接近。毛南语(环江)语音特点：有66个声母，包括单纯声母共275个(双唇、舌尖中塞音各分清、浊、清送气3套，舌面中、舌根塞音各分清、清送气2套和喉门塞音共11个；舌尖前塞擦音分清、清送气；唇齿、舌尖前、喉门擦音分清、浊和舌面前清擦音共7个；还有双唇、舌尖中、舌面前、舌根鼻音和边音各1个；双唇、舌面半元音各1个)；双唇、舌尖中、舌面前、舌根浊鼻音带同部位的鼻冠声母共4个；双唇、舌尖中、舌面前、舌根及两个半元音带前喉塞的声母共6个，腭化声母16个，圆唇化声母13个。有86个韵母，包括11个单元音韵母、11个复元音韵母和63个带辅音韵尾的韵母(由元音加3个鼻音韵尾和塞音韵尾构成)，另外还有一个自成音节的舌根鼻音韵母。有6个舒声调，2个促声调。词类有名词、量词、代词、数词、动词、形容词、副词、象声词、介词、连词、助词、叹词、语气词13类，以虚词和词序表示句子成分的关系。量词重叠表示“每一”、“任一”或“全体”。形容词加后附音节后可用ABAB或ABAC重叠形式表示程度加深。句子主语在前，谓语在后；宾语和补语在动词后；形容词名词修饰语一般在中心词后，只有数量修饰语(“一”除外)在前。

Maori　毛利人　新西兰的波利尼西亚民族。根据其传统的历史说法，约自公元1150年开始，他们的祖先就一批又一批地从一个名叫哈瓦基的神话般的地方移居到新西兰，到14世纪则随着一个“大舰队”的到来而形成移居高潮。人们通常认定哈瓦基就是塔希提岛。虽然考古学家发现至少在公元800年或更早以前，新西兰已有毛利人居住，上述传说大多不可信，然而这一传说却为毛利人传统的社会组织提供了研究的依据。各个部落的成员都承认共同的祖先(可以追溯到父母某一方或双方)，并效忠于一个或几个酋长。在传统上，民间最重要的社会集团是小部落和大家庭；小部落是基本的占有土地的集团，也是人们优先通婚的集团。

1642年12月头一个欧洲人艾贝尔·塔斯曼抵达新西兰海岸时，这里实行的就是这种社会制度。他曾在南岛与一群毛利人发生战斗，以致此地区的大部土地未经勘查。1769～1770年詹姆斯·库克船长环绕南北两个主要岛屿航行，写出了有关毛利人情况和新西兰适合开拓为殖民地的报告。其后，鲸鱼和海豹的猎捕者和其他追求利润的欧洲人在这里受到毛利人的欢迎。随着火枪、疾病、西方农业技艺的传入和传教士的到来，毛利人的文化和社会结构开始解体。到了19世纪30年代末期，新西兰与欧洲建立了联系，许多欧洲移民来到了这里。

1840年英国人正式控制新西兰后，欧洲的殖民和统治开始使毛利人感到惊恐，特别在北岛更是如此。1845年一些毛利族酋长开始劫掠极北部的群岛湾和其他地区(当地有时称之为第一次毛利战争)，直到1847年才被总督乔治·格雷爵士率领的殖民军镇压下去。格雷的胜利带来1847～1860年的和平。

所谓的“国王运动”是毛利人对土地受到日益增长的威胁所作出的反应。1857年北岛怀卡托地区的若干部落推选蒂·韦罗韦罗为国王，称为波塔陶一世。除推选出国王之外，他们还建立了参政会、司法制度和警察机构，这一切都是为了支持毛利人保留他们土地的决心和阻止在此问题上出现的部落之间的战争。

虽然毛利人不是全部承认国王的权威，但绝大多数人都赞同“国王运动”关于拒绝出售土地的决定。

截至1860年，毛利人仍然占有北岛的大部分土地，但19世纪50年代移民人数大量增加，导致政府需要购买更多土地，可是许多毛利人坚决不愿出售土地。1859年塔拉纳基地区的毛利人蒂·泰拉未经其部落同意私自将其在怀塔拉河边的土地卖给殖民地政府，从而引起1860～1861年的第一次塔拉纳基战争。只有“国王运动”的极端主义派参加了这次战争。

第一次塔拉纳基战争基本上是一系列英国军队大体上成功地围攻毛利人的设防村寨和民兵从事挖掘坑道的进程。英国人在1860年6月对普基塔考尔村寨的攻击中遭到失败，因为当时毛利人发起了突然反攻。但毛利人于10月在奥龙哥梅和11月在马霍埃塔希连续被击败。1861年3月下旬蒂阿雷村寨投降，双方达成休战协定；毛利人继续留在欧洲人占有的塔塔莱马卡那片土地上。

1863年4月格雷总督修建一条进入怀卡托地区的进攻道路，并把塔拉纳基的毛利人驱逐出塔塔莱马卡；之后又爆发了第二次塔拉纳基战争。与塔拉纳基激战的同时，1863

年7月也爆发了怀卡托战争;“国王运动”各部落的中心怀卡托河地区成为欧洲人的主要攻击目标。战争中欧洲人又一次决定围攻毛利人村寨,但毛利人也开始采用游击战术反击。英国军队得到炮艇和由殖民地志愿人员组成的森林别动队的帮助。1863年10月和11月,欧洲人分别在梅雷梅雷和朗伊里里赢得重大胜利。1864年4月初,随着奥拉考村寨的陷落,怀卡托战争基本结束。

被欧洲人称为“蕨类植物中之火”,而毛利人称为“白人的愤怒”的最后一次战争,从1864年持续到1872年。敌对行动实际上扩展到整个北岛。在19世纪60年代中期,主要的毛利族战斗人员是狂热的*豪豪*(**Hauhau**)武士。1864年英国政府有意缔结和约,但是希望获得更多土地的殖民地政府继续战争并不断扩大战火。1865年7月格雷占领塔拉纳基南部的韦洛洛村寨。欧洲人和支持他们的毛利族部队(1864年后大量增加)制止了敌对部落的每次新的行动。1868～1872年,豪豪武士得到由游击队领袖特·库蒂建立并领导的新武士信徒集团林格图的补充。

1872年所有战斗结束了。毛利人的大片土地被没收,毛利族的社会被永远瓦解。“国王运动”的支持者退却到北岛中西部的国王领地。1881年前这个地区一直对欧洲人封闭,由毛利人控制,1881年才交出给政府。

20世纪后半叶,约有9%的新西兰人是毛利人,其中几乎4/5为城市居民。城市化意味着充分接受城市文化和增加与欧洲血统的新西兰人的接触。毛利人和欧洲人之间的通婚率稳步增长;特别是在青年中,毛利男子和欧洲妇女结婚者日多。然而从经济方面看,在从事地位较低、工资较少职业的人们中,毛利人所占的比例仍大于欧洲人。这种情况主要是由于毛利人所受的教育较少。为了提高他们的教育水平,1961年设立了毛利人教育基金会。虽然这个团体取得一些成功,但大多数毛利儿童的教育成绩仍然比其他新西兰儿童低。因此很少毛利人能够从事地位较高的职业。不过在所有各等级的工作中,都有一些为数不多的毛利人,他们在工作中也很少受到歧视。

在社会生活的其他领域,一般说来毛利人也已被其他新西兰人接受。虽然有些人在城市中找房子可能遇到困难,另一些人要和欧洲血统的新西兰人结婚也许会遭到反对;但就绝大部分情况而言,偏见并不是根深蒂固的。许多毛利人害怕文化优势甚于歧视,总希望保持自己毛利人的身份。差不多所有毛利人都有一些欧洲血统,某些认为自己是毛利人的人,实际上其欧洲血统尤为突出。因此他们身份的确认与其说是遗传学的,不如说是文化上的。

对于大多数毛利人而言,做毛利人意味着承认和尊敬其祖先,有对家庭土地提出主权的要求,有在其祖先的村庄内被接纳为“这块土地上的人们”的权利。这就意味着:有被接纳为团体成员的资格并和团体成员们一道共同承认毛利人的独特的思想和行为方式。现在已经恢复了一些*毛利语*(**Maori language**)的教学,1987年毛利语被规定为新西兰的一种官方语言。

在当代新西兰,许多毛利人的文化习俗仍被保存下来。一切毛利人的正式集会都伴随有毛利语的演讲、战歌,正式接待宾客时都要互相摩擦鼻子表示欢迎,有时还举行一种作为仪式的挑战;在预先烧热石头的地炉上烹调食物。现在,在毛利人村庄中用作开会和典礼中心的雕有图案的房屋,仍在建筑中。

现在,多数毛利人认为:新西兰最重大的问题仍然是土地问题。19世纪欧洲人土地交易中的不公正行为,使他们感受极深;所以他们对于政府采取任何有关改变土地法的措施,都疑惧不安。以前凡称作“毛利人土地”的土地,必须经过特别法庭批准,业主本人才能出售。后来法律使得毛利人可以比较容易地出卖其祖传的土地。然而毛利人中有大量强烈反对的意见,认为他们所占有的土地只是由子孙托管,要一代代传下去。

自19世纪中期毛利人首次进入议会以来,他们在新西兰的政治生活中已发挥作用。在议会的全部120个议席中,为毛利人保留了7个席位;所有自称为毛利族后裔的选民,都可以在毛利人选区投票,但亦可在毛利人选区或非毛利人(普通)选区登记。

Maori language　毛利语　东澳斯特罗尼西亚(大洋洲)诸语言中的东波利尼西亚语支语言,通行于库克群岛和新西兰。自从1987年通过《毛利语法案》以来,毛利语已成为新西兰两种官方语言之一。讲毛利语的人数据估计约在10万至15万人之间。新西兰作为波利尼西亚群岛东部边缘岛群之一,是最后才有人定居的,时间大约是公元800年左右。自那时起,毛利语便在其余波利尼西亚诸语言之外而独立发展起来。欧洲的基督教传教士们为毛利语制定了文字,使之开始有了书面语言,而第一批用毛利语写成的读物出版于1815年。毛利语有5个元音,均可既表示长音,也表示短音。有辅音10个(h,k,m,n,ng,p,r,t,w,wh)。毛利语经常使用重叠结构,一般说来是一种改变语势的手段。前缀和后缀是不多见的。名词的复数和动词的时态都是靠文章的句法来表示的。

Maori Representation Act　《毛利人代表权法案》　原名《土著代表权法案》(1867)。关于新西兰议会为毛利族设置4个席位的立法。它使毛利族参加到自治的殖民地的政治体制中。这项法案原来是暂时性的,一俟毛利族的土地从部族所有转为私人所有,就允许毛利人参加普选。但因土地划分方面的困难,这一立法在1876年成为永久性的法令。根据它的条款,毛利人获得男性普选权比给与欧洲殖民者这种权利早12年。

Maotai　茅台　中国贵州省仁怀市辖镇。世界名酒茅台酒产地。位于省境北部赤水河畔。有公路东通遵义市。船运沿赤水河可通长江。群山环峙,形势险要,是川黔水陆交通的咽喉。茅台镇酿酒历史悠久,至今已有300余年的历史。1674年在此建立第一家酒厂,1915年在巴拿马国际博览会上“茅台春”和“茅台烧春”获得金质奖。现在茅台酒的生产规模和产量远超过历史最高水平,成为世界四大名酒之一。

茅台镇的茅台大桥
中国大百科全书出版社供图

Maowusu Shamo(China)　**毛乌素沙漠**　参阅 **Mu Us Desert** *毛乌素沙地*。

map　地图　在一个平面上,按比例尺对地球某一地区的特征——通常为地理的、地质的、地缘政治的特征,或某一天体的特征的图解表示。地球仪是在球体表面上表现的地图。地图学是绘制各种地图的艺术和科学。

地图的主要类型有:表现地球陆地表面特征的地形图;表示海岸和海洋地区的航海图;说明海洋深度及洋流方向和强度的水文图;详述地表特征和空中航线的航空图。

地图学史　已知最早的地图是巴比伦人在泥板上绘制的,时间大约在公元前2300年。被确认与之差不多古老的地图有在早期墓穴中发现的古埃及人画的地图。古希腊数学家和天文学家C.托勒密(公元90～168年)对地理学和地图学有着巨大的影响。他的不朽的8卷本著作《地理学指南》作为权威的参考书几乎延续了1 000年。

直到探险与贸易时代之前,地图学没有取得什么进步。探险促进了航海、船舶设计和建造、天文和陆地观测仪器的发展,以及指南针的普遍使用。反过来,指南针的普遍使用又提高了地图上已有资料的精确性,并促进了进一步的探险和发现。

发现时代最重要的地图学家是佛兰德的G.墨卡托。他创用了被称为*墨卡托投影*(**Mercator projection**)的圆柱投影,这种投影能在平展的地图上表现地球的曲面。1569年,他出版了基于这种投影的一张世界地图。

在18世纪和19世纪,精密的科学仪器和更精确的描述改变了地图学。这些仪器中最重要的就是望远镜,它帮助提高了天文观测和天文钟(一种精确的计时器)的质量,使计算经度比以前所费功夫少得多。在一些国家,主要是法国、英国和美国,开始进行详尽的国家测量。虽然如此,直到第二次世界大战中航空摄影学出现之前,世界其他地区还留有大片未制图的地方。后来的世界航空图为侦察和其他目的提供了汇总的资料。

地图制图设计和技术　设计地图是一个双重的过程。首先,必须明确主要使用者的需要,因为这些需要决定了对地图比例尺和内容的技术要求。其次,必须处理地图的内容,使整饰、符号、颜色、形式和其他要素规范化。

地图可按照比例尺、内容或编图目的来

分类。地图比例尺是地图上表现范围的大小与地面上物体大小之比——即表现的详细程度。地图习惯上使用分数或比例表达比例尺。例如，1∶63 360 意思为图上 1 英寸表示地面 63 360 英寸（1 英里）。通常，大比例尺地图是 1 英寸表示 1 英里或少于 1 英里；小比例尺地图的比例可达 1∶1 000 000（1 英寸比约 15 英里）；中比例尺表示介于二者之间的比例。

地图内容的选择要适合地图本来的目的。因此航空图、地形图、道路图和天气图等术语本身就说明了图的内容。通常，可以利用大比例尺地图编制其他地图；而大比例尺地图可以从基础测量和摄影测量绘制而成。例如，普通道路图可以根据道路测量、地形图和航空照片编绘而成。

地图表现的尺度可以根据一些原始资料确定。描述大范围地区的大地测量图在某种程度上是靠太空轨道上的卫星的三角测量而绘制的。许多制图方式是靠能精确表示地形起伏的大量的航空立体摄影和平面几何描述。专门的详细地图还可以靠地面上观察者的观察绘制。地质图汇集了地球观测卫星的红外线图像或专题制图仪器提供的资料。

获得的资料必须精确地转换到纸上。对小范围地区的大比例尺地图，这一过程通常是直接的，即使是一个仅几十英里范围地区的精确地图也必须计算地球表面曲率。除墨卡托投影外，还有几种投影能在一个平面上系统地表现弯曲的经线和纬线。

不论选择什么投影，所有地图都用世界标准地理坐标系统绘制。纬度用于量测赤道的南、北；经度用于量测英国格林尼治本初子午线的东、西。所有地理位置用度、分和秒定位，对某一点所在位置可以精确到小数。

许多地图表示各特征的诸符号有颜色标准。同样，地图类型名称和制图尺寸也是标准化的，为各种特征设定特定的符号。标注特征的注记大小反映了特征的相对重要性。

Map, Walter　马普（约 1140，英格兰赫里福德？～约 1209）　英国神职人员和作家，其作品有助于阐明他那个年代的社会和宗教问题。约 1154 ～ 1160 年在巴黎大学学习。受神职，为亨利二世一家的传教士。曾出任国王的巡回各地的法官，并代表国王出席拉特兰公会（1179）。1197 年任牛津大主教。1181 ～1192 年用拉丁文编写了《廷臣杂记》，内容涵盖传说、民俗、故事，以及街谈巷议、观察到的资料和看法等。该书揭示出作者知识渊博，观察问题敏锐，才智过人。书中最为人熟知的或许要数瓦莱里乌斯就谈婚论嫁之蠢举致卢非那斯的那封信了。书中还有关于当时基督教持异端的派别以及移居英格兰的诺曼人的弥足珍贵的史料。

map problem, four-colour　参阅**four-colour map problem 四色地图问题**。

Mapai　以色列工人党　巴勒斯坦-以色列最早和最大的劳动党，1930 年成为**以色列工党（Israel Labour Party）**的主要伙伴。

Mapam　统一工人党　希伯来语 Mifleget ha-Poʿalim ha-Meʾuḥedet 的缩写。英语作 United Workers' Party。以色列和世界犹太复国主义组织中的左翼工党，1948 年由两个马克思主义犹太复国主义的组织"青年近卫军"和工人联合党建立。统一工人党坚持马克思主义的意识形态，在基布兹（集体农庄）运动的左翼中具有影响和实力。统一工人党同更有影响的以色列工党的不同点主要是在外交政策方面。统一工人党在历史上是犹太复国主义政党中最亲苏的政党，而且也是争取阿拉伯人和犹太人友好关系运动的领导者。由于反对苏联的反犹主义和不同意党的阿拉伯政策，统一工人党大批党员在 1954 年退党，另组亲西方路线的工人联盟。1969 年统一工人党同多数派以色列工党组成选举联盟，参加第 6 届议会和其他国家机构的竞选。结果选举联盟取得胜利，并且一直维持到 80 年代。统一工人党在这个联盟中并没有放弃独立和意识形态方面的纲领。

Mapam Lake　玛旁雍错　又作 Māna-sarowar。中国最高的淡水湖。又称玛法木错。藏语意为"胜利湖"。在西藏自治区普兰县境内，冈底斯山主峰冈仁波齐峰和喜马拉雅山纳木那尼峰之间。面积 412 平方千米，湖面海拔 4 588 米，也是世界上海拔最高的淡水湖之一。玛旁雍错佛教称圣湖，每到夏秋季佛教徒来此朝圣。湖心湖水透明度达1 400 厘米，为中国透明度最高的湖泊。

Mapimí Basin　马皮米盆地　墨西哥北部封闭凹地。在北部高原区，平均海拔 900 米。地质构造相似美国亚利桑那州和新墨西哥州盆地和山区。由于灌溉，这块被认为不能开垦的不毛之地已生产棉花、小麦和紫苜蓿。拉古纳区在盆地南部。主要城市有杜兰戈州的戈麦斯帕拉西奥和科阿韦拉州的托雷翁及圣佩德罗-德拉斯科洛尼亚斯。

maple　槭树　俗称枫树。槭树科槭树属（*Acer*）植物。约 200 种灌木或乔木，广泛分布于北温带，中国是分布中心。槭树是最重要的观赏植物类群之一，种植于草坪、道旁及公园。其树形、大小和叶片各式各样，许多种槭树的秋叶色彩鲜艳。有几个种产槭糖浆，还有一些种木材坚硬，纹理细致，可用制家具等。叶对生于小枝上，分裂，少数几种分裂成小叶。果均为成对的翅果。常见的小型槭树中，栓皮槭（篱槭，*A. campestre*）和茶条槭（阿穆尔槭，*A. ginnala*）可种作树篱。这两个种在秋天叶色均美丽，前者黄色，后者粉红色到鲜红色。几个世纪以来已培育出许多美丽的鸡爪槭（日本槭，*A. palmatum*）栽培品种，叶形和叶色多样，许多品种种于小型花园中。藤槭（*A. circinatum*）枝条伸展宽阔，灌木状，花紫色或白色，春天开放，秋叶美丽。西博尔德氏槭（*A. sieboldianum*）呈灌木状，叶具 7 ～ 9 裂片，秋天呈红色。中等大小的槭树通常高 9 米，如大齿槭（*A. grandidentatum*，或认为是糖槭的一个亚种），原产于落基山脉，常多茎，秋叶粉红色到红色。青皮槭（卡帕多细亚槭，*A. cappadocicum*）和宫部氏槭（*A. miyabei*）秋叶

银槭（*A. saccharinum*）
美国不列颠百科全书公司供图

金黄色。三花槭（*A. triflorum*）和血皮槭（*A. griseum*）的叶三深裂；树皮成薄片状脱落，引人注意，前者树皮微酱黄色，后者铜褐色。**梣叶槭（box elder）**生长迅速，为风景树种。挪威槭（*A. platanoides*）树型美观，枝条密集，树冠圆形；花美丽，绿黄色，簇生，早春开放；有许多栽培品种叶色特殊，如红色、栗色、青铜色或紫色；树形有圆柱形、球形、金字塔形。大型槭树常高逾 30 米，多植为遮荫树，如**糖槭（sugar maple**，*A. saccharum*）、银槭（*A. saccharinum*）、红槭（*A. rubrum*）等。俄勒冈槭（大叶槭，*A. macrophyllum*）是材用树种，木材颜色较其他槭树深；秋叶呈鲜橙色。西卡莫槭（假挪威槭，*A. pseudoplatanus*）在欧洲是重要的林荫和材用树种，有许多观赏品种。条纹槭（宾夕法尼亚槭，*A. pennsylvanicum*）、红蛇皮槭

阿穆尔槭（*A. ginnala*）
美国不列颠百科全书公司供图

（*A. capillipes*）、赫斯氏槭（*A. hersii*）和青榨槭（戴维氏槭，*A. davidii*）一类槭树的幼树树皮有垂直的银白色条纹，在冬天非常美观。白垩槭（白皮槭）树皮白色，有时定名为 *A. leucoderme*，但有人认为是糖槭的亚种。英语中 parlour maple（或 flowering maple）指苘麻属（*Abutilon*）花坛或室内植物。

Maple Creek　梅普尔克里克　加拿大萨斯喀彻温省西南部城镇。濒临梅普尔溪，在穆斯乔西南偏西 311 千米处，因溪旁有枫树得名。1882 年通火车后，成为畜牧业中心和运牛站。现为谷物和乳品生产中心。城南有赛

普里斯丘陵省立公园。1896 年设村;1903 年设镇。人口2 307(1996)。

maple syrup 槭糖浆 某些北美槭树(主要是糖槭[*Acer saccharum*]以及黑槭[*A. nigrum*])所产的甜味汁液。美国大湖区和圣劳伦斯河地区的印第安人在欧洲移民到达之前即生产

美国佛蒙特州的槭树割浆
美国不列颠百科全书公司供图

槭糖浆,现在仅北美仍在生产。制作糖浆的甜汁液不同于生长中的树木的循环树液。当树木休眠时,汁液从边材的创口流出。每次,冻结期后继之以解冻期。汁液内含有1.5%～3%的固体,主要是蔗糖,但无槭糖浆特有的色和味,这种色和味是经在开口锅中蒸发浓缩后才具有的。约 30 至 50 加仑汁液可生产1加仑糖浆。糖浆生产季节可持续4～6周,在南部地区于一月中旬开始,北部开始较晚,四月中旬结束。300 多年间,槭糖浆的生产方式几乎没有变化,仅引入了管道蒸发器。20 世纪 40 年代后期开始现代化:采用机械在树干钻孔,用卫生的方法处理汁液;研制了精密仪器以制造糖浆;在槭树林内安装了塑料管道以将汁液从放液口输送到贮藏大槽;并建立了中心蒸发器车间以为该地区的树汁生产者服务等。商业化生产的产量依次为:魁北克、佛蒙特、纽约州、安大略、威斯康星、俄亥俄、密歇根、新罕布什尔、宾夕法尼亚、马萨诸塞和缅因。各地的产品质量均相近。主要产品有纯净的或勾兑的褐色食用糖浆、糖果、冰淇淋顶端配料、调味品及烟叶湿润剂等。槭糖浆最著名的用途是用作薄煎饼和蛋奶烘饼的顶端配料。

maple syrup urine disease 槭糖尿病 与一组侧链氨基酸(如亮氨酸、异亮氨酸及缬氨酸)代谢有关的遗传性代谢缺陷。正常情况下,这些氨基酸的代谢过程受一系列特异性酶的控制。在亮氨酸、异亮氨酸及缬氨酸进行 α-酮酸脱羧的反应中,如果脱羧酶有缺陷,则可导致槭糖尿病。亮氨酸、异亮氨酸及缬氨酸在血中的浓度增高,并与其相应的 α-酮酸一道排入尿中,使尿带有一种类似槭糖浆的特殊气味。患儿出生后头几周内即出现临床征象,除尿异常外,尚可见进食减少、呼吸不规则、肌张力增加及全身强直,神经系统亦可出现严重损害。有效的处理方法是给予低亮氨酸、异亮氨酸及缬氨酸的饮食。尚有两种与侧链氨基酸代谢有关的遗传性代谢缺陷:异戊酸血症和高缬氨酸血症。前者是因异戊酰辅酶 A 脱氢酶缺陷而使亮氨酸代谢在某特定步骤上发生障碍,结果异戊酸在体液中的浓度增高,患者发生间歇性酸中毒或血液和组织中碱性降低,及轻微的精神障碍。高缬氨酸血症则是缬氨酸转氨酶缺陷,缬氨酸代谢出现障碍。患儿生后不久即出现呕吐、体重不增及精神发育迟缓。

mapping 映射 数学名词。设*A*和*B*是拓扑空间的两个集合,若按某一法则,使 *A* 中的任一元素与 *B* 中某一元素相对应,就称此规则为一个从 *A* 到 *B* 的映射。它是通常函数(**function**)概念的推广。

mappō 末法 日本佛教用语。指佛法衰微时期,有人认为这就是人类当前的历史时期。探讨如何应付末法时期,是日本镰仓时代(1192～1333)佛教特别关心的问题;也是净土宗、日莲宗和禅宗这些新宗派兴起的重要因素。根据大多数佛教国家所持有的宇宙历史观,佛陀死后可分为正法时期、像法时期和末法时期三个时期。将来弥勒菩萨将开始新时期,届时正法复兴。日本佛僧认为末法时期约始于佛陀死后 2 000 年的公元 1052 年,将持续 1 万年。

Mapu, Abraham 玛普(1808-01-10,俄罗斯帝国立陶宛科夫诺附近～1867-10-09,东普鲁士柯尼斯堡[今俄罗斯加里宁格勒]) 第一部希伯来文小说《王子和农民》(1853)的作者,该小说为田园诗式历史传奇,以先知以赛亚时代为背景。该书问世后颇受欢迎,被译成多种文字。作为宗教教师和德语教师,玛普是有影响的哈斯卡拉运动的倡导人。他的小说在风格上颇受雨果和欧仁·苏的影响,把一个有主权的以色列国写得理想化,间接为犹太民族主义运动的复活和犹太复国运动铺平道路。其他小说包括《伪君子》(1858～1869),抨击犹太人聚居区的社会和宗教方面的不公正现象;《撒玛利亚的过错》(1865),一首《圣经》题材的叙事诗,写亚哈斯王时代耶路撒冷和撒玛利亚之间的敌对。

Mapuche 马普切人 南美操阿劳坎语的印第安人中人数最多的族群,多居住在比奥比奥河南岸智利中央谷地,小部分居住在阿根廷中西部内乌肯省。至 20 世纪末 21 世纪初时约有 140 万人口。马普切人以其为期 350 年的反抗西班牙人和智利人的统治而著名。16、17 和 18 世纪,马普切人为反抗西班牙人,重建其传统的生活方式,相距很远的村庄组成了军事的、政治的和经济的各种联盟。战士学会骑马作战抵抗西班牙人,并涌现一些马普切人领袖,像劳塔罗那样的独具卓见、指挥有方的战略家就是其中之一。智利在 19 世纪脱离西班牙独立后,智利政府将马普切人安置在保留地。他们集体掌管并耕种这块土地达 100 多年。20 世纪 80 年代初,智利政府将保留地的所有权转到马普切人的个人名下,但因他们的农业不发达,往往为农产品和种籽的供应而负债。

Maputo 马普托 1976年前称洛伦索-马贵斯。莫桑比克首都和港口城市。濒临德拉瓜湾。1887 年建镇。1907 年成为葡属东非首府。气候宜人,海滨浴场风景优美,莫桑比克独立(1975)前,为南非和罗得西亚白人旅游胜地。此后旅游收入几乎停止了。东非主要港口之一,过去转运南非、斯威士兰和罗得西亚的工矿产品;由于莫、罗边界封锁以及莫桑比克与南非关系日益紧张,港口受到很大影响。地方工业有酿酒、船舶制造和修理、鱼罐头、铁器制作,生产水泥和纺织品等。设有自然历史博物馆和一所大学(1963)。人口约1 018 938(2000)。

Maputo River 马普托河 莫桑比克西南部河流,由(来自斯威士兰的)大乌苏图河和(来自南非的)蓬戈拉河汇合而成。东北流约 80 千米,在马普托市东南偏东 23 千米处注入德拉瓜湾(马普托湾)。全程通航。

maqām 阶段 阿拉伯语原意为"居住地"。伊斯兰教神秘主义者(苏非派)在追求亲见安拉并与安拉融合为一的漫长旅途中所达到的不同精神阶段。苏非派教徒通过本人的努力或自我修行和导师的帮助与指引循级而进。每达到一个阶段,苏非派教徒都要努力脱离所有的世俗污染,为自己达到更高的精神境界做准备。在苏非派人中,对于修炼阶段的顺序和数量的说法不一。然而,多数信徒认为是 7 个主要阶段:①忏悔阶段。这忏悔并不意味回忆罪过和赎罪,而是指将这些罪过与那些分散信徒爱主注意力的所有事物一起忘却。②畏主阶段。并非是恐惧地狱之火而是害怕永远与主隔离。③断念或超然阶段。指人没有财产而且其内心对财富无欲望。④守贫阶段。在这一阶段,他表明他不需求尘世财富而仅需要主。⑤坚忍阶段。坚忍不拔的策术。⑥信心或屈从阶段。在这一阶段,苏非派教徒知道,他不能因困难和痛苦而沮丧,因为他完全顺从上帝的意愿,而且他甚至能在他的悲哀中找到快乐。⑦满足阶段。来自对长期追求的合一期望的平静满足和乐趣的一种状态。

maqām 莫卡姆 伊斯兰音乐中的一组不同音高的音和有特点的旋律或主题,以及它们在运用中的一种传统形式,形成演出中旋律结构与音调结构的体系。一首莫卡姆可以用一个七声音阶来表现。经过历史发展,所用的莫卡姆的数量有所变化,文献中记有 100 多种。八度音程历史上划分成各不相同距离的音程。莫卡姆中的一个旋律主题以一个单元为基础,即包括 4 个音的跨度。每一首莫卡姆在各个单元间有一个特有的运动模式。莫卡姆的音调特点是即兴演奏的依据,它通常逐步升到更高的音高水平。在器乐演奏中,莫卡姆在伴奏乐器进入以前的独奏前奏中就被确定下来。当前的阿拉伯、土耳其和伊朗音乐都是从伊斯兰传统发展而来。参阅 **dastgah**。

maqāmah 玛卡梅 阿拉伯语为"聚会"之意。一种阿拉伯文学体裁,内容常常是关于流浪汉、江湖骗子、乞丐等引人入胜的趣闻轶事,采用优美的押韵散文写成。其戏剧性或

叙事性文字最适于表现作者的口才、机智和博学。第一部文集是赫迈扎尼(1008卒)的《玛卡梅韵文故事集》。它主要是传奇式的冒险故事,交替使用散文和诗歌书写,塑造了两个虚幻的人物。这种体裁于11世纪时由巴士拉(伊拉克)的哈里里复兴和发展起来,他写的玛卡梅颇似赫迈扎尼写的,被视为文学风格和文学的范文。

Maqdisī, al- 迈格迪西(约946～约1000) 全称穆罕默德·伊本·艾哈迈德·迈格迪西。阿拉伯旅行家、地理学家和一部有关伊斯兰国家的名著《国家知识大全》(985)的作者。该书主要根据他本人的观察写成,提供了关于伊斯兰人口、风俗与经济生活方面的资料。

Maqtūl, al- 马克图勒 参阅**Suhrawardī, as-**苏哈拉瓦迪。

maquiladora 马奎拉多拉 泛指外商组装工厂,这些工厂进口免税零部件,组装后再出口。工厂主利用廉价劳动力,只缴纳"附加价值"税,即只按成品价值与进口零部件总价值之间的差价纳税。"马奎拉多拉"大部分属于墨西哥、亚洲国家和美国公司。"马奎拉多拉"于20世纪60年代开始在墨西哥设立,到20世纪末已雇用了100多万墨西哥工人。多数工厂位于墨西哥北部的边境城镇。这类工厂为墨西哥提供了就业机会,并为墨西哥的窘困的经济提供了可观的外汇来源,同时也使美国制造商有条件在价格上和劳动力低廉的东亚产品竞争,并为不少美国工人创造了竞争机会。到20世纪末,拉美和亚洲国家公司开始渗入"马奎拉多拉"系统。1993年美国、墨西哥和加拿大实施北美自由贸易协定,创建自由贸易区,加强贸易交往。"马奎拉多拉"降低了美国公司的生产成本,但其廉价的劳动力价格也降低了美国工人的就业率,因此受到质疑。

maquis 地中海夏旱灌木群落 或译马基群落(macchie)。地中海地区的一种灌木植被,主要由革质阔叶常绿灌木或小乔木组成。出现在地中海边较低的山坡上。许多灌木具有芳香,例如薄荷种类、月桂类和桃金娘类。油橄榄、无花果和其他小乔木散布在整个地区,假如没有受到人的破坏,往往形成开阔的森林。石灰质荒地灌木群落是地中海夏旱灌木群落的一个类型,见于土壤瘠薄多岩石的地区,植被生长得更稀疏矮小。

Mar, EARLS OF 马尔伯爵 苏格兰封爵贵族,属厄斯金家族。按年代顺序分列于后,并各以●为标记。

● Mar, John Erskine, 1st (and 18th) Earl of 马尔伯爵(第一和第十八)(? ～1572-10-29,苏格兰斯特灵郡斯特灵) 苏格兰贵族,在废黜苏格兰女王玛丽·斯图亚特,拥立其幼子詹姆斯六世(后为英王詹姆斯一世)中起主要作用的人物。1561年玛丽·斯图亚特亲政后,任命他为枢密官。后授予马尔伯爵爵位。1566年又任命他为新出生的詹姆斯王子的监护人。但后来在詹姆斯派与玛丽派的斗争中,他极力维护詹姆斯的利益。他不让詹姆斯落入玛丽的第3个丈夫博思韦尔伯爵的掌握之中,成为废黜玛丽和拥立詹姆斯的一批贵族的领袖。1571年任苏格兰摄政,直至去世。

● Mar, John Erskine, 2nd (and 19th) Earl of 马尔伯爵(第二和第十九)(约1558～1634-12-14,苏格兰斯特灵郡斯特灵) 苏格兰政治家,苏格兰国王詹姆斯六世的朋友,在詹姆斯继承英国王位(成为詹姆斯一世)前后协助他治理苏格兰。马尔于1572年在其父马尔第一(和第十八)伯爵约翰死后继承伯爵爵位,其父于1571年任5岁的詹姆斯六世的摄政。马尔同詹姆斯在斯特灵城堡一同长大,1578年成为詹姆斯的卫士。他对幼王的影响力受到阿伦伯爵等人的挑战,于是他挟持国王至因弗内斯。1583年国王逃跑,阿伦伯爵揽权。马尔于1584年逃到英格兰,得到伊丽莎白一世的支持。1585年末回苏格兰,驱除阿伦伯爵,与詹姆斯和解,成为主要的王室大臣之一。伊丽莎白死后,詹姆斯继承英国王位,马尔继续对苏格兰事务发挥重大影响。1616～1630年任苏格兰财政大臣。

● Mar, John Erskine, 6th Earl of 马尔伯爵(第六)(1675-02,苏格兰克拉克曼南郡阿洛厄～1732-05,亚琛[德国]) 苏格兰贵族,1715年企图拥立老王位觊觎者J.爱德华的詹姆斯党人未成功的叛乱的领导人,在政治上反复无常,绰号"摇摆不定的约翰"。1689年承袭其父的伯爵爵位。曾任苏格兰国务大臣和安妮女王的掌玺官。1714年因被解职,投靠詹姆斯党。1715年8月秘密到苏格兰高地组织暴动。9月6日在布雷马尔宣布詹姆斯为英国国王。虽然有约1万～1.2万军队支持詹姆斯,马尔任总司令,但11月13日在珀思郡被阿盖尔公爵击败。马尔于1716年2月逃亡法国,后到罗马追随J.爱德华。

Mar, Serra do 马尔山脉 巴西高原东部边缘的大悬崖。自高原陡然降到大西洋沿岸。从南里奥格兰德州延伸至巴伊亚州南部,长约1 300千米,但仅中段称马尔山脉。平均高度800～900米。19世纪铁路越过马尔山脉之前,在历史上一直为开发巴西广大内地的主要障碍。

Mar Chiquita, Laguna 奇基塔湖 阿根廷中北部科尔多瓦省东北部的咸水湖。在大查科南缘。约70千米长,24千米宽,面积约2 000平方千米。洪水季节,有普里梅罗和塞贡多河自西南、杜尔塞河自西北注入,但东西无出口。湖中多小岛,最大的为梅达诺岛。南岸有米拉马尔疗养地。北面有大片盐沼。

Mar del Plata 马德普拉塔 阿根廷中东部布宜诺斯艾利斯省东南部沿海城市。1581年布宜诺斯艾利斯的第二个创建人J.de加拉伊第一次考查马德普拉塔的沿海地区。葡萄牙探险家1856年使这一地区成为移民的渔村。1857年办起第一家腌肉厂,促成其他行业如制革、动物油脂加工、制桶和畜牧业的发展。1860年后逐渐发展成海滨胜地。1907年设市,后成为阿根廷最重要的海滨游览区。主要商业活动围绕旅游业发展。8千米长的海滩夏季吸引大批游客。有著名的世界最大豪华赌场之一。11月至次年4月中旬为旅游季节。除旅游业外,主要经济活动有建筑业、纺织业、捕鱼和食品罐头业。设有马德普拉塔大学(1962)、斯特利亚马里斯大学(1958)和美术、自然科学博物馆。有公路、铁路和航空线通布宜诺斯艾利斯和阿根廷其他主要城市。人口519 707(1991)。

Mar-pa 玛尔巴(1012～1097) 原名却吉洛追,中国西藏洛扎人。佛教密法修行师,噶举派创始人。曾往尼泊尔、印度学密典,回藏后收徒译经传法。一生未出家,有译师称号。曾向其弟子米拉日巴口传全部密法。

Mar Samuel (Jewish scholar) **马尔·撒母耳** 参阅 **Samuel of Nehardea** 撒母耳(奈哈迪亚的)。

Māra 魔罗 简称"魔",佛教名词,指烦恼之主。乔答摩释迦牟尼即将成佛,坐在菩提树下等待觉悟,魔罗变现为信使,传消息说释迦牟尼敌手提婆达多篡夺释迦族王位。后魔罗又作法,兴风雨扬灰走石,天昏地暗,使众天神逃遁。魔罗声称乔答摩无权坐在菩提树下,要他呼唤大地证明他过去的善行。魔罗又令3个女儿特利悉那(贪欲)、罗蒂(情欲)和罗伽(乐欲)诱惑释迦牟尼,都未生效。

mara 长耳豚鼠 南美的啮齿动物,豚鼠类(cavy)的一个种。

Mara, Gertrud Elisabeth 玛拉(1749-02-23,伯爵领地黑森-卡塞尔的卡塞尔[德国]～1833-01-20,俄罗斯帝国爱沙尼亚塔林) 母家姓Schmeling(施梅灵)。德国女高音歌唱家,技艺精湛,是当时能赢得极大国际声誉的少数几个非意大利人之一。幼为神童,在维也纳和伦敦举行小提琴独奏会时由其父伴奏,父是小提琴制造者。10岁在伦敦为女王演奏。经宫廷里一位副官的建议,开始在伦敦学习声乐,师从P.帕拉迪西;1766年在莱比锡J.希勒的音乐会中演唱,并随德累斯顿歌剧院演出。后移居柏林。1771年,她克服了腓特烈二世厌恶德国歌唱家的困难,终于为宫廷歌剧团所聘。1774年与大提琴家J.B.玛拉结婚,两人为了摆脱专制亲王的宫廷,在1779年离开德国。1780年在欧洲大陆巡回演出。1784年移居伦敦,1787年扮演G.F.韩德尔的《尤里乌斯·凯撒》中的克娄巴特拉获得极大的成功。1788年在威尼斯和都灵演唱,后返回伦敦。因在韩德尔和J.海顿的清唱剧中的演唱而备受赞誉。1803年迁居莫斯科。一生的最后几年在塔林教授音乐。

marabou (*Leptoptilos crumeniferus*) **秃鹳** 又作marabou stork。又称修士鹳。鹳形目鹳科一种大型非洲鸟类。是最大的鹳类,体高150厘米,翅展度达2.6米。体羽多为灰色和

秃鹳(*Leptoptilos crumeniferus*)

美国不列颠百科全书公司供图

白色相间;裸露的头和颈淡绯红色;有下垂的喉袋,淡红色,可鼓胀;喙直而厚。常和秃鹫一起吃动物尸体的腐肉,但秃鹳更占上风。

marabout　穆拉比特　阿拉伯语拉丁字母转写作murābiṭ。原指北非居住在具有宗教和军事双重功能的堡垒式寺院中的伊斯兰教社团成员。12世纪伊斯兰教扩展到西非,凡收徒传教之人一律称穆拉比特。14世纪苏非派神秘主义教义渗入穆斯林宗教生活。在北非马格里布地区穆拉比特指根据艾布·麦德彦的教义组织苏非派教团的传教士。在阿尔及利亚,穆拉比特指坟墓,特别是虔诚信徒的圆顶坟墓。

Maracaibo　马拉开波　委内瑞拉西北部苏利亚州首府。位于连接马拉开波湖与委内瑞拉湾的水道西岸。为全国第二大城市和大海港之一。建于1571年。在委内瑞拉争取独立斗争期间曾多次易手。1917年发现石油前,为小型咖啡出口港。10年内,成为委内瑞拉和南美的石油城。20世纪50年代后期疏浚大湖与加勒比海间联络水道,加速了该城航海事业的发展,促进了委内瑞拉西北部的发展。除庞大而迅速增长的石油化工业外,重要工业还有建筑、食品、肥皂、织物、饮料和绳索。1946年建苏利亚大学。与委内瑞拉北方各大城镇都有公路相通。城南有一长达8千米的大桥,跨越水道。人口约1 124 432(1987)。

Maracaibo, Lake　马拉开波湖　加勒比海的大水湾,在委内瑞拉马拉开波盆地内。面积13 280平方千米。自委内瑞拉湾南伸210千米,宽121千米。众多河流注入该湖,其中最重要的是卡塔通博河,为邻近地区和哥伦比亚-委内瑞拉高原的运输大动脉。湖水除南端以外,都很浅。湖口有约26千米长的沙洲阻碍航行。20世纪30年代经常疏浚,现可通远洋轮和油轮。为世界上最富饶、最集中的产油区之一。第一口油井在1917年开钻。现有数千座井架矗立在东岸和湖中,并有水下油管运输石油至岸上贮存。湖区所产原油约占委内瑞拉总产量的2/3。石油工业大多为外国(主要是美、英、荷)所开发。1975年实现国有化。采油的同时可获得天然气。

Maracay　马拉凯　委内瑞拉北部阿拉瓜州首府。在中央高原,海拔460米。在加拉加斯西南110千米处。独裁者J.V.戈麦斯决定使该城成为该国的文化和社会中心,该城遂闻名于世。原为内地农牧区商业中心,现已成为大工业中心和全国最大城市之一。主要生产纺织品、糖、纸张、人造纤维、橡胶、食品和水泥。有泛美公路通过,交通运输很便利。人口约394 000(2001)。

Maradi　马拉迪　尼日尔中南部城镇。位于季节性的马拉迪河西岸,大部为平坦沙质平原,海拔300～500米,多孤立砂岩峭壁。1945年毁于洪水,重建时移往高地。有花生和棉花加工及制革业。设有马拉迪制革学校和政府建立的马拉迪培训中心(提供肥料,改良种子和传播现代耕作方法)。马拉迪镇以北地区年降雨量一般少于300毫米,为尼日尔非灌溉种植区的北界。较潮湿的南部地区出产花生、木薯和棉花等。较干旱的北方种植少量黍类和高粱等,饲养绵羊和山羊。有马拉迪、卡巴等季节性河流流过,有助于这一地区的耕作。主要居民为豪萨人。马拉迪为贯通尼日尔全天候公路的重要枢纽。人口约147 038(2001)。

Maradona, Diego Armando　马拉多纳(1960-10-30,阿根廷布宜诺斯艾利斯拉努斯～　　)　阿根廷足球运动员,通常被认为是20世纪80年代最佳球员,非常善于控球和为自己及队友创造射门机会。8岁加入小洋葱队连赢136场,获全国冠军。14岁参加

美国不列颠百科全书公司供图

阿根廷少年队,16岁成为阿根廷国家队最年轻的队员,1981年转入博卡青年队,当年就赢得冠军。1982年到欧洲加盟巴塞罗那队,赢得1983年西班牙杯;1984～1991年效力弱旅那不勒斯队,使之上升到接近意大利足球的最高水平,1987年和1990年两次夺冠。1991年因吸食可卡因被捕,禁赛15个月。1995年重回博卡青年队。1997年10月25日参加最后一次比赛。马拉多纳带领阿根廷国家队共赢得1982、1986、1990和1994年四次世界杯冠军。在1986年的墨西哥比赛中完全控制赛场。在四分之一决赛2比1战胜英国的比赛中,攻进了世界杯历史上最令人难忘的两个球。第一个是用手打进的(裁判员误以为是用头顶进的),现在人们称之为"上帝之手"。第二个是马拉多纳中场得球后,带球穿过一群英国后卫,又绕过守门员,将球送入球门。1994年世界杯赛中,因药检发现麻黄素,再次被禁赛。马拉多纳是一名矮壮而顽强的中场球员。在21年的足球生涯中总共参加正式俱乐部赛490场,进球259个;代表阿根廷参赛91场,进球34个。

Marāgheh　马拉盖　伊朗西北部阿塞拜疆地区城镇。位于萨汉德山(3 700米)背风面水源充足的谷地。是附近水果产区的中心,输出干果。最近几十年现代经济发展加速。曾经是蒙古人旭烈兀(1256～1265)的都城。有5座12～14世纪的陵墓,是著名历史文物。当地建筑用马拉盖大理石,主要为黄、粉、绿或乳白色,并带有红、绿色纹理。主要采自代赫哈雷甘。人口132 318(1996)。

Marais, Jean　马雷(1913-12-11,法国瑟堡～1998-11-08,戛纳)　法国演员,是法国作家和导演J.科克托的门徒,20世纪40～50年代法国电影界红极一时的著名人物之一。曾短期当过摄影师学徒,然后便在电影和舞台剧中开始充当小角和跑龙套演员。1933年,第一次出现在电影里。尽管他外表英俊,但因声音尖细且演技有限,致使所饰演的角色类型和范围受到限制。与科克托相识后,其事业便蒸蒸日上,从此成为科克托执导的戏剧中的男主角,在科克托的《永恒的回程》(1943)中饰特利斯坦这个浪漫英雄而获得重大成功。此后他几乎专与科克托合作,最后由于技巧的纯熟和经验的丰富而为世人所知,于是导演们纷纷前来邀他饰演主角。一生中拍了70余部影片,其中有《美人与野兽》(1946)、《双头鹰》(1948)、《可怕的父母》(1948)、《马耶林的秘密》(1950)、《奥尔菲》(1950)、《艾伦娜和男人们》(1956)等。

Marais, Marin　马雷(1656-03-31,巴黎～1728-08-15,巴黎)　法国作曲家和著名古中提琴演奏大师。1685年起在法国皇家管弦乐队演奏。与P.科拉瑟共同指导皇家音乐学院管弦乐队。出版几本有关**维奥尔琴**(**viol**)音乐的著作。是最早创作三重奏鸣曲的法国作曲家之一。其器乐曲带有描绘性标题。歌剧以《阿尔西厄尼》(1706)最为成功,另外还有《阿里亚尼与酒神巴克斯》(1696)和《塞默勒》(1709)。

Marais des Cygnes River　梅里德辛河　流经美国堪萨斯州中东部和密苏里州中西部的河流,源于堪萨斯州埃斯克里奇附近,向东流约355千米进入密苏里州,与小欧塞奇河汇合为欧塞奇河。梅里德辛盆地面积11 147平方千米,河流流域面积8 366平方千米。其名称法语意为"天鹅的沼泽",因当时法国捕猎者看到河中大量水鸟而得名。岸边小镇错落有致,风景如画。堪萨斯特雷德波斯特以北有梅里德辛大屠杀遗址。堪萨斯与密苏里交界处有面积3 000公顷的国家野生动物保护区。该河曾多次大泛滥(1951、1965、1986、1998)。1972年美国陆军工兵军团在西部河段修建防洪工程梅尔弗恩大坝。艾森豪威尔国家公园即坐落于水库北岸。

Marais Theatre　马雷剧团　法国17世纪主要剧团之一,其负责人为演员蒙特多里。1629年起一直在巴黎各类临时性剧院演出,

1634年才在马雷街区一个由网球场改建的剧院内驻足。剧团曾上演P.高乃依的早期喜剧,1637年首次上演高乃依的《熙德》一剧。此后所演剧目越来越趋向大众化的闹剧。最初的马雷剧院于1644年被大火烧毁,重建后拥有法国剧坛日益流行的各种剧场的复杂机械装置。1647年演员拉罗克成为剧团领导。为了与布尔戈涅宫剧团和莫里哀剧团竞争,他把演出搞得华丽壮观,结果入不敷出。路易十四不得不于1673年下令关闭该剧院。此后马雷剧团与莫里哀剧团合并,并迁到盖内加街的一所剧院。1680年布尔戈涅宫剧团与盖内加剧团奉命合并成法国第一个现代国家剧院——法兰西喜剧院。

Marajó Island 马拉若岛 位于巴西帕拉州东部亚马孙河三角洲。世界最大的冲积岛。长295千米,宽200千米,面积40 100平方千米。东部热带稀树草原饲养牛和水牛。每年雨季半个岛被洪水淹没。有许多有考古价值的土丘,内有大量类似哥伦布登陆前安第斯文化的陶器。大西洋岸上的索里是一现代化城镇和海滨游览地,昼夜均有渡船到州首府贝伦。

Maramba (town, Zambia) **马兰巴** 参阅 **Livingstone** 利文斯敦。

Maramureş 马拉穆列什 罗马尼亚西北部的县。面积6 215平方千米。北与乌克兰交界。大部为山地,以东喀尔巴阡山为主。东和南流向的蒂萨河为该县北部部分地段界河,维谢乌河和索梅什河流经县内。县城巴亚马雷为罗马尼亚最大的有色冶金中心,有机械制造业。矿藏分布在黑扎、巴亚斯普里埃、卡夫尼克等地。锡盖图-马尔马切伊、上维谢乌和博尔沙等地为木材加工业中心。比斯特拉生产建筑材料。县农业以饲养牲畜、栽培果树为主。菲里扎河上建有水电站。特尔古勒普什和锡盖图-马尔马切伊附近有几处以18世纪橡木结构教堂而闻名的村庄。锡盖图-马尔马切伊有人种史博物馆。莫伊塞镇有18世纪修道院。铁路和公路经过巴亚马雷、锡盖图-马尔马切伊和上维谢乌。巴亚马雷附近有机场。人口约559 700(1990)。

Maran 马朗 参阅 **Karo, Joseph ben Ephraim** 卡洛。

Maranao 马拉瑙人 菲律宾最大的穆斯林文化-语言集团。20世纪末期人口约84万。居住在棉兰老岛南部拉瑙湖附近的南拉瑙省。主要以种植稻谷为生,此外,从事金工、木工等手工业。像其他的菲律宾穆斯林一样,马拉瑙人与占全国人口绝大多数的基督教徒居民有极显著的差别。土地归氏族所有,由被称为"达图斯"的地方头人管理。通行穆斯林的婚姻和家庭习俗。全部穆斯林群体的语言都与菲律宾中部的语言关系密切,后者属南岛(马来-波利尼西亚)语系。

Marandellas (town, Zimbabwe) **马兰德拉斯** 参阅 **Marondera** 马龙德拉。

Maranhão 马腊尼昂 巴西北部一州,位于赤道以南和亚马孙河流域东南方。面积328 663平方千米,约2/3为地势低的丛林茂密地区。北临大西洋,东和东南接皮奥伊州,西邻托坎廷斯州和帕拉州。南部高原为巴西东北部山地的延伸部分,最高点塞拉辛塔海拔1 333米。一些河川从这些高地向东北流入大西洋。其中一些河流在首府圣路易斯周围形成三角洲。三角洲西面生长稠密的红树林,东面流沙广布。州内的河流大部分河道可通航,河流穿过耕地,这些耕地可从事农业和养牛业,均为马腊尼昂的经济支柱。气候炎热而潮湿。土著居民为印第安族图皮南巴人。1500年欧洲人第一次探测沿海一带,在以后数十年中,欧洲国家争夺这一地区。法国人在1594年建立了第一个居民点,1612年在圣路易斯岛建立殖民据点。1615年法国人被葡萄牙人逐出,但荷兰人又于1641～1644年占领了圣路易斯。1774年这片领地正式成为葡萄牙的巴西殖民地的一部分。1823年马腊尼昂归属新独立的巴西帝国,1889年归属新成立的共和国。移民主要是耶稣会会士,他们向图皮南巴人引入天主教,并引入了农耕和养牛技术。马腊尼昂人是图皮南巴人、欧洲人(主要是葡萄牙人)和非洲奴隶后裔的混血种。在数百年中,这些种族大量通婚。葡语是主要的书面和口头语言。马腊尼昂仍是经济落后地区,主要靠农业和养牛。主要工业是从植物中提取油料和香料。出口以棕榈油和稻米为主。其他重要工业有食品加工、钢铁制造,中心在圣路易斯。图里亚苏岛有铝钒土。内地靠近戈亚斯州边界和北部发现了石油。1970年在博阿埃斯佩兰萨建成水电站。圣路易斯岛上的伊塔基码头是马腊尼昂沿海地区几个现代航运站之一。圣路易斯与皮奥伊州首府特雷西纳之间有400千米长的铁路线。公路网总长度48 300千米,铺筑路面的只占很小的百分比。有几个商业机场,圣路易斯的国际机场最重要。全州的医疗设施和保健标准都比较好。热带病极少流行。该州支持初级、中级和大学教育。文化机构有马腊尼昂历史和艺术博物馆,马腊尼昂历史和地理研究所。最著名的马腊尼昂作家是A.G.迪亚斯(1823～1864),其作品《流亡之歌》很著名。人口约5 873 655(2003)。

Marañón River 马拉尼翁河 亚马孙河源头。源出秘鲁中部安第斯山区劳里科查湖附近,距太平洋160千米左右。向西北流经3 650米的高原、峡谷,在中段通过丛林时形成一系列急滩,经过最壮观的急流后,该河海拔只有175米。后蜿曲向东,过雨林区,接瓦亚加河,在瑙塔下游与乌卡亚利河汇流,形成亚马孙河。全长1 415千米。

Marantaceae 竹芋科 姜目的一科,约30属,400余种,为多年生草本植物,原产于潮湿或多沼泽的热带森林。该科植物形体变异大,从具有细长芦苇状茎的植株到多叶铺开的草本植物以至高达2米的丛生灌木。有些种具光滑白色地下茎(根状茎),如竹芋(*Maranta arundinacea*),可用制淀粉(称竹芋粉)。其他有些种是受欢迎的观赏植物,如条纹竹芋(*M. leuconeura* var. *kerchoveana*)、水美人蕉(*Thalia dealbata*)及肖竹芋属(*Calathea*)的一些种。参阅 **prayer plant**。

Maranville, Rabbit 马兰维尔(1891-11-11,美国马萨诸塞斯普林菲尔德～1954-01-05,纽约市昆斯) 美国全国棒球联盟职业运动员(1912～1935)。1912年加入波士顿勇士队,一直到1920年赛季结束。1914年该队从最后一位一跃而为冠军,并在世界系列赛中取胜。马兰维尔在1914年杀407人出局,1915年杀391人出局,1914年助杀574次,同年创造防守机会1 046次,以上成绩均居联盟首位。1954年入选棒球名人堂。

Maranzano, Salvatore 马兰扎诺(1868,意大利西西里戈尔福海堡～1931-09-10,纽约市) 美国禁酒时期的匪徒,是意大利旧同乡组成的"小胡子彼得"黑帮的首领。这伙黑帮中大部分是前西西里黑手党和那不勒斯卡莫拉匪帮的人。马兰扎诺出生于西西里,并在那里读书。第一次世界大战后移居美国。他把在纽约市从事贩运私酒、开设赌场和其他犯罪活动的意大利裔移民组织起来,自己充当盟主。业已组织起来的暴徒集团要进行改组,设立首领、副首领,并在他们之下设立副官和士兵。各个犯罪家族都要尊重彼此的利益和地盘,争端应付仲裁。这种组织系统后来为纽约市的"五大家族"和美国其他意大利裔犯罪集团所采用。但是,马兰扎诺本身的盟主角色只维持了几个月。"幸运儿"卢西亚诺和V.吉诺维斯雇用凶手,闯入马兰扎诺在公园大街的办公室行刺,将他击毙。在几个月内,卢西亚诺命令对马兰扎诺的同伙进行了全国性的大屠杀。

Marasmius oreades 硬柄小皮伞 参阅 **fairy ring** 仙人圈。

marasmus 消瘦病 蛋白质-热量营养不良的一个类型,主要见于年龄很小的儿童。特征为生长发育迟缓(体重增加迟缓,身高增加迟缓更甚),皮下脂肪进行性消失,肌肉逐渐萎缩。其他症状包括:腹泻,脱水,行为改变,皮肤干燥、松弛,毛发干燥而脆。消瘦病可用高热量、富含蛋白质的膳食治疗。若病情严重,持续时间长,则可致持久的精神发育迟滞和生长发育障碍。参阅 **kwashiorkor**。

Marat, Jean-Paul 马拉(1743-05-24,瑞士纳沙泰尔附近布德利～1793-07-13,巴黎) 法国政治家、医生和新闻工作者,大革命时期激进的山岳派的领袖人物。18世纪70年代时是伦敦著名的医生,出版了不少科学和哲学著作。早期的政治著作《奴隶制的锁链》(1774)抨击了专制制度。1777年回欧洲大陆,任路易十四的幼弟阿图瓦伯爵(后为查理十世)的私人卫队医生。这时他主要想当一个有成就的科学家,所写关于电的论文,于1783年得到鲁昂皇家学院的嘉奖。同年辞去医生职务。1780年出版《刑事立法计划》,该书被认为具有颠覆性质,遭到当局查禁。可能正是此事成为他痛恨现行制度的开端,而

美国不列颠百科全书公司供图

更重要的是他未被选入科学院，使他感到遭受有势力的敌人的迫害之苦，因而加入反对现存的社会与科学制度的行列。大革命爆发的1789年最初几个星期里，他出版了《献给祖国》的小册子，仍表示相信君主政体能够解决法国的问题。几个月后，他出版了一本补充读物，谈及国王只关心自己的财富问题，而不顾人民的死活；同时对那些建议把英国的政治制度作为法国的榜样的人进行抨击。从1789年9月起，作为《人民之友报》的编辑，他成为支持采取最激进的民主措施的有影响的发言人。他特别主张应事先对贵族采取防范措施，声称他们正在阴谋策划毁灭大革命。1790年初，马拉因攻击财政部长J.内克而被迫逃亡英国，3个月后回国，声望大增。他毫不留情地批评温和派革命领导人，诸如拉斐特侯爵、米拉波伯爵和巴黎市长J.-S.巴伊等，继续警告要反对正在组织反革命活动的王党流亡者。立法议会判处他一个月徒刑，他躲藏起来继续活动 。他在1790和1791年渐次认为君主政体必须废除。作为1792年9月成立的国民公会的代表，他主张进行改革，实行累进所得税，由国家举办工人职业训练班，缩短兵役期限。他在《人民之友报》上发表的文章和在雅各宾革命俱乐部发表的演说，鼓动巴黎普通市民的阶级意识感情。马拉在议会内和街头示威中得到巴黎人民的积极支持，很快成为国民公会中最有影响的代表之一。1793年初保守的吉伦特派对他的发难，使他成为激进的山岳派的象征。1793年4月吉伦特派把他交付革命法庭审讯，被宣判无罪，这时他的政治生涯达到顶峰，而吉伦特派则开始从权力的顶峰跌落下来。7月13日，来自诺曼底的一个年轻的吉伦特派支持者夏洛特·科黛，以请求保护为名进入了马拉的房间，将正在为治疗皮肤病而沐浴的马拉刺死。

Marāṭhā　马拉塔人　又拼Mahrattā。印度主要民族，在历史上以仪仗卫士和印度教卫士知名。他们的家乡是现在的马哈拉施特拉邦，亦即从孟买沿印度西海岸到果阿并向内陆延伸至那格浦尔以东约160千米处的操马拉塔语的地区。马拉塔有三个交叠的含义：在说马拉塔语地区内，它指占统治地位的单独一个马拉塔种姓或马拉塔和昆比两个种姓集团；在马哈拉施特拉邦以外，它泛指整个说马拉塔语地区的居民，为数超过6 500万；在历史上，它指17世纪马拉塔领袖西瓦吉所建立、18世纪由许多种姓的继任者加以扩张的地方性王国。马拉塔种姓集团主要是一个农村等级，包括农民、地主和军人。有些马拉塔和昆比种姓自称有刹帝利种姓(即武士与统治阶级的身份)的资格，认为他们的氏族名称和谱系都与史诗上的英雄、北方拉杰普特氏族或中世纪早期一些朝代有关系。马拉塔和昆比种姓集团分为沿海、西部山区和德干平原三个亚地区性集团，彼此不通婚。在每一亚地区内，这些种姓的氏族均归入按地位排列的社会群体。最大的群体有96个氏族，据说它包括所有真正的马拉塔人；不过这96个氏族的名单各不相同，争议甚多。

Marāṭhā confederacy　马拉塔联盟　18世纪印度西部西瓦吉的马哈拉施特拉王国在莫卧儿帝国的压力下解体之后形成的联盟。莫卧儿皇帝奥朗则布死(1707)后，在西瓦吉的孙子沙胡的领导下，马拉塔的权力得到恢复。他将权力托付给世袭的众帕什瓦(众首席大臣)。在沙胡的晚年，众帕什瓦的权力增大；沙胡死(1749)后，他们成为实际的统治者。1772年以后，马拉塔国成为由5个酋长组成的联盟，以在浦那的帕什瓦为名义首领。各酋长虽然在抗击英国人时(1775～1782)相互团结，但是往往相互争吵。1802年帕什瓦巴吉·罗二世被酋长荷尔卡打败，去请英国人保护。英国人借此机会，于1818年摧毁马拉塔联盟。

Marāṭhā Wars　马拉塔战争　英国与马拉塔联盟之间的三次战争。第一次战争(1775～1782)的爆发是由英国人支持拉古纳兹·罗争夺联盟的帕什瓦(首席大臣)职位而挑起的。在这次战争中，英国人打败沃德冈(1779-01，参阅 **Wadgaon, Convention of**)。但他继续战斗，直至签署《萨尔拜条约》(1782-05)，英国人得到孟买附近的萨尔塞特岛。帕什瓦巴吉·罗二世被酋长荷尔卡打败之后，于1802年12月订立马拉塔接受英国保护的《伯塞恩条约》，结果引起第二次战争(1803～1805)。信德亚酋长和邦斯勒酋长都反对这一条约，但为英国人击败。第三次战争(1817～1818)是帕什瓦在邦斯勒酋长和荷尔卡酋长的协助下武装反抗英国人。这次起义很快失败，英国借机吞并马拉塔联盟的领土。

Marāṭhī language　马拉塔语　一译摩剌陀语。印度中西部使用的一种印度-雅利安语，其通行范围自孟买北部下至西海岸经果阿并向东穿过德干高原。1966年成为马哈拉施特拉邦的官方语言；浦那城的语言为标准语。马拉塔语是由马哈拉施特拉普拉克里特语发展而来，有重要文学作品；印刷用天城体字母，手写用天城体或其草体莫迪体字母。东印地语是与马拉塔语关系最密切的印度-雅利安语。同印地语一样，格的屈折变化大多消失，使用后置词(像前置词一样，不过置于词后)以间接"格"形式表示原来的屈折功能。

marathon　马拉松　长距离赛跑。1896年在希腊雅典复兴的奥运会上首次举行马拉松比赛。据说公元前490年，一名传说中的希腊士兵自马拉松奔跑大约40千米到雅典，把战胜波斯的消息报告给同胞。马拉松赛就是纪念此事。恰巧，1896年获得现代马拉松赛冠军的S.路易斯也是希腊人。奥运会马拉松赛程在1924年规定为42 195米即26英里385码。其根据是英国奥委会关于1908年奥运会比赛的决定，那次比赛起点是温莎城堡，终点是伦敦运动场上的王室专用包厢。由于马拉松比赛的路程条件各不相同，国际业余田径联合会不把这项比赛列入世界纪录。除奥运会马拉松比赛外，最令人向往的是美国马萨诸塞州波士顿体育协会举办的马拉松赛。这项比赛自1897年起每年举行。纽约马拉松赛也吸引许多国家的选手参加。其他著名的马拉松赛还有伦敦、日本的福冈、荷兰的鹿特丹和芝加哥等赛事。南非的同志马拉松赛赛程长达86千米。一年从德班起跑到彼得马里茨堡；次年则从彼得马里茨堡到德班。女子直到20世纪70年代才正式参加马拉松赛，但从此进步很快，整体水平迅速提高，令人瞩目。在很长时间内人们认为参加马拉松赛之前必须练习跑完全程。但是捷克的扎托佩克事先从来没有跑过全程，就在1952年奥运会上创造2小时23分3.2秒的纪录。关于波士顿和纽约的马拉松比赛冠军，参阅 **Sporting Record**: Athletics；关于奥运会冠军，参阅 **Olympic Games**。

Marathon, Battle of　马拉松战役(公元前490-09)　希腊波斯战争中在阿提卡东北部马拉松平原上进行的一次决战，战斗中雅典只用一个下午的时间便击退了波斯人对希腊的第一次进攻。仓促集合起来的雅典军队的指挥权交付给10位将领，每人负责指挥一天。可是在等待进攻还是主动出击问题上，将领们的意见正好平分秋色；文官卡利马科斯打破了僵局，作出进攻的决定。米太亚德成了总司令官。希腊人不能指望在开阔的平原上同波斯骑兵抗衡。一天拂晓前，希腊人得知波斯骑兵暂时离开了营地，于是米太亚德下令向波斯步兵发动总攻。在战斗中，米太亚德率领他的1万人队伍和1 000名普拉蒂亚人打败了1.5万人的波斯军队。他的战术是：加强两翼战线，诱使波斯精锐部队向他的中心部分推进，然后用两翼包围。波斯军面临被围时逃跑了。被击溃的波斯人回到他们船上时，损失了6 400人，而希腊方面仅损失192人，包括卡利马科斯在内。这次战斗证明希腊的长枪、剑和甲胄优于波斯的武器。据说，一名雅典使者从马拉松被派赴雅典(相距约40千米)，他报告了波斯人战败的消息后力竭而死。这个故事成了现代马拉松长跑的起源。但是希罗多德却提到一个训练有素的长跑者斐迪皮德斯在战前从雅典被派往斯巴达求援；据说此人在两天左右的时间里跑了大约240千米。

Marathon Oil Company　马拉松石油公司　美国石油企业。1887年创立，原名俄亥俄石油公司。1889年该公司受美孚石油公司管辖，1911年由于美国最高法院解散美孚石油公司，该公司又获独立。1962年改现名。石油业务各环节，自勘探、采油到销售、研究，无不经营。活动地区以北美洲为主。还经营在利比亚和尼日利亚的采油以及在欧洲的炼油和批售。1976年由于购入泛洋石油公司，随之增加一些矿产方面的企业，主要为煤矿、萤石矿和锌矿。总公司设在俄亥俄州芬德利。

Marathon orogeny　马拉松造山运动　美国得克萨斯西部马拉松地区于晚石炭世（3.2亿年前至2.86亿年前）发生的造山事件。因为马拉松造山运动是一次剧烈的事件，覆盖在宾夕法尼亚系以及更老的地层上面的下二叠统地层（年龄为2.58亿年至2.86亿年），在这个地区显示出显著的角度不整合（即地层的不平行）。还发生大量逆掩断层及有关的地槽沉积物的叠覆现象。

Maratta, Carlo　马拉蒂（1625-05-15，教皇国卡梅里诺［意大利］～1713-12-15，罗马）　意大利17世纪晚期罗马派主要画家，巴罗克古典主义的最后大师之一，和F.索利梅纳一起

马拉蒂绘《圣母向圣内里显现》（约1675）
美国不列颠百科全书公司供图

建立著名的“欧洲浮华风格”。早年到罗马学习，以第一幅公开作品《耶稣诞生》（1650）一举成名。后为教皇亚历山大七世所注意，自此便不断受托为意大利各大教堂作祭坛画。也曾为罗马各宫殿作过装饰性天顶画，是意大利这一时期最著名的肖像画家之一，作品包括教皇克雷芒九世的肖像画。他倡导古典主义，至少在理论上如此，但其作品则充分显示了巴罗克艺术的豪华风格，并充分表达了反宗教改革的教义。

Marattiaceae　合囊蕨科　合囊蕨目（Marattiales）唯一的科（有的分类系统该目为4科），6属，约200种。分布热带和亚热带，为大型蕨类，具粗大直立茎。某些种的叶极大，如观音座莲（*Angiopteris evecta*），茎高0.6～1.8米，叶长达4.5米余。属的鉴别主要依据孢子囊（着生于叶的下表面）的排列方式。观音座莲属和原始观音座莲属（*Archangiopteris*）分别有100种和10种，具分离孢子囊。合囊蕨属（*Marattia*）60种，孢子囊连合成聚合囊，沿叶脉两侧成对着生，且向小叶轴开口。单合囊蕨属（*Danaea*）30种，聚合囊单生，有时从小叶的中脉延伸到边缘，在顶端开口。天星蕨属（*Christensenia*）1种，有时也划归该科。石炭纪和二叠纪（3.6亿年前至2.45亿年前）的绝灭蕨类辉木属（*Psaronius*）亦属于该科或近缘的科。

Maravi　马拉维人　生活在马拉维林木丛生的草原和赞比西河下游地区的9个讲班图语的民族。两个最大的群体是切瓦人（或称塞瓦人）和尼扬加人。经济主要靠轮作农业，主要作物为玉米。狩猎、捕鱼和经商也是重要经济活动。一般认为马拉维人原在刚果地区，与来自同一地方的本巴人等一样，按母系划分氏族，行一夫多妻制。

Maravi Confederacy　马拉维联盟　约1480年建立在南部非洲的中央集权化的部落联盟。联盟成员是从北方移居今马拉维中部和南部的部族，联盟由一位卡龙加（国王）通过各部族首领控制。联盟主体位于今马拉维湖西南，15或16世纪时一部分南迁希雷河流域，另一部分迁至今赞比亚和莫桑比克境内。17世纪该联盟最昌盛时控制赞比西河以北至杜万瓜河、西达卢安瓜河、东至莫桑比克海岸的辽阔地区。后因部族首领在与葡萄牙人通商中增强了独立性致使联盟衰落。18世纪20年代已分为数个自治的派系。

Marawi　马拉维　旧名丹萨兰。菲律宾棉兰老岛中北部南拉瑙省省会和直辖市。在拉瑙湖北岸，海拔1 100米。1940年设市。是菲律宾群岛中穆斯林居住的最大城市之一。为重要贸易中心，特产为穆斯林手工艺品和刀剑兵器。有国立棉兰老大学（1961）、丹萨兰学院、潘加龙干伊斯兰诸学院（1965）。人口131 090（2000）。

Marbeck, John　马尔贝克（约1510～约1585）　Marbeck又拼Merbecke。英国作曲家、管风琴家和作家。为英国圣公会礼拜仪式所作配乐使他闻名于世。曾在温莎任圣乔治教堂的管风琴师。1544年被斥为异端，判以火刑，经温切斯特的主教加德纳调停而赦免；当时他的“巨作”（即《圣经》的英文《重要语词索引》）被夺走并销毁。获释后开始重写，1550年爱德华六世在位时期该书简写本得以出版。同年又出版他为圣公会仪礼素歌所作《公祷文配乐》。这一配乐于1552年被弃置不用。到19世纪末的牛津运动，人们对它重新发生兴趣，1939年将原本摹印出版。

marble　大理岩　又称大理石。在热力、压力和水溶液影响下再结晶的颗粒状石灰岩或白云岩（即由钙镁碳酸盐组成的岩石）。在商业上，大理岩包括所有的可以抛光用作装饰面料的富钙岩石，也包括某些蛇纹石（蛇纹大理岩）。

在岩石学上，大理石是块状而不是薄层状，它由方解石颗粒镶嵌体组成，这些方解石颗粒在显微镜下很少显示出任何结晶形态的痕迹。它们被细小的裂纹穿过，这些裂纹与方解石的菱面体解理（裂开面相交叉而构成菱形）相吻合。在较严重变形的岩石里，这些颗粒显现出条纹，并且可以在特定方向上延长，或者甚至破碎。

大理岩常常与云母片岩、千枚岩、片麻岩和麻粒岩这样一些变质岩石呈互层共生，并且在极度褶皱和强烈岩浆侵入的地区埋藏很深的地壳较老岩层里最常见。在这样的变质岩区，从富含化石的石灰岩变成真正的大理岩是常见的现象；偶然地，如像在意大利的卡拉拉和在挪威的卑尔根，岩石的再结晶并不会使生物结构完全丧失。

美国亚拉巴马州、佐治亚州和新英格兰西部，以及科罗拉多州尤尔地区的大多数白色及灰色大理岩都是再结晶的岩石，正如很多希腊和意大利的自古就很有名、而今仍在开采的雕像大理岩也是再结晶的那样。这些包括希腊阿提卡的帕里安大理岩和彭特里克大理岩，菲迪亚斯、普拉克西特利斯及其他希腊雕刻家曾以这些大理石完成了他们主要的作品，还包括米开朗琪罗和A.卡诺瓦用过的且为现代雕塑家所喜爱的卡拉拉雪白大理岩。华盛顿［哥伦比亚特区］的国立艺术馆之外表是用田纳西州的大理岩装饰的，林肯纪念堂用的大理岩有来自科罗拉多州尤尔的，也有来自阿拉巴马州的（屋顶透明的部分），还有来自佐治亚州的（林肯雕像）。

甚至像来自卡拉拉的那种变质大理岩之最纯者也含有一些副矿物，在很多情况下，这些副矿物形成相当大部分的块体。最常见的是小圆颗粒状的石英、无色或淡黄色云母（白云母和金云母）的鳞片，石墨和氧化铁的暗黑闪光薄片和黄铁矿的小晶体。

很多大理岩含有通常是钙和镁的硅酸盐的其他矿物。透辉石是很常见的，并且可能呈白色或者淡绿色；白色叶片状的透闪石和淡绿色的阳起石也存在；偶遇的长石可能是钾质的变种，但更常见的是斜长石（富钠的到富钙的），如钠长石、拉长石或者钙长石等。方柱石、石榴子石的各不同种类、符山石、尖晶石、镁橄榄石、方镁石、水镁石、滑石、黝帘石、硅灰石、绿泥石、电气石、绿帘石、粒硅镁石、黑云母、榍石和磷灰石都是可能的副矿物。磷黄铁矿、闪锌矿和黄铜矿也可能少量地存在。

这些矿物代表原始石灰岩中的杂质，这些杂质在变质作用期间起反应而形成新的化合物。铝代表黏土的混合物；硅酸盐从石英和黏土中得到它们的 SiO_2；铁来自原生沉积岩中的褐铁矿、赤铁矿或黄铁矿。在一些情况下，钙质沉积物的原生层理可以由大理岩中的矿物条带来测知。硅酸盐矿物如果以任何较大数量存在，则可以使大理岩染上颜色。例如，在含绿色辉石和闪石的情况下呈绿色；在含石榴子石和符山石的情况下呈褐色；在含绿帘石、粒硅镁石和榍石时呈黄色。黑色和灰色是存在细小的石墨鳞片的结果。

钙质硅酸盐岩石的条带可以与大理岩的条带相互交替，或者形成瘤结与斑块，有时产生很有趣的装饰效果，但是，这些岩石特别难于加工，因为硅酸盐矿物与碳酸盐矿物之间在硬度上有很大的差别。

变质大理岩后来的物理变形和化学分解常常产生有吸引力的彩色和斑驳色的变种。分解作用产生赤铁矿、棕色的褐铁矿、淡绿色的滑石，特别是从镁橄榄石和透辉石产生出

绿色或黄色的蛇纹石，这是蛇纹大理岩或古绿石所特有的。地球运动可能使岩石破碎，产生裂缝，这些裂缝后来为方解石脉所充填；美丽的角砾岩状的或脉状的大理岩即由这种方式产生。有时，这些破碎的岩屑在压力之下由于大理岩的塑性变形而产生滚动并被磨圆。

所谓条纹状大理岩由在洞穴和节理中和泉出口周围的冷水溶液中沉积的方解石或霰石之同心条带组成。狭义上说，它们既不是大理岩，也不是条纹，因为真正的条纹主要是由二氧化硅组成的条带状玉髓。条纹状大理岩是古人的“雪花石膏”，而雪花石膏现在被定为石膏，是一种硫酸钙岩石。这些大理岩由于氧化铁的存在，通常呈褐色或黄色。众所周知的例子包括意大利古物收藏家的“古代黄色大理石”、来自托斯卡纳的粉红斑杂状锡耶纳大理岩、墨西哥城附近特卡里和美国加利福尼亚州埃尔马莫尔的大墨西哥矿床，以及曾用于迦太基和罗马之建筑物并于1849年在阿卜杜拉河附近被重新发现的阿尔及利亚条纹大理岩。

显示出有趣的色彩差异或化石残留物的非变质石灰岩也广泛用于建筑的目的。例如，英国古生代的岩石（年龄为2.25亿年至5.7亿年）就包括富含珊瑚化石的“石珊瑚大理岩”和富含带特殊圆形横断面的海百合茎及腕板的“石莲大理岩”。英国珀贝克层的介壳灰岩和萨塞克斯大理岩，两者都是中生代（2.25亿年前至0.65亿年前）的地层，它们都由大量淡水螺的贝壳组成，这些贝壳夹在蓝色、灰色或浅绿色石灰岩中。它们是中世纪建筑师最爱用的材料，可见于威斯敏斯特教堂和很多英国大教堂中。含有沥青质的黑色灰岩常常在受打击时发出恶臭味，它们也有广泛的用途；众所周知的比利时“小花岗岩”实际是含有来自棘皮动物（海生无脊椎动物）化石的海百合茎板之黑色石灰岩。

用途　大理岩主要用于建筑物、纪念碑、内装饰、雕像、桌面和新奇玩具。颜色和外观是它们最重要的素质。对磨损的抵抗力、颗粒之间聚合的功能，以及组分矿物的硬度，对于地板和楼梯踏板来说是重要的。透光能力对于雕像大理石来说是重要的，它从12.7～38毫米透过来的光线中形成了自己的光泽，光线是从那样深的地方在深层晶体的表面上得到反射的。角砾岩状的彩色大理岩、条纹大理岩和蛇纹石大理岩主要用于内部装饰和新奇玩具。雕像大理岩是价值最高的品种，它必须是纯白的，并且颗粒大小是均一的。为了在室外用途中经久耐用，大理岩应当是均匀的、无孔的，以免水分渗入，水分可以使石头退色，还可由于冰冻而使石头崩解。它还应该没有像黄铁矿那样的杂质，黄铁矿可以导致污染和风化作用。暴露在因含有二氧化碳、二氧化硫和其他气体而带酸性的大气水分之中的方解石大理岩，在风化作用期间保持一个相对较光滑的表面；但白云质石灰岩可以风化成不规则的、砂粒状表面，白云石晶体凸出于表面之上。

大理岩的主要矿物是方解石，这种矿物在不同方向上的硬度、透光性及其他特性之差异，在加工制备一些大理岩时有很多实用上的重要性。方解石晶体是双折射性的，就是在两个方向上透光，一个方向上更亮一些；所以在制备以透光性为主要用途的石板时，就要平行于这个方向来切。大理岩板的弯曲，当归因于方解石晶体受热时的定向热膨胀。

采掘　在开采大理石时，采用爆破手段是受限制的，因为要谨防把岩石震破。代之以开槽机，它用尖刃的钢棒凿出大约5厘米宽、几米深的槽。凡是可能的地方，尽量采用岩石中已经存在的自然节理，切槽就按最容易裂开的方向进行，最易裂开正是板状或纤维状矿物平行延伸的结果。被节理和切槽划开的大理石块被推进楔分离到各钻孔中。把大理石磨锯成板是用一组平行的钢锯条来进行的，钢锯条前后往复运动，并灌以砂子和水。大理岩可以用车床和金刚砂轮来加工，并且用逐级变细的研磨粉来抛光。即使是用最小心谨慎的开采和加工方法，至少也有大理岩总开采量的一半会成为废料。这些材料中的一些可以制成小片，用于水磨石地板和粉刷墙面抛光。在各个不同地方的大多数主要用途中，最适用的还是钙质含量高的石灰岩。

marble　弹球　硬质小球（18世纪用大理石制成），用于各种儿童游戏。弹球游戏古已有之，古人曾经用卵石、坚果或者果核等当球。古罗马的屋大维（即后来的奥古斯都皇帝）幼时和其他儿童一样用坚果玩弹球。考古学家们发掘北美洲印第安人所筑的土丘时，曾经发现大理石雕成的小球。犹太儿童在过逾越节时，以弹榛子为戏。20世纪出现陶球、玻璃球、钢球、塑料球、石华球和玛瑙球等。玩法有滚、抛、投下或者用手指弹球撞击对手的球使之出界，从而把它占为己有。弹球的名称和规则在各地和各国都不尽相同。其中有“打弹出圈”（玩者从圆圈边将别人在圈内的球打出圈外）、“打弹入穴”（将自己或别人的球打进地上的洞穴）、“九孔戏”（使球穿过木板上的小拱门）等。中国的一种玩法是将自己的球踢出以球撞击对手的球，使之往一定的方向移动。

弹球游戏

美国不列颠百科全书公司供图

Marble，Alice　马布尔（1913-09-28，美国加利福尼亚普卢默斯县～1990-12-13，棕榈泉）美国女子网球运动员，以强有力的发球和截击空中球而著名，20世纪30年代后期称霸女子网坛。马布尔是加利福尼亚州大农场主的女儿，在旧金山上学，15岁开始打网球。17岁赢得加利福尼亚少年锦标赛冠军，19岁摘取州女子锦标赛桂冠。1934～1935年患贫血症和胸膜炎，使她打球受到限制。但是后来她所向披靡，4次夺得美国单打冠军（1936、1938～1940），1次夺得温布尔登单打冠军（1939）。在1936～1940年多次怀特曼杯比赛中只输一场单打和一场双打。第二次世界大战期间业余比赛一度中断，马布尔转而从事职业网球运动，随唐巴奇和B.蒂尔登外出参加比赛。1964年她入选国际网球名人堂。马布尔的自传《通向温布尔登之路》于1946年问世。

marble bone disease　大理石状骨病　又称骨石化病。一种罕见的隐性遗传性骨异常。患者骨质极为致密、硬固而且易碎。整个骨生长期间病变一直发展，骨髓腔为密质骨所充满，引致严重贫血。骨折常见。颅骨内骨质沉积，颅神经的通路变窄，颅神经受压，可引起视觉缺失和聋。重病患者可致命，轻者寿命正常。

marbled cat（species *Felis marmorata*）　**云猫**　猫科罕见的东南亚动物，常认为是微型的云豹。大小似家猫，体长45～60厘米，尾长接近体长。毛长，质地柔软，淡褐到浅褐灰色，身上有黑色镶边的大斑，脚和尾上有较小的黑色斑点。对其习性尚不甚了解。生活在密林中，在夜间活动，可能以小哺乳动物和鸟类为食。

marbled pottery　大理石纹陶器　由各种颜色的黏土混合，仿造天然大理石或玛瑙的一种陶瓷制品。大理石纹陶器的制作年代至少可追溯到1世纪的罗马帝国。其在罗马的制作历史与中国陶瓷的历史同样悠久。这类的装饰技法有多种，如用白、褐、灰色的大理石纹黏土组成装饰带；用锰棕色斑点釉组成龟甲样花纹；将各种颜色的黏土片彼此叠铺起来，再拍打成均匀的泥块以制成玛瑙瓷；也

中国唐代的大理石纹陶罐
美国不列颠列百科全书公司供图

可在坯体表面涂覆一层彩色泥浆(液态黏土)做成大理石花纹。

Marblehead 马布尔黑德 美国马萨诸塞州东北部埃塞克斯县城镇。在伸入马萨诸塞湾的多岩石半岛上。西南距波士顿29千米。其深狭的港口外有一长2.5千米的大理石岩岬。1629年建为渔村,1649年设镇。1774年通过《波士顿港法》后发展成渔业和造船业中心,并取代波士顿成为马萨诸塞殖民地输入港。1775年9月2日美国第一艘军舰"汉纳"号在此编入现役。J.格洛弗将军在此建立著名的海军陆战队,并于1776年将G.华盛顿的军队渡过特拉华河,使其得以击败特伦顿的英国雇佣军。1812年战争后其港口衰落,经济转以制造鞋、绳索、胶和油漆为主。现主要为住宅区,也有小型制造业、捕虾业、小船制造业和游艇设施。殖民时期建筑现多有保存。人口19 971(1990)。

Marbot, Jean-Baptiste-Antoine-Marcelin, baron de 马尔博男爵(1782-08-18,法国阿尔蒂拉克～1854-11-16,巴黎) 法国将军,拿破仑时代回忆录的作者,他关于战争所写的一部《评论》促使拿破仑赠给他一笔遗产。17岁入伍,历任拿破仑麾下三个将军的副官,后升为少校,1812年又升为比利时轻骑兵上校,曾在俄国参加德维纳河和别列津纳河畔的战斗(1812),在西里西亚参加卡茨巴赫河的战斗(1813)。1815年任轻骑兵上校,在滑铁卢战役前夕,被拿破仑提拔为将军。滑铁卢战役后流亡国外,1819年回国,从事撰写《评论》(1820)一书。他在书中把战争中人的因素与J.罗尼亚将军的纯理论的战争论作了有力的对比。1826年出版一部论述新法国陆军的著作。路易-菲力普当国王(1830)后重返军营,参加了围攻安特卫普和阿尔及利亚的战斗。

Marburg 马尔堡 德国中部黑森州城市。临兰河。1130年首见记载。1211年获城市特许状。1248年成为黑森第一个伯爵领主的驻地。1228年匈牙利的圣伊丽莎白曾在此做慈善工作并度过她生命的最后三年。在宗教改革运动之前,她的遗骨一直保存在圣伊丽莎白教堂(1235～1283)的神龛中以资纪念。在第二次世界大战中此教堂曾存放德国陆军元帅兴登堡的遗体。市内菲利普斯大学(1527)是欧洲第一所新教大学。每年格劳埃尔霍尔兹节期间都在城堡广场露天剧场上演德国和其他国家的古典戏剧。经济以旅游交通和几种实用工艺美术业(特别是艺术陶瓷)为主。还生产化工品和精密仪器。为著名的会议和展览中心。人口约70 905(1989)。

Marburg(Slovenia) **马尔堡** 参阅**Maribor** 马里博尔。

Marburg, Colloquy of 马尔堡会谈 德国和瑞士双方的宗教改革家于1529年10月在德国马尔堡就圣餐礼问题举行的辩论。辩论会是因政治形势而召开的。在1529年4月第二次施派尔帝国议会上多数决议反对宗教改革,因而黑森的伯爵领主菲利普欲组织一个基督教新教徒的联合会。由于路德宗坚持要有一个共同的信纲作为结盟的基础,菲利普召集这次会谈以解决自1524年以来使改革家们分裂的关于圣餐礼问题的争议。会谈的4位参加者M.路德、P.梅兰希顿、J.奥科兰帕迪乌斯和H.茨温利先举行预备性讨论,然后进行4次正式会谈,在座有伯爵领主菲利普、符腾堡公爵厄尔里奇、各地区代表和约60名来宾。辩论的焦点是基督是否存在于圣餐礼所使用的饼与酒中。10月3日讨论中断,在菲利普的要求下,路德根据在维滕贝格拟就的条款(日后称为《施瓦巴赫条款》)制订《马尔堡十五条款》。前14条陈述为德国和瑞士宗教改革派双方所公认而未在会谈中予以讨论的教义。第15条声称:"目前,关于基督真正的肉和血是否具体存在于饼和酒之中,我们仍未取得一致意见。"这些条款由神学家们讨论、修订和签署,被伯爵领主接受为基督教新教信仰的声明。

Marburg, Philipps University of 马尔堡菲利普斯大学 位于德国马尔堡的一所男女合校高等学府。它原是1527年由黑森的慷慨的菲利普创办的一所新教公共学院。现在该大学由黑森州资助,设有法律、经济、社会科学、教育、心理、新教神学、历史、古典文学艺术研究、语言学和语文学、现代德国文学和艺术、现代语言与文学、非欧洲语言和文学、数学、物理、化学、药学、生物学、地学、地理学和医学等系。

Marbury, Elizabeth 马伯里(1856-06-19,美国纽约州纽约～1933-01-22,纽约) 美国戏剧演员及作家经纪人,19世纪末20世纪初为众多杰出戏剧演员和作家的经纪人。出身于富裕的书香门第,主要在家受父亲教育。1885年由她组织的一次成功的慈善义演促使她有意在剧院管理上一试身手。1888年她说服将其畅销小说《方特勒罗伊小爵爷》改写成剧本的F.H.伯内特雇她作商业经理和代理。这一结合很快证明对两个女人均极有利。1891年马伯里旅居法国,有15年时间她一直是剧作家V.萨尔都和文人协会其他成员在英语国家市场的经纪人。她的工作包括为他们安排合适的翻译、有著名演员的完美演出和争取最高的版税。她也是萧伯纳、克罗瑟斯等其他一些英美作家的经纪人。她的办公室因此成为纽约戏剧行业的中心,有许多年马伯里都与弗罗曼和他的剧院辛迪加紧密合作,令这个日益扩大的行业迅速有序发展。后来她与竞争者舒伯特兄弟的组织合作。1914年她与几位其他代理联手组成美国戏剧公司,其后她积极推出和协助上演完全由J.克恩作曲的《好埃迪》(1915)等音乐喜剧和由C.波特作曲的音乐剧《先看美国》(1916)。这些作品对发展具有美国特色的音乐喜剧贡献巨大。第一次世界大战期间,她大部分时间为法国士兵和美国士兵提供救援工作,在法国度过了几个月的时间,在军医院工作并慰问部队。曾翻译M.巴雷斯的《法兰西的信念》,被法国和比利时政府授予勋章。1923年出版自传《我的水晶球》。

Marbury v. Madison 马伯里诉麦迪逊案(1803-02-24) 美国最高法院判决的一个案例。在该案中,美国历史上首次宣布一项国会通过的法令违宪,并且确立了司法审查的特权——即法院拥有审查国会通过的法令的职权,以及宣布这些法令是合宪还是违宪的职权。最高法院与杰斐逊总统和共和党控制的国会之间日益加深的矛盾,因国务卿麦迪逊根据杰斐逊的命令拒绝发给由前总统亚当斯1801年3月2日任命为哥伦比亚特区治安法官的马伯里委任状而更加激化。马伯里要求最高法院发布一项履行职责令,强制麦迪逊发给他委任状。最高法院拒绝了他的要求,认为法院对这个问题没有管辖权,因为国会于1789年通过的授权最高法院发布履行职责令的司法组织法第13条是违宪的,因而也是无效的。首席大法官马歇尔宣称,在宪法与国会通过的一项法律之间的任何冲突中,宪法必须总是占上风。

Marbut, Curtis Fletcher 马布特(1863-07-19,美国密苏里弗农纳～1935-08-25,中国哈尔滨) 美国地质学家和土壤学权威;同许多国家专家密切合作发展了土质的国际分类法。1889年在密苏里大学获学士学位后,在密苏里州地质调查局工作,后又在哈佛大学以及欧洲做地质学与地文学研究生。1895～1910年在密苏里大学任教,对土壤成分的兴趣越来越高。1910年任美国农业部土壤调查局局长。该局测绘了全国土壤地图。他把德文版的俄国先驱性著作《世界土壤主要类型及其发育》(1927)译成英文,并写出一部基础教材《美国之土壤》(1935)。他正着手研究中国土壤时,因肺炎死于哈尔滨。

Marc, Franz 马尔克(1880-02-08,德国慕尼黑～1916-03-04,法国凡尔登) 德国油画家、版画家,青骑士(**Blaue Reiter, Der**)社创始人。1909年参加了表现派画家所组织的新美术家协会,结识了A.马克。马克喜用绚丽的宽阔色域,马尔克也因袭类似技巧。1910年和W.康定斯基一起编辑《青骑士》刊物。次年,在康定斯基领导下和一些艺术家组织青骑士社。马尔克对东方哲学和宗教夙有兴趣,认为艺术应该揭示自然形象的精神实质,不是一味逼真地模仿其客观外貌,而抽象是表现精神实质最好的方法。他对原始民族、儿童

马尔克绘《蓝马》(1911)
美国不列颠百科全书公司供图

和精神病患者的艺术极感兴趣。其主要作品是对动物的研究,认为低于人类的生命形态最富于表达自然界的活力。其哲理反映在作品《蓝马》(1911)中。1912年后,马尔克的兴趣转向R.德洛内和意大利未来主义画派,作品中的质感增强,并开始用立体主义手法表现各种动物的凶残和怯弱。

Marc Anthony 马可·安东尼 参阅**Antony, Mark** *安东尼*。

Marca 马尔卡 又拼Marka, Merca或Merka。索马里南部港口城市。濒临印度洋。在首都摩加迪沙西南70千米处。该城镇在10世纪已经存在。第一批索马里人是13世纪到达的。由于海边有珊瑚礁,必须用驳船在港口和远洋船只之间搬运货物,限制了港口的发展。主要出口物品是香蕉。人口约62000(最新统计)。

Marca-Relli, Conrad 马卡-雷利(1913-06-05,美国马萨诸塞波士顿～2000-08-29,意大利帕尔马) 美国抽象表现主义画家。发展并丰富拼贴画艺术使之可与巨幅绘画媲美,

马卡-雷利与其作品
美国不列颠百科全书公司供图

为20世纪60年代新达达主义画派的大型"混合画"的产生铺平道路。作为一名新闻评论员和驻外记者的儿子,他在波士顿和欧洲长大,并在意大利接受初期的艺术教育。1931年,18岁时在纽约市建立自己的画室。后在多所大学任教,包括耶鲁大学和加州大学伯克利分校。20世纪末移居意大利,继续从事绘画事业,直至去世。在早期的艺术实践中深受超现实主义梦境般的形象影响。1953年试用拼贴来代替画色。此技巧产生了厚涂颜料的浓重表面肌理。同年,在J.波洛克和W.德库宁的直觉绘画方法的影响下,开始从事即兴作画:随意将画布剪成碎块,然后贴在画面上,用喷灯将画布烘焦,让黑色的定色剂从形象之间的空隙流出。60年代初期,其作品带有和谐与宁静的新风格,如《黑板》(1961)。后来为找到一种比画布更坚韧的材料,就试用带色的乙烯基类的材料和薄铝板。进而使用金属来从事浮雕创作,最后创作出独立式的铝雕。1966年重新作涂色画布拼贴画,这些画具有明显的书法格调。

Marcabru 马卡布鲁(生于加斯科涅[法国],活动时期1130～1148) 法国加斯科涅诗人、音乐家,是普罗旺斯语中一种故意弄得晦涩难懂的引喻诗体的早期倡导者。不像多数成功的行吟诗人,他不是贵族。他在法国南部和西班牙几个宫廷里服务,从未寻求一位永久性的保护人。他富有创新精神的写作技巧和幽默感,在他所有的诗作中都显而易见。尽管他的作品给人一种有意含混不清的意象,并经常使用一种令人费解的象征手法,但人们却对他的写作技巧广泛模仿,推崇备至。目前尚存诗作40多篇,包括十字军歌曲、讽刺诗、爱情抒情诗以及一首情趣横溢的田园诗。但是,马卡布鲁最喜欢的主题却与他同时代的诗人所赞颂的那种纯正完美的爱情和淫荡的宫廷生活大不相同。他是一位感情激烈的道德家,他批评贵族和其他行吟诗人歪曲了真正的宫廷道德。他的许多优美的诗歌都是应答其他诗人的作品。

Marcantonio 马尔坎托尼奥 参阅**Raimondi, Marcantonio** *拉伊蒙迪*。

marcasite 白铁矿 一种铁的硫化物矿物,呈浅青铜黄色的斜方系晶体,往往形成特有的鸡冠状或束状双晶。因而别名"矛状黄铁矿"和"鸡冠状黄铁矿",正是指这种晶体的形状和颜色。呈放射状纤维也是常见的。在金属矿脉中,与铅锌矿物共生,如在美国伊利诺伊州加利纳和德国克劳斯塔尔-采勒费尔德和林尼希。其化学分子式与黄铁矿(FeS_2)相同,但晶体是斜方晶系而不是等轴晶系。风化后,可转变成硫酸亚铁和硫酸。关于详细的物理特性,参阅**sulfide mineral**(表)。

Marceau(-Desgraviers), François-Séverin 马尔梭(1769-03-01,法国沙特尔～1796-09-21,莱茵河流域巴拉丁领地阿尔滕基兴) 法国将军,法国革命战争初期著名青年英雄。律师之子。1785年逃出家园,参加萨伏依-卡里尼昂步兵团。1789年参加攻打巴士底狱,后加入沙特尔义勇军,任中校。1793年10月16日在绍莱战役中成为将军,任临时总司令。他的英雄气概获得12月对旺代大军的重大胜利。翌年2月,他在国民公会中受到热烈的欢呼,并奉命指挥在阿登的一个师攻打奥地利军队。他攻克逃亡贵族前首都科布伦茨,使巴黎人特别欢欣鼓舞(1794-10)。后在兰河畔的阿尔滕基兴的战斗中,为蒂罗尔狙击手所击毙。

Marceau, Marcel 马尔索(1923-03-22,法国斯特拉斯堡～2007-09-22,卡奥尔) 20世纪法国杰出的哑剧演员。他扮演的哑剧人物表情丰富,动作洗炼,并具有芭蕾舞姿的优美感。

美国不列颠百科全书公司供图

最著名的人物塑造是1947年演出的比普,这是一个半皮埃罗、半卓别麟式的流浪者角色。第二次世界大战期间在法国军队中服役,并从事地下活动。战后在巴黎萨拉·贝因哈特剧院戏剧艺术学校学习。在哑剧《浸礼会信徒》中扮演滑稽角色获得首次成功。从此专心致力于哑剧,并组织了一个哑剧团。50年代因演出果戈里的《外套》以及他本人的高超演技博得了世界性的赞扬,此后,便开始作国际性巡回演出。

Marcel, Étienne 马赛(约1316～1358-07-31,巴黎) 法国中产阶级领袖,布商。1354年成为全巴黎商会会长。1355年11月,法国国王约翰二世为筹款继续对英作战而召开三级会议,他抵制国王,提议由三级会议管理税款。约翰在普瓦捷被俘后,他于1357年初领导三级会议与国王对立,要求罢免贪官污吏,并把约翰的儿子(后为查理五世)置于三级会议的监护之下。1357年11月他认为如得到"坏蛋查理"的支持,可使太子就范。为恫吓太子,他暗杀了太子的两个元帅。太子离开巴黎后,他开始布置城防。1358年5月,他与反抗贵族的*扎克雷起义*(**Jacquerie**)协同行动。6月起义被镇压下去,他的声望和权势也随之衰落。他在绝望中向佛兰德甚至英格兰求援,7月被刺死。

Marcel, Gabriel(-Honoré) 马塞(1889-12-07,巴黎～1973-10-08,巴黎) 哲学家、剧作家与评论家,通常被认为最早的法国存在主义哲学家。

早期生活及所受影响 马塞为亨利·马塞的独生子。亨利为政府官员、外交官及杰出的博物馆长。马塞4岁时,其母突然逝世,使其心灵蒙受严重创伤,但他又觉得其母仍神秘地留在他身边;此事促使他很早便迫切地关心死亡和不可改变的事物。他在外婆及姨母的抚养下长大,其姨母为性格坚强正直的热情妇女,后来成为他的继母,并对他早期的成长发展起着重大影响。他由于身为家人经常注意和关怀的中心而深感苦恼,他虽然学业成绩优秀,但家人仍不断要求他取得更高成

就，加以学校中死板和机械的教学方法，使他对那种不顾学生个性而只作硬性灌输的教育方式，产生终身的厌恶。于是他借假期之便，前往外国旅行，以排遣苦闷心情，而当其父被派任法国驻瑞典公使时，他就随父同往。这些休假活动养成了他从事旅游的毕生爱好，并满足了他熟悉新鲜事物和探求未知领域的内心迫切要求。晚年，他通晓了好几国的语言和谙熟它们的文学作品，在把当代外国作家介绍给法国读者方面，他起到了重要作用。

美国不列颠百科全书公司供图

马塞的早期教育并未受到宗教的影响。他父亲是信心不坚的天主教徒和颇有修养的不可知论者，因而从未操心给他施洗礼；而他的姨母-继母则具有非宗教的犹太人背景，最后成为带有自由主义和人道主义色彩的新教徒。他们认为，理性、科学和良心足以取代传统的宗教而作为人生的指导。马塞尽管曾经备受双亲的钟爱和关怀，但晚年回顾当初的那段生活时，却认为自己在精神上受到了“奴役”和“监禁”，因而（不自觉地）被迫去从事一种宗教上的个人探索，和对宗教信仰状况进行哲学研究。

工作范围 他的探索分三个方面：音乐、戏剧和哲学。聆听音乐、演奏乐器及作曲，自幼即对马塞思想的形成具有巨大影响，而作曲家 J.S.巴赫和莫扎特等人对他精神的潜移默化，比诸著名的宗教作家如奥古斯丁和 B.帕斯卡则更为明显。身为作曲家，他最喜欢的作曲方式是弹奏钢琴即兴创作，对他来说，这是他同一种超验现实的心灵交流，而不只是表达私人的感觉和印象。马塞的即兴创作只有一小部分留下了乐谱或录音，不过，他在 1945 年时成为名副其实的作曲家，便致力于为诗歌谱曲，作品包括 C.波德莱尔和 R. M.里尔克等人的诗篇。

编写剧本是他早期另一重要的表达方式。亨利·马塞时常给家人绘声绘色地朗诵剧本。马塞自幼就编造了不少他同幻想中的兄弟姊妹之间的对话，而他 8 岁时便写出了第一个剧本。他自己的家庭情况就为他后来的戏剧作品提供了活生生的模型，这些作品叙述了发生在个别人物身上的一些错综复杂和互不相容的渴望、挫折及冲突。他对人类生活中混乱和丑恶现象的生动感人的描绘，增强了他音乐创作中超常和谐的表现内容，两者都牵涉到人生中的基本体验和主题，而这正是他后来在哲学思考中所探索的问题。这些问题是其哲学思想事先无意识发生的具体证明，而不是事后故意编造的例子；当问题出现在其戏剧中造型生动的角色们之间的精神危机和相互交往之中时，它们就涉及马塞将在哲学思考中所关心的主要内容，而不像老一套的“问题剧”那样，只是装模作样地搬弄一些热门话题而已。

马塞在其早期剧本，例如《恩赐》、《沙的宫殿》、《其他人的心》和《破坏圣像者》等作品中，探讨了心灵上的真实与否、宗教上的虔信与否以及人际交往中的完善或失败等主题。他在《升 F 调四重奏》一剧中，综合音乐、哲学和戏剧方面的特长，生动地描绘了生活紧密相联的人们彼此之间的渗透意识。他把他最重要的哲学论文之一（《论本体论的奥秘》）附在《破碎的世界》一剧的后面，该剧的主人公是一位美丽、沮丧而仍抱有希望的妇女，作者通过此人的空虚生活和亲友关系，展示了剧本标题“破碎的世界”的内涵。

哲学思想的发展 马塞很早就酷爱哲学，哲学是他在接受预科教育时唯一能使他心不旁骛的课程。他 18 岁时，为获得高等学校文凭而写了一篇题为《科尔律治的形而上学概念与谢林哲学思想的关系》的论文，随后他进入巴黎大学攻读哲学。他虽然通过考试而取得了中学哲学教师的资格（1910），但他从未完成其博士论文——关于理解宗教思想的必要条件。他只是偶尔到学校授课，通常在出版社从事审稿、编辑、撰稿和撰写评论等工作，以维持生活。

马塞起先认为哲学是一种目的在于超越日常生活的高度抽象的思维方式。经过长时期的探索研究，他逐渐发展了一种具体的哲学体系，试图把抽象观念所摒弃不顾的人类内心深处的感受，加以深化和复原。这种哲学的“转化”，是在第一次世界大战中他参加法国红十字会工作时产生的，那时他正在设法追查失踪名单上的士兵。他见到的不是档案卡片上的资料，而是真正的却看不见的失踪者——他们的幽灵——而他则分担着这些人的哀伤亲友们的痛苦。这种马塞称作“心灵学”的实验——通过心灵感应、超视洞察力、先知术和招魂术等方式，以探索能否同失踪者进行信息交流——在其哲学转化中也具有作用。在他看来，上述这些实验对当代哲学中老一套的自然主义和唯物主义的倾向提出了有力的挑战，表明存在着一种普通感官经验所无法觉察的领域，并使他能在哲学探索中不受传统偏见和禁忌的约束。

马塞本来打算用惯常的论文方式表达其哲学见解，但当他明白自己的哲学使命主要为进行探索，哲学家的处境将永远是摸索和置身中途即所谓“旅途中人”时，他便认为此种方式太富于说教色彩而予以放弃。代替的办法是发表他的哲学笔记及哲学研究日记（例如《形而上学日记》和嗣后在《存在和所有》及《显灵和不朽》等作品中篇幅较短的哲学日记）。他还针对个别主题和在个别场合撰写了一些短文（如《旅途中人》一书所载文章）；这些文章通常是根据原先日记中不同记述内容发展补充而写成的，例如关于流亡、监禁、分离、忠诚和希望等主题，而这些问题也是 1940～1944 年法国被德军占领时人民在特殊处境下的一种反应。

马塞精神生活中的决定性事件，是他于 1929 年 3 月 23 日改信罗马天主教。这是他多年来对人生及宗教信仰的状况和意义进行哲学思索的高潮。这一行动表明他已认识到他需要选择一种特定形式的宗教信仰，而笼统的宗教信仰则并不存在。尽管他在表面上与新教具有密切关系，而新教又似乎更适合他那种基本上不拘一格的性格和从事自由思考的需要，他仍然选择了天主教。他终于懂得，这是一种普遍信奉的宗教，而不是某种特殊教会机构或者某种团伙性质的排外宗派。他作出这一决定性选择之后，便以特有的精神气质，继续从事独立的哲学研究，而绝不为官方的天主教哲学充当神学的辩护士或代言人。他还在其剧本和哲学著作中，继续对人生的黑暗及消极现象，进行探究和解释。

基本的主题和研究方法 马塞在现代思想方面所作的贡献，在于他对人的一整套体验——信任、忠诚、许诺、证明、希望和失望——进行了探索和阐明，而现代哲学中居统治地位的学派却认为这些问题不值得在哲学上加以思考而置之不理。他进行这些探索依靠的是一种超常的思考能力和严谨的治学精神，这是一种最卓越的形而上学才能。

他把早期的所谓“参与”的主要观念——即是同实在直接交流——逐渐加以发展提高，用以阐明每一种事物，由人体与意识所感知的基本知觉以至“天人之间”的关系，均适用于“参与”观念。按照这样的想法，诸种存在之间全面而公开的关系，基本上属于“对话”性质，即“我”和“你”之间的关系，也就是一方为某一个人的整体，另一方为他所面临的事物之全部——另一个生命或存在、一种“显灵”和一种“奥秘”，而不是孤立的感觉、思想和词语的“客体”。这种关系要求向“彼”而不是向“己”坦诚地提供方便（disponibilité），同时还要进入参与（engagement）之中——这些倾向在日常生活中并非罕见。相反的情况也普遍存在——不愿与他人坦诚相见、协作共事，不能器重和信任别人，不抱希望，表现出一种消极、沮丧甚或自杀的倾向。对马塞来说，这两种可能性是为人的主要特征：人可以对自己的存在加以肯定或否定，人可以对自己参与存在的要求采取赞成或阻挠的态度。

在对待这些问题时，马塞的思想方法及表达方式是开朗和直觉的。他对诸如希望、忠诚或证明等名词的含义进行探查，并对抱希望者、忠诚者或证明人的思想、行为、态度进行细微的描写，从而勾画出这些名词所表示的实在情况。他利用实际的比喻和真实生活的事例，来唤起并具体表现他所探究的难以言传的体验及实在情况。

马塞以自己独特的方式成为 20 世纪中期哲学研究的中心重点之一——现象学——的突出楷模。马塞所使用的这种直觉方法是独创的，它不同于著名德国现象学家 E.胡塞尔及其追随者的工作方法；同样，他的“我和你”关系的概念属于独辟蹊径，而与 M.布贝尔及其他对话派思想家无关；他对存在主义主题的探索，早在他阅读丹麦哲学家克尔恺郭尔的著作以及 20 世纪中期存在主义哲学在欧洲风行一时之前就已经进行多年了。我们可以公正地把马塞称作法国最早的现象学者和法国最早的存在主义哲学家(虽然他不赞成使用存在主义这一名词)。

马塞于1919年同雅克琳·伯格纳(1947年卒)结婚,他称她为"我生活中完美的伴侣"。他们的独子是收养的,名叫让·马里。马塞同其养子的关系,可能启发他后来去思索"生父之道"和收养关系的真谛等问题。

Marcellinus, SAINT 马尔塞林努斯,圣(?,罗马?~304-10,罗马) 教皇(约291或296~304)。据传他在位期间长期平和无事,但后来罗马皇帝戴克里先再一次也是最末一次血腥迫害基督教。相传马尔塞林努斯在迫害期间叛教。奥古斯丁认为此说虚妄。马尔塞林努斯后来可能曾忏悔叛教之过,最后殉教,但此说亦缺乏佐证。

Marcello, Benedetto 马尔切罗(1686-07-24,威尼斯~1739-07-24,威尼斯共和国布雷西亚) 意大利作曲家和作家。他有以下两部作品留名后世:讽刺性小册子《时髦的剧院》(1720),其中写有对当时音乐剧状况的意见,是歌剧早期历史的一部重要文献;《诗意和谐的随想》(1724~1726),这是为G.朱斯蒂尼亚尼所写意大利演释曲前50首诗篇所谱写的音乐(人声和乐器)。1711年为威尼斯四十人议会成员之一。1730年去波拉任总督。8年后退休回布雷西亚,成为教皇的名誉侍从。作品有歌剧、清唱剧、康塔塔、协奏曲和奏鸣曲。他也是一位诗人,曾翻译J.德莱顿的《提谟修斯》,并用作他的一部康塔塔的唱词。

Marcellus I, SAINT 马尔塞鲁斯一世,圣(?,罗马~309) 教皇(308-05或06~309-01-16)。他强令在罗马皇帝戴克里先迫害基督教时期叛教的信徒履行悔罪手续,从而引起暴乱。309年被罗马皇帝马克森提逐出罗马,不久死去。

Marcellus II 马尔塞鲁斯二世(1501-05-06,托斯卡纳蒙特普尔恰诺~1555-05-01,罗马) 原名塞维尼。教皇(1555)。在任枢机主教期间曾与另两位枢机主教德尔蒙特(即

G.A.de 罗西制作的大纪念章上的马尔塞鲁斯二世像
美国不列颠百科全书公司供图

日后的教皇尤里乌斯三世)和波尔共同主持1545年特伦托会议。登教皇位后不足一个月即死去。

Marcellus, Marcus Claudius 马塞卢斯(约公元前268~前208,阿普利亚韦努西亚附近) 罗马名将,在第二次布匿战争(公元前218~前201)中攻克叙拉古。尽管历史学家李维对他的描写过于夸张,但"罗马之剑"这个绰号他当之无愧。第一次任执政官期间(公元前222),他曾与因苏布雷人作战,杀死敌方主将,在罗马历史上第三次也是最后一次赢得"荣誉战利品"。罗马军队在坎尼被击败(公元前216)后,他统帅余部保卫诺拉和坎帕尼亚南部免落入汉尼拔之手。公元前214~前211年第三次任执政官期间在西西里作战,经2年围攻终于攻克叙拉古,将该城珍宝全部运回罗马。公元前210年再次任执政官,攻取背叛罗马与汉尼拔结盟的阿普利亚的萨拉皮亚。公元前209年在韦努西亚附近与汉尼拔交锋,未分胜负。公元前208年第五次任执政官,在侦察敌方阵地时被打死。

Marcellus, Marcus Claudius 马塞卢斯(?~公元前45-05) 罗马共和国贵族党首领,尤里乌斯·凯撒的死敌。公元前51年任执政官时,曾企图夺去凯撒的兵权,因亲凯撒的保民官的反对而失败。内战期间(公元前49~前45),他随庞培去希腊。公元前48年庞培死后息影政坛,隐居米蒂利尼,钻研修辞学。后在回意大利途中被侍从刺死。

Marcellus, Marcus Claudius 马塞卢斯(公元前42~前23,坎帕尼亚巴亚[意大利]) 罗马奥古斯都皇帝的姐姐屋大维娅的儿子。公元前25年与尤莉娅公主结婚。因有充当帝位继承人的野心而与阿格里帕发生冲突。同年随皇帝出征西班牙。两年后死去,当时他是地位最高的市政官。人们对他寄予厚望,许多作家写文赞颂他。维吉尔的史诗《埃涅阿斯纪》中有一节就是对他的颂扬。在安葬时,奥古斯都亲自致悼词。

Marcellus, Theatre of 马塞卢斯剧院 罗马的一家剧院,以奥古斯都的外甥M.C.马塞卢斯(公元前42~前23)的姓氏命名。由J.凯撒开始兴建,于奥古斯都时期公元前13年完工。剧院座位排成楔形,座位的整个基础现在是萨韦利宫殿地下部分,部分外部拱廊是托斯卡纳柱式和爱奥尼亚柱式建筑,至今保存完好。剧院的座位容量估计在11 000~40 000之间。

March 三月 格雷果里历的第三个月份。参阅**month**。

march 进行曲 第一拍上有强烈重音的偶数节拍的乐曲形式,原用以方便行军。后来的许多进行曲虽仍保留军事内涵,却不是为实际行军而作。进行曲是土耳其侵略欧洲时长期遗留的一种曲式,在欧洲最后定型的形式为一首原始的进行曲和一个或几个对比性段落(即三声中部)交替出现。最早的进行曲中有一首是T.阿尔博于1589年所作。17世纪法王路易十四的军乐队曾演奏进行曲;实际上,一直到19世纪开始后很久,法国在整个欧洲可说是执进行曲音乐之牛耳。法国大革命的10年连同它那不计其数的公众仪式在贝多芬的大量进行曲中留下深刻的烙印,例如《降A调钢琴奏鸣曲》(作品第26号)和《第三交响曲(英雄)》中所见。拿破仑和其后时代中的类似事件也在肖邦《降B小调钢琴奏鸣曲》以及柏辽兹《幻想交响曲》的经常被人模仿的《断头台进行曲》一段的排场和仪式中反映出来。到20世纪,普罗科菲耶夫和斯特拉文斯基把进行曲用于讽刺目的。在奥地利,从莫扎特和舒伯特以至马勒逐步形成一种比较文雅的进行曲传统;而英国的进行曲则以戏剧性而不以军事性取胜,直到20世纪早期在这方面无出其右者。20世纪后J.P.苏泽才奠定了美国在军乐领域的卓绝地位。

March, EARLS OF 马奇伯爵 苏格兰封爵贵族,属邓巴家族。封号源出苏格兰和英格兰之间的马奇(边界地区)。按年代顺序分列于后,并各以●为标记。

● March, Patrick Dunbar, 2nd Earl of 马奇伯爵(第二)(1285~1369) 又称邓巴伯爵(第九)。布鲁斯王朝的罗伯特一世和戴维二世在位时期苏格兰著名贵族。在班诺克本战役以后,他庇护英格兰国王爱德华二世,使其从海上逃回英格兰。他后与罗伯特讲和,被任命为贝里克城堡总督,坚守城堡,抵御爱德华三世,直至苏格兰人在哈利登山战败(1333-07-19)为止。他的夫人因皮肤黝黑人称"黑艾格尼丝",系莫里伯爵之女,以保卫邓巴城堡,抗击英格兰人,迫使其在猛烈围攻达19周之后撤退而在苏格兰历史上和传奇故事中闻名。

● March, Alexander Stewart, Earl of 马奇伯爵 参阅 **Albany, Alexander Stewart, Duke of 奥尔巴尼公爵**。

March, EARLS OF 马奇伯爵 英格兰封爵贵族,属几个家族,其中最著名的是莫蒂默家族。封号源出英格兰和威尔士之间的马奇(边界地区)。按年代顺序分列于后,并各以●为标记。

● March, Roger Mortimer, 1st Earl of 马奇伯爵(第一)(1287?~1330-11-29,英格兰伦敦附近蒂伯恩) 即R.莫蒂默。英格兰国王爱德华二世的王后法国的伊莎贝拉的情夫。在爱德华三世未成年期间,他是实际上的英格兰国王(1327~1330)。诺曼骑士的后裔。1304年其父死后,他成为第8代威格莫尔男爵。1316年任爱尔兰总督。1317年在英格兰的政治事务中与彭布罗克伯爵的"中间派"联合在一起。1321年在南威尔士与德斯彭瑟父子(**Despenser, Hugh Le and Hugh Le**)发生激烈冲突。但因得不到爱德华二世的其他敌人的支持而于1322年1月降服,被监禁在伦敦塔。1323年逃往法国。1325年伊莎贝拉王后到法国后成为他的情妇。1326年9月率流亡贵族入侵英格兰。次年与伊莎贝拉共谋,废黜和杀害了爱德华二世。此后,他作为王后的情人,实际上统治了英格兰。他肆无忌惮地谋取私利。1328年封马奇伯爵,得到登比、奥斯沃斯特里和克兰等领地。他的贪得无厌和傲慢态度在当权贵族间引起普遍的

反感。1330年10月爱德华三世下令将他逮捕,押送到伦敦塔。议会宣布他犯有大罪,将他绞死,他的财产由国王没收。

● **March, Roger Mortimer, 2nd Earl of 马奇伯爵(第二)**(1328-11-11,英格兰什罗普郡拉德洛～1360-02-26,勃艮第地区阿瓦隆附近鲁夫赖[今在法国]) 即R.莫蒂默。英格兰国王爱德华三世的主要支持者。其祖父第1代马奇伯爵死后,莫蒂默家族曾暂时衰退。他与国王的友谊,使他在1354年重获祖产。此外,表面上以法律判决掩饰的皇家支持,使这位年轻的伯爵重得祖父当权时所获土地的大部分,包括著名的登比封地。这时,马奇伯爵(第二)已跟随英王参加过克雷西战役(1346),成为嘉德骑士团的创立者之一。1355年他又随爱德华前往皮卡第。1359年身为王室侍卫长,是进攻法国大军的前锋。

● **March, Edmund Mortimer, 5th Earl of 马奇伯爵(第五)**(1391-11-06,英格兰汉普郡纽福里斯特～1425-01-19,爱尔兰阿尔斯特) 即E.莫蒂默。英王亨利五世的朋友,叛乱贵族提出的并非情愿的合法王位继承人。马奇伯爵(第四)埃德蒙之子。母亲是爱德华三世的孙女和继承人。1399年亨利四世篡位后,他的处境十分危险,因为根据血统关系的正常规定,他比新国王更有资格继承王位,很多人都认为他是理查二世的合法继承人。他在整个亨利四世统治时期受到严密的监视。O.格伦道尔和英格兰的反叛者以拥立他为英格兰国王为目的。但他对亨利五世似乎忠贞不渝,曾参加阿夫勒尔包围战和亨利五世在法国进行的所有战役。1423年他出任爱尔兰总督,在那里死于瘟疫。他的后裔爱德华于1461年成为英格兰国王。

● **March, Edward, Earl of 马奇伯爵** 参阅**Edward**(England and United Kingdom)*爱德华*(英格兰与联合王国)项下的**Edward IV** *爱德华四世*。

March, Ausias 马尔奇(1397,西班牙巴伦西亚～1459,巴伦西亚) 用加泰罗尼亚语写作的第一位重要诗人,他的诗歌对当时和现代的其他诗人产生过很大影响。其诗歌描写肉欲和昂扬的理想主义之间的斗争,痛苦地表达出对肉欲,以及对他自己和情妇屈服于肉欲的软弱而感到的耻辱。对马尔奇的诗歌及其生活态度的形成产生影响的因素,除了彼特拉克之外,还有普罗旺斯行吟诗人、经院主义哲学,以及称为"温柔的新体诗派"的意大利文学运动,所有这些使马尔奇被列为中世纪作家而非文艺复兴时期的作家。他的诗大部分发表于1543年。分为《爱情之歌》、《死亡之歌》、《道德歌》和《圣歌》。

March, Francis Andrew 马奇(1825-10-25,美国马萨诸塞米尔贝里～1911-09-09,宾夕法尼亚伊斯顿) 美国语言学者和词典编纂家,为盎格鲁-撒克逊语(古英语)现代比较语言学主要奠基人。1857年,任费城以北伊斯顿市拉菲特学院英语和比较语文学教授,迄于1907年,是这类讲座的第一位教授。其巨著是《盎格鲁-撒克逊语比较语法》(1870,1977年再版),讨论盎格鲁-撒克逊语同梵语、希腊语、拉丁语及5种日耳曼系语言的关系,历时10年始告成书,欧美学者视为一项卓越成就,为后来英语史的研究工作奠定了基础。曾多年主持美国对《牛津大词典》的供稿工作。所著《拼写法改革》(1881)一书为英语正字法改革方面的主要著作。另与其子弗朗西斯(1863～1928)合编《英语同义语词典》(1903,1980年第2版)。

March, Fredric 马奇(1897-08-31,美国威斯康星拉辛～1975-04-14,洛杉矶) 原名弗雷德里克·麦金太尔·比克尔。美国著名戏剧演员和电影演员。早期演艺生涯使用其原名比克尔,曾在纽约和俄亥俄演出。1924年开始使用舞台艺名。1927年与女演员F.埃尔德里奇结婚,1927～1928年与妻子一起参加戏剧公会的系列演出。因在美国西海岸演出《皇族》(1928)一剧,引起派拉蒙制片厂的注意,并随即签订雇佣合同。1929年首次步入影坛,在数部影片中饰演角色,1930年在电影《皇族》中露面。他以日戏中的名角、充满活力的J.巴里穆尔为依据,创造了卡文迪什这一角色,使他成为举国皆知的人物。他避开了好莱坞指派的同一类型角色,两年后在《化身博士》一片中饰演主角而第一次荣获奥斯卡奖(1932),并博得多才多艺的声誉。所拍电影超过65部,《我们生命中最美好的年华》(1947)一片使他再度获奥斯卡金像奖。《百老汇的皇族》(1931)、《一个明星的诞生》(1937)和《推销员之死》(1951)3片使他3次被提名为该奖候选人。与他配戏的主角女演员有嘉宝(《安娜·卡列尼娜》,1935)和赫本(《苏格兰的玛丽》,1936)以及他的妻子。间断表演10年之后,1938年重返戏剧舞台,与妻埃尔德里奇共同主演《你恭顺的丈夫》一剧,此后,他既演戏剧又演电影。在他后来所饰演的戏剧角色中,获得赞誉的有《幸免于难》(1942)、《阿达诺之铃》(1944)、《秋园》(1951)及与妻共同主演的《直到夜晚的漫长一天》(1956),后一剧使他们2人均获"纽约剧评界投票杂艺奖"。此外,他还获得托尼最佳演员奖。所拍最后一部影片是与戏剧同名的《卖冰的人来了》(1973)。

March First Movement 三一运动 又称三一独立运动。1919年3月1日在朝鲜首都汉城开始的争取脱离日本统治的民族独立运动,不久即扩及全国,持续12个月,参加人数总共近200万名。举行大示威1 500多次,约7 000人被日本军警屠杀,1.6万人受伤,有715所民宅、47座教堂及2所学校被焚毁,被捕者4.6万余人,其中1万人受审和被判刑。这次运动是由33名朝鲜文化界和宗教界的领袖发起的。1919年3月1日,他们在汉城组织群众大示威,向群众宣读了他们的《独立宣言书》。随后又在全国各城镇进行宣读。朝鲜人民蓄积已久的反日情绪顿然迸发出来。全国许多地方都举行示威集会,形成朝鲜历史上规模最大的全国性反对外来统治的示威活动。这次运动虽然未能达到民族独立的目标,但它对于加强民族团结具有重要的意义,导致*韩国临时政府*(**Korean Provisional Government**)在上海产生。三一运动的失败极大促进了朝鲜共产党的兴起。现在,3月1日在朝鲜和韩国都是一个民族节日。

March fly 毛蚊 双翅目毛蚊科昆虫。体粗壮而短,色深,有红及黄色斑纹,腿上有强大的距。春天和初夏常见于花朵周围。幼虫以植物根和腐烂植物为食。

March Laws 《三月法》 又称《四月法》,匈牙利国会于1848年革命期间在波若尼(今布拉迪斯拉发)通过的法规,现代马扎尔民族国家由此建立。1848年春巴黎(2月24日)和维也纳(3月13日)发生革命后,控制着下院的自由派匈牙利人主张推行社会改革和实现民族解放,以避免激烈的革命。3月15日自由派领袖L.科苏特向国会提出一项纲领,其目的在于维护贵族的权力和建立独立的马扎尔人国家。纲领后来称《三月法》,由上下两院通过。其主要内容是:匈牙利设总督,行使奥匈帝国的皇权,不听维也纳指挥;匈牙利有自己的国民警卫队、预算和外交政策;匈牙利有自己的向议会负责的内阁;以议会代替封建的国会;选举权以财产多少为根据,但议员必须操匈牙利语;斯蒂芬王室领地一概归马扎尔国家;取消贵族豁免赋税的规定;废除强制劳役,由国家发给地主补偿金。4月11日奥匈帝国皇帝斐迪南一世批准了《三月法》。1849年的革命失败后,匈牙利不顾奥地利的反对,仍然坚持这一法规。在1867年的《妥协方案》下,匈牙利获得了完全的内部自治。

March on Rome (Mussolini coup) 参阅 **Rome, March on** *向罗马进军*。

Marchais, Georges (- René - Louis) 马歇(1920-06-07,法国拉奥盖特～1997-11-16,巴黎) 法国政治人物,从1972年起为法国共产党领袖。早年为机械工人,1946年成为五金工人联合会书记。1947年加入共产党,1956年任中央委员会委员,1972年成为党的总书记,此后一直担任此职。1972年同社会党领袖密特朗和法布尔一道提出法国左翼政党的共同政纲,以便加强竞选力量。1973年3月选入国民议会,1974年支持密特朗为左翼联合总统候选人,竞选失败。1977年共产党与社会党的联盟解体,马歇放弃温和的马克思

中国大百科全书出版社供图

主义立场，采取更加亲苏的强硬路线。1981年4月第一轮总统选举中马歇同密特朗竞选失败，得票降至1936年以来的最低点。国民议会选举中，共产党的议席也从86席减少到44席。在第2轮投票中马歇决定无条件支持社会党人，对社会党获胜起了重要作用；密特朗则同意任命4名共产党人在其内阁中任职。此后共产党的支持率不断下降。在1986～1993年的议会选举中，共产党的议席不到10%。1994年1月辞去共产党第一书记职务。

Marchand, Jean-Baptiste 马尔尚（1863-11-22，法国图瓦塞～1934-01-13，巴黎） 法国军人和探险家，以占领苏丹的法绍达（今科多克）而知名。在军队服役4年后人圣·马克西安军校，1887年获准尉军衔。1889年在塞内加尔供职，攻占迪耶纳时负重伤，封荣誉军团骑士。1890年探查尼日尔河河源、西苏丹（1892）和象牙海岸的腹地（1893～1895）。为防止英国人将苏丹与乌干达连成一片，他于1897年受命远征，从法属刚果的布拉柴维尔动身，横跨中非，于1898年7月到达白尼罗河的法绍达。此举引起英法两国关系紧张。后返回巴黎，成为法国的英雄人物，并晋升为荣誉军团司令。义和团起义期间，他参与对北京的进攻。第一次世界大战时作为将军指挥殖民师，参加了西线数次重大战役。1919年退休，获荣誉军团的大十字勋章。

Marchand, Marie-Françoise（French actress）**马尔尚** 参阅 **Dumesnil, Mademoiselle 迪梅尼尔小姐**。

Marchantia 地钱属 地钱目苔类植物。遍布于北半球，见于潮湿黏土或淤泥土层，尤其

地钱（*Marchantia polymorpha*）雌株，长有生殖结构（带指状突起的柄）
美国不列颠百科全书公司供图

见于新近火烧过的土地。地钱（*Marchantia polymorpha*）常作为苔类植物的代表种。配子体深绿色，具分枝，带状，宽约1.3厘米，长5～13厘米。上表面有钻石状斑纹，具中央孔，用以通气，斑纹下即气室。雌株和雄株均有一具柄的伞状生殖结构。雄器为盘状，具圆齿边缘。雌器有9个指状突起。精子借助雨水游到雌株，受精卵在雌器内发育成孢子体。雄株和雌株均能行营养繁殖，能产生胞芽或裂殖。

Marche 马尔什 1789年法国大革命以前的省份，大致相当于今克勒兹省，另外加上安德尔省一小块和上维埃纳省北部的大部。古时该地属利穆赞，10世纪中叶从利穆赞分出，另成一边区，以保护普瓦图和阿基坦公国的其他地方，使之免遭来自北方的侵略。12和13世纪，许多直接归普瓦捷管辖的采邑当中相间着一些主教辖区，采邑逐渐发展后，实际上把这一边区分为上、下马尔什。后相继为波旁公爵所统辖。1527年为法国的弗兰西斯一世没收，1574～1643年间，连续几次被赐予法国国王的遗孀。从17世纪末至旧政权灭亡，伯爵称号一直由孔蒂亲王之子承袭。在行政上，下马尔什从1586年起处于利摩日总督治理下，上马尔什则处于穆兰（波旁）总督治理下；在司法方面，全省归巴黎高等法院管辖。

Marche 马尔凯 意大利中部一区。濒临亚得里亚海。下设安科纳、阿斯科利皮切诺、马切拉塔、佩萨罗-乌尔比诺四省。面积9 692平方千米。境内多山脉和丘陵，少量平地分布在沿河谷地和安科纳西北亚得里亚海沿岸。主要山脉是亚平宁山脉的翁布里亚-马尔凯段。河流众多，主要有梅陶罗河、福利亚河、埃西诺河、波坦察河、基恩蒂河以及特龙托河等。原由高卢人和皮切尼人定居。很早并入古罗马版图。公元292年成为独立行政单位。中世纪初期，北部由拜占廷人统治，南部由伦巴第人统治。12、13世纪，一些敌对的强大家族崛起，教皇亦想恢复对当地的统治，局势出现动荡。1631年当地乌尔比诺公国并入教皇辖地。1860年全区归属意大利王国。现经济以农业为主，主要生产小麦、玉米、饲料、橄榄和葡萄酒。畜牧业分布广泛。沿岸港口有渔业。区首府**安科纳**（**Ancona**）为主要港口。工业不发达。有造船、造纸、纺织、乐器制造、制陶等行业。沿海铁路为交通动脉。安科纳有铁路直通罗马。人口：城市区约1 417 806（1983）。

Märchen 童话 带有魔法或神奇色彩的民间故事。Märchen这个普遍为民间传说研究者所采用的德语名词，还包括令人难以相信的故事和富有幽默感的趣闻逸事；它虽然常被译成英语fairy tale（神仙故事），但神仙却未必是不可少的主题。童话通常以“从前……”这一套语开头，使故事背景为模糊不清的时间和地点。这种故事常见的主题是一个几乎完全没有成功可能的人，借助或不借助神力战胜困难。其人物，如狠毒的继母、愚蠢的吃人妖魔或英俊的王子等，均按固定方式叙述；其情景则为听众所熟悉。例如，欧洲的童话反映了农民和纯朴的工匠，如磨坊主、裁缝或铁匠的经济状况和家庭生活。起源于古代的童话则可以反映出远古的社会状况，如母权制、原始的出生和婚姻习俗或古老的继承形式。故事中的主人公，无论如何贫困或无亲无友，却很容易见到国王，并可能由于运气、聪明或会魔法而得到国王女儿的青睐，并娶她为妻，进而自然继承王位。这种类型的故事在世界各地都有，内容有时也几乎完全相同。它们的起源现已不详。从很早的时期起，这些故事就一直经文人之笔加工润饰。对童话故事进行认真研究的兴趣始于19世纪初。第一次试图用文字把口头传说整理记录下来的尝试是格林兄弟的《儿童与家庭童话集》（1812～1815）。这部童话集通称为《格林童话集》。参阅 **fairy tale**。

Marchena Island 马尔切纳岛 东太平洋加拉帕戈斯群岛中无人居住的小岛。位于厄瓜多尔之西965千米处。面积117平方千米。一座孤立的火山屹立于岛上。

Marchesi de Castrone, Mathilde 马尔凯西（夫人）（1821-03-24，美因河畔法兰克福～1913-11-17，伦敦） 母家姓Mathilde Graumann。歌剧女高音歌唱家，其教学将18世纪美声唱法传到20世纪。曾在巴黎从名师M.加西亚学习声乐。1849年初次登台。1854年开始任教。曾执教于维也纳和科隆音乐学院，以及伦敦、巴黎两地。1852年同男中音歌唱家S.马尔凯西（1822～1908）结婚，两人进行多次巡回演出。她的教学强调加西亚所要求的纯正、精确和精湛声音技巧。20世纪初杰出的女歌唱家大多曾在她门下受业，其中有N.梅尔巴（夫人）、E.卡尔维和E.埃姆斯。作有歌唱技术论著。1897年出版回忆录《马尔凯西与音乐》。

Marchmont, Patrick Hume, 1st earl of 马奇蒙特伯爵（第一） 参阅 **Hume, Sir Patrick 休姆**。

Marcian 马西安（396，色雷斯～457初，君士坦丁堡） 东罗马皇帝（450～457），是狄奥多西一世（？～395）所建王朝的末帝。他在位期间局势相当稳定，被后人看作东罗马帝国的黄金时代，与造成西罗马灭亡的动乱局面形成鲜明对比。军人出身。450年皇帝狄奥多西二世去世，他被军事统领阿斯帕尔指定为皇帝（8月25日）。他治国有方，在他死时，国库十分充裕。他在位期间拒绝向匈奴人纳贡，同时又小心翼翼地避免在国外进行耗资巨大的军事冒险。451年在卡尔西登（今土耳其的卡德柯伊）召集4届基督教会议，这是马西安时代最著名的事件。会议坚持正统的基督教教义即基督有神人二性，反对基督一性论派即基督只有神性的说法。马西安死后由利奥一世继位。

Marciano, Rocky 马西亚诺（1923-09-01，美国马萨诸塞布罗克顿～1969-08-31，艾奥瓦牛顿附近） 美国职业拳击运动员。1952年9

月23日在费城以13个回合击倒沃尔科特，获最重量级世界冠军，保持到1956年4月退出比赛时为止。先后在49场职业拳击赛中保持不败，其中43场直接击倒对手取胜。第二次世界大战期间在美军中开始习演拳击。1947年3月首次参加职业拳击赛。他技巧较差，但出拳凶猛，耐久力强。后因飞机失事而死。

Marcillac, François, prince de (writer) **马西亚克亲王** 参阅 **La Rochefoucauld, François VI, Duc de** 拉罗什富科公爵。

Marcionite 马西昂派 盛行于2世纪的接近诺斯替教的派别。创始人为小亚细亚人马西昂。他到罗马以后不久接受诺斯替派基督教徒塞尔多的影响。原来塞尔多认为，《旧约》的上帝不同于《新约》的上帝，前者体现公义，后者体现良善，因此与罗马教会发生争论。马西昂接受这种见解并加以充实，再进行宣传，因而于144年被宣布为异端分子而处以绝罚，但是他所倡导的派别却广传蔓延。马西昂派的基本教义是：有两神主宰宇宙。其中义神创造物质世界，包括人的肉体和灵魂。而一般诺斯替教义则认为，人的肉体是受造的，人的灵魂则是自未知的真神溢出的火花，而世界乃是魔力所造成。据马西昂说，另一位神完全不可名状，他与被创造的宇宙毫无内在关系。此神完全出于良善本性而派遣其子耶稣基督下界救人脱离物质世界而到达新土。

Marcius, Ancus (Roman king) **马基乌斯** 参阅 **Ancus Marcius** 安库斯·马基乌斯。

Marco Polo Bridge 马可·波罗桥 参阅 **Lugouqiao** 卢沟桥。

Marco Polo Bridge Incident 卢沟桥事变 1937年7月7日日本侵略军在中国北平（今北京）西南卢沟桥（又名马可·波罗桥）附近挑起的军事冲突。这次事变促使中国抗日战争

1937年7月7日，日军进攻卢沟桥，中国驻军第二十九军奋起抵抗
中国大百科全书出版社供图

全面展开。九一八事变后日本侵略势力深入华北。1936年4月16日日本确定《华北指导方案》，要"使华北地区事实上成为坚固的反共亲日亲满地带"。驻华北日军激增到2.5万人。6月日军占领丰台，切断华北和华中的联系。7月7日夜一小股日军在卢沟桥附近进行军事演习，借口1名士兵失踪要求进入宛平城内搜查。遭到拒绝后，日军即炮轰宛平城和卢沟桥。中国驻军第二十九军官兵奋起抵抗。7月8日中国共产党通电全国，号召全民族抗战。在此期间，南京国民政府也公布了对日本全面抗战的决定。

Marcomanni 马科曼尼人 公元前100年后，定居在美因河流域的日耳曼部落，是斯维比人（Suebi）部族集团的成员。公元前9年，为逃避罗马人的侵略，东迁波希米亚，在国王马罗博杜斯领导下建立了强大的部落联盟。联盟与日耳曼人领袖阿米尼乌斯的军队作战失败后，马罗博杜斯于公元19年流亡罗马。此后马科曼尼人一直处在罗马人保护下。167年左右，马科曼尼人与同盟各部落侵入罗马帝国疆界，深入到意大利。马可·奥勒利乌斯皇帝驱逐了他们；但直到180年去世时为止，他同他们几乎连年战争，显然决心要吞并他们的国家。此后，历史记载中即无马科曼尼人之名，不过他们后来可能成为阿勒曼尼联盟的一部分。

Marconi, Guglielmo 马可尼（1874-04-25，意大利博洛尼亚～1937-07-20，罗马） 意大利物理学家和一套成功的无线电报系统的发明人。1909年与德国物理学家F.布劳恩共获

美国国会图书馆供图

诺贝尔物理学奖。他后来研究的短波无线电通信，成为现代几乎所有远距离无线电通信的基础。马可尼早年在里窝那技术学校学习物理学时，有充分的机会调研电磁波技术，他探索了J.C.麦克斯韦的早期数学成果和H.赫兹、O.洛奇的电工实验结果。1894年，马可尼用相当简陋的装置（一只增压感应线圈、一只在发送端上由莫尔斯键控制的火花放电器，以及一只在接收机上的简单检波器）进行短距离的初步实验。之后，他改进了检波器，并使用在立杆上端设有一金属板或圆筒的垂直天线，而立杆同地面上一相似的金属板相连，从而使信号的发射范围扩大到2.4千米左右。他还利用天线周围的反射器把辐射的电能汇聚成束，不使其向四面八方漫射。

1896年6月马可尼在伦敦申请第一项专利，当时及第二年他做了一系列成功的试验，其中使用了气球和风筝来增加天线的高度，把信号发送到6.4千米以外的索尔兹伯里平原，并跨过布里斯托尔海峡，约达14.5千米。这些试验由邮政局总工程师W.普利斯协助讲解，引起英国及海外公众极大的注意。1897年6月，马可尼赴拉斯佩齐亚，在那里建立了地面站，同19千米远的意大利战舰建立了无线电通信。

当时社会上对马可尼试验的通信方法的实用性仍存在怀疑态度，但马可尼的表兄J.戴维斯资助他的专利并协助筹办无线电报与通信有限公司（1900年更名为马可尼无线电报有限公司）。在头几年里，公司的力量主要投在阐明无线电报的绝对可行性上。1899年进一步在英格兰南福兰角建起一座无线电站，同相距50千米的法国维姆勒通信；同年，相距121千米的英国军舰之间也能用无线电交换信息。

1899年9月，马可尼给两艘美国船只装备了无线电设备，及时将"美国杯"快艇比赛的情况向纽约市报界报道。这次成功引起了世界性的轰动，并导致美国马可尼公司的成立。次年又成立了马可尼国际海军通信有限公司，为海上船只和陆地站提供无线电安装与操作服务。1900年，马可尼又为在无线电报设备上做的改进申请了当今出名的第7777号专利。这项以O.洛奇早期无线电报工作的一部分为基础的专利，能使几个无线电站用不同波长通信而无干扰。

当时有些杰出的数学家认为，地球的曲率会限制电波通信的距离超不过161～322千米。但马可尼在1901年12月在纽芬兰的圣约翰成功地接收到由英国康沃尔的波尔杜发出的越过大西洋的无线电信号。这一成就在文明世界各地产生巨大反响。虽然无线电波围绕地面以及穿透大气的传播规律有很多内容尚待研讨，但无论如何，这对以后50年出现的无线电通信、广播事业以及航行服务各方面的巨大发展是个起点，马可尼在其中均占重要地位。

1902年马可尼在一次乘美国的"费拉德尔菲亚"号轮船旅行中，白天接收到从1 125千米处发出的无线电信号，夜里竟收到发自3 200千米远的信号。因此，马可尼首先发现有些无线电波在传播中能被大气上面区域反射下来，而且有时夜间的传播条件比白天更为优越。这是因为大气层底部在白天被太阳辐射电离而导电，于是上行的无线电波在那里被吸收，使传播受限。1902年马可尼改进的磁性检波器取得专利权，随后3年还为他研制的水平天线申请了专利。这两项器件对通信系统的效率均有改进。1910年他在布宜诺斯艾利斯接收到从约9 650千米外爱尔兰的克利夫登发出的无线电信息，使用的波长约为8 000米。两年后，马可尼进一步改进了发射和接收性能，使大量的远距离无线电台得以建立。由于发射和接收效率的提高，马可尼于1918年9月第一次成功地将无线电信息从英国发送到澳大利亚。

1916年在第一次世界大战期间，马可尼觉察到使用较短的波长可能有些优点，这样可以在天线周围使用反射器，不但敌人不易截听发射的信号，而且还能增大信号强度。他在意大利做了多次使用反射器的试验后，又在英国继续此项工作，用15米的波长可接收到30～160千米外的信号。1923年马可尼在他专门装备的Elettra号汽艇上继续做实验，在康沃尔用1千瓦的发射机，其信号竟在2 250千米远的地方可以接收到。这些信号

比从威尔士的卡那封用波长长几百倍、功率大100倍的发射机发出的信号强得多。于是,对短波无线电通信的研究从此起步,为了将电波能量集中对准所要求的方向,均采用波束天线系统。1924年马可尼与邮政局签订了在英国和英联邦各国间建立短波无线电通信的合同。

几年后,马可尼回到对大约更短的0.5米波长的研究。中等尺寸的抛物形反射器能把这些波长极短的无线电波顺需要的方向发射出去,极大地加强了功率。在意大利沿海的Elettra号汽艇上进行的一些实验不久即表明,使用低功率发射机可实现实用距离的通信。1932年马可尼在梵蒂冈与甘多尔福堡的教皇宅邸之间安装了波长非常短的无线电话系统。他后来的工作又一次表明,波长甚至短到55厘米的无线电波也不会受到发射机与接收机间的水平距离或视线距离的限制。

马可尼于1919年作为全权代表出席巴黎的和平大会;1929年被提名为意大利参议员;1930年被选为意大利皇家学院院长。

Marcos, Ferdinand E. **马科斯**(1917-09-11,菲律宾萨拉特～1989-09-28,美国夏威夷火奴鲁鲁) 菲律宾律师、政治家,1966～1986年任国家元首,在菲律宾建立独裁政权,

中国大百科全书出版社供图

因腐败、压制民主进程而受到批评。马科斯曾在马尼拉就读,30年代末在马尼拉附近的菲律宾大学攻读法律。父亲是政治家。马科斯曾因父亲的政敌在1933年被暗杀而受审,1939年11月被判决有罪。但他上诉菲律宾最高法院,为自己辩护,一年后获判无罪。后在马尼拉当出庭律师。第二次世界大战期间在菲律宾武装部队任军官,为日军俘虏,在从巴丹到吕宋岛中部的“死亡行军”中幸免一死,后又脱逃。马科斯后来自称曾为菲律宾游击队抵抗运动重要的领袖,这是他以后在政治上获得成功的一个主要因素,但据美国政府的档案可知,在1942～1945年的抗日活动中,他扮演的角色实际上无足轻重。1946～1947年,马科斯任独立的菲律宾共和国首任总统M.罗哈斯的技术助理。他曾任众议员(1949～1959)、参议员(1959～1965),担任参议院议长(1963～1965)。马科斯原为罗哈斯所创自由党的重要成员,1965年未能得到党的提名竞选总统,乃脱离该党。后作为国民党候选人与自由党总统D.马卡帕加尔竞选总统。这次竞选激烈,耗资庞大。马科斯当选,1965年12月30日就任。1969年再度当选,为菲律宾第一个连任的总统。在首届任期内,他使农业、工业和教育都获得进展。然而,学生示威游行和城市游击队的暴力活动日益增多,使他的政府备受困扰。1972年9月21日,马科斯颁布军事管制法。他认为共产党和颠覆势力造成了危机,于是迅速采取行动:反对派政客被囚禁,武装部队成为政权依靠的力量。除了政界领袖的反对外(特别是B.阿基诺被下狱监禁近8年),马科斯还受到教会领袖及其他人士的抨击。各省毛(泽东)主义共产党(即新人民军)和穆斯林分离派从事游击活动,意图推翻中央政府。依据军事管制法,总统拥有特大的权力,包括中止人身保护令。马科斯在1981年1月宣布结束军事管制,但此后仍在各种符合宪法的形式下实施独裁统治。1981年6月,他击败象征性的竞选对手,当选新创设的总统职位。1954年以后马科斯的妻子是伊梅尔达,曾为选美皇后。伊梅尔达在其丈夫于1972年颁布军事管制法后,成为权势强大的人物。她任大马尼拉市市长(1975～1986)及人民安置与生态部长(1979～1986)时,把亲戚安插在政府和企业界有利可图的职位上,因而常常受到批评。政府腐败成风,经济发展停滞,贫富差距不断扩大,以及活跃在菲律宾无数岛屿上乡村地区的共产党游击队暴动不断发展,使马科斯晚期的政权大受损伤。到1983年,马科斯的健康开始衰退,而反对其统治的力量逐渐扩大。阿基诺希望在马科斯和势力日益强大的新人民军之外另树一帜,1983年8月21日返回马尼拉,却在步下飞机时被枪击身亡。暗杀行动被看作政府所为,因此触发了大规模的反政府抗议。1984年,马科斯任命的一个独立的委员会断定,有高级军官应为暗杀阿基诺负责。为继续掌权,马科斯宣布在1986年举行总统选举。但阿基诺遗孀科拉松·阿基诺立即崛起,成为他强大的政敌,被推举为反对派的总统候选人。很多人认为,1986年2月7日选举中马科斯所以能击败阿基诺夫人而保有总统职位,完全靠其支持者投票时大规模舞弊。他选举获胜令人怀疑,使他在国内外的声誉大跌。菲律宾军方分裂为两派,分别支持马科斯和阿基诺夫人任总统的合法权利。马科斯仍固守总统职位。1986年2月25日,在美国催促下,马科斯逃离本国,流亡夏威夷。双方僵持的紧张情势终告结束。后来出现的证据表明,在马科斯执政的年代,他本人、家属和亲信贪污腐败,掠夺菲律宾经济达几十亿美元。马科斯及其妻子后来被美国政府控告犯有诈骗罪,但1990年(马科斯死后)联邦法院宣布伊梅尔达不曾犯一切所控罪行,1991年她被准许返回菲律宾。

Marcos DE NIZA **马科斯(尼萨的)** 参阅 **Niza, Marcos de** 尼萨。

Marcus EREMITA 参阅 **Mark the Hermit** 马可(隐士)。

Marcus, Rudolph A. **马库斯**(1923-07-21,加拿大魁北克蒙特利尔～) 加拿大出生的美国化学家,因研究化学物系中的电子转移反应理论而获得1992年诺贝尔化学奖。马库斯的理论阐明了光合作用、细胞代谢和简单的腐蚀作用等多种十分重要的现象。马库斯于1946年取得麦吉尔大学博士学位。1951年起任职于布鲁克林工业学院。1964年任教于伊利诺伊大学,1978年离去而就职于加利福尼亚理工学院。马库斯于20世纪50年代开始研究电子转移反应,在1956至1965年间,发表了一系列论文,研究了溶液中反应物周围的溶剂分子在决定氧化-还原反应(反应中各反应物之间交换电子)速率方面的作用。马库斯确定:反应物与其周围的溶剂分子的分子结构中发生了微妙的变化,这些变化影响电子在分子间的迁徙能力。他进而确认,电子转移反应的推动力与反应速率之间的关系可用一抛物线来表示。因此,当向反应施加的推动力增大时,则反应速率起初增高,但是后来又开始降低。这种见解曾引起很多人的怀疑,直到80年代得到实验证实为止。马库斯还在过渡态理论、单分子反应、碰撞和束缚态理论等领域内做过重要的研究工作。

Marcus, Siegfried **马库斯**(1831-09-18,梅克伦堡马尔欣[德国]～1898-06-30,奥地利维也纳) 发明家,他制造了4辆世上最早的装有汽油发动机的汽车。17岁加入一家架设电报线路的工程公司,3年内发明一种电报继电器,然后移居维也纳。1860年在维也纳建立工程实验室,1864年第一次制造一辆由单缸内燃机发动的汽车。由于它没有离合器,在发动机启动前必须先将后轮抬起离开地面。经过试车,因其性能不能令人满意而被拆除。由于从事其他项目,10年后他才重新致力于汽车发明。他造的第二辆汽车装有相当先进的电气设备,这辆车现在还保存在维也纳的工艺博物馆,它可能是现存最古老的装有汽油发动机的汽车。马库斯是一位犹太人,在纳粹占领期间博物馆必须将汽车隐匿,以免被捣毁。1949～1950年这辆汽车经过翻修,还能以大约8千米/小时的速度行驶。马库斯后来又制造了两辆新汽车,但都没有保存下来。他在十几个国家里握有约76项发明专利权(但没有一项汽车专利权)。他在汽化器、电灯和其他电器方面也有发明。

Marcus, (Harold) Stanley **马库斯**(1905-04-20,美国得克萨斯达拉斯～2002-01-22,达拉斯) 美国零售商店总经理。他的宣传活动使尼曼-马库斯公司的奢侈品和时装誉满全国。1907年他的父亲和表叔在达拉斯开设了第一家尼曼-马库斯公司。马库斯1926年开始商业生涯,当时他是商品巡视员,为了创造本商店的独特形象,他竭力主张商品独家经销,即本店所有的牌号,在达拉斯其他商店不能买到。由于他的努力,尼曼-马库斯公司成为为顾客举办时装表演的第一家百货商店。1929年他担任各个服装部销售经理。1935～1950年任副总经理,1938年发起设置尼曼-马库斯奖金,称为“时装奥斯卡奖”。他配合达拉斯文化活动,举办一系列国外商品的特别展览,引起公众注意,达成很多交易,被选中展品的国家都向展览会捐款。他还是

珍贵书籍收藏家，积极支持达拉斯的艺术事业。

Marcus Antonius 参阅 **Antony, Mark** 安东尼。

Marcus Aurelius 马可·奥勒利乌斯（121-04-26，罗马～180-03-17，潘诺尼亚文多博诺［维也纳］或锡尔米乌姆） 罗马皇帝（161～180），其所著有关斯多葛哲学的《沉思录》尤

表现马可·奥勒利乌斯乘四马并拉双轮战车凯旋进入罗马场面的浮雕
美国不列颠百科全书公司供图

为驰名。他被西方许多代人视为西罗马帝国黄金时代的象征。他出生时，祖父第2次当执政官，并任罗马市长。马可与罗马新统治集团中几个最显赫的家族都有亲戚关系，因此从幼年起即已注定将来必出人头地。136年皇帝哈德良选择卢奇乌斯·塞奥尼乌斯·康茂德为继承人。同年，马可与康茂德的女儿塞奥尼娅·法比娅订婚。138年康茂德去世，哈德良又立提图斯·奥勒利乌斯·安东尼（马可的姑夫）为继承人，并让安东尼收养两个义子，一个是康茂德的儿子，另一个就是马可，当时马可刚满17岁。马可于140、145、161年3度任执政官。147年任最高统帅和保民官，成为安东尼的亲密顾问之一，参与重要决策。40岁时，马可风平浪静地成为拥有全权的皇帝，不过，他坚决同义弟韦鲁斯一道继承皇位，在罗马帝国的历史上第一次有两位具有同等地位和权力的皇帝共执朝政。马可颁布大量的法令，作出许多关于司法的决定，从民法中删除不合理的条款。他虽然不是一个伟大的立法者，但是一个体恤下情的法律实践者。167或168年，马可和韦鲁斯一道越过多瑙河讨伐日耳曼人。经过努力才把日耳曼人赶走，而韦鲁斯却于169年因中风猝然死去。当马可在多瑙河外作战时，埃及、西班牙和不列颠的局势极不稳定。到175年，韦鲁斯手下的大将阿维迪乌斯·卡修斯已经成为东方各行省的实际统治者，并且控制埃及。同年，阿维迪乌斯利用马可已死的谣言，自立为皇帝。马可与北方那些尚未屈服的部族订立和约，准备征讨阿维迪乌斯。未待起兵，阿维迪乌斯已被自己的部下刺杀。马可借此机会，巡幸东方各地，视察了安条克、亚历山大和雅典。177年马可立自己16岁的儿子为同朝皇帝，重新开始多瑙河战争，企图为罗马建立一条极大扩展的北部边界，但正当胜利在握之际，他却在军中死去。

Marcus Island（Japan） **马库斯岛** 参阅 **Minami-tori Island** 南鸟岛。

Marcus Julius Agrippa 马可·尤利乌斯·亚基帕 参阅 **Herod Agrippa I** 希律·亚基帕一世。

Marcuse, Herbert 马库泽（1898-07-19，德国柏林～1979-07-29，施塔恩贝格） 德国出生的美国政治哲学家。他的马克思主义批判哲学和对20世纪西方社会所作的弗洛伊德式的精神分析在极左派大学生中，尤其在1968年西柏林、纽约哥伦比亚大学和巴黎大学的大学生造反运动之后相当盛行。在弗赖堡大学求学时，曾参加社会民主党。1922年获博士学位。尔后在弗赖堡大学（1922～1932）指导哲学研究，并且是法兰克福社会研究所的创建人之一。1933年希特勒执政时逃往日内瓦，随后于1934年去美国并在哥伦比亚大学教书，1940年入美国籍。第二次世界大战期间，他是美军的情报分析人员；战后负责情报研究处中欧科。1951年回大学任教，先后执教于哥伦比亚大学和哈佛大学（1951～1954）、布兰代斯大学（1954～1965）和圣迭戈的加利福尼亚大学（1965～1976）。后在加利福尼亚大学退休并成为退休荣誉哲学教授直到去世。他深信西方社会是不自由的和被压抑的，它的技术通过物质商品给群众带来满足，致使群众的智力和精神被控制。尽管他坦诚地反对现存的秩序，但并不赞成大学的示威运动。主要著作有：《爱欲和文明》（1955）、《单面的人》（1964）、《反革命和造反》（1972）和《批判哲学研究》（1972）。

Marcy, Mount 马西山 美国纽约州最高点（1 629米）。位于该州东北部阿迪朗达克山区，普莱西德湖村东南偏南19千米处。哈得孙河的主要源流奥帕莱森特河源出该山。1837年首次有人登上此峰。

Marcy, William L(earned) 马西（1786-12-12，美国马萨诸塞绍斯布里奇～1857-07-04，纽约鲍尔斯顿斯帕） 美国政治家、州长、政府阁员，曾以“敌人赃物自然归胜者所有”一语留传于世。1823～1829年为纽约州审计官，“奥尔巴尼摄政团”（实权派民主党人组织）的主要成员。1829～1831年为纽约州最高法院法官，后选入美国参议院。他在维护国务卿M.范布伦、反驳参议员H.克莱的抨击时作上述一语，从而以“政党分肥制”卫道士闻名。1833年1月辞去参议员，就任纽约州州长（1833～1839）。在J.K.波尔克总统（1845～1849）任内任陆军部长，在F.皮尔斯总统（1853～1857）任内任国务卿。他使《加兹登条约》（1853）获得批准，从而解决了墨西

芝加哥历史学会供图

哥和美国的边界争端。他还解决了黑战士案（1854），从而避免了同西班牙的战争。

Mardaïte 马尔代特人 叙利亚北部的一个信奉基督教的民族，拜占廷的历代皇帝雇佣他们当兵。原居住于今土耳其哈塔伊省的阿马努斯（加武尔）山地，在7世纪该处是拜占廷与穆斯林的分界线。660～680年马尔代特人与拜占廷皇帝君士坦丁四世联合向南推进，进入阿拉伯人占领的黎巴嫩和巴勒斯坦北部。7世纪90年代，君士坦丁的继承者查士丁尼二世与大马士革的哈里发阿卜杜勒·马立克达成协议，把1.2万名马尔代特人重新安置在希腊和安纳托利亚各地。其余部分留在黎巴嫩和叙利亚，受穆斯林的统治并被其他民族同化。

Mardalsfossen 马尔达尔斯瀑布 位于挪威埃克斯达尔湖顶端的瀑布。瀑布分为两部分，总落差517米，居世界前列。春季融雪高峰时，瀑布从高处河谷倾泻下来，与下面主谷涌出的瀑布连成一片。近年因兴建水电站，瀑布已不复存在。

Mardān 马尔丹 巴基斯坦西北边境省白沙瓦专区的城镇和县。马尔丹镇为县首府，位于卡帕尼河北面。有公路、铁路通德尔盖（马拉根德山口）、瑙谢拉和白沙瓦。为发展中工业中心，有纺织厂、榨油厂、卷烟厂和印度次大陆最大的制糖厂之一。建有一所管理学院。镇东北11千米处沙赫巴兹加西岩上刻有阿育王（公元前3世纪）的碑文。马尔丹县面积3 136平方千米，有巴基斯坦最大的灌溉地。主要农作物有小麦、玉米、甘蔗、烟草、甜菜和水果（桃、李、苹果、杏、梨）。丘陵地带有大理石矿。人口：城镇约244 511（1998）；县约1 423 000（1981）。

Mardersteig, Giovanni 马德斯泰（1892-01-08，德国魏玛～1977-12-27，意大利维罗纳） 印刷商和活版印刷专家。曾主持博多尼印刷所，印制的精美图书成为印刷艺术的最高典范。1917年到莱比锡，在沃尔夫出版社工作，负责出版一套美术丛书，并主编艺术期刊《天才》。1922年，移居意大利，在距瑞士边境城市卢加诺不远的蒙塔尼奥拉开办博多尼印刷所。他印制的第一部书是波利齐亚诺的《奥尔甫斯的故事》（1923）；其他早期出版物还有雪莱的《神交》，莎士比亚的《暴风雨》，但丁的《新生》。这些作品是由他使用手动印刷机独

自印刷的，由于印刷精美，博得了国际声誉。后来，他从意大利政府获准使用G.博多尼的铜模铸造铅字，因此，他印制的许多版本都使用博多尼活字。1927年他承印意大利国家版的G.邓南遮全集，全书50卷，在邓南遮家乡附近的维罗纳印制，历时5年完成。然后，他到苏格兰，设计了一套后来叫做丰塔纳体的活字。他回到意大利后，在维罗纳重建博多尼印刷所，专门出版袖珍版本，使用旧式手动印刷机精心印刷。除了丰塔纳体外，他还设计了但丁体、格里福体和芝诺体等铅字。从1947年起，还在维罗纳经营瓦尔东内加印刷所。这个印刷所在他死后由他儿子马蒂诺主持，刊行版本比博多尼印刷所刊行的大，但也强调印刷工艺的精致美观。

Mardi Gras　肥美的星期二　法国节日，即大斋首日的前一日（忏悔节[**Shrove Tuesday**]），是四旬斋前期的结束。在美国，新奥尔良庆祝此节的活动最为隆重。参阅 **carnival**。

Mardīkh, Tall（Syria）　**马尔迪赫圆丘**　参阅 **Ebla** 埃卜拉。

Mardin　马尔丁　土耳其东南部马尔丁省城市和省会。位于一片海拔1 052米的宽阔高地的南坡。古时名为马里达，现在高地上仍有倾圮的罗马城堡。11世纪后期马里达

马尔丁市的苏丹伊萨梅德雷塞里
美国不列颠百科全书公司供图

曾被塞尔柱土耳其人占领。1516年被苏丹谢里姆一世并入奥斯曼帝国。塞尔柱时代大清真寺和14世纪经学校苏丹伊萨梅德雷塞里至今犹存。该市为安纳托利亚高原南部东、西贸易通道上重要地区贸易中心，有铁路支线联结伊斯坦布尔—巴格达铁路，有公路通往加洛安泰普（西）、河勒颇（叙利亚）、务赛宾（东南）和迪亚巴克尔（东北）。全省面积12 879平方千米。南与叙利亚接壤。为农业区，主要产小麦、大麦、芝麻。饲养安哥拉山羊。有小型棉、毛纺织业。该省除土耳其人外，还有大量阿拉伯和库尔德居民。人口：市61 529；省约646 826（1997）。

Mardonius　马多尼奥斯（？～公元前479，维奥蒂亚布拉底）　波斯阿契美尼德王朝的武将，大流士一世的女婿。公元前492年他被派往爱奥尼亚接任总督并受命进攻雅典和埃雷特尼亚。在爱奥尼亚，他废黜执政的"暴君"，重建民主制度，因而消除了动乱的主要原因。后来，他渡过赫勒斯滂，入侵色雷斯和马其顿。他的旗舰在圣山外遇难沉没，损失巨大，因而被撤职。据希腊历史家希罗多德的记述，他是怂恿大流士的继承者国王薛西斯一世入侵希腊的人们之一。当阿契美尼德王朝的军队在萨拉米败北时，他劝说薛西斯返回亚洲，而自己则率大军在后面镇守。他试图使雅典脱离希腊其他的盟邦未成。479年9月在布拉底一役中兵败被杀。

Marduk　马尔杜克　美索不达米亚宗教所崇奉的神灵，是巴比伦城的主神和巴比伦尼亚的国神，因此称为贝勒（主）。宇宙万物和人都仰赖他得以存在，万国万民的命运掌握在他手中。马尔杜克的占星是木星；他的圣畜是马、狗，特别是舌分两叉的龙，巴比伦城墙就饰以此龙之像。在最古老的文物上，马尔杜克之像手执三角锹或锄，据说此物象征草木滋育。有的画像作步行状或乘坐战车状。他的战袍饰以众星；手执节杖，并携有弓、矛、网或闪电。

Marduk-apal-iddina II（king of Babylonia）　**马尔杜克-阿帕尔-伊迪纳二世**　参阅 **Merodach-Baladan II** 米罗达巴拉丹二世。

mare　月海　复数maria。月球上低的平坦而暗黑的平原。月海一词源出拉丁文mare，意为"海"，这是17世纪用望远镜观察月球的人误认为月面上的上述图像是海所致。实际上，月海是附有山脊、地堑、沟纹和断层的巨大熔岩流，那里完全没有水。这种类型的月球表面区域共有14个，它们全分布在永远朝向地球的月球正面上。海是月球上最大的地貌结构，在地球上用肉眼即可看见。美国"阿波罗"号宇航员带回的月球岩石和土壤样品证实，月海是由月面熔岩流冷却后形成的玄武岩所构成。作为历经几百万年经受小流星体轰击的后果，月球表面直到5米的深处呈现出搅动、熔合和裂碎的种种作用。这种表面物质称为月面浮土。在"阿波罗"号登月之前，一些天文学家曾设想，月面是松碎的，宇航员及他们所携带的器械会在月面沉陷。然而，登月后揭示，月面浮土只有某种程度的可压缩性，具有足够坚实的支承。月海形成于39亿年前，即在月球表面冷却和固化之后。地壳致冷首先是因为热量能够更快地从那里辐射到太空。从内部向外的热流的转移效率不高，月球的大部分保持为熔岩态，在约46亿年前吸积成形之后，至少延续了15亿年。在太阳系演化史的上述早期阶段，有着比今日多得多的较小的小行星型岩石团块。这类天体中的一些与朝向地球一面的月球表面碰撞，击穿地壳，致使熔岩物质从下面流出，充满已形成的环形山和周围的低位区域。在月球背面缺少月海的事实，其原因可能是由于月球在它受潮汐力锁住的位置上绕地球运行时，年轻月球的外层的、重量较轻的熔岩表面趋向于从月球正面流向月球背面，那里的地表变厚，足以有效地减少被小行星碰撞而击穿地壳的机会。

Maré, Île　马雷岛　法属海外领地新喀里多尼亚的洛亚蒂群岛最南端岛屿，在太平洋西南部。长35千米，宽29千米，面积642平方千米。海拔最高处100米。行政中心在塔迪讷，建有机场。岛民种植薯类及香蕉，出口椰干与橘子。人口6 896（1996）。

Mare Orientale　东方海　位于月面西边缘、具多层环形结构的东方盆地内的一个由玄武岩物质构成的圆形暗黑平原。它覆盖约50 000平方千米的区域。东方盆地的边界为一个直径900千米的最为明显的外环，即科迪耶拉山所划定。与盆地相联的其他巨大环形结构计有直径620千米的外鲁克山，直径480千米的内鲁克山，以及包围东方海的、直径320千米的内环。由于从地球上看去，东方海位于月面边缘，多年来一直对它知之甚少。自从20世纪60年代和70年代期间，通过载人的和不载人的航天器对月球之广泛探测，科学家得以对它的特征及其周边结构有了细致的观测。

Marechal, Leopoldo　马雷查尔（1900-06-11，布宜诺斯艾利斯～1970-09，布宜诺斯艾利斯）　阿根廷作家、文艺评论家，以写哲理小说著称。20世纪20年代初参加编辑出版使阿根廷文学发生巨大变化的"极端主义"文学刊物《马丁·菲耶罗》和《船头》。他的第一部诗集《鹰雏》（1922）运用现代主义技巧描写田园主题。在《时光似箭》（1926）和《男人与女人的颂歌》（1929）中，作者更加大胆地运用隐喻和形象化的描绘来表现其"极端主义"的美学思想。在《南方的诗篇》（1937）、《致索菲亚的十四行诗》（1940）和《半人马座》（1940）里，他的诗受新柏拉图派哲学的影响，表明他希图在混乱的世界中寻求平衡与秩序。《埃尔维腾斯人的歌》依然表现这一主题，这是他献给心目中一位完美无瑕的妇女的一组情诗，后收入《诗集》（1969）中。他的杰作小说《亚当·布宜诺斯艾利斯》（1948）写作技巧很高，风格清新，语言富有诗意，成为拉丁美洲"新小说"的先驱。主人公亚当神奇的漫游、下地狱以及对理想执着的追求，既是自传性的真人真事小说，也是对阿根廷的历史化叙述。在小说《塞维罗·阿尔坎赫洛的宴席》（1965）和《传声筒，又名战争》（1970）里，马雷查尔继续对神话和理想主义进行探讨。

Maréchal, Pierre-Sylvain　马雷夏尔（1750-08-15，巴黎～1803-01-18，法国蒙鲁日）　法国诗人和政论家，他设计的世俗历（1788，发表于他所著的《名人录》中）成为1793年所采用法兰西共和历的基础。他以律师和图书馆员为职业，他的哲学观点是唯物主义和无神论的。在写过一些爱情诗歌以后，他转向反宗教宣传。仿照《圣经》的说法写了《从洪水中抢救出来的书》（1784），他又编了一本包括奥古斯丁、帕斯卡、波舒哀等人在内的《古今无神论者辞典》（1800）。在《名人录》中，他用名人取代了圣徒。他提出的历法把一年分成36个10天；法兰西共和历把一年分成12个月，每月包含3个10天，平年每年再加5天，闰年则加6天。

Mareeba 马里巴 澳大利亚昆士兰州东北部城镇。位于珊瑚海畔凯恩斯港以西65千米处，临巴伦河。为阿瑟顿高原最早的居民点。现为马里巴-丁比拉灌溉区的商业中心。转运熏肉、牛肉（来自西面的卡奔塔利亚湾）和木材。人口18 638（2003）。

Marées, Hans von 马雷（1837-12-24，普鲁士埃尔伯费尔德～1887-06-05，罗马） 德国理想派画家。1853年去柏林学习两年，其后的8年，在慕尼黑工作，深受历史画派的影响。1864年去意大利并在那里生活了约20年。1873年为那不勒斯动物博物馆图书室作装饰壁画。

马雷（左）自画像，1873年
美国不列颠百科全书公司供图

Maremma 马雷马 意大利中部一个地理区域，大部在托斯卡纳区内。自里窝那南沿第勒尼安海岸延伸至罗马，内陆达亚平宁山麓丘陵地带。在埃特鲁斯坎和古罗马时代，人烟稠密并以使用暗渠灌溉的农业闻名，有不少城市。罗马帝国晚期迅速衰落。灌溉被疏忽，疟疾横行，终于成为亚平宁山区畜群的冬季牧场。20世纪30年代开始少量排干沼泽开垦土地。1951年起马雷马土地改革局投入大量资金，建起许多农场、道路和服务中心，该地区面貌一新。但1966年一场暴风雨和翁布罗内河泛滥使牲畜和设备损失极大，许多工程归于失败。

Marengo, Battle of 马伦戈战役（1800-06-14） 在第二次反法联盟战争中，拿破仑的一次险胜。战场在意大利北部亚历山德里亚东南5千米的马伦戈平原上。拿破仑军约为2.8万人，梅拉斯将军的奥地利军为3.1万人。结果，法军占领伦巴第直至明乔河畔，促成拿破仑在巴黎取得军政大权。1800年5月，拿破仑率兵越过阿尔卑斯的几个山口，切断梅拉斯与奥地利的联系。梅拉斯把军队集中于亚历山德里亚迎击法军。拿破仑误以为梅拉斯是在西边80千米的都灵，所以当6月14日梅拉斯进攻时，他的军队分得很散。3.1万奥军占有压倒优势，至下午3时，法军败退6千米。梅拉斯以为胜券在握，下令奥军返回亚历山德里亚休整。由于奥军追击缓慢，使拿破仑得以集结他的军队，直至约1万援军到来。下午5时法军开始猛烈反击，不久即迫使奥军仓皇撤退。奥军死伤约7 500人，被俘约4 000人，法军共损失约6 000人。次日，梅拉斯在停战协定上签字。

marennes 马雷讷牡蛎 受欢迎的食用**牡蛎**（**oyster**）品种。产于法国马雷讷。

Marenzio, Luca 马伦齐奥（1553，威尼斯共和国布雷西亚附近科卡里奥［今意大利］～1599-08-22，罗马） 作曲家，其牧歌被列为16世纪末最优秀意大利典范作品。曾出版大量牧歌和维拉内尔以及5册经文歌。形成一种个性化的技巧，并善于将歌词所提示的情绪和形象再现出来。他是一位大胆的和声学家，他的半音应用偶尔会导致标新立异的等音转调；他有时又会为了戏剧效果而让不协和和弦得不到解决。对C.蒙特威尔地、D.C.杰苏阿尔多和H.哈斯勒等音乐家均有重大影响。在英国极受崇敬，其作品被收入启迪了英国牧歌创作的《阿尔卑斯山南音乐》（1588）中。马伦齐奥于1578～1586年间任职于罗马枢机主教府。1588年去佛罗伦萨。1598年在威尼斯，后被任命为教皇宫廷音乐家。

中国大百科全书出版社供图

mare's-tail 杉叶藻 杉叶藻科唯一的属——杉叶藻属（*Hippuris*）——三种水生植物（尤指普通杉叶藻［*H. vulgaris*］）的总称。遍布于世界温带地区。根状茎粗大，沿湖塘边地下生长。叶小，线状，沿茎以一定间隔轮生，形似并无亲缘关系的木贼。茎高出水面约30厘米；花高度退化，微小，淡绿色，两性，风媒传粉，生于茎叶之间的上角处；每朵花含有雄蕊1枚，子房1室，内含1胚珠。

普通杉叶藻（*H. vulgaris*）
美国不列颠百科全书供图

Maret, Hugues-Bernard, duc (duke) de Bassano 马雷（1763-05-01，法国第戎～1839-05-13，巴黎） 即巴萨诺公爵。拿破仑时代的法国外交家和政治家。法国大革命初期为新闻记者，1792年进入外交界。雾月十八日政变（1799-11-09）后，拿破仑任命他为执政官的国务秘书，逐渐受到拿破仑的器重，充当他的枢密顾问，1811年4月至1813年11月任外交大臣。在法国入侵俄国之前，他先后与普鲁士和奥地利缔结盟约。1815年帮助安排拿破仑从厄尔巴岛返回。在波旁第2次复辟期间，流亡国外。1820年回国，由路易-菲力普封为贵族。1834年11月任首相，但未能组阁。

Marett, Robert R(anulph) 马雷特（1866-06-13，海峡群岛泽西～1943-02-18） 英国社会人类学家，以对道德哲学的发展、宗教信仰、宗教仪式的演变等方面的研究闻名。马雷特与J.G.弗雷泽和A.朗格一样，都有古典文献和哲学方面的深厚基础。马雷特在泽西的维多利亚学院和牛津大学巴利奥尔学院学习过，从1891年始，在牛津大学埃克塞特学院担任过研究员、哲学导师、人文学主考人和院长，1910～1936年担任社会人类学讲师。马雷特对原始宗教的看法与当时最伟大的人类学家弗雷泽和E.B.泰勒的看法有些不同，他反对他们刻板的纯理性分类法，提出早期人类的“原始心灵逻辑”的说法；他反对泰勒的“泛灵论”，主张“无生物有意识论”。马雷特学识渊博，对柏拉图《理想国》的研究及史前考古学都有很深的造诣。其文笔清新、流畅，作品感染力强。1909年他参与筹建牛津大学人类学会。主要著作有：《宗教的起源》（1900）、《人类学》（1912）、《心理学与民俗学》（1920）、《原始宗教中的信仰、希望与博爱精神》（1932）、《初民的圣事》（1933）和《人类进化中的头脑、心灵和双手》（1935）等。

Marey, Étienne-Jules 马雷（1830-03-05，法国博讷～1904-05-15，巴黎） 法国生理学家。发明了脉搏描记器，用以记录脉搏图像及血压变化，该仪器经改进后沿用至今。他的论文内容广泛，涉及血液循环、霍乱、陆地和空中行动、实验生理学及生理学描记方法等。对电影的发展也有贡献。1882年为了研究鸟的飞翔，发明了一种照相机，能拍下一系列图像，将所得图像连接在一起表示一组运动。1894年将电影摄影机安装在显微镜上。

Marfan's syndrome 马尔方氏综合征 又称蜘蛛脚样指（趾）。一种罕见的遗传性疾病。表现为结缔组织发育障碍，可见于身体各系统，最多见于骨骼、心脏和眼。患者身材高、四肢细长，手指细长（蜘蛛脚样），往往形成双关节。眼晶状体脱位（诊断征之一），青光眼和视网膜脱离的发病率很高，因而视觉受损或失明。心肌的成分不正常，而有程度不同的功能障碍和畸形。最常见的致死原因是主动脉破裂。本病的轻重程度不等，患者可早夭或生活基本正常。治疗可用手术纠正畸形。

mārga 道 印度教名词，指达到解脱的道路。根据该教传统，道共有3种：①慧道，包括研读哲理和默想；②业道，即正确履行宗教义务和伦理天职；③虔道，即顺从神并献身于神。

Margai, Sir Milton (Augustus Striery) 马尔盖（1895-12，塞拉利昂邦巴托克～1964-04-28，弗里敦） 塞拉利昂第一任总理，亲英的保守派政治家。出身酋长家庭，1926年成为保护领地的第一个医生。第二次世界大战后，参加塞拉利昂组织协会。1951年建立塞拉利昂人民党，赢得保护领地酋长们的支持，从而得到农村居民的效忠。后任行政委员会委员和卫生部长。1953～1954年任首席部长（后称总理）兼农业、卫生和森林部长。20世纪50年代后期，任首席检察官和内政部长。马尔盖在1957年选举中取胜，但在党内受到其弟艾伯特的挑战，指责他过于温和谨慎。翌年马尔盖组成统一阵线，前往伦敦进行谈判。1961年保护领地获得独立。马尔盖组成的联合政府从1959年开始执政，他去世后由其弟艾伯特继任总理。1959年受封为爵士。

Margam 马格姆 威尔士西格拉摩根郡阿凡区一处地方。位于迈尼兹-马格姆峰和莫伊尔唐摩尔峰山脚的马格姆巴罗斯内地区。在1147年由格洛斯特伯爵罗伯特建立的西多会隐修院周围发展起来。马格姆隐修院作为文化教育中心而统治着该地区，直至1537年隐修院解散。18和19世纪该地区工业发展过程中，马格姆成为与塔尔伯特港联系密切的现代工业区。塔尔波特港钢铁厂是英国最大钢铁厂之一。马格姆斯通斯博物馆建在隐修院旧址，收藏有基督教初期纪念石碑。附近有阿凡-阿格埃德乡村公园和马格姆乡村公园。M4号高速公路将该地与东面的加的夫和北面塔尔伯特港附近的斯旺西连接起来。

Margão (India) 马尔冈 参阅 **Madgaon 默德冈**。

Margaret 玛格丽特 统治者之名，按国别分列于后，并各以●为标记。

与此字相同之外语：

丹麦语 Margrete 或 Margrethe

挪威语 Margrete 或 Margrethe

瑞典语 Margareta

丹麦/挪威/瑞典

● Margaret I 玛格丽特一世（1353，丹麦索堡～1412-10-28，弗伦斯堡） 丹麦、挪威和瑞典摄政（分别从1375、1380、1389年起），她通过外交和战争所追求的王朝政策导致建立卡尔马联合（1397）。丹麦国王瓦尔德马四世之女。6岁与瑞典和挪威国王马格努斯之子哈康订婚，1363年在哥本哈根举行婚礼。她很早就显示出统治的天才。1375年父王去世，她使自己的独生子奥拉夫当选为丹麦国王。1380年丈夫死后，她又以儿子的名义统治挪威。丹麦与挪威由此统一，一直持续到1814年。1385年玛格丽特从汉萨同盟手中

美国不列颠百科全书公司供图

夺回斯堪的亚西海岸在经济上极为重要的一些据点。1385年奥拉夫成年，1387年突然死去。她使出全部外交手腕来巩固自己的地位，成为挪威和丹麦两国的摄政，然后同瑞典贵族通力合作。根据1388年《达拉堡条约》，瑞典贵族承认她为瑞典的“女王和正统君主”。这时，玛格丽特已成为斯堪的纳维亚三个国家的无可非议的统治者。1389年她的继承人波美拉尼亚的埃里克成为挪威的世袭国王，1396年又当选为丹麦和瑞典（当时包括芬兰）的国王。尽管埃里克登上王位，玛格丽特却一直是斯堪的纳维亚的实际统治者。她清洗反对她的贵族，限制政务会议的权力，通过各地的郡长加强行政管理。在经济方面，她征收重税，并没收教会的财产和土地。在外交方面，她极力制止德意志北侵并扩展丹麦的南方边界。她在同荷尔斯泰因进行战争期间，突然在弗伦斯堡逝世。玛格丽特是斯堪的纳维亚最杰出的君主之一。不仅能奠定国内和平，而且能维护自己的权威以遏制德国贵族的图谋和汉萨同盟的经济实力优势。她创立的联合王国一直持续到1523年。

● Margaret II 参阅 **Margrethe II 玛格丽特二世**。

苏格兰

● Margaret 玛格丽特（1282或1283～1290-09，奥克尼群岛） 苏格兰女王（1286～1290），马尔科姆三世传下来的苏格兰王系的末代君主。父为挪威国王埃里克二世，母为苏格兰国王亚历山大三世（1249～1286在位）之女。亚历山大死后无嗣，苏格兰的贵族们便拥戴她为女王。1290年英王爱德华一世安排她与其子、未来的英王爱德华二世结婚。但她在从挪威去英格兰的船上病死。婚约上虽载明苏格兰仍保持独立，爱德华却宣称其对苏格兰拥有统治权。苏格兰人加以抵制，有20多年时间苏格兰陷入外国统治和内战。

Margaret Maultasch 玛格丽特（大嘴）（1318～1369-10-03，维也纳） 又称玛格丽特（蒂罗尔的）。蒂罗尔女伯爵。克恩滕公爵、蒂罗尔伯爵亨利之女。1330年与年方9岁的卢森堡的约翰·亨利结婚。1335年丧父，她和丈夫继承了蒂罗尔，但不得不把卡林西亚州割让给哈布斯堡王室。后改嫁路易四世（巴伐利亚人）皇帝之子、勃兰登堡总督路易。1361年路易死，1363年其独子迈因哈德也死去，蒂罗尔归哈布斯堡家族。她退隐维也纳。

Margaret of Angoulême 玛格丽特（昂古莱姆的）（1492-04-11，法国昂古莱姆～1549-12-21，奥多斯-比戈尔） 又称玛格丽特（纳瓦拉的）。纳瓦拉的亨利二世的王后，以保护宗教改革家与人文主义者并依靠本人的作家身份而成为法国文艺复兴时期最杰出人物之一。昂古莱姆伯爵查理之女，法国国王弗兰西斯一世之姊。第一个丈夫阿朗松公爵查理死后，嫁给纳瓦拉的亨利二世。生一女（即后来的法国国王亨利四世之母）后，两人离异。她保护艺术家和有天才的学者，以及教会内部主张改革教理和纪律的人（如F.拉伯雷、C.马罗、E.多雷等）。她个人的宗教信仰虽倾向于一种神秘的虔诚主义，但也受人文主义者的影响。她虽赞成天主教内部的改革，却不是加尔文派教徒，因此同她女儿的关系是紧张的。然而，她还是尽力保护宗教改革家，并尽可能劝阻弗兰西斯一世对新教徒采取严厉措施。她最重要的文学作品是《七日谈》。她的最优秀的诗作，包括《船》，被编入题名为《最后的诗》这部诗集中。

Margaret of Anjou 玛格丽特（安茹的）（1430-03-23，可能生于法国洛林蓬塔穆松～1482-08-25，索米尔附近） 英格兰国王亨利六世的王后，玫瑰战争中兰开斯特派领袖。她坚强而有野心，为使自己的儿子爱德华王子（1453～1471）登上王位而不懈斗争，但终未成功。那不勒斯王安茹的雷内一世之女。1445年与亨利六世结婚，不久成为王党的主要成员，受到有权势的约克公爵理查的激烈反对。1455年5月派别纠纷酿成武装冲突，约克派在圣奥尔本斯打败兰开斯特派，于是约克公爵控制了政府。1456年玛格丽特把他赶下台，1459年玛格丽特宣布剥夺约克派领袖的权利，双方战斗又起。1460年7月亨利六世在北安普敦被约克派俘获。玛格丽特坚持她的儿子继承王位的权利，拒绝接受以约克为亨利的继承人的妥协方案。1460年12月，她的追随者在韦克菲尔德附近杀死约克，次年2月在第二次圣奥尔本斯战役中救出国王。但理查之子约克的爱德华于3月4日夺取了王位（称爱德华四世），并于3月29日在约克郡的陶顿战役中击溃玛格丽特的军队。玛格丽特偕丈夫和儿子逃往苏格兰。1471年4月回到英格兰，同年5月玛格丽特在蒂克斯伯里被爱德华四世击败，儿子阵亡。不久以后，她的丈夫也在伦敦塔中被害。她被监禁在英格兰，直到1475年法王路易十一将她赎回为止。她回法国后，在贫困中死去。

Margaret of Antioch, Saint **玛格丽特(安提阿的),圣**(活动时期3或4世纪,叙利亚安条克) 又称圣玛丽娜。女殉教士、14位救助圣人之一。据传罗马皇帝戴克里先在位期间(284～305)玛格丽特因不愿嫁给安提阿(即安条克)行政长官奥利布里乌斯而受酷刑后被斩。她是孕妇特别是难产产妇的主保圣人。在中世纪她是最受崇敬的圣人之一。

Margaret of Austria **玛格丽特(奥地利的)**(1480-01-10,布鲁塞尔～1530-12-01,西属尼德兰梅赫伦) 哈布斯堡王朝的统治者,曾任尼德兰女摄政(1507～1515,1519～1530),辅

美国不列颠百科全书公司供图

佐他的侄子查理(后为神圣罗马帝国皇帝查理五世)巩固哈布斯堡王朝在尼德兰的统治。她是哈布斯堡大公马克西米连(后为神圣罗马帝国皇帝马克西米连一世)和他的妻子勃艮第女公爵玛丽的女儿,1483年与法国皇太子(即后来的法国国王查理八世)订婚。查理八世与她解除婚约(1491)后,她与西班牙诸王国的王位继承人约翰王子结婚(1497),但约翰几个月后即死去。最后,她于1501年与萨伏依公爵菲利贝尔第二结婚,菲利贝尔于1504年逝世。1506年,她的兄弟美男子腓力一世死去,王子查理继位,马克西米连于1507年任命她为尼德兰女摄政,辅佐年幼的查理。她极为亲近英格兰人。在同马克西米连、英格兰和西班牙结成联盟后,她同法国进行了战争。在她两次摄政期间,尼德兰各省为支持哈布斯堡王朝的军事战役而遭到横征暴敛。1508年她代表马克西米连和她的年轻的侄子阿拉贡国王斐迪南(后为神圣罗马帝国皇帝斐迪南一世)参加在康布雷举行的谈判,解决了关于法国在勃艮第、尼德兰的权力问题上的争端。虽然15岁的查理于1515年宣布已到亲政年龄,但他从1519年起又委托玛格丽特主持朝政。在玛格丽特执政的10年间,扩张了哈布斯堡王朝在尼德兰东北部的领地:逐步征服弗里斯兰(1515～1524),兼并乌得勒支主教的领地(1528),同格尔德兰公爵埃赫蒙德的查理作战。在1529年的康布雷和会上,她代表查理五世与代表其子弗兰西斯一世的萨伏依的路易丝缔结了"夫人和约"。康布雷条约解决了有关在勃艮第、米兰和那不勒斯的权力之争,但在查理和弗兰西斯之间仅仅保持了短暂的和平。

Margaret of France **玛格丽特(法国的)** 参阅 **Margaret of Valois** 玛格丽特(瓦卢瓦的)。

Margaret of Navarre **玛格丽特(纳瓦拉的)** 参阅**Margaret of Angoulême**玛格丽特(昂古莱姆的)。

Margaret of Parma **玛格丽特(帕尔马的)**(1522,西属尼德兰奥德讷尔德～1586-01-18,那不勒斯王国奥尔托纳) 帕尔马女公爵和哈布斯堡王朝女摄政。在当尼德兰总督时(1559～1567),她曾试图安抚对西班牙统治日益增长的不满。她是神圣罗马帝国皇帝查理五世(西班牙的卡洛斯一世)和约安娜·范德·基因斯特的私生女,1536年与佛罗伦萨公爵亚历山德罗·德梅迪契结婚。但不到一年,德梅迪契即被刺杀。她后来又与奥塔维奥·法纳塞(1547年以后封帕尔马公爵)结婚(1538),并于1559年被她的异父兄弟西班牙国王腓力二世任命为尼德兰总督。玛格丽特的首席顾问A.德格朗韦勒是教会改组的受惠者(1560年任梅切伦大主教,1561年任枢机主教),结怨于以奥兰治亲王威廉(沉默者威廉一世)和埃格蒙特伯爵拉莫拉尔为首的上层贵族。结果,玛格丽特不得不于1564年解除德格朗韦勒的职务。接着有一派自称为"乞丐"的下层贵族掌握了主动权,在1566年向她请愿,要求比较温和地对待新教徒。玛格丽特满足了"乞丐"们的一部分要求,但在1566年加尔文教派极端分子袭击天主教堂之后,她在1567年初召来大部分由日耳曼人组成的雇佣军。虽然秩序恢复了,但腓力二世旋即将阿尔瓦公爵派往尼德兰,阿尔瓦公爵调集西班牙军队,对新教徒采取了严厉的手段,从而酿成反对西班牙统治的公开叛乱。阿尔瓦公爵的独断专行使玛格丽特于1567年辞职。1580年她重返尼德兰领导民政事务,她的儿子亚历山德罗·法纳塞任总司令,其后又任总督之职。玛格丽特于1583年退休,前往意大利。

Margaret of Provence **玛格丽特(普罗旺斯的)**(1221～1295-12-21,巴黎) 普罗旺斯伯爵R.贝朗格四世的长女。她同法国国王路易九世的婚姻(1234-05)使法王的权力扩大到罗讷河以外。在1248年的十字军远征中,她随路易到达埃及。在达米埃塔战役中,当军队在阿尔-曼苏拉战败(1250-02)、路易被穆斯林俘虏以后,她鼓舞十字军兵士的斗志,表现出极大的勇气。返回法国后,她有时试图干预政治,但总因国王的坚决抵制而未能如愿。否则,她本可改善路易九世同早在1236年和她妹妹埃莉诺结婚的英格兰亨利三世之间的关系。

Margaret of Scotland, Saint **玛格丽特(苏格兰的),圣**(约1045,可能生于匈牙利～1093-11-16,爱丁堡) 苏格兰国王马尔科姆三世的王后,苏格兰的主保女圣人。她的父亲爱德华流亡匈牙利,她在匈牙利宫廷中长大成人。黑斯廷斯战役后,寡母携子女又逃到苏格兰避难。虽然她向往宗教生活,但约于1070年与苏格兰国王马尔科姆三世结婚。她通过对丈夫和宫廷的影响,促进了教会的利益和上世纪被苏格兰人征服的英格兰居民的利益。她于丈夫被杀后不久逝世。1250年尊为圣徒。

Margaret of Tirol **玛格丽特(蒂罗尔的)** 参阅 **Margaret Maultasch** 玛格丽特(大嘴)。

Margaret of Valois **玛格丽特(瓦卢瓦的)**(1553-05-14,法国圣日耳曼昂莱～1615-03-27,巴黎) 又称玛格丽特(法国的)或玛尔格特王后。纳瓦拉国王(后来的法国国王亨利四世)的王后。法国国王亨利二世之女,她同其兄弟查理九世和安茹公爵即未来的亨利三世的关系经常十分紧张。她同极端的天主教党领袖吉斯公爵亨利很早就有暧昧关系。1572年嫁给信奉新教的纳瓦拉国王波旁的亨利。亨利采用权宜之计,表示放弃新教信仰,得以逃脱圣巴托罗缪节对新教徒的大屠杀。她虽仍然与别人私通,但不愿与亨利离异。她运用影响使亨利与她的兄弟、天主教温和派领袖弗兰索瓦相互谅解。她在随后的阴谋中使她的一个情夫丢掉了性命(1574)。1586年亨利三世把她放逐到奥弗涅的于松城堡,但她在吉斯公爵的帮助下控制了该地。1600年,她允许亨利四世另娶玛丽·德·美第奇,但保留自己的王后称号。5年后,她获准返回巴黎,过着豪华而淫乱的生活。她的《回忆录》对当时法国的情况作了生动的描述。

Margaret Tudor **玛格丽特(都铎)**(1489-11-29,伦敦～1541-10-18,苏格兰珀斯梅斯文) 苏格兰国王詹姆斯四世的王后,詹姆斯五世的母亲。英格兰国王亨利七世的长女。在其子未成年期间,在亲法和亲英两派的斗争中起关键作用。1503年8月与詹姆斯四世结婚,但她的父亲给她的嫁妆太少,无助于改善英格兰和苏格兰的关系。1513年詹姆斯在与英格兰作战中阵亡,她代幼子詹姆斯五世主持朝政。因她与亲英的安格斯伯爵结婚(1514),一度被迫逃到英格兰。1527年与安格斯离异,再嫁亨利·斯图尔特。1528年詹姆斯亲政后,封亨利为梅斯文勋爵。夫妻二人一度成为詹姆斯最有影响的顾问。但1534年詹姆斯发现她将国家机密出卖给其弟亨利八世,从而失去信任。

margarine 人造黄油 主要由一种或多种动植物油脂制成的食品,其中有含固体或液体奶制品、盐和其他成分如调味料、黄色食用色素、乳化剂、防腐剂、维生素A和D及黄油的水相部分作为分散相。用于烹调,也可作为一种涂抹食料。从营养价值上看,人造黄油主要是为人体提供热能。法国化学家H.梅热-穆里埃于19世纪60年代末发明了人造黄油,在欧洲受到重视,1873年美国授予他专利权。他的制法在美国被简化成用当时的标准黄油制造设备,将融化的脂肪混合物同牛奶和盐强烈搅拌,然后用冷水冷却,使其凝固,再把它揉搓到可塑稠度,最后包装。所用脂肪变动很大,开始主要用动物脂肪,后来又转向用植物脂肪,主要有棉籽油、大豆油、椰子油、花生油和玉米油,最近还有棕榈油。20世纪50年代末,人们对各种多不饱和脂肪油脂与人体健康的关系发生了越来越大的兴趣,转向以玉米油、红花油和向日葵油作为人造黄油的脂肪成分。鲸鱼油在欧洲用得很普遍,但在美国却很少用。由于乳制品工业的

反对，尤其是在美国，人造黄油的生产长期受到立法的严格限制。但是，在20世纪30年代，美国人造黄油制造商们学会了用本国的油料，而不是像从前那样用进口的油料生产，于是他们得到了美国生产棉籽和大豆农场主们的拥护和支持。联邦政府和大多数的州逐渐取消了对人造黄油的限制，使人造黄油在美国的销售量赶上了大多数欧洲国家。

Margarita Island 玛格丽塔岛 加勒比海岛屿。在委内瑞拉东北部阿拉亚半岛北19千米处。又名珍珠岛。是新埃斯帕塔州（由70个岛屿组成）最大的岛屿，长约65千米，面积1 072平方千米，海岸线317千米，天然港湾甚多。地势一般很低，马卡琉山海拔最高，达760米。该岛1498年为哥伦布所发现，很快以产珍珠而驰名。1816年西蒙·玻利瓦尔曾以该岛作为反西班牙争取独立的战斗基地。岛上居民以土著人为主。自1920年后吸引了许多海外移民。同时许多岛民迁至大陆，寻找更好的职业。岛上有农牧业，但食品依靠进口。珍珠业仍占重要地位。其他收入来源于渔业、渔船建造、旅游业和制造砖瓦、陶器、鞋、帽、盐等。州首府**拉亚松森（Asunción, La）**，但最重要的城市为波拉马尔（珍珠业中心，有机场）。最大港口为潘帕塔尔。人口约117 700（1979）。

Margate 马盖特 英格兰肯特行政、历史郡萨尼特区城镇。位于泰晤士河口湾南面。18世纪成为闻名的海滨浴场。现经济以夏季旅游业为主，有各种轻工业。人口56 734（1991）。

margate 马盖特鱼 海鱼，**鼾鸣鱼（grunt）**的一种。

margay（*Felis wiedii*） 虎猫 又作tiger cat或tigrillo。小型猫科动物。分布范围从南美到中美一带，在美国最南地区也有少数。其自然习性不甚了解。生活在森林中，推测

虎猫（*Felis wiedii*）
美国不列颠百科全书公司供图

大概为夜行性，以鸟类、蛙和昆虫为食。与亲缘动物豹猫类似，但尾稍长，脸较圆胖，有大而深色的眼和一对圆耳。雄体最大长度达约1.1米（包括46厘米长的尾），重达16千克。雌体较小，尾稍长。淡灰色至深褐色，有深色斑点、斑纹、带纹和黑缘大斑。自幼小养大易驯服，但成体性情难测。

Marggraf, Andreas Sigismund 马格拉夫（1709-03-03，柏林～1782-08-07，柏林） 德国化学家。1747年发现甜菜糖，促进了制糖工业的发展。1735～1738年在柏林给当宫廷药剂师的父亲做助手。1754～1760年任柏林科学院化学实验室主任。他采用显微镜作为化学研究的辅助工具，分辨出普通黏土中的铝氧化物（氧化铝）和钙氧化物（石灰），并简化了由尿液提取磷的方法。他虽然注意到磷氧化成磷酸盐时的增重，但仍然是燃素学说在德国的最后一个著名支持者，该学说认定物质在氧化或燃烧期间失去了一种"火要素"。他的甜菜糖的发现直到他去世后4年才被采用。

Margherita（Somalia） **玛格丽塔** 参阅**Jamaame 贾马梅**。

Margherita Peak 玛格丽塔山 法语称玛格丽特峰。东非鲁文佐里山脉的最高峰。为非洲第三高峰（次于乞力马扎罗山和肯尼亚山）。在刚果（金）-乌干达边界上，北面有艾伯特湖（蒙博托湖），南面有爱德华湖。高5 119米。1906年，卢伊吉·阿梅代奥·阿布鲁齐率领探险队第一次登上该山，并以意大利玛格丽塔皇后的名字为之命名。

Marghiloman, Alexandru 马尔吉洛曼（1854-07-04，罗马尼亚布泽乌～1925-05-10，布泽乌） 罗马尼亚政治家，保守党领袖。早年在巴黎学习法律和政治。1884年当选为罗马尼亚议会议员，1888年任大臣。他一向主张与德国和奥匈帝国合作，但第一次世界大战初期鼓吹保持中立。1916年因反对罗马尼亚加入协约国一方作战而拒绝参加布勒蒂亚努的内阁。德军占领期间，他留在布加勒斯特任红十字会会长，但没有应允德方要他组织政府的要求。1918年3月罗马尼亚投降后出任首相，与同盟国签订和约。同盟国战败后其内阁也随之倒台。

Margilan 马尔吉兰 乌兹别克斯坦费尔干纳州城市。原名马尔吉南，可能建于公元前2世纪至公元前1世纪，当时通往东方的丝绸之路经过费尔干纳盆地。公元10～12世纪为重要商业城镇。16世纪为该盆地最大城市之一。18世纪属浩罕汗国。1876年被俄国占领。蚕丝生产在中央亚细亚久负盛名，现为乌兹别克斯坦最重要的蚕丝中心。人口约128 000（1992）。

margin 保证金 指为一项贷款提供保证时，担保品价值超过贷款额的部分。该词常用于有价证券和商品的期货交易之中。当以"保证金方式"购买有价证券时，买方仅支付购价的一部分，而向经纪人借入其余部分，以证券作为借款的担保品。若证券购买后价格下跌，就会使贷款人可得到的保证金随之减少，这样可要求买方将保证金恢复到预先安排好的水平。在美国，根据1934年《证券交易法》，联邦储备委员会有权对打算购买有价证券的借款索取最低限度的原始保证金。要求保证金的目的在于防止滥用信贷从事股票投机。英国股票交易所不允许进行保证金方式的交易。

marginal-cost pricing 边际成本定价法 在经济学中，指产品价格等于生产一额外单位的产量所追加的额外成本（即边际成本）。按照这一政策，生产者对售出的每单位产品仅收取由于原料与直接劳动力给总成本所带来的追加费用。厂商常使用此政策以保持低廉的售价，或在销售不振时期维持企业的经营。例如，暂时经受销售不振的厂商可以借此法保持工人就业，等待时机的好转。因为不论雇用工人与否，租金与厂房维修之类的固定费用都必须支付，所以厂商决定继续生产并以边际成本来销售产品时，所造成的金钱损失，必定低于因解雇工人而停止生产所招致的损失。

marginal efficiency of investment 投资边际效率 经济学名词，指在特定条件下和指定的时期内做出追加投资时预期可得到的报酬率。将此投资报酬率与现行利率作比较，可用以表明投资的赢利性大小。投资报酬率的估算方法：把投资项目所预期的一系列未来的收益，按某一折现率折为现值后，正好等于这一项目重置成本，这一折现率就是投资报酬率。从逻辑上讲，只要每项追加投资的边际效率超过利率，投资就会进行；如利率较高，则借入所需资金的费用超过投资的收益，投资就成为无利可图。J.M.凯因斯在运用此概念时，称之为"资本边际效率"。他认为在决定投资水平中，对未来收益的预期较之利率是更为重要的因素。

marginal productivity theory 边际生产力论 19世纪末一些经济学家如J.B.克拉克、P.H.威克斯第德等所发展的一种经济理论。他们认为：经营性企业仅乐于向生产代理人支付其对企业所增加的那部分福利或效用。例如，如果每1工人1小时的劳动力给企业所增加的收入少于企业对该工人1小时的劳动力所支付的费用，显然，购买这种劳动力是无利可图的。一项生产投资的这种边际收益，就称之为该投资的边际产品的价值；随之而来的分配论是：每种投资均按其边际产品的价值决定获得其收入。

marginal utility 边际效用 经济学名词，指消费者购买额外一单位商品或劳务所获得的额外满足或利益（效用）。这个概念的含义是：消费者每增加使用一单位的产品所产生的效用或利益，与他已经拥有（或消费）的产品单位数量成反比关系。边际效用可用下面的例子来说明。一片面包提供给仅拥有7片面包的家庭，其边际效用很大，因为此家庭可因这片面包而使饥饿大为减轻，即7与8之差按比例来说很大。然而，一片额外面包提供给已拥有30片面包的家庭，其边际效用就较小，因为30和31之差按比例来说小一些，

这个家庭的饥饿程度早因原来拥有的面包而缓解。因此买者购买产品愈多，边际效用便随之递减，直到他完全不再需要额外一单位的那一点，这时边际效用为零。边际效用的概念源自19世纪的经济学家，他们试图分析并解释价格的基本经济现实情况。这些经济学家相信，决定商品价格的部分因素是效用，效用也就是商品满足消费者需求及欲望的程度。然而，这个效用的定义运用到一般的价格关系时，就产生了反论。经济学家们观察到：即使面包是延续生命不可或缺的东西，其效用远大于只用于装饰的钻石，然而钻石的价值却远大于面包。这个称之为价值反论的难题，运用边际效用的概念获得了解决。钻石稀少，需求很大，因此获得额外单位的钻石是最企求之事。这表示钻石的边际效用很高，消费者愿意付出较高的价格来购买。面包之所以价值小得多，只是因为面包不甚稀少，而且买者已拥有足够的面包来满足最急切的需求。超过人们的欲求去购买额外的面包，其利益或效用是递减的，最后当其超过饥饿已完全满足的那点时，所有的效用都会丧失。20世纪无差异分析的方法扩大了边际效用的概念。参阅 **indifference curve**。

Margoliouth, David Samuel　马哥利奥斯（1858-10-17，英国伦敦～1940-03-22，伦敦）　英国学者。1889～1937年任牛津大学阿拉伯语教授，一度任圣公会牧师。曾在中东旅行很久。在巴格达一带，人们认为他对于伊斯兰教的了解超过大多数阿拉伯学者。著有关于伊斯兰教历史的著作多种，如《穆罕默德与伊斯兰教的兴起》（1905）、《伊斯兰教的早期发展》（1914）和《伊斯兰教兴起之前阿拉伯人与以色列人之间的关系》（1924）等。他在编译阿拉伯文著作方面造诣甚深。

Margot, Queen　玛尔格特王后　参阅 **Margaret of Valois 玛格丽特（瓦卢瓦的）**。

Margrethe II　玛格丽特二世（1940-04-16，丹麦哥本哈根～　）　全名 Margrethe Alexandrine Thorhildur Ingrid。丹麦女王。父王腓特烈九世死后，她于1972年1月14日继位。她在纳粹入侵丹麦一周出生，战争年代在丹麦度过。后入哥本哈根大学、日德兰的奥胡斯大学、剑桥大学、伦敦经济学院和巴黎大学深造。1953年丹麦修改宪法，允许女嗣继承王位。她是国王长女，称“女王储”。18周岁起经常参加国务会议。1967年6月10日与法国外交官亨利伯爵结婚，生王太子腓特烈和约阿基姆亲王。

Marguerite, Pic（East Africa）　**玛格丽特峰**　参阅 **Margherita Peak 玛格丽塔山**。

Margunios, Maximus　马尔古尼奥斯（？，克里特～1602，威尼斯［意大利］）　希腊正教主教，向意大利介绍希腊文化的人文主义者。他任主教的地点是威尼斯管辖下的基西拉岛。由于威尼斯当局阻挠，多年不能到职，大部分时间住在威尼斯城内希腊正教居民区，任希腊学院院长。当时，天主教和东正教就《尼西亚信经》中“和子”句发生争执，马尔古尼奥斯寻找双方都能接受的折衷提法。所著《论圣灵的发生》1591年出版后，蒙不坚持正教教义之嫌，不得不以书面声明致君士坦丁堡拜占廷教义会议，表示持守正教教义。

Mari　马里人　俄语拉丁字母转写作 Marytsy；前称切列米斯人（俄语拉丁字母转写作 Cheremisy）。欧洲民族。20世纪末约有67万人，操一种芬兰-乌戈尔语族语言，主要生活在俄罗斯的马里共和国内伏尔加河流域中部地区，也有少数居住在其毗邻各地区，而生活在巴什科尔托斯坦（巴什基尔共和国）的则有10万人。马里人一名系该民族自称，西方人及前苏联俄罗斯人称马里人为切列米斯人。大约自700年迄今，马里人同楚瓦什人一直处于一种准共生关系之中，不过1236年因与鞑靼人的接触日趋紧迫，故该种共生状态的最强阶段已告终结。鞑靼人的势力延续至1552年，当地又越来越明显地被置于莫斯科势力范围中。17世纪时，马里人受到俄罗斯文明的同化进程有所加速，社会变化和经济变化的征候有增无已，这可见于许多现象之中，包括一些强烈的土著保护运动的出现，其中最著者是大烛教（**Kuga Sorta**）。马里人的主要生活来源是农业（谷物、亚麻）和乳酪生产及牲畜饲养。马里共和国首府约什卡尔奥拉，以拥有各种职业培训学校而自豪，如畜牧、造林、光学仪器制造、造纸等。马里人的手工艺品则以其木、石雕刻及刺绣闻名远近。

Mari　马里　即今哈里里丘，美索不达米亚古城，位于今叙利亚境内幼发拉底河右岸。1933年开始考古发掘，发现了从约公元前3100年至公元7世纪期间的遗存，其中包括国王齐姆里利姆的宫殿、大量的壁画和小件器物。齐姆里利姆维持了将近30年的极盛统治，公元前18世纪因汉穆拉比占领并摧毁马里城而终结。在各种档案库中发现的数千件文件是无价之宝，其中有外交文书、全国各地送来的报告、历史档案和书信，经济和法律文书也很丰富。所有这些文字材料增进了后世对亚述地理、历史和生活的了解。

Mari El　马里　俄罗斯内的一个共和国。位于伏尔加河中游流域，地处平坦的多沼泽平原，自伏尔加河左岸向北延伸。有伏尔加河的支流韦特卢加河、大科克沙加河、小科克沙加河和伊列季河流经，地势向东渐渐高起与维亚特卡低丘陵连接。属于明显的大陆性气候，冬季漫长、寒冷，1月平均气温 -13 °C，北极气团侵入时往往下降到 -42 °C；夏季温暖，7月平均气温20 °C。夏季降水最多，年降水量一般为450～500毫米。森林覆盖率约1/2，主要有云杉、白桦和松树。泛滥平原草甸分布在每年有春汛发生的伏尔加河和其他河流的两岸。土壤以灰壤为主，许多泥炭沼、岸边低位沼和沼泽林散布在泥砾层平原上。马里人属芬兰-乌戈尔语民族，与乌德穆尔特人和莫尔多维亚人有血缘关系。16世纪成为俄国殖民地。1920年建为苏维埃自治州，1936年设为自治共和国。1991年苏联解体后为马里共和国，是俄罗斯联邦的一部分。人口以俄罗斯人和马里人为主，还有少量其他民族。约2/3人口居住在城市。主要城市有约什卡尔奥拉（首府）、伏尔加斯克和科兹莫杰米扬斯克。

经济以机器制造、伐木和木材加工为主。木材沿境内诸河漂流而下，到达通往约什卡尔奥拉城的铁路沿线的各锯木厂和伏尔加河下游各城市，在克拉斯诺戈尔斯克制成活动房屋，在约什卡尔奥拉制造家具，在伏尔加斯克制成纸张和纸浆，木材化工业生产松节油和酒精。还有玻璃和服装制造业，食品加工业集中在约什卡尔奥拉城。

可耕地约占总面积的30%，集中在伏尔加河沿岸和维亚特卡丘陵东北部。主要种植谷物（黑麦、燕麦、少量春小麦、大麦、荞麦和青贮饲料用玉米）。其他作物有亚麻、马铃薯和蔬菜。养殖肉牛、乳牛和绵羊、山羊以及猪。约什卡尔奥拉有公路与基洛夫州奥尔尚卡和亚兰斯克以及境内的谢尔努尔和科兹莫杰米扬斯克相连。只有一条铁路是途经约什卡尔奥拉的一条支线。面积23 200平方千米。人口约767 000（1995）。

Mari language　马里语　以前称切列米斯语，属乌拉尔语系芬兰-乌戈尔语族，主要通行于俄罗斯马里共和国，有三种主要方言：草地方言，通行于伏尔加河以北；山地方言，通行于伏尔加河以南大部地区，从伏尔加河到苏拉河一带；东部方言，通行于卡马河流域。草地方言和山地方言都是很小的方言，但却是区别文学语言的依据。马里语的语言和文化史和它的乌拉尔邻居莫尔多维亚语及彼尔姆语紧密相关。20世纪末，操马里语的人数超过50万。

Maria I　玛丽亚一世（1734-12-17，葡萄牙里斯本～1816-03-20，巴西里约热内卢）　葡萄牙第一个女王（1777～1816）。国王若瑟的女儿。她当政时，极力缓和前代大臣蓬巴尔侯爵的残酷统治，释放政治犯，放逐蓬巴尔，撤销一些商业机构，在葡萄牙发展小型工业，在巴西栽培新作物。1792年精神失常，将权力交给次子约翰（即后来的约翰六世）。1799年她的病情无法治疗，遂给约翰加上摄政的称号。玛丽亚每天同约翰见面，但已无法继续行使权力。1807年拿破仑军队入侵时，她与王室成员前往巴西，后来在那里去世。

Maria II　玛丽亚二世（1819-04-04，巴西里约热内卢～1853-11-15，葡萄牙里斯本）　葡萄牙女王（1834～1853），是葡萄牙国王佩德罗四世兼巴西皇帝佩德罗一世之女。1826年父王把葡萄牙王位让给她，但要求她与他的兄弟米格尔结婚。米格尔趁机夺取政权，自立为国王。玛丽亚的父亲佩德罗放弃了巴西帝国的王位，1831年前往欧洲，占领特尔塞拉岛，并以玛丽亚的名义发动远征，攻占欧洲大陆的领土。1834年攻下波尔图，并占领了里斯本，米格尔逃亡国外。1834年9月佩德罗死去。玛丽亚14岁宣布成年。她结婚后，几乎立即成为寡妇。她再嫁给费迪南德，两人生有11个子女。她视其父颁布的宪法为王权的保障，并重用宪法捍卫者萨尔达尼亚公爵，在位期间充满了温和派和保守派间的斗争。玛丽亚死于分娩，王位传给长子佩德罗五世。

maria (astronomy)　参阅 **mare** 月海。

María DE JESÚS, SISTER (Spanish mystic)　**马利亚(修女)**　参阅 **Agreda, María de** 阿格雷达。

Maria Carolina　**玛丽亚·卡罗莱娜**(1752-08-13，维也纳[奥地利]～1814-09-08，维也纳)　意大利那不勒斯女王。奥地利女皇玛丽亚·特蕾西亚之女，1768年与斐迪南四世结婚，斐迪南允许她掌握王国的很大一部分政权。掌权后，把宫廷的亲西班牙政策改变为亲英反法政策。1793年参加第一次英奥反法联盟，并派舰队前往土伦与英舰队会合。1798年法国人占据那不勒斯，成立帕特诺培共和国。她与国王逃走。1799年回那不勒斯，参与对共和主义者的屠杀。1805年又与法国开战，法军再次占领那不勒斯。1806年玛丽亚·卡罗莱娜逃往西西里。后回奥地利，3年后死去。

María Cristina DE BORBÓN　**玛丽亚·克里斯蒂娜(博尔翁的)**(1806-04-27，意大利那不勒斯～1878-08-23，法国圣阿德雷斯)　西班牙费迪南德七世的王后(1829～1833)和摄政(1833～1840)。曾力主改变王位继承法，以便使女儿伊莎贝拉能够成为女王。由于剥夺王弟唐·卡洛斯(卡洛斯·马利亚·伊西德罗[**Carlos Maria Isidro**])的王位，曾引起第一次卡洛斯战争。1833年费迪南德死后，她当摄政，全国陷入一片混乱。1840年她放弃摄政权，1854年被迫流亡国外。

María Cristina DE HABSBURGO-LORENA　**玛丽亚·克里斯蒂娜(哈布斯堡-洛雷纳的)**(1858-07-21，奥地利大塞洛维茨～1929-02-06，西班牙马德里)　西班牙阿方索十二世的王后(1879～1885)，在其子阿方索十三世年幼时任摄政(1885～1902)，给西班牙带来一定程度的和平与稳定。是西班牙历史上摄政时间最长的王后。她准许出版自由，对政治犯实行大赦，让保守派和自由派轮流执政。在1898年的美西战争中，西班牙帝国失去了古巴、波多黎各、关岛和菲律宾。1902年5月，阿方索十三世宣布成年践位，她辞去摄政职务，晚年致力于社会和慈善事业。

Maria Island　**玛丽亚岛**　在塔斯曼海中。距澳大利亚塔斯马尼亚岛东岸6.5千米，南北长19千米，东西宽13千米。分成两部分，中间有狭窄沙质地峡。总面积9 672公顷。崎岖的东北海岸附近海拔915米。19世纪初为捕海豹业和捕鲸业中心。1825～1832年为达灵顿的犯人流放地。19世纪末在该岛建有酿酒和丝绸企业，并用当地石灰石生产水泥。1972年辟为国家公园。

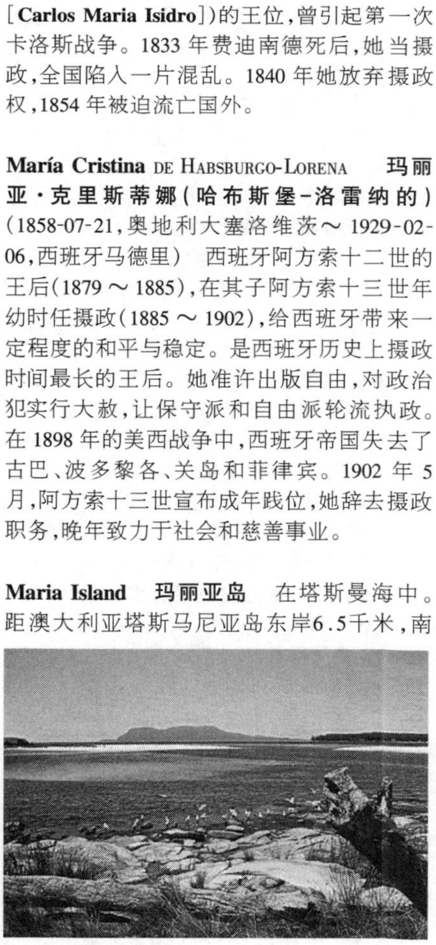
玛丽亚岛远眺
美国不列颠百科全书公司供图

Maria Legio　**圣母军**　又作Legio Maria或Legion of Mary Church。规模最大的非洲独立教会。具有天主教背景，兴起于20世纪60年代。20世纪50年代肯尼亚势力衰微的圣母教与圣母军无关。圣母军抵制西医和传统医药、戒烟酒、禁舞，但容许一夫多妻，并有强烈的民族情绪。

Maria Stella　**玛丽亚·斯泰拉**(1773-04-16，教皇国莫迪利亚纳～1843-12-28，巴黎)　意大利女政治冒险家。1830年奥尔良公爵路易-菲力普继承法国王位时，她对路易的出身提出质疑。斯泰拉由莫迪利亚纳地方警官L.基亚皮尼夫妇作为女儿抚养长大。她擅长唱歌跳舞，曾在佛罗伦萨登台表演。1821年基亚皮尼逝世时留有遗书，说出她的生父不是自己而是一位已故的贵族，后者以她调换了基亚皮尼的儿子。因得知1773年有自称儒安维尔伯爵和伯爵夫人的一对夫妇曾经旅行至莫迪利亚纳，她便编造故事如下：这两个人原是夏尔特尔公爵和公爵夫人。夏尔特尔公爵即路易·菲力普·约瑟夫，亦即后来名为路易·菲力普·埃加利代的奥尔良公爵，其夫人为波旁-庞蒂耶夫尔的阿德莱德。公爵用女儿换取基亚皮尼的儿子，是为了要保有庞蒂耶夫尔家的财产继承权，这个出身有争议的儿子即是奥尔良公爵路易-菲力普，后来成为法国国王。法恩扎教会法院于1824年接受了基亚皮尼的遗书，但拒绝认定那位贵族即是夏尔特尔公爵。她的申辩书《玛丽亚·斯泰拉，或出身高贵的女孩与出身低下的男孩之调换》发表之时正值路易-菲力普登基，可能是出于贝里公爵夫人的同党的安排。因为波旁正统派视贝里夫人之子波尔多公爵为合法的国王亨利五世，前此有人散发小册子(可能为奥尔良派所策动)质疑波尔多公爵的嫡出是否合法，所以贝里夫人一派借此申辩书予以反击。

María Teresa DE AUSTRIA　参阅 **Marie-Thérèse of Austria** 玛丽-泰蕾莎(奥地利的)。

Maria Theresa　**玛丽亚·特蕾西亚**(1717-05-13，维也纳～1780-11-29，维也纳)　奥地利女大公、匈牙利和波希米亚女王(1740～1780)、神圣罗马帝国皇帝弗兰茨一世的皇后、神圣罗马帝国皇帝约瑟夫二世之母。神圣罗马帝国皇帝查理六世之女。查理六世在他的独生子死后颁布《国本诏书》，确定女嗣有权继承哈布斯堡王室的领地，特蕾西亚因而成为欧洲棋盘上的一个小卒。她于1736年与洛林的弗兰茨·斯特凡结婚。1740年10月20日查理六世去世，随即爆发皇位继承战争。玛丽亚·特蕾西亚能够取得继承权，使欧洲各国的首相们大吃一惊。尽管当时普鲁士已经侵入西里西亚，而她却拒绝同普鲁士的腓特烈二世进行谈判。因出席匈牙利三级会议取得成功，她在欧洲博得外交家的名声。1745年她给自己的丈夫弗兰茨取得神圣罗马帝国的皇位。玛丽亚·特蕾西亚喜欢独断独行，努力

美国不列颠百科全书公司供图

建立庞大的常备军，削减各庄园的许多权利，取消大地主的赋税豁免权，培养政府工作人员和法官，对大学教育进行改革。她下决心收复西里西亚，甚至想摧毁普鲁士。她抛弃哈布斯堡王朝的老盟友英国，而同宿敌法国结盟，另外还同俄国签订条约。1765年弗兰茨突然去世，使玛丽亚·特蕾西亚长期陷于悲痛之中。她同其子约瑟夫一再发生冲突，使其晚年蒙上深深的阴影。约瑟夫对待启蒙时期"新哲学"的轻率态度、对腓特烈大帝的崇拜以及外交上的冒险使她反感而又恐惧。她仍企图抵制一个新时代的来临。但她本人采取的务实改革却为其子约瑟夫二世统治时期体现的开明政治铺平了道路。

María Trinidad Sánchez　**玛丽亚·特立尼达·桑切斯**　多米尼加共和国北部沿岸省份。东北濒大西洋，海拔最高处942米。面积1 310平方千米。为该国最湿润的省份之一，年降雨量逾2 160毫米。最大河流纳瓜河。该省仅沿岸地区已经开发。经济以农、牧业为主。所产花生、可可、香蕉和烟草等在沿岸城镇加工。主要沿岸城镇有东南部的纳瓜以及北部的卡夫雷拉和里奥圣胡安等。卡夫雷拉有港口设施和机场。人口124 957(1993)。

mariachi　**马里亚奇**　由小提琴、大小吉他、竖琴、曼多林琴和低音提琴组成的墨西哥弦乐队，有时也包括铜管乐器。乐队由3～12名演奏员组成。每次演出时，乐器配置都有变化。马里亚奇乐队在城市街头为民间音乐作伴奏，也演奏传统的和新创作的流行音乐。这种合奏乐队从前用于婚礼仪式，并由此得名。此词也用以指单独的民歌手。

Mariamne　**马利安**(约公元前57～前29)　犹太教和基督教传说中有名的犹太人公主和女豪杰。她于公元前37年嫁给犹太国王希律大帝，使希律家族与被废黜的马加比人哈斯蒙家族结成联盟，从而使希律统治地位更加合法化。但是希律在妹妹撒罗米和马利安

的母亲亚历山德拉的唆使下，以奸淫罪将马利安处死。后来希律又杀死她的两个儿子亚历山大和亚历多布。

Mariana 马里亚纳 巴西米纳斯吉拉斯州中东部城市。濒卡尔穆河，海拔 697 米。1711 年建城市区，1745 年建市。全州最古老的城市。一度以采矿中心著名。1905 年后为一主教区的中心。农业和畜牧业现为主要经济活动。产牛肉、牛奶、家禽、咖啡、稻米、玉米、豆类、甘蔗、大蒜和高粱。附近的米纳斯达帕萨任是该州大金矿之一，在经济上占重要地位。铁路和公路通里约热内卢和西北 80 千米的州首府贝洛奥里藏特。人口约 11 785 (1980)。

Mariana, Juan de 马里安纳(1536，西班牙塔拉韦拉-德拉雷纳～1624-02-16，托莱多) 西班牙历史学家，著有《西班牙通史》(1592)。他在阿尔卡拉结束学业后，加入耶稣会，1561 年授神职。此后 14 年在罗马、西西里、巴黎等地讲授神学。1574 年回西班牙，在托莱多生活、研究和写作。他的政治论文《论国王和国王的教育》(1598)，讲述在某种条件下推翻一个暴君是合理的。他的《七篇论文集》(1607)探讨政治和道德问题，刚一出版就被宗教裁判所查禁。他被囚一年，勒令进行忏悔。他虽然终身属于耶稣会，但他所著《论耶稣会管理方式的重大缺点》(1626)则痛斥耶稣会的许多败德行为。所著《西班牙通史》虽为史作，更富文学色彩，收有历史、轶闻、传说，文笔流畅，不愧为传世之作。

Mariana Islands 马里亚纳群岛 西太平洋一系列火山和上升珊瑚建造，西距菲律宾 2 400 千米。该群岛在政治上分为关岛和北马里亚纳群岛两部分。北马里亚纳群岛从关岛向北延伸 725 千米，陆地总面积 477 平方千米。有塞班岛(**Saipan**)、蒂尼安岛(**Tinian**)、阿格里汉岛(**Agrihan**)和罗塔岛(**Rota**)4 个大岛，帕甘、亚松森和帕哈罗斯岩 3 个活火山岛。关岛面积为 541 平方千米。整个群岛属热带气候。葡萄牙航海家 F.麦哲伦于 1521 年发现马里亚纳群岛后，岛上便经常有人前往勘察，但直到 1668 年才开始有移民，来自贼岛的耶稣会传教士更改了群岛的名称，以纪念奥地利的马里亚纳(当时的西班牙摄政王)。以后，耶稣会会士开始强迫当地的查莫罗人皈依天主教。美-西战争(1898)以后，关岛割让给了美国，北马里亚纳群岛于 1898 年出售给了德国。1914 年北马里亚纳群岛被日本占领，1919 年成为国际联盟的一个日本托管地。该群岛在第二次世界大战中被美军夺取。1947 年群岛成为美国的联合国托管领土的一部分；1978 年群岛选择成为一个自治政区，1986 年托管领土终止后便正式获得这一地位。马里亚纳群岛经济以自给农业为主，一部分收入来自椰仁干生产和为美军设施的服务；当地也饲养牛。居民以西班牙占领前的查莫罗人为主，多有西班牙、墨西哥、菲律宾、德国或日本人血统，有明显的西班牙文化传统。参阅 **Guam**。人口：北马里亚纳群岛约 44 800；关岛约 139 000 (1992)。

Mariana Trench 马里亚纳海沟 世界上最深的海沟。位于北太平洋西部马里亚纳群岛以东。为一条洋底弧形洼地，延伸 2 550 千米，平均宽 69 千米。主海沟底部有较小陡壁谷地。1899 年，关岛东南发现内罗海渊(9 660 米)。这一纪录直到 30 年后附近发现 9 813米深渊之后才被超过。1957 年国际地球物理年时，苏联的调查船“勇士”号测到 10 990米深度。后又有 11 034米的新纪录。1960 年 1 月 23 日美国海军用法国制造的探海艇“的里亚斯特”号，又创造了潜入海沟 10 911米的纪录。

Marianao 马里亚瑙 古巴中西部哈瓦那省城市。位于北部海岸丘陵地带。建于 1726 年。1900 年以来随哈瓦那市的发展而成为首都的主要郊区住宅区。娱乐设施有赌场、游艇俱乐部和赛马场等。工业多样化，主要产品有啤酒、药品、布匹和烟草。为该国主要军营哥伦比亚营所在地。人口约 133 016 (1989)。

Marianist 马利亚会修士 天主教马利亚会(Society of Mary)的成员。该会于 1817 年由法国人 W. J. 夏米纳德创立于法国波尔多。分为马利亚兄弟会、马利亚女儿会两个部分，其母体都是夏米纳德于 1800 年所创蒙福圣母会。马利亚男修会遍布西欧、美洲、亚洲、非洲、澳大利亚，主要从事天主教教育工作。该会修士除发绝财、绝色和顺从三愿外，还要发第四愿：坚定、忠于修会、专诚事奉马利亚。修士右手戴金戒指，表示第四愿。

Mariánské Lázně 玛丽亚温泉镇 德语作 Marienbad(马林巴德)。捷克共和国西捷克州温泉镇。在卡罗维发利西南的森林盆地，海拔 600 米。1868 年建镇。当地有 40 多眼温泉，是欧洲风景最优美的温泉地之一。光顾此地的名人中有英王爱德华七世，作曲家 F.肖邦与 R.瓦格纳，作家 J. W. von 歌德、F.卡夫卡与 H.易卜生等。人口约 15 378(1991)。

Marianus Scotus 马里安纳斯·斯科图斯(1028，爱尔兰～1082 或 1083-12-22，弗兰科尼亚美因茨[今在德国]) 爱尔兰编年史家。1052 年在北爱尔兰成为本笃会僧侣，后到科隆入一爱尔兰人隐修院。1059 年在维尔茨堡当神父，后隐居富尔达和美因茨。他用德文撰写一部从创世到 1082 年的世界通史。这部《编年史》不仅作为世界编年史，而且作为 10～11 世纪德意志的爱尔兰人隐修运动的历史，都很有价值。

Marías Islands 玛丽亚斯群岛 墨西哥中西部太平洋沿岸群岛，属墨西哥纳亚里特州。由几个崎岖的岩石岛组成。玛丽亚·马德雷岛最大，面积 114 平方千米，海拔 613 米。其次为玛丽亚·马格德莱娜岛，面积 83 平方千米。玛丽亚·克莱奥法斯岛面积仅 23 平方千米。圣华尼托岛最小。因缺淡水，各岛无居民。玛丽亚·马德雷岛有犯人流放地和灯塔。玛丽亚斯群岛因有鸟粪、盐、龙舌兰和木材而有经济价值。

Marias River 玛丽亚斯河 美国蒙大拿州西北部格拉西尔县河流，由卡特班克河和图梅迪辛河汇合而成。总流向为东南，有几条小河与其汇合。泰伯水坝拦河蓄水形成了埃尔韦尔湖，该湖用于灌溉，也是游乐区。1870 年 1 月 23 日美国士兵在此发动了玛丽亚斯大屠杀，杀害 173 名印第安人。是美国历史上最为血腥的残害印第安人的事件之一。该河流过水坝 80 千米，在洛马附近接纳其主要支流蒂顿河后汇入密苏里河。

Mariátegui, José Carlos 马里亚特吉(1895-06-14，秘鲁利马～1930-04-16，利马) 秘鲁政治领袖、小品文作者，是秘鲁知识界最先把马克思的历史唯物主义模式应用于解决秘鲁问题的先驱。秘鲁的莱吉亚独裁政权为摆脱这位对政府持激烈批评态度的人，于 1919 年把他送往意大利学习。其间，他与当时一些知名的社会主义思想家建立了牢固的思想联系。1923 年返回利马，成为“美洲人民革命同盟”坚定的支持者。后因与另一领导人 L. A. 桑切斯意见分歧退出同盟，1928 年组建秘鲁共产党。后因病瘫痪，但仍创办秘鲁的马克思主义文学期刊《阿玛塔》(1926～1930)并发表一些“先锋派”作品。在散文集《现状》(1925)中，马里亚特吉抨击了法西斯主义，并为在社会压迫肆虐的国家中的知识分子阐明了责任。代表作是《阐述秘鲁现状的七篇论文》(1928)。

Mariazell 玛丽亚采尔 奥地利中东部施泰尔马克州城镇。位于卡普芬贝格北面施蒂里亚阿尔卑斯山中的萨尔察河谷地。1157 年由圣兰布雷特隐修院的僧侣建立，为奥地利最著名的朝圣地。朝圣教堂(1644～1683 年重建)内供有圣母马利亚雕像，每年有数以千计的人来此朝圣。也是避暑胜地和冬季运动中心。人口 1 927 (1981)。

Ma'rib 马里卜 也门中北部城镇和历史遗址。马里卜古城位于被马里卜水坝聚集水流灌溉的肥沃绿洲。曾被称为“古代世界的巴黎”。地临连接地中海区域和阿拉伯半岛的主要商队通道之一。古代马里卜水坝长约 550 米，横断面呈金字塔形，为杰出砖石建筑物，有闸门控制水流，灌溉面积达 1 600 余公顷，形成居民密集的农业区。水坝最后毁于 7 世纪，可能由于地震或火山爆发。《古兰经》中曾提及此事，称为“堤坝水灾”，是伊斯兰教神话和传说中的热门话题。马里卜小镇建于古城萨巴遗址，为放牧骆驼、绵羊、山羊的贝都因部落中心。亦出产良马。该镇城堡中存有许多伊斯兰教出现以前萨巴时期的碑铭和雕像，还有建造华美的月神古庙，但在 1962～1970 年也门内战中都遭到严重破坏。周围地区与鲁卜哈利沙漠(大部在沙特阿拉伯境内)连成一片，虽有哈里卜和焦夫等数条河流，但该地区农业在本国最落后。地形高度从西部的 2 000 米降至东部的 1 000 米。周围地区饲养绵羊、山羊、牛和驴，也种植椰枣。

人口:城镇 1 457 (1986)。

Maribo 马里博 丹麦洛兰岛中部斯托海峡州城市,在马里博湖畔。该城于 1416 年设建制,是在一座建于 15 世纪初的布里吉特修会女隐修院周围发展起来的。这座隐修院中的礼拜堂至今仍在,为洛兰岛-法尔斯特岛教区的教堂。市内教区博物馆展出史前及中世纪的工艺品与丹麦绘画的收藏品。该区以产干酪著名,有一些早年开办的糖厂。人口:市约 5 510 (1986);都会区约 11 527 (1988)。

Maribor 马里博尔 德语作 Marburg(马尔堡)。斯洛文尼亚共和国北部工业城镇和政治、经济中心。位于临近奥地利边境的德拉瓦河岸、波霍列山和斯洛文尼亚山之间。著名的游览地和冬季运动中心。为斯洛文尼亚最大的工业城市之一,以重工业为主,生产化工品、机械、电器、铝材、卡车、公共汽车。历史名建筑有 12 世纪大教堂、以雕刻和壁画闻名的 15 世纪堡垒、圣马德莱娜教堂(1288 年建,1788 年重建)、1680 年大瘟疫纪念碑。1975 年开办一所新大学。人口106 113 (1981)。

Marica (Europe) 参阅 **Maritsa River 马里查河**。

Marichal, Juan Antonio 马里沙尔(1937-10-20,多米尼加拉古纳韦尔德～) 绰号 the Dominican Dandy(多米尼加花花公子)。多米尼加职业棒球运动员。在美国职业棒球大联盟赛中投出一次无安打比赛的第一位拉美棒球运动员。6 岁开始打棒球,立志当一名投手,少年时就首创高脚踹投球法,这成为他的特色。1957 年加盟旧金山巨人队,1960 年首次在大联盟赛出场,有 6 个赛季都各赢 20 场以上。在 7 个赛季的 6 个赛季中使 200 多个击球员三击不中出局。1974 年转会波士顿红袜队,1975 年到洛杉矶道奇队。整个棒球生涯共胜 243 场,败 142 场,0.631 的胜率,投手防御率(自责分率)2.89。是 60 年代大联盟三大投手之一。1966 年发生马里沙尔用球棒击中洛杉矶道奇队接球手罗斯博罗脑部的事件,许多球迷对此仍记忆犹新,他也因而未能获得联盟杰出投手的赛扬奖。1983 年成为入选纽约棒球名人堂的第一位多米尼加人。90 年代被多米尼加共和国任命为体育部长。

Marīcī 摩利支天 日语拉丁字母转写作 Marishi-ten。大乘部佛教神话中的黎明女神。其像为女身,骑 7 猪。有 3 头,其中之一为母猪头。在藏传佛教艺术作品中,她有时呈现 3 头或 6 头,佩戴用骷髅制成的饰物。

Marie I (adventurer) **马里一世** 参阅 **David de Mayrena, Marie-Charles 梅瑞纳**。

Marie DE FRANCE 玛丽(法兰西的)(活动时期 12 世纪后期) 已知最早的法国女诗人。是叙事诗的创始人,多写浪漫和神奇题材,激发了后世行吟诗人写短抒情诗;她也是写仿伊索寓言和其他寓言的作者。她的作品似写于英国,颇有魅力和天才。关于她的生平所知甚少,每一个揣测都有过激烈的争论,在她的寓言诗后记中有人说她的寓言诗是翻译作品,或是以英国来源为基础的。她的歌曲是献给一位"高贵的"国王的,似乎就是英格兰的亨利二世,不过有人又说是年轻的国王亨利之子。她的诗长短不一,短诗如特里斯坦故事中的插曲《忍冬》,仅 118 行;长诗如《艾利迪克》,却有 1 184行,讲发妻如何忠诚,但丈夫却从海外带回第二个妻子。

Marie DE MÉDICIS 玛丽·德·美第奇(1573-04-26,佛罗伦萨[意大利]～ 1642-07-03,科隆[德国]) 法国国王亨利四世的王后,其子路易十三的摄政(1610～1614)。托斯卡纳

美国不列颠百科全书公司供图

大公之女。亨利四世与玛格丽特离异后,于 1600 年 10 月与她结婚,为的是取得一大笔妆奁,以便还债。1601 年生太子路易(后为路易十三)。1610 年 5 月 14 日亨利四世遇刺,巴黎高等法院宣布她为年轻的国王路易十三的摄政。在孔奇诺(当时为安克尔侯爵)的指导下,她改变了亨利的反西班牙政策。她肆意挥霍国库收入,对反叛的贵族作出耻辱性的让步。尽管路易十三已于 1614 年 9 月达到亲政年龄,但她和安克尔却置之不理。1617 年 4 月 24 日,路易的宠臣吕伊纳暗杀了安克尔,后又把她放逐到布卢瓦。她于 1619 年 2 月逃脱,并发动叛乱。她的主要顾问、后来的枢机主教黎塞留议定和约,使她得以在昂热设立宫室。1620 年 8 月第二次发动叛乱失败后,黎塞留又为她取得优惠的条件。1622 年,她被允许参加国王的枢密院,为黎塞留争到枢机主教的地位,并于 1624 年劝路易任命他为首相。但黎塞留不愿受她支配,1628 年成为她的死敌,在所谓"愚人节危机"(1630-11-10)中,她要求路易罢黜黎塞留。路易却与黎塞留站在一起,于 1631 年 2 月把她流放到贡比涅。1631 年 7 月,她逃往西属尼德兰的布鲁塞尔,再也没有回法国。11年后在贫困中死去。

Marie(-Catherine) LESZCZYŃSKA 玛丽·莱什琴斯卡(1703-06-23,西里西亚布雷斯劳～ 1768-06-24,法国凡尔赛) 法国国王路易十五的王后。虽然她对法国政治没有直接影响,但她与波兰王朝的渊源关系却将法国卷入一场欧洲冲突,最终使洛林为法国并吞。波兰逊王斯坦尼斯瓦夫一世之女。1725 年路易十五的首相波旁公爵将她婚配给 15 岁的路易。1733 年法国参加反奥地利的波兰王位继承战争,她支持斯坦尼斯瓦夫对波兰王位

美国不列颠百科全书公司供图

的要求。根据结束这一场冲突的条约(1738),斯坦尼斯瓦夫成为洛林公爵。在此期间,路易十五对其王后已无感情,而纵情于众多情妇。玛丽婚姻的不幸因太子于 1765 年去世而更加剧。按照 1738 年条约,公爵翌年去世后,洛林成为法国的一部分。

Marie, Pierre 玛丽(1853-09-09,巴黎～ 1940-04-13,巴黎) 法国神经病学家。发现脑下垂体疾病是生长紊乱的起因,从而对现代内分泌学做出贡献。1885 年师从神经病学家 J.夏尔科。1886 年首次描述了肢端肥大症,查明病因为垂体肿瘤。1890 年首次描述肺性骨关节病。1893 年首次描述遗传性小脑性共济失调(玛丽氏共济失调);并与夏尔科一同首次描述了一种类型的进行性肌萎缩(夏尔科-玛丽二氏型)。

Marie-Antoinette 玛丽-安托瓦内特(1755-11-02,奥地利维也纳～ 1793-10-16,法国巴黎) 法国国王路易十六(1774 ～ 1793 在位)的王后。轻佻鲁莽,挥霍成性,仇视改革,引

美国不列颠百科全书公司供图

起群众骚动,导致法国大革命和 1792 年 8 月君主制的推翻。神圣罗马帝国皇帝弗兰茨一世的第 11 个女儿。1770 年与法国国王路易十五之孙、王储路易结婚。1774 年路易十六即位时,她与一小撮近宠内幸厮混。她的宫廷生活奢侈,浪费巨大,导致法国在 18 世纪 70、80 年代债台高筑。两人婚后无子促使反对派试图夺权,声称如果玛丽-安托瓦内特不能为路易十六生下合法王位继承人,王位将由路易十六的兄弟们继承。同时宫中不断传出她与贵族私通的流言。但在危机来临时,她表现得比丈夫更为坚强,更有主见。1789

年7月14日群众攻打巴士底狱，她虽未能说服国王带兵去梅斯避难，但在同年8～9月，她却促使国王顶住了革命的国民议会要废除封建制度和限制王权的企图，结果她成了众矢之的。人们说，当她听说老百姓没有面包可吃的时候，曾经冷冰冰地说："叫他们吃蛋糕！"同年10月，在人民的压力下，王族从凡尔赛迁回巴黎，并成为革命运动的人质。6个月后，她开始与国民议会中的重要成员米拉波伯爵暗中来往。1791年米拉波死去，她转向一批流亡贵族求援。他们安排国王和王后于同年6月20日夜逃出巴黎。但到瓦雷讷以后，国王和王后被抓获（6月25日），押解回巴黎。当国民议会中君主立宪派领袖A.巴纳夫说服国王公开接受新宪法（1791年9月）时，她却唆使其兄弟神圣罗马帝国皇帝利奥波德二世领导反对法国的反革命十字军以破坏巴纳夫的立场。翌年4月法奥宣战，她继续与奥地利勾结，从而更加激怒法国人，导致1792年8月10日推翻君主制的起义。1793年1月国民公会下令处决路易十六。同年10月14日，她被交付革命法庭审判，两天后被送上断头台。

Marie Byrd Land　玛丽伯德地　南极洲的地区。临南太平洋，从罗斯海和罗斯陆缘冰向东延伸至埃尔斯沃思地。是一片冰层覆盖的荒凉地带，平均海拔为2 600～6 500英尺（800～2 000米）。沿海有数座高度超过11 000英尺的山峰。1929年由美国海军中校、探险家R.E.伯德发现并以其妻之名命名。1959年设立美国研究基地伯德研究站，在较暖月份有20～30人在此工作。

Marie-Galante　玛丽-加朗特岛　加勒比海小安的列斯群岛的岛屿。位于向风群岛北部，为法国瓜德罗普海外省的一个属岛。在瓜德罗普岛东南30千米处。由珊瑚和石灰岩构成，圆形，面积约158平方千米。主要城镇为格朗堡。1493年由C.哥伦布发现，以其船名为该岛命名。岛上主要作物是甘蔗。最早法国人在这里定居。后英法多次易手，1816年后归属法国。人口3 983（1982）。

Marie-Louise　玛丽-路易丝（1791-12-12，维也纳～1847-12-17，意大利帕尔马）　奥地利女大公，法国皇后，拿破仑一世的第2个妻子，后为帕尔马、皮亚琴察和瓜斯塔拉女大公。她是哈布斯堡家族成员，神圣罗马帝国皇帝弗兰茨二世的长女，法国王后玛丽-安托瓦内特的侄女。当拿破仑已经决心与不生儿子的皇后约瑟芬解除婚姻关系时，似乎是奥地利政治家K.von梅特涅建议拿破仑挑选她当皇后。1810年2月确定婚约，同年4月1～2日在巴黎完婚。翌年3月20日生一子，即日后的赖希施塔特公爵（参阅 **Reichstadt, Napoléon-François-Charles-Joseph Bonaparte, Herzog von**）。当拿破仑远征俄国时，她留在巴黎摄政。拿破仑第1次退位（1814）后，玛丽-路易丝携子回维也纳。根据《枫丹白露条约》，给予她帕尔马、皮亚琴察和瓜斯塔拉的领地。1821年5月拿破仑去世，同年9月她再醮于奈佩格伯爵。1831年帕尔马发生起义，她被迫在皮亚琴察的奥地利卫戍部队处避难。后奥地利人恢复她的权力。从此她便根据奥地利人的旨意进行统治。1832年去维也纳探望垂死的赖希施塔特公爵。1834年1月又下嫁邦贝尔伯爵。后死于帕尔马，葬在维也纳卡普奇恩教堂。

美国不列颠百科全书公司供图

Marie-Thérèse of Austria　玛丽-泰蕾莎（奥地利的）（1638-09-10，西班牙埃尔埃斯科里亚尔～1683-07-30，法国凡尔赛）　西班牙语作 María Teresa de Austria。法国国王路易十四（1643～1715在位）的王后。西班牙国王腓力四世和法国伊丽莎白之女。根据结束法西24年战争的《比利牛斯和约》（1659）许配给路易十四。按协议规定，她同意放弃对西班牙王位的继承权，交换条件是给她一大批嫁妆。1660年结婚，1665年腓力四世死，查理二世继位。路易十四以她的嫁妆从未交付为由，征服西属尼德兰的部分地区。

Marieberg pottery　马里贝里陶瓷器　约1759～1788年在离斯德哥尔摩不远的孔斯霍尔曼岛上马里贝里工厂生产的瑞典陶瓷器。该厂由J.E.L.厄伦利希创建。因经济困难，于1766年由法国人P.贝尔特文接管。1769年，贝尔特文离厂，H.斯坦出任经理。1782年，该厂被其竞争对手罗尔斯特朗工厂收购，1788年关闭。该厂尤以彩陶（锡釉陶器）和瓷器而享有盛名。与罗尔斯特朗工厂不同，马里贝里彩陶器从一开始就采用了鲜明的釉上彩。其特点之一是大理石花纹釉所用色料非同寻常，诸如黑色、蓝色、紫色、红色、黄色和棕色。由来自罗尔斯特朗的安德斯·斯坦曼引进的转移印花法，在他为经理时期是主要的装饰方法。该工厂还生产汤碗，上面装饰有水果和花卉。它的最初彩陶产品是一种几乎近于古怪的洛可可式"台阶瓶"，瓶子上装饰有花卉，瓶身竖立在岩石底座上，岩石上刻着台阶。在岩石脚边有时卧着一只动物，通常是兔子。马里贝里瓷器的制作仅持续了约20年，即从贝尔特文于1766年接管该厂起，到1788年为止。由于贝尔特文来自巴黎附近的梅纳西工厂，而该厂生产一种酷似乳白玻璃的软质瓷器，其质地极轻而透明，故而从马里贝里瓷器更容易使人联想起法国瓷器，而不是该厂在同一时期内生产的彩陶。截至1777年，马里贝里都只生产软质瓷器，其后才在J.多尔图的帮助下开始生产硬质瓷器。

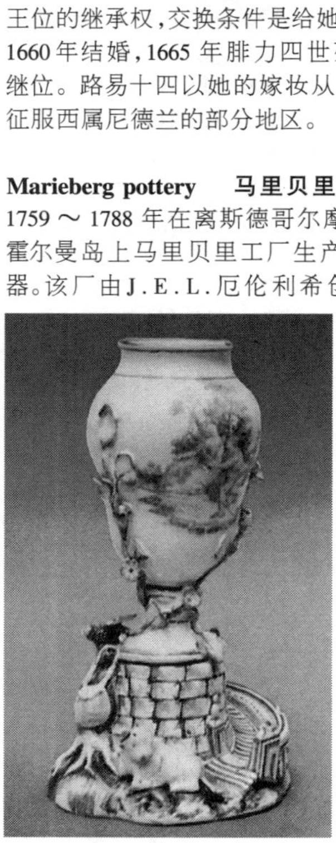

马里贝里陶瓷器——洛可可式"台阶瓶"

美国不列颠百科全书公司供图

Mariehamn　玛丽港　芬兰西南部阿赫韦南马自治省省会，在赫尔辛基以西的波罗的海奥兰岛上。建于1861年，是阿赫韦南马省主要港口、唯一城市。居民讲瑞典语，以捕鱼、航运为生。该市多花园、公园和海滩，为游览胜地。人口：城市区约10 278（1992）。

Marienbad（Czech Republic）　**马林巴德**　参阅 **Mariánské Lázně 玛丽亚温泉镇**。

Marienburg（Poland）　**马林堡**　参阅 **Malbork 马尔堡**。

Mariental　马林塔尔　纳米比亚中南部城镇。海拔1 090米。地处炎热、干旱地区，东部与卡拉哈里沙地草原的西缘重叠。城镇附近是中部高地的硬地草原，放牧卡拉库尔绵羊。1912年建为温得和克和基特曼斯胡普之间的铁路车站。1920年建镇。1946年成为自治地区。经济以加工和外运卡拉库尔羊皮为主。镇西北的哈达普水坝是纳米比亚第一个大型土筑水坝，为该地区提供电力和水源。水坝下游平原种植蔬菜和柑橘；水库为人们露营、滑水和钓鱼的娱乐场所。人口约6 500（1988）。

Marietta　玛丽埃塔　美国佐治亚州中北部城市，科布县县城（1834）。位于蓝岭山麓亚特兰大西北32千米处。19世纪40年代，西部地区一大西洋铁路经此，促进了当地的发展。1852年建市。肯尼索山国家战地公园是

玛丽埃塔市附近肯尼索山国家战地公园内的科尔布宅

美国不列颠百科全书公司供图

南北战争时期一次重大战役(1864年6月27日)的战场遗址。在玛丽埃塔国家公墓和南部邦联公墓内,葬有数以千计的阵亡将士。1942年B-29轰炸机制造厂的建立促进了当地工业发展,该厂1951年转产喷气式飞机。设有肯尼索大学(1966)和南方工艺大学(1948)。多宾斯空军基地与洛克希德飞机工厂相邻。人口58 748 (2000)。

Marietta 玛丽埃塔 美国俄亥俄州东南部城市,华盛顿县县城(1788)。位于俄亥俄河和马斯金格姆河汇合处,与威廉斯敦隔河相望。1788年4月7日建为俄亥俄州第一个白人定居点。1788年7月15日西北准州首任州长在此就职,遂成为首府。1800年设建制。现为重要的农业中心,并有多种工业。工业制品有化学品、金属合金、保险箱、混凝土、办公用品、磨石等。设有玛丽埃塔学院(1835)、华盛顿工学院(1971)。市内有州立马尔提斯纪念博物馆、俄亥俄公司地产办公室(1788)和俄亥俄河博物馆。人口:市15 026;帕克斯堡-玛丽埃塔都会统计区149 169 (1990)。

Mariette, Auguste(-Ferdinand-François) 马里埃特(1821-02-11,法国布洛涅～1881-01-19,埃及开罗) 法国考古学家。1849年参加法国罗浮宫埃及部工作,翌年去埃及搜集古代文稿。因该地有古代孟菲斯城的部分墓地,而从事塞加拉考古发掘。结果出土狮身人面巨像大道及萨拉匹斯神庙,庙中有神牛墓。从此塞加拉成为考古研究的中心。在埃及发掘4年后回国任罗浮宫博物馆馆长。1858年受埃及政府聘请,前往主管文物保护,遂定居埃及,直到终年。1859年奥斯曼帝国驻埃及总督接受马里埃特建议,在开罗附近布拉格筹建埃及博物馆,其所藏埃及古物为世界之冠。马里埃特发现的塞提一世庙,为埃及寺庙建筑杰作之一。他研究过塞加拉金字塔场地和美都姆、阿拜多斯及底比斯的墓地。出土的还有丹德拉和埃德孚的宏伟庙堂。他还发掘过埃及的凯尔奈克和苏丹的贾巴尔-巴尔卡尔等遗址。著有《阿拜多斯》(1869)、《埃及史要览》(1874)、《古王国时期的平顶斜坡陵墓》(1889,G.马伯乐编校)等。

Marignac, Jean-Charles-Galinard de 马里尼亚克(1817-04-24,日内瓦～1894-04-15,日内瓦) 瑞士化学家,根据对原子量的研究,提出同位素和原子核敛集率存在的可能性。他致力于稀土元素的研究,于1878年发现镱,1880年与别人共同发现钆。他在巴黎工业学院和矿业学院学习之后,曾在德国吉森与J.von李比希一起工作一年。在日内瓦任化学教授(1841)、矿物学教授(1845),直至1878年从大学退休。他确定硅石的分子式为SiO_2,对矿物学做了重大贡献。他制出的硅钨酸是无机络酸最早的实例之一。

Marignano, Battle of 马里尼亚诺战役(1515-09-13～14) 法国弗兰西斯一世首次出征意大利时,法国-威尼斯战胜瑞士雇佣军的战役。在米兰东南的马里尼亚诺村(今马来尼亚诺)附近交战,其结局是,法国收复米兰以及法国和瑞士联邦签订《日内瓦和约》(1515-11-07)。弗兰西斯一世决心征服米兰公国,于是与威尼斯结成联盟。经前人尚未走过的阿尔让蒂埃尔之道,越阿尔卑斯山,占领诺瓦拉,向米兰推进,当时米兰由其盟国瑞士军防守。1515年9月13日瑞士军队向马里尼亚诺附近的法军阵地前进,越过沼泽地带进攻,但至午夜,后撤少许,第2天,经8小时不分胜负的战斗后,法军得到威尼斯骑兵的增援,迫使瑞士人退却。

Marignolli, Giovanni dei 马黎诺里(1290前,佛罗伦萨～?;活动时期1338～1357) 罗马教皇派往中国元朝的使节。圣方济各会会士。1336年元顺帝遣使节访问罗马教廷,致书罗马教皇;大都(今北京)基督教徒上书教皇,要求派新主教。1388年使节到达教皇驻地法国的阿维尼翁。教皇本尼狄克十二世派马黎诺里率领使团到中国报聘。一行经君士坦丁堡(今伊斯坦布尔)、察合台汗国都城阿力麻里(今新疆霍城)等地,于1342年到达上都开平,向元顺帝进呈教皇信件,并献骏马。此马体型高大,被誉为"天马",时人多为之赋诗作画。马黎诺里在大都留住数载,约于1347年由泉州(今福建)乘海船回国。途经印度半岛、波斯湾等处,1353年抵阿维尼翁向教皇英诺森六世复命。1354～1355年任神圣罗马帝国皇帝查理四世宫廷司铎,曾修订波希米亚编年史,将在亚洲的见闻编入书中,成为14世纪中国与西方交往的珍贵史料。

Marigny, Enguerrand de 马里尼(1260,法国诺曼底里昂拉福雷～1315-04-11或30,巴黎) 法国国王美男子腓力四世有权势的宫廷侍从,在外交政策和国王与教会的关系方面,腓力对他言听计从。据说他深知国王的全部秘密,曾怂恿国王大胆改变父王的外交政策。初为廷臣,1302年以后飞黄腾达,先封骑士,后又封龙格维尔伯爵,任国王的侍从长。1306年奉派掌管诺曼底财务署,后成为财政与建筑总监和罗浮宫总管。1313～1314年掌管王家金库和新建立的审计署,达到他权力的顶点。他在贵族和中产阶级中均不得人心。腓力实行横征暴敛和降低铸币成色的政策,与他都有关系。在腓力统治将近结束时,他被指控在主持财政期间贪污,先被革职,后被捕入狱。新国王路易十世本拟将他流放,但国王的兄弟瓦卢瓦的查理控告他犯有行巫骗人罪,于是下令将他立即处死。

marigold 万寿菊 菊科万寿菊属(*Tagetes*)植物,约30种,一年生草本,原产北美西南部、热带美洲和南美。叶对生,叶缘通常细裂。头状花序单生或簇生,花黄色、橙色或红色;花序下有形成杯状的苞片。多数种的叶具浓郁香味。非洲万寿菊(万寿菊,*T. erecta*)、法国万寿菊(孔雀草,*T. patula*)等几个种栽培作庭园花卉。金盏花属(*Calendula*)植物俗称pot marigold。其他无亲缘关系的科的植物在英语中亦有称marigold者。

法国万寿菊(*T. patula*)
美国不列颠百科全书公司供图

Marijampolė 马里亚姆波列 1955～1990年称卡普苏卡斯,立陶宛一个区的行政中心,跨谢舒佩河两岸。18世纪该居民点发展为寺院中心,称斯塔拉波列。1758年设市。第二次世界大战后发展成工业城市,生产食品加工设备、汽车部件、家具、建筑材料、纺织、食品等。有师范学院、博物馆和剧院。人口约52 020(1999)。

marijuana 大麻 又拼marihuana。指印度大麻植物(*Cannabis sativa*)或指用其花、叶制成的生药;通常干燥、切碎后,用烟斗吸用或制成香烟(俗称大麻烟)。此药有许多英文俗名,如pot,tea,grass和weed等,也可用于鼻吸、咀嚼,或加入食物、饮料中食用。由于产地、培植方法、炮制和储存技术上的差异,其效力也大不一样。有效成分是四氢大麻酚(THC),在雌、雄二性植株的各个部位均有分布,但以在开花雌株顶部树脂(大麻脂)中的含量为最,如将大麻脂收集起来并干燥,即可制成药性颇强的**大麻麻醉剂**(**hashish**)。公元前2700年的中国药典就记载有大麻,长期用于镇静和止痛。其药性视机体状态、用量、用药途径和服药者的经验的不同而各异,不过,好像都以心理作用为主,如最常见的欣快感。视觉和判断力方面的变化可致对时间和空间的识别障碍。急性中毒可致幻视、焦虑、抑郁、情绪极为多变、妄想狂样反应和精神失常,持续4～6小时。生理反应包括结膜充血、口咽干燥、心率加快、胸廓发紧(吸入时)、困倦、不安和肌肉共济失调。慢性服药不会产生生理依赖性,故戒除时,戒服者也不会出现像戒鸦片时表现出的那种极度的生理不适,但却可致心理性成瘾。作为毒品,大麻及其精制品在世界范围内的应用,已经引起诸多医学及社会问题,其中很多内容已引起科学界的持续关注。尤其自20世纪60年代中期THC成功地被分离和合成以来,这项研究集中在确定此药对人体的长期和短期的生理作用,明确它作为一种可致心理性成瘾的致幻剂的作用机制。

20 世纪后期，医学研究揭示了大麻及其精制品 THC 的治疗价值：可以降低青光眼患者的眼内压，缓解癌症患者因化疗引起的恶心、呕吐。大麻及其精制品的国际贸易于 1925 年首次被置于《国际鸦片公约》的控制之下。到 60 年代后期，大部分国家都加强了对大麻及其制品的运输、贸易、使用的限制，并普遍对非法占有、销售和供应者课以重罚。不过，70 年代以来，一些国家的司法机关对少量占有者的处罚有所减轻。然而，2001 年美国最高法院宣布禁止将大麻用作药品。同年加拿大则通过法律放松对大麻使用的限制。

Marília　马里利亚　巴西圣保罗州中西部城市。在海拔 652 米的高地上。建于 1611 年，1928 年成为城市区所在地，并定为城市。农业、畜牧业和伐木业为当地的经济活动。市内工业包括有色冶金、食品加工、酿酒、化学品和药品制造业等。产品经铁路、公路和飞机运到州首府圣保罗等城市。人口约 189 533（2000）。

Marillac, Saint Louise de　罗意斯（马里亚克的），圣（1591-08-12，法兰西巴黎或费里耶尔～1660-03-15，巴黎）　天主教女修士。与圣味增爵共同创建仁爱会，会众是致力于教育和医疗事业的在俗妇女。她于 1625 年开始守寡，当时她已以味增爵为灵修指导。在味增爵的鼓励下，她教导青年妇女灵修，以及探视穷人和向穷人提供食物与医药护理。1633 年味增爵创立仁爱会，由她担任会长。20 世纪末，该会成为天主教人数最多的女修会。

marimba　马林巴琴　几种木琴的统称。是木琴的许多非洲名称之一，因为采用这一名称的非洲乐器的每一木条往往都有一个调好音的葫芦共鸣器，有些民族音乐学家就以马

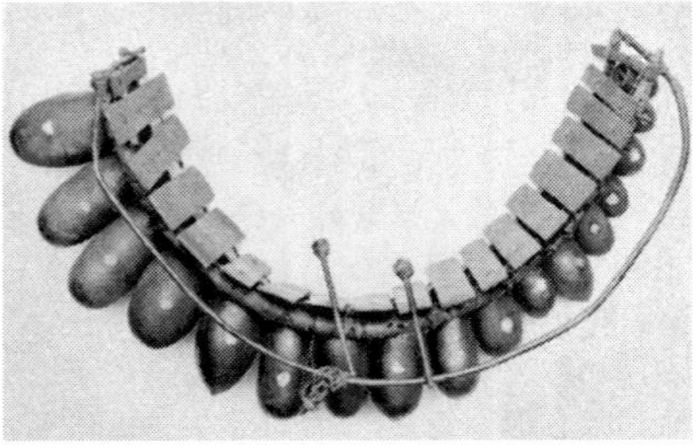

马林巴琴
芝加哥市菲尔德自然史博物馆供图

林巴琴来称呼以葫芦共鸣的木琴，以有别于其他木琴。木琴由非洲奴隶带到拉丁美洲，在那里就叫马林巴琴，至今在美洲中部仍然是很流行的民间乐器。木条固定在一个框架上，用腿支撑框架或挂在演奏者的腰上。大型的、发音深沉的琴可以有 6½ 个八度的音域。有时由 4 人演奏。管弦乐队的马林巴琴是有共鸣管的乐器，比管弦乐队的木琴发音低八度，其音域不一，但普通多为从中央 C 以下的 C 起向上 3½ 个八度。最大的马林巴琴称赛罗林巴琴。美国作曲家 P. 克里斯顿曾为此乐器写过一首小协奏曲（1940），法国作曲家 D. 米约则作有一首协奏曲（1947）。

Marín, Francisco de Paula　马林（1774，西班牙赫雷斯～1837-10-30，檀香山）　别名马尼尼（Manini）。园艺实验家，把许多植物品种引进夏威夷群岛，并首先在岛上采用科学的种植方法，从而保证这些植物生长繁茂。青年时在西班牙安达卢西亚的葡萄园工作时获得园艺知识。1791～1794 年间被带往加利福尼亚，而后又带到夏威夷群岛，据他自己说是在旧金山港被拐骗去的。夏威夷王卡美哈美哈一世对他很友好，给他土地做农业实验。他又担任国王的翻译，国王年老后，他担任许多政府职务。他开始用岛上的草本植物做实验，取得大量药物学知识。他向西班牙在世界各处的殖民地索取到各种种子和植物，并选择最好的方法、时间和土壤类型来种植。他用椰子作交换，引进桃、柑橘、橄榄等。现在夏威夷海岛植物群的丰富多彩，应归功于马林的精心研究。他的花园和葡萄园繁荣昌盛，但他不愿将产品赠人，因此他的别名马尼尼（Manini）在现代夏威夷俚语中为“吝啬”之意。

Marin, John　马林（1870-12-23，美国新泽西拉瑟福德～1953-10-01，缅因斯普利特角）　美国油画家和版画家，尤以极富表现力的缅因州水彩海景画和曼哈顿景观画闻名。曾在

马林绘《缅因群岛》（1922）
美国不列颠百科全书公司供图

费城的宾夕法尼亚美术学会和纽约的艺术学生联合会学习绘画。1905 年去欧洲，受到 J. M. 惠司勒的水彩画和铜版画作品的影响。1910 年回纽约，受立体派和德国各种表现主义流派的影响，形成了有个人特色的表现主义风格。代表作有《胜家大厦》（1921）、《下曼哈顿地区》（1922）和《缅因群岛》（1922）等。马林水彩技法娴熟，能表现出城市雄伟气魄和缅因州海边的惊涛骇浪。其半抽象作品，主要描绘力量和运动，如《下曼哈顿地区》（1922，纽约市现代艺术博物馆）等。油画常常运用水彩画技巧，用枯笔荡过画面以取得轻松和透明的效果。

Marín, Luis Muñoz（Puerto Rican statesman）**马林**　参阅 **Muñoz Marín, Luis** 穆尼奥斯·马林。

Marina　马里纳（约 1501，墨西哥派纳拉～1550，西班牙）　墨西哥印第安人公主。1519 年塔瓦斯科印第安人为表示和睦将包括她在内的一批印第安人献给西班牙征服者为奴。她在埃尔南·科尔特斯征服墨西哥时期给他当情妇、向导和翻译，科尔特斯的成功直接受益于她的工作。她聪颖、机智以及对沿海的马雅语言和内地的纳瓦特尔语言的精通，曾多次使西班牙人摆脱困境。她为科尔特斯生一子，后嫁给他的一个士兵，迁往西班牙。

Marina（island, Vanuatu）　**马里纳**　参阅 **Espiritu Santo** 圣埃斯皮里图。

Marina, Saint　圣玛丽娜　参阅 **Margaret of Antioch, Saint** 玛格丽特（安提阿的），圣。

Marinatos, Spyridon (Nikolaou)　马林纳托斯（1901-11-04，希腊利克苏里翁～1974-10-01，锡拉）　希腊考古学家，因发现南爱琴海锡拉岛一古代港口城市遗址而闻名。该城名称尚不得知，城市毁于公元前 1500 年的一次火山大爆发，当时居民约有 2 万人。遗址出土文物中，有当时地中海地区最精美的壁画，其艺术水平甚至超过克里特岛克诺索斯的壁画。马林纳托斯曾就读于雅典大学、柏林大学及哈雷大学，后任雅典大学教授和希腊文物局总检查员。他还是温泉关古战场（公元前 480）及马拉松战役（公元前 490）阵亡将士墓地的发现者。著有《克里特及迈锡尼》（1959）；自 1968 年开始，撰写有关锡拉岛考古发掘年报若干篇。

Marinduque　马林杜克　菲律宾一省份和岛屿。在锡布延海。岛在吕宋以南、民都洛以东，呈卵形。该省包括许多近海小岛，面积 959 平方千米。大部分土地种植农作物（椰

马林杜克岛
美国不列颠百科全书公司供图

子、水稻）。有牧场和渔场。金、银、铜矿占重要地位。省会波克在该岛西北岸。居民大多为他加禄人。人口 217 392（2000）。

marine　海军陆战队　一支专门征募并经过专门训练和组织的、参加附属于海上战役的海上和陆上作战的军队。在历史上，海军陆战队的使用可以追溯到古希腊罗马年代。公元前 5 世纪的希腊历史学家希罗多德和修昔底德曾提到希腊船队中带有重武器的海上士兵。中世纪，欧洲各国的普通士兵常登舰作为作战的骨干，但是直到 17 世纪的海战中，海军陆战队这种独特的作用才几乎同时被英国人和荷兰人所发现。于是，他们编成最早的两支现代海军陆战队——英国皇家海

军陆战队(1664)和荷兰皇家海军陆战队(1665)。美国海军陆战队是1775年建立的,目前已成为世界上最著名的海军陆战队。其他许多国家也有海军陆战队。

Marine Biological Laboratory 海洋生物学实验所 1888年在美国马萨诸塞州伍兹霍尔建立的一个独立的研究和教育机构。这个机构以访问学者进行的(尤其是在夏季的几个月里)各种重要研究工作而闻名,它是在波士顿妇女教育协会的推动下建立的。波士顿妇女教育协会先前(1871～1886)支持了马萨诸塞州安尼斯昆的一个海滨生物学实验室。该实验室的设备后来转给了伍兹霍尔的新机构,博物学家A.海厄特任理事会首任主席。伍兹霍尔海洋学研究所是该实验所的分支机构,1930年建立。其研究项目达几百个,涉及海洋生物、海水化学成分、海底地理和全球气候变化等多方面的研究。

marine biology 海洋生物学 有关在海洋中生活的动物和植物的科学。也研究那些直接从咸水水体中取得食物及其他生活必需品的空中和陆栖生物体。广义的海洋生物学试图描述居住在全球海洋中的各种生物体所具有的生命现象。其分支学科涉及博物学、分类学、胚胎学、形态学、生理学、生态学及地理分布等。它同海洋学有密切的关系。研究那些遗体沉积在海底或构成热带珊瑚礁的生物体,有助于对海洋地质学的理解。海洋生物学的主要目标之一是搞清海洋现象如何控制生物的分布。海洋生物学家研究具体生物适应各种海水化学和物理特性的方式,适应洋流运动的方式,适应不同深度光线条件的方式以及适应海底固体表面的方式。特别注意判断海洋生态系统的动力学,尤其要了解食物链和掠食者-猎物关系。鱼类和甲壳类种群分布的海洋生物学信息对渔业特别重要。海洋生物学也研究某些类型的污染对海洋鱼类和植物的影响,尤其研究来自陆地表面含杀虫剂和肥料的污水、油轮意外泄漏以及沿岸建筑活动所致淤塞的影响。19世纪后半期,人们着重海洋生物的采集和归类,使用的研究方法是捕捉和保存标本,即利用各种底栖生物采集器和拖网从海底采集标本,用不同规格的圈网捕获浮游生物。测定海洋环境自然特征的设备已相当精确。有能测定所需深度的温度的温度计,有能自动关闭以将水样带到地面上作分析的容器。出现了新的分析方法,能直接在船上测定盐浓度、氧、营养盐分及植物色素。也设计了测量阳光穿透能力的光电仪器和多种采集海底沉积物的采样器。有了水下摄影机、电视、改进的潜水设备及深潜器(能下降到深水的潜艇),便能在自然生境中直接观察海洋生物。水下电视使人们得以观察连续的影像。设计了设备齐全的潜水设备,使研究人员能在自然生境中直接观察海洋生物。通常在博物馆和大学里用海洋生物标本进行形态和分类研究。生理的与胚胎的研究需要活材料,一般在生物站进行。生物站设在海边,有利于将海洋生物迅速送到实验室,并继续生活在由环流装置维持的海水里。

marine cable 参阅 **undersea cable** *海底电缆*。

Marine Corps, United States 参阅 **United States Marine Corps, The** *美国海军陆战队*。

marine geology 海洋地质学 又称地质海洋学(geologic oceanography)。研究大陆架、大陆坡和大洋盆地的各方面地质情况的科学分支。实际上,海洋地质学的重点是研究海底沉积作用和解释多年来采集的许多海底标本。但是20世纪60年代出现的海底扩张理论极度扩大了海洋地质学的研究范围。对于大洋中脊、海底岩石的剩余磁性,深海渊的地球化学分析,海底扩张和大陆飘移的大量研究都被认为属于海洋地质学的研究范畴。

marine geophysics 海洋地球物理学 运用地球物理学方法来解决海洋地质学问题的学科。涉及地球物理学知识的每一个主要分支:从洋底和大洋中脊取得热流数据;应用地震反射和折射技术测定沉积物厚度和大洋地壳厚度;应用地磁学研究大洋地壳岩石样品的古地磁;在海上(如同在陆地上一样)进行重力测量以取得对全球重力分布的知识。海洋地球物理学与海底扩张、大陆漂移和板块构造学的概念与问题都有密切联系。

Marine Highway(Pacific Ocean) 参阅 **Inside Passage** *内海航道*。

marine insurance 海上保险 海上保险是一种契约,按照该契约由与遭受海上航行风险的船舶或货物有利害关系的一方支付议定的保险费,另一方承担在一定期限或航程内的部分或全部风险并负责向对方赔偿损失。海上保险是已知最古老的保险形式。诚然,建立共同海损(general average)实为海上冒险业务的参加者共同分担某人为了全体利益所遭受的损失,这本身便可视为自我保险的原始形式。现代海上保险的雏形在中世纪欧洲已经出现;许多中世纪海事法规已含有规章性的条款。在20世纪以前,海上保险的特点是有许多风险不能投保,这种情况现在在货物保险单中仍有所反映,其条款惯常还规定有一定百分比的损失要免除赔偿。人们往往认为这种若干风险除外的理论基础是:如此可向物主提供诱因,使其能看管自己的财产,如常见的汽车碰撞保险单中可减免的规定就是这样。然而迫于船主要求全面保险的压力,海上保险现已逐渐包括了几乎所有的险别:"碰撞与沉船"条款、战争险附则和"保赔"即保障与赔偿保险。评估海上保险所起的作用对航运业的理解十分必要。除若干例外(例如死亡和个人伤害索赔、海员工资索赔)之外,绝大多数索赔人皆已作了自我保险。对于船、货以及二船相撞的任何财产损害皆可由保险承担人相互自行解决。

Marine Midland Banks, Inc. 马林-米德兰银行公司 美国主要的控股公司。其总部在纽约州布法罗。1929年创立,名米德兰公司,1968年取现名。该公司在收购银行和信托公司控制股权时推行当地机构归当地管理的政策。1976年公司将几家1850年始创的、带有马林-米德兰名字的子行合并而组成马林-米德兰银行。该行现在纽约州设有办事处为各社区服务,在外国城市设有分行和办事处。该行为部分最大的公司办理商业银行业务;其国际业务部为外国政府、公司、银行以及与国际业务有关的国内客户服务;该行还为跨国公司和各级政府提供服务。该行非银行业务分支机构从事房地产融资、人寿和事故保险、设备租赁和国际金融。1980年马林-米德兰银行公司的控制股权被汇丰银行所收购。自那时起,该公司与其母公司一直在投资和咨询业务、在外汇和货币管理业务方面合资经营。

marine phosphorescence 海洋磷光 由海洋动植物通过化学作用产生的无热光。从菌类到乌贼和鱼类等多种海洋生物都有生物发光现象,这一化学过程与萤火虫发光相类似。在有萤光素酶存在的情况下,黄色素、萤光素被氧化发光,所产生的光通常呈蓝绿色,接近海水最大透射光谱点,并且可为许多深海生物看见。海洋中大多数同质性磷光现象是由大量孳生的发光浮游生物产生的,特别是一种腰鞭毛虫——细粒夜光虫(*Noctiluca milia-ris*)——以及某些水母。许多小型甲壳类动物,如希尔根多尔夫氏海萤(*Cypridina hilgendorfii*),体长3～4毫米,受惊扰时也会发出磷光。许多乌贼在遇到危险时,能发出光云。一些鱼类以特有的形式或固定的间隔发光,从而使各个体聚集,组成并维持其群体。有些深海鱼类,特别是鮟鱇,在嘴里或口周发光,用以吸引和照亮要捕食的动物。

marine sediment 海洋沉积物 被风、冰川、河流由陆地搬运到海洋的难溶矿物、原始岩石和土壤颗粒沉积物,以及积聚在海底的海洋生物残骸、海底火山作用产物、海水化学沉积物和来自外层空间的物质(如陨石)。

尽管1872年至1876年之间,英国的"挑战者"号船的探险远航就开始了深海沉积物的系统研究,但是直到近100年后才进行了细致的研究。1968年起,美国科学家与来自英国、苏联及其他一些国家的科学家合作,通过使用一艘装有专门仪器设备的"格洛玛·挑战者"号深海钻探船,在大西洋和太平洋发现了大量的沉积结核样品。

在大陆附近沉积的海洋沉积物覆盖了大约25%的海底,而它们占了全部海洋沉积物体积的几乎90%。海底峡谷是沉积物从大陆架或大陆坡运移至深海海底的主要途径。地震经常引起峡谷头部的沉积物大规模陷落和移动。这些沉积物与海水混合,形成稠密的液状体,产生一种以每小时几十千米速度流入峡谷的密度流。充满沉积物的液状体到达大陆坡基部后,运移至位于大陆坡下的大陆隆。浊流(即悬浮沉积物聚集而引起的短时密度流)形成的沉积可能横跨洋底长达数百千米,有时长达数千千米。大的沉积建造平原通常出现在大西洋,那里的浊流从大陆基部流向大西洋中脊。

由浊流产生的沉积层称为浊积层。大部分浊积层由砂和淤泥组成，只有少部分由砾石组成。浊积层的毗连分层之间一般有明显的界面。每一个分层由一股水流组成，其颗粒大小常常表现为从底部最粗到顶部最细的规则系统变化。浊积层的特征是含有混杂着深水种类的浅水生物的残骸。这些浅水生物来自密度流产生的地方，而深水种类来自密度流经过的地方，或者是浅水生物最后沉积的地方。

沉淀在大陆架或大陆隆上的沉积物常常被称为半远洋沉积物。这些沉积物一般积聚得太快，来不及与海水产生化学作用。多数情况下，单个的砂粒依然保持着它们形成的地方所赋予它们的特征。一般说来，沉淀在热带浅水中珊瑚礁附近的沉积物含有丰富的碳酸盐物质。例如，钙质的礁源软泥就产生在夏威夷岛链西北端的环礁周围。火山附近的沉积物含有火山灰，如硅酸盐玻璃和细粒的火山岩屑。

约75%的深海海底覆盖着被称为远洋沉积物的缓慢积聚的沉积物。深海平原由于距离大陆很远，没有接受浊流和伴随的粗粒沉积物。此外，由于含有硅酸盐矿物和岩屑的陆源沉积几乎很少到达大洋底，那里的沉积显然是生物成分(即海洋生物体的骸骨)占优势。由于表层海水富含有机质，深海沉积物中有源自硅藻和放射虫的蛋白石，源自有孔虫、颗石藻和翼足类等生物体的碳酸钙。若生物成分超过沉积物体积的30%，那么，深海沉积物通常以它们的生物成分作为分类的基础。例如，体积中含30%有孔虫壳(外表坚硬的部分)的软泥称为有孔虫软泥。当深海沉积物以一个生物属为主时，其名字常与属名有关，如抱球虫软泥。同样，硅藻软泥和放射虫软泥也因此而得名。在生物成分少于全部组成的30%的地方，沉积物称为深海黏土、褐色软泥和红黏土。

海洋沉积物来源

颗粒物质来源	总量	
	克/年	吨*/年
岩石产生的		
河流搬运物质	2×10^{16}	20 000 000 000
生物沉积物		
钙质的†	1.2×10^{14}	120 000 000
硅质的†	0.4×10^{14}	40 000 000
来自宇宙的		
陨石(原始球粒状陨石)	7×10^{8}	700
宇宙尘	2.5×10^{12}	2 500 000

* 1吨=2 204.6磅

† 假定每年带到海洋中的钙和硅全部被生物替换

由于海底扩张(参阅 **seafloor spreading hypothesis**)，大洋底在不断更新。在大洋中脊，由于岩浆的喷出活动和流动，明显地产生洋壳，并搬走洋底上覆盖的沉积物。同时，在海沟，洋壳及其有关的沉积物质被破坏。“格洛玛·挑战者”号船重新找到的沉积矿物样品有力地支持了海底扩张说。没有发现深海沉积物有年龄长于1.5亿年的，这表明洋底是相对年轻的。而且，随着距洋脊顶部距离的增加，沉积物的年龄渐渐变老，厚度加大。

marine style　海洋风格　克里特陶器装饰技法的一种创新。约于公元前1500年发展起来，以描绘章鱼和其他海洋生物为其特点。海洋风格的陶器可能起源于克诺索斯，开始

约公元前1500年的克里特陶器——海洋风格赤陶瓶

美国不列颠百科全书公司供图

与较老式的植物和花卉图案相匹敌，并从克里特岛出口到整个基克拉泽斯岛和希腊大陆。但它的清新的风格最终却在这些地方被低劣的形式主义所代替。

marine terrace　海岸阶地　前面有*浪蚀台*(**wave-cut platform**)的海岸悬崖抬升到海面以上形成的岩石阶地。这种阶地见于美国加利福尼亚州和俄勒冈州、智利、直布罗陀以及太平洋中的新西兰和其他岛屿。

marine worm　海生蠕虫　多毛纲身体分节蠕虫的统称。参阅 **polychaete**。

Marineland　海洋世界　世界上第一个大型海洋水族馆，在美国佛罗里达州圣奥古斯丁附近，是私营的商业性大型海洋水族馆，1938年对外开放。最引起观众兴趣的是饲养海兽的水池，那里的海豚能作特技表演。人们利用海兽研究动物学习过程，并得出许多重要的科学发现。该馆以哺乳动物展出最为著名，也收集了大量咸水鱼，计125种，约2 500尾，多在墙壁水箱内与海洋无脊椎动物一同展出。馆内有一个巨大的长方形水箱，用以展出大型动物，如大海鲢、鲨鱼、刺魟、海鳝和海龟，在该水箱的不同高度装有多面玻璃窗，观众可透过这些玻璃窗观看其中的动物。

Marineland of the Pacific　太平洋海洋世界　又称汉纳-巴伯拉海洋世界。原大型商业性海洋水族馆，位于洛杉矶附近的兰乔帕洛斯弗迪斯。继佛罗里达的海洋世界取得极大成功后于1954年开馆，有世界上最大的水箱，周长76米，容量近380万升。该水箱和其他水箱内有鱼(250种，4 000尾)和海洋哺乳动物(11种，110多头)。这些海洋哺乳动物(包括巨头鲸)能进行多种杂技表演，也用于研究其学习能力。该馆于1987年闭馆。

Mariner　“水手”号探测器　美国发射到金星、火星和水星附近的不载人的航天探测器系列。“水手”2号(1962)和“水手”5号(1967)分别在离金星35 000和4 000千米距离内飞越金星，对它的温度和大气密度进行了测量。“水手”4号(1964)、6号和7号(1969)、9号(1971)出色地拍摄了火星表面的照片，并对火星大气作了重要的分析。“水手”10号(1973～1975)3次飞越水星，第三次在距水星330千米范围内飞过时，用无线电向地球发回了水星表面的第一批近距离照片，并对水星磁场和大气进行了分析。

marinera (Peruvian folk dance)　**马利内勒舞**　参阅 **cueca** *库依卡*。

Mariners, Museum　航海博物馆　美国弗吉尼亚州纽波特纽斯的博物馆，1930年创建，专门收集“海上文化”。其著名藏品有数百件船只模型和航海工艺样品和装饰品。设有版画艺术收藏馆，藏品3.5万余件；还有一个图书馆，藏书7.5万册、地图5 000幅和照片65万张。另藏有各地的小船和独木舟、沉没战舰的残骸、海员所用硬币、奖章和邮票。

Marines, François de Créquy, marquis de　参阅 **Créquy, François, chevalier de** *克雷基骑士*。

Marinette　马里内特　美国威斯康星州东北部城市，马里内特县县城(1879)，密歇根湖格林湾畔梅诺米尼河口处进口港。同梅诺米尼隔河相望。1794年美国毛皮公司在此建贸易站。1887年建市。经济原以伐木为主。1900年左右发展各种制造业，现主要产品有船只、汽车部件、灭火器材、纸制品和金属制品。为休养胜地，以捕银白鱼闻名。设有威斯康星大学的一个研究中心。人口11 749(2000)。

Marinetti, Filippo Tommaso (Emilio)　马里内蒂(1876-12-22，亚历山大～1944-12-02，意大利贝拉乔)　意大利裔法国散文家、小说家、诗人、戏剧家。20世纪初期一种文学艺术和政治运动*未来主义*(**Futurism**)的意识形态创始人。在埃及、法国、意大利和瑞士受过教育，在米兰一家意大利文和法文杂志工作时，开始其写作生涯。他一生大部分时间在法国度过，但常去意大利访问，并用两种语言写作。其早期诗歌如《毁灭》(1904)，已显示出他以后作品所采用的形式。他的作品《未来主义宣言》在巴黎《费加罗报》发表后，未来主义即告正式诞生。他的思想很快在意大利为人们接受，如作家帕拉泽斯基、戈沃尼及索菲奇都是其主要追随者。1910年他出版一本混乱的小说《未来主义者马法尔卡》，这本书阐述了他全部的理论。同时，他还将未来主义理论应用于戏剧中，如法文本《饕餮的国王》(1909年首演)和意大利文本《反中间派》(1912)。他把自己的戏剧理论汇编成一本论文集《综合的未来主义舞台》(1916)。在1915年一本诗集《战争——世界唯一的救星》中，狂热欢呼第一次世界大战的爆发，并煽动意大利参战。他变成一个活跃的法西斯分子、墨索里尼的狂热支持者。在《未来主义和法西斯主义》(1924)一书中，他声称法西斯主义

是未来主义的一种自然扩展,因而终于失去绝大部分追随者。

Maringá 马林加 巴西南部巴拉那州西北部城市。在巴拉那高原,海拔52米。建于1947年。后发展迅速。多日本居民。经济以种咖啡为主,也种植玉米、豆类、稻米、小麦和甘蔗。有国立马林加大学。铁路、公路和航空线通州首府库里蒂巴和圣保罗。人口约288 465(2000)。

Marini, Marino 马里尼(1901-02-27,意大利皮斯托亚～1980-08-06,维亚雷焦) 意大利艺术家,对20世纪上半叶意大利人像雕刻艺术之复兴贡献良多。他在佛罗伦萨美术学

美国不列颠百科全书公司供图

院学习时热衷于研究古意大利的雕刻,对雕刻形式及外观的敏锐感受大多受益于埃特鲁斯坎人及罗马人的作品。但是,他的雕刻以粗犷强劲的人体表现内在张力,这反映出受到德国哥特式雕刻的影响。命运和人类自我毁灭的力量是他常用的题材,他的作品大多采用青铜。马里尼常雕刻裸体女人与骑士骑马像,他的这两类作品洗练而且深刻;同时,各作品间的题旨差异极其微妙,难以觉察。40和50年代所作的"舞者"系列,以凿刀雕琢并利用酸液腐蚀作品表面使表面丰富多变。他尝试透过塑造作品表面形式来透露雕刻对象的心灵深处。1950年完成的《斯特拉文斯基像》便是一个极明显的例子。晚期作品的特色为比例感提高到近乎建筑设计,并牺牲体积而增加多面的细腻感。1940年起担任米兰布雷拉学院雕刻教授,直至1970年退休。1948年转向绘画领域,作品色彩鲜亮,风格抽象。他的版画作品也很著名。

Marīnid DYNASTY **马里尼德王朝** 又称巴努马林。柏柏尔人王朝,13～15世纪在摩洛哥及北非其他地方曾暂时取代了穆瓦希德人的统治。马里尼德原是扎纳塔族的一部,原在摩洛哥东部。1248年他们的统治者阿布·叶海亚攻陷了非斯,以此地作为马里尼德人的首都。1269年他们打败了最后一些穆瓦希德人,并夺得了马拉喀什,以后在艾布·优素福·耶古卜的领导下,马里尼德人主宰了摩洛哥。之后,他们在西班牙进行圣战,一直持续到14世纪中叶。1337年马里尼德最伟大的苏丹艾布·哈桑攻占了阿卜杜勒瓦迪德王朝的首都蒂利姆桑(特莱姆森),然而他和他的继承人艾布·伊南始终未能动摇哈夫西德王朝在突尼斯的统治。战争消耗了王朝的资源,到15世纪,马里尼德王国已处于无政府状态。1465年马里尼德人的一支旁系,瓦塔西德(巴努瓦塔斯)夺取了摩洛哥的统治权。1548年先知的后代萨阿迪·谢里夫占领非斯以后,这一王国终于崩溃。

Marinism 马里诺主义 又称十七世纪主义,是意大利17世纪诗人马里诺(**Marino, Giambattista**)在其作品《七弦琴》(1614)第三部中首次运用的一种风格。马里诺主义是对古典主义的一种反抗,其特点是使用过多的隐喻、夸张和怪诞的文字游戏以及独创的神话,而且写得铿锵有力,刺激感官,目的在于使人吃惊。这种风格出现在14行诗、情诗和叙事诗中。他的模仿者对他模仿得有过之而无不及。到17世纪末,终于受到非议,随着它所从属的整个巴罗克时代而消亡。与它相似的其他欧洲文艺运动有:西班牙的贡戈拉主义、法国的矫饰派、英国的玄学派诗歌。第二次世界大战后对巴罗克的兴趣普遍复活,也导致对马里诺和马里诺主义重新发生兴趣和重新估价。

Marinković, Vojislav 马林科维奇(1876-05-13,贝尔格莱德～1935-09-18,贝尔格莱德) 20世纪初期塞尔维亚和后来南斯拉夫的著名政治家。1906年进入塞尔维亚议会。1913年出席在巴黎召开的解决巴尔干战争财务问题的会议。1914～1917年任经济大臣。1915年起为进步党领袖。1917年参加起草要求成立南部斯拉夫人国家的《科孚公约》。1919年南斯拉夫建国后任贸易大臣,并将进步党与全国第二大党民主党合并。1921～1922年任内务大臣,主持制定选举法。1924年和1927～1932年两度任外交大臣。1932年4～7月任首相。在外交大臣任内与法国签订友好条约,批准1925年与意大利缔结的改善经济和文化关系的内图诺协议。1929～1932年为国际联盟理事会成员,1930年为理事会主席。

Marino 马里诺 意大利中部拉齐奥区罗马省城镇。位于罗马东南阿尔巴诺湖附近的阿尔班丘陵。名胜有为纪念勒班陀战役(1571)而建的四摩尔人喷泉。在战役中,基督教徒联军击败了土耳其人,被缴获的土耳其盾牌现保存于17世纪的圣巴纳巴教堂中。16世纪的圆柱宫在第二次世界大战中受到严重的破坏。马里诺为度假胜地,以产葡萄酒闻名。人口:城市区约30 024(1981)。

Marino, Giambattista 马里诺(1569-10-18,那不勒斯～1625-03-25,那不勒斯) 意大利诗人。统治17世纪意大利诗坛的"马里诺诗派"的创始人。他的作品受到全欧洲的赞誉。因不愿遵从父命学习法律,被逐出家门。他长于诗歌,许多早期作品以手稿形式广为流传,赢得高度评价。1596年以神话和田园生活为题材写出一组牧歌集《风笛》。一度担任那不勒斯君主的秘书。因行为不端于1598和1600年两次被捕,均借助于赏识他的权贵而获释。他试图在帕尔马发表一些色情诗,但被宗教裁判所制止。最终把早期诗作以《韵诗》(1602)和《七弦琴》(2卷,1608和1614)为书名出版。1608～1615年在都灵期间,虽受到萨伏依公爵的庇护,但由于写了一首诗(1619)讽刺一位名叫穆尔托拉的诗人,再加上一些其他原因,穆尔托拉使他陷身囹圄,后被友人保释出狱。1615年离开都灵赴巴黎,在离开巴黎前,他发表了经过20年辛勤努力写出的一部卷帙浩繁的诗作(45 000行)《阿多尼斯》(1623),叙述维纳斯和阿多尼斯的爱情故事,充分体现了瑕瑜互见的风格。其他传世之作还有《画廊》(1620)以及《无辜受戮》(1632)。《书信集》于1627年出版。

Marinot, Maurice 马里诺(1882,法国特鲁瓦～1960,特鲁瓦) 法国画家和玻璃制作者,20世纪首批利用重量和质量的美学性质的玻璃制作者之一,并且是将气泡等天然缺陷用作图案要素的首创者之一。1911年在特鲁瓦初学玻璃制作艺术时,即对新材料入迷,放弃绘画致力于玻璃吹制、翻模、磨刻技术,并试验用珐琅和蚀刻作装饰。他用简单的工具来扭弯并控制玻璃,让材料在一定范围内自然成形。这种自然成形法摆脱早期玻璃制作者侧重技术精密的旧套子,其作品的厚重、朴拙也背离了纤巧、脆弱和精美的传统价值观。随技艺日趋成熟,其作品也日益抽象而富于革新精神,虽然使具有高尚审美力的玻璃权威感到吃惊,但他的色彩粗犷、具有自然形成的气泡和不规则形状的作品,对玻璃制品发展为现代艺术品作出了重要贡献。

Marinus 马里努斯 两代教皇的称号,按年代顺序排列于后,并各以●为标志。他们有时被误称为马丁(**Martin**)。参阅 **Martin** (Papacy)马丁(教皇)项下的 **Martin(II)**。

● **Marinus I 马里努斯一世**(?,托斯卡纳～884-05-15,罗马) 教皇(882～884在位)。869年教皇阿德里安二世派他作为使节参加第四次君士坦丁堡会议,会上谴责君士坦丁堡牧首佛提乌坚持东方传统反对罗马教会的问题。马里努斯任主教时,教皇约翰八世派他为驻君士坦丁堡使节,协商解决由谴责佛提乌后造成的分裂。882年底教皇约翰八世被暗杀,他当选继位。他继续与东派教会进行商谈。他宣布原被约翰八世撤换的波尔图枢机主教福尔摩苏斯(日后为教皇)无罪。

● **Marinus II 马里努斯二世**(?,罗马～946-04或05,罗马) 教皇(942～946在位)。原为司铎,由斯波莱托侯爵阿尔贝里克二世选定为教皇,在位诸多教务都由阿尔贝里克作主。但他尚能整顿教会,主要是严肃纪律和整饬隐修院制度。

Marinus, Rabbi(Hebrew grammarian) **马里努斯** 参阅 **Ibn Janāḥ**伊本·杰纳赫。

Mario, Giovanni Matteo **马里奥**(1810-10-17,撒丁岛卡利亚里～1883-12-11,罗马) 原名 Mario Cavaliere di Candia。意大利浪漫派男高音歌唱家,以惊人的美貌、风度、魅力以及优美的歌声和宽广的音域闻名。出身贵族家庭,受军官训练,参加过皮埃蒙特保卫团。26 岁时,为政治原因离开军队,旅行到巴黎,入巴黎音乐学院,师从 G.M.博尔多尼,开始学习声乐。

1838 年在巴黎歌剧院首次登台演出 G.梅耶贝尔的《恶魔罗贝尔》中的剧名主角,一举成名。1839 年在伦敦与著名意大利女高音 G.格里希(后为其妻)联袂主演 G.唐尼采蒂的《路克雷齐亚·波契亚》,十分成功;继而又在巴黎演出同一作曲家的《爱情的灵丹》。其后 25 年,他是巴黎和伦敦的主要浪漫角色的演唱者,又曾在圣彼得堡、纽约以及马德里等地演唱。1871 年在伦敦科文特加登剧院作告别演出后退休回罗马。

Mariology **马利亚论** 基督教特别是天主教神学名词,指关于耶稣之母马利亚的教义研究或这种教义的内容。从方法论的角度讲,研究马利亚论遇到的首要问题在于《新约》中关于马利亚的记载很有限,早期教会中也极少提及她。虽然早期一些外典著作和信经提到马利亚,但是马利亚之所以在神学上具有重要意义,主要是神学争论所致。历史上多次有人既否认耶稣是真正的人,也否认他有完全的神性。指出耶稣的母亲是人,是对前一种说法的有力驳斥。针对后一种说法,431 年以弗所会议确认马利亚为上帝生母(Theotokos),此点形成东方教会崇拜马利亚的根据。早期教会普遍承认马利亚尽管生了耶稣仍然保持童贞之身的传说。由于进一步仰慕她的圣洁,有的学说认为她蒙上帝恩眷甚深,不可能犯罪;还有一些神学家提出,她甚至没有受到亚当违逆上帝之罪的影响。这后一种学说被称作"无原罪始胎",已由教皇庇护九世于 1854 年正式宣布为天主教信仰。把马利亚与耶稣的事业联系起来又形成一个看法:马利亚是每个人的灵性慈母,是共同救赎者,即与耶稣一起救赎人类。她的救赎作用延伸为她在天堂为人代求,并把基督的善功施之于各个人。1950 年教皇庇护十二世把马利亚死后肉身被接上天定为天主教正统教义。

Marion **马里恩** 美国亚拉巴马州中西部城市,佩里县县城。邻卡霍巴河。1817 年始有人定居。经济以轻工业为主(包括禽类加工业、包装业和金属产品制造业)。设有贾德森学院(1838)和马里恩军事学院(1842)。附近有塔拉迪加国家森林和一个养鱼场。1835 年建制。人口3 511(2000)。

Marion **马里恩** 美国印第安纳州中北部城市,格兰特县县城(1831)。临密西西内瓦河,西南距印第安纳波利斯 97 千米。1826 年始有人定居,1889 年设市。原为农业城镇。20 世纪初当地石油和天然气的开发促进了工业发展,后油井枯竭。现生产汽车、收音机、电视机零件、塑料、金属线、玻璃和铸工制品。市北有萨拉莫尼和密西西内瓦两个娱乐区。1920 年建立马里恩学院。人口 32 618(1990)。

Marion **马里恩** 美国俄亥俄州中北部城市,马里恩县县城(1824)。位于哥伦布以北 72 千米。1820 年规划,1830 年设村,1890 年设市。1865 年德国机械工 E.胡贝尔在此创建农具厂后,工业开始发展。以生产挖掘机著名,有"铁铲城"之称。有筑路、传送和装卸设备、路标、空调设备、家用器具和食品加工等多种工业。周围农场种植玉米。附近还有石灰石矿场。市内哈定总统的旧居已辟为博物馆,哈定纪念馆内有哈定及其夫人的坟墓。该市设有俄亥俄州立大学分校和马里恩工学院(1970)。人口 34 075(1990)。

Marion, Frances **玛丽昂**(1887-11-18,美国加利福尼亚旧金山～1973-05-12,加利福尼亚好莱坞) 美国电影编剧,25 年的创作生涯横跨无声影片时代和有声影片时代。年轻时两次结婚,两度离异。当过记者、模特和插图画家。1913 年到好莱坞,1914 年跟随导演 L.韦伯学习电影制作,1915 年发现自己的真正兴趣在于编剧。在法国当了一段时间战地记者(1918～1919),继续从事编剧工作并执导了几部电影。20 世纪 20 年代为影星 M.璧克馥、M.戴维斯、R.科尔曼、R.瓦伦蒂诺等人创作了许多成功的剧本,是当时报酬最高的编剧之一。她创作的第一部有声影片剧本《安娜·克里斯蒂》,根据 E.奥尼尔的戏剧改编,是 G.嘉宝的第一部有声影片。她还专为朋友 M.特雷斯勒编写《拯女记》,特雷斯勒因主演此片获得奥斯卡奖。她的《牢狱鸳鸯》和《舐犊情深》均获奥斯卡奖。1940 年退休时已经创作 130 多个剧本。退休后在南加利福尼亚州大学教授编剧。1972 年出版回忆录。玛丽昂被公认为是好莱坞最重要的编剧之一,善于编写突出明星特殊才华的情节,创造新颖独特、真实可信的角色,而且对话精炼。她在无声影片时代的创作经验使她善于利用影片的视觉优势和演员的面部表情表达影片的内容。其他著名作品还有《可怜的富家小姑娘》(1917)、《酋长的儿子》(1926)、《晚宴》(1933)和《茶花女》(1937)。

Marion, Francis **马里恩**(约1732,南卡罗来纳温约～1795-02-26,美国南卡罗来纳伯克利) 美国独立战争(1775～1783)的将领。以战术诡诈多变而被英军称为"沼泽的老狐狸"。1759 年参加对印第安人的作战。1775 年任南卡罗来纳州议会议员,领上尉衔。1780 年本杰明·林肯将军在查尔斯顿市投降英军后,他进入沼泽地区,集结队伍进行了一系列战果赫赫的突然袭击。他和他的游击队经常在沼泽地带以快速运动进行偷袭,打败数量占优势的英军。由于在南卡罗来纳州帕克斯渡口大胆营救被困的美军(1781-08),受到美国国会表彰。后晋升准将。战后为南卡罗来纳州参议员(1782～1790)。

Marion Island **马里恩岛** 印度洋南部爱德华王子岛两岛之一,距南非开普敦东南约 1 920千米。1947 年南非宣布对此岛拥有主权,翌年在岛上建气象站,此外无居民。面积 298 平方千米。气候较冷,年平均温度4.4°C,多风暴,盛行西风,年降雨量 2 500 毫米,并有雪。少有晴天。植被稀少,但有该地区特有的凯尔盖朗甘蓝。岛上鸟类众多。

marionette **提线木偶** 又作 string puppet。从上空提线操纵或借缚在控制器上的细线而操纵的木偶形体。在简单的提线木偶中,腿、手、肩和耳以及脊骨底部各缚绳一根。通过增加提线的办法,可使动作的控制更加灵敏。某些提线木偶几乎能模仿人和动物的所有动作。该类型木偶直到 19 世纪中叶才得到充分发展,但用铁棒而不用细绳来操纵的原始活动木偶仍残留在西西里岛等处。根据著名作曲家的作品演出的提线木偶歌剧在 18 世纪极其风行。

B.贝尔德制作的提线木偶
美国不列颠百科全书公司供图

Mariotte, Edme **马略特**(约1620,法国第戎～1684-05-12,巴黎) 法国物理学家和植物生理学家,他独立发现了玻意耳定律,即气体的体积与其压强成反比。这在法国,称为马略特定律,它是物理和化学的基本定则。马略特是天主教的司铎和圣马丁·苏·博讷隐修院的院长,他是 1666 年法国科学院的创建者之一。他在《论空气的本质》(1676)一书中创造了"气压计"一词,阐述了玻意耳定律,并进一步指明该定律只适用于温度不变的条件下。他从植物研究中推断出:植物通过各不相同的化学过程合成各种物质。这个理论在他死后很久才得到证实。他也观察到植物体内液汁的压强,把它比为动物体内的血压。《科学院的历史和学术论文》第一卷(1733)包括了他的许多篇论文,论及诸如流体的运动、颜色的本质、小号的音调等问题。

Mariotte's law (physics) **马略特定律**
参阅 **Boyle's law 玻意耳定律**。

mariposa lily **美丽大百合** 百合科美丽大百合属(*Calochortus*)植物。约 40 种,多年生草本,原产于北美西部。茎单生或稀分枝,高 15～130厘米,从球茎发出。叶数少,狭窄。花艳丽,白色、黄色、淡紫色或淡蓝色,中央常具斑点;花瓣 3 枚,宽展,长 2.5～5 厘米,内具显著基生腺体。几个栽培种中,纳托尔美丽大百合(*C. nuttallii*)原产于南达科他至华盛顿州,向南从俄勒冈至加利福尼亚的干旱土壤;花白色,内面具黄色、紫色和丁香色斑

一种美丽大百合属(*Calochortus*)植物
美国不列颠百科全书公司供图

点;根可食,早年盐湖谷的摩门教移民曾食用。

Mariposan(California Indians) **马里波桑人** 参阅 **Yokuts** *约库特人*。

Maris, Jacob **马里斯**(1837-08-25,荷兰海牙～1899-08-07,奥匈帝国波希米亚卡尔斯巴德[今捷克共和国卡罗维发利]) 全名 Jacobus Hendricus Maris。荷兰风景画家,他与弟弟马蒂斯和威廉同在17世纪荷兰大师们及巴比松(Barbizon)画派的影响下,形成了后来知名的海牙画派。他是一位蚀刻师兼石印工人之子。最初在安特卫普学院学画,1865～1871年在巴黎深造。早期作品中有人物画(儿童、青年妇女),但最知名的则是约于1872年开始画的风景画,其中有取材于荷兰农村的风光、桥、风车、古渡口、大塔楼、烟雾迷漫的天空与游动的浮云相衬映的平坦堤岸。在他所有的绘画中,不论是水彩画、油画,还是蚀刻画,主题都服从于基调的旨趣,例如《旧阿姆斯特丹的灰塔楼》和《多德雷赫附近的风景》。他对于同代画家有显著影响。

Maris, Matthijs **马里斯**(1839-08-17,荷兰海牙～1917-08-22,英国伦敦) 荷兰画家,是雅各布的弟弟和威廉·马里斯的哥哥,以其脱离海牙画派的现实主义而趋向于更具象征性的表现手法著称。无疑是三兄弟中天赋最高者。曾获得皇家补助金,有一段时间(1861～1868)与兄长雅各布在一起生活和工作,由于更具宗教和神秘性质而对雅各布产生微妙影响。他本人逐渐开始冲淡其绘画中的现实主义风格;画中物像轮廓更加含糊,色彩以灰为主,所画的东西更接近于梦中幻象而不是生活中实景。1869～1875年他在巴黎作画,1877年起居住在伦敦,并在那里度过余生。他深受拉斐尔前派的影响。除绘画外还创作过精印本书籍的蚀刻画以及石版画。

Maris, Roger **马里斯**(1934-09-10,美国明尼苏达希宾～1985-12-14,得克萨斯休斯敦) 原名 Roger Eugene Maris。美国职业棒球运动员。他在一个赛季(1961)中共获61个本垒打,创美国甲级棒球联赛的最高纪录。由于这一成绩是在162场比赛日程中创下的,而B.鲁思曾于1927年在154场比赛中创60次本垒打纪录;因此棒球运动委员会主席F.C.弗里克裁决马里斯没有打破鲁思的纪录;直到1991年马里斯才无争议地被承认为正式的纪录保持者。马里斯于1957年作为克利夫兰印第安人队的成员参加甲级联赛,1960～1966年,他一直代表纽约扬基队,即鲁思所属的队参加比赛;马里斯同鲁思一样是一名出众的外场手和强有力的击球员。1960和1961年获得美国棒球联盟最有价值的运动员奖。1967和1968年,他代表圣路易斯红衣主教队参加比赛。直至退出棒球生涯为止,他总共击出了275个本垒打。

Mariscal Estigarribia **埃斯蒂加里维亚元帅镇** 巴拉圭北部城镇。地处博雷阿尔平原。1945年前为军事哨站。原名洛佩斯德菲利皮斯。为纪念在查科战争(1932～1935)中使巴拉圭得以控制该地区的将军而更用现名。现为商业中心,周围地区主要产品为白坚木(产硬木和单宁)。人口约6 525(1985)。

Marishi-ten(Buddhist mythology) 参阅 **Marīcī** *摩利支天*。

Marisol **马里索** (1930-05-22,法国巴黎～) 全名 Escobar Marisol。美国女雕刻家,其作品由木及其他材料构成,其群雕则颇像活报剧。父母皆为委内瑞拉人。青少年时代在洛杉矶和巴黎度过。1950年移居纽约,并在艺术学生联合会和汉斯·霍夫曼学校学习。从早期粗糙的人像雕刻起就以木料为主。60年代其混合材料的人像群雕获得普遍赞赏。生硬的形体与彩画的、涂石膏的或用废品构成的容貌与衣着结合在一起,使作品带有一种滑稽味道。其大众人物的群雕尤以讽刺意味著称。

Marist Brother **马利亚小兄弟会修士** 马利亚小兄弟会的成员。该修会于1817年由法国人尚帕尼亚为对法国青年进行宗教教育而创立于法国里昂附近。1836年,该会几位修士随第一批马利亚会神父到南太平洋岛屿传教。自那时起该会已在23个传教区开办100多所学校。该会人员在世界各地各级教育机构执教,并办有文科、农业、工程和技术学校。

Marist Father **马利亚会会士** 天主教修会马利亚会的成员。该会于1822年由法国人库维耶和科兰成立于法国贝莱教区。该会在南太平洋地区、日本、阿尔及利亚、秘鲁以及委内瑞拉等地传教。马利亚会又产生马利亚小兄弟会、马利亚姊妹会、马利亚女传教会和马利亚第三会。

Maritain, Jacques **马利丹**(1882-11-18,巴黎～1973-04-28,法国图卢兹) 法国天主教哲学家。因解释圣托马斯·阿奎那的思想以及自己的托马斯主义哲学而闻名。自幼受基督教教育,1906年改信天主教。随后在海德堡学习生物学。自1908年起在巴黎研究托马斯主义。1913年开始在公教学院任教,1914～1939年讲授现代哲学。自1932年起每年到加拿大多伦多中古研究所讲学。1941～1942年任美国普林斯顿大学客座教授。1941～1944年任哥伦比亚大学客座教授。1945～1948年任法国驻梵蒂冈大使。1948～1960年任普林斯顿大学哲学教授。1958年美国印第安纳州圣母大学成立马利丹研究中心,致力于哲学研究。马利丹的思想体系以亚里士多德哲学和托马斯主义为基础,吸收古代其他哲学家和现代哲学家的见解,并兼容人类学、社会学和心理学的研究成果。他的主要论点有:①科学、哲学、诗歌以及神秘主义都属于认识实在的合法方式;②个人超越政治社会;③自然法则不仅表示世界的自然之物,也表示人类出自本性的认识;④道德哲学必须涉及人类知识的其他分支;⑤持不同信仰的人们必须相互合作,建立和维护有益的政治制度。有些评论家认为马利丹是托马斯主义在现代最重要的介绍人。他的重要著作有《艺术与经院哲学》(1920;第四版1965年)、《认识之步骤》(1932)、《论诗歌之界限及其他》(1935)、《人和国家》(1951)以及《道德哲学》(1960)。

marital exchange **姻亲换婚制** 一种选择配偶的制度。根据这种制度,一个人必须从特定的某些家庭、家族、部落或部落的分支的成员中选择配偶。参阅 **exchange marriage**; **cross-cousin**。

Maritime **滨海区** 西非多哥南部经济区。北接高原区,东与贝宁交界,南临几内亚湾,西与加纳接壤。有低平原、沿海沙洲和内陆潟湖。面积6 395平方千米。气候温暖,一年有两个雨季。沿海土地肥沃,种植油棕、甘蔗、水稻;木薯、玉米种植广泛。该区的工业发展程度居多哥5个区之首。生产钢、棕榈油、啤酒,加工肉和糖。区首府洛美为该国首都和最大城市。与中部、北部各区通铁路和干线公路。人口居多哥各区之首。居民有埃维人、瓦奇人和阿内(米纳)人。人口约1 300 000(1981)。

maritime air mass **海洋气团** 源地在海洋上的大块空气;也指在水域上空经漫长旅程,并已变成具有海洋源地气团属性的*气团*(**air mass**)。

Maritime Alps **滨海阿尔卑斯山脉** 西阿尔卑斯山脉一段。绵亘于法-意边界,在卡迪博纳山口(东)和马达莱纳山口(西)间,长达190千米。阿真泰拉角3 297米为最高点。

Maritime Atlas(North Africa) **滨海阿特拉斯** 参阅 **Tell Atlas** *泰勒阿特拉斯*。

maritime law **海商法** 又作 admiralty law 或 admiralty。有关船舶和航运事项的法律规则总体。

海商法的历史发展 从水路运输货物和旅客是有记载的商业活动的最古老的形式之一。在古代的文献中可以看到零散的关于海事规则的材料。被称为查士丁尼《学说汇编》的6世纪拜占廷的法律汇集包括一些关于海事规则的材料,其中有几篇材料说明罗得岛

很早就有一部重要的和有影响的海商法典。罗马似乎大量沿用了罗得岛的海商法，而且从罗马的贡献中逐渐发展出适用于地中海区域的一整套统一的海商法。后来，某些意大利城市制定了它们自己的海商法，这就使这个地区的法律统一化进程中断了一段时间。第二部重要的海商法是13世纪在巴塞罗那编纂的《海事法典》，这部内容广泛的海商法典很快就被地中海地区的其他地方采用，恢复了某种程度的统一。

部分是由于民族主义的兴起，部分是由于航运的更大发展，海商法在文艺复兴后期开始变得更加复杂了。瑞典(1667)、法国(1681)和丹麦(1683)通过了各自的海商法典。英国约在1360年建立了一个海事法庭。现代英国的海事法院开庭时没有陪审团参加，仍然审判有关海上碰撞和海上救助的案件；然而，其他类型的有关海上行动的案件通常由商事法庭审判。美国没有同样类型的法院，海事案件属于联邦地区法院的管辖范围。原告也可以在一个州法院起诉，只要被告是该州的公民即可。

海商法的特点 海商法有几个显著的特点。其一是留置权，即要求将船舶或货物作为抵押品的权利。大多数类型的海事请求权无论是从违约、伤害或损坏、或救助服务引起的，都导致这种留置权。海事留置权的申请，在海商法的词汇中称为起诉，有两种类型："对人诉讼"和"对物诉讼"。"对人诉讼"直接针对个人，通常是船主。然而，海商法中比较明显的是"对物诉讼"，针对船舶或货物。在所有涉及船舶的情况下，无论是由于航行上的过失、船员的过失或船舶不适于航海而引起的，都导致海事留置权。海商法的另一个特点是，在大多数情况下准许船主将责任限于船舶的价值。有限责任是一个古老的概念，在有任何形式的保险以前很久就出现了。这也许是对航运涉及的极端危险的承认，旨在保护船主免负他可能被迫承担的限制性责任。结果是船主把船和货物移交给权利请求人就算是完成了他的责任。如果船只完全损失了，权利请求人就将一无所得。这种有限责任在现代海商法典中多少有些修改。

海上碰撞 海上碰撞是海商法涉及的另一个问题。造成碰撞的船舶只有在碰撞是由它的过失、故意或差错引起时，才对被撞船的损害负责。在某些情况下可以推定过错，例如当行驶的船碰撞固定的物体或停泊的船时。当互相碰撞的船分担责任时如何决定赔偿，有各种不同的规定。

海上救助 海上救助是海商法的另一个题目。当船上财产被救免于在海上损失或损坏时，救助者有权获得报酬，其数额取决于若干因素。一个有关的概念是查士丁尼的《学说汇编》中所指的"共同海损"；如果为了保住一部分货物而必须抛弃另一部分货物时，其损失就是被保住货物的货主"共同"的损失而由他们分摊。

海上保险 已知的最古老的保险形式，在航运事业中起着重要的作用并构成海商法的一个极端复杂的分支。船主们投保船舶保险以便补偿他们的船舶的损失。为了保护他们自己避免第三方的索赔要求，他们投保"保护和保障"的保险。

海商法具有与其他类型的法律不同的性质。在某些方面，它是一种国际法，一国的法院遇有疑难时往往从别的国家的实践中寻求指导。在理论尚不十分清楚的某些实践的过程中，海商法多以长期确定的传统为基础。虽然各国能够而且确实实施了它们自己的海商法(而且很多国家在20世纪编订了它们自己的海商法典)，但仍有一种要使海商法统一的越来越强的趋势。已经召开了很多次国际会议研究海商法的一些具体部分。监督海商法的实施的主要组织是国际海事委员会，它由若干国家的海商法协会组成。

maritime log (measurement) **海上测速仪** 参阅 **log 测速仪**。

Maritime Provinces 滨海诸省 指加拿大大西洋沿岸圣劳伦斯湾的新不伦瑞克、新斯科舍和爱德华王子岛三省；加上纽芬兰省，合称大西洋诸省。原属法国，1713年按《乌得勒支条约》割让与英国。

Maritsa River 马里查河 Maritsa又作Marica，希腊语作Évros(埃夫罗斯)，土耳其语作Meriç(梅里奇)。源出保加利亚里拉山脉的河流。东南流275千米后，有16千米形成与希腊之间的国界。此后185千米河段为希腊-土耳其界河，自埃迪尔内改变流向，先向南而后向西南注入爱琴海。主要支流有阿尔达斯河、斯特里亚马河、托波尔尼察河、登萨河。流域面积5.3万平方千米。流域土地肥沃，大面积栽培水果和蔬菜，主要用以出口。几条支流上建有多处发电和灌溉工程。

Maritsa River, Battle of the 马里查河战役(1371-09-26) 在这场战役中奥斯曼土耳其人战胜塞尔维亚军队，得以在塞尔维亚南部和马其顿扩大他们的控制权。奥斯曼土耳其苏丹穆拉德一世(1360～1389在位)进入色雷斯，攻克阿德里安堡，从而得以控制通向巴尔干中部地区的马里查河流域。巴尔干的基督教国家为驱逐穆拉德一世而组成联盟。初以失败而告终。保加利亚人不得不臣服苏丹(1366)。1371年9月，塞尔维亚南部地区国王武卡辛聚集7万军队向马里查河流域进军。26日正在切尔诺曼(或切尔曼，位于菲利普波利斯和阿德里安堡之间)休整时，遭到少数土耳其军的突然袭击，包括武卡辛在内的大批塞尔维亚人被杀死，许多幸存者被赶至河中淹死。

Maritz, Salomon Gerhardus 马里茨(1876，西格里夸兰金伯利[今在南非]～1940-12-19，南非比勒陀利亚) 南非的将军和反叛者，布尔民族主义事业的热烈信奉者。他在南非战争(1899～1902)中对英国人作战。在第一次世界大战期间(1914～1918)，他领导过一次反对英国统治的起事。1914年任南非驻德属殖民地西南非洲边界军队的指挥官。大战爆发后，他率部投奔德方，南非全境突然发生布尔军队的大哗变。1915年叛乱敉平后，他逃往欧洲。1923年返回南非。20世纪30年代，他在南非建立一个反犹太、亲法西斯运动组织。

Mariupol 马里乌波尔 1948～1989年称日丹诺夫(Zhdanov)。乌克兰顿涅茨克州城市。地处卡利米乌斯和卡利奇克两河河口湾，距亚速海10千米。18世纪在该地始建居民点。1882年建成通向顿涅茨煤田的铁路，发展为重要港口。现出口煤、钢、机器与谷物。也是渔船队的基地。有大型钢铁工厂以及焦化厂和机械制造厂。还有修船厂、鱼罐头厂和面粉厂。设有冶金学院。人口约521 800(1991)。

Marius, Gaius 马略(约公元前157，拉丁姆阿尔皮诺附近切雷亚塔埃[今在意大利]～前86-01-13，罗马) 罗马将军和政治家，曾七度出任执政官。他既是勇猛顽强的士兵，又是用兵如神的将军，在军队中极孚众望，但缺乏敏锐的政治眼光，也不擅长在公众面前演讲。他没有受过上层阶级通常接受的希腊教育。他性喜迷信，具有睥睨一切的雄心和抱负。尽管他立下了汗马功劳，却无法迫使贵族社会对他敞开大门，为此，他深受自卑心理的折磨。公元前134年，这位年轻的预备军官与后来成为努米底亚国王的朱古达并肩在西庇阿·埃米利亚努斯麾下作战，曾参加在西班牙进行的努曼提尼战争。公元前119年，梅特卢斯家族支持他竞选平民保民官。任官以后，他曾提出一项关于简化选举和立法议会程序的法案。到公元前115年，他通过贿选成为司法官。翌年出任外西班牙总督。公元前109年昆图斯·梅特卢斯当选执政官，召他为参佐。梅特卢斯在对已经成为努米底亚国王的朱古达的游击战争中，很少取得胜利。公元前108年底马略回罗马竞选执政官时，公开夸大梅特卢斯的这次失败。马略当选执政官后，立即接管梅特卢斯在非洲的军事指挥权，这使梅特卢斯特别恼火。为了招募一支生力军，马略打破只是有产者才能服兵役的陈规，用广泛征召志愿兵的方法解决兵员不足的问题。在非洲战场上，马略使朱古达始终处于疲于奔命的境地，公元前105年朱古达终于被俘。公元前104年，马略再次当选为执政官，他运用前执政官鲁提利乌斯·鲁富斯编练的新军，于公元前102年在阿奎塞克斯蒂埃打败条顿人。公元前101年，他与前执政官昆图斯·卢塔提乌斯·卡图卢斯并肩作战，在韦尔切利击溃辛布里人，这样就解除了亡国的危险，马略的丰功伟绩达到了顶点。公元前100年，他又一次当选为执政官，不过，这一年他在政治上遭到前所未有的失败。公元前90年代，马略在纷乱错综的罗马政局中担当幕后人物。公元前88年，保民官苏尔皮基乌斯·鲁富斯建议苏拉把他在亚洲的军事指挥权交给马略，可能是认为只有马略才能打赢这场关键性的战争。这时罗马发生公开反对苏拉的骚乱，苏拉率兵进攻罗马，放逐马略，马略历尽艰难险阻逃到非洲。公元前87年，苏拉出征希腊，罗马又发动骚乱，马略趁机在伊特鲁里亚登陆，他纠集一支军队，夺取奥斯蒂亚，然后攻占了罗马。公元前86年马略第7次当选为执政官，他下令处死马库斯·安东尼、卢塔提乌斯·卡图鲁斯、普伯利库斯·利基尼乌斯·克拉苏以及其他一些他认为有忘恩负义行为的杰出人士，接着进行残酷的大屠杀，这时马略的神志已不甚清醒，因此他死时，敌友都庆幸。

Marius, Simon　马里乌斯（1573-01-10，巴伐利亚贡岑豪森［德国］～1624-12-26，安斯帕赫）　德语作 Simon Mayr，Simon Mair 或 Simon Mayer。德国天文学家，木星 4 颗最大的卫星木卫一、木卫二、木卫三和木卫四的西名就是他命名的。他和意大利天文学家伽利略都宣称在 1610 年前后发现这 4 颗卫星，可能两人也确实都分别独立地发现了它们。一场谁先发现的争论以并无确切依据地不利于马里乌斯告终。马里乌斯曾随第谷学习一小段时间，后来成为最先使用望远镜的天文学家之一。1611 年，他发表一份有关仙女座大星云的最早的望远镜观测报告，说它有如“夜间从牛角中所见的烛光”。这里所说的牛角，指的是牛角灯笼。他也是观测太阳黑子的先驱之一。

Marius Servius Honoratus（Latin grammarian）　**马里乌斯·塞尔维乌斯·洪诺拉图斯**　参阅 **Servius** 塞尔维乌斯。

Marivaux, Pierre (Carlet de Chamblain de)　马里沃（1688-02-04，法国巴黎～1763-02-12，巴黎）　法国戏剧家、小说家和记者，其喜剧是莫里哀之后当今法国剧坛最为经常上演的

美国不列颠百科全书公司供图

戏剧。出身于富有的贵族家庭，迁居利摩日，其父在该地从事法律工作。他早年也攻读法律，但对宫廷戏剧极感兴趣，20 岁时即已写出第一部剧作《谨慎而公平的父亲》。他为《新法兰西信使》（1717～1719）写过评论各个社会阶级的《反思》，并仿照艾迪生的《观察家》，于1720～1724年办起自己的期刊《法兰西观察家》。1720 年不幸破产，几年后年轻妻子故世，这使他的文艺创作更为严肃。其第一批剧作是为法兰西喜剧院而作，在这些剧作中有 5 幕诗体悲剧《汉尼拔》（1727）。奥尔良的摄政王菲利普在巴黎组织莱利奥剧团上演的意大利戏剧更使他着迷。这个即兴喜剧团演出中的角色哈乐根（即男仆）及天真姑娘使他百看不厌。《爱情使哈乐根变成雅人》（1723）和《爱情与偶遇的游戏》（1730）是马里沃爱情喜剧中最有特色的作品，剧情浪漫，语言鲜明、细腻、生动、诙谐、巧妙。这种语言上的讲究，也称“马里沃风”，是他那个时代娇揉造作及感受敏锐的反映。他在现实主义方面也有所贡献，他剧中的仆人都具有感情真实的特点，对人物社会地位的描写也很精确。30 余部剧作中有讽刺剧，如《奴隶之岛》（1725）和《理性之岛》（1727），这两部剧目均采用《格利佛游记》的方式对欧洲社会进行嘲讽。《新殖民地》（1729）涉及男女平等的问题，而《母亲学校》（1724）则是对母女关系的研究。小说《玛丽安娜的生活》（1731～1741）先于理查森的《帕美勒》（1740），预示了赞扬女性的感情和直觉的感伤小说的到来；另一部小说《暴发户农民》（1734～1735）写的则是一个英俊但投机取巧的年轻农民，利用自己对年长妇女的吸引力来作为进身之阶。这两部作品反映他对权威和宗教上的正统观念的厌弃，主张道德的纯朴及自然。他的这种观点获得了卢梭的衷心钦佩。马里沃虽于 1743 年被选入法兰西学院并于 1759 年任院长，但他在世之时并未获得人们的完全赞赏。去世时十分贫困，死后亦未能获得真正的声誉。直到 19 世纪评论家圣伯夫对他的作品进行重新评价后才有所改变。此后，他才被认为是连接理性时代和浪漫主义时代的桥梁。

Marj, Al-　迈尔季　原称巴尔切。利比亚东北部城镇。地处迈尔季平原，邻近地中海。公元前 6 世纪为希腊巴尔切殖民地。642 年左右被阿拉伯人占领。意大利人 1913～1941 年将此镇建为行政和市场中心及山区休养地。1963 年毁于地震，在 5 千米外坚实的地基上重新建立。新镇划分为区，各区除住房外，有商店、药房、电影院和公共花园，有综合性医院及妇产科和儿童保健中心。现为周围生产谷物（大麦和小麦）、水果和蔬菜平原的贸易中心。公路通班加西、图克拉和扎维耶贝达。迈祖提牲畜中心促进该地畜牧的改良。人口约 15 063（最新统计）。

Marj ʿUyūn　迈尔季欧云　又拼 Merdjayoune 或 Merjayun。黎巴嫩南部城镇。位于利塔尼河以东的肥沃平原。海拔 760 米。为附近烟草、粮食、葡萄、橘子产区的集市中心。人口约 14 900（1998）。

marjoram（species *Majorana hortensis*）　**墨角兰**　又作 sweet marjoram。又称甜墨角兰、园圃墨角兰。唇形科多年生草本植物。其干叶或鲜叶及开花的顶枝用于多种食品调味，味微苦而稍辣，有芳香，最常用于鱼、肉、禽、蛋、香肠、蔬菜、炖菜、馅和沙拉。原产于地中海地区和亚洲西部，在北方也可作为一年生植物栽培。约含 2% 的香精油，主要成分是萜品烯和萜品醇。盆栽墨角兰（*Majorana onites*）也可收取香叶用于食品调味。野墨角兰即普通牛至（*Origanum vulgare*），为多年生草本，原产于欧、亚两洲，现已在美国归化，在英国常见于矮林及篱岸。许多唇形科牛至属（*Origanum*）及墨角兰属（*Majorana*）其他芳香草本或小灌木亦称墨角兰。

mark　马克　原德国货币单位。马克一词至少可追溯到 11 世纪，原为德国最常用的金银衡量单位（约重 8 盎司）。19 世纪，马克是德国各州的普通的小铸币，其币值因州而异。德意志帝国建立后不久，1873 年采用等于 100 芬尼的金马克作为帝国的价值标准和结算货币。第一次世界大战后，马克贬值，使用纸币取代金马克。1948 年西德使用德意志马克（DM）。1990 年德意志马克成为统一后的德国的通用货币。2002 年停止马克流通，由欧洲统一货币欧元取代马克，成为德国唯一合法的货币。（参阅 **euro**）。

Mark (THE EVANGELIST), SAINT　马可（传福音的），圣（活动时期1世纪，生于耶路撒冷？～传说卒于埃及亚历山大）　传说他是《马可福音》的作者。关于马可的生平，《新约》中只有零散的记载，而且，多数记载的历史价值经不起考证。《腓利门书》第 24 节提到与圣保罗同工的马可自罗马问候歌罗西（今土耳其代尼兹利附近）的基督徒，这是有关马可的唯一的不容怀疑的可靠资料，但是没有说明此人的身份。《歌罗西书》第 4 章 10 节说，马可是圣巴拿巴的表弟，这也可能是真实的。除在《使徒行传》第 12 章 25 节、13 章 5 节和 13 节、15 章 37 节称他为约翰外，《新约》其他各处都称他的拉丁语别名“马可”。据《使徒行传》说，他母亲住在耶路撒冷，该地是基督徒聚会的地方。他陪同巴拿巴和保罗到安提阿，协助他们传教。他们到了佩尔加（今土耳其内伊赫桑尼耶附近）之后，马可离开他们返回耶路撒冷。马可的离去，使巴拿巴同保罗分手，因为巴拿巴坚持要再给马可一次机会而遭到保罗拒绝。最后，马可随同巴拿巴去塞浦路斯。《使徒行传》的叙述不见得可靠，因为该书作者特别注意的是说明保罗与巴拿巴分手的原因，提出马可或许也是为此。该书作者在这一点上与保罗在《加拉太书》第 2 章11～14 节所说关于他们两人分手的说法相矛盾。在《提摩太后书》第 4 章 11 节，保罗要求提摩太把马可带来，“因为他在服事我的事上于我有益处”，但是学者认为这是根据《使徒行传》和《歌罗西书》妄推而伪造的。在《彼得前书》第 5 章 13 节，彼得写道“我儿子马可也问你们安”，此语表明马可与彼得关系密切；此外，使徒后教父帕皮亚斯也说，马可的文章（估计指《马可福音》）是根据彼得有关耶稣的教导写成的。更晚近的传说谓马可是耶稣所选派的 72 名门徒之一，又谓耶稣被捕时赤身逃走的少年人就是马可。埃及教会以圣马可为创始人。从 4 世纪起，亚历山大主教座即号称“马可之座”。马可的徽号是狮子。

Mark, SAINT　马可，圣（？，罗马［意大利］～336-10-07，罗马）　教皇（336 在位）。据说他曾授权奥斯蒂亚各地主教给新教皇祝圣。现存的罗马圣马可教堂以及阿尔迪亚提纳街巴尔比纳墓穴之上的另一座教堂可能是由他所兴建。

Mark, THE HERMIT　马可（隐士）（？～430 后）　拉丁语作 Marcus Eremita。基督教神学论辩家。所撰写的虔修神学著作观察心理深入，对后世隐修院的发展趋势和文风有影响。有的学者认为，马可学说与 16 世纪改革派神学有某些共同之处。马可原为安卡拉某隐修院院长，后隐居叙利亚和巴勒斯坦一带旷野。

7世纪和8世纪神学著述家说他在学术研究和宗教修养方面有卓越才干，此外生平不详。430年前后他撰写神学论文《驳聂斯脱利派》。该文手抄本在耶路撒冷发现，1891年出版，此时马可在5世纪教义论战中的重要性以及是其他几部著作的作者方为人所知。在《驳聂斯脱利派》一文中，马可根据《圣经》和早期信纲指出，人性的基督与神性的道虽未结合为一体，但联合起来是使人类得救的必要条件，因为仅仅是人的赎罪行为就不能实现这个目的。马可的禁欲主张和教义神学见解，主要见于他所著的论文《论洗礼》。关于人的本罪，马可一反传统定义，断言人在受洗信教后所犯的罪是人类选择的结果。既然基督为世人赎罪，使上帝与人重新和解，那么受洗后的信徒就已完全恢复自由意志。但是，人的善行都是出自上帝的恩惠，不能归功于人力。此外，马可还认为，人之所以必死，是因为亚当犯罪而受到必死的诅咒。但是基督教徒之所以必死，是为了履行必要的手续，因为人的必死性使他不能达到永恒的完善。

Mark, Mary Ellen　马克（1940-03-20，美国宾夕法尼亚费城～　　）美国摄影记者，其引人入胜的照片真实记录了美国和其他国家处于社会边缘的人们的生活状况。1962年在费城宾夕法尼亚大学获绘画和艺术史学士学位，1964年在同一所大学获摄影新闻硕士学位。1974年出版第一部摄影集《护照》。1976年开始其最著名的摄影项目之一，即她在俄勒冈州立精神病医院有高度安全措施的女病房生活了两个月，目的是为了把被锁在病房里的精神病患的情绪和焦虑拍摄下来。她两个月拍摄了大量黑白照片，1979年出版一本摄影集《81号病房》。曾多次前往印度。她拍摄了孟买的妓女和德肋萨修女及其助手的工作情况。出版了两本影集：《福克兰之路：孟买的妓女》（1981）和《德肋萨修女在印度加尔各答的慈善活动摄影集》（1985）。1982年为《生活》杂志完成了获奖摄影散文，纪录下华盛顿州西雅图街上逃亡儿童的生活状况。在《哭唤救援：无家可归及希望的故事》（1996）一书中，她为读者呈现了一幅幅纽约市无家可归者的画面。

Mark, The Gospel According to　《马可福音》　《圣经·新约全书》四部福音书中的第二部。与《马太福音》和《路加福音》并称对观福音。据说是约翰·马可所著，据《使徒行传》第12章12节和第15章37节作"称呼马可的约翰"，是保罗的伙伴，又是彼得的门徒，因此《马可福音》可能反映彼得的教导。它是四部福音书中最短而成书最早的，大概写于公元70年耶路撒冷被毁之前的十年间。学者公认马太和路加各自编写自己的福音书时都曾吸取《马可福音》的资料，这种资料90%以上见于《马太福音》，50%以上见于《路加福音》。此书虽欠文采，但行文朴实无华且成书先于其他福音书，是关于耶稣生平活动的原始资料来源。马可在书中对犹太习俗的解释，以及对一些阿拉米语言的翻译说明他是为改信基督教的外邦人（或许特别是住在罗马的）而写。此书先是一段序言，再写耶稣在加利利和周边地区传教、耶稣前往耶路撒冷、耶稣受难和耶稣复活。此书的最末一段（16:9～20）在有些抄本（包括最古老的两种抄本）中被删，在另外一些抄本中这一段为较短的另一段所替换。许多学者认为，这最后的十几节并非马可所写，起码也并非与此书其他部分同时写成，而是为了记述耶稣复活而追加上去的。《马可福音》强调耶稣战胜邪恶势力和违抗罗马帝国权势的行为、力量和决心，还着重写耶稣受难，早在第8章就预示此事，全书最后1/3的篇幅（11～16章）专写耶稣在世最后一周。《马可福音》的最突出的特点之一是写耶稣不愿透露自己是弥赛亚，耶稣仅称自己为"人子"。彼得宣告耶稣是基督，耶稣固然默认，但又告诫追随他的人不要声张。

mark system　记分制　大约1840年A.麦科诺基在英国流放地诺福克岛（位于澳大利亚东部）发展起来的刑罚方法。那里的犯人不是服固定的徒刑，而是被监禁到获得一定数量的分数或学分为止。这是根据他们的罪行的严重性按比例决定的。犯人得到了规定数量的学分，就取得释放的资格。学分是根据良好的表现、努力的工作和学习而积累起来的，可以因为懒惰或表现不好而作废或扣除。记分制标志改造犯人的"罚当罪"理论将行结束，并预示了不定判、区别对待和假释的效用。记分制的最可取之处就在于强调把训教和表现当作改造罪犯的一种主要手段。

Markelius, Sven (Gottfrid)　马克利乌斯（1889-10-25，瑞典斯德哥尔摩～1972-02-27）瑞典著名建筑师，20年代将国际风格引入瑞典。曾在斯德哥尔摩理工学院和美术学院学习，1915年开办建筑事务所。马克利乌斯早期曾多次在全瑞典的设计竞争中获胜。获奖作品有为赫尔辛堡设计的音乐厅建筑群（1925），其简洁的直线结构，与白色的墙面和阔大的玻璃窗形成了传统的恬淡而不求突出的欧洲设计的特征。其带有试验性质的作品有斯德哥尔摩的"集体住宅"（1925），这种包括公共厨房、饭馆、托儿所和其他家庭设施的住宅是供给父母双双外出工作的家庭居住的。马克利乌斯为1939年纽约世界博览会设计的瑞典馆得到国际上的赞赏。他在凯文格的住宅，一座伸展在岩石和树林中间的低顶别墅，成为世界上因地制宜地自由布局住宅的榜样。作为斯德哥尔摩城市规划局局长（1938～1954），他主持在1953年建立的卫星城瓦林比的设计。

Marken　马尔肯　荷兰中西部北荷兰省岛屿和市。在艾瑟尔湖内，距阿姆斯特丹东北约17千米。13世纪须得海形成时马尔肯与大陆分开；长3千米，面积2.5平方千米，距海岸约2.5千米。自从1957年修堤道之后，该地便一直与大陆相连。在须得海由30千米长的阿夫斯勒伊特代克堤坝拦成艾瑟尔湖之前，马尔肯及相邻的福伦丹岛居民以捕鳗鲡为生。他们的房屋聚集在小岗丘上，并且建在木桩上，以防大潮侵袭。该岛基本上保存了昔日情调。在旅游季节，居民穿上本地传统服装以增强这种效果。旅游业现为重要经济因素。人口约2 055（1989）。

marker bed　标志层　又称标准层、地震标准层（key bed），指一层凭自然特征可以很容易辨别、又可以越过很长的水平距离进行追踪的岩层。地层学上的例子包括煤层和火山灰层等。这个术语也可以用于能提供明显的地震反射面的沉积岩层。

market　市场　买卖双方相互接触（直接或通过居间代理人或机构）而产生商品和服务交易的方式。该词原先是指现在有时还是指买卖产品的某一特殊的场所，如露天市场。从更加广泛的意义来讲，市场是从具体加以抽象化的任何竞争场所。买卖双方可以相互打交道，交易可在全球规模上进行，例如伦敦和美国的初级产品市场即国际市场，全世界各地的交易商都可通过电话和电传联系，而且也可利用直接接触在市场中进行买卖。值得一提的还有金融市场，股票、有价证券、政府公债和通货都可通过有组织的证券市场或外汇市场易手。

在自由市场中，价格是由供求相互作用决定的。古典经济学家信赖自由放任的功效，发展了完全竞争的学说。假定市场环境为：交易的商品都是整齐划一的，有许许多多买者和卖者，买卖双方相互接触，商品很容易转让。在这种条件下，各个生产商的产品或商品仅占产品或商品总量的很小一部分；因此该生产商不能凭借自己扩大或收缩生产来影响价格。同样，各个买者也仅占市场总交易量的很小一部分，因此他购货的多少不足以影响价格。所以，价格是固定的，供应商能生产多少，就能售出多少——由于他自己的总产量仅占整个市场总产量的很小一部分，他提高产量并不能导致价格的下降。虽然没有真正的市场与这种典型市场条件恰好一致，但是却有许多市场与此非常接近。农产品市场就是最好的例证。这些商品都是许许多多很分散的小生产者在竞争条件下生产出来的，一般这些小生产者不得不售出其全部产品而不顾价格水平的高低。大体上这类商品的总产量并不随价格（需求）的变化而在短期内发生变化。另一方面，供应要受到天气变幻无常的影响；供应一有变化，价格也相应产生较大的波动。

自20世纪30年代以来，人们已增强了对不完全竞争的注意。不完全竞争是一种比较符合制成品实际的世界市场模式。在不完全竞争中，卖方、买方或双方的数量可能都很有限，对立竞争的产品通常（在设计上、品质上、品牌上等等）也有差异，而且新生产商进入市场时也因各种因素受到限制。在这一类型市场中，通常供应很敏感，能在短期间内对需求作出反应。在另一方面，价格总是反应迟缓，可能不随需求下降而降低；然而价格可在需求允许的情况下，比较自由地上涨。最近数十年，由于政府通过财政和金融政策（例如利用税收奖励以促进在指定行业或指定地点进行新的投资）影响市场，其积极作用日渐增强，许多市场已变成更加不完全竞争的市场。

Market Harborough 马基特哈伯勒 英格兰莱斯特行政郡哈伯勒区集镇及制造业城镇，位于韦兰河畔。1203年以来此地已是广大农业地区的一般货物及畜牧产品集散地。有几座木结构建筑至今完好，著名的有罗伯特·史密斯文法学校（1614），建在木桩上，高于街平面。有橡胶、纺织及轻工等工业。该镇为一著名猎狐中心。人口16 563（1991）。

market research 市场调研 指对各种市场需求、产品适应性、发展或开拓新市场方法等方面所进行的研究。调研根据不同的目的可采用不同方法：推销员的期望可用作说明产品未来需求的依据；过去的销售情况可用作规划将来的参考；要了解消费者的态度和对产品的偏好可普遍地或在某一地区进行调查；新的或换代的产品可在指定的试验市场地区进行试销等。

market socialism 市场社会主义 又称自由社会主义。协调社会主义计划与自由企业的一种经济制度。企业属于公有，但生产和消费不受政府计划的控制，而受市场力量支配。20世纪60年代南斯拉夫实行了一种市场社会主义，它与苏联受中央计划控制的社会主义不同。20世纪60年代末和70年代初的匈牙利也有类似的发展。

marketing 销售 引导货物和劳务从生产者流转到消费者活动之总称。在先进工业国家经济中，销售因素在确定企业政策时发挥主导作用。过去企业的销售部门主要要通过广告和其他促销手段增加销售额，而现在通常要关心信用政策、产品开发、顾客支持、个人销售、分配和公司的电信。那些最终是销售给个人使用者的消费品，是通过许多不同的渠道售出的。零售店可能是连锁店（在一个业主或一个经销特许人之下有许多分店）；可以提供很大的规模经济，而规模经济可使所提供的产品花色品种更多，价格更低廉。直销（直接销售）也是一种零售形式，它通过目录和广播广告来开展业务。批发商以低于最终销售价格的价格将商品大量出售给零售店或其他用户。制造厂商可趸卖自己的产品，也可依靠代理商、经纪人或地区经销商出售产品。售出用以制造其他产品或用以提供服务的产品，称之为工业品。它们有原料（如矿石和原油）、半制成品（如纺织品）和资本设备（如计算机和机械）。这类销售经常是高层次的公司管理部门完成的。销售人员可对产品的潜在市场进行心理和人口统计的研究，可利用不同的销售方法进行试验，也可与售货对象进行非正式的会晤。销售学可用以提高某现存产品的销售额（介绍产品的新用途或重新塑造产品的形象）。推销新产品有许多方法——例如，可迎合用户的社会地位或虚荣心，或使用户将其看作地道的便宜货。产品可能是针对某一特定年龄或收入水平的爱好者而制造的。信贷安排和保证常常都是销售中的重要部分。

marketing board 销售局 负责管理指定地区内买卖某种商品业务的政府机构。销售局的职权有：由咨询与推销服务直至产和销的全面管理。最简单类型的销售局负责市场调研、商品推销和提供情报；其经费来源往往依靠对有关产品的销售征收费用。有的销售局有权规定销售条件，通常是制订包装标准和质量分析。销售局通过控制商品流动、稳定和提高平均价格，使所有市场始终保持比较高的需求水平。对稳定价格，如实行此项措施有困难，销售局则试行其他办法。例如，中东和拉美国家给销售局和国家银行（或开发部门）分支机构提供资金购买主要的粮食，保持缓冲存货，并与商人一道在公开市场上进行销售。对主要为出口而生产的各类产品，销售局设法使之免受世界市场价格波动的影响。

Markham, Beryl 马卡姆（1902-10-26，英国莱斯特郡莱斯特～1986-08-03，肯尼亚内罗毕） 母家姓克拉特巴克。职业飞行员、驯马师和育马家、作家和冒险家。因其回忆录《夜

美国不列颠百科全书公司供图

西行》（1942，1983年再版）而闻名。马卡姆4岁同父亲来到英属东非，曾断续上学，却随同非洲部落民打猎，学会了斯瓦希里语及数种非洲方言。父亲失去财产，迁往秘鲁，她只身留在肯尼亚。18岁成为非洲第一位取得比赛用马驯马师证书的妇女。近30岁时学习飞行并成为一名商业飞机飞行员，独立经营运送商品、乘客和邮件业务。1936年完成了从英格兰到加拿大布雷顿角岛的横越大西洋的历史性单机飞行。1942年写成《夜西行》（大概在别人帮助下），声名大振，于是应邀访问了好莱坞。除偶尔写些短篇小说外，她还训练了6名肯尼亚的赛马优胜者。《夜西行》出版时并未引起轰动，但人们对殖民地非洲和那里白人殖民者之间错综复杂的亲属关系（包括迪内森、布利克森、哈顿在内）很有兴趣，于是20世纪后期重新掀起了对书中描写的那一时期的兴趣。

Markham, Edwin 马卡姆（1852-04-23，美国俄勒冈州俄勒冈～1940-03-07，纽约市） 美国诗人、演说家，以社会抗议诗《带锄头的人》闻名。父母均为拓荒者。他在加利福尼亚中部一片偏僻的山间牧场长大。从学院毕业后先当教师，后来当学校行政管理人。1899年《带锄头的人》在《旧金山考察家报》上发表，使他闻名全国。受让-弗朗索瓦·米勒绘画的启发，他在诗中把法国农民描绘成为全世界被剥削阶级的象征。这首诗的成功使他从此专心写作和讲演，涉及诗歌以及社会和工业问题。继第一部诗集《带锄头的人及其他诗

美国国会图书馆供图

篇》（1899）后，1901年出版诗集《林肯及其他诗篇》，其中《林肯》一诗差不多同《带锄头的人》一样为读者所喜爱。以后出版的诗卷有《幸福鞋》（1915）、《天堂之门》（1920）、《新诗：80岁诗80首》（1932）和《阿拉比之星》（1937）。这些作品虽在修辞技巧上达到了炉火纯青的地步，但缺乏早期作品的激情。

Markham River 马克姆河 巴布亚新几内亚东部河流。源出菲尼斯特雷岭，汇合埃拉普和瓦图特两河，向东南流经中部洼原，在莱城以南注入休恩湾。全长180千米。河水浅急，不通航。流域宽广，但人烟稀少，曾是可可种植园，后用于花生种植和养牛。通公路。

markhor（*Capra falconeri*） **捻角山羊** 大型野生山羊，属偶蹄目牛科。以前遍布于从克什米尔、突厥斯坦到阿富汗的山区，但现在种群数和分布范围已大为减少。动物学家普遍认为，捻角山羊的几种亚种是濒危动物。

捻角山羊（*Capra falconeri*）
美国不列颠百科全书公司供图

肩高约102厘米，角长而呈螺旋状。夏毛浅红褐色，冬毛灰色，呈长丝状。雄体的喉部和胸部具长而粗的流苏穗状长毛。

Marko Kraljević 马尔科（克拉列维奇）（约1335～1395-05-17，塞尔维亚罗维奈）塞尔维亚国王（1371～1395）、南部斯拉夫各民族文学和传说中的民族英雄。出身马其顿家族。1371年父王武卡辛为土耳其人所杀，由他继位。事迹不详，只知他曾在斯科普里附近的苏希卡建造一座隐修院，1395年在罗维奈战役中牺牲。但是在罗马尼亚、保加利亚和阿尔巴尼亚的民歌中以及塞尔维亚的歌谣和史诗中，他被描绘成一位快活、正直、强壮、勇敢、侠义的英雄。

Markov, Andrey Andreyevich 马尔可夫（1856-06-14，俄国梁赞～1922-07-20，彼得格

勒） 俄国数学家。发展了随机过程(stochastic process)理论,特别是称为马尔可夫链的过程。基于对相互依存的事件的概率之研究,他的工作得到发展并广泛应用于生物学和社会科学中。1886年起在圣彼得堡大学任教,1896年成为俄国科学院院士。他早期研究数论和分析,主要是关于连分数、积分的极限、逼近理论和级数的收敛。1900年以后他主要研究概率论(probability theory),在相当一般的假定下他证明了中心极限定理。这个定理说明大量独立随机变量的总和渐近于正态分布(normal distribution)。以后他转向研究相互依存的变量,引进了事件链这个重要概念。马尔可夫链是一种时间离散、状态离散的马尔可夫过程(Markov process)。例如,在玻耳氢原子模型中,电子可以在允许的轨道之一上面运动,以 $x(t)=i$ 表示“电子于时刻 t 在第 i 条轨道上运动”这一状态,如果变换轨道只在(离散的)时刻 $t_1,t_2,t_3,\cdots$ 发生,且在时刻 t_s 由 i 轨道换到 j 轨道的概率只与 i,j 有关,而与过去在什么轨道上无关,则 $x(t)$ 就是一个马尔可夫链。马尔可夫还把关于独立事件的几个古典结果推广到某种类型的链。

Markov process 马尔可夫过程 一种可能是相依的、用一个时间参数(离散的或连续的)指标化的随机变量序列($x_1,x_2,x_3,\cdots$),它具有下列性质:已知 $x_1,x_2,\cdots,x_{n-1}$,而 x_n 的取值只同 x_{n-1} 有关。也就是说,变量的未来值只依赖于现在的状态,而与导致现在状态的历程无关。这种序列最早由俄国数学家A.A.马尔可夫系统地研究,故以他的姓氏命名。有时马尔可夫过程只指那些随机变量取连续值的序列,而把那些取离散值的序列称作马尔可夫链。参阅 stochastic process。

Markova, Dame Alicia 玛尔科娃(1910-12-01,英国伦敦～2004-12-02,巴思) 以舞姿轻盈、动作富有诗意著称的英国女舞蹈家。师从S.阿斯塔费耶娃和E.切凯蒂。14岁在佳吉列夫芭蕾舞团首次登台演出,不久担任主要角色。1931年加入维克-韦尔斯芭蕾舞团,既是该剧团首席芭蕾舞女演员(1933～1935),又是在《吉赛尔》和在全本《天鹅湖》中扮演主角的第一个英国舞蹈家。她曾和A.多林一起主持过玛尔科娃-多林芭蕾舞团(1935～1938)和伦敦节日芭蕾舞团(1949～1952)。除她所喜爱的《吉赛尔》角色和《天鹅湖》外,曾出色地主演过《仙女》和多林编导的《四人舞》和《胡桃夹子》中的糖果仙子。她是一位多才多艺的艺术家,不仅善于表演古典芭蕾舞,而且善于表演早期爵士芭蕾舞,如马辛的交响乐《红与黑》(1939)、《阿乐哥》(1942)中的茨冈姑娘、《罗密欧与朱丽叶》(1943)中的朱丽叶和R.佩奇的《维利阿》(1953)。1963年退出舞台,被任命为纽约市“大都会芭蕾舞团”团长,并被授予英帝国贵夫人称号。退休后任教、讲学,偶尔在一些芭蕾舞团演出传统芭蕾舞剧。

Marković, Svetozar 马尔科维奇(1846-09-21,雅戈丁那～1875-03-10,的里雅斯特) 塞尔维亚政论作家,南斯拉夫共产主义者的先驱。先后在贝尔格莱德、圣彼得堡和苏黎世求学,在苏黎世开始接触马克思主义。曾主编1871年创刊的塞尔维亚第一份社会主义报纸《工人报》,1873年主编《舆论报》,1874年主编《舆论之声》。后因文字触禁,入狱9个月。出狱后主编《解放报》。当时的塞尔维亚实际上还没有资本主义和工人阶级,他希望不经过资本主义阶段,由原始的农业阶段直接进入农业社会主义;他攻击政府官员,同情小土地所有者;他批评官僚政治、法官和成文法;提倡研究经济学;要求群众关心政治;向许多塞尔维亚青年知识分子传播社会主义理论。他对塞尔维亚的文学发展也有很大影响。有8卷现实主义的文集问世(1891～1912)。

Markovnikov, Vladimir Vasilyevich 马尔科夫尼科夫(1838-12-22,俄罗斯下诺夫哥罗德～1904-02,莫斯科) 俄国有机化学家。对结构理论作出了贡献并阐明卤化氢在链烯烃的碳-碳双键上的离子加成反应(马尔科夫尼科夫加成反应)。在喀山大学和圣彼得堡大学学习后,于喀山大学、敖德萨大学和莫斯科大学任教(1873～1898)。通过实验马尔科夫尼科夫指出,丁酸和异丁酸具有相同的化学式,但是结构不同,互为异构体。1869年在他发展化合物中原子间相互影响理论的时候,他注意到卤化氢加成到链烯烃上时,氢原子添加到已结合较多氢的碳原子上,而卤素则添加到结合氢较少的碳原子上。然而,为什么溴化氢既有马尔科夫尼科夫加成,也有相反顺序即反马尔科夫尼科夫加成,直到1933年M.S.克拉施提出解释以前是不清楚的。

Markovnikov rule 马尔科夫尼科夫规律 有机化学反应规律。1870年由俄国化学家V.V.马尔科夫尼科夫提出。认为在不对称烯烃的加成反应中,试剂的富电子部分加成到键连氢原子较少的碳原子上,而缺电子部分加成到键连氢原子较多的碳原子上。如氯化氢(HCl)与丙烯($CH_3CH═CH_2$)加成为2-氯代丙烷($CH_3CHClCH_3$),而不是其异构体1-氯代丙烷($CH_3CH_2CH_2Cl$)。此规律在预测加成反应产物的分子结构方面很有用。

Markowitz, Harry M. 马科维茨(1927-08-24,美国伊利诺伊芝加哥～) 美国财政学和经济学教育家。由于创建评估股票市场风险和报酬与估量公司股票和债券价值的学说,与M.H.米勒和W.F.夏普共同获得1990年诺贝尔经济学奖。马科维茨在芝加哥大学学习,1947年获学士学位,1950年获文学硕士学位,1954年获哲学博士学位。嗣后,1952～1960年,1961～1963年他在加利福尼亚州圣莫尼卡的兰德公司从事研究工作,在此得遇夏普。此后,马科维茨在下列单位担任过职务:1963～1968年在圣莫尼卡统一分析中心,1968～1969年在洛杉矶加利福尼亚大学,1969～1972年在纽约市套利经营公司,1974～1983年在纽约州约克敦希尔斯国际商用机器公司沃森研究中心。1994年起任加利福尼亚大学圣迭哥分校经济学教授。1982年起他担任纽约市立大学巴鲁克学院财政学教授。使他获得诺贝尔奖的研究是他的“最佳证券投资理论”,这种学说力求证明一种多样化的或最理想的投资组合(即为获得最大利益、最小风险而将不同的资产混合起来的投资组合)是切实可行的。他的测量有关各种资产的风险的方法和混合不同资产的方法,已成为投资的例行方法。马科维茨还创制了一种名叫“离散模拟语言”的计算机语言,可用于书写经济分析程序。

Marks & Spencer P.L.C. 马克斯与斯潘塞公司 绰号马克斯与斯帕克斯。是英国最大的服装、食品零售公司之一,在全世界有550多所商店。马克斯与斯潘塞公司的商标名称为圣迈克尔(St. Michael)。公司总部设在伦敦。马克斯与斯潘塞公司起源于1884年设在约克郡利兹一所露天市场中的货摊。那时人们称它为马克斯一便士商场,它是来自波兰的一位犹太难民M.马克斯经营家庭日用品、服饰、玩具和活页乐谱的商棚。马克斯的招牌写着:“不用问价,就是一便士。”1894年他招纳T.斯潘塞为合伙人。马克斯的儿子西蒙开始使用圣迈克尔的商标名称,并将英格兰北部各个市场上的许多室外摊位改变成许多室内商店。公司在加拿大还有直接零售业投资。1988年公司购买了美国最古老的服装零售店布鲁克斯兄弟公司,但2001年又将其出售。公司现在英国拥有300多家零售店,并且在法国、德国、西班牙、比利时和中国香港等27个国家和地区拥有150多家零售店。

Marl 马尔 德国西部北莱茵-威斯特法伦州城市。位于鲁尔工业区,雷克灵豪森西北面。约在公元800年首见记载。19世纪末随煤矿和铁矿的开发而发展起来。也有化工业。20世纪末重工业逐渐衰落。1936年设城镇。人口约91 748(2003)。

marl 泥灰岩 细粒矿物的土状混合物。这一名称用来表示成分范围极大的多种沉积物和岩石。钙质泥灰岩随着氧化钙含量的减少则向黏土过渡,以及向黏土质石灰岩过渡。绿色砂质泥灰岩含有绿色的富钾云母矿物海绿石;此种岩石在美国和欧洲的大西洋沿岸地区广泛分布,被用来作水的软化剂。不论是海洋形成的还是淡水形成的泥灰岩,最常见的颜色是白色、灰色或浅棕色,也有红色和黑色的。在钙质海相泥灰岩中,有些氧化钙以贝壳的形式出现,而在其他泥灰岩中,氧化钙是一种细粒的粉末,与黏土和硅质粉砂混杂在一起。淡水泥灰岩的成分与海相泥灰岩类似。湖泊沉积物中的很多碳酸钙是由藻类沉积的,但是有些湖泊泥灰岩含有很多淡水蜗牛和牡蛎的贝壳碎片。大量淡水泥灰岩沉积含有80%～90%的碳酸钙和不到3%的碳酸镁。这种淡水泥灰岩在制造绝缘材料和波特兰水泥中用来作钙质材料。泥灰岩也用来作石灰和制砖的原料。

Marlatt, Abby Lillian 马拉特(1869-03-07,美国堪萨斯曼哈顿～1943-06-23,威斯康星麦

迪逊） 美国教育家，她为其所开设的大学家政学课程打下了坚实的学术基础。1888年毕业于曼哈顿的堪萨斯州立农学院（今堪萨斯州立农业与应用科技大学），留校任教，同时还攻读化学，1890获硕士学位。后应邀去洛根的犹他州立农学院（今犹他州立大学）组建家政系，留该校执教至1894年。后到罗得岛普罗维登斯手工培训高中（后为技校）任教，在该校建家政系。在普罗维登斯期间，继续到布朗大学及克拉克大学暑期班学习。她还参加莱克普拉西德家政学会的工作，1903年担任主席，1907年任副总裁。1909年应威斯康星大学之请，组建家政系。在她任系主任的30年间，教职人员由两人增至25人，入学人数由47人增至512人，课程由12门增至67门。她为学生制订了严格的学术标准，必修课有基础英语、外国语，以及科技课程，如细菌学和新闻学等。她在威斯康星大学的家政系设定了为全美国仿效的标准。1939年退休。

Marlborough 莫尔伯勒 英格兰威尔特行政、历史郡肯尼特区一堂区和城镇。位于莫尔伯勒丘陵谷地，濒临肯尼特河。芒德堡附近发现有新石器时代和罗马时代遗迹。1204年由约翰王授予第一个特许状。现在的特许状为1575年所颁发的。1653年大火，全城大部被焚毁，1679、1690年又发生两次大火，但现在宽阔的大街两侧仍有16世纪的房屋。莫尔伯勒学院为一所著名的男童学校，成立于1843年。城镇经济以为四周农业区服务为主。人口6 429（1991）。

Marlborough 马尔伯勒 又拼Marlboro，美国马萨诸塞州中东部米德尔塞克斯县城市。地处多池塘和水库地带。位于波士顿以西43千米处。1656年创建，1660年设镇，1890年设市。1812年出现鞋靴业。服务业和贸易占重要经济地位，但制造业所提供就业机会最多。生产计算机、电子设备、化学品、鞋类及金属制品。拥有林地和水库。人口36 255（2000）。

Marlborough 马尔伯勒 新西兰南岛东北部的一个政区。它以库克海峡（北）、南太平洋（东）、克赖斯特彻奇地区（东南和南）及塔斯曼湾和纳尔逊市（西）为周界。怀劳河发源于马尔伯勒西部的斯潘塞山地，许多较小河流的源头也在此地。怀劳河向东北流经里士满山脉南部，注入克劳迪湾。其他主要河流有阿瓦蒂里河和弗拉克斯伯恩河。19世纪30年代，沿着安德伍德港（一个海湾）和夏洛特女王海峡，建立了第一批捕鲸船停泊地。1843年，新西兰公司为获得怀劳河平原与当地毛利人酋长发生争斗，称怀劳河事件。在布莱尼姆和塞登周围有混耕农业，在雷河谷地有养羊和制酪业。该地的工业有食品加工业、服装业和纺织业、金属和机械制造业，几乎所有工业都在布莱尼姆附近。皮克顿镇与惠灵顿（在北岛）之间有汽车和火车轮渡。空运货物经由布莱尼姆附近的伍德伯恩到惠灵顿的龙奥台。人口约39 555（2001）。

Marlborough, John Churchill, 1st Duke of, Marquess of Blandford, Earl of Marlborough, Baron Churchill of Sandridge, Lord Churchill of Eyemouth, Reichsfürst (Imperial Prince) **马尔伯勒公爵**（1650-05-26，英格兰德文阿希～1722-06-16，伦敦附近温莎） 即布兰德福德侯爵、J.丘吉尔。英国最伟大的将军之一，曾率领英国及其盟

美国不列颠百科全书公司供图

国军队大胜法王路易十四，其中的重要战役有布莱尼姆（1704）、拉米伊（1706）和奥德纳尔德（1708）。他的父亲温斯顿·丘吉尔爵士是国会议员，虽然家财不丰，但在查理二世朝廷中有充分影响，足够为其诸子在朝廷和军队中提供照应。他是长子，在朝廷和军队中擢升迅速，但因只为爱情而结婚，未从婚姻获取财富，终其一生仍然依靠公职收入支持其用度。1667年他在近卫步兵中得到一个职位，1668～1670年在丹吉尔服役。在第3次荷兰战争（1672～1674）中，服役于1672年5月28日在索莱湾战败的盟国舰队，被提升为上尉。1672年12月他同英国军队一道被派去帮助路易十四对抗荷兰人，并在马斯特里赫特与蒙默恩公爵一起建立战功。1674年路易十四任命他为英国团的上校，在恩泽姆时功绩卓著。他和安妮公主（后为女王）的侍女萨拉·詹宁斯结婚后被迅速提升。1685年詹姆斯二世即位后，除被封为贵族外，他还被授予中将军衔和实际的总司令职务。1688年罗马天主教徒詹姆斯二世国王被废黜时，他转而效忠于荷兰的奥兰治亲王（登陆英国3星期后成为威廉三世），向其保证在任何情况下均将站在新教一边。威廉封他为马尔伯勒伯爵，任命他为枢密院成员，并确认他的中将军衔，还在1689～1691年命其接任佛兰德和爱尔兰的司令官作为酬报，在这些职位上他均获得成功。马尔伯勒似乎正处于飞黄腾达的开端时，突然在1691年底被免去一切职务。翌年5月因为威廉怀疑他卷入了那年夏天依靠法国从瑟堡发动入侵的支持而使詹姆斯二世复辟的阴谋，将他监禁于伦敦塔。虽然不久获释，但在宫廷失宠3年之久，且在战争期间未被任用。然而明白是非的同时代人从未怀疑他叛国。虽然马尔伯勒确实曾像他那个时代所有杰出政治家那样行事，对王位竞争者做出安慰性的保证，以免这个政权再次被推翻，正如它曾在马尔伯勒本人一生中已两次发生的那样，他和威廉的争吵并非出自对于任何叛国的怀疑。他之所以被免职不如说是因为他曾领导一个颇有势力的英国宗派集团反对威廉对其荷兰同事的偏爱。

1701年，路易十四再次决心通过战争推进他对目前空缺的西班牙王位和西班牙帝国的要求。这时威廉三世患病在身（已是他生命的最后一年），他任命马尔伯勒为与路易十四的野心进行斗争的实际继任者。安妮女王登基后批准了这个任命，于是马尔伯勒渡过海峡进入欧洲大陆，指挥英国、荷兰军队及其辅助部队进行10次连续战役中的第一次战役。在此次战役中，他于1702年攻占凯撒斯韦特，扫清了莱茵河和默兹河之间地区。由于这些功绩，心怀感激的君王晋封他为马尔伯勒公爵。马尔伯勒作为外交家的才能也得到施展；他先是建立继而极力维持大同盟（大小国家联合反抗法国路易十四野心的同盟）。

这时巴伐利亚已进入战争，参加法国一方进攻神圣罗马帝国的中心地区，而奥地利军队则正在莱茵区域和意大利作战，如不援助奥地利则战争将要失败，但马尔伯勒知道荷兰人反对远距离作战；因此他在摩泽尔河发动攻击，骗过了朋友和敌人，他又佯攻阿尔萨斯，再次欺骗他们。经过一场激烈战斗后，他占领施伦贝格要塞，在多瑙沃特打开多瑙河渡口。1704年8月13日，他在布莱尼姆与敌军主力交战，他的部队伤亡1/4（约1.2万人），但敌军伤亡人数超过这个数目3倍。马尔伯勒返回荷兰后，相继占领特里尔和特勒巴奇。这些胜利改变了整个欧洲的力量均势，将法国牢牢地置于退守防御的地位。他从皇帝那里接受明德尔海姆公国，并根据议院法案被赐与伍德斯托克的皇家庄园。

1705年，马尔伯勒确信除非盟国保持最强大的势力，否则不可能击败法国。然而荷兰人和奥地利人经过1年的胜利后，不太热心合作。由于缺乏他们的支持，阻碍了马尔伯勒扩大他的战果。同时路易十四已经断定，和平是必须的，但只有通过全线出击，才能得到令人满意的媾和条件。结果，当马尔伯勒威胁要从那慕尔和法军之间前进时，他在拉米伊附近遭到法军挑战。马尔伯勒在右翼佯攻，而集中兵力攻击位于拉米伊村以南的法国左翼。荷兰人在那里承担了最激烈的战斗，马尔伯勒本人仅以身免。但结果是一场压倒性的胜利，法军损失可能为盟军损失的5或6倍。由于这次胜利和他后来在奥德纳尔德的胜利，马尔伯勒获得无与伦比的名声，直到拿破仑的崛起。

马尔伯勒在国内是个重要的政治人物，他的支持对于政府中的任何大臣都是必不可少的。这种权势的关键在于他的妻子萨拉，她在以往20年的政治动乱中曾是安妮女王的忠实伴侣和向导。安妮虽是具有坚定的观点和她自己的好恶的女人，暂时满足于把她的事务托付给萨拉的丈夫马尔伯勒及其朋友、政治盟友西德尼-戈多尔芬伯爵。安妮让伯爵任财政大臣，实际上是首相。

马尔伯勒和戈多尔芬都是传统的托利党人，因此也是王室、朝廷和教会的坚决拥护者。他们首先和罗伯特·哈利（后来的牛津伯爵［第一］）结盟，哈利是托利党一个新派别的

领袖，这个派别对于由战争培育起来的财政利益抱有敌意。他们的联盟为对抗路易十四的战争提供了后盾，从而获得布莱尼姆和拉米伊的重大胜利。但是随着老托利党员一个个离开政府，马尔伯勒和戈多尔芬只能从辉格党员那里寻求对战争的坚实、有力的支持。萨拉强烈鼓吹与辉格党员联盟，结果使她对安妮的影响迅速下降，因为安妮很不喜欢辉格党领袖。1708年1月的政治危机导致哈利被免职，马尔伯勒和戈多尔芬现在只得完全依靠辉格党人。虽然马尔伯勒继续在战斗中获胜，但辉格党人证实无法得到和平，而且现在人民已厌倦战争，他们在1710年的大选中表示了赞同安妮解除戈多尔芬及其辉格党同僚的职务。马尔伯勒已经发现在辉格党人占优势期间他自己日益孤立并且缺乏影响，这时被留下来又指挥了一年军队。但是当他力图对新政府谈判的和平条件表示政治立场时，1711年12月下院指控他滥用公款，被免去一切职务。他退往国外，在安妮统治时期没有再参加公共生活。尽管乔治一世恢复了对他的宠信，但马尔伯勒已是一个病人，在退休中了却余生。

Marlborough, Sarah Jennings, Duchess of 马尔伯勒公爵夫人（1660-05-29，英格兰赫特福德郡桑德里奇～1744-10-18，伦敦） 即S.詹宁斯。第一代马尔伯勒公爵J.丘吉尔将

伦敦维多利亚和阿尔贝特博物馆供图

军的夫人。童年时与安妮公主（后来的英国女王）结下友谊，进入安妮的父亲约克公爵（后为詹姆斯二世）宫中。与同在宫中的丘吉尔恋爱，遭到丘吉尔的父母的反对，二人于1677年冬秘密结婚。1683年她成为安妮的侍从女官。1688年她陪同安妮会见奥兰治亲王，并劝说安妮同意按照法规解决王位继承问题。1692年马尔伯勒失宠，玛丽女王强迫安妮免除她的职务。安妮即位后，马尔伯勒又受到重用。但女王同情高教会派，而她坚决支持辉格党。1710年辉格党人和她都失势，她被安妮解除职务，此后二人再未见面。1713年全家在美因河畔法兰克福定居。汉诺威王朝继承英国王位后，返回英格兰。

marlin 穿索针鱼 鲈形目旗鱼科几种长吻的大型海产鱼类的统称。体细长，背鳍长，吻延长呈长镖枪状。漂游于全球海面。肉食性，主要以其他鱼类为食。其肉味美，极受游钓者欢迎。称为穿索针鱼的鱼甚多，但公认的有蓝、黑、纹、白4种穿索针鱼。蓝穿索针鱼（浅黑穿索针鱼，*Makaira nigricans*）世界性

黑穿索针鱼（*M. indica*）
美国不列颠百科全书公司供图

分布，大型穿索针鱼可达450千克以上，体色深蓝，腹部银白，常具淡色垂直条斑。黑穿索针鱼（*M. indica* 或 *Istiompax indicus*）大小似蓝穿索针鱼或更大，已知可达700多千克以上；为印度洋-太平洋种类；体背侧蓝或蓝灰，腹侧色淡；与众不同的是，直挺的胸鳍同鱼体相交成一锐角，若不用外力则难使之平贴于体侧。条纹穿索针鱼（*M. audax*，或条纹枪鱼[*Tetrapterus audax*]）是另一种印度洋-太平洋枪鱼，体上部淡蓝，下部白色，具灰白垂直条斑，体重一般不超过125千克。白穿索针鱼（*M. albida*，或白枪鱼[*T. albidus*]）仅产于大西洋，体蓝绿色，腹部灰白，体侧具灰白垂直条斑，最大体重约45千克。

Marlow 马洛 英格兰白金汉行政、历史郡怀科姆比区城镇（堂区）。濒临泰晤士河。为住宅城镇。夏季以其划船设施和划船比赛吸引游客。古迹有马洛广场（1720）和雷姆南茨宫（1802～1812年英国皇家军事学院所在地）等。人口17 771（1991）。

Marlowe, Christopher 马洛（1564-02-26受洗，英格兰肯特坎特伯雷～1593-05-30，伦敦附近德特福德） 英国伊丽莎白时代诗人和英国戏剧中莎士比亚戏剧的最重要的先驱，

美国不列颠百科全书公司供图

尤以在戏剧中确立无韵诗体形式而著称。

早期生涯 他是坎特伯雷鞋匠约翰·马洛的长子。初期受教育的情况不详。1579年1月14日他作为学者进入坎特伯雷国王学校，一年后进剑桥大学基督圣体学院。1584年获文学士学位。

最后年代和文学生涯 1587年之后马洛在伦敦写作剧本。他才华横溢，性格狂暴，生活放荡，偶尔与当局发生麻烦，可能也不时为政府服务。1593年5月18日，两年前与马洛同屋的朋友T.基德因叛国嫌疑被捕，在他们的住所搜出了一些“亵渎耶稣基督”的材料。于是在当日，枢密院发出对马洛的拘捕令，但两天后允许他在审判前留在监外。5月30日他在伦敦东南郊德特福德一家酒店里因斗殴被刺死。

在6年多时间的写剧生涯中，马洛的成就多种多样，光辉灿烂。可能在离开剑桥大学之前，他已经写了《帖木儿大帝》（上、下部，均在1587年底上演）。几乎可以肯定，他在剑桥的后期曾翻译奥维德的《哀歌》和卢卡的《法尔萨利亚》第一部，均译自拉丁文。大约在此时，他还写了剧本《迦太基女王狄多》（1594年出版，与T.纳什合作）。《帖木儿》的上演使马洛得以成名，随后几年里编剧成为他关心的主要事业。《帖木儿》上、下部于1590年匿名出版，出版者曾删去一些段落，尽管如此，留传下来的《帖木儿》文本也完全可以被看作是马洛的作品。除此之外，他的其他剧作、诗歌或翻译作品生前均不曾出版。他那虽未完成但却十分辉煌的长诗《海洛和利安得》于1598年问世，除E.斯宾塞的诗歌外，这首长诗几乎可以肯定是伊丽莎白时代最佳的非戏剧类诗歌。

关于马洛在《帖木儿》之后所写剧作的顺序，学者中间存在争论，常见的论点是《浮士德》紧随在《帖木儿》之后，尔后马洛才转向《爱德华二世》和《巴黎大屠杀》这类更为中立、更为“社会性”的剧本的写作。他最后一部剧本可能是《马耳他岛的犹太人》，他在这部作品中开辟了一个新的领域。人们都知道，《帖木儿》、《浮士德》和《马耳他岛的犹太人》3剧都是由海军上将供奉剧团上演的，著名演员E.艾莱恩就在这个剧团，极大可能就是由他饰演了帖木儿、浮士德和犹太人巴拉巴斯这些角色。

作品 在他最早的作品《帖木儿大帝》上、下部（约1587，1590年出版）中，马洛富有特点的“雄伟的诗行”（如本·琼森所称赞的那样）为后来的伊丽莎白和詹姆斯一世时期的戏剧写作确立起无韵诗的主要手段。马洛原来似乎只打算写剧的上部，包括帖木儿与齐诺克拉蒂的婚姻以及他“与整个世界休战”。戏的上部受到热烈欢迎，从而鼓励他将故事继续写到帖木儿死去。这造成一些困难，因为他在上部中几乎已用尽了他的历史资料，结果续集初看上去给人一种填充的感觉。然而，写续集所要花费的气力也迫使这位青年剧作家对其所选择的主人公作更为冷静、更为严厉的审视，这样就使剧作家在上部戏里隐藏于表面之下和认识不充分的某些概念在戏的下部里变得更加明白。

这出戏以14世纪中亚和印度的血腥征服者帖木儿的生活与成就为基础。帖木儿是一个渴求权势和奢华、强占美女的人，这个早年无名的西徐亚牧羊人通过雄辩和勇敢赢得了波斯的王冠。然后，他征服土耳其皇帝巴雅泽，将大马士革城置于刀剑之下，并征服埃及的苏丹。一旦尘世上没有直接对手时，他梦想领导军队去和上天力量作战。马洛肯定

同情他的主人公，让他朗诵壮丽的诗篇，为他梦想权力和占有美人而感到愉悦。同时，马洛也使其主人公表现了荒唐地追求权力和病态的极端残酷，其人性弱点进一步突出，特别是当他傲慢地焚烧古兰经之后，他的致命疾病便立即发作。马洛在这部早期剧本里已表现出他能从不同的角度来观察悲剧主人公的才华。

马洛最著名的剧本是《浮士德博士的悲剧》，但流传下来的仅是个残本。关于剧本完成的日期存在很多争论，1604年首次发表，另一种版本则出现于1616年。《浮士德》采用了道德剧的戏剧框架，表现出一个诱惑、堕落和可诅咒的故事。它自由地运用道德剧中的人物，如善良的天使和邪恶的天使、7种致死的罪孽，以及与他们同时存在的恶魔路济弗尔和墨菲斯托菲里斯。在该剧中，马洛叙述了由博士变成巫师的浮士德的故事，他将灵魂出卖给魔鬼来交换知识和权力。正如在《帖木儿》中一样，马洛既看到他主人公的残酷和荒诞，也看到其崇高和雄伟。因此，他在这里既可进入浮士德引以自豪的雄心抱负之中，同时又观察到那些野心所构成的自我毁灭和荒谬的一面。剧本的可疑之处是一些低俗喜剧场面，这可能是后来被人篡改过的，而比较严肃和连贯的部分无疑是马洛未被败坏的原作。

在《马耳他岛富有犹太人的著名悲剧》中，马洛把犹太人巴拉巴斯塑造成另一个渴望权力的人物。在基督徒的马耳他岛上的邪恶社会里，他在追求个人欲望方面表现得毫不犹豫。这个人物在与其社会相结合方面比帖木儿和浮士德都更加紧密，因为帖木儿是位至高无上的征服者，而浮士德则是个孤独的反上帝的冒险家。最后巴拉巴斯被征服，不是被神奇的魔法而是被其人类仇敌所采取的一致行动所击败。很难肯定现存的《马耳他岛的犹太人》剧本在多大程度上能代表马洛剧本的原文，因为在1633年之前它不曾出版过。但是《马》剧可以与《巴黎的大屠杀》(1593)密切相连，《巴》剧是法国同时代历史事件的一种戏剧式体现；《马》剧与《爱德华二世之死》(1594年发表)一剧也有关联，这是马洛对伊丽莎白时期历史剧的伟大贡献。

像《巴黎大屠杀》在吉斯公爵身上塑造了一位无耻地追逐权力的人物那样，在《爱德华二世》中年轻的莫蒂默身上马洛也同样表现了一个权欲不断发展的人以及得到权力之后日益腐败的典型。在每部剧本里剧作家都分享追逐荣誉的兴奋，在3部剧本里都表达了社会责任的观念、通过权力而腐败的观念，以及运用权力而招致灾难痛苦的观念，这些都是剧作家所主要关心的问题。除《帖木儿》和次要作品《迦太基女王狄多的悲剧》(写作时间不详，1594年发表，与T.纳什合写)外，马洛剧本中只有《爱德华二世》流传下来的文本是可靠的，有作者的手稿为依据。《爱德华二世》肯定是部重要作品，而不仅仅是伊丽莎白时期首批写英国历史题材的剧本之一。与国王相关的亲属，被疏远的皇后、国王的宠臣加弗斯顿以及野心勃勃的莫蒂默，均被以极大的同情和理解加以考察，没有任何人物被忽略、被丢弃，对爱德华的退位及遭野蛮谋杀也同样表现出阴暗和狂暴的一面，与作者所表现的浮士德的最后时刻相类似。

除翻译作品奥维德的《爱情诗》和卢卡的《法尔萨利亚》第一部之外，马洛的非戏剧作品还有长诗《海洛和利安得》，这部作品他生前未能完成，后来由G.查普曼续成，这两位诗人共同创作的这部长诗于1598年发表。

Marlowe, Julia　马洛(1866-08-17，英国坎伯兰凯西克附近～1950-11-12，美国纽约州纽约)　原名萨拉·弗朗西丝·弗罗斯特。英国出生的美国当时伟大的浪漫派女演员。以表演莎士比亚戏剧著称。1870年和全家一起迁居美国。1887年初次在纽约演出，第一个比较卖座的角色是《当骑士之花盛开》中亨利八世的姐妹，她还兼任该剧导演。该剧是由基斯特根据梅杰的小说特意为她改编的，上演后，主要由于她而获得了极大成功，1900年连演两季。1904年她开始和萨森合作演出，1911年他们结婚，成为表演莎士比亚戏剧的一对主要演员。马洛扮演的最杰出的角色有《第十二夜》中的薇奥拉和J.S.诺尔斯《驼背人》中的尤莉娅。由于健康情况欠佳，1916年从戏剧舞台引退，但到1924年还断断续续地登台演出。

Marma　马尔马人　又拼Magh。居住在孟加拉国吉大港山区县的蒙古族民族，20世纪末人口约20万。其中朱米亚马尔马人曾长期在孟加拉东南地区居住，另一居群若开马尔马人为近期移民，18世纪末叶，其王国被缅甸人占领，从阿拉干迁来。马尔马人多数受孟加拉文化影响；但在吉大港山区县以南，他们的文化仍较纯粹，文字和衣服都是缅甸式的，语言是阿拉干方言，信仰原始佛教。其他地方的马尔马人，服饰与语言，都与孟加拉人一致。马尔马人都分成同族结婚氏族。

marmalade tree　果酱树　参阅sapote美果榄。

Marmara, Sea of　马尔马拉海　史称普罗波恩蒂斯。土耳其内海，土耳其亚洲和欧洲部分分界线之一段，东北经博斯普鲁斯海峡与黑海沟通，西南经达达尼尔海峡与爱琴海

马尔马拉海海滨一角
中国大百科全书出版社供图

相连。从东北至西南长280千米，最宽处近80千米。面积11 350平方千米，平均深度约494米。中部最深处达1 355米。平均含盐度22‰。该海由约250万年前上新世后期的地壳运动形成。当地常有地震。海中有两个群岛，克孜勒群岛在东北面，接近伊斯坦布尔，为旅游胜地；马尔马拉群岛在西南面，与卡珀达厄半岛相望。自古就开采大理石、花岗岩和石板。

Mármol, José (Pedro Crisólogo)　马莫尔(1817-12-02，布宜诺斯艾利斯～1871-08-09，布宜诺斯艾利斯)　阿根廷诗人、小说家。他在诗歌散文中对阿根廷独裁者罗萨斯的公开谴责，使他赢得“罗萨斯的诗歌刽子手”称号。他的最佳作品《阿玛莉娅》(1851～1855)，被许多评论家认为是阿根廷的第一部长篇小说。他对拉丁美洲现实主义小说的发展有重大影响。《阿玛莉娅》戏剧性地描写了罗萨斯政权的恐怖，以当时事件为背景，安排了一个高度浪漫主义的恋爱情节。在诗歌如《罗萨斯：1850年5月25日》(1850)中，马莫尔有力地抨击了独裁者，因而成为一个为拉丁美洲争取自由的英雄。

Marmont, Auguste-Frédéric-Louis Viesse de, duc (duke) de Raguse　马尔蒙(1774-07-20，法国塞纳河畔沙蒂永～1852-03-02，威尼斯)　法国元帅。出身军人家庭。1792年加入炮兵。在土伦之围(1793)中受到拿破仑的赏识，

美国不列颠百科全书公司供图

不久即任他的副官。在意大利战役(1796)中表现突出，22岁即成为上校。两年后在赴埃及途中，拿破仑任命他为将军。1806年7月7日他升任达尔马提亚总督，并迫使俄国人解除拉古萨之围，从而得以控制亚得里亚海岸。1808年封为拉古萨公爵。翌年在对奥战争中，他又领兵作战。在瓦格拉姆战役(7月5～6日)后封为元帅。奥地利被击败时，他被任命为伊利里亚诸行省总督。1811年5月受命指挥驻葡萄牙法军，但对英作战战绩不佳。1812年7月在作战中身负重伤。翌年在德意志指挥一个军，后任拿破仑的副官。路易十八复辟时，他抛弃拿破仑而被封为法国贵族。1830年七月革命期间，因所部未能为查理十世坚守巴黎，他被控以叛国罪，剥夺元帅称号，从此流亡国外。1856～1857年其回忆录出版。

Marmontel, Jean-François　马蒙泰尔(1723-07-11，法国博尔莱索格～1799-12-31，诺曼底)　法国诗人、剧作家、小说家、评论家，以自传《一个父亲的回忆录》(1804)知名。1745年在伏尔泰的鼓励下定居巴黎。他是个平庸的剧作家，以伏尔泰的笔法写过一些悲剧。为拉莫、格雷特里、皮契尼和凯鲁比尼等作曲家的歌剧写过脚本。他的《道德故事》(1761)

较有特色，刊登在他于 1758～1760 年间任编辑的《法兰西信使》杂志上。这些故事情调伤感，有训世诲人之意，内容与文字都故作优雅而枯燥无味，但受到广泛赞誉和模仿。两部哲理传奇故事《贝利萨留》(1767)、《印加人》(1777)的出版极大提高了他的声誉；前一书由于为请求宗教宽容而被索邦神学院所禁，后一书揭露狂热崇拜的害处。马蒙泰尔的自由古典主义源自伏尔泰，并在他的《文学概论》(1787)和给《百科全书》写的条目中加以阐述。1763 年当选为法兰西学院院士，1783 年任常务秘书，1771 年任宫廷史官。大革命期间隐居乡间，写出他唯一真正有传世价值的作品《一个父亲的回忆录》。

Marmor Parium (ancient Greek document) **帕罗斯大理石** 参阅 **Parian Chronicle** 帕罗斯年代记。

marmoset 狨 狨科(Callithricidae)美洲体小尾长猴类的统称。树栖，行动灵巧急促，昼行性，成小群活动。除大指(趾)外，所有指(趾)都具爪，以便沿树枝奔跑。与其他美洲灵长类不同之处在于，上下腭均无最后(第 3 颗)磨牙。从 17 世纪早期以来常被饲为玩物，但需加照顾方能健存。主要以昆虫为食，亦食果实及其他小动物。妊娠期约 145 天，通常一胎 2 仔。狨分两类：下犬牙短的通常称狨，下犬牙较长的为小绢猴。倭狨(*Cebuella pygmaea*)是狨科最小的动物，体长约 14 厘米，尾略长于身体，成体体重约 90 克(该科其他成员体重可达 1 千克)。狨属(*Callithrix*)的种更为常见；体长约 15～25 厘米，尾长 25～40 厘米；毛密，呈丝状，耳上通常有簇毛；该属 8 种，毛色各不相同，从白到微红或灰黑不等，可能有灰白花斑或斑纹，如尾部的环纹。小绢猴约 25 种，分属狮面猴属(*Leontopithecus* 或狮头狨属[*Leontideus*])和亚马孙小绢猴属(*Saguinus*)，体长 20～35 厘米，尾长 30～40 厘米。最引人注目的是金狮小绢猴(或称金狮狨，*L. rosalia*)具有浓密的狮子般的鬃毛，面黑色，体毛金丝状。皇帝小绢猴(首领猴，*S. imperator*)毛长，灰色，带灰白花斑，尾微红色，有白色长髭。狮面猴属有 3 个种列为濒危种。格尔迪氏狨(*Callimico goeldii*)分布于亚马孙河上游，是罕见的黑色小猴，通常列入狨科，有时列入节尾猴亚科(Callimiconinae)，有些特征似其他新大陆猴(卷尾猴科)。有些意见认为，小绢猴和狨可列为不同的属。

普通狨(*Callithrix jacchus*)
美国不列颠百科全书公司供图

marmot 旱獭 即土拨鼠。松鼠科旱獭属(*Marmota*)约 8 种矮胖的地栖啮齿动物的统称。毛粗糙，耳小，尾短，强有力的脚和爪适于挖掘。体长 30～60 厘米，尾长 10～25 厘米，体重 3～7.5 千克。毛色浅黄褐、褐、浅红褐或黑白混合而成灰白色。分布于北美洲以及从欧洲阿尔卑斯山脉经亚洲到喜马拉雅山脉以北一带。栖息于山区或平原的开阔地区，居于地穴或山麓斜坡上的巨砾间。常直坐观望，一有惊动就发出刺耳的啸叫。有些种类，如欧亚大陆的阿尔卑斯旱獭(*M. marmota*)喜群居。北美的美洲旱獭(**woodchuck**; *M. monax*)多独栖。旱獭昼出活动，几乎完全以绿色植物为食，有时使庄稼遭受很大毁坏。冬眠。北美洲西北部和西伯利亚的灰白旱獭

奥林匹克旱獭(*M. olympus*)
美国不列颠百科全书公司供图

狨和小绢猴的分类比较

	辛普森 1945	赫尔什科维奇 1949a	卡夫雷拉 1957	希尔 1957	希尔 1960	赫尔什科维奇 1966a 和 b
狨(短獠牙，即下切牙长，而下犬牙呈切牙状)						
典型的狨	狨属 *Callithrix*		狨属 *Callithrix*	*Hapale* 属	*Hapale* 属	狨属 *Callithrix*
裸耳狨	狨属 *Callithrix*		狨属 *Callithrix*	*Mico* 属	*Mico* 属	狨属 *Callithrix*
倭狨	狨属 *Callithrix*		小狨属 *Cabuella*	小狨属 *Cabuella*	小狨属 *Cabuella*	
小绢猴(长獠牙，即下切牙-犬牙关系正常)						
黑面毛面小绢猴	狮面卷尾猴属 *Leontocebus*	*Marikina* 属 (*Tamarin* 属)	狮面卷尾猴属 *Leontocebus* (*Tamarin* 属)	*Tamarin* 属	*Tamarin* 属	亚马孙小绢猴属 *Saguinus*
白髭毛面小绢猴	狮面卷尾猴属 *Leontocebus*	*Marikina* 属 (*Tamarin* 属)	狮面卷尾猴属 *Leontocebus* (*Tamarin* 属)	*Tamarinus* 属	狮面卷尾猴属 *Leontocebus*	亚马孙小绢猴属 *Saguinus*
裸面小绢猴	狮面卷尾猴属 *Leontocebus*	*Marikina* 属 (*Tamarin* 属)	狮面卷尾猴属 *Leontocebus* (*Tamarin* 属)	*Marikina* 属	*Marikina* 属	亚马孙小绢猴属 *Saguinus*
冠毛裸面小绢猴(品切猴)	狮面卷尾猴属 *Leontocebus*	*Marikina* 属 (俄迪普斯米达斯猴属 *Oedipomidas*)	狮面卷尾猴属 *Leontocebus* (俄迪普斯米达斯猴属 *Oedipomidas*)	俄迪普斯米达斯猴属 *Oedipomidas*	俄迪普斯米达斯猴属 *Oedipomidas*	亚马孙小绢猴属 *Saguinus*
金狮小绢猴	狮面卷尾猴属 *Leontocebus*	狮面卷尾猴属 *Leontocebus*	狮头狨属 *Leontideus*	狮面卷尾猴属 *Leontocebus*	狮头狨属 *Leontideus*	

(穿靴旱獭，*M. caligata*)冬眠9个月之久。旱獭于冬眠结束即行交配。在地穴内的窝中产仔，通常每产4～5只；妊娠期约1个月。黄腹旱獭(*M. flaviventris*)栖息在美国西部和不列颠哥伦比亚的石丘和山中。浅黄褐色，腹部黄色，两眼间有白斑，在某些地区为农业害兽，身上携带的蜱传播落基山热。灰白旱獭栖息于西伯利亚和北美西北部的高山上，以尖锐刺耳的啸叫报警，故又称"哨旱獭"。可根据其头部和肩部的黑白相混的颜色和黑色的"靴"识别。当地人猎取灰白旱獭，食其肉并取其皮(制鞋带)和毛皮。

Marne 马恩 法国东北部香槟-阿登大区省份。由前香槟(**Champagne**)省的一部分组成。面积8 163平方千米。有马恩河从东南向西流经；该河形成长170千米的河湾并流经省会马恩河畔沙隆(**Châlons-sur-Marne**)。东部佩尔特瓦区多森林和丘陵。中部和西南部是起伏平缓的香槟普耶勒斯白垩土平原。除马恩河谷和其他河谷外，乡村人口稀少。沙隆河上游有军营和炮兵射击场。西部的埃佩尔奈地区有森林覆盖的高地和葡萄园，香槟酒就产于此。该省气候温和，海拔较高地区降雨量充足。香槟酒业在埃佩尔内和兰斯一带极为重要。兰斯也有机械、食品加工、玻璃、纺织和电子工业。政治家J.B.柯尔贝尔(1619～1683)出生于兰斯省。泡沫香槟酒的发明者D.P.佩里尼翁出生于该省的圣芒内乌尔德。省下设马恩河畔沙隆、兰斯、埃佩尔奈、芒内乌尔德和维特里-勒弗朗索瓦5个专区。人口约565 229(1999)。

Marne, First Battle of the 第一次马恩河会战(1914-09-06～12) 第一次世界大战中法国军队和英国远征军对已侵占比利时和法国东北部、距巴黎不到48千米的德军进行的反击。大战爆发一个月后，德国军队已深入法国东北部，巴黎准备应付敌人围攻。法军在向马恩河南岸撤退时，奔波10～12天，已精疲力尽。法军总司令J.霞飞将军决定冒险反攻。9月6日晨，法第6军在莫努里将军指挥下，进袭德国克卢克将军侧翼。克卢克领兵迎战时，其部队与德第2军之间出现30英里的缺口。联军立即派法第5军和英远征军占据该缺口。福煦将军率第9军在中线击退德军，并迫使他们后撤。9月7日和8日，莫努里得到乘600辆出租汽车来自巴黎的6 000名步兵的增援。9月8日，德斯佩雷将军第5军夜间突袭德第2军，并扩大了缺口。10日，德军开始撤往埃纳河北岸，挖壕固守，从此揭开了具有西线战事特点的堑壕战的序幕。马恩河会战中法国人击退了德军的大规模推进，并造成把战事引向德国本土的威胁，从而挫败了德军在西线快速全胜的计划。

Marne, Prieur de la 马恩 参阅 **Prieur, Pierre-Louis** 普里厄。

Marne, Second Battle of the 第二次马恩河会战(1918-07-15～18) 第一次世界大战中德军最后一次大规模进攻。由于1918年3～6月在法国的4次大规模进攻取得胜利，德军总司令鲁登道夫将军接受了另一次进攻的建议，企图将法军从亚眠-蒙迪迪耶前线引开，然后乘虚而入，决一死战。他打算包围兰斯，使法军首尾不能相顾。但福煦将军深知其谋，在兰斯以东采取灵活机动的防守策略，德军遭到意外的抵抗和反攻。德军确曾在几个地方渡过马恩河，但只能前进几英里。英军、美军和意大利军队联合援助法国进行防御。西南方的德军在猛烈的炮火下前进约10千米后，意识到中了埋伏。7月18日，德军停止进攻，协约国军开始反攻。法美联军对德军发动突然袭击。3天后，法美联军渡过马恩河，德军退守埃纳河-韦勒河一线。

Marne-la-Vallée 马恩拉瓦莱 法国新建城镇，包括塞纳-马恩、塞纳-圣但尼、瓦勒德马恩三省各一部分。位于法国中北部巴黎市东约10千米处。计划作为市中心，以集中附近地区的人口 。人口约26 867(最新统计)。

Marne River 马恩河 法国北部河流。长326英里(525千米)，源出朗格勒高原朗格勒以南4.5英里处。在宽阔的河谷中向西北偏北流，经过肖蒙和圣迪济耶后转向西，继而折向西北绕过维特里-勒弗朗索瓦和马恩河畔沙隆，然后向西流经埃佩尔奈，穿过地势起伏的葡萄种植区。过蒂耶里堡后蜿蜒流经产粮区及拉费泰苏茹瓦尔和莫城，在巴黎东南形成大弯环，最后在巴黎东郊朗通注入塞纳河。流域面积5 000平方英里(13 000平方千米)。马恩河和埃佩尔奈处曾有两条运河，但均已年久失修。马恩河谷在第一次世界大战中发生过激战。

Marnia(Algeria) **玛尼亚** 参阅 **Maghnia** 马格尼耶。

Marnix, Philips van, HEER (lord) VAN SINT ALDEGONDE 马尼克斯(1540，布鲁塞尔[今在比利时]～1598-12-15，荷兰莱顿) 神学家、诗人。所译《圣经》中的《诗篇》被认为是16世纪荷兰宗教文学的登峰造极之作。他曾卷入当时政治和宗教的斗争，1568～1572年逃亡国外，1573～1574年被天主教会监禁。第一篇主要作品是《神圣罗马教会的蜂房》(1569)，表面上拥护天主教，实际上却是嘲笑它。所译《诗篇》于1580年出版，后又经过多年的修改。他虽忠实于希伯来原文，但不妨碍发挥自己的诗才，译文优美动人，铿锵有力。

Maro, Publius Vergilius(Roman poet) 参阅 **Virgil** 维吉尔。

Maroboduus 马罗博杜斯(？～公元37，拉韦纳[意大利]) 马科曼尼人国王，曾组织日耳曼各部族的第一个联盟。出身贵族，早年在意大利接受罗马人的教育。返回日耳曼地区后，成为马科曼尼人的领袖。公元前9年左右，为了逃避罗马的统治，他将部族从日耳曼中西部的美因河谷迁居到波希米亚(今属捷克共和国)建立王国，并同相邻的日耳曼部族(居住在今西里西亚和萨克森)结成强大的联盟。公元6年罗马人承认他的王国。9年，他拒绝支持切鲁西人领袖阿米尼乌斯对罗马作战。17年他被阿米尼乌斯打败，两年后被废黜，流放在意大利度过余生。

Marondera 马龙德拉 前称马兰德拉斯(Marandellas)。津巴布韦东北部城镇。1890年初建时为路站。1896年在绍纳人的反抗中被毁坏后，北迁至6千米外的哈拉雷一贝拉铁路线上。第二次世界大战期间成为波兰人的避难地。现为广大农业区和林业区服务，经销木材、烟叶、玉米、牛肉和乳品。也是教育中心，设有草原研究站。1913年建村，1943年建镇。人口19 971(1982)。

Maroni River 马罗尼河 Maroni荷兰语作Marowijne。南美洲法属圭亚那和苏里南(旧荷属圭亚那)之间的界河。发源于巴西边境附近图穆库马克山脉北坡，北流经稠密热带

流经苏里南科蒂卡村的马罗尼河
美国不列颠百科全书公司供图

雨林，于苏里南加利比角注入大西洋。长725千米。中游出产砂金。吃水浅船只自河口可上溯100千米。主要支流有来自西南方的苏里南塔帕纳霍尼河。

Maronite Church 马龙派教会 最大的东仪天主教会之一。现代主要流行于黎巴嫩。据该派自称，创始人为活动于4世纪末和5世纪初的叙利亚隐士马龙和自685～707年任安提阿牧首的圣约翰·马龙，后者曾在684年领导马龙派信徒驱逐拜占廷皇帝查士丁尼二世所率部队，使该派获得充分独立。根据可靠史料，该派曾长期奉基督一性论。马龙派信徒为强悍尚武的山民，捍卫自由与习俗。632～1258年的穆斯林哈里发国并未能将他们同化。在土耳其奥斯曼王朝统治下，主要由于其地处偏僻，马龙派在法国的保护下得以保持固有信仰与习俗。在19世纪，奥斯曼帝国政府挑唆邻近地区的黎巴嫩山地居民德鲁兹人反对马龙派，造成1860年大批马龙派信徒惨遭杀害。其后马龙派在奥斯曼帝国范围内接受信奉基督教的外地官员领导，实行形式上的自治。奥斯曼帝国解体以后，1920年黎巴嫩的马龙派信徒在法国保护下自治。1943年黎巴嫩完全独立，马龙派成为该国两大宗教组织之一。马龙派所推崇的精神领袖，在教皇之下为安提阿及全东方牧首，该牧首驻在贝鲁特附近的卜吉尔基。该派虽保留古代西叙利亚礼仪，但使用阿拉伯语。南欧及南北美洲也有马龙派信徒，他们是在19世纪为逃避迫害而迁徙到那里。

Maroochydore 马鲁基多尔 澳大利亚昆士兰东南部的游览城镇。位于马鲁基河河口和布德林山山麓。南部与穆卢拉巴镇相连。1862年A.皮特里发现马鲁基河,将该河及地区取名为马鲁基,土语意为"黑天鹅栖息的水域"。马鲁基多尔镇系沿用地区名,1900年建镇,作为供内陆地区运输以及附近布莱科尔山脉木材外销的港口。现在主要为度假胜地,供游客从以南120千米的省会布里斯班来此冲浪、游泳、划船和垂钓。境内栽种甘蔗。附近的穆卢拉国家公园为一主要的低地海岸保护区。马鲁基多尔和穆卢拉巴地区人口20 635(1986)。

Maros River(Romania) **毛罗什河** 参阅 **Mureş River** 穆列什河。

Marosvásárhely(Romania) **毛罗什瓦沙尔海伊** 参阅 **Tîrgu Mureş** 特尔古穆列什。

Marot, Clément 马罗(1496?,法国卡奥尔～1544-09,萨伏依都灵[今在意大利]) 法国文艺复兴时期最伟大的诗人之一。他使用拉丁诗的形式和形象化的描述对其继承人的风格影响颇深。其父让·马罗是个宫廷诗人,先是在布列塔尼的安娜宫廷后在弗兰西斯一世宫中效劳。父亲死后,任弗兰西斯一世的侍从,直至1542年。曾两次因在四旬斋期间食肉犯禁被捕。监禁生活激发他写出一些佳作,特别是讽刺诗《地狱》和1526年致友人L.雅梅的书简。至1530年,马罗已享有声誉,他的许多诗作流传广泛。海报事件(1534)以后,他逃往纳瓦尔,受玛格丽特保护。其时,对新教徒的迫害继续有增长,他不得不又再次出逃,前往意大利费拉拉。直至弗兰西斯一世下令停止迫害后才于1537年返回法国。他在宫廷任职时,大半时间用于翻译赞美诗。其中有一些于1539年初版。《三十首大卫圣诗》则出现于1542年。这些翻译作品以其朴素、严肃的和谐风格著称,但却受到索邦神学院的谴责,使他又再度流亡。卡尔文对之极为赞赏,允许他在日内瓦避难。但他的行为举止为这个严谨而又庄重的城市所不容,又被迫回到意大利。虽然他早期的诗作完全是中世纪末期的诗人的风格,称作韵律家型的,再加上他的丰富的拉丁古典文学的学识,又在这里接触了意大利的文学形式,使他学会了模仿古代的风格和主题。他介绍了哀歌、牧歌、讽刺短诗、喜歌等意大利文学体裁。他是最初试用彼特拉克十四行诗形式的法国诗人之一。曾译过卡图卢斯、维吉尔和奥维德的作品,校订整理过维永的作品和《玫瑰传奇》。他使法国的轻松诗增添了优美、雅致和个人的热情。虽然他的成就一度为七星诗社所遮蔽,但他的影响在英国伊丽莎白时代诗人中却是明显的,尤其是对斯宾塞影响更大。在17世纪的法国,马罗的影响又再重现。

Marot, Daniel 马罗(1661,巴黎～1752-06-04,海牙) 法国出生的荷兰建筑师、装饰设计师、雕刻师。设计华丽精致,对17世纪后期、18世纪早期欧洲装饰风格颇有贡献。其雕刻体现了当时流行的风尚,包括对东方风格的倾向。早年随父学艺,曾受法国设计家J.勒波特和J.贝雷因的影响。1685年迁居荷兰,为奥兰治亲王效劳。1694年随亲王至伦敦(当时亲王已成为英王威廉三世),约于1698年回荷兰。马罗在荷兰为威廉三世所作的设计有海牙休战纪念厅的厅堂(约1697)和海尔德兰供狩猎用的行宫(约1692)。他也参与英国汉普顿宫中花园的设计工作。马罗回荷兰后设计不少私人住宅、葡萄牙犹太教堂以及现在的皇家图书馆。

Marot, Helen 马罗(1865-06-09,美国宾夕法尼亚费城～1940-06-03,纽约州纽约) 美国作家和劳工组织者,以其努力解决童工问题和改善妇女工作条件为人们所铭记。自幼成长于富裕书香门第,就读于贵格会学校。1896年在特拉华州威尔明顿一个图书馆工作。次年回到费城,与友人合开私人图书馆,专门提供有关社会与经济问题的书籍。1899年出版《劳工文学手册》,并为美国产业委员会调查费城裁缝业的工作条件,这一经历更加深了她对受剥削者的同情。1902年在纽约市为街坊工人协会调查童工状况,并协助组建纽约童工委员会。她会同F.凯利和J.戈德马克起草有关该市童工的报告,对1903年州议会通过义务教育法案起主要推动作用。1906年中期,出任全国妇女工会联合会纽约分会执行秘书。她的组织才干和魄力将这个团体建成工人组织中一支令人生畏的力量。主要由于她的努力,创立了纽约簿记员、速记员和会计员工会,成为组织白领妇女的先锋。她还帮助戈德马克和凯利准备有关妇女工时的诉讼资料。衬衫裙和女装裁缝在新的国际女装工人工会旗帜下举行的第一次大罢工(1909～1910)就是主要由她领导和组织的。1913年辞去在工会联合会的工作,转向写作。1914年出版以其费边式社会主义者观点撰写的有关工联派世界产业工人联盟的小册子《美国工会》之后,参加激进派刊物《群众》编辑部(1916～1917)和《拨号盘》杂志工作(1918～1920)。她还是美国劳资关系委员会成员(1914～1916)。其著作《劳动中的创作性冲动》于1918年问世。

Marot, Jean 马罗(约1619～1679-12-15,巴黎) 法国建筑师和雕刻师,出身于巴黎的工匠和艺术家家族。曾建筑各种房屋,其中包括皮索旅馆、莫特马尔旅馆和蒙索旅馆。出名作品是人称《小马罗》和《大马罗》的两大组建筑雕刻,这是研究法国17世纪建筑的重要材料。此外还为一大批建筑物的烟囱、天花板等做过雕刻装饰。其子D.马罗继承了他的事业,成为著名的装饰设计师。

Maroteaux-Lamy syndrome 马罗多-拉米二氏综合征 又称黏多糖症Ⅵ型。一种少见的隐性遗传的代谢性疾病。以侏儒症、耳聋及进行性骨骼畸形为特征。多于幼儿期发病,一周岁时即表现面貌丑陋、角膜浑浊、两眼距离过远、肝脾肿大等征象。患者智力正常,但常早夭,多于20岁以前即死亡。与其他型的黏多糖症一样,本病病因为某种调节黏多糖代谢的酶发生故障。

Maroua 马鲁阿 又拼Marua。喀麦隆北部城镇。在曼达拉山麓,卡利亚奥河畔。为重要商埠。有纺织研究所、棉纺厂和农业学校,因而成为主要贸易中心。也是手工业

马鲁阿镇的集市

美国不列颠百科全书公司供图

中心,有刺绣、皮革、金属制品、珠宝饰物、陶器等制造业。有人种史博物馆、医院、海关、兽医站、教堂和清真寺。城北有瓦扎国家公园。人口约100 176(1985)。

Marowijne River(South America) **马罗韦讷河** 参阅 **Maroni River** 马罗尼河。

Marprelate Controversy 马尔普雷莱特论战 英格兰清教派自1588～1589年利用秘密印刷所出版小册子而发动的宣传运动。这些小册子攻击主教制"亵渎神明、妄自尊大、毫不可取、取法教廷、流毒深远、祸害无穷、专制弄权"。这些小册子(今仅存7册)从未获得清教派领袖的支持。秘密印刷所被破获后,小册子发行停止。小册子作者署名"马尔普雷莱特"或"小马丁",其真实身份至今不详。

Marpurg, Friedrich Wilhelm 马尔普格(1718-11-21,勃兰登堡西豪森附近马尔普格斯多夫～1795-05-22,柏林) 德国作曲家、作家,以音乐理论及音乐评论文章著称。1746年任巴黎某普鲁士将军的秘书,在那里见到伏尔泰和作曲家J.拉莫。后在柏林和汉堡居住。1763～1795年曾主办普鲁士国家奖券发行工作。马尔普格的重要著作有:《音乐历史评论集》(1754～1758)和介绍各种音乐分支的文章,其中值得注意的是《赋格论》(1753～1754)中提到的赋格。这些著作对研究18世纪音乐史、音乐理论和实践的学者们很有参考价值。其音乐作品包括《六首拨弦键琴奏鸣曲》(1756)和《赋格与随想曲》(1777)。

Marquand, J(ohn) P(hillips) 马昆德(1893-11-10,美国特拉华威尔明顿～1960-07-16,马萨诸塞纽伯里波特) 美国小说家。他的作品叙述20世纪中期美国中上层阶级社会变换不定的结构。他在纽约市和郊区拉伊

的舒适环境里长大，后来父亲的生意失败，寄养在纽伯里波特的亲戚家。地位下降和生活缺乏保障使他深刻体会到社会的等级差别，以及这种差别在心理上所必然造成的后果。他在写了15年通俗小说(包括被广为阅读的日本谍报员元生先生的惊险故事)后，又写了3部最具特色的长篇小说，用讽刺而又同情的笔触刻画崩溃中的新英格兰缙绅。这些小说是：《已故的乔治·阿普利》(1937)、《威克福德岬》(1939)和《普尔哈姆先生》(1941)。其他描绘美国战时混乱情况的小说有：《几乎没有一点时间》(1943)及《幡然悔悟》(1945)和《B.F.的女儿》(1946)。他在这些小说中的社会洞察力比以前大为逊色。在接着出版的小说《不回的理由》(1949)中，他悉心研究了一个与纽伯里波特十分相似的新英格兰小镇，恢复到他的最佳写作水平。他的另两部小说描绘50年代特别重要的两种社会人物：《美国梅尔维尔·古德温》(1951)写一个职业军人；《您忠实的威利斯·韦德》(1955)以尖刻的讽刺刻画了一位大推销商的形象。他的最后一部重要小说《女人和托马斯·哈罗》(1958)写一个成功的剧作家，在一定程度上是他的自传。

Marqués, René　马尔克斯(1919-10-04，波多黎各阿雷西沃～1979-03-22，圣胡安)　波多黎各剧作家、短篇小说家、文艺评论家。其作品表现了深厚的社会和艺术责任感。1942年毕业于马亚圭斯农艺学院。1946年就学于马德里大学，后入纽约哥伦比亚大学学习写作。最著名的剧作《大车》(1956)，描写波多黎各一个农民家庭移居纽约，淘金不成失望而归的故事。1959年三篇剧作结集出版，它们是《死亡进不了王宫》，一个总督背叛自己青年时代的初衷而屈服于外国帝国主义的政治寓言剧；《那片阴影下的蓝色男孩》和《破碎的太阳》。《破碎的太阳》是他最成功的剧作之一。作品重现了三位贵族小姐所处的封闭式的环境和生活，她们难以对付现代化浪潮的冲击。马尔克斯在自己大多数的剧作中，号召他的波多黎各同胞发扬民族感情，他认为接受外来的准则只能导致异化。这一主题思想体现在他的许多作品中，如短篇小说集《我们的另一天》(1955)、《一个叫作圣胡安的城市》(1960)、《陷于沉默中》(1976)以及长篇小说《人的前夕》(1959)和《一瞥》(1975)等，他的论文也论及民族性问题。

Marquesas Islands　马克萨斯群岛　法语作 Îles Marquises(马基斯群岛)。南太平洋中部法属波利尼西亚的两个火山岛簇。位于塔希提东北1 200千米。东南岛群包括**希瓦瓦岛**(**Hiva Oa**，群岛中最大和人口最多的岛，法国画家P.高更的葬地)、法图伊瓦、塔胡阿塔三岛，以及无人居住的莫塔内岛和法图乌库岛；西北岛群包括瓦普、瓦胡卡、埃奥、哈图图诸岛和风景优美的努库希瓦岛(Nuku Hiva)。1842年属法国。现为法属波利尼西亚一区。区首府在努库希瓦岛的哈卡佩希(泰奥哈埃)。主要出产椰干、芋头、面包果、咖啡和香草。居民多信天主教。人口约6 100(1981)。

marquess　侯爵　欧洲的一种贵族称号，其地位在近代仅次于公爵而位于伯爵之上。从语源上看，"侯爵"或"方伯"一词系指封疆大吏，即管辖一处边地的伯爵，但这一原始意义久已湮没。在西欧，加洛林王朝的方伯曾是皇室官员，负责保卫边疆，往往辖有一处以上的封地，形同侯爵。①法国，随着法国一些大封臣的势力扩大而国王的势力缩小，旧的侯爵封地实际上并入了大的公爵封地或伯爵封地。然后，随着小块封地的增多，一些拥有几处这样封地的小伯爵开始僭称侯爵以显示自己。因此，一般总是低于公爵的侯爵就与伯爵处于一种互相竞争的关系。法国大革命废除了侯爵爵位，而路易十八在复辟后又予以恢复。②德意志，奥托一世、奥托二世和奥托三世在10世纪创立一种新的关于边境地区的制度，要求边境侯爵不仅要保卫边界，而且要使边界向斯拉夫人或异教徒地区推进。有些边境侯爵的封地逐渐变成世袭的侯国。③意大利，14世纪时，男爵们和绅士们开始把他们的封地扩大为侯爵封地，从那以后，侯爵称号的命运大体与法国相同。④西班牙，最初的加洛林时期的西班牙侯国的残余部分并入了巴塞罗那伯爵的封地。第一个卡斯蒂利亚人的侯爵爵位是比列纳的侯爵，1376年设立；第二个重要的侯爵爵位是桑蒂利亚纳的侯爵，1445年设立。⑤不列颠群岛，在英格兰，拉丁语的"侯爵"一词最初用于威尔士边境地区的领主，但只用来说明他们的领地的位置靠近边界，并不意味着他们高于其他的伯爵。但在1385年，牛津第九代伯爵罗伯特·德·维尔被封为都柏林侯爵，地位在公爵与伯爵之间。1397年，萨默塞特的伯爵约翰·博福特被封为多西特侯爵和萨默塞特侯爵。1443年，他的儿子埃德蒙·博福特被封为多西特侯爵，从那以后，这个爵位保持了它在贵族爵位中的地位。

Marquess of Queensberry rules　昆斯伯里侯爵规则　对现代拳击有最直接影响的一套规则。由英国业余体育俱乐部成员J.G.钱伯斯执笔，1867年在昆斯伯里侯爵(第九)道格拉斯主持下首次发表，故名。规则内容如下：

规则1　在一张24英尺见方或者尽量符合这一尺寸的拳击台上，进行公正的采用直立姿势的拳击比赛。

规则2　不得抱摔对方。

规则3　每一回合持续3分钟，回合与回合相隔1分钟。

规则4　如一方由于力量差或其他原因跌倒在地，他必须在无人帮助的情况下于10秒钟内站立起来。在此期间，另一方运动员回到自己的场角。跌倒的拳击手站起来以后，这一回合的比赛即继续进行直到3分钟结束。如一方运动员未能在规定的10秒钟内回到比赛起始线，裁判员有权判另一方得分。

规则5　拳击运动员身体无能为力地悬靠在围绳上，并且脚趾也不着地，这时他即被认为已被打倒。

规则6　在一个回合比赛过程中，助手或任何其他人都不得进入拳击台。

规则7　一旦出现无法避免的干扰使比赛中止，裁判员须尽快提出把比赛进行到底的时间和地点，以便决出胜负，除非双方下赌注者都同意抽回赌金。

规则8　手套须是质量好而大小合适的新的拳击手套。

规则9　倘若手套破裂或脱落，必须更换，直到裁判员感到满意为止。

规则10　拳击手一个膝盖着地，即应被认为倒地，此时如被击打，即可获得奖金。

规则11　禁止穿带弹簧的鞋或靴。

规则12　比赛的一切其他方面按照修订的伦敦奖拳击台规则行事。参阅 **London Prize Ring rules**。

marquetry　镶嵌细工　把薄的木板、金属板以及诸如贝壳、珍珠母等天然材料制成复杂图样，贴在家具表面上的技术。16世纪末叶开始在法国流行，此后两个世纪随着欧洲经济的发展，对华丽家具的需求增长，从而获得很大市场。17世纪末18世纪初，A.-C.布尔创造了一种使用形成鲜明对比的材料，例如把乌木与象牙进行镶嵌的巧妙方法。把同样厚度的两片色泽显然不同的薄板粘在一起，制成图样后分开，这样就能用形成鲜明对比的材料以同一图案装饰同样大小的两块镶板。由于镶嵌细工使用的是薄片，因此往往在图样四周和锁眼等容易损坏的地方，用青铜或其他金属作边饰加以保护，这些边饰常常制成复杂的式样，把家具装饰得更加美丽。镶嵌的图样越来越复杂，除了常使用花卉图样外，还有描绘故事情节的图样等等。用材范围也越来越广，不仅使用珍贵的热带木材以及银、青铜和黄铜等金属，并且使用多种多样的珍贵材料。

Marquette　马凯特　美国密歇根州上半岛城市，马凯特县县城(1851)。临苏必利尔湖，在埃斯卡诺巴西北106千米处，北有舒格洛夫山。1849年创建，1859年设村，1871年设市。为运输铁矿石和木材的重要港口。经济以铸造、木材制品和矿山机械工业为主。旅游业和北密歇根大学(1899)也是促进城市发展因素。马凯特为罗马天主教主教驻地。普雷斯克艾尔公园位于森林覆盖的半岛之上。人口21 977(1990)。

Marquette, Jacques　马奎特(1637-06-01，法国拉昂～1675-05-18，密歇根拉丁顿)　天主教耶稣会传教士、探险家。1666年到达北美洲魁北克。1673年5月中旬与新法兰西总督弗隆特纳克伯爵所委派的若利埃一同自圣伊格纳斯(今美国密歇根州境内)出发，去探寻密西西比河方位及河口。先西行到达格林贝(今美国威斯康星州境内)，然后溯福克斯河而上，再携船沿陆路前进，跨过威斯康星河，6月17日在今普雷里德欣附近开始沿密西西比河航行，到达阿肯色河口，得知密西西比河流经敌国西班牙领地，乃于7月中旬沿伊利诺伊河返航。到达格林贝后，马奎特疲惫不堪，只好留下，若利埃一人继续向加拿大行进。1674年，马奎特着手在伊利诺伊河流域印第安人中间筹备建立传教据点，但因寒冬到来，他与两个伙伴只好在今芝加哥市附近盘营过冬，成为在该地居住的第一批欧洲人。次年春天，马奎特再次到达印第安人居住区(今伊利诺伊州乌蒂卡附近)，但因病返回。他在前往圣伊格纳斯途中死于一河口，此河今名马奎特神父河。

Márquez, Gabriel García　马尔克斯　参阅 **García Márquez, Gabriel** 加西亚·马尔克斯。

Marquis, Don　马奎斯(1878-07-29，美国伊利诺伊沃尔纳特～1937-12-29，纽约市)　原名Donald Robert Perry Marquis。美国记者、诗人、剧作家，以创造阿尔奇(蟑螂)和梅希塔贝尔(猫)两个幽默感人的文学形象闻名。曾在伊利诺伊州诺克斯学院求学，后任《亚特兰大日报》记者。1907年J.C.哈里斯创办《雷默斯大叔杂志》，马奎斯任副主编，主持一组署名的专栏。1912年离开亚特兰大前往纽约，成为纽约最有名的文学记者之一。他在《太阳报》上开辟专栏《日晷》，在《论坛报》上开辟专栏《灯》。阿尔奇(蟑螂)和梅希塔贝尔(猫)最初就是在《日晷》专栏里出现。这一对生物怎样看待世界以及梅希塔贝尔的不幸遭遇，都由阿尔奇用第一人称口吻向读者讲述。他的幽默诗集、讽刺散文和剧本选集有：《丹尼自己的故事》(1912)、《梦与尘》(1915)、《赫米奥尼》(1916)、《老酒鬼》(1916；1926年改成剧本)、《献给红发女郎的十四行诗》(1922)、《黑暗时刻》(1924)和《来自海洋》(1927)。马奎斯逝世后，《阿尔奇与梅希塔贝尔》(1927)与几个续篇一起编成普及本(1940)，1957年改编成音乐剧。

Marquises, Îles(French Polynesia)　**马基斯群岛**　参阅 **Marquesas Islands** 马克萨斯群岛。

Marr, Nikolay Yakovlevich　马尔(1865-01-06，俄国格鲁吉亚库塔伊西～1934-12-20，俄罗斯列宁格勒[圣彼得堡])　俄罗斯语言学家，考古学家和人种论学者，专门研究高加索诸语言。1900年起任圣彼得堡大学教授，发表许多他搜集的古格鲁吉亚和亚美尼亚的文学作品并试图证明高加索语和闪-含语及巴斯克语之间的关系。马尔于1924年又发展了他的概念，进一步提出语言单源论，认为一切语言都是由sal，ber，yon，rosh四个基本要素组成的单一起源演化而来，世界上的每种语言都有自己本身的演化阶段。语言自身是社会经济结构的产物，因而有阶级性，而不是什么民族现象。马尔的这些思想使自己更适合于马克思主义理论，1934年马尔去世后，他的思想曾由语言和思想研究所加以发展。直到1950年前都是"官方"语言学的方法，后来斯大林批判了这种理论和方法。马尔失去权威性的理论掩盖了他的合理的成就，即：在前苏联各非印欧语共和国内激起了人们对此的兴趣和关注。

Marrah, Mountains　马拉山脉　苏丹中西部山脉。为一崎岖的火山链。长达160千米，海拔3 000米以上，为尼罗河与乍得湖分水岭的最高点。阿拉伯河某些支流发源于该山南侧。

Marrakech　马拉喀什　摩洛哥南部的主要城市。全国四个皇城之一，位于坦西夫特河以南肥沃的豪兹平原中心地带。1062年由穆拉比王朝创建，定为首都。1147年落入穆瓦

马拉喀什市的清真寺
美国不列颠百科全书公司供图

希德人之手。1269年由马里尼德王朝控制，其首都在非斯。在法国保护国时期(1912～1956)，多年来由格拉乌阿家族管理。现以公园著称(梅纳拉橄榄林和面积达405公顷、筑有围墙的阿格达勒公园)。有闻名的旅游胜地和冬季运动场。是上阿特拉斯山地和撒哈拉沙漠商业贸易中心。建有国际机场。有公路和铁路通萨菲和卡萨布兰卡。人口约822 000(2000)。

marram grass　参阅 **beach grass** 滩草。

Marrano　马拉诺　西班牙历史名词，指为了逃避迫害而改信基督教，但私下仍奉行犹太教仪式的犹太人。此词为贬义词，亦用于马拉诺的后裔；词源不详。14世纪末，西班牙境内犹太人处于狂热基督徒暴民威胁之下，改宗基督教者约10万之众，另有数千人则宁死不变信仰。15世纪中期，改信基督教者即马拉诺仍奉行犹太教，形成一种秘密而密集的社会。马拉诺致富之后开始在宫廷、教会、国家机构中取得高位。1473年3月，科尔多瓦发生反马拉诺暴力事件；1480年异端裁判所成立，一年之内，就有300名马拉诺被处以火刑，以后受害者成千上万。1492年3月31日，西班牙国王下诏驱逐境内全体犹太人；葡萄牙与纳瓦拉分别于1497及1498年采取同样措施。最后许多马拉诺迁往北非和西欧其他国家。18世纪初，西班牙政府考虑到犹太人外流及在境内同化等因素，终止了迫害犹太人的政策。参阅 **converso**。

marriage　婚姻　法律和社会认可的一夫或多夫与一妻或多妻的结合，它使其后代具有身份，并由规定配偶的权利与义务的法律、规则、风俗、信仰和见解制约。婚姻在不同社会和不同文化阶层中普遍存在，原因在于它所发挥的许多基本的社会和个人作用，诸如生育和提供性满足与性控制，照顾子女、使他们受教育和适应社会生活，规定世系，两性分工，经济生产与消费，以及满足个人对爱情、身份和伴侣关系的需求。

在生物进化等级上，越是高级的物种，其后代从出生到成熟依靠母亲生存的时间越久。人类在进化等级上居首位，在所有物种中走向成熟所需时间最长。人类的母亲照料子女的责任较多，这就需要父亲广泛的参与和合作，使孩子生长成人。因此，婚姻奠定家庭的基础。家庭的基本生物构成是一母、一父和一个儿童。家庭是保障人的生育和保全社会的基本单位。

婚姻习俗和法律　在古今一切人类社会中，都已发现有某种形式的婚姻。从有关婚姻的繁复法律和仪式可见其重要性。虽然这些法律和仪式像人类的社会和文化组织一样众多而不同，但某些普遍特质确实存在。

婚姻的主要法律作用是保证子女在一个社团内的权利并明确其关系。婚姻普遍地赋予后代合法的身份，使他或她享受该社团的传统所规定的各种特权，包括继承权。婚姻还建立许可后代享有的社会关系，包括可接受的选择未来配偶的权利。

在近代之前，婚姻很少是一件自由选择的事。在西方文明中，恋爱已与婚姻相联系。但是，罗曼蒂克的爱情在大多数时代一直不是婚姻关系的主要动机，被视为允许结婚的人历来是大多数社会精心调控的。

同族婚姻，即与本部落或群体内的某人结婚，是婚姻上最古老的社会规定。与外界群体交往的形式很有限时，同族婚姻是自然的结果。现在在一些社会里，促使人们在自己的社会、经济和种族群体内结婚的精神压力仍非常强大。

异族婚姻，即与群体外通婚，存在于亲族关系十分复杂、因而不许与家系属同一祖先的大群体通婚的社会里。

在大家庭或扩大的家庭仍是基本单位的社会里，婚姻往往是家庭包办的。人们以为配偶先结婚后恋爱，考虑得多的是婚姻给大家庭带来的社会经济好处。相反，在小家庭或核心家庭占主体的社会里，子女们往往选择自己的对象。人们认为恋爱先于(并决定)结婚，通常较少考虑婚姻的社会经济方面。

在包办婚姻的社会里，几乎普遍的风俗是一个人充当介绍人或媒人。这个人的主要责任是安排一项使他所代表的两家都满意的婚姻。某种形式的**嫁妆(dowry)**或**彩礼(bride-price)**在风行包办婚姻的社会里几乎普遍存在。

在个人选择对象的社会里，约会往往是人们相会并与有希望成为配偶的异性结识的方法。约会获得成功，结果可能是求爱，往往导致婚姻。

结婚仪式　结婚礼仪主要与生育力有联系，确认婚姻对氏族、种族或社会延续的重要性。这些礼仪也宣告家庭或社团认可相互的选择，表示理解其困难和牺牲，他们作出了在大多数情况下被认为是一种感情上的终生承诺，担负起为配偶和子女谋幸福的责任。

结婚仪式包括往往由宗教礼法批准的象征性仪式，人们认为这种仪式使夫妇交好运。由于经济上的考虑对养育好孩子必不可少，向新郎和新娘奉献实在的和象征性的礼物是结婚仪式一个重要的部分。无论是男家向女

家或女家向男家，交换的东西如果范围很广，这往往表明选择结婚对象的自由有限，婚姻是由婚嫁者的家庭决定的。

在一切礼仪中都有某种形式的催育仪式，旨在保证婚姻结出果实。当代的婚礼中仍能发现一些最古老的仪式，包括摆出各色果品和谷物，洒在新夫妇的身上或新房床上，由一个小孩陪伴新娘，破开一件物品或食品以保证婚姻完满，生育顺利。

最常见的是象征神圣的结合的仪式。表现形式可以是把双方的手连在一起，交换戒指或项链，或把衣裳系在一起。然而，在不同的社会里结婚仪式的各部分大不相同，其组成部分如时间、地点和婚礼的社会重要性是传统习惯规定的。

marriage and wardship 参阅 **wardship and marriage** 监护权和婚姻。

marriage law 婚姻法 规定婚姻的开始、继续和合法性的法定规范和要求及其他法律。婚姻的定义为法律认可的男女结合，被视为受法律程序约束的契约协定。新婚夫妇的法律地位因婚姻行为而发生重大改变，其中包括相互承担某些权利和义务。在很多社会中，婚姻义务包括：在同一或相邻住处共同生活，提供抚养子女、烹饪、管理家务等家庭劳务(通常由妻子承担)，提供食物、住所、衣服及其他扶养手段(通常由丈夫承担)。婚姻权利包括对彼此的财产有不同程度的分享权和继承权，以及在一夫一妻制下对性交行为的排他权。

除一般性的原则外，过去和现在各个社会都有自己的婚姻观念，许多国家都制定了婚姻法，以反映出与其婚姻制度有关的特殊文化标准和要求。古罗马法承认的婚姻形式有3种：共食婚形式的特点是仪式非常隆重，有许多证人和动物牺牲品，通常为贵族家庭所采用。买卖婚是平民采用的通过买卖生效的婚姻形式。而时效婚(一译使用婚)是最不正式的婚姻形式，双方同意和具有长期同居的证据即可成立。罗马法通常把女人置于丈夫“权威”之下，与子女地位相等。依照罗马法，奴隶不得与其他奴隶或自由人缔结婚姻，但出于各种目的又承认男性奴隶和女性奴隶的结合。

在宗教改革以前，天主教教会法是唯一规定西欧基督教徒间婚姻关系的法律，至今在一些罗马天主教国家中仍具有相当权威。教会历史上认为婚姻是终身神圣的结合，只有配偶一方死亡时才能解除。这种高尚的婚姻观反映出夫妻是上帝用“同一块肉”创造的，因此婚姻从罗马法中可终止的民事契约转变为灵魂和肉体均永不可分离的神圣和神秘的结合。在教会法中，双方当事人自愿同意被看作是婚姻的必要条件。受洗人同意、婚礼完成即视为婚姻完成。受禁婚限制的近亲(包括血亲及姻亲)，教会法视其婚姻无效。

依照在英国的发展情况，婚姻法规定的婚姻必要条件如下：双方应达到一定年龄；具有性行为能力，神智健全；双方都是单身；双方同意结婚；不违反近亲(包括血亲及姻亲)禁婚的限制；结婚仪式须符合法定形式。西欧大部分国家的婚姻法及美国的婚姻法(承袭自英国婚姻法)均为罗马天主教教会法的产物，但因现代的工业化和都市化生活改变了文化和社会状况，已经过大幅度的修改。现代婚姻法视婚姻为民事交易，并只允许一夫一妻式的结合。一般而言，整个西方世界男女婚姻所需的法定资格都相同，只受血亲、姻亲间禁婚的限制和神智不健全的限制。以前，12岁或小于12岁就可结婚，现在大多数国家把最低结婚年龄的限制已提高到15至21岁。各国几乎普遍允许**离婚(divorce)**，天主教国家对离婚的限制也逐步放宽。俄罗斯只承认经过登记的民事婚姻，严格执行一夫一妻制，结婚必须完全出自双方当事人自愿，年龄须满18岁。

中东、亚洲和北非的穆斯林国家盛行伊斯兰教法律，视婚姻为“性交及生育合法化”的契约。婚姻纯粹是一种民事契约，条件随双方当事人的意愿而定。结婚可以不需要任何仪式。婚姻的主要要求为在集会上提出求婚和接受求婚。历史上伊斯兰教法律允许一夫多妻制。但到20世纪末期，实际上在所有穆斯林国家里一夫多妻制已日趋衰微。许多非洲国家的习惯法仍然允许一夫多妻制，但亦逐渐趋向一夫一妻制。非洲及其他地方许多发展中国家与西方国家显然不同，前者没有统一的婚姻法，婚姻关系的规范是根据本区域内的宗教法或习惯法。这就导致一个区域内存在着各种各样的法律，故经常因部落、种族、宗教间的通婚而引起各种复杂的问题。日本禁止一夫多妻制，男未满18岁，女未满16岁不得结婚，禁止和同宗近亲结婚，所有婚姻均须依法登记。中国亦禁止一夫多妻制，结婚仪式的形式可有可无，但民事婚姻须及时登记方为有效。

Married Women's Property Acts 《已婚妇女财产法》 美国法律，指自1839年起逐渐扩大已婚妇女作为独立法律事务行为人之权利的一系列法规。19世纪中叶前，美国一直流行英国普通法中已婚妇女在法律上从属于丈夫，受丈夫监护的观念，而新大陆经济生活的现实要求给予妇女以更具有灵活性的权利，因男人有时会离家数月甚至一年，已婚妇女操持家务有赖于她履行契约的自由。自1839年起美国各州开始立法推翻受丈夫监护的惯例，规定妇女有享受自己劳动收益之权利、管理动产和不动产之权利、作为诉讼和契约当事人之权利，以及为本身利益实行个人意愿之权利。由于法官时常狭义地解释法规，妇女不断地呼吁，要求制定更广泛、更详细的立法。

Marriner, Neville 马里纳(1924-04-15，英国林肯郡林肯～　) 英国小提琴家、教师和指挥家。1959年在伦敦组织了“圣马丁在田野里”室内管弦乐团，得到群众和评论界赞赏。1944年毕业于伦敦皇家音乐学院，后在巴黎音乐学院师从R.贝内德蒂。起初以小提琴家为职业，1956～1968年曾在伦敦交响乐团演奏。1949～1959年在皇家音乐学院教授小提琴。在P.蒙特的鼓励下转向指挥，专攻巴罗克音乐。曾指挥世界各地主要交响乐队。1969年成为洛杉矶室内管弦乐队音乐总监和指挥。1978年任明尼苏达交响乐团音乐总监和指挥，随1979～1980年演出季开始演出。70年代末其演出曲目扩展到歌剧。

Marriott, J(ohn) Willard 马利奥特(1900-09-17，美国犹他马利奥特～1985-08-13，新罕布什尔沃尔夫伯勒) 美国商人，美国最大型的旅馆及餐馆之一的组建者。父亲是个农场主，信奉摩门教。他曾就读于犹他州州立惠勒学院及奥格登市的犹他大学，1926年毕业。1927年在首都华盛顿设摊售卖不含酒精的啤酒和烤肉，至1932年扩展为独资经营的7家廉价家庭热食店。第二次世界大战结束时，他开设的餐馆已遍及整个东海岸，同时开始承办航空公司的饮食供应业务。1957年马利奥特开设其公司的第一家汽车旅馆，20世纪50及60年代，当时名为“马利奥特热食店公司”的这个企业在美国饮食业与旅馆业界成为发展最快、获利最丰的一家。1964年马利奥特之子小马利奥特继其父担任总裁，公司更名为“马利奥特公司”。1972年小马利奥特任该公司主要行政负责人。马利奥特本人仍担任董事长，直至1985年逝世为止。当时该公司在26个国家雇用员工14万人，在95个城市经营1 400家餐厅及143家旅游宾馆，年营业额达35亿美元。虽然该公司股票于1952年已公开上市，但马利奥特家族仍持有绝大部分股权。马利奥特为共和党总统候选人的热心支持者。1988年(在他死后)被授以总统自由勋章。

marrow, bone 参阅 **bone marrow** 骨髓。

Marrucini 马鲁奇尼人 占据意大利东海岸泰阿特(今基耶蒂)附近一个小地区的古代部落。他们是萨谟奈人的亲族，但可能并非萨谟奈联盟的成员。在第二次萨谟奈战争中，他们曾与罗马人作战。在战争结束时，他们加入了罗马同盟(公元前304)。公元前91年他们造反，从此加入罗马阿尔努斯部落。他们的语言保存在“拉皮诺铜器”(约公元前250)的铭文中，使用拉丁字母书写，为北奥斯坎语的一种方言，其中包括佩利尼语和韦斯提奈语。

Marryat, Frederick 马里亚特(1792-07-10，伦敦～1848-08-09，英国诺福克兰厄姆) 英国海军军官、继T.斯摩莱特之后第一个充分利用其丰富的航海经历写出有趣故事的英国

美国不列颠百科全书公司供图

小说家。14岁参加皇家海军，曾在世界许多地方服役，功勋卓著，1830年退伍时为上校。此后写了一系列冒险小说，他的叙述风格清晰、直截了当，故事充满插曲和幽默。这些小说包括《国王专有的》(1830)、《傻子彼得》(1834)、《海军军官候补生伊齐先生》(1836)和《可怜的杰克》(1840)。还写过一些儿童读物。《新福利斯特的孩子们》(1847)是一篇关于英国内战的故事，为儿童文学的名著。

Mars 马尔斯 古罗马宗教所信奉的神祇。其重要性仅次于丘比特。在有史料可据的时期他已演变为战神，罗马典籍中他是以武事自豪的罗马国的守护神。罗马国春秋两季即

马尔斯铜塑像
美国不列颠百科全书公司供图

农事与征战季节都有马尔斯的节期。3月有许多节日都是全部或部分地奉祀马尔斯的节日。10月也是马尔斯的重要月份，在该月15日十月马节日，马尔斯广场举行双驾马车竞赛；19日为兵器净化节，为武器祝圣，储备过冬。在奥古斯都统治时期，罗马崇拜马尔斯的习俗大盛。人们不仅依旧相信他保佑国家武运亨通，而且又认为他的另一化身马尔斯·乌尔托尔保佑皇帝，为凯撒报仇。在文艺作品中，马尔斯与希腊的神灵阿瑞斯几无二致。

Mars 火星 太阳系八大行星之一，按离太阳由近及远的顺序排列为第四颗。因其色红，遂以罗马神话中的战神Mars(马尔斯)为名。火星环绕一椭圆轨道运行，所以它和地球之间距离变化幅度相当大。火星和太阳的平均距离是228×10^6千米，约为日地距离的1.5倍。一个火星日为24.6地球小时，一个火星年约有687个地球日。火星有两个小卫星：火卫一(Phobos)和火卫二(Deimos)。由于火星的自转轴倾斜并具有大气，所以也和地球一样有季节变化。不过，它比地球冷得多，其表面上的平均大气温度仅为-23℃。火星是一个小个的大行星，其平均直径为6 790千米，约为地球直径的一半。其密度是3.933克/厘米^3，也比地球的小。火星没有可检测出的磁场，连同其密度小的实际，可认定它没有大型的金属内核。在火星的稀薄大气中，主要成分是二氧化碳，还有一些氮和氩。已检测出有微量的水蒸气。终年存在由水冰组成的冰冠，季节性存在的是冰冻二氧化碳。利用地面望远镜进行的研究得出的是火星大气、极冠、反照特征及其卫星的存在，而不是它们的本原。美国的行星探测器"水手"4号(1964)以及"水手"6号和7号(1969)的就近飞掠取得了第一批由空间飞船拍摄的火星图像。这些图像显示出，火星南半球具有和月球表面类似的遍布环形山的表面。第一个环火星飞行的空间探测器是"水手"9号(1971)，它摄到较多的火星表面照片。这些资料揭示，在南北两半球之间，有着令人惊异的不同。南半球地貌古老，多环形山；而北半球被陨击的地貌少，大部分陆地均为较年轻的物质覆盖，它们或许是起源于火山或风化。70年代末，两艘美国"海盗"号飞船更细致地拍摄了火星表面。"海盗"号飞船的着陆装置在火星表面进行了多种实验，其中包括检测是否存在诸如微生物一类的生命形式的实验，但并没有得到明确的结果。"水手"9号和两艘"海盗"号飞船可揭示的火星表面结构计有：火山、广阔的熔岩平原、多种形态的沟渠和峡谷，以及山崩的遗迹。以地球表面的标准来看，火星表面的许多表面结构都算是巨型的。例如，奥林波斯山是太阳系中已知的最大的火山，其直径550千米，高约27千米。在同一区域，还有其他类似于奥林波斯山的大型火山，它们位于长达2 000千米的塔垃西斯高地上。该地区比周围的北半球平原高出10千米。水手谷是一条4 000多千米长的巨型赤道带深谷，成为赤道大峡谷。可以将这条深谷解释为大陆板块不再保持整体而开始分离。虽然在火星表面，这类地貌错乱不少见，但没有证据表明，除了早期阶段外，没有进一步出现板块漂移。这可能是由于火星的岩石圈的厚度过大所致。火星上的一些环形山类似于在水星上和月面上的环形山，但在火星表面上还发现一种新型的陨击环形山。这种类型的结构之所以称为壁垒环形山，乃是由于陨星和表面碰撞后，冲击出的物质抛射后堆积起的高边墙。这种特征表明，抛射物在后来移位了，它们向外流动，并延伸到远比按照弹道所预期的更远的区域。这一作用可以解释为什么有沉积冰的存在。

在火星上观测到的主要类型的河床和沟壑可划分为3类：径流型、外流型和交错型。径流型沟壑是一种支叉排水网络，类似于某些地球表面河床狭谷。它们的形态与曾被某种液态流体侵蚀过的现象一致。外流型沟壑则是一种更大的、起源于称为箱型狭谷的封闭凹地的、并逐渐变小的下流沟渠。关于它们的形成，还不完全明了；现行的理论有的认为是被沉积冰融所侵蚀，有的认为起侵蚀作用的是固态冰，还有的则认为是风侵蚀所致。交错型沟壑是一种宽河谷网络，并因山崩而沿河床改道。风是火星上的一个重要因素。风堆积成形的诸如沙丘和环形山条纹都很常见。迄今已探测到的最大的沙丘已在北极冠周围形成一道环壁。环形山条纹是一种火焰形堆积物，它们是在风吹不到的区域筑起的背风屏。这些地貌可以是环形山，也可能是孤立的小山。"水手"9号和"海盗"号飞船都照相观测了火星的卫星：火卫一和火卫二。近景照相呈现出它们都是外形不规则的、满布陨击坑的大石块。这两个小月亮或许起源于火星形成过程中残留下来的物质，也或许都是在火星早期历史中，为火星引力所俘获的小行星。

Mars, canals of 火星运河 火星表面上的、视觉可见的、由直线标志构成的系统，现已知它们是火星表面上的大型环形山和其他结构造成的视觉效应。它们是19世纪末和20世纪初许多争论的主题。意大利天文学家和政治家G.V.斯基帕雷利从1877年起观测到约有100条，称之为"河床"。也有人更早就记下类似的标志，但斯基帕雷利的著作最先广泛谈论这一问题。后来成为火星研究领域的领导人的美国天文学家P.洛韦尔认为这是几千米宽的植物带，同它接壤的是智能生物为了从极冠处引水而开掘的灌溉区。洛韦尔和其他一些人一起描绘了运河网，这个运河网占了火星表面很大的区域，运河的交叉点称为绿洲，在火星表面上星罗棋布。偶尔可看出有的线条呈双重，即在原先看来是一条运河的地方，看起来变成了两条平行线。大多数天文学家没看到运河，很多人对其客观真实性表示怀疑。实验表明，未受训练的观测者会把置于远处的图上的一些不相连接的特征错看成直线所构成的网络。透过地球大气拍得的照片无法解开这一疑团，因为这些线条的尺度接近人眼分辨的极限并超出照相机的分辨本领。在1969年"水手"6号和"水手"7号行星探测器在离火星表面几百千米处拍得照片以后，争议才算最终解决。照片上显示出许多陨星坑和其他特征而根本没有任何运河网的踪影。

Mars, Field of 参阅 Campus Martius 战神广场。

Mars Global Surveyor 火星全球勘探者 发射到火星上的美国机器人式的飞船，在火星轨道上对整个火星表面、大气以及内部形貌进行长时间的观测。从飞船发回的高分辨率图像显示在较近的地质时期内液态水也许

奥林匹斯山上方的火星全球勘探者
美国不列颠百科全书公司供图

曾经在火星的表面或者表面以下存在过，或许在某些地带依旧存在。发射于1996年11月7日，略重于1吨，携带一台可以同时拍摄广角和精细图像的高分辨相机，一台用于测量大气和矿物质热发射的热释光谱仪，一台

勘查地形高度的激光高度计，以及测量火星磁场性质并确定其结构的设备。它还携带了用来把未来的火星着陆飞船的信号转播到地球的设备。经过10个月的飞行，火星全球勘探者于1997年9月12日进入火星上空的高椭圆轨道。它采用了一个所谓的“空中刹车”技术——使用火星上层大气使飞船减速——建立了一个一天环绕火星12次的400千米圆形极地轨道。当火星旋转时，这种轨道保证飞船每7天就可以把火星整个表面观测一遍。飞船太阳能电池板的故障延长了“空中刹车”的过程，直到1999年3月才开始它的探测工作。在观测了一个火星年(687个地球日)之后，飞船于2001年1月完成它的首要任务，但是继续执行附加任务。在运行的头三年里，火星全球勘探者发回的数据超过了之前所有的火星任务的总和。关于峭壁和火山坑壁上类似于沟渠的侵蚀地貌的近距离图像暗示了最近从火星地表下面渗出水流的可能性。另外，该任务还提供了关于火星磁场和内部早期结构的信息，实时观测了火星四季轮回时的气象变化，并且揭示了火星卫星火卫一被一层至少1米厚、几百万年来由流星体撞击而成的尘埃所覆盖。它还拍摄了许多火星表面各种地貌的照片。澄清了“火星之脸”(维京1号1976年从轨道上拍摄的一种石结构)的天然起源，证明其并非像某些人声称的那样是古代火星居民的人工制品。

Mars-la-Tour and Gravelotte, Battles of 马斯拉图尔战役与格拉沃洛特战役(1870-08-16～18) 普法战争的两大战役。在两战役中，13万莱茵防线的法国大军，在A.-F.巴赞元帅的率领下，试图突破毛奇将军统率的两个德军军团未能成功，反被包围于梅斯堡内。麦克马洪伯爵曾试图援救巴赞，结果却在色当惨败。8月的第一周，德军获胜，法军败退，指挥官亦陷入惊慌状态。巴赞元帅于8月12日衔命统率莱茵军团从梅斯向凡尔登撤退。8月16日在马斯拉图尔以东维永维尔附近遭遇德军阿尔文斯勒本将军的第3军团3万大军的拦截。阿尔文斯勒本将军仅以巴赞军团1/4的兵力攻占了维永维尔，因而切断了法军西逃的退路。马斯拉图尔战役还包括西欧的最后一场骑兵大战。双方伤亡各约1.6万人。巴赞于8月17日将其军队撤至梅斯以西数英里处的圣普里瓦-拉蒙塔涅村与格拉沃洛特间的南北走向山丘防线。法军按预定的撤退路线向西撤退。18日清晨，当德军在马斯拉图尔通往梅斯公路北边的平行线上部署时，法军却埋伏在其右翼，但德军并不知情。当德军发现法军时，数支德军部队遂向东作90度的旋转，面对法军阵线。毛奇不得不派遣部队正面攻击法军占有绝佳地利的据点。只因巴赞墨守成规，使毛奇有机可乘，结果此场本来是僵持的战斗，却让德军取胜。法军阵线北边防御阵地位于圣普里瓦附近。法军被迫在黄昏时刻向梅斯撤退之前，曾在巷战中重创德军。法军防线南边防御阵地位于一幽深峡谷后方，因筑有坚固战壕，彻底粉碎了进犯的德军攻势。此际，法军巴赞不但未趁势发动反击以重新打开通往凡尔登的通道，反而利用夜幕向梅斯撤退，使毛奇大惑不解。德军在格拉沃洛特的伤亡人数高达2万余人，而法军的伤亡人数则为1.3万人。但德军却达到了封锁法军的目的。后来，毛奇运用部分兵力，牵制驻守梅斯的巴赞部队，而于9月1日运用其余兵力在色当击败麦克马洪的大军。

Mars Pathfinder 火星探路者 发射到火星上的美国机器人式的飞船，用来检验飞船在火星表面着陆并控制一个自动漫游器的新方法。作为美国国家航空航天局(NASA)开发的低成本行星探测技术的一部分，火星探

索杰纳拍摄的火星表面的火星探路者着陆器
美国不列颠百科全书公司供图

路者成功完成相关论证，收集了科学数据并从火星发回图像。它的观察进一步证实在某个时期，火星比现在更像地球，拥有更温暖厚重的大气以及水。发射于1996年12月4日，7个月以后于1997年7月4日在火星着陆。在穿过火星大气时，它陆续使用隔热罩、降落伞和反推火箭完成减速。它对表面的撞击被一个气囊包裹组件所缓冲，依靠后者不断地弹跳直至停止——这是第一次尝试这种着陆技术。它的着陆点在阿瑞斯平原(北纬19度，西经33度)，大约在维京1号所在地的东南850千米(530英里)处，是一个巨大“水渠”的渠口。飞船由两个小型部件组成，一个370千克的着陆器和一个10.6千克的漫游器。一旦落地，着陆器便正式命名为“萨根纪念站”以纪念一位20世纪的美国天文学家，漫游器被命名为“索杰纳”以纪念19世纪非洲裔美国民权活动家S.特鲁斯。六轮“索杰纳”携带两部黑白相机用来巡视火星表面，一部彩色相机和一台α质子X射线光谱仪用来确定岩石和土壤的成分。它的最大行驶速度是每秒1厘米(每分钟2英尺)。7月5日它沿着坡道驶下着陆器，并在之后的2个月里勘察着陆点的邻近区域，收集了土壤和不同岩石的数据。“索杰纳”通过着陆器向地球发回550张照片。除通讯设备，着陆器还携带了立体拍摄系统，发回16 500多张照片。“索杰纳”工作时拍摄的照片提供了火星表面生动的景色，并且测量了风向和风速。1997年9月27日火星探路者发回了它最后的数据。

Marsā al-Burayqah 卜雷加港 利比亚东北部地中海港口。濒锡德拉湾。原为一小渔村，在第二次世界大战期间被摧毁，现为利比亚第一条输油管的终点站(起点为宰勒坦)。第一批石油于1961年流入以便船运。随后开办了精炼厂、天然气液化厂。1977年又开办了氨水加工厂，逐渐成为全国主要石油化工中心。有一技术训练学校。沿海公路通的黎波里和开罗。人口约8 000(1990)。

Marsā Maṭrūḥ 马特鲁 Marsā又拼Mersa。埃及西北部马特鲁省省会和城镇，濒地中海。为周围农业地区的市场和集散地。种植橄榄、大麦和水果，也有葡萄园。饲养绵羊和山羊。沿海地区宽19～32千米，所需要的水多靠冬雨(125～200毫米)。其余靠井水。宜人的地中海气候和优良的海滩使该城成为度假和休养地。有港口设施，随着该省各地矿产的开发，该城已成为转运中心。有铁路和公路通往东面270千米的亚历山大，和西面的利比亚边界。另有公路通锡瓦绿洲。人口约52 247(1996)。

Marsala 马尔萨拉 意大利西西里岛西部特拉帕尼省城镇。位于特拉帕尼南面博埃奥角，又名利利贝奥。建于公元前397～前396年。曾为迦太基人在西西里岛的主要要塞。第一次布匿战争末期被罗马占领。16世纪时城镇地位衰落。现保存有古罗马浴池和巴罗克式大教堂(藏有精美的佛兰芒挂毯)等古建筑。城镇四周都是葡萄园，主要行业是生产和出口马尔萨拉葡萄酒。这种酒1773年就已开始生产。也有渔业。人口：都市区约80 798(1999)。

Marsalis family 马萨利斯一家 号称“爵士乐第一家庭”的美国家庭。该家庭成员，特别是温顿和布兰福德兄弟，在20世纪后期对爵士乐具有重大影响。这一家庭的音乐成员包括埃利斯与他的四个儿子：布兰福德、温顿、德尔菲约和贾森。埃利斯中学时代先演奏萨克斯管，后转向钢琴。在迪拉德大学获得音乐学位后曾在美国海军服役。1950年为AFO唱片公司灌制唱片，1962年与阿德利兄弟合作，1967至1970年，为小号手希尔特伴奏钢琴。1974年在新奥尔良创作艺术中心授课，许多学生成为著名音乐家。他的六个儿子也是他的学生，其中四个成为有名的音乐家。儿子们的成功使他自己也在80年代成名并录制唱片。温顿是全家第一个在全国获得声誉的人。最初师从希尔特学习小号，后学习古典音乐和爵士乐，14岁就在浸礼会锦绣乐队和新奥尔良爱乐乐团演奏。但更多地演奏节奏与布鲁斯和乡土音乐。在伯克希尔音乐中心学习时则热衷于爵士乐。1979～1981年在朱利亚音乐学院学习，被认为是学院最有天赋的学生之一。19岁加入爵士信使乐队，20岁已经是爵士乐界知名的人物。无论是在卓越技巧上，在对原声爵士的贡献上，还是在驾驭古典或爵士乐的才能上都非同一般。1984年获两项格莱美奖，并且是号称“年轻狮子”的硬博普新的接班人的领袖。

Marsaxlokk 马尔萨什洛克 马耳他东南部的一个村庄。在瓦莱塔东南，濒马尔萨什洛克湾。1565年马耳他大围困中为土耳其舰队第一个登陆点。有18世纪防御工事遗迹。现为渔港和现代化海滨胜地。人口约1 716(1985)。

Marschner, Heinrich August **马尔施纳**（1795-08-16，萨克森齐陶～1861-12-14，汉诺威王国汉诺威） 作曲家，对德国浪漫派歌剧风格的建立有所贡献。原在莱比锡学习法

中国大百科全书出版社供图

律。1817年在维也纳与贝多芬相遇，在贝多芬等人的鼓励下从事作曲。后被任命为德累斯顿歌剧院院长。1827年成为莱比锡市剧院乐长，并在那里上演他的歌剧《吸血鬼》（1828）和《护法武士与犹太女人》（1829）。1833年他最成功的歌剧《汉斯·海林》在柏林上演，至今仍作为德国歌剧保留剧目。后又发表5部歌剧，但不如早期作品。

Marsden, William **马斯登**（1754-11-16，爱尔兰威克洛韦尔瓦尔～1836-10-06，英国赫里福德郡奥尔登纳姆） 英国历史学家、语言学家和钱币学家，研究印度尼西亚的先驱。马斯登原准备进都柏林的三一学院，而却被说服跟着他哥哥约翰在16岁时参加东印度公司，前往西苏门答腊。1770年在马尔伯勒堡贸易站当文书，很早就得到较高职位，升任秘书，在苏门答腊岛的明古鲁他用了近10年埋头研究当地的语言和民族。1779年回国后，他受J.班克斯爵士和皇家学会其他成员的鼓励，准备出版他的作品。《苏门答腊史》（伦敦，1783）是世界各语种文本中第一部详尽描述苏门答腊的著作，它包括植物和动物，经济产品，社会组织，宗教，语言以及其他许多方面等极丰富的资料，完全根据当代的科学原理来编写。1783年当选为英国皇家学会会员。在此期间他经营一家东亚事务所。1795～1807年任英国海军部副部长及部长。同时继续编写关于东南亚的学术著作。1786年开始编写的《马来语辞典》和《马来语文法》于1812年出版，成为其后研究苏门答腊语言学的基础。马斯登的学术著作为他赢得官位和许多荣誉。

Marseillaise, La **《马赛曲》** 法国国歌。法国大革命期间，工兵上尉兼业余音乐家鲁日·德·李尔于一夜之间（1792-04-24）写成。法国于1792年4月20日对奥国宣战后，斯特拉斯堡（即鲁日·德·李尔驻守处）的市长狄特里希征求一首法军的进行曲，《马赛曲》即是鲁日·德·李尔应征之作。原来曲名是《莱茵军战歌》，因受到来自马赛的义勇军喜爱，便被称为《马赛曲》。每当这首激扬雄浑的歌在革命者聚会上响起时，都深深打动人心。国民公会于1795年7月14日宣布一致通过以此曲为法国国歌。因为《马赛曲》同法国大革命有关，在帝国时代与二次复辟时代（1815）先后遭到拿破仑与路易十八禁止。1830年“七月革命”之后正式解禁，但随后又被拿破仑三世禁止，直至1879年才再度解禁。《马赛曲》原有6段歌词，第7段和最后一段（并非鲁日·德·李尔所作）是后来增加的。习惯上在公共场合使用的国歌仅用第1和第6段。这两段的歌词译文如下：

来吧，祖国的孩子们，
我们光荣的日子来到了。
我们面对着暴政，
鲜血淋漓的旗帜升起了，
鲜血淋漓的旗帜升起了。
在乡间集合，
去消灭那些野蛮的士兵。
他们向我们冲来，
要割断你们的儿子和国家的咽喉。
拿起武器，公民们！
从你们的军营出发，
我们前进，我们前进！
让他们浑浊的血液，
灌溉我们的田野。
对祖国的神圣的爱，
指挥我们复仇的刀枪。
自由，可爱的自由，
同你的捍卫者并肩作战，
同你的捍卫者并肩作战。
在我们的大旗下，
胜利就会汹涌而来，
垂死的敌人，
就会目睹你的胜利与光荣！
拿起武器，公民们！

Marseille **马赛** 古代称马萨利亚。港口城市（英语习惯拼作Marseilles），建于2 500年前，历史上采取多种形式反对中央管辖权，保持充满活力的独立。甚至公元前1世纪为尤利乌斯·凯撒军队占领后仍保持自由城市地位。经过几个世纪衰微后重又复兴，10～14世纪在普罗旺斯子爵们对当地控制下，获准享有很大独立地位，15世纪普罗旺斯参加了法兰西王国，马赛保持单独的行政组织，继续对威胁其自由的国王或政府进行猛烈的反抗。正是由于这个原因，1800年法国分成现行的行政省份时，只是勉强地授予马赛为罗讷河口省省会的地位。

其他地方的法国人深信普罗旺斯的地中海风土永远不会充分地同法兰西国土或高卢精神融为一体，长期以来视马赛为一种民间传说体制：喜剧式的轶事和方言，其间又点辍着一些独特的犯罪行为。当地居民玩一种称作滚球戏的特殊户外保龄球活动，并调制一种带有大蒜与藏红花味的炖鱼，通称普罗旺斯鱼汤。

马赛在法国的经济与社会结构中无疑是一个重大要素。它是法国第二大城市，最大贸易海港。从20世纪70年代以来，它竭力与鹿特丹竞争成为整个欧洲的转运港。在社会党市长加斯东·德费尔领导下，马赛发展为一个繁荣的现代城市。德费尔1953年上台直至1986年去世，是马赛历史上任期最长的市长。

马赛仍是罗讷河口省省会，又是普罗旺斯-阿尔卑斯-蓝岸（地区）首府。濒临地中海利翁湾，三面被石灰岩山丘环绕，以铁路线计，西北距巴黎836千米，距里昂350千米。该城市区面积约241平方千米。都会区面积946平方千米。

自然地理和人文地理

马赛特征在很大程度上由地理位置决定。其天然港湾有三面环绕的山丘作屏障，濒临罗讷河口湾，给予最初的拓居者这样的前景：将地中海航运横越罗马时期受森林阻挠不能通行的土地，同北欧连接起来。约在公元前600年，由来自福西亚的希腊人建立的商埠吸引了拓居者和游客。前者说明人口成分复杂，后者造成为迎合海员和商人口味而设计的各种服务。马赛有法国建于1599年的最古老商会。城内除多种基督教教堂外，清真寺和犹太会堂遍布各处。它的酒吧和妓院对于不法行当具有巨大吸引力。它的海滨仍促使这个通往远方的门户充满了浪漫情调。

然而，该城最永恒的特点是它积极欢迎改革。它的建筑没有保全多少过去的遗迹。有些历史性建筑如横跨旧港的运输桥和港口以北的帕尼埃区在1943和1944年被德国占领军毁坏。但更多的变革是由马赛人自己完成的。

多少世纪以来，马赛的混杂人口及其对政治持不同政见倾向似乎使该城对法国生活与文化既陌生而又未完全同化。然而，第二次世界大战后，它却能发展为一个重要的欧洲港口和工业中心。该城曾是过去殖民事业的起点，因而承受了法国殖民主义遗留的大部分后果。在吸收新移民潮，特别是在阿尔及利亚1962年获得独立后从北非横渡地中海抵达的前欧洲殖民者们方面，事实证明它获得巨大成功。滨海福斯综合工业区在20世纪60年代吸引了成千上万来自北非的移民工人；该城一度克服了为他们提供住所及物质需求的问题。但是，70年代的经济危机中止了工业发展。由于失业人口增长和对移民的严重种族歧视，马赛在为其混杂人口提供生活物资方面面临新的问题与困难，但却一再表明它有能力适应多种不同人口的需求，并努力利用其人力与自然资源。

景观 城市位置 马赛位于山丘环绕的掩蔽洼地，山丘抑制了郊区发展。旧港是一个天然海港，也是沿地中海东北特有的岩石海岸线最西面的小港之一；再往西，在名叫贝尔潟湖的大潮汐湖对岸，海岸线逐渐平直。那里，福斯湾和罗讷河三角洲的卡马尔格区的沙丘对于早期的海员们不大具有吸引力，只是后来才看到它提供发展的机会。

马赛的天然港在罗马时期曾经扩大，16世纪以来再行扩建，以便应付日益频繁的交通运输和较大船只。到19世纪，旧港不敷使用，即在旧港外海湾拉若列特处建造了一个人工内港，19世纪40年代中期开始使用。后来，沿海湾地带又增建了5个内港。在城市以西也进行了更多扩展。1863年建造了罗讷河畔圣路易港。最后，1965年开始了发展滨海福斯综合港的工作。

马赛内陆包含称作埃图瓦勒的一支绵延不断的山脉，朝北走向向着以前同马赛争作首府的普罗旺斯地区艾克斯和圣维克图瓦山峰。艾克斯周围山坡全部辟为葡萄园，生产普罗旺斯高原酒。

气候　马赛气候总的说来不是典型的地中海气候。夏季炎热干燥的月份雨量最少，气温最高；但雨量在春秋而非冬季达到高峰。最冷月份是12月和1月，稍有霜冻，无霜冻时，冬季则气候温和。夏季数月倘无海风，气温则高得令人难受。冬季马赛特别易受干燥寒冷的地中海西北风（密史脱拉风）袭击，它吹过罗讷河谷，风力有时相当猛烈。

城市布局　马赛的大众化地区是旧港北面称为帕尼埃的破旧区，1943年被毁。比较繁华的中产阶级区于19世纪在南面帕拉迪路和普拉多街周围发展起来。第二次世界大战后的时期内，有各种城市发展规划，包括科比西埃设计的马赛公寓，这是高18层的住宅楼，表达了这位建筑师关于城市家庭住房的理想。原定为6个这类建筑之一的这座住宅楼于1952年竣工，它现在被豪华公寓建筑所环绕。1960年后发展起来的高层工人住房街区以及城区外围增长的供工人移民居住的棚户区均不甚美观。从70年代以来，市政当局在城区各部分实行一个规模庞大的重建计划，恢复了帕尼埃区的一些部分，将旧港周围地区大部变为人行专用区。

拉加尼比埃大街从旧港的马赛历史中心向东延伸至山丘上；此街名称是拉丁语大麻的讹误，使人想起中世纪马赛作为生产大麻并供给麻绳的重要性。拉加尼比埃大街是马赛主要商业街，来自世界各地的人们群集此地。作为大街起点的标志是城内最堂皇的公共建筑之一布尔斯大厦，为商会和海事博物馆所在地。

在布尔斯大厦后面，1967年建筑施工发现了马萨利亚的一部分古希腊风格的堡垒。考古学家发掘出这个始建于公元前3世纪和前2世纪的遗址，发现它有城墙、尖塔和3段罗马时期道路。古老港口也经过发掘，附近，在距港口边缘不远处是罗马仓库博物馆，其中陈列着罗马统治时期的贮藏罐和其他贸易遗物并可追溯港口的后来历史。

港湾入口处由圣让堡护卫。这是13世纪耶路撒冷圣约翰医院骑士团的指挥部，现尚存一些废墟及15世纪中期普罗旺斯勒内国王建造的一座宝塔。现存的堡垒始建于17世纪，是全国防务系统的一部分。港湾入口另一边有圣尼古拉堡。在港湾中有弗里奥尔群岛。马赛城在岛上开发了一个巨大的水上运动中心。在这些岛屿和大陆之间是伊夫堡，伊夫堡为警卫森严的岛屿，大仲马描写的虚构人物基督山伯爵和大批真实的政治犯都监禁于此。

其他历史建筑位于旧港周围。在拉马若尔地方11世纪始建在狄安娜庙废墟上的拉马若尔旧大教堂被部分拆毁以便建造有8个圆顶的建筑，1852年成为马赛城的大教堂，旧大教堂的圆顶和支持柱廊是普罗旺斯省罗马风格石工艺术的典范。

附近是旧慈善医院，建于1660和1750年间。内部庭院环绕一个由P.普杰建造的小教堂。普杰被认为是最权威的法国巴罗克风格雕塑家。不远处是城内最古老的医院，称为“病院”，建于16世纪末。雅克·阿杜安-芒萨尔设计的主要建筑建于200年后，仍发挥其原有作用。几乎就在毗邻，现已荡然无存的阿库莱斯教堂（12世纪建造的塔楼顶上有14世纪的尖塔）的钟楼标志着旧马赛的中心。

港口对面是有雉堞和方塔的长方形圣维克多教堂，建于11～14世纪；它曾一度属于由圣约翰·卡西安于413年前后为了纪念一位3世纪殉道者、水手和磨坊工人的主保圣人而建立的一座修道院。建造圣维克多教堂时，修道院具有范围广泛的世俗权力，管理着西班牙、撒丁岛和法国内陆的财产。

旧港南侧山顶有著名的拉加尔德圣母院，是8世纪以来受崇敬的圣堂。它的现建筑建于1853～1864年；教堂尖顶有一个高9米的镀金圣母塑像，高出山坡约46米。

人民　马赛人口来自地中海所有地区以及欧洲和非洲其他地方，一向混杂，因此始终不可能说是一个典型的马赛人。例如，1880年该城居民每6人中有1个多外国人。新居民创造了一个多种多样模式：有时聚集在某个地区，诸如20世纪70年代在拉加尼比埃北面发展起来的穆斯林区；有时专门经营特种商业和职业。某些集团——犹太人、希腊人、亚美尼亚人——有他们自己获得半官方承认的社团领导。

在新增人口中突出的是从法国其他部分招募来的年轻技术人员，以充实日益扩大的技术中心。前殖民地居民对社团有强大影响。马赛吸引了科西嘉人（包括法国大革命时期的波拿巴家族）。体力劳动日益由以前殖民地来的北非人或非洲人担任。人口：市807 071；都会区约1 349 772（1999）。

经济　工业　马赛并非主要工业中心，历史上其重要经济地位主要体现在贸易和商业方面。不过亦有一些工业。早在15世纪

马赛市旧港及拉加尔德圣母院（中）鸟瞰

美国不列颠百科全书公司供图

即有肥皂制造业。其他经济活动包括食品加工、造船、修船、冶金、服装、化学药品等工业。不过这些工业先后走向衰落甚至消亡。20世纪50年代随着能容纳大型油轮的外港的建成,重工业逐步兴起。60年代末福斯综合港口的开放和一些石油化工厂和钢铁厂的建成进一步加速了重工业的发展。这些工厂所使用的原材料及其产品多通过港口运输。也可通过铁路、高速公路、管道运输。轻型工业发展迅速,有仓储和运输相关行业。电子、数据处理、电子通讯和生物化学等新型产业及相关服务业在市区兴起。城市东北部郊区建起一些开发区。其港口的地理位置和经济基础促进海洋资源的开发。

近年来,年吞吐量已超过9000万吨。其中多数为以石油为主的进口货物。其他进口货物包括精炼石油产品、液化气、化学制品及钢铝制品的原材料。出口产品多为精炼石油产品、化学制品和钢材。集装箱货运不断发展,且各港区呈专业化发展。马赛港主要负责海上交通(主要是去往科西嘉和北非的客运和货运)、游船停靠和运输大批食品。拉韦拉以石油和化学产品运输为主。福斯港以石油、大宗货物及集装箱运输为主。

马赛-福斯综合港口是法国最大港口,在欧洲亦名列前茅。由马赛自治港务机构管理。这是一个财政独立自主的国家企业单位,负责福斯与拉韦拉工业区的建造、管理和维护马赛、拉韦拉、卡隆特、福斯和罗讷河畔圣路易港的港口设施。除治理马赛-福斯外,马赛自治港务机构也为全世界港口当局提供咨询、情报和规划服务。它的财政来源为租金、税收、服务费以及国家对建造港口与码头的投资。

贸易和金融 由于地理位置和它的商业重要性,马赛得以长期吸引外资。19世纪中叶,两家重要银行成立:马赛金融信贷银行成立于1852年,马赛工商信贷和储蓄银行成立于1865年。当地资金投向该区工业项目或投向苏伊士运河公司这类外国企业。但是,20世纪法兰西帝国的解体加快了马赛作为金融中心的衰落。城市经济中另一个不足之处在于缺少大型跨国公司的总部。不过作为普罗旺斯-阿尔卑斯-蓝色海岸的首府,马赛在公营部门中具有一定的金融影响力。1983年马赛国际贸易中心的建成巩固了其商业和金融中心的地位。

交通 马赛与外界交通便利。两条高速公路通向北方,另有一条通往东部。高速铁路使得从马赛到里昂仅需1小时,到巴黎仅需3小时。城北马赛-普罗旺斯机场有通往法国其他城市、欧洲各地及北非的航班。尽管建有隧道,市内交通拥堵仍然严重。两条地铁线路和东部郊区有轨电车的开通使交通状况有所改善。

行政与社会状况 **政府** 市政府由一个普选的市议会组成。尽管许多国家行政部门对整个地区的规划在财政支持和设计上密切干预,市议会仍使地方独立的历史传统生气勃勃地保持下去。

城市分成16个专区,但是,为了地方政府的目的,又组成8个分区,由它们选出市长。除8个市政厅(每个分区有1个)外,每个专区还有两个"微型市政厅"。市长由27名市长助理组成的地方政府协助,每名助理负责政府的一个特殊方面,如市政规划、文化、财政、就业或运输,同时市长也获得特派市议员的协助,他们帮助市长助理工作或承担更细致的责任。

服务 市长助理监督地方当局管理的主要城区服务,诸如照明、垃圾处理,与警察和消防队的关系等等。马赛的失业率高于全国平均水平,移民工人数量很大,因此在提供公共服务上面临严重问题,虽然在克服这些问题方面也显示突出的成就。至今尚未解决的最尖锐问题即污水处理;80年代中期,该市污水仍直接排入地中海。夏季,特别受森林大火的威胁。马赛是协调消防活动的中心。马里尼亚讷机场驻有一支拥有特殊设备的机械队。

保健 马赛有两家综合教学医院:北方医院和蒂蒙医院。米歇尔·莱维医院的热带病研究中心颇为著名。卢米尼郊区的计算机中心将本区各医院联系起来。

教育 1968年,普罗旺斯大学被分为3所大学:艾克斯-马赛第一大学和第二大学位于马赛;艾克斯-马赛第三大学位于艾克斯。大学再分为教学与研究单位,它们包括卢米尼的科学单位、地区运动与体育机构、研究海洋科学与环境的单位和流体力学学院。大学行政总部靠近旧港。卢米尼有国家建筑学校、地区美术学校、马赛工商管理学校。

文化生活 马赛有几家博物馆,包括极受欢迎的儿童博物馆。旧马赛博物馆1960年设在市政厅隔壁钻石宫内。钻石宫由于它的16世纪的正面外观上有凸出的钻石状菱形石而得名。旧港以东,靠近帕拉迪路的坎蒂尼博物馆藏有珍贵的东方艺术品、当地陶器及现代绘画与雕塑。

1975年,马赛市长签署了一个"文化特许状",规定国家参预对歌剧和其他文化事业的资助。国家与地方对重大文化规划的补助由市文化局管理,它帮助在原鱼市场旧址建立两个剧场,于1980年开放;还建立一个供各种类型表演的媒介中心以及罗兰初级舞蹈学校。该城市试图反映马赛多种多样的文化,鼓励同阿尔及利亚和其他北非国家的艺术家与公司进行交流。30年代,马塞尔·帕尼奥尔在马赛建立一个电影制片厂,使该城一度成为巴黎地区以外的唯一电影业中心。

由于马赛城内建筑物增加,因此,对于保护和开发市区公园和运动场给予更多注意。除了一个设有可容5万座位和露天剧场的市运动中心以外,马赛还有公共游泳池,一些运动场和公共海滩。法罗堡、博雷利堡和朗香宫等的公园面积广阔。

历史

早期 马赛为法国最古老的大城市,公元前约600年,由来自小亚细亚的福西亚的希腊水手建立,称作马萨利亚。18世纪的博雷利堡的古代文物博物馆展出的考古发掘文物表明腓尼基人甚至于更早时期在此居住。

古代与中世纪 马萨利亚人将贸易站扩展至内陆和沿海,西至西班牙,东至摩纳哥,建立了现代的阿尔勒、尼斯、昂蒂布、阿格德和拉西约塔等城市。他们的货币通行法国并越过阿尔卑斯山,远达蒂罗尔。公元前4世纪,马萨利亚人皮西亚斯访问了高卢、不列颠和日耳曼的海岸,据说一个欧西梅内斯人曾沿非洲西海岸航行,最南至塞内加尔。

当他们的重要贸易对手迦太基人在布匿战争中攻打罗马人时,马赛支持罗马人,而在征服利古里亚土著部落时,获得了援助。当庞培和尤利乌斯·凯撒冲突时,马赛站在庞培一边,后来于公元前49年被凯撒副将特雷博尼乌斯击败。虽然被剥夺了属国地位,但鉴于过去的效劳,却获准保持自由城市地位。该城在一段时间内仍是西方希腊学术的最后一个中心,但最后却衰落到几乎灭亡。经过几个世纪的侵略和时疫,它变成只不过一片近乎放弃的废墟。

10世纪,在相继接任的普罗旺斯子爵们的保护下,这个地区重新有人居住,作为十字军的航运与集结地点,获得新的繁荣。该城逐渐购得子爵们的权利。13世纪初,在旧港周围建立了一个共和国,虽然城市上部及南郊仍由教会管辖。普罗旺斯伯爵们准许该城有很大的独立性。只是在1245和1256年,安茹的查理才迫使它承认他的主权。1423年,马赛被阿拉贡的阿方索五世洗劫后,普罗旺斯国王勒内由于其冬宫在此,于是使该城恢复了繁荣。

与法国的不稳定联合 1481年,当普罗旺斯包括马赛成为法兰西王国的一部分时,该城保留了一个由皇家官员领导的单独行政系统。16世纪的宗教战争时,马赛狂热地奉行罗马天主教,长期拒不承认亨利四世为王,因为直至他改信天主教,继承法兰西王位之前,他一直是基督教新教领袖。在1648～1653年反对君主专制主义的投石党运动时期,该城企图保存其古老的自由,起来反抗路易十四。后者1660年亲自前来,破坏了围墙,镇压了反抗。为了阻止进一步的独立表现,国王在旧港南端建立了圣尼古拉堡。同年,该城越过围墙向西方内陆推进。在这次扩展中建造的一些建筑仍幸存在库尔贝尔松斯(一条主要大街)和省政府周围地区内。

马赛热烈参加法国大革命。1792年,约500名志愿者唱着《莱茵军战歌》向巴黎进发。该歌于18世纪晚期在斯特拉斯堡谱成。它鼓舞了沿进军路线的人群,后改名《马赛曲》,成为法国国歌。然而,由于恐怖时期的流血肃清了早期的邦联观念,该城向当政的国民议会发起叛乱。它迅速被武力镇压,被官方称作"无名称城市"。当其贸易几乎被针对拿破仑的对欧洲大陆的海上封锁摧毁时,马赛强烈反对波拿巴主义,欢呼波旁王朝复辟。然而,在拿破仑三世统治时期,它仍顽强地奉行共和政治。

扩张时期 19世纪下半叶,马赛作为"帝国港口"获得扩张,由于消灭了柏柏里海盗(1815～1835)、征服了阿尔及利亚(1830)以及苏伊士运河的竣工(1869)而获得了动力。城内宽大的街道和许多纪念物都建于这一时期。严重的饮水问题也因实现了从迪朗斯河引水规划(1837～1848)而解决。城市上部的配给水库表面装饰成朗香宫,内有自然历史博物馆和美术博物馆。该城主要标志之一——法罗堡建于旧港外的港湾边缘,原作为拿破仑三世和欧仁妮的别墅,但皇室夫妇始终未用。布尔斯是一座堂皇的廊柱建筑,1852～1860年建于拉加尼比埃大街,是商会会址。

现代城市 该城从1942年11月至1944年8月被德军占领,继续是法国抵抗运动的一个活动中心。这就部分地说明1943年德国决定炸毁帕尼埃区和旧港的原因。1944年8月,又遭受德军地雷的进一步毁坏。

马赛战后历史是这次战争中被毁地区的重建与福斯周围的工业和港口联合体的发展史。马赛许多著名企业不再由当地企业家们所拥有,而成为国际与多国间企业的一部分。由于野心勃勃,想成为一个大型经济与地理区域即罗讷-阿尔卑斯-蓝岸(地区)的中心,并要作为一个欧洲港口而同鹿特丹分庭抗礼,马赛对其本身观念已有了改变。它已失去一些它的个性特征以换取同法国其他部分和欧洲的更密切的结合。

Marseille faience 马赛彩陶 18世纪产于马赛的一种锡釉陶器。约瑟夫·克莱里西陶瓷厂(1677～1733)生产的制品通常是蓝色的,并带有紫色的边。福希埃陶瓷厂则擅长于制作风景等立体感强、形象逼真的制品。弗维·佩兰陶瓷厂以它的“海鲜鱼汤”彩色纹样著称,这种装饰纹样以写实的手法描绘出当地这种鱼汤的所有配料。约瑟夫·加斯帕尔·罗贝尔陶瓷厂则以它的彩陶以及从1777年起开始制作的用精巧的花卉装饰的瓷器而闻名。其中最出色的技艺是全金装饰,这在法国陶瓷技术中是独一无二的。

marsh 草本沼泽 以排水不良的矿物质土壤和草类占优势的植物为特征的湿地生态系统类型。后一特征将它与*森林沼泽*(**swamp**)相区别,森林沼泽的植物是以树木占优势的。

草本沼泽通常位于河口,特别是有大片三角洲发育之处。河流带来了稳定的水源。河流梯度在入海处接近于零,在那里水流缓慢。因为三角洲是由河水沉积物堆积而成的,所以形成的陆地在最干旱时也排水不良,并且常常位于水下。河流带来的沉积物常常是由流域排水盆地的表层土壤侵蚀而来,所以很肥沃。来源稳定的、且流速低的水与浸透水的但肥沃的土壤相结合为草本沼泽的草类创造了良好的环境。纤维状根的草将泥土固结在一起,并进一步阻滞了水流,以致促进了三角洲和草本沼泽的扩展。草本沼泽存在于大多数世界大河的三角洲。在欧洲,众所周知的河口沼泽包括法国罗讷河三角洲的卡马格沼泽、西班牙瓜达尔基维尔三角洲沼泽和罗马尼亚的多瑙河三角洲沼泽,所有这些沼泽都以鸟类保护地而著名。在中东,尼罗河三角洲和底格里斯-幼发拉底河的三角洲都有大片具有历史意义的草本沼泽。伊朗的草本沼泽地居民发展了适应于湿地生活的独特文化。越南的湄公河三角洲和巴西的亚马孙河三角洲也存在草本沼泽。在美国,范围最广大的三角洲草本沼泽是在密西西比河三角洲。在较广阔的水系网的源头,有些排水不良的低地也包含湿地。较著名的实例是历史上曾作为波兰与俄罗斯之间自然分界线的普里佩特沼泽地与低位沼泽。在一些地区,地球表面盆地状的洼地积了水也就造成湿地。大多数这样的地区,在其边缘的一些地方是靠河流来排水的,当河流在那个地点受到阻碍,在高流量时期足以将水拦住时,就造成草本沼泽和森林沼泽。世界上最大的两条河——亚马孙河和刚果河就属于这一范畴。以这两个河流命名的两个巨大盆地就有广阔的湿地。苏丹南部尼罗河上游的纸莎草沼泽即位于大瀑布抗蚀性岩石大坝的上方。博茨瓦纳的卡拉哈里沙漠以东的奥卡万戈草本沼泽,也许是在无排水河流的内陆封闭盆地中形成的草本沼泽之最佳实例。另外一些没有出水口的盆地,就像美国犹他州大盐湖盆地那样,堆积了太多的盐,以致草本沼泽不能发育。佛罗里达州的开阔沼泽地构成生长在石灰岩基底上的草本沼泽与森林沼泽的奇特结合物。因为该地区接近海面,由丰富的降雨而来的水排不走,停留在地面。开阔沼泽地就像一条巨大的、水浅而流动缓慢的河。这地区是一个理想的草本沼泽生境,但开阔沼泽地又与一般草本沼泽地不同。因为有石灰质基底而使土壤呈碱性,并且水质也清澈。有一些地区,如像美国北部大平原,有那么多的小型草本沼泽,以使它们是景观上的一个特征。这些小型草本沼泽的形成,是因为冰川冰后退留下的景观是那样不规则,是那样排水不良,以至于无数小凹地每年春天都充满了水。当雪融化时,凹地促成暂时性草本沼泽的发育,以后,夏季到来时,它们就干涸了。较大的凹地被池塘水占据,当它们被沉积物填满时,又逐渐变成草本沼泽地。

草本沼泽的植物种类比起生长在排水良好但不涝积的陆地上要少些。草类、草状苔类和芦苇或灯心草占优势。野稻有一些商业价值,但真正的稻子无疑更是最重要的草本沼泽地植物,并且供应了世界谷物的主要部分。盐化草本沼泽沿美国东海岸分布很广泛,它们在北极、北欧、澳大利亚和新西兰也是常见的,它们由海水的泛滥与倒灌而形成,暴露出潮间陆地的大片平坦地区。盐化草本沼泽的草在持续泛滥的平地上将不能生长;在洪泛陆地遭遇强烈水流并因而变得不稳定时,草的生长也受到阻碍。动物已经以不同方式适应了盐化草本沼泽水中氧气的有限供应。例如,鼠尾蛆(*Tubifera*)通过可伸缩的尾部呼吸套管伸到水面吸取空气而生活于浅水的草本沼泽。一些滨海相水蝇(Ephydridae)的幼虫和一些线虫类则利用植物体内的空间,并从中摄取氧气。草本沼泽中的许多小动物有很强的抗缺氧的能力,例如,很多线虫可以无定期地生活在完全缺氧的条件下。这个能力对于这样一些微小动物是很重要的,因为如果不是这样,它们的分布领域就只能局限在泥土表面以下一英寸深的薄薄的一层内。生活在地面上或地内的盐化草本沼泽动物,大部分由海生动物祖先演化而来,它们都有一个抵御由降雨而生淡水的问题,而不是抵御咸水。有些动物,如像蠕虫完全隐伏在泥中,直到淡水从草本沼泽表面上流走。另一些动物,例如招潮蟹,已发展了在淡水中控制它们的渗透浓度达几天期限的能力。昆虫是在草本沼泽上发现的主要陆生动物。虽然它们能经受短期的咸水浸淹,但它们常常爬到植物上或飞得远远地以避开咸水。

盐化草本沼泽属于生产率最高的自然系统。在盐化草本沼泽生产率最高的部分地区,曾报道过每年每平方米3 000多克的生产率,高秆的互叶米草(*Spartina alterniflora*)沿着潮沟生长。这个产值相当于每年每英亩30吨左右,等于农业生产上达到的最高值。

Marsh, Sir Edward Howard 马什(1872-11-18,伦敦～1953-01-13,伦敦) 英国文学家、艺术品收藏家。他通过资助未成名的艺术家而影响了当代英国艺术的发展。他还是20世纪初期英国文坛著名的编辑、翻译家和传记作家。1896年任公职。1905年起连续20多年任丘吉尔的私人秘书。1904年起成为英国古代名画的重要私人收藏者,后又搜集当代名画。他的伦敦寓所成为著名的小型美术馆。曾编辑5卷《乔治王朝的诗歌》(1912～1922)和《R.布鲁克诗集》(1918),翻译作品有拉封丹的《寓言》(1931)和《贺拉斯颂歌》(1941)。写有回忆录《许多人》(1939)。1937年被授予爵位。

Marsh, George Perkins 马什(1801-03-15,美国佛蒙特伍德斯托克～1882-07-23,意大利瓦隆布罗萨) 美国外交家、学者、自然资源保护论者,他的伟大著作《人和自然,或人类活动改变了的自然地理学》(1864)是19世纪地理学、生态学和资源管理方面的最重要成就之一。曾在汉诺威达特茅斯学院求学,从事律师业务十分成功。但他有多方面的才能,还研究古典文学和语言(30岁即能流利地讲20种语言),并研究有关造林和土壤保持的应用科学。1842年当选国会议员,受到前总统、当时任众议员的J.Q.亚当斯的影响,亚当斯早在T.罗斯福之前即提出了政府应在自然资源的保护和管理方面发挥作用的思想。在国会第2次任职期满后,由泰勒总统任命为驻土耳其公使,在任期中研究了中东和地中海地区的地理和农业措施,并曾向华盛顿的史密森学会赠送过许多标本,1852年离任。他在哥伦比亚大学和马萨诸塞州洛厄尔学院讲授过英语语文学和词源学。1856年加入共和党。1861年被林肯总统任命为驻意大利第一任公使,卒于任内。任期中,马什将他积累的知识和经验汇总写成《人和自然,或人类活动改变了的自然地理学》一书。

Marsh, Ngaio 马什(1899-04-23,新西兰克赖斯特彻奇～1982-02-18,克赖斯特彻奇) 20世纪新西兰最受欢迎的女作家之一,尤以描写伦敦警察厅检查官罗德里克·艾莱恩的侦探小说而闻名。最初在澳大利亚和新西兰巡回演出的莎士比亚剧团中当画家和演员。1928年前往英格兰,写成她的第一部小说《一个躺着的死人》(1934)。返回新西兰之后,于1938～1964年间为莎士比亚轮演剧目剧院写剧本。她除了写著名侦探小说如《死的前奏》(1939)、《傻瓜之死》(1956)、《死水》(1963)以外,还写一些有关新西兰和戏剧的文章。她的自传《黑山毛榉和树蜜》出版于1966年。1948年被封为英帝国女爵士。

Marsh, Othniel Charles **马什**（1831-10-29，美国纽约洛克波特～1899-03-18，康涅狄格纽黑文） 美国古生物学家。对美国西部进行过广泛的科学考察，在北美绝灭的脊椎动物研究方面作出巨大贡献。毕业、供职于耶鲁大学（1866～1899），为美国第一位古脊椎动物学教授。1870年组织第一支耶鲁科学考察队，考察了内布拉斯加的上新世地层和北科罗拉多的中新世地层。此后直至临终几乎每年都继续主持这类考察队。1871年他的考察队发现在美国首次找到的翼手龙化石。1882年负责美国地质调查局的古脊椎动物研究工作，这便加剧了他和美国古生物学家E.科普之间原已存在的强烈对抗。马什的功绩在于发现1 000多种脊椎动物化石，而且至少又描述了500种。他发表了关于有齿鸟类、巨大有角哺乳动物以及北美恐龙的主要著作，还著有《美洲的马化石》（1874）和《美洲脊椎动物的传入和接续》（1877）。19世纪60年代披露所谓的史前人类遗骸并非属实，也因此引来众多关注。

Marsh, Reginald **马什**（1898-03-14，巴黎～1954-07-03，美国佛蒙特本宁顿）美国画家和版画家，以嘲讽和真实描述纽约市的生活而著名。1920年毕业于耶鲁大学。1922～1925

马什绘《文身和理发》（1932）
美国不列颠百科全书公司供图

年在《纽约每日新闻》工作，并是《纽约人》杂志（1925创办）最早的编辑，为该杂志画幽默插图和大都会风光。1925～1928年在欧洲学画。1929年返美，开始以纽约都市生活为题材，把所见到的邻里、人群、青年女子、地下铁道、高架电车、电影院和脱衣舞剧场等尽收其速写之中。较成功的作品有《为什么不乘高架电车?》（1930，纽约市惠特尼美国艺术博物馆藏），《文身和理发》（1932，芝加哥美术馆藏）和《票价两角的电影》（1936，惠特尼美国艺术博物馆藏）等。马什为D.笛福的《莫尔·弗兰德斯》（1954）、J. D.帕索斯的《美国》（1946）和T.德莱塞的《美国的悲剧》（1954）等书作过插图。从1934年起在纽约艺术学生联合会教画，直到去世。1949年以后也曾在费城穆尔文理工学院执教。

marsh cress **焊菜** 又称yellow cress（黄野芥菜）。十字花科焊菜属（*Rorippa*）植物，70种。大部分原产于北半球，见于潮湿地上。焊菜属曾与水田芥属（*Nasturtium*）及 *Radicula* 属合并。冰岛焊菜（*R. islandica*，有时称沼生水田芥[*Nasturtium palustre*]）一年生，花小簇生，黄色，四瓣，花穗顶生。两栖焊菜（大黄野芥菜，*R. amphibia*）多年生，植株较高，常种在水族池中。匍生性黄焊菜（水香花芥，*R. sylvestris*）多年生，有根茎。

marsh fly **沼蝇** 双翅目沼蝇科数百种昆虫的统称。以幼虫食蛞蝓、蜗牛和其他贝类而著称。体型中等，分布遍及全球。已知约500种，每种均食各自具体的常见于沼泽的猎物。在猎物上产卵。幼虫成熟后在所食蜗牛的壳内化蛹。成蝇外形各异，体色常鲜艳，翅有花纹。

marsh frog（*Rana ridibunda*） **沼泽蛙** 即湖蛙。蛙科大型水栖蛙类，外貌和习性与其近缘种池蛙（*R. lessonae*）和食用蛙（*R. esculenta*）近似。在欧洲这3种均通称为绿蛙。

沼泽蛙（*Rana ridibunda*）
美国不列颠百科全书公司供图

湖蛙栖于欧洲和西亚的沼泽地、河岸和湖边。体长约9～13厘米，体色为褐色或绿色，背部有或无不规则的黑斑。白天上陆活动，常晒太阳，很少远离水边。

marsh grass 参阅 **cordgrass** 网茅。

marsh hawk **沼泽鹰** 美国对最著名的一种鹞的俗称。参阅 **harrier**。

marsh mallow（*Althaea officinalis*） **沼泽蜀葵** 又称药用蜀葵。锦葵科多年生草本植物。原产欧洲东部和非洲北部，已引种北美。常见于沼泽地，特别是近海地区。叶广椭圆形或心形，叶脉明显。花淡粉红色，生于高约1.8米的花梗上，花径约5厘米。其根曾用制果汁软糖。

沼泽蜀葵（*Althaea officinalis*）
美国不列颠百科全书公司供图

marsh marigold（*Caltha palustris*） **驴蹄草** 又称cowslip（西洋樱草、牛粪草）。毛茛科多年生草本植物，原产于欧洲和北美的潮湿地方，栽培于沼泽野生植物园。茎中空，叶肾形、心形或圆形。花直径2.5～5厘米，萼片粉红色、白色或黄色，有光泽，无花瓣。新鲜植株有毒，但茎、叶、根可烹煮作菜。花蕾经烹、腌可代替刺山柑用作食品香料。

驴蹄草（*Caltha palustris*）
美国不列颠百科全书公司供图

marsh treader **丝黾** 又作water measurer。异翅目尺蝽科昆虫，百余种，全球分布。栖于含藻类的沼泽池塘的香蒲中，常缓慢地、不慌不忙地在池面走或在池边植被中爬行，故得其英文名。体长约8毫米，细长如杆，足长丝状。头甚长，几与胸部等长。触角前伸，如一对足。体被细绒毛。捕食小甲壳动物和昆虫幼虫，尤其是孑孓。每粒卵约为雌体长度的1/4，表面有美丽的纹，粘在紧靠水面的植物上。

丝黾（*Hydrometra stagnorum*）
美国不列颠百科全书公司供图

marshal **元帅** 又作field marshal。在一些国家（包括英国、法国、中华人民共和国、德国、俄国和苏联在内）的军队里，是军衔最高的军官。这个词是从早期法兰克国王的御马长官(marescalci)演变而来的。在中世纪的战争中,骑兵起重要作用,因此,元帅这个职位与指挥职务联系起来了。元帅还行使司法职权并决定骑士团的问题。英国的陆军元帅这个现代军衔,是国王乔治二世在1736年从德国引用的。陆军高级军官被授予这个军衔的人为数很少。最引人注意的是授予帝国总参谋部长。在苏联陆军里,指挥方面军或更大部队的军官一般是陆军元帅。在法国,从路易十四时代到大革命时期使用元帅这个军衔。拿破仑任命了18位帝国元帅,他的继任者把这个军衔改为"法国元帅"并减少名额,其后元帅仅作为特殊的荣誉称号,而且只在战时授予。

Marshal, William 威廉元帅 参阅 **Pembroke, William Marshal, 1st Earl of** *彭布罗克伯爵(第一)*。

Marshall 马歇尔 美国得克萨斯州东北部城市,哈里森县县城(1842)。位于路易斯安那州什里夫波特以西55千米处。属都会区一部分,工业区集中在朗维尤。1841年始建,1843年设镇,1848年设市。南北战争时期为南部邦联密苏里临时首府,位于得克萨斯—太平洋铁路线上。有修理厂,为一农业区中心。亦产大量石油。产品包括石油化工品、塑料和碳精。设有东得克萨斯浸礼会学院(1912)和威利学院(1873)。附近有州立卡多湖公园。人口:市约23 935;朗维尤-马歇尔都会统计区约208 780(2000)。

Marshall, Alfred 马歇尔(1842-07-26,英国伦敦～1924-07-13,英国剑桥) 英国著名经济学家、新古典经济学派主要创始人之一。受教育于麦钱特·泰勒斯学校及剑桥圣约翰学院,1877～1881年任布里斯托尔大学学院第一任院长。1883～1885年任牛津大学巴利奥尔学院研究员和政治经济学讲师。1885～1908年任剑桥大学政治经济学教授。1891～1894年兼任皇家劳工委员会委员。1908年退休后专心致力于写作。其代表作《经济学原理》(1890)引进许多新观点,如:需求弹性、消费者剩余、准地租、典型性企业。这些对以后经济学的发展起了重要作用。另著有《工业与贸易》(1919)、《货币、信贷和商业》(1923)等。当时经济学界在价值论上有严重分歧,他主要引用时间因素作为分析要素,成功地把古典的生产费用论同W.杰文斯与奥地利学派的边际效用论协调起来。

Marshall, Clara 马歇尔(1847-05-08,美国宾夕法尼亚西切斯特～1931-03-13,宾夕法尼亚布林莫尔) 美国医生、教育家,在她的领导下,女子医学院在教学质量和课程设置上都取得了长足发展。马歇尔是虔诚的贵格派基督教徒,24岁那年进入宾夕法尼亚女子医学院学习,1875年毕业。后任该校药剂师;同年进入费城药学院,成为该学院首位女学生。在一年学习期间,她的学术造诣为她赢得了1876年百年博览会中药学展厅主办权的殊荣。之后,马歇尔又回到女子医学院出任药理及治疗学教授。在这个岗位上,她一直干到1905年。1882年出任费城医院产科示教员,是该机构的首位女性成员。1886年还曾任费城避难所女部的主治医生。1888年马歇尔被任命为女子医学院教务长。在她的领导下,学校的课程设置和教学设备都取得了长足的进步和改善。1893年,该校的学制从三年延长到四年;从1896年开始,学院新增设了细菌学及其相关学科的课堂教学和实验室工作。为了建设临床实习基地,马歇尔决定开办一家医学院附属医院。这间于1904年开业的医院最初规模不大,只是临时性的,1913年才完成全部建设。马歇尔要求医学院建设一定要适应现代化科学训练的需求,她的努力取得了成功,并反映在A.弗莱克斯纳的调查报告《医学教育》(1910)中,该报告严厉地批评了美国高等医学教育中的种种弊端,但却对马歇尔的医学院赞誉有加。1905年以后,马歇尔为有更多时间行医而放弃了教学工作。1917年退休,1923年辞去荣誉教授职务。

Marshall, David Saul 马歇尔(1908-03-12,新加坡～1995-12-12,新加坡) 政治家、律师、外交家,新加坡第一个民选政府的首席部长(1955～1956)。其父母是从巴格达来到新加坡的犹太移民。20世纪50年代初期步入新加坡政坛,创立了社会主义的劳工阵线党。1955年选入立法议会,组建由劳工阵线和其他几个党构成的中左联合政府,出任首席部长。两度赴伦敦谈判独立问题失败后,于1956年辞职。1962年创立工人党,任主席,但该党在选举中均未成功。以后虽极少参与政治生活,但仍是主要的政治人物。1978～1993年任新加坡驻法国大使。

Marshall, George Catlett 马歇尔(1880-12-31,美国宾夕法尼亚尤宁顿～1959-10-16,华盛顿[哥伦比亚特区]) 美国陆军上将。第二次世界大战时陆军参谋长,战后任国务卿和国防部长。1947年提出被称为马歇尔计划的欧洲复兴计划。1953年荣获诺贝尔和平奖。出身于商人家庭,1897年入弗吉尼亚军事学院,以优异成绩毕业。1902年以步兵少尉派赴菲律宾服役。马歇尔早年即严于律己,好学不倦,有指挥才能,故能逐级擢升。在第一次世界大战时曾任第一师作战科长,1917年率先开赴法国,翌年升为第一集团军作战处长。战后充任潘兴将军副官5年,后任佐治亚步兵学校副教育长,对陆军的作战思想产生了重要影响并造就一批后来在第二次世界大战中出色的军官。1939年9月任陆军参谋长。当时麾下官兵总数不足20万人,4年之内扩充到830万训练有素、装备精良的部队。第二次世界大战中他在卡萨布兰卡、华盛顿、魁北克、开罗、德黑兰等国际会议上,作为美国三军参谋长,竭力主张盟军应从英吉利海峡攻击德军,反对英国的地中海战略。1945年11月辞去参谋长职务后数日,杜鲁门总统敦请他出任调解中国内战的特使,使命没有成功。1947年1月受命为国务卿,同年6月提出欧洲复兴计划,世称马歇尔计划。在国务卿任期内,向希腊和土耳其提供了援助;承认以色列国;与西欧各国商谈建立北大西洋公约组织。两年后卸任。1950年年近70出任国防部长,组织军力进行朝鲜战争。1951年晋升陆军五星上将。1953年他因对欧洲战后的复兴所做出的贡献获诺贝尔和平奖。

美国不列颠百科全书公司供图

Marshall, John 马歇尔(1755-09-24,弗吉尼亚日耳曼敦附近～1835-07-06,费城) 美国联邦最高法院第四任首席大法官(1801～1835),也是美国宪法制度(包括司法审查原则)的主要创始人。在他任职30多年期间第一个重要的案件是"马伯里诉麦迪逊案"(1803),该案确立了最高法院援引和解释宪法的权力。他在行使这一权力时作出的最重要的决定是在"麦卡洛克诉马里兰州案"(1819)中,该案坚持国会有权创立美利坚合众国银行。他在任职期间参与作出1 000多项判决,亲自撰写了其中的519项。

美国不列颠百科全书公司供图

青年时期 1755年生于弗吉尼亚州。他所受的教育主要得力于他父母的帮助,加上一位客籍牧师一年的指导和几个月的正规训练。独立战争时期在军队服役,在华盛顿领导下和英军作战。1779年回到弗吉尼亚州,1781年退伍。

早期的生活历程 1780年起投身法律界,那年他在威廉和玛丽学院接受短期的法律课程训练。同年8月取得律师执照,回故乡福基尔县。随后于1782和1784年两度被选进弗吉尼亚州的州议院。他在该州首府里士满建立律师事务所,随后15年中,在该州律师界中的声望日益增高。虽然没有资格参加费城的制宪会议,但他对弗吉尼亚州批准联邦宪法作出重要的贡献。联邦宪法经批准

后，他成为弗吉尼亚州联邦党的领导人之一。不久和另外两个人被第二任总统亚当斯任命为一个使团的成员派往法国，以改善和法国的关系。这个使命未获成功。但据说有叫做X、Y、Z的人通知美国使团向有关方面行贿，以便打通关节获得法国政府的接见。但使团拒绝了这一游说，马歇尔起草拒绝这个建议的备忘录，声名因而大振。

从法国回来被选入国会的众议院，另外还被邀请去担任一些其他重要职务，但他都辞谢了，只是在1800年亚当斯政府处在困难时刻曾有一个短时期出任国务卿。同年秋天最高法院首席大法官出缺，亚当斯总统想使第一任首席大法官复任，但失败了；旋即向参议院提名由他担任首席大法官，1801年获得通过。

在美国最高法院首席大法官任内 19世纪初，对宪法是否已创建了一个联邦国家，开始时意见还不一致。司法判决可以形成一系列有连贯性的、有权威的公正的原则，使舆论变得集中而有效。他的品质恰好满足了这种需要。他在35年的任期中，发展了一整套统一的宪政原则。他就任首席大法官以前，最高法院作裁断时是每个大法官各自发表意见。这虽然不是把法律造成自相矛盾，但给人有一种尝试性的印象。他改变了这一做法。由于他的努力，最高法院作出的裁断改由法官们以整体的名义发表统一的意见，这使法院增加了力量。

“马伯里诉麦迪逊案” 亚当斯总统在任期届满前夕曾任命一些人为哥伦比亚特区的治安法官。该委任状已经签署并由国务院加盖印章。但有些人的委任状始终没有发出，其中包括马伯里的委任状在内。马伯里向国务院交涉未获结果，于是在最高法院对新国务卿麦迪逊提起诉讼。最高法院发现国会曾通过法令批准这种诉讼迳向最高法院而不是向下级法院提出。但马歇尔认为这是联邦宪法第3条所不允许的，法院不能执行一项与联邦宪法相抵触的法令。这样法院就为它自己确定了一项极有争议的权力，即司法审查和解释宪法的权力。之后他又通过许多判决确定最高法院有权审查并推翻州法院关于联邦问题的判决，确定宪法曾授予国会以“默许的权力”（如创设联邦银行）；他还确定联邦政府有管制州际贸易的权力，而且可以推翻与此相抵触的州法律。当然马歇尔关于约束政府权力的许多判决，由于时代潮流的前进当然也不会一成不变。著有《华盛顿传》（共5卷）。

Marshall, Sir John Hubert **马歇尔**（1876-03-19，英国柴郡切斯特～1958-08-17，萨里吉尔福德） 英国人，印度考古局局长（1902～1931），20世纪20年代负责以前不为人所知的印度河文明的两座大城市哈拉帕和摩亨朱达罗的大规模发掘。早年就读于达利奇学院和剑桥国王学院。1898～1901年在雅典英国学校学习，参加了该校主办的克里特岛发掘工作。担任印度考古局局长期间，他改组了该局机构，并将其活动范围大为扩充。除文物保护外，还主持庞大的发掘计划。他非常重视古代犍陀罗地区（今巴基斯坦境内），尤其重视该地区重要城市呾叉始罗的发掘。这里出土大量首饰及家庭器皿，使古代日常生活景象得以宛然重现。《呾叉始罗》（1951）为其最有学术价值的著作。桑奇和鹿野苑与佛教史关系密切，因而也加以发掘和修复，马歇尔还发表了《桑奇文物志》（共3卷，1939）。其后印度考古局在哈拉帕（1921）和摩亨朱达罗（1922）（今巴基斯坦境内）等遗址进行发掘，发现公元前2500～前1750年间存在于巴基斯坦大部和印度小部及阿富汗小部地域的一种文化。马歇尔于退休8年后完成《摩亨朱达罗与印度河文明》（3卷，1931）的编辑工作。1914年受封为爵士。

Marshall, Sir John Ross **马歇尔**（1912-03-05，新西兰惠灵顿～1988-08-30，英国） 律师、政治家、新西兰总理。1946～1975年任议员。历任卫生部长（1951～1954）、司法部长（1954～1957）、商工部长（1960～1969）、驻联合国大使（1970）、全国发展委员会主席（1969～1972），1972年任总理。1974年受封为爵士。

Marshall, Louis **马歇尔**（1856-12-14，美国纽约锡拉丘兹～1929-09-11，瑞士苏黎世） 美国律师、美国犹太人社区领导者。他为了使所有少数民族集团的宗教、政治和文化自由得到保障而进行工作。1876～1877年就学于哥伦比亚法学院。1878年进入纽约律师界。他为一些案件辩护成功，使得美国最高法院裁决州立法禁止开办私人和教区中小学和排斥黑人参加初级选举都是违反宪法的。在第一次世界大战后的巴黎和会上（1919），马歇尔提倡旨在保护少数民族权利的条款，为罗马尼亚、波兰和另一些东欧国家所接受。由于他反对H.福特的反犹太报纸《迪尔本独立报》而加速了该报的垮台。其著作收集在《自由斗士路易斯·马歇尔》一书中，由C.雷兹尼科夫编辑出版。

Marshall, Penny **马歇尔**（1942-10-15，美国纽约～ ） 原名Carole Penny Marschareli。美国喜剧女演员和导演。母亲是舞蹈教师，父亲是电影摄制者。起初在妈妈的舞蹈团表演，后来入新墨西哥大学学习，两年后辍学结婚，但婚姻持续时间不长。1967年开始在好莱坞拍摄电影。最初在影片《多么美好！》中扮演小角色。1971年在电视剧《老夫妇》中的演出成为她演艺生涯中的一个重大转折点。同年与演员兼导演R.赖纳结婚（1979年离异）。其后两年在鲍伯纽哈特剧场演出。1975和1976年，分别出演电视连续剧《快乐时光》和《拉维恩和雪莉》，后者从1976年一直演到1983年。1986年初次执导影片《飞进未来》（又名《大人》），获得极大成功，票房收入超过1亿美元。执导的其他影片有《无语问苍天》（1990）、《女子棒球队》（1992）、《天兵总动员》（1994）和《牧师之妻》（1996）。

Marshall, Stephen **马歇尔**（约1594，英格兰亨廷登郡戈德曼彻斯特～1655-11-19，伦敦） 基督教长老会牧师，清教派领袖。1643年任参加威斯敏斯特会议的代表。1646年议会派政府下令英格兰教会实行长老制，他任地方区会长老。他并未在伦敦担任正式职务，但因为是发言人，能在下议院在改革礼仪和教会组织方面争取到支持。1647年《小威斯敏斯特教理问答》出版，马歇尔曾积极参与编订，此书至今仍是长老宗的重要信纲。

Marshall, Thomas R(iley) **马歇尔**（1854-03-14，美国印第安纳北曼彻斯特～1925-06-01，华盛顿［哥伦比亚特区］） 美国第28任副总统（1913～1921），在W.威尔逊总统的民主党政府中任职，是近百年中第一个连任两届的副总统。1875年起在印第安纳州哥伦比亚城当律师35年。擅长演说。1908年当选为州长，提出社会立法计划。因政绩卓著，在1912年民主党全国代表大会上被提名为总统候选人。他支持国际联盟，反对妇女选举权。

Marshall, Thurgood **马歇尔**（1908-07-02，美国马里兰巴尔的摩～1993-01-24，马里兰贝塞斯达） 美国最高法院第一位黑人大法官（1967任命）。作为一位律师，他在最高法院

美国不列颠百科全书公司供图

为一个历史性的案件“布朗诉托皮卡教育局案”（1954）作辩护，并且获得成功。在这一案中，公立学校内的种族隔离被宣布为违反宪法。

马歇尔毕业于宾夕法尼亚州林肯大学（1930年）和华盛顿特区霍华德大学法学院（1936年，在班上名列第一）。从1936年起，为全国有色人种促进协会工作，并于1940年成为该会法律工作人员的主管人。在最高法院作辩护的32个案件中有29件胜诉。除布朗案外，其中有经最高法院宣布为违宪的有：南部某州禁止黑人选民参加初选（“史密斯诉奥尔赖特案”，1944）；州的司法当局在住房问题上执行种族上的“限制条款”（“谢利诉克雷默案”，1948）；在州立大学中为黑人专家和研究生提供“分开但是平等”的设施（“斯韦特诉佩因特案”和“麦克劳林诉俄克拉何马州当权者案”，均在1950年）。1961年9月马歇尔被肯尼迪总统提名为美国第2巡回上诉法院法官，但遭到南方参议院议员的反对，拖延了7个月才批准。1965年7月约翰逊总统提名他任美国副司法部长，1967年6月提名他任美国最高法院大法官。在其任期内，他是一个稳健的自由主义者，并坚持他以前所持的州政府和联邦政府需要平等、公正对待国内少数民族的主张。1991年退休。

马歇尔于1993年1月24日在华盛顿去世。美国总统克林顿在当日曾发表讲话说，马歇尔是美国整个历史中争取人权和平等斗

争中的一位巨匠。

Marshall Field & Co. 马歇尔·菲尔德公司 美国芝加哥的百货商店，一度是世界上最大的百货商店。该店在其73英亩的建筑面积上设有比全球任何商店都大的书籍部、磁器部、鞋部和玩具部。在芝加哥各郊区都设有分店。1865年由马歇尔·菲尔德（1834～1906）和L.Z.莱特（1834～1904）所创立，原名菲尔德-莱特公司，曾被认为是后来各百货商店的原型。1881年菲尔德买下合伙人的股权后，公司改现名，引用了许多当时是革命的经商思想。该店既迎合有钱人的需求，也供应一般人所寻求的廉价物品。为加强对全体消费者服务，菲尔德将其商店经营成为无所不包的买卖世界。它是为顾客提供餐馆的第一家商店。现在美国各大城市及芝加哥市郊商业区都设有马歇尔·菲尔德百货商店。

Marshall Islands 马绍尔群岛 全称马绍尔群岛共和国。太平洋中部的一个独立共和国，由平行的两排珊瑚环礁岛链组成，东为拉塔克，或称日出，西为拉利克，或称日落。两岛链相距约200千米。自西北向东南延伸约1 290千米。有岛屿和小岛共计1 200多个。首都为马朱罗。面积181平方千米。人口约50 000（1992）。

群岛中的29个地势较低的珊瑚环礁和5个珊瑚岛，涨潮时露出水面的部分均不超过6米，是从洋底升起的穹形火山顶上的珊瑚冠。群岛诸岛屿散布于太平洋约200万平方千米的海域。最大的环礁夸贾林岛，由大约90个小岛构成（陆地总面积16平方千米），这些小岛围成一个1 722平方千米的潟湖。比基尼和埃尼威托克两个环礁曾是美国原子武器的实验场（1946～1958）。夸贾林环礁的大部分现在被美军用作导弹实验场。

群岛属热带气候，日气温的季节性变化很小，下午约高达32°C，夜间降至约24°C。相对湿度很高，平均约为85%。年降雨量在北部为500～800毫米，南部诸环礁为4 100毫米。典型的马绍尔群岛环礁周长约80千米，由不规则的椭圆形珊瑚礁围成一个潟湖；诸小岛则沿着珊瑚礁散布。土壤多沙且贫瘠。

马绍尔群岛的土著居民是密克罗尼西亚人。人口最多的环礁为马朱罗和夸贾林，两岛人口约占全国人口的2/3。居民大多住在传统的村庄里，多半为基督教徒。当地人讲马绍尔语和英语。生存农业、渔业、饲养猪和家禽是主要经济活动 。椰子、露兜树子、面包果、芋头和竹芋为主要食物。供出口的椰干饼和椰子油和出租夸贾林环礁土地供美国导弹发射场使用，是当地岁入的主要来源。马朱罗有一个商业性综合码头，许多环礁在潟湖内有很好的锚地。马朱罗和夸贾林建有国际机场。

马绍尔实行总统制，总统由称为尼蒂杰拉的33人议会选举产生。由12名成员组成的伊罗吉（“酋长”）理事会主要是一个咨询机构，只过问与传统法律和习俗有关的事项。

1529年，西班牙航海家萨维德拉发现了马绍尔群岛，岛上缺少能吸引人们前往开发的财富。1885年，德国宣布马绍尔群岛为其保护地。1914年日本占据该群岛，不久（1919年后）作为国际联盟的托管地进行管理。第二次世界大战中，美军经过夸贾林和埃尼威托克的激战后占领该群岛。1947年马绍尔群岛成为由美国管理的联合国太平洋岛屿托管地的一部分。当地的原子弹试验于1958年停止，清除核污染的工作也已经完成，但比基尼和埃尼威托克因核污染太严重，居民尚不能返回。

1979年马绍尔人民通过了一部宪法，该国成为一个内部自治的共和国。1982年，马绍尔群岛与美国签订了《自由联合条约》，并经1983年的公民投票批准。条约要求美国负责外部安全和防卫，并向该共和国提供财政援助。条约于1986年生效，结束了该群岛的托管地地位，而马绍尔群岛共和国在与美国保持自由联合的情况下达到完全自治。1991年该国被接纳加入联合国。

Marshall Mission 马歇尔调处 第二次世界大战后美国总统特使马歇尔来华就国民党与共产党的军事冲突进行的调处。他留在中国1年多，其使命以失败告终。1945年12

马歇尔调处三人小组：周恩来（右）、马歇尔（中）、张群（左）
中国大百科全书出版社供图

月，美国总统杜鲁门派遣马歇尔使华，当时美国在国共之间的调解濒于失败，内战迫在眉睫。他作为有声望的总统特使，其任务是促使国共双方重新进行认真的谈判。调处初期曾取得一些成果，由周恩来、张群、马歇尔组成三人小组，于1946年1月10日，双方同意立即停火，召开政治协商会议，以便最后组成联合政府，共同治理中国。2月25日，拟定了国共双方按五比一共同裁减军队的方案。但到春季停火失败，蒋介石蓄意挑起全国内战，战争先在东北地区爆发，继而扩大到其他地区。由于美国援助国民党军队，马歇尔无法维持其调解者的身份。1947年1月，他被召回美国。

Marshall Plan 马歇尔计划 正式名称为欧洲复兴计划（1948-04～1951-12）。美国为了建立稳定局势，维护自由制度而提出的在第二次世界大战后复兴西欧和南欧17国经济的计划。因美国害怕战后时期的贫困和混乱会助长共产党在西欧号召力的提升，1947年6月5日国务卿马歇尔在哈佛大学所作的演说中提出由美国出资搞一个欧洲自助计划的想法。美国国会根据16个国家代表所提出的重建西欧经济联合纲领，批准欧洲复兴计划。1948年4月3日杜鲁门签署颁布该法案。原定援助范围几乎遍及所有欧洲国家，但苏联拒不参加，东欧各国亦随之退出。余下参加该计划的国家是：奥地利、比利时、丹麦、法国、希腊、冰岛、爱尔兰、意大利、卢森堡、荷兰、挪威、葡萄牙、瑞典、瑞士、土耳其、英国和西德。在保罗·霍夫曼的领导下，经济合作署在此后4年间分配了价值130亿美元左右的经济援助，帮助恢复工农业生产、稳定金融和扩大贸易。绝大部分为直接赠与，余下的采取贷款形式。为进行协调，以英、法为首的欧洲16国（后来接纳西德）建立欧洲经济合作委员会，后来成为常设的欧洲经济合作组织（OEEC）。这一时期，西欧各国国民生产总值增长15%～25%，尤其促进了西欧化学工业、机械工业和钢铁工业的迅速恢复。

marshmallow 果浆软糖 由药蜀葵的根汁、糖和蛋清调制而成的加气糖果。最初曾用作多种用途的药用糖浆和软膏。现代果浆软糖由玉米糖浆、右旋糖、明胶和蛋清制成。将这些配料的混合物加热到115 °C左右，搅打到体积增大为原来的二三倍时加入香料，成品的稠度介乎半流体与有咬劲之间。较硬的做成传统的小枕头形，在包装前沾米粉或糖末。有时也作为烹饪用的饰料，但需先用明火焙烤。较具弹性的果浆软糖，常覆以巧克力皮。最软的软糖用作蛋糕糖衣、法奇软糖、布丁的基料。也可用作冰淇淋的顶盖。

Marsi 马尔西人 古意大利的一个民族，居住在今阿奎拉省境富奇努斯湖（今已干涸）东岸地区。公元前304年，马尔西人及其同盟者维斯提奈人（Vestini）、佩利尼人（Paeligni）和马鲁奇尼人（Marrucini）与罗马结盟，这种同盟关系保持到同盟者战争爆发（公元前91年开始）时止。后各同盟者获得罗马公民权，同盟者战争始告结束。最早的马尔西人的纯拉丁语的铭文可溯至公元前150年，而最早的地区性方言铭文可追溯到公元前300～150年之间。马尔西人崇拜医护女神安齐蒂亚，同时他们是实行原始的巫医，罗马人就把他们的家园视为巫术之乡。马尔西部落的名称来自战神马尔斯。马尔西人也是居住在鲁尔河及利珀河之间地区的古日耳曼一民族的名称，公元14～16年间，这一支马尔西人在历次反击罗马战争中被击溃，从此便从历史上消失。

Marsileaceae 蘋科 蘋目（Marsileales）唯一的一个科。为生于泥中或浅水的小形水生蕨类。3属近70种。本科的特征是孢子囊外被

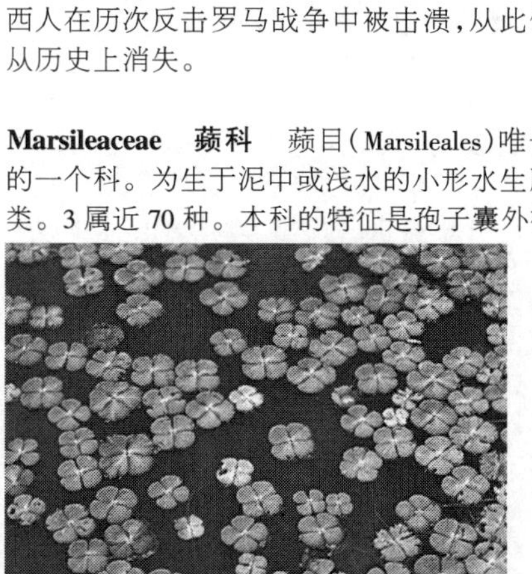

蘋（*Marsilea quadrifolia*）
美国不列颠百科全书公司供图

硬孢子果(生于叶柄基部)。蘋属(*Marsilea*)60 种,叶三叶草状,具四枚小叶(参阅蘋[**water clover**])。线叶蘋属(*Pilularia*)6 种,叶线状,无小叶。二叶蘋属(*Regnellidium*)1 种,叶有 2 小叶。均广泛分布。

Marsilius OF PADUA　马西利乌斯(帕多瓦的)(约1280,意大利王国帕多瓦～约1343,慕尼黑)　意大利政治哲学家。其著作《和平保卫者》是中世纪政治理论方面最有特色的论文之一。该书极大地影响了现代的国家观念。有人认为他是清教改革运动的先驱,既是马基雅弗利式国家的设计人,又是现代民主制度的缔造者。约在 1312 ～ 1314 年任巴黎大学教授和校长,随后任吉伯林党(亲皇帝、反对教皇的一派)的政治顾问。1320 ～ 1324 年间在巴黎写了《和平保卫者》。书中严厉批评了教皇的政策。当他的作者身份被揭露(1326)后,便逃往巴伐利亚国王路易四世的纽伦堡宫廷,后来意大利对他加以异端的罪名。当他陪同路易出征意大利时(1327 ～ 1328),曾参预宣布教皇约翰二十二世为异端(1327),另立尼古拉五世为敌对教皇,以及路易加冕称帝并拥有废除婚姻关系之权(1328,罗马)等重大事件。在《和平保卫者》中,他运用亚里士多德的原则,引申出一个世俗的国家概念。他认为必须用限制教会统治集团权力的办法保持国家的统一。国家的主要责任是维持法律、秩序和安宁。人民是一切政治权力和法律的源泉,在人民的权利中就有选择其统治者的权利。他断言,教会在道德和教义方面的最高权威应当授予代表所有信徒(人民和教士)的一个会议。

Marsman, Hendrik　马尔斯曼(1899-09-30,荷兰乌得勒支附近宰斯特～ 1940-06-21,英吉利海峡中)　荷兰诗人、评论家。曾在乌得勒支习法律并当律师。1933 年周游欧洲,后献身于文学。在德国表现主义的影响下,1920 年开始写有节奏感的自由诗,颇引人注意。《诗集》表现出一种反人文主义的思想,诗人自称为"生机主义"。1925 年任《自由报》主编,成为年轻一代最重要的评论家。1927 年出版第二部诗集,标以英文书名《复乐园》,被认为有很高的艺术成就。组诗《黑港》,充满死亡的观念,于 1934 年出版。最后一本诗集《寺院与十字架》是一篇自传式作品。第二次世界大战期间,所乘轮船在英吉利海峡被鱼雷击沉,遇难。

Marston, John　马斯顿(1576-10-07受洗,英格兰牛津郡～ 1634-06-25,伦敦)　英国戏剧家。莎士比亚时期最有活力的讽刺作家之一。最著名的作品是《愤世者》(1604),对宫廷的荒淫无耻和邪恶进行了谴责。他的这部戏以及其他一些主要作品,均是为当时受欢迎的男童剧团编写的。1598 年开始文学生涯。处女作《皮格梅里昂雕像变形记及若干讽刺诗》是一篇不成熟的色情诗,遭到严厉批评。同年发表《邪恶的鞭挞》是一篇内容晦涩、笔调粗犷的讽刺诗,受到广泛好评。1599 年转而为戏院写剧本。他改编的《演员的鞭子》(1610 年出版)一剧中有个"迂腐的学究"和"翻译大师",影射博学的本·琼森,后者因而写了《冒牌诗人》讥讽马斯顿堆砌词藻,作为回敬。两人之间打了一场短暂而激烈的笔墨官司。虽然马斯顿又以《听从君便》(1601)再次嘲弄了琼森,但两人不久和解,并合作编写了《殉情者》一剧。1604 年马斯顿成为教堂儿童剧团的股东,从此专为该剧团编写剧本。《荷兰妓女》(1603 ～ 1604)和《愤世者》为他赢得戏剧家的地位。前者被认为是当时最精巧的喜剧之一。后者沿用了当时复仇悲剧的一切手段,但未让受冤屈的主人公杀掉任何一个折磨他的人。1605 年同琼森和查普曼一起编写喜剧《向东方去!》,因冒犯国王,3 人一同入狱。1608 年马斯顿再度坐牢。出狱后,停写色情剧《贪求无厌的伯爵夫人》,信奉圣公会教义。1633 年他坚持不让他的名字在收有他 6 部剧本的《约翰·马斯顿作品集》上出现,同年该书以《悲剧与喜剧》为名匿名重版。

Marston Moor, Battle of　马斯顿荒原之战(1644-07-02)　英国内战中保王军第一次重大失败。1644 年 6 月,议会军包围约克,查理一世命令鲁珀特王子前往解围。鲁珀特以智取胜,把议会军赶到 10 千米以西的长马斯顿。傍晚,由 T.费尔法克斯爵士指挥的议会军和由 A.莱斯利率领的苏格兰军发动突然袭击。O.克伦威尔所部议会军左翼粉碎鲁珀特的骑兵后,重整队伍支援右翼的费尔法克斯,包围保王军中军。保王军阵亡3 000～4 000人,被俘甚众。约克陷落后,国王失去对北方的控制,克伦威尔成为议会军的主将。

marsupial　有袋类　哺乳纲有袋超目(Marsupialia,或有袋目,各家分类系统不同)种类的通称,包括一大类多种多样的原始哺乳动物,共同特征为胎儿未发育成熟即娩出在母体之外附于母体的乳头上完成其发育。大多数种类的特征为具育儿袋——遮于乳头上方的一片皮瓣,但有的种类无此袋;在一些种类仅为围绕乳头的皮褶,另一些种类连这种结构也没有。现存的有袋类仅分布于澳大拉西亚和新大陆。澳大拉西亚地区约 175 种,主要见于澳大利亚、新几内亚、帝汶及西里伯斯;新大陆 70 多种,栖于南美洲及中美洲,少数种分布到北美南部,一个种——普通负鼠(或有袋负鼠,*Didelphis marsupialis*)分布到加拿大南部。有袋类的体型大小不等,大者如灰大袋鼠(*Macropus giganteus*)体长 3 米,高 2 米,小者如扁头袋鼩(英格拉姆氏侏袋鼩,*Planigale ingrami*),体长仅 12 厘米。已知最早的有袋类出现于 1 亿年前的白垩纪。许多这些早期的有袋类属于现在尚存的负鼠科(Didelphidae)。有袋类起源于新大陆,据信有袋类于有胎盘哺乳动物出现以前通过早期的陆桥迁到澳大利亚。在非洲和亚洲未发现有袋类的化石。到第三纪开始(约 6 640 万年前)澳大利亚与其他大陆脱离,因为无其他哺乳动物的竞争,其有袋类动物区系有可能发展得极为多样化。有袋超目的种类演化出与许多有胎盘动物相似的形态和习性,这种现象称为趋同进化。例如,袋鼠科(Macropodidae)的袋鼠以野外的草为食,占据了在其他大陆为各种有蹄动物占据的小生境,而掠食性的袋猫类(袋鼬科[Dasyuridae])相当于小型猫科动物,袋鼹鼠(袋鼹属[*Notoryctes*])在外形和习性方面均与有胎盘动物的鼹鼠十分相似。其他澳大利亚有袋类在外形、习性方面则似熊、松鼠、狼、鼠等。新大陆只有两科有袋动物:负鼠科及鼩负鼠科(Caenolestidae,鼩负鼠或新袋鼠)。这些动物多为杂食性,这使它们在与有胎盘动物竞争中得以生存。更为特化的种类,如大型掠食性的古鬣狗科(Borhyaenidae)便竞争不过涌入的有胎盘动物。有袋类的脑相对来说比与之相似的有胎盘动物要小得多,这肯定与有袋类不敌有胎盘类有关。许多有袋类的后肢显著大于前肢,这在袋鼠类最为明显,但在整个有袋超目中均可见到。上耻骨又称袋骨,与腰带相连,为有袋超目所特有,以前认为有助于支持育儿袋。在具育儿袋的种类,育儿袋开口的方向依种类而定:直立、善攀爬的种类,其育儿袋开口向前;四足行走的地栖种类,其育儿袋开口向后。有袋类的牙系亦与其他哺乳动物不同。牙数从蜜负鼠(长吻袋貂,*Tarsipes spenserae*)的 22 枚至袋貂(*Myrmecobius fasciatus*)的 52 枚。一般说,有袋类每侧颌上具 3 枚前磨牙及 4 枚磨牙,与有胎盘动物的 4 枚前磨牙、3 枚磨牙不同。有袋类演化出不同的形态后也占据不同的生境。几个类型高度适应于树栖,如树袋熊(*Phascolarctos cinereus*)和树袋鼠(树袋鼠属[*Dendrolagus*])。大滑翔袋鼯(飞大袋鼯,*Schcinobates volans*)前后肢之间张有一层膜,借以在树木之间滑翔,其方式与飞鼠相似。只有一种有袋类营水栖生活:新大陆的水负鼠(蹼足负鼠,*Chironectes minimus*)。许多有袋类为草食性。袋鼠类主要食田野的草,袋熊(袋熊科[Vombatidae])以根、真菌及草为食,蜜袋貂则食花蜜。树袋熊最为特化,仅食数种桉属植物的叶。袋貂又称袋食蚁兽,以长舌捕捉蚁及白蚁为食。负鼠及袋狸通常为杂食性,食各种植物及无脊椎动物。宽足袋鼩类及体型较小的本地猫(袋鼬科)食各种昆虫及小型脊椎动物,如蜥蜴和鼠。体型较大的肉食性有袋动物,如袋獾(*Sarcophilus harrisii*)捕食鸟类及其他哺乳动物。有袋类最显著的特征在于其生殖方式。妊娠期相对较短,为 8 ～ 40 天。胚胎发育尚不完善即已娩出,娩出时目不能视,但仍须自己从产道口沿母兽身体表面移动到育儿袋内或乳头处。幼仔的前肢相对较大,借以抓住母体的毛以便蠕动到育儿袋。幼仔一进入育儿袋便含住乳头,乳头在其口内也涨大起来。幼仔在育儿袋内生活并发育数周至数月之久。在育儿袋内发育数周之后,幼仔能离开育儿袋一段短时间,但此后幼仔仍须跟随母亲生活一段时间,常紧紧抓住母体的被毛。有袋类一般独栖,仅于生殖季节表现出一些社群性。但袋鼠类常成群移动及食草,可是这些群中并无领头的个体,各个体也不恋群,这些均与有胎盘哺乳动物的群不同。有袋类动物极少能发声,这特点与其不喜群居的特性可能均起源于其相对较低的智力。

marsupial mole　袋鼹鼠　袋鼹科袋鼹属(*Notoryctes*)的两种小型有袋哺乳动物的统称。盲袋鼹(*N. typhlops*)长18厘米,小袋鼹

盲袋鼹(*N. typhlops*)
美国不列颠百科全书公司供图

(西北袋鼹,*N. caurinus*)长10厘米。均似鼹鼠,活跃在澳大利亚中南部和西北部的炎热沙质荒地。前足有三角形的爪用来挖掘,吻短,尾短粗,尾和吻部毛皮呈革质。眼几乎隐藏在光滑的长毛里,视力差。被毛银灰至橙黄或淡红色,带虹彩光泽,这一特点很像非洲的金毛鼹。袋鼹鼠常在剧烈活动片刻之后,突然入睡。在土表层之下挖洞,捕食蛴螬和蚯蚓。真鼹鼠觅食时离开隧道,袋鼹鼠则否,但常出来透透空气。

marsupial mouse　袋鼩　有袋目袋鼩科一些鼠形动物的统称。分布于澳大利亚和新几内亚。体长5～22厘米,尾似帚,与身体等长。皮毛一般为纯灰色、浅黄色或褐色,少数种有斑点。形似鼠,但更像鼩鼱。多为夜行性,以昆虫和小型脊椎动物为食。宽足袋鼩属(*Antechinus*)也吃花蜜。脂尾袋鼩(厚尾狭足袋鼩,*Sminthopsis crassicaudata*)把多余的脂肪储存在尾部。除宽足袋鼩属外,本科各属于食物缺乏时,都要蛰伏。蓬尾袋鼩(*Dasycercus cristicauda*)产于干旱地区;能捕杀家鼠,对人有益;从猎物体内便能得到所需的全部水分。跳袋鼩属(*Antechinomys*)有两个种,分布澳大利亚内地,尾长,耳大,后腿极长,如踩高跷,颇似跳鼠。帚尾袋鼩属(*Phascogale*)有两个种,背侧浅灰色,腹侧污白色;尾长,远端一半被毛粗而厚,当毛竖立时,形似瓶刷。树栖,但能袭击家禽。平颅袋鼩属(*Planigale*)的外貌和行为均似鼩鼱。《红皮书》将澳大利亚的东方跳袋鼩(*Antechinomys laniger*)列为濒危种,其他几种袋鼩种被视为稀有种。

Marsyas　玛息阿　希腊传说中的人物,最初流行于安纳托利亚。据说,他找到雅典娜

被剥皮前的玛息阿雕像
美国不列颠百科全书公司供图

女神发明的双簧管并能熟练吹奏,要同太阳神阿波罗演奏的竖琴比赛。弗里吉亚国王米达斯判定玛息阿获胜,阿波罗遂使米达斯长出一对驴耳以示惩罚。一说担任裁判的是缪斯女神,她们判定阿波罗获胜,于是阿波罗把玛息阿绑到树上,剥去他的皮。罗马广场有玛息阿雕像,后来凡罗马人垦殖地都立有此像,象征自主权。

Marsyas Painter　马西亚斯画匠(活动时期公元前约350～前325)　古典晚期的希腊画匠,以两件酒器上的彩绘《珀琉斯制服忒提斯》和《为新娘送礼》闻名。作品作于公元前

约公元前340～前330年的马西亚斯画匠彩绘酒器——《珀琉斯制服忒提斯》
美国不列颠百科全书公司供图

约340～前330年间,前者现藏不列颠博物馆,后者现藏圣彼得堡爱尔米塔什博物馆。马西亚斯画匠是黑海北部刻赤地方风格的主要画匠之一。刻赤风格的特点是:线条纤细,形态优美,配笔精致,由于大量使用白绘并有时使用镀金而取得绚丽的彩色效果。这是晚期阿提卡红花式瓶画的主要风格。

Martel, Charles　参阅**Charles Martel**查理·马特。

Martel, Édouard-Alfred　马泰尔(1859,法国蓬图瓦兹～1938,蒙布里松)　法国地理学家和洞穴学家。以其1894年对洞穴的自然地理和可进入性的开创性研究而闻名。作为洞穴学的奠基人,他考察过塞文山地的石灰岩洞;并同其他人一起,在法国、爱尔兰、奥地利、马霍卡岛(西班牙)和希腊等地,进入以前不知道的洞穴里。1895年创立了法国洞穴学学会。1886～1899年任巴黎商业法庭审判员。1899年在索邦任地下地理学教授。1901年到法国地质地图局任职。

marten　貂　鼬科貂属(*Martes*)几种鼬形食肉动物的统称,栖于加拿大和美国部分地区以及旧大陆从欧洲到马来一带。身躯柔软细长,腿短,耳圆,尾毛浓密,被毛软而厚,因种不同其身材与毛色各异。林栖,独居,善爬树,以动物、果实和腐肉为食。每窝产1～5仔。因为受精卵延迟植入子宫壁,故妊娠期

石貂(*M. foina*)
美国不列颠百科全书公司供图

长达290天或更多,尤其在北方地区。貂属最著名的种有:美洲貂(*M. americana*)俗名亦称松貂,产北美北方森林地区,成体长35～43厘米,尾长18～23厘米,体重1～2千克;毛浅黄褐色,尾和腿部成深褐色,喉斑为灰白色或浅黄色。其皮毛市售时称美洲紫貂皮或哈德孙湾紫貂皮。欧洲和中亚森林的松貂(*M. martes*)又称树貂,深褐色,有连成片的淡黄色喉斑;体长42～52厘米,尾长22～27厘米;肩高15厘米;体重1～2千克。欧亚大陆森林地区的石貂(*M. foina*)又称山毛榉貂,灰褐色,有断续的白色喉斑;体长42～48厘米,尾长23～26厘米;肩高约12厘米;体重1～2.5千克。黄喉貂(*M. flavigula*)或归入*Charronia*亚属,因嗜甜食而又名蜜狗;分布于亚洲南部;体长56～61厘米,尾长38～43厘米;毛褐色,毛色向尾部逐渐加深成黑褐色,喉和下颌为橘黄色。其他亦称貂的物种有:彭南特氏貂(大貂、渔貂[参阅**fisher**]),臭貂(参阅**polecat**)。

Marten, Henry　马顿(1602,牛津～1680-09-09,英格兰蒙茅斯切普斯托城堡)　英格兰审讯查理一世的议会派主要法官,死刑执行状的签字者。牛津大学毕业。1639年因拒绝向苏格兰战争捐钱而闻名。1640年进入议会。他直言不讳地批评国王,查理一世要求定他叛逆罪。1643年被赶出议会。次年任艾尔斯伯里地方长官。1646年被允许重返议会,再次发言反对国王,攻击长老会,支持军队反对议会。1649年选入国务会议,但在护国政体时期没有参与政治活动。1659年在长期议会中继续任议员。1660年6月自首曾参与审判查理一世,死于囚禁地。

Martens, Fyodor Fyodorovich　马顿斯(1845-08-27,利沃尼亚派尔努～1909-06-20,俄罗斯圣彼得堡)　俄国法学家和外交官、国际仲裁人和研究欧洲人在亚洲和非洲进行殖民冒险的历史学家。在俄国外交部工作4年之后,1872～1905年在圣彼得堡讲授公法。他帮助解决了英国和法国在纽芬兰上的争端以及墨西哥和美国的一次争端,后者是由海

牙常设仲裁法庭判决的第一个案件(1902)。在日俄战争(1904～1905)期间,他参加了签订朴次茅斯和约(1905年9月5日)的谈判。在代表俄国出席海牙第二次国际会议(1907)时,他担任海商法委员会主席。他的著作有论战争中的私人财产权(1869);俄国和英国在中亚细亚的扩张(1879);国际法(1882);1884～1885年的柏林会议,关于欧洲人在非洲、中东、中国和太平洋的势力范围(1887)。他的最雄心勃勃的工作是编辑《俄国签订的条约和公约集》(15卷,1874～1909),其内容不仅有俄国同其他国家签订的条约原文,而且有促使签订条约的外交形势的历史条件(根据未公布的俄国文件)。它以俄文与法文对照印刷出版。

Martens, Georg Friedrich von　马滕斯 (1756-02-22,汉堡～1821-02-21,美因河畔法兰克福)　汉诺威的外交官。1783年起在格丁根大学担任法理学教授,是至今仍为世界上最大的条约汇编的最初编辑者。他独自编辑了《条约集》(包括从1761年起的各种条约)的头7卷(1791～1801),并同他的侄子卡尔·冯·马滕斯合作编辑了另外的4卷(1802～1808)。这两位马滕斯和后来的一些学者编辑了《新编条约集》,搜集了1808年以后的条约(112卷,1817～1944)。

Martha and the Vandellas　玛莎和范德拉斯演唱组　美国灵乐流行组合,超过"至上女声三重唱",成为20世纪60年代摩城唱片公司首要的女性演唱组。成立于1960年,称"德尔菲斯"。最初的成员有玛莎·里维斯、A.B.斯特林-海尔顿、G.威廉姆斯和R.阿什福德。后来参加的有B.凯利、L.里维斯和S.提利。1962年在M.盖伊的唱片中伴唱,随即与摩城唱片公司签约,并改名"玛莎和范德拉斯"。著名的歌曲创作三人组霍兰-多齐尔-霍兰为她们创作了一系列成功的歌曲,包括《来拿这些记忆吧》(1963)、《爱情就像热浪》(1963)、《无路可逃》(1965)和《吉米·迈克》(1967)。轰动一时的《在街上跳舞》(1964)是与盖伊合作写成的。1995年玛莎和范德拉斯入选美国摇滚乐名人堂。

Martha's Vineyard　马撒葡萄园　美国马萨诸塞州东南岸外的岛屿。距大陆6千米处。占据该州迪克斯县的大部分。由冰川形成。长约32千米,宽3～16千米。最高点海拔94米。沿岸多小湾和沙嘴拦成的池沼。1602年首见记载,因岛上多葡萄而得名。1642年始有人定居,为纽约一部分。1692年归马萨诸塞州迪克斯县。早年经济靠农业、制砖和熏鱼业。18、19世纪以县城埃德加敦为基地发展起捕鲸和渔业。现经济以夏季游艇和旅游业为主。该岛大片地区划为马撒葡萄园州有森林。多游览胜地。面积269平方千米。人口:县约14 987(2000)。

马撒葡萄园岛上的梅嫩沙港
美国不列颠百科全书公司供图

Martí (y Pérez), José Julián　马蒂 (1853-01-28,哈瓦那～1895-05-19,古巴多斯里奥斯)　古巴诗人、散文作家、爱国主义者和烈士,是古巴为摆脱西班牙的统治,争取独立的象征。他为争取古巴的自由而献身,使他的名字在拉丁美洲成为自由的同义语。作为一个爱国主义者,马蒂组织和联合了古巴争取独立的运动,本人在争取独立的战斗中阵亡。作为一个作家,他以富有个性的散文以及争取自由团结的美洲为题材的朴素而真诚的诗歌著称。最初在哈瓦那受教育,16岁时创办报纸《自由祖国》。1868年古巴爆发革命起义时,他因同情爱国主义分子,被判6个月苦役。1871年被放逐到西班牙。他在西班牙继续求学,1874年取得法学学位并出版政治论文。其后数年在法国、墨西哥和危地马拉执教和写作。1878年返回古巴。由于他继续从事政治活动,1879年再次被流放到西班牙。他从西班牙逃到法国,后到了纽约,1881年到委内瑞拉,在那里创办《委内瑞拉杂志》。但该杂志的政治主张激怒了委内瑞拉的独裁者布兰科,他遂于同年回到纽约。在国外流亡期间,他一直写作和发表报刊文章、诗歌、散文。他在布宜诺斯艾利斯《民族报》上写的专栏使他名扬拉丁美洲。他的诗歌,例如《自由的诗》(1913),写于1878～1882年间,以自由为主题,显示了深刻的感受和独创的诗意境界。大部分评论家认为,他的散文是他对西班牙美洲文学最大的贡献,帮助西班牙语散文进行革新,促使美洲国家之间进一步相互了解。在散文《爱默生》(1882)、《惠特曼》(1887)、《我们的美洲》(1881)、《博利瓦尔》(1893)中,马蒂自认为是一个美洲公民,以强烈的个人风格,表达了他的独特见解,至今仍被认为是西班牙散文的典范。他以纽约为活动中心筹划争取古巴独立的事业。1895年1月31日离纽约赴圣多明各,4月11日抵古巴开始进行战斗,一月后在奥连特省多斯里奥斯战斗中阵亡。

泛美联盟供图

Martial　马提雅尔 (公元38～公元41-03-01,西班牙比尔比利斯～约公元103)　罗马著名铭辞诗人,在罗马帝国早期,他极善刻画罗马社会中人的弱点。马提雅尔出生于罗马的西班牙殖民地。生活环境给予他深刻影响。他是自由民并以作为凯尔特人和伊比利亚人的后裔而自豪。20岁时,他到了罗马的首都投靠塞内加等权贵家族当食客。公元65至80年间,他出版1本小册的诗集,为庆祝一个剧场而发表,但在此期间他的确切生活情况并不为后世所知。公元84、85年相继出两本书(在全集中的序号是XIII、XIV),所收的都是对联诗,描述农神节时赠予客人的礼物。其后15或16年,出了12本收有铭辞的书。他在罗马度过34年后回到西班牙,约在公元102年出版了他最后一本书,不到60岁他即去世。马提雅尔在罗马的主要朋友包括塞内加、皮索、卢卡、昆提良、小普林尼等。是否认识塔西佗和弗拉库斯尚难肯定。马提雅尔诗的两大缺点是,谄媚和诲淫。他对罗马皇帝多米尼安极尽谄媚、拍马之能事。马提雅尔曾引介过那些卡图卢斯和贺拉斯均未曾涉及过的有关同性恋和手淫的主题。尽管如此,他仍是一个真正的罗马诗人。过去曾享有荣誉,保持了希腊和罗马的传统。他是现代铭辞的肇始者。他的诗千百年来获得赞颂。许多人都引用、翻译和模仿他的作品。

martial art　武艺　主要起源于远东的各种搏斗运动或技艺,如功夫以及柔道、空手道和剑道。武艺分持械和徒手两类。前者包括射箭、枪法和剑术;后者起源于中国,强调用手脚攻击或扭打。在日本,武士的传统训练重视射箭、刀术、徒手格斗、使用枪炮火器和武装泅渡。对武打有兴趣的其他阶层人士,则使用打谷用的连枷、长柄大镰刀和刀等日用器械进行武打,或进行徒手搏斗。在日本封建时代为了搞军事间谍而发展起来的忍术(ninjutsu),其内容也许是最繁多的,包括伪装、潜逃、隐藏、地理、气象、医药和爆破方面的训练。到了现代,有些从持械的武艺派生出来的种类诸如击剑和射箭,都是作为体育运动进行的。从徒手格斗形式衍生出来的有柔道、相扑、空手道和跆拳道等。作为自卫方式的武艺有合气道、居合道和功夫。简化太极拳是一种中国式的徒手术,它作为一种健身运动而普及,远离了武斗的原旨。有许多持械和徒手式的派生武艺已被当做一种培育心灵的手段来实践。东亚武艺最显著的共同点是受道教和佛教禅宗的影响,这使它有别于其他武艺。此种影响十分强调练功人注重心理和精神状态,屏除理念和欲望,使身心合一,对周围变化情况即时作出反应。当练功达到这一境地,日常生活中主客观二元论的感受即会消失。由于这种身心合一的状态也是道教和禅宗的核心,必须通过实践才能掌握,所以许多道教和禅宗信奉者把武艺作为他们哲学修养和心灵修炼的一部分来实践。反过来,许多练武艺的人又投身于这些哲学思想的实践。

martial law　军事管制法　即军事当局在紧急时期认为当地文官政府无法行使职权而对该地区实行临时统治。法制健全的国家对宣布实行军事管制是有保留的,因为实行军管就中止正常的公民权利,并把军事裁判权或军法扩大应用于一般老百姓。军事管制状态虽然理论上是暂时的，事实上可以无限期地继续下去。根据英国的法律制度，实行军事管制的作用值得怀疑。英国法学家 F.波洛克勋爵说：“所谓‘军事管制法’和军法截然不同，要由习惯法证明在英联邦范围内发生战争时，为保卫英联邦而必须采取的行动是正当的。这是很不幸的。”因为，这些“必须采取的行动”反而受到国际法以及文明的战争公约的约束。此外，民事法庭不复审军事法庭的裁决，而对于军事当局滥用职权的纠正问题，民事法庭也无权过问。在英国及其他法治国家，现代一般做法是用法令来接管出现紧急时期的权力。

Martignac, Jean-Baptiste-Sylvère Gay, vicomte de　马蒂尼亚克子爵(1778-06-20, 法国波尔多～1832-04-03，巴黎)　即 J.-B.-S.盖。法国政治家、法官和历史学家，1828～1829 任政府领导期间使国王查理十世放弃其温和政策。1798 年曾任革命领袖西哀士的秘书。拿破仑一世统治期间(1804～1814)，在波尔多任律师，并参加极端保王派的秘密团体信仰骑士社。1819 年任利摩日检察长。1821 年选入众议院。1822～1824 年任各种要职，并被封为子爵。维莱尔政府垮台时，查理十世命他执行妥协政策。1828 年 1 月 4 日任内务大臣，成为内阁的实际首脑。翌年，极右派和极左派人士联合起来在众议院中把他击败。由于他愿对左派让步，查理十世乃以极端保王分子波利尼亚克亲王代之。马蒂尼亚克最后一次在公共场合露面是 1830 年 12 月在贵族院中为波利尼亚克辩护。

Martigues　马蒂格　法国东南部普罗旺斯山蓝岸大区罗讷河口省城镇。位于马赛西北，卡龙特运河的东端。城里有 3 座博物馆和几座古老的教堂。当地渔港和避暑胜地吸引了不少艺术家。马蒂格还有炼油厂和鱼肉加工厂。法国极右翼组织法兰西行动党的领袖 C.莫拉斯(1868～1952)在此出生。人口 42 922(1990)。

Martin　马丁　统治者之名，按国别或教皇分列于后，并各以●为标记。

与此字相等之外语：

意大利语	Martino
拉 丁 语	Martinus
西班牙语	Martín

罗马教廷

● **Martin I, Saint　马丁一世，圣**(?，托斯卡纳托迪[意大利]～655-09-16，克里米亚(今乌克兰)赫尔松)　教皇(649～655 在位)。649 年召开并主持拉特兰会议，谴责基督一志论以及拜占廷皇帝君士坦斯二世禁止争论基督意志问题的敕令。君士坦斯二世原并未批准马丁一世登位，此时即将他逮捕，654 年押解到君士坦丁堡公开侮辱，然后于 655 年 5 月流放到克里米亚。后世尊他为殉教士。

● **Martin (Ⅱ)　马丁(二世)**　教皇名号，实际并无其人。13 世纪时，教廷枢密大臣把两位教皇的名号马里纳斯误认为马丁，因此，1281 年布里的西蒙继位为教皇时本应称马丁二世却误称马丁四世。以后将错就错，于是徒有马丁二世和马丁三世的称号而无其人。

● **Martin (Ⅲ)　马丁(三世)**　参阅 Martin (Ⅱ)(Papacy)马丁(二世)。

● **Martin Ⅳ　马丁四世**(约1210至1220，法国布里？～1285-03-28，教皇国佩鲁贾[意大利])　教皇(1281～1285 在位)。原名布里翁的(或布里的)西蒙。继位后立即改变前教皇尼古拉三世的政策，重新任命那不勒斯及西西里国王查理一世为罗马元老，牺牲同希腊的联盟而左袒查理一世。他判处拜占廷皇帝迈克尔八世·帕里奥洛加斯绝罚，不久迈克尔八世死(1282)。同年西西里人杀法兰西人，起而反抗查理一世统治，推选阿拉贡国王彼得三世统治该地。马丁四世企图使查理一世重新控制西西里未果。马丁四世请求法国国王腓力三世出兵攻打阿拉贡。罗马人起而反对查理一世，使查理一世丧失元老资格。查理一世在海战中败于阿拉贡人。腓力三世进攻阿拉贡也损失惨重。不久马丁四世死。

● **Martin Ⅴ　马丁五世**(1368，教皇国[意大利]杰纳扎诺～1431-02-20，罗马)　教皇(1417～1431 在位)。原名奥多·科隆纳或奥多内·科隆纳。登位后面临的难题是恢复西派教会、重振教廷和再建教皇国。1418 年康斯坦斯会议采纳他的建议，规定凡属于教会的土地和城市一律由教会管辖，但他认为，要在这些地区树立自己的势力，强制不如通过外交。此次会议闭幕后不久，马丁五世谴责当时流行的所谓教皇必须受会议节制的会议至上论；同时他宣布，在教义问题上，禁止对教皇的裁断提出上诉。意大利军人蒙托内的布拉齐奥野心勃勃，颇使马丁五世为难。马丁五世于 1420 年已任命他为教皇领地佩鲁贾和翁布里亚教区主教，但他得寸进尺，企图夺取意大利南部地区。1424 年布拉齐奥在阿奎拉一役战败。此后马丁五世在意大利甚为得手。由于马丁五世的活动，他的科隆纳家族在意大利南部领得大量封地，权势隆盛，在教皇领地内拥有广大庄园。马丁五世曾调解英法之间的百年战争，并曾组织十字军进攻胡斯派。马丁五世维护教会在英格兰和西班牙的权利，不容各该国国王侵犯。

美国不列颠百科全书公司供图

西 西 里

● **Martin Ⅰ　马丁一世**(1374～1409-07-25，撒丁卡利亚里[意大利])　别名小马丁，意大利军人，阿拉贡亲王，西西里国王(1392～1409 在位)。他为保持自己在岛上的统治而不得不镇压大规模叛乱。1391 年 11 月与西西里女王玛丽亚结婚。1392 年加冕。由于处死一个贵族曾引起叛乱。在镇压得到教皇支持的叛乱分子时，他表现干练而勇敢。在恢复秩序后，他在叙拉古召集全国议会(1398)，这一议会改革了王国的行政管理。死后无嗣，由其父继位。

● **Martin Ⅱ　马丁二世**　参阅 Martin (Spain：Aragon)马丁(西班牙：阿拉贡)。

西班牙：阿拉贡

● **Martin　马丁**(1356，加泰罗尼亚赫罗纳[西班牙]～1410-05-31，巴塞罗纳)　又称蒙特布兰奇公爵(至 1395 年)。阿拉贡国王(1396 年即位)和西西里国王(称马丁二世)。佩德罗四世之子，阿拉贡国王约翰一世之弟。他在位时，阿拉贡对西西里不断进行干涉。1409 年其子西西里国王马丁一世去世，没有留下合法的子嗣，在临死前，他以第二个妻子布朗歇为摄政，将王国交给他的父亲马丁，称马丁二世。马丁二世子女早死，就想把阿拉贡王位传给孙子腓特烈。但马丁在 1410 年死去，佩德罗四世的外孙费尔南德在 1412 年已被立为阿拉贡王，击败腓特烈的党徒并重新安置布朗歇为西西里摄政，此后阿拉贡(后来是西班牙)和西西里两君主联合施政持续近 300 年之久，迄于西班牙王位继承战争乃止。

martin　圣马丁鸟　雀形目燕科数种鸟类的总称，在美洲专指紫马丁鸟(紫崖燕，*Progne subis*)及其 4 个热带近缘种(均体长 20 厘米，是最大的美洲燕类)。沙马丁鸟(灰沙燕、岸燕，*Riparia riparia*)长 12 厘米，褐白相间，在北半球各地繁殖，于沙岸上挖穴为巢。家马丁鸟(毛脚燕，*Delichon urbica*)背面蓝黑色，腰部白色，在欧洲常见。非洲河川马丁鸟(非洲河燕，*Pseudochelidon eurystomina*)分布于刚果河流域，黑色，眼及喙红色，有时另立为一科——假燕科(Pseudochelidonidae)。蜂马丁鸟(蜂燕)非圣马丁鸟类，而是一种**王霸鹟**(**kingbird**)，即东王霸鹟，因会袭击蜂房，故名。

家马丁鸟(*Delichon urbica*)

美国不列颠百科全书公司供图

Martin FAMILY 马丁家族 法国路易十五时代的漆器艺术家族。兄弟4人，纪尧姆（？～1749）、朱利安（？～1752）、罗贝尔（1706～1765）和艾蒂安-西蒙（？～1770），因为完善了“马丁漆”的成分和应用而被人怀念。这种以他们的姓氏命名的油漆代用品，是纪尧姆和罗贝尔在1730年登记专利的。1748年，他们的工厂并入皇家家具工厂，他们的工作任务包括油漆大马车和凡尔赛宫的房间。他们的名字还和马丁漆扇相联系，但是他们是否确实制造过这种扇子，却不得而知。罗贝尔的儿子让·亚历山大（1738～？）在波茨坦为普鲁士的腓特烈大帝二世工作。

Martin OF TOURS, SAINT 马丁（图尔的），圣（约316，潘诺尼亚萨巴里亚［今匈牙利松博特海伊］～397-11-08，高卢康德［法国］） 高卢隐修制度的创始人、也是西派教会隐修制度的倡导人、法国的主保圣人。他双亲是异教徒，本人10岁信奉基督教。青年时被征入罗马军队，上书罗马皇帝叛教者尤里安请求解除军籍。为了证明自己不是贪生怕死，传说他表示敢于手执十字架挺立于战场。他被投入监狱，不久获释，在普瓦捷接受奚拉里主教的教诲。后来去潘诺尼亚省和伊利里亚省（均在巴尔干半岛）传教，与阿里乌派异端斗争。在阿里乌派的压力下离开伊利里亚，先到米兰，再到与阿尔本加隔海相望的加利纳拉岛。360年返回普瓦捷与奚拉里会合。不久，在利居热创办高卢的第一所隐修院。371年任图尔主教，在图尔郊区创立马尔穆捷隐修院。384、385年间罗马皇帝马克西穆斯召唤西班牙阿维拉主教普里西利安等人到法兰西特里尔受审，审判进行期间教政双方发生争执。普里西利安的错误思想是要摒弃生活中的一切乐趣。马丁一方面反对普里西利安派异端，另一方面又反对杀害异端分子，反对政府干涉宗教事务。普里西利安终于被处死，马丁也因为与该案有牵连而为西班牙各主教所嫌弃。据说马丁能行神迹。

Martin THE YOUNGER 小马丁 参阅 **Martin** (Sicily) 马丁（西西里）项下的 **Martin I 马丁一世**。

Martin, A(rcher) J(ohn) P(orter) 马丁（1910-03-01，英格兰伦敦～2002-07-28，赫里福德郡兰加伦） 英国生物化学家，与R.L.M.辛格共获1952年诺贝尔化学奖。他们发明了一种快速而又经济的分析技术——分配色谱法，使化学、医学和生物学研究得到广泛进展。此法的基础是混合物中每一组分在两个不混溶的液体间的分布或分配。一种液体被强烈吸附固定在固体微粒表面，另一种液体在固体颗粒间流过。易于溶解在流动相液体中的物质与对固定相液体有较大亲合力的物质相比，顺着流动方向迁移较快。1953年，马丁和A.T.詹姆斯完善了气体色谱法，利用多孔固体上吸收的不同而分离化学蒸气。1946～1948年，马丁是诺丁汉的布茨纯药物公司生物化学研究负责人，1948年成为英国医学研究理事会的成员，1959～1970年成为阿博茨伯里实验公司主任。

Martin, Anne Henrietta 马丁（1875-09-30，美国内华达恩派尔市～1951-04-15，加利福尼亚卡梅尔市） 美国改革家，20世纪初激进的女权主义者与和平主义者。1894年获内华达大学学士学位，后入斯坦福大学取得第二学士学位（1896）和历史学硕士学位（1897）。1897～1899年出任内华达大学新成立的历史系主任。其后两年到纽约哥伦比亚大学、蔡斯艺术学校以及伦敦大学和德国莱比锡大学进修，又回到内华达大学任艺术史讲师。1903年辞职，经过一段时期照顾家庭生意后，她又花数年时间在亚洲和欧洲旅行和学习。1910年在英国一次争取选举权游行示威时被捕。次年回到内华达，1912年当选州平等选举权协会主席。她领导的这一运动1914年取得胜利，妇女选举权终于被议会通过。平等选举权协会也因此成为内华达妇女公民联盟，由她继续担任主席。她同时还是内华达教育督学委员会成员。就全国而言，她是全美妇女选举权协会执行委员会委员，1917年成为富于战斗性的全国妇女党主席。1918和1920年以无党派候选人身份竞选美国国会的内华达州参议员，但由于其和平主义主张遭到失败。然而两次竞选都争取到20%左右的全民选票。直至20世纪20年代后期，她还活跃于全国妇女党，是其最激情的发言人之一，她反对妇女参加已有的、为男人控制的政党。1926年，马丁成为妇女国际和平自由联盟的活跃分子：担任美国理事会成员（1926～1936），美国西部主任（1926～1931），她还是出席都柏林（1926）和布拉格（1929）大会的代表。1936年因抗议该组织缺乏对女权目标的承诺而离去。在作为改革家的事业中，她还常向各主要报刊杂志投寄诗文。

Martin, Billy 马丁（1928-05-16，美国加利福尼亚伯克利～1989-12-25，纽约芬顿附近）原名Alfred Manuel Martin。美国职业棒球运动员和经理。他的领导改变了球队的场上表现；但由于他的坦率直言和喜爱争吵，使他成为争论的中心人物。马丁18岁开始在小联盟打棒球，以右手击球和投球。1950年参加美国棒球联盟纽约扬基队，主要担任二垒手。他虽然球技平平，但敢拼善搏，在关键时刻能扭转局势。1957年转到堪萨斯城竞技队（后改为奥克兰竞技队），在5个不同的俱乐部打球直到1961年。1962～1964年，马丁任美国棒球联盟明尼苏达孪生队敌情侦察员，这是他为之打球的最后一个队；1965～1967年任该队教练。1969年任该队经理，使其成为分组的第一名，但因顶撞东家而被解雇。1971～1973年任美国棒球联盟底特律猛虎队经理，使该队成为分组的第二、第一和第三名，但再次因与东家不合而被解雇。1973～1975年任美国棒球联盟得克萨斯突击队经理，使该队从1973年的最后一名上升至1974年的第二名。1975年赛季中又因与东家在转调问题上发生争执而被解雇。他在多年中先后5次任纽约扬基队经理，使该队赢得1977年的世界联赛。马丁的轻浮易变和经常与扬基队的主要东家G.斯坦伯内闹出令人尴尬的事，导致他5次被解雇（最后一次在1988年）。1980～1982年马丁任奥克兰竞技队经理，使该队从1979年的最后一名上升至1980年的第二名和1981年的第一名及第二名（这个赛季由于运动员罢工而分为两个阶段）。

Martin, Frank 马丁（1890-09-15，瑞士日内瓦～1974-11-21，荷兰纳尔顿） 又译马丹。20世纪瑞士最重要作曲家之一。20年代中期和晚期，与雅克-达尔克罗兹交往颇多。1943～1946年任瑞士音乐家联合会主席。1946年定居荷兰。积极从事教学和讲演活动。他又是钢琴家、拨弦键琴家，广泛巡回演出自己的作品。发展了强烈的个人风格，其中吸收德国音乐与法国印象派的要素。30年代曾用12音技巧作曲，如清唱剧《草药酒》（1938～1941）。其他主要作品有歌剧《暴风雨》（1952～1955）、清唱剧《各各他》（1945～1948）和《安魂曲》（1971～1972）。另作有各种形式的大量器乐曲。

Martin, Glenn L(uther) 马丁（1886-01-17，美国艾奥瓦麦克斯堡～1955-12-04，马里兰巴尔的摩） 美国飞机发明家。他设计的轰炸机和船身式水上飞机在第二次世界大战

美国史密森学会供图

中起了重要作用。第一次世界大战前，他在加利福尼亚州圣安娜设计第一架动力飞机，并租用一座废弃的教堂作为他的第一家工厂。1910～1914年间他是著名的巡回表演飞行员之一，依靠他的经验成功地研制出几种型号的军用飞机。第一架代号为MB的马丁式轰炸机于1918～1919年出厂，虽然在第一次世界大战中已来不及实际应用，但米切尔上校的成功使用使马丁成为美国最著名的军用飞机制造家之一。他在克利夫兰建立了一家工厂，1929年迁至巴尔的摩附近的米德尔里弗。马丁晚年对公益事业、教育和保护野生动物十分关注，曾捐赠巨款给马里兰大学工程学院。

Martin, Gregory 马丁（约1540，英格兰苏塞克斯马克斯菲尔德～1582-10-28，法国兰斯） 天主教圣经学者。在将拉丁文《圣经》译成英文（杜埃-兰斯本）的工作中，马丁是主要的译者。这个英译本的修订本在20世纪前一直是英国天主教徒所使用的标准《圣经》，而且它的用辞对1611年钦定本《圣经》的安立甘派译者也有一定影响。

Martin, (Bon-Louis-) Henri 马丁（1810-02-20，法国圣康坦～1883-12-14，巴黎） 又

译马丹。法国历史学家。所著《法国史》(15卷,1833～1836)颇负盛誉,它包括主要的编年史家和历史学家的著作摘录并以评注段落填补其中空白,该书于1856年获得法兰西学院一等奖。1869年获得两年一次的大奖2万法郎。1867年出普及缩编本7卷。后又发表续编《1789年至我们时代的法国历史》(6卷,1878～1883)。马丁是坚定的共和派,1871年曾任国民议会成员,但作为政治活动家无甚影响。

Martin, Homer Dodge 马丁(1836-10-28,美国纽约奥尔巴尼～1897-02-12,明尼苏达圣保罗) 美国风景画家,最早把印象主义介绍到美国的画家之一。他一度跟J.哈特学画,早期作品接近哈得孙河画派。注重描绘细部,有的作品是以天空作背景、描绘大块土地和森林的大幅风景画。曾两次去欧洲。第一次在1876年,受了刚刚在美国出现的柯罗和巴比松画派作品的启发。1882年第二次赴欧,观看了印象派的作品,并在自己的作品中如《风的竖琴》(1895,纽约大都会艺术博物馆),借用了印象派跳动的色彩,但调子没有印象派强烈。其油画有独特的素描,明亮的色彩,温文尔雅的语言和轻微的忧郁感情。1874年成为全国设计学会会员,是1877年美国艺术家协会的创建人之一。

Martin, Joseph William, Jr. 马丁(1884-11-03,美国马萨诸塞北阿特尔伯勒～1968-03-06,佛罗里达劳德代尔堡) 美国共和党国会领袖,众议院议长(1947～1949,1953～1955)。出身于铁匠家庭,年轻时放弃了达特茅斯学院的奖学金,担任新闻记者。数年后与人合伙买下《北艾特尔伯勒纪事晚报》,后又收购别人的股份,成为该报的业主和发行人,直至去世。1911年当选马萨诸塞州众议院议员,3年后被选入州参议院。1924年第一次被选为美国众议院议员,开始了长达40多年的国会生涯。20世纪30年代是阻止国会通过新政立法的领袖。1936～1942年在共和党全国委员会任职,最后2年担任该委员会主席。1940年起5次连任共和党全国代表大会主席。1939～1959年任众议院共和党领袖。1947～1949年和1953～1955年担任众议院议长。

Martin, Lillien Jane 马丁(1851-07-07,美国纽约奥利安～1943-03-26,加利福尼亚旧金山) 别名莉莉。美国心理学家,完成学术事业之后,她又于暮年开始了她第二阶段的事业——老年心理学研究,并取得成功。马丁早慧,4岁便进入奥利安学校读书,16岁开始执教威斯康星女子学校。到1876年,她已有足够的存款供她进入瓦萨尔学院(位于纽约州的波基普西)读书。1880年毕业后在印第安纳波利斯教高中物理和化学;1889～1894年出任旧金山女子高中副校长、理科教研室主任。1894年赴德国,进入格丁根大学,主修心理学,并于1898年获博士学位。翌年,她被加州的斯坦福大学聘请为心理学助理教授。她利用暑期在德国继续学业,先后到维尔茨堡大学(1907)、波恩(1908和1912)和慕尼黑(1914)工作。她在那一时期的学术著作几乎全都是在德国发表的,内容涉及催眠术、美学、人格、变态心理和思维性质。1911年在斯坦福大学升为正教授,1915年成为该校首位女性系主任。65岁(1916)退休。后移居旧金山,以心理咨询医生的身份执业。她在蒙特医疗中心开设精神健康门诊,私人执业。由于认识到她与儿童之间的沟通存在明显代沟,她于1929年成立了世界第一家老年心理咨询服务中心。她将余生都献给了老年心理学的研究、临床咨询和康复实践。她在这一领域中所取得的成功,在很大程度上是得益于她自己的心理取向:一名不知疲倦的旅行者——她以78岁高龄只身前往苏联访问,81岁时自己驾车从东海岸开到西海岸(3年前刚学会开车),87岁时用了6个月的时间走遍南美洲的高山、丛林。晚年著作主要有:《由意象内容揭示的人格》(1917)、《学龄前儿童的精神训练法》(1923)、《跟随心理学家周游世界》(1927)、《打扫》(1933)和《老年心理咨询手册》(1944)。

Martin, Luther 马丁(1744或1748-02-09,新泽西新不伦瑞克[美国]～1826-07-10,纽约州纽约) 美国律师。因在最高法院法官蔡斯受弹劾案、伯尔叛国案中为被告辩护和在麦卡洛克诉马里兰州案中为败诉方辩护而出名。1766年自新泽西学院(今普林斯顿大学)毕业,在马里兰执教3年,并继续学习法律。1771年在弗吉尼亚执律师业,以后一度返马里兰执业。1778年担任马里兰检察长,不遗余力地对效忠派提起公诉。1785年参加大陆会议,1787年任制宪会议的代表。作为一个反联邦主义者,他反对中央集权政府的计划而退出会场,未在宪法上签字。第二年,他极力阻止马里兰州批准宪法未果。1804年为法官蔡斯辩护,使这位法官在弹劾案中宣告无罪。1807年把前副总统伯尔从叛国罪中解救出来,案由是伯尔曾深入密西西比河作神秘的冒险。在伯尔案审讯中,他极力抨击杰斐逊政府。1805年辞去马里兰州检察长职,1818年再任该职。1819年作为州检察长,在麦卡洛克诉马里兰州案中,他主张该州有权向美国银行征税。他在该案中败诉,该案是联邦的权威与州的权利的斗争中的一个划时代的判决。

Martin, Maria 马丁(1796-07-03,美国南卡罗来纳查尔斯顿～1863-12-27,哥伦比亚) 美国画家,以细部画得特别清晰准确的植物群和动物群的水彩画而著称,尤其是与博物学家和画家J. J.奥杜邦合作绘制的作品。1827年起,她主要是住在姐姐家,姐夫J.巴克曼是个专注的博物学家。通过巴克曼,她于1831年结识了奥杜邦。在奥杜邦的指点下,马丁展示出她的艺术才能。不久便能辅助奥杜邦画一些鸟的水彩画背景。奥杜邦的四卷本《美国的鸟类》(435幅手绘彩图,1831～1839)中有许多彩绘图都是马丁画的。1846年她姐姐去世,1848年12月马丁与姐夫结婚。她辅助丈夫编辑奥杜邦的三卷本《北美洲的四足动物》(150幅图,1845～1848)。奥杜邦将其中一种啄木鸟命名为马丁啄木鸟,以表敬意。

Martin, Mary (Virginia) 马丁(1913-12-01,美国得克萨斯韦瑟福德～1990-11-03,加利福尼亚兰乔米拉日) 美国歌唱家、女演员,尤以在百老汇歌舞剧中扮演歌唱的角色著称。于20世纪30年代以在得克萨斯州韦瑟福德与人合办舞蹈学校开始其职业生涯。30年代末冒险前往好莱坞,在那里她第一次想当歌唱家和演员的企图没有成功。但1938年于纽约市在歌舞剧《把它留给我》中参加一小部分的演出,在剧中演唱歌曲《我的心属于爸爸》获得广泛赞扬。在好莱坞参加了几部歌舞片的演出之后,回到百老汇,在《维纳斯的一次接触》(1943)中第一次扮演主角。1948年在百老汇歌舞剧《南太平洋》中创造了内利·福布什这一角色,从而牢固地奠定了她的事业。50年代主演舞台剧《彼得·潘》和同名电视剧为数百万观众所熟悉。1959年在另一部引起轰动的舞台歌舞剧《音乐之声》中扮演主角。这些演出以及其他演出使她多次获奖。她的儿子L.哈格曼是位很有成就的电视演员。

Martin, Paul 马丁(1938-08-28,加拿大安大略温莎～) 全名Paul Joseph Martin, Jr.。加拿大政治人物,2003～2006年任加拿大总理。其父保罗·约瑟夫·马丁曾在4届自由党政府中担任部长,是加拿大第二次世界大战之后社会政策的主要策划者。小马丁曾在多伦多大学攻读法律,1964年毕业,1966年取得律师资格。然而,他没有开业当律师,却加入到加拿大轮船公司。他把这家国内货运公司建成一个实力雄厚的跨国公司并于1981年买下该公司。1993～2002年马丁作为一名自由党党员,在J.克雷蒂安的政府内任财政部长。马丁在此职务上干得相当出色,消除了巨额预算赤字,连续5年获得预算盈余,并完成了加拿大历史上最大的一次减税。尽管马丁成为克雷蒂安政府的重要部长,但由于他拒绝放弃当领袖的志向,2002年被排除在内阁之外。然而,他在党内势力强大并赢得全国各选区组织的支持。2003年克雷蒂安宣布他即将退休,在自由党11月召开的代表大会上,马丁被选为他的继承人。作为加拿大总理,他寻求促进经济增长并施行渐近的社会政策。他还力图使加拿大在国际社会扮演更重要的角色。2004年马丁提前举行联邦选举,打算赢得选民对其总理职位的授权。尽管有自由党政府腐败的传闻,马丁还是带领该党连续第4次赢得选举胜利。但是,该党失去了近1/4的议会席位,马丁领导着一个少数党政府。2005年11月28日加拿大众议院通过了反对党保守党24日提出的对政府不信任案,以马丁为总理的自由党政府在执政17个月后被迫下台。加拿大保守党领袖S.哈珀于2006年2月6日正式宣誓就任加拿大第22任总理。

Martin, Pierre-Émile 马丁(1824-08-18,法国布尔日～1915-05-23,富尔尚博) 法国工程师。发明西门子-马丁(平炉)炼钢法,在碱性氧气炼钢法发展以前,世界绝大部分钢用此方法生产。1856年,人们已掌握了炼钢的化学知识,但当时唯一实用的贝塞麦法有严重的缺点。同年英国工程师W.西门子发明一种能产生并保持更高温度的平炉。马丁取得建造平炉的专利使用权,并研究出用废钢和生铁生产钢的方法。所产的钢获得1867年巴黎博览会的金奖。虽然西门子也发展了他自己的平炉炼钢法,但是西门子-马丁法终于成为使用最广的方法。对马丁法的专利有人提出异议,由此引起的诉讼几乎使他一贫如洗。但在此期间别人却用他的方法获得巨利。马丁83岁时,法国铁工同业公会为他设置基金,得到各主要产钢国的慷慨捐助。他逝世前一星期,伦敦钢铁学会授予他贝塞麦金奖章。

Martin, Steve　马丁(1945-08-14,美国得克萨斯韦科～　) 美国喜剧演员、作家和制片人。以单人表演的戏剧演员开始其事业,最终在电影、电视、百老汇戏剧和文学方面获得成功。曾就读于加利福尼亚长滩州立学院,在此期间培养了对表演的兴趣。后来转学到加州大学洛杉矶分校,主修戏剧。1967年还是一名学生时就开始为当时受欢迎的电视节目“斯马塞兄弟喜剧时间”写剧本,并在1969年获得埃米奖。1970年为“周六晚间现场”编写剧本并亲自演出。他的插科打诨式的闹剧和荒谬的幽默让他在电影《大笨蛋》(1979)中崭露头角,该电影也是根据他自己所写的剧本拍摄并亲自上阵演出。他参演的其他喜剧电影包括《衰鬼上错身》(1984)、《爱上罗珊》(1987)、《异形奇花》(1986)、《骗徒丑事多》(1988)、《当父母的》(1989)、《爱就是这么奇妙》(1991)和《大制骗家》(1999)。他还写过舞台剧《毕加索在小酒馆》(1995),也曾为《纽约客》杂志撰写讽刺文章,后编辑成书《纯粹傻话》(1998)出版。个人爱好喜欢艺术品收藏。

Martin du Gard, Roger　马丁·杜·加尔(1881-03-23,法国塞纳河畔讷伊～1958-08-22,法国贝莱姆) 法国小说家、剧作家。1937年诺贝尔文学奖获得者。曾受古文书学和档案管理训练,因而养成客观、严谨的精神。为了用材料说明社会现实与个人发展的关系,并进行剖析,被认为继承了19世纪现实主义和自然主义的传统。他以《若望·巴鲁瓦》(1913),第一次引起公众的注意,该书是写一个知识分子的发展过程,力图调和自己儿时的天主教信仰和成年后的科学的唯物主义的故事,此外,还用相当大的篇幅叙述“德雷福斯案件”在法国人思想上的影响。第一次世界大战时,曾在一个运输部门服务。在两次世界大战之间的年代里,他埋头撰写8卷集作品《谛波父子》(1922～1940)。作品记录了一个家族的发展史,按年代顺序描绘了19世纪到第一次世界大战这段时期法国资产阶级所面临的社会和道德问题。小儿子雅克反对父亲的家长作风,放弃过去的天主教信仰,信奉革命的社会主义;大儿子安东尼则接受他的中产阶级传统,但对它的宗教基础却失去信心。后来两个儿子均在第一次世界大战中死去。这部小说最大的特点是耐心地探讨广大范围的人际关系。生动地描绘病榻旁和死亡场面的真实情况。在第7卷《夏天》中,还引人注目地描绘了欧洲各国是如何在战争中被肆虐。其他作品有反映法国农村的讽刺小品《古老的法国》(1933),研究友人纪德的《纪德评传》(1951)。此外,还有描写压抑的同性恋的戏剧《沉默寡言的人》(1931)和两部有关法国农民生活的笑剧《勒娄神父的遗嘱》(1914)和《膨胀》(1928)。1941年他着手写长篇巨著《莫摩尔上校的日记》,希望这部小说将成为自己一生中最得意的作品,但小说尚未完成他便去世。

Martín García Island　马丁·加西亚岛　在阿根廷和乌拉圭界河拉普拉塔河口湾靠近乌拉圭河和巴拉那河河口处。历史上为战略控制点。面积2平方千米。为阿根廷布宜诺斯艾利斯省的一部分。1814年3月阿根廷军队从西班牙人手中夺取该岛。该岛曾为阿根廷几届总统的流放地,包括伊里戈延(1930),庇隆(1945)和弗郎迪西(1962)。1973年阿根廷和乌拉圭两国达成协议,马丁·加西亚岛归属阿根廷。根据协议该岛只应作自然保护区。

Martin-Harvey, Sir John　马丁-哈维　参阅**Harvey, Sir John Martin 哈维**。

Martin Luther King, Jr., Day　马丁·路德·金日　美国假日(1月第三个星期一),旨在褒扬马丁·路德·金的成就。马丁·路德·金是浸礼会牧师,主张以非暴力手段结束种族隔离,在1955年亚拉巴马州蒙哥马利市美国黑人抵制公共汽车运动中第一次成为闻名全国的人物。他1957年组织召开了南方基督教领袖大会,1963年领导了“向华盛顿进军”。他是20世纪60年代美国黑人民权运动领袖中最有影响的人物,对1964年民权法和1965年选举权法的通过起到推动作用。民权法宣布公共膳宿、公营机构和就业方面的种族歧视为非法。金1964年被授予诺贝尔和平奖。1968年4月4日遇刺身亡。尽管早在1968年为纪念他的联邦假日立法就已在美国国会提出,然而却由于种族和政治理由一直未获通过。1983年,终于通过以每年1月第三个星期一为联邦假日的立法,1986年第一次成为全国假日。

Martin Marietta Corporation　马丁-玛丽埃塔公司　美国多种经营的公司(1961年成立),主要为美国政府生产航天设备和防务系统。1995年该公司与另一大航天公司——洛克希德公司合并,称为*洛克希德-马丁公司*(**Lockheed Martin Corporation**)。

Martín-Santos, Luis　马丁-桑托斯(1924-11-11,摩洛哥拉腊什～1964-01-21,西班牙圣塞瓦斯蒂安) 西班牙精神病学家、小说家。从萨拉曼卡大学医科毕业后,1947年获得马德里大学精神病学博士学位。1951年起,任圣塞瓦斯蒂安精神病疗养院院长。1962年出版的小说《沉默的时代》是计划中的三部曲的第一部。写一个医科学生佩德罗进入马德里贫民区的居民中间,看到他们经常以暴力来应付严酷的生活条件;偶然的情况迫使他承认一桩他没有犯过的罪行,而且在他被证明是无罪之后,仍默默忍受其后果。1964年作者死于车祸,续篇《毁灭的时代》未能完成。他的心理学著作《生存心理分析学中的自由、期限和转移》及诗集《灰色的管道》在他去世的同年出版。

Martina Franca　马丁纳弗兰卡　意大利东南部普利亚区塔兰托省城镇。有许多巴罗克式建筑,诸如圣马丁教堂、科尔特宫、市政厅等。为农业中心,亦以织袜业闻名。人口:城市区约45 713(1993)。

Martineau, Harriet　马蒂诺(1802-06-12,英国诺福克诺里奇～1876-06-27,威斯特摩兰安布尔赛德附近) 英国散文家、小说家、经济和历史著作作家。尽管耳聋并有心脏病及其

美国不列颠百科全书公司供图

他疾病,却是当时英国知识界的杰出人物。她最博学的著作也许是《孔德实证哲学的节译》(2卷,1853)、孔德《实证哲学教材》(译本6卷,1830～1842)。她最初赢得广大读者的是《政治经济学的解说》(25卷,1832～1834)、《释济贫法和贫民》(10卷,1833～1834)和《税务解说》(5卷,1834)。它们通过许多古人轶事与对话将古典经济学,特别是马尔萨斯和李嘉图的学说,作了通俗的解说。1834～1836年访问美国,写有《美国社会》(1837)和《西方游历回顾》(1838)。她拥护当时尚少有人支持的废奴运动,批判自由经济而赞成更为乌托邦式的经济制度。她最著名的长篇小说有《迪尔布鲁克》(1839)和《时间与人》(1841)。主要的历史著作为《公元1816～1846年三十年和平的历史》(1849)。她坦率的《自传》(M.W.查普曼编)在她死后出版(3卷,1877)。

Martineau, James　马蒂诺(1805-04-21,英国诺福克诺里奇～1900-01-11,伦敦) 英国上帝一位论派神学家、哲学家。他在著作中强调个人的良知,认为它是决定正确行为的主要指南。1828～1832年在都柏林一位论派的尤斯塔斯街教堂任助理牧师,后调到利物浦,逐渐怀疑《圣经》的传统权威性。1840～1885年任曼彻斯特新学院精神与道德哲学教授,探索《圣经》以外的权威。自1869年起任该院院长。

Martinez　马丁内斯　美国加利福尼亚州西部城市,康特拉科斯塔县县城(1850)。位于卡尔基内斯海峡南岸,近奥克兰。1849年规

划，1864年设建制。马丁内斯原为贸易口岸，附近发现黄金后成为海运中心。19世纪晚期大批意大利人定居此处酿制葡萄酒。开凿康特拉科斯塔运河(1947)和修建伯尼西亚-马丁内斯桥(1962)，促进其港口和工业发展(汽油、化工品、钢、铜)。博物学家J.米尔的故居现辟为国家历史遗迹。人口35 866(2000)。

Martínez, Pedro 马丁内斯(1971-10-25，多米尼加马诺瓜亚沃～　　) 多米尼加职业棒球运动员，右手投球，在1997年赛季使300个击球手三击不中出局。1988年与洛杉矶道奇队签约，1993年转会蒙特利尔展览会队，4年间共胜55场，负33场。1997年获声望最高的赛扬奖。1997年与波士顿红袜队签订6年7 500万美元的合同，使他成为当时棒球界薪酬最高的球手。1998～2004年(2001年的大部时间受伤休养)共胜117场，负37场，本人获1999和2000年赛扬奖。1999年共胜23场，投手防御率2.07，使313名击球手三击不中出局(人称投球三王冠)。2004年与纽约大都会队签了4年5 300万美元的合同。每逢棒球淡季马丁内斯都要回多米尼加积极参加社区和慈善工作，是多米尼加共和国最受欢迎的体育界人物之一。

Martínez, Rafael Arévalo 马丁内斯 参阅**Arévalo Martínez, Rafael** 阿雷瓦洛·马丁内斯。

Martínez Campos, Arsenio 马丁内斯·坎波斯(1831-12-14，西班牙塞哥维亚～1900-09-23，萨劳斯) 西班牙的将军和政治家，1874年12月29日发表《宣言》，恢复西班牙的波旁王朝。他是一名出色的军人和谈判家。军事学院毕业，1852年起在总参谋部任职。曾参加国际远征军去墨西哥，平定古巴的叛乱。回国后曾短时期讲授军事科学。1874年恢复西班牙波旁王朝后，任军队指挥官，与查理一世的支持者作战，1876年2月结束内战。1878年2月在古巴签署《埃尔桑洪和约》，结束了10年的平叛作战。从古巴回国后，他于1879年出任首相，两年后任陆军大臣。摩洛哥战争爆发(1893-09)后，他指挥军队作战，后来成功地缔结了《马拉喀什条约》(1894-01-29)。1895年他再次被派往古巴。1896年辞职回国。

Martínez de la Rosa (Berdejo Gómez y Arroyo), Francisco de Paula 马丁内斯·德·拉·罗萨(1787-03-10，西班牙格拉纳达～1862-02-07，马德里) 西班牙戏剧家、诗人、保守派政治家。曾任格拉纳达大学哲学教授。剧本《威尼斯密谋》写于1823～1831流亡法国期间，在他1834年成为新政府的首相后不久，曾在马德里上演。该剧是西班牙浪漫主义戏剧的第一部成功之作。后来他曾任驻巴黎(1844)和驻罗马(1848)大使。

Martínez Estrada, Ezequiel 马丁内斯·埃斯特拉达(1895-09-14，阿根廷圣何塞-德拉埃斯吉纳～1964-11-04，布兰卡港) 阿根廷后现代主义一代的主要作家，对很多青年作家都有影响。曾在布宜诺斯艾利斯邮局工作30年，同时还先后在预备学校和大学任教。早年为《我们》杂志(1917)撰文开始其文学生涯。第一部诗集《金子与石块》于1918年问世，随后发表了《天意》(1924)、《阿根廷》(1927)和《幽默集》(1929)，表现了缜密细致的写作技巧，语言和人物形象往往富于幽默感，颇具西班牙黄金世纪讽刺文学大师克维多的遗风。鉴于30年代初期的政治经济危机，又目睹了导致阿根廷社会道德沦丧的种种因素，他写出《潘帕斯草原的X光片》(1933)，以宿命论的笔调对阿根廷社会的人物性格作了全面的心理分析。《戈利亚的脑袋：布宜诺斯艾利斯的微观研究》(1940)，描绘布宜诺斯艾利斯的居民。继续就《X光片》的主题进行写作。他对一些文学家及其作品所作的研究，为他赢得了优秀文学评论家的声誉。这方面的作品有：对19世纪何塞·埃尔南德斯的叙事诗《马丁·菲耶罗》、《马丁·菲耶罗之死及其变形》(2卷，1948)、《吉列尔莫·恩里克·赫德森的奇妙世界》(1951)和《基罗加兄弟》(1957)的分析。1960～1962年，他在古巴国营出版社"美洲之家"工作。

Martínez Montañés, Juan (de) 马丁内斯·蒙塔涅斯 参阅**Montañés, Juan (de) Martínez** 蒙塔涅斯。

Martínez Ruiz, José 马丁内斯·鲁伊斯 参阅**Azorín** 阿索林。

Martínez Sierra, Gregorio 马丁内斯·西埃拉(1881-05-06，马德里～1947-10-01，马德里) 西班牙诗人和剧作家。其剧作对西班牙戏剧振兴做出重要贡献。17岁时即发表第一部诗集《工作诗歌》(1898)。1905年转向戏剧，写出作品《理想戏剧》。他的杰作《摇篮之歌》(1911)流行于西班牙和拉丁美洲。所著戏剧的最突出之处，在于他对女性角色的深入观察，这一点应归功于他妻子的合作。曾在马德里编辑数种重要的现代主义期刊，并创办文艺复兴出版社，把一群外国剧作家介绍到西班牙，其中包括萧伯纳、J.巴里、皮兰德娄。翻译过莎士比亚和比利时剧作家梅特林克的作品。1917～1928年任马德里埃斯拉瓦剧院院长期间引进了艺术戏剧，成为他对西班牙戏剧的最重要贡献。1926年出版的《西班牙的一所艺术剧院》一书中描述了他的工作成就。

Martini, Arturo 马提尼(1889-08-11，意大利特雷维索～1947-03-22，米兰) 两次世界大战之间意大利第一流雕刻家，其人像作品包括各种材料，风格多样。曾学过金匠并做过陶工。1905年开始雕刻，并在特雷维索、威尼斯和慕尼黑等地美术班研习裸体。1912年在巴黎举办第一次展览。第一次世界大战中在意大利军队服役。1931年在罗马第一届四年展获雕刻大奖。作品形式多样，有优美的赤陶土雕像(如《月光》，1932)，也有感人至深的石刻人像(《渴》，1934)。特别精于表现人体的运动和紧张(如《潜泳的姑娘》，1941)。其高浮雕《集体审判》(1937)是其成就的高峰。《雕刻：一种死的语言》(1945)是记述其生平的自传。

Martini, Francesco Maurizio di Giorgio 马蒂尼 参阅**Francesco di Giorgio** 弗朗切斯科-迪乔治。

Martini, Giovanni Battista 马蒂尼(1706-04-24，教皇国博洛尼亚～1784-10-04，博洛尼亚) 意大利作曲家和音乐理论家，享有国际盛名的教师。受教于其父(小提琴)和L.普雷迪耶里(拨弦键琴、唱歌、管风琴)，以及A.里切利(对位法)。1722年受神职。1725年成为博洛尼亚圣方济各教堂唱诗班指挥。曾开办一所音乐学校，作为教师闻名遐迩，使博洛尼亚成为人们朝拜的地方。他的学生中有萨尔蒂、J.C.巴赫、莫扎特、格鲁克、约梅里和格雷特里。据18世纪音乐历史学家C.勃尔尼的估计，他藏书约17 000卷。他逝世后这些藏书赠给维也纳皇家图书馆和博洛尼亚市。作有大量圣乐和世俗音乐，包括《连祷曲》(1734)、《十二首初级奏鸣曲》(1742)、《六首管风琴和拨弦键琴初级奏鸣曲》(1747)、《室内二重奏》(1763)以及一些弥撒曲和清唱剧。最重要的著作有《音乐史》(1757～1781，未完成)和《对位法论文》(1774～1775)。

Martini, Simone 马尔蒂尼(约1284，锡耶纳共和国锡耶纳～1344，普罗旺斯阿维尼翁) 意大利画家，哥特式绘画重要代表人物，使哥特式的装饰性线条趋于完美，使体积从属于

马尔蒂尼绘《圣马丁放弃军籍》
(约1325～1326)
美国不列颠百科全书公司供图

这种线条的韵律。锡耶纳公共宫马帕蒙多大厅的大壁画《带光轮的圣像》是他最早的作品。1317年左右在那不勒斯画了宗教色彩浓厚的祭坛画《图卢兹的圣路易给他的兄弟、安茹的罗贝尔国王加冕》(那不勒斯的卡波迪蒙泰国家博物馆和陈列馆)。两年后为比萨的圣凯瑟琳教堂画了色彩绚丽的多联圣母画(比萨国立博物馆)。约14世纪20年代中期开始画图尔的圣马丁生平10图(阿西西圣方济各下教堂的圣马丁礼拜堂)。其锡耶纳共和国将军基多里奇奥·达·福格利阿诺骑马像

(1328,锡耶纳公共宫),大概是锡耶纳艺术中第一件非宗教作品,也是文艺复兴无数骑马像的重要先例。马尔蒂尼是杜乔之后最重要的锡耶纳画家。在14、15世纪对锡耶纳的影响很大。

Martinique 马提尼克 全称马提尼克省。小安的列斯群岛中的一个岛,也是法国全部海外省中面积最小的一个,位于加勒比海东部,距法国约7 100千米。该岛南北长约80千米,东西最宽处约35千米。首府法兰西堡。面积1 128平方千米。人口约369 000(1992)。

美国不列颠百科全书公司供图

土地 该岛屿多山,由火山岩构成。平均高度在海拔900米以上。最高点培雷火山(1 397米)位于北部,是一个活火山。1902年岛上曾发生灾难性的火山喷发,摧毁了圣皮埃尔镇,估计有3万人丧生。中部西南方的拉芒坦平原(莱扎尔德河流域)是岛上狭窄的沿海平原以外的唯一一处平地。岛上有许多河流,但不很长,几乎都不能通航。海岸线呈锯齿状,十分曲折,以致岛上任何一处地方距离大海均不超过11千米。

马提尼克属热带气候,年平均温度为26°C。雨量充沛,北部山区年降雨量为4 000～5 000毫米,南部则不到1 000毫米。肥沃的火山土壤和充沛的雨量使岛上植被生长繁茂,有南部海岸的红树林沼泽和山坡地带的热带雨林(包括棕榈、花梨木、洋苏木、面包果、桃花心木、夹竹桃、蕨类及兰花等)。该岛的野生动物不多,只有獴(外来动物)、野兔、斑鸠和野鸽。少量石灰石的开采供当地制造水泥。

人民 马提尼克的人种构成极为复杂,但以穆拉托人占绝大多数。法语为官方语言,当地的克里奥尔语也广泛使用。天主教的信徒最多。自20世纪80年代初以来,马提尼克的人口平均年增长率在加勒比海地区是最低的,主要由于有大批年轻人移民国外和由此造成的低出生率。大多数移民前往法国或加勒比海其他岛屿。1/5以上的人口年龄不足15岁,几乎有1/3的岛民住在法兰西堡。

经济 马提尼克属发展中的市场经济,主要以农业和旅游业为基础。尽管岛上经济有长足发展,但对法国的依赖仍十分严重。岛上的生活水准在加勒比海地区属最高之列。国民生产总值的增长远比人口的增长迅速;人均国民生产总值约为一个加勒比海国家的平均水平。

农业约占国内生产总值的1/12,雇用了相似比例的劳动力。香蕉和其他热带水果是主要出口农产品,而薯蓣类植物及木薯则为主要粮食作物。甘蔗是主要农业作物,用于制造另一种出口产品朗姆酒。1980年,该岛大部分香蕉种植园被一场飓风摧毁后,香蕉总产量大幅度下降,但到80年代中期,香蕉产量已恢复正常。森林覆盖该岛面积的1/3以上,包括欧洲土生的和热带的树种具有很大的开发潜力。捕捞的鱼和淡水虾主要供国内消费。

岛上工业不发达,主要是由法国提供资金的建筑业和市政工程。制造业以食品加工、朗姆酒酿造以及供应岛内市场的消费品为主。法国在岛上建有一座石油精炼厂,将主要来自委内瑞拉、特立尼达和多巴哥的原油加工成石油制品,供法属加勒比海的领地使用。该岛已建有5个工业区,多种税收优惠政策正在着手实施以刺激工业和商业的发展。电力靠进口燃料生产。

服务业约占国内生产总值的3/4,雇用了一半以上的劳动力。成长中的旅游业对该岛经济极为重要。作为加勒比海地区最吸引人的旅游地之一,马提尼克的游船生意十分兴旺,吸引了大批观光客,主要来自法国、美国及加拿大。

法国政府为使其海外领地发展到本土的经济水平,在马提尼克的投资超过当地的税收。最低工资已与法国本土的工资水平相当,但失业率仍然很高,每年有许多岛民移居法国和加勒比海其他岛屿。岛上的进口总值大大超过出口总值。与法国的贸易约占贸易总额的2/3。

政府与社会状况 马提尼克是法国的一个海外省或行政区。省长为岛上的行政长官。由45名议员组成的省议会和41名议员组成的地区议会行使部分立法权。议会议员经选举产生,任期6年。马提尼克在法国国民议会中有4名代表,参议院中有2名代表。上诉法院是最高法院,几个较低级的法院负责审理马提尼克与法属圭亚那的案件。

岛上建有综合医院及产院。有良好的小学和中学教育系统,入学率几乎为100%。岛上有数份报纸,其中包括一份日报,出版业享有自由。法国政府控制着传播媒介。法兰西堡一年一度的狂欢节是岛上的一项重要活动。

历史 1502年哥伦布第4次航行新大陆途经马提尼克岛时,岛上住着加勒比印第安人。加勒比人自南美洲迁徙该岛,赶走了从前的阿拉瓦克居民。马提尼克直到1635年才被欧洲人占领,由法国人德斯南贝在此建立一个殖民地。1674年马提尼克成为法国王室一个领地。1762年该岛被英国人占领并统治一年。拿破仑战争期间(1794～1802,1809～1814)该岛又两度落入英国人之手。1848年马提尼克废除奴隶制,约74 000名奴隶获得自由。

第二次世界大战后,马提尼克成为法国一省。从50～80年代,马提尼克受到高失业率、经济落后和人口过多等问题的困扰。为缓解这些问题带来的社会苦难,法国政府鼓励该岛居民移居法国。70年代,岛上的左翼分子及共产党开始鼓吹自治和独立,引起许多罢工与示威。然而法国表示不愿考虑该岛的独立。

Martins, Peter 马丁斯(1946-10-27,丹麦哥本哈根～　　) 丹麦舞蹈家和编导,因在纽约市芭蕾舞团的成就而闻名。马丁斯于1953年在丹麦皇家芭蕾舞学校开始接受舞蹈训练。1965年任群舞演员。两年后成为独舞演员。G.巴兰钦曾为他在纽约市芭蕾舞团安排过多次客串演出。1969年离开丹麦,成为巴兰钦芭蕾舞团的首席演员。编导们曾为他设计过多个舞蹈角色,诸如:J.罗宾斯的《戈德堡变奏曲》和《D大调钢琴协奏曲》(1975);巴兰钦的《大提琴协奏曲》(1972)和《葡萄牙双人舞》(1972)。1977年他开始担任编导,为纽约市芭蕾舞团创作了《钙光之夜》。随后,他创作了几部其他作品,如《士兵的故事》(1981)等。1982年出版自传《远离丹麦》。1983年,在巴兰钦去世前不久,马丁斯被任命为日常演出指导,并与罗宾斯一起,被命名为纽约市芭蕾舞团的芭蕾舞大师。1990年1月,罗宾斯辞职后,马丁斯成为该团的唯一指导。

Martins Ferry 马丁斯费里 美国俄亥俄州东部贝尔蒙特县城市。临俄亥俄河。18世纪70～80年代始建拓居点,后一度废弃。1835年重建,1865年设村,1885年设市。原为农业社区。南北战争前为帮助黑奴逃亡的地下铁道的一站。1852年克利夫兰和匹兹堡铁路修通,又发现煤矿,推动了该地的工业发展。工业制品有装配金属材料、铸件、铁合金和管子连接器。1966年设港务局。小说家W.D.豪威尔斯诞生于此。西部作家Z.格雷一些早期作品多以此地为背景。人口7 990(1990)。

Martinsburg 马丁斯堡 美国西弗吉尼亚州东部狭长地带城市,伯克利县县城(1772)。位于黑格斯敦西南26千米处。始建于1732年,1778年设镇。1868年设市。1837年巴尔的摩—俄亥俄铁路通达此地,城镇得以发展。位于盛产水果的地区(苹果、桃)。有多种制造业(玻璃、水泥、塑料制品和包装)。殖民时期的遗迹有塔斯卡罗拉长老会大教堂(1740～1745)和市郊的邦克希尔村,后者是欧洲移民在西弗吉尼亚州最早的拓居地之一(约1729)。市西数千米外有斯利皮克里克公共狩猎场。人口约14 972(2000)。

Martinson, Harry(Edmund) 马丁松(1904-05-06,瑞典耶姆斯赫格～1978-02-11,斯德哥尔摩) 瑞典小说家、诗人,为第一个被选进瑞典文学院的工人出身和自学成名的作家。与雍松共获1974年诺贝尔文学奖。第一本诗集《幽灵船》于1929年问世。他的早年经历,在两本自传体小说《荨麻开花》(1935)和《外出游历》(1936),以及游记《漫无目标的旅行》(1932)和《别离海角》(1933)中都有记述。名著有诗集《信风》(1945)、小说《通往圣钟之国的道路》(1948)和史诗《安尼亚瑞》(1956)。

Martinson, Moa 马丁松(1890-11-02,瑞典瓦德纳斯～1964-08-05,南泰利耶) 瑞典女

小说家。最早描写无地雇农。25岁丧夫，与无产阶级作家马丁松结婚后，开始写作生涯。最成功的作品是自传体三部曲《母亲结婚》(1936)、《教堂婚礼》(1938)和《国王的玫瑰花儿》(1939)。

Martinů, Bohuslav　马蒂努(1890-12-08，奥匈帝国波希米亚波利奇卡[今在捷克共和国]～1959-08-28，瑞士利斯塔尔)　现代捷克作曲家。其作品明显地把法国和捷克的影响

中国大百科全书出版社供图

相结合。6岁开始学小提琴。1913年加入布拉格爱乐乐团。在其芭蕾舞剧《伊斯塔尔》和交响诗《消失的午夜》(均为1922年作)获得成功后，师从捷克音乐民族化运动领袖J.苏克。1923年去巴黎，随法国作曲家A.鲁塞尔学习。1940年定居美国，在普林斯顿大学和马萨诸塞州坦格尔伍德的伯克希尔音乐中心教学。1946年重返布拉格，在音乐学院任教。1957年在罗马的美国学院任驻校作曲家。作有管弦乐《波利奇卡》(1925)和《骚动》(1928)。在较晚的作品中，室内乐队的《大协奏曲》(1941)采用巴罗克大协奏曲的那种由独奏者与整个乐队交替演奏的手法，表现出复调写作技巧。两个弦乐队的《双重协奏曲》(1940)是一部表现捷克斯洛伐克被瓜分后捷克人苦难经历的力作。《利迪策的纪念》(1943)则是一首短小的交响诗，纪念1942年在纳粹摧毁利迪策村庄时杀害的捷克人。另有6部交响乐，小提琴、钢琴、大提琴和长笛协奏曲；6首弦乐四重奏；钢琴曲、拨弦键琴曲、声乐曲及无伴奏大提琴和小提琴乐曲。

Martinus Gosia　马丁努斯(约1100，博洛尼亚[意大利]～约1166)　意大利法学家，博洛尼亚法学院"四博士"之一，虽然可能不是伊尔内留斯的学生，但却是他的一位重要的继承者。马丁努斯提倡一种比博洛尼亚同时代人布尔加鲁斯对法律所作的更自由的解释，并相当重视衡平，评论家把他的做法称为钱袋的衡平。像布尔加鲁斯一样，他是神圣罗马皇帝腓特烈一世(红胡子)的拥护者，并且支持腓特烈一世在龙卡利亚会议提出的最高权力的要求(1158)。马丁努斯的意见在当时的帝国和罗马教皇的文献中被引用。他写了一部论《法律大全》或《查士丁尼法典》的评论文集。

Martinuzzi, György　马丁努齐(1482，克罗地亚卡米西奇～1551-12-17，匈牙利特兰西瓦尼亚奥尔温茨)　别名乔治修士。匈牙利政治家，后任枢机主教，献身于恢复和维护匈牙利的国家统一。父为克罗地亚人，母为威尼斯贵族。早年从军，28岁成为保罗派修士。有外交才干，后来任匈牙利国王约翰的枢密官。1538年同奥地利皇帝斐迪南缔结瑙吉瓦劳德条约，确定斐迪南为匈牙利王位继承人。约翰临死时悔约，土耳其人承认约翰幼子约翰·西吉斯蒙德为国王，占领了首都布达。马丁努齐作为卫士和摄政保持了特兰西瓦尼亚的独立地位，并试图借助奥地利哈布斯堡王朝之力恢复匈牙利的统一。1551年与斐迪南达成协议，他仍任特兰西瓦尼亚总督，并成为枢机大主教。同年由于害怕土耳其人入侵，曾向土耳其政府纳贡。斐迪南怀疑他的忠诚而将他杀死。

Martius, Karl Friedrich Philipp von　马齐乌斯(1794-04-17，巴伐利亚埃朗根～1868-12-13，慕尼黑)　德国植物学家，以对巴伐利亚植物区系的研究著名。曾在埃朗根大学学医并在巴伐利亚皇家科学院学习(1814～1817)。1817年4月2日随一个奥地利考察队离的里雅斯特去巴西考察。1820年12月将6 500种巴西植物标本送给慕尼黑植物标本室。1823年入巴伐利亚科学院，1832年任该院植物园的园长。1826年任慕尼黑兰次胡特大学教授。他的学生中杰出的有植物生理学家胡戈·冯·默尔和植物学家亚历山大·布劳恩和卡尔·席姆佩尔。1823～1850年曾与人合著《棕榈志》3卷，书中描述他观察到植物茎上的叶形成固定的格局(叶序)，并且似乎是按某些固定的几何规律螺旋状排列的。曾有150多部书、专题论文等著作，著名的包括《巴西植物志》(15卷，1840～1906)和《马铃薯的流行病》(1842)。1840年任科学院物理数学学部的秘书。

Martos　马尔托斯　西班牙南部安达卢西亚自治区哈恩省城市。位于哈恩市西南。曾被罗马人和摩尔人占据。1225年被费迪南德三世收复，赐给卡拉特拉瓦骑士团。现为全国最大橄榄种植中心，生产橄榄油、面粉和陶器。附近地区有硫矿泉，并有沐浴设施。人口21 672(1981)。

Martov, L.　马尔托夫(1873-11-24，君士坦丁堡～1923-04-04，柏林)　尤里·奥西波维奇·策杰尔包姆的笔名。俄国社会民主工党孟什维克首领。马尔托夫最初在维尔纳参加革命活动。1895年协助列宁创建彼得堡工人阶级解放斗争协会。1896年马尔托夫被捕，流放西伯利亚3年。获释后去瑞士，参加《火星报》的编辑工作。1903年在俄国社会民主工党第二次代表大会上，马尔托夫成为那些后来称为孟什维克的党员的代言人。这些党员反对列宁关于党员只限于"职业革命家"的意见，而主张按西欧的模式建立群众性的党。1905～1907年马尔托夫成为孟什维克派的首领，经常同列宁发生意见冲突。在第一次世界大战中，他鼓吹没有胜利的和平，而列宁则希望把帝国主义战争转化为革命战争。十月革命后，马尔托夫反对新政权的许多专政措施，但支持镇压白军的斗争。1920年离开祖国，在柏林主编《社会主义信使报》，直至逝世。

Martyn, Edward　马丁(1859-01-30，爱尔兰戈尔韦郡图利拉～1923-12-05，图利拉)　爱尔兰戏剧家。1899年同叶芝、格雷戈里夫人一起创办爱尔兰文学剧院。马丁十分赞赏易卜生的写作技巧和智能运用，以致热心仿效欧洲大陆戏剧并主张上演这些戏剧。该剧院存在3年，上演了叶芝、G.穆尔和马丁(《石南地》和《梅夫》均在1899年上演)等人的剧本，目的是发展凯尔特和爱尔兰派的戏剧文学。剧院关闭以后，由于人事纠纷，以及他不喜欢"农民戏剧"和"凯尔特没落浪漫主义"，马丁同爱尔兰复兴运动的主流决裂，导致阿比剧院成立。1914年，马丁协助创立都柏林爱尔兰剧院，上演"非农民"剧、爱尔兰话剧以及欧洲大陆的名剧。这两个剧院的宗旨在大门剧院(1928成立)得以圆满实现。马丁除撰写剧本和参加戏剧活动外，还是一个虔诚的天主教徒和热情的民族主义者。曾在都柏林创建帕莱斯特里纳合唱队，1904～1908年任新芬党主席，发起多种教育运动。

martyr　殉教士　宁愿捐弃生命而不以言行否定自己宗教信仰的人士。世界各主要宗教都特别尊重这种行为的殉教士。至于为了主义或原则而牺牲生命或其他珍贵事物的人也可以称作殉教士。犹太教法典《塔木德》的规定代表该教多数派的见解：宁可放弃生命，也不可犯崇拜偶像、淫乱、杀人三种罪愆。《米德拉西》中对《圣经·耶利米哀歌》第2章第2节的注释列出十位殉教士姓名，这可能是犹太教最早的殉教史料。中世纪后期欧洲迫害犹太人，当时有殉教士年表，供各会堂悼念仪式中使用。迈宁根的以撒·本·撒母耳于1296年着手搜集这种年表，汇集成《怀先集》，于1898年出版，载1096～1349年的殉教事迹。从某种意义上说，犹太人的生活几乎就是不断经受殉教教育。殉教士被誉为圣人。在第二次世界大战期间，纳粹蓄意杀害600万犹太人，这个数目大大超过历次迫害中受害的人数。当代犹太人出版物都以这600万人为殉教士，因为他们之所以被害，仅仅由于他们是犹太人。与过去历次迫害不同的是，纳粹并没有给予他们放弃宗教信仰以保全性命的选择机会。以色列国缅怀英灵局藏有纳粹暴行的大部分现存记录。基督教最早的殉教士是圣司提反和圣雅各。在使徒中，最著名的殉教士是在罗马被害的圣彼得和圣保罗。在1、2世纪，基督教时而遭受迫害，但殉教之事并不很多。这些殉教士受到信徒的高度崇敬。由于时间的推移，由于在罗马皇帝德西乌斯统治时期(250)和戴克里先统治时期(303～311)教会推崇殉教精神，因而早期殉教士事迹往往杂以大量传说，例如关于安提阿的依纳爵之死，就没有可靠的史料。现存历史最悠久的基督教殉教史料是公元411年的《叙利亚殉教列传汇编》和5世纪中期相传为哲罗姆所著的殉教士传。伊斯兰教称殉教士为作证者。伊斯兰教什叶派侯赛因·伊本·阿里(约629～680)是该派著名的殉教士，他被亚齐德所领导的逊尼派杀害。什叶派于

每年回历元月上旬悼念他。佛教固然没有遭受迫害或与其他宗教发生暴力冲突的历史,但佛教信徒也有些人被尊为殉教士。《本生经》(**Jātaka**)记述佛陀的前生事迹,详细叙述菩萨及弟子不断自我牺牲和一再死亡的事迹,可以说是他们的殉教史。大乘佛教认为,决心减轻众人苦难,否则今生来世自愿不成佛,就是一种殉教士行为,如菩萨所为,就是如此。

Martyrdom of Polycarp 《波利卡普殉教记》 叙述小亚细亚境内士麦那主教波利卡普受火刑而死的书信。该信为士麦那教会所发,收信者是菲洛梅利乌姆教会。它是关于早期基督徒殉教事件的第一篇可靠记录。波利卡普死亡日期难以确定,争议甚多。据这封信载是155年,但据优西比乌斯的《教会史》载是167或168年。

Marua(Cameroon) 参阅 **Maroua** 马鲁阿。

Marugame 丸龟 日本四国香川县城市。在濑户内海南岸。1597年建为城堡镇。德川时代(1603～1867)至明治时代(1868～1912)早期十分繁荣,是京都和大阪地区香客前往丸龟以南16千米琴平町朝拜金比罗神社的海路终点。1889年修建松山至高松铁路(在琴平有站)后丸龟的地位衰落。地处冲积平原中部,有灌溉网,种植水稻和大麦。生产化工品、纺织品、扇子和盐。人口75 607(1990)。

Marulić, Marko 马鲁利奇(1450-08-18,达尔马提亚斯普利特～1524-01-06,斯普利特) 克罗地亚道德哲学家、诗人。他的白话诗标志着克罗地亚文学的开端。出身贵族家庭。曾在帕多瓦学古典语言、文学和哲学,回到家乡斯普利特后开始学术生涯。60岁时,退居绍尔塔岛方济各会隐修院,但两年后醒悟,又回到斯普利特。他的道德劝善著作用拉丁文写成,被译成多种欧洲语言。这些著作强调基督教的实践性,反映了对斯多葛主义的赞赏。他的最重要的白话诗是《圣女犹滴传》(1521)。这是克罗地亚出版的第一部文学作品。他试图通过《旧约全书》中一个女英雄的范例来增强该国人民反对土耳其人的斗志。

Marusthali 马鲁斯塔利 印度西北部拉贾斯坦邦塔尔沙漠东部的沙丘地区。在卢尼河以北,面积约62 000平方千米。位于拉贾斯坦邦西部,东以阿拉瓦利岭为界。范围包括焦特布尔县、纳高尔县和久鲁县等西部,以及比卡内尔县和贾伊瑟尔默县全部。"马鲁斯塔利"为梵文,意为"死亡之地"。公元5世纪开始有人定居。北半部沙丘在高原上,呈东北-西南走向的短沙堤状,间有小片干盐湖。南半部形如大碗,周围为沙砾、岩石和灰岩组成的平顶丘陵。卢尼河为主要河流。土壤大部为肥沃的沙土。畜牧业、旱田耕作与灌溉农业为居民主要工作。生产谷物、鹰嘴豆、棉花、甘蔗、花生和油籽。小工业加工当地原料。开采褐煤和石膏。主要城镇有比卡内尔、贾伊瑟尔默和巴尔梅尔。公路和铁路运输受到移动沙丘的阻碍,部分地区仍然无路可以进入。

Mārūt(Islāmic myth) **马鲁特** 参阅 **Hārūt and Mārūt** 哈鲁特和马鲁特。

Marut, Ret(U.S. author) **马鲁特** 参阅 **Traven, B.** 特拉文。

Maruyama school(Japanese art) **圆山派** 参阅 **Shijō school** 四条画派。

marvel-of-Peru(plant) 参阅 **four-o'clock** 紫茉莉。

Marvell, Andrew 马韦尔(1621-03-31,英格兰约克郡瓦恩斯特德～1678-08-18,伦敦) 英国诗人。20世纪以前,他作为政治家的声誉一直超过他作为诗人的声誉。现在人们认为他是最优秀的世俗玄学派诗人之一。曾在赫尔文法学校和剑桥受教育,1639年获剑桥大学文学士学位。1651～1652年在约克郡农阿普尔顿任议会军将领费尔法克斯勋爵的女儿玛丽的家庭教师期间,写下著名诗篇《阿普尔顿府邸》和《花园》。早期反对克伦威尔的共和政体,后来却写了《贺拉斯体颂歌迎克伦威尔从爱尔兰归来》(1650)、《第一周年》(1655)和《克伦威尔之死》(1659)表达了他对克伦威尔的钦佩之情。1659年被选为议会议员,工作干练,卓有成效,任职直至逝世。1660年查理二世复位以后,转向写作政治讽刺诗,以《对画家的最后指示》和政治讽刺小品文《变了调的预演》(1672～1673)最为著名。1681年首次出版了他的一些诗作(出自他的女管家在他遗物中找到的一卷手稿)。他的政治声誉衰微之时,他作为讽刺诗人的声誉则与当时的其他诗人并驾齐驱。他的一些抒情诗自19世纪得到兰姆推崇之后,为许多读者所喜爱。到了20世纪,被认为是他那个世纪最卓越的诗人之一。

Marvin, Lee 马文(1924-02-19,美国纽约州纽约～1987-08-29,亚利桑那图森) 美国演员,粗旷豪放,以在影片中塑造"硬汉"角色而著称。第二次世界大战期间在海军服役。1951年开始拍摄电影,14年间大都扮演小角色。他身材瘦高,面容冷峻,经常在动作片和西部片中扮演恶棍。早期的许多影片都是与著名导演合作的,如F.朗格的《伟大的警察》(1953),L.贝内德克的《飞车党》(1954),J.斯特奇斯的《黑岩喋血记》(1955)和R.阿尔德里奇的《攻击》(1956)。1962年在传奇片《双虎屠龙》扮演一个卑鄙暴躁的牛仔。1965年在《女贼金丝猫》中一人饰演两个角色:酗酒的牛仔英雄和他卑鄙下流的孪生兄弟,获得奥斯卡奖。1967年拍摄了两部著名影片:《十二金刚》和《步步惊魂》。但也有时扮演的角色不当,例如在《长征万宝山》(1969)中扮演会唱歌的牛仔,但在《蒙特·沃尔什》(1970)等片中也能展现出其温柔的一面。最后一个重要角色是在《铁血军营》(1980)中扮演第二次世界大战期间一位意志坚定的中尉。

Marwān I ibn al-Hakam 迈尔万一世·伊本·哈凯姆(623～685) 伍麦叶王朝迈尔万家族第一代哈里发(684～685)。曾任哈里发穆阿维耶一世统治下麦地那和汉志的总督,表现出非凡的精力。684年即哈里发位时已经年迈体衰,不到一年即病故。在位时各派别争夺哈里发的战争不断,但他在征战中立其子阿卜杜勒·马利克为继承人,并消灭了对哈里发位的所有其他争夺者。他巩固了伍麦叶王室的基础,并把更多的权力集中到哈里发手中。

Marwān II 迈尔万二世(约684～750,埃及) 伍麦叶王朝末代哈里发(744～750)。迈尔万一世之孙。曾任亚美尼亚及其他领地总督12年,从中获得军事经验,这些经验后来指导他改组伊斯兰教的军队。他创建了一支由职业指挥官领导、由雇佣兵组成、编制较小而更为机动的分队,取代以效忠部落为基础的臃肿的部队。744年即哈里发位,746年重新征服叙利亚。747年爆发阿拔斯人起事。750年一支阿拔斯、波斯、伊拉克和什叶派联军在大扎卜河战役中痛歼伍麦叶王朝军队。迈尔万的死标志着伍麦叶王朝的灭亡。

Marwedel, Emma Jacobina Christiana 马威德尔(1818-02-27,德国[格丁根附近]明登～1893-11-17,美国加利福尼亚旧金山) 德国出生的美国教育家,推动了美国的幼儿园运动。出身于一个有社会地位的家庭。幼年时双亲亡故,她生活无着,只得早早自谋生计。其出任教师所受教育无从得知,但她的雄心和能力在其1864年当选莱比锡公共教育促进会理事及1865年成为德国第一个妇女促进会会员可见一斑。1867～1868年出任汉堡新成立的女子技工学校校长,并主持一所按福禄培尔原则训练的幼儿园。她在汉堡的工作,因此前她在英国、法国和比利时考察女子技工学校而出版的著作,得到来访的美国女教育家P.皮博迪的赏识,经她建议去美国工作。1870年在纽约长岛布伦特伍德附近开办女子合作技工学校,因故未果。后去华盛顿哥伦比亚特区,1871年开设私立学校,附设幼儿园及按福禄培尔原则的教师培训班。1876年移居洛杉矶,开设加利福尼亚模范幼儿园和太平洋幼儿教师模范训练学校,可惜未得到足够支持。1880年在旧金山开设太平洋幼儿师范学校,附设模范幼儿园和初级班。1885或1886年退休。她还协助组建旧金山幼儿园协会和银街幼儿园。晚年从事写作。

Marwell Zoological Park 马尔韦尔动物园 英格兰温切斯特市的动物园,以拥有大量的有蹄类和食肉类繁殖种群而著称。1972年开放,占有40公顷优美的疏树草地。收集的动物约130种,620多只,按动物地理分布排列饲养。大多数动物都在宽大的兽圈里展出,不同的有蹄类种群尽可能混合饲养。该园所拥有的大量繁殖种群,包括山羊形的羚羊、所有3个斑马种、黑斑羚以及其他羚羊类。

marwysgafn 临终之歌 威尔士语;宗教长诗,诗人感到死亡临近,对自己的罪孽进行忏悔,并祈求赦免。这部作品在威尔士宫廷诗人的时代(12～14世纪)脍炙人口。

Marx, Karl(Heinrich) **马克思**(1818-05-05,普鲁士莱茵省特里尔～1883-03-14,伦敦)革命家、社会学家、历史学家和经济学家,社会主义运动史上最著名的小册子《共产党宣言》(1848,与恩格斯合写)和最重要的著作《资本论》的作者。马克思和恩格斯的这些著作和其他著作形成被称为马克思主义的思想和信仰体系的基础。

美国不列颠百科全书公司供图

早年 马克思是家中9个孩子中存活下来的最年长的一个。父亲海恩里希是一位成就卓著的律师,接受康德和伏尔泰的启蒙思想,曾参加争取在普鲁士实现宪政的宣传。母亲出身于荷兰的亨里埃达·普雷斯堡家族。父母均为犹太人并且是世代犹太教拉比的后裔,但在马克思出生前一年左右,父亲可能由于职业需要而改信基督教新教。马克思6岁时受洗礼。尽管青年时的马克思较少受宗教的影响,而更多地接受了启蒙运动批判的、有时是激进的社会主张的影响,他的犹太血统背景还使他受到歧视和不公正待遇,这可能促使他怀疑宗教的社会作用并产生社会改革的愿望。

1830～1835年,马克思在特里尔读中学。警方怀疑该学校藏匿有自由主义思想的教师和学生,因而对学校进行监视。这一时期马克思在写作中表露出一种基督教献身精神和渴望为人类作自我牺牲的思想。1835年10月考入波恩大学。他所读课程均属人文学科,如希腊罗马神话和艺术史等。他按惯例参加学生活动,进行过一次决斗,并曾因醉酒和妨害治安而被拘禁一天。他曾担任与贵族化的学生团体对立的"小旅店俱乐部"的主席。并参加过有一些政治活动分子加入的诗人俱乐部。具有政治叛逆精神的学生文化,当时是波恩生活的一部分。许多学生被逮捕;马克思在校期间,还有一些学生主要因企图破坏法兰克福联邦议会会议而被开除。不过马克思在一年后离开了波恩,于1836年10月入柏林大学攻读法律和哲学。

在柏林期间,马克思最重要的经历是他接受了在柏林广泛流行的黑格尔哲学并成为青年黑格尔派的拥护者。起初他对黑格尔的学说相当反感。当时马克思生了一场病,就像他在给他父亲的信中说的那样,这场病部分地就是"由于不得不把我所憎恶的观点变成自己的偶像而感到苦恼"。然而,黑格尔思想对革命的学生文化有强大的影响,马克思参加了一个被称为博士俱乐部的团体,其成员都积极投身于新的文学和哲学运动。俱乐部的主要人物是青年神学讲师B·鲍威尔,他宣扬这样一种思想,即基督教福音书所记载的不是历史,而是人类由感情需要所产生的幻想;耶稣也不是真实的历史人物。马克思选修了鲍威尔主讲的关于先知以赛亚的课程。鲍威尔说,一个比基督降临"更可怕的"新的社会灾祸正在酝酿之中。青年黑格尔派开始迅速转向无神论并模糊地谈论政治行动。

普鲁士政府惧怕潜在于青年黑格尔分子中间的破坏倾向,迅即动手把他们赶出大学。鲍威尔于1839年被解聘。马克思这一时期"最亲密的朋友"、一位比他年长的报纸撰稿人A.鲁腾堡,曾因政治上的激进态度而被监禁,这时极力主张从事更深层的社会活动。到1841年时,青年黑格尔派已成为左派共和主义者。在这期间,马克思的学习落后了。在朋友们的劝说下,他把他的博士论文送到了对学业成绩要求比较宽松的耶拿大学,并于1841年4月取得了学位。他的论文以黑格尔的方式分析了德谟克利特的自然哲学和伊壁鸠鲁的自然哲学的差别,它的一个突出的特色是采用了普罗米修斯式的反抗的笔调:"哲学并不隐瞒这一点。普罗米修斯承认道:'老实说,我痛恨所有的神。'这是哲学的自白,它自己的格言,借以表示它反对一切……神。……"普罗米修斯是哲学日历中最高尚的圣者和殉道者。1841年费尔巴哈的《基督教的本质》一书问世,使马克思和其他青年黑格尔分子深受影响。马克思认为,该书作者成功地批判了认为物质或者说存在从属于和依赖于思想或者说精神的唯心主义者黑格尔,从相反的或者说唯物主义的观点阐明了"绝对精神"是"以自然为基础的现实的人"的反映。其后,马克思在哲学上就致力于把黑格尔辩证法同费尔巴哈唯物主义结合起来,前者认为一切事物都处于由它们的矛盾方面的冲突而产生的不断变化的过程中,后者则把物质条件置于观念之上。

1842年1月,马克思开始为科隆一家新创办的报纸《莱茵报》撰稿。这是由一帮青年商人、银行家和工业家出版的自由主义民主派报纸。当时科隆是普鲁士工业最先进地区的中心。马克思在这一时期写过一篇论出版自由的文章,当时他认为,世界上理所当然地存在着绝对的道德标准和普遍的伦理原则,所以他谴责书报检查是一种道德上的恶,因为它的任务是窥探人们的心灵,赋予低能和邪恶的小人一种只有通晓一切的智者才配享有的权力。他认为书报检查只会造成有害的后果。

1842年10月15日,马克思成为《莱茵报》编辑。作为编辑,他负责撰写有关各种社会和经济问题的社论,内容从柏林贫民的住房和农民盗伐林木到共产主义新现象,包罗甚广。他认为黑格尔唯心主义在这些事情上没有什么用处。同时他和他的黑格尔派朋友们开始疏远,因为他们认为使资产阶级惶恐不安就是全部的社会活动方式。马克思这时因支持"在宪法许可范围内有步骤地为自由而斗争的""具有自由主义思想的注重实际的人们"而使他的报纸发行量增加了两倍,成为普鲁士的一家大报。但是,普鲁士当局还是认为该报过于直言而令其中止发行。于是马克思同意与具有自由主义思想的黑格尔分子A.卢格共同编辑在巴黎出版的新的评论性刊物《德法年鉴》。

但马克思首先在1843年6月和已经订婚7年的燕妮·冯·威斯特法伦举行了婚礼。燕妮是一位富有魅力、聪慧过人和令人爱慕的女子,大卡尔4岁。她出身于军人和行政官员家庭。她的异母哥哥后来成为非常反动的普鲁士内务大臣。她父亲是法国社会主义者圣西门的追随者。他喜欢卡尔,尽管家中其他成员反对这桩婚事。马克思的父亲也担心燕妮会成为迷住他儿子的那个思想精灵的牺牲品。

结婚4个月后,这对年轻夫妇迁居巴黎,那里当时是社会主义思想的中心和以共产主义命名的更激进的派别的中心。在巴黎,马克思第一次成为一个革命者和共产主义者并开始与法国和德国工人的共产主义团体交往。在他看来,他们的思想是"完全不成熟和缺乏才智的",但他们的品格使他感动:"人与人之间的兄弟情谊在他们那里不是空话,而是真情,并且他们那由于劳动而变得结实的形象向我们放射出人类崇高精神之光。"——他在其《1844年经济学哲学手稿》(写于1844,1959出版)中这样写道(这些手稿约100年后才得到出版,但它们很重要,因为它们表明了马克思后来的历史和经济理论的人道主义背景)。

《德法年鉴》出版时间很短,但通过它的出版,马克思结识了恩格斯。恩格斯是该刊物的撰稿人,后来成为马克思终生的合作者。马克思在《德法年鉴》上发表了《黑格尔法哲学批判》一文,其中有一句经常被引用的话:宗教是"人民的鸦片"。也是在《德法年鉴》上,他第一次号召以"无产阶级起义"来实现哲学观念。可是普鲁士政府再一次对马克思进行了干涉。他于1845年2月被驱逐出法国,前往布鲁塞尔,随后恩格斯也到了那里。当年马克思在比利时放弃了普鲁士国籍。

布鲁塞尔时期 在到布鲁塞尔后的两年里,马克思和恩格斯的合作日益密切。恩格斯在英国曼彻斯特他父亲的纺织厂的一个分厂的所在地,亲眼目睹了工业革命的种种令人沮丧的景象。他也曾经是一个青年黑格尔分子,受被称为"共产主义拉比"的M.赫斯影响而改信共产主义。在美国他结交了R.欧文的追随者。这时,他和马克思发现他们观点相同,于是就把两人的才智结合起来,出版了《神圣家族》(1845)一书,对神学家B.鲍威尔的黑格尔唯心主义作了一个冗长的批判。他们的下一部著作《德意志意识形态》(写于1845～1846,出版于1932)最充分地阐明了他们重要的唯物主义历史观,从历史上陈述了各个社会怎样地构造起来以提高经济上占统治地位的阶级的利益。但这部著作找不到出版者,在作者生前一直不为人知。

在布鲁塞尔时期,马克思发展了他的观点并通过同工人阶级运动主要领袖人物的直接接触确立了他的思想立场。1846年他公开地严厉批评了德国工人领袖W.魏特林的道德说教。马克思认为资产阶级社会阶段不可能跳过;无产阶级不可能一下子跳进共产主义;工人运动需要有一个科学的基础,而不是道德的空话。他还在《哲学的贫困》(1847)中与法国社会主义思想家蒲鲁东论战,对蒲鲁东的副题为《贫困的哲学》(1846)一书进行了尖刻的抨击。蒲鲁东要把诸如竞争和垄断这样相反的事物的最好的方面结合起来,他希望保存经济制度的好的方面而消除坏的方面。马克思则明确指出,在任何既成的经济制度中,对立的事物之间是不可能取得平衡的。一切社会结构都是由生产力决定的过渡历史形态:“手推磨产生的是封建主为首的社会,蒸气磨产生的是工业资本家为首的社会。”马克思写道,蒲鲁东的论证方式是典型的小资产阶级式的,他们看不到历史的基本规律。

一连串不寻常的事件促使马克思和恩格斯撰写了《共产党宣言》这本小册子。1847年6月,一个主要由流亡国外的德国手工工匠组成的秘密团体正义者同盟在伦敦开会,决定制定一个政治纲领。他们派了一个代表去请马克思参加该同盟。马克思在消除疑虑之后和恩格斯一起加入了该组织,它随即改名为共产主义者同盟,并制定了一个民主的章程。同盟委托马克思和恩格斯起草该同盟的纲领,他们为此从1847年12月中旬一直工作到1848年1月底。当马克思把宣言手稿寄给伦敦的共产主义者时,他们已经等得不耐烦了,警告说要对马克思采取纪律措施。他们收到手稿后迅即通过作为他们的宣言。宣言宣称到目前为止的一切历史都是阶级斗争的历史,用简练的语言概括了在《德意志意识形态》中阐述的唯物主义历史观,断言行将到来的无产阶级的胜利将使阶级社会永远结束。宣言无情地批判了用诸如“异化”之类的哲学“蛛丝”编织成的各种形式的社会主义。宣言批评了各种“社会空想”方案和建立移民区的小小试验,认为它们会削弱阶级斗争,因而会形成“反动的宗派”。宣言提出从征收累进税、废除继承权到对一切儿童实行免费教育等10项可以立即采取的措施作为过渡到共产主义的最初步骤。宣言的最后写道:“无产者在这个革命中失去的只是锁链。他们获得的将是整个世界。全世界无产者联合起来!”

1848年头几个月,在欧洲,在法国、意大利和奥地利突然爆发了革命。马克思受法国临时政府一位成员的邀请前往巴黎,及时避免了被比利时政府驱逐出境。当革命在奥地利和德国得到成功时,马克思返回莱茵省。在科隆,他主张实行工人阶级同民主派资产阶级联合的策略,因此反对提名独立的工人候选人竞选法兰克福议会议员并竭力反对工人联合会领导人提出的无产阶级革命纲领。他同意恩格斯的意见,即把《共产党宣言》暂时搁置一边,并解散共产主义者同盟。马克思通过在1849年6月新创办的《新莱茵报》宣传他的主张,要求实行立宪民主和同俄国交战。当工人联合会中比较革命的领导人A.戈特沙尔克被捕以后,马克思取代了他,并于1848年8月组织了莱茵省民主主义者第一届代表大会。当普鲁士国王解散了在柏林的普鲁士议会时,马克思号召用武器和人员支援对国王的抵抗。资产阶级自由派不再支持马克思办的报纸,并对马克思本人提出数项指控,其中包括号召拒绝纳税。他在受审时为自己辩护说,国王是在制造非法的反革命。陪审团一致宣判他无罪并且向他表示感谢。但是,由于在德累斯顿和巴登爆发了最后的没有成功希望的战斗,马克思于1849年5月16日被下令作为外国人驱逐出境。用红色油墨印刷的《新莱茵报》停刊号引起了很大的轰动。

侨居伦敦初期 马克思又一次被逐出巴黎后,于1849年8月移居伦敦。那里成了他后半生的家乡。他对自己同自由派资产阶级合作策略的失败深感懊恼,重新加入了伦敦的共产主义者同盟,并在大约一年内主张采取更大胆的革命策略。1850年3月与恩格斯合写的《中央委员会告共产主义者同盟书》极力主张他们在未来革命形势下要避免成为资产阶级政党的附庸,要成立与任何新的资产阶级政府分庭抗礼的“自己的革命工人政府”,从而为“不断”革命而斗争。马克思希望经济危机能很快促使革命运动重新兴起。在这个希望破灭后,他再度与他称之为“革命的炼金术士”的人们如维利希等发生冲突。维利希是一个共产主义者,他主张进行直接的革命冒险以加速革命的到来。马克思在1850年9月写道:这些人用“唯心主义观点”代替“唯物主义观点”。他们不是把现实条件,而仅仅把意志看做革命的动力。我们对工人们说:“不仅为了改变现存条件,而且为了改变你们自身,使自己具有进行政治统治的能力,你们或许不得不再经历15年、20年、50年的内战和民族战争”,而你们却相反地对工人们说:“我们必须马上夺取政权。”主战派则嘲笑马克思,说他身为革命者却把自己的活动局限于向共产主义工人教育协会做政治经济学的报告。结果,马克思逐渐停止参加伦敦共产主义者的会议。他在1852年为了替被指控进行革命密谋活动而在科隆被捕和审讯的11位共产党人辩护而紧张地工作,并为他们写了一本小册子。同年他还在一家在美国以德文出版的杂志上发表了他的文章《路易·拿破仑的雾月十八日》(即《路易·波拿巴的雾月十八日》),尖锐地分析了得到农民阶级支持的一个官僚专制国家的形成。在其他方面,在其后的12年里,他和在曼彻斯特工厂里的恩格斯,用马克思的话来说,都处于“孤立”状态。

1850～1864年,马克思过着物质上贫病交加、精神上痛苦悲伤的生活。他囊空如洗,除偶而一次之外,他无法找到有报酬的工作。1850年3月,他和妻子及4个幼小的孩子被赶出住房,他们的家当被扣押抵债。他的几个孩子不幸早死。儿子格维多,是“资产阶级悲惨世界的牺牲品”;女儿弗兰契斯卡死时,为了给她买一口棺材,马克思的妻子狂乱地四处奔走借贷。全家在6年间栖身于索霍区的两间小房子里,经常只能靠面包和马铃薯糊口。孩子们学会了对债主们撒谎:“马克思先生不在楼上。”有一次马克思不得不到曼彻斯特去躲债。他的妻子也心力交瘁。

在这些年里,恩格斯始终一贯地在经济上接济马克思。起先钱数有限,因为当时恩格斯在曼彻斯特“欧门-恩格斯”公司也只是一名办事员。后来,在1864年恩格斯当上股东后,接济的数量才大为增加。马克思把恩格斯的友谊引以为荣,他不能容忍别人对恩格斯的批评。马克思妻子的亲属以及马克思的朋友W.沃尔弗的遗赠,也使马克思一家的贫困状况得以缓和。

后来马克思在美国有了一个比较稳定的经济收入来源。他应《纽约每日论坛报》总编辑C.A.达纳聘请,从1851年起担任该报驻欧洲通讯员。由H.格里利编辑的这张报纸赞同傅立叶主义,一个由法国理论家傅立叶倡导的空想社会主义体系。1851～1862年,马克思撰写了近500篇文章和社论(其中约1/4是恩格斯所写)。这些文章涉及整个政治领域,分析从印度和中国到不列颠和西班牙的社会运动和政治动荡。

1859年马克思发表他的第一部经济理论著作《政治经济学批判》。在该书的序言中,他再次扼要地阐述他的唯物主义历史观,即历史进程依赖于经济发展的理论。但马克思在这一时期把在不列颠博物馆内进行的经济和社会历史研究作为他的主要工作。他忙于撰写他的后来以《资本论》为书名的巨著的草稿。这些草稿,包括《大纲》和《剩余价值理论》在内,本身就很重要,在马克思去世后先后出版。

在第一国际中的作用 马克思在政治上的孤立状态于1864年随着国际工人协会的成立而结束。虽然他不是协会的创始人,也不是它的领导人,但不久就成为协会的精神领袖。由英国工联领袖和法国工人代表召集的该协会第一次公开大会于1864年9月28日在伦敦圣马丁教堂举行。马克思通过一位法国人的介绍作为德国工人代表被邀参加大会,默默地坐在主席台上。新组织选出了一个委员会拟订该组织的纲领和章程。在递交的各种草案都不能令人满意后,被选入一个小委员会的马克思施展了他丰富的报刊撰稿人的经验。他起草的《国际工人协会成立宣言和临时章程》与他的其他著述不同,强调了合作运动和议会立法的积极成就;逐步取得政权将使英国无产阶级能够把这些成就扩展到全国范围。

成为协会总委员会委员和德国通讯书记以后,马克思积极参加总委员会会议,会议有时一星期举行几次。几年里他在把各种不同的政党、派别和倾向的分歧协调起来这方面表现出卓越的外交机智。第一国际的威望提高了,会员人数也大为增加,到1869年已达到约80万人。它几次支持欧洲各国工会与雇主进行斗争都取得了成功。

但直到1870年,马克思在欧洲政界还并不出名,是巴黎公社使他成为一位国际人物,或者如他自己所说,成了“伦敦受诽谤最多、受威胁最大的人”。普法战争于1870年爆发后,马克思和恩格斯与他们在德国的拥护者发生了分歧,后者拒绝在国会投票赞成战争。总委员会宣布,“在德国方面,这次战争是防御性的战争”。但在法国军队战败后,他们感到德国提出的条件过苛,受害的将是法国人民。当巴黎爆发起义,巴黎公社宣告成立时,马克思坚决给予支持。在公社遭到镇压后,1871年5月30日,他在《法兰西内战》这篇著名的宣言中称颂巴黎公社是"史无前例的伟大事实……。它的英烈们已永远铭记在工人阶级的伟大心坎里"。恩格斯认为,巴黎公社开创了历史上"无产阶级专政"的先例。作为第一国际的领袖和《法兰西内战》的著名作者,马克思的名字在整个欧洲成为以巴黎公社为象征的革命精神的同义语。

然而,公社的出现加剧了国际工人协会的内部矛盾,并导致了它的解体。英国工联成员,如总委员会前主席G.奥哲尔等,反对马克思支持巴黎公社。1867年的"改革法案"给予不列颠工人阶级一些政治权利,使工联有大量的机会从事政治活动。英国工人领袖们感到他们与自由党合作可以取得许多实际的进展,认为马克思的言论是一种障碍,对他指责他们"把自己出卖"给自由党人大为不满。

这时还出现了以著名的俄国革命家巴枯宁为首的左的反对派。巴枯宁有被沙皇监禁和流放西伯利亚的丰富阅历,他的演说十分动人,有一个听众把它比作"挟带着雷鸣电闪的暴风骤雨,震撼人心的狮子怒吼"。巴枯宁钦佩马克思的才智,但对马克思1848年发表的一则报道指控他是俄国间谍一事一直耿耿于怀。他认为马克思是一个要把总委员会变成个人对工人实行专政的德意志独裁主义者和骄傲自大的犹太人。他强烈反对马克思的某些理论,特别是马克思对第一国际的集权制结构的支持,反对马克思关于无产阶级应当在现有的议会制范围内作为一个与占优势的党派相对立的政党进行活动的观点,以及马克思关于无产阶级在推翻资产阶级国家后应当建立自己的政权的看法。巴枯宁认为革命党人的使命就是破坏;他更多地寄希望于具有暴力倾向和不受约束的革命本能的俄国农民,而不是工业国家的虚弱无力的文明的工人。他期望学生们成为革命的指挥员。他在意大利、瑞士和法国有一些追随者,主要是青年人。他组织了一个名叫国际社会主义民主同盟的秘密团体,这个组织在1869年在瑞士巴塞尔召开的第一国际代表大会上曾与总委员会争夺领导权。但马克思成功地阻止了它作为一个有组织的团体加入第一国际。

巴枯宁主义者认为,巴黎公社是直接革命行动的一种模式,是对他们所说的马克思的"专制共产主义"的反驳。巴枯宁开始在第一国际组织派别以打击所谓马克思和总委员会的独裁。作为回答,马克思公布了巴枯宁同一个从事敲诈和谋杀的声名狼藉的俄国学生领袖涅恰也夫的联系。

在既没有得到右翼的支持,又遭到无政府主义左派的反对的情况下,马克思担心失去对第一国际的控制而被巴枯宁夺去领导权。同时他也想回到自己的研究工作,完成《资本论》的写作,在1872年海牙第一国际代表大会上(这是他参加过的唯一的一次代表大会),马克思设法击败了巴枯宁派。接着,出乎代表们的意料,恩格斯提议把总委员会会址由伦敦迁往纽约。巴枯宁派被开除出国际,但这时国际也失去了活力,并最后于1876年在费城解散。

晚年 在此后的、同时也是他生命的最后的10年里,马克思的创造力开始衰退。他被他所说的"慢性精神抑郁症"所困扰,他的生活转向家庭内部。他已无力完成任何重大工作,但他仍广泛阅读并开始学习俄语。他的政治见解开始变得怪诞起来。当他自己的追随者同德国革命家F.拉萨尔(他是马克思的一个对手,他认为应当通过与国家合作来达到社会主义目的)的追随者在1875年携手建立德国社会民主党时,马克思针对他们的纲领(所谓的《哥达纲领》)写了一篇刻薄的批判文章,宣称这个纲领同现状作了过多的妥协。德国领袖们把他的反对意见放在一边,只是设法对他个人进行安慰。他越来越期望打一场欧洲战争,以推翻俄国沙皇统治这个反动势力的主要支柱,希望以此恢复工人阶级的政治活力。他为俄国恐怖主义者在1881年暗杀沙皇亚历山大二世的在他看来是忘我的勇气所感动,他感到这是"历史上不可避免的行动方式"。

尽管马克思已经不再从事积极的政治活动,他对工人阶级领袖和社会主义运动仍然保持着恩格斯所说的"特殊影响"。在1879年法国社会主义工人联盟建立时,其领导人J.盖得到伦敦向马克思请教,马克思口授了工人联盟纲领的导言部分,并构想了纲领的许多内容。1881年海德门在他的《大家的英国》一书中大量引用了他同马克思的谈话内容却不敢提到马克思的名字,这使马克思十分恼怒。

在最后几年里,马克思的许多时间是在疗养地度过的,他甚至曾到阿尔及尔旅行。他的妻子和他的大女儿燕妮·龙格先后于1881年12月2日和1883年1月11日去世,更使他的身体完全陷于崩溃。他于1883年3月14日因肺脓肿在伦敦逝世。

性格和成就 恩格斯在海格特公墓马克思的葬礼上说,马克思作了两个伟大的发现——人类历史的发展规律和资产阶级社会的运动规律。但"马克思首先是一个革命家"。他是"当代最遭嫉恨和最受诬蔑的人",然而他逝世后,"千百万革命战友无不对他表示尊敬、爱戴和悼念"。

马克思集普罗米修斯式的叛逆者和严肃的学者于一身。他给许多人留下高傲的知识分子的印象。一位俄国著作家P.阿嫩科夫在回忆1846年他目睹马克思在论战中的神态时说,"他说话的语气完全是命令式的,不容反驳的",看来真像是"一个民主主义的独裁者,一个人们心目中的那种权威的化身"。但马克思在广大听众面前显然感到拘束,他总是回避在大会上进行派别争论的气氛。他的妻子说,他从不参加示威游行,很少在公众集会上讲话。每当对立的社会党人团体在第一国际代表大会上为重要的决议案激烈争论时,他往往悄悄躲开。他是一个习惯于"小圈子"生活的人,最喜欢总委员会里或报社编辑部里那样的气氛,在那里他的性格能够有力地影响小群体中的同事们。同时他还避免与著名的学者会晤,而他本来是可以在同等智力水平的基础上同他们探讨经济学和社会学问题的。尽管他思路宽广,他却不能摆脱一些执拗的想法,诸如认为英国外交大臣帕默斯顿勋爵是俄国政府的代理人等。他决意不让资产阶级社会把他变成"赚钱的机器",而甘愿靠恩格斯慷慨的赠与和亲属的遗产生活。他大量阅读小说,特别是司各特和巴尔扎克的小说;他全家人都特别崇拜莎士比亚。他是一个慈爱的父亲,他说他钦佩耶稣热爱儿童的情愫,但他却牺牲了自己孩子的生命和健康。他的7个孩子只有3个女儿长大成人。他的爱女爱琳娜的神经质的、忧郁的、易动情感的性格和渴望当一名演员的想法使他感到苦恼。总的来说,马克思终究是一位战士,甘愿为实现他心目中的更美好的社会而牺牲一切。他把斗争视为生活和生存的法则。

马克思思想的影响是巨大的,马克思的杰作《资本论》被国际工人协会的决议正式称之为"工人阶级的圣经",于1867年在柏林出版,并于1873年再版。只有第一卷是在马克思生前完成和出版的。第2卷和第3卷马克思未写完,由恩格斯编辑,于1885年和1894年出版。马克思使用的经济范畴,就是李嘉图的英国古典经济学所使用的范畴,但马克思根据他的辩证方法来使用它们,用它们来论证:资产阶级社会也像每个社会机体一样,必然要沿着一条不可避免的道路发展。资本主义将经过诸如利润率下降这样一些内在趋势的作用而死亡,并为另一种更高级的社会所替代。《资本论》中最值得注意的章节是从议会蓝皮书上摘录的描述英国工人阶级的贫困的地方。马克思认为这种贫困状况将不断加剧,而同时资本的垄断将成为生产的桎梏,直至最终"资本主义私有制的丧钟敲响,剥夺者被剥夺"。

马克思从未说过是他发现现代社会存在着阶级和阶级斗争。他承认"资产阶级"历史学家们早在他之前已经描述过阶级和阶级斗争了。然而他确实说过是他证明了生产发展的每个阶段是与相应的阶级结构相联系的,阶级斗争必然导致无产阶级专政,并预示着无阶级社会的到来。马克思把19世纪初流行的各色各样的社会主义观点融合为一种学说,这个学说在他身后半个世纪内一直是占主导地位的社会主义学说。他所强调的经济结构影响历史发展的观点已被证明具有长久的价值。

尽管马克思在他的著述中偏重于经济问题,他的主要影响却是在社会学和历史领域。马克思对社会学理论的最重要贡献在于他的一般分析方法、"辩证"方法,即认为每个社会制度内部都具有引起"矛盾"(不平衡)的内在力量,这些矛盾只能由一种新的社会制度来解决。不再接受《资本论》里的经济推论的新马克思主义者,在研究资本主义社会时仍以这种方法为指导。在这个意义上,马克思的分析方法,如同T.马尔萨斯、H.斯宾塞或V.帕雷托的方法一样,已经是作为社会科学家遗产的理论结构之一。

Marx, Roberto Burle 马克斯 参阅Burle Marx, Roberto布尔莱马克斯。

Marx, Wilhelm 马克斯(1863-01-15,普鲁士科隆～1946-08-05,波恩) 德国政治家,天

主教中央党领袖，两次任魏玛共和国总理。早年攻读法律，1922 年由一名普通法官升为柏林上诉法院评议会主席。他创建天主教学校组织，并为首任主席（杜塞尔多夫，1911）；第一次世界大战后为天主教德国人民联盟主席。他参加中央党后，成为普鲁士邦议会议员（1899 ～ 1918）和国会议员（1910 ～ 1932）。1921 ～ 1928 年为中央党主席和该党的国会领袖。1923 年 11 月至 1924 年 12 月第一次担任总理，执政时接受了支付战争赔偿的道威斯计划。1925 年竞选总统时败于兴登堡。1926 年重任总理，1928 年社会民主党人获胜后辞职。1928 年 12 月辞去中央党主席并退出政界。

Marx BROTHERS **马克斯兄弟** 在舞台、银幕和广播界受欢迎达 30 年之久的美国喜剧团体。他们以对道貌岸然的人士和上流社会的别出心裁的讽刺而闻名。马克斯兄弟分别

马克斯兄弟（自左至右：葛劳丘、哈泼和奇科）
美国不列颠百科全书公司供图

是：奇科（1886-03-26，纽约市～ 1961-10-11，好莱坞）；哈泼（1888-11-21，纽约市～ 1964-09-28，好莱坞）；葛劳丘（1890-10-02，纽约市～ 1977-08-19，洛杉矶）；格摩（1893，纽约市～ 1977-04-21，加利福尼亚帕姆斯普林）；季波（1901-02-25，纽约市～ 1979-11-29，加利福尼亚帕姆斯普林）。最初 5 兄弟和母亲明妮在 1904年前后，组成了一个歌舞杂耍表演团，并称这个团为“音乐喜剧六福星”。到 1918 年，他们虽然在美国舞台表演上获得领衔地位，格摩却在这时退出了表演。此后他们将表演团宣传为“四只夜莺”，随后为“马克斯四兄弟”。1924 年他们第一部在百老汇上演的戏《我说，就是她》非常成功，接着在 1925 年和 1928 年又分别演出了《椰子》和《动物饼干》。

20 年代后期，马克斯兄弟拍摄了一系列喜剧电影。最初的影片反映了他们成功的舞台表演，很快地便发展成巧妙地融合了视觉效果和幽默语言的电影。最脍炙人口的影片有《椰子》（1929）、《动物饼干》（1930）、《骗局》（1931）、《鸭汤》（1933）、《歌剧之夜》（1935）、《赛马大会的一天》（1937）及《房间服务》（1938）。马克斯兄弟之间彼此完美配合的滑稽效果，使得这些影片别具特色，即由葛劳丘提供了一连串针对观众而说的尖酸旁白，哈泼和说话带有意大利腔调的奇科则同时配合一些疯狂的举动。葛劳丘是俏皮话的大师，他那种不合逻辑的表现，以一种无法无天而又无法预料的方式演出，他习惯弯着膝盖走路，趁别人不注意时鬼鬼祟祟地滑过地板，对妇女投以贪婪的眼光。女演员 M. 迪蒙通常是这些眼光的对象，她扮演一个庄严的女士，她的态度泰然自若，很少被仰慕者的攻击或马克斯兄弟制造的混乱所惹怒。哈泼弹竖琴（弹奏技巧相当精湛），奇科弹钢琴，至少有一次他边弹奏边把钢琴毁掉。

30 年代后期，季波成为剧院经纪人。第二次世界大战时，奇科担任乐队队长。1949 年当马克斯兄弟表演团解散之后，葛劳丘单独在几部电影中演出，撰写回忆录，并主持一个历时很久的电视节目《你赌你的生命》获得成功。

Marxism **马克思主义** 马克思主义一词有各种不同的解释。其最基本的含义是指马克思的思想，不过通常也包括他的朋友和合作者恩格斯的思想。马克思主义也指各种不同的社会主义运动，特别是 1914 年以前的社会主义运动所理解和实际运用的思想。其后有列宁所创立而被斯大林修改了的苏联马克思主义，它被称为马克思列宁主义，成为俄国革命后建立的各国共产党的教义。它的旁系包括反斯大林的托洛茨基及其追随者所解释的马克思主义、毛泽东的中国式的马克思列宁主义和各种各样的第三世界马克思主义。还有第二次世界大战后的一些非教条的马克思主义，它们借用现代哲学、其中主要是借用胡塞尔和海德格尔以及弗洛伊德等人的哲学修改了马克思的思想。

马克思的思想 马克思的著作不能归结为一种哲学，更不能归结为一种哲学体系。他的全部著作是对哲学，尤其是对黑格尔的哲学体系及左的和右的后黑格尔主义者的哲学的一种激进的批判。但它不是对那些哲学的简单的否定。马克思宣称哲学必须适应现实。人不能再满足于解释世界，人必须改造世界，既改造世界本身，也改造人对世界的认识。这又要求对经验进行批判，同时也对观念进行批判。事实上，马克思认为一切知识都包含对观念的批判。他不是一个经验主义者。更确切地说，他的著作中有很多概念（占有、异化、实践、创造性劳动、价值等）都来自包括黑格尔、费希特、康德、斯密、李嘉图和穆勒在内的先前的哲学家和经济学家。马克思思想独有的特点是，他对诸如人、知识、事物和自然这一系列问题不作整体的抽象断言，而是从它们同其他问题的动态的关系来审视每个问题，而且首先力求把这些问题同历史的、社会的、政治的和经济的现实联系起来。

历史唯物主义 1859 年马克思在他的《政治经济学批判》的序言中写道，他用来作为分析社会的基础的前提，可以简要地表述如下：人们在自己生活的社会生产中发生一定的、必然的、不以他们意志为转移的关系，即同他们的物质生产力的一定发展阶段相适合的生产关系。这些生产关系的总和构成社会的经济结构，即有法律的和政治的上层建筑竖立其上并有一定的社会意识形式与之相适应的现实基础。物质生活的生产方式制约着整个社会生活、政治生活和精神生活的过程。不是人们的意识决定人们的存在，相反，是人们的社会存在决定人们的意识。这一被升华为历史规律的前提，后来被称作历史唯物主义。马克思在《共产党宣言》和《资本论》以及其他著作中，都把历史唯物主义应用于资本主义社会。马克思虽然多年思考和运用他的这个前提，但他没有用非常明确的方式对此作出阐述，而曾经用不同的说法表达同样的现实。如果完全以原文的说法为准，社会现实是按以下方式构成的：(1)作为社会的真实基础而影响一切事物的是经济结构（用 20 世纪后期的语言来说，它有时被称为基础结构）。这一结构包括①“物质生产力”，即劳动和生产资料。②包罗一切的“生产关系”，即调节生产和分配的社会和政治体制。尽管马克思说，“物质生产力”和必然的“生产关系”之间会互相适应，但他从未说清这种适应的性质。正是由于这个事实，马克思的后继者对此作出各不相同的解释。(2)存在于经济结构之上的是与经济结构相适应的由法律的和政治的“社会意识形态”构成的上层建筑。马克思对思想意识形态与经济结构之间的这种互相适应的性质什么也没有讲，他只是讲，人们通过思想意识形态认识到存在于经济结构内部的物质生产力同表现在合法的财产关系上的现存的生产关系之间的冲突。换句话说，“人们所达到的生产力的总和决定着社会状况”并且是社会的基础。“社会结构和国家经常是从一定个人的生活过程中产生的。……是现实中的个人，也就是说，这些个人是从事活动的，进行物质生产的”。人们在他们自己中间建立的政治关系，就像法律关系一样，依赖于物质生产。这一社会立足于经济之上的观点不是一个一般的观点，它是马克思的整个分析的特色。它不仅在《资本论》中可以看到，同样也贯串在《德意志意识形态》和《1844 年经济学哲学手稿》里。

社会分析 要直接把握马克思著作的核心，就必须集中研究他关于人的具体理论。对于了解马克思来说，这与《共产党宣言》和《资本论》是同样重要的。马克思对人的解释是从人的需要开始的。他在《1844 年经济学哲学手稿》中写道：“人直接地是自然存在物。人作为自然存在物，而且作为有生命的自然存在物，一方面具有自然力、生命力……；这些力量作为天赋和才能、作为欲望存在于人身上；另一方面，人作为自然的、肉体的、感性的、对象性的存在物……，是受动的、受制约的和受限制的存在物，也就是说，他的欲望的对象是作为不依赖于他的对象而存在于他之外的；但这些对象是他的需要的对象；是表现和确证他的本质力量所不可缺少的、重要的对象。”人类历史的起点因此就是寻求满足一定的基本需要的有生命的人。“第一个历史活动就是生产满足这些需要的资料”。这种满足转过来又为新的需要开辟道路。因此人类的活动基本上是与自然界作斗争，这就必须给人类提供能够满足他们的需要的资料，这些需要包括饮食、衣服及发展其力量并从而发展其智力和技艺能力。在这种活动中，人发现自己是一个生产的存在物，他用他的劳动使自己人化。此外，人在使自己自然化的同时也使自然界人化。他通过他的创造活动，通过他的劳动，实现他同他所主宰的自然界的同一。而在这同时他得到了自由的意识。出生于自然界的人通过与自然界对立而

变成完全的人。人在自己对自然界的斗争中开始意识到使他同自然界分开的原因,人发现完成自己、实现真正的人的条件。意识的开端是和斗争分不开的。他通过运用全部创造力,发现"整个所谓世界历史不外是人通过人的劳动而诞生的过程,是自然界对人说来的生成过程,所以,关于他通过自身而诞生……,他有直观的、无可辩驳的证明"。从普遍意义上理解,人的活动表明,"对人来说,人就是最高存在物"。因此,谈论上帝、创世和形而上学的问题是没有意义的。在完全自然化之后,人对他自己来说就足够了:他恢复了具有充分自由的人的完整性。

但生活在资本主义社会,人并不是真正自由的。他是一个异己的存在物,他在他的天地里并不能当家作主。马克思从黑格尔和费尔巴哈那里拿来的异化这个概念,在他的全部著作中都起着十分重要的作用,从青年时期的著作开始,一直延续到《资本论》中。在《经济学哲学手稿》中,劳动的异化是由下述事实造成的:工人生产得越多,他能够消费的越少;他创造价值越多,他自己越没有价值,因为他的产品和他的劳动同他相外化。工人靠他所创造的东西生活,但这些不属于他,因此,他无法通过自己的劳动求得他的合理的生存,在这个外在于他的物的世界上,他失去了合理的生存:不劳动就无报酬。在这种情况下,劳动否定了具体的人的完整性。"人的类本质——无论是自然界,还是人的精神的能力——变成人的异己的本质,变成维持他个人生存的手段"。人同自然界、他的身体、他的精神本质相异化。结果就是"人同人相异化"。私有财产发展到最高的阶段,成为"异化劳动的产物,……又是劳动借以异化的手段,是这一异化的实现"。同时也是"异化了的、人的生命的物质的、感性的表现"。

虽然没有什么根据说明马克思曾经放弃对异化劳动的这种人类学分析,从《德意志意识形态》开始,马克思对劳动异化的历史、社会和经济原因则越来越加以强调,特别是在《资本论》中。异化劳动被视为市场产品、劳动分工和社会分化为对抗阶级的结果。人们作为社会中的生产者只是通过自己的劳动创造商品。这些商品是可以交换的。它们的价值是生产它们所花费的社会劳动的平均量。工人的异化在市场生产制度下达到最充分的程度,在这种制度下,工人生产出来的商品的一部分价值被从他那里拿走,变成了剩余价值,归资本家私人占有。市场生产通过鼓励专业化、计件劳动和大企业的建立,也加剧了劳动的异化。这样,一个工人的劳动力就和其他人的结合在一起被使用,这种结合的意义工人是不了解的,从个人来说或从社会来说都是如此。劳动产品在这样失去它们作为人的产品的特性后就成为神物,也就是说,成为私人占有它们的人和被剥夺了对它们的所有权的人都必须服从的、异己的和强制性的现实。在市场经济中,这种对物的服从被商品交换表现于货币这一事实掩盖起来了。

除了这一主要的经济异化之外,还存在着第二位的政治的和意识形态的异化,这种异化对世界形成一种扭曲的观念,并为它作虚伪的辩护,而在这个世界里人们的相互关系也是扭曲的。人们形成的观念是同他们的物质活动和他们的物质关系紧密联系的。"观念、思维、人们的精神交往在这里还是人们物质关系的直接产物"。这对于包括政治、智力或精神活动在内的人类全部活动都是正确的。"人们是自己的观念、思想等等的生产者,但这里所说的人们是现实的、从事活动的人们,他们受着自己的生产力的一定发展……的制约"。法律、道德、形而上学和宗教没有它们自己的历史。"那些发展着自己的物质生产……的人们,在改变自己的这个现实的同时也改变着自己的思维和思维的产物"。换句话说,"不是意识决定生活,而是生活决定意识"。

在资产阶级的资本主义社会中,人被划分为政治上的公民和经济上的人。这种两重性体现了人的政治异化,这种异化由于资产阶级国家的作用而进一步强化。马克思根据对19世纪初的社会的这一研究,认识到国家是有产阶级用来统治其他阶级的工具。

马克思认为意识形态的异化具有各种不同的形式,表现在经济、哲学和法律的理论中。马克思在《资本论》中对前者、在《德意志意识形态》中对后者作了冗长的批判。但意识形态异化表现得最清楚的是在宗教方面。马克思把后黑格尔主义左派中间流行的关于宗教的思想同费尔巴哈的思想综合起来,认为宗教是人的意识的产物。宗教"是那些还没有获得自己或是再度丧失了自己的人"(私有财产世界中的人)的境况的一种反映。宗教是"人民的鸦片"。马克思与费尔巴哈不同,认为只有社会发生了变化,宗教才会消失。

经济分析 马克思在《资本论》中分析了市场经济体系。在这部著作中,他借用了英国古典经济学家斯密和李嘉图的很多范畴,但他把它们加以改造并提出了剩余价值等一些新的概念。《资本论》的最大特点之一就是,在这部著作中,马克思把经济作为一个整体而不是对它的这个或那个方面进行研究。他的分析基于这样一个观念:人是一个生产的存在物,一切经济价值都来自人的劳动。他所分析的体系主要是英国19世纪中叶的体系,它是在16世纪由于海上航线、国际贸易和殖民制度的发展而兴起的私有企业和竞争的体系。生产力的改变(劳动分工和工场的集中)、机械化的采用和技术的进步推动了它的兴起。使这种经济运转起来的社会财富,是通过"庞大的商品堆积"获得的。因此马克思就从研究这种堆积起来的商品开始,分析在市场上进行的不平等交换。

马克思认为,假设资本家预付资本买进棉纱,用它织成棉布,然后把产品以大于他原先支付的钱数出售,他就能把所赚的差额投资于进一步的生产。"原预付价值不仅在流通中保存下来,而且在流通中改变了自己的价值量,加上了一个剩余价值,或者说增值了。正是这种运动使价值转化为资本"。马克思认为,这种转化之所以可能,只是因为资本家占有包括工人劳动力在内的各种生产资料。而劳动力能生产出比本身的价值更多的价值。劳动力价值取决于维持劳动力的再生产所必需的劳动数量,换句话说,取决于工人维持生活和生育子女所需要的数量。但在资本家手中,被雇佣的劳动力一天生产出来的价值大于维持工人及其一家生活所需的价值。这两种价值的差额被资本家占有,它正好等于资本家在市场上实现的剩余价值。马克思没有提到在资本主义社会中剩余价值除了剥削人的劳动之外是否还有其他来源——后者的存在是J.熊彼特指出的(见《资本主义、社会主义与民主》)。马克思始终满足于强调这个主要的来源:剩余价值是雇佣劳动力生产出来的。资本购买劳动力,为此偿付工资。劳动者创造出并不属于他而属于资本家的新的价值。他必须劳动一定时间来重新生产出与他的工资相等的价值,可是,当这个相等的价值还原以后,他还不能停止劳动,而要继续工作些时间。他在这个超额的时间内生产出来的新价值,因而也就是超出他的工资数量的新价值,就构成了剩余价值。

马克思的全部分析都在于证明,资本主义的发展是伴随着不断增加的矛盾的。例如,机器的采用有利于个别资本家,因为它使他能以较低的费用生产出更多的商品,但新技术很快就被他的竞争对手所采用。机器的支出的增长快于工资的支出。既然只有劳动才能产生带来利润的剩余价值,这就意味着资本家的总支出的利润率趋于下降。随着利润率的下降,就会出现失业的增加。这样,经济体系的平衡就会受到威胁,就会实际上受制于它本身发展造成的内部压力。每隔一段时间就发生的危机动摇着这个体系,预示着一场普遍危机将彻底扫除这个体系。日益贫困化的劳动者(工人、农民都包括在内)后备军的形成,使这种不稳定状态越来越严重。"资本主义生产发展了社会生产过程的技术和结合,只是由于它同时破坏了一切财富的源泉:土地和工人"。按照马克思的辩证法,这些根本矛盾只有通过资本主义改变为一个新的制度才能解决。

阶级斗争 马克思从空想社会主义和圣西门的学说继承了阶级和阶级斗争观念。法国历史学家如梯也尔和基佐等关于1789年法国革命的著作已经从实质上提到了阶级和阶级斗争。但马克思与这些法国历史学家不同之处是他把阶级斗争看做社会发展的中心。"到目前为止的一切社会的历史都是阶级斗争史。"

按马克思的观点,历史的辩证性质就表现于阶级斗争。随着资本主义的发展,阶级斗争具有尖锐的形式。在资本主义制度下,两个基本的阶级——生产资料的所有者即资产阶级和工人即无产阶级互相对立,围绕着这两个阶级的则是一些其他次要的阶级。"资产阶级首先生产的是它自身的掘墓人。资产阶级的灭亡和无产阶级的胜利是同样不可避免的"(《共产党宣言》)。因为资产阶级生产关系是社会生产过程的最后的矛盾形式,所谓矛盾,不是指个人的矛盾,而是指由个人的社会存在条件产生的矛盾;不过,在资产阶级社会中发展着的生产力同时又创造出解决这一矛盾的物质条件。人类社会的史前时期将随着这种社会发展而告终。

当人开始意识到他的失落、他的异化是

一种普遍的非人的状况时,他就有可能通过革命来使他的状况急剧转化。这一革命将是建立共产主义和恢复自由的统治的前奏。“代替那存在着阶级和阶级对立的资产阶级旧社会的将是这样一个联合体,在那里,每个人的自由发展是一切人的自由发展的条件”。但马克思认为,存在着两种革命观。一种是指最终爆发,是“对旧的生产条件的暴力的压制”,它发生在资产阶级同无产阶级之间的对立已经达到极点的时候。这种概念是在《神圣家族》中提出的,在某种程度上是受黑格尔关于主人与奴隶的辩证法的启发。另一种概念是指持久不断的革命,包括无产阶级同反抗资本主义的小资产阶级暂时在表面上联合起来。一旦这种联合赢得了多数,一个非官方的无产阶级权威机构就会与革命的资产阶级权威机构并存。它的使命是对无产阶级进行政治的和革命的教育,逐渐地保证合法权力从革命的资产阶级转为革命的无产阶级。

如果仔细阅读《共产党宣言》,就会发现一些前后矛盾的地方,表明马克思未能使剧变式革命和不断革命这两种概念一致起来。此外,马克思从来没有从特定的人群反对另一些人群的观点来分析阶级。在不同的著作中和不同的时期,马克思所谈的阶级的数目也在变化。遗憾的是,正当马克思准备在《资本论》(第三卷)中着手阐述这个问题时,他却溘然去世。阅读《资本论》后,还使人对资本主义的灭亡问题感到模糊不清:它究竟是像马克思所期待的那样作为“普遍危机”的结果,还是觉悟的无产阶级采取行动的结果,还是两者同时作用的结果?

恩格斯的贡献 恩格斯在 1842 年成为一位共产主义者,并且在接管属于他父亲的棉纱公司的曼彻斯特工厂时发现了英国无产阶级。1844 年恩格斯开始与马克思建立密切交往和友谊,当时恩格斯正在结束他的《国民经济学批判大纲》的写作,这篇著作对斯密、李嘉图、穆勒和萨伊进行了批判。这一卓越的研究成果以萌芽的形式包含了马克思后来在《资本论》里对资产阶级政治经济学所作批判的内容。在居留曼彻斯特的头几年,恩格斯仔细考察了这个大工业中心的工人生活,并于 1845 年在莱比锡出版的《英国工人阶级状况》一书中对它作了描述。这部著作分析了工业资本主义的演进及其社会后果。他和马克思合著了《神圣家族》、《德意志意识形态》和《共产党宣言》。他们之间的通信对于研究《资本论》具有十分重要的意义,因为这些通信表明了恩格斯的贡献,说明他如何为马克思提供大量技术和经济资料,如何对一系列著作稿提出评论意见。这种合作一直继续到马克思去世,而且在马克思死后,恩格斯继续整理马克思的遗稿,编辑出版了《资本论》第 2 卷和第 3 卷。他还写了许多介绍马克思著作的文章。

针对社会主义者杜林对马克思思想进行的批判,恩格斯发表了一些文章,后汇集成册,书名为《欧根·杜林先生在科学中实行的变革(反杜林论)》,于 1878 年出版。从大约 1875 ～1876 年开始,他还写了一部后来未完成的著作《自然辩证法》(1927 年出版)。这些著作对马克思主义随后的发展的意义,可以从列宁的评论中看到,列宁说,恩格斯“在笔调明快、往往是论战性的著作中,根据马克思的唯物主义历史观和经济理论,阐明最一般的科学问题,以及过去和现在的各种现象”。但恩格斯感到需要把问题说得简单一些,便于初学者领会;他倾向于假定基本问题已经解决,因而把问题加以程式化和系统化。这样,他把马克思的某些重要思想同当代的某些科学思想结合起来,从而使人们认识到存在着完整的马克思主义哲学。这个思想后来在使马克思主义从“对日常生活的批判”转变为融哲学、历史和科学于一体的完整学说方面起了重要作用。

《反杜林论》在马克思同某些形式的现代马克思主义之间起了承上启下的重大作用。《反杜林论》包括三部分:哲学、政治经济学和社会主义。在第一部分,恩格斯试图证实自然科学,甚至数学,都是辩证的,因为可以观察到的现实是辩证的。人们通过他们所接触的物质力量而接受辩证分析方法和辩证思想。因此它也适用于对历史和人类社会的研究。恩格斯写道:“运动是物质的存在方式。”恩格斯运用唯物主义辩证法批判了杜林的论点——政治力量在铸造历史方面胜过所有其他力量,精辟地阐述了唯物主义的历史观,强调了经济因素作为历史推动力的首要作用。政治经济学篇的各章对马克思的主要经济观念——价值(简单的和复杂的)、劳动、资本和剩余价值——作了非常值得一读的介绍。社会主义篇的前一部分重新系统地表述了《资本论》中对资本主义作过的批判。在后面阐述生产、分配、国家、家庭和教育的各章,恩格斯描绘了未来社会主义社会的轮廓。在社会主义社会,价值这一概念将不再与生产出来的物品的分配发生任何关系,因为所有的劳动“从一开始就成为直接的社会劳动”,每件社会产品所包含的社会劳动量不再需要采用“迂回的途径”加以确定。生产计划将与经济协调一致。随着“对现代工业的资本主义性质的批判”,劳动分工和城乡分离将消失。由于计划的实行,工业在全国的布局将符合集体的利益,城乡对立将因此而消失,使工业和农业都能受益。最后,人从被资本主义生产方式所控制的奴役状态下解放出来后,国家也将被废除,宗教将由于“自然地死掉”而消失。

《反杜林论》最显著的特点之一是恩格斯始终拒绝把社会主义置于绝对价值的基础上。他只承认与历史、经济和社会条件相联系的相对价值。社会主义无论如何也不会以道德原则为基础。每个时代只能成功地实现它能够做到的事。马克思在 1859 年的序言中已谈到了这一点。

恩格斯以后的德国马克思主义 ***考茨基和伯恩施坦的作用*** 恩格斯去世后,德国社会民主党正式机关刊物《新时代》的编辑考茨基取得理论上的领袖地位。他著有《卡尔·马克思的经济学说》(1887)一书,其中认为马克思的成就主要在于经济理论。考茨基把马克思的思想和马克思主义的历史辩证法归结为一种渐进主义。他强调了工人阶级的日益贫困化和资本主义集中程度的日益加剧。他在反对同资产阶级国家作任何妥协的同时,接受了一种论点,即社会主义运动应当支持有利于工人而不会加强国家政权的那些法律。他反对工人阶级同农民结盟的思想,认为工人阶级推翻资本主义国家和取得政权可以通过和平方式实现,而不必破坏现存的结构。作为一个国际主义者,他支持和平,反对战争和暴力。在他看来,战争是资本主义的产物。这就是在伯恩施坦“修正主义”理论出现时德国“正统的”马克思主义的主要特点。

伯恩施坦在 1896 年为《新时代》撰写的、认为马克思主义需要加以修正的一些文章,引起了一场大论战。他在 1899 年出版的《社会主义的前提和社会民主党的任务》进一步离开了马克思主义。考茨基在《伯恩施坦和社会民主党的纲领》(1899)中、波兰出生的马克思主义者卢森堡在《社会改良还是革命?》中都对伯恩施坦进行了反驳。伯恩施坦首先集中讨论了劳动价值论。他同当时的一些经济学家一样,认为英国古典经济学家和《资本论》对这一理论的阐述都已过时。此外,他论证说,阶级斗争正在趋于缓和而不是更加激烈,因为工业中的集中并没有像马克思所预测的那样加快,在农业中则根本没有加强。伯恩施坦根据德国、荷兰和英国的统计资料说明了这一点。他还论证说,卡特尔和企业辛迪加正在为资本主义的渐进发展铺平道路,这一事实使人怀疑马克思的资本主义危机理论是否还有效。伯恩施坦宣称马克思的不少理论是没有科学根据的,指责马克思著作中的黑格尔式和李嘉图式的结构,责备他没有充分考虑可以观察到的现实。

对此,考茨基反驳道,随着资本主义的发展,农业正在变成一个越来越依赖工业的部门,另外,农业的工业化正在实现。卢森堡的观点是:资本主义的矛盾不会由于金融资本主义的发展和殖民地的开发而停止增长,这些矛盾正在导致战争,从而给无产阶级提供用革命手段取得政权的机会。

激进派 造成分裂的最大问题之一是战争与和平问题。在第一次世界大战爆发时,这个问题被提到了首要地位。当时德国社会民主党在帝国国会中的代表对战争拨款投了赞成票。德国马克思主义者中反对战争的有李卜克内西和卢森堡。李卜克内西在 1916 年因宣传反战而被捕。1918 年出狱后领导了斯巴达克思同盟运动,斯巴达克思同盟后来发展为德国共产党。卢森堡也曾因进行反军国主义活动而被捕。她曾以尤尼乌斯的笔名写了一些文章(1916 年出版,题名为《社会民主党的危机》),就第一次世界大战及马克思主义者对大战的态度问题与列宁进行了争论。此外,她还由于撰写《资本积累论》(1913)一书而闻名。在这部著作中,她又回过头来探讨马克思对资本主义的经济分析,特别是《资本论》第 2 卷中所阐释的资本积累。她在这里发现了一个以前一直没有引起注意的矛盾:按照马克思的论述,似乎资本主义的发展可以是无限的,但在别处马克思又说,资本主义制度的矛盾产生的日益严重的经济危机将不可避免地消灭资本主义。卢森堡得出结论说,马克思的论述过于简单化,他把世界设想为完全由资本家和工人构成。她说,如果把生产率的提高考虑进去的话,两个部门之间是不可能平衡的；为了保持发展，资本家必须在非资本主义领域——在农民和手工工匠中或者在殖民地和不发达国家中找到新的市场。只有当除资本主义之外的世界（农民、殖民地等）的开发都达到极限时，资本主义才会崩溃。这个结论成为激烈争论的题目。

奥地利派 奥地利学派是在奥地利社会主义者开始脱离德国人而独立出版自己的著作时产生的，时间可以从1904年《马克思研究》丛刊创刊算起，也可以从1907年《斗争》杂志出版算起。该学派的主要成员是M.阿德勒、伦纳、希法亭、G.埃克斯坦、F.阿德勒和O.鲍尔。其中最突出的是鲍尔，他是一个卓越的理论家。他的著作《民族问题和社会民主党》(1906)受到过列宁的批判。在这本书中他根据奥匈帝国的经验论述了民族问题。他赞成民族自决并强调文化因素在民族概念中的重要性。希法亭在第一次世界大战后曾在德意志共和国的社会民主党人斯特来斯曼内阁(1923)和米勒内阁(1928)中先后两次任财政部长。他主要由于所著《金融资本》(1910)一书而出名。在该书中他强调资本主义已经处于银行和工业垄断组织的控制之下。他认为国家竞争和关税壁垒的增强导致了在国外的经济战争。希法亭的观点对列宁有很大影响，列宁在《帝国主义是资本主义的最高阶段》(1916)中对他的这些观点进行了分析。

俄国和苏联的马克思主义 《资本论》于1872年被译成俄文。马克思曾同俄国社会主义者或多或少保持着固定的联系，并且关注沙皇帝国的经济和社会状况。把马克思主义实际引进俄国的是普列汉诺夫，但把马克思主义运用于俄国的是列宁。

列宁 弗拉基米尔·伊里奇·乌里扬诺夫，即列宁，1870年出生于辛比尔斯克（现乌里扬诺夫斯克）。他入喀山大学攻读法律，但入学当年即因参加学生鼓动活动而被开除。1893年迁居圣彼得堡，开始积极投身革命工人的活动。他写的小册子《怎么办?》(1902)阐明了他所构想的马克思主义政党的理论原理和组织。他参加了在布鲁塞尔和伦敦举行的俄国社会民主工党第二次代表大会(1903)，并说服了多数代表采纳他的观点。在这次代表大会上形成了两个派别：以列宁为领袖的布尔什维克（俄语意为“多数派”）和以马尔托夫为首的孟什维克（俄语意为“少数派”）。前者要求建立一个由富于战斗精神的人组成的严密的政党并主张实行无产阶级专政；后者要求建立一个广泛开放的无产阶级政党，同自由派合作和在俄国实行民主的宪政。列宁在他所写的小册子《进一步，退两步》(1904)中，对比了布尔什维克和孟什维克的组织原则。1905年俄国革命失败后，他在《社会民主党人在民主革命中的两种策略》中为未来吸取了积极的教训。在《唯物主义和经验批判主义》(1908)一书中，他激烈地批评了康德哲学对德国的和俄国的马克思主义的影响。1912年在布拉格代表会议上，布尔什维克组成了自己的独立政党。第一次世界大战期间，列宁侨居瑞士，研究黑格尔的《逻辑学》和资本主义的发展，继续同卢森堡等马克思主义者就战争的意义和民族自决权问题进行争论。1915年于齐美尔瓦尔德、1916年于昆塔尔，列宁组织了两次国际社会党人代表会议以反对战争。1917年2月革命后，列宁立即回到俄国，并于10月布尔什维克政变后执掌政权。

19世纪末和20世纪初俄国的形势和俄国的革命运动，使列宁在他的发展和他的分析过程中，既脱离开“正统马克思主义”，也摆脱了“修正主义”。他通过仔细研读马克思的著作，尤其是《资本论》和《神圣家族》，重新发掘了马克思原来的思想。他把马克思主义看成是实践的东西，力图超出已被公认的准则来计划能够支配周围世界的政治行动。

早在1894年，列宁就在他对民粹主义进行研讨的著作《“人民之友”》中采用了马克思把人们的“物质的社会关系”同他们的“思想的社会关系”加以区分的观点。在列宁看来，《资本论》的重要意义就在于马克思“完全用生产关系来说明该社会形态的构成和发展。但又随时随地探究与这种生产关系相适应的上层建筑”。列宁在《俄国资本主义的发展》(1897～1899)中试图运用马克思的分析方法说明资本、特别是商业资本作用的日益增长，揭示了对工厂工人的剥削和对农民的大规模剥夺。这就是说，马克思所论述的西欧模式也可以运用于俄国。同时，列宁也没有忽视农民在俄国社会中的重要作用。列宁虽然是马克思的信徒，但他并不认为自己只能重复马克思的结论。他写道：“我们并不认为马克思的理论是一个完成的、不可改变的整体。相反，我们认为这种理论只是一门科学的基石，社会主义者如果不想让自己被生活抛弃的话，他们就必须在各方面进一步发展这门科学。我们认为，俄国社会主义者特别需要对这种理论作出独立的阐述。”

列宁特别重视辩证方法。他在早期著作中把辩证法界定为“不是别的，正是社会学中的科学方法，这个方法把社会看做处在不断发展中的活的机体（而不是机械地结合起来因而可以把各种社会要素随便搭配起来的一种什么东西）……”（《“人民之友”》，1894）。列宁在1914年末研究过黑格尔之后，产生了一个更加积极的观点。他认为，辩证法不单单是进化；它是实践，是从能动性到反映，再从反映到行动。

无产阶级专政 列宁还十分强调党的领导作用。早在1902年，他就感到需要一个有适应时代要求的正确理论指导的紧密团结的党，它会在群众中成为一种推动力，帮助他们认识自己的真实处境。在《怎么办?》中，他号召建立一个有纪律、有领导、能够战胜警察当局的职业革命家的政党，它的目标应当是建立无产阶级专政。他在《社会民主党在民主革命中的两种策略》中写道，为了做到这一点，需要“使无产阶级群众和非无产阶级群众的起义服从于我们的影响和我们的领导，并利用它来为我们自己谋利益”。但是，没有理论，就不可能做到这一点。“没有革命的理论，就不会有革命的运动”。在1917年10月革命前夕，他在《国家与革命》中提出了建立无产阶级专政和镇压资本主义国家机构的问题。

列宁在制订他的纲领时十分重视农民的重要作用。他认为，俄国的革命工人运动如果忽视农民，那将是一个严重的错误。尽管很清楚，工业无产阶级是革命的先锋队，但还是可以把农民的不满引导到有利于革命的方向，把没收私有土地列为党的目标之一。早在1903年，他在党的第三次代表大会上就通过了一项这方面的决议。从这时起，无产阶级专政就改为无产阶级和农民的专政。1917年，早在立宪会议批准土地改革以前很久，他就鼓励农民夺取土地。

在列宁留给苏联马克思主义的遗产当中，有一项后来证明是对党有害的。这就是1921年春季在发生喀琅施塔得水兵叛乱和农村的农民骚动时，党的第十次代表大会在列宁的命令下通过的一项决议，它禁止在党内存在任何派别、任何派别活动和任何反对派政治纲领。这一决议在以后的年代里产生了严重的后果，它被斯大林利用来对付自己的政敌。

斯大林 斯大林把他称之为马克思列宁主义的思想体系定为法规，使之成为苏联和东欧共产党的官方教义。斯大林也是一个注重行动的人，但与列宁不大一样。在1924年列宁去世后，他逐步掌握了权力，并全力投入发展苏联的工作。通过实际运用马克思主义，他吸收了马克思主义，同时也把它简单化。斯大林的马克思列宁主义建基于《联共党史简明教程》(1938)中所阐明的黑格尔辩证法以及大致与费尔巴哈唯物主义相类似的唯物主义之上。他的著作《列宁主义问题》在他生前刊印了11版，阐述了权力和行动主义思想，它完全排斥了列宁的较为细致的分析研究态度。

苏联辩证唯物主义可以归纳为四条法规：①历史是一种辩证的发展。它的进程是由连续不断的、依次更替的一些阶段构成。这些阶段不是互相分离的，正如出生、长大和死亡不是分离的一样。尽管乙阶段必然要否定甲阶段，但乙阶段已经被包含在甲阶段中并且是由甲阶段引入的。辩证法不是把自然界看做是对象或者孤立和独立的现象的偶然堆积，而是把它看做统一的、有联系的整体。此外，自然界永远处于运动之中，处于不断更新和发展的状态中，其中始终有某种东西在产生和发展，有某种东西在衰颓和消失。②发展是跳跃式地而不是逐渐地发生的。③矛盾必须使之暴露。一切现象内部都包含矛盾的因素。“辩证法的出发点是：自然界的对象、自然界的现象含有内在的矛盾，因为它们都有其反面和正面”。这些矛盾因素处于永恒的斗争之中，按斯大林的看法，这种斗争就是“发展过程的内在内容”。④这种发展的规律是经济的。所有其他矛盾都植根于基本的经济关系。一个特定的时代完全取决于人们中间存在的生产关系，它们是社会关系；合作或互助的关系；统治和服从的关系；以及最后，从一种制度到另一种制度的过渡时期所特有的短暂关系。“社会发展史首先是生产的发展史，是许多世纪以来依次更迭的生产方式的发展史”。

从上述这些原则可以得出如下贯穿于马克思列宁主义思想及其运用中的基本结论。任何自然现象、任何历史或社会情况、任何政治事实，都不能认为是脱离它们周围的其他事实或现象而独立存在的；它们是被置于一个整体之中的。既然运动是基本事实，那就必须把开始衰亡的同正在产生和发展的事物区别开来。既然发展的过程会采用飞跃的方式，那就会从一连串缓慢的量变突然转到根本的质变。在社会或政治领域，这些突然的质变就是被压迫阶级所进行的革命。必须遵循一种坦率的无产阶级政策，以揭露资本主义制度的矛盾。改良主义政策是无济于事的。因此，①没有一件事情能从"永恒正义"的观点或任何其他预先形成的观念来加以判断；②没有一个社会制度是不可改变的。为了切实起见，人们的行动不能指靠那些不再发展的社会阶层，即使它们暂时还代表占优势的力量，而应当指靠那些正在发展的阶层。

斯大林的唯物主义的和历史的辩证法与马克思的观点大不相同。马克思在《共产党宣言》中把唯物主义辩证法运用于他那个时代的社会和政治生活。在题为"资产者和无产者"的一章里，他研讨了革命资产阶级在封建社会内部生长的过程，然后是无产阶级在资本主义内部的产生和成长，而把重点放在对抗阶级之间的斗争上。的确，他把社会的进化同生产力的发展联系了起来。但是，对他来说，重要的不仅是斗争，还有无产阶级觉悟的产生。"至于说到《宣言》中所提出的那些原则的最终胜利，马克思在这里是把希望完全寄托于共同行动和共同讨论必然要产生的工人阶级的精神的发展"（恩格斯语，见写于 1890 年 5 月 1 日的《共产党宣言》再版序言）。

而斯大林的辩证法的结论则是他所说的自上而下的革命，是建立在无情的高压和强大的集权基础上加强工业化和农业集体化的独裁政策。对于斯大林来说，重要的是眼前的目标和实际效果。其不同是由客观和主观都强调的辩证法变为一种纯粹客观的东西，或者更确切地说，纯粹客观主义的东西。判断人的行动不是看行动者的意图和它们在既定的历史网络中的地位，而只看它们在这一时期结束时的客观表现。

托洛茨基主义　在苏联，与上述的马克思列宁主义并行的，还有斯大林的对手托洛茨基及其追随者所阐述的另一种观点。托洛茨基在俄国 1905 年革命和 1917 年革命中都起过领导作用。列宁去世后，他同斯大林发生了争吵。他们的冲突主要是政策问题，包括国内政策和国外政策。在思想观点上，托洛茨基认为在一个落后的农业国里，革命只能由无产阶级进行。无产阶级一旦执掌政权，就应当进行土地改革并着手加速经济的发展。这一革命应当是社会主义革命，它包括废除生产资料的私人占有，不然这一革命就将失败。但革命不能像斯大林所认为的那样可以孤立地进行。资本主义国家将竭力进行破坏；此外，革命要取得成功，必须利用发达国家的工业技术。因此这一革命必须是世界性的和不间断的革命，它反对所有国家的自由派资产阶级和民族资产阶级并利用局部的胜利推动国际斗争。

在策略上，托洛茨基强调要找到或创造一个革命的形势，要教育工人阶级使之革命化，要注意使党始终对各种不同的革命倾向敞开门户并防止官僚主义化。最后，在起义的时机到来时，要按照详细制定的计划来组织起义。

马克思主义的变种　毛主义　当中国共产党人在 1949 年取得政权时，他们带来了一种新的马克思主义，即用他们的领袖毛泽东的名字来称呼的毛主义。毛的思想应当始终放在 1930 年以后不断变化的中国革命现实的背景上来理解。他的思想是复杂的，是马克思主义的分析方式与悠久的中国思想文化的基本原则的结合。

毛主义的中心要素之一，是关于社会主义社会矛盾的性质和作用。毛认为，每个社会，包括社会主义（共产主义）社会在内，都包含"两类不同性质的矛盾"：①对抗性矛盾——敌（中国资产阶级顽固派）我（人民）之间的矛盾、帝国主义阵营与社会主义阵营之间的矛盾，等等——要通过革命来解决；②非对抗性矛盾——社会主义制度下政府和人民之间的矛盾、共产党内两个集团之间的矛盾、共产党政权下一部分人民和另一部分人民之间的矛盾，等等——要通过积极的善意的批评和自我批评来解决。

毛的思想中的矛盾的概念是一个特定的概念，它不同于马克思或列宁的观点。实际上，毛认为矛盾既是普遍的，又是特殊的。必须在矛盾的普遍性中寻找和发现构成其特殊性的因素：每一对矛盾都基于事物和现象的本性而表现出一种特殊的性质。矛盾都具有变化着的方面——有时很明显，有时不明显。这些方面有的是主要的，有的是次要的。重要的是要善于区分它们，否则，对社会现实的分析及其随后的行动就将产生错误。这同斯大林主义和教条式的马克思列宁主义相去甚远。

毛的思想的另一个重要方面是不断革命的概念，关于这一点必须从中国革命的背景来加以理解。不断革命是一个老的观念，马克思、列宁和托洛茨基都在不同情况下提出过，但在毛的公式中并非是指他的前人所主张的国际性。对于毛来说，它是来自与天奋斗的思想（至少是从 1938 年就有的），来自整风运动（1942、1951、1952），来自在一个六亿到七亿人的国家里进行反对官僚主义、贪污浪费的斗争的需要。在这个国家中，古老的文明和文化仍然渗透于资产阶级和农民阶级，官僚主义根深蒂固，遗留着旧社会的极端腐败现象。不断革命的观念产生于毛的必须加快革命节奏的信念。这一信念在他 1957 年的讲话中就表露过，在 1958 年的"大跃进"以及随后 1966 年的"文化大革命"中则更为明显。

毛的不断革命的观念的根据是今天和明天的中国存在着非对抗性矛盾。为了推进革命和防止领导集团蜕化为资产阶级（他认为苏联就发生了这种情况），必须动员人们投入不断的政治运动。需要打破群众中的消极状态和历史遗留下来的旧习惯，在群众中形成一种新的世界观。这就是 1966 年开始的"文化大革命"的背景，它是以往的历次运动的继续，但不同之处在于规模巨大，还在于看来是动员青年人反对党的干部。在这些运动中，毛从他过去作为革命马克思主义的农民领袖以及在红色农村军事根据地和延安红军中的生活吸取经验，在他的这些经验中寻求动员全国人民对付当前面临的内部和外部危险的道路。

毛主义的突出特点是它体现了一种农民式的马克思主义，主要是从农村的和军事的观点看待问题。毛以适合中国要求的马克思列宁主义作为自己的基础，同时又植根于他自己所出身的农民的生活，植根于反对中国历史上多如牛毛的军阀和官僚的起义。毛把这些经验概括为一种普遍的历史观，使它的意义超出中国一国的范围。

毛努力使自己同中国农民大众保持密切联系，他从流行于中国的道教吸取了自然观念和象征主义，尽管是用他的马克思主义改造过的。这一点可以从他用中国古典诗歌格律写成的许多诗中看出。在他的政治著作中，这种自然观念还伴有另一种观念——普罗米修斯式的人与自然搏斗的观念，在他的思想中，这一观念至少可以追溯到 1938 年，而在 1955 年革命节奏加快以后变得更加重要了。

古巴的马克思主义　卡斯特罗的马克思主义宣称它反对任何形式的不公平，包括政治的、经济的和社会的。在这个意义上，它和 19 世纪拉丁美洲的玻利瓦尔的自由主义民主和泛美主义是有联系的。在自由主义方面，卡斯特罗早期的社会主义，与 19 世纪上半叶的各种法国社会主义相仿。卡斯特罗主义后来才逐渐地使自己同马克思列宁主义一致起来。尽管从古巴革命一开始，卡斯特罗就表露出他对马克思的某些思想抱有好感。卡斯特罗的马克思主义拒绝正宗马克思列宁主义的某些原则和实践：它公开表示反对教条主义、官僚主义和宗派主义。在某种意义上，卡斯特罗主义是马克思列宁主义的"异端"。它把游击队革命的精神抬高到党的政纲之上，同时它的目标是把一种更纯正的马克思主义应用于古巴的条件，这些条件就是：所谓的美帝国主义的威胁，单一作物的经济，政治和经济发展的极低水平。它可以被称之为把马克思主义思想同玻利瓦尔思想结合起来的一种尝试。

在分裂共产主义世界的意识形态和政治冲突中，卡斯特罗主义采取了一种或多或少不介入的立场。卡斯特罗首先是一个民族主义者，其次才是一个马克思主义者。

第三世界的马克思主义　马克思主义在第三世界的变种的发展，主要是受第三世界国家不发达的工业状况和它们以前的殖民地状态的影响。传统马克思主义认为，资本主义的发展，是前资本主义农民社会崩溃和革命无产阶级兴起的一个必要步骤。然而，有些理论家认为，由帝国主义者而不是由本国政权引进的资本主义，维持而不是破坏农民社会的封建结构，加重它的不发达状态，因为当地资源和盈余都被殖民大国劫掠一空。此外，社会主义革命运动变为从属于民族解放运动，这就违反了马克思的联合本国所有阶级为反对帝国主义的共同事业而进行阶级斗争的理论。由于这些原因，许多第三世界国家选择了效法毛主义的模式，把重点放在反对封建主义和帝国主义的土地革命上，而不愿效法苏联。还存在着第三世界特有的另一种选择，这就是绕过资本主义，依靠其他共产党国家已经建立起来的力量来支援其反帝斗争。

西方的马克思主义 西方的马克思主义主要有两种形式，一种是传统的共产党的马克思主义，另一种是组织上比较松散的“新左派”，它被称为“西方马克思主义”。总的说来，西欧共产党的成功受碍于以下各种原因：它们明显地忠于苏联当局而不是忠于自己的国家；它们从列宁那里承袭来一种保密的官僚化的组织形式；它们会轻而易举地与资本主义社会融为一体；它们因而担心同资产阶级政党分享政权会丧失自己的原则。西欧共产党在20世纪70年代以前基本上坚持苏联马克思主义的方针，而从70年代开始提出了欧洲共产主义的主张，这是一种温和的共产主义，它们觉得这样可以扩大它们的影响范围，而不仅仅限于工人阶级，从而增加它们在政治上获得成功的机会。正如意大利共产党领袖贝林格、法国共产党领袖马歇和西班牙共产党领袖卡里略所说，欧洲共产主义主张用和平、民主的方法来实现社会主义，赞同和其他政党结盟，保障公民自由，不承认苏联党的中心权威。到80年代，欧洲共产主义因未获成功而在很大程度上已被放弃，先进资本主义国家的共产党又回到正统马克思列宁主义上来，尽管这样做也伴随着种种问题。

对比之下，“西方马克思主义”则可以被看做是对马克思列宁主义的一种否定，尽管在20年代最初形成时，它的创始者认为他们还是忠于居统治地位的苏联共产党的。在西方马克思主义的发展中，最有影响的人物包括中欧国家的卢卡奇、K.科尔施和L.哥德曼；意大利的葛兰西；形成法兰克福学派的德国理论家，特别是M.霍克海默尔、阿多尔诺、马库塞、J.哈贝马斯等；法国的H.勒菲弗尔、萨特和梅洛-庞蒂。

西方马克思主义主要是由于西方世界社会主义革命的失败而形成的。西方马克思主义者对马克思主义在现实中的政治或经济实践较少兴趣，而更多地致力于马克思主义的哲学阐释，特别是文化和历史的研究。为了解释资本主义社会的无可争辩的成就，他们感到需要探索和了解非马克思主义的方法和资产阶级文化的所有方面。最后，他们终于认为传统马克思主义已不适合于现代西方社会的现实。

马克思预言革命将首先在欧洲取得成功，但事实证明第三世界对革命的反应更加敏锐。正统马克思主义也赞扬与资本主义相联系的工艺技术成就，把它们视为社会主义进步的要素。但经验向西方马克思主义者表明，工艺技术并没有必然地产生马克思所描写的危机，也没有不可避免地导致革命。他们尤其不同意恩格斯最先加以强调的一个看法，即马克思主义是可以普遍适用于自然界的一种完整的科学学说；他们认为马克思主义是对人的生活的批判，而不是一门客观的、普遍的科学。斯大林时代的恐怖主义和共产党的官僚制度使他们觉醒，因此他们主张由工人委员会治理国家，他们认为这样做可以排除职业政治家，可以更真实地代表工人阶级的利益。后来，当西方马克思主义者发现工人阶级已同资本主义制度融合得难解难分时，他们开始支持更无政府主义的策略。总的说来，他们的观点更接近于马克思早期的人道主义著作，而不是后来的教条主义的阐释。

支持西方马克思主义的主要是知识分子，而不是工人阶级，正统的马克思主义者则认为它不切实际。但是，西方马克思主义对马克思的社会理论的强调和对马克思主义的方法论和马克思主义思想的评价，甚至对非马克思主义者用来观察世界的方法也产生了影响。

Mary 马利亚(活动时期公元初) 又译玛利亚。又称圣母马利亚。耶稣的母亲，在基督教会内自使徒时代以来一直受崇敬的对象，西方艺术、音乐和文学中爱用的题材。了解马利亚是根据《圣经》的记载，但这种记载过于零散，不足以构成完整的传记。《圣经》记载的有关马利亚的第一件事是“领报”，说她住在拿撒勒，许配给约瑟；有关她的最后一段说她同其他一些人在耶稣升天后聚在一起祈祷。在福音书中，她出现在以下各次事件中：“领报”；访问亲戚以利沙伯，以利沙伯是耶稣的先行者施洗者约翰的母亲；生下耶稣和到圣殿把耶稣献给上帝；东方博士来朝拜以及逃往埃及；耶稣12岁在逾越节到耶路撒冷；加利利地区迦拿的婚礼，但未提她的名字；她在耶稣讲道时想见耶稣；她站在十字架下，当时显然已守寡，耶稣把她托付给门徒约翰。自从基督教最初时代起，这些事件所体现的主题就一直是有关马利亚的思考和思辨的依据。《加拉太书》(4:4)有“为女子所生”之语，这或许是基督教义文献中最早间接提到马利亚者，《加拉太书》写于四福音书之前。“为女子所生”用之于耶稣是要明确指出他是真正的人，这是针对有人要否认耶稣有完全的人的生活而发。这样，此语使马利亚成为一种象征和一种保证，说明上帝的儿子确实出生为人。从上古起，人们就认为，只要有一亲即足以保证一个人真正是人；同样，从一开始起，上帝的儿子耶稣基督的人身母亲就是提供这种保证的人。为“童女生子”说辩护的人士通常说，童贞马利亚接受嘱托，甘愿为道成肉身提供保证，她说：“情愿照你的话成就在我身上”，于是耶稣的真正作为人的身份才成为可能。天主教神学加给马利亚的“共同救赎者”的称号源出于此，这个称号表示，她在一定程度上参与了救赎人类的事业，但对她参加救赎的确切程度至今在天主教神学家中仍有争论。《马太福音》和《路加福音》有关婴儿耶稣的记载是《新约》中有关马利亚的记载中篇幅最大者。今本两福音书都强调，耶稣在马利亚腹中成胎并无人的作用。在《圣经》以后的叙述马利亚的基督教文献中，最多的是论她的童贞问题。正统的教父根据《新约》一致认为，马利亚生耶稣并未损害她的童贞，这种学说包含在早期的基督教信经中，16世纪的宗教改革家以及宗教改革以后的新教各派及其信徒也都赞同。《新约》对耶稣的为人和事业提出种种解释，其中之一是把他同亚当对比，对比亚当的不顺从上帝与基督的顺从。由于亚当的不顺从，罪恶进入了世界；由于基督的顺从，拯救人脱离罪恶的事业得以完成。大约2世纪末，教父伊里奈乌斯在他的著作中详尽地对比了夏娃和马利亚，夏娃身为童女而不服从上帝的话，马利亚也身为童女而服从上帝的话。无论如何，这种对比确实使得马利亚和她的顺从在救赎人类的事业中有了积极的一份作用。一切人都因亚当而死，而夏娃参与了引起这种后果的罪恶；一切人都因基督而得救，而马利亚参与了使这一救恩成为可能的生命。第一次有关马利亚的普遍神学争论所争议的是，给予她“生神者”或“神之母”的称号是否适宜。它是从4世纪确立的关于基督有完全的神性的教条的逻辑推论，捍卫这一教条的人们也正是进行这种推论的人。《新约》中说马利亚是以童贞之身孕生耶稣的，由此下推，有几种说法。一说她在生耶稣的全过程中保持童贞(生子中的童贞)，一说她生耶稣后仍然保持童贞终身(生子后童贞)。《使徒信经》说，基督“由童贞女马利亚所生”，这可以说至少是在宣讲“生子中的童贞”说。禁欲苦修思想在教会内发展，使得尊马利亚为永久童贞的典范的观点获得许多人赞成。《新约》对于此说既未肯定也未否定，而是根本不予理会。关于马利亚永久童贞的教义，是说她从肉体到灵魂都是纯洁的，因此，许多神学家认为，她也没有其他的罪。大神学家奥古斯丁为了驳斥贝拉基派而证明普世之人皆有罪，道出了西派教会的观点：“在这一点上我们必须排除童贞马利亚。出于对主的尊重，我根本不想提出罪的问题。归根到底，我们怎么能知道会有多么丰盛的恩惠赐给曾有孕生无疑无罪者之大功的那一位。”但是，也正是这位奥古斯丁在西派教会中确立的区分原罪与本罪的学说迫使人们设法进一步澄清“马利亚无罪”的意义。4、5世纪某些东派教会神学家愿意承认马利亚有本罪；但是，东西两派大多数神学家却认为，马利亚从未做有罪之事，甚至在16世纪宗教改革家中间也有人持有这种观点。那么，她是不是也没有原罪呢？中世纪西派教会最重要的神学家托马斯·阿奎那提出有代表性的看法，说马利亚在母腹中成胎如同一切人的成胎一样，是受了玷污的，但是上帝显然是在她出生之前抑制而且最终消灭了她的原罪。但是这种说法遭到“无原罪始胎”教义的反对。“无原罪始胎”说由13世纪英国经院神学家邓斯·司各脱予以系统化，最后于1854年由教皇庇护九世确定为天主教信条。根据这一教条，马利亚不仅一生纯洁，纯洁而生，而且“在她成胎的一瞬间即由于全能的上帝通过人类的救主基督耶稣的善功赐给她独特的恩惠而受到保护，未受原罪的任何玷污”。“无原罪始胎”教义一经宣布，梵蒂冈陆续收到许多请愿书，要求明确说明圣母升天之事，因为天主教相信马利亚升天，还有圣母升天瞻礼日。自1854年起，一个世纪内有800多万人签署这种请愿书。但是罗马教廷犹豫不决，因为难以根据《圣经》和早期基督教会的见证来确定这一教义。没有公认的史料记述马利亚的逝世地点和场合(尽管许多人都知道爱奥尼亚地区古城以弗所有绘画写

“马利亚入睡”)；不知她葬在何处(尽管耶路撒冷有据说是她的坟墓)；也没有关于她的遗体造成神迹的传说(尽管比她小得多的圣人遗体造成许多神迹)。最后，教皇庇护十二世宣布：“无原罪的天主之母，永久童贞马利亚，在走完了在地上的生活过程时，肉体和灵魂一起被提到天上的荣耀之中”，于是“圣母升天”遂成为正式教义。

Mary　玛丽　统治者之名，按国别分列于后，并各以●为标记。

与此字相等之外语：

法　语　Marie

葡萄牙语　Maria

勃 艮 第

● Mary　玛丽(1457-02-13，布鲁塞尔～1482-03-27，佛兰德布吕赫)　又称玛丽(勃艮第的)。勃艮第女公爵(1477～1482在位)。勃艮第公爵查理(大胆的)的女儿和继承人。她同哈布斯堡皇帝费迪南三世之子马克西米连大公(后为马克西米连一世)的婚姻至关重要，最终导致哈布斯堡王朝控制了尼德兰。1476年与马克西米连订婚。1477年初，父亲死于南锡，她成为勃艮第女公爵。法国对她施加压力，要她与未来的法国国王查理八世结婚。但她予以拒绝，于1477年8月18日成为马克西米连的妻子。由于他们2人结合，尼德兰遂被并入西班牙。

英格兰/大不列颠

● Mary I　玛丽一世(1516-02-18，伦敦附近格林尼治～1558-11-17，伦敦)　英格兰第一位女王(1553～1558)。又名玛丽·都铎。因迫害新教徒，企图在英格兰恢复罗马天主教而被称为“血腥的玛丽”。国王亨利八世与西班牙公主凯瑟琳之女。最初同神圣罗马帝国皇帝查理五世(西班牙的查理一世)订婚。查理五世要求她携带大笔现金作为嫁妆前去

马德里普拉多博物馆供图

西班牙。由于未能满足这一要求，查理五世撕毁婚约。1525年玛丽受封威尔士公主。早在16世纪20年代，她的父亲亨利八世为与A.博林结合，打算同凯瑟琳离婚。然而，他没有得到教皇的批准。1534年亨利八世同罗马绝交，建立英国国教会。新立的王后博林剥夺玛丽的公主称号，并叫她给自己所生的女儿伊丽莎白当女侍。博林失宠之后，亨利八世赐给她府第，给予公主待遇。1544年，玛丽取得在爱德华王子之后的继承王位的权利。亨利八世死后，爱德华六世继位(1547)。1553年爱德华死后，由于格雷夫人袭取王位，玛丽逃往诺福克。可是，英格兰人认为玛丽是合法的继承人。几天后，玛丽便胜利进入伦敦，时年37岁。她强迫英格兰人民重新信奉天主教，为了达到这一目的，决心同皇帝查理五世之子、比她年轻11岁的西班牙的腓力二世结婚。1554年爆发由T.怀亚特领导的新教徒叛乱。玛丽在伦敦发表一篇极为动人的演说，号召成千上万的公民为她战斗。她终于打败怀亚特，将其处死。玛丽恢复天主教之后，大肆屠杀叛乱者，约有300名信徒受火刑。此后，人们对她切齿痛恨。身后无子嗣。

● Mary II　玛丽二世　(1662-04-30，伦敦～1694-12-28，伦敦)　英格兰女王(1689～1694)。詹姆斯二世之女。1677年11月与她的表兄、荷兰执政和欧洲新教捍卫者奥兰治

美国不列颠百科全书公司供图

亲王威廉结婚，婚后定居荷兰。因詹姆斯二世推行亲天主教的政策，与威廉发生争吵，玛丽支持威廉于1688年11月进犯英格兰。两个月后玛丽到达伦敦。1689年4月11日玛丽与威廉共享英格兰王位。威廉在爱尔兰和欧洲大陆指挥战斗时，玛丽以自己的名义主持朝政。而当威廉在英格兰时，她甘愿不过问政治。她深得人心。

葡 萄 牙

● Mary I-II　玛丽一世至二世　参阅 **Maria I-II**玛丽亚一世至二世。

苏 格 兰

● Mary　玛丽(1542-12-08，苏格兰洛锡安林利斯戈宫～1587-02-08，英格兰北安普敦郡福瑟灵埃城堡)　别名玛丽(苏格兰女王)。本名玛丽·斯图亚特。苏格兰女王(1542～1567)和法国王后(1559～1560)。苏格兰国王詹姆斯五世和他的法国妻子吉斯的玛丽的独生女。出生后6天父亲去世，玛丽依继承规定成为苏格兰女王。5岁时被母亲送至法国，在法王亨利二世的宫廷中长大。她美貌绝伦，喜音乐和诗歌。1558年4月同亨利二世之子法兰西斯结婚。1558年11月伊丽莎白即英格兰王位，按照世系，玛丽应为英格兰王位的第2继承人。天主教徒们认为伊丽莎白为私生女，玛丽才是合法的女王。因此，法国的亨利二世就代表她要求取得英格兰的王位。1559年亨利卒，法兰西斯即法国王位，玛

美国不列颠百科全书公司供图

丽成为法国王后。1560年12月法兰西斯夭亡，玛丽18岁即成为寡妇。1561年8月返回苏格兰后，遇到种种困难问题。首先伊丽莎白对玛丽怀有敌意，拒不承认玛丽为她的继承人。其次，玛丽是天主教徒，当时苏格兰人已经改宗基督教新教，因此把她看作信奉异教的外国女王。另外，最难对付的是苏格兰贵族，他们只关心自己的采邑，并不支持国君。玛丽在位初期，得到她的异母兄弟莫里伯爵詹姆斯的大力支持。1565年7月，玛丽同达恩利伯爵结婚。这是一次灾难性的抉择。她的婚姻使所有对苏格兰王位感兴趣的人大为不快。伊丽莎白反对玛丽同都铎王室的后裔结婚，詹姆斯则由于嫉妒而立即反叛。达恩利虽然仪表堂堂，但是生性狠毒，1566年3月当着玛丽的面残酷杀害她的秘书和心腹D.里奇奥。这使玛丽确信丈夫已经企图结果她的生命无疑。他们的儿子詹姆斯于同年6月降生，也未能使夫妇重归于好。1566年10月玛丽身患重病，达恩利也在爱丁堡郊外的柯克欧菲尔德行宫养疴。1567年2月9日夜，达恩利的住室被炸，他企图逃跑，但被人抓获，活活扼死。事件的真相迄今不明，很有可能是达恩利阴谋炸死玛丽而自食其果。但最合理的解释显然是下手的人是痛恨达恩利的贵族。3个月后，玛丽被博思韦尔伯爵诱奸，遂以身相许。但是，苏格兰贵族并不同意这样的苟合。1567年6月15日，他们让玛丽和博思韦尔永远分手。博思韦尔被流放和监禁，1578年死于狱中。玛丽被囚于洛赫利文小岛，并被废黜，立她的一岁儿子詹姆斯为苏格兰国王。翌年，玛丽一度获得自由，然而，由于支持她的军队在朗塞德战役中败北，她不得不再次出走。一时无奈，到英格兰伊丽莎白的宫中避居。伊丽莎白将玛丽囚禁18年。她在漫长的监狱生活中，以绣花、养狗、玩鸟自娱。她绞尽脑汁想摆脱囹圄，起初提出上诉，后来进行阴谋活动。那些企图推翻新教女王伊丽莎白的天主教徒们，自然而然地把希望寄托在她的身上。1586年暗杀伊丽莎白的阴谋败露。伊丽莎白认识到：只要玛丽在世，她的地位便会受到极大的威胁。英格兰法庭不顾玛丽是另一国家的君主，对她进行了审讯和判决。玛丽被处死时，年仅

44岁。

Mary 马雷 土库曼斯坦东南部一州。面积86 800平方千米。境内有穆尔加布河盆地。穆尔加布河没入该州北部的卡拉-库姆沙漠中。南部以白山(帕鲁帕米苏斯山脉)支脉与阿富汗接壤,为大陆性气候。经济以穆尔加布绿洲和卡拉-库姆运河一带灌溉区的农业(尤以棉花为主)、沙漠区的卡拉库尔绵羊饲养业以及迈斯科耶、沙特雷克两大天然气田(其规模在中央亚细亚乃至整个大陆居前列)为基础。城市有马雷(首府)、拜拉姆-阿里、约洛坦、基什卡。人口约859 500(1991)。

Mary 马雷 土库曼斯坦马雷州城市和首府。濒临穆尔加布河,位于卡拉-库姆运河与巴尔喀什-塔什干铁路交叉处。1884年建于前土库曼要塞遗址上,在梅尔夫城遗址以西30千米处,1937年改用今名。现为沙特雷克大型天然气田的中心,也是交通枢纽。还有发电站、塑料厂、各种食品加工厂及其他轻工业企业。人口约94 900(1991)。

Mary Magdalene, Saint 马利亚(抹大拉的),圣(活动时期1世纪,巴勒斯坦,纪念日7月22日) 耶稣最著名的门徒之一,因是第一位见到复活了的耶稣的人而著名。有关她生平的事实是耶稣从她身上赶走七鬼。这很可能是说耶稣为她治病,并非如一般所理解使她脱离罪的缠累。她与其他妇女陪同耶稣到加利利,协助耶稣活动。四部正典福音书都记载她目睹耶稣的受难和埋葬。复活节早上她到耶稣的坟墓,发现墓是空的。后来耶稣向她显示,指示她告诉众使徒他已升至天国。福音书叙她讲求实际。诺斯替教以及基督教兴盛以前和基督教早期哲学都认为,物质为恶,有悟性的人可凭信心得到救赎。这样,马利亚(抹大拉的)就成为传达上帝神秘启示的中介。根据东派教会传说,马利亚(抹大拉的)陪同传福音的圣约翰到以弗所,死后葬于该地。法国人妄传她劝化普罗旺斯(今法国东南部)居民信教,在阿尔卑斯山中穴居30年而终。中世纪传说她是传福音的圣约翰之妻。

Mary of Burgundy 玛丽(勃艮第的) 参阅 **Mary**(Burgundy)玛丽(勃艮第)项下的**Mary**玛丽。

Mary of Guise 玛丽(吉斯的) 参阅 **Mary of Lorraine** 玛丽(洛林的)。

Mary of Lorraine 玛丽(洛林的)(1515-11-22,法国洛林巴勒迪克～1560-06-11,爱丁堡) 又称吉斯的玛丽。苏格兰女王玛丽·斯图亚特之母,摄政。当时正值苏格兰宗教改革之初。她作为罗马天主教徒推行亲法政策,遂使她卷入与苏格兰新教贵族的内战。洛林的吉斯公爵克苏德的长女,1538年嫁给苏格兰国王詹姆斯五世,1542年生玛丽·斯图亚特,不久詹姆斯即去世。1554年任12岁女儿摄政。最初与各教派和解,在新教徒支持下于1558年安排女儿与法国王太子(未来的弗

美国国会图书馆供图

兰西斯二世)结婚。但在法国的压力下放弃宗教宽容政策,企图镇压新教,1559年引起珀思叛乱。10月21日新教贵族宣布将她罢黜。她逃到爱丁堡城堡。

Mary of Modena 玛丽(摩德纳的)(1658-10-05,摩德纳～1718-05-07,法国圣日耳曼昂莱) 英格兰国王詹姆斯二世第2个妻子。摩德纳公爵阿方索四世之女,为虔诚的天主教徒。她与詹姆斯的婚姻是通过法国外交渠道安排的,1673年11月她到达英格兰。虽然公众认为她是法国利益和教皇利益的代理人,但她对丈夫的政治思想影响似乎不大。她的第2个儿子比预产期提前一个月诞生,盛传并非她的孩子,而是为了能有一个天主教王位继承人而强加给国家的。此说虽不真实,但给奥兰治的威廉入侵英格兰提供了借口。1688年11月威廉入侵时,玛丽带着儿子逃往法国;不久,詹姆斯也接踵而至。

Mary of Orange 玛丽(奥兰治的)(1631-11-04～1660-12-24[新历1661-01-03],伦敦) 玛丽·亨里埃塔·斯图亚特的别名。英王查理一世之长女,荷兰执政奥兰治的威廉二世的妻子。1641年5月2日与奥兰治亲王结婚。1642年渡海前往荷兰。1674年丈夫继承父位成为执政。3年后死去,其子即后来的英格兰国王威廉三世,出生于他死后数日。荷兰人不喜欢她,1654～1657年她大部分时间在国外度过。1657年任摄政,辅佐儿子统治奥兰治公国。1660年9月前往英格兰,后死于天花。

Mary of Teck 玛丽(泰克的)(1867-05-26,伦敦肯辛顿宫～1953-03-24,伦敦) 英王乔治五世的王后,爱德华八世(后来为温莎公爵)和乔治六世的母亲。符腾堡王室的泰克亲王(1871后为公爵)的独生女,英王乔治三世的外曾孙女。1893年7月6日同威尔士亲王(后来为国王爱德华七世)的次子约克公爵乔治结婚。乔治于1901年成为威尔士亲王,1910年成为国王。玛丽的聪慧、良知和艺术鉴赏力使她适合于作一位国君的妻子。她关心在两次世界大战中服役军人的福利,因而得到英国各阶层人民的爱戴。

Mary of the Incarnation 玛丽(道成肉身的)(1566-02-26,法兰西巴黎～1618-04-18,蓬图瓦兹) 原称阿卡里夫人。奥秘神学家。她在宗教事务中的活动和影响对当时法兰西大多数重要教会人士都有所启发。尽管她愿当修女,但其双亲坚持把她嫁与维尔莫尔子爵。后在法兰西国王亨利四世和王后的赞助下,她率领加尔默罗会修女到巴黎,其后赤足加尔默罗会因此得以于1604年传入法兰西。玛丽曾参与改组法兰西本笃会各隐修院并扩充从事妇女教育事业的乌尔苏拉会。其夫死后,她于1615年在亚眠的加尔默罗女隐修院立誓为修女,取名道成肉身的玛丽。

Mary Queen of Scots 玛丽(苏格兰女王) 参阅 **Mary**(Scotland)玛丽(苏格兰)项下的 **Mary** 玛丽。

Mary Tudor 玛丽(都铎)(1495或1496-03～1533-06-24,英格兰萨福克韦斯特霍普) 英格兰公主,法国国王路易十二的第3个妻子,英王亨利八世的妹妹。1514年出于政治上的考虑,亨利八世将她许配给年老体弱、52岁的法王路易十二世,同年10月9日结婚。亨利答应她待路易死后,允许她嫁给所爱的人萨福克公爵查尔斯·布兰登。翌年1月路易死去,她在巴黎与萨福克公爵秘密结合。他们的一个女儿是1553年仅当了9天英格兰女王的格雷郡主的母亲。

Mary, Society of 马利亚会 参阅 **Marianist** 马利亚会修士; **Marist Father** 马利亚会会士。

Mary Gregory glass 玛丽·格雷戈里玻璃 19世纪末叶美国一种仿英国宝石玻璃的玻璃制品。M.格雷戈里是马萨诸塞州桑威奇玻璃公司的装饰部雇员。她用白色瓷釉在透

约1880年的玛丽·格雷戈里玻璃罐

美国不列颠百科全书公司供图

明玻璃或彩色玻璃上绘制图案以代替雕刻。自从19世纪80年代英国生产的真正宝石玻璃大量出口到美国以来,这种廉价的仿制品使市场上的真正宝石玻璃和仿制品都同归于尽。

Mary Immaculate, Oblates of(O.M.I.) **无原罪圣母奉献会** 天主教最大的传教修会之一。1816年由法国人马泽诺创立于法国普罗旺斯地区艾克斯,原名普罗旺斯传教会。马泽诺希望通过向乡村贫民传教重振受法国大革命破坏的教会。1826年该会获教皇利奥十二世批准,遂改今名。该会在各洲的修士受驻在罗马的最高监督指挥,目前在非洲、南

美、东方和北极地区传教。

Mary Kathleen 玛丽-凯瑟琳 澳大利亚昆士兰州西北部地区和前矿区居民点。1954年发现大铀矿。1958年炼铀厂投产。1962年与英国原子能委员会合同期满后停产。20世纪70年代恢复开采。1982年复又停止。次年城镇一切,包括所有建筑物,均公开拍卖。人口830(1981)。

Maryborough 马里伯勒 澳大利亚昆士兰州东南部城市。位于玛丽河口以上32千米处。始建于1843年。1861年设镇。1905年设市。现为附近混合性农业区的市场中心。生产船、重型机械、机车和家具。与最近的深水港口尤兰根通铁路。附近怀德湾和赫维有海滨游览地。人口约25 145(2001)。

Maryborough 马里伯勒 澳大利亚维多利亚州中部城市,位于比利牛斯公路上,有铁路通往东南的墨尔本。该市位于东部高地的北坡,最初是大牧羊场,叫做夏洛特平原,于1854年淘金热期间建镇。1857年设为城市区。马里伯勒是谷物及牲口市场,也是木材业与制造业中心。1961年设市。人口约7 163(2001)。

Maryborough(Ireland) **马里伯勒** 参阅 **Portlaoise** 莱伊什港。

Maryland 马里兰 美国最初13州之一,位于东海岸中部,跨越由缅因州至弗吉尼亚州的大工业-人口中心区。该州的面积较小——27 092平方千米中约有6%是水域,不包括切萨皮克湾——掩盖了其地形与生活方式的巨大差异:从低洼的和临海的东海岸与切萨皮克湾,经过喧哗的该州最大城市巴尔的摩,到达该州西侧森林密布的阿巴拉契亚山山麓和山脉。

据称,马里兰之名的由来是巴尔的摩勋爵卡尔弗特为感谢查理一世国王的妻子而命名,他于1632年获得该地作为避难所的特许状,他的信奉天主教的同胞借此可以逃避在英国受到的限制,在该地安身。从1694年以来即成为该州州府的宁静而迷人的安纳波利斯,以及建于1772年,目前仍在使用的美国最古老的、白色圆顶带有柱廊的州议会大厦,都可找到一种深刻的历史感。安纳波利斯由40个街段组成的殖民时期的老区,较之其他美国历史地区保留着更多的革命前的建筑。狭窄而弯曲的安纳波利斯街道、紧挨着砖砌人行道的房屋、州议会大厦四周优美的绿树覆盖的草地,以及港口船舶的林立桅杆,更多地反映出早期的美国,而不是与最新科技密切相关的一个州。

安纳波利斯市的马里兰州议会大厦,背景为美国海军学院、塞文河及切萨皮克湾

美国不列颠百科全书公司供图

在地理上,马里兰作为南方与北方之间的一个枢纽在美国历史上曾起过作用。该州北部与宾夕法尼亚州交界处是著名的梅森-狄克森线,该线是18世纪60年代为解决佩恩和卡尔弗特两大家族之间的争端而划定的,历来被认为是南方与北方的分界线。南边大部分边界隔波托马克河与弗吉尼亚州相望,该河在南北战争期间是一道象征性的屏障。波托马克河的北岸为哥伦比亚特区,这是1791年从马里兰州划出的一小块飞地作为美国的首都。在切萨皮克湾以东,东岸同北边的特拉华州和南边的弗吉尼亚州分别占有德尔马瓦半岛的一部分。在多山的西部通过一狭长地带与该州其他地区相连的马里兰州锅柄形地区与西弗吉尼亚州东部锅柄形地区相衔接。

自然地理和人文地理

土地 地形 大西洋沿岸平原约占马里兰州面积的一半,平原止于瀑布线边的皮得蒙高原,该线从哥伦比亚北端起,经巴尔的摩到达该州的东北角附近。西部的凯托克廷山岭线形成了进入阿巴拉契亚山脉的通道。

南部的沿岸平原为沙地,北部则为肥沃的壤质土。平原的水边是所谓的盐沼或湿地,由于同期性侵蚀沼地被填满或整个岛屿消失,使制图者感到恼火。例如,布莱基斯通岛目前只有它的1634年面积的1/10。切萨皮克湾的23个港湾支流使该州拥有5 150千米的海岸线,但这一长度经常发生变化。最重要的自然改状是一次海洋侵入,1933年在大洋城以南发生了一场席卷费尼克岛进入锡内普克森特湾的风暴。这个天然屏障沙礁的南部现在是一处名为阿萨蒂格岛的国家海岸和州立公园,水湾则成为大洋城捕鱼船队的泊地。

皮得蒙高原除了用作制砖的黏土带以外,其他地方都是适宜于农耕的良好土壤。从一开始,马里兰建筑的外表就一直使用该州黏土制成的浅橙色砖。西部和同瀑布线相平行的是低矮的帕尔山岭,在波托马克河与切萨皮克湾之间筑起一道屏障。

马里兰州境内的阿巴拉契亚山脉包括一系列森林覆盖的屏障,其中有许多人迹罕至的谷地。紧靠西弗吉尼亚州的白克本山海拔1 024米,是马里兰州的最高点。

马里兰州的地貌中最引人注目的特征是切萨皮克湾,湾畔有巴尔的摩港,海湾将东海岸和一度称为马里兰本土的陆地分开。在夏日周末,水面上的帆船和汽艇多达10万艘。但海湾也有不足之处。在夏末无数细小的叮人水母到来后,游泳者便离开了微咸混浊的海水,而跨越海湾的大桥上则经常塞满了来往海滨的夏季周末度假者。

为维护通向巴尔的摩以及切萨皮克-特拉华运河的航道,必须对其进行疏浚。海湾也必须保护使之不受市政、工业和农业排水的污染。湾区曾一度盛产牡蛎,但淤泥、污染物和有害微生物使河床上升,影响到各支流,使那里的产量也减少。产量最多的是蓝色大食用蟹,给餐桌上提供了美味的蟹汤、蟹饼、清蒸硬壳蟹、软壳蟹和蟹王。这个被巴尔的摩的哲人H.门肯称为"巨大的户外蛋白质工厂"的海湾,现在仍在为数百名渔民提供不稳定的生计。

气候 马里兰有两种气候。西部是大陆性气候,温度记录在-15.2 ℃至38 ℃以上。东部是受亚速尔群岛高气压影响的潮湿亚热带气候,夏季气温可达42 ℃,并接近100%的相对湿度。一般而言,雨量充足,可以使水库满溢并保证巴尔的摩和华盛顿地区有足够的饮用软水。风暴常从西部和南部侵入,而在夏末,飓风的边缘常常会使马里兰下滂沱大雨。

住区模式 马里兰州内的地方特征是由地形造成的。东部沿岸农民主要养鸡和种植玉米和大豆,并以工厂化形式生产大量嫩鸡。在海湾架桥之前,沿岸9县在商业上依附于威尔明顿和费城,现在则成为富人的休假和退隐地,他们喜爱这片平整、多树和奇石引人注意的住宅区的幽静,以及蜿蜒其间的小溪、狭长草地、窄道、隘路和海湾。

马里兰南部的5个县围绕着州政府、烟草种植区、军事设施,以及日益扩大的华盛顿居民区。乔治王子县几乎是一个大郊区,已成为马里兰人口最密集的县。

马里兰中部包括巴尔的摩市和5个县。其中4个县成为巴尔的摩的郊区,第5个是蒙哥马利县,位于华盛顿西北角。马里兰只有大约1/6人口住在都会区以外,而马里兰中部则是一个长形的连接成一片的都会区。

马里兰西部4个县得益于公路、铁路和运河的建设者。用驳船运载煤和谷物已于1924年终止。1971年建成 的切萨皮克—俄亥俄运河国家历史公园吸引了大批游客。城市居民可以通过州际和国家公路来到加雷特县，当地的山坡可以滑雪，在该州最大的人造水域迪普克里克湖可以进行各种水上运动。

人民 当地白人最早都来自英伦三岛，但18世纪讲德语的农民与工匠从宾夕法尼亚移居马里兰西部时，情况开始发生变化。19世纪40年代这一变化过程加快，当时爱尔兰发生土豆灾荒，大批德国人与德国犹太人来此地逃避征兵，以后俄国犹太人、波兰人、捷克人、意大利人、希腊人也来到巴尔的摩。19世纪时，巴尔的摩是一个主要的移民城市，此后移民才向周围农村地区扩散。种族的多样性是最重要的特征之一，它使马里兰与波托马克河下游的其他地区相区别。在美国南北战争结束后不久，大批南方人对遭到失败和荒芜的家园感到失望，纷纷拥入该州，使种族多样性又变得不太明显。

到大约1700年，马里兰地区的印第安人不是被杀就是被迫西迁。在他们居住数世纪的地方遗留下来的有：营地手工制品，目前仍时有发现；海湾畔的牡蛎壳堆；以及不懂印第安人语言的白人讹叫的地名，如切萨皮克、帕塔普斯科、波托马克、威科密科、帕图克森特、皮斯卡塔韦和萨斯奎漠纳。

马里兰的非洲奴隶曾在卡尔弗特早先的家族中做工。许多马里兰人的良知，特别是教友会会员为此感到不安；从1783年起，输入诱拐的非洲人要课以重税。1864年以前马里兰还没有正式宣布奴隶制为非法，但它在奴隶制临近结束前比其他州保护了更多的自由黑人的自由。南北战争之后，黑人发现马里兰比南部邦联各州更适合生存，南部邦联到1900年，仍经常剥夺黑人的终身权利。民主党在马里兰作出了同样的努力，并在1910年达到高潮，但被共和党人举行公民复决挫败。1934年，美国最高法院作出裁决，迫使马里兰大学法学院录取一名黑人学生；1970年马里兰人选派一位黑人众议员进驻国会。后者部分反映出巴尔的摩的人口变化，现在该地区半数以上是黑人。

首都华盛顿和巴尔的摩周围是人口最密集的地区。尽管两个城市间乡村地区正在缩小，但城市的外向发展并不平衡，因此没有形成一种共同的、连成一片的城市风光。

在华盛顿-巴尔的摩之间的乡村地区进行建设的设想是在霍华德县内规划一个全国注目的哥伦比亚市。虽然它在20世纪60年代中期才建立，但到80年代已是拥有7万人的居住地，未来目标将达到10万人左右。该市不是由一个民选政府而是由一个私人协会管理。该社区有停车场与商业区，还有大片绿地和其他供人休憩的场所。哥伦比亚距巴尔的摩稍近，但大多数居民在华盛顿或其附近地区工作。

巴尔的摩是该州最大城市，但居民继续迁往郊区。州内其他大城市的统计因许多自治市不愿合并而受到阻碍，因此，界线只得由人口统计员任意划定。人口5 296 486(2000)。

经济 服务业在整个经济中占主导地位，而只有一小部分人从事农业。该州对于私营企业的健康发展表现出越来越大的兴趣，特别是该州的经济与社区发展局。该机构鼓励外来企业在马里兰寻求发展，促进旅游业，并密切关注该州的经济状况。

工业与农业 主要工业是原生金属、电子与电力设备、运输设备、食品和同类产品，以及印刷与出版。多数大机构都是外州大公司的分公司，但工人的工资稍高于全国平均水平。电力由卡尔弗特山核电厂提供；相对而言，煤矿开采有所下降。马里兰有闻名全国的特产——螃蟹。该州的蟹捕获量一直超过其他州的产量。主要海水产品包括其他有壳水生动物，以及鲈、鲟和长须鲸。主要农产品有鸡、玉米、大豆和烟草。

运输 马里兰向来自北部的旅行者提供了3条进入巴尔的摩的公路干线，4条由南面进入华盛顿的公路。可以通过环路绕过巴尔的摩与华盛顿，或者完全避开它们改走东海岸路线。港口地下通道与斯科特基桥是两条可以穿过巴尔的摩港口的路线。

美国全国铁路客运公司提供开往巴尔的摩的客运服务，蒙哥马利县与乔治王子县的居民可以乘地铁去华盛顿上班。巴尔的摩在西北郊区奥因斯米尔斯至市中心之间也修建了地下铁道。除巴尔的摩-华盛顿国际机场外，该州各地有许多小型公共机场。在货运方面，巴尔的摩港有良好的设施，是全国最繁忙的港口之一。该港口由一个州机构进行管理，特别宜于运送大宗货物、集装箱和外国制造的汽车。

行政与社会状况 **政府** 虽然规定每20年要举行全州投票，以决定是否召开宪法会议，但多次打算废止1867年宪法(因其中有许多不必要的细节、过时的内容以及对当代问题的忽略)的尝试均遭失败。该宪法曾被修改200多次。

马里兰州政府的形式同美国大多数州的情况相同。州长任期4年，只能连任一届。1969～1972年州政府重组，共有12个部门，下设几百个单独的办事处、局和委员会。

州议会议员任期4年，可以连选连任。20世纪60年代的重组结束了乡村控制立法机构的局面，将权力移交给巴尔的摩和华盛顿附近的各县。州议会包括参议院，有47位议员，以及众议院，有14位议员。

由7名法官组成的上诉法院是州最高司法机构，下辖中级特别上诉法院、巡回法院、地区法院及其他法院。法官由州长任命，期满后如要连任必须依靠其业绩竞选(仅在巴尔的摩，巡回法院法官必须面对任何有意参选的对手进行竞选)。上诉法院法官任期10年，巡回法官任期15年。

为了避免成立政府机构后须支付较大费用，马里兰的许多人口最密集的地区仍为非官方实体，它们提供的服务以全县为基础。宪法修正案允许有些县按照特许状实行地方自治。一个特许自治县由一位县长与县议会治理，两者任期均为4年；县议会被授权制订所有地方法律。11个以农业为主的县仍由通过选举产生的县委员会治理。巴尔的摩市为一独立的管辖范围，由一位选举产生的市长、市议会和一个评价局治理，后者的大多数成员是委派的。

在20世纪，虽然南方一些地方出现过的恫吓、人头税及其他弊端在选举中已经消失，但马里兰许多地方的选举仍一直用机器控制。该地区大多数选民一直登记为民主党人，而民主党通常总是赢得选举，但也不是没有例外。如民主党内部分裂，被提名者的政纲被认为太极端，或者是共和党总统候选人扶持了本地候选人。一位共和党提名者可以期望在西部各县、南部的一两块飞地、东海岸以及马里兰的几个富裕郊区赢得选票。巴尔的摩按其政党首领的传统，是民主党的大本营，而受过高等教育和有觉悟的少数民族选民均为可信赖的民主党支持者。黑人选民长期以来一直坚定地支持共和党，在20世纪30年代的新政时期改变了立场。

与过去数十年的情况一样，州议会仍然以民主党人为多数。因此，民主党的初选比大选更为重要。当全国的平衡轴线是北方-南方时，许多次总统提名大会在巴尔的摩举行，但自1912年以来，这种大会在该地一次也没有举行过。1969年，马里兰人选出了他们第一位犹太人州长，1970年选出了他们的第一位黑人国会议员，1984年选出了他们的第一位美国女参议员。他们都是民主党人。

虽然该州收入大多来自所得税、联邦资助、零售销售税和彩票，州政府还承担了不属于地方政府范围内的责任。州政府支付全部专职法官的薪水；州长任命巴尔的摩警察局长；一个州委员会批准所有公立学校的建设；州与市政府共同管理巴尔的摩的飞机场。州政府每年资助巴尔的摩的主要交响乐团、艺术馆、公共图书馆和保留剧目。在许多情况下，每当人口与工业外迁，旧建筑物被拆除，财产税评估与收入下降时，市政当局都会主动将责任推给州政府。

教育 马里兰公共教育的管理机构是州教育局、高等教育局以及巴尔的摩和县的地方教育董事会。所有职位都是任命的，只有10个县的地方教育董事会成员经选举产生。州政府对县公立学校系统的监督与支持始于1870年，但全州各县统一的12年教育制直到1951年才开始实施。州政府支持当地的各个系统，特别是在公共图书馆、职业培训和康复治疗以及联邦资助的利用等方面。

巴尔的摩与其他地区设有一些两年制社区学院。该州主要高等学府为马里兰大学，校本部在科利奇帕克，分校设在巴尔的摩、卡顿斯维尔和安妮公主镇。该大学的前身为1807年创建的马里兰医学院与建于1856年的马里兰农学院。马里兰大学的几所研究生院与本科生院于1920年合并，按入学人数计算该校已成为美国最大的大学之一。

马里兰州有几所私立高等学府。其中最著名的是霍普金斯大学(建于1876年)，有几所分校、一所世界闻名的医学院和皮博迪学院(音乐学校)；安纳波利斯的美国海军学院(1845年)；安纳波利斯的圣约翰学院(1784)，以侧重研读西方世界的名著而闻名；陶森的哥切尔学院(1885)；以及巴尔的摩的艺术学院，马里兰学院(1826)。

保健与福利 保健和心理卫生局除了监督县一级的保健服务外，还为酗酒、吸毒、心理障碍、精神病以及其他痛苦提供住院治疗和护理。该局还积极从事预防医学,例如针对吸毒开设相关的教育课程。该州设在巴尔的摩的大学医院外伤急救中心可利用直升飞机在一小时内将州内任何地方的严重受伤者运到医院进行抢救。

环保部是该州防止或减少污染的中心。它负责监控该州的饮水和污水、空气质量和固体废弃物。人力资源部负责管理该州的福利活动。最大开支是对有未成年儿童家庭的直接帮助,其次是一般性公共补助与对所领养孩子的照管。

文化生活 美国各地都有的一些现象在马里兰也同样存在,如制度的一致性、对地方和地区特征尊重的减弱、搬家频繁,以及涂写污染、烟雾、文盲、未婚少年父母、酒后驾驶和街头犯罪等问题。环境包括严重衰败状态,特别是在一些住宅区;街道和公路令人眩目的商品广告;城市废弃地内的倒塌房屋未能修复;以及贫民区(有些是乡村贫民区)的生活状况愈来愈恶化。

同时,当然有很大比例的马里兰人是长期居民(有些人已在此生活了好几代),他们保留着不少独特的兴趣与活动。反映拥有土地的英国绅士们和早期马里兰上层人物生活的活动有骑马、带着猎狗追捕狐狸、参加全国越野赛马大赛与马里兰狩猎杯比赛、饲养切萨皮克湾寻猎物狗、以及骑马持矛掷向横杆下悬圆环比武。马里兰州人的户外活动多种多样。该州普及的活动包括在海湾驾驶帆船和捕蟹、用曳绳钓枪鱼、在海岸沼泽中打野鸭和野鹅、玩长曲棍球(源自印第安人的一种运动)、在卡尔弗特悬崖搜寻沙鱼齿化石、山区洞穴探险以及在一天内徒步走完横贯马里兰的阿巴拉契亚小道(长 61 千米)。

帆船和跑车比赛吸引着参加者和观看者。劳雷尔与皮姆利科的赛马(特别是在 5 月举行的普里克尼斯马赛)、巴尔的摩的棒球队黄鹂队和华盛顿的冰球运动与篮球队(基地均在乔治王子县)吸引了许多外州人来到马里兰。餐馆有各色各样的风味菜肴,但马里兰人的传统佳肴集中在水龟肉汤、蒸螃蟹、填塞牡蛎、鱼饼、蟹饼和软烤小圆饼,经常佐以马里兰黑麦威士忌酒和啤酒。位于切萨皮克湾各岛屿的一些小船工社区几乎处在一个不同的世界里,因为与世界隔绝,他们一直保留着独特的生活态度与方式。

马里兰人当中曾经对艺术与学术传统作出重大贡献的有评论家 H.L.门肯、黑人废奴主义政治家 F.道格拉斯、反对奴隶制的活动家 H.塔布曼、慈善家 G.皮博迪、J.霍普金斯、E.普拉特和 H.沃尔特斯;在 20 世纪,有小说家 A.泰勒和 J.巴思,电影制片人 B.莱文森和 J.沃特斯。

巴尔的摩是该州多数艺术活动的中心,巴尔的摩交响乐团与几个专业剧场的所在地,包括莫里斯·A.艺人剧场、中心剧场、规划剧场和郊区许多的餐馆剧场。除了巴尔的摩艺术博物馆、沃尔特艺术陈列馆、马里兰历史学会、城市生活博物馆、国家水族馆、美国"星座"号驱逐舰、马里兰科学院、B&D 铁路博物馆、巴尔的摩有轨电车博物馆和巴尔的摩工业陈列馆(均在巴尔的摩市)以外,各地还有各种陈列馆和展览中心以及定期集市和节日。其中最著名的是马里兰州博览会。该博览会每年夏末在巴尔的摩以北提穆尼姆的马里兰州博览会场举行。终年都有旅游者前来游览巴尔的摩的内港。内港主要是在 20 世纪 80 年代发展起来的,岸边有一连串新潮用品的商店、新的旅店、演出场所、行进中的游艇、停泊的船只以及餐馆和酒吧。

历史

该地区最早的居民现在认为是大约公元前 1 万年时的游牧猎人,当时冰原开始最终消退。这个远古时期凹槽刃具文化的遗迹(只留下一些零星的武器)仍有待考证。后来,许多东部古代人与以后的林地印第安人开始耕作,并以海鱼为食。到公元 1000 年,永久性村庄开始出现。在欧洲人早期定居时期,当地部落在语言与政治上属于阿尔冈昆人,但他们受到北方的易洛魁人的压迫。英国人在战争中答应支持的诺言使早期殖民时期的关系大大和缓。

殖民地 Z.卡尔弗特是巴尔的摩勋爵的弟弟,他于 1634 年 3 月派遣一支开拓探险队在波托马克河下游的圣克莱门特(今布莱基斯通)岛登陆。第一个定居点和首府是圣玛丽市。马里兰的移居者意识到弗吉尼亚首批移民所犯的错误,所以他们不忙于寻找黄金,而是先同当地印第安人友好相处并建起农场与贸易站,切萨皮克湾南部的岸边和岛上是最早开拓的地方。在田地耕作的包括作工以取得通行权的契约工,大约在 1639 年以后又有了来自非洲的奴隶。最重要的作物是烟草。几乎没有道路和村镇,英国式花园宅第大多建在水边。

卡尔弗特家族规定的宗教自由,由州议会于 1649 年在一项有关宗教的法令中正式颁布,这就是后来闻名的《宗教信仰自由法》。该法规定了敬神的自由,虽然仅限定在基督教三位一体论信徒的范围内。同信奉英国国教的弗吉尼亚的商务纠纷以及同宾夕法尼亚与特拉华的贵格会教徒的边界争端都没有影响这种自由主义的观点。清教徒在英国得势(1648 ~ 1660)只引起短时期的骚动,在马里兰受王室统治期间(1692 ~ 1715),英国国教会正式建立。马里兰仍然是其他殖民地逃避教派严规的不同信仰者的避难所。

由于人口中心向北部与西部移动,首府便移往安纳波利斯,1729 年巴尔的摩建立。马里兰有势力的"乡村党"早期反对英国人企图让各殖民地负担更多的政府费用。弗雷德里克县于 1765 年废除《印花税法》,在发生波士顿茶党案之后的一年,即 1774 年,一艘装有茶叶的船只在安纳波利斯的码头被焚毁。

马里兰人积极加入美国独立战争。大陆会议为躲避英国军队,经常转移,在巴尔的摩度过了一个冬天。在战争结束时,大陆会议在安纳波利斯召开,会议接受了华盛顿辞去军职,并批准了《巴黎条约》(1783),该条约承认各殖民地的独立。

战后的许多问题包括处理被没收的亲英分子的财产、解决纸币问题与救助债务人。1785 年的协定导致马里兰与弗吉尼亚在使用波托马克河与切萨皮克湾南段问题上发生争执,并将问题提交宪法大会;同样的情况是 1786 年的安纳波利斯会议,马里兰的代表没有出席这次会议。在 1787 年的费城会议上,马丁作为马里兰的代表一举成名。1788 年 4 月 28 日,马里兰批准了宪法,它是批准该法的第 7 个州。该州还割让出土地并为公共建筑拨款,以帮助建成哥伦比亚特区(1791)。

马里兰州 当公海上的骚扰和其他因素导致 1812 年战争时,作为武装民船的巴尔的摩快速帆船,曾严惩了英国商船船长。1814 年,曾经在华盛顿焚毁了主要政府建筑物的英国军队企图同样惩罚巴尔的摩,但被击退。乔治城的一位律师弗朗西斯·斯科特·基是英军徒劳地炮轰巴尔的摩麦克亨利要塞的目击者,写了一首 4 段 8 行的诗歌,该篇诗歌配以现在的音乐,成为美国国歌《星条旗之歌》。

随着和平的到来,马里兰和全国都致力于改善运输与通讯。第一条通过阿巴拉契亚山区的国道于 1818 年完工,接着又建成了美国第一条客运铁路(巴尔的摩至俄亥俄),以及两条运河,一条是切萨皮克-俄亥俄运河,自华盛顿至坎伯兰,另一条是经过德尔马瓦半岛顶端的切萨皮克-特拉华运河。美国第一条城市间的电报线路建于华盛顿与巴尔的摩之间。1845 年,美国海军学院在安纳波利斯的塞文河畔建立。

然而,南北战争阻碍了马里兰的发展。东岸拥有土地的绅士们和居民支持脱离联邦派,而工人与马里兰西部的居民则站在联邦一边;第 3 派赞成中立。联邦军队占领了巴尔的摩与安纳波利斯,并对这个边境州实施军事管制。南方邦联军队在连续几个夏季中进行 3 次大规模入侵,他们在安蒂特姆受阻,在宾夕法尼亚的葛底斯堡被彻底击败;对华盛顿的威胁于 1864 年消除。1864 年宪法废除了奴隶制并解除了乡村统治集团的权力。更为谨慎的 1867 年宪法至今仍然有效。

1865 年之后 南北战争之后马里兰开始走向繁荣。该州首先成为来往于南部和中西部的原料与消费品的一个重要集散地,并成为工业发展中心,很少受州内部的制约。曾使巴尔的摩有"暴民城市"之称的过火行为后来逐渐平息下来。20 世纪中期以前的许多年代中,马里兰人一直投民主党候选人的票。由于该州紧靠联邦政府所在地,马里兰的特点逐渐开始发生变化。在第一次和第二次世界大战期间及以后的年代中,联邦政府的军事设施和民用设施大多位于该州,大部分是著名的机构,凯托克廷山中称为"戴维营"的地方成为美国总统周末的休憩地。但最重要的是华盛顿周围属于马里兰郊区的剧变,那里不仅人口大幅度增加,而且居民受教育的水平很高,经济实力也很强。

1790 年美国首次进行人口普查,结果表明当时的人口中心在马里兰。这个中心很早以前就已转移到美国西部。但是马里兰仍是全国 50 个州中居中的一州,就像任何其他州声称的那样,尽管该州的面积不大。

Marylebone Cricket Club 玛丽勒本板球俱乐部 原是管理板球运动的组织,1787年成立于伦敦,不久成为英格兰的主要板球俱乐部,继而成为世界板球比赛规则的权威组织。

总部设在伦敦贵族板球场。在英国，板球理事会是当今最后的裁决机构。

Marysville 玛丽斯维尔 美国加利福尼亚州中部偏北城市，尤巴县县城(1850)，在费瑟和尤巴两河汇合处，萨克拉门托北80千米。原为商站，在淘金热中得以发展。1875年筑堤围城免受洪水泛滥之灾。后成为综合性农业区的贸易中心。第二次世界大战后开始有工业。经济主要依靠农业和旅游业。1927年设立社区学院。城内建有公司。市东24千米为比尔空军基地(1942)。1851年设市。人口约12 268(2000)。

Maryūţ(Egypt) **迈尔尤特** 参阅 **ʿĀmirīyah, al-** *阿米里亚*。

Maryville 玛丽维尔 美国密苏里州西北部城市，诺德韦县县城(1845)，位于圣约瑟夫以北。1845年建立。以当地出生的第一个女孩玛丽·格雷厄姆的名字命名。1856年第一次设市后被取消。1869年再次设市。经济以农业为基础，主要生产玉米、小麦，还有畜牧业。设有西北密苏里州立大学(1905)。人口约10 581(2000)。

Maryville 玛丽维尔 美国田纳西州东部城市，布朗特县县城(1795)。北距诺克斯维尔26千米，为大雾山国家公园的门户。1790年创建，1837年所获设市特许状于1879年失效，1907年重设建制。1910年小田纳西河及其支流上始建首批水电站，促进了炼铝业的发展。现经济以制铝工业和汽车配件生产为主，亦有旅游业等服务业。市西南有国家森林和历史公园。设有玛丽维尔学院(1819)。市东北有S.休斯敦(德克萨斯共和国总统)1812年教学的木屋。人口约23 120(2000)。

Marzia, Maria Anna (singer) **马尔齐亚** 参阅 **Alboni, Marietta** *阿尔波尼*。

marzipan 杏仁软糖 用碎杏仁或杏仁酱、糖和蛋白制成的软糖。柔软的杏仁软糖用于多种糕饼和糖果的馅。质地较硬的则往往用模具压成各种小型的水果、蔬菜和水生动物形状，并相应地调色。有德式和法式两种制作方法：德式将杏仁和糖混和粗磨后加热干燥，冷却后再加葡萄糖和糖霜。法式先将糖兑水煮沸，然后加入杏仁，使质地更为细腻、精致，色泽洁白。

Marzūq 迈尔祖格 又拼Murzuk。利比亚西南部绿洲。古时是到乍得湖和尼日尔河的商队集中的地方。是阿拉伯人奴隶和武器贸易的中心。又曾是撒哈拉探险者的基地，称作"沙漠中的巴黎"。后随商队运输业停止而衰落。现保存许多遗迹，其中有古老的土耳其堡垒和意大利堡垒。该地仍为当地商业中心，由妇女出售货物的市场经营蔬菜、畜产品和手工艺品。人口约40 500(1990)。

Masaccio 马萨乔(1401-12-21，米兰公爵领地阿尔图拉圣乔瓦尼堡～1428秋，罗马)原名西莫内·圭迪。文艺复兴初期最重要的佛罗伦萨画家。将人文主义引入艺术，在自己的作品里以人和现世为中心，从生活中汲取形象，摆脱了中世纪神权艺术的禁锢。一些重要的绘画技术，诸如首次运用中心光源和革新的透视法，都归功于他。马萨乔出身贫穷，5岁丧父，后只身来到佛罗伦萨(1417)。幼年所受的艺术训练无从了解。他长期与M.达帕尼卡莱亲密合作，最初的绘画技法取自佛罗伦萨建筑家勃鲁内莱斯基和雕刻家多那太罗。现藏乌菲齐美术馆的《圣母子和圣安娜》(约1424)，明确的轮廓和造型很有雕刻感，人物姿势具有罗马式的庄严神圣感。这幅画第一次运用了单一光源，使画面具有真实、自然的氛围。1426年，他为比萨市圣马利亚·德尔·卡迈纳教堂礼拜堂绘制的大型祭坛画，在18世纪遭到破坏和拆散，现尚存11块残片，分藏各国博物馆及私人处。1424～1428年在佛罗伦萨圣马利亚·德尔·卡迈纳教

马萨乔绘《圣三位一体》(约1427)
美国不列颠百科全书公司供图

堂的布朗卡奇礼拜堂绘制的大型壁画《逐出乐园》、《纳税钱》，包括与人合作的其他一些画，是他最杰出的代表作品，那些雄浑有力的人物形象是对人类天性的赞美，正如在另一幅《圣三位一体》(约1427)创造性地采用线形透视法一样，表现出文艺复兴时代人物充满自信的进取精神。虽然他只活了27年，但他的影响却难以估量。瓦萨里说：达·芬奇、安吉利科、F.利比、米开朗琪罗、拉斐尔和其他许多人都到布朗卡奇礼拜堂来研究他的壁画，从中"学习完美的绘画技巧和规律"。从他开始，意大利文艺复兴绘画出现了全面的繁荣。

Masada 梅察达 希伯来语作Ḫorvot Meẓada(梅察达遗址)。以色列东南部古堡。邻近死海西南岸，建于呈船形山山颠，高出死海海面434米。公元70年耶路撒冷陷落、圣殿被毁后，该堡是犹太人在巴勒斯坦的最后一处抵抗据点。堡内守军及妇孺不足1 000人，对抗围攻的罗马第十弗雷滕西斯军团15 000人坚守两年之久。最后于公元73年4月15日失陷。城堡内军民宁死不愿为奴，大部自尽，

梅察达的罗马–犹太遗迹
美国不列颠百科全书公司供图

只有7名藏在水道中的妇孺得以幸存。2世纪犹太人曾短期收复梅察达，5～6世纪为拜占廷教堂所在地。此后除十字军东征时期一段短暂间隔外，该堡一直被废弃至20世纪。1955～1956年以色列考古学家曾对遗址作过全面考察。1963～1965年对整个山顶进行发掘，结果与罗马–犹太历史学家约瑟夫斯的史料叙述完全吻合，殿堂、库藏、防御工事、罗马军营和围城工事一应俱全。所发现的犹太教会堂和洗礼池是巴勒斯坦地区最古老的遗址。在发现物品中有一堆刻有希伯来文人名的陶片，可能是最后的守卫者决心自尽时，以掷骰子确定谁应先死。20世纪时该堡被誉为犹太民族英雄主义的象征，现为旅游胜地。

Masaddiq, Mohammad (Iranian political leader) 参阅 **Mosaddeq, Mohammad** *摩萨台*。

Masai 马赛人 又拼Maasai，东非游牧民族。"马赛"原为语言学术语，指操尼罗–撒哈拉语系沙里–尼罗语支的东苏丹语(有时称为马语)的人们，包括沿坦桑尼亚和肯尼亚的东非大裂谷一带营游牧生活的马赛人、肯尼亚的桑布鲁人、坦桑尼亚半游牧的阿鲁沙人和巴拉古尤人(奎菲人)。以畜牧为生的马赛人是完全的游牧民族，终年成群结伙地流动

肯尼亚东非大裂谷的马赛人战士
美国不列颠百科全书公司供图

放牧，几乎全部依靠自家牲畜的肉、血和奶为生。他们的村庄是泥土堆砌成的房屋，排列成圆环，圆环之外再用带刺灌木围成一个很大的圆形篱笆；每个村庄可容纳4至8个家

庭及其牲畜。在较年老的马赛人中,一夫多妻现象较为普遍;同一年龄组的男人之间可以借妻,娶亲要用牲畜做聘礼。马赛人有许多由两个等级或半偶族所组成的父系氏族。社会结合的基本制度是年龄组。按照这种制度,相同年龄的集团在相同时期接受割礼进入成人生活;由此形成的年龄组是个永久不变的集团,贯穿其成员的终生。成员须通过等级制度晋升,每一级约持续15年;等级有:初级武士、高级武士、初级长老和高级长老(高级长老享有为部落事务作出决定的权力)。马赛人的社会极其平等,从未出现过奴隶占有现象。青年男人在大约14～30岁时,传统上称作"磨难人"(morans)。在这一生活阶段,他们孤独地住在丛林里,学习部落的风俗并锻炼体力、勇气和耐力——马赛武士以这些特征闻名于全世界。礼仪大事由典礼专家主持,他虽然没有政治权力,却是人民的宗教领袖。目前肯尼亚和坦桑尼亚政府正在鼓励马赛人定居务农,放弃磨难主义生活方式,接受正规教育和在更大的程度上同化。

Masai Amboseli Game Reserve(Kenya) **马赛安博塞利禁猎区** 参阅 **Amboseli National Park 安博塞利国家公园**。

Masaka 马萨卡 乌干达南部城镇。在首都坎帕拉西南约130千米,海拔1 310米。与姆比里济、利安通德和姆巴拉拉通公路。为周围富庶的咖啡产区的商业中心。工业品有经过加工的肉和鱼、饮料、鞋靴、家具、玻璃和陶器。人口约49 070(1991)。

Masamune Hakuchō 正宗白鸟(1879-03-03,日本冈山县备前～1962-10-28,东京) 原名正宗忠夫。日本作家、评论家,为日本自然主义文学巨匠之一。和这一派的其他人不同,他对人类社会似乎有一种基本上是非感伤的和怀疑的看法,从而使他的作品有一种显然是超然的调子。早年受基督教影响,1896年到东京,入东京专门学校(早稻田大学的前身),次年受洗礼。1903年,开始为《读卖新闻》写文学、艺术、文化方面的评论文章。他以有特色的评论出名后,又因长篇小说《到何处去》(1908)和《泥娃娃》(1911),成为引人注目的小说家。小说中所描写的人们生活在灰暗世界里,没有任何抱负和希望。《牛棚的气味》(1916)和《死者与生者》(1916)也大致如此。白鸟还以一部分时间致力于戏剧创作,其中最出名的也许是《人生的幸福》(1924)。他似乎最擅长于写评论。1932年,他在这方面有影响的作品之一《文坛人物评论》出版。其他优秀的评论作品则有《思想与无思想》(1938)和《文坛儿女传》(1938)。

Masan 马山 韩国东南部庆尚南道城市。在釜山西35千米的马山湾,有铁路、公路相通。1899以后,马山发展成为一个开放的港口,但1908年被关闭。1967年又重新开放。金海平原和南川流域的农产品及海产品在此销售。马山既为集市中心,亦为周围地区的服务中心。主要工业原为海产加工和酿酒。热电厂建成后开办了机器制造、化工和纺织工厂,为全道最大工商业城市之一。该港设有自由出口区。人口约496 639(1990)。

Masaniello 马萨尼埃洛(1620-06,那不勒斯[意大利]～1647-07-16,那不勒斯) 原名T.阿尼埃洛。意大利那不勒斯的反抗西班牙统治和贵族压迫的平民起义领袖。原为渔民。1647年当地贵族为向西班牙纳贡而横征暴敛,他领导群众起义。后被贵族所收买的刺客暗杀。

Masaoka Shiki 正冈子规(1867-10-14,日本松山～1902-09-19,东京) 原名正冈常规。日本诗人,随笔作家,评论家,他使日本的传统诗歌即俳句和短歌得以复兴。出生于武士家庭,1883年赴东京学习,1885年开始写诗。他在东京帝国大学学习之后(1890～1892),到一家出版社工作。中日甲午战争期间他在日军中担任记者,这时他在1889年染上的结核病恶化,而从那时起,他几乎不断在病中。尽管如此,他在文学界仍保持突出的地位,他定期地发表诗作以及他对诗歌和美学的看法。早在1892年正冈便开始感到需要一种新的文学精神使人民摆脱几百年来限定题材和词汇的古老规则。1900年,在《日本新闻》上发表一篇题名《叙事文》的随笔,介绍"写生"一词,借以阐述他的论点。他认为诗人应该如实地反映事物,并且应该使用当代的语言。他通过自己的文章促使人们对8世纪的和歌集《万叶集》和俳句诗人芜村重新发生兴趣。正冈在自己的诗作以及诸如《病床六尺》(1902)之类的散文中常常写到自己的病,但是他的作品显然是超脱的,几乎完全没有自怜的情绪。

Masaryk, Jan(Garrigue) 马萨里克(1886-09-14,奥匈帝国波希米亚布拉格[今在捷克共和国]～1948-03-10,布拉格) 捷克斯洛伐克政治家和外交家。托马斯·马萨里克之子。第一次世界大战期间在匈牙利军队中服役。1919年捷克斯洛伐克独立后进入外交部。1921年任外交部长贝奈斯的秘书。1925～1938年任驻英国大使。第二次世界大战期间任在伦敦的捷克斯洛伐克流亡政府的外交部长。他通过广播对国内人民发表许多讲话,1944年把这些讲话辑为《对祖国讲话》一书出版。1945年回国担任外交部长,曾陪同贝奈斯访问莫斯科,参加过在旧金山举行的联合国成立大会。他确信应与苏联保持友好关系,但对苏联不准捷克斯洛伐克接受马歇尔计划援助深感失望。1948年2月共产党执政后,留任外交部长,但几个星期后跳楼自杀或传被推出楼窗处遭杀害。

Masaryk, Tomáš(Garrigue) 马萨里克(1850-03-07,奥地利帝国摩拉维亚戈丁附近[今捷克共和国霍多宁]～1937-09-14,捷克拉尼) 哲学家,捷克斯洛伐克的主要缔造者和第一任总统。第一次世界大战期间,由于促使捷克和斯洛伐克获得独立而赢得国际声誉。1865年在布尔诺进入德国中学,后入维也纳大学,1876年获博士学位。1879年任哲学讲师。1882年任捷克布拉格大学哲学教授。他是新康德主义者,但也深受英国清教徒的道德和胡斯朴素学说的影响,青年时代就背叛了天主教会。早期著作论述捷克的基督教改革运动和19世纪初期捷克的复兴,旨

美国不列颠百科全书公司供图

在提醒捷克人认识捷克传统之宗教意义。他批判匈牙利君权的封建性质和斯洛伐克政治家的泛斯拉夫倾向,因而得到斯洛伐克青年进步分子的拥护,这些人在1918～1919年捷克和斯洛伐克联盟中起了决定性作用。在1891和1900年他曾两次当选为奥地利国会议员。并成为国会中斯洛伐克反对党的著名人物。他攻击奥匈帝国与德国的联盟及其在巴尔干的帝国主义政策。他在一本论马克思主义的著作(1898)中,论述了资本主义和社会主义的内在矛盾。在《俄国与欧洲》(1913)中,对俄国宗教的、智力方面的和社会的危机作了批判性评述。1915年初,第一次世界大战爆发后,赴西欧,被承认为处于秘密状态的捷克解放运动的代表,对奥匈帝国和德国进行了有力的斗争。在英法友人的帮助下,他与协约国领导人取得联系,并提出捷克解放运动的目标:①在民主的基础上恢复波希米亚独立;②实现捷克-斯洛伐克统一;③按照种族原则将奥匈帝国分开成两国;④在德国与俄国之间建立若干新国家作为反对德国帝国主义之警戒地带。1917年沙皇政权被推翻后,他在俄国组建捷克军团。1918年在美国与威尔逊总统、国务卿R.兰辛商谈捷克斯洛伐克独立之条件。1918年6月3日,捷克斯洛伐克被承认为协约国之一。同年11月14日,他被选为捷克斯洛伐克总统,于1920、1927及1934年连任三届。他于1935年年底辞职。1933年纳粹在德国当权后,他对中欧之命运首先表示忧虑。他是国家的真正"解放者",经常忙于处理捷克与斯洛伐克两方冲突引起的危机。

Masaya 马萨亚 尼加拉瓜西南部城市。位于尼加拉瓜湖与马那瓜湖之间裂谷中的马萨亚小湖之东。是富饶农业腹地的工商业中心。有许多印第安人,以其手工艺品和节日集会闻名。生产绳索、吊床等。有公路和铁路通首都马那瓜和格拉纳达市。1978～1979年,桑地诺民族解放阵线游击队与政府军曾在此激战,市中心大部被毁。人口约74 946

(1985)。

Masbate 马斯巴特 菲律宾中部的岛屿和城镇。该岛在吕宋岛南端西南48千米处，呈V字形(南部为阿西德海湾)。面积3 269平方千米。内陆为地势起伏的丘陵，草地占全岛面积2/3。经济以农业为主，主要生产玉米、稻米和块根作物。有畜牧场和国营饲养站。渔业集中在西南部巴卢附近。北部阿罗罗伊附近的金矿开采已有数百年历史，20世纪60年代开采有所下降，但至今储藏仍很丰富。东南部有铜矿。马斯巴特镇位于岛的东北岸，为贸易中心，建有飞机场。有椰干、玉米、鱼和牲畜贸易。其他重要城镇有卡塔英岸、普莱瑟、米拉格罗斯等。人口：岛435 269(1980)；大都市区58 714(1990)。

Mascagni, Pietro 马斯卡尼(1863-12-07，意大利王国里窝那～1945-08-02，意大利罗马) 意大利歌剧作曲家，真实主义风格的主要代表人物之一。曾在米兰音乐学院学习，

中国大百科全书出版社供图

但因不能忍受老师A.篷基耶利的清规戒律，离校而参加巡回歌剧团。1889年其独幕歌剧《乡村骑士》在一次比赛中获一等奖。1890年《乡村骑士》在罗马演出，一炮打响，其后久演不衰，通常与R.莱翁卡瓦洛的独幕剧《丑角》一起演出。《假面人》的音乐更为优秀，但未获成功。1929年继A.托斯卡尼尼担任米兰拉斯卡拉歌剧院音乐总监。其他歌剧有《好友弗里兹》(1891)、《伊里斯》(1898)和《尼禄》(1935)，最后一剧是为墨索里尼唱赞歌的。

Mascara 穆阿斯凯尔 1981年后作Mouaskar。阿尔及利亚西北部城镇。位于地中海海岸以南约60千米处，在阿特拉斯山脉贝尼舒格兰山南坡上。1701年建城镇时为土耳其军队驻地。1841年被法国人统治。现为行政和商业中心。东北部的城镇主体由法国人修建，西北部为穆斯林城区。皮货、粮食、橄榄油贸易额很大。出产名酒，酿酒为主要行业。人口：城市区约80 797(1998)。

Mascarene Islands 马斯克林群岛 为留尼汪、毛里求斯和罗德里格斯岛的总称。三岛沿塞舌尔-毛里求斯海底高原一线排列，位于距马达加斯加南部东北岸外640～800千米的西印度洋。岛屿都是火成岛。群岛名称源出16世纪葡萄牙探险者佩德罗·德·马斯卡伦哈斯。群岛现构成两个独立的国家留尼汪和毛里求斯(罗德里格斯岛是毛里求斯的一部分)，且都面临极大的人口压力。人口约1 851 700(1998)。

Mascarene Plateau (Indian Ocean) **马斯卡林海底高原** 参阅 **Seychelles - Mauritius Plateau 塞舌尔-毛里求斯海底高原**。

Mascon 质量瘤 月面重力超常的区域。该词是mass concentration的缩写词。1966～1967年的环月探测器根据反常起伏而发现质量瘤。当探测器飞经月面某些区域时，因重力的加强而使飞行器下沉并加速。在随后的阿波罗探月飞行中，按照重力变化的不规则性精确指导了载人登月的着陆。质量瘤现象揭示月球曾有过复杂的热史和层化史。1994年的探测器“克莱芒蒂娜”和1998～1999年的“月球勘探者”都绘制了详细的月面重力图和质量瘤分布图。月面大型的质量瘤区域与致密岩浆陨击坑地貌重合，例如雨海、澄海、危海和酒海。

masculine rhyme 阳韵 诗歌中指单音节押韵或重读末音节押韵(如claims和flames，或rare和despair)。E.狄更生在《剧痛过后有了拘谨的感觉》一诗的最末一诗节中使用了阳韵，获得极好效果：

This is the Hour of Lead—
Remembered, if outlived,
As Freezing persons recollect the Snow—
First —Chill—then Stupor —then the
letting go—

Masdevallia 马斯德瓦尔兰属 兰科的一属。约300种，多为附生植物，原产于热带美洲。茎短，叶直立或稍伸展。花形奇特，颜色

一种马斯德瓦兰属(*Masdevallia*)花卉
美国不列颠百科全书公司供图

鲜艳，萼片基部连合，其中一或几枚上部延伸成尾状。

Masefield, John 梅斯菲尔德(1878-06-01，英国赫里福德郡莱德伯里～1967-05-12，伯克郡阿宾登附近) 英国诗人。以咏海洋的诗篇《盐水谣》(1902，包括《海洋热》和《货物》)和长篇叙事诗《永恒的宽恕》(1911)闻名。从沃里克的国王学校毕业后，在驶往合恩角的大帆船上当见习水手。归来后，放弃海上生活，在美国过了几年贫困的生活。其自传《在工厂里》(1941)描述了他在美国一家地毯厂做工的情况。回英国后，一度为《曼彻斯特卫报》记者，后定居伦敦。1930年继R.布里吉斯成为桂冠诗人，诗风趋于稳重。长篇叙事诗还有《道伯》(1913)和《列那狐》(1919)。历险小说有《沙德·哈克》(1924)、《奥德塔》

美国不列颠百科全书公司供图

(1926)和《巴西利萨》(1940)。他还写随笔和儿童读物。其他著作有诗剧《南的悲剧》(1909)和《庞培大帝的悲剧》(1910)，及自传《很久才知道》(1952)。1935年荣获功绩勋章。

maser 微波激射器 主要产生与放大频谱中微波波段的电磁辐射装置，基本作用原理相同于激光器，两者具有许多共同特性。第一台微波激射器由美国物理学家C.H.汤斯及其同事于1953年制成。maser为microwave(或molecular) amplification by stimulated emission of radiation的首字母缩略词。

微波激射振荡器需要受激的原子或分子源和存储这些辐射的谐振腔。为使激射的放大压倒吸收，激发作用必须迫使更多的原子或分子从较低能态跃迁到较高能态。对于数毫米或更长的波长，谐振腔可选用金属盒，其大小恰使其振荡模式之一与原子发射频率相符，即该盒仅于特定频率下共振，很像特殊频率的声波引起定音鼓的共鸣。谐振腔的损耗可减至很小，使辐射存储足够长的时间，以激励后续受激原子的发射；于是所有原子均被迫发射以致于加强了存储波。让一部分辐射经由谐振腔的小孔逸出即得到输出。

第一台微波激射器采用氨分子束，后者沿着由金属杆构成的圆筒形笼(带正电荷与带负电荷的金属杆交替排列)的轴线通过。金属杆形成的不均匀电场可将受激分子由未受激分子中拣选出来，集中通过小孔进入谐振腔。其输出功率虽小于1微瓦，但波长(主要决定于氨分子)非常恒定且可重现，故可用来控制钟(数百年内快慢不超过1秒)。这种微波激射器也可作微波放大器用。微波激射放大器较使用真空管或晶体管放大器噪声小得多，即它们加进放大信号中的杂音极小，因此极微弱的信号也可利用。氨微波激射器仅能放大极窄频带且不能调谐，故已大半被固体红宝石微波激射器等取代。

固体行波微波激射器 无线电波可用数种固体微波激射器在很宽的频带内放大，其中最常用的是晶体(如低温下的红宝石)微波激射器。适用的材料含有离子，其能态可借磁场改变，以调谐该物质而放大所需的频率，如果这些离子具有适当间隔的三个或更多的能态，则它们可因吸收适当频率的无线电波而跃迁至较高能态。具放大作用的晶体可用

于谐振腔中(类似在氨微波激射器中),将波存储起来,使它有更多时间与放大介质相互作用。使用行波微波激射器可获得较大的放大带宽与易调谐性。在这些激射器中,将合适的晶体杆(如红宝石)安装于波导结构里,使波以相当缓慢的速度通过晶体。

固体微波激射器已在雷达与通信中用来放大由卫星等遥远目标传回的微弱信号。在这些用途上,它们的灵敏度特别重要,因为来自太空的信号通常极微弱。此外,当定向天线指向天空时,背景噪声的干扰很小,故可获得最高的灵敏度。在射电天文学中,利用微波激射器可测量金星发射出的微弱无线电波,首次获得它的温度指示。

气体微波激射器 除氨外,已有数种气体能借辐射的激励发射,产生无线电波。氰化氢分子已用来产生波长为3.34毫米的电波。氰化氢微波激射器像氨微波激射器一样,也利用电场来选择受激分子。

1960年美国科学家N.F.拉姆齐、H.M.戈登堡和D.克莱普纳采用的氢原子微波激射器,为频率或时间的最佳基本标准之一。这种微波激射器输出无线电波的频率为1 420 405 751 786赫兹(周/秒),可复制,精确度达$1/30\times10^{12}$。用氢原子微波激射器控制的钟,在10万年内快慢不超过1秒。在氢微波激射器中,氢原子在放电中产生,形成一原子束(如同氨微波激射器中的分子),其中处于受激态者被选入谐振腔。为了提高精确度,各原子的共振均须经相当长期的测试,即用含有贮存泡的极大谐振腔测试。泡壁覆有涂膜,使原子可重复自壁弹回而对频率没有什么影响。

频率或时间的另一种微波激射标准,是将低压下的铷元素蒸气纳于透明室。当铷灯光线经适当过滤后照射铷时,铷原子会受激发射频率为6 835兆赫(6.835×10^9赫兹)的波。若该室封入带有抽运光孔的谐振腔,则这些受激原子会发射出无线电波。

Maseru 马塞卢 莱索托首都和唯一的城市中心。在卡利登河左岸,靠近与南非共和国奥兰治自由邦省交界处。1869年由巴索托(索托)族酋长姆什韦什韦一世建立。有铁路与南非铁路网相连,通过铁路进行贸易,输出农产品并输送劳工。有公路和航空线通本国其他地区,还有航空线通约翰内斯堡。莱索托国民议会和最高法院设此,另有莱索托电台、一所非洲高等学校、技术学校和莱索托农业学院(1955建立)。城东南的罗马设有莱索托国立大学(1975建立)。人口:城镇160 100(1996);马塞卢-罗马-莫里亚都会区约373 000(1999)。

Masham, Abigail, Baroness Masham of Otes **马沙姆(男爵夫人)**(?～1734-12-06) 母家姓Hill(希尔)。英格兰安妮女王的宠臣。商人之女。早年进宫服侍安妮女王,获得女王的欢心。安妮女王亲自主持她与女王丈夫的内侍S.马沙姆(后来封马沙姆男爵称号)秘密结婚。后掌管王室私库。不久她与支持她的牛津伯爵发生矛盾,两人曾在女王面前争吵,结果女王免去牛津伯爵的财政大臣职务。安妮女王死后,她退出宫廷生活。

Masham (of Swinton), Samuel Cunliffe Lister, 1st Baron 马尚男爵(第一)(1815-01-01,英国约克郡布雷德福附近卡尔弗利霍尔～1906-02-02,约克郡斯温登帕克) 即S.C.利斯特。英国发明家,发明羊毛精梳机和废丝精梳机。1838年他在曼宁哈姆建立毛精纺厂,曾研究能将长毛和短毛分开的梳毛机,使长、短毛用到不同的纺织品中,最后通过改造别人发明的一种陈旧低效的机器而成功地研制出这种梳毛机。对发展澳大利亚养羊业做出巨大贡献。他在世界各地曾同时拥有9座梳毛厂。1855年他对利用废丝发生兴趣。通过10年努力和大量投资,研制出废丝精梳机,其产品可与好蚕茧制品媲美,且能以比成本高出许多倍的价格出售。他还发明了编织绒毛织物的丝绒织机。1891年被封为男爵。

Mashhad (Iran) 参阅 **Meshed** 麦什德。

Mashonaland 马绍纳兰 津巴布韦东北部传统地区,北邻赞比亚,东北和东与莫桑比克接壤。为绍纳人(**Shona**)的传统故乡,绍纳人为操班图语的自给自足农民,还养些牛。马绍纳兰主要包括津巴布韦中部草原东北部地区,这是大片海拔900～1 200米的高原,北有赞比西河流过。该地区河流为赞比西河支流,赞比西河上人造的卡里巴湖的北部位于马绍纳兰西部。该地区主要是热带草原。19世纪90年代,英国南非公司把今津巴布韦的地区分成两省,东面为马绍纳兰,西面为马塔贝莱兰(恩德贝勒人居住的地区)。马绍纳兰在1923年后为自治的南罗得西亚的一部分,1980年成为独立的津巴布韦的一部分。

Mashrafah, Al- (Syria) **马什腊法赫** 参阅 **Katna** 卡特那。

Mashriq 马什里克 从埃及西部边界至伊朗西部边界的广大地区。范围包括今埃及、苏丹、沙特阿拉伯、也门、阿曼、科威特、阿拉伯联合酋长国、以色列、约旦、黎巴嫩、叙利亚和伊拉克。面积约700万平方千米。主要分为两个自然地理区:以阿拉伯半岛广大高原为主的荒漠地区(贝都因人居住区),这一地区的夏季平均气温超过48.9℃;长期被称为"文明摇篮"的新月形沃土带,从尼罗河流域呈弧形穿过以色列、约旦和叙利亚进入伊拉克。新月形东端是底格里斯河和幼发拉底河流域,西端是尼罗河流域。

mashriq al-adhkār 玛师列克·阿尔德赫尔 阿拉伯语,意为"黎明时赞颂真主名字的地方",为巴哈教派教堂或礼拜堂。其特点是建筑物为九边形,因为巴哈教派以九为神秘之数。在玛师列克内不举行宗教仪式,也没有神职人员,它对具有任何宗教信仰的人开放,聚会时仅朗诵巴哈及其他教派的经典。巴哈教徒认为,在一切较大居住点都应设置这种教堂,包括设置医院、孤儿院、药房及学校等,作为该地区的社会活动中心。

伊利诺伊州威尔梅特村的巴哈教派教堂
美国不列颠百科全书公司供图

Mashtots (monk) 参阅 **Mesrob, Saint** 梅斯罗布,圣。

Masina (Africa) 参阅 **Macina** 马西纳。

Masina, Giulietta 马西娜(1921-02-22,意大利博洛尼亚附近圣乔治-迪皮亚诺～1994-03-23,罗马) 意大利电影演员,意大利导演F.费里尼之妻。在费里尼的一些成功作品中,马西娜擅长塑造天真无知的角色并成为影片中的感情焦点。十几岁时就开始参加学生剧团演出。1938年入罗马大学,但仍将大部分时间用于戏剧和广播。1939年首演T.怀尔德的《快乐的旅行者》。1943年在费里尼创作的广播连续剧《希克和帕利娜》中扮演帕利娜。1943年10月30日与费里尼结婚。马西娜在影片《毫不留情》(1948)中扮演一个妓女,获意大利银丝带最佳女配角奖。1952年在费里尼导演的《白酋长》中扮演一位心地善良的妓女,展示出她的哑剧天赋及天真、妩媚的特质。《大路》(1954)一片使费里尼和马西娜蜚声国际影坛。她在影片中以富于表现力的表情和肢体动作传递出丰富的情感,许多评论家将她与C.卓别麟相媲美。在《卡比利亚之夜》(1957)中她扮演的单纯乐观的妓女使她获得戛纳电影节最佳女主角奖。